ACCESO GRATIS a la Lectura en la Nube

Para visualizar el libro electrónico en la nube de lectura envíe junto a su nombre y apellidos una fotografía del código de barras situado en la contraportada del libro y otra del ticket de compra a la dirección:

ebooktirant@tirant.com

En un máximo de 72 horas laborales le enviaremos el código de acceso con sus instrucciones.

LA RESPONSABILIDAD
DE LOS ADMINISTRADORES
DE LAS SOCIEDADES MERCANTILES

6ª Edición

LA RESPONSABILIDAD DE LOS ADMINISTRADORES DE LAS SOCIEDADES MERCANTILES

6ª Edición

DIRECCIÓN:

ÁNGEL ROJO

Catedrático de Derecho mercantil. Universidad Autónoma de Madrid

EMILIO BELTRÁN

Catedrático de Derecho mercantil. Universidad CEU San Pablo

COORDINACIÓN:

ANA BELÉN CAMPUZANO

Catedrática de Derecho mercantil. Universidad CEU San Pablo

AUTORES:

MARTA BARTLE
Abogada

EMILIO BELTRÁN
Catedrático de Derecho mercantil
Universidad CEU San Pablo

GAUDENCIO ESTEBAN VELASCO
Catedrático de Derecho mercantil
Universidad Complutense de Madrid

JOSÉ MARÍA FERNÁNDEZ SEIJO
Magistrado
Audiencia Provincial de Barcelona

JOSÉ ANTONIO GARCÍA-CRUCES
Catedrático de Derecho mercantil
UNED

MARÍA GUTIÉRREZ RODRÍGUEZ
Profesora Dra. Derecho penal
Universidad Complutense de Madrid

JAVIER JUSTE
Catedrático de Derecho mercantil
Universidad de Castilla-La Mancha

RAFAEL LARA
Catedrático de Derecho mercantil
Universidad Pública de Navarra

JOSÉ MACHADO PLAZAS
Catedrático Habilitado de Derecho mercantil
Universitat Oberta de Catalunya

FERNANDO MARTÍNEZ SANZ
Catedrático de Derecho mercantil
Universitat Jaume I de Castellón

JESÚS R. MERCADER
Catedrático de Derecho del trabajo y de la seguridad social
Universidad Carlos III

JOSÉ ORIOL LLEBOT MAJÓ
Catedrático de Derecho mercantil
Universidad de Girona

ANTONIO RONCERO
Catedrático de Derecho mercantil
Universidad de Castilla-La Mancha

BORJA SUÁREZ CORUJO
Profesor Titular de Derecho del trabajo y de la seguridad social
Universidad Autónoma de Madrid

MARTA VILLAR EZCURRA
Catedrática de Derecho financiero y tributario
Universidad CEU San Pablo

ANEXOS

Mª ANGELES CUSCÓ
Profesora de Derecho mercantil

tirant lo blanch

Valencia, 2016

© ÁNGEL ROJO
EMILIO BELTRÁN
ANA BELÉN CAMPUZANO y otros

© TIRANT LO BLANCH
EDITA: TIRANT LO BLANCH
C/ Artes Gráficas, 14 - 46010 - Valencia
TELFS.: 96/361 00 48 - 50
FAX: 96/369 41 51
Email:tlb@tirant.com
www.tirant.com
Librería virtual: www.tirant.es
DEPÓSITO LEGAL: V-1562-2016
ISBN: 978-84-9119-973-1
MAQUETA: Innovatext

Si tiene alguna queja o sugerencia, envíenos un mail a: *atencioncliente@tirant.com*. En caso de no ser atendida su sugerencia, por favor, lea en *www.tirant.net/index.php/empresa/politicas-de-empresa* nuestro Procedimiento de quejas.

Índice

Capítulo 4
LA LEGITIMACIÓN DE LA MINORÍA Y DE LOS ACREEDORES
PARA EL EJERCICIO DE LA ACCIÓN SOCIAL

Capítulo 5
LA ACCIÓN INDIVIDUAL DE RESPONSABILIDAD

Capítulo 6
LA RESPONSABILIDAD DE LOS ADMINISTRADORES
POR OBLIGACIONES SOCIALES

Capítulo 7
LA RESPONSABILIDAD CONCURSAL

Capítulo 8
LA RESPONSABILIDAD PENAL DE LOS ADMINISTRADORES
DE SOCIEDADES MERCANTILES

Capítulo 9
LA RESPONSABILIDAD DE LOS ADMINISTRADORES SOCIALES EN EL ÁMBITO CONTABLE

Capítulo 10
LA RESPONSABILIDAD LABORAL Y DE SEGURIDAD SOCIAL DE LOS ADMINISTRADORES SOCIALES

Capítulo 11
LA RESPONSABILIDAD TRIBUTARIA

Capítulo 12
EL SEGURO DE RESPONSABILIDAD CIVIL
DE LOS ADMINISTRADORES DE SOCIEDADES DE CAPITAL

Capítulo 13
LA PRESCRIPCIÓN DE LAS ACCIONES DE RESPONSABILIDAD

ANEXOS

Abreviaturas

AC	Actualidad Civil
ADC	Anuario de Derecho Civil
ADCo	Anuario de Derecho Concursal
ADPCP	Anuario de Derecho Penal y Ciencias Penales
AJA	Actualidad Jurídica Aranzadi
ALC	Anteproyecto de Ley Concursal
ArC	Aranzadi Civil
ArF	Aranzadi Fiscal, Boletín mensual
BEEc	Boletín de Estudios Económicos
BORME	Boletín Oficial del Registro Mercantil
CC	Código Civil
CCJC	Cuaderno Civitas de Jurisprudencia Civil
C de C	Código de Comercio
CDC	Cuadernos de Derecho y Comercio
CE	Constitución Española
CEE	Comunidad Económica Europea
CP	Código Penal
CPC	Cuadernos de Política Criminal
CJT	Cuadernos de Jurisprudencia Tributaria
CT	Crónica Tributaria
DJ	Documentación Jurídica
EJB	Enciclopedia Jurídica Básica Civitas
ET	Estatuto de los Trabajadores
GF	Gaceta Fiscal
HPE	Hacienda Pública Española

JT Ar	Jurisprudencia Tributaria Aranzadi
LA	Ley de Arbitraje
LABE	Ley de Autonomía del Banco de España
LC	Ley Concursal
LCD	Ley de Competencia Desleal
LCoop	Ley de Cooperativas
LCS	Ley de Contrato de Seguro
LDC	Ley Defensa de la Competencia
LDIEC	Ley de Disciplina e Intervención de las Entidades de Crédito
LEC	Ley de Enjuiciamiento Civil
LGDCU	Ley General para de los Consumidores y Usuarios
LGR	Ley General de Recaudación
LGSS	Ley General de Seguridad Social
LGT	Ley General Tributaria
LIP	Ley del Impuesto sobre el Patrimonio
LIRPF	Ley del Impuesto sobre la Renta de las Personas Físicas
LIS	Ley del Impuesto de Sociedades
LISOS	Ley de Infracciones y Sanciones en el Orden Social
LITP y AJD	Ley del Impuesto sobre Transmisiones Patrimoniales y Actos Jurídicos Documentados
LJS	Ley reguladora de la Jurisdicción Social
LL	Revista «La Ley»
LMV	Ley del Mercado de Valores
LME	Ley de Modificaciones Estructurales de las Sociedades Mercantiles
LOPJ	Ley Orgánica del Poder Judicial
LOSSP	Ley de Ordenación y Supervisión de los Seguros Privados
LPL	Ley de Procedimiento Laboral
LPRL	Ley de Prevención de Riesgos Laborales

LRJPAC	Ley de Régimen Jurídico de las Administraciones Publicas y Procedimiento Administrativo Común
LSA	Ley de Sociedades Anónimas
LSC	Ley de Sociedades de Capital
LSGR	Ley de Sociedades de Garantía Recíproca
LSRL	Ley de Sociedades de Responsabilidad Limitada
PANCP	Propuesta de Anteproyecto de Nuevo Código Penal
QF	Quincena Fiscal
RCT	Revista de Contabilidad y Tributación
RDCP	Revista de Derecho Concursal y Paraconcursal
RD	Real Decreto
RDBB	Revista de Derecho Bancario y Bursátil
RDGRN	Resolución de la Dirección General de los Registros y del Notariado
RDL	Real Decreto Legislativo
RDM	Revista de Derecho Mercantil
RDP	Revista de Derecho Privado
RDPat	Revista de Derecho Patrimonial
RdS	Revista de Derecho de Sociedades
RDSP	Revista de Derecho de Seguros Privados
REDA	Revista Española de Derecho Administrativo
REDF	Revista Española de Derecho del Trabajo
RES	Revista Española de Seguros
RGD	Revista General del Derecho
RGR	Reglamento General de Recaudación
RJN	Revista Jurídica del Notario
RRCCS	Revista de Responsabilidad Civil, Circulación y Seguro
RRM	Reglamento de Registro Mercantil
RTEAC	Resolución del Tribunal Económico Administrativo Central
RTT	Revista Técnica Tributaria

SAN	Sentencia de la Audiencia Nacional
SAP	Sentencia de la Audiencia Provincial
STC	Sentencia del Tribunal Constitucional
STS	Sentencia del Tribunal Supremo
STSJ	Sentencia del Tribunal Superior de Justicia
TEAC	Tribunal Económico Administrativo Central
TL	Tributos Locales
TRLIRNR	Texto Refundido de la Ley del Impuesto de la Renta de los no Residentes
TRLIRPF	Texto Refundido de la Ley del Impuesto de la Renta de las Personas Físicas
TRLIS	Texto Refundido de la Ley del Impuesto de Sociedades
v	Véase

Capítulo 1

LOS DEBERES Y LA RESPONSABILIDAD DE LOS ADMINISTRADORES

JOSEP ORIOL LLEBOT MAJÓ

Catedrático de Derecho mercantil
Universidad de Girona

I. PLANTEAMIENTO

La comprensión de la finalidad de la materia que estudiaremos hace
aconsejable que nos interroguemos desde el inicio ¿para qué sirve concentrar la atención sobre los deberes de los administradores?: La respuesta
que ofrecemos ahora en el plano de la política jurídica es que sirve para
mejorar el funcionamiento del sistema de responsabilidad de quienes
profesionalmente se ocupan de la gestión de la riqueza nacional y consecuentemente para incrementar la seguridad y, en último término, la con-

fianza en la actividad empresarial. En los términos del análisis jurídico la respuesta es necesariamente distinta y consiste en poner de manifiesto que concentrar la atención sobre los deberes de los administradores sirve para determinar cuáles son las prestaciones debidas por el cargo que ocupan, de modo que si éstas se incumplen y de ese incumplimiento resultan daños jurídicamente imputables a los administradores, entonces éstos resultarán responsables y deberán arrastrar con las consecuencias.

La exposición que a continuación llevaremos a cabo de los distintos elementos que es necesario contemplar para dibujar la disciplina de los deberes de los administradores se inicia con una explicación del fundamento, significado y contenido de la posición fiduciaria de los administradores de las sociedades mercantiles (v. *infra* II), pues ésta nos permitirá introducir los deberes que la integran para a continuación proceder al análisis detenido de los elementos que los configuran. En primer lugar nos detendremos en el análisis de la función, el fundamento, el significado y el contenido del deber general de diligencia (v. *infra* III 1), y después realizaremos esto mismo con respecto al deber de lealtad (v. *infra* III 2), prestando especial atención a la delimitación de los grupos de casos y a su régimen jurídico. Para finalizar haremos una referencia general a los deberes específicos de los administradores (v. *infra* IV), y expondremos, brevemente, el objeto y contenido de las distintas acciones derivadas de la infracción de los deberes fiduciarios (v. *infra* V).

II. LA POSICIÓN FIDUCIARIA
DE LOS ADMINISTRADORES

La comprensión de la posición fiduciaria de los administradores exige tener presentes los elementos que caracterizan la relación jurídica que vincula a los administradores y a la sociedad en la que ocupan el cargo. La relación jurídica de administración de la que son parte la sociedad y cada administrador es una relación especial y autónoma de naturaleza contractual que se perfecciona con la aceptación del nombramiento por el interesado y cuyo contenido ésta integrado por las disposiciones legales de cada tipo societario aplicables a los administradores, por las cláusulas estatutarias igualmente referidas a éstos y por los pactos que las partes establezcan de mutuo acuerdo. Esta relación surge plagada de potenciales conflictos de intereses entre los administradores y el conjunto de socios como consecuencia de la separación entre la función de asunción del riesgo empresarial, asumida por los socios, y la función de administración de la empresa social, desarrollada por las personas titulares del cargo de administrador y comprensiva tanto de la gestión interna como de la representación de la sociedad. Estas divergencias de intereses entre socios y administradores comportan costes más o menos importantes en función de las características estructurales de cada sociedad pero son los socios quienes deciden nombrar la persona que ocupa el cargo de administrador, de modo que esos costes queden compensados por los beneficios derivados de contar con una persona con mayores conocimientos, experiencia y capacidad para gestionar la empresa social.

En cualquier caso, el contrato que contiene la relación de administración es un contrato incompleto dado que a las partes no les compensa establecer una regulación exhaustiva de sus respectivos derechos y deberes, aun conociendo desde el origen la existencia de potenciales conflictos de intereses, pues llegado un punto los benéficos de una regulación más detallada resultan inferiores a los costes de anticipar, negociar y prever exhaustivamente la regulación de todos los casos posibles. Los riesgos que suponen los potenciales conflictos de intereses y el carácter incompleto del contrato que fija la relación de administración entre administradores y sociedad explica y justifica tanto el significado como el contenido de la posición fiduciaria que éstos ocupan en las sociedades mercantiles. La posición fiduciaria de los administradores de las sociedades se define por el deber de fidelidad que éstos están obligados a cumplir frente a la sociedad en el desempeño del cargo y cuyo significado reside en anteponer siempre el interés social al interés particular de modo que ante cualquier situación de conflicto entre ambos el administrador está obligado a no sobreponer sus intereses particulares a los intereses de la sociedad.

El deber de fidelidad integra el contrato de administración y actúa, expresando la voluntad hipotética de los socios, como cláusula general de resolución de todos los potenciales conflictos de intereses, evitando así los costes que comporta establecer una regulación exhaustiva. La Ley de Sociedades de Capital implícitamente se refiere al deber de fidelidad de los administradores de las sociedades de capital al disponer en el artículo 227.1 *in fine* que los administradores desempeñarán el cargo en el mejor interés de la sociedad. En cambio, el régimen jurídico de los demás tipos societarios mercantiles no contiene un precepto análogo al artículo 227.1 de la Ley de Sociedades de Capital, pero ello no es obstáculo para fundar la posición fiduciaria de los administradores con idéntico significado y contenido en el principio general de la buena fe previsto en los artículos 7 I y 1258 del Código Civil, dado que el significado y el contenido de éste principio se condensa en el ámbito de la relación de administración en el deber de fidelidad de los administradores.

El mandato del deber de fidelidad expresado en los términos del artículo 227.1 nos obliga a precisar el significado de la cláusula del interés social, pues en éste artículo se identifica de forma pleonástica y poco precisa con el interés de la sociedad, dejando así sin contenido normativo a la norma. La doctrina relativa a las diversas formas de entender el interés social puede sintetizarse en dos posiciones: una que identifica el interés social con el interés común de los socios y otra que lo identifica con el interés de la empresa social que aglutina los intereses de los diversos grupos que participan en ella. Este no es lugar para exponer los fundamentos de cada una de las dos posiciones mencionadas y de sus respectivos matices pero sí parece oportuno señalar las consecuencias que comporta acoger una u otra concepción con respecto a la determinación del cumplimiento de los deberes impuestos a los administradores y en caso contrario la responsabilidad en que incurren. La comprensión del interés social como interés común de los socios proporciona una directriz clara para enjuiciar la conducta de los administradores, mientras que la alternativa consistente en entenderlo como el interés de la empresa social, dada la pluralidad de intereses que comprende, permite justificar cualquier decisión de los administradores, incluso las adoptadas en su propio interés. Estas consecuencias manifiestamente contrarias a la política jurídica que inspira el precepto analizado, que en esta materia se centra en dotar de mayor seguridad a la posición de los socios, los incentivos que produce y la función que cumple la cláusula del interés social, aconsejan decantarse por la posición que equipara el interés social al interés común de los socios.

El deber de fidelidad define la posición fiduciaria de los administradores de las sociedades mercantiles e integra el contrato de administración, pero el contenido de ésta posición no se agota con este deber como cláusula general de resolución de todos los potenciales conflictos de intereses. La diversidad tipológica de los conflictos de intereses que pueden producirse entre socios y administradores explica y justifica que el contenido de la relación de administración y de la posición fiduciaria que esa fija no se agote con el deber de fidelidad. El contenido del contrato de administración y de la posición fiduciaria de los administradores también la integran los deberes fiduciarios generales tipificados en los artículos 225 y 227 de la Ley de Sociedades de Capital, bajo los modelos de conducta del «ordenado empresario» y del «fiel representante» y comprensivos, respectivamente, del deber general de diligencia y del deber de lealtad.

III. LOS DEBERES FIDUCIARIOS

La tipificación del deber general de diligencia y del deber de lealtad en los artículos 225 y 227 de la Ley de Sociedades de Capital expresa la voluntad hipotética de los socios consistente en que los administradores desempeñen su cargo esforzándose en la consecución del interés social y absteniéndose de obtener ventajas propias a costa del sacrificio de la sociedad y evita los costes inherentes a una regulación exhaustiva de la diversa tipología de conflictos de intereses. El deber general de diligencia y el deber de lealtad constituyen los deberes fiduciarios generales de los administradores porque partiendo del denominador común del deber de fidelidad expresan la diversidad tipológica de los potenciales conflictos de intereses entre socios y administradores y porque, dados los elevados costes de establecer una regulación más detallada, prescriben de forma genérica la prestación que los administradores deben cumplir en el desempeño del cargo que han aceptado.

La indeterminación del contenido de la prestación impuesta por los deberes fiduciarios generales permite que éstos también actúen como cláusulas generales de resolución de los diversos tipos de conflictos de intereses comprendidos en el respectivo modelo de conducta que imponen cada uno de ellos, dando entrada a todas aquellas situaciones de conflictos de intereses que aunque no contempladas expresamente constituyen supuestos concretos de infracción de estos deberes fiduciarios generales. El deber general de diligencia y el deber de lealtad integran el contenido del contrato de administración y por esto debemos afirmar tanto la naturaleza contractual de ambos como que su cumplimiento sólo se debe y es exigible por la propia sociedad. Esto último es claro si se tiene presente que únicamente son partes de la relación de administración la sociedad y los administradores y que sólo éstas son titulares de las respectivas posiciones activas y pasivas previstas en la misma.

1. *El deber general de diligencia*

El deber general de diligencia es uno de los deberes fiduciarios generales tipificado en el artículo 225.1 de la Ley de Sociedades de Capital bajo el modelo de conducta del «ordenado empresario» y que integra el contrato de administración concluido entre los administradores y la sociedad. Estamos, por tanto, ante un deber que los administradores están obligados a satisfacer únicamente frente a la sociedad (STS 23.02.2004) y cuya característica reside en que no exige de los administradores el cumplimiento de una específica conducta sino que desempeñen su cargo cumpliendo con el modelo de conducta que lo define. La razón de esta indeterminación de la conducta debida en virtud del deber general de diligencia se encuentra en la propia naturaleza de las actividades de gestión y representación de la empresa social que los administradores deben desplegar. Establecer *ex ante* todas las conductas que exige el desarrollo de esa actividad no sólo resulta impracticable, pues no es dudoso que resulte prácticamente imposible prever todas las conductas exigibles, sino también improcedente, pues llegado un punto de concreción los beneficios de una regulación más detallada no compensan los costes de llevarla a cabo.

El deber general de diligencia constituye pues la cláusula general residual con valor normativo propio para enjuiciar todas aquellas conductas de los administradores que ponen de manifiesto el tipo de conflictos de intereses que persigue evitar su imposición. La tipología de conflictos de intereses a que con seguridad se refiere el modelo de conducta del «ordenado empresario» son los relativos a la cantidad de tiempo y esfuerzo y al nivel de pericia que los administradores prestan a la sociedad. La imposición del deber general de diligencia y la correlativa responsabilidad por los daños y perjuicios causados al patrimonio social como consecuencia de su infracción cumplen, asimismo, una función disuasoria de la conducta de los administradores, consistente en evitar o reducir la producción de ese tipo de conflictos de intereses comprendidos en el modelo de conducta que lo define. La función del deber general de diligencia reside, por tanto, en incentivar que los administradores presten atención y se esfuercen al desarrollar las competencias de gestión y administración de la sociedad, esto es, que hagan un buen trabajo, y esta función la satisface por el efecto disuasorio que comporta la infracción de dicho deber y que se materializa en la obligación de indemnizar los daños que sus actos u omisiones constitutivos de una infracción del deber general de diligencia causen al patrimonio de la social (art. 236.1 LSC).

En la determinación del contenido del deber general de diligencia resulta imprescindible atender a su estructura jurídica pues al detenernos en cada uno de los elementos que la configuran se facilita la compresión de su función. El deber general de diligencia contenido en el artículo 225.1 de la Ley de Sociedades de Capital se cifra en el modelo de conducta del "ordenado empresario" que los administradores han de satisfacer en el desempeño del cargo que han aceptado y, por tanto, en el desarrollo de todas las actividades de administración precisas para la consecución del objeto y fin social. Es por esto que podemos afirmar que la diligencia exigible a los administradores de la sociedad es esa conducta expresada en el modelo de conducta que han de satisfacer y que ha de ser adecuada para la efectividad de la consecución del objeto y fin social. La conducta que han de satisfacer los administradores para cumplir con el deber general de diligencia es, no obstante, una conducta de contenido discrecional, es decir, una conducta que permite a los administradores desempeñar libremente las actividades que a su juicio contribuyen a la consecución del fin y objeto social.

El carácter discrecional del modelo de conducta constitutivo del deber general de diligencia exigible responde a la imposibilidad e inconveniencia de establecer de forma pormenorizada y concreta las actividades que es necesario o conveniente llevar a cabo para la consecución del objeto y fin social. Esto no obstante, si bien el modelo de conducta al que han de ajustarse los administradores para cumplir con el deber general de diligencia, restringe el contenido de la discrecionalidad de los administradores, pues sólo las conductas que encajen en el modelo del "ordenado empresario" se consideraran diligentes, esto no elimina completamente la discrecionalidad ya que el administrador podrá escoger desarrollar todas las actividades que puedan subsumirse en dicho modelo. El deber de diligencia, por tanto, recae sobre el comportamiento establecido por el modelo de conducta que restringe la discrecionalidad del administrador y que por esto se convierte en la diligencia exigible o debida.

En el deber general de diligencia exigible a los administradores en el desempeño de las competencias de gestión y administración y que se plasma en el modelo de conducta del ordenado empresario se pueden distinguir dos elementos. Por un lado el tipo de conducta al que los administradores han de ajustarse en el desempeño del cargo y que se corresponde con la conducta propia de un empresario, y por el otro, el grado, es decir la calidad que, en relación de mayor a menor, puede tener la conducta de un empresario y que está representado por el calificativo ordenado. El tipo de conducta de un empresario no exige seguir ningún conjunto de prácticas generalmente aceptadas como adecuadas para desarrollar una actividad empresarial pues en este ámbito no existe ninguna *lex artis* generalmente aceptada y, por el contrario, lo relevante en el ámbito empresarial es la innovación y la asunción de riesgos con el objetivo de maximizar los beneficios. En otros términos, aunque la administración de una sociedad cuyo objeto social está constituido por una actividad empresarial exige tener conocimientos de diversa índole, el tipo de conducta del empresario que han de satisfacer los administradores no exige que éstos sean peritos en todos esos conocimientos, sino que ante las inevitables lagunas de sus conocimientos actúen como un ordenado empresario.

La importancia del grado como segundo elemento del modelo de conducta constitutivo del deber general de diligencia exigible a los administradores cumple la función de concreción del tipo abstracto integrado por la conducta de un empresario, puesto que ésta puede llevarse a la práctica de muchas maneras o modalidades, representando, pues, un criterio de progresiva perfección en el modo de aplicarlo. El calificativo ordenado referido al empresario en el artículo 225.1 de la Ley de Sociedades de Capital indica que el legislador se ha decantado por exigir un grado de comportamiento medio, esto es, el modo de comportarse de la mayoría de los empresarios. Y es que, en efecto, un empresario ordenado es un empresario que actúa con orden y, por tanto, que observa los modos o procedimientos precisos para desplegar la actividad empresarial. En definitiva, el cumplimiento del deber general de diligencia exigible a los administradores pide que éstos desarrollen las actividades precisas para la consecución del objeto y fin social como lo haría un empresario y, por tanto, que innoven y asuman riesgos con el fin de maximizar el beneficio social, pero estas actividades no las pueden llevar a cabo de cualquier forma sino que las han de desplegar de forma ordenada y, por tanto, siguiendo los modos y/o procedimientos precisos en cada caso.

El carácter abstracto e indeterminado de la prestación debida según el modelo de conducta constitutivo del deber general de diligencia exigible a los administradores no permite ofrecer una respuesta detallada al interrogante de cuál ha de ser en cada caso concreto la conducta que los administradores han de prestar en el desarrollo de las actividades de gestión y administración de la empresa social para cumplir con el mandato que impone este deber. Es por esta razón que para determinar si el deber general de diligencia exigible ha sido o no cumplido es preciso tener presentes, aplicado supletoriamente el contenido del artículo 1104 del Código Civil, la naturaleza de la obligación, esto es, la obligación que incumbe a los administradores de desarrollar todas las actividades necesarias para la consecución del objeto y fin social, y las circunstancias de esta obligación, lo que remite a las circunstancias de las personas, esto es, a las circunstancias del concreto administrador, en tanto que sujeto a la prestación del deber general de diligencia exigible, y a las circunstancias del tiempo y el lugar.

No obstante, la prestabilidad del deber general de diligencia exigible está en función de la naturaleza del cargo ocupado por los administradores y de las funciones atribuidas a cada uno de los administradores (art. 225.1 *in fine* LSC). Así, en función del modo de organizar la administración de la sociedad (art. 210 LSC) pueden o no corresponder a todos los administradores las mismas facultades comprendidas en las competencias de gestión y representación de la sociedad (arts. 209 y 233 LSC). Esta distinción cobra especial relevancia en los casos en los que se ha producido una delegación de facultades por parte del consejo de administración (art. 249 LSC), pues ésta produce, en la medida del contenido y límites de la delegación, una modificación de las facultades que corresponde ejercer a los miembros del órgano de administración. El órgano de administración delegante puede transferir las facultades inherentes a las competencias de gestión y administración al órgano u órganos delegados, uno o más consejeros delegados o comisiones ejecutivas, si bien con el límite de las facultades indelegables enumeradas en el artículo 249 bis de la Ley de Sociedades de Capital. La distinción es, si cabe, aún más relevante en el caso de las sociedades anónimas cotizadas dado el mayor número de facultades indelegables (art. 529 ter LSC), la diversidad de los cargos ocupados por cada uno de los miembros del consejo de administración y las facultades inherentes al mismo, pues no le corresponden las mismas a un consejero ejecutivo que a un consejero no ejecutivo o a los administradores miembros de las comisiones delegadas del consejo que obligatoriamente han de constituirse (arts. 529 duodecies, 529.2 terdecies, 529 quaterdecies y 529 quindecies LSC).

1.1. Los deberes específicos de diligencia

La Ley de Sociedades de Capital no sólo establece el deber general de diligencia sino que a continuación tipifica un número de deberes específicos de diligencia. Estos deberes específicos de diligencia son el deber de cumplimiento normativo, el deber de dedicación adecuada, el deber de adoptar las medidas precisas, el deber de exigir la información adecuada y el deber de independencia. La característica fundamental de estos deberes específicos de diligencia reside en que a diferencia del carácter abstracto del modelo de conducta que define el deber general de diligencia, éstos especifican algunas de las conductas o prestaciones derivadas del modelo de conducta del ordenado empresario. La función que cumple la tipificación de estos deberes específicos de diligencia es plural y diversa pues por un lado facilita la comprobación de las conductas negligentes, y por otro reduce la incertidumbre de los administradores al fijar como deben de actuar para no incurrir en responsabilidad por negligencia en caso de que sus acuerdos o decisiones causen un daño al patrimonio social y, finalmente, contribuyen también a disuadir conductas claramente opuestas al interés común de los socios.

1.1.1. El deber de cumplimiento normativo

El mandato contenido en el artículo 225.1 de la Ley de Sociedades de Capital y referido a que los administradores deben cumplir los deberes impuestos por las leyes como prestación propia y concretamente especificada del deber general de diligencia exigible incorpora por vez primera en nuestro ordenamiento y con carácter general el deber de cumplimiento normativo como deber que también integra el contrato de administración celebrado con la sociedad para el desempeño del cargo. La imposición de este deber ya estaba presente en la legislación administrativa especial de algunas entidades como las entidades de crédito y las empresas de servicios de inversión que deben disponer de una unidad que garantice el desarrollo de la función de cumplimiento normativo (arts. 52 LOSSEC y 70 LMV) así como también en el ámbito penal a través de los programas de cumplimiento normativo (arts. 31 bis CP y, sobre todo 286 seis del Proyecto reforma CP, BOCD núm. 66 de 4-10.2013).

El contenido del deber de cumplimiento normativo reside en que el deber general de diligencia de los administradores exige que éstos garanticen el cumplimiento normativo por parte de la sociedad de todas las normas legales a las que resulte sometida como son las normas de defensa de la competencia, las normas tributarias, laborales, penales o las normas administrativas especiales. El incumplimiento de cualquiera de las normas a las que se halla sujeta la sociedad puede ser fundamento de la responsabilidad de los administradores por que dichas normas imponen dicha responsabilidad, pero ante esa situación la incorporación del deber de cumplimiento normativo introduce un fundamento de responsabilidad interna y frente a la sociedad de los administradores por incumplimiento de dicho deber y ejercitando la acción social de responsabilidad cuando no hayan tomado las medidas precisas para garantizar el cumplimiento normativo por parte de la sociedad.

1.1.2. El deber de dedicación adecuada

El contrato de administración tiene por objeto la prestación de los servicios propios del cargo de administrador por cada una de las personas que aceptan el nombramiento como administradores de la sociedad, de forma que el deber de tener una dedicación adecuada al desarrollo del cargo constituye un deber cuyo origen también se encuentra en esta relación de administración concluida entre esas personas y la sociedad. El deber de tener una dedicación adecuada al desempeño del cargo también tiene, por tanto, naturaleza contractual y se pone de manifiesto en el artículo 225.2 de la Ley de Sociedades de Capital, precepto que constituye una fuente de integración del contenido de la referida relación contractual de administración. La prestación exigida por el deber de tener una dedicación adecuada en el desempeño del cargo consiste en la realización de todas las actividades precisas para la consecución del objeto fin social y, dado el carácter fiduciario de la posición de los administradores, anteponiendo siempre el interés social a su interés privado.

El deber de dedicación al desempeño del cargo ha de ser adecuado y, por tanto, para determinar su cumplimiento habrá que contemplar tanto el tamaño de la empresa social como el género de actividad que constituya su objeto social y, del mismo modo habrá que distinguir en función del cargo y de las facultades propias del desempeño del cargo que corresponde desplegar a cada administrador, de modo que el cumplimiento del deber de tener una dedicación adecuada al cargo persiguiendo los intereses de la sociedad conforme a la diligencia exigible debe determinarse atendiendo a las concretas facultades que en cada caso cada uno de los administradores haya asumido. En cambio, el contenido del deber de lealtad no sufre ninguna modificación a causa de la delegación de facultades, pues su contenido es exigible con independencia de las concretas funciones que corresponda desempeñar a cada uno de los administradores.

1.1.3. El deber de adoptar las medidas precisas

El administrador no puede ser un mero espectador de lo que acontece en la sociedad sino que forma parte de la prestación exigida por el deber general de diligencia la de adoptar las medidas precisas para la buena dirección y el control de la sociedad (art. 225.2 *in fine* LSC). El significado de este deber se comprende si se tiene presente que entre las facultades inherentes a la competencia de gestión que corresponde a los administradores (art. 209 LSC) figura siempre la facultad de supervisión (arg. ex art. 249 bis a) LSC) que comporta inquirir o investigar. Pues bien, en el ejercicio de dicha facultad el administrador no puede abstenerse de actuar cuando constata la existencia de deficiencias en la dirección o control de la empresa social, sino que debe actuar adoptando las medidas precisas para asegurar una buena dirección y control, esto es, adoptar las medidas para asegurar que la actividades de dirección desplegadas son las precisas para la consecución del objeto y fin social y asimismo las medidas precisas para comprobar que dichas actividades se despliegan con esa finalidad. Las medidas que ha de adoptar el administrador no son cualesquiera sino las medidas precisas, esto es, las necesarias para corregir las deficiencias constatadas en la buena dirección y control de la sociedad.

1.1.4. El deber de exigir información adecuada

La información constituye un elemento imprescindible para la adopción de decisiones empresariales racionales y por esto puede afirmarse que el deber de exigir la información adecuada y necesaria que sirva al administrador para el cumplimiento de sus obligaciones que el artículo 225.3 de la Ley de Sociedades de Capital impone expresamente a los administradores de las sociedades de capital no es más que una manifestación del deber general de diligencia expresado en el modelo de conducta del «ordenado empresario» previsto en el apartado primero del mismo artículo. Esto último es claro, pues cumplir con el deber general de diligencia necesariamente comporta que, en el desarrollo de las actividades de gestión y representación, los administradores dispongan siempre de la información necesaria para llevarla cabo en interés de la sociedad. En consecuencia, el silencio de los textos legales aplicables a los demás tipos societarios no significa que sobre los administradores de cualquier tipo social no pese también el deber de informarse para el desenvolvimiento delas actividades precisas para la consecución del objeto y fin social, sino que éste se encuentra comprendido en el mismo deber de diligencia como cláusula general.

Una vez establecida la exigibilidad del deber de informarse, inmediatamente deben señalarse sus límites, pues es claro que todas las actividades y, por tanto, también las que conlleva la administración social, necesariamente se desarrollan sin poseer una información completa. La prestación que el deber de informarse adecuadamente impone a los administradores consiste en que exijan la información adecuada y necesaria para el cumplimiento de sus obligaciones, y no, por tanto, que cuenten siempre y en todo momento con toda la información que se pueda recabar sobre la marcha de la sociedad. La información que los administradores están obligados a recabar debe ser, en primer lugar, adecuada y, en segundo lugar, necesaria. El significado y contenido de estos dos requisitos se ha de determinar en función de la finalidad que se atribuye a este deber y que no es otra que la facilitar el cumplimiento de las obligaciones propias del administrador. Esta finalidad constituye, por otra parte, el límite al ejercicio del derecho subjetivo que necesariamente también se reconoce al administrador de recabar de la sociedad dicha información.

El deber de informarse adecuadamente sitúa el nivel de información que deben exigir los administradores en el que, en cada caso, resulte adecuado y necesario para el cumplimiento de sus obligaciones, de modo que son éstos los que están en mejores condiciones de determinar el nivel concreto de información que precisan para la satisfacción de este deber específico de diligencia. En todo caso, el cumplimiento o infracción del mismo dependerá de las circunstancias concurrentes en cada supuesto (art. 1104 CC), entre las que habrá que tener presentes se pueden mencionarse las siguientes: la trascendencia de la propia decisión para la sociedad, el tiempo disponible para obtener más información, los costes de obtener información adicional y los conocimientos que los propios administradores tengan para evaluar la necesidad de disponer de más información.

1.1.5. El deber de independencia

El modelo de conducta constitutivo del deber general de diligencia debe servir asimismo, de conformidad con el artículo 226.2 de la Ley de Sociedades de Capital, para enjuiciar la conducta de los administradores ante situaciones que, aun refiriéndose a decisiones estratégicas y de negocio propias del ámbito de la discrecionalidad empresarial, plantean, simultáneamente, problemas análogos a la tipología de conflictos de intereses propios del deber de lealtad. Las situaciones referidas son todas aquellas que afecten personalmente a otros administradores y/o a personas vinculadas con estos, noción ésta última que está determinada en el artículo 231 de la Ley de Sociedades de Capital, y que, por tanto, tienen un interés privado en la adopción de la correspondiente decisión en un sentido determinado por el órgano de administración del que forman parte. En particular se consideran comprendidas en este supuesto las decisiones que tengan por objeto autorizar la realización, por parte de un administrador o de una persona vinculada a los administradores, de una transacción con la sociedad, el uso de ciertos activos sociales, el aprovechamiento de una concreta oportunidad de negocio y la obtención de una ventaja o remuneración de un tercero (arts. 226.2 *in fine* y 230.2.I *in fine* LSC).

Los administradores miembros del órgano de administración que ha de adoptar la decisión en las situaciones referidas y que no están afectados por el interés privado no quedan sometidos respecto a esta decisión al cumplimiento de los deberes específicos y prohibiciones derivados de su posición fiduciaria e impuestas por el deber de lealtad. Esto no obstante los administradores no afectados por el interés privado quedan sujetos a las exigencias del deber de independencia que les obliga a impedir que la sociedad sufra daño alguno y ello en virtud del mandato derivado del deber de fidelidad que impide no sólo anteponer el interés social al propio interés privado sino también frente a cualquier otro interés privado ajeno. La necesidad de reconocer este deber de independencia como derivado de la cláusula general del deber general de diligencia se fundamenta en la necesidad de contar con un instrumento para enjuiciar los conflictos entre el interés social y un interés privado ajeno que las situaciones referidas plantean respecto de los administradores no afectados directamente por el interés privado y que por esto no pueden abordarse desde los imperativos del deber de lealtad. En cualquier caso, es claro que las decisiones adoptadas por el órgano de administración en estas circunstancias pueden ser impugnadas siempre que lesionen, en beneficio de uno o más socios o de terceros, los intereses de la sociedad (art. 204.1 LSC).

1.2. La protección de la discrecionalidad empresarial

El desempeño del cargo de administrador conlleva necesariamente la adopción de decisiones empresariales que por su propia naturaleza pueden producir un menoscabo del patrimonio social, dado el riesgo inherente a las mismas y derivado de la imposibilidad de adoptarlas con certeza absoluta respecto de todas sus consecuencias. El problema que presenta el riesgo de empresa inherente a las decisiones empresariales es que a los administradores se les pueda exigir responsabilidad por los daños que éstas causen al patrimonio social por considerar que han infringido el estándar de conducta que impone el deber general de diligencia exigible (v. SAP Córdoba 22.01.1997 y STS 13.10.1986). Ahora bien, es claro que la obligación que asumen los administradores al aceptar el cargo no es la de asegurar el éxito económico de la empresa social, pues ello les convertiría en responsables de los acontecimientos perjudiciales que exceden de la diligencia exigible (arg., *ex* art. 1105 CC), sino la de desempeñar el cargo cumpliendo con los deberes impuestos por las leyes y los estatutos con fidelidad al interés social. En consecuencia, la indeterminación de la prestación debida por los administradores, de acuerdo con la cláusula del ordenado empresario, no debe llevar a imponerles responsabilidad por los daños padecidos por la sociedad por las decisiones estratégicas y de negocio (art. 226.1 LSC) inherentes a la discrecionalidad empresarial, pues esto sería imputarles el riesgo de empresa que en ningún caso asumen al aceptar el cargo.

Las razones que justifican la sustracción de las decisiones estratégicas y de negocio, sujetas a la discrecionalidad empresarial, al modelo de conducta que define el deber general de diligencia son varias y en primer lugar la inexistencia de una *lex artis* que pueda servir para integrar el modelo de conducta del ordenado empresario, inexistencia que no sólo es un hecho sino que es consecuencia de la propia naturaleza de la actividad empresarial que exige innovación y asunción de riesgos. La segunda razón radica en la falta de preparación de los jueces para revisar las decisiones empresariales de los administradores, pues su sustitución por decisiones judiciales en las que están ausentes los incentivos que generan las primeras difícilmente aumentarían la eficiencia de la actividad empresarial (cfr. STS 11.05.1991). Y por último el riesgo de juzgar negligentes *ex post* todas las decisiones empresariales que han causado daños al patrimonio social dejaría sin razón el principio de especialización funcional.

La sustracción de las decisiones estratégicas y de negocio del modelo de conducta del ordenado empresario y su emplazamiento en el ámbito de la discrecionalidad empresarial de los administradores no comporta su extensión a todas las decisiones adoptadas por éstos sino únicamente con respecto a las referidas y, además, estas decisiones únicamente quedarán sustraídas de la aplicación del estándar de diligencia exigible cuando se cumplan los siguientes requisitos. En primer lugar que exista una decisión estratégica o de negocio, bien en el sentido positivo de llevarla a cabo o bien en el negativo de no desarrollarla. En segundo lugar, que el administrador que haya adoptado dicha decisión haya actuado de buena fe, esto es, en interés de la sociedad y, por tanto, sin interés personal en el asunto objeto de la misma. En tercer lugar que haya adoptado la decisión contando con información suficiente, esto es, que haya cumplido, previamente, con el deber de exigir la información adecuada y necesaria para adoptar la decisión, y, finalmente, en cuarto lugar, que la decisión sea adoptada con arreglo a los procedimientos establecidos por la ley y por los estatutos para adoptar la correspondiente decisión empresarial. En fin los administradores también deben satisfacer diligentemente todos los deberes específicos impuestos por las leyes o los estatutos, esto es, todos los deberes que especifican la prestación debida por éstos (v. *infra* ap. IV).

1.3. La modificabilidad estatutaria del deber general de diligencia

La naturaleza contractual de los deberes fiduciarios generales que pesan sobre los administradores no puede ponerse en duda en nuestro ordenamiento, pues éstos encuentran su origen en el propio contrato de administración, y por ello no parece que pueda negarse que las partes puedan modificar libremente el régimen de responsabilidad por su infracción mediante la inclusión de las oportunas cláusulas en los estatutos de la sociedad. La licitud de las cláusulas que modifican el régimen de responsabilidad por infracción del deber general de diligencia es avalada además por el artículo 1103 del Código Civil en el que al no prohibir los pactos de impunidad por las infracciones del deber de diligencia exigible en el cumplimiento de toda clase de obligaciones está admitiendo su validez. La licitud de los pactos estatutarios de modificación del deber general de diligencia vendría avalado, de forma análoga, por la distinta naturaleza que a este respecto otorga ahora la Ley de Sociedades de Capital al deber general de diligencia y al deber de lealtad, pues mientras con respecto a este último expresamente dispone que su régimen es imperativo y que, por tanto, no serán válidas las disposiciones estatutarias que lo limiten o sean contrarias al mismo, en cambio ninguna disposición en este sentido se establece en relación con el deber general de diligencia.

Por consiguiente, si bien el artículo 1103 del Código Civil no prohíbe los pactos impunidad por infracción del deber de diligencia en el marco de una relación jurídica entre deudor y acreedor, mientras que la modificación del régimen del deber general de diligencia de los administradores se produce mediante la inserción de las correspondientes cláusulas estatutarias que eliminen la prestabilidad del deber de diligencia, lo cierto es que atendiendo a la nueva regulación habrá que admitir como válidas dichas clausulas. La modificabilidad del deber general de diligencia que pesa sobre los administradores de las sociedades de capital se extiende tanto a la eliminación pura y simple del deber general de diligencia como a las modificaciones relativas tanto al tipo como al grado del modelo de conducta del «ordenado empresario» exigido por el artículo 225.1 de la Ley de Sociedades de Capital.

El fundamento de la licitud de las cláusulas estatutarias que modifican el régimen del deber general de diligencia reside en el carácter no imperativo o supletorio de la voluntad de las partes de este deber (contra v. STS 30.12.1997). En este sentido, la modificación estatutaria del deber general de diligencia constituiría un supuesto de exclusión voluntaria de la ley aplicable *ex* artículo 6.2 del Código Civil y, por tanto, no quedaría afectada por el límite de la ausencia de perjuicio de terceros establecido en el mismo precepto, de modo que no es posible afirmar que tales modificaciones afectan a los acreedores sociales. La protección de los acreedores sociales ante una eventual modificación del contenido del deber general de diligencia sólo podría fundarse en una norma imperativa análoga a la establecida con respecto al deber de lealtad y del mismo modo que la Ley de Sociedades de Capital se la brinda en ante determinados supuestos en diversos preceptos, como los que tutelan a los acreedores en las reducciones del capital social (arts. 331 y ss. LSC) o los que les otorgan legitimación para el ejercicio de la acción social de responsabilidad (art. 240 LSC).

El carácter no imperativo y supletorio del deber general de diligencia de los administradores fundamenta simultáneamente la validez del seguro de responsabilidad civil de administradores y directivos que cubre las indemnizaciones a favor de la sociedad o de terceros a cuyo pago sean condenados los administradores como consecuencia de los daños que la infracción del deber general de diligencia haya causado al patrimonio social, dado que las modificaciones estatutarias del deber general de diligencia son funcionalmente equivalentes a esta modalidad aseguradora. y en consecuencia, admitida la validez de las primeras también es válida esta última como alternativa que, a diferencia de las cláusulas estatutarias modificativas del contenido del deber general de diligencia garantiza la restitución del patrimonio social mediante el pago de la indemnización correspondiente por la entidad aseguradora por las infracciones del deber general de diligencia debidas a la conducta de los administradores y por las cuales resulten condenados a satisfacer aquéllas a la sociedad.

2. El deber de lealtad

El deber de lealtad es el segundo deber fiduciario general tipificado en el artículo 227.1 de la Ley de Sociedades de Capital bajo el modelo de conducta de un «fiel representante» y que al igual que el deber general de diligencia integra el contrato de administración concluido entre los administradores y la sociedad. La obligación de cumplir con el deber de lealtad es únicamente exigible a los administradores por la propia sociedad en la que ocupan el cargo dada su naturaleza contractual. La formulación del deber de lealtad que contiene el artículo 227.1 encuentra su explicación en las mismas causas a que nos referíamos al tratar del significado del deber general de diligencia. El deber de lealtad formulado en estos términos generales reemplaza una regulación detallada de todas las conductas proscritas, no sólo por la imposibilidad de preverlas todas sino también por la posibilidad de incurrir en errores al hacerlo. Es por todo esto que también podemos afirmar que el deber de lealtad cumple la función de una cláusula general residual con valor normativo propio del contrato de administración para enjuiciar las conductas de los administradores constitutivas del tipo de conflictos de intereses que comprende.

La tipología de conflictos de intereses que comprende el modelo de conducta de un «fiel representante» y, por tanto, el deber de lealtad que deriva del mismo es completamente diversa de la abarcada por el modelo de conducta que impone el deber general de diligencia. El deber de lealtad proscribe todas aquellas conductas de los administradores que ante una situación de conflicto entre el interés de la sociedad y el suyo propio supongan la obtención de ventajas por éstos a expensas de la sociedad.

La imposición del deber de lealtad y las responsabilidades que en caso de infracción incurren los administradores, no sólo por los daños causados al patrimonio social, sino también la de devolver a la sociedad el enriquecimiento injusto obtenido por el administrador (art. 227.2 LSC), también cumplen una función preventiva de la conducta de los administradores en el sentido de adecuarla al modelo de conducta prescrito. La fenomenología de grupos de casos que plasman el tipo de conflictos aludidos no es cerrada, pero en cualquier caso comprenden los que estudiamos a continuación como más significativos de la experiencia jurídica.

2.1. Los deberes específicos de lealtad

El contenido del deber de lealtad de los administradores no sólo está integrado por el propio de este sino que también se extiende a los deberes de lealtad específicos. Mientras el primero constituye una cláusula general que tiene por finalidad cubrir las lagunas del contrato de sociedad de acuerdo con el modelo de conducta que lo define según la voluntad hipotética de las partes, los segundos se caracterizan por determinar específicamente la conducta o prestación debida por los administradores. La tipificación de los deberes específicos de lealtad cumple idénticas funciones que las expuestas anteriormente con respecto a los deberes específicos de diligencia y por estos no es preciso reiterarlas de nuevo aquí.

2.1.1. El deber de ejercer las facultades de acuerdo con sus fines

Las facultades derivadas de las competencias de gestión y representación que corresponden a los administradores de la sociedad de capital (art. 209 LSC) han de ser ejercidas para desarrollar todas las actividades precisas para la consecución del objeto y fin social de modo que el ejercicio de las facultades derivadas de las referidas competencias no puede llevarse a cabo con fines distintos de aquéllos para los que han sido concedidas (art. 228.a) LSC) y que en términos abstractos se condensan en los expresados. El significado del deber de ejercer las facultades de acuerdo con sus fines en los términos expresados priva a los administradores de la posibilidad de ejercer las facultades que ostenta en su condición de administrador para la c consecución de fines particulares del mismo o para satisfacer los intereses de terceros. Así, por ejemplo, el administrador no puede utilizar sus facultades con una finalidad de venganza o para disponer de bienes o derechos de la sociedad para fines que no contribuyen a la consecución del fin social. En definitiva, en todos los casos de utilización de las facultades para fines diversos de los que debe perseguir el administrador con éstas, lo que está en juego es una infracción del deber de lealtad por que el administrador deja de actuar como un fiel representante que ha perseguir el mejor interés de la sociedad para perseguir fines ajenos al interés social.

2.1.2. El deber de secreto sobre la información

La imposición de un deber de secreto específico a los administradores de las sociedades de capital en el artículo 228.b) de la Ley de Sociedades de Capital se justifica porque la finalidad del mismo y la naturaleza de su objeto hacen preciso extender su eficacia aún después de que aquéllos cesen en sus funciones. El contenido obligatorio de la posición fiduciaria de los administradores y el deber de lealtad derivado del modelo de conducta de un fiel representante únicamente son exigibles mientras los administradores ejercen el cargo, de modo que únicamente tutelan el interés de la sociedad en el mantenimiento del carácter confidencial de la información a la que han tenido acceso mientras ocupan el cargo pero no más allá. El deber de secreto obliga, por tanto, no sólo a las personas que ocupan el cargo de administrador sino también a quienes han sido administradores de la sociedad y cuando el administrador sea persona jurídica el deber de secreto obliga a la persona física que aquélla haya designado como representante suyo para el ejercicio de las funciones propias del cargo (arts. 236.5 LSC y 143.1 RRM).

Los administradores y los demás sujetos antes referidos están obligados en virtud del deber de secreto a guardar secreto de las informaciones a las que haya tenido acceso en el desempeño del cargo. Las informaciones tuteladas por el deber de secreto se caracterizan en primer lugar por ser informaciones de naturaleza societaria (vgr., datos, informes, antecedentes), pues únicamente abarca las informaciones a las que los administradores hayan tenido acceso en el desempeño del cargo, y, en segundo lugar, se debe tratar de información societaria de carácter confidencial, carácter que excluye con seguridad la información societaria de carácter público, pero tampoco se limita a la información que únicamente es conocida por los administradores.

Las conductas que comportan una violación del deber de secreto por parte de los sujetos obligados son dos: la comunicación de la información confidencial a terceros, y la divulgación de la información confidencial (STS 1.12.1993). La distinción entre estas dos conductas es oportuna porque mientras la comunicación consiste en cualquier transmisión de la información confidencial a terceros, la divulgación se caracteriza por ser una comunicación que hace pública la información, resultado que no se produce ni siempre ni necesariamente en el primer caso. En cualquier caso, constituyen excepciones al deber de mantener en secreto la información confidencial de carácter societario todos los supuestos en que las leyes permitan su comunicación o divulgación a tercero y los que requieran u obliguen a remitir dicha información a las respectivas autoridades de supervisión, en cuyo caso la cesión de información deberá ajustarse a lo dispuesto por las leyes (así, por ejemplo, los supuestos son los contemplados, entre otros, en los artículos 82, 85 y 89 LMV, 32 del C de C y 115 LGT).

2.1.3. El deber de abstención

La prestación debida en virtud del deber de abstención consiste tanto en abstenerse de participar en la deliberación como en ejercer el derecho de voto en la adopción de acuerdos o decisiones por el órgano competente cuando el administrador o una persona vinculada a él, de conformidad con la delimitación de esta noción contenida en el artículo 231 de la Ley de Sociedades de Capital, se encuentra en una situación de conflicto de intereses (art. 228.c) LSC). El nuevo artículo 228.c) de la Ley de Sociedades de Capital establece, por primera vez, en el ordenamiento societario español una norma que expresamente establece un deber de abstención genérico sobre los administradores. El fundamento de esta exigibilidad general del deber de abstención no plantea dudas como consecuencia de la posición fiduciaria de los administradores que les obliga ante cualquier situación de conflicto de intereses a no sobreponer sus intereses particulares a los intereses de la sociedad. Es claro pues que los administradores que se hallen en una situación de conflicto de intereses con respecto a los asuntos objeto de un acuerdo o decisión deberán abstenerse de participar en la deliberación y de ejercitar el derecho de voto que les corresponda como miembros del órgano de administración.

En todos aquellos casos concretos en que el interés de un administrador o de una persona vinculada a él no esté alineado o pueda no estar alineado con el interés de la sociedad en la que desempeña el cargo el artículo 228.c) impone a éste el deber de abstención. El conflicto de intereses que obliga al administrador a abstenerse en los términos indicados no es sólo el conflicto de carácter negocial que se produce cuando el administrador y la sociedad en la que ostenta el cargo son parte y contraparte de una determinada transacción, sino que también abarca cualquier conflicto situacional que pueda producirse. El interés divergente del administrador o de una persona vinculada a él puede ser tanto un interés de carácter económico o patrimonial como un interés de otro carácter (vgr., amistad, político), pues el precepto no distingue entre los conflictos a los que alude según su naturaleza y, además, teniendo en cuenta la finalidad del mismo, que es evitar el riesgo de que los intereses personales del administrador perturben la formación de la voluntad social, es este un riesgo que se produce con independencia del carácter del interés personal.

Igualmente, hay que resaltar que la situación de conflicto de intereses que activa el deber de abstención no se limita a la situación de conflicto actual sino que basta con que el conflicto sea meramente potencial, pues en caso contrario la norma seria superflua, ya que para evitar el riesgo del conflicto actual basta con las normas que permiten impugnar los acuerdos lesivos para el interés social (arts. 204.1 y 251 LSC), y, además, el cumplimiento de la obligación de comunicación, prevista en el artículo 229.3 de la Ley de Sociedades de Capital, ante un conflicto actual, resultaría absurdo pues comportaría un juicio previo de lesividad por parte del administrador y, por tanto, nadie cumpliría jamás dicho deber, pues ello supondría confesar que sus propósitos eran causar un daño a la sociedad. Por último, el deber de abstención establecido en el artículo 228.c) de la Ley de Sociedades de Capital, es exigible no sólo ante los conflictos de intereses directos, sino también en los casos de conflictos indirectos, esto es, cuando el interés discrepante es el de una persona a él vinculada. En cambio, quedan excluidos del deber de abstención ante una situación de conflicto de interés cuando el conflicto es de carácter posicional, esto es, cuando el conflicto afecta al administrador en su condición de tal, tales como su designación o revocación para cargos en el órgano de administración, tales como miembro de una comisión del consejo o su destitución como consejero delegado, u otros de análogo significado (art. 228.c) *in fine* LSC).

El deber de abstención genérico descrito no es el único deber de abstención que recae sobre los administradores pues junto a este están tipificados un conjunto de deberes de abstención específicos por razón bien del objeto o bien de la situación contemplada por la norma respectiva. Así, el artículo 190.1.e) de la Ley de Sociedades de Capital prohíbe el ejercicio del derecho de voto correspondiente a las acciones o participaciones de cualquier socio cuando siendo éste simultáneamente administrador de la sociedad, el acuerdo que deba adoptar la junta general se refiera a la dispensa de las obligaciones derivadas del deber de lealtad conforme a lo previsto en el artículo 230 de la Ley de Sociedades de Capital, pues aquél se halla en una situación de conflicto de intereses. Por su parte, el artículo 526 de la Ley de Sociedades de Capital establece asimismo una prohibición de ejercicio de los derechos de voto inherentes a las acciones cuya representación en la junta general hayan obtenido los administradores de una sociedad anónima cotizada en virtud de la formulación previa de una solicitud pública de representación por ellos mismos y para sí mismos o por otros para ellos (art. 186 LSC).

La prohibición impuesta en el supuesto referido del artículo 526 no constituye, es claro, una manifestación del deber de abstención del ejercicio de los derechos de voto correspondientes a las acciones de titularidad de los administradores de una sociedad anónima cotizada, pues sólo afecta a los derechos de voto de las acciones cuya representación ostenten en los términos señalados. Esto no obstante, este deber de abstención también es consecuencia de la posición fiduciaria que ocupan los administradores, pues se extiende a todos los puntos del orden del día de la convocatoria de la junta general que por su naturaleza producen una situación de conflicto entre el interés social y el interés privado de los administradores de una sociedad anónima cotizada.

El artículo comentado impone a los administradores de una sociedad anónima cotizada el referido deber de abstención con respecto a todos los puntos del orden del día de la convocatoria de la junta general en relación con los que se encuentren en una situación de conflicto de intereses y a continuación enumera algunos supuestos en los que, en todo caso, deben abstenerse de ejercitar el derecho de voto inherente a las acciones que representan. Estos supuestos son los relativos a los acuerdos que versan sobre el nombramiento, ratificación, destitución, separación o cese del administrador que ostenta la representación de las acciones, o sobre el ejercicio contra aquél de la acción social de responsabilidad o sobre la aprobación o ratificación de operaciones de la sociedad con el mismo o con sociedades controladas por él o a las que represente o personas que actúen por su cuenta. En el caso que la representación de las acciones también comprenda los puntos que, aún no previstos en el orden del día de la convocatoria, sean tratados, por así permitirlo la ley (arts. 223.1 y 238.1 LSC), en la junta general, el deber de abstención en los términos señalados también se impone con respecto a éstos.

La tipificación expresa del deber de abstención genérico de los administradores que comprende todos los supuestos de conflicto de intereses constitutivos de la tipología abarcada por el deber de lealtad supone que los acuerdos adoptados en los órganos competentes con el voto del administrador afectado por aquél conflicto son susceptibles de impugnación por haber sido adoptados en contra de la Ley (art. 204.1 LSC) y esto tanto por lo que se refiere a los adoptados en la junta general como con respecto a los acuerdos del consejo de administración (arts. 251 LSC). La misma causa de impugnación expresada con respecto a los acuerdos adoptados infringiendo el deber de abstención genérico es aplicable a los acuerdos adoptados con el voto de los administradores sujetos a un deber de abstención específico.

2.1.4. El deber de independencia

El deber de independencia derivado del deber de lealtad que ahora abordamos tiene un contenido diverso del deber de independencia como manifestación del deber general de diligencia, pues este último se refiere a situaciones en las que al adoptarse una decisión empresarial, simultáneamente existe una situación de conflicto de interés, mientras que en el primero lo que se persigue es asegurar que el administrador únicamente contemple el interés social al margen de las eventuales instrucciones y vinculaciones que pueda recibir o que mantenga con terceros. En efecto, el artículo 228.d) de la Ley de Sociedades de Capital impone al administrador el deber de desempeñar sus funciones bajo el principio de responsabilidad personal con libertad de criterio o juicio e independencia respecto de instrucciones y vinculaciones de terceros. Las situaciones en las que este deber de independencia es claramente exigible son las que se producen en el caso de los administradores nombrados por el sistema de representación proporcional (art. 243 LSC) y en el caso de los consejeros dominicales (art. 529.3 LSC), pues en ambos casos el administrador designado puede recibir instrucciones de los socios que los han designado pero en ningún caso puede anteponer el interés de éstos al interés social. No obstante, siendo los casos referidos paradigmáticos y expresamente contemplados en la Ley de Sociedades de Capital, no son estos los únicos en los que un administrador puede recibir instrucciones o mantener vinculaciones con terceros que comprometan su lealtad con el interés social y por esto es pertinente la formulación abstracta del deber de independencia de los administradores.

2.1.5. El deber de evitar conflictos de interés

El deber de evitar incurrir en conflictos de interés no se refiere al conflicto de interés inherente a la posición de administrador, dado el carácter de agente que, en términos económicos, éste asume con respecto a los intereses del principal encarnado por la sociedad, sino a los conflictos de interés actuales que se materializan en situaciones concretas y de ahí que su contenido se cifre en la exigibilidad de que el administrador adopte las medidas necesarias para evitar incurrir en situaciones en las que sus intereses, sean por cuenta propia o ajena, puedan entrar en conflicto con el interés social y con sus deberes para con la sociedad (art. 228.e) LSC). Lo específico del contenido de este deber no es, por tanto, que el administrador deba evitar incurrir en dichas situaciones, sino que debe adoptar las medidas necesarias para evitarlas, pues la primera es una conducta que se desprende directamente del deber general de lealtad ya que un fiel administrador sólo puede contemplar el interés social. Los grupos de casos en los que se materializa una situación de conflicto de interés entre el del administrador y el social han sido tipificados en el artículo 229 de la Ley de Sociedades de Capital, de modo que el deber que ahora analizamos se proyecta sobre estas situaciones y conlleva el deber del administrador de adoptar *ex ante* las medidas necesarias para evitar incurrir en cualquiera de las situaciones enumeradas en las que la prohibición se extiende no sólo a los administradores que desempeñan el cargo en la sociedad afectada por su conducta sino también a cualquier persona vinculada al mismo, en los términos delimitados en el artículo 231 de la Ley de Sociedades de Capital, en el caso de que ésta sea la beneficiaria de los actos o de las actividades prohibidas (art. 229.2 LSC).

2.1.5.1. *La prohibición de realizar transacciones con la sociedad*

El primer grupo de casos que concreta el deber de evitar conflictos de interés y en los que de forma más clara los administradores pueden obtener ventajas propias a costa del sacrificio de la sociedad es el encarnado por los supuestos de realización de transacciones entre la sociedad y sus administradores (SSTS 12.07.1984; 18.05.1999 y 30.01.2001). Estas transacciones constituyen una manifestación de autocontratación y por esto lo que las caracteriza es que el administrador al realizarlas emite una declaración de voluntad por cuenta de la sociedad y otra por cuenta propia. La situación de conflicto de intereses en la que se encuentra el administrador que autocontrata tenderá a hacer prevalecer el interés propio sobre el interés de la sociedad por cuya cuenta contrata. En nuestro ordenamiento jurídico se pueden encontrar distintos preceptos en los que se establecen sendas prohibiciones de autocontratación que recaen sobre los sujetos afectados por las mismas. Así, con carácter general, los artículos 1459.2 del Código Civil, en el que se dispone que «(...) (n)o podrán adquirir por compra, aunque sea en subasta pública o judicial, por sí ni por persona intermedia: (...) (l) os mandatarios, los bienes de cuya administración o enajenación estuviesen encargados (...)», y 267 I del Código de Comercio que prohíbe al comisionista comprar para sí o para otro los bienes que se le encargo vender y vender los que se le haya encargado comprar. En el ámbito de la tutela también se encuentran prohibiciones de autocontratación en el artículo 221, 3º del Código Civil y en el ámbito concursal en el artículo 151.1 de la Ley Concursal que prohíbe a la administración concursal adquirir bienes y derechos de la masa activa.

En el ámbito de las sociedades de capital el artículo 229.1.a) de la Ley de Sociedades de Capital relativo al deber de evitar situaciones de conflicto de interés dispone que este deber obliga al administrador a abstenerse de realizar transacciones con la sociedad. El significado de esta disposición reside en imponer a los administradores de las sociedades de capital una prohibición general y expresa de realizar transacciones con la sociedad, pues como ha quedado dicho en todas estas transacciones está presente un conflicto entre el interés de la sociedad y el interés privado de los administradores. Además, con respecto a las sociedades de responsabilidad limitada, la Ley de Sociedades de Capital contiene dos prohibiciones específicas de autocontratación, una en relación con la concesión por la propia sociedad de asistencia financiera a sus administradores (art. 162.1 LSC) y otra respecto al establecimiento o modificación de relaciones de prestación de servicios o de obra entre la sociedad y sus administradores (art. 220 LSC). Esto no obstante, quedan excluidas de la prohibición de autocontratación las operaciones ordinarias hechas en condiciones estándar para los clientes y de escasa relevancia, entendiendo por tales operaciones aquéllas cuya información no sea necesaria para expresar la imagen fiel del patrimonio, de la situación financiera y de los resultados de la sociedad (art. 229.1.a) *in fine*), pues en estas operaciones el administrador realiza la operación en idénticas condiciones que la sociedad la realizaría con cualquier tercero.

En cualquier caso, aunque no existe una expresa prohibición de autocontratación de carácter general que pese sobre los administradores de cualquier tipo societario, ésta prohibición deriva necesariamente de la posición fiduciaria que ocupan y del cumplimiento del deber de lealtad. La primera porque obliga a los administradores a hacer prevalecer siempre los intereses de la sociedad sobre los propios y el segundo porque impide a los administradores obtener ventajas propias a costa del sacrificio de la sociedad, y es claro que la realización de cualquier transacción con la sociedad llevaría necesariamente a su incumplimiento dado el conflicto de intereses que está presente. La solución de permitir la celebración de transacciones entre el administrador y la sociedad y someterlas a un control de contenido consistente en que los administradores no hayan obtenido ningún beneficio a expensas de la sociedad y que habíamos mantenido en otro lugar no puede aceptarse. En primer lugar porque supone exigir al administrador no la obligación que impone su posición fiduciaria de hacer prevalecer en todo caso de conflicto de intereses el interés social sobre su interés privado sino un deber de imparcialidad que les prohíbe dañar a la sociedad. Y en segundo lugar porque incluso los supuestos en los que cabe imaginar que la transacción entre los administradores y la propia sociedad resulta beneficiosa para esta última, no justifican la adopción de la solución criticada por los mayores costes comparativos que impone a la sociedad respecto de la solución prohibitiva, en términos del necesario control de la autocontratación por la sociedad y de los incentivos perjudiciales para el interés social que genera sobre los administradores.

2.1.5.2. *La prohibición de explotar la posición de administrador*

La persona titular del cargo de administrador está situada en una posición que en su vertiente activa, plasmada en las competencias de gestión y representación de la sociedad, le proporciona acceso al conjunto de bienes y derechos que constituyen activos sociales y también a la información confidencial relativa a la sociedad. Los administradores están facultados para ejercer su posición y usar los elementos a los que ésta da acceso para la consecución del objeto y fin social, pues la administración de la sociedad consiste precisamente en el desarrollo de todas las actividades necesarias para alcanzar éste fin. En cambio, todos los actos de explotación de la posición de administrador o de cualesquiera de los elementos a los que la misma da acceso realizados por los administradores con fines privados deben considerarse prohibidos cuando son empleados por el administrador para la satisfacción de un interés distinto al interés social y constituyen incumplimientos del deber de lealtad.

En el sentido que acabamos de indicar debe interpretarse el artículo 229.b) de la Ley de Sociedades de Capital que prohíbe a los administradores utilizar el nombre (*rectius*, denominación) de la sociedad o invocar su condición de administradores de la misma para influir indebidamente en la realización de operaciones privadas por cuenta propia o de personas a ellos vinculadas. La utilización de la denominación social o la invocación de la condición de administrador de una sociedad para la realización de cualquier operación por cuenta propia del administrador no están prohibidas si no constituyen una infracción del deber de lealtad y esto presupone que el administrador obtenga con la conclusión de las mismas cualquier ventaja a expensas de la sociedad, lesionando así el interés social en beneficio del suyo privado. Las manifestaciones más destacadas de actos de explotación de la posición de administrador con fines privados, constitutivos de sendos incumplimientos del deber de lealtad, son los que estudiamos a continuación bajo los apartados relativos a las prohibiciones de utilizar activos sociales, información confidencial y de obtener ventajas de terceros.

2.1.5.3. *La prohibición de utilizar activos sociales*

La prohibición de utilizar activos sociales con fines privados se refiere a los casos en los que esos activos son utilizados para fines personales de los administradores sin que la sociedad obtenga compensación alguna por dicha utilización. La prohibición de esta conducta se encuentra expresamente establecida, aunque no con carácter general, en distintos preceptos de nuestro ordenamiento jurídico aplicables a las sociedades colectivas y comanditarias (art. 135 C de C) y también a las sociedades civiles (art. 1695 2ª *a contrario* CC). En la Ley de Sociedades de Capital la prohibición de hacer uso de los activos sociales, incluida la información confidencial, con fines privados se encuentra ahora tipificada en el artículo 229.1.c). La prohibición de utilizar activos sociales con fines privados deriva de la posición fiduciaria de los administradores, definida por el deber de fidelidad y de la prohibición genérica que impone el deber de lealtad de obtener ventajas propias a costa del sacrificio de la sociedad y de la específica del deber de evitar conflictos de interés.

2.1.5.4. *La prohibición de aprovechar oportunidades de negocio*

La prohibición de aprovecharse de las oportunidades de negocio de la sociedad expresa la regla que, por imperativo derivado de la posición fiduciaria y del deber de evitar conflictos de interés derivado del deber de lealtad de los administradores, debe regir ante el conflicto de intereses que surge cuando se presenta una oportunidad de negocio de la sociedad que tanto aquellos como la sociedad en la que ejercen el cargo desean explotar. El artículo 229.1.d) de la Ley de Sociedades de Capital impone expresamente la referida prohibición a los administradores de las sociedades de capital al impedirles aprovecharse de las oportunidades de negocio de la sociedad en beneficio propio o de personas a él vinculadas. La acertada indeterminación en el referido precepto de los supuestos en los que rige la prohibición de aprovecharse de las oportunidades de negocio de la sociedad ha de suplirse con los tres grupos de caos que, según nuestra mejor doctrina, ante una oportunidad de negocio, el administrador debe abstenerse de explotarla en beneficio privado para no incurrir en la prohibición referida. Los tres grupos de casos son, en primer lugar, los casos relativos a las oportunidades de negocio referidas a actividades competitivas con las efectivamente desarrolladas por la sociedad, cuyo estudio posponemos a un apartado ulterior por los motivos allí apuntados. El segundo grupo de casos comprende las oportunidades de negocio relativas a actividades convenientes para la realización o desarrollo de los fines sociales y el tercero y último de los grupos de casos comprende las oportunidades de negocio relativas a actividades respecto a las que la sociedad ha manifestado su interés.

La prohibición que pesa sobre los administradores de desviar en beneficio propio o de un tercero oportunidades de negocio que resulten convenientes para la realización o desarrollo de los fines sociales es claro que deriva de las exigencias del deber de fidelidad que le obliga a perseguir siempre el interés social y del mandato del deber de lealtad que le impide obtener ventajas propias en perjuicio de la sociedad. El carácter de actividad conveniente para la realización o desarrollo de los fines sociales que debe tener la oportunidad de negocio para obligar al administrador a abstenerse de aprovecharla por su cuenta debe valorarse en el momento en el que se presenta y no con posterioridad y en virtud de la información que a este respecto debería disponer el administrador que cumple con las exigencias del deber de diligencia.

El último grupo de casos que comprende la prohibición de aprovechar en beneficio propio del administrador las oportunidades de negocio de la sociedad es el relativo a las oportunidades de negocio referidas a actividades respecto a las que la sociedad ha manifestado su interés. Las actividades a las que se refiere este grupo no son ni las efectivamente desplegadas por la sociedad ni las que resulten convenientes para la realización o desarrollo de los fines sociales pues en tal caso no sería necesario analizarlo ya que quedaría comprendido en los grupos anteriores. La manifestación del interés de la sociedad en el desarrollo de determinadas actividades puede tener su origen bien en la junta general o bien en el órgano de administración. En el primer caso la manifestación de interés se plasma en un acuerdo de la junta general que imparte instrucciones al administrador para la realización de una o varias actividades esporádicas ajenas al objeto social. En el supuesto de que la manifestación de interés parta del órgano de administración ésta consiste en un acuerdo de ampliar la actividad efectivamente desarrollada por la sociedad a otra u otras amparadas por el objeto social, aunque también quedan comprendidos en la manifestación de interés los estudios serios o las propuestas que en el sentido indicado realicen los administradores.

2.1.5.5. La prohibición de obtener ventajas de terceros

La prohibición de obtener ventajas o remuneraciones de terceros distintos de la sociedad en la que los administradores beneficiarios de la misma desempeñan el cargo o de una sociedad perteneciente al mismo grupo de sociedades que la primera y asociadas al desempeño del cargo (art. 229.e) LSC) se refiere a los casos en los que los administradores reciben de un tercero algún beneficio, como una comisión o, en general, cualquier ventaja, vinculada a la conclusión de un contrato entre la sociedad, representada por el propio administrador, y ese tercero. El fundamento de la prohibición de esta conducta también se encuentra en la posición fiduciaria y en el deber de lealtad de los administradores, pues su licitud podría comportar una actitud sesgada de los administradores en la selección de los contratantes con la sociedad, no en función del interés de ésta sino de su interés privado en conseguir la mayor ventaja. Los costes de controlar la selección de los contratantes que ofrecen ventajas a los administradores y los referidos incentivos perjudiciales para el interés de la sociedad que impondría una regla permisiva justifican la opción por el régimen prohibitivo.

2.1.5.6. La prohibición de competencia con la sociedad

Los casos relativos a las actividades competitivas realizadas por los administradores frente a la sociedad son considerados por la doctrina mayoritaria como un grupo integrado en la prohibición de aprovecharse de las oportunidades de negocio de la sociedad. Esto no obstante, el distinto tratamiento positivo de uno y otro supuesto parece suficiente para destacarlo, lo que no comporta en ningún caso olvidar la relación apuntada. La señalada diferencia de tratamiento positivo radica en que, frente al silencio respecto a la prohibición de aprovechar oportunidades de negocio, nuestro ordenamiento contiene para todos los tipos sociales una prohibición de competir con la sociedad. En la sociedad civil la prohibición se encuentra en el artículo 1683 del Código Civil y en la regulación de la sociedad colectiva los preceptos que interesan son el 136 I y el 137 del Código de Comercio, pues aunque referidos a los socios son claramente aplicables a los administradores, dado que en la inmensa mayoría de los casos son aquellos los encargados de la administración. La Ley de Sociedades de Capital también establece en su artículo 229.1.f) una prohibición de competencia sobre los administradores de las sociedades de capital (SSTS 25.06.1959; 3.02.1962; 29.07.1994; y 19.05.2003) al disponer que deben abstenerse de desarrollar actividades por cuenta propia o cuenta ajena que entrañen una competencia efectiva, sea actual o potencial, con la sociedad. El precepto añade un supuesto ulterior consistente en desarrollar actividades que, de cualquier otro modo, sitúen al administrador en un conflicto permanente con los intereses de la sociedad en la que desempeñan el cargo (supuesto este que remite a casos idénticos análogos a los acaecidos entre las sociedades ACS e IBERDRLA. V. STS 11.11.2014 y SAP Bizcaya 20.1.2012).

La prohibición de desarrollar actividades que entrañen una competencia efectiva con la sociedad que los preceptos referidos imponen sobre los administradores, no supone contradicción alguna con la prohibición de acuerdos colusorios (cfr. art. 1.1 LDC). La razón que explica esta ausencia de contradicción es simple pues el fundamento de la prohibición de competencia deriva de la propia posición fiduciaria y del deber lealtad que pesa sobre los administradores. El fundamento de la prohibición es asimismo suficiente para justificar la extensión de la misma tanto al supuesto en que el administrador realiza la competencia por cuenta propia como cuando la lleva a cabo por cuenta ajena y ello con independencia de la literalidad de las normas antes enumeradas. El ámbito material de la prohibición debe circunscribirse a las actividades efectivamente desarrolladas por la sociedad en el mercado pues son éstas las que delimitan el elemento objetivo del mercado relevante que junto con el geográfico y el temporal han de permitir determinar el carácter competitivo de la actividad desplegada por el administrador bien por cuenta propia o bien por cuenta ajena.

2.2. La inmodificabilidad estatutaria del deber de lealtad

La inmodificabilidad del régimen del deber de lealtad mediante cláusulas estatutarias viene ahora expresamente impuesta por el artículo 230.1 de la Ley de Sociedades de Capital al disponer que éste régimen y el de la responsabilidad por su infracción es imperativo y, por tanto, no serán válidas las disposiciones estatutarias que lo limiten o sean contrarias al mismo. No obstante, con anterioridad podía igualmente fundarse la inmodificabilidad del régimen del deber de lealtad como consecuencia de la aplicación supletoria de la prohibición de los pactos de impunidad por dolo contenida en el artículo 1102 *in fine* del Código Civil o por idénticas razones en el artículo 1256 del Código Civil, pues permitir que el administrador lleve a cabo los actos o actividades prohibidos por el deber de lealtad equivale a desvincularse de las obligaciones derivadas del contrato de administración. En uno y otro caso el fundamento es el mismo y deriva del carácter inherentemente doloso de todas las conductas constitutivas de infracciones del deber de lealtad, es decir, del carácter voluntariamente contradictorio de estas conductas respecto a la satisfacción del deber de lealtad. En consecuencia, parece claro que cualquier modificación de la responsabilidad por infracción del deber de lealtad, en cualquiera de las conductas en que debe satisfacerse, equivaldría a otorgar a los administradores total discrecionalidad para beneficiarse a expensas de la sociedad siempre que tuvieran la oportunidad o, con otras palabras, equivaldría a dejar a la voluntad de los administradores la satisfacción del propio deber de lealtad y, por consiguiente, sería la negación de la propia obligación que pesa sobre ellos de desempeñar el cargo cumpliendo los deberes impuestos por las leyes y los estatutos con fidelidad al interés social (arg., *ex* arts. 226 LSC y 1256 CC).

2.3. La obligación de comunicar los conflictos de interés

Los administradores están obligados a comunicar cualquier situación de conflicto, directo o indirecto, que ellos o personas vinculadas a ellos, en los términos delimitados en el artículo 230 de la Ley de Sociedades de Capital, pudieran tener con el interés de la sociedad. El fundamento de la referida obligación de comunicar que pesa sobre los administradores radica en que en todas las situaciones de conflicto de interés entre el administrador y la sociedad, el interés protegido en todas es siempre el de la sociedad y por esto ésta ha de estar informada con objeto de estar en condiciones de evitar cualquier perjuicio al interés social. En el plano positivo el fundamento de la obligación de comunicación deriva del carácter relativo de las prohibiciones impuestas a los administradores como consecuencia de su posición fiduciaria y de su deber de lealtad que se desprende del reconocimiento expreso de la facultad de la sociedad para otorgar la correspondiente dispensa.

La tipología de situaciones de conflicto de interés con la sociedad que los administradores están obligados a comunicar comprende idénticos supuestos que los expuestos a propósito del deber de abstención y, por tanto, no sólo los conflictos de carácter negocial sino que también cualquier conflicto situacional que pueda producirse. Asimismo, el conflicto puede versar tanto respecto de un interés de carácter económico o patrimonial como un interés de otro carácter. En fin, la situación de conflicto de interés que activa la obligación de comunicación no se limita a la situación de conflicto actual, como ocurre en todos los grupos de casos derivados del deber de evitar situaciones de conflicto, sino que basta con que el conflicto sea meramente potencial. Por último, la obligación de comunicación analizada es exigible no sólo ante los conflictos de intereses directos, sino también en los casos de conflictos indirectos, esto es, cuando el interés discrepante es el de una persona vinculada al administrador en los términos del artículo 230 de la Ley de Sociedades de Capital.

Los administradores deben dirigir la comunicación en la que manifiestan su situación de conflicto con la sociedad a los demás administradores, en caso que el modo de organizar la administración de la sociedad sea varios administradores solidarios o mancomunados, y al consejo de administración cuando este sea el modo de organizar la administración adoptado por la sociedad, mientras que si se trata de un administrador único la comunicación la habrá de dirigir a la junta general de la sociedad (art. 229.3.I LSC). Por último, las situaciones de conflicto de interés en que incurran los administradores y que hayan sido objeto de la correspondiente comunicación a la sociedad han de ser objeto de información en la memoria comprensiva de las cuentas anuales de la sociedad (arts. 229.3.II, 254.1 y 260.I LSC).

2.4. La dispensa, la ratificación y la autorización

En las sociedades de capital las prohibiciones derivadas del deber de evitar situaciones de conflicto de interés (art. 229 LSC) no son prohibiciones absolutas sino relativas pues los administradores pueden realizar los actos o contratos prohibidos siempre que obtengan la correspondiente dispensa que les autorice a llevarlos a cabo. La dispensa consiste en la autorización otorgada mediante un acuerdo adoptado bien por la junta general o bien por el consejo de administración que libera al administrador de la prohibición de llevar a cabo en casos singulares la realización con carácter singular de una determinada transacción con la sociedad, el uso de ciertos activos, el aprovechamiento de una concreta oportunidad de negocio y la obtención de una ventaja o remuneración de tercero (art. 230.2.I LSC). En cambio, con respecto a la dispensa de la prohibición de competencia la autorización tiene siempre carácter general por que ésta entraña siempre el desarrollo de actividades por cuenta propia o ajena con carácter temporalmente indefinido (art. 230.3 LSC).

La facultad de la sociedad de dispensar o liberar a los administradores mediante el otorgamiento de la correspondiente autorización también está expresamente contemplada en nuestro ordenamiento societario con respecto a la prohibición de autocontratación en los supuestos concretos contemplados en los artículos 162.1 y 220 de la Ley de Sociedades de Capital para los administradores de las sociedades de responsabilidad limitada (art. 230.2.II *in fine* LSC) y con respecto al uso de los activos sociales para las sociedades colectivas y comanditarias (art. 139 C de C) y para las civiles (art. 1682 II CC) e igualmente en relación con la prohibición de competencia el artículo 137 *in fine* del Código de Comercio. El carácter relativo de estas prohibiciones derivadas de la posición fiduciaria y del deber de lealtad de los administradores resulta del reconocimiento expreso de la facultad social de levantarlas en los casos señalados.

El órgano competente para conceder la dispensa otorgando la correspondiente autorización es para todas las prohibiciones la junta general de la sociedad de capital pero cuando ésta se refiera a la prohibición de obtener una ventaja o remuneración de terceros, la realización de una transacción con la sociedad cuyo valor sea superior al 10 por 100 de los activos sociales o a desarrollar actividades por cuenta propia o ajena que entrañen una competencia efectiva con la sociedad, la junta general es el único órgano competente para concederla (art. 230.2.II *ab initio* y 230.3.I LSC). En los demás casos la competencia para otorgar la dispensa también corresponde al órgano de administración de la sociedad (art. 230.2.III LSC), salvo en el caso que la administración de la sociedad se haya confiado a un administrador único puesto que éste no puede decidir al respecto por imperativo del deber de abstención (art. 228.c LSC) y, por tanto, habrá de ser la junta general la que conceda la dispensa. Ahora bien, para que el órgano de administración pueda otorgar la dispensa es preciso que quede garantizada la independencia de los miembros que la conceden respecto del administrador dispensado (art. 230.2-III *ab initio* LSC) y esta independencia sólo estará garantizada si éstos no están incursos, a su vez, en un conflicto de interés, pues el administrador dispensado en todo caso no podrá participar en la deliberación y votación del acuerdo o decisión (art. 228.c) LSC).

La decisión o el acuerdo de dispensa adoptado por la junta general o por el órgano de administración ha de satisfacer asimismo los requisitos de asegurar la inocuidad de la operación autorizada para el patrimonio social o, alternativamente, su realización en condiciones de mercado, y también la transparencia del proceso lo que implica haber recabado la información adecuada y necesaria. En fin, la dispensa del deber de no competir con la sociedad sólo puede concederse en el supuesto de que no quepa esperar daño para la sociedad o el que quepa esperar se vea compensado por los beneficios que prevén obtenerse de la dispensa (art. 230.3 LSC). El incumplimiento de cualquiera de estos requisitos conlleva la impugnabilidad de los mismos por su contrariedad con la ley (arts. 204.1 y 251 LSC).

El acuerdo de dispensa debe adoptarse de acuerdo con el régimen de mayorías previsto para cada tipo social y que en el caso de la sociedad anónima debe situarse en la aplicación analógica del régimen de mayorías necesarias para modificar los estatutos previsto en el artículo 194 de la Ley de Sociedades de Capital, pues este acuerdo comporta una modificación concreta del contenido típico de la posición fiduciaria y del deber de lealtad de los administradores equiparable a una modificación estatutaria. En cambio el artículo 199 b) de la Ley de Sociedades de Capital exige una mayoría de al menos dos tercios de los votos correspondientes a las participaciones en que se divida el capital social para levantar a los administradores de las sociedades de responsabilidad limitada la prohibición de competencia con la sociedad, exigencia que por analogía también debe extenderse a los restantes grupos de casos constitutivos de las respectivas prohibiciones derivadas del deber de evitar situaciones de conflicto de interés. En las sociedades civiles y colectivas el acuerdo de dispensa debe adoptarse por unanimidad, salvo previsión contraria en el contrato de sociedad, dada la construcción legislativa contractual de estos tipos sociales.

El levantamiento de la prohibición que produce el acuerdo de dispensa exige asimismo que el administrador haya comunicado a la sociedad todas las circunstancias relevantes con respecto al objeto de la misma y que aquél se justifique en aras del interés social. Lo primero porque sin contar con la información relativa a todas las circunstancias relevantes es imposible que la junta general adopte un acuerdo que le permita valorar sus consecuencias y lo segundo por el perjuicio que el acuerdo de dispensa puede ocasionar a la minoría y por aplicación analógica del requisito exigido en acuerdos con idénticas consecuencias (arg. *ex* art. 308 LSC). En este último sentido debe tenerse presente que el acuerdo de dispensa puede consistir no sólo en la concesión pura y simple de la misma sino que también puede exigir una contraprestación al administrador que compense a la sociedad de los eventuales perjuicios que pueda ocasionar el desarrollo de la actividad por el administrador.

En cualquier caso, si bien el acuerdo de dispensa faculta al administrador para llevar a cabo la operación objeto del mismo (vgr., concluir una transacción con la sociedad, aprovechar una concreta oportunidad de negocio, etc.) no debe esconderse la posibilidad que el mismo pueda lesionar los intereses de los socios minoritarios o de los acreedores sociales. La tutela de los intereses de la minoría queda asegurado en virtud de la facultad de impugnar el acuerdo que concede la dispensa al administrador porque lesiona los intereses de la sociedad en beneficio de uno o varios socios o de terceros, previsto en el artículo 204.1 de la Ley de Sociedades de Capital. Los intereses de los acreedores sociales y de los socios en general quedan asimismo tutelados por la regla prevista en el artículo 236.2 de la Ley de

Sociedades de Capital, según la cual en ningún caso exonera de responsabilidad a los administradores la circunstancia de que el acto que realicen haya sido adoptado, autorizado o ratificado por la junta general.

La sociedad puede, asimismo, levantar las prohibiciones impuestas a los administradores por el deber de evitar las situaciones de conflicto de interés mediante la ratificación posterior de las actividades prohibidas ya realizadas o en curso de realización por aquéllos, sin perjuicio de la impugnabilidad del correspondiente acuerdo de ratificación y de sus efectos con respecto de su responsabilidad, en los mismos términos antes señalados con respecto al acuerdo de dispensa. El acuerdo de ratificación debe adoptarse por la junta general sujeto a idéntico régimen de mayorías que el acuerdo de dispensa y asimismo previa comunicación por el administrador de todas las circunstancias relevantes relativas a la actividad prohibida que haya realizado o que esté realizando, con el fin de que aquélla esté en condiciones de valorar los daños efectivos o eventuales que ha producido o pueda producir a la sociedad. El contenido o alcance del acuerdo de ratificación puede limitarse a exonerar de responsabilidad a los administradores por la actividad prohibida que han realizado o que están realizando, pero también puede abarcar otros aspectos tales como la exigencia de contraprestaciones que compensen a la sociedad los daños eventuales que pueda padecer.

En un plano distinto al acuerdo de dispensa y al acuerdo de ratificación se sitúa por su naturaleza la figura de la autorización, pues ésta consiste en la liberación previa y genérica del administrador para que pueda llevar a cabo lícitamente alguna, algunas o todas las conductas prohibidas por el deber de lealtad. La autorización puede constar originalmente en el propio negocio fundacional de la sociedad o bien puede otorgarse posteriormente mediante el correspondiente acuerdo social pero en ambos casos el elemento que la caracteriza frente a la dispensa es su carácter abstracto y genérico. En nuestro ordenamiento únicamente el artículo el artículo 137 *in fine* del Código de Comercio contempla expresamente la facultad de autorizar la realización de actividades en competencia con la sociedad mediante un pacto especial en este sentido en el contrato social (STS 1.10.1996). El problema que se suscita consiste en determinar si es posible extender por analogía la regla prevista en el artículo 137 *in fine* del Código de Comercio a todos los tipos sociales y para todos los grupos de casos constitutivos de sendas prohibiciones derivadas del deber de lealtad de los administradores.

La solución del problema planteado debe ser distinta para las sociedades personalistas como la sociedad colectiva o la sociedad civil y para las sociedades de capital como la sociedad anónima y de responsabilidad limitada, pues en las primeras no vemos ningún obstáculo a la generalización de la regla porque en todo caso se exige para su adopción un acuerdo unánime de los socios y el régimen de responsabilidad tutela los intereses de los acreedores sociales. En cambio, en las sociedades de capital no puede aceptarse la licitud de la autorización, ya sea en los estatutos de la sociedad o mediante acuerdo de la junta general, pues el régimen relativo al deber de lealtad y la responsabilidad por su infracción es imperativo y, por tanto, no serán válidas las disposiciones estatutarias que lo limiten o sean contrarias al mismo. Por consiguiente, como en la Ley de Sociedades de Capital no se contempla la posibilidad de otorgar la autorización en los términos expuestos, es claro que su concesión no sería lícita en ningún caso y para ninguna de las operaciones prohibidas.

IV. LOS DEBERES ESPECÍFICOS EN GENERAL (REMISIÓN)

Los deberes inherentes al desempeño del cargo de administrador no se agotan en los deberes fiduciarios generales de diligencia y lealtad y en los correspondientes específicos sino que los administradores también están obligados a cumplir otros deberes que, al igual que los deberes fiduciarios específicos que acabamos de analizar, se caracterizan frente a los primeros en que la conducta debida por el administrador se encuentra expresamente determinada. La fuente de estos otros deberes específicos de los administradores puede ser una disposición normativa (vgr. LSC, o cualquier otra norma) o los estatutos de cada concreta sociedad (art. 236.1 LSC). En consecuencia, cualquier intento de llevar a cabo una enumeración de estos deberes específicos sería siempre incompleta, si bien, aunque sólo sea a efectos ejemplificativos, nos detendremos en algunos de estos deberes para poner de manifiesto los intereses que tutelan y porque han sido objeto de atención por la doctrina y/o por la jurisprudencia.

La doctrina ha prestado atención, sobre todo, a la enumeración de los deberes que los administradores están obligados a satisfacer frente a los socios individualmente, si bien desde la perspectiva de la posición activa. Entre estos últimos destacan aquellos deberes que son consecuencia del reconocimiento a los socios de algunos derechos o facultades como el deber de facilitar el ejercicio del derecho de asistencia (art. 179.1 LSC) o de voto (art. 188 LSC) en la junta general, el deber de información (arts. 196 y 197

LSC) o el deber de pagar el dividendo acordado (art. 276 LSC). Asimismo la doctrina, aunque al analizar las distintas instituciones que conforman el régimen de las sociedades, se refiere a los deberes que pesan sobre los administradores frente a la sociedad como el deber de exigir el pago de los desembolsos pendientes (art. 81 LSC), el deber de enajenar las acciones propias adquiridas irregularmente (art. 139 LSC), el deber de convocar la junta general (art. 167 LSC) o el deber de formular las cuentas anuales (art. 253 LSC).

En cambio, mucha menos atención se ha dedicado a enumerar los deberes de los administradores frente a los terceros como el deber de facilitar el ejercicio del derecho de oposición de los acreedores o el deber de prestar las garantías acordadas (arts. 334 y ss. LSC). Asimismo, el incumplimiento de algunos de los deberes impuestos por la disciplina sobre disolución y liquidación de la sociedad, como el deber de prestar su concurso para la práctica de las operaciones de liquidación (art. 384 y ss. LSC), si bien tutelan el interés de los socios, no cabe duda de que también puede afectar a la esfera jurídica de los terceros. Entre los deberes impuestos a los administradores por la disciplina sobre disolución y liquidación de la sociedad debe destacarse la importancia que han adquirido dos deberes específicos como son el deber de convocatoria de la junta general para que adopte el acuerdo de disolución (art. 365.1 LSC) y el deber de solicitar la disolución judicial de la sociedad (art. 366.2 LSC) como consecuencia de la especial sanción derivada de su incumplimiento en que pueden incurrir los administradores (art. 367 LSC).

La jurisprudencia, aparte de enumerar indiscriminadamente y a título ejemplificativo algunos de los preceptos que en la Ley de Sociedades Anónimas de 1951 imponían deberes a los administradores (STS 3.4.1990), sólo ha contemplado casos en los que se exige responsabilidad a los administradores por la infracción del deber de informar (STS 29.7.1994), del deber de convocar la junta general (SSTS 29.7.1994; 26.12.1991 y 25.5.1979), del deber de convocar la junta para que adopte el acuerdo de disolución y del deber de atenerse al procedimiento de liquidación previsto en la Ley de Sociedades Anónimas (SSTS 22.4.1994 y 26.12.1991), del deber de formular las cuentas anuales (SSTS 29.7.1994; 26.2.1993 y 19.7.1990), y de determinados deberes fiscales (SSTS 5.12.1991 y 30.4.1954). En cualquier caso, no es posible extraer de las referidas resoluciones ninguna doctrina jurisprudencial al respecto. Acaso lo único que merezca ser destacado es el reconocimiento a los accionistas de una acción de rendición de cuentas contra los administradores *ex* artículo 102 de la Ley de Sociedades Anónimas de 1951, equivalente al vigente artículo 253 de la Ley de Sociedades de

Capital (STS 8.5.1990). En cambio, en el ámbito de los deberes antes referidos de convocatoria de la junta general para que adopte el acuerdo de disolución y de solicitar la disolución judicial de la sociedad, las aportaciones jurisprudenciales se muestran decisivas para la configuración del régimen.

V. LAS ACCIONES DERIVADAS DE LA INFRACCION DE LOS DEBERES FIDUCIARIOS

Las consecuencias que deben arrostrar los administradores por el incumplimiento de los deberes fiduciarios inherentes al desempeño del cargo son las derivadas del conjunto de acciones que se ponen a disposición de la sociedad y que comprenden no sólo las consecuencias privadas de naturaleza civil o mercantil sino también las que se proyectan en el ámbito público como el penal o el administrativo, si bien aquí únicamente nos ocuparemos de las primeras. En el ámbito privado civil o mercantil existen una pluralidad y diversidad de consecuencias que pueden imponerse a los administradores en función del concreto deber fiduciario incumplido por los mismos en el desempeño del cargo. Estas consecuencias privadas civiles o mercantiles van desde las estrictamente societarias como la impugnación de los acuerdos de dispensa o la separación del cargo y la exclusión de la sociedad hasta las que tienen por objeto bien la indemnización de los daños causados, bien la cesación de la conducta infractora y la remoción de sus efectos, o bien la restitución de los beneficios ilícitamente obtenidos o, en fin, la anulación de los actos y contratos celebrados por los administradores con violación de su deber de lealtad.

1. La separación y exclusión del administrador negligente o desleal

El cese del administrador mediante la separación del cargo es una consecuencia prevista en la disciplina de todos los tipos sociales regulados en nuestro ordenamiento para el caso de incumplimiento de los deberes inherentes al cargo. El régimen de la sociedad civil prevé la facultad de los socios de revocar al administrador privativo o al administrador legal siempre que concurra causa legítima (arts. 1692 I y 1695 1ª CC) y al administrador no privativo *ad nutum* (art. 1692 II CC). El régimen de revocación del administrador legal y del administrador no privativo en la sociedad colectiva es análogo al descrito para la sociedad civil, pues análoga es también su posición en la misma, mientras que con respecto al administrador privativo del Código de Comercio no admite la revocación sino que establece la alternativa entre la exclusión o el nombramiento de un coadministrador que intervenga en todas las operaciones (art. 132 C de C).

En cambio, la Ley de Sociedades de Capital contempla, cualquiera que sea el modo de organización del órgano de administración de la sociedad, la posibilidad de separar *ad nutum* a los administradores mediante la adopción del correspondiente acuerdo por la junta general aun cuando no conste en el orden del día de la convocatoria (art. 223.1 LSC). La Ley de Sociedades de Capital contiene asimismo un régimen especial de cese de los administradores por infracción de la prohibición de entrar en competencia con la sociedad consistente en que a instancia de cualquier socio la junta general de la sociedad ha de acordar el cese del administrador cuando el riesgo de perjuicio para la sociedad haya devenido relevante. Y, asimismo, el acuerdo de promover la acción social de responsabilidad por incumplimiento de los deberes determina la destitución de los administradores (art. 238.3 LSC).

La exclusión constituye un mecanismo de resolución de conflictos entre los socios de modo que cuando concurren en una misma persona simultáneamente esta condición y la de administrador también constituye una consecuencia contemplada en el régimen de los distintos tipos sociales. El artículo 218, 5º del Código de Comercio dispone que el socio que contraviniere la prohibición de competencia podrá ser excluido de la sociedad y en el mismo sentido se pronuncia el artículo 350 de la Ley de Sociedades de Capital para los administradores de las sociedades de responsabilidad limitada al declarar que la sociedad podrá excluir al socio administrador que infrinja la prohibición de competencia y en fin igual facultad de exclusión puede fundarse en los artículos 1706 y 1707 del Código Civil con respecto a los socios administradores de la sociedad civil. La exclusión de los administradores por la infracción de las demás prohibiciones que pesan sobre ellos puede acordarse en virtud de la cláusula general del artículo 218.7º del Código de Comercio en el caso de las sociedades colectivas y de la causa implícita de exclusión por justos motivos en las sociedades de responsabilidad limitada, mientras que en las sociedades civiles basta con la aplicación del artículo 1707 del Código Civil.

2. *La acción de responsabilidad por infracción de los deberes fiduciarios*

Los administradores de las sociedades de capital responden del daño que causen por los actos u omisiones realizados incumpliendo los deberes inherentes al desempeño del cargo (arts. 227.2 *ab initio*, 232 y 236.1

LSC), de modo que el incumplimiento de cualquiera de los deberes fiduciarios que pesan sobre los administradores constituye fundamento de las correspondientes acciones indemnizatorias. Esta misma acción ha de reconocerse, aunque los textos legales aplicables no se expresen de la misma forma, para exigir responsabilidad por daños a los administradores de las sociedades civiles y a los de las sociedades colectivas, de conformidad con el régimen establecido en los artículos 1104 del Código Civil y 144 del Código de Comercio. El daño indemnizable que tales incumplimientos causen puede afectar tanto a la sociedad como a los socios o a terceros y abarca tanto a la disminución patrimonial (daño emergente) como al beneficio dejado de obtener (lucro cesante) imputables a la conducta de los administradores. Los elementos constitutivos de la acción de responsabilidad por daños ejercida contra los administradores no difieren de los generales del régimen de responsabilidad civil contractual o extracontractual debiendo, por tanto, probarse la conducta del administrador constitutiva del incumplimiento de un deber fiduciario, el daño, la relación de causalidad entre ambos y la antijuricidad del acto u omisión del administrador que siendo, como es en caso de incumplimiento de los deberes fiduciarios, contrario a la ley, la culpabilidad se presume, salvo prueba en contrario (art. 236.1.II LSC).

3. *La acción de impugnación de los acuerdos de dispensa*

La validez de los acuerdos o decisiones de dispensa de las prohibiciones derivadas del deber de evitar conflictos de interés está sujeta al cumplimiento de los requisitos legales establecidos como son la independencia de los miembros del órgano de administración que la concede y la inocuidad de la operación autorizada para el patrimonio social o, en su caso, su realización en condiciones de mercado y transparencia del proceso (art. 230.2.III LSC) y para la dispensa de la prohibición de competencia que no quepa esperar daño para la sociedad o el que quepa esperar se vea compensado por los beneficios que prevén obtenerse de la dispensa (art. 230.3 LSC). El acuerdo, además, debe ser adoptado para cada caso por el órgano que tiene atribuida la competencia, bien el órgano de administración bien la junta general. La infracción de cualquiera de estos requisitos materiales o de competencia orgánica conlleva la impugnabilidad de los correspondientes acuerdos así adoptados por contravenir la ley. Pero los acuerdos de dispensa son asimismo impugnables cuando, aun cumpliéndose los requisitos materiales y de competencia, lesionen el interés social en beneficio de uno o varios socios o terceros (arts. 204.1 y 251 LSC).

4. La acción de cesación de la infracción del deber de lealtad

En caso que el incumplimiento del administrador se refiera a alguna de las prohibiciones impuestas por el deber de evitar situaciones de conflicto de interés y éste tenga carácter continuado, como en el supuesto de la infracción de la prohibición de entrar en competencia con la sociedad, nuestro derecho contempla la posibilidad de solicitar la condena a cesar en la actividad que no debió haber realizado (arts. 232 LSC, 1098 II y 1099 CC y 710 LEC) y que, según los casos, puede comportar el deber de abandonar el cargo o la enajenación de las acciones o participaciones que aquél posea en una sociedad competidora. La sociedad también dispondrá de la acción de cesación *ex* artículo 18.2ª de la Ley de Competencia Desleal cuando el comportamiento del administrador pueda ser subsumido en alguno de los tipos de actos de competencia desleal como en el caso de que divulgue información confidencial de la sociedad incumpliendo su deber de secreto frente a la sociedad y siempre que éste constituya también una violación de secretos de acuerdo con lo establecido en el artículo 13 de la Ley de Competencia Desleal.

5. La acción de remoción de los efectos de los actos y contratos desleales

La realización de un acto o contrato infringiendo el deber de evitar conflictos de interés produce unos efectos como los productos en que se materializa la infracción de la prohibición de competencia o de aprovechamiento de una oportunidad de negocio de la sociedad que no pueden eliminarse con el ejercicio de las demás acciones a disposición de la sociedad. El reconocimiento de la acción de remoción de dichos efectos (art. 232 LSC) permite restaurar la situación anterior a la realización del acto o contrato desleal eliminando o removiendo los efectos que éstos han producido. Las medidas de remoción de los efectos de los actos o contratos desleales que pueden adoptarse sólo pueden determinarse caso por caso en función de los efectos producidos por el acto o contrato desleal que funda la demanda de remoción y cuya eliminación tiene por objeto pero, en todo caso, han de ser adecuadas y proporcionadas. La remoción puede proyectarse, por ejemplo, sobre los objetos en que se ha materializado el acto o contrato desleal como el material publicitario o los productos, mediante su modificación, restitución o incluso destrucción, o sobre los registros que amparan un derecho de propiedad industrial, mediante su cancelación o transferencia a la sociedad.

6. La acción de enriquecimiento injusto por infracción del deber de lealtad

El reconocimiento de la acción de enriquecimiento injusto por la infracción del deber de lealtad es ahora incuestionable para las sociedades de capital pues el artículo 227.2 de la Ley de Sociedades de Capital dispone con claridad meridiana que la infracción del deber de lealtad determina la obligación de devolver a la sociedad el enriquecimiento injusto obtenido por el administrador. Con anterioridad a la reforma de la Ley de Sociedades de Capital las aportaciones doctrinales sobre el deber de lealtad habían venido patrocinando la posibilidad de construir esta consecuencia consistente en la acción de enriquecimiento injusto, mientras que en la jurisprudencia únicamente podemos encontrar apuntada la idea de la restitución de los beneficios desde la doctrina de la responsabilidad (SSTS 29.7.1994; 26.2.1993, 5.2.1992, 19.7.1990, 8.5.1990, 26.5.1965, 3.2.1962, 25.6.1959 y 30.4.1954). La posibilidad de imponer la obligación de devolver a la sociedad el enriquecimiento injusto obtenido por el administrador y que éste deba soportar las pérdidas que le haya ocasionado se justifica porque desde una perspectiva funcional es la mejor forma de disuadir a los administradores de que incurran en un incumplimiento del deber de lealtad. Esto no obstante, en nuestro ordenamiento no existe un precepto que de manera general otorgue una acción de enriquecimiento injusto que permita imponer semejante sanción a los administradores de todos los tipos societarios, si bien los artículos 1683 del Código Civil y 136 del Código de Comercio establecen la sanción de restituir los beneficios que el socio industrial haya obtenido como consecuencia de la infracción de la prohibición de competencia.

7. La acción de anulación de los actos y contratos desleales

Los actos y contratos realizados por los administradores incumpliendo el deber de lealtad son actos y contratos nulos de pleno derecho como consecuencia del carácter contrario a una ley imperativa (arts. 230.1 *ab initio* LSC y 6.3 CC) pues mientras el administrador no obtiene la dispensa mediante el correspondiente acuerdo de autorización adoptado por el órgano competente de la sociedad rige la prohibición de realizarlos y esto sin perjuicio de la facultad de ratificación que corresponde al órgano competente de la sociedad (art. 1310 CC). En este caso el reconocimiento de la acción de anulación de los actos y contratos celebrados por los administradores con violación del deber de lealtad (art. 232 LSC) habilita a la sociedad para solicitar la declaración judicial de nulidad del acto o contrato realizado por el administrador o una persona vinculada a él, en los términos delimitados por el artículo 231 de la Ley de Sociedades de Capital, infringiendo el deber de lealtad (art. 1300 CC) y, asimismo, solicitar la restitución de la prestaciones intercambiadas entre el administrador y la sociedad o entre el administrador o terceros (art. 1303 CC). El ejercicio de la acción de anulación es el remedio adecuado en los casos de infracción de la prohibición de realizar transacciones con la sociedad pues permite a la sociedad recuperar el bien objeto de la transacción.

Capítulo 2
LOS ADMINISTRADORES RESPONSABLES

FERNANDO MARTÍNEZ SANZ
Catedrático de Derecho mercantil
Universitat Jaume I de Castellón

MARTA BARTLE
Abogada

I. DELIMITACIÓN DEL OBJETO DE ESTUDIO

Tratar sobre la cuestión relativa a los administradores responsables implica pronunciarse sobre el ámbito subjetivo de aplicación del régimen de responsabilidad del administrador de sociedades de capital. En definitiva, supone dar respuesta a una pregunta en apariencia sencilla: ¿a quién van a resultar aplicables las normas sobre responsabilidad previstas en los artículos 236 a 241 bis de la Ley de Sociedades de Capital y, en general, las que imponen sanciones a los administradores de sociedades de capital? La cuestión, durante largo tiempo, fue considerada tan fácil de responder que apenas era objeto de atención por parte de quienes se ocuparon en detalle de la responsabilidad de los administradores sociales. Parecía clara la respuesta: la disciplina de la responsabilidad de los administradores se aplica a quienes, habiendo sido formalmente investidos de la condición de administradores de una sociedad, tengan su cargo vigente e inscrito en el Registro Mercantil.

De unos años a esta parte, sin embargo, el tema ha ido ganando en importancia práctica, siendo cada vez más frecuentes los pronunciamientos judiciales que acaban declarando responsables (por aplicación de los arts. 133 y ss. de la derogada LSA e incluso por el art. 262.5 del mismo texto legal) a personas que no cumplen las condiciones mencionadas en el párrafo anterior.

Así además ha sido tras la reforma operada en la Ley de Sociedades de Capital por la Ley 31/2014, de 3 de diciembre, por la que se modifica la Ley de Sociedades de Capital para la mejora del gobierno corporativo. La rúbrica del artículo 236 directamente habla ya de la extensión subjetiva de la responsabilidad, pues expresamente se incluye ya como sujeto igualmente responsable al administrador de hecho.

Las causas de esta evolución tienen bastante que ver, a nuestro juicio, con el endurecimiento del régimen de responsabilidad operado a raíz de la reforma que dio lugar al texto refundido de la Ley de Sociedades Anónimas de 1989. Habiéndose incrementado el rigor en la exigencia de responsabilidad, el ejercicio del cargo de administrador implica para su titular la asunción de una elevada dosis de riesgo. Es por ello explicable (que no justificable) que en ocasiones se haya tratado de eludir la responsabilidad recurriendo al expediente de desempeñar funciones de gestión personas que previamente no han sido investidas de la condición de administradores. Esta figura, conocida en la práctica, y ahora ya en la propia Ley de Sociedades de Capital, como «administrador de hecho», ocupará –aunque no agote– buena parte de las páginas que siguen.

II. EL ADMINISTRADOR DE HECHO

1. Precisión terminológica

Tal vez, lo primero que convenga aclarar en relación con el administrador de hecho que ahora nos ocupa sea la propia ambivalencia terminológica de la noción. En efecto, se ha empleado una misma expresión (administrador de hecho) para hacer referencia a dos situaciones que, aunque directamente relacionadas, se encuentran en niveles distintos (en el sentido de que se trata con ellas de dar respuesta a dos órdenes diferentes de preocupaciones) (la misma puntualización de partida en PERDICES, *Significado*, 278; o JUSTE, *En torno*, 451 y ss.).

Por un lado, en el ámbito registral tradicionalmente se había venido aludiendo al administrador de hecho para referirse a aquel cuyo cargo se hallaba viciado (por ej., por nulidad del acuerdo de nombramiento) o que, por determinadas razones, había dejado de tener validez (básicamente por caducidad del mandato sin renovación). En tales situaciones, lo que preocupaba era determinar hasta qué punto y bajo qué condiciones se encontraba legitimado para actuar ese administrador a pesar, por ejemplo, de haber vencido el plazo durante el cual había de ejercer el cargo.

A partir de aquí, la «jurisprudencia registral» decantó una doctrina que legitimó excepcionalmente la actuación de dichos administradores a los efectos –generalmente– de convocar junta general. Todo ello con la finalidad de favorecer la conservación de la propia sociedad y evitar su paralización. Al respecto, han sido frecuentes las apelaciones a la «conservación de la empresa» y también, de forma implícita o explícita, las alusiones a reelecciones tácitas o reelecciones de hecho del administrador. Resulta clásica la cita de la Resolución de la Dirección General de los Registros y del Notariado de 24 de junio de 1968 como la que inaugura esta línea de pensamiento (la resolución se refiere a «*la validez de la convocatoria de la Junta General hecha por los Administradores de una Sociedad Anónima, que según los asientos del Registro Mercantil aparecían con su mandato caducado por haber transcurrido el plazo de su nombramiento y no constar haber sido reelegidos*». En tales circunstancias, señala la Resolución, «*de llevarse a su última consecuencia la teoría del cese automático de los Administradores se llegaría en la Sociedad mencionada a la situación, evidentemente no deseada, [...] y se produciría una paralización de la vida social sin solución posible, lo que constituye un resultado claramente contrario a los principios que han inspirado la Ley*»). Siguiendo la estela de la anterior, y también reproduciendo sus argumentos –conservación de la empresa y necesidad de evitar la paralización de la empresa– véanse las Resoluciones de la Dirección General de los Registros y del Notariado de 24.05.1974, 30.05.1974, 12.05.1978 y 18.06.1979 (V., también, la RDGRN de 7.12.1993). En la jurisprudencia del Tribunal Supremo, en un sentido similar, las sentencias del Tribunal Supremo de 22 de octubre de 1974 y 3 de marzo de 1977, o también la sentencia de la Audiencia Provincial de Madrid de 8 de noviembre de 1993, que afirma: «*la convocatoria de Junta general efectuada por los administradores que tienen su mandato caducado es válida, ya que debe entenderse que la sociedad ha prorrogado a estos efectos el mandato de aquéllos, para evitar una situación de vacío en la representación legal y la imposibilidad de convocar junta para precisamente nombrar nuevos administradores o reelegir a los anteriores cuyo cargo había expirado; lógicamente se trata de una doctrina de carácter excepcional que no puede hacerse extensiva a actos o negocios de los administradores que no sean vitales para la existencia y funcionamiento de la sociedad [...]*».

Ahora bien, la doctrina de los administradores de hecho (en el sentido a que ahora se hace referencia) sufrió una alteración considerable con la aprobación del Reglamento del Registro Mercantil de 1989 (situación que se prolonga en el Reglamento de 1996), dado que elimina o, cuando menos, reduce drásticamente el número de posibles casos de administración fáctica, al prorrogar el mandato de los administradores, más allá del vencimiento del plazo, hasta la celebración de la primera junta general o hasta el transcurso, en su caso, del plazo para la celebración de la junta que haya de resolver sobre la aprobación de las cuentas anuales (cfr. art. 145.1 RRM; v., también, art. 222 LSC).

Con ello, si bien la referida doctrina no queda del todo privada de contenido, sí sufre, al menos, una reducción notable de su ámbito de aplicación (véase ya MARTÍNEZ SANZ, *Provisión*, 336 s.), como lo demuestra el propio descenso en el número de resoluciones que expresamente aplican la doctrina de los administradores de hecho (v, no obstante, las RRDGN 13.5.1998; 4.6.1998 y 15.2.1999, que se hacen eco de la sustancial reducción del alcance de la referida doctrina (esta última señala que: «*la doctrina conocida como del Administrador de hecho, [...], en modo alguno pueden llevar a la admisión incondicionada de una prórroga del plazo durante el cual los Administradores con cargo caducado pueden seguir actuando válidamente. De entrada, la Resolución de 24 de junio de 1968, que suele señalarse como punto de partida de la mencionada doctrina, en realidad consagra más la figura del administrador reelegido de hecho a la vista de las actuaciones posteriores al cese, algunas inscritas, que la del administrador de hecho como tal; la posterior Resolución de 12 mayo 1978, que vuelve a insistir en las peculiaridades del caso, admitió la válida actuación del órgano de administración caducado a los exclusivos fines de convocar la Junta General para proceder a nuevos nombramientos y evitar así la paralización de la sociedad, algo que aunque sea "obiter dicta", parece seguir admitiendo la Resolución de 7 diciembre 1993, pues en cuanto su actuación excediera de ese concreto objetivo fue rechazada en Resolución de 24 de mayo de 1974. Por su parte, la doctrina del Tribunal Supremo, [...], admite igualmente la válida actuación de los administradores con cargo caducado a los mismos fines y con el mismo objetivo, rechazando un automatismo que impida convocar la Junta general ordinaria o una extraordinaria previa, pero siempre bajo la idea de una caducidad reciente, una interpretación, en definitiva, en línea con la solución que para el caso de transcurso del plazo ha inspirado el régimen acogido en el artículo 145.1 del Reglamento del Registro Mercantil, la subsistencia del nombramiento hasta que se celebre la primera Junta o hubiera debido celebrarse la siguiente Junta General que hubieran podido realizar nuevos nombramientos*»).

No obstante, podría discutirse que en tales casos nos hallemos ante verdaderos «administradores de hecho». No en vano, no ha faltado quien sostiene que se trataría, en contra de lo que suele afirmarse, de auténticos administradores de derecho (FERNÁNDEZ DE LA GÁNDARA, *Régimen*, p. 47; SÁNCHEZ ÁLVAREZ, *Responsabilidad*, pp. 328-330). Sea de ello lo que fuere, en esta sede interesa detenerse exclusivamente en la segunda de las acepciones en que la expresión viene siendo utilizada, a saber, como referida a los sujetos que, sin haber sido formalmente designados como administradores, ejercen *de facto* las funciones propias de dicho cargo (sobre el concepto exacto se vuelve más adelante). Se trata, en suma, de buscar un mecanismo para imputar a estos sujetos el régimen de responsabilidad de los administradores, resolviendo con ello un problema advertido en la práctica del Derecho de sociedades. A esta vertiente es a la que se dedicará atención preferente a partir de este momento.

2. *Estado de la cuestión en la legislación, la doctrina y la jurisprudencia*

Lo cierto es, que tanto la doctrina como la jurisprudencia (cfr., entre otras, SSTS 23.3.1998 y 26.5. 1998; SSAP Valencia 27.9.1999 y La Coruña 17.1.2000) mayoritariamente patrocinaban la extensión de las normas sobre responsabilidad también a los administradores de hecho, aun cuando se careciera de una norma expresa en tal sentido (*contra*, no obstante, SÁN-CHEZ CALERO, *Administradores,* pp. 242 y ss.; ARROYO, *Art. 133,* p. 1415; SAP Toledo 26.1.1999).

Esta perspectiva amplia y no formalista es la que se acogía en la legislación más reciente. En efecto, aunque con anterioridad a la Ley 31/2014 no se definía la figura, era frecuente incluir tanto al administrador de derecho como al de hecho a la hora de fijar los destinatarios de las normas sancionadoras, ya sean penales (cfr. arts. 290 y ss. CP) o de otro tipo (v. gr., en materia de Derecho administrativo económico: art. 95.1 LMV).

Algo similar sucede también en el ámbito de la responsabilidad jurídico-privada, donde legislativamente se parte de la referida equiparación para conseguir diversos resultados. Así, en la Ley Concursal son varios los lugares en que se establece la equiparación entre administradores de hecho y de derecho (así, art. 48.3, al tratar de los efectos sobre el deudor persona jurídica; en el art. 166 en sede de calificación del concurso; o, sobre todo, en el art. 172.3, cuando se abre la posibilidad de condenar a los administradores a pagar a los acreedores concursales el importe que de sus créditos no pudieran ver satisfechos en el procedimiento). Algo similar sucede con ciertas iniciativas extralegislativas (como es el Informe Aldama), donde también se opta por considerar sobre la misma base a unos y otros administradores (así, sub III.2.3.).

Todos estos antecedentes desembocaron en la equiparación plena, a efectos de responsabilidad, operada por la Ley 26/2003, de 17 de julio, por la que se modifican la Ley del Mercado de Valores y la Ley de Sociedades Anónimas con el fin de reforzar la transparencia de las sociedades anónimas cotizadas.

A consecuencia de la reforma, el artículo 133 de la entonces vigente Ley de Sociedades Anónimas pasaba a tener un segundo párrafo, a tenor del cual: «El que actúe como administrador de hecho de la sociedad responderá personalmente frente a la sociedad, frente a los accionistas y frente a los acreedores del daño causado por actos contrarios a la ley o a los estatutos o por los realizados incumpliendo los deberes que esta ley impone a quienes formalmente ostenten con arreglo a ésta la condición de administrador».

Con anterioridad a la Ley 31/2014, el artículo 236 de la Ley de Sociedades de Capital (precepto que llevaba por rúbrica: «Presupuestos de la responsabilidad») señalaba que: «Los administradores de derecho o de hecho como tales, responderán frente a la sociedad, frente a los socios y frente a los acreedores sociales, del daño que causen por actos u omisiones contrarios a la ley o a los estatutos o por los realizados incumpliendo los deberes inherentes al desempeño del cargo».

Con ello se consagraba la plena equiparación, a efectos de imputar responsabilidad, entre el administrador de derecho y el que simplemente lo es de hecho.

Tras la reforma realizada en la Ley de Sociedades de Capital por la Ley 31/2014, como se ha tenido ocasión de manifestar, la rúbrica del artículo 236 pasa a ser «Presupuestos y extensión subjetiva de la responsabilidad» y, por primera vez, se introduce una definición legal de lo que debe entenderse por administrador de hecho: *"tendrá la consideración de administrador de hecho tanto la persona que en la realidad del tráfico desempeñe sin título, con un título nulo o extinguido, o con otro título, las funciones propias de administrador, como, en su caso, aquella bajo cuyas instrucciones actúen los administradores de la sociedad"*.

Sobre lo que con las cuestiones que surgían en relación con la definición del administrador de hecho, pasamos a ocuparnos a continuación.

3. Concepto

3.1. Administrador de hecho

Como se decía, las normas legales que se refieren al administrador de hecho omitían dar un concepto del mismo. La excepción (aunque no se trate de un texto legislativo) venía dada por el Informe Aldama, que expresamente definía a los administradores de hecho como «aquellas personas que en la realidad del tráfico desempeñan sin título –o con título nulo o extinguido– las anteriores funciones» (se refiere a las funciones ejercitadas por los administradores formalmente designados). La noción, prácticamente incorporada ahora en la Ley de Sociedades de Capital, se empleaba para determinar la extensión subjetiva de los deberes de lealtad de los administradores, pero podía también servir en el terreno que nos ocupa. Tan sólo conviene resaltar que se trataba de un concepto amplio de administrador de hecho (abarcaría las dos vertientes a las que antes se aludía), por más que aquí interesa, sobre todo, la figura del «administrador» que gestiona sin título.

De forma similar, también en la doctrina se acogían conceptos similares del administrador de hecho. Así, se ha señalado que lo son aquellos que, «sin ocupar formalmente el cargo, ejercen de hecho y de manera efectiva las funciones de administración, sea sustituyendo a los administradores de derecho, sea influyendo sobre ellos de forma decisiva» (QUIJANO, *La responsabilidad civil*, p. 351). En un sentido parcialmente similar, se viene sosteniendo que «administrador de hecho parece ser todo sujeto que, en la práctica, ostenta [...] el poder de decisión en la sociedad, en los términos en que éste viene atribuido por la ley al órgano administrativo» (JUSTE, *En torno*, p. 452); o «aquél que, careciendo de un nombramiento regular, ejerce, de forma directa, continuada e independiente, sin oposición de la sociedad, una actividad positiva de gestión idéntica o equivalente a la del administrador de la sociedad formalmente instituido» (LATORRE, *Los administradores de hecho*, p. 182).

La jurisprudencia también ha definido al administrador de hecho como aquellos que «sin ostentar formalmente el nombramiento de administrador y demás requisitos exigibles, ejercen la función como si estuviesen legitimados prescindiendo de tales formalidades» (STS 8.02.2008; o la STS 14.04.2009); en sentido similar, la sentencia de la Audiencia Provincial de Barcelona de 24 de enero de 2005, al señalar que «nos hallamos ante el llamado administrador de hecho de las sociedades mercantiles cuando un sujeto, con nombramiento o sin él, desempeña efectivamente labores relevantes en el ámbito de aquélla»; para un concepto muy detallado, véase la Sentencia del Juzgado Mercantil Núm. 1 de Palma de Mallorca 9 de octubre de 2007.

Como se ha tenido ocasión de indicar, la Ley de Sociedades de Capital establece por primera vez con rango legal una definición de administrador de hecho, indicando que la responsabilidad de los administradores se extiende igualmente a los administradores de hecho, entendiéndose por tal a la persona que en la realidad del tráfico jurídico desempeña sin título, con título nulo o extinguido, o con otro título, las funciones propias de administrador, como, en su caso, aquélla bajo cuyas instrucciones actúen los administradores de la sociedad.

3.2. Administrador oculto

Aun compartiendo en lo esencial las anteriores definiciones, creemos que han de ser objeto de alguna puntualización. En efecto, la noción de administrador de hecho no sólo es anfibológica por la razón que se ha apuntado anteriormente (supra sub 1), sino porque se confunde en ocasiones con otra figura próxima que es necesario deslindar adecuadamente. Y es que existen buenas razones para distinguir entre quien actúa y se presenta frente a terceros como administrador sin serlo formalmente, pero actuando de manera directa o «en primera persona» («administrador de hecho»), y aquel sujeto que de manera deliberada oculta su condición de gestor, pero influye decisivamente sobre los administradores formales («administrador oculto» o «en la sombra»).

Aunque, en sentido estricto, ambos sujetos puedan ser calificados de «administradores de hecho» (el uno, notorio, el otro oculto), y aunque pudiera pensarse que, a los efectos que aquí interesan (imputar responsabilidad), unos y otros deben ser objeto de idéntico tratamiento, son varios los motivos que conducen a diferenciar ambos planos. De una parte, por elementales razones de claridad expositiva. De otra, y sobre todo, por una cuestión básica, que tiene que ver con la diferente naturaleza de los intereses en presencia: en un caso se trata, ante todo, de tutelar la apariencia y de garantizar que la sociedad quede vinculada por lo realizado en su nombre por quien aparenta ser su representante; en el otro, se trataría, sobre todo, de tutelar la seguridad jurídica (PERDICES, *Significado actual,* p. 280). En esta segunda vertiente, lo que está en juego no es un problema de representación (pues el administrador oculto no actúa frente a terceros en nombre de la sociedad, al menos como administrador), sino una cuestión de responsabilidad: se trata de que quien materialmente decide (siquiera sea a través de terceros) no escape al régimen de administración propio de los administradores.

El Informe Aldama se hace eco de esta diferenciación, al señalar como destinatarios de los deberes de lealtad, no sólo a los administradores de hecho, sino «*a los administradores ocultos, bajo cuyas instrucciones suelen actuar los administradores de la sociedad*» (sub III.2.3.).

La Sentencia de la Audiencia Provincial de Barcelona de 9 de enero de 2015, engloba igualmente dentro de la categoría de los administradores de hecho al administrador oculto: «*Hemos mantenido en anteriores resoluciones que, con carácter amplio, administrador de hecho será quien ejerce efectivamente el cargo al margen de un formal y válido nombramiento, encuadrando dentro de dicha categoría al llamado administrador oculto, esto es, la persona que real y efectivamente ejerce las funciones de administrador de la sociedad, coexistiendo con un administrador de derecho (que figura como tal frente a terceros) y en connivencia con él, el cual de facto se somete sin cuestionamiento a las decisiones del primero y, cuando es preciso, las ejecuta formalmente firmando los pertinentes documentos*». De esta definición se hizo eco la Audiencia Provincial de La Rioja en Sentencia de 17 de mayo de 2011, definición de la Audiencia a Provincial de Barcelona que previamente ya fue empleada, por ésta, entre otras, en la sentencia de la misma Audiencia, de 16 de abril de 2009.

Obviamente, en la práctica, la anterior diferenciación en ocasiones se diluye, al ser frecuentes los casos en que, quien influye decisivamente sobre los administradores formales no actúa «agazapado en la sombra», sino que opera externamente frente a terceros, es cierto que no como administrador (de ser así estaríamos ante un administrador de hecho notorio), pero sí bajo una vestidura distinta (normalmente bajo la condición de apoderado general). De hecho, es éste el supuesto probablemente más frecuente en la práctica.

Y también a esta figura se ha referido el artículo 236 de la Ley de Sociedades de Capital en la definición introducida del administrador de hecho, pues en ella, se ha incluido a aquella persona "*bajo cuyas instrucciones actúen los administradores de la sociedad*".

4. *Requisitos necesarios para poder hablar de un administrador de hecho: sobre la importancia de la prueba de indicios*

Al encontrarnos inicialmente ante una construcción eminentemente jurisprudencial y doctrinal, es obvio que la calificación de un sujeto como administrador de hecho dependía de las circunstancias del caso concreto. Con todo, y a partir de los conceptos que se han ofrecido en párrafos anteriores, se afirmaba con un razonable grado de seguridad que, para poder hablar de administrador de hecho (adoptando ahora esta noción en sentido amplio), habíamos de encontrarnos ante una persona que ejerciera un *poder de direc-*

ción y gestión similar al que ordinariamente ejercen los administradores de derecho. Además, era necesario (y fundamental) que ello se llevara a *cabo de manera constante y sin subordinación,* es decir, de manera independiente (GIRGADO, *La responsabilidad,* p. 183; LATORRE, *Los administradores de hecho,* pp. 86 y ss.) y también, podría añadirse, que existiera *consentimiento –siquiera implícito o tácito– de la sociedad* acerca de lo realizado por el administrador de hecho (LATORRE, *Los administradores de hecho,* pp. 91 y ss.).

Tres son la notas definitorias del administrador de hecho y que se extraen de la Sentencia de la Audiencia Provincial de Vizcaya de 17 de septiembre de 2013: la autonomía (en cuanto a falta de subordinación), la habitualidad (que impediría considerar como administradores de hecho a los socios sólo porque a través de la Junta General puedan dar directrices al órgano de administración) y el carácter decisorio de la intervención (son los que ejecutan la decisión quedando fuera "aquello cuya actuación se quede en la fase previa a la decisión", como puedan ser los asesores de la compañía).

O, como indicó la sentencia de la Audiencia Provincial de Barcelona de 24 de enero de 2005, la figura del administrador de hecho *«requiere la concurrencia de notas tales como la habitualidad en el ejercicio de dicha función (lo que excluye una intervención puntual en la gestión de la sociedad), la permanencia, la continuidad o, en último extremo, la profesionalidad de quien la verifica [...]».*

El administrador de hecho es por consiguiente la persona que en realidad manda en la empresa, como indicó la sentencia del Tribunal Supremo de 26 de enero de 2007: «será administrador de hecho quien sin ostentar formalmente la condición de administrador de la sociedad, ejerza poderes de decisión de la sociedad y concretando en él los poderes de un administrador de derecho. Es la persona que, en realidad manda en la empresa, ejerciendo en los actos de administración, de obligación de la empresa, aunque formalmente sean realizadas por otra persona que figure como su administrador».

O la Sentencia ya referenciada, de la Audiencia Provincial de Barcelona de 9 de enero de 2015: *«el elemento esencial de la figura del administrador de hecho es el de autonomía o falta de subordinación a un órgano de la administración social, de tal modo que pueda razonablemente entenderse que esa persona, al margen de un nombramiento formal o regular, está ejercitando en la práctica cotidiana las funciones del poder efectivo de gestión, administración y gobierno de que se trate, asumiendo la sociedad los actos de esa persona como vinculantes para ella y, por tanto, como expresión de la voluntad social. Debe añadirse la habitualidad en el ejercicio de tales funciones, permanencia o continuidad que excluyen una intervención puntual en la gestión de la sociedad, excluyendo de este concepto a aquellas personas cuya actuación se quede en la esfera previa a la decisión, lo que no es sino consecuencia del requisito de la autonomía de decisión».*

Por ello, es precisa una presencia efectiva y real en el ámbito de la gestión social, un verdadero protagonismo del que se deduzca una autónoma facultad de decidir y, por ende, una independencia de la que carece quien ha de dar cuenta de su actuación a algún tercero».

A partir de ahí, todo lo demás resulta secundario (así, el contar con un nombramiento viciado o caducado o el carecer de él; el contar con un poder general o no). Se trata de circunstancias que pueden darse o no, sin que su ausencia impida poder calificar al sujeto, eventualmente, como administrador de hecho.

La jurisprudencia, correctamente, ha puesto de relieve la importancia de la prueba indiciaria en este terreno, recurriendo a una serie de indicios, cuya presencia puede ayudar a aislar la presencia de un administrador de hecho (expresamente aluden a la importancia de la prueba de presunciones o indiciaria en esta materia, entre otras, la SSTS 22.3.2004 o 24.11.2005; las SSAP Valencia 27.9.1998, Palencia 18.11.1999; La Coruña 17.1.2000; Málaga 8.3.2005; SJM Núm. 1 Santander 18.10.2006; Auto JM Núm. 1 Cádiz 5.5.2006).

En cuanto los concretos indicios, adquiere gran importancia el hecho de que el sujeto en cuestión se halle *investido de un poder general* (bajo el ropaje de apoderado, gerente, director general, etc.: sobre este tema véase, además, lo que se dirá *infra sub* IV) que le permita actuar en nombre de la sociedad y gestionar a su antojo la marcha de los asuntos sociales (aunque es igualmente importante recalcar que la condición de administrador de hecho no pueda hacerse descansar en el solo dato de ser apoderado general). En este sentido, suele ser habitual la referencia a que los poderes conferidos, por su amplitud, prácticamente coinciden con los que son propios de los administradores de derecho [así, la SAP Teruel 22.12.1998 advierte: *«De lo expuesto se deduce que los demandados decidieron crear una persona jurídica –"Marebu, SL"– con ánimo de limitar no sólo su responsabilidad frente a terceros contratantes, al constituirse como socios-administradores la esposa y el hijo de 21 años del auténtico titular de la misma, don Juan Manuel M. G., quien asumió la Gerencia de la misma, sino que buscaron eliminar la posible responsabilidad de éste, al quedar al margen de la sociedad y de las responsabilidades que pudiera contraer de haber sido socio y Administrador de la misma, como lo pone de manifiesto el que realmente quien gestionó, dirigió y asumió la responsabilidad de la administración fue como decimos el señor M. G., según resulta de las posiciones absueltas por todos ellos y lo corrobora que el domicilio social de la referida entidad coincide con el que era y es el de los dos socios y el pseudo administrador/gerente de dicha entidad»*; o la sentencia de la Audiencia Provincial de Madrid de 16 de julio de 2001 que, aunque terminase por no declarar la responsabilidad del administrador de hecho por no promover la disolución, afirma: *«A este particular, el Sr. V. [...], si bien es cierto que no ha sido designado administrador de la sociedad en la constitución de la misma ni en posteriores Juntas como acredita la documentación del Registro Mercantil, también lo es que le fue conferido poder suficiente y bastante para realizar actividades propias de administración, poder que fue debidamente inscrito en el Registro Mercantil en el momento de constituir la sociedad, lo cual es relevante a partir de una fecha: cuando el Administrador único renuncia a su cargo, quedando constancia registral al efecto, ya que si bien es cierto que por parte del Sr. C. se renuncia incumpliendo su obligación de convocar Junta para nombrar nuevo administrador, de hecho el Administrador venía siendo el Sr. V. [...]».* Asimismo, la sentencia de la Audiencia Provincial de Palencia de 18 de noviembre de 1999 da a entender que el administrador de hecho disfrutaba de un poder amplio, al señalar que: *La mejor prueba de que quien efectiva y realmente dirigía y se hallaba detrás de la entidad era el señor R. la encontramos por una parte en que ya durante 1995 y 1996, cuando había cesado como administrador y formalmente sólo se trataba de un accionista minoritario, continuaba siendo la persona autorizada para disponer de los fondos de la entidad y operar a través de las cuentas corrientes cuya titularidad éste ostentaba en «Caja España» (folio 273) y «Banco Español de Crédito» (folio 543), y por otra en que el propio señor R. se conformó con el escrito de acusación formulado por el Ministerio Fiscal en el Procedimiento Abreviado seguido con el núm. 27/1997 ante el Juzgado de Instrucción núm. 1 de Cervera de Pisuerga, en el que se le imputaba un delito contra los derechos de los trabajadores cometido cuando en su calidad de «socio administrador» de la SA procedió a vender en febrero y marzo de 1996 sendas fincas con la intención de hacer inútiles los créditos que los empleados ostentaban contra aquélla por causa de sus despidos, conformidad que dio lugar al dictado de la correspondiente Sentencia firme condenatoria (folio 305 y siguientes) en cuyo admitido relato fáctico se afirma que no constaba el que don Norberto y doña Concepción de la P. conocieran la intencionalidad del señor R. G.»*].

De forma más clara aún, la sentencia de la Audiencia Provincial de Valencia de 27 de septiembre de 1999 señala que: *«el demandado absuelto no es, simplemente, uno de los encargados de gestionar la vida económica de la sociedad como apoderado de ésta, sino que es, realmente, el administrador de hecho de la marcha societaria, siendo su hijo —extremo éste reconocido por ambos— el administrador social pero no quien realmente conoce y controla el desenvolvimiento usual de la entidad mercantil [...]; por último, porque el tenor de las facultades del apoderado, que son amplísimas, y prácticamente coincidentes con las del (sic) artículo 15 de los estatutos otorga al administrador reafirman en las anteriores apreciaciones, relativas* a que, de hecho, es el demandado absuelto el que gestiona la marcha económica de la sociedad, siendo de destacar que el fue quien contrató con la demandante [...]» Asimismo, la muy interesante sentencia de la Audiencia Provincial de La Coruña de 17 de enero de 2000 alude a que: «*En el caso presente, el codemandado don Daniel R. B., es formalmente apoderado general de la entidad Liramar, SA; no obstante bajo tal cobertura se esconde la actuación de un verdadero administrador, y como tal sujeto al régimen jurídico de responsabilidad de tal cargo social, lo que deducimos con base y en función de las consideraciones siguientes: [...] El codemandado señor R. B. es apoderado general de la sociedad, con facultades inscritas idénticas a las que, en el artículo 23 de los estatutos, se asignan a los administradores solidarios, con la salvedad del apartado b) de dicho artículo 23. Tal apoderamiento es realmente amplio con facultades no sólo de administración sino incluso de disposición, estando facultado, entre otras para "adquirir, disponer, enajenar y gravar toda clase de bienes muebles e inmuebles y constituir, aceptar, modificar y extinguir toda clase de derechos personales y reales, incluso hipoteca, así como igualmente otorgar toda clase de actos, contratos y negocios jurídicos, con los actos, cláusulas y condiciones que estime oportuno establecer; transigir y pactar arbitrajes; tomar parte en concursos y subastas, hacer propuestas y aceptar adjudicaciones; adquirir, gravar y enajenar por cualquier título" entre otras muchas y similares*». En un sentido similar, la sentencia de la Audiencia Provincial de Valencia de 11 de marzo de 2008, cuando señala que: *su apoderamiento [del demandado] era lo suficientemente amplio, no sólo para actos de gestión y administración, sino también de disposición de capital, lo que sin duda implica una amplitud notable, a la que no puede oponerse, simplemente, arguyendo que se trataba de un poder general, de los usuales en el momento, puesto que [...] lo cierto es que el poder queda encabezado con la expresión –folio 99 vuelto– "PODER amplio para que don Jesús... pueda administrar y regir la sociedad...", amplitud que, indudablemente asimila al apoderado con el administrador, en cuanto, expresamente, con tal finalidad se configura, lo que, por otro lado, tampoco resulta sorprendente si tenemos en cuenta que el administrador de la mercantil, y poderdante es el hermano de D. Ángel Jesús, y aquí codemandado. Este de la concesión de poderes "amplísimos" es uno de los supuestos que conceptúa la doctrina y la jurisprudencia como indiciario de la figura del administrador fáctico, conjuntamente con la permanencia del apoderamiento y la ausencia de directrices seguidas por el apoderado, en situación de subordinación con el órgano de gobierno de la sociedad, que, entendemos, son todas notas que en este supuesto concurren;* o la sentencia de la Audiencia Provincial de Murcia de 28 de enero de 2010, cuando señala que "*no se aprecia error en la valoración de las pruebas en el particular relativo a la condición de administrador de hecho de D. Emilio de la mercantil Pedro Mayor Serrano, S.L., pues, en efecto, esta condición se puede deducir del hecho de haber firmado e intervenido en los documentos dos y cuatro que se acompañan con el escrito de demanda, relativo, uno, al reconocimiento de deuda de la mercantil*

Pedro Mayor Serrano, S.L., en favor de la entidad actora, SEINTRA S.L., y el otro de transacción, es decir intervino en representación de la mercantil en dos actos jurídicos de especial significación y trascendencia, ello en conjunción con lo declarado en el acto de juicio por los testigos, de cuyos testimonios se desprende que era D. Emilio el que negociaba las condiciones comerciales de los servicios, quien firmaba en representación de la mercantil y la persona de contacto de ésta, declaraciones testificales a las que se concede valor probatorio al amparo de la facultad que confiere el artículo 376 de la Ley de Enjuiciamiento Civil, no existiendo motivos para privar de credibilidad a lo declarado por el empleado de la demandante y por D. Jesús Manuel, debiendo también ponerse de manifiesto la coincidencia entre la denominación de la entidad mercantil deudora y el nombre y apellidos del recurrente, así como el hecho, también significativo, de que el administrador formal de la entidad mercantil Emilio S.L., es D. Ceferino, hijo del apelante, y quien ha sido declarado en rebeldía". O, en fin, la sentencia del Tribunal Supremo de 8 de febrero de 2008 (si bien les exime de responsabilidad por inadecuada prueba del nexo causal), que llega a la conclusión de hallarnos en presencia de sendos administradores de hecho basándose, entre otros indicios, *"en que el amplio apoderamiento conferido, que ostentaban solidariamente con el administrador recientemente fallecido, no fue revocado sino que se mantuvo en el tiempo; y en que uno de los demandados reconoció que ambos asumían la gestión de la sociedad».*

Como deja entrever esta última sentencia, los anteriores pronunciamientos judiciales tan sólo resultan compartibles si no se interpretan como expresivos de que la sola existencia de un poder general no supone, *per se*, la atribución automática al apoderado de la condición de administrador de hecho. Esta última calificación ha de venir dada, no por la existencia del poder en sí (por muy amplio que éste sea) sino por la concurrencia de otros datos que pongan de relieve que nos hallamos ante un verdadero administrador de hecho, porque sea él quien efectivamente maneje la sociedad. En estos casos, el poder sería tan sólo el instrumento que facilita el ejercicio de dicho poder de mando (sobre ello se vuelve *infra, sub* IV).

Es igualmente frecuente valorar, como indicio, la circunstancia de estar ante *sociedades de base familiar*, en las que el administrador de hecho se encuentra vinculado con los administradores de hecho por *relaciones de parentesco* (normalmente, padre-hijos), que permite presumir que el administrador de hecho está en condiciones de controlar la actuación de los administradores de derecho (así, la SAP Valencia 31.1.2007, en un caso en el que el administrador cesa en su cargo alegando enfermedad, para ser sustituido por su hijo, estudiante en el momento en que se le nombra, confiriendo el nuevo administrador (hijo), ese mismo día, plenos poderes de actuación y representación en nombre la sociedad a favor del padre, a pesar de la alegada enfermedad). Aunque sea parcialmente distinto, véase también la sentencia de la Audiencia Provincial de Málaga de 8 de marzo de 2005, en un caso en el que, fallecido el padre, el cargo de administrador recayó en la viuda, que era quien figuraba en el Registro mercantil, pero *«quien llevaba el negocio, después de la muerte del padre, era D. Ismael y también su hermana Dª Marta, que eran los que hacían los pedidos, firmaban los albaranes, etc. Sin intervención de la madre que había hecho una dejación de sus funciones total, [...], lo que permite concluir que los hijos de la demandada Sra. Marta, actuaron como administradores de hecho»*; no obstante, alcanza esta conclusión sobre la base de la doctrina del levantamiento del velo, lo que no parece demasiado correcto.

En una línea en buena medida similar, es normal que en estos supuestos se haga también referencia al control o dominio de la sociedad a través de la titularidad de una amplia mayoría del capital [argumentos tenidos en cuenta por la sentencia de la Audiencia Provincial de La Coruña de 17 de enero de 2000, al afirmar que: *«Como resulta de las inscripciones registrales folios 194 y ss., la entidad Liramar es una sociedad constituida por el matrimonio formado por don Daniel R. B. y doña Vicenta O. D., que son titulares del 70% de las acciones, en que se divide el capital social de 10 millones de pesetas, y tres hijos del matrimonio Benito, Daniel y José Ramón, titulares cada uno de ellos de un 10% del capital social. Se trata pues de una sociedad de naturaleza familiar, en la que el señor R. B. y su esposa controlan el 70% del capital social, como así expresamente reconoce al responder la posición primera de su confesión judicial»*. O por la sentencia de la Audiencia Provincial de Oviedo de 15 de febrero de 1994 (cit. por RODRÍGUEZ RUIZ DE VILLA/HUERTA, *La responsabilidad*, p. 55), cuando declara responsable a quien era el máximo accionista de la sociedad (obviamente, no por ese solo dato, sino por su actuación en la gestión de la compañía, pese a no estar formalmente investido de la condición de administrador).

El dato de la titularidad del capital también puede ser tenido en cuenta como indicio de administración fáctica en situaciones de *unipersonalidad* o fuerte control accionarial por parte de aquel a quien se atribuye la condición de administrador de hecho. Así, en un caso en que la sociedad unipersonal carecía de administrador de derecho, el Tribunal Supremo (STS 24.9.2001) atribuyó al socio único la condición de administrador de hecho, sobre la base de las siguientes consideraciones: *«[...] Resulta acreditado y no controvertido en autos que por contrato de fecha 31 de julio de 1991, Inmobiliaria Mesmón, SA compró a los miembros de la familia P. las acciones de que éstos eran titulares en diferentes sociedades anónimas, entre ellas, la totalidad de las que representaban el capital social de Ibitrans, SA, pasando, en consecuencia, a ser Inmobiliaria Mesmón, SA socio único de Ibitrans, SA. [...]. Por la adquisición de la totalidad de las acciones de Ibitrans, SA por Inmobiliaria Mesmón, SA convirtiéndose en socio único y suponiendo los pactos concertados la remoción de los anteriores administradores al asumir la compradora la "gestión" de Ibitrans, SA, y no haber designado persona física que asumiese el cargo de administrador, ha de considerarse a Inmobiliaria Mesmón, SA como administradora de facto de Ibitrans, SA ya que no resulta posible la existencia de una sociedad anónima sin la de los órganos sociales previstos con carácter imperativo en la Ley reguladora de las mismas».*

En un sentido similar, la sentencia del Juzgado Mercantil Núm. 1 Palma de Mallorca de 9 de octubre de 2007, que (aunque sea en sede concursal y a efectos de determinar la correcta clasificación de ciertos créditos) se ocupa del *«socio de control, aquel accionista que sin formar parte del órgano de gestión de la sociedad condiciona sistemáticamente, sin embargo, la actuación de sujetos que, formalmente, ostentan la cualidad de administradores».* No obstante, la sentencia correctamente puntualiza que *«en todo caso, se requiere constatar la realidad de una absoluta y sistemática injerencia en la gestión y administración para evitar la indebida extensión de la figura, pues no debe confundirse la normal influencia que el socio mayoritario puede ejercer en el legítimo ejercicio de sus derechos corporativos con aquellas otras hipótesis de auténtico y absoluto dominio sobre los administradores formales (ya sea mediante la intervención directa en la gestión, ya sea a través de impartir instrucciones o directivas, incluso secretas, a los administradores de derecho que quedan sometidas a ellas), pues en el primero de los casos no podríamos hablar propiamente de un administrador de hecho»* (en el caso concreto, la sentencia llega a la conclusión de que estamos en presencia de un verdadero administrador de hecho).

En otras ocasiones se ha hecho expresa referencia a la circunstancia de que el administrador de hecho se presentaba externamente como «administrador de la sociedad» [así, una vez más, la SAP La Coruña 17.1.2000, al señalar: *«Pero es que además el señor R. B. se atribuye, expresamente, la condición de administrador social ante organismos públicos, así ante la delegación provincial de la Consellería de Xustiza, Interior y Relacións Sociais, en la solicitud y explicación de las causas que motivaron la presentación del escrito promoviendo expediente de regulación de empleo, en la memoria presentada el 7 de agosto de 1995 (...), así como en las memorias para obtener la prórroga de la suspensión de dichos contratos, de 22 de diciembre de 1995 (...), 29 de marzo de 1996 (...), 31 de octubre de 1996 (...), 31 de diciembre de 1996 (...), así como en solicitud de 7 de enero de 1997 [...]. Igualmente se atribuye al señor R. B. la condición de administrador en la certificación de los acuerdos de las juntas generales ordinarias de la sociedad, celebradas el 30 de junio de 1993 y 30 de junio de 1994, aprobatorias respectivamente del balance y cuentas de Liramar correspondientes a los ejercicios económicos de 1992 y 1993 (...), a los efectos del depósito de las mismas en el Registro Mercantil, con lo que, con publicidad registral, se atribuía tal función social, que de facto ejercía, como siempre lo vino haciendo»*)]; o por realizar otra serie de actos que competen, en principio, a los administradores (es el caso de la SAP Oviedo 15.2.1994, cuando alude a que: *«al ser F. C. quien gestionó la sociedad, llegando incluso a ejecutar actos reservados al Presidente del Consejo de Administración, como la Presidencia de la Junta General de Accionistas»*).

Excesivamente rigurosa se muestra la línea jurisprudencial que basa la atribución de la condición de administrador de hecho, en haber permitido la continuación de un procedimiento judicial, a pesar de que su cargo de administrador habría caducado hacía tiempo. Así, la sentencia del Tribunal Supremo de 14 de abril de 2009, al señalar que: *«es forzoso considerar que la continuación del proceso sin objeción alguna por parte del administrador hasta terminar mediante sentencia de esta Sala dictada en el año 2001 implica una voluntad de mantenimiento de la acción impugnatoria desencadenada por la actividad del administrador y comporta la asunción de hecho de las funciones de gestión de la sociedad a los únicos efectos en que mantenía vigente su actividad relacionados con la pendencia de un proceso en que se actuaban pretensiones ejercitadas a su favor y no en favor de quien aparecía como apoderado»*. Véase, también, en un sentido similar, la sentencia del Tribunal Supremo de 8 de febrero de 2008; o la posterior sentencia del Tribunal Supremo de 11 de marzo de 2010, expresiva de que: *«Esta Sala se ha pronunciado en el sentido de que el cese del nombramiento por caducidad del administrador no constituye requisito suficiente para entender producido el cese del mismo si se prueba que existió una continuidad en el ejercicio de sus funciones como administrador de hecho, permaneciendo en sus funciones de administración y representación orgánica de la sociedad [...], y ha considerado que se da esa continuidad si existe un proceso abierto en el que es parte la sociedad»* (STS 14 de abril de 2009).

«En el recurso examinado los administradores, a pesar de la caducidad de su mandato y a pesar de la disolución de la sociedad por imperativo legal, continuaron ejerciendo sus funciones, pues, como se dijo en la última sentencia mencionada, es forzoso considerar que la continuación del proceso sin objeción alguna por parte de los administradores hasta terminar mediante sentencia de esta Sala dictada en el año 1998, implica una voluntad que comporta la asunción de hecho de las funciones de gestión de la sociedad a los únicos efectos de que mantenía vigente su actividad por la pendencia de un proceso en que se actuaban pretensiones ejercitadas en su contra.

El proceso del que trae causa el litigio que ahora nos ocupa se inició en el año 1989 y no concluyó hasta el 25 de marzo de 1998, fecha de la sentencia que resolvió el recurso de casación, hecho no controvertido y declarado por la sentencia impug-

nada, por lo que la actividad de la sociedad y, con ella, la de los administradores se prolongó de facto, hasta la terminación del proceso pendiente».

En el extremo opuesto, se ha considerado –correctamente a nuestro juicio– que no es indicio suficiente para considerar a alguien administradora de hecho el seguir desempeñando la función de secretaría de las juntas de socios, tras haber cesado como administradora de derecho de la sociedad (así, SAP Barcelona 8.4.2003). O la muy interesante sentencia del Juzgado Mercantil de Santander de 18 de octubre de 2006, al decidir sobre la resolución de un contrato de arrendamiento de servicios celebrado entre la sociedad (ahora concursada) y una empresa, por el cual ésta asumía la gestión integral de la sociedad en situación de dificultades económicas (*interim management*). El incidente concursal tendía a negar el derecho de la empresa de gestión a reclamar indemnización por la resolución del contrato y, al tiempo, el propio derecho a percibir remuneración alguna, partiendo de su condición de administradores de hecho (toda vez que los estatutos de la sociedad concursada no preveían retribución alguna a favor del administrador). La juzgadora llega a la conclusión de que, «*a pesar de que en el [contrato de arrendamiento de servicios profesionales] se le atribuyen amplias funciones, [...] todas ellas han de considerarse como actos de gestión y asesoramiento pero no actos de gobierno, propios estos últimos, del órgano de administración*» (que seguía existiendo, por más que su actuación en la vida de la sociedad hubiese quedado muy limitada desde un punto de vista práctico); así lo acreditaba, además, «*la interpretación conjunta del contrato presidido por la finalidad de asesoramiento y búsqueda de viabilidad, por la necesidad de plantear a Santal [sociedad concursada] determinadas decisiones (cláusula 4ª) por la necesidad reflejada en las cláusulas analizadas de refrendo expreso de determinadas actuaciones y por que no se le encomienda la decisión de presentar el concurso a Polo [empresa de gestión empresarial], sino que toda su función viene presidida por una labor de asesoramiento técnico y configuración de un plan de viabilidad, que se corresponde con la finalidad de alcanzar viabilidad empresarial*"; llegando así a la conclusión de que no es posible apreciar el carácter de administrador de hecho en la empresa de gestión empresarial, «*puesto que su actuación se corresponde a las actuaciones propias del contrato de arrendamiento de servicios sin que se aprecie actuación de gobierno y dirección con toma de decisiones propias en aquellos ámbitos de gobierno*».

5. Responsabilidad aplicable al administrador de hecho

Partiendo de la consideración de un sujeto como administrador de hecho de una sociedad, la consecuencia, con anterioridad a la Ley 31/2014, podría pensarse, es clara: a los efectos que interesan en esta sede concreta, esa persona será tratada como si fuera administrador de derecho, por lo que se le aplicaría el sistema de responsabilidad dispuesto por la Ley para los administradores, sin que además, la sola existencia de un administrador de hecho responsable pudiera servir para exonerar a los administradores de derecho, en caso de existir (véase la STS 7.6.1999). Es lo que además, ordenaba el artículo 236.1 de la Ley de Sociedades de Capital incluso con anterioridad a la redacción dada por la Ley 31/2014, norma que resolvía, además, los problemas que hasta la reforma del año 2003 planteaba la búsqueda de un fundamento para la extensión a los administradores de hecho del régimen de responsabilidad previsto para los administradores formalmente nombrados.

Ni entonces ni ahora, la aplicación de los artículos 236 a 241 de la Ley de Sociedades de Capital no ha de plantear problemas: sencillamente, el administrador de hecho habría causado un daño, por una acción u omisión contraria a la ley, a los estatutos, o a la diligencia con la que debe desempeñar el cargo, por lo que la sociedad o el tercero dañados podrían exigirle responsabilidad. En este sentido se pronuncia expresamente el artículo 236.3 de la Ley de Sociedades de Capital cuando, refiriéndose a los administradores de hecho señala que la responsabilidad (en la que pueden incurrir los administradores de la sociedad frente a la sociedad, frene a los socios y frente a los acreedores sociales) se extiende igualmente a los administradores de hecho.

Por el contrario, la situación se presenta de forma diversa cuando de lo que se trata es de reclamar responsabilidad sobre la base de otros preceptos igualmente contenidos en la ley reguladora de las sociedades de capital. En concreto, se está pensando en la responsabilidad por las deudas sociales que se impone a los administradores como sanción por el incumplimiento de ciertos deberes que pesan sobre ellos (como es la promoción de la disolución de la sociedad cuando concurre causa para ello: cfr. arts. 260 y 262.5 LSA, o arts. 104 y 105.5 LSRL 1995 o lo era la obligación en su día de adaptar los estatutos de la sociedad a lo previsto en la Ley de Sociedades Anónimas: DT 3ª.3 y DT 6ª.2 LSA). Obsérvese además, que la Ley 26/2003 (Ley de Transparencia) no introdujo en estos últimos preceptos (artículo 262 LSA y DT 3ª.3 y DT 6ª.2 LSA) una modificación similar a la que incorporó al artículo 133 del mismo texto legal. Antes y después de la reforma, el artículo 262 de este texto seguía refiriéndose a «los administradores», sin más. Lo mismo puede aplicarse en la actualidad respecto del artículo 367 de la Ley de Sociedades de Capital, que alude a «los administradores».

El problema que se plantea en estos casos, es que la actuación debida por los administradores consiste en la convocatoria de la junta general, a fin de que ésta acuerde la disolución (o la adaptación de los estatutos, si hablamos de la DT 3ª LSA 1989, aunque el supuesto haya perdido ya su interés). Si se tiene en cuenta la propia naturaleza del administrador de hecho (que carece de un nombramiento regular), se comprende que no esté en condiciones de convocar junta general, aunque quisiera. Por ello, en la doctrina se ha entendido que no resultaría coherente exigirle responsabilidad por haber incumplido un deber (convocar junta en el plazo de dos meses para acordar, en su caso, la disolución) a quien no puede convocar por no estar investido de dicha facultad (así, JUSTE, *En torno*, p. 455). No obstante, es sin duda mayoritaria la posición doctrinal que aboga por entender aplicable a los administradores de hecho también la responsabilidad *ex* artículo 367 de la Ley de Sociedades de Capital.

En cuanto a la jurisprudencia, algunas sentencias expresamente excluyen dicha posibilidad. Destaca la sentencia de la Audiencia Provincial de Madrid de 16 de julio de 2001 que, tras calificar a un sujeto como administrador de hecho, afirma lo siguiente: «*No cuestionándose la situación de insolvencia y la desaparición de la sociedad deudora la siguiente cuestión a dilucidar es si este señor, administrador de hecho, y "gestor único" a partir de diciembre de 1993 (cuando cesa el administrador legalmente nombrado en Junta Universal de socios [...]) puede y debe responder por no convocar Junta General para acordar en su caso el acuerdo de disolución, o demás medidas legales dada la situación de la sociedad perfectamente conocida por él como gestor y factor mercantil de la misma. [...]. Para ello lo primero que tenemos que responder es si con el poder conferido podía convocar la Junta General, presupuesto necesario para generar la responsabilidad por la que ha sido condenado, y analizando detalladamente el poder inscrito y base de su actuación en nombre de la sociedad, del mismo no puede deducirse que pudiera convocar Junta General*», llegando a la conclusión de que: «*En consecuencia, y a pesar de quedar acreditado su condición de "apoderado de hecho" es lo cierto que el Sr. V. no está obligado a soportar la carga que el pleito pretende, ya que el derecho que ejercita el actor tal y como lo ejercita y ha quedado limitado en esta alzada a él no le afecta*». Sustentan también esta postura (al administrador de hecho no le resultaría aplicable la responsabilidad del art. 262.5 LSA o 105 LSRL) las sentencias de la Audiencia Provincial de Valencia de 23 de noviembre de 2005; 31 de enero de 2007 y 11 de marzo de 2008.

No obstante, últimamente empiezan a ser numerosas las sentencias que optan por aplicar la responsabilidad por deudas sociales al administrador de hecho (sea sobre la base de la DT 3ª LSA 1989, sea *ex* art. 262.5º LSA –hoy art. 367 LSC–). Pueden consultarse las sentencias del Tribunal Supremo de 24 de septiembre de 2001; 14 de abril de 2009; 11 de marzo de 2010; de las Audiencias Provinciales de La Coruña 17.1.2000; o de Madrid 31 de julio de 2009 y 27 de noviembre de 2009; de Murcia 28.1.2010; o, en fin, la sentencia de la Audiencia Provincial de Madrid de 16 de abril de 2010, al expresar que: «*Pues bien, la responsabilidad de un administrador social cuyo nombramiento hubiera caducado o que hubiera cesado por cualquier causa como administrador de derecho sigue siéndole exigible si mantiene la condición de administrador de hecho, no sólo en los supuestos en que la acción ejercitada es la de responsabilidad individual (en virtud de la expresa previsión legal del artículo 133.2 del Texto Refundido de la Ley de Sociedades Anónimas), sino también cuando la acción que se ejercita es la de responsabilidad por las obligaciones sociales establecida en el artículo 262.5 del citado cuerpo legal, como se desprende de la sentencia del Tribunal Supremo de 14 de abril de 2009, y tiene ya dicho esta sala en sentencia de 31 de julio de 2009*».

Menor interés reviste la sentencia del Tribunal Supremo de 30 de julio de 2001, no sólo porque contiene algunas afirmaciones difícilmente compartibles, sino porque además, no se ocupa exactamente de un caso de administradores de hecho (dado que expresamente se niega a calificar como tales a los apoderados a los que se refiere). Sea como fuere sí resulta de interés la siguiente afirmación en ella contenida: «*Por otra parte hay que tener presente que los poderes concedidos a los hoy demandados por el administrador único, se refieren a los actos externos de la sociedad, es decir a los que realiza la entidad con terceros, pero en forma alguna a los actos internos, pues del examen de los mismos, no les han conferido la facultad para convocar la junta general de accionistas, atribución que es propia del administrador único, ni para cambio del domicilio social, ni para solicitar la disolución de la sociedad o aumento de capital, supuestos éstos en los que parece basar la responsabilidad de los mismos, a pesar de haberse citado como infringidos los artículos 133 y 135 de la Ley de Sociedades Anónimas* [hoy serían los arts. 236 y 241 LSC], *en vez del art. 262 de la misma ley* [hoy sería art. 367 LSC]».

Lo cierto es que nos hallamos ante una cuestión controvertida. Probablemente es aquí, además, donde el discurso –especialmente el de la jurisprudencia– se encuentra más falto de fundamentación. En líneas generales, puede afirmarse que la línea argumental se polariza (de manera explícita o implícita) en dos frentes. De una parte, es común aferrarse al argumento formal –pero ciertamente de mucho peso– que ya se ha expuesto antes: al no poder convocar junta general, mal puede hacérsele responder a alguien de la falta de convocatoria (así, JUSTE, *En torno*, p. 455). En contra, se suele razonar sobre la base de la diligencia: aunque la falta de competencia de un administrador de hecho para convocar la junta sea cierta, «*el diligente ejercicio del cargo le obliga a hacer todo lo necesario para dar cumplimiento a esa norma [art. 262 LSA o art. 367 LSC], y en ese sentido, debería haber puesto en conocimiento de los socios la situación, haber propuesto la celebración de junta universal o en general, lo necesario para remover los obstáculos que impedían el cumplimiento de esa norma*» (PERDICES, *Significado, p.* 283).

Parece claro que la respuesta definitiva al tema pasa por la exacta determinación de ante qué tipo de responsabilidad nos hallamos. Así, en caso de que se entienda que la responsabilidad del artículo 367 de la Ley de Sociedades de Capital tiene que ver, no tanto con la diligencia o negligencia del administrador, sino más bien con el simple incumplimiento objetivo de un deber de convocar (cualesquiera que sean las razones que hayan llevado a la falta de convocatoria), parece evidente que se dificultaría aceptar el argumento reproducido en el párrafo anterior. En efecto, no tendría mucho sentido desvincular la sanción que contempla el precepto de consideraciones culpabilísticas, para luego «rescatar» el argumento de la diligencia alegando que el administrador de hecho ha sido negligente al no promover la disolución social.

Con todo, esta forma de ver las cosas no creemos que sea la correcta. Y ello porque son bastantes las voces que entienden –en una visión que compartimos– que la responsabilidad por falta de promoción de la disolución sí tiene mucho que ver con el elemento de la diligencia exigible a los administradores, que se verían obligados, no tanto a convocar la junta, cuanto a hacer todo lo posible por alcanzar efectivamente la disolución de la sociedad (así, GARCÍA-CRUCES, *Extinción, p.* 36; LATORRE, *Los administradores, p.* 224; el propio PERDICES, *Significado, p.* 283).

En este orden de cosas, se podría añadir que, aunque el administrador de hecho no pueda convocar la junta general, son varios los medios de que dispone para lograr la referida disolución. Así, y teniendo en cuenta que es quien materialmente gestiona y dirige la sociedad, será posible determinar si ha realizado actuaciones tendentes a influir sobre los administradores de derecho (caso de existir) a fin de que convoquen la junta (LATORRE, *Los administradores,* p. 225).

Pero es que, al margen de ello, o cuando no existan los administradores de derecho, siempre le cabría la posibilidad de dirigirse al juez, en cuanto «interesado», solicitando la disolución judicial de la sociedad (*ex* art. 366.1 LSC). De hecho, probablemente pueda trazarse un paralelismo entre la situación que nos ocupa y la que se plantea en aquellos casos de disensiones dentro del órgano (colegiado o mancomunado) de administración. En tal hipótesis se ha planteado que el administrador con voluntad de cumplir el deber de promover la disolución puede, cuando el resto de los miembros se niegue, considerarse legitimado para solicitar la disolución judicial (en cuanto «interesados» a los efectos del art. 366.1 LSC). Es más –se dice–, no sólo estarán facultados sino que excepcionalmente estarán obligados a hacerlo, pues sobre ellos recae el deber de promover la disolución de la sociedad, y ésta no sería sino la forma de dar cumplimiento a tal deber (GAR-CÍA-CRUCES, *Extinción, p.* 32). En el caso que ahora nos ocupa, no sería descabellado extender también a los administradores de hecho semejante facultad-deber de instar la disolución judicial como subrogado del deber de convocar la junta que recae sobre los administradores de derecho (también apunta esta posibilidad LATORRE, *Los administradores,* p. 222, nota 386).

A los argumentos anteriores se une, una vez más en esta materia, una consideración de carácter antiformalista: y es que resultaría francamente chocante no aplicar a los administradores de hecho el régimen del artículo 367 de la Ley de Sociedades de Capital, pues ello implicaría tolerar una situación de claro privilegio sobre la base de un argumento de orden formal (aunque importante), todo ello con evidente perjuicio para los terceros a quienes trata de amparar la norma.

Todo ello nos lleva a concluir que al administrador de hecho le resulta aplicable todo el régimen de responsabilidad previsto para los administradores de derecho, tanto el previsto en los artículos 236-241 de la Ley de Sociedades de Capital, como el contemplado en el artículo 367 de idéntico texto legal (al margen de otros supuestos de responsabilidad administrativa, en la que no se entra en este lugar).

III. ADMINISTRADORES DE LA SOCIEDAD DOMINANTE

La misma tensión entre perspectiva formal y perspectiva material o funcional se aprecia, incrementada si cabe, en las hipótesis de grupos de sociedades. En realidad, se trata de la piedra de toque de la coherencia de la doctrina del administrador de hecho. Ciertamente, una vez aceptado que se pueda superar el obstáculo formal de considerar administrador a quien legalmente no se halla investido de tal condición, se abre la puerta a múltiples combinaciones. Entre ellas, sin duda alguna, la de los grupos de sociedades es, por su relevancia, la que más interés despierta. Consistiría en la tentación de hacer uso de la doctrina para declarar la responsabilidad de los administradores de la sociedad dominante (o de la propia sociedad dominante) por daños causados en la sociedad dominada por actos llevados a cabo por los administradores (de derecho) de esta última. Todo ello por la vía de calificar a los administradores de la sociedad dominante como administradores de hecho de la dominada. Ello pasaría, se dice, por una interpretación funcional, y no meramente formal, del concepto de órgano de administración, reconociendo que son los administradores de la sociedad dominante quienes, de manera efectiva, influyen en las decisiones de gestión de la dominada (véase SÁNCHEZ ÁLVAREZ, *Grupos,* pp. 133 y ss.; con más reservas, por la inseguridad jurídica que podría conllevar, EMBID, *Grupos, p.* 142).

En realidad, se trata de una cuestión central en una hipotética regulación de los grupos de sociedades y, obviamente, no puede ser abordada en toda su extensión en esta sede. Baste con decir que, *de lege lata,* existen ciertos obstáculos a una *admisión incondicionada* de esta tesis. Cuando menos, exige cierta fundamentación. En primer lugar, habría que proceder a determinar si en el administrador de la sociedad dominante concurren los elementos para poder afirmar que nos encontramos ante un administrador fáctico de la dominada. La respuesta dependerá de lo que se entienda por administrador de hecho, y más concretamente, de si se estima que en el concepto han de entrar sólo quienes gestionan «en primera persona», mostrándose como administradores, aun sin serlo (concepto estricto) o también quienes actúan en la sombra (es decir, lo que suele llamarse administrador oculto o en la sombra) (cfr. *supra* II.3.2). Pues bien, si se analiza el supuesto de hecho del administrador de la sociedad dominante respecto de la dominada, habría que entender que nos hallamos, en todo caso, ante un «administrador oculto» (GIRGADO, *La responsabilidad, p.* 181; LATORRE, *Los administradores,* pp. 155-156).

Esta circunstancia ha de ser tenida muy en cuenta, pues mientras que la aplicación de la doctrina de los administradores de hecho al primer tipo de sujetos no plantea, como hemos visto, excesivos problemas, no ocurre lo mismo con el segundo grupo. En efecto, al margen de que para algunos (aquellos que asumen un concepto restringido), los administradores en la sombra se excluyan directamente de la noción de administrador de hecho (serían una categoría aparte), es evidente que la aplicación del régimen de responsabilidad al administrador oculto exige un plus de fundamentación. Ciertamente, en los supuestos en los que la jurisprudencia aplica la doctrina del administrador de hecho se aprecia generalmente una voluntad de eludir las normas sobre administradores (más concretamente, las relativas a la responsabilidad). Por el contrario, en el caso de los grupos de sociedades no siempre es fácil advertir este ánimo de evitar las normas sobre responsabilidad. Por ello resulta difícil admitir con carácter apriorístico la afirmación según la cual la simple presencia de un grupo de sociedades nos sitúa ante un supuesto de administrador de hecho. Por el contrario, será una cuestión a dilucidar en cada caso concreto, a la luz de las circunstancias que concurran (por ej., en cuanto al grado de integración alcanzado en el seno del grupo, el carácter centralizado o descentralizado del mismo y, en consecuencia, la mayor o menor obligatoriedad de las instrucciones impartidas), a efectos de ver si se dan todos los requisitos que anteriormente se estimaron necesarios para poder hablar de un administrador de hecho (siquiera en sentido amplio) (*supra*, sub II.4).

La Audiencia Provincial de Vizcaya se enfrentó a uno de estos supuestos en el seno de un concurso de acreedores y en lo que a la calificación de unos créditos como subordinados por considerar que los acreedores de la concursada eran administradores de hecho. Tanto en primera instancia como en apelación que el grupo empresarial al que pertenecías los acreedores impugnante, habían controlado el desarrollo de la vida societaria de la concursada (véase la sentencia de la Audiencia Provincial de Vizcaya de 17 de septiembre de 2013).

De lege ferenda, resulta evidente la necesidad de contemplar la hipótesis de la responsabilidad en el marco del grupo. Obsérvese que la regulación de los grupos que se contenía en el Anteproyecto de Código de Sociedades mercantiles optaba por dar una solución expresa al tema, al señalar: «*Los administradores de la sociedad dominante responderán frente a la sociedad dominada, frente a los sus accionistas y frente a sus acreedores, del daño que causen por las instrucciones impartidas a los administradores de la sociedad dominada sin compensación adecuada*» (art. 602.1). Añadiendo una cláusula residual en cuya virtud se hacía responder también a la propia sociedad dominante, «*si los administradores de la sociedad dominante fueran insolventes*» (art. 602.3). Con ello se optaba por reconocer abiertamente el hecho de la dirección unificada, pero atribuyendo la responsabilidad por tales instrucciones, en primera instancia, a los administradores de la dominante y no a la propia sociedad dominante (cuya responsabilidad se haría entrar sólo con carácter subsidiario).

En cuanto a la otra gran cuestión que se plantea, a saber, la posible exoneración de los administradores de la dominada por entender que se han visto obligados a cumplir instrucciones (cuestión que en la actualidad resulta complicado responder en sentido afirmativo a la vista del art. 236.2 LSC), el Anteproyecto mencionado establecía que los administradores de la dominada responderán solidariamente con los de la dominante, «*a menos que prueben que el acto del que hubiera derivado daño para la sociedad se realizó siguiendo instrucciones escritas de los administradores de la sociedad dominante*» (exoneración que no opera cuando el acto hubiese sido contrario a la Ley o a los estatutos sociales) (cfr. art. 602.2).

IV. EL DIRECTOR GENERAL Y LOS APODERADOS

Directamente relacionado con el tema anterior se presenta la posible extensión subjetiva del régimen de responsabilidad orgánica de los administradores a los apoderados generales o directores generales (que en terminología del Código de comercio vendrían a subsumirse en la figura del factor). En realidad, la relación deriva, más que de otra cosa, de la referencia conjunta que a ambos –apoderados y administradores de hecho– se hace en algunos pronunciamientos judiciales (a efectos de proceder a su distinción).

De entrada, la respuesta de principio debe ser clara: los apoderados generales, reciban la denominación que reciban (gerentes, directores generales, etc.) no entran dentro del ámbito subjetivo de la responsabilidad de los administradores sociales. Se trata, por lo demás, de una idea presente en la jurisprudencia. Así, puede consultarse la sentencia del Tribunal Supremo de 7 de junio de 1999, que afirma: «*[...] La justificación argüida por la Sala en el sentido de que el apoderado era el verdadero gestor de la sociedad es inconsistente frente al derecho positivo. Legalmente el auténtico gestor y el responsable de la marcha de la sociedad es el administrador y todavía más si es único. [...]. El párrafo 2º del artículo 236.2 de la Ley de Sociedades de Capital es revelador a este respecto: "En ningún caso exonerará de responsabilidad la circunstancia de que el acto o acuerdo lesivo haya sido adoptado, autorizado o ratificado por la Junta General». La consecuencia es clara: si no es motivo de exculpación ni el acuerdo del supremo órgano de la sociedad, mucho menos lo puede ser la voluntad de un apoderado, que depende en su continuidad de la decisión del Administrador*». O también la sentencia del Tribunal Supremo de 22 de marzo de 2004 (*«sentando como probado el tribunal de instancia que don Juan actuó en todo momento como apoderado, pues su misión sólo consistía en llevar a cabo gestiones para cobrar con poder suficiente la liquidación del finiquito del Seguro y, consecuentemente, la responsabilidad de los administradores por las deudas sociales y convocatoria de Junta para disolver la empresa, no procede extenderla a los meros apoderados, equiparándose los cargos de administrador y apoderado para una actuación concreta, máxime al no existir pruebas decididas y convincentes de que en todo momento actuase con efectivas funciones de administrador de hecho"*); o la sentencia del Tribunal Supremo de 8 de febrero de 2008 (*"la condición de administrador de hecho no abarca, en principio, a los apoderados [...], siempre que actúen como regularmente por mandato de los administradores o como gestores de éstos»);* también la sentencia del Tribunal Supremo de 14 de abril de 2009; o la sentencia del mismo Tribunal de 30 de julio de 2001, que exime a los apoderados generales de toda responsabilidad, señalando: «*[...] Supuesto distinto de los apoderados, que no constituye órgano de la sociedad, y sus relaciones con la misma y frente a terceros, se rigen por las normas del mandato, esta circunstancia contractual, impide que se les puedan considerar a los hermanos F. como administradores de hecho, esto es, como personas que gestionan la sociedad sin tener mandato para ello, ya que se le tiene conferido por al [sic] administrador en el ejercicio de facultades atribuidas legalmente, y además, el administrador como órgano social, es el padre de los demandados don Ramón F. L., y por lo tanto el que asume esa responsabilidad por los actos sociales, aunque hayan sido realizados por los apoderados por él nombrados, no pudiendo exigir la sociedad, los accionistas o los terceros, la responsabilidad del artículo 133-1 y 135 de la Ley de Sociedades Anónimas, en ningún caso, sin haberla hecho efectiva primero contra el administrador de la sociedad, y ello aun invocando la doctrina del levantamiento del velo, porque a ella ha de acudirse en su caso, cuando para el resarcimiento del daño producido por la actuación del administrador, resulten ineficaces las acciones ordinarias, por lo que en este caso al no haberse demandado al administrador designado en la junta general extraordinaria no se puede determinar si su nombramiento lo ha sido sólo como hombre interpuesto para cubrir la responsabilidad de los verdaderos administradores».*

Con todo, se contienen en esta última sentencia algunas afirmaciones que no son fácilmente compartibles, como que por el solo hecho de ser apoderado general no se pueda ser, también, administrador de hecho, cuando la realidad demuestra que no son infrecuentes los casos en que un apoderado general esconde a un administrador de hecho. Véase también la sentencia de la Audiencia Provincial de Toledo de 26 de enero de 1999, cuando señala que: «[...] *En lo que afecta a la reproducida excepción de falta de litisconsorcio pasivo necesario (recurrente señor A. G.), vuelve a aludirse machaconamente en que debió ser traída a la litis la «comisión permanente» que rigió el ente social (formada por señores V., G., P., B., L. y M.), sin perjuicio de traer también a los otros apoderados con facultades otorgadas por el Consejo de Administración (señores H. A. y S.), de los que se asevera que son los reales representantes legales de "Puertas Derma, SAL" [...], la acción que se ejercita –"ex" artículos 133 y 135 de la Ley de Sociedades Anónimas– lo es frente a los administradores sociales, por lo que sin perjuicio de la posible repetición que pudiera tener lugar en el seno del ente social, los apoderados tienen facultades delegadas y los miembros de la "comisión permanente" carecen de real capacidad jurídica representativa social o "erga omnes" [...] por lo que, conforme a la Ley de Sociedades Anónimas, la legitimación representativa recae con exclusividad, a la hora de soportar la carga que el proceso supone, en los miembros del Consejo de Administración —los demandados— que son los legales repre-sentantes del ente social y por ello administradores de derecho [...]»;* o la sentencia de la Audiencia Provincial de Barcelona de 24 de enero de 2005.

De entrada, el director general es muy discutible que sea órgano de la sociedad (desde luego, no lo es en el caso más habitual de designación por el propio órgano de administración), y sigue sus propias reglas de respon-sabilidad civil (las derivadas de su condición de auxiliar del empresario, por muy anacrónicas que se estimen) (RODRÍGUEZ ARTIGAS, *Notas*, pp. 136 y ss.; QUIJANO, *La responsabilidad*, pp. 328 y ss.; JUSTE, *Factor de comer-cio, p.* 207), reglas en las que no nos podemos detener aquí.

No obstante, lo anterior no impide que en determinados casos, el ré-gimen de responsabilidad de los administradores sociales resulte de apli-cación también a apoderados o directores generales (en idéntico sentido, LATORRE, *Los administradores, p.* 172). Pero resultará de aplicación, por haber sido previamente calificados tales sujetos como administradores de hecho (en cuyo caso entrarían en el ámbito del art. 236.1 LSC), no por su simple condición de apoderados generales (que se revelaría, en esos casos, como una mera argucia para escapar a la aplicación de las normas sobre los administradores y, concretamente, las normas sobre responsabilidad). Sea como fuere, se trata de una cuestión que sólo puede decidirse a la vista del caso concreto, tras una adecuada ponderación de todas las circunstancias que concurran. Véase, por su claridad, la sentencia de Tribunal Supremo de 8 de febrero de 2008 («*Cabe, sin embargo, la equiparación del apoderado o factor mercantil al administrador de hecho [...] en los supuestos en que la prueba acredite tal condición en su actuación*»); también las sentencias del Tribunal Supremo de 7 de mayo de 2007 y de 14 de abril de 2009; Audiencia Provin-cial de Pontevedra 17 de diciembre de 2009; o la de la Audiencia Provincial de Valencia de 27 septiembre de 1999, cuando señala: «*[...] El único punto controvertido lo constituye, como se ha dicho, la determinación de si, en este caso, resulta procedente extender la responsabilidad que las normas reguladoras de las sociedades mercantiles establecen respecto de los administradores a otros cargos como representantes voluntarios, gerentes o apoderados, si se acredita que, efectivamente, bajo la doble cobertura de un administrador insolvente y la apariencia de un cargo técnico se oculta un verdadero administrador [...]; y en tal línea, en este caso, la Sala, contrariamente a lo que indica la sentencia, y por razones distintas de las que en ésta se recogen, considera que nos hallamos ante uno de esos supuestos en que el demandado absuelto no es, simplemente, uno de los encargados de gestionar la vida económica de la sociedad como apoderado de ésta, sino que es, realmente, el admi-nistrador de hecho de la marcha societaria [...]*». O la sentencia de la Audiencia Provincial de las Islas Baleares de 27 de julio de 1999, que establece que:

«*La actuación del recurrente en el seno de la sociedad "Forjas de Mallorca, S.L." evidencia que tenía el control de la misma y que ejercía sobre ella facultades completas de administración y gestión, hasta el punto que la administradora nombrada "de iure", aunque no inscrita en el Registro mercantil, era su esposa, que con el demandado, formaban la totalidad del accionariado en la época de autos. No cabe afirmar, por tanto, que el señor G. era un simple apoderado o mandatario, pues ello implica la gestión de negocios ajenos, cuando lo cierto es que por lo demostrado en las actuaciones, se trataba de intereses propios y particulares, intentando eludir las responsabilidades derivarse de su actuación mediante el mecanismo de orillar su nombramiento como administrador y nombrar, sin inscribir en el Registro, a su esposa [...]*».

En un sentido no muy distinto, la Audiencia Provincial de La Coruña, en sentencia de 17 de enero de 2000, advierte que: «*Es cierto que como regla general bajo la apariencia de ciertos cargos directivos no tiene por qué ocultarse la actuación de un auténtico administrador, por lo que normalmente hay que partir de la base que la realidad y apariencia jurídica coinciden; sin embargo, atendiendo a las particulares circunstancias concurrentes en cada caso a examen, no susceptibles de ser generalizadas, tampoco cabe negar la posibilidad de que se llegue a constatar que bajo la apariencia de otras funciones se está ejerciendo como auténtico y verdadero administrador [...]. En el caso presente, el codemandado don Daniel R. B., es formalmente apoderado general de la entidad Liramar, SA; no obstante bajo tal cobertura se esconde la actuación de un verdadero administrador, y como tal sujeto al régimen jurídico de responsabilidad de tal cargo social, lo que deducimos con base y en función de las consideraciones siguientes:*

A) El señor R. B. venía desempeñando las funciones de administrador de la sociedad, hasta que por acuerdo social instrumentalizado por escritura pública de 10 de abril de 1992 y adaptación de la sociedad Liramar, SA a la nueva normativa societaria, se incrementa el capital social en cinco millones de pesetas, cesa el anterior consejo de administración, y son designados sus hijos Daniel y Benito R. O. como administradores solidarios, mientras que, el señor R. B. es nombrado apoderado general de la sociedad. [...].

C) El codemandado señor R. B. es apoderado general de la sociedad, con facultades inscritas idénticas a las que, en el artículo 23 de los estatutos, se asignan a los administradores solidarios, con la salvedad del apartado b) de dicho artículo 23 [...]».

Igualmente, recogiendo la doctrina del Tribunal Supremo, puede mencionarse la Sentencia de la Audiencia Provincial de Cantabria de 21 de febrero de 2013 en la que además, se señala, igualmente con cita a sentencias del Alto Tribunal que: «*Cabe, sin embargo, la equiparación del apoderado o factor mercantil al administrador de hecho (STS de 26 de mayo de 1998, 7 de mayo de 2007 rec. 2225/2000) en los supuestos en que la prueba acredite tal condición en su actuación. Esto ocurre paradigmáticamente cuando se advierte un uso fraudulento de la facultad de apoderamiento en favor de quien realmente asume el control y gestión de la sociedad con ánimo de derivar el ejercicio de acciones de responsabilidad hacia personas insolventes, designadas formalmente como administradores que delegan sus poderes, pero puede ocurrir también en otros supuestos de análoga naturaleza, como cuando frente al que se presenta como administrador formal sin funciones efectivas aparece un apoderado como verdadero, real y efectivo administrador social (STS de 23 de marzo de 2006, recurso 2643/1999). Es tal doctrina precisamente la que impide considerar a D. Jesús Carlos como administrador de hecho. Ni tal condición ha sido admitida en el acto del juicio por el demandado, ni puede soslayarse que precisamente las últimas resoluciones contractuales de la mercantil fueron suscritas por el administrador legal, tristemente fallecido, y no por el apoderado. Cierto es que existe un amplio poder en favor de D. Jesús Carlos pero igualmente lo es que el mismo data de octubre de 2007, inscrito en el Registro Mercantil en julio de 2008 y que ya en julio de 2006 es ingresado de nuevo (…) por lo que malamente puede hablarse de un apoderamiento "coartada" de 2007, inscrito en el Registro Mercantil en julio de 2008».*

V. EL REPRESENTANTE
DEL ADMINISTRADOR-PERSONA JURÍDICA

También podría plantear ciertos problemas de determinación del ámbito subjetivo de la responsabilidad el caso del administrador-persona jurídica. No se va a entrar aquí en el análisis de las diversas cuestiones de interés que suscita esta figura. Tan sólo pretendemos ofrecer una respuesta a la pregunta siguiente. Partiendo de que haya sido elegido como administrador social una persona jurídica, ¿quién (persona jurídica o representante persona física) soporta la carga de ser legitimado pasivo ante una eventual demanda en reclamación de responsabilidad civil?

La cuestión puede considerarse resuelta en el Derecho positivo español. El artículo 212 bis de la Ley de Sociedades de Capital, introducido por la Ley 25/2011, indica que "en caso de ser nombrado administrador una persona jurídica, será necesario que ésta designe a una sola persona natural para el ejercicio permanente de las funciones propias del cargo".

Tras la reforma de la Ley 31/2014, se introduce un número párrafo al artículo 236 de la Ley de Sociedades de Capital que deja zanjada la duda existente con anterioridad: "La persona física designada para el ejercicio permanente de las funciones propias del cargo de administrador persona jurídica deberá reunir los requisitos legales establecidos para los administradores, estará sometida a los mismos deberes y responderá solidariamente con la persona jurídica administrador".

Atrás deben quedar las dos posturas mantenidas por la doctrina en aras a determinar a quién debía atribuírsele la responsabilidad.

Por una parte, se encontraban quienes, ante «el problema más espinoso que plantea la persona jurídica administradora» (DE PRADA, *La persona*, p. 2328) aplicaban la regla general según la cual, de lo realizado por el representante responderá el representado (persona jurídica administradora). Traducido a nuestro ámbito de interés significa que, recayendo sobre la persona jurídica la condición de administrador, debía ser ella la que debía asumir la responsabilidad, aunque hubiera actuado –o precisamente por haber actuado– en su nombre el representante persona física (también RODRÍGUEZ RUIZ DE VILLA/HUERTA, *La responsabilidad*, p. 52; DÍAZ ECHEGARAY, *La responsabilidad, p.* 403). No obstante, también existían quienes abogaban por ignorar el dato de la representación, estimando que *«dado el carácter "personal" de la responsabilidad, será la persona física administrador a quien quepa imputar la conducta de la que derive la responsabilidad, pero, a su vez, las consecuencias patrimoniales se imputarán a la persona jurídica de la es su representante»* (así, ALONSO UREBA, *Presupuestos, p.* 655; en términos casi idénticos, PULGAR, *El régimen, p.* 210). Escisión entre consecuencias patrimoniales y de otro tipo que, en el ámbito de la responsabilidad civil (donde, por definición, se trata de obtener un resarcimiento pecuniario) no se adivinaba a entender.

En la actualidad, tras la nueva redacción del artículo 236, si la persona física representante está sometida a los mismos deberes y responderá solidariamente con la persona jurídica administrador por lo que podrá exigírsele directamente a ella la responsabilidad. Todo ello, sin perjuicio de que, de que por parte de la sociedad administrada, pudiera procederse contra el representante sobre la base del artículo 1902 del Código Civil, en exigencia de responsabilidad extracontractual

De lo contrario, podría darse la posibilidad real de blindarse frente a eventuales acciones de responsabilidad por la vía de designar como administradores a sociedades escasamente solventes. Esta situación ya no es posible, al haberse articulado la posibilidad de acudir también, en tales casos, contra el representante persona física. No se trata tanto de la acción que pueda tener la sociedad administradora contra su representante (que habrá de resolverse de acuerdo con las normas de la relación que vincule a la persona jurídica administradora con esa concreta persona física), cuanto de la responsabilidad de este último frente a la sociedad en la que interviene como representante.

De hecho, los Tribunales, en ocasiones en las que el supuesto de hecho suministraba razones para aplicar la doctrina del levantamiento del velo (cuando se advertía el empleo fraudulento de la personalidad jurídica), o, incluso, la del administrador de hecho cuando se den los presupuestos para ello, resolvían aplicando una de estas dos figuras para exigir la responsabilidad al representante persona física del administrador persona jurídica. A esta conclusión llegó la Sentencia de la Audiencia Provincial de Madrid de 1 de diciembre de 2009, que declaró la responsabilidad, como administrador de hecho, de un sujeto que actuaba como representante persona física de un administrador persona jurídica. Pero a dicha conclusión llegó por entender que concurrían, en dicha persona física, los requisitos o indicios para poder hallarnos ante un administrador de hecho («*LD-20, se convirtió en sociedad unipersonal cuyo único socio era DIEDRUM, y DIEDRUM era la administradora de LD-20, designando al SR. Porfirio como persona física que actuase en LD-20, lo que ocurre es que la administradora única de DIEDRUM, Dª Lucía, era persona inexperta en el mundo de los negocios, llevando la gestión de ambas sociedades el SR. Porfirio. El SR. Porfirio fue el que intervino en todas las negociaciones entre los litigantes, firmó los contratos de compraventa de participaciones de LD-20 y CONSUMA S.L., y los de subfianza de pólizas de crédito y préstamo todos de 9-7-2003, en nombre y representación de DIEDRUM. Firmó el acta de la junta de general de LD-20 de 9-7-2003, por la que se nombra a DIEDRUM administrador de LD-20 y se designa al SR. Porfirio como persona física que la desempeñe, aparece en representación de DIEDRUM en las juntas de 12 y 21 de junio de 2003, y es el que firma la correspondencia, f. 333 a 351. En resumen, el SR. Porfirio era administrador de derecho de LD-20, y el administrador de hecho de DIEDRUM*»).

VI. SOBRE LA RESPONSABILIDAD DEL ADMINISTRADOR CESADO O CON CARGO CADUCADO

En fin, conviene hacer alguna aclaración respecto de la posibilidad de aplicar el régimen de responsabilidad civil de los administradores (y hasta cuándo) a aquellos que, por cualquier causa, hayan cesado en el cargo (bien sea por dimisión, revocación o, lo que es frecuente, por caducidad sin renovación).

En tales hipótesis nos hallamos ante un administrador de hecho, pues quienes desempeñan las funciones propias del administrador pese a tener su título extinguido, se encuentran incluidos en la definición de administrador de hecho recogida en el artículo 236.3 de la Ley de Sociedades de Capital.

Por consiguiente, siendo administrador de hecho, se le extiende la responsabilidad exigible a los administradores y por consiguiente, responderán frente a la sociedad, frente a los socios y frente a los acreedores sociales de los daños que causen por actos u omisiones contrarios a la ley o a los estatutos

El supuesto al que nos referimos es por ejemplo aquel en que el administrador cesa en su cargo (básicamente, por dimisión, por separación o por caducidad del nombramiento), pero este hecho no accede al Registro Mercantil.

Al ser administrador de hecho, el ámbito subjetivo del régimen de responsabilidad de los administradores deberá extenderse a esos sujetos que en el Registro siguen figurando como administradores.

Se plantea la cuestión relativa a la determinación del *dies a quo* en el cómputo del plazo de prescripción de cuatro años que establece el artículo 949 del Código de Comercio. Obviamente, se trata de aquellos actos dañosos producidos con posterioridad a la «salida» del administrador del órgano social, pues respecto de los que tuvieron lugar encontrándose el administrador en el ejercicio del cargo es claro que responderá, aunque la demanda se plantee tras el cese.

El problema se plantea porque en esta materia entran claramente en conflicto intereses diversos, que obligan a diferenciar varios planos. Ha de partirse de que la inscripción registral no es constitutiva en materia de nombramiento y cese de administradores (a diferencia de lo que ocurre con la designación de consejeros delegados: cfr. art. 141.2 LSA), produciendo la dimisión sus efectos, en el plano interno, desde que la misma llega a conocimiento de la sociedad (o el cese desde que éste se produce) (por el carácter declarativo de la inscripción del cese se pronuncian, de forma expresa, entre otras, las SSTS 14.6.1993; 10.5.1999; 14.4.2009; SSAP Barcelona 5.10.1995; 12.12.1995; Barcelona 30.4.1997; Toledo 27.4.1998; Madrid 11.10.2000).

Ahora bien, ello no impide que la protección registral de los terceros de buena fe conduzca a que éstos puedan confiar (cuando se trate de ejercitar la acción individual o la acción del art. 367 LSC o, incluso, la acción social a partir de la legitimación subsidiariamente concedida a los acreedores por el art. 240 LSC) en la apariencia registral, y que esta confianza deba ser adecuadamente tutelada (*ex* art. 21.1 C. de C.). En virtud del principio de la publicidad material (positiva y negativa) los terceros de buena fe tendrían derecho a seguir considerando como administradores a quienes como tales aparecen inscritos en el Registro mercantil (sin tener que entrar en si la falta de inscripción es imputable a la sociedad o al administrador cesado); y, lo que es más importante en este caso, no podrían verse perjudicados ni podría oponérseles un hecho –el cese– que no ha accedido aún al Registro ni ha sido publicado en el Boletín Oficial del Registro Mercantil (cfr. art. 21 C. de C. y art. 9 RRM) (véanse las correctas apreciaciones de SÁNCHEZ ÁLVAREZ, *Responsabilidad, pp.* 326-331).

Lo plantea en términos muy correctos –al analizar el inicio del cómputo del plazo de prescripción de un administrador de hecho– la sentencia de Tribunal Supremo de 14 de abril de 2009, cuando señala:

«*La jurisprudencia de esta Sala ha diferenciado los efectos materiales o sustantivos que se siguen de la falta de inscripción del cese del administrador en el Registro Mercantil de los efectos formales que afectan al cómputo del plazo de prescripción (STS de 27 de noviembre de 2008).*

En el plano sustantivo, tal y como se precisa en las Sentencias del Tribunal Supremo de 26 de junio de 2006 y 3 de julio de 2008, la falta de inscripción en el Registro Mercantil del cese del administrador no comporta por sí misma la ampliación del lapso temporal en el que deben de estar comprendidas las acciones u omisiones determinantes de responsabilidad, pues la imposibilidad de oponer a terceros de buena fe los actos no inscritos en el Registro Mercantil (artículo 21.1 C de C, en relación con el artículo 22.2 C de C) no excusa la concurrencia de los requisitos exigibles en cada caso para apreciar la responsabilidad establecida por la ley. Únicamente cabe admitir que la falta de diligencia que comporta la falta de inscripción puede, en algunos casos, especialmente en supuesto de ejercicio de la acción individual del artículo 135 de la Ley de Sociedades Anónimas, constituir uno de los elementos que se tengan en cuenta para apreciar la posible responsabilidad, en la medida en que la falta de inscripción pueda haber condicionado la conducta de los acreedores o terceros fundada en la confianza en quienes creían ser los administradores y ya habían cesado. La inscripción en el Registro Mercantil del cese del administrador carece de carácter constitutivo, de manera que ha de estarse al cese efectivo en orden a fijar la responsabilidad del administrador, lo que, en otras palabras, significa que sólo cabe extender la responsabilidad a los actos que tengan lugar hasta el momento en que cesó válidamente, y no pueden los terceros de buena fe ampararse en la falta de inscripción para demandar responsabilidades derivadas de actos ocurridos después del cese y antes de su inscripción en el Registro.

Distinto es el efecto que debe atribuirse a la falta de inscripción en el Registro Mercantil del cese del administrador en el plano formal, cuando se trata de efectuar el cómputo del plazo de prescripción de la acción tendente a exigir su responsabilidad. Según se infiere de las citadas Sentencias del Tribunal Supremo de 26 de junio de 2006 y 3 de julio de 2008, cuya doctrina ha sido recogida en otras posteriores, si no consta el conocimiento por parte del afectado del momento en que se produjo el cese efectivo por parte del administrador, o no se acredita de otro modo su mala fe, el cómputo del plazo de cuatro años que comporta la extinción por prescripción de la acción no puede iniciarse sino desde el momento de la inscripción, dado que sólo a partir de entonces puede oponerse al tercero de buena fe el hecho del cese y, en consecuencia, a partir de ese momento el legitimado para ejercitar la acción no puede negar su desconocimiento».

Sobre las premisas anteriores, cabe apuntar las siguientes conclusiones. En principio, el tercero «de buena fe» que desconozca el hecho del cese del administrador (buena fe que se presume: art. 21.1 C. de C.), cuando este hecho no haya tenido acceso al Registro, debe poder confiar en la apariencia registral y seguir considerando al administrador cesado o con cargo caducado como administrador, pudiendo, en consecuencia, plantear la acción de responsabilidad contra dicho administrador cesado. Lo contrario supondría tanto como hacer cargar al tercero de buena fe con los efectos negativos de la discordancia entre publicidad registral y realidad extrarregistral (coincide SÁNCHEZ ÁLVAREZ, *Responsabilidad, pp.* 327, 331).

Ahora bien, lo anterior no significa, a nuestro juicio, que vaya a responder efectivamente el administrador. Son varios los argumentos que llevan a entender que no responderá el administrador cesado. Por un lado, el hecho básico, ya apuntado, del carácter meramente declarativo de la inscripción del cese del administrador. Entender que por la falta de inscripción del cese del administrador éste sigue siendo administrador de la sociedad equivaldría a atribuirle a la inscripción una eficacia que no tiene: los efectos del cese se producen, si es por dimisión, desde que ésta llega a conocimiento de la sociedad, y no a partir del acceso del mismo al Registro (o su publicación) (STS 10.5.1999; SAP Baleares 14.7.1998). Lo contrario sería tanto como permitirle «crear» o constituir la realidad (así, el voto particular de la Sentencia de la Audiencia Provincial de Barcelona 30.4.1997, en la que se advierte que ello supondría *«atribuir a la inscripción del cese un efecto constitutivo, que no le corresponde, pues a ello equivale afirmar que, si la designación está inscrita, se es administrador mientras la dimisión no conste en los libros registrales»;* aunque con menos contundencia, éste es también el sentido de las palabras de la sentencia del Tribunal Supremo de 10 de mayo de 1999, cuando afirma que partiendo de que *«en modo alguno puedan considerarse constitutivas las inscripciones registrales correspondientes por no imponerlo precepto legal alguno, [...], si tales inscripciones no se han practicado por causas que no le son imputables, no puede pretender ningún tercero que respondan como titulares de un cargo cuando no lo son»;* vid. también SAP Madrid 11.10.2000).

Lo anterior es cierto, y lo compartimos. Sin embargo, no creemos que sea argumento suficiente para desvirtuar el derecho que los terceros tienen a prevalerse de la publicidad registral (en donde sigue figurando el cesado), y a que no se les oponga el cese que no consta inscrito ni publicado. Probablemente por ello, se ha tratado de desmontar el principio de la publicidad material negativa en este caso, aludiendo a una exigencia adicional para que el mismo despliegue toda su eficacia, como es el perjuicio del tercero. En este sentido, se alude a que para que la realidad no inscrita resulte inoponible al tercero de buena fe es necesario un plus, que se concreta en que se trate de una realidad *«cuyo conocimiento por el tercero le hubiera llevado a actuar de modo distinto al seguido de haber confiado en el Registro inexacto; es decir, de haber sabido que lo que no publica sin embargo existe»* (voto particular en la SAP Barcelona 30.4.1997), de forma que, pese a la falta de inscripción del cese, el tercero no podría reclamar responsabilidad del administrador cesado, por no deparársele perjuicio alguno por esa falta de inscripción (FRANQUET, *La ausencia*, pp. 341 y 344).

En este punto, en cambio, no podemos mostrarnos de acuerdo. No sólo porque el requisito implícito del perjuicio adicional carece de una adecuada base normativa, sino porque, además, es discutible que en casos como el que aquí se analiza no concurra ese perjuicio de la falta de inscripción del cese: en efecto, bien puede alegarse que dicha ausencia genera en el tercero una confianza en que los responsables solidarios del daño (*ex* art. 237 LSC) son determinados administradores, cuando en la realidad extrarregistral son menos porque algunos habían cesado (aunque dicha circunstancia no accedió al Registro). De hecho, son bastantes las sentencias que, con diversos argumentos, hacen responder al administrador cesado cuando no conste en el Registro Mercantil dicha circunstancia (así, STS 13.4.2000; SSAP Baleares 10.12.1996; 27.11.1997; 14.7.1998; 13.4.2000; 24.5.2000; Vizcaya 12.7.2000; Álava 28.2.2001).

Por ello, consideramos preferible entender que en el caso de los administradores cesados pero que aún consten inscritos en el Registro, los terceros de buena fe estarían plenamente legitimados para considerarles, en vía de principio, como administradores de la sociedad a efectos de entablar la correspondiente acción de responsabilidad contra ellos. Ahora bien, ello no debe considerarse contradictorio con la afirmación mantenida anteriormente tendente a poner de relieve la posibilidad de que no responda el administrador cesado. En efecto, que los terceros tengan derecho, *a priori*, a considerarlos administradores, no implica que vayan a responder necesariamente. Antes al contrario: en tales casos puede decirse que se activaría la presunción de responsabilidad solidaria del artículo 237 de la Ley de Sociedades de Capital. No obstante, en sede de exoneración, el administrador cesado habrá de poder probar sin excesiva dificultad que él no intervino en la adopción del acto lesivo (pues ya no formaba parte del órgano de administración) y desconocía su existencia (es decir, los presupuestos del art. 237 LSC para acceder a la exoneración del administrador) (*vid.* este argumento también en FRANQUET, *La ausencia*, pp. 343 y 345; en la jurisprudencia, exonerando sobre la base de estos argumentos a administradores que habían cesado aunque constaban aún inscritos en el Registro mercantil, SSAP Asturias 21.5.1997; Toledo 14.7.1997 y 27.4.1998 y Madrid 11.10.2000).

Todo ello sobre el presupuesto de que se haya desvinculado efectivamente de la marcha de los asuntos sociales; de lo contrario no cabe duda de que le será aplicable el régimen de responsabilidad, sea por considerar que se trata de un administrador de hecho. Por el contrario, es un error pensar que el solo hecho de que el cese no haya accedido al Registro ha de impedir exonerarse al administrador cesado (así parece desprenderse de la SAP Barcelona 30.4.1997, al afirmar que «*constituye un deber elemental de diligencia exigible a un ordenado empresario y de un diligente administrador desarrollar la actuación precisa para destruir la pública apariencia de responsabilidad que deriva de los asientos del Registro*»; en sentido más correcto, la STS 10.5.1999, al señalar que: «*no se ve qué responsabilidad pueda imponerse a los señores F. V. y F. P. por acontecimientos ocurridos con posterioridad a agosto de 1990* [fecha en la que se celebró la Junta general en la que cesaron como administradores, siendo el acuerdo elevado a escritura pública, si bien nunca llegaría a ser inscrita en el Registro], *que pueden resumirse en la desaparición de facto de la sociedad. Si hasta entonces su desenvolvimiento era normal, es más inexplicable aún la pretensión. Cierto es que seguían figurando como consejeros de la sociedad, pero en modo alguno ello les es imputable*»; o la SAP Asturias 21.5.1997).

De hecho, diversas sentencias declararon la responsabilidad de administradores –negando que hubiera prescrito la acción para exigir la responsabilidad–, a pesar de que la caducidad del nombramiento se había producido hacía años, sobre la base de considerarles administradores de hecho. Así ocurre con la Sentencia del Tribunal Supremo de 14 de abril de 2009, cuando señala, de una parte, que «*el inicio del cómputo del plazo de prescripción, con arreglo al artículo 949 del Código de Comercio, reclama un cese propiamente dicho del administrador demandado, cualquiera que sea la causa entre las que son aptas para producirlo. Entre dichas causas figura el transcurso del tiempo para el que fue nombrado [...]*»; para continuar diciendo: «*[...] la caducidad del nombramiento no constituye requisito suficiente para entender producido el cese del administrador si se prueba que existió una continuidad en el ejercicio de sus funciones como administrador de hecho. Es menester, por consiguiente, examinar esta cuestión, planteada en el motivo tercero de casación»,* entrando en el análisis de las causas por las que, a juicio del Alto Tribunal, el demandado debía merecer la consideración de administrador de hecho (cuestión distinta es que se compartan los razonamientos esgrimidos por el Tribunal Supremo en este punto, por considerarlos excesivamente rigurosos, tal y como quedó dicho en otro lugar). En sentido muy similar, véase la sentencia del Tribunal Supremo de 11 de marzo de 2010.

Por cierto, que estas y otras sentencias plantean –siquiera sea en *obiter dictum*– otra cuestión, como es la relativa a la incidencia que deba tener sobre el inicio del cómputo del plazo de prescripción el hecho de que la caducidad del nombramiento (cuando ello no haya sido objeto de específica inscripción registral) pudiera derivarse de la propia inscripción del nombramiento del administrador en el Registro Mercantil sin constar la reelección (lo que pudiera llevar a negar la buena fe registral del tercero demandante). Sobre ello no podemos detenernos en este momento y remitimos al lector al Capítulo de esta obra relativo a la prescripción de las acciones de responsabilidad.

Capítulo 3

LA ACCIÓN SOCIAL DE RESPONSABILIDAD: EJERCICIO POR LA SOCIEDAD

RAFAEL LARA

Catedrático de Derecho mercantil
Universidad Pública de Navarra

SUMARIO: I. INTRODUCCIÓN: PRESUPUESTO Y FINALIDAD. II. LA SOCIEDAD COMO TITULAR DE LA ACCIÓN DE RESPONSABILIDAD. 1. Órgano competente para adoptar el acuerdo. 2. Posibilidades alternativas de la Junta general ante el planteamiento del ejercicio de la acción. 3. Quórum y mayoría necesarios para la válida adopción del acuerdo de promoción de la responsabilidad. 4. La ejecución del acuerdo: encargados de entablar judicialmente la acción, procedimiento y prescripción. III. LOS ACUERDOS DE TRANSACCIÓN Y RENUNCIA. 1. Órgano competente y orden del día. 2. Momento en que pueden adoptarse los acuerdos. 3. El derecho de veto de la minoría. 4. Efectos de los acuerdos: transacción o renuncia parcial. IV. CONSECUENCIA JURÍDICA DEL ACUERDO DE PROMOVER LA ACCIÓN O DE TRANSIGIR: LA DESTITUCIÓN DE LOS ADMINISTRADORES AFECTADOS. V. LA EFICACIA NO IMPEDITIVA DE LA APROBACIÓN DE LAS CUENTAS ANUALES.

I. INTRODUCCIÓN: PRESUPUESTO Y FINALIDAD

La articulación en el derecho español del sistema legal de responsabilidad de los administradores de sociedades de capital se encuentra dispuesta sobre la base de un doble criterio. Por un lado, se regula la responsabilidad por daños causados al patrimonio de la sociedad que puede ser exigible por la propia mercantil, sin olvidar, no obstante, la existencia de legitimación activa también por parte de otros legitimados (socios y acreedores). Esta responsabilidad se dilucidará a través de la llamada acción social. Por otro lado, se contempla la responsabilidad por daños causados directamente en el patrimonio de socios o de terceros, responsabilidad que, en cambio, será exigible a través de la denominada acción individual. Por consiguiente, el concreto patrimonio sobre el que incide el daño causado por la conducta de los administradores se erige *ex lege*, en concreto *ex* artículo 241 de la Ley de Sociedades de Capital, en el nítido criterio de distinción entre las dos categorías de acciones mencionadas (*vid.* un claro ejemplo de confusión de ambas acciones en el supuesto de hecho que dio lugar a la SAP Castellón 7.2.2002. Sin embargo, esta confusión no siempre desencadena la desestimación de la demanda y, en este sentido, la jurisprudencia menor ha puesto de relieve que la simple incorrección en la denominación no es obstáculo para que el proceso judicial continúe siempre y cuando atendiendo a los hechos en que se sustenta la demanda y a su suplico se concluya que la verdadera causa de pedir la constituye una u otra acción: SSAP Madrid 22.4.1998 y 12.4.1999, y con menos claridad SAP Toledo 12.12.1994).

En lógica consecuencia con la distinción apuntada, es necesario recordar que en el supuesto del ejercicio de la acción social de responsabilidad, la indemnización o la compensación que se consiga deberá necesariamente integrarse en el patrimonio social, con independencia del legitimado que haya provocado la solicitud de responsabilidad, mientras que en el caso de que se ejercite la acción individual, al haberse lesionado directamente los intereses de socios o de terceros, el montante económico logrado se destinaría a reintegrar el patrimonio del particular socio o acreedor demandante (tal y como señaló ESTEBAN VELASCO, *La acción social y la acción individual de responsabilidad*, Madrid, 2000, p. 61, este elemento fue el utilizado a fin de distinguir la acción social de la individual tanto por la jurisprudencia como por la doctrina. Con respecto a la primera, véase, por todas, la STS 21.5.1985, STS 11.10.1991, STS 21.5.1992, STS 26.2.1993, STS 19.4.2001 o la STS 20.6.2013, y por cuanto hace referencia a la doctrina, confróntese, por todos, QUIJANO, *La responsabilidad civil de los administradores, de la sociedad anónima*, Valladolid, 1985, pp. 136 y ss., así como pp. 204 y ss.; SÁNCHEZ CALERO, *Los administradores en las sociedades de capital*, Pamplona, 2005, pp. 339 y ss., y más recientemente RODRÍGUEZ ARTIGAS; MARÍN DE LA BÁRCENA, «La acción social de responsabilidad», en *La responsabilidad de los administradores de sociedades de capital*, Madrid, 2011, pp. 151 y ss., así como CAMPUZANO, «La acción social de responsabilidad», en *Gobierno Corporativo: la estructura del órgano de gobierno y la responsabilidad de los administradores*, Cizur Menor, 2015, pp. 767 y ss. No obstante, se es consciente de que el criterio de distinción señalado, siendo el mayoritario, no es el único existente en nuestra doctrina. Cfr. ALFARO, «La llamada acción individual de responsabilidad contra los administradores sociales», *RdS*, 18, 2002, pp. 45 y ss.).

La acción social de responsabilidad se dirige, por ende, a proteger y defender el patrimonio de la sociedad frente a los daños o lesiones que los actos u omisiones ilegales, antiestatutarios o incumplidores de los deberes de los administradores hayan provocado directamente sobre el mismo; esto es, de los daños que los administradores hayan causado a la mercantil por actos u omisiones contrarios a la ley o a los estatutos o por los realizados incumpliendo los deberes inherentes al desempeño del cargo (art. 236.1 LSC), debiendo existir, en todo caso, un nexo causal entre la acción u omisión ilícita y el daño sufrido por la sociedad (SSTS 4.11.1991, 21.5.1992, 4.11.2011 o 25.6.2012, SAP Teruel 10.4.2000, SAP Murcia 1.9.2000, SAP Asturias 31.3.2003, o SJM n° 1 Palma de Mallorca 15.12.2014). La responsabilidad civil indemnizatoria se origina, pues, cuando acaece un daño conectado casualmente a una acción u omisión ilícita y culpable de aquél a quien se exige su reparación, siendo en consecuencia el daño, la acción u omisión ilícita y culpable, así como el nexo causal entre el daño y la actuación los presupuestos materiales de la responsabilidad de los administradores. Las cuestiones que plantea la determinación del daño y su prueba, bien en relación con su existencia, bien en cuanto a su extensión, deben resolverse conforme a la doctrina general de la responsabilidad civil por daños y perjuicios. El daño tiene que proceder de una actuación ilícita o antijurídica de los administradores, sea un acto –hacer algo indebido– o una omisión –dejar de hacer algo obligado–, siempre que, en este caso, existiera previamente tal obligación expresa o derivada de un deber genérico de comportamiento, como los son los de diligencia o lealtad; debiendo ser además culpable el acto ilícito imputable a los administradores, lo cual conlleva asimismo la aplicación de las reglas generales del Derecho común relativas a la responsabilidad civil. Por último, por cuanto al nexo causal respecta, habrá que atenerse a la adecuación de la causa para apreciar el origen del daño y la medida en que la acción u omisión de los administradores ha contribuido a su producción (*v.gr.* concausalidad, concurrencia de causas, etc.), sin excluir hipótesis de exclusión de la responsabilidad por culpa exclusiva del perjudicado o por insignificancia de la actuación llevada a cabo por los administradores (por todos, QUIJANO, *La responsabilidad civil de los administradores, de la sociedad anónima*, cit., pp. 136 y ss.).

La finalidad protectora del patrimonio social conlleva el hecho de que la legitimación para el ejercicio de la acción social de responsabilidad sea plural y se atribuya en primer término a la sociedad, subsidiariamente a los socios, en cuanto titulares de un interés indirecto en la defensa del patrimonio social y, en último extremo, a los acreedores sociales (por lo que resulta «doblemente subsidiaria» SSAP Madrid 7.4.2001 y 21.12.2002), ya que no se debe olvidar que estos cuentan con el patrimonio social como garantía de sus créditos y, en definitiva, se verían perjudicados con la disminución que aquél sufriera (STS 21.5.1985, SAP Madrid 6.7.1999 o SAP Almería 9.3.2002. Esta última sentencia, hace referencia, si bien de una forma algo ligera, a la naturaleza jurídica tanto de la acción social como a la acción individual al indicar en su fundamento jurídico tercero que la acción social «se trata de una acción por responsabilidad contractual, por incumplimiento de la obligación del administrador de ejercer diligentemente las obligaciones inherentes a su cargo; de manera que, si la acción la ejercita la propia sociedad, estaríamos ante una aplicación especial de la acción de incumplimiento del artículo 1.101 del Código civil; mientras que en el supuesto de ejercitarla los socios o los acreedores, nos encontraríamos ante una acción subrogatoria»).

Sin perjuicio del carácter unitario de la acción social de responsabilidad, existen distinciones en su ejercicio dependiendo de quién la entable. En este orden de cosas, y siendo plenamente consciente de que son pocas las ocasiones en las que se plantea en la práctica el ejercicio por la sociedad de la acción social de responsabilidad –lo que tiene su fiel reflejo en la escasa jurisprudencia existente a este respecto– [sin olvidar el ejercicio de acciones que en los últimos tiempos se han planteado y ejercitado en algunas sociedades cotizadas españolas, insertas la mayoría en el ámbito inmobiliario, como nos recuerda SÁNCHEZ-CALERO GUILARTE, «La acción social de responsabilidad (Algunas cuestiones pendientes)», *RDM*, 281, 2011, pp. 97 y 102], el objetivo del presente trabajo se centra en analizar de manera sistemática las diferentes cuestiones interpretativas que se suscitan, fundamentalmente, a la luz de lo dispuesto en el artículo 238 de la Ley de Sociedades de Capital (precepto que reproduce sustancialmente lo previsto en su antecesor artículo 134 números 1, 2 y 3 del derogado Texto Refundido de la Ley de Sociedades Anónimas), pretendiendo contribuir así al estudio completo de la responsabilidad de los administradores de las sociedades mercantiles que se realiza en esta obra.

La parvedad de supuestos en los que se ejercita la acción social de responsabilidad por la propia sociedad obedece al hecho de que, salvo casos de graves perjuicios, la mayoría de los socios que en Junta general ha nombrado a los administradores no estará interesada en ejercitar la acción social y, normalmente, optará por otras vías menos alarmantes para el tráfico y el crédito de la compañía como, por ejemplo, la no reelección o la revocación. Por ello, sólo en casos de cambio de mayoría de la Junta general cabe pensar en que se haga uso de esta vía (ESTEBAN VELASCO, *La acción social y la acción individual de responsabilidad contra los administradores de las sociedades de capital,* cit., p. 72 y 73, quien remite al lector a Llebot, «El sistema de la responsabilidad de los administradores. Doctrina y jurisprudencia», *RdS,* 7, 1996, pp. 52 y ss. a fin de encontrar un análisis en términos de costes del ejercicio de la acción), sin poder descartar, no obstante, dada la diversidad de supuestos que pueden darse en la práctica, que aun sin cambio de control de la sociedad, la exigencia de responsabilidad a los administradores tras un acuerdo de la Junta general puede producirse cuando éstos han perdido la confianza de la mayoría de los socios, a la cual no parece suficiente por los hechos ocurridos la simple destitución de los administradores y quiere, además, que efectúen el resarcimiento de los daños sufridos por la sociedad (SÁNCHEZ CALERO, «Administradores», en *Comentarios a la Ley de Sociedades Anónimas*, IV, Madrid, 1994, p. 284).

II. LA SOCIEDAD COMO TITULAR DE LA ACCIÓN DE RESPONSABILIDAD

1. *Órgano competente para adoptar el acuerdo*

El órgano societario competente de modo exclusivo para acordar el ejercicio de la acción social de responsabilidad frente a los administradores correspondientes es, de forma primaria y a tenor del artículo 238.1 de la Ley de Sociedades de Capital en relación con el artículo 160 b) del mismo texto normativo, la Junta general (*vid.*, sin duda, SAP Barcelona 7.5.2014). Esta concreta y mera referencia al órgano de expresión de la voluntad corporativa permite colegir que la Junta puede ser tanto ordinaria (SAP Baleares 17.2.2003) como extraordinaria (STS 30.12.1997, STS 29.3.2000, SAP Zaragoza 17.9.2002 o SAP Palma de Mallorca 5.5.2014), así como que resulta un dato irrelevante a estos efectos que la Junta se haya reunido en virtud de una convocatoria –también judicial (SAP Álava 14.2.2000 o SAP Tarragona 4.3.2003)– o que se haya constituido de forma universal. En su virtud, la Junta general dispone de un instrumento más de control dentro del sistema de gobierno de la sociedad, sin que sea necesario que el acuerdo de entablar la acción se haga como consecuencia del tratamiento del punto del orden del día destinado a la censura de la gestión social, pese a que ello pueda tener su sentido lógico (*vid.* SAP Jaén 21.12.2000) ya que la petición de responsabilidad se derivará eventualmente del juicio que los socios se hayan formado acerca de la gestión de los administradores (cfr. STS 16.11.2013 acerca de la declaración de nulidad del acuerdo de entablar la acción social de responsabilidad y la consiguiente no prosperabilidad del ejercicio judicial de la acción).

Es más, el propio artículo 238.1 de la Ley de Sociedades de Capital dispone que la Junta general es competente para adoptar el acuerdo a solicitud de cualquier socio aunque no conste en el orden del día (también SAP Vizcaya 16.9.2010). De igual forma que en el supuesto del acuerdo de separación de administradores, al que se refiere el artículo 223 de la Ley de Sociedades de Capital, la Junta general puede en cualquier momento deliberar sobre esta cuestión y acordar, si es caso, el ejercicio de la acción de responsabilidad. La no necesidad de que figure en el orden del día la promoción de la responsabilidad social dada la habilitación legislativa que se le concede a la Junta general para adoptar dicho acuerdo al margen de los asuntos programados pretende, sin duda, salir al paso del bloqueo o de las maniobras dilatorias que, en otro caso, pudieran ejercer los administradores como encargados de confeccionar el orden del día (con independencia de que se pueda también soslayar este riesgo mediante la convocatoria judicial de la Junta –*vid.* el supuesto que dio origen a la STS 30.12.1997–).

La propuesta de acuerdo podrá realizarse por cualquier socio, presente o representado, que haya concurrido a la reunión, en cualquier momento de cualquier Junta general válidamente constituida, siendo un deber del presidente de la asamblea el de someter el asunto planteado a la decisión de la Junta general, cuyo incumplimiento le haría incurrir en responsabilidad, salvo en los supuestos de evidente abuso de derecho de los proponentes (ESTEBAN VELASCO, *La acción social y la acción individual de responsabilidad contra los administradores de las sociedades de capital*, cit., p. 65). En opinión de algún autor, en principio, debe respetarse el orden de discusión determinado en la relación de asuntos que se deben abordar, de acuerdo con orden del día anunciado en Junta convocada o aprobado en caso de Junta universal (BERBEL, «Acción social e individual de responsabilidad de los administradores: aspectos material y procesal», en *Cuadernos de Derecho Judicial. Derecho de Sociedades*, Madrid, 1992, p. 117); sin embargo, nada impide que el tratamiento de los puntos de orden del día se vea alterado al intercalarse la deliberación y el acuerdo sobre la propuesta de responsabilidad siempre y cuando el presidente, en su calidad de responsable del desarrollo de la Junta, así lo considere oportuno dadas las nuevas circunstancias (ESTEBAN VELASCO, *La acción social y la acción individual de responsabilidad contra los administradores de las sociedades de capital*, cit., p. 65). Por consiguiente, el único requisito que exige la ley es que el acuerdo sea adoptado en Junta general, no siendo necesario que deban ser planteados los motivos de responsabilidad, ni que deba existir una deliberación más o menos amplia (SAP Zaragoza 17.9.2002; por el contrario, la SAP Navarra 18.2.2005 considera que los accionistas deben de tener una puntual información sobre los motivos que dan lugar al ejercicio de esa acción, pues de lo contrario se estaría conculcando el derecho de información).

Los socios, además de poder optar por el efecto sorpresa que, sin duda, supone abordar en Junta general la acción de responsabilidad contra los administradores sin estar prevista en el orden del día, cuentan con la posibilidad legal de inclinarse procedimentalmente por la vía de la solicitud de la convocatoria de la Junta general para que ésta decida sobre el ejercicio de dicha acción (*ex* art. 239.1 LSC). En este segundo supuesto, si la actitud de los administradores fuera denegatoria o simplemente pasiva, cabría recabar incluso el apoyo de la autoridad judicial al objeto de que sea ésta la que proceda a la convocatoria de la Junta no convocada por el órgano de administración, todo ello de acuerdo con lo dispuesto, fundamentalmente, en los artículos 169 y 170 de la Ley de Sociedades de Capital, sin perjuicio de que esta alternativa pudiera no resultar necesaria pues la mera falta de convocatoria otorga automáticamente legitimación a los socios solicitantes para ejercer la acción social de responsabilidad (*ex* art. 239.1 LSC).

Con la modificación operada por la Ley 31/2014, de 3 de diciembre, no obstante, el socio o socios que posean individual o conjuntamente una participación que les permita solicitar la convocatoria de junta, podrán ejercitar directamente la acción social de responsabilidad cuando se fundamente en la infracción del deber de lealtad, sin necesidad pues de someter la decisión a la Junta general (párrafo segundo art. 239.1 LSC); mientras que para el resto de supuestos los socios legitimados sólo podrán seguir entablando la acción social de responsabilidad cuando los administradores no convoquen la asamblea general solicitada a tal fin, cuando la sociedad no la entablare dentro del plazo de un mes contado desde la fecha de adopción del correspondiente acuerdo- de modo que la sociedad deberá interponer la correspondiente demanda con presteza, habida cuenta el plazo establecido de un mes [cfr. acerca de dicho plazo SÁNCHEZ-CALERO GUILARTE, «La acción social de responsabilidad (Algunas cuestiones pendientes)», pp. 114 y ss.- o bien cuando éste hubiere sido contrario a la exigencia de responsabilidad (párrafo primero art. 239.1 LSC).

Con el lógico fin último de que la propuesta realizada a la Junta general se plasme en el acuerdo positivo de entablar la acción de responsabilidad, la elección de la vía sorpresiva o de la vía anunciada dependerá, en suma, del análisis que el socio o socios realicen de las concretas circunstancias que concurran en la sociedad tales como la composición del capital social o los socios presentes o representados en la Junta general, datos que deberán ser tenidos en cuenta a la hora de decidirse por una u otra estrategia jurídica. No obstante y dado el sistema de legitimación de que disponen los socios con relación a la propia sociedad, no resulta tampoco extraño prever el tratamiento en Junta general de la acción de solicitud de responsabilidad frente a los administradores con el único fin de que, no lográndose el acuerdo, quede expedita la legitimación de los acreedores (*ex* art. 240 LSC).

Ahora bien, en cualquier caso, la Junta general deberá adoptar el acuerdo de entablar la acción de responsabilidad contra los administradores que corresponda, dado que la ausencia de ese acuerdo previo impedirá el ejercicio de la acción social (SSTS 7.10.1987, 1.12.1993 o SAP Barcelona 7.2.1997), salvo, como se ha anticipado, que concurran los requisitos de los artículos 239 y 240 de la Ley de Sociedades de Capital. De acuerdo con la sentencia de Tribunal Supremo de 11 de abril de 2003 «lo requerido por el artículo 134.1 de la Ley de Sociedades Anónimas no es más que el acuerdo, y en ningún lugar de la Ley se considera forma constitutiva del mismo el que conste por escrito, ni que, sin el cumplimiento de esa forma, no puede probarse por ningún otro medio su existencia». En efecto, las formalidades previas requeridas por la propia Ley de Sociedades de Capital para entablar la acción social de responsabilidad es una *conditio sine qua non* al objeto de sustanciarse dicha pretensión en vía judicial (STS 27.3.2003, SAP Álava 14.2.2000, SAP Murcia 1.9.2000 o la SAP Castellón 7.2.2002; en contra la Sentencia del Juzgado de Primera Instancia de Madrid de 27.7.1999 ha entendido que «el principio *pro actione* que se desprende del contenido del artículo 134 de la Ley de Sociedades Anónimas –el acuerdo se puede adoptar aunque no figure en el orden del día; la mayoría necesaria del artículo 93 para adoptar acuerdos no se puede reforzar; no exonera de responsabilidad a los administradores que el acto o acuerdo lesivo haya sido adoptado, autorizado o ratificado por la Junta general; la aprobación de cuentas anuales no impide el ejercicio de acción social; la posibilidad de ejercicio, sin previo acuerdo social, por accionistas o acreedores– favorece la conceptuación del requisito del acuerdo previo de la Junta general como formal o procesal, y por tanto, subsanable en los términos del artículo 115.3 de la Ley de Sociedades Anónimas, que no distingue entre acuerdos nulos y anulables...»). La previa adopción del acuerdo es un requisito exigido incluso cuando se ejercite contra un *ex* administrador de la sociedad (SAP Barcelona 7.2.1997).

No existe inconveniente jurídico alguno para que la adopción por la Junta general del acuerdo de promover la acción social de responsabilidad se realice estando la sociedad en periodo de liquidación; ahora bien en este caso seguirá siendo necesario el acuerdo de la Junta general, no pudiendo ser suplido el acuerdo por una certificación unilateral del liquidador de la sociedad (SAP Granada 19.12.1998). En este sentido, la Sentencia de la Audiencia Provincial de Girona 13.12.2006 señala que *«resulta presupuesto o requisito para el ejercicio de la acción social de responsabilidad que se haya adoptado por la junta general de accionista el ejercicio de la acción. Por lo tanto, al ser un hecho constitutivo de la pretensión del actor, debe probarse por éste que, efectivamente, se adoptó el acuerdo de ejercer tal acción, según dispone el artículo 217 de la Ley de Enjuiciamiento Civil. Es decir la falta de concurrencia de tal requisito no es un hecho impeditivo, extintivo o excluyente que debe alegar el demandado y probar con-*

forme dispone dicho artículo. Por lo tanto, es intrascendente que en la contestación a la demanda el demandado nada alegara al respecto, lógicamente, porque la actora aportó con la demanda un certificado de haberse celebrado la junta de accionistas adoptando tal acuerdo, pero si en la fase probatoria se demuestra que tal junta no se celebró o que celebrada no se adoptó el acuerdo, es claro que el demandado puede alegar la falta de prueba de un hecho constitutivo de la pretensión en la valoración de la prueba y el Juez debe entrar a analizar si los hechos constitutivos de la pretensión han quedado debidamente acreditados, de conformidad con la carga de la prueba que establece el artículo 217 de la Ley de Enjuiciamiento Civil. (...) Dicho lo anterior, el artículo 54 de la Ley de Sociedades de Responsabilidad Limitada dice que todos los acuerdos sociales deberán constar en acta. El acta incluirá necesariamente la lista de asistentes y deberá ser aprobada por la propia Junta al final de la reunión o, en su defecto, y dentro del plazo de quince días, por el Presidente de la Junta General y dos socios interventores, uno en representación de la mayoría y otro por la minoría. El acta tendrá fuerza ejecutiva a partir de la fecha de su aprobación. A la vista de dicho precepto es claro que todos acuerdos de la junta de accionistas deben ser hechos constar en acta, acta que debe ser transcrita en el libro de acta que obligatoriamente debe llevar toda sociedad mercantil, pues el artículo 26 del Código de Comercio dice que las sociedades mercantiles llevarán también un libro o libros de actas, en las que constarán, al menos, todos los acuerdos tomados por las juntas generales y especiales y los demás órganos colegiados de la sociedad, con expresión de los datos relativos a la convocatoria y a la constitución del órgano, un resumen de los asuntos debatidos, las intervenciones de las que se haya solicitado constancia, los acuerdos adoptados y los resultados de las votaciones. Solamente podrá prescindirse de dejar constancia de los acuerdos en el libro de actas, si se ha levantado acta notarial de conformidad con el artículo 55 de la Ley de Sociedades de Responsabilidad Limitada».

A los efectos de órgano competente para adoptar el acuerdo de entablar por la sociedad la acción de responsabilidad contra los administradores, el artículo 238 de la Ley de Sociedades de Capital sólo se refiere al ejercicio judicial de la acción de responsabilidad y no a la reclamación extrajudicial para interrumpir el plazo de prescripción extintiva de esta acción social, para lo que basta un mero acuerdo del órgano administrativo (Cfr. SAP Madrid 10.5.2005, sentencia en la que se sustancia un acción de impugnación de acuerdo nulo o anulable adoptado por el consejo de administración de una mercantil anónima consistente en reclamar extrajudicialmente a quien fuera consejero delegado de la sociedad, con el fin de interrumpir el plazo de prescripción extintiva del art. 949 C. de C. en relación con la acción social de responsabilidad del entonces vigente art. 134 LSA).

Por otro lado, en el supuesto de que la sociedad se encuentre declarada en concurso de acreedores "corresponderá exclusivamente a la administración concursal el ejercicio de las acciones de responsabilidad de la persona jurídica concursada contra sus administradores, auditores o liquidadores" (art. 48 quáter LC). Con esta nueva norma introducida por la Ley 38/2011 se trata, en coherencia con otras, de armonizar los diferentes sistemas de responsabilidad de administradores que pueden convivir durante la tramitación del procedimiento concursal, y en cuanto al ejercicio por la sociedad de la acción social de responsabilidad frente a los administradores supone la legitimación exclusiva de la administración concursal sin la necesidad de recabar el previo acuerdo de la Junta general [cfr. QUIJANO, «Coordinación de acciones societarias (social, individual y por deudas) y concursales de responsabilidad», *RDCP*, 22, 2015, pp. 43 y ss.].

2. *Posibilidades alternativas de la Junta general ante el planteamiento del ejercicio de la acción*

Ante el planteamiento del ejercicio de la acción social de responsabilidad contra los administradores la Junta general podrá adoptar los siguientes acuerdos en base a las distintas circunstancias que concurran en el supuesto concreto: un acuerdo contrario a la exigencia de responsabilidad; un acuerdo de promoción de la responsabilidad; un acuerdo de renuncia expresa al ejercicio de la acción o adoptado con posterioridad al inicio del procedimiento de exigencia de responsabilidad; así como un acuerdo de transigir (en este sentido se siguen básicamente las ideas de ESTEBAN VELASCO, *La acción social y la acción individual de responsabilidad contra los administradores de las sociedades de capital*, cit., pp. 67 y 68). Asimismo, se va a abordar la falta de adopción de acuerdo alguno, bien sea por negarse la Junta general a entrar a debatir el asunto de la responsabilidad bien sea a causa de la existencia de un empate en la votación final sobre la propuesta realizada.

Por lo que hace referencia a la adopción de un acuerdo contrario a entablar la acción social de responsabilidad y con independencia del motivo o motivos que hayan provocado tal decisión societaria, es preciso señalar que este acuerdo legitimaría a la minoría –socios que sean titulares de, al menos, un cinco por ciento del capital social (tres por ciento en el caso de sociedades cotizadas)– para ejercitar la acción en defensa del interés social [art. 239.1 LSC en relación con el art. 495.2 a) LSC; *vid.* SAP Álava 14.2.2000], pero en absoluto nos encontraríamos ante el acuerdo de renuncia propio del artículo 238.2 de la Ley de Sociedades de Capital (Cfr. la STS 11.2.2004 en la que parece equipararse un acuerdo de «posposición» a pronunciarse sobre la acción de responsabilidad con un acuerdo contrario a entablar dicha acción, y todo ello a fin de dejar expedita la legitimación subsidiaria).

Por su parte, el acuerdo de entablar la acción social de responsabilidad contra los administradores concreta la legitimación de la sociedad para defender a través de esta vía el patrimonio social, pero no deslegitima de un modo definitivo a la minoría para ejercitar la propia acción, ya que a la luz del mismo artículo 239.1 de la Ley de Sociedades de Capital si transcurriera un mes desde la adopción del citado acuerdo sin que la sociedad entablase la correspondiente acción judicial, el socio o los socios que posean individualmente o conjuntamente una participación que les permita solicitar la convocatoria de la Junta podrían ejercerla.

En todo caso, el acuerdo de promoción de la responsabilidad se revela como un presupuesto necesario para la posterior adopción de un acuerdo de renuncia expresa al ejercicio de la responsabilidad o de renuncia a continuar el procedimiento judicial de exigencia de responsabilidad ya iniciado. En ambos supuestos de renuncia debe de tenerse en cuenta que existe el derecho de oposición –veto– de la minoría –socios que representen el cinco por ciento del capital social– (art. 238.2 LSC). En mi opinión, por aplicación del artículo 495.2 a) de la Ley de Sociedades de Capital, este porcentaje sería del tres por ciento en el supuesto de sociedades cotizadas.

Finalmente, la Junta general podrá tomar un acuerdo de transacción con los administradores afectados. En este supuesto, el órgano societario estaría adoptando un acuerdo de aprobación de un convenio a fin de que el patrimonio dañado por la actuación de los administradores quedase reintegrado. Para la adopción del acuerdo de transacción, a mi entender, no resultaría necesario que previamente se hubiese tomado un acuerdo de promoción de la responsabilidad, pudiendo en consecuencia adoptar el acuerdo de transacción en lugar del de ejercicio de la acción, en los términos que más adelante se expondrán (*v. gr.* constancia en el orden del día del supuesto de la transacción). Por otra parte, resultaría irrelevante a estos efectos que el acuerdo de promoción de la responsabilidad hubiera sido o no ejecutado. Ahora bien, en todo caso, debe de tenerse en cuenta, al igual que en la adopción del acuerdo de renuncia, que existe el derecho de oposición –veto– de la minoría –socios que representen el cinco por ciento del capital social– (art. 238.2 LSC), y por igual motivo antes reseñado, este porcentaje sería del tres por ciento en el supuesto de sociedades cotizadas.

No obstante, a fin de completar el haz de posibilidades que pueden presentarse en cuanto al conocimiento por la Junta general de una propuesta de solicitud de responsabilidad a los administradores es preciso plantearse el supuesto de la falta de adopción de cualquier acuerdo al respecto. Por una parte, este supuesto se concretaría en aquel en el que la Junta general se negase a entrar a discutir el asunto de responsabilidad planteado por cualquier accionista, sin previa constancia del punto en el orden del día. En este caso, una conclusión se revela como incontrovertida: *de facto* al no haber un acuerdo contrario a la promoción de la responsabilidad, tampoco está legitimada la minoría para el ejercicio de la acción, salvo claro está que la acción social se fundamente en la infracción del deber de lealtad. Ahora bien, conviene cuestionarse acerca de qué sucede en ocasión de tal circunstancia. En opinión de un sector de nuestra doctrina, la minoría podría solicitar la convocatoria de la Junta general a fin de que ésta entrase a abordar el punto del orden del día pretendido (SUÁREZ-LLANOS, «Responsabilidad de los administradores de sociedad anónima», *ADC*, 1962, p. 927, JUSTE, *Los derechos de la minoría en la sociedad anónima*, Pamplona, 1995, pp. 419 y ss.) y en este supuesto no resultaría posible que la mayoría no entrase a juzgar sobre el ejercicio de la acción de responsabilidad, amén del supuesto en el cual los administradores no dieran curso a la solicitud, ya que de acuerdo con el propio artículo 239, este último hecho también legitima a los socios para entablar la acción. En cambio, para otro sector de nuestra doctrina, si en la Junta general se propusiera la exigencia de responsabilidad –o la propuesta fuese apoyada– por una minoría cualificada y la asamblea se negase a abordar la cuestión, la minoría tendría abierta la posibilidad de entablar la acción, evitándose así dilaciones innecesarias a fin de lograr un mismo objetivo (SÁNCHEZ CALERO, *Administradores*, cit., p. 286 y 287, así como 307 y 308).

Por otra parte, no resulta descabellado pensar en la posibilidad de que dada la composición del capital y el consiguiente reflejo del mismo en el órgano de administración (*v. gr.* una sociedad anónima o limitada compuesta por dos socios titulares cada uno de un cincuenta por ciento del capital sociedad, siendo ambos socios a la vez administradores solidarios de la mercantil) el planteamiento de una acción social de responsabilidad provocase el empate sin visos, además, de ser desbloqueada la situación en una Junta posterior. En este supuesto, y con independencia de que podría ser un síntoma de hallarse la sociedad incursa en una causa de disolución por paralización de órganos sociales, una interpretación rigurosa del artículo 239 de la Ley de Sociedades de Capital no permitiría encuadrarlo dentro de ninguno de los tres supuestos que dejan expedita la legitimación a la minoría. Sin embargo, no cabe duda que nos encontramos ante un caso en los que no es posible lograrse el acuerdo y el mantenimiento de la interpretación estricta del precepto llevaría a dejar cerrada la posibilidad de la legitimación subsidiaria. Por ello, no parecería aventurado, *lege data*, patrocinar una interpretación amplia del tercer supuesto previsto en el artículo de referencia –cuando el acuerdo hubiese sido contrario a la exigencia de responsabilidad– a fin de que quedase abierta la legitimación subsidiaria. En este sentido, otros preceptos previstos en la propia la Ley de Sociedades de Capital no han dejado pasar por alto un supuesto como el planteado; en concreto, conviene recordar el artículo 366.1 a tenor del cual en sede de disolución estatuye que «si la junta no fuera convocada, no se celebrara, o no adoptara alguno de los acuerdos previstos en el artículo anterior, cualquier interesado podrá instar la disolución de la sociedad ante el juez de lo mercantil del domicilio social» y, en consecuencia, *lege ferenda*, sería aconsejable añadir este supuesto de imposibilidad de alcanzar el acuerdo entre los que dejasen expedita la legitimación subsidiaria en cuanto a la acción social de responsabilidad se refiere (*vid.* SAP. Barcelona 14.3.2000).

3. *Quórum y mayoría necesarios para la válida adopción del acuerdo de promoción de la responsabilidad*

El artículo 238.1 de la Ley de Sociedades de Capital, en su frase segunda, refiere la mayoría indisponible que se exige a la junta general para la valida adopción del acuerdo de entablar la acción social de responsabilidad: «los estatutos no podrán establecer una mayoría distinta a la ordinaria para la adopción de este acuerdo». Por «mayoría ordinaria» en las sociedades de responsabilidad limitada se entiende la «mayoría de los votos válidamente emitidos, siempre que representen al menos un tercio de los votos correspondientes a las participaciones sociales en que se divida el capital social. No se computarán los votos en blanco» (art. 198 LSC), mientras que en las sociedades anónimas el artículo 201 se limitaba, hasta la modificación operada por la Ley 31/2014, a señalar que «los acuerdos sociales se adoptarán por mayoría ordinaria de los votos de los accionistas presentes o representados», reproduciéndose, en consecuencia lo que vigentes la Ley de Sociedades Anónimas y la Ley de Sociedades de Responsabilidad Limitada, se preveía en sus artículos correspondientes.

En efecto, el párrafo segundo del artículo 134.1 de la Ley de Sociedades Anónimas remitía al artículo 93 del mismo texto legal el requisito de la mayoría necesaria para la válida adopción del acuerdo de entablar la acción social de responsabilidad, disponiendo este último precepto que los accionistas decidirían «por mayoría». Esta misma técnica remisoria era la que utilizaba asimismo la Ley de Sociedades de Responsabilidad Limitada al establecer en su artículo 69.2 que el acuerdo de la Junta general que decidiera sobre el ejercicio de la acción de responsabilidad requeriría la mayoría prevista en el apartado 1 del artículo 53, fijada en «la mayoría de los votos válidamente emitidos, siempre que representen al menos un tercio de los votos correspondientes a las participaciones sociales en que se divida el capital social, no computándose los votos en blanco».

Con respecto a la mayoría necesaria para la válida adopción del acuerdo en Junta general de sociedad anónima, se debía considerar que la citada mayoría había de calcularse sobre la base de los votos correspondientes a las acciones concurrentes bien sean fueran de socios presentes o representados en la reunión de accionistas. En consecuencia, no se deducirían ni los votos que resulten inválidos ni los emitidos en blanco ni tampoco las abstenciones. La lacónica expresión «por mayoría» quería significar la mayoría absoluta del capital presente o representado (la STS 29.3.2000 parece refrendar la teoría de la mayoría absoluta al señalar que el entonces vigente art. 134 LSA preveía el ejercicio de tal acción por acuerdo adoptado por mayoría «no cualificada». Mucho más clara se mostraba al respecto la SAP Baleares 17.2.2003).

La Ley 31/2014 ha introducido una nueva redacción al artículo 201 de la Ley de Sociedades de Capital que contribuye a aclarar el proceloso entender antes expuesto. En efecto, ahora en las sociedades anónimas los acuerdos sociales se adoptarán por "mayoría simple de los votos de los accionistas presentes o representados en la junta, entendiéndose adoptado un acuerdo cuando obtenga más votos a favor que en contra del capital presente o representado". Esto es, en relación con la válida adopción de acuerdos por la Junta general de las sociedades anónimas, la nueva redacción de la norma clarifica el cálculo del cómputo de la mayoría requerida al establecer expresamente el criterio de la mayoría simple (más votos a favor que en contra sobre el total del capital presente o representado), permitiendo zanjar de esta manera el antiguo debate en torno al principio mayoritario antes referido en relación con la anterior redacción del precepto. El nuevo texto, en definitiva, se ha inclinado por la mayoría relativa o simple como correcta expresión de la voluntad social.

Esta mayoría necesaria para la válida adopción del acuerdo queda fijada una vez se cierre la lista de asistentes y se declare la constitución correcta de la asamblea general, manteniéndose invariable durante el desarrollo de la Junta. Esto es, la consideración de voto concurrente a la Junta debe ir referida al momento de declararse la válida constitución de la misma de acuerdo con la lista de asistentes que se haya confeccionado al respecto; lo cual implica que, en el cómputo final, han de tomarse en cuenta la parte del capital social correspondiente a accionistas que se hayan ausentado durante el desarrollo de la sesión y no hayan procedido a votar.

Por su parte, con respecto a la mayoría necesaria para la válida adopción del acuerdo en Junta general de sociedad limitada, la Ley de Sociedades de Capital en la línea de la Ley de Sociedades de Responsabilidad Limitada exige la llamada ordinaria, según la cual el acuerdo de ejercicio de la acción de responsabilidad requiere mayoría de votos válidamente emitidos, siempre que, además, dichos votos representen, al menos, un tercio de los votos correspondientes a las participaciones sociales en que se divida el capital social, no computándose los votos en blanco (SAP Barcelona 14.3.2000). Esto es, el acuerdo de entablar la acción de responsabilidad social se debe adoptar por mayoría de los votos válidamente emitidos, siempre que éstos representen al menos un tercio de los votos correspondientes a las participaciones sociales en que se divida el capital social. Así, permanece incólume el principio de que es la obtención de una proporción de votos favorables superior a los que no lo sean lo que determina la existencia de una voluntad aprobatoria del acuerdo, mientras que la exigencia de que los votos válidamente emitidos representen al menos un tercio del total de los correspondientes a las participaciones viene a cumplir indirectamente la función de un quórum de asistencia. En suma, únicamente si han sido emitidos votos válidos en esa proporción se puede adoptar el acuerdo, que será aprobatorio cuando la mayoría de los votos válidamente emitidos sea favorable a la propuesta de acuerdo que hubiere sido formulada. Obviamente, no tienen la condición de votos válidamente emitidos ni las abstenciones –ya que implican la no emisión de voto– ni los votos nulos –sencillamente, porque no son válidamente emitidos–; pero sí la tienen, en cambio, los votos en blanco ya que, aun cuando no implican un pronunciamiento concreto sobre el sentido positivo o negativo del voto, son sin embargo votos válidamente emitidos en ejercicio de una libre elección de su propio criterio por el votante. Desde esta perspectiva, la indicación legal «no se computarán los votos en blanco» ha de ser interpretada en el sentido de que no se tendrán en cuenta dichos votos para la formación de la mayoría, de modo que ésta sólo resultará del contraste entre los votos contrarios y favorables a la propuesta. Con ello, se priva del valor decisorio a esos votos en blanco que, de otro modo, podrían dar lugar a una mayoría de rechazo de la propuesta si alcanzaran una proporción superior a los votos favorables, y se induce indirectamente a la emisión de votos afirmativos o negativos. Dicho en otros términos, la expresión legal viene a disponer que los votos en blanco han de tenerse por válidamente emitidos –y en este sentido sirven a efectos de verificar el cumplimiento de la exigencia de

que éstos representen al menos un tercio del total de los votos existentes
en la sociedad– pero no han de tenerse en cuenta a la hora de formar la
mayoría (URÍA/MENÉNDEZ/IGLESIAS, «La sociedad de responsabilidad
limitada. Órganos sociales: I. La Junta general de socios», en *Curso de Derecho Mercantil*, I, 2ª ed., Madrid, 2006, pp. 1232-1233; cfr. también la SAP A
Coruña 27.6.2014).

Una vez puesta de relieve la diferencia existente entre la sociedad anónima y la sociedad de responsabilidad limitada en cuanto a la mayoría
necesaria para la válida adopción del acuerdo de entablar la acción de
responsabilidad contra los administradores, resulta necesario constatar
como un dato común a ambos tipos societarios que «los estatutos no podrán establecer una mayoría distinta a la ordinaria para la adopción de
este acuerdo» (art. 238.1 *in fine* LSC). Esto es, en las cláusulas estatutarias
no podrán establecerse una mayoría distinta de la legal y menos una mayoría cualificada (STS 30.12.1997 o STS 7.6.1999) y en el supuesto que se
previese en los estatutos una mayoría superior para la general adopción de
acuerdos ordinarios, ésta no sería de aplicación al acuerdo de exigencia
de responsabilidad. A juicio de parte de nuestra doctrina, la prohibición
legal se extiende, por analogía, a la eventual fijación estatutaria de quórum
reforzado respecto del artículo 193.1 de la Ley de Sociedades de Capital
(*sic*, por todos, POLO SÁNCHEZ, «Los administradores y el consejo de
administración de la sociedad anónima», en *Comentario al régimen legal de
las sociedades mercantiles*, VI, Madrid, 1992, pp. 322 a 324, pero, en contra,
SÁNCHEZ CALERO, *Administradores*, cit., pp. 289 y 290). En consecuencia,
la norma legal pretende que la cuestión se decida con los requisitos mínimos legales, todo ello sin perjuicio de que, en caso de plantearse la cuestión de responsabilidad en una Junta general ya constituida, deba partirse
del quórum de presencia constatado para calcular la mayoría (ESTEBAN
VELASCO, *La acción social y la acción individual de responsabilidad contra los
administradores de las sociedades de capital*, cit., pp. 65 y 66).

Un nuevo asunto, a todas luces importante, sobre el cual, sin embargo,
la Ley de Sociedades de Capital nada había dispuesto hasta la recentísima
Ley 31/2014 era el relativo a si los administradores afectados pueden o
no tomar parte en la votación que decida sobre el ejercicio de la acción
de responsabilidad, una cuestión que había sido calificada más que dudosa (RODRÍGUEZ ARTIGAS/QUIJANO, «Jornadas sobre la reforma de las
sociedades de capital. Los órganos de la sociedad anónima: Junta general
y administradores», en *El nuevo derecho de las sociedades de capital*, Madrid,
1989, p. 142). En efecto, el texto inicial de la Ley de Sociedades de Capital
en línea con la derogada Ley de Sociedades Anónimas nada establecía al

respecto, al igual que nada se decía en la antigua Ley de 1951. No obstante, con respecto a esta última se argumentó por nuestra doctrina que se trataba de una laguna deliberada cuya justificación residía en el escepticismo de los redactores de la ley respecto de la eficacia de los preceptos legales que prohíben a los administradores tomar parte en la votación relativa a su propia responsabilidad (crítico con esta argumentación se mostró PUIG BRUTAU, «La responsabilidad de los administradores en la sociedad anónima», *RDP*, 1961, p. 367). La mayoría de las veces, se decía, los órganos administrativos de la sociedad están apoyados por los grandes socios que dominan la sociedad y, por tal razón, es a veces difícil que la mayoría de la Junta general adopte la resolución de exigir responsabilidades. En este supuesto, de nada servirá prohibir el voto a las acciones de los propios administradores. Pero aunque se prohíba no les será difícil a los administradores eludir la prohibición amparándose en el secreto de voto inherente a las acciones al portador o en la cesión momentánea de las acciones a favor de testaferros que voten en la Junta. Por estas razones la ley se abstiene de formular la prohibición y se confía a la honorabilidad de los administradores acusados, los cuales, salvo excepciones que confirman la regla, no suelen participar con su voto en la adopción del acuerdo acerca de su propia responsabilidad. De hecho se ha llegado a afirmar que, aunque la ley no lo diga de manera expresa, los administradores tienen el deber de abstenerse en la votación relativa a su propia responsabilidad, y este deber, que es moral antes que jurídico, suele ser respetado por los administradores honorables (GARRIGUES/OLIVENCIA, «Comentario al artículo 80», en *Comentario a la Ley de Sociedades Anónimas* (Garrigues/Uría), II, 3ª ed., Madrid, 1976, p. 177).

No obstante en dicho contexto normativo ahora derogado, si votasen resultando que el ejercicio de esos votos diese lugar a un desplazamiento de la mayoría, la propia Ley de Sociedades de Capital ofrecía recursos que protegían a los socios minoritarios que votaron a favor de la exigencia de responsabilidad. Así, de acuerdo con el antiguo artículo 239.2, los socios que fueran titulares de, al menos, un cinco por ciento del capital social podrían entablar conjuntamente la acción de responsabilidad en defensa del interés social. Los socios titulares de participaciones o acciones sin voto también podrían solicitar la convocatoria de la Junta ya que, aunque carecen de este derecho de voto, ha de estimarse que tienen la facultad de solicitar la convocatoria a fin de que se aborde este asunto de la responsabilidad (SÁNCHEZ CALERO, *Administradores*, cit., p. 287); como también habrá de reconocerse a esos socios el derecho de asistir a la Junta cuya convocatoria han solicitado, donde podrán exponer su punto de vista pese a estar privados del derecho de voto (POLO SÁNCHEZ, *Los administradores y el consejo de administración de la sociedad anónima,* cit., p. 347).

Pero es que, por otra parte, y sin necesidad de alcanzar ese mínimo porcentaje de capital social parecía que sería posible impugnar la validez del acuerdo denegatorio al amparo de los artículos 204 y 206 de la Ley de Sociedades de Capital, sobre el argumento de que dicho acuerdo lesiona en beneficio de uno o varios socios –en este caso los administradores– los intereses de la sociedad. En relación con este supuesto de impugnación del acuerdo de la Junta general, la doctrina ha entendido que los demandantes podrán pedir al juez, además, que condene a los administradores –socios– a abstenerse de intervenir en la nueva votación (GARRIGUES/ OLIVENCIA, *Comentario,* cit., p. 177, o POLO SÁNCHEZ, *Los administradores y el consejo de administración de la sociedad anónima,* cit., p. 327).

Por su parte, para las sociedades de responsabilidad limitada se contemplaba una norma que preceptúa los casos concretos en los que se aprecia un conflicto de intereses entre la sociedad y el socio-administrador. Así, éste, con la redacción anterior, no podía ejercer el derecho de voto correspondiente a sus participaciones cuando se trate de adoptar un acuerdo que le autorice a transmitir participaciones de las que sea titular, que le excluya de la sociedad, que le libere de una obligación o le conceda un derecho, o por el que la sociedad decida anticiparle fondos, concederle créditos o préstamos, prestar garantías en su favor o facilitarle asistencia financiera, así como cuando, siendo administrador, el acuerdo se refiera a la dispensa de la prohibición de competencia o al establecimiento con la sociedad de una relación de prestación de cualquier tipo de obras o servicios. En todos estos supuestos, las participaciones del socio se deben deducir del capital social para el cómputo de la mayoría de votos que en cada caso sea necesaria (art. 190 LSC). Como se puede apreciar, la reproducida norma tampoco señala nada acerca de si los administradores afectados pueden o no tomar parte en la votación que decida sobre el ejercicio de la acción de responsabilidad, no pudiendo considerarse incluido este supuesto dentro del de liberación de una obligación, máxime cuando, recuérdese, en la tramitación parlamentaria de la derogada Ley de Sociedades de Responsabilidad Limitada se suprimió el referido supuesto concreto. En consecuencia, el socio-administrador podrá votar sobre el ejercicio de la acción de responsabilidad contra él, revelándose así plenamente aplicables las ideas que he expuesto al respecto en las líneas precedentes.

No debe dejarse sin contemplar, tal y como se ha puesto de relieve por nuestra doctrina, que la configuración de un deber de abstención en estos supuestos conduciría a una subversión del régimen de mayorías en que se fundamenta la toma de decisiones en las sociedades capitalistas dejando inermes a los socios mayoritarios frente a cualquier exigencia injustificada de responsabilidad por parte de los minoritarios (POLO SÁNCHEZ, *Los administradores y el consejo de administración de la sociedad anónima*, cit., p. 327). La protección de las minorías no puede privar de voto a las mayorías, máxime cuando las primeras pueden resultar amparadas frente a los desmanes de las segundas por otras causas –en nuestro caso mediante el ejercicio subsidiario de la acción social de responsabilidad o mediante la impugnación del acuerdo denegatorio de entablar dicha acción por lesionar el interés social; la solución contraria podría producir fraudes mayores que los que se pretenden evitar (DÍAZ ECHEGARAY, *Deberes, y responsabilidad de los administradores de sociedades de capital,* Pamplona, 2004, p. 282).

En la misma línea de concluir que los administradores afectados pueden tomar parte en la votación que decida sobre el ejercicio de la acción de responsabilidad se revela el artículo 526.1 de la Ley de Sociedades de Capital de acuerdo con el cual en el caso de que los administradores de una sociedad anónima cotizada, u otra persona por cuenta o en interés de cualquiera de ellos, hubieran formulado solicitud pública de representación, el administrador que la obtenga no podrá ejercitar el derecho de voto correspondiente a las acciones representadas en aquellos puntos del orden del día en los que se encuentre en conflicto de intereses y, en todo caso, respecto de las siguientes decisiones: ...c) el ejercicio de la acción social de responsabilidad dirigida contra él. Tal y como se puede comprobar, el precepto introducido inicialmente en nuestra legislación a través de la Ley 44/2002, de 22 de noviembre, de Medidas de Reforma del Sistema Financiero, y modificado recientemente por la Ley 25/2011, únicamente prohíbe al administrador ejercitar el derecho de voto correspondiente a las acciones representadas, debiéndose entender en consecuencia que sí podrá ejercitar el correspondiente a sus propias acciones (en este mismo sentido DÍAZ ECHEGARAY, *Deberes y responsabilidad de los administradores de sociedades de capital,* cit., p. 283).

A zanjar toda esta polémica jurídica parece haber venido, en mi opinión, la modificación normativa operada por la Ley 31/2014. En efecto, por cuanto se refiere a sociedades anónimas, el nuevo artículo 228 de la Ley de Sociedades de Capital que regula las obligaciones básicas derivadas del deber de lealtad exigido a los administradores particulariza en su letra c) que dicho deber obliga al administrador a abstenerse de participar en la deliberación y votación de acuerdos o decisiones en las que él o una persona vinculada tenga un conflicto de intereses, directo o indirecto, pero expresamente la norma deja extramuros de ese deber precisamente "los acuerdos o decisiones que le afecten en su condición de administrador, tales como su designación o revocación para cargos en el órgano de administración u otros de análogo significado". En una línea similar, para las sociedades de responsabilidad limitada y también para las sociedades anónimas, el nuevo artículo 190.1 de la Ley de Sociedades de Capital establece que el socio no podrá ejercitar el derecho de voto correspondiente a sus acciones o participaciones cuando se trate de adoptar determinados acuerdos entre los que no se encuentra el que ahora nos está interpelando y en los casos de conflicto de interés distintos de los previstos en el apartado 1, los socios no estarán privados de su derecho de voto por expresa constancia en la propia Ley (art. 190.3 LSC).

No obstante, el mismo artículo 190.3 prevé que cuando el voto del socio o socios incursos en conflicto haya sido decisivo para la adopción del acuerdo, corresponderá, en caso de impugnación, a la sociedad y, en su caso, al socio o socios afectados por el conflicto, la carga de la prueba de la conformidad del acuerdo al interés social. Al socio o socios que impugnen les corresponderá la acreditación del conflicto de interés. De esta regla se exceptúan los acuerdos relativos al nombramiento, el cese, la revocación y la exigencia de responsabilidad de los administradores y cualesquiera otros de análogo significado en los que el conflicto de interés se refiera exclusivamente a la posición que ostenta el socio en la sociedad. En estos casos, corresponderá a los que impugnen la acreditación del perjuicio al interés social.

En definitiva, los administradores afectados pueden tomar parte en la votación que decida sobre el ejercicio de la acción de responsabilidad.

4. La ejecución del acuerdo: encargados de entablar judicialmente la acción, procedimiento y prescripción

El previo acuerdo de la Junta general no implica el simultáneo ejercicio de la acción para perseguir la responsabilidad de los administradores, pues a tal respecto la ley se expresa en futuro «se entablará por la sociedad, previo acuerdo de la Junta general» (art. 238.1 LSC; STS 31.1.1969 y SAP Zaragoza 17.9.2002). El previo acuerdo implica una autorización a fin de que se entable la referida acción social, que conlleva una pérdida de confianza en los administradores afectados y, por ende, la remoción de sus cargos. Partiendo, pues, de la distinción entre el acuerdo de exigencia de responsabilidad y el ejercicio de la correspondiente acción resultará una solución en la mayoría de las ocasiones necesaria que la Junta general que adopte el acuerdo de exigir responsabilidad designe al propio tiempo a la persona o personas que hayan de actuar en nombre de la sociedad, dado que el acuerdo de promover la acción determina *ipso iure* la destitución de los administradores afectados.

Es preciso poner de relieve que el acuerdo de la Junta general por el que se decida entablar la acción contra los administradores debe hacer referencia directa –a uno o varios administradores concretos– o indirecta –al consejo de administración o a los administradores mancomunados– a aquellos que resulten afectados por el citado acuerdo, siendo únicamente frente a éstos a los que en virtud de la referida decisión societaria se puede demandar en ejecución de la misma. No se debe olvidar que nos hallamos ante una responsabilidad personal de los titulares del órgano administrativo y no del órgano mismo (con respecto a la responsabilidad solidaria de los miembros del órgano de administración conjunta, *vid.*, por todos, SÁNCHEZ CALERO, *Los administradores en las sociedades de capital*, cit., pp. 313 y ss.). Sin embargo, no faltan ejemplos en nuestra jurisprudencia –aunque ésta sea menor– en los que el acuerdo de la Junta general ni siquiera ha sido adoptado y, sin embargo, se ha entablado la acción social de responsabilidad (Cfr. ALONSO SOTO, «Consideraciones sobre el ejercicio de la acción social de responsabilidad de los administradores de la sociedad anónima», *LL*, 5, 2000, pp. 1869 y ss.).

Adoptado el acuerdo de entablar la acción, éste deberá ser ejecutado bien por los administradores no destituidos (en contra, por motivos convincentes aunque más psicológicos que propiamente jurídicos, GIRÓN, *Derecho de Sociedades Anónimas*, Valladolid, 1952, p. 379), por no ser los afectados por la acción de responsabilidad, bien por los administradores nuevos (SAP Baleares 17.2.2003), todo ello de acuerdo con la regla general de atribución del poder de representación de la sociedad (art. 233 LSC). Ahora bien, sería igualmente posible que la Junta general adoptara un acuerdo a fin de que se designase un apoderado o apoderados especiales para la ejecución del acuerdo de promover la acción, siempre que la concesión de los poderes se realice por el órgano de administración a quien se atribuye en exclusiva el poder de representación de la sociedad (en este último sentido, ESTEBAN VELASCO, *La acción social y la acción individual de responsabilidad contra los administradores de las sociedades de capital*, cit., pp. 71 y 72, citando las RRDGRN 31.10.1989 y 26.2.1991). No faltan en nuestra doctrina autores que ven en esta posibilidad –la designación específica para que alguien, en representación de la sociedad, inicie y siga la acción de responsabilidad acordada– una auténtica necesidad en el supuesto que se haya acordado de forma específica no cesar a los administradores frente a los que se ha resuelto ejercitar la acción de responsabilidad, ya que, correspondiendo a éstos la representación de la sociedad, sólo ellos podrían ejercitar la acción contra sí mismos, no pareciendo ello posible (DÍAZ ECHEGARAY, *Deberes y responsabilidad de los administradores de sociedades de capital*, cit., pp. 283 y 284). Sin embargo, de acuerdo con mi entender, no es posible compartir tal argumentación toda vez que la destitución de los administradores afectados prevista en el artículo 238.3 de la Ley de Sociedades de Capital es una consecuencia esencial del acuerdo de ejercitar la acción de responsabilidad, con lo que no resultaría factible que la propia Junta que acordara entablarla, determinase, a su vez, mantener al administrador en su puesto (*vid. infra* epígrafe IV).

El acuerdo social adoptado por la Junta general al objeto de entablar la acción de responsabilidad se ejecuta a través de la formulación de la correspondiente demanda de responsabilidad frente a los administradores ante el juzgado competente. Nada establece la Ley de Sociedades de Capital acerca del plazo con el que se cuenta para ejecutar dicho acuerdo de promoción de la responsabilidad, pero el hecho de que no se ejercite la acción social de responsabilidad dentro del plazo de un mes, contado desde la fecha de adopción del correspondiente acuerdo, legitima a los socios a entablar la acción de responsabilidad en defensa del interés social (*ex* art. 239.1 LSC), y todo ello sin olvidar el plazo de prescripción de cuatro años de la acción social de responsabilidad (hoy *ex* art. 241 bis LSC).

La acción social de responsabilidad habrá de tramitarse conforme a lo dispuesto en la Ley de Enjuiciamiento Civil, de acuerdo con el procedimiento correspondiente a la cuantía de la indemnización solicitada, pudiendo ser objeto de acumulación con otras acciones (STS 30.9.1988 o SAP Asturias 31.3.2003). La Ley Orgánica 8/2003 en su artículo segundo ha añadido un nuevo artículo, el 86 *ter*, a la Ley Orgánica del Poder Judicial con la siguiente redacción dada a su número 2. «Los juzgados de lo mercantil conocerán, asimismo, de cuantas cuestiones sean de la competencia del orden jurisdiccional civil, respecto de: a) Las demandas en las que se ejerciten acciones relativas a competencia desleal, propiedad industrial, propiedad intelectual y publicidad, *así como todas aquellas cuestiones que dentro de este orden jurisdiccional se promuevan al amparo de la normativa reguladora de las sociedades mercantiles y cooperativas*» (el subrayado es nuestro). Por consiguiente, a partir del uno de septiembre de dos mil cuatro, las demandas relativas al ejercicio de una acción social de responsabilidad se deberán sustanciar en los juzgados de lo mercantil, conociendo los recursos de apelación contra las resoluciones de estos juzgados la sección especializada de la correspondiente Audiencia provincial (art. 82 LOPJ), sin perjuicio de que en casación continúe siendo competente la Sala primera de nuestro Tribunal Supremo. Además, podrán acumularse en el procedimiento otras acciones diferentes como, por ejemplo, la de rendición de cuentas respecto a determinadas operaciones o el ejercicio de las acciones individuales de responsabilidad previstas en el artículo 241 de la Ley de Sociedades de Capital, siempre y cuando concurran los presupuestos precisos para el ejercicio de ambas acciones sin confundir una con la otra.

Por otro lado se ha argumentado que los hechos expuestos en la demanda al entablar la acción social de responsabilidad no tienen por qué coincidir plenamente con las causas que sirvieron como justificación del acuerdo de la Junta general. Lo contrario obligaría a una detallada justificación del acuerdo y a no poder acumular en la demanda hechos que fueran descubiertos con posterioridad a la adopción del mismo y antes de la presentación del escrito de demanda. Además, si hubiera de fundarse la demanda en los mismos hechos alegados en la Junta, resultaría que los socios minoritarios o los acreedores sociales cuando ejercitasen la acción social de responsabilidad precisamente porque el acuerdo ha sido contrario a la exigencia de esa responsabilidad, habría que consentirles que alegasen en la demanda los hechos que tuvieran por conveniente, con lo que se llegaría al resultado absurdo de que ellos tendrían más libertad para fundamentar la demanda que la propia sociedad (SÁNCHEZ CALERO, *Administradores*, cit., pp. 283 y 284).

Un sector de la doctrina considera dudosa la validez de la cláusula que sujete a arbitraje la cuestión de la responsabilidad, por ser inderogable el derecho de la Junta general a entablar la acción judicial y el de la minoría a oponerse a la renuncia o a la transacción (ÁVILA, *La sociedad limitada*, Barcelona, 1996, p. 542). Sin embargo, más bien podría entenderse que si la Junta general tiene la facultad de transigir el derecho a la indemnización también pudiera someter la cuestión al arbitraje siempre que no afectase a los derechos de actuar judicialmente de la minoría y de los acreedores sociales (ESTEBAN VELASCO, *La acción social y la acción individual de responsabilidad contra los administradores de las sociedades de capital*, cit., p. 72). En esta última línea, es preciso poner de relieve que el artículo 11 bis de la Ley 60/2003 de arbitraje –introducido recientemente por la Ley 11/2011– dispone que las sociedades de capital podrán someter a arbitraje los conflictos que en ellas se planteen, pudiéndose incluso disponer en los estatutos sociales una cláusula de sumisión a arbitraje con una mayoría reforzada.

El plazo de prescripción de la acción se concretaba en cuatro años por aplicación del artículo 949 Código de Comercio, a tenor del cual «La acción contra los socios Gerentes y Administradores de las Compañías o Sociedades terminará a los cuatro años, a contar desde que por cualquier motivo cesaren en el ejercicio de la Administración» (SAP Barcelona 7.2.1997, SAP Pontevedra 23.5.1997 y SAP Málaga 10.10.1998, además de la interesante SAP Madrid 21.12.2002). El plazo de cuatro años a que se refiere el artículo 949 Código de comercio no es aplicable, sin embargo, a la responsabilidad del artículo 1902 del Código civil (STS 21.5.1992). Acerca de la prescripción de las distintas acciones de responsabilidad ejercitadas contra los administradores sociales debe de tenerse en cuenta que en caso de que la producción del daño tenga lugar con posterioridad al cese, la doctrina ha interpretado que el momento del cómputo debe hacerse a partir de aquella fecha ya que de otra manera se estaría incurriendo en la paradoja de que el plazo de prescripción se iniciaría antes de la producción del daño (SUÁREZ-LLANOS, *Responsabilidad de los administradores de sociedad anónima*, cit., pp. 930 y ss.; POLO SÁNCHEZ, *Los administradores y el consejo de administración de la sociedad anónima*, cit., p. 329, y ESTEBAN VELASCO, *La acción social y la acción individual de responsabilidad contra los administradores de las sociedades de capital*, cit., p. 72).

De nuevo la modificación normativa introducida por la Ley 31/2014 ha venido a poner fin a años de controversia doctrinal y jurisprudencial. En efecto, el artículo 241 bis de la Ley de Sociedades de Capital dispone que "la acción de responsabilidad contra los administradores, sea social o individual, prescribe a los cuatro años a contar desde el día en que hubiera podido ejercitarse", previéndose por vez primera en nuestro ordenamiento un plazo de prescripción específico para el ejercicio de acciones de responsabilidad de administradores, aunque, como se ha indicado en el párrafo anterior ya se aplicaba el plazo de cuatro años dispuesto en el artículo 949 del Código de Comercio. Asimismo ha quedado ya claramente fijado *ex lege* el *dies a quo* para el cómputo de dicho plazo (desde el día en que hubiera podido ejercitarse la acción), en la línea del general establecido en el artículo 1969 del Código Civil.

III. LOS ACUERDOS DE TRANSACCIÓN Y RENUNCIA

1. *Órgano competente y orden del día*

El mismo órgano competente para adoptar el acuerdo de entablar la acción de responsabilidad contra los administradores es, también, el designado por el propio Texto de la Ley de Sociedades de Capital (art. 238.2) para transigir o renunciar al ejercicio de dicha acción. Esto es, tanto la renuncia como la transacción son facultades que nuestro ordenamiento encomienda adoptar a la Junta general, debiendo ser tomados cada uno de esos acuerdos con los mismos requisitos de quórum y mayoría que el de exigencia de responsabilidad. Habrá de ser la propia Junta la que acuerde también las condiciones de la transacción o las ratifique si éstas fueron pactadas antes (GARRIGUES/OLIVENCIA, *Comentario*, cit., p. 178). Ahora bien, no será posible adoptar ni el acuerdo de transacción ni el de renuncia cuando se opongan a cualquiera de ellos socios que representen el cinco por ciento del capital social (suscrito), o el tres por ciento en sociedades cotizadas.

En el supuesto de plantearse cualquiera de las propuestas de acuerdo en una Junta general su tratamiento deberá incluirse entre los asuntos del orden del día de la convocatoria (SÁNCHEZ CALERO, *Administradores*, cit., p. 294; JUSTE, *Los derechos, de minoría en la sociedad anónima*, cit., pp. 439 y ss.) o bien ser aceptado por todos los socios en el supuesto de Junta universal. No obstante, algún autor admite la validez del acuerdo de transacción en la misma Junta general que decide por vez primera el ejercicio de la acción social aun cuando no se haya previsto en el orden del día y ello en base a que resultaría contrario a la lógica que la misma Junta que puede promover la acción no pueda llegar a un acuerdo de transacción por no constar el tema en el orden del día (SUÁREZ-LLANOS, *Responsabilidad de los administradores de sociedad anónima*, cit., p. 962). En mi opinión, tanto la posible renuncia como la factible transacción deben de constar, sin duda, en el orden del día prefijado. A este respecto, se debe recordar que la exclusión del deber de constancia de los puntos a tratar en el orden del día se encuentra únicamente limitado a la toma en consideración sobre la posibilidad de entablar o no la acción social de responsabilidad (art. 238.1 LSC). La extensión por analogía de esta exclusión a cualquiera de los otros dos supuestos posibles (renuncia o transacción) estaría conculcando el derecho de información de los accionistas que se concreta en el conocimiento de los asuntos que se van a tratar en la reunión asamblearia (claramente para las sociedades anónimas, art. 197 LSC), y como se sabe los preceptos excepcionales de derechos deben ser interpretados de forma restrictiva no siendo posible su aplicación analógica (art. 4.2 CC).

2. *Momento en que pueden adoptarse los acuerdos*

La principal divergencia doctrinal respecto a esta materia ha surgido en relación con el momento en que pueden ser adoptados los acuerdos de transacción y renuncia (*vid.* un resumen de esta divergencia en JUSTE, *Los derechos de minoría en la sociedad anónima*, cit., pp. 428 y ss.), y se encuentra concretada en la posibilidad que tiene la Junta general que aprueba el ejercicio de la acción social de responsabilidad de adoptar en esa misma reunión bien un acuerdo de transacción bien uno de renuncia. A mi entender, dada la claridad de la norma a este respecto (art. 238.2 LSC) –«en cualquier momento»–, es posible sostener que tanto el acuerdo de renuncia como el de transacción podrá realizarse en la misma Junta que decide el ejercicio de la acción social de responsabilidad, si bien debe de respetarse en todo caso el requisito formal de que la posibilidad de adoptar ese acuerdo esté previamente fijada en el orden del día de la citada Junta general.

Por otra parte, un sector ciertamente mayoritario de nuestra doctrina ha sostenido que al hablar de transigir o de renunciar el ejercicio de la acción la Ley de Sociedades de Capital presupone el acuerdo previo de entablar la acción (por todos, GARRIGUES/OLIVENCIA, *Comentario*, cit., p. 179, Polo Sánchez, *Los administradores y el consejo de administración de la sociedad anónima*, cit., p. 331 y 332, SÁNCHEZ CALERO, *Administradores*, cit., pp. 293 y ss., o VICENT CHULIÁ, *Compendio crítico de Derecho mercantil*, I-1°, Barcelona, 1991, p. 658). Ahora bien, no resulta ser muy coherente la interpretación de requerir un acuerdo previo de promoción de responsabilidad al objeto de poder adoptar uno de transacción con el número 3 del propio artículo 238 de la Ley de Sociedades de Capital, a cuyo tenor «el acuerdo de promover la acción o de transigir determinará la destitución de los administradores afectados». Si la transacción es, como se ha dicho por este sector doctrinal, siempre posterior al momento de promover la acción, quiere decirse que los administradores quedarán destituidos en ese momento, por lo que parecería innecesario puntualizar que la transacción ulterior implica esa misma destitución. En consecuencia y con el fin de evitar esa contradicción, han sostenido que el texto de la ley debía ser interpretado en el sentido de que la transacción implica la destitución de los administradores en el caso de que no hubiesen sido ya destituidos en el momento en que se adoptó el acuerdo de promover la acción de responsabilidad (GARRIGUES/OLIVENCIA, *Comentario*, cit., p. 180; por su parte, SUÁREZ-LLANOS, *Responsabilidad de los administradores de sociedad anónima*, cit., p. 960, considera que el efecto de la destitución de los administradores debe ser vinculado al acuerdo de transigir adoptado en la misma Junta general en que se plantea la cuestión de responsabilidad, y para POLO SÁNCHEZ, *Los administradores y el consejo de administración de la sociedad anónima»*, cit., pp. 334 y 335, el efecto destitutorio de la transacción es un mero mantenimiento del efecto producido por el acuerdo de ejercitar la acción, en el sentido de que si después de tal acuerdo se transige no por ello debe entenderse levantada la destitución).

A mi modo de entender el punto de partida equivalente para la renuncia y la transacción resulta erróneo, siendo necesario distinguir ambos supuestos. La renuncia, por esencia, necesita la preexistencia de lo que se renuncia, en este caso, la existencia, al menos, de un acuerdo societario de entablar la acción de responsabilidad. Precisamente en este supuesto, es la propia sociedad la que renuncia al ejercicio de la acción bien no iniciando el procedimiento (renuncia de derecho) o bien desistiendo del mismo una vez iniciado (renuncia procesal) (*vid.* STS 30.11.2000). En este sentido, como se puede apreciar en la propia Ley de Sociedades de Capital, el artículo 238.4 al referirse a la renuncia de la acción la circunscribe a un momento posterior al acuerdo de entablar la acción social de responsabilidad al considerar que la aprobación de las cuentas anuales no impedirá el ejercicio de la acción de responsabilidad ni supondrá la renuncia a la acción acordada o ejercitada. En cambio, la transacción no supone necesariamente la preexistencia de un acuerdo social de planteamiento de la responsabilidad de los administradores, ya que resulta posible que la Junta general adopte un acuerdo transigiendo con los administradores que pudieran resultar afectados a fin de evitar no sólo la provocación de un pleito (transacción extrajudicial) o su continuación –poniendo fin al mismo una vez comenzado (transacción judicial)–, sino la propia adopción de un acuerdo de entablar la citada acción de responsabilidad (transacción, asimismo, extrajudicial).

Téngase en cuenta que la transacción es un contrato por el cual las partes, dando, prometiendo o reteniendo cada una alguna cosa, evitan la provocación de un pleito o ponen término al que había comenzado (art. 1809 CC). En el supuesto concreto de transacción en el ejercicio de la acción social de responsabilidad ninguna norma jurídica ni tampoco el sentido común impide que ese contrato sinalagmático pueda ser concluido con anterioridad a la adopción de un acuerdo de promoción de la acción, pudiéndose llegar a un negocio jurídico contractual entre la sociedad y los administradores, mediante el cual pueda entenderse resarcido el daño causado por el administrador o los administradores al patrimonio social. Dicho con otras palabras, no sólo se evita la provocación de un pleito después de la adopción de un acuerdo social favorable a entablar la acción de responsabilidad sino también antes de tomar dicho acuerdo de promoción en Junta general. Además, el patrocinio de esta teoría no olvida que los derechos de la minoría quedan igualmente protegidos ya que ésta cuenta con el derecho de veto a la hora de bloquear la adopción del acuerdo de transacción, bloqueo que en ningún caso equivaldrá a la adopción de un acuerdo de promoción de la responsabilidad. La oposición de socios minoritarios a la adopción de un acuerdo de transacción encontrará su sentido en entender que la aportación realizada por el administrador o los administradores no resarcen en su totalidad el daño causado por ellos al patrimonio social. No obstante, en este supuesto también el ordenamiento societario les otorga un mecanismo de protección cual es el mecanismo de impugnación de los acuerdos sociales (arts. 204 y ss. LSC) y, en concreto debería quedar encuadrado, en su caso, dentro de los acuerdos anulables al haberse adoptado el acuerdo lesionando, en beneficio de uno o más accionistas o de terceros, los intereses de la sociedad.

Siendo esto así, cobra plena coherencia la norma prevista en el artículo 238.3 de la Ley de Sociedades de Capital, al dejar únicamente a la renuncia fuera de los supuestos que determinan la destitución de los administradores afectados, ya que ésta presupone la existencia de un previo acuerdo de promover la acción –que ya habría provocado la destitución–, mientras que no olvida el supuesto de la transacción dado que este acuerdo, al no ser preceptivo el acuerdo de promoción previo, puede plantearse *ex novo* en la Junta general y, su aprobación desencadenaría igualmente la destitución de los administradores afectados. En el supuesto de que el acuerdo de transacción estuviese antecedido por un acuerdo de promoción de responsabilidad el efecto destitutorio no quedaría desvirtuado, manteniéndose la destitución de los administradores afectados (en este último sentido, SÁNCHEZ CALERO/SÁNCHEZ-CALERO GUILARTE, *Instituciones de Derecho Mercantil*, I, 1ª, 28ª ed., Madrid, 2005, p. 491). Por consiguiente, una vez adoptado el acuerdo de ejercicio de la acción, se puede llegar a un acuerdo entre la sociedad y los administradores, mediante el cual pueda entenderse resarcido el daño causado, pero dicho acuerdo de transacción también se puede adoptar sin la preexistencia del de promoción de la acción, evitándose así en todo caso la provocación de un pleito en el que se sustanciaría la existencia o no de responsabilidad de los administradores.

3. El derecho de veto de la minoría

La válida aprobación del acuerdo de transacción o renuncia se encuentra condicionada a la no oposición al mismo de la minoría del cinco por ciento del capital social («siempre que no se opusieren a ello socios que representen el cinco por ciento del capital social» –art. 238.2 *in fine LSC*–). El establecimiento de este porcentaje único muestra los consabidos inconvenientes de no adaptarse conjuntamente a la realidad de las pequeñas y de las grandes sociedades, ya que mientras para muchas de éstas tal porcentaje parece revelarse excesivo y acaso utópico, en cambio para las primeras resulta tan escaso que existe la posibilidad de ser enormemente perturbador en la práctica (en este último sentido, POLO SÁNCHEZ, *Los administradores, y el consejo de administración de la sociedad anónima*, cit., p. 316). En la actualidad, sin embargo, dicho porcentaje, aunque no ha sido modificado explícitamente en el artículo 238, sí se puede considerar alterado en virtud de lo dispuesto en el artículo 495.2 a) de la propia Ley de Sociedades de Capital, requiriéndose así un porcentaje del tres por ciento para las sociedades cotizadas.

Los citados porcentajes deben entenderse referidos al capital suscrito y no sólo al concurrente (GARRIGUES/OLIVENCIA, *Comentario*, cit., p. 179), ni al desembolsado (por todos, MARTÍNEZ MACHUCA, «La oposición al acuerdo de transigir o renunciar al ejercicio de la acción social de responsabilidad», *RDM*, 1997, pp. 1168 a 1171), siendo necesario que dicha oposición al acuerdo conste de forma expresa en el acta de la Junta general (SÁNCHEZ CALERO, *Administradores*, cit., p. 294, señala que la oposición por parte de la minoría debe ser expresa, en el sentido de que se requiere que hagan constar en el acta el voto negativo a la transacción o a la renuncia de la acción social de responsabilidad, de modo que no será suficiente a fin de manifestar esa oposición, que la minoría vote en blanco o se abstenga respecto a los acuerdos referidos).

En caso de concurrir la efectiva oposición de la minoría, la sociedad estará obligada a continuar con la actuación bien únicamente acordada o bien ya iniciada. En el supuesto de que se apruebe el acuerdo de transacción sin oposición alguna o sin oposición de la minoría necesaria, ésta pierde la legitimación subsidiaria en base a los principios de no contradicción con los propios actos y de economía procesal (SUÁREZ-LLANOS, *Responsabilidad de los administradores de sociedad anónima*, cit., p. 984, o ESTEBAN VELASCO, *La acción social y la acción individual de responsabilidad contra los administradores de las sociedades de capital*, cit., pp. 68 y 69, para quien los acreedores que no disponen de este mecanismo de oposición no se ven afectados por esta consecuencia. En contra de la pérdida de legitimación subsidiaria se muestra MARTÍNEZ MACHUCA, *La oposición al acuerdo de transigir o renunciar al ejercicio de la acción social de responsabilidad*, cit., pp. 1165 a 1167). Por el contrario, el acuerdo de renuncia, no puede considerarse que produzca un efecto paralelo, ya que, en tal caso, los terceros quedarían sometidos a las consecuencias de un acto al que son totalmente extraños y que, por carecer de eficacia reintegradora del patrimonio social lesionado, no hace desaparecer su interés a la reconstrucción del mismo (SUÁREZ-LLANOS, *Responsabilidad de los administradores de sociedad anónima*, cit., p. 993, y GARRIGUES/OLIVENCIA, *Comentario*, cit., p. 181).

4. Efectos de los acuerdos: transacción o renuncia parcial

El efecto característico de la renuncia, por cuanto hace referencia a la propia sociedad, radica en la extinción total del derecho cuya titularidad ostentaba para exigir a los administradores el resarcimiento del daño que éstos hubieran causado al patrimonio social como consecuencia de actos u omisiones contrarios a la ley o a los estatutos o por los realizados incumpliendo los deberes inherentes al desempeño del cargo. Referido este efecto al ámbito de la renuncia procesal se traduce en la necesidad de que sea dictada una sentencia absolutoria (art. 20 LEC) impidiendo que la pretensión jurídica abandonada pudiera ser reproducida en un proceso ulterior. Por cuanto se refiere a la hipótesis de la transacción, ésta debe ser abordada también distinguiendo el *tempus* judicial del extrajudicial. Así, la transacción judicial implica la terminación del proceso sin sentencia ya que el acuerdo será homologado por el tribunal que esté conociendo del litigio al que se pretenda poner fin (art. 19.2 LEC), pero adquiriendo para las partes la autoridad de cosa juzgada y teniendo aparejada acción ejecutiva la resolución judicial que apruebe u homologue la transacción judicial (art. 517.1.3º LEC). En base al efecto de cosa juzgada también aquí la transacción acordada imposibilita a la sociedad para intentar nuevamente el ejercicio de la acción en un proceso posterior. En cuanto a la transacción extrajudicial, ésta produce el efecto primordial de evitar la provocación del pleito, solucionando la controversia por vía convencional y, del mismo modo, impide que, en base a idénticos supuestos, pueda entablarse con posterioridad una acción judicial (cfr. estos efectos, si bien en un momento en que se encontraba vigente la anterior legislación ritual, en SUÁREZ-LLANOS, *Responsabilidad de los administradores de sociedad anónima*, cit., p. 962).

En este mismo orden de ideas, se ha planteado por algún autor la pregunta de si es posible la transacción o la renuncia parcial, esto es, la realizada frente a uno o parte de los administradores que, en principio, pudieran resultar afectados por un hipotético ejercicio de la acción social de responsabilidad. A este respecto, se ha sostenido que parece que ello es posible, teniendo simplemente efectos entre la propia mercantil y el o los administradores en cuestión, pero, por aplicación del artículo 1146 del Código civil, no les libraría de su responsabilidad frente a cualquier otro administrador que hubiera satisfecho la correspondiente indemnización. Esto es, la sociedad no podrá ejercitar la acción social frente a los administradores beneficiarios de un acuerdo de renuncia o transacción tomado por la Junta general. Sin embargo, otro administrador que se haya visto obligado a satisfacer el importe de la indemnización correspondiente a los daños causados al patrimonio social dispondrá de la acción de regreso frente a los restantes miembros del órgano de administración (DÍAZ ECHEGARAY, *Deberes y responsabilidad de los administradores de sociedades de capital*, cit., pp. 290 y 291, quien recuerda, además, que por mor del artículo 1102 CC no sería posible renunciar a la acción de responsabilidad frente a los administradores cuando haya mediado dolo por su parte), siempre, claro está, debiéndose tener en cuenta la competencia y la forma de organización de la administración social.

Por último, es preciso señalar que la transacción podrá tener por objeto no pura y simplemente la fijación de una cantidad con el fin de reparar el daño a la sociedad, sino también la suscripción por los administradores y la sociedad de un convenio arbitral, en los términos previstos en la Ley 60/2003, de 23 de diciembre, de Arbitraje, con el fin de que en él se determinen la existencia de los presupuestos de la responsabilidad y, en su caso, la cuantificación del daño. Ahora bien, el convenio tiene que ser autorizado o aprobado por acuerdo de la Junta general, sin la oposición de la minoría indicada en artículo 238.2 de la Ley de Sociedades de Capital (SÁNCHEZ CALERO, *Administradores*, cit., p. 295).

IV.　CONSECUENCIA JURÍDICA DEL ACUERDO DE PROMOVER LA ACCIÓN O DE TRANSIGIR: LA DESTITUCIÓN DE LOS ADMINISTRADORES AFECTADOS

El legislador ha considerado incompatible con el cargo de administrador a la persona cuya responsabilidad ha sido presupuesta por la asamblea de socios bien al acordar la promoción de la acción de responsabilidad frente a ella bien al transigir con la misma. Desde el mismo momento en que la Junta general se acuerda entablar acción judicial de responsabilidad contra el administrador o se realiza una transacción sobre dicha responsabilidad con el propio administrador, la conducta de éste se pone en tela de juicio (GARRIGUES/OLIVENCIA, *Comentario*, cit., p. 176). En efecto, a tenor del artículo 238.3 de la Ley de Sociedades de Capital «el acuerdo de promover la acción o de transigir determinará la destitución de los administradores afectados». Por el contrario, no determina tal consecuencia destitutoria el acuerdo de *renuncia* al ejercicio de una acción social de responsabilidad pese a lo que pudiera deducirse de la Sentencia de la Audiencia Provincial de Baleares 17.2.2003: «(...) en el caso de autos no consta acuerdo de promoción sobre la acción o *renuncia* al ejercicio de una acción social de responsabilidad que obligase a destituirlos (...)» –la cursiva es nuestra–, ni tampoco lleva aparejada esta consecuencia jurídica la formulación de la acción social de responsabilidad por la minoría o por los acreedores sociales (STS 16.4.1970).

Ahora bien, conviene preguntarse si la destitución prevista en el artículo 238.3 de la Ley de Sociedades de Capital es una consecuencia natural y no esencial del acuerdo de ejercitar la acción de responsabilidad, con lo que sería factible que la propia Junta que acordara entablarla, determinase, a su vez, mantener al administrador en su puesto, postura ésta que fue barajada en el supuesto de hecho que dio origen a la Resolución de la Dirección General de los Registros y del Notariado de 14 de julio de 1999. En opinión de parte de nuestra doctrina el indicado efecto destitutorio no es esencial, esto es, consecuencia necesaria de todo acuerdo social de exigencia de responsabilidades a los administradores (SUÁREZ-LLANOS, *Responsabilidad de los administradores de sociedad anónima*, cit., p. 952, RUBIO, *Curso de Derecho de sociedades anónimas*, 3ª ed., Madrid, 1974, p. 261, POLO SÁNCHEZ, *Los administradores y el consejo de administración de la sociedad anónima*, cit., p. 340, o SÁNCHEZ CALERO, *Administradores*, cit., p. 298). En efecto, en este sentido se argumenta que la Junta general en la que se adopte el acuerdo de entablar la acción de responsabilidad puede excluirlo mediante una declaración expresa e incluso –en opinión de SUÁREZ-LLANOS, *Responsabilidad de los administradores de sociedad anónima*, cit., p. 953– tácita y automáticamente, si los estatutos establecen que la destitución sólo procede cuando el acuerdo de exigencia de responsabilidades ha sido votado por una mayoría cualificada o, si lo prefiere, proclamarlo terminantemente (GARRIGUES/OLIVENCIA, *Comentario*, cit., p. 176).

Sin embargo, la jurisprudencia parece que se ha encargado de contradecir la naturaleza no esencial de la consecuencia destitutoria al indicar que la destitución del administrador contra el que se acuerda el ejercicio de la acción social de responsabilidad tiene carácter automático, siendo tal medida simplemente la traducción en términos jurídicos de la ruptura de la relación de confianza depositada por los socios en el administrador, sin que más allá de tal consecuencia haya de verse en ello una sanción (STS 30.12.1997). En este mismo sentido, la Sentencia del Tribunal Supremo 16.4.1970 sostiene el argumento de que lo que se produce es una «incapacidad» para el desempeño del cargo. De este modo, el efecto de la destitución a consecuencia de la toma del acuerdo de promover la acción social de responsabilidad siendo automático, no resulta preciso la adopción de un acuerdo independiente que decida concretamente acerca de la destitución del administrador o administradores afectados, ya que nada más adoptado uno de los dos acuerdos previstos en el artículo 238.3 de la

Ley de Sociedades de Capital se produce la destitución del administrador o administradores afectados (en este último sentido STS 31.1.1969).

En este mismo orden de ideas la Resolución de la Dirección General de los Registros y del Notariado de 14 de julio de 1999 ha indicado, con la utilización evidente de la normativa entonces en vigor, que si la remisión que el artículo 69.1 de la Ley de Sociedades de Responsabilidad Limitada hace, en lo tocante a la responsabilidad de los administradores, a lo establecido para los de la sociedad anónima, ha de entenderse que de conformidad con lo dispuesto en el párrafo segundo del apartado 2 del artículo 134 de la Ley de Sociedades Anónimas, el acuerdo de promover aquella acción determina la destitución del administrador afectado. Ciertamente se dará la paradoja de que al fijarse en el apartado 2º de dicho artículo 69 como mayoría inderogable para la adopción de ese acuerdo la ordinaria prevista en el artículo 53.1 de la misma Ley –mayoría de votos válidamente emitidos que representen al menos un tercio de los votos correspondientes a las participaciones en que se divide el capital social–, puede obviarse a través del mismo la necesidad de obtener una mayoría superior que los estatutos puedan exigir para acordar el cese de los administradores al amparo de lo que permite el artículo 68.2 de la misma Ley.

Según mi parecer y moviéndonos en el siempre controvertido terreno de la interpretación jurídica, los términos en que se expresa el artículo 238.3 de la Ley de Sociedades de Capital («el acuerdo... determinará la destitución...») avalan la teoría de la imperatividad del precepto no pudiéndose deducir que la Junta puede acordar seguidamente la continuación en el cargo de los administradores y menos si, como se ha indicado, esta decisión se encuentra motivada en la duda sobre la responsabilidad de los administradores o en la concesión de un plazo que posibilite el encuentro de las personas adecuadas para sustituirles (cfr. estas dos causas en Sánchez Calero, *Administradores*, cit., p. 301). En todo caso, de aceptarse la teoría de la posibilidad de destruir, mediante el acuerdo de continuación, la presunción de hecho establecida por el artículo 238.3 de la Ley de Sociedades de Capital (POLO SÁNCHEZ, *Los administradores y el consejo de administración de la sociedad anónima*, cit., p. 340), este acuerdo de continuación debería sustentarse sobre un acuerdo de nombramiento de administradores, dado que de lo que no hay duda alguna es de que el efecto de la destitución es automático.

No debe olvidarse de que la validez del acuerdo de ejercitar la acción social de responsabilidad produce unos efectos legales cuyo reflejo registral viene impuesto por el artículo 148 a) del Reglamento del Registro Mercantil (RDGRN 14.7.1999), efectos legales que se extienden igualmente al supuesto de validez de un acuerdo de transacción sobre la citada acción de responsabilidad. En efecto, si la separación de los administradores se produce como consecuencia del acuerdo de promover o de transigir la acción social de responsabilidad, la inscripción en el Registro Mercantil de la separación de tales administradores se practicará mediante cualquiera de los documentos a que se refiere el artículo 142 del Reglamento del Registro Mercantil.

En buena lógica la propia Junta general que acuerde el ejercicio de la acción de responsabilidad o adopte el acuerdo de transigir podrá y, en su caso, deberá proceder al nombramiento de nuevos administradores, aunque el nombramiento no conste en el orden del día (RDGRN 16.2.1995). En efecto, el nombramiento de nuevos administradores, máxime con el fin de evitar que la entidad quede sin órgano de gobierno y dirección (STS 30.12.1997 o SAP Asturias 31.3.2003), tampoco precisará la constancia previa en el orden del día ya que, al permitir el artículo 238.1 de la Ley de Sociedades de Capital que se adopte el acuerdo de petición de responsabilidad sin constar en la relación de asuntos a tratar, obviamente esta última posibilidad afecta no sólo al acuerdo propiamente dicho, sino también a sus consecuencias (en este sentido cfr. STS 24.4.1985). Ahora bien, en todo caso debe quedar a salvo el ejercicio del derecho de elección de consejero por el sistema de representación proporcional, pese a su dificultad práctica por la formalidad del ejercicio del citado derecho (GARRETA, *La responsabilidad civil, fiscal, y penal de los administradores de las sociedades*, 4ª ed., Madrid, 1997, pp. 143 a 146).

En el supuesto de que existan administradores suplentes (arts. 94.4 y 147.2 RRM, así como art. 216 LSC) entrarán éstos en función al haberse producido un supuesto de vacante anticipada, salvo que la propia Junta general proceda a revocar el nombramiento del administrador o administradores suplentes y a nombrar un o unos nuevos administradores titulares. Por otra parte, si la Junta general no llegase a cubrir la vacante o vacantes resultantes del acuerdo de ejercicio o transacción, de tratarse de una sociedad anónima con un órgano de administración Consejo, sería posible utilizar para el citado nombramiento el procedimiento de la cooptación previsto en el artículo 244 de la Ley de Sociedades de Capital. Finalmente, se hace preciso poner de relieve la independencia existente entre la destitución del administrador o administradores afectados por el acuerdo del ejercicio de la acción de responsabilidad y la suerte procesal que ésta corra a lo largo del procedimiento –desestimación de la demanda o sentencia absolutoria– (ESTEBAN VELASCO *La acción social y la acción individual, de responsabilidad contra los administradores de las sociedades de capital,* cit., p. 71).

La destitución de los administradores se producirá de forma definitiva, aún en el supuesto de que, ejercitada la acción social de responsabilidad, se desestime judicialmente la demanda de la sociedad; es decir, aun en el caso de que el juez de lo mercantil declare que la acción social carece de fundamento, los administradores separados no serán repuestos por ello en sus puestos (SÁNCHEZ CALERO, *Administradores,* cit., p. 300).

Por otra parte, en el supuesto de que el acuerdo de promover la acción o el acuerdo de transigir fuera declarado nulo habría de estimarse que, siendo la separación de los administradores consecuencia necesaria de la adopción de tales acuerdos, igualmente lo es el efecto derivado de él, cual es el cese de los administradores afectados. Ahora bien, producida la destitución de los administradores y nombrados otros que sean terceros de buena fe, habrán de mantenerse en el cargo, pues los efectos de la sentencia que declare la nulidad del acuerdo, no les afectan (SÁNCHEZ CALERO, *Administradores,* cit., p. 300), con independencia de que ante la nueva situación, la Junta general deba actuar en consecuencia a fin de adaptar esa nueva situación a lo preceptuado en la ley o en los estatutos.

La actuación abusiva al adoptar por la Junta general el acuerdo de entablar la acción social de responsabilidad implica la posibilidad de impugnarlo por infracción legal. En efecto, el ordenamiento rechaza el abuso de derecho (art. 7 CC) y la impugnación del acuerdo social, reclamando que sea declarada su nulidad por infringir la ley, puede ser uno de los modos de reaccionar frente al abuso del derecho que hubiese sido instrumentado mediante la adopción de aquél -entre otras, Sentencias del Tribunal Supremo 2.5.1984 y 5.3.2009 hacen referencia a acciones de impugnación de acuerdos sociales que han prosperado precisamente por haberse obrado en sede societaria con abuso de derecho- (Cfr. asimismo SAP Madrid 7.7.2014 y SJM nº 1 Santander 19.2.2014).

V. LA EFICACIA NO IMPEDITIVA DE LA APROBACIÓN DE LAS CUENTAS ANUALES

La Junta general al decidir acerca de la aprobación o no de las cuentas anuales del ejercicio social también debe pronunciarse, además de resolver sobre la aplicación del resultado, acerca de la censura de la gestión social (*ex* art. 160 y 164 LSC). En pura lógica si las cuentas anuales fueran aprobadas por la Junta parece razonable que se estaría avalando la gestión social y, por ende, aprobando positivamente la actividad gestora de los administradores. Ahora bien, en nuestra práctica societaria, por mor del artículo 164 de la Ley de Sociedades de Capital, la Junta general debe expresamente «aprobar la gestión social», con independencia de la aprobación o no de las cuentas.

La aprobación de las cuentas por la Junta general posee un complejo significado jurídico de alcance positivo y negativo. Por lo que respecta a este último aspecto conviene recordar que dicha aprobación no supone en modo alguno un descargo de responsabilidad de los administradores que las han formulado o que han administrado la sociedad durante el ejercicio al que se refieren. A este respecto, cabe partir de la norma contenida en el artículo 236.2 de la Ley de Sociedades de Capital de acuerdo con la cual «en ningún caso exonerará de responsabilidad la circunstancia de que el acto o acuerdo lesivo haya sido adoptado, autorizado o ratificado por la junta general» (ILLESCAS, «Las cuentas anuales de la sociedad anónima. Auditoría, aprobación, depósito y publicidad de las cuentas anuales», en *Comentario al régimen legal de las sociedades mercantiles*, VIII-2º, Madrid, 1993, p. 177, señala que la aprobación de las cuentas anuales sólo con cierta dificultad puede ser asimilada al hecho de que el acto o acuerdo lesivo haya sido adoptado, autorizado o ratificado por la Junta general). La razón de ser de este precepto se encuentra en considerar que la aprobación de las cuentas anuales, dada la limitada información que sobre los hechos que recogen esos documentos tiene la propia Junta, no puede significar un *quitus* que elimine la eventual responsabilidad en la que pueden haber incurrido los administradores (SÁNCHEZ CALERO, *Administradores*, cit., p. 296).

Sea como fuere, el legislador español ha concretado la eficacia no impeditiva de la aprobación de las cuentas anuales para la adopción del acuerdo de la promoción de la responsabilidad. En efecto, a tenor del artículo 238.4 de la Ley de Sociedades de Capital «la aprobación de las cuentas anuales no impedirá el ejercicio de la acción de responsabilidad ni supondrá la renuncia a la acción acordada o ejercitada». Esta, en principio, nítida disposición se refiere exclusivamente a la aprobación de las cuentas anuales, esto es, «el balance, la cuenta de pérdidas y ganancias, un estado que refleje los cambios en el patrimonio neto del ejercicio, un estado de flujos de efectivo y la memoria» (art. 254 LSC). El artículo 238.4 de la Ley de Sociedades de Capital corresponde, aunque formulado en distintos términos, al que ya figuraba en el antiguo artículo 110 de la Ley de Sociedades Anónimas de 1951, y ha sido calificado por parte de nuestra doctrina como superfluo, en cuanto el supuesto que contempla queda ya incluido en la declaración de ineficacia exoneradora para los administradores de la adopción, autorización o ratificación de los acuerdos causantes del daño por la Junta general, establecida en el artículo 236.2 de la Ley de Sociedades de Capital. En este sentido se concluye que, aunque la formulación legal es evidentemente distinta en una y otra norma, parece que prohibiendo lo más –la eficacia exoneradora de los acuerdos expresos de ratificación de los actos o acuerdos lesivos–, se prohíbe asimismo lo menos, esto es, la eficacia exoneradora de un acuerdo ordinario de aprobación de las cuentas (POLO SÁNCHEZ, *Los administradores y el consejo de administración de la sociedad anónima*, cit., p. 317). Sin embargo, otra parte de nuestra doctrina sostiene que el artículo 238.4 de la Ley de Sociedades de Capital no puede considerarse una norma completamente inútil en el sentido de que sirve para complementar en algunos matices la independencia del acuerdo de aprobación de las cuentas respecto al de la exigencia de responsabilidad de los administradores y también al de renuncia de la acción acordada o ejercitada (SÁNCHEZ CALERO, *Administradores*, cit., p. 296).

Ahora bien, vista la concreción de este último precepto, cabría interrogarse acerca de si un acuerdo aprobatorio de la «gestión social» impediría o no el ejercicio de la citada acción de responsabilidad o equivaldría a la renuncia de la misma ya acordada o ejercitada. En coherencia con la *ratio legis* concretada en el artículo 238.4 de la Ley de Sociedades de Capital una respuesta negativa debiera ser la mantenida. Pero es que, además, patrocinar una respuesta positiva equivaldría a cerrar de una forma definitiva el procedimiento de una acción social de responsabilidad y, lo que sería todavía más grave, dejar sin efecto la legitimación subsidiaria de la minoría –que con total seguridad se habrá opuesto a dicho acuerdo de aprobación de la gestión social–.

En esta misma línea cabe señalar que el propio objetivo del artículo 236.2 de la Ley de Sociedades de Capital es impedir que la exoneración de responsabilidad derive de forma directa e implícita de acuerdos con otro objeto distinto de la propia exigencia de responsabilidad y, en este sentido, el precepto aludido se inserta en la tendencia a privar de ese efecto preclusivo de la acción de responsabilidad a determinados acuerdos de la Junta general –aprobación de cuentas, descargo, ratificación de actos del órgano de administración–, llevándola a su extremo –ratificación, autorización o adopción– (ESTEBAN VELASCO, *La acción social y la acción individual de responsabilidad contra los administradores de las sociedades de capital*, cit., pp. 69 y 70; en favor de la exoneración de responsabilidad, si bien por distintos motivos, ALONSO UREBA, «Presupuestos de la responsabilidad social de los administradores de una sociedad anónima», *RDM*, 1990, pp. 715 y ss.,

FERNÁNDEZ DEL POZO, «La sociedad de capital de base personalista en el marco de la reforma del Derecho de sociedades de responsabilidad limitada», *RGD*, 1994, pp. 5468 y ss., y SÁNCHEZ CALERO, «Supuestos de responsabilidad de los administradores en la sociedad anónima», en *Derecho Mercantil de la Comunidad Económica Europea. Estudios en Homenaje a José Girón Tena*, Madrid, 1991, p. 920, y HERRERA CUEVAS, «La responsabilidad de los administradores (II). La acción social de responsabilidad (Artículo 134 TRLSA)», en *Órganos de la sociedad de capital*, I, Valencia, 2008, pp. 1034 y 1035»).

En definitiva, para llevar a cabo el correcto ejercicio por la propia sociedad de la acción social de responsabilidad es preciso cumplimentar las exigencias formales recogidas en el artículo 238 de la Ley de Sociedades de Capital, exigencias formales que han de considerarse de orden público, máxime si se tiene presente el extremado carácter formalista y procedimental de las normas relativas al funcionamiento orgánico de las sociedades de capital (*sic* SAP Salamanca 3.6.2013).

Capítulo 4

LA LEGITIMACIÓN DE LA MINORÍA Y DE LOS ACREEDORES PARA EL EJERCICIO DE LA ACCIÓN SOCIAL

JAVIER JUSTE

Catedrático de Derecho mercantil
Universidad de Castilla-La Mancha

I. INTRODUCCIÓN

Desde 1951, nuestro legislador de sociedades anónimas ha establecido, junto con la legitimación de la sociedad a través de la Junta general, una legitimación subsidiaria indirecta (sobre este concepto, sus clases y la recepción en la LEC, DE LA OLIVA/DÍEZ PICAZO, *Derecho procesal civil*, pp. 130 y ss.) a favor de los accionistas que representen una determinada cuota del capital (reducida del diez al cinco por ciento en 1989). Con una subsidiariedad de segundo grado (que, no obstante, debe matizarse según los casos, según podremos comprobar), también se habilita a los acreedores sociales, siempre que el patrimonio social resulte insuficiente para la satisfacción de sus créditos. Muy recientemente, la Ley 31/2014, de 3 de diciembre, de reforma de la Ley de Sociedades de Capital para la mejora del gobierno corporativo, ha concedido a la minoría una legitimación que no es subsidiaria de la actuación de los administradores o los socios en la junta (aunque continúe siendo, en términos procesales, de carácter indirecto), en aquellos casos en los que el comportamiento antijurídico de los demandados consista en la violación de los deberes de lealtad, también modificados por la misma ley. Al mismo tiempo, se ha reducido la cuota necesaria para el ejercicio de la acción en las sociedades cotizadas, cifrada ahora en el tres por ciento del capital social (art. 495.2 LSC).

No debe confundirse esta legitimación de accionistas y acreedores para el ejercicio de la acción social con el ejercicio de la acción individual por daño directo (art. 241 LSC) o de la acción de responsabilidad por las deudas sociales cuando se omitan determinados deberes legales (art. 367 LSC). Aunque por distintos títulos, las pretensiones deducidas al amparo de estos últimos preceptos persiguen la reparación o el pago de deudas (respectivamente) a favor del patrimonio de los accionistas o acreedores demandantes, son supuestos de legitimación directa. En el primer caso, el beneficiario de la indemnización es, exclusivamente, el patrimonio social (cfr. STS de 21 de febrero de 2007, que deja sin efecto la condena, en virtud de la estimación de la acción social, en favor de las accionistas junto con la sociedad).

El régimen jurídico de la sustitución de la voluntad mayoritaria por la propia de los accionistas ha sufrido algunas variaciones desde su introducción en la primera ley especial de sociedades de capital: además de la reducción de la cuota ya mencionada, el legislador ha añadido el supuesto de falta de convocatoria de la Junta general cuando la minoría la hubiera solicitado, para debatir y acordar sobre el ejercicio de la acción, y ha subrayado expresamente que el ejercicio se consiente para la defensa del interés social. Permanecen, aun con redacción que aclara algún extremo discutido en el régimen anterior, los presupuestos de acuerdo contrario al ejercicio de la acción, o transcurso de un plazo (reducido de tres meses a uno) desde el acuerdo positivo, sin que los órganos sociales inicien el proceso.

Al mismo tiempo, nuestra ley concede a los minoritarios otro medio de defensa frente a la mayoría, consistente en poder oponerse eficazmente a la renuncia o transacción sobre la acción decidida por la Junta general. Sale al paso así de una sencilla maniobra para enervar el poder de los minoritarios: como la legitimación de estos no puede nacer cuando la iniciativa se asume por la mayoría, podría bastar con decidir comenzar un proceso y ponerle fin mediante los medios indicados. Se concede, en consecuencia, cierta facultad de fiscalización del proceso iniciado por el primer legitimado, aunque quizá no pueda reputarse suficiente en todos los casos. Por otro lado, queda sin aclarar el régimen en caso de renuncia o transacción de la acción entablada por la minoría.

Durante la vigencia de la Ley de Sociedades Anónimas de 1951, la acción social fue raramente utilizada, debido a la exigencia de un criterio de imputación cualificado para el éxito de la acción. A esa dificultad había que añadir, respecto de la legitimación minoritaria, el escaso incentivo de los accionistas para el ejercicio de una acción en beneficio de sujeto distinto, pero a costa propia, junto con las dificultades para reunir, en determinadas sociedades, la cuota de capital requerida (sobre estas razones en aquel régimen, ver EMBID, *Grupos de sociedades*, p. 138). La voluntad de no reformar sustancialmente las disposiciones relativas a los órganos societarios, junto con la falta de experiencia en la aplicación práctica de las normas que comentamos, pueden explicar su mantenimiento, con las modificaciones apuntadas, en el régimen de 1989 (art. 134.4), trasladado con muy pequeñas variaciones de redacción al artículo 239 de la Ley de Sociedades de Capital. La mencionada ley 31/2014 ha establecido una norma sobre reembolso de gastos en favor de los minoritarios-demandantes, que pretende mejorar la situación de falta de incentivos denunciada por la doctrina. Desde 1989, es posible encontrar algunos pronunciamientos jurisprudenciales, así como sentencias de las Audiencias provinciales, que abordan algunos de los problemas suscitados. Debe tenerse en cuenta que los únicos que interesan para este trabajo son los relativos a la legitimación de la minoría, en el inicio y durante la tramitación del procedimiento. El resto son los propios de toda acción social de responsabilidad, cuyo régimen es el común, estudiado en otros lugares de la presente obra, a los que puede remitirse aquí. Cabe destacar, no obstante, que, a diferencia del régimen del ejercicio de la acción decidido por la mayoría, los administradores no cesan de sus cargos cuando son demandados, por los socios de minoría, como ha recordado recientemente la Sentencia del Tribunal Supremo de 4.11.2011, con cita de la doctrina anterior. La disposición sobre el cese es reflejo de la pérdida de confianza de los socios mayoritarios, que por definición no se produce en los casos que examinamos, como recordamos a continuación.

La *ratio* de la legitimación subsidiaria de la minoría es de sencilla justificación: el riesgo de que el primer legitimado (mayoría de socios o accionistas en Junta general) no actúe contra los administradores es elevado: ordinariamente, los administradores responsables serán personas de la confianza de los mayoritarios, cuando no coincidan unos y otros; además, aun en el caso de que un cambio del accionariado termine con aquella confianza, razones tales como el desprestigio consiguiente al ejercicio de la acción puede retraer a la mayoría de iniciar el proceso. Por estos motivos, es una técnica conocida en el Derecho comparado el conceder un derecho de minoría, sea para el ejercicio directo, sea para impulsar o intervenir en el pleito o, finalmente, para oponerse con eficacia a la renuncia o transacción sobre la acción social ya decidida (referencias en JUSTE, *Derechos de minoría*, p. 412; estos medios, en ocasiones, han sido objeto de reforma o mejora técnica en las recientes reformas de Alemania e Italia). Se trata de un derecho de minoría de protección o defensa, que responde al esquema (de máxima protección de los accionistas ajenos al grupo de control) de atribución excepcional a los socios del poder para determinar el interés social con preferencia a la decisión mayoritaria, allí precisamente donde se considera que los accionistas mayoritarios o las instancias primeramente legitimadas se hallan en una situación de conflicto (JUSTE, *Derechos de minoría*, p. 135, con ulteriores referencias). Como en el resto de las figuras que se encuadran en tal categoría, la exigencia de una determinada cuota permite evitar que accionistas con una mínima participación societaria puedan poner en marcha estos mecanismos de defensa, y disminuir el riesgo de actuaciones abusivas, aun con resultados diversos según las dimensiones y estructura del accionariado de la sociedad, que en unas ocasiones hace imposible el ejercicio mientras que en otras implica, prácticamente, su reconocimiento en favor del socio individual.

Señalado lo anterior, es posible criticar a nuestro legislador por el excesivo esquematismo con el que ha abordado esta compleja cuestión. En su aplicación práctica pueden surgir algunas incertidumbres, para cuya solución la ley no da una respuesta suficientemente clara. Con ocasión de la reforma procesal civil de 2000, la legitimación de las minorías no ha sido objeto de tratamiento procesal separado (a pesar de que una de las finalidades de la LEC ha sido la de atraer las normas procesales presentes en leyes sustantivas, cfr. DE LA OLIVA/DÍEZ PICAZO, *Derecho procesal civil*, pp. 6 y ss.). Pero algunas de sus disposiciones deben ser tenidas en cuenta a la hora de interpretar esta legitimación subsidiaria de los accionistas, de perfilar el tratamiento procesal de conceptos manejados por la Ley de Sociedades Anónimas (renuncia a la acción, transacción) o de considerar que cuentan con otros poderes no reconocidos expresamente en la legislación sustantiva (intervención junto con la mayoría).

Siguiendo una orientación de política jurídica iniciada con la Ley 26/2003 de 17 de julio, de transparencia de las sociedades cotizadas), la Ley 31/2014 ha pretendido facilitar el ejercicio de estas acciones cuando la infracción legal consiste en los deberes de lealtad (en este sentido, ver ya Paz-Ares, «La responsabilidad de los administradores», pp. 80 y ss). , cuyo régimen jurídico se ha visto notablemente reforzado en la mencionada ley de reforma (cfr. PAZ-ARES, "Anatomía del deber de lealtad", *passim*)

En cuanto a la legitimación de los acreedores sociales, subsidiaria respecto de la reconocida a la sociedad y a sus accionistas, la reforma de 1989 varió el presupuesto de ejercicio, sustituyendo la grave amenaza para sus créditos por la insuficiencia patrimonial de la sociedad. La proximidad del supuesto con aquel que da lugar a la apertura del concurso autoriza que, en este capítulo, nos limitemos a señalar las grandes líneas del régimen jurídico, acompañadas de alguna referencia a la legitimación, antes concurrente y ahora exclusiva, de la administración concursal cuando aquella se haya producido. Por sus propias características, es improbable (aunque no imposible) la utilización de esta acción por parte de aquellos, al margen de situaciones concursales.

II. LEGITIMACIÓN SUBSIDIARIA DE LOS ACCIONISTAS DE MINORÍA PARA EL EJERCICIO DE LA ACCIÓN SOCIAL

La legitimación de los accionistas de minoría es subsidiaria respecto de la actuación de los órganos sociales, salvo que su demanda se fundamente en la infracción de los deberes de lealtad. Vigente la Ley de Sociedades Anónimas de 1951, era necesario que el ejercicio de la acción se hubiera planteado en la Junta general. Nacía tras el acuerdo negativo o transcurrido el plazo legal después del acuerdo favorable al ejercicio. En el Derecho vigente, puede surgir la legitimación sin pronunciamiento de la Junta, pues basta la falta de atención al requerimiento notarial dirigido a los administradores para que la convoquen (incluyendo en la propuesta de orden del día el asunto de la responsabilidad social). En este nuevo supuesto, no existe, propiamente, ni oposición ni mera pasividad de los socios de mayoría. Es suficiente, en atención a la relación de confianza con los administradores antes aludida, con la inactividad de los miembros del órgano de administración, una vez requeridos para que pongan en marcha el procedimiento ordinario de ejercicio de la acción. Desde esta perspectiva, como veremos en el lugar correspondiente, la reforma de la ley en 2014 no supone una modificación tan radical del régimen como parece deducirse de la expresión del Preámbulo de la ley.

Con carácter previo al estudio de cada uno de los presupuestos de ejercicio, conviene detenerse en los requisitos subjetivos que han de reunir los demandantes, sin perjuicio de algunas posteriores matizaciones que pueden realizarse en función de su previo comportamiento en el seno de la Junta General, si esta ha llegado a pronunciarse.

1. Accionistas legitimados: consideraciones generales

El artículo 134 de la Ley de Sociedades Anónimas de 1989 contenía una remisión al artículo 100, relativo a la solicitud de convocatoria de la Junta general. La legitimación se concede, por lo tanto, a los socios que reúnan el cinco por ciento del capital social que, salvo otra disposición de la ley, ha de entenderse como suscrito (cfr. JUSTE, *Derechos de minoría*, pp. 112-113). La única variación introducida en el correspondiente precepto de la Ley de Sociedades de Capital (239) consiste en sustituir la remisión al artículo sobre convocatoria a instancias de la minoría (art. 168) por la referencia directa a los socios (no sólo accionistas, al ser el precepto aplicable directamente a la sociedad limitada) que representen al menos, el cinco por ciento del capital social. Circunstancia ésta que no altera la anterior afirmación sobre el capital de referencia. En el caso de las sociedades cotizadas, el artículo 495.2 de la Ley de Sociedades de Capital concede la legitimación al tres por ciento del capital, reducción común a todos los derechos de minoría, ejercitados en el seno de esas sociedades.

A pesar de la utilización del plural en aquel precepto, y del adverbio «conjuntamente» la acción puede ser ejercitada por un solo socio o accionista (como señala expresamente, para la convocatoria de la Junta, el citado art. 168 LSC). Esta última expresión tiene el sentido de señalar que, si son varios los accionistas reunidos, deben litigar con una única representación procesal y una única defensa (cfr. POLO SÁNCHEZ, *Los administradores y el consejo*, p. 348), pero no altera la función de la cuota del capital social como presupuesto de ejercicio (cfr. JUSTE, *Derechos de minoría*, pp. 97 y ss.). En el caso de haberse emitido acciones sin voto, el artículo 102 de la Ley de Sociedades de Capital permite sostener que se encuentran legitimados para el ejercicio de la acción. La identidad de posición jurídica de los titulares de acciones rescatables con los demás accionistas (cfr. GARCÍA-CRUCES, «Notas en torno al concepto», p. 924), atribuye a aquellos, así mismo, la legitimación. Si de accionista moroso se trata, comoquiera que la privación del voto (art. 83 LSC) tiene carácter sancionatorio, ha de entenderse que, en principio, se encuentra legitimado para el ejercicio de los derechos (para el caso de solicitud de convocatoria de la Junta general URÍA/MENÉNDEZ/MUÑOZ PLANAS, *La Junta General*, p. 114 y RDGRN 13.1.1994; para el ejercicio de la acción, también CALBACHO LOSADA, «El ejercicio», pp. 106 y ss.). No obstante, la estrecha vinculación de algunos de los presupuestos de ejercicio con la previa actitud del accionista en la Junta general permite matizar esta postura en determinadas ocasiones (cfr. *infra*). En cambio, cuando el accionista se halle privado del conjunto de sus derechos políticos y administrativos (arts. 142 y 152 LSC, 60.3 LMV y 27 RD 1066/2007), la respuesta ha de ser la de negarles la legitimación.

Está siendo sometida a revisión la opinión doctrinal conforme a la que los derechos de minoría no pueden ser modificados estatutariamente, en el sentido de requerir una cuota de ejercicio superior a la establecida en la ley (con ulteriores referencias, y algunas dudas sobre su conveniencia en las sociedades limitadas y cerradas, así lo mantuvimos en JUSTE, *Derechos de minoría*, p. 180, para el derecho de solicitar la convocatoria, 214; en contra, para las limitadas, BISBAL, «La Junta general»., p. 682, sobre la base de la posibilidad cierta de modificar estatutariamente la atribución del derecho de voto; más recientemente, sólo para este último tipo social, ALONSO UREBA, «La responsabilidad de los administradores de una sociedad de capital en situación concursal», p. 524); la citada Resolución de 13 de enero de 1994 impide la inscripción de una cuota más elevada, calculada además respecto del capital desembolsado. Para el Centro directivo de Notarios y Registradores, el artículo 100 de la Ley de Sociedades Anónimas de 1989 (al que se remitía, como hemos visto, el 134), «*al configurar uno más de los derechos básicos e inderogables de los accionistas, especialmente destinado a proteger a las minorías, ha de entenderse como un tope máximo que una previsión estatutaria no puede rebasar (cfr. art. 10 de la misma Ley), siendo admisible, por el contrario, su reducción en beneficio de los propios accionistas*». Respecto de la legitimación minoritaria para la acción social, puede favorecerse esta interpretación si se repara en que la voluntad del legislador es evitar cláusulas estatutarias que dificulten el ejercicio, al menos por la mayoría (en este sentido ha de interpretarse la referencia a la mayoría ordinaria del artículo 238, que se declara inalterable por los estatutos, generalizando la norma antes conteni-da, para la sociedad limitada, en el art. 69.2 LSRL). No obstante, la ley no establece expresamente esa prohibición.

Otra cuestión que puede revestir algún interés es la del momento en el que ha de estimarse formada la minoría. A diferencia de lo que establece alguna legislación extranjera, la Ley de Sociedades de Capital no exige que los accionistas ostenten esa condición con cierta antigüedad. Ello abre la puerta a la posibilidad de que nuevos socios inicien los trámites para exigir responsabilidad a los administradores, mediante la solicitud de convocato-ria de la Junta.

En relación con el tiempo, un problema no resuelto por la ley es el de la duración de la agrupación, y los efectos que puede acarrear la pérdida sobrevenida del requisito de reunir la cuota exigida por la ley. Al respec-to, la doctrina se ha pronunciado en los dos sentidos posibles, negando efectos a esta circunstancia, por lo que basta alcanzar el porcentaje en el momento de formulación de la demanda (GIRÓN TENA, *Derecho de sociedades anónimas*, p. 380; PUIG BRUTAU, «La responsabilidad», pp. 361 y ss.: POLO SÁNCHEZ, *Los administradores y el consejo*, p. 349; CALBACHO LOSADA, «El ejercicio», p. 272; ESTEBAN VELASCO, «La acción social y la acción individual», p. 75, RODRÍGUEZ ARTIGAS/MARÍN DE LA BÁRCENA, "La acción social", pp. 180-181), o considerando que la conexión de la cuota con la legitimación procesal exige su mantenimiento durante el proceso (GARRIGUES/URÍA, *Comentario*, p. 184, SÁNCHEZ CALERO, *Administradores*, p. 310, MARTÍ LACALLE, *El ejercicio de los derechos*, p. 85), posición por la que nos inclinamos en un trabajo anterior (JUSTE, *Derechos de minoría*, p. 451). Aunque el tema está abierto, y el último razonamiento debe seguir siendo tendido en cuenta, puede advertirse que una automática pérdida de legitimación por la causa antedicha puede favorecer, no sólo maniobras intrasocietarias tendentes a la pérdida del poder relativo de los demandantes (v. gr. a través de un aumento de capital con exclusión del derecho de suscripción preferente, sin perjuicio de que estas operaciones puedan ser atacadas por diversas vías, cfr. ALFARO, *Interés social*), sino también a través de una eventual compra de acciones o participaciones, que alcanzan el valor añadido de poder suponer el final del pleito. Esta suerte de *transacción encubierta*, que da lugar a la satisfacción extraprocesal de la minoría –y no de la sociedad, cuyo interés es el que se pretende servir con esta legitimación subsidiaria indirecta– merece las mismas reservas que otras transacciones que no reviertan en el patrimonio social que se estima dañado por los demandantes (cfr. *infra*). En la actualidad, el tratamiento procesal de la disminución del cociente por debajo del mínimo legal ha de ser el previsto por el artículo 22.1 de la Ley de Enjuiciamiento Civil, referente a la terminación del proceso cuando por circunstancias sobrevenidas a la demanda y a la reconvención, «dejare de haber interés legítimo en obtener la tutela judicial», por satisfacción extraprocesal (que no es el caso) o «por cualquier otra causa» (sobre el art. 22.1 LEC, ver GASCÓN, *La terminación anticipada*). El supuesto podrá ponerse de manifiesto al tribunal y, si existe acuerdo de las partes, se decretará mediante auto la terminación del proceso, auto que tendrá los mismos efectos que una sentencia absolutoria firme. Para paliar esta consecuencia, alguna de la partes puede sostener la subsistencia de interés legítimo, y negar motivadamente la carencia –en nuestro supuesto– de legitimación sobrevenida. Tras la preceptiva comparecencia, se ordenará bien la continuación del juicio, bien su terminación. Sólo en este último supuesto el auto será recurrible. Circunstancias como la últimamente apuntada deberán ser valoradas por el juez para decidir, en su caso, la continuación del juicio en interés de la sociedad. En particular, dada la citada proximidad del supuesto, atendidos sus efectos, con la transacción (sobre tal semejanza en la nueva legislación procesal, cfr. GASCÓN, *La terminación*, pp. 134 y ss.), habrá de atender el juez a las circunstancias del pleito y de la sociedad en cuyo interés se litiga. Así, resultaría excesivo entender que el pleito debe continuar si todas las acciones o participaciones quedan en una sola mano, supuesto extremo en el que no existe un interés social distinto al manifestado por el socio único; dadas las consecuencias de la terminación del pleito por esta vía, sería razonable exigir un acuerdo de la Junta general, sin oposición de accionistas que representen un cinco por ciento del capital social (arg. *ex* art. 238.2), aunque la ley sólo menciona el supuesto de transacción o renuncia.

Ulteriores consideraciones sobre los accionistas legitimados en función de cada presupuesto de ejercicio se desarrollarán más adelante.

2. *Presupuestos de ejercicio*

Junto con la reunión de la cuota de capital, es necesario que se haya producido alguno de los tres supuestos que la ley enumera. No se permite a la minoría (a salvo cuanto se expondrá acerca de una posible intervención junto con la sociedad, conforme a alguna decisión jurisprudencial y el supuesto de que la demanda se fundamente en la violación del deber de lealtad) actuar al margen de ellos.

2.1. Falta de convocatoria de la Junta general solicitada por la minoría

La minoría se encuentra legitimada cuando los administradores no convoquen la «junta general solicitada a tal fin». En estos supuestos, o, en su caso, los previstos en el artículo 172 de la Ley de Sociedades de Capital sobre complemento de convocatoria en la sociedad anónima, la falta de actividad por parte de los administradores (para la que no encontrarán incentivos, como subraya LLEBOT, «El sistema», p. 54) suple la presencia de un acuerdo contrario. El inciso introducido en el precepto por el legislador de 1989 facilitó la actuación de la minoría que, con el régimen anterior, hubiera debido esperar, en su caso, a que se produjera una convocatoria judicial, subsidiaria de aquella debida por los administradores, y a que, en el desarrollo de la Junta, se votara mayoritariamente en contra de exigir responsabilidad a los administradores (o que transcurriera el plazo legal desde un eventual acuerdo positivo sin presentación de la demanda). Pero la facultad de solicitar la convocatoria estaba prevista en parecidos términos, como recuerda, aplicando la Ley de Sociedades Anónimas de 1951, la Sentencia del Tribunal Supremo de 26 de febrero de 1993: «*La propia Ley habilita medios de conseguir la convocatoria de la inexcusable Junta General en el supuesto de negativa de los llamados a ello... recurso legal suficiente, ofrecido como protección a los minoritarios frente a la eventual hostilidad de la mayoría manejada –como aquí podría suceder– por el propio administrador denunciado, en el que concurre la condición de accionista mayoritario*». Se ha subrayado también que la novedad puede obedecer a la posición doctrinal, mantenida en el régimen anterior, sobre la necesaria constancia en el orden del día para la validez del acuerdo contrario a la exigencia de responsabilidad (cfr. la opinión de SUÁREZ-LLANOS, L., «Responsabilidad...», pp. 934 y ss., sobre la que se vuelve más abajo); o al ánimo de aproximación al Derecho comunitario entonces proyectado, al impedir el artículo 17 de la propuesta modificada de quinta directiva que la legitimación estuviera subordinada a un previo acuerdo de un órgano societario (cfr. ESTEBAN VELASCO, «La estructura de las sociedades anónimas», p. 274). En todo caso, se hace explícita la facultad de impulsar la puesta en marcha del mecanismo ordinario de exigencia de responsabilidad.

Los socios que representen la cuota necesaria para solicitar la convocatoria de la Junta general extraordinaria (cinco por ciento en no cotizadas –art. 168 LSC-, tres por ciento en cotizadas –art. 495.2), han de cumplir el requisito formal de solicitar la convocatoria mediante requerimiento notarial, e incluir, entre las materias que componen el orden del día propuesto, la aprobación del acuerdo de iniciar la acción social de responsabilidad contra los administradores (sobre el régimen legal del derecho concedido por el artículo 100 de la Ley de Sociedades Anónimas, cfr. JUSTE, *Derechos de minoría*, pp. 205 y ss.)La legitimación nace, según el artículo 239, cuando los administradores no hayan convocado la Junta general solicitada a tal fin. Como es sabido, el artículo 168 les obliga a realizar una convocatoria que permita su celebración dentro de los dos meses siguientes al del requerimiento, según la redacción dada al precepto por la Ley 25/2011, de 1 de agosto. Hasta esta última modificación, y tras la reforma de la Ley de Sociedades Anónimas en 2005, que incrementaba el plazo entre publicación de la convocatoria y celebración hasta el mes en la sociedad anónima (cfr. art. 176.1 LSC), se convertía en tarea prácticamente imposible dar cumplimiento en sus términos exactos al artículo 168 (Sobre este problema, RODRÍGUEZ ARTIGAS, «Convocatoria», p. 25). Con la nueva redacción, puede volver a mantenerse que la legitimación queda abierta tan pronto como se pueda acreditar que el órgano de administración no puede cumplir con su deber de convocatoria en el término legal.

Con buen criterio, a nuestro juicio, la Sentencia del Tribunal Supremo de 30 de enero de 2001 ha señalado que no supone obstáculo para la legitimación directa de los accionistas la impugnación de la Junta defectuosamente convocada por los administradores (en el caso, por no respetarse los quince días que han de mediar entre el anuncio de la Junta y su celebración). «*Y es que no es posible tutelar la pretensión del Motivo de que por haberse impugnado judicialmente la Convocatoria de la citada Junta y estar pendiente de resolución judicial cuando se plantea la presente acción social aún no se ha cumplido con el presupuesto previsto en citado artículo 134-4º (literalmente "Cuando los administradores no convoquen la Junta General solicitada a tal fin" o, incluso, como se denuncia, anticipar la acción antes del mes previsto en su núm. 2), porque, entonces esa literalidad, en casos como el de autos, podía paralizar la acción social si, en la hipótesis de actuación de los administradores preconstituida en su designio de obstrucción, se verifica una convocatoria con infracciones evidentes de la normativa aplicable –en el caso de autos las padecidas antes transcritas fueron causa de la nulidad declarada– y, pese a ello, ampararse el Administrador que convoca en que ha cumplido este requisito y que al estar impugnada esa convocatoria –en el litigio, precisamente, por las demandadas ante la evidente transgresión del anuncio social–, tener que aguardar a la solución definitiva de esa impugnación, para que, en su día muy posterior, sin duda, a la conducta reprobable atacada, poder habilitar o no la acción. Afirmar que, aparte de que con esa conducta tan reprobable se está, sin duda, demorando sin razón la postulación de una acción social de responsabilidad por esa incidencia, es bien indiscutible, y, sobre todo, sin que pueda eludirse la sospecha de que aquella transgresión, acaso, perseguiría ese bloqueo de la acción durante un tiempo bien apreciable*». Admitir la postura contraria (por lo que parece inclinarse HUERTA VIESCAS, «Acción social», al señalar que podría dividirse la continencia de la causa, en el supuesto de que posteriormente se considerara válida la convocatoria por los órganos judiciales) dejaría en manos de los administradores un mecanismo sencillo para dilatar notablemente el plazo de ejercicio de la acción de responsabilidad. Sin que sea oportuno detenerse en todas las posibles causas por las que la reunión puede ser impugnada (junto con la del incumplimiento de los requisitos para la convocatoria), la facilidad con la que la ley otorga la legitimación a los accionistas permite apostar por una interpretación favorable al directo acceso de los accionistas a la vía judicial, subsidiaria de la intentada en el seno de la Junta general que posteriormente se impugna. En general, la identidad de razón entre la negativa a convocar y otras maniobras que puedan conducir al mismo resultado (como la mencionada o la desconvocatoria injustificada) han de abrir la puerta al ejercicio de la acción (cfr. RODRÍGUEZ ARTIGAS/MARÍN DE LA BÁRCENA, "La acción social", p. 183).

Idéntico criterio debe seguirse en el caso de que los administradores, ante la solicitud del complemento de convocatoria regulado para la sociedad anónima en el citado artículo 172 de la Ley de Sociedades de Capital, no incluyeran ese punto en el definitivo orden del día. Al margen de que, por establecerlo así la ley, la Junta fuera nula, los accionistas podrían entablar directamente la acción social.

Por supuesto, puede no interesar a los accionistas o socios entablar directamente el pleito cuando les conste la falta de voluntad de convocar. Como en el régimen anterior, aquellos pueden utilizar los remedios ordinarios para provocar la reunión (convocatoria judicial) y forzar un acuerdo, positivo o negativo, en torno a esta materia, como alternativa al ejercicio directo (cfr. ARROYO/BOET, *Comentarios*, p. 1431).

Finalmente, puede dudarse acerca de la necesaria identidad entre los accionistas que formalmente requieren a los administradores y aquellos que inicien la demanda ante los administradores. A nuestro juicio, siempre que se acredite que tanto el requerimiento como la demanda son realizados por accionistas que representen la cuota se habrá cumplido con el presupuesto señalado por el artículo 239 (conformes ARROYO/BOET, *Comentarios*, p. 1431 RODRÍGUEZ ARTIGAS/MARÍN DE LA BÁRCENA, "La acción social" p. 182), postura que no sólo es respetuosa con el tenor literal de este precepto (aunque lo habitual será la coincidencia entre unos y otros), sino que además evita la necesidad de otro requerimiento para los mismos fines, cuando ha quedado suficientemente claro con la inactividad de los administradores su falta de voluntad de reunir a los accionistas para debatir la cuestión.

2.2. Transcurso de un mes desde el acuerdo positivo a la exigencia de responsabilidad

La redacción del artículo 80 de la Ley de Sociedades Anónimas de 1951 permitió dar cabida a un debate acerca de la naturaleza del plazo establecido en aquel cuando se hubiera producido un acuerdo mayoritario favorable al ejercicio de la acción. Para alguna doctrina (ciertamente autorizada, GARRIGUES, *Comentario*, II, pp. 151 y ss.), el plazo, entonces de tres meses, era de caducidad. Sin entrar ahora en las razones (sustentadas con fundamento por la mayoría de la doctrina) que aconsejaban leerlo como término de espera, esa duda no tiene cabida en el nuevo texto legal, donde sólo cabe defender esta última interpretación. En este sentido, véase la Sentencia de la Audiencia Provincial de Madrid, (Secc. 28) de 5 de diciembre de 2012 (ver QUIJANO, "La acción social de responsabilidad contra los administradores: el acuerdo y legitimación para ejercitarla")

En este supuesto, la minoría no reacciona en contra de la mayoría expresada en la Junta, sino que se ve habilitada para ejecutar el acuerdo adoptado con los requisitos que la ley establece (y entre los que por excepción no figura la previa constancia en el orden del día). En el supuesto ordinario, el ejercicio de la acción corresponderá a los administradores (art. 233 LSC), que ocupen el cargo tras el cese (consecuencia también ordinaria) de aquellos frente a los que se va a litigar. Para evitar el sencillo expediente de permitir que estos dejen de cumplir su obligación por mera inactividad, la Ley de Sociedades Anónimas autoriza la actuación directa de accionistas que representen un cinco por ciento del capital social.

En relación con este supuesto de legitimación, la doctrina ha ensayado dos interpretaciones, que supondrían, respectivamente, una ampliación y una restricción del círculo de personas legitimadas para el ejercicio directo de la acción.

Desde el primer punto de vista, y dado que, en definitiva, la legitimación no busca sino llevar a término la voluntad de la mayoría, se ha defendido que cualquier accionista está legitimado para el ejercicio (POLO, *Los administradores y el consejo*, p. 353-354, donde señala que, en caso contrario se podría equiparar la falta de ejercicio con una renuncia, a la que sólo se puede oponer eficazmente una minoría cualificada). Sin embargo, la posibilidad de ejercitar, personalmente, una acción en interés de la sociedad es una facultad que trasciende el interés en la ejecución de un acuerdo social, y para la que la ley sólo ha habilitado (excepcionalmente) a quienes ostentan una determinada fracción o cuota del capital social (en este sentido, SÁNCHEZ CALERO, *Administradores*, p. 307, ESTEBAN VELASCO, «Acción social», p. 74), necesaria, además, para impedir una posterior renuncia por parte de la mayoría CALBACHO LOSADA, «El ejercicio, p. 262).

En segundo término, durante la vigencia de la Ley de Sociedades Anónimas 1951 (cuando faltaba la legitimación por mera falta de convocatoria) se había señalado que la minoría necesariamente había de estar formada por accionistas que, en la previa Junta general, hubieran votado en el sentido de exigir responsabilidad a los administradores, por aplicación de la doctrina sobre los actos propios (SUÁREZ-LLANOS, «Responsabilidad», p. 978-979). Esta toma de posición se halla debilitada con el llamamiento a los accionistas que representen el cinco por ciento del capital social, donde tienen cabida incluso los accionistas sin voto (POLO SÁNCHEZ, *Los administradores y el consejo*, p. 348), aunque esta ampliación, por sí misma, no resuelve la posición de quienes fueron contrarios a la responsabilidad en el seno del órgano de socios. Respecto de estos últimos, no consideramos que la previa postura (disidente del parecer de la mayoría) desautorice a los socios para llevar a cabo un pleito cuya iniciación cuenta con el beneplácito de los órganos sociales. Su legitimación no supone aquí, como hemos señalado ya, un previo parecer contrario a la mayoría, sino suplir, excepcionalmente, a los administradores en su cometido.

En consecuencia, si bien no cualquier socio está legitimado para el ejercicio de la acción social al margen de la cuota (pues el dictado de la ley es claro en la exigencia de reunir el porcentaje de capital, requisito de «seriedad» que está en la base de gran número de los derechos de minoría, que pueden así servir no tanto para su protección como, paradójicamente, para impedir el ejercicio por el titular de una exigua participación), en el caso de mera inercia del órgano administrativo pueden integrar la minoría los accionistas que se hubieran opuesto al ejercicio de la acción en la Junta general.

2.3. Acuerdo contrario a la exigencia de responsabilidad

En el tercer supuesto se pone de manifiesto con toda su amplitud, el significado de la legitimación de los accionistas de minoría como sujetos excepcionalmente habilitados para determinar la actuación acorde con el interés social, en contra del parecer expreso de los órganos inicialmente facultados para ello. Mientras que en los casos anteriores la actuación se permite como consecuencia de la simple pasividad del órgano administrativo, sea porque impide que la Junta se pronuncie, sea porque incumple su deber de ejecución de un acuerdo de ese órgano, aquí se puede iniciar el proceso en contra, también, de la mayoría de los socios debidamente reunidos en la Junta general. Por los parcos términos de la ley, surgen algunas incertidumbres en el régimen jurídico.

a) En primer lugar, se ha dudado sobre la posibilidad de que la minoría pueda actuar si el acuerdo contrario a la exigencia de responsabilidad se ha adoptado cuando el asunto no consta en el orden del día. Esta falta de constancia ha sido acogida por nuestro legislador, con la clara finalidad de evitar maniobras de los administradores que puedan frustrar la deliberación sobre su propia responsabilidad. La misma razón encuentra la norma, ya comentada, sobre legitimación directa en caso de que no convoquen la Junta tras el oportuno requerimiento. Pero la dispensa del cumplimiento del requisito imperativo sobre la inclusión en el orden del día de los asuntos que vayan a tratarse en la junta también puede dar lugar a nuevos peligros, como la preparación, por parte de los administradores, de un acuerdo contrario inesperado sobre su responsabilidad, o la utilización, por parte de la minoría, de aquella dispensa para obtener, merced a una momentánea mayoría, un acuerdo favorable (sobre estas cuestiones, cfr. POLO, *Los administradores y el consejo*, pp. 318 y ss.). En parecido sentido, se ha llamado la atención sobre la posibilidad de que una minoría plantee en cualquier momento la cuestión, como conducta abusiva para obtener directamente su legitimación (cfr. SUÁREZ-LLANOS, «Responsabilidad», p. 934).

Para evitar esta última «maniobra sospechosa», se propuso (SUÁREZ-LLANOS, «Responsabilidad», pp. 936 y ss.) una interpretación restrictiva de la dispensa, en el sentido de resultar válido, únicamente, el acuerdo positivo. Por el contrario, el negativo estaría viciado de nulidad, por violación de la regla general que sólo declara vinculantes los acuerdos adoptados en Junta debidamente convocada. Con lo que, en la práctica, el único medio con que podría contar la minoría para provocar el acuerdo contrario sería el de solicitar a los administradores, formalmente, una convocatoria de la Junta general para debatir sobre la responsabilidad. No ha faltado quien ha encontrado en esta doctrina un antecedente de la inclusión del primer presupuesto de ejercicio que hemos comentado (cfr. RODRÍGUEZ ARTIGAS/ QUIJANO, «Los órganos», p. 147; en el Derecho vigente, RODRÍGUEZ ARTIGAS/MARÍN DE LA BÁRCENA, "La acción social", p. 169).

No parece, sin embargo, que la falta de constancia en el orden del día, tal y como aparece en el artículo 238 de la Ley de Sociedades de Capital, merezca esa interpretación restrictiva (en este sentido, bajo la anterior ley, RUBIO, *Curso*, p. 258-259, en la actualidad, POLO, *Los administradores y el consejo*, p. 321, con ulteriores referencias). Si se permite la deliberación sobre el tema sin previo anuncio en la convocatoria, parece un tanto forzado sostener que la única posibilidad de llegar a un acuerdo válido sea sumando los votos necesarios para exigir responsabilidad; mientras que, si la votación no alcanza la mayoría prevista, el resultado es la nulidad de lo querido por los accionistas en el seno del órgano. Como se ha afirmado, tan acuerdo lo es el uno como el otro; y, por lo que ahora interesa, el negativo es presupuesto, a su vez, de la legitimación directa de la minoría. Por lo demás, no parece que aquella posible maniobra de la minoría pueda considerarse realmente abusiva. Como el primer autor citado recuerda, además de entrañar un peligro más teórico que real, la decisión sobre la responsabilidad de los administradores corresponderá, en su momento, al juez. Finalmente, si los accionistas reunidos han optado por rechazar el acuerdo, es previsible que el resultado, tras la convocatoria formal, sea idéntico; igualmente peligrosa podría parecer –y sin embargo no merece el mismo reproche la creación de una mayoría transitoria que obligue a la sociedad, por la inadvertencia de algunos accionistas que no acuden a la reunión, a ejercitar la acción en su propio nombre–. Por lo demás, si la sociedad no actúa, podrán también los socios, en los términos ya vistos, ejercitar la acción.

En consecuencia, si se somete el tema a votación y es rechazado, los accionistas que representen el cinco por ciento del capital social podrán entablar la acción social de responsabilidad.

Cuestión distinta es la de determinar si la dispensa de inclusión en el orden del día exige, además, que la Junta delibere sobre la responsabilidad, en cuanto los accionistas lo estimen oportuno en el transcurso de la reunión. En anteriores ediciones de esta obra, hemos sostenido la posibilidad de que la Junta pudiera, válidamente, negarse a deliberar sobre este tema (negativa que, por su posición en aquella, podía ser hecha valer por el presidente). Rechazo que podía no identificarse con aquel otro acuerdo, que ahora nos ocupa, de afirmar que no ha de exigirse su responsabilidad a los administradores (en este sentido, SUÁREZ-LLANOS, «Responsabilidad», p. 937). Con lo que a los socios no les restaría otra opción que la de requerir notarialmente a los administradores, con los efectos que ahora prevé la legislación. Esta formalidad permitiría garantizar, tanto la previa información de los socios acerca del contenido de la Junta, como el efectivo debate y votación sobre el punto que, expresamente, considera la ley como elemento integrante del presupuesto de ejercicio. Parecía arriesgado iniciar el correspondiente pleito con la afirmación de ser equivalentes (pues son acuerdos que presentan un contenido distinto) una y otra decisión, dejando de lado que formalmente sólo el acta de la Junta permitirá dejar constancia de lo acaecido en su transcurso (sostenían la opinión contraria SÁNCHEZ CALERO, *Administradores*, 286 y 308, siempre que la solicitud en la Junta estuviera apoyada por accionistas que representaran la cuota establecida en la ley; ESTEBAN VELASCO, p. 68, para quien, no obstante, la mera negativa del presidente no produce ese efecto, CALBACHO LOSADA, *El ejercicio*, p. 81, ARROYO/BOET, *Comentarios*, p. 1424 MARTÍ LACALLE, *El ejercicio de los derechos de minoría*, p. 235).

El texto de la nueva Ley de Sociedades de Capital modifica significativamente, a nuestro juicio, el contenido del antiguo artículo 134.1 de la Ley de Sociedades Anónimas. Este último establecía: «La acción de responsabilidad contra los administradores se entablará por la sociedad, previo acuerdo de la Junta general, que puede ser adoptado aunque no conste en el orden del día». El actual artículo 238.1 dice, en cambio, «previo acuerdo de la junta general, que puede ser adoptado a solicitud de cualquier socio aunque no conste en el orden del día».

Con esta redacción, ha de entenderse que el requisito equivalente a la constancia del orden del día, respecto de este acuerdo, es el de solicitud por parte de cualquier socio. Producida ésta, la junta queda llamada, válidamente, a pronunciarse. Con independencia de los efectos que pudiera tener una eventual negativa del presidente para abordar la cuestión, en el plano de su responsabilidad, y aunque no llegara a adoptarse formalmente acuerdo alguno, debe equipararse, a nuestros efectos, tal actitud con la del administrador que no convoca la Junta general para tratar el tema. Nótese que ni siquiera es necesario que el socio ostente un cinco por ciento del capital social para introducir el debate en la Junta., según los términos de la nueva ley.

Algunos pronunciamientos jurisprudenciales han confirmado la validez del acuerdo contrario adoptado sin previa constancia en el orden del día. La Sentencia de la Audiencia Provincial de Vizcaya (Secc. 4ª) 11.6.1998 rechaza el argumento de los administradores demandados de no haberse solicitado la convocatoria de la Junta, teniendo presente que consta, por certificación del acta de una Junta general, que la mayoría rechazó la exigencia de responsabilidad propuesta, en su transcurso, por los accionistas que posteriormente fueron demandantes, y a los que se reconoce legitimación. Solución que ha de estimarse correcta, de acuerdo con las premisas apuntadas. Entre las que acogen la excepción de falta de legitimación activa por no constar en las actuaciones el requerimiento notarial de convocatoria de la Junta, puede citarse la de la Sentencia de la Audiencia Provincial de Alicante, secc. 7ª, 20.3.2002, en la que, sin embargo, no se da noticia de que el tema fuera suscitado en el seno de la Junta general sin previa advertencia en la convocatoria. La Sentencia de la Audiencia Provincial de Álava (Secc. 1ª) 14.2.2000 reconoce la legitimación en el siguiente supuesto. Los accionistas solicitaron la convocatoria de la Junta general, no realizada por los administradores para tratar, entre otros asuntos, la responsabilidad social. Aquellos optaron por instar judicialmente la convocatoria, que se realizó con omisión, sin embargo, del punto del orden del día dedicado a la responsabilidad. Durante la reunión, se solicitó del presidente la votación sobre el tema, sin que el resultado fuera un acuerdo positivo. En este caso, un tanto curioso si atendemos a la ausencia de la cuestión de la responsabilidad en el auto por el que se convocaba la Junta, la legitimación habría nacido ya con la negativa de los administradores. El tribunal otorga relevancia también a la adopción del acuerdo contrario a pesar de no haber sido finalmente incluido en la convocatoria judicial.

b) Otra cuestión discutida atañe a los accionistas que pueden formar parte de la minoría legitimada. Vigente la Ley de Sociedades Anónimas de 1951, una autorizada corriente doctrinal interpretaba que la minoría protegida por la ley estaba constituida por quienes hubieran votado en contra de la exigencia de responsabilidad (SUÁREZ-LLANOS, «Responsabilidad», p. 978), con exclusión no sólo de quienes hubieran formado parte de la mayoría, sino también de los accionistas ausentes. En la actualidad, se ha afirmado, como ya se indicó, que se encuentran legitimados para el ejercicio de la acción los accionistas sin voto.

Sin embargo, la concreción del modo de participar estos últimos accionistas en la Junta general que decide rechazar la exigencia de responsabilidad ha sido objeto de discusión, según se estime o no imprescindible que la minoría protegida esté formada, exclusivamente, por disidentes del acuerdo mayoritario. Para un sector de la doctrina, el artículo 239 de la Ley de Sociedades de Capital prevé, tácitamente, un supuesto más de la llamada «recuperación del voto» del artículo 91.2 (cfr. POLO, *Los administradores y el consejo*, p. 347). En cierto sentido, la concesión de la legitimación para solicitar la convocatoria de la Junta debe completarse, según este punto de vista, con la posibilidad de participar activamente en ella, respecto de la exigencia de responsabilidad de los administradores.

Sin embargo, no parece necesaria la atribución del derecho de voto para alcanzar el resultado de la legitimación para el ejercicio. Puede recordarse que los accionistas sin voto pueden entablar el pleito si los administradores no convocan la Junta general. Si los administradores, atendiendo a la solicitud, convocan la Junta, no se entiende bien que se vean privados de la facultad que poseerían en caso de inactividad de aquellos, debido a la circunstancia de no poder votar a favor de la exigencia de responsabilidad durante la Junta. Téngase en cuenta que pueden asistir a ella, intervenir en la deliberación, y obtener la información que consideren necesaria sobre el asunto para el que se convocó. En último término, cumplen con el requisito de representar una determinada cuota del capital social (única exigencia de la ley) y, en esa medida, se hallan investidos del poder de determinar, como cualquier otro accionista de minoría, el interés social. En este caso, excepcionalmente, en contra del parecer mayoritario. Incluso podría entablarse, llevando el asunto hasta el extremo, la acción social de responsabilidad contra el parecer unánime de los accionistas con voto. Los accionistas sin voto poseen todos los demás derechos que corresponden a la posición de socio (cfr. art. 102.1), y entre ellos, el de minoría que ahora contemplamos. No parece necesario, en consecuencia, incrementar el número tasado de supuestos en los que se concede, excepcionalmente, el voto a estos accionistas (en este sentido, MENÉNDEZ/BELTRÁN, *Acciones sin voto*, p. 434; SAGASTI, *El régimen jurídico de las acciones sin voto*, p. 456).

Ciertamente, la emisión de acciones sin voto parece no haberse producido con excesiva frecuencia, por lo que el anterior problema parece haber alcanzado sólo una importancia marginal. Pero el argumento sirve para reforzar la idea de que también los accionistas (con voto) no asistentes a la Junta se encuentran legitimados en este supuesto. Por otro lado, la posibilidad de que el acuerdo sea adoptado sin constancia en el orden del día refuerza la legitimación de estos (SÁNCHEZ CALERO, *Administradores*, p. 308). En último extremo, al no precisar la ley ulteriores requisitos para entablar el pleito, ha de favorecerse que lo inicien todos aquellos que estimen esta posición como la más acorde con el interés social que la ley pretende preservar.

Únicamente cabe defender, por aplicación de la doctrina de los actos propios, la falta de legitimación de aquellos que se hayan opuesto, durante la Junta, a la exigencia de responsabilidad. Rechazar activamente el recurso al remedio ordinario (legitimación de la sociedad) para posteriormente poner en marcha el subsidiario ha de estimarse una posición incompatible con la postura anterior. No obstante, en la práctica, la presente interpretación puede no prosperar en todos los casos, dados los escuetos términos de la ley, que no distingue entre supuestos (por la interpretación favorable a la más amplia determinación de los supuestos enjuiciados parece inclinarse GIRÓN, *Derecho de sociedades anónimas*, p. 382; entre los autores recientes, SÁNCHEZ CALERO, *Administradores*, *p.* 308; ARROYO/BOET, *Comentario*, p. 1432.)

Esta postura puede conciliarse con la mantenida en el supuesto de legitimación anterior: quien manifiesta con su voto su contrariedad a la exigencia de responsabilidad puede (aunque el supuesto sea improbable) posteriormente, ante la inactividad de la sociedad, participar activamente en la ejecución del acuerdo mayoritario favorable, del mismo modo que el accionista-administrador que votara en contra de una propuesta que finalmente se aprobara estaría legitimado (a nuestro juicio, obligado, salvo que estimara razonablemente que la ejecución podría provocar un daño a la sociedad, cfr. art. 236 LSC), a pesar de su previa actitud, para llevar a cabo lo acordado por la Junta. En cambio, en el que ahora comentamos, la consecuencia de permitir la legitimación sería la de privar al acuerdo societario de toda eficacia, ya que incluso la mayoría podría recurrir a la legitimación subsidiaria (este argumento de la eficacia de los acuerdos de la Junta lo defiende POLO, *Los administradores y el Consejo*, p. 350, aunque aplicándolo a todos los que no se mostraron favorables a la exigencia de responsabilidad, lo que no compartimos por las razones expuestas).

Como consecuencia de lo anterior, un acuerdo adoptado por unanimidad, o por una mayoría del capital social superior al noventa y cinco por ciento del suscrito, impide el ejercicio de la acción por los mismos hechos que hubieran sido tomados en consideración por la Junta General, salvo en el caso, tratado anteriormente, de los accionistas sin voto o de que los accionistas demandantes hubieran adquirido las acciones con posterioridad, y no hubieran contribuido a la formación de la voluntad social (cfr. SAP (secc. 28) de 20 de febrero de 2006). La protección de la minoría, ciertamente acusada en el presente supuesto, no puede llegar al extremo de que pueda considerarse completamente irrelevante la decisión de la Junta. Una mínima consideración a la seguridad jurídica conduce al mantenimiento de esta interpretación.

Naturalmente, el conocimiento de nuevos hechos, o de nuevas circunstancias relativas a los examinados por la Junta, permite que se puedan activar, nuevamente, todos los mecanismos previstos en la ley.

2.4. Posibilidad de intervención junto con la sociedad

La Ley de Sociedades de Capital no contempla otra forma de intervención en el pleito que la resultante de hacer uso de la legitimación subsidiaria examinada con anterioridad, salvo en el caso, ya reiterado, de que la acción tenga su causa en la infracción de los deberes de lealtad. El legislador de anónimas considera que la minoría es digna de ser protegida, únicamente, cuando la sociedad misma, a través de sus órganos, bien no actúa, bien se manifiesta contraria a la exigencia de responsabilidad. En la jurisprudencia, este carácter exclusivamente subsidiario queda destacado en el fundamento jurídico siguiente, que resulta interesante reproducir porque parece dejar fuera de las posibilidades de actuar una intervención conjunta con el primer legitimado. Refiriéndose a los accionistas que menciona el artículo 134 indica: «*...con evidente impropiedad o ligereza evidente, prescribe que asimismo se podrá establecer conjuntamente, la acción contra el Administrador en los siguientes casos:*

Cuando los Administradores no convoquen la Junta. Pero, se subraya, si no se convoca la Junta, es que no actúa la Sociedad... luego, es una acción individualizada y no concurrente.

Cuando convocada la Junta, se adopte el acuerdo y sin embargo, no se entable en un mes la acción de exigir la responsabilidad. Luego también, es una actuación individualizada. No es concurrente.

Cuando el acuerdo adoptado hubiera sido contrario a la exigencia de responsabilidad; que tampoco aboca a la concurrencia» (STS 30.1.2001, STS 29.12.2000, 29.4.1999). El anterior fundamento jurídico sale al paso de una extraña interpretación del adverbio «conjuntamente» empleado por el legislador, que no coincide con la que habitualmente se ha ensayado: como la norma, indudablemente, parte de la subsidiariedad de la actuación minoritaria, el inciso sólo tiene el sentido de obligar, si son varios los accionistas que se reúnen para alcanzar la cuota, a actuar bajo una sola dirección.

Esta interpretación del precepto incluido en la legislación societaria –que ha de compartirse, si se considera exclusivamente esa norma– no impide que se dejen resquicios para que el grupo mayoritario ocasione un perjuicio de los intereses sociales, producido sin conocimiento de los accionistas minoritarios. Consciente de este peligro, la propia ley establece el derecho de bloqueo de la decisión de renunciar o transigir, sobre la que se vuelve en apartado posterior.

Más no acaban aquí las posibles actuaciones perjudiciales para el interés social. El ejercicio de la acción puede estar dirigido más o menos voluntariamente al fracaso, quedar limitado únicamente a un parte de lo realmente exigible o, más genéricamente, ser conducido conscientemente hacia un resultado parcialmente desfavorable para el patrimonio de la sociedad (en el régimen anterior, advertía de este riesgo CERRO, «Ejercicio por los accionistas», p. 631). La formal renuncia o el pacto de transacción no son, en la práctica, los únicos medios a disposición de los órganos societarios para frustrar las expectativas de reparación del daño. Debe tenerse en cuenta que nuestro Derecho no prevé que la representación de la sociedad recaiga, durante el pleito, en personas distintas de los nuevos administradores o de aquellos no incursos en el proceso (sobre el régimen anterior, ver la consideración de este peligro en SUÁREZ-LLANOS, «Responsabilidad», pp. 953-954 y el parecer favorable al nombramiento de representantes especiales de GIRÓN, *Derecho de sociedades anónimas*, p. 379; sobre las soluciones a este problema, especialmente cuando no ha habido remoción, cfr. POLO, *Los administradores y el consejo*, p. 328, SÁNCHEZ CALERO, *Administradores*, p. 302). Ciertamente, en el supuesto de ejercicio de la acción a instancias de la mayoría (que, dado que actúa, o bien es distinta de la que nombró a los administradores demandados o ha perdido su confianza en ellos), resulta improbable esa voluntad contraria al éxito de la acción. El peligro se reaviva, precisamente, cuando la mayoría responde positiva (aunque solo aparentemente) al impulso minoritario que estudiamos aquí. Una posible solución a este problema puede venir de la previsión de representantes especiales de la minoría, para su actuación en el proceso iniciado por la mayoría, siguiendo en este punto la tradición del ordenamiento alemán (cfr. Juste, *Derechos de minoría*, p. 417).

Sin que esta deseable reforma se haya producido, el Tribunal Supremo, en Sentencia 30 de noviembre 2000 (comentada críticamente por HUERTA VIESCA, «Acción social», pp. 295 y ss.; favorable, con anterioridad, a la intervención de los accionistas se mostraba CALBACHO LOSADA, «El ejercicio», pp. 602 y ss.), ha abierto un camino, discutible pero de extraordinario interés, tanto en lo relativo al punto que ahora examinamos, como al régimen de la renuncia o transacción según el precepto de la ley de sociedades, que más abajo se examinará. En el supuesto que se enjuiciaba, la acción había sido entablada conjuntamente por la sociedad y por los socios mayoritarios; desistida la acción por aquella, se plantea expresamente la continuación del pleito, exclusivamente, por estos últimos. «*Aunque el artículo 134 no lo contemple, ha de admitirse el ejercicio en el mismo pleito de la acción que corresponde a la Junta y la que se atribuye a los socios mayoritarios, pues se trataría de la acumulación de acciones que autoriza el artículo 156 de la Ley de Enjuiciamiento Civil (1881) es decir, la principal que corresponde a la sociedad y la coadyuvante que legitima a los cinco socios que demandaron que, en su condición de subsidiaria, vino a recuperar toda su eficacia*».

En el caso, el Tribunal Supremo se pronuncia sobre la actuación de los socios «de mayoría», por lo que podría dudarse de si la admisión de una actuación conjunta sólo se produce debido a esta circunstancia. A nuestro juicio, sin embargo, la única condición a la que se podría otorgar relieve es, precisamente, la de que los accionistas que pretendan actuar en el pleito superen el umbral de la cuota del cinco por ciento previsto en la ley. Y ello por la razón de que, a partir de esa participación, existe un reconocimiento legal del interés de los accionistas: el que estos hayan formado parte o no de la mayoría que decidió el ejercicio (cuestión ésta que tampoco se aclara en la sentencia) no tiene relevancia, en la medida en que se trata de ejecutar un acuerdo positivo (cfr. supra). No se aprecian motivos por los que la intervención sólo pudiera reservarse a quienes ostenten la «mayoría» en el capital social, y no a quienes, con una participación inferior, podrían quedar habilitados para actuar independientemente en los supuestos examinados con anterioridad. En cambio, podría parecer excesivo el reconocimiento de esta facultad a cualquier accionista, con independencia del valor de su participación societaria (aunque, como se dejó anotado, precisamente en el caso de ejercicio de la acción tras el acuerdo positivo es autorizada la opinión favorable a la legitimación de cualquier socio).

Al acudir el tribunal al expediente de la acumulación de acciones previsto en el artículo 156 de la Ley de Enjuiciamiento Civil 1881, se ha podido objetar que esta doctrina no resulta respetuosa con la identidad entre la acción ejercida a instancias de la Junta y la que corresponde, sea a los accionistas, sea a los acreedores. Propiamente, no hay dos acciones que acumular: lo previsto en la ley son dos legitimados para el ejercicio, el segundo (minoría) sólo cuando se dan los presupuestos que permiten su actuación subsidiaria. Mientras actúe uno de ellos, no hay lugar para la actuación del otro (en este sentido, con ulteriores referencias doctrinales, HUERTA, «Acción social»; con posterioridad, la STS de 21 de febrero de 2007, aplicando el art. 80 LSA 1951, subraya el carácter indirecto y subsidiario de la acción, y la imposibilidad de ejercicio junto con la mayoría, si bien a los efectos de dejar sin efecto la condena de indemnización a los socios).

Ahora bien, dejando de lado el régimen de la acumulación en el ordenamiento procesal anterior, la vigente Ley de Enjuiciamiento Civil permite, en su artículo 13, la admisión como demandante o demandado de quien tenga un interés directo y legítimo en el pleito, norma que parece ser más respetuosa con la existencia de una única acción social, en cuyo ejercicio se interesan tanto la sociedad como una porción relevante de sus socios. En el caso de los accionistas, se ha señalado, sin embargo, que el interés que pueden mantener es indirecto (HUERTA, «Acción social»), puesto que la eventual reparación se produciría, al tratarse de una acción social, en el patrimonio de la sociedad, lo que sólo indirectamente beneficiaría a los socios. Pero, aun admitiendo el anterior punto de vista, se puede establecer alguna gradación en el carácter indirecto del interés: ciertamente, el socio es sujeto distinto a la persona societaria; aunque no tan ajeno a las vicisitudes del patrimonio social como pueda estarlo un tercero. Partiendo de la legitimación que subsidiariamente la propia ley reconoce a los accionistas minoritarios, y habida cuenta de que no pueden entablar la acción directamente si el órgano societario lo hace como primer legitimado, no es descabellado permitir que estos sujetos participen en el pleito, asegurando que la acción se ejercita en beneficio del interés social que, en virtud de su participación societaria, puede considerarse a estos efectos como un interés propio. El propio artículo 239 de la Ley de Sociedades de Capital otorga un papel relevante a los socios en su defensa, que puede ser tenido en cuenta a la hora de autorizar una actuación como la que considera lícita la sentencia comentada. Por esta razón, la expresa autorización que el artículo 206 de la Ley de Sociedades de Capital contiene, para que el socio que votó a favor del acuerdo impugnado actúe, por su cuenta, para defender su validez junto con la sociedad demandada, no contempla un caso similar al

que ahora examinamos (alude también a este argumento HUERTA VIES-
CA, «Acción social»). En la impugnación de los acuerdos sociales sólo una
persona puede ser demandada, la sociedad; cuando de ejercitar la acción
social se trata, con las condiciones que establece la ley, pueden ser varios
los demandantes: los administradores que ejecutan el acuerdo mayoritario favorable (que, simplificadamente, puede llamarse legitimación de la
Junta), los socios y, en su caso (pero nótese, al margen del ámbito de lo
jurídico social), los acreedores.

Por otro lado, la legitimación de la Junta y la de los accionistas minoritarios es concurrente desde el momento en que transcurre un mes desde el
acuerdo positivo (SAP Madrid (Secc. 28, 5.12.2012). Tanto los administradores como los socios de minoría podrían entablar el pleito válidamente.
No parece, sin embargo, que la iniciativa de estos últimos debiera impedir
(a la luz del precepto citado de la ley procesal) la intervención de la sociedad a través de sus representantes: no se puede sostener que ésta no posea
un interés legítimo y directo en el pleito en el sentido recogido más arriba.
En la actualidad, pensamos, no debe mantenerse, para este supuesto, la
absoluta imposibilidad de vuelta atrás en el orden de los legitimados (en el
sentido de impedir a la sociedad actuar junto con la minoría que decidió
entablar la acción), ni la concurrencia de los accionistas con la propia sociedad como demandante principal.

Por lo demás, finalmente, la consolidación de esta doctrina no atenta
contra el carácter subsidiario de la legitimación minoritaria, que ha de entenderse referido a la posibilidad de iniciar el procedimiento.

III. EJERCICIO DIRECTO DE LA ACCIÓN POR LA MINORÍA EN LOS SUPUESTOS DE VIOLACIÓN DE LOS DEBERES DE LEALTAD

Según se ha desarrollado en otros lugares de esta obra colectiva, la
Ley 31/2014 ha llevado a cabo una profunda reforma de los deberes
de lealtad de los administradores, que ha incluido no solo una más
completa tipificación de las conductas contrarias al mismo, sino la introducción expresa, en nuestro Derecho, de remedios judiciales distintos y acumulables a la acción social de responsabilidad social contra los administradores (cfr. arts. 227 a 232 LSC). En este contexto de
reforzamiento de los deberes de lealtad, la ley hace posible, ahora, el
ejercicio directo de la acción social, por parte de la minoría. Ejercicio
"directo" que no altera la naturaleza indirecta de la legitimación (cfr.

art. 10 LEC), puesto que el único patrimonio que cabe reparar con el ejercicio de la acción social es el de la compañía. Según los autores del *Estudio sobre propuestas de modificaciones normativas*, de 14 de octubre de 2013, elaborado por la Comisión de Expertos en materia de Gobierno Corporativo, antecedente directo de la reforma, se pretende favorecer que la minoría entable la acción de responsabilidad "sin necesidad de que se pronuncie sobre ello la Junta General", siguiendo una propuesta doctrinal, coetánea del Informe Aldama, en el mismo sentido (cfr. PAZ-ARES, "La responsabilidad", pág. 80 ss.) Ahora bien, conforme hemos tenido ya ocasión de señalar, el pronunciamiento de la Junta no era estrictamente necesario, al menos, desde 1989. La ley ahorra la necesidad de requerir de los administradores la convocatoria de la junta, la consiguiente espera –suponiendo que atiendan el requerimiento- para su celebración, y el plazo de un mes desde el acuerdo favorable en el caso de acuerdo positivo de la Junta, no ejecutado diligentemente por los nuevos administradores (cfr. *supra* II). Resulta, por lo tanto, muy discutible que la reforma suponga una ventaja tan notable para los minoritarios, dado que el cumplimiento de los presupuestos de ejercicio de la acción no resultan especialmente gravosos.

La conducta antijurídica en la que ha de basarse la demanda ha de estar constituida por la infracción de los deberes de lealtad: esto es, que la conducta de los administradores pueda subsumirse, bien en la cláusula general del artículo 227 de la Ley de Sociedades de Capital (por anteponer los intereses personales o de un tercero a los de la sociedad), bien en alguna de las obligaciones básicas contempladas en el artículo 228 de la Ley de Sociedades de Capital (abuso de facultades, violación del deber de secreto, infracción del deber de abstención cuando el administrador participe en alguna decisión o acuerdo respecto del que se encuentre en una situación de conflicto de interés, someterse a vinculaciones o instrucciones de terceros en el ejercicio del cargo, evitar las situaciones de conflicto de interés personal). Esta última obligación se desenvuelve en una nueva serie de prohibiciones de actuación en el artículo 229 (transacciones vinculadas, uso de activos sociales –incluido el nombre de la sociedad-, aprovechamiento de oportunidades de negocio, percepción de remuneraciones o ventajas, de tercero asociadas al cargo prohibición de competir), que serán ilícitas cuando no se haya obtenido la oportuna dispensa, conforme al régimen del artículo 230 de la Ley de Sociedades de Capital. Nótese que, fuera de estos casos, (infracción del deber de diligencia, en el que el legislador incluye ahora el incumplimiento de otros deberes impuestos por las leyes), la acción de los minoritarios solo podrá prosperar si se cumple alguno de los presupuestos de ejercicio tratados con anterioridad (solicitud no atendida de convocatoria de la Junta, retraso en la ejecución del acuerdo favorable a la acción de responsabilidad, acuerdo contrario a ésta). Como quiera que la demanda puede basarse en fundamentos distintos, y que habrá comportamientos que podrán subsumirse en la infracción de unos u otros deberes, será aconsejable, en no pocos supuestos, seguir el procedimiento previsto para la legitimación subsidiaria. Por lo demás, no existe inconveniente alguno en que los socios lo utilicen, aun cuando la demanda se apoye en la deslealtad del administrador.

La posibilidad de ejercicio directo de la acción social en estos casos permite entender que resulta posible la intervención de la minoría junto con la mayoría, cuando no lo consienta la norma procesal según las reglas generales , con mayor claridad que en el caso de la legitimación subsidiaria (art. 13 LEC y *supra*, II. 2.4)

IV. REEMBOLSO DE GASTOS EN EL CASO DE ESTIMACIÓN PARCIAL O TOTAL DE LA DEMANDA

Como ya hemos visto, una de las circunstancias que puede retraer a los socios del ejercicio de la acción social es el escaso incentivo con el que cuentan, ya que la indemnización obtenida únicamente reparará el patrimonio social. Además, podía suceder que, incluso cuando aquella se obtuviera, el o los demandantes tuvieran que hacerse cargo de todos los gastos en que hubiera de incurrir por razón del proceso, a pesar de que su actuación se hubiera desenvuelto, exclusivamente, en beneficio de la sociedad. A esta situación pretende poner remedio el último párrafo del artículo 239 de la Ley de Sociedades de Capital, introducido por la ley 31/2014, que impone la obligación, a cargo de la sociedad, de reembolsar los gastos necesarios en que la parte actora hubiera incurrido, con tal de que la demanda hubiera sido estimada total o parcialmente. La norma establece el límite previsto en el artículo 394 de la Ley de Enjuiciamiento Civil (relativo a la condena en costas); y señala que no procede el reembolso cuando se haya obtenido o su ofrecimiento haya sido incondicional (sobre este precepto y, en general, para lo expresado a continuación, seguimos las consideraciones de MASSAGUER, J., "Comentario al art. 239").

La obligación tiene por objeto, según la ley, el reembolso de los gastos necesarios en que la parte actora hubiera incurrido, con los límites del artículo 394 de la Ley de Enjuiciamiento Civil. La referencia a este último precepto puede inducir a confusión, pues la obligación de la sociedad ni se ciñe exclusivamente a los gastos que merezcan la calificación de costas, ni depende, como en ella se aclara, del criterio del vencimiento utilizado por la Ley de Enjuiciamiento Civil.

La norma del artículo 239.2 de la Ley de Sociedades de Capital debe ponerse en relación con lo dispuesto en el artículo 241 de la Ley de Enjuiciamiento Civil, que distingue, como es sabido, entre "gastos del proceso" y costas, que forman parte de aquellos. Los primeros se identifican con "aquellos desembolsos que tengan su origen directo e inmediato en la existencia de dicho proceso"; las segundas constituyen un grupo determinado de estos gastos del proceso, enumerados en la misma norma procesal, y entre los que destacan los honorarios de defensa y representación técnica, inserción de anuncios o edictos que de forma obligada deban publicarse en el curso del proceso, depósitos necesarios para la presentación de recursos, derechos de peritos y abonos a persona que hayan intervenido en el proceso; copias, certificaciones, notas, testimonios y documentos análogos que hayan de solicitarse conforme a la Ley, derechos arancelaros que deban abonarse como consecuencia de actuacions necearías para el desarrollo del proceso y tasas judiciales.

Literalmente, por lo tanto, la referencia a los "gastos" puede entenderse realizada a todos los previstos en el artículo 241 de la Ley de Enjuiciamiento Civil, y no solo a la parte de ellos que merecen la calificación de costas. Esta consideración literal se confirma desde el momento en el que se atiende a la finalidad de la normativa, en relación con el carácter indirecto de la legitimación minoritaria en beneficio de la sociedad: ésta recibe la indemnización que se haya estimado procedente, sin haber incurrido en gasto alguno para obtenerla. Es razonable que quienes promueven de manera exitosa la acción, en la condición de legitimados indirectos que les atribuye la ley, se vean resarcidos respecto de los gastos que la sociedad debiera haber asumido en el supuesto de haber actuado con su legitimación de carácter directo (obedece a una razón similar el artículo 54.4 de la Ley Concursal, sobre legitimación subsidiaria de los acreedores para el ejercicio de acciones del concursado). Con razón se ha advertido acerca de la conexión de la nueva norma con la figura de la gestión de negocios ajenos (MASSAGUER).

Por este motivo, la norma no depende de un presupuesto como el del vencimiento, asumido por la ley procesal en materia de costas, impuestas a quien vea rechazadas todas sus pretensiones *ex* artículo 394. Este precepto se refiere a las partes que litigan entre sí como demandantes o demandados. En cambio, el artículo 239 de la Ley de Sociedades de Capital obedece a la lógica, distinta, de la necesaria indemnidad de quien presta un servicio útil a favor de otros, en este caso a través del ejercicio de una acción judicial. A estos efectos, resulta irrelevante que la estimación de la demanda sea total o parcial: cualesquiera gastos necesarios para la obtención del beneficio deben ser reembolsados por la sociedad. Por esa misma razón, según se deduce del propio artículo 239, no es relevante la existencia de condena en costas, dependiente de la estimación total.

En este contexto, la referencia a los "límites previstos" en el artículo 394 solo puede entenderse aplicable a los gastos del proceso que tengan la consideración de costas. Y, en particular, funciona como un control de los honorarios excesivos (no necesarios, por lo tanto) de abogados, procuradores y peritos (cfr. art. 394.3). El resto de los gastos serán también reembolsables, con tal de que merezcan el calificativo de necesarios.

La finalidad de la norma conduce también a afirmar que los gastos sólo son reembolsables en la medida en que la sociedad obtenga un beneficio económico. La sentencia meramente declarativa de la antijuridicidad (suponiendo que sea viable en un proceso de responsabilidad social) no da lugar al resarcimiento de gastos. En aquellos casos en que los socios no litiguen en sustitución de la sociedad, sino junto con ella, habrá de estimarse que lo hacen a su costa, salvo que continúen el proceso en caso de desistimiento o renuncia a recurrir por parte de la sociedad.

Finalmente, el reembolso no tiene lugar en los casos en que la parte actora hubiera obtenido el reembolso de los gastos (de los administradores o de un tercero), o aquel se haya ofrecido de manera incondicional. Esta parte de la norma resulta un tanto oscura; ordinariamente, el ofrecimiento provendrá de los administradores (reconocimiento de deuda en una transacción, vgr.) o incluso de un tercero.

V. OPOSICIÓN A LA RENUNCIA O TRANSACCIÓN

El artículo 238.2 dicta una norma que, como la contenida en el artículo 239, resulta en apariencia sencilla. La renuncia o transacción sobre la acción de responsabilidad debe ser sometida al acuerdo de la Junta general; pero este no podrá ser válidamente adoptado si se oponen accionistas que representen un cinco por ciento del capital social. La finalidad de este precepto es, así mismo, clara, y a ella hemos aludido con anterioridad. Inútil sería el procedimiento de protección de las minorías, que alcanza su más genuina expresión en su posible legitimación indirecta, si la Junta asume el ejercicio de la acción pero, posteriormente, renuncia a ella o transige con los demandados. Es razonable que tanto los términos de este último convenio (que, por su propia naturaleza, supone que la cantidad percibida por el patrimonio social en concepto de indemnización se reduzca), como la renuncia, deban ser aprobados también por quienes, en caso de inactividad social, estarían legitimados para llevar adelante el pleito. La posible contrariedad al interés social de ambos justifica el otorgamiento de este poder minoritario, que algunos ordenamientos han reconocido incluso en ausencia de legitimación subsidiaria de los accionistas (antes de la reforma, era el caso del art. 2393 del Codice Civile; otras referencias en MARTÍNEZ MACHUCA, «Oposición», pp. 1183 y ss.). También aquí es patente la derogación del principio mayoritario en el seno de la Junta: el acuerdo no puede nacer válidamente si consta la oposición de los accionistas. En consecuencia, la sociedad debe continuar con el ejercicio si fracasa su tentativa de ponerle fin mediante estos procedimientos.

El excesivo esquematismo de la ley conduce, sin embargo, a que surjan dudas en su aplicación, como han puesto de manifiesto sus intérpretes desde 1951, quizá incrementadas con la introducción de otras normas reguladoras de la responsabilidad en 1989, no variadas en la Ley de Sociedades de Capital de 2010. Los principales aspectos problemáticos se refieren tanto al presupuesto de ejercicio del poder minoritario, cuanto a los efectos que se derivan de éste. Partiendo de las especialidades que presenta el requisito subjetivo de integración de la minoría en este supuesto, analizaremos posteriormente el régimen jurídico del acuerdo de renuncia o transacción, para finalizar con las consecuencias del veto sobre el ejercicio de la acción.

1. *Integración de la minoría*

Al exigir la ley que los accionistas que representen el cinco por ciento del capital social se opongan al acuerdo mayoritario, puede volver a discutirse la atribución de la facultad a los accionistas sin voto. A nuestro juicio, afirmada su legitimación para el ejercicio subsidiario, dado que les corresponden los mismos derechos que al resto de los accionistas, una interpretación sistemática de las normas ha de llevar a reconocerles la misma posibilidad de defensa del interés social que al resto de los miembros de la sociedad: de otro modo, la mencionada igualdad de la posición jurídica frente a las facultades relacionadas con el ejercicio de la acción de responsabilidad sería únicamente nominal, pues la mayoría siempre podría enervar la pretensión minoritaria mediante el sencillo expediente de renunciar o transigir, cuando la minoría estuviera compuesta por esta categoría de accionistas, en un número necesario para alcanzar el umbral del cinco por ciento del capital social. Que ello comporte un supuesto más de recuperación del voto (POLO SÁNCHEZ, *Los administradores y el consejo*, p. 342) o que consista, por el riesgo de multiplicar los casos tasados de aquella recuperación, en la facultad de oponerse eficazmente al acuerdo por otros medios (MENÉNDEZ/BELTRÁN, *Acciones sin voto*, pp. 433-434, SAGASTI, *El régimen jurídico de las acciones sin voto*, p. 456, MARTÍNEZ MACHUCA, «Oposición», p. 1179) es una cuestión de menor alcance. Comoquiera que la oposición habrá de mostrarse en el seno de la Junta, no es fácil distinguir conceptualmente aquella declaración de voluntad de la del voto.

El anterior debate puede, sin embargo, alcanzar cierto relieve cuando se trasladan sus términos a la consideración del caso del accionista moroso: si la declaración de oposición se desvincula del derecho de voto, habida cuenta del carácter sancionador de la privación de éste que sufre quien ha incumplido con su obligación de aportar, podríamos defender la posibilidad de que el moroso, desprovisto de voto también, pudiera contribuir a hacer valer la oposición eficaz. Aunque la solución no aparezca clara, parece que la naturaleza de la oposición –disidencia, en el momento de proceder a la votación en el seno de la Junta general– debe inclinar a excluir al accionista moroso de esa facultad. El voto no es sino un poder de formación de la voluntad social, en este caso con el efecto privilegiado de hacer quebrar el principio mayoritario. Puesto que la voluntad del moroso no es tenida en cuenta para producir un acuerdo ordinario, con mayor motivo debe ser excluido de entre quienes tienen el poder excepcional de determinar el interés social con preferencia a la mayoría, como sucede en el caso que comentamos. A la postre, los accionistas encuentran así un incentivo añadido para el cumplimiento de su obligación (una opinión distinta mantiene CALBACHO LOSADA, «El ejercicio», p., 220).

2. *Voluntad mayoritaria favorable a la renuncia o transacción*

La falta de normas sobre el proyecto de acuerdo mayoritario para renunciar a la acción o transigir, da lugar a algunos problemas, que pueden dificultar que la minoría, cuando considere que los administradores son responsables, planifique correctamente su actuación para llevar adelante el veto.

a) La Ley de Sociedades de Capital, siguiendo el tenor de la Ley de Sociedades Anónimas, ha aclarado que tanto la renuncia como la transacción escapan a la competencia del órgano administrativo. Ello es particularmente claro en el primer supuesto (los administradores, sencillamente, incumplirían la obligación de ejecutar el acuerdo favorable de la Junta), pero podría acaso pensarse que la terminación del pleito mediante transacción está incluido en el poder de representación de la sociedad que, en juicio o fuera de él, les atribuye el artículo 233 de la Ley de Sociedades de Capital. Así como la renuncia supone privar a la sociedad de la reparación debida, en principio sin contraprestación, la transacción puede convertirse en un expediente beneficioso para la propia sociedad, dadas las concretas circunstancias del litigio proyectado o en curso. Sin embargo, el artículo 238 de la Ley de Sociedades de Capital convierte a los titulares de aquel órgano administrativo que pretendiera concluir el acuerdo con los demandados en representantes sin poder, con las consecuencias que de ello se derivan en la teoría general, incluida la posibilidad de ratificación, que no podría entenderse concedida si, en el correspondiente acuerdo *ex post*, se produce la oposición que en estas páginas se comentan. Por supuesto, en este caso no hay cabida para proteger a un tercero (que además ha sido administrador de la sociedad) frente a un acto para el que la ley señala claramente la necesaria aquiescencia de la Junta y la ausencia de oposición de la minoría. En la práctica, el acuerdo favorable a la transacción lo será al proyecto presentado con los administradores, sin perjuicio de que sea admisible la autorización para transigir dentro de unos límites establecidos por la Junta General, a instancias de los propios accionistas. Como se ha afirmado recientemente, el proyecto de transacción debe ser lo suficientemente concreto como para que los socios, ordinariamente alejados de las vicisitudes de la gestión, puedan consentir con los caracteres de claridad y precisión exigidos para la renuncia, y sobre un objeto suficientemente determinado del negocio de transacción (RODRÍGUEZ ARTIGAS / MARÍN DE LA BÁRCENA, "La acción social...", pp. 172-173).

b) Aclarada la competencia de la Junta incluso para transigir, un tema debatido desde la promulgación de la Ley de Sociedades Anónimas de 1951 es el de cuándo pueden adoptarse los acuerdos mencionados. Al respecto, el propio artículo 238 señala que pueden ser adoptados «en cualquier momento», expresión que puede suscitar dudas sobre la dispensa de la constancia en el orden del día (cfr. 223 LSC, que ahora autoriza el cese de los administradores sin esa referencia, cuando el art. 131 LSA, de donde procede, mencionaba sólo que podía tener lugar "en cualquier momento"), que a nuestro juicio no se halla aquí justificada. Significativamente, y al contrario de la norma que acabamos de mencionar, el Gobierno no ha procedido a sustituir la frase por una formal dispensa de que el tema conste en el orden del día.

Una primera forma de entender la expresión parte de sus acepciones estrictamente procesales. Así, cuando se afirma, minoritariamente, que la ley presupone que la acción ha sido ya entablada (GARRIGUES/URÍA, *Comentario*, II, p. 179). Naturalmente, este será el caso habitual en la práctica. En su tratamiento procesal, ha de tenerse presente lo dispuesto en el artículo 19 de la Ley de Enjuiciamiento Civil, que permite renunciar o transigir (junto con otros actos de disposición del objeto del juicio), siempre que no lo prohíba la ley o establezca limitaciones por razones de interés general o en beneficio de tercero, entre las que cabe incardinar la necesaria aprobación por la Junta.

No existe, sin embargo, dificultad alguna para incluir en los amplios términos de la ley tanto la renuncia como la transacción extrajudiciales (entre otros, SUÁREZ-LLANOS, «Responsabilidad», pp. 958 y ss.; POLO SÁNCHEZ, *Los administradores y el consejo*, pp. 331 y ss.; SÁNCHEZ CALERO, *Administradores*, p. 293-294; DÍAZ ECHEGARAY, *La responsabilidad civil*, p. 428; CALBACHO LOSADA, *El ejercicio*, p. 202; MARTÍNEZ MACHUCA, «La oposición al acuerdo», pp. 1178 y ss.). Al contrario, parece evidente que la finalidad protectora de los minoritarios quedaría en entredicho si se permitiera, en ausencia de acuerdo de la Junta general, tanto la renuncia como la transacción extrajudicial con los administradores; o que a tal acuerdo no pudiera oponerse eficazmente la minoría señalada en la ley.

En relación con el acuerdo mayoritario para la renuncia o transacción anteriores al inicio del juicio, son varias las cuestiones que cabe suscitar. Es claro, sin embargo, que el régimen sobre la renuncia al ejercicio de la acción prevista en el artículo 238 no aborda la del margen dejado a la disposición de las partes en materia de inexigibilidad de la responsabilidad contractual (v. gr. mediante cláusula estatutaria), sino la posibilidad de disponer del derecho que corresponde a la sociedad frente a los concretos administradores que aquella estima responsables. La principal discusión se refiere a la posibilidad de que los acuerdos que consideramos puedan tener lugar en el seno de la misma Junta que decide el ejercicio. No puede extrañar que la posibilidad de celebrar, casi simultáneamente, ambos acuerdos, haya suscitado recelos entre los intérpretes de la ley, no sólo (lógicamente) entre quienes entendieron que la renuncia sólo podía ser procesal (GARRIGUES/URÍA, *Comentario*, II, p. 179), sino también entre quienes consideraron incluida en este régimen jurídico también a la transacción extraprocesal (DE LA CÁMARA, «La administración», p. 143).

Con todo, los argumentos favorables a la adopción en la misma Junta general cuentan con apoyos en el mismo texto positivo, al margen de que aquí –como en otros aspectos de los que se comentan–, fuera deseable una regulación más minuciosa. Por una parte, la referencia legal a la posibilidad de que se adopte el acuerdo «en cualquier momento», además de reforzar la validez de la renuncia o transacción extrajudiciales, parece militar a favor de la solución positiva (aunque no resulte definitivo en este sentido). Por otra, la ley equipara la transacción con el acuerdo positivo para la destitución automática de los administradores. Quienes son contrarios a la adopción de ambos acuerdos en la misma Junta se ven obligados a suponer que la destitución es un efecto «natural» del acuerdo que decide sobre el ejercicio, que puede ser obviado si la Junta permite positivamente la permanencia en el cargo, con lo que la decisión de transigir supondría una nueva causa de cese automático (GARRIGUES/URÍA, *Comentario*, p. 176; cfr. POLO SÁNCHEZ, *Los administradores y el consejo*, pp. 334-335, con ulteriores referencias, posición variada en «Nuevas consideraciones sobre la transacción», pp. 1434 y ss.). En realidad, no se comprende bien por qué si la voluntad mayoritaria es la de que el administrador continúe en el cargo (a pesar de lo establecido en este precepto, decisión que, aun sorprendente, ha de entenderse válida –en contra POLO SÁNCHEZ, «Nuevas consideraciones sobre la transacción», p. 1435–), el llegar a un acuerdo posterior de transacción comporta una circunstancia nueva que lleve, a provocar la destitución que no fue deseada en el primer acuerdo, ya que tanto en un caso como en otro la mayoría considera responsable al administrador. Si se transige, el acuerdo supone la finalización del litigio, lo que podría cimentar más razonablemente el mantenimiento de la confianza necesaria para toda relación orgánica. Por lo demás, una vez destituido un administrador no es posible que vuelva a ocupar el cargo si no es con cumplimiento de alguno de los procedimientos de designación que la ley prevé, por lo que la transacción decidida en Junta posterior a la que acuerda el ejercicio de la acción no puede tener efecto alguno sobre los administradores que ya fueron cesados.

Menos forzado que lo anterior, y desde luego más respetuoso con el tenor literal de la ley es considerar lícita la adopción de ambos acuerdos en la misma Junta. En tal caso sí resulta razonable aclarar que la inmediata transacción comporta, salvo disposición contraria de la mayoría, la destitución en el cargo, precisamente porque, al igual que si se acuerda solamente el ejercicio de la acción, ha de presumirse que aquella particular confianza ha decaído. Como se ha puesto recientemente de relieve por alguno de los autores que, en una primera interpretación se habían manifestado en contra (POLO SÁNCHEZ, «Nuevas consideraciones sobre la transacción», p. 1426), es posible que, solicitada la convocatoria de la Junta general por la minoría, los propios administradores integren el orden del día (facultad que siempre retienen, como órgano convocante, cfr. JUSTE, *Derechos de minoría*, p. 223), proponiendo a los accionistas la aprobación de una transacción. Comoquiera que consta en el orden del día el acuerdo (requisito que, tanto en este caso como en la renuncia, ha de considerarse insoslayable, de acuerdo CALBACHO LOSADA, *El ejercicio*, p. 205; POLO SÁNCHEZ, «Nuevas consideraciones», p. 1422, con exhaustivas referencias a las posiciones doctrinales), la minoría está en condiciones de acudir para presentar su oposición, y enervar así la iniciativa de los administradores tendente a mitigar los efectos patrimoniales de su responsabilidad social. Aunque resulte improbable en la práctica, pensamos lícita la inclusión, por iniciativa de los administradores, tanto de la cuestión de la responsabilidad como la de la transacción en el orden del día (CALBACHO LOSADA, *El ejercicio de las acciones*, pp. 202 y ss., en contra, POLO SÁNCHEZ, «Nuevas consideraciones sobre la transacción», pp. 1424 y ss.), puesto que la posible controversia entre los socios y los administradores, objeto de la transacción, se puede entender nacida desde que la mayoría acuerda haber lugar para el ejercicio de la acción.

Respecto de la renuncia, en cambio, no aparece en la ley el dato positivo de la equiparación del efecto de destitución automática, y se incrementan ciertamente las dudas sobre la viabilidad de dos acuerdos que, *prima facie*, se presentan como contrarios entre sí (ver la opinión de POLO SÁNCHEZ, «Nuevas consideraciones sobre la transacción», p. 1416, con otras referencias, quien no estima posible la renuncia en la misma Junta que decide el acuerdo, aunque sí la transacción, sobre la base positiva del tenor del actual artículo 238.4, conforme al cual la aprobación de las cuentas anuales no supone renuncia a la acción *acordada o ejercitada*). Es en este supuesto, en fin, donde se podría poner en duda la eficacia del voto contrario de la minoría, que diera lugar bien a la legitimación activa para el ejercicio subsidiario, bien a la obligación de la sociedad de iniciar el pleito.

La tesis de la compatibilidad ha de partir (como en el caso de la transacción), de una cuidadosa distinción acerca de la voluntad mayoritaria en cada uno de los acuerdos, en la línea que defendió SUÁREZ-LLANOS bajo la vigencia de la Ley de Sociedades Anónimas de 1951, y que puede ser mantenida con el texto actual (cfr. «Responsabilidad», pp. 955 y ss., que parece continuar, exclusivamente para la renuncia, RUBIO, *Curso*, p. 261; con posterioridad, CALBACHO LOSADA, *El ejercicio*, pp. 202 y ss. POLO SÁNCHEZ, *Los administradores y el consejo*, p. 336 y «Nuevas consideraciones», p. 1416; MARTÍNEZ MACHUCA, «Oposición», p. 1183). Así, puede ocurrir que la mayoría entienda que no existen elementos generadores de responsabilidad, de donde surgirá un acuerdo contrario a su ejercicio. En ese caso, se abrirá la posibilidad de ejercicio subsidiario por la minoría, pero no podrá interpretase que la Junta ha llevado a cabo una renuncia; por tanto, una eventual oposición de los accionistas minoritarios no produce ningún efecto sobre la eficacia del acuerdo. Distinto es el supuesto en que la mayoría de los socios constata la existencia de una actuación generadora de responsabilidad (lo que RUBIO, *loc. cit.*, denominara «acuerdo de haber lugar a responsabilidad», distinto del de «renuncia»). Esta constatación, generalmente, estará implícita en la decisión de entablar la acción, aunque siempre se podrá aislar, en ella, la voluntad que manifiesta la presencia de supuestos de responsabilidad, que es ajena o previa al ámbito del artículo 238 de la Ley de Sociedades de Capital, y se inscribe en el del artículo 236. Una vez apreciado este extremo, la Junta podrá acordar, según el artículo 238, ya renunciar al ejercicio de la acción, ya transigir con los administradores de modo que estos reintegren el patrimonio social dañado por su actividad, o, finalmente, acordar el ejercicio de la acción social de responsabilidad. Todo ello sin perjuicio de que las dos primeras decisiones (renuncia y transacción) puedan tener lugar con posterioridad a este último acuerdo (será, de hecho, el supuesto habitual), e incluso una vez entablada judicialmente la acción.

El razonamiento anteriormente resumido permite superar alguna de las dificultades planteadas por la norma, pero puede suscitar otras, a la hora de determinar en qué supuestos la minoría debe oponerse al acuerdo –por entrañar una renuncia– o cuándo se encuentra ante un acuerdo que constata la no existencia de responsabilidad con lo que el ejercicio de la acción por la minoría queda abierto. Así, si bien es cierto que siempre se podrá aislar, dentro del acuerdo que decide entablar la acción (art. 238.1), la previa constatación de la presencia de hechos generadores de responsabilidad, no resultará tan sencilla la misma operación cuando la acción no se entabla. En este último supuesto puede ocurrir, o bien que la Junta no encuentre motivos para exigir responsabilidad, o bien que aun encontrándolos, decida no ejercer la acción; y dependiendo de la existencia o no de la previa constatación, la minoría deberá oponerse al acuerdo para forzar el ejercicio por parte de los órganos sociales o ejercer posteriormente la acción de responsabilidad.

Por tal motivo, resulta de extraordinaria importancia que la Junta se pronuncie de modo expreso sobre la existencia de un derecho al resarcimiento, sobre el que después quepa renunciar. Si el acuerdo adoptado no expresa con suficiente claridad este extremo, habrá de concluirse que nos encontramos ante un acuerdo negativo, sin que sea exigible a los socios de minoría que se opongan activamente (recordemos que la legitimación subsidiaria ha de reconocerse también a los ausentes a la reunión) para no ver cerrado el camino hacia la exigencia de responsabilidad. Este es el supuesto tradicionalmente concebido como de descargo bajo la Ley de 1951 («reconocimiento negativo de deuda», en palabras de GIRÓN, *Derecho de sociedades anónimas*, p. 381).

El anterior régimen jurídico debe completarse, para salir al paso de gran parte de las dificultades enunciadas, con la consideración de la necesaria constancia en el orden del día, sea de la renuncia, sea de la transacción a la acción de responsabilidad. La dispensa expresa del artículo 238.1 ha de interpretarse restrictivamente, referida únicamente –por las razones que se han comentado con anterioridad– al acuerdo (positivo o negativo) sobre la constancia de hechos generadores de responsabilidad y el consiguiente ejercicio de la acción por la mayoría (en contra, para la transacción, SUÁREZ-LLANOS, «Responsabilidad», p. 962, basándose en la equiparación que el propio legislador realiza entre ejercicio positivo y transacción; para ambos supuestos, VICENT CHULIÁ, *Compendio*, p. 657; en el sentido del texto, cfr. CALBACHO, «El ejercicio», pp. 198 y ss.). Esta lectura de la norma puede encontrar alguna dificultad, no sólo por la proximidad del acuerdo sobre el que se concede la dispensa, sino también por la utilización de la frase «en cualquier momento», que es idéntica a la que podía verse en el artículo 131 de la Ley de Sociedades Anónimas sobre revocación de los administradores, y que había dado lugar a una interpretación mayoritaria (confirmada expresamente en la LSRL, primero, y de forma definitiva, como hemos señalado ya, en la LSC, después), favorable a entender que la revocación o cese puede producirse aunque no conste en el orden del día.

Sin embargo, no era la literalidad del inciso el único argumento para interpretar que existe dispensa en el caso de la revocación de los administradores. La razón –similar a la que el legislador ha acogido expresamente en el artículo 238.1 de la Ley de Sociedades de Capital, procedente del 124.1 de la Ley de Sociedades Anónimas– estriba en la evidente falta de incentivos con que cuentan los administradores para someter a la voluntad de la mayoría de los accionistas su propio cese. Si este acuerdo requiriera la previa inclusión en el orden del día, se incrementaría la dificultad para llevar a la práctica la voluntad mayoritaria de poner fin a la relación con los titulares del órgano. En cambio, si se entendieran válidas la renuncia y la transacción acordadas al margen de las formalidades previstas en el artículo 174 de la Ley de Sociedades de Capital (por supuesto, fuera del caso de Junta universal), el resultado podría ser exactamente el contrario al que justifica la dispensa en los casos anteriormente mencionados (cfr. POLO

SÁNCHEZ, «Nuevas consideraciones sobre la transacción», p. 1422). Los administradores podrían preparar «por sorpresa», aprovechando una mayoría circunstancialmente favorable y la ausencia de una minoría idónea para el veto, un acuerdo en este sentido, que tendría efectos preclusivos sobre el ejercicio de la acción social de responsabilidad. Este sería el supuesto de más grave daño al interés social, si se da como válida –en los términos matizados que hemos señalado con anterioridad– la adopción en la misma Junta del acuerdo de ejercer la acción y el de renunciar. Adicionalmente, hay que considerar que la facultad de veto forma parte del haz de derechos y poderes correspondientes a la posición de socio, que se vería fácilmente conculcado por la interpretación que se combate. En consecuencia, un acuerdo de renuncia o transacción no reflejado en el orden del día son nulos por contrariedad al artículo 174 y concordantes de la Ley de Sociedades de Capital. A estos efectos, resulta irrelevante si realmente hubo o no oposición al acuerdo por parte de la minoría, pues la sociedad quedará obligada a continuar con el ejercicio o entablar la acción, merced a la invalidez de la renuncia o transacción intentadas.

A través de un claro pronunciamiento a favor de la constancia en el orden del día, indirectamente, se convierte en improbable que la misma mayoría que decide haber lugar para el ejercicio pueda, al mismo tiempo, renunciar a la acción o transigir sobre ella. Teóricamente, sería posible que, antes de la decisión de entablar acción alguna, la convocatoria anunciara la propuesta de acuerdo sobre la renuncia o la transacción. Con ello, los administradores estarían anunciando una maniobra defensiva frente a la hipótesis de que se planteara el ejercicio de la acción, que daría –es el aspecto que aquí interesa subrayar– oportunidad a los minoritarios de ejercer el veto tras el acuerdo positivo. Fuera de esta improbable hipótesis, y en la práctica, el sometimiento a deliberación de la renuncia o transacción deberá realizarse con posterioridad a la Junta, siempre que el acuerdo de ejercer la acción hubiera sido adoptado sin previa constancia en el orden del día. Más precisamente, la renuncia o transacción pueden adoptarse en la misma Junta que decide sobre la responsabilidad, por lo que el examen de esta ordinariamente constará también en el orden del día.

c) La renuncia a la acción ya ejercitada judicialmente plantea todavía otra cuestión. Ha de advertirse que el uso, por parte del legislador de sociedades capitalistas, del concepto de «renuncia a la acción», antecede a la posterior regulación procesal de esa figura, actualmente prevista junto con el desistimiento en el artículo 20 de la Ley de Enjuiciamiento Civil, por lo que puede dudarse sobre si la necesidad de acuerdo y la facultad de oposición se imponen también en el caso de mero desistimiento de la sociedad.

En el régimen jurídico vigente, se confirma la distinción doctrinal entre los efectos de aquella y de éste. Mientras que la renuncia a la acción o al derecho dan lugar a una sentencia absolutoria del demandado, el desistimiento provoca el dictado de un auto de sobreseimiento, que consiente al actor promover un nuevo juicio sobre el mismo objeto (cfr. DE LA OLIVA/DÍEZ PICAZO, *Derecho procesal civil*, pp. 422 y ss.).

La competencia para desistir del proceso ha de considerarse atribuida, en principio, a la Junta general, puesto que la sola decisión del órgano administrativo contradice la voluntad de los socios anteriormente manifestada a favor de la exigencia judicial de responsabilidad, aunque las consecuencias del desistimiento no sean definitivas para el resultado del pleito. En el caso de que los administradores sometan la decisión de desistir a la Junta (como parece exigible), no es claro si la minoría puede vetar el acuerdo de desistir en lo mismos términos que si de una renuncia se tratara (en este sentido, HUERTA VIESCAS, «Acción social», pp. 299-300, para quien el legislador mercantil ha utilizado el término «renuncia» en un sentido amplio), o si la decisión mayoritaria favorable al desistimiento permite el ejercicio por parte de la minoría (ARROYO MARTÍNEZ/BOET SERRa, *Comentarios*, p. 1426). A nuestro juicio, siempre que el acuerdo de la Junta se refiera claramente al desistimiento, la oposición de los accionistas de minoría no impide su válida formación. La principal razón para esta toma de postura ha de buscarse en la finalidad del veto de los accionistas, que consiste en evitar que la mayoría pueda abdicar definitivamente del derecho a la reintegración del patrimonio social, efecto éste que no se produce si de un mero desistimiento se trata. Aunque la cuestión pueda ser discutible, parece más razonable equiparar este acuerdo con el contrario al ejercicio de la acción o, si se prefiere, con la inactividad societaria que puede seguir a un acuerdo favorable (caso con el que el contemplado guarda mayor proximidad) y que también legitima a los socios para el ejercicio subsidiario. Desde otro punto de vista, puede también entenderse que estos últimos se encontrarán en mejores condiciones para dirigir la demanda, si consta la voluntad mayoritaria de no seguir adelante con el pleito entablado. Finalmente, el mismo artículo de la ley procesal ordena al juez ordenar la continuación del pleito si la renuncia es legalmente inadmisible, reserva ésta que, dada la posibilidad de volver a litigar sobre el mismo objeto, no aparece en la regulación del desistimiento. En consecuencia, la voluntad de desistir deja abierta la puerta para un nuevo planteamiento judicial de la cuestión, sea por la mayoría (caso improbable en el corto plazo), sea por la minoría, a quien ya consta la decisión societaria de no entablar la acción.

Al tema se ha referido la ya citada Sentencia del Tribunal Supremo de 30 de noviembre de 2000, dictada con arreglo al régimen anterior a la de la Ley de Enjuiciamiento Civil, y que examina el peculiar supuesto de hecho que hemos relatado con anterioridad: habiendo actuado como codemandantes tanto la sociedad (por acuerdo de la Junta), como los accionistas «de mayoría», se discutía si el desistimiento de la primera podía autorizar la continuación del pleito por los segundos, cuestión que es resuelta positivamente. Para el Tribunal Supremo, el desistimiento no está incluido en el concepto de renuncia, y debe ser equiparado con el acuerdo negativo sobre el ejercicio de la acción, que legitima a los accionistas para entablarla (en el singular caso debatido, para continuarla en solitario).

d) Finalmente, no es claro si el anterior régimen jurídico resulta también aplicable cuando la acción haya sido entablada por los accionistas de minoría, en la línea que fue seguida por el legislador italiano tras la tardía regulación de la legitimación minoritaria. La ubicación sistemática del apartado dedicado a la renuncia o transacción (tras la regulación de la legitimación de la mayoría en Junta y antes de la facultad de las minorías), permite entender que la intención del legislador es atribuir la competencia para la decisión a la Junta, por un lado, y, por otro, proteger a la minoría con la facultad de veto, si la iniciativa para el ejercicio de la acción ha correspondido a la mayoría. De esta manera, la renuncia o transacción decidida por la minoría no impediría, siempre que el daño subsistiera, el ejercicio de la acción derivada del mismo comportamiento por parte de la mayoría, otra minoría o los acreedores sociales (RODRÍGUEZ ARTIGAS/ MARÍN DE LA BÁRCENA, "La acción social...", p. 177).

Ahora bien, puesto que la titularidad última de la acción corresponde a la sociedad y el resultado del pleito beneficiará, en su caso, al patrimonio social, es también razonable entender que a la minoría sólo le corresponde, por sustitución, la legitimación subsidiaria, pero no el poder de disposición sobre el proceso como si actuara exclusivamente en nombre e interés propio, de forma que la renuncia o transacción, también en este caso, sólo puedan ser válidas si son aprobadas por la mayoría, sin la oposición de (otra) minoría (cfr., BONELLI, «L'art. 129», pp. 173-174, con el apoyo literal de la norma italiana, inexistente en nuestro país).

La cuestión puede alcanzar el máximo interés, no tanto en relación con el poder de renunciar (puesto que es presupuesto de la acción minoritaria la inactividad o pasividad de la mayoría, a la que acaso no es preciso consultar de nuevo), sino con el de transigir. Es claro que los accionistas demandantes pueden encontrar incentivos para pactar una satisfacción extrajudicial en su exclusivo interés. Ahora bien como la acción ha de ejercitarse «en defensa del interés social», los beneficios de una transacción habrán de dirigirse exclusivamente al patrimonio de la sociedad (LLEBOT, «Sistema de responsabilidad», p. 56). Puesto que el interés social es el perseguido con independencia del concreto sujeto legitimado que ejercite la acción, puede defenderse que, dada su finalidad en el régimen jurídico de la responsabilidad social de los administradores, la norma sobre oposición ha de aplicarse en todos los casos de intento de transacción, haya actuado la Junta o la minoría. No obstante, como también se ha puesto de relieve críticamente en Italia (BONELLI, *loc. cit.*, con referencias a la práctica estadounidense), el sistema legal no garantiza que no existan pagos extrajudiciales a todos aquellos accionistas que propongan la transacción o puedan oponerse posteriormente a ella. El control judicial sobre la transparencia de la transacción y la audiencia a todos los interesados, según la misma práctica americana, puede conseguir el mismo resultado, y acaso incentivar el control (aun con riesgo de abusos) por parte de los accionistas de minoría (sugiere en nuestro país la adopción de la regla de necesaria aprobación judicial PAZ-ARES, «La responsabilidad de los administradores», p. 82).

3. *Efectos*

Ejercitada la facultad de oposición, el acuerdo de renuncia o transacción no llega a nacer válidamente, y la sociedad resta obligada a continuar con el ejercicio de la acción o, en el caso de que no sean renuncias o transacciones judiciales, a emprenderla. Si la oposición no se produce, en cambio, ni la sociedad ni la minoría podrán entablar la acción sobre la base de los mismos hechos (en contra, MARTÍNEZ MACHUCA, «Oposición», pp. 1165-1167, a quien sigue HUERTA VIESCA, «Acción social», p. 299, para quien esta interpretación contraría los intereses minoritarios y supone la pérdida de un derecho que debe constar claramente en la ley; a nuestro juicio, es precisamente esa pérdida la que se puede evitar a través, exclusivamente, del extraordinario expediente de la oposición eficaz en el seno de la Junta). En el caso de renuncia judicial, no se debe olvidar que da lugar a una sentencia en la que se absuelve al demandado; de forma similar, a la transacción homologada por el juez o tribunal le concede el artículo 1813 del Código Civil la fuerza de cosa juzgada (aunque literalmente se refiere tal precepto a todas las transacciones). Ello dificulta, al menos en estos últimos casos, el carácter inoponible de la renuncia o transacción (fraudulenta) a los acreedores si concurre el presupuesto de ejercicio correspondiente que puede defenderse con carácter general (cfr. *infra*).

Es común entender, según se ha indicado ya, que la no oposición funciona como condición de validez del acuerdo de la Junta (a su vez, único órgano legitimado para tomar ambas decisiones) que, en rigor, no llega a nacer en tanto conste la voluntad contraria de los socios que representen el cinco por ciento del capital social. En consecuencia, se ha afirmado que la renuncia o transacción apoyada, en estas circunstancias, por la mayoría, son nulas (SUÁREZ-LLANOS, «Responsabilidad», p. 961). Esta nulidad tiene hoy un reflejo procesal en el citado artículo 20 de la Ley de Enjuiciamiento Civil, conforme al cual el juez no dictará sentencia absolutoria si la renuncia es legalmente inadmisible, sino que ordenará la continuación del pleito, y en el artículo 19 de la Ley de Enjuiciamiento Civil para la transacción, al imponer como presupuesto de la homologación judicial el que cumpla las limitaciones establecidas en las leyes.

Es esta una situación en la que vuelve a sentirse la conveniencia de dotar a la minoría de medios adicionales para conseguir la reparación de los administradores (presencia de representantes especiales en el pleito, más arriba mencionada), en la medida en que queda constancia que los órganos sociales están actuando contra su real voluntad (dirigida inicialmente a la transacción o renuncia).

Cuando la sociedad aún no ha interpuesto su demanda, el ejercicio del derecho minoritario deja de tener sólo efectos meramente negativos, para convertirse en punto de partida de una obligación de la sociedad.

Así, en el supuesto de que la sociedad decidiera entablar la acción, pero esta no se hubiera sustanciado en una petición ante el juez competente, el derecho de minoría, ejercitado en una Junta posterior, confirmaría la obligación de la sociedad para entablarla, que ya habría nacido tras el acuerdo precedente.

Sin embargo, cuando la renuncia o transacción se plantean en la misma Junta que reconoce en el proceder de los administradores una conducta generadora de responsabilidad, la oposición excluye cualquier otra decisión distinta del acuerdo positivo sobre el ejercicio de la acción. Propiamente, aquí el derecho no funciona únicamente como oposición, sino como un poder de decisión positiva que el legislador legitima por encima del concedido a la mayoría (en otro sentido, CALBACHO LOSADA, «El ejercicio», p. 210). Con todo, el derecho no habilita a los socios para entablar directamente la acción, sino que se obliga a la sociedad para hacerlo. Dada la equivalencia de la oposición con el acuerdo positivo, una vez transcurrido un mes desde su adopción, la minoría que se opuso podrá ejercer la acción de responsabilidad en vía subsidiaria. En el caso de que la acción se haya planteado por violación del deber de lealtad, no será necesario siquiera cumplir con el requisito de la espera.

VI. EJERCICIO DE LA ACCIÓN SOCIAL POR LOS ACREEDORES. REFERENCIA A LA LEGITIMACIÓN DE LA ADMINISTRACIÓN CONCURSAL

La ley otorga la legitimación subsidiaria para el ejercicio de la acción social a los acreedores de la sociedad en el artículo 240. Los presupuestos para el nacimiento de esa legitimación son dos: por una parte, que la acción no haya sido ejercitada por la sociedad o por los accionistas; por otra, que patrimonio social resulte insuficiente para la satisfacción de sus créditos. Esta última circunstancia aproxima notablemente el supuesto al requerido para la apertura del concurso según la renovada legislación (cfr. art. 2 LC), por lo que tanto el ejercicio de las acciones de responsabilidad que pudieran corresponder frente a los administradores de la sociedad concursada (cfr. art. 48 LC) como las consecuencias patrimoniales que pudieran producirse por la calificación del concurso como culpable (cfr. art. 172 LC) habrán de examinarse, en la mayor parte de los casos, a la luz de este sector del ordenamiento (el segundo aspecto es analizado en otro lugar de la presente obra, al que cabe remitirse aquí). No obstante, al no haberse producido reforma alguna del actual artículo 240 de la Ley de Sociedades de Capital con ocasión de la aprobación y reforma de la Ley Concursal, es posible teóricamente que los acreedores sociales demanden, en beneficio de la sociedad, a los administradores, para que reparen el daño causado por su conducta negligente al patrimonio social, sin necesidad de abrir aquel procedimiento. El carácter indirecto (y «débil» como subraya ESTEBAN, «La acción social», p. 76, por contraposición a la tutela «directa y fuerte» propia de la acción individual, sin perder de vista la beligerancia, en gran parte de los supuestos, de la responsabilidad por deudas del art. 367 LSC) de la protección de los acreedores a través de esta acción la ha convertido en un expediente escasamente utilizado. La modernización del procedimiento concursal permite aventurar, por otro lado, que el mecanismo de exigencia de responsabilidad a los administradores sea puesto en práctica por la administración concursal, y que la insuficiencia de bienes en el patrimonio social dé lugar a la apertura del procedimiento en el que las cuestiones de responsabilidad sean ventiladas (téngase en cuenta, además, que si existen indicios sobre la posible calificación del concurso como culpable, puede procederse al embargo conforme a lo dispuesto en el art. 48.ter LC). Desde otro punto de vista, debe tenerse presente que una acreditación suficiente del presupuesto objetivo por parte de los acreedores a efectos del ejercicio de esta acción podría confirmar la obligación de los administradores de solicitar el concurso, habida cuenta de que uno de las presunciones de dolo o culpa grave a efectos de la responsabilidad «concursal» es precisamente la de no haber cumplido con el deber de solicitarlo (cfr. art. 165 LC en relación con el art. 5).

En definitiva, como el patrimonio beneficiario de la indemnización será, exclusivamente, el social, no se aprecian –al menos claramente y con carácter general– las ventajas de iniciar, con los presupuestos legales mencionados, un procedimiento al margen de la apertura del concurso. Cuestión distinta es la de que, dejando de lado la mayor o menor fortuna en la definición de los presupuestos, la legitimación de los acreedores sólo cobre sentido en el de insuficiencia o amenaza de insuficiencia del patrimonio social, pues de otro modo ha de bastar con éste para ver satisfechos sus créditos (cfr. POLO, *Los administradores y el consejo,* p. 365, ESTEBAN, «La acción social», p. 76), y siempre al margen del «daño directo» del que se ocupa la acción individual extracontractual. Hasta la reforma de la Ley Concursal en 2011, resultaba, a juicio de algunos autores, sorprendente, a la vista de aquel presupuesto, que el legislador concursal no hubiera intentado mayor coordinación que la resultante de la norma contenida en el artículo 48.2 de la Ley Concursal, que atribuía a la administración concursal (aunque no mencionara su competencia exclusiva, a diferencia de la Propuesta de 1995, cfr. ALONSO UREBA, «La responsabilidad de los administradores de una sociedad de capital en una situación concursal», pp. 505 y ss.), la legitimación para entablar las acciones que correspondieran a la persona jurídica contra sus administradores, liquidadores y auditores, en virtud de otras leyes, sin necesidad de pronunciamiento por parte de la Junta general. Entre estas ha de inscribirse, si de una sociedad de capitales se trata, la acción social de responsabilidad que nos ocupa en este trabajo. En realidad, puesto que los administradores concursales pueden incluso asumir (con los matices que no es preciso detallar aquí) la representación en juicio de la sociedad concursada y dirigen los intereses de los acreedores frente a ella, se comprende que ostenten esa legitimación sin necesidad de pronunciamiento de la Junta general. La subsidiariedad pierde su razón de ser en el supuesto de concurso, en el que los intereses de los acreedores sobre el patrimonio social anteceden, por obvias razones, al de los accionistas frente al patrimonio social, especialmente cuando se trata de graduar la precedencia de la actuación de unos y otros con el fin de incrementar la masa activa. Excluido el conflicto mayoría-minoría, ha de entenderse que la renuncia o transacción decidida o acordada por la administración concursal no requiere tampoco acuerdo de la junta, o falta de oposición por los minoritarios. Juez competente lo será el del concurso, según indica el mismo precepto.

Con la reforma de la Ley Concursal en 2011, el nuevo artículo 48 quáter ha dado un paso más, en el sentido demandado por alguno de los autores citados (ver, por último, QUIJANO, "La responsabilidad societaria", p. 436), al disponer:

"Declarado el concurso, corresponderá exclusivamente a la administración concursal el ejercicio de las acciones de responsabilidad de la persona jurídica concursada contra sus administradores, auditores o liquidadores."

De esta manera, se cierra ahora la posibilidad de que, la sociedad concursada entable la acción, sea a través del acuerdo mayoritario, sea en virtud de la legitimación indirecta, subsidiaria o no, de la que aquí nos ocupamos. El adverbio "exclusivamente" impide mantener cualquier discusión sobre esta particular, e impide a los socios ejercer la acción, en interés de la sociedad en la que participan, y que ha quedado sometida al proceso concursal.

Literalmente, los términos tajantes con que se ha pronunciado el legislador parecen evitar también que los acreedores, una vez concursada la sociedad, puedan demandar a los administradores en ejercicio de una acción social.

Pero, a nuestro juicio, es posible albergar la duda derivada, precisamente, de la subsistencia del artículo 240 de la Ley de Sociedades de Capital en sus términos literales, que presuponen precisamente la insuficiencia del patrimonio para ejercer la acción, respecto de los acreedores sociales. Según el régimen general de la Ley Concursal, además, los acreedores, podrían también iniciar la acción una vez abierto el concurso, conforme al régimen del artículo. 54.4 de la Ley Concursal, sobre ejercicio de acciones del concursado (Cfr. BELTRÁN, Comentario, pp. 973 ss.), que en realidad convierte al artículo 240 de la Ley de Sociedades de Capital en una norma innecesaria cuando se ha declarado el concurso del deudor societario, pero que, en cierta manera, confirma la vigencia de su contenido.

Según este precepto:

4. Los acreedores que hayan instado por escrito a la administración concursal el ejercicio de una acción del concursado de carácter patrimonial, señalando las pretensiones concretas en que consista y su fundamentación jurídica, estarán legitimados para ejercitarla si ni el concursado, en su caso, ni la administración concursal lo hiciesen dentro de los dos meses siguientes al requerimiento.

En ejercicio de esta acción subsidiaria, los acreedores litigarán a su costa en interés de la masa. En caso de que la demanda fuese total o parcialmente estimada, tendrán derecho a reembolsarse con cargo a la masa activa de los gastos y costas en que hubieran incurrido, hasta el límite de lo obtenido como consecuencia de la sentencia, una vez que ésta sea firme.

Las acciones ejercitadas conforme al párrafo anterior se notificarán a la administración concursal.”

Con esta interpretación, el ejercicio de la acción por los acreedores es subsidiario respecto de la iniciativa de los administradores concursales, que sólo excluye definitivamente la correspondiente a la sociedad, o a sus socios. Aunque el tema puede discutirse, es posible defender que el término “exclusivamente”, interpretado hasta el extremo de impedir esta legitimación subsidiaria, en este caso, de la propia de la Administración concursal, privaría injustificadamente a los acreedores de un instrumento de tutela, que el ordenamiento reconoce con carácter general respecto de otras acciones patrimoniales del concursado, que en principio corresponden también a la administración concursal. Además, el riesgo de costas y gastos sería asumido por los acreedores, y no por el concursado, que solo se verían resarcidos, con cargo a la masa, y hasta el límite de lo obtenido, en el caso de estimación total o parcial de la demanda. Si la administración concursal hubiera llegado a algún tipo de transacción con los administradores, ésta será oponible a los acreedores.

En el muy improbable caso de que la acción no tenga lugar en el marco de un procedimiento concursal, cualquier acreedor se encuentra legitimado, siempre que acredite la situación de insuficiencia patrimonial. Para un sector de la doctrina, sólo lo estarán aquellos acreedores que no vean satisfecho su crédito, de forma que únicamente los titulares de un crédito vencido y exigible se encontrarían en condiciones de demandar a los administradores (cfr. POLO SÁNCHEZ, *Los administradores y el consejo*, p. 365, con ulteriores referencias, ARROYO/BOET, *Comentario*, p. 1433). Esta idea se conecta con el nacimiento del interés de los acreedores, que sólo se produce cuando la insuficiencia afecta realmente al interés del concreto acreedor que pretende demandar. Otros autores (SUÁREZ-LLANOS, «La responsabilidad por deudas», p. 2499, ESTEBAN VELASCO, «La acción social», p. 78) entienden que debe desvincularse el presupuesto objetivo (insuficiencia patrimonial) del requisito de legitimación, al contrario de cuanto sucede con el régimen general del artículo 1111 del Código Civil (acción subrogatoria con la que, indudablemente, guarda estrecha relación la que aquí examinamos). Teniendo en cuenta que la ley no señala más presupuestos que el de la insuficiencia patrimonial, pensamos que, acreditada ésta, no es necesario que el acreedor espere a que se confirme esa situación en el momento del vencimiento y exigibilidad de su crédito. El posible éxito de la acción (que supone, no olvidemos, la constatación de un daño causado al patrimonio social como consecuencia de la actuación de los administradores, haya causado ésta la mencionada insuficiencia o no) dará lugar a la condena a indemnizar a la sociedad, con independencia de que la situación económica de ésta mejore con posterioridad o no.

En cuanto al presupuesto objetivo, antes de la reforma del Derecho concursal, era discutido el cauce a través del cual acreditar la situación de insuficiencia patrimonial, para algunos exclusivamente el previsto en el artículo 876.1 del Código de Comercio (cfr. POLO SÁNCHEZ, *Los administradores y el consejo*, p. 365), mientras que, para otros (SÁNCHEZ CALERO, *Administradores*, p. 317, SUÁREZ-LLANOS, «La responsabilidad por deudas», p. 2500, ESTEBAN VELASCO, «La acción social y la acción individual», p. 77) bastaba cualquier otro medio. El nuevo artículo 2.4 de la Ley Concursal, junto con la mención al título por el cual se haya despachado mandamiento de ejecución o apremio sin que del embargo resulten bienes libres bastantes para el pago, señala otros hechos que manifiestan el estado de insolvencia a efectos concursales, en términos lo suficientemente amplios como para que coincidan para sustentar el ejercicio de la acción social. En realidad, la proximidad del supuesto objetivo, puesto en relación con las consecuencias que se pueden derivar para los administradores en caso de no solicitar el concurso conforme a la nueva legislación, permite presumir que la consecuencia más probable de la manifestación de la insolvencia sea, precisamente y como se ha indicado ya, la apertura del concurso. En la Sentencia de la Audiencia Provincial de Navarra 15 de febrero de 1995, aunque se rechaza el ejercicio de la acción porque sólo constaba la existencia de embargos e hipotecas anotados en el Registro de la Propiedad (lo que se declara insuficiente a estos efectos), se da a entender que basta con un principio de prueba de la situación patrimonial, susceptible de ser aportado en varias maneras. «*En este sentido hay que destacar que no consta se haya intentado ejecutar la sentencia que el actor tiene a su favor, en la que se condenaba a la sociedad. Y además es especialmente significativo que no se haya propuesto la práctica de una prueba pericial contable, que acredite la insuficiencia patrimonial, dado que desconocemos los activos de la sociedad. Frente a este dato conocido, que debió aportar la parte actora o al menos intentar traer un principio de prueba, la entidad de las deudas reflejadas en el Registro de la Propiedad se relativizan, no bastando su mera constatación para afirmar que el patrimonio social es insuficiente».*

Junto con el presupuesto objetivo, es así mismo preciso que la acción social no haya sido ejercitada por acuerdo de la Junta o por iniciativa, cuando corresponda, de la minoría de accionistas. Esta subsidiariedad debe ser interpretada en un sentido parcialmente distinto al estudiado al analizar la legitimación de los socios, precisamente porque va acompañada de otra circunstancia fundamental en el régimen de esta acción, pero irrelevante en aquel caso: precisamente el hecho de que el patrimonio social no sea suficiente para la satisfacción de los créditos de los acreedores. Como se ha indicado (ESTEBAN, «La acción social y la acción individual», p. 79) el sentido de la norma se entiende mejor leída en positivo: si la sociedad o sus accionistas han ejercitado la acción, está vetado su ejercicio para los acreedores. Pero si, acreditado el presupuesto objetivo, aquellos no han actuado (sin necesidad de plazo de espera alguno en este caso, como defienden ARROYO/BOET, *Comentario*, p. 1434) puede entablarse la acción. Debe recordarse, en este sentido, que los acreedores no cuentan con un mecanismo análogo al atribuido a los socios por el artículo 168 Ley de Sociedades de Capital para forzar un acuerdo societario positivo o negativo, y que es el requisito de la insuficiencia patrimonial el que les otorga un interés legítimo para realizar, ellos mismos, la reclamación. Tan solo en aquellos casos en los que no exista pasividad por parte de los órganos sociales o los socios minoritarios deberán esperar los acreedores a la decisión de unos u otros. Así, la convocatoria de la Junta para tratar de la responsabilidad social de los administradores desembocará en un acuerdo positivo o negativo. En el primer caso, como sabemos, se concede legitimación a la minoría si transcurre un mes sin que la sociedad la entable, mientras que en el segundo ésta nace inmediatamente. En ambos supuestos, se ha defendido la aplicación analógica de aquel mismo plazo de espera a los acreedores, que aquí ostentan una legitimación subsidiaria de tercer grado (cfr. SUÁREZ-LLANOS, «Responsabilidad», p. 990; POLO SÁNCHEZ, *Los administradores y el consejo*, pp. 361 y ss.; SÁNCHEZ CALERO, Administradores, pp. 314 y ss.; ESTEBAN, «La acción social y la acción individual», p. 78).

La ley no otorga un medio de defensa específico a los acreedores para enervar la voluntad mayoritaria de renunciar a la acción o transigir sobre ella. En consecuencia, la decisión societaria de renuncia, no vetada por la minoría, abre las puertas para el ejercicio directo de la acción, al contrario de cuanto sucede con la legitimación de los socios, del mismo modo que la transacción fraudulenta (en este sentido, con ulteriores referencias, ESTEBAN «La acción social y la acción individual», pp. 78-79; en otro, RODRÍ-

GUEZ ARTIGAS/MARÍN DE LA BÁRCENA, "La acción social", pp. 177 y 186, con matices en el caso de que la renuncia se haya producido cuando la sociedad ya no está *in bonis*; si lo estuviera, la vía de ataque al acto sería el propio de las rescisorias ordinarias o concursales.). Ahora bien, si la renuncia judicial ha dado lugar a sentencia absolutoria, o la transacción es homologada por el juez, no será posible la ulterior discusión judicial por los mismos hechos.

Capítulo 5
LA ACCIÓN INDIVIDUAL
DE RESPONSABILIDAD

GAUDENCIO ESTEBAN VELASCO

Catedrático de Derecho mercantil
Universidad Complutense de Madrid

SUMARIO: I. Introducción. II. Ámbito de aplicación y justificación de la responsabilidad personal de los administradores frente a socios y terceros. III. Naturaleza de la responsabilidad por lesión directa de los intereses de socios y terceros. IV. Presupuestos de la responsabilidad frente a socios y terceros. 1. Comportamiento antijurídico de los administradores. 2. Daño y relación de causalidad (y la imputación objetiva). 3. La culpa. V. Grupos de casos reconducibles al ámbito de la acción individual. 1. Lesión de intereses de terceros que no están en previa relación jurídica con la sociedad («ilícitos de empresa»). 2. Lesión de intereses de socios por intromisión en las relaciones societarias del socio con la sociedad 3. Supuestos de intromisión lesiva en el proceso de formación de la voluntad del tercero-acreedor (o del socio). 3.1. Introducción. 3.2. Responsabilidad por informaciones falsas o incorrectas. 3.3. Contratación en situación de dificultades económicas (omisión de deberes disolutorios y nuevos acreedores). 3.4. Contratación con sociedad insolvente (omisión de deberes concursales y nuevos acreedores) 4. Supuestos de intromisión lesiva en la fase de ejecución de las relaciones existentes entre la sociedad y los terceros acreedores. 4.1. Introducción: daño derivado del incumplimiento del contrato y la responsabilidad de los administradores. 4.2. Incumplimiento de deberes disolutorios y acreedores anteriores. 4.3. Incumplimiento de deberes concursales y acreedores anteriores 5. Responsabilidad por el ejercicio de la dirección unitaria en los grupos de sociedades. VI. Otras cuestiones del régimen de la acción individual y problemas de coordinación con otras acciones de responsabilidad de los administradores. 1. Legitimación activa y pasiva. 2. Concurrencia de varios administradores en la producción del daño: solidaridad, delegación y exoneración. 3. Prescripción. 4. Acumulación de acciones: acción contra la sociedad y acción individual contra el administrador. 5. Responsabilidad social y responsabilidad directa. 6. Responsabilidad por deudas sociales y acción individual. 7. Acción individual y procedimiento concursal.

I. INTRODUCCIÓN

El sistema legal de responsabilidad por daño de los administradores de sociedades de capital parte, como es bien sabido, de un doble supuesto: responsabilidad por daños causados al patrimonio de la sociedad, exigible por la propia sociedad, previo acuerdo de la Junta general, pero también por otros legitimados a través de la *acción social de responsabilidad* y responsabilidad por daños causados directamente en el patrimonio de socios o terceros, exigible a través de la *acción individual de responsabilidad*. Del artículo 241 de la Ley de Sociedades de Capital (art. 135 LSA) emerge con claridad el criterio de distinción entre las dos categorías de acciones: el patrimonio sobre el que incide el daño causado por la conducta de los administradores. Si el patrimonio perjudicado es el social, se podrá poner en marcha como mecanismo de reintegración la llamada acción social, mientras que en el caso de que se «lesionen directamente los intereses de socios o terceros» entra en juego la llamada acción individual. En el plano de los intereses económicos en juego la distinción conlleva que en el caso de la acción social la indemnización se dirige a compensar el patrimonio de la sociedad, cualquiera que sea el legitimado actuante, mientras que en el caso de la acción individual la indemnización se destina a reintegrar el patrimonio del concreto socio o acreedor demandante. En la doctrina puede verse, entre otros autores, SÁNCHEZ CALERO, F., *Los administradores en las sociedades*, pp. 366 y ss. y 409 y ss. y, en síntesis, recientemente, RODRÍGUEZ ARTIGAS/MARÍN DE LA BARCENA, *La acción social de responsabilidad*, pp. 155 y ss.

Sobre el relieve de este elemento para la distinción entre la acción social de individual, sin perjuicio de lo que se diga más adelante al tratar de esta última, pueden verse, entre otras, Sentencias del Tribunal Supremo –mientras no se diga otra cosa todas las citadas en este trabajo son de la Sala Primera- de 21.5.1985; de 11.10.1991; de 4.2.1999; de 29.4.1999; de 21.9.1999; de 6.10.2000; de 29.12.2000; de 30.1.2001; de 19.4.2001; de 25.2.2002; de 20.11.2003; de 25.11.2003; de 17.12.2003; de 22.1.2004; de 22.3.2006; de 14.3.2007 y la de 27.11.2008, que reitera, como doctrina de la Sala, que "mientras el objeto de la acción social es reestablecer el patrimonio de la sociedad, mediante la acción individual se trata de reparar el perjuicio en el patrimonio de los socios o terceros» (Sentencia de 4 de noviembre de 1991, citada en la de 14 de marzo de 2007, entre muchas más), siendo así que la acción del 133.4 de la Ley de Sociedades Anónimas busca restablecer el patrimonio tras el daño «social», entendido como el sufrido por la propia sociedad titular de la acción –aunque afecte indirectamente a sus socios y acreedores, a quienes también se legitima para su ejercicio–, mientras que la acción individual es una acción personal, que se dirige a la reparación de los perjuicios causados, «directa e individualmente, a los intereses de los accionistas y de los terceros» (Sentencias de 12 julio 1984, 21 mayo 1985, 12 de abril de 1989, 4 de noviembre de 1991 y 14 de marzo de 2007), responsabilidad de naturaleza extracontractual que precisa para su estimación de la concurrencia de los siguientes requisitos...". Entre la jurisprudencia más reciente, con gran claridad y cita de otras sentencias relevantes, recoge los criterios de distinción entre la acción social y la acción individual, con correcta aplicación al caso en cuestión –acción por no reparto de beneficios-, la Sentencia del Tribunal Supremo de 20 de junio de 2013, que considera que "cuando la actuación ilícita del administrador social ha perjudicado directamente a la sociedad, produciendo un quebranto en su patrimonio social o incluso su desaparición de hecho, la acción que puede ejercitarse es la acción social del artículo 134 del Texto Refundido de la Ley de Sociedades Anónimas (art. 238 LSC), dirigida a la reconstitución del patrimonio social, en los términos previstos en tal precepto legal en cuanto a legitimación activa, esto es, legitimación directa de la sociedad y subsidiaria, cumpliéndose ciertos requisitos, de la minoría social o de los acreedores. Que de los daños producidos directamente a la sociedad se deriven, lógicamente, perjuicios indirectos para los socios, que ven frustradas sus expectativas legítimas a obtener una participación en los beneficios sociales, a obtener la cuota liquidativa que les correspondería en la liquidación social, y que pueden llegar a perder lo aportado como participación en el capital social, no otorga a tales socios legitimación para ejercitar la acción individual del artículo 135 del Texto Refundido de la Ley de Sociedades Anónimas (art. 241 LSC) y lograr de este modo una indemnización directa. La pretensión del demandante al exigir directamente a los administradores la parte proporcional que le correspondería en la reintegración del patrimonio social lesionado por la actuación de los administradores es contraria al sistema legal de responsabilidad de los administradores sociales. No se trata de una cuestión meramente doctrinal o de un rigor formalista carente de justificación racional que sirva para dejar sin respuesta conductas ilícitas de los administradores sociales y sin tutela adecuada a los socios. La pretensión del demandante supone una aplicación indiscriminada de la vía de la acción individual del art. 135 del Texto Refundido de la Ley de Sociedades Anónimas (art. 241 LSC) que ignora completamente principios básicos del funcionamiento de las sociedades de capital, como son los de personalidad jurídica propia, autonomía patrimonial y responsabilidad por las deudas sociales".

A nuestro juicio es muy importante, para comprender el sistema legal de acciones de responsabilidad de los administradores, tener en cuenta que no se permite al tercero (ni al socio) reclamar vía acción individual la parte individualizada y refleja del daño al patrimonio social. Lo contrario altera el sistema legal y abre graves incógnitas sobre su funcionamiento y coordinación (en este sentido, la recién citada STS de 20.6.2013). Ciertamente la exigencia del cinco por ciento para la legitimación de los accionistas en las sociedades no cotizadas y del tres por ciento para las cotizadas (arts. 239 y 495.2 LSC), puede limitar la operatividad de la acción por daño al patrimonio social que perjudica a accionistas que no disponen del porcentaje de capital exigido, pero su tutela por esta vía requiere la concesión por ley de la legitimación individual para promover la acción social con independencia de su cuota de capital o el reconocimiento de una acción propia para reclamar, en determinadas circunstancias, el importe para sí y no para reintegrar el patrimonio social. Algún destacado autor propone de *lege lata* la extensión del ámbito de aplicación de la acción individual a la indemnización de daños reflejos en algunos casos, planteando "la reducción teleológica, en contextos de opresión, del requisito del daño directo como presupuesto para el ejercicio de la acción individual de responsabilidad de administradores (art. 135 LSA –art. 241 LSC–), como ha hecho hace tiempo la Jurisprudencia estadounidense sobre *close corporations*. En otros casos –y a ello nos referimos nosotros más adelante, apartado V.2– lo que procede es aplicar esta norma para exigir responsabilidad por lesión de la posición jurídica de socio, cuando se aprecien operaciones equivalentes a la exclusión 'de hecho' del socio minoritario sin respetar cauces legales ni su derecho a obtener el valor razonable de su participación social mediante una actuación de los administradores que se extralimita de sus competencias (v. gr. traslado de la actividad empresarial rentable a otra sociedad mediante un contrato)", Marín de la Barcena, *Opresión de la minoría*, p. 346; coincide en la tendencia, FERNÁNDEZ FERNÁNDEZ , *La Acción individual de responsabilidad contra los administradores sociales"*, Revista jurídica de Catalunya, n° 3, 2013 , pp. 133 y ss., en esp. p. 141 y s).

A nosotros nos corresponde tratar de la llamada responsabilidad directa, entendida como responsabilidad personal y externa de los administradores de las sociedades de capital [art. 241 LSC aplicable a también a SGR (art. 44 LSGR) y a S. Coop. (art. 43 LCoop)]. Focalizaremos la atención en el ámbito de aplicación y la justificación de la responsabilidad personal y directa de los administradores, en su naturaleza, presupuestos y en los principales supuestos de aplicación en la práctica, agitada en los últimos años por una abultada litigiosidad, que no puede dejar de sorprender si tenemos en cuenta que la doctrina tradicional «liquidaba» el temario de la acción individual con breves referencias a la discutida naturaleza y a la rareza de los supuestos. El estudio concluye abordando otras cuestiones del régimen de la acción individual. El mayor interés práctico de la delimitación del ámbito de aplicación de la acción individual reside en los supuestos de crisis empresarial sin ordenada liquidación, en los que existe una lesión de los desatendidos intereses de los acreedores y se discute si la vía de tutela es la acción social en virtud del artículo 240 de la Ley de Sociedades de Capital o directamente la acción individual del artículo 241 de la Ley de Sociedades de Capital. Tras la reforma de 1989 la situación se complicó en cuanto en cierta medida la disciplina general de responsabilidad por daño de los administradores quedaba desplazada por el nuevo régimen de responsabilidad especial por deudas sociales en los casos de concurrencia de determinadas causas de disolución (arts. 262.5 de la derogada LSA y 105.5 de la derogada LSRL) complicación que se agravó con la reforma de estos preceptos por la Ley Concursal (Ley 22/2003, de 9 de julio), que no coordinó debidamente en su redacción inicial estos preceptos con los propios que se ocupaban de la responsabilidad por omisión del deber de solicitar el concurso en caso de insolvencia (art. 2.3; art. 3.1; art. 5; y arts. 165.1 y 172.3 bis, LC). La reforma por la Ley 19/2005 de 14 de noviembre de los artículos 262.5 de la Ley de Sociedades Anónimas y 105.5 de la Ley de Sociedades de Responsabilidad Limitada (refundidos ambos en el art. 367 LSC) limita el ámbito objetivo de la responsabilidad solidaria por las obligaciones sociales al extenderse no a todas, sino sólo a las «posteriores al acaecimiento de la causa legal de disolución», con lo que reactualiza el debate sobre la eventual aplicación del artículo 241 de la Ley de Sociedades de Capital a las obligaciones anteriores a dicho acaecimiento (que debe limitarse a los supuestos en que exista un daño directo al patrimonio del acreedor conectado a un comportamiento antijurídico de los administradores). Y por otra parte la Ley 38/2011, de 10 de octubre, de reforma de la Ley Concursal ha resuelto algunos de los problemas de coordinación entre las acciones societarias de responsabilidad (por daño o por deudas sociales) y el régimen de responsabilidad concursal (arts. 48 quater, 50.2, 51.1 y 51 bis y 60 3 y 4 LC). Con ello se ha intentado preservar el régimen de responsabilidad concursal, impidiendo el vaciamiento del patrimonio de los administradores, pero al continuar siendo posible el ejercicio de la acción individual fuera del concurso y existir supuestos donde es complicado delimitar el ámbito de su aplicación y al haberse admitido su ejercicio por alguna jurisprudencia en algunos supuestos de daño derivado de la situación de insolvencia de la sociedad deudora, existe el riesgo de intentar recurrir a la acción individual para quedar al margen del concurso. Por esta razón debe cuidarse al máximo la correcta delimitación de los supuestos es que concurre un daño directo que abra la vía de la acción individual a los socios y a los terceros, en particular a los acreedores sociales. En suma en estas circunstancias puede buscarse de forma forzada ampliar el ámbito de aplicación de la acción individual que había quedado relegada sobre todo por la reforma de 1989 sobre la responsabilidad por deudas en caso de crisis disolutoria y concursal (en relación con los acreedores anteriores a la infracción de sus deberes en caso de la crisis, que resultan impagados).

Ha de tenerse en cuenta que la jurisprudencia y doctrina citadas en este trabajo se refieren a la legislación de Sociedades Anónimas (LSA según Real Decreto Legislativo 1564/1989, de 22 de diciembre) y de Sociedades de Responsabilidad Limitada (LSRL según la Ley 2/1995, de 23 de marzo), que han sido derogadas e incorporadas al Real Decreto Legislativo 1/2010, de 2 de julio, por el que se aprueba el texto refundido de la Ley de Sociedades de Capital. En relación con la versión anterior de este trabajo la normativa legal se cita ahora conforme a la Ley de Sociedades de Capital (reformada últimamente por la Ley 31/2014, de 3 de diciembre, por la que se modifica la Ley de Sociedades de Capital para la mejora del gobierno corporativo), sin perjuicio de respetar cuando ha sido necesario la referencia a los artículos de la legislación derogada, aunque indicando entonces los correspondientes artículos de la legislación en vigor a partir del 1 de septiembre de 2010.

II. ÁMBITO DE APLICACIÓN Y JUSTIFICACIÓN DE LA RESPONSABILIDAD PERSONAL DE LOS ADMINISTRADORES FRENTE A SOCIOS Y TERCEROS

Mientras la institución de la responsabilidad social –frente a la sociedad– no plantea graves problemas de justificación en el plano de la política jurídica, la acción individual resulta cuestionada en su *justificación*, y particularmente controvertida en cuanto a su naturaleza, supuestos de aplicación y régimen. Nos parece que para clarificar estas cuestiones, y como punto de partida en el estudio de la acción individual dentro del sistema de responsabilidad de los administradores, hay que tratar de delimitar genéricamente su *ámbito de aplicación*, en primer lugar, en relación con «*los actos o actividad de los administradores*» que causan *daño directo* a socios o terceros.

La fórmula del legislador en el artículo 241 de la Ley de Sociedades de Capital: «actos de los administradores que lesionen *directamente* los intereses de aquellos» (socios y terceros), es interpretada de forma prácticamente unánime por la doctrina en el sentido de que la finalidad de la acción individual es la reparación patrimonial de los daños directos que los socios o terceros puedan sufrir. Ciertamente los daños al patrimonio social repercuten indirectamente en el patrimonio de socios y acreedores en cuanto disminuyen el valor de sus acciones, las expectativas de ganancias o la garantía de satisfacción de sus créditos, pero esos daños indirectos están cubiertos por la acción social de responsabilidad, con el complejo sistema de legitimación subsidiaria para socios y acreedores (art. 238-240 LSC y en su caso, por las acciones *ex* art. 367 LSC y *ex* art. 172 bis LC). La expresión lesión directa se contrapone a la lesión indirecta de los intereses de socios y acreedores -para estos últimos sólo en el caso de insuficiencia del patrimonio social- (Véase en esta obra LARA, *La acción social* y JUSTE, *Legitimación de la minoría y de los acreedores*).

Pero, ¿cuando hay un daño directo?, ¿cuando ese daño debe imputarse al comportamiento ilícito del administrador? Si, como se entiende de forma generalizada, el daño directo es un presupuesto para el ejercicio de la acción individual contra los administradores, que determina la legitimación primaria del perjudicado, en la medida en que ha existido una invasión directa de su esfera jurídica protegida frente a eventuales lesiones de terceros –en nuestro caso frente a los hechos lesivos de los administradores en el ejercicio de su cargo–, parece que debe interpretarse, en el sentido de la «incidencia directa del daño» sobre el patrimonio del socio o del tercero, que no sea un mero reflejo del eventual daño en el patrimonio social. Pero la discusión no puede progresar si no descendemos al terreno de los supuestos de hecho. En algunos casos, al menos inicialmente, el patrimonio social por ciertos actos ilícitos de los administradores no sólo no sufre perjuicio alguno, sino que puede experimentar alguna ventaja (por ej. caso de no satisfacción de una prestación de contenido económico que debe la sociedad a un socio o tercero), a costa precisamente del daño al socio o tercero. Entonces la identificación de la causación de un daño distinto del social no suscita mayores dificultades. En estos casos surge todavía el problema de si y cuando puede imputarse a los administradores un daño por incumplimiento de la prestación contractual, que corresponde a la sociedad. Hay sin embargo supuestos en los que es problemático determinar si el daño (sufrido por el socio o acreedor) es directo (en el sentido de autónomo respecto del originado en el patrimonio social) o indirecto (reflejo del daño al interés colectivo del ente social) o que parte del daño adscribible a un mismo supuesto fáctico es directo o indirecto respecto de socios o terceros. Es lo que sucede en los casos en que un mismo acto ilícito puede incidir sobre el patrimonio social y el del socio o tercero, como por ejemplo en los casos de balances falsos que posibilitan distribución de beneficios ficticios y simultáneo aumento de capital suscrito en parte por socios y en parte por terceros y, fundamentalmente en las hipótesis, tan frecuentes en la práctica, de no adopción de las medidas conducentes a una ordenada reordenación/liquidación societaria o, en su caso, concursal.

Apuntado el alcance del adverbio «directamente» en relación con la identificación de patrimonio lesionado, surge una ulterior cuestión respecto a que *actos de los administradores* se refiere el legislador. Hoy se puede considerar dominante en doctrina y jurisprudencia la tesis que vincula la responsabilidad directa de los administradores *ex* artículo 241 de la Ley de Sociedades de Capital al ejercicio de la actividad propia del cargo (aunque algunos autores no excluyen la inserción también de los actos en nombre propio). Pero más allá de reconocer que la acción individual no se refiere a los daños que el administrador pueda causar como persona particular, es decir, en la realización de actos ajenos a sus funciones de administrador (por ej. lesiones a otro en su actividad de ocio), surgen los problemas de identificar el ámbito cubierto de su actividad como tal administrador. Y aquí a veces resulta difícil determinar el alcance de expresiones utilizadas por la doctrina y por la jurisprudencia («actos por propia iniciativa», «actos puramente personales», «actos no como órgano, aunque dentro del círculo de sus actividades», «actos con ocasión de la actividad gestora, pero no por el trámite de la sociedad» etc.). Para algunos autores se deben excluir algunos supuestos que son incompatibles con la posición y función del órgano en la sociedad. En este sentido se ha sostenido que debe quedar fuera la actuación representativa de los administradores en cuyo caso sería la sociedad la única responsable [en este sentido GARRIGUES-URÍA, *Comentario*, II, p. 196; POLO SÁNCHEZ, *Los administradores*, p. 375; próxima a esta orientación parece la STS de 20.3.1998 que en un litigio sobre negativa injustificada a la sustitución de títulos adquiridos por compra se declara responsables a los administradores y no a la sociedad, ya que estamos ante un supuesto de responsabilidad de los administradores (el del art. 241 LSC) por su «actuación personal y como administradores»]. Nos parece que, aparte de las dificultades prácticas que surgen para delimitar unos y otros supuestos, debe partirse de una interpretación que conecta los ilícitos de los administradores genéricamente al ejercicio de sus funciones en el cargo (en este sentido en nuestra doctrina QUIJANO, *Responsabilidad en TR 1989*, pp. 22 y ss.; SÁNCHEZ CALERO, *Administradores*, p. 325 y en *Los administradores en las sociedades*, p. 379; ALONSO UREBA, *Presupuestos de la responsabilidad*, pp. 653 y ss., esp. p. 660; FERNÁNDEZ DE LA GÁNDARA, *El régimen de responsabilidad*, p. 33; ALCALÁ DÍAZ, *Acción individual*, p. 808; LLEBOT, de acuerdo con su peculiar posición sobre el carácter estrictamente societario de la acción individual, *El sistema de la responsabilidad* pp. 58 y ss.; en la jurisprudencia, entre otras, SSTS de 21.5.1985; de 11.10.1991; de 5.12.1991; de 21.5.1992; de 29.4.1999; de 20.11.2003; de 7.5.2004; de 11.3.2005; de 22.3.2006 y de 27.7.2007. Esta interpretación es la que nos parece más conforme a la finalidad de la norma del artículo 241 de la Ley de Sociedades Capital, sin perjuicio de que por la naturaleza de la norma –que tiene una doble integración sistemática: en el derecho de órganos de sociedades y, sobre todo, en el derecho común de responsabilidad civil por daños–, surgen especiales dificultades para delimitar los comportamientos ilícitos de los que deben responder los administradores directamente frente a socios y terceros.

A nuestro juicio el artículo 241 de la Ley de Sociedades de Capital se refiere a la responsabilidad de los administradores por actos llevados a cabo en el ejercicio de sus funciones de administrador –*actividad orgánica*, comprensiva de las distintas facetas de las funciones inherentes al cargo, ya sea la actividad empresarial o la intrasocietaria– y no en el ámbito de su esfera personal ajena a la gestión societaria. En otro caso, cuando el administrador causa daños al margen de esta condición, es decir en cuanto conserva su propia esfera de *actividad* individual y *extraorgánica*, entra en juego la responsabilidad extracontractual impuesta a cualquier persona por hecho dañoso a tercero según el artículo 1902 del Código civil y, entonces, el artículo 241 de la Ley de Sociedades de Capital resulta superfluo. Por ello interpretado el artículo 241 de la Ley de Sociedades de Capital como mera invocación del artículo 1902 del Código civil para los supuestos de actuación en la esfera individual tiene poco sentido y compartiríamos el escepticismo sobre su necesidad. En este supuesto de actividad extraorgánica no se produce ninguna implicación (responsabilidad) para la sociedad y para nada tiene sentido invocar el artículo 241 de la Ley de Sociedades de Capital y sus implicaciones societarias. En este sentido es muy correcta la doctrina jurisprudencial reiterada en varias resoluciones: «nada impide que junto con la acción del artículo 241 de la Ley de Sociedades de Capital, por la conducta ilícita del administrador en su actividad orgánica, coexista la acción genérica del artículo 1902 del Código civil por los daños que el administrador hubiera podido causar a socios o terceros al margen de esa actividad, es decir, no ya como tal administrador; ...si el artículo 135 (actual art. 241 LSC) se entendiera referido a la responsabilidad del administrador en su esfera personal, resultaría un precepto superfluo que perdería su justificación más segura como excepción a las reglas de imputación normalmente derivadas del carácter orgánico de la actuación del administrador» [SSTS de 20.7.2001; de 24.3.2004; de 7.5.2004]. Otra cosa sucede si lo enmarcamos funcionalmente, como entendemos que debe hacerse, en el terreno de la actividad de organización societaria y de gestión de la empresa, que incumbe institucionalmente a los administradores. No obstante es conveniente separar con cuidado el plano de la imputación de lo actuado por los administradores a la sociedad como persona jurídica, que actúa a través de aquellos y consiguiente responsabilidad indemnizatoria de la sociedad (con sus propios presupuestos y fundamentos de imputación), y el plano de la responsabilidad de los administradores por daño directo imputable a los mismos en el caso concreto. En todo caso a estos efectos (otra cosa es si nos ocupáramos de la titularidad y contenido del poder de representación) no considero operativa la distinción entre gestión y representación (toda actividad de los administradores como órgano se imputa a la sociedad y bien puede suceder que el problema de la responsabilidad se conecte con medidas de coordinación, dirección, instrucción o vigilancia de los administradores cuya ejecución se ha realizado por otros representantes o colaboradores de la empresa). Su campo de aplicación más propio es aquél en el que está en juego la responsabilidad extracontractual de la sociedad y la preparación y celebración de contratos con nuevos acreedores. Las mayores dificultades surgen, en cambio, en el caso de ejecución de relaciones contractuales de la sociedad con sus acreedores, respecto de las cuales los administradores son terceros, quedando fuera de las consecuencias dañosas derivadas de la inejecución o defectuosa ejecución, que deben ventilarse entre los perjudicados y la sociedad conforme a las reglas de cumplimiento y responsabilidad contractual. En efecto aquí debe procederse con el máximo cuidado, pero nos parece que tampoco en estos casos se debe excluir, siempre de forma excepcional, la responsabilidad del administrador delimitando el ámbito de la prestación, deberes y responsabilidad que incumben a la sociedad como parte contractual y los supuestos y requisitos de la responsabilidad de los administradores aun cuando actúan en el cumplimiento de deberes contraídos por la sociedad (apdo. V.4.1).

Como veremos al tratar de la naturaleza de la acción individual, en ésta se plasma una aplicación concreta de la responsabilidad extracontractual genérica del artículo 1902 del Código civil, que exige la integración y complementación con esta normativa, pero como ha ido reconociendo la jurisprudencia del Tribunal Supremo, «cuenta con una regulación propia en dicho precepto (el art. 135 LSA –art. 241 LSC–) que la especializa o especifica respecto de la obligación genérica, contemplada en el artículo 1902 del Código civil de reparar el daño causado por culpa o negligencia» [SSTS de 20.7.2001; de 24.3.2004; de 7.5.2004; de 6.4.2006 y, más recientemente, las de 23.5.2014 y de 22.12.2014]. Por eso podríamos decir también que es una *subespecie* del género previsto en el artículo 1902. En la reciente reforma de la Ley de Sociedades de Capital por la Ley 31/2014, el legislador ha positivizado una especialidad del régimen de la acción individual al establecer el plazo de prescripción cuatrianual "a contar desde el día en que hubiera podido ejercitarse" (art. 241 bis LSC). Conviene no obstante precisar el alcance de la vertiente de «actividad orgánica» o de «responsabilidad por ilícito orgánico» (responsabilidad contraída en el desempeño de las funciones del cargo de administrador) en la estructura de la acción individual: 1) deja fuera de su régimen los daños causados como particular en la esfera ajena a su condición de administrador, que por tanto se someten sin particularidades al artículo 1902 del Código civil; en consecuencia de los daños extracontractuales causados por el administrador como particular, o dicho de forma más general, en los que no exista conexión objetiva con el desempeño de las funciones del cargo aunque esos comportamientos ilícitos pueden haberse realizado con ocasión del desempeño de sus funciones (MARÍN, *La acción individual* pp. 105 y 337) no responde la sociedad, sino exclusivamente el administrador (que por ej., obtiene ventajas en beneficio propio de maquinaria que devuelve con retraso o deteriorada con ocasión de ese uso); el carácter de ilícito orgánico, en cuanto conectado con la naturaleza del cargo y las funciones atribuidas (art. 225. 1 LSC) implica determinar en el caso si existe infracción de los deberes de cuidado imputable personalmente al administrador, es decir, habrá que verificar si en el caso influyeron con su conducta en el curso de los hechos que condujo a la lesión de intereses protegidos o pudieron influir para que no se produjeran la lesión de los intereses a su cargo, siendo relevante a estos efectos la estructura de la administración y la delegación de facultades y reparto de funciones que incide en las correspondientes tareas de gestión y vigilancia y correspondiente responsabilidad; 2) la actividad de los administradores que se pueda calificar de actividad de administración en relación de potencial instrumentalidad (o de pertenencia) con el objeto social y los intereses sociales, aunque sea actividad ilícita de los administradores, se imputa a la sociedad; 3) en relación con terceros de buena fe, la protección de los intereses de éstos ante actos ajenos al objeto social o de extralimitación de otros límites internos a las facultades representativas de los administradores (art. 234 LSC) se materializa por la vía «fuerte» de la vinculación directa de la sociedad y la eventual responsabilidad interna de los administradores frente a la sociedad si se produjo daño al patrimonio social; es obvio que en estos casos frente a terceros de mala fe no procede el ejercicio de la acción individual por el acreedor, ya que no puede amparar una situación de mala fe o de dolo del tercero; 4) nada impide que, en determinados casos, además de la acción individual dirigida a la reparación del daño causado, se pueda recurrir a otros remedios previstos en el ordenamiento (cesación, remoción de efectos, anulación de actos y contratos celebrados por los administradores).

Ahora bien al movernos en el ámbito de la responsabilidad frente a sujetos distintos de la propia sociedad que administran, la concurrencia del presupuesto de la ilicitud del comportamiento del administrador presenta alguna dificultad. Sin perjuicio de lo que más adelante se diga al tratar de este requisito o bien al referirnos a los supuestos en particular, es conveniente advertir que no nos parece irrelevante la vertiente orgánica, referida a los deberes del cargo, en el sentido, de que habrá que analizar en cada caso los deberes del administrador impuestos por específicas normas o derivados de su deber de diligencia considerando la estructura orgánica, la delegación de funciones, reparto o atribución de tareas específicas y, a su luz, poder resolver si en el caso la infracción de los deberes de conducta sobre prevención y evitación de daños a otros se conecta con el ámbito de las tareas del administrador en cuestión (arts. 225, 227 y 236 LSC). Como se ha dicho, aunque el tema es controvertido, la asunción del cargo es fuente de deberes de cuidado y de responsabilidad respecto de los daños que se causen en el ámbito de la competencia de los administradores, relacionada ésta con la dirección, coordinación y control de la sociedad, ya que «el fundamento de su responsabilidad personal frente a sujetos distintos de la sociedad reside en que, los administradores, como cualquier otra persona, están obligados a respetar las normas donde las haya y, donde no las hay, a comportarse conforme al estándar correspondiente al sector de actividad que realizan, en relación con el cumplimiento de un deber objetivo de cuidado que consiste en no dañar a los demás y omitir lo que les dañe en el ámbito de la propia posición de garantía», debiendo entenderse que «la responsabilidad frente a socios o terceros no deriva del incumplimiento del deber de administrar, entendido como deber de prestación que integra la relación jurídica de administración que les vincula con la sociedad, sino de no emplear la diligencia de un «ordenado empresario» en el cumplimiento de un deber objetivo de cuidado en relación con la esfera personal de los socios individualmente considerados y los terceros potencialmente afectados por su actuación (MARÍN DE LA BÁRCENA, *La acción individual*, pp. 104 y 181, y sobre la consideración que compartimos del art. 241 LSC como «norma de derecho especial de la persona jurídica sobre responsabilidad» puede verse, ampliamente pp. 122 y ss.; también en la tendencia, ALONSO ESPINOSA, *La responsabilidad civil del administrador de sociedad de capital en sus elementos configuradores*, Madrid 2006, pp. 130 y ss.; RONCERO, *La acción individual*, pp. 207 y ss. y MUÑOZ PÉREZ, *Presupuestos de responsabilidad de los administradores*, pp. 110 y ss.; en otra dirección ALFARO, considera la norma del art. 241 LSC como mera norma de remisión *La llamada acción individual de responsabilidad contra los administradores sociales, RdS 18, 2002*, pp 45 y ss, en esp., pp. 48 y ss.; y *Recensión*, pp. 5 y ss. y *La llamada acción individual de responsabilidad o responsabilidad "externa" de los administradores sociales, InDret*, 413, enero 2007 (cit. *La responsabilidad exter-*

na), cuya aportación, con apoyos en autorizados sectores de la doctrina alemana, es interesante, aunque no se comparta en todos sus extremos, para contribuir a delimitar los presupuestos y supuestos de aplicación de esta norma y evitar una indebida e ineficiente extensión de la responsabilidad de los administradores por esta vía; en la tendencia acogen favorablemente la postura de ALFARO, DESDENTADO AROCA, E., *La personificación del empresario laboral*, pp. 185 y ss.; TIRADO, I., *Los administradores concursales*, pp. 730 y ss.; PRADES CUTILLAS, *La responsabilidad del administrador en las sociedades de capital en la jurisprudencia del TS*, Valencia 2014, pgs. 193 y ss.). En todo caso, en orden a perfilar mejor el ámbito de aplicación de la acción individual del artículo 241 de la Ley de Sociedades de Capital (como acción extracontractual), la doctrina y jurisprudencia ha ido resaltando con acierto que para la imputación de responsabilidad de la responsabilidad a los administradores en dicho ámbito debe concurrir una infracción (culposa o dolosa) de los deberes de cuidado (en el ejercicio del cargo) que son relevantes en interés de los socios y terceros afectados por su comportamiento. En este sentido, en la jurisprudencia reciente, la Sentencia del Tribunal Supremo de 23.5.2014, declara que "el artículo 241 de la Ley de Sociedades de Capital permite una acción individual contra los administradores, cuando en el ejercicio de sus funciones incumplen normas específicas que se imponen a su actividad social y tienden a proteger al más débil, en este caso, al comprador de una vivienda que anticipa su precio antes de serle entregada, y sufre directamente el daño como consecuencia del incumplimiento de sus obligaciones". Nos parece que para delimitar el ámbito de aplicación el foco debe ponerse en el ámbito de los intereses protegidos por la concreta norma imperativa, que incumbe cumplir a los administradores, en el caso los compradores de viviendas. En relación con el ordenamiento alemán apunta MARÍN DE LA BÁRCENA este supuesto como uno de los típicos de infracción de leyes de protección, en los que "el fundamento de la responsabilidad (individual) no reside en la infracción del deber contractual de destinar una cantidad recibida a un fin distinto para el que se entrega, sino en la *infracción de un deber establecido por una norma legal imperativa* que (aun dirigida a la sociedad) los administradores no pueden dejar de cumplir" (*La acción individual, p. 309*)

Delimitado así el ámbito de aplicación en relación con «los actos de los administradores» en el ejercicio del cargo, queda aún por resolver la justificación de la responsabilidad externa de quien en principio parece que sólo asume deberes frente a la sociedad y en defensa del patrimonio social. Si partimos de una rígida asunción de la teoría orgánica en el campo de las personas jurídicas, en efecto, no parece tener fácil encaje un

precepto como el artículo 241 de la Ley de Sociedades de Capital, que
hace directamente responsables a los administradores por actos llevados
a cabo en el ejercicio de las funciones inherentes al cargo, que como es
sabido comprenden la actividad dirigida a realizar el objeto empresarial
y la actividad de organización societaria, incluyendo la relacionada con el
funcionamiento de los órganos sociales (junta general) y las relaciones con
los socios. En principio responde la persona jurídica por los actos de sus
órganos o auxiliares (arts. 38, 1903, inciso final CC), sin perjuicio de que la
sociedad que satisfizo el daño causado pueda repetir contra el titular de la
posición orgánica (arts. 236-240 LSC). Una aplicación rígida y absoluta de
esta doctrina conduce al blindaje y práctica exoneración de responsabilidad de los administradores, salvo frente a la sociedad. Pero no parece que
deban los administradores deban tener una posición privilegiada cuando
en el desempeño de su cargo infrinjan normas establecidas en protección
de socios o terceros o cuando omitan los deberes de prevención y evitación
de daños a socios o terceros que pertenecen a su ámbito de competencia.
A lo largo del trabajo se insiste en la idea de que a efectos de valorar la
existencia de una infracción imputable a los administradores y de cuyas
consecuencias dañosas deban responder frente a socios y terceros hay que
tener en cuenta la posición de los administradores como encargados de
dar cumplimiento a normas específicas establecidas para atender diversos
intereses y de actuar con la diligencia de un buen administrador en una posición institucional frente a sociedad, socios, terceros y tráfico en general y
a quien en dicha posición incumben deberes de cuidado establecidas para
proteger la confianza del tráfico en que los administradores desempeñaran
sus funciones y competencias manteniendo una relación adecuada frente a
socios y terceros. A este respecto tiene interés destacar que en un supuesto
en que se discute la responsabilidad de los administradores frente a los
acreedores, de conformidad con el artículo 262.5 de la Ley de Sociedades
Anónimas –artículo 367 de la Ley de Sociedades de Capital–, la Sentencia
del Tribunal Supremo de 30 de junio de 2010 declara que la Ley "impone
a los administradores de las sociedades una serie de deberes que tiene por
destinatarios no solo a los socios que les designan, sino también al orden
público económico y a los terceros que con ellas contratan". En principio,
pues, responsable de la actuación ilícita de los órganos (en verdad, de los
miembros de los órganos) en el ejercicio de sus funciones (frente a socios
y terceros) es la sociedad (arts. 38 y 1902 CC). Y ésta, en su caso, podrá
intentar mediante la acción social (arts. 236-240 LSC) resarcir en el patrimonio del administrador-agente el daño causado al patrimonio social por
su actuación lesiva. Con el artículo 241 de la Ley de Sociedades de Capital
se permite romper en determinados casos, este esquema formal –derivado

de la idea de persona jurídica con autonomía patrimonial y que tiene el efecto de aislar y blindar al administrador frente a socios y terceros cuando aquél actúa en el desempeño de sus funciones orgánicas– y se permite una reclamación directa contra los administradores (o la responsabilidad especial por deudas sociales en el caso del art. 367 LSC). Si el planteamiento que hacemos es correcto se puede compartir la opinión de quiénes ven en el establecimiento de la acción directa individual una vía para superar la tradicional «inmunidad» reconocida a los administradores con una aplicación estricta de la teoría orgánica (GALGANO, *Il nuovo diritto*, p. 289; en este sentido en la doctrina española SÁNCHEZ CALERO, *Administradores*, p. 332 y en *Los administradores en las sociedades*; p. 393; MARÍN DE LA BÁRCENA, *La acción individual*, pp. 97 y ss.; coincidente en esto también, aunque con otro planteamiento en materia de presupuestos y régimen, ALFARO, *La llamada acción individual*, pp. 50 y 53 y en *La responsabilidad externa*, pp. 4 y s. que atribuye precisamente a la mención de la acción individual en la LSC, a la que califica de norma declarativa, la única función de «conjurar el riesgo de que el hecho de que el administrador responda frente a la sociedad se interprete, «a contrario», en el sentido de que nunca responde personalmente frente a los terceros por su actuación como administrador»). Nos parece que la virtualidad del artículo 241 de la Ley de Sociedades de Capital como norma explícita de responsabilidad (directa extracontractual) de los administradores es doble, en cuanto, en sentido negativo, evita la inmunidad derivada de la teoría del órgano que trasladaría toda la responsabilidad frente a socios y terceros a la persona jurídica administrada y, en positivo, destaca la especificidad orgánico-societaria. Esto no quiere decir que su falta en el ordenamiento impida fundamentar y construir un régimen adecuado de responsabilidad extracontractual de los administradores. Hace ya algunos años nos ocupábamos de la responsabilidad por daño directo frente a socios y terceros de los administradores de una Agrupación de Interés Económico y ante, el silencio de la Ley de Agrupaciones de Interés Económico al respecto, sostuvimos que «la aplicación de los principios generales de responsabilidad extracontractual deben llevar al reconocimiento de la acción individual de socios y terceros contra los administradores», «cuyo fundamento está en el artículo 1902 del Código Civil, que no deja de ser aplicado a los administradores cuando concurran los requisitos generales del daño, culpa y relación de causalidad», anotando entonces que «el artículo 135 de la Ley de anónimas (art. 241 LSC)... hace explícita la regla del artículo 1902 del Código Civil» (*Comentario al art. 14 LAIE*, p. 247 y 248). Ciertamente su existencia, que hace innecesario replantearse la cuestión de la admisibilidad de este tipo de responsabilidad, no elimina la necesidad de establecer su régimen contando con el marco común y las mencionadas especificidades orgánico-societarias.

Por ello se comprende fácilmente que no se puede hacer una aplicación indiscriminada de esta vía que vacíe de sentido principios cardinales del funcionamiento de las sociedades de capital, como son la personalidad jurídica de la sociedad, en principio, con plena autonomía patrimonial y exclusiva responsabilidad por las deudas sociales, y la no responsabilidad de los administradores (en cuanto miembros del órgano de gestión y representación de la entidad) frente a terceros. No se puede caer en el principio contrario de que en última instancia en todo caso de daño directo vinculado a un comportamiento de los administradores en calidad de tal entra en juego la responsabilidad personal y externa de estos frente al perjudicado. Habrá que verificar si concurren en el caso los presupuestos para ello.

III. NATURALEZA DE LA RESPONSABILIDAD POR LESIÓN DIRECTA DE LOS INTERESES DE SOCIOS Y TERCEROS

Entre las cuestiones debatidas sobre la acción directa de los socios y terceros frente a los administradores *ex* artículo 241 de la Ley de Sociedades de Capital se encuentra la de su *naturaleza*. Las calificaciones jurídicas que se han sostenido en la jurisprudencia y doctrina nacional y en la comparada que se enfrenta a la tarea de interpretar un texto similar al español (particularmente la italiana), cubren el abanico de las hipótesis posibles: naturaleza siempre *contractual* (LLEBOT, *El sistema de la responsabilidad*, pp. 51 y 60, añadiendo el calificativo de «societaria»); siempre *extracontractual* (RUBIO, *Curso S.A.*, p. 267; QUIJANO, *La responsabilidad en TR 1989*, pp. 22 y ss.; VICENT CHULIÁ, *Compendio*, 3ª ed. I-1º, I, p. 660; DE LA CÁMARA, *Administración*, pp. 152 y ss.; SUÁREZ-LLANOS, *La responsabilidad por deudas*, p. 2502); ARROYO/BOET, *Comentario al art. 135*, p. 1438; CALBACHO, *El ejercicio de las acciones*, p. 338; MARÍN DE LA BÁRCENA, *La acción individual*, pp. 229 y ss.; RONCERO, *La acción individual*, pp. 206 y s.); *contractual o extracontractual según los casos* (GARRIGUES/OLIVENCIA, en GARRIGUES/URÍA, *Comentario*, II, p. 197; GIRÓN, *Derecho S.A.*, p. 383 y *Responsabilidad*, p. 445; RODRÍGUEZ ARTIGAS, *Consejeros delegados*, p. 406; SALDAÑA, *La acción individual*, pp. 182 y ss., que subraya que lo relevante es su naturaleza orgánica; SÁNCHEZ CALERO, *Administradores*, pp. 330 y ss. y en *Los administradores en las sociedades*, pp. 391 y ss.; DÍAZ ECHEGARAY, *Responsabilidad civil*, p. 283; POLO SÁNCHEZ, *Los administradores*, pp. 372 y ss. para quien será contractual o extracontractual «según esté contraída en el ejercicio de sus competencias orgánicas (no representativas) o al margen del mismo en una actuación personal aunque investidos de su función»; ALFARO, ob. cit., p. 53, dependiendo de qué acción esté ejerciendo el socio o el tercero; ALONSO UREBA, *Presupuestos de la responsabilidad*, pp. 658 y ss., si bien matiza su posición al afirmar que en los casos de «perjuicio directo al socio, la responsabilidad se basa en un supuesto de hecho ligado a las relaciones jurídico societarias internas, lo que nos sitúa en un contexto distinto a la tradicional contraposición entre responsabilidad contractual y extracontractual», p. 659).

El Tribunal Supremo se ha pronunciado al respecto (para establecer el plazo de prescripción de la acción) sobre todo ante reclamaciones indemnizatorias de los acreedores, pero no falta algún pronunciamiento en caso de ejercicio de la acción social por un socio [STS de 17.2.2005]. Inicialmente se pronunció con fluctuación de orientaciones y criterios que recoge la sentencia del Tribunal Supremo de 20 de julio de 2001. En la históricamente importante sentencia de 21 de mayo de 1992 el Tribunal Supremo calificó de extracontractual la acción individual declarando que, «al no existir vínculo contractual entre las partes del pleito sino el genérico contenido en el principio *naeminem laedere* que alcanza también a las personas físicas de los administradores en su aspecto individual y en su condición de órganos (no mandatarios) del ente social, le es aplicable el artículo 1902 del Código Civil». En cambio otras sentencias posteriores, como la 22 de junio de 1995 en un caso de imputación a los administradores de impago de materiales de suministro se declaró aplicable el plazo cuatrienal del artículo 949 del Código de comercio porque «tales acciones de los terceros derivaron de relaciones contractuales de suministro de materiales a la entidad demandada que no han sido pagados en su totalidad, y cuyo crédito no deriva, por consiguiente de acciones extracontractuales, sino de un contrato» (en el mismo sentido la de 14 de mayo de 1996). Con posterioridad se sucedieron cambios de criterio, de que dimos cuenta en la primera versión de este trabajo (2005) y que ahora remitimos, pues la relevante sentencia de 20 de julio de 2001 fija doctrina declarando un plazo de prescripción de 4 años –como plazo unificado para todas las acciones por la actividad orgánica y que la reciente reforma de la Ley de Sociedades de Capital por la Ley 31/2014, de 3 de diciembre, establece expresamente para la acción social e individual (art. 241 bis LSC)– con argumentos que pretendían desactivar y desdibujar la polémica sobre la naturaleza contractual o extracontractual de la acción individual de responsabilidad de los administradores frente a terceros. Estas fueron sus razones:

> «A) *El artículo 943 del Código de Comercio, punto de partida para llegar al artículo 1968.2 del Código Civil, se refiere textualmente a "las acciones que en vir-*

tud de este Código no tengan un plazo determinado para deducirse en juicio. Sin embargo resulta que el propio Código de Comercio, en su artículo 949, sí asigna un plazo determinado, el de cuatro años, a «la acción contra los socios gerentes y administradores de las compañías o sociedades», sin distinción alguna, por más que su emplazamiento sistemático, a la vista del contenido de los dos artículos que le preceden, permita opinar que podría estar refiriéndose sólo a la acción que contra el administrador ejerciten los socios.

B) La acción individual de responsabilidad, ya corresponda a los socios, ya a terceros, se regula específicamente en un precepto de la Ley de Sociedades Anónimas, el artículo 135 (art. 241 LSC), que es una norma mercantil cuyo complemento debe buscarse en el Código de Comercio, a tenor del artículo 121 de este último y dado su carácter de Cuerpo legal básico en el ámbito mercantil, antes que en el Código Civil.

C) Existiendo por tanto en el Código de Comercio una norma especial sobre el plazo de ejercicio de «la acción contra los socios gerentes y administradores de las compañías o sociedades», no hay por qué acudir al Código Civil en busca de otro plazo diferente que en realidad se establece para unas acciones menos específicas, las ejercitadas para exigir responsabilidad «por las obligaciones derivadas de la culpa o negligencia de que se trata en el artículo 1902», debiendo aplicarse la norma especial con preferencia sobre la general.

D) La polémica en torno a la naturaleza contractual o extracontractual de la acción individual contemplada en el artículo 135 de la Ley de Sociedades Anónimas (art. 241 LSC) cuando la ejerciten los terceros frente a los administradores es en cierta medida estéril: primero, porque cuenta con una regulación propia en dicho precepto que la especializa o especifica respecto a la obligación genérica, contemplada en el artículo 1902 del Código Civil, de reparar el daño causado por culpa o negligencia; segundo, porque la parcial coincidencia de los requisitos o presupuestos de la obligación reparadora o indemnizatoria contemplada en cada uno de dichos preceptos no significa necesariamente identidad total, dada la conexión del artículo 135 de la Ley de Sociedades Anónimas (art. 241 LSC) con sus artículos 133 y 127.1 (arts. 236 y 225 LSC), con la consiguiente referencia a un determinado modelo de diligencia cuya inobservancia determina la culpa del administrador, y la exigencia legal de que la lesión causada a los intereses de los terceros por los actos de los administradores sea directa; tercero, porque la acción individual contemplada en el artículo 135 de la Ley de Sociedades Anónimas (art. 241 LSC) lo es de indemnización "por actos de los administradores", es decir, en cuanto tales administradores o por razón de su cargo, lo que refuerza la aplicabilidad del artículo 949 del Código de Comercio; cuarto, porque nada impide que junto con la acción del artículo 135 de la Ley de Sociedades Anónimas (art. 241 LSC), por la conducta ilícita del administrador en su actividad orgánica, coexista la acción genérica del artículo 1902 del Código Civil por los daños que el administrador hubiera podido causar a socios o terceros al margen de esa actividad, es decir, no ya como tal administrador; quinto, porque si el artículo 135 de la Ley de Sociedades Anónimas (art. 241 LSC) se entendiera referido a la responsabilidad del administrador en su esfera personal, resultaría un precepto superfluo que perdería su justificación más segura como excepción a las reglas de imputación normalmente derivadas del carácter orgánico de la actuación del administrador; y sexto, porque la presunta nitidez de la naturaleza extracontractual de la responsabilidad de los administradores frente a quienes no sean socios se desdibuja en gran medida cuando, como suele suceder en la práctica y ocurre también en el caso examinado, la acción se ejercita contra el administrador o administradores por un acreedor social que lo es precisamente en virtud de uno o varios contratos celebrados con la sociedad a través del propio administrador.

E) La unificación del plazo de prescripción en el de cuatro años del artículo 949 del Código de Comercio aporta a esta materia un grado de seguridad jurídica que permite superar la poca precisión que en ocasiones presentan las fronteras entre la responsabilidad contractual y la extracontractual, acudiendo de un modo lógico y dotado de un indiscutible apoyo normativo a un solo plazo para las acciones de responsabilidad de los administradores por su actividad orgánica, con la ventaja añadida de la certeza que en tal caso se logra en orden al cómputo inicial del mismo plazo.

F) Finalmente, siendo la prescripción una figura de interpretación restrictiva, según reiterada jurisprudencia de esta Sala, en caso de duda sobre dos plazos de prescripción posiblemente aplicables, siempre habría que optar por el de mayor duración por ser el más favorable a la viabilidad de la acción ejercitada».

En estos momentos este difícil y atormentado problema ha perdido parte de su interés práctico (no todo, pues la doctrina, más allá del tema del plazo, sigue discutiendo sobre las diferencias en algunos aspectos sustantivos y procesales; puede verse CAVANILLAS MÚGICA/TAPIA FERNÁNDEZ, *La concurrencia de responsabilidad;* MARÍN DE LA BÁRCENA, *La acción individual*, pp. 234 y ss.) en la medida en que se ha consolidado la tendencia jurisprudencial unificadora sobre el plazo cuatrienal para toda acción por actividad orgánica de los administradores [SSTS de 24.3.2004, de 7.5.2004, de 26.5.2004, de 17.2.2005 y de 22.3.2005] y sobre todo por la positivización del plazo cuatrienal en el artículo 241 bis de la Ley de Sociedades de Capital. A nuestro juicio una cosa es dar resuelto el tema del plazo de prescripción por considerar que estamos ante una acción especial regulada en este aspecto como en otros por normas mercantiles y societarias, como hemos señalado en el apartado anterior y, otra, es que no siga abierto el tema de la naturaleza contractual o extracontractual, precisamente por su singularidad, que se presenta en los casos en que la interferencia-responsabilidad de los administradores se produce en una relación constituida entre sociedad y el socio o un acreedor, en donde deben combinarse dos ingredientes aparentemente incompatibles: la infracción de deberes del cargo asumidos en una relación contractual con la sociedad (lo que lleva a la contractualidad o, mejor, a entender por algunos que no se pierde la contractualidad por el hecho de que se causen daños a terceros en el ejercicio de esa actividad orgánica, ya que se están actuando deberes de protección específicos de esa relación que incumben también a los administradores, en este sentido la tesis de los contractualistas italianos, ANGELICI, *Societá per azioni*, p. 1009; BONELLI, *La responsabilità*, p. 209) y la causación de los daños a persona con la que se tiene contacto social y no relación jurídica previamente constituida, frente a la que, en suma, exista una relación obligacional como fuente de la responsabilidad.

En esta cuestión, reconociendo el carácter especial de esta acción, seguimos considerando que un pronunciamiento sobre la misma exige, por un lado, separar las distintas relaciones entre los socios o terceros y la sociedad y entre esos socios o terceros y los administradores y, por otro, ordenar los distintos grupos de casos de responsabilidad de los administradores reconducibles al artículo 241 de la Ley de Sociedades de Capital. De acuerdo con el planteamiento hecho en el apartado anterior sobre los actos de los administradores que pueden dar lugar a un supuesto de responsabilidad del artículo 241 de la Ley de Sociedades de Capital hay que separar dos tipos de relaciones en estos casos de actuación ilícita de los administradores que dañan directamente al patrimonio de socios o terceros: la relación del administrador con el socio o tercero y la relación de la sociedad con el socio o tercero. Esta última tendrá naturaleza contractual o extracontractual de acuerdo con el criterio consolidado de que exista o no una relación jurídica preexistente entre las partes. Claro es, será contractual siempre que el daño se conecte al incumplimiento de la preexistente obligación y será extracontractual cuando no exista tal relación, sin perjuicio, como es obvio, de que se imputen a la sociedad los actos ilícitos de los titulares de posición orgánica. En cambio, en cuanto a la «relación» que interesa ahora, que es la surgida entre el administrador y el socio o tercero perjudicado directamente por una actuación ilícita de aquél, se trata de un supuesto de hecho encuadrable en la responsabilidad extracontractual, al faltar una previa relación jurídica entre el perjudicado y el administrador. El hecho de que se infrinjan deberes legales atribuidos, en atención al papel desempeñado, a los titulares del órgano dentro de la sociedad singulariza la acción en los términos ya señalados en síntesis en el apartado anterior al referirnos a su matizado carácter de «responsabilidad orgánica». La responsabilidad de los administradores deberá calificarse luego de contractual (frente a la sociedad) o extracontractual (frente a terceros y, en su caso, socios). Y a nuestro juicio, pese a su especialidad no pierde su raíz extracontractual [como han venido y siguen afirmando numerosas SSTS: entre otras, la de 20.11.2003, y de 17.12.2003 y la más reciente de 23.5.2014. No compartimos la opinión de que la «presunta nitidez de la naturaleza extracontractual de la responsabilidad de los administradores frente a quienes no sean socios se desdibuja en gran medida cuando, como suele suceder en la práctica y ocurre también en el caso examinado, la acción se ejercita contra el administrador o administradores por un acreedor social que lo es precisamente en virtud de uno o varios contratos celebrados con la sociedad a través del propio administrado» [SSTS de 20.7.2001; de 7.5.2004,]. A nuestro entender debe recibir la caracterización de extracontractual tanto en los casos en los que la actividad empresarial imputable al administrador provoque un *daño a tercero que no esté previamente vinculado a la sociedad por una relación jurídica* (daños a bienes o intereses de terceros) –en los que la naturaleza extracontractual no puede ponerse en duda–, como cuando el administrador interfiere lesivamente en la *relación jurídica del socio con la sociedad* (derechos patrimoniales y administrativos del socio, también «terceros» para el administrador, aunque debe reconocerse que materialmente muy singulares) así como en los casos en que la intromisión lesiva se produce en las *relaciones jurídicas externas de la sociedad con acreedores*, bien incida (excepcionalmente por el tipo de interferencia del administrador) en la *ejecución* de relaciones jurídicas ya constituidas entre la sociedad y terceros (compraventas, préstamos, suministros, etc.) o bien en la *formación de relaciones jurídicas* (tratos preliminares o deberes precontractuales que inducen o conducen a constituir relaciones jurídicas de esos (socios o) terceros con la sociedad: suscripción de acciones o realización de otras operaciones de financiación o suministro, en particular en situación de grave crisis económica de la sociedad ocultada a los contratantes).

> *A su carácter extracontractual se refieren, entre otras, las sentencias del Tribunal Supremo de 23 de febrero de 2004; de 17 de febrero de 2005, en un supuesto de acción individual ejercitada por accionista; de 28 de mayo 2005. Con precisión la sentencia de 9 de enero de 2006, en un caso de incumplimiento de contrato de suministro, declara que la acción individual es «un supuesto especial de responsabilidad extracontractual, ya que el tercero no ha contratado con el administrador contra quien se ejercita, sino con la sociedad (que) tiene por ello como telón de fondo y norma de integración el artículo 1902 del Código civil y la copiosa teorización que doctrina y jurisprudencia han desarrollado al respecto... aunque es bien cierto que la posición del tercero que reclama resulta favorecida por el régimen de prueba, por la solidaridad declarada expresis verbis y por el plazo de prescripción»; en el mismo sentido («especialidad de la acción de responsabilidad extracontractual cuyo régimen se encuentra en el art. 1902 CC») la sentencia de 6 de abril de 2006 y la de 27 de noviembre de 2008. La Sentencia del Tribunal Supremo de 23 de mayo de 2014, contiene afirmaciones de interés a este respecto: <<La acción*

individual de responsabilidad de los administradores por actos llevados a cabo en
el ejercicio de su actividad orgánica —y no en el ámbito de su esfera personal, en
cuyo supuesto entraría en juego la responsabilidad extracontractual, del artículo
1902 del Código Civil— plantea especiales dificultades para delimitar los compor-
tamientos de los que deba responder directamente frente a terceros, delimitando el
ámbito de la responsabilidad que incumbe a la sociedad, que es con quien con-
trata, de la responsabilidad de los administradores que actúan en su nombre y
representación. En este último caso, pues, la acción individual de responsabilidad
supone una especial aplicación de responsabilidad extracontractual integrada en
un marco societario, que cuenta con una regulación propia (art. 135 LSA -241
LSC -y añadimos nosotros que tras la reforma de LSC por Ley 31/2014, procede
citar también el nuevo art. 241bis LSC-), que la especializa respecto de la genérica
prevista en el art. 1902 Cc (SSTS de 6 de abril de 2006 , 7 de mayo de 2004 , 24
de marzo de 2004 , entre otras). Se trata, de una responsabilidad por "ilícito orgá-
nico", entendida como la contraída en el desempeño de sus funciones del cargo>>.

IV. PRESUPUESTOS DE LA RESPONSABILIDAD FRENTE A SOCIOS Y TERCEROS

No tiene sentido reproducir aspectos comunes sobre los presupuestos de la responsabilidad de los administradores y discutidos en sede de responsabilidad frente a la sociedad, sino sólo extraer aquí las consecuencias de la calificación de este supuesto de responsabilidad como responsabilidad orgánica (provocada por quien es titular de una posición orgánica en el desempeño de su cargo, con un complejo haz de derechos y deberes) y extracontractual (sin que medie previa relación jurídica entre causante del daño y perjudicado, pero que puede afectar tanto a un socio con el que obviamente la sociedad tiene su correspondiente relación jurídica socio-sociedad, como a un acreedor con el que se mantiene una relación o a un tercero). De acuerdo con los criterios de un amplio sector de la doctrina deben concurrir los presupuestos de la responsabilidad civil o elementos del llamado ilícito civil: un comportamiento antijurídico (antijuridicidad), culpabilidad, daño y relación de causalidad (entre la jurisprudencia reciente, que cita otras de la misma Sala, puede verse la de 23.5.2014, donde se contempla un supuesto de incumplimiento de una norma en protección de terceros). Adviértase que, con fines aclaratorios sobre los aspectos comunes de su régimen con la responsabilidad social, en el texto refundido de la Ley de Sociedades de Capital (artículo 241) se eliminaron del artículo 135 de la Ley de Sociedades Anónimas los términos iniciales "no obstante lo dispuesto en los artículos precedentes". Pese a todo no deben ignorarse las diferencias relativas a la naturaleza del daño (el patrimonio afectado) y a la no exigencia de acuerdo de la Junta general para su ejercicio, que estaban en la base de la salvedad que procede de la norma italiana que inspiró el viejo artículo 81 de la Ley de Sociedades Anónimas de 1951. Las consideraciones generales que aquí se hacen se complementan en algunos aspectos al analizar los distintos grupos de casos.

1. Comportamiento antijurídico de los administradores

La declaración de licitud o no se debe declarar en relación con un comportamiento que constituya una acción o una omisión. La valoración de la (licitud o ilicitud de la) conducta del agente en el plano de la responsabilidad civil extracontractual resulta extraordinariamente controvertida en nuestra doctrina, ya que el artículo 1902 del Código Civil no menciona expresamente el requisito de la antijuridicidad. Se discute que, en relación con este tipo de responsabilidad, deba exigirse valorar la conducta desde el punto de vista de la infracción de previos deberes jurídicos, y cuando se responde afirmativamente se discute en que pueda consistir esa infracción. La doctrina tradicional y la jurisprudencia han considerado que el acto dañoso precisa de un juicio de antijuridicidad derivada de la infracción de alguna norma, aún la mas genérica (*alterum non laedere*) protectora de un derecho o de bien jurídico protegido. Pero muchas veces en la jurisprudencia, más allá de algunas referencias retóricas a la violación del principio de «no dañar a otro», suele diluirse la ilicitud en el marco de la valoración de la acción u omisión en términos de culpa o negligencia (pueden verse aunque con formulaciones no coincidentes [SSTS de 21.5.1985; 11.10.1991; 21.5.1992; 10.3.2003;14.3.2007; de 10.12.2008 –que establece los siguientes requisitos: a) una acción u omisión ilícita; b) la realidad y constatación de un daño causado; c) la culpabilidad, que en ciertos casos deriva del aserto de que si hubo daño ha habido culpa; d) un nexo causal entre el primero y el segundo requisito con cita de las SSTS de 24.12.1992, de 7.4.1995, de 20.5.1998, de 25.10.2001 y de 11.12.2002); para el debate doctrinal pueden verse de ÁNGEL YÁGÜEZ, *Tratado de responsabilidad civil*, pp. 258 y ss.; SANTOS BRIZ, *La responsabilidad civil*, pp. 28 y ss.; ampliamente BUSTO LAGO, *La antijuridicidad del daño resarcible*, pp. 188 y ss. y en esta última obra el «Prólogo» de PENA LÓPEZ, p. 4 y ss.) Un sector cualificado de nuestra doctrina considera que en nuestro ordenamiento la antijuridicidad no es un requisito de la responsabilidad extracontractual basada en el artículo 1902 del Código Civil (PANTALEÓN, *Comentario al art. 1902*, pp. 1993 y ss.; ALFARO, sostiene que la antijuridicidad será o no presupuesto de la exigencia de responsabilidad en función de la norma o doctrina en la que se funde la responsabilidad, no siéndolo cuando se ejercita una acción individual sobre la base de daño a tercero fundado en el artículo 1902 del Código civil, en *La llamada acción individual*, pp.51 y ss.). A este respecto nos parecen clarificador del estado de la cuestión el pronunciamiento de YZQUIERDO TOLSADA, "tradicionalmente se vino entendiendo que la acción u omisión tiene que ser antijurídica para que de ella pueda nacer la responsabilidad ... Yo participo de la opinión, cada vez más extendida, de que la antijuridicidad no es propiamente un requisito de la conducta ... Decir que la antijuridicidad es la contravención entre la conducta del suje-to y el ordenamiento jurídico aprehendido en su totalidad (leyes, costum-bres, principios dimanantes del sistema ...) o que lo antijurídico está en el mismo acto de dañar a otro, salvo que concurra una causa de justificación, es esconder algo mucho más sencillo: todo daño no justificado debe ser re-parado por quien lo causa. O lo que es lo mismo, habrá que saber cuándo existen causas de justificación, entre las que destacan la legítima defensa, el estado de necesidad, los daños consentidos de la víctima (v. gr. los riesgos típicos en una actividad deportiva) o los daños causados al ejercitarse un derecho propio, siempre que no se haga de manera abusiva (art. 7.2. CC)", *Responsabilidad extracontractual, Enciclopedia de Derecho Concursal, T. II*, 2012, pp. 2659 y ss., en esp. p. 2671.

Como ya hemos señalado la asunción del cargo es para el administrador fuente de deberes de cuidado respecto de los daños que se producen en el ámbito de su competencia y en ese sentido se viene atribuyendo rele-vancia a la inserción de la acción individual en el ámbito del desempeño de las funciones del cargo. Debe pues existir ilicitud o antijuridicidad de la conducta del administrador en relación con los deberes que le incum-ben. Compartimos el planteamiento de que no cualquier infracción de normas es relevante a efectos de tutela de los intereses de socios o terceros, sino que habrá que tener en cuenta el fin de protección de la norma en relación con los daños que se trata de evitar y las personas amparadas por la misma y que, en relación con el deber de cumplir los deberes genera-les inherentes al cargo, debe partirse de las funciones y competencias que incumben a los administradores en controlar los riesgos que generan me-diante su comportamiento personal y también los generados por las cosas que están sometidas a su ámbito de dominio. En relación con los riesgos que genera la actividad societaria o empresarial y los deberes de evitación de daños, por un lado, hay que definir los que corresponde a la posición de la sociedad frente al perjudicado y, por otro, los que incumben a los administradores en relación con ese tipo de riesgos cuyo control asumen (para el desarrollo de este planteamiento en relación con la acción individual MARÍN DE LA BÁRCENA, *La acción individual,* pp. 178 y ss., con amplias referencias al derecho español y comparado en esta materia). En este sentido hay que lamentar que con frecuencia las sentencias se limiten a afirmar, de forma genérica, que concurre el requisito de la antijuridicidad por haberse infringido los deberes del cargo, en particular, por no ejercicio del cargo con la diligencia prevista en los artículos 225 y 236.1 de la Ley de Sociedades de Capital, sin más concreciones para la imputación de responsabilidad a los administradores. Por ello debe insistirse, como ya hemos apuntado, en que los títulos y procedimientos de imputación de la responsabilidad de la sociedad y de los titulares de posiciones orgánicas, pueden no coincidir. pues si bien asumen deberes impuestos a la sociedad como parte contractual (precontractuales de información, de prestación y de diligencia en el cumplimiento) o como sujeto participe en el mercado, incluso el *naeminen laedere,* ello «no conlleva que asuman las obligaciones de la sociedad y que respondan en todos los casos en que la sociedad no cumple un contrato o lesiona a un tercero, por muy directos que sean los daños y estén causalmente enlazados con el comportamiento activo u omisivo del administrador» (MARÍN DE LA BÁRCENA, ob. cit. p. 141). Ahora bien, cuando de la norma no se desprenda con claridad, no siempre será fácil determinar en que supuestos, en el ejercicio del cargo, se han infringido los llamados deberes de cuidado que incumben a los administradores para proteger los intereses de socios y terceros en el ámbito del artículo 241 de la Ley de Sociedades de Capital. El debate surge sobre todo en relación con operaciones realizadas en fase de crisis empresarial.

Corresponde, como regla, acreditar la actuación ilícita de los administradores determinante de la responsabilidad que se les imputa al propio perjudicado [entre otras, SSTS de 15.12.1999; de 21.11.1999; 18.7.2002; de 18.1.2000; de 16.2.2004 y 22.7.2004].

> *Ahora bien el principio de que «corresponde la carga de la prueba al litigante que enuncia y al que conviene, en su interés, aportar los datos normalmente constitutivos del supuesto de hecho que fundamenta el derecho que postula y que por lo mismo, corresponde la carga al oponente o a la parte que contradiga aquel hecho si ésta contradicción presupone introducir un hecho distinto» conforme al artículo 1214 del Código Civil, no implica que no se deba flexibilizar el rigor de esta regla «para hacer recaer las consecuencias de la falta de prueba sobre la parte que tenía más facilidad o se hallaba en una posición prevalente o más favorable por la disponibilidad o proximidad a su fuente (doctrina de la facilidad y disponibilidad probatoria consagrada en la LEC de 2000)» [sts de 27.10. 2004]. La sentencia del Tribunal Supremo de 2 de febrero de 2004 en un supuesto en que se plantea el problema de la prueba de la insolvencia y cumplimiento de los deberes correspondientes, declara que «la determinación y valoración del patrimonio social real es una prueba que escapa*

*al ámbito de la parte actora por su complejidad e inaccesibilidad, debiendo recaer
sobre los administradores demandados la carga de probar aquellos extremos, pues
tienen todas las facilidades para ello al dirigir la sociedad. Deben por tanto, para
destruir la calificación de insolvencia patrimonial, probar que efectivamente no era
esa la situación real de la sociedad en los ejercicios anteriores... y nada han hecho,
sólo limitarse a exigir que la contraparte pruebe, lo que era imposible o muy difícil,
fuera de informaciones obtenidas de Registros públicos».* En esta misma dirección la
Sentencia de la Audiencia Provincial de Madrid (Secc. 28) de 9 de mayo de 2014,
en un supuesto en que se achaca al administrador social "su desentendimiento del
cumplimiento de obligaciones que eran propias de su cargo, cuya desatención conlleva consecuencias perjudiciales para terceros que, como la demandante, tenían derecho a que la liquidación se hiciese con transparencia y que se atendiesen sus créditos
en la medida de lo posible o se constatase, al menos, en forma legal y con respeto del
principio de la "par condicio creditorum"*, declara que* "incumbía al administrador
de la sociedad deudora no sólo haber alegado sino también demostrado, entre otras
razones porque disponía de más facilidad para ello (art. 217 de la LEC), que la situación no era tal o que la parte actora tenía a su disposición activos sociales los que
podía hacer efectivo el cobro de su derecho. El demandado no ha satisfecho, sin embargo, esta exigencia".* La Sentencia de la Audiencia Provincial de Barcelona (Secc.
15) de 13 de febrero de 2014,* en un supuesto en que se discute la situación de crisis
de la sociedad, declara que *"en el caso, la falta de depósito de las cuentas anuales
en el Registro Mercantil dificulta a la actora poder demostrar de forma plena que la
sociedad deudora estaba en una situación de despatrimonialización. El Tribunal
Constitucional, en sentencia 140/1994, de 4 de mayo , ya declaró que debía tenerse
presente que cuando las fuentes de prueba se encuentran en poder de una de las
partes, la obligación constitucional de colaborar con los órganos jurisdiccionales en
curso del proceso (art. 18 CE) conlleva que sea aquella quien los posee la que deba
acreditar los hechos determinantes de la litis. Diversamente a lo que alega la propia
parte recurrente es la parte demandada la que, en virtud del principio de facilidad
probatoria, disponibilidad y proximidad de fuentes de prueba, que la vigente Ley
de Enjuiciamiento Civil positiviza en el artículo 217.7 º, tenía a su disposición las
fuentes de prueba contradictorias para acreditar que no estaba incursa en esa causa
de disolución. Nada de lo anterior hizo la parte demandada, limitándose, tan sólo,
a negar la falta de concurrencia de dicha causa de disolución".*

2. Daño y relación de causalidad (y la imputación objetiva)

El comportamiento antijurídico es un elemento del supuesto de hecho, pero en el campo de la responsabilidad indemnizatoria debe existir
un daño. En el plano de la teoría general de los presupuestos no presenta
ninguna particularidad, dándose por remitido el debate general de la doctrina sobre la tradicional teoría de la diferencia para determinar el daño
y las nuevas concepciones sobre el daño indemnizable (véase por todos,

DÍEZ-PICAZO, *Derecho de daños*, pp. 307 y ss.). Procede hacer aquí una consideración complementaria. No debe confundirse el «daño directo» (en el sentido indicado de daño causado directamente al patrimonio del socio o de los terceros y, por tanto, presupuesto especifico del tipo de acción de responsabilidad que nos ocupa) con la «relación de causalidad», un elemento de la teoría general de la responsabilidad, y que se refiere a la vertiente de la conexión que se produce entre el comportamiento del agente y el daño, relevante a los efectos de seleccionar los daños de que se responde en el marco de la acción de responsabilidad correspondiente. En este mismo sentido se afirma con razón que el daño directo es un requisito determinante del ámbito de aplicación de la norma (art. 241 LSC) y por tanto "si los daños se causaron al patrimonio de la sociedad, por mucho que se constate una relación de causalidad con la lesión de los derechos de crédito de los acreedores sociales que no pueden cobrar lo que se les debe, la acción legalmente prevista para indemnizar el daño a dicho patrimonio social es la acción social" (RODRÍGUEZ ARTIGAS/MARÍN DE LA BÁRCENA, *La acción social de responsabilidad, p. 162)*. En la perspectiva de la relación de causalidad lo que se exige es que el daño sea la consecuencia del comportamiento ilícito del administrador, quedando remitidos a la doctrina general de la responsabilidad civil, los difíciles y debatidos problemas de la misma (véase por todos DÍEZ-PICAZO, *Derecho de daños*, pp. 331 y ss.), donde, como es sabido hoy se distingue entre la relación causal, como cuestión de hecho, que debe decidirse conforme a la teoría de la equivalencia de las condiciones, y como cuestión jurídica, que desarrollada en el ámbito de la dogmática penal «tiene el cometido de fijar criterios normativos por los cuales un resultado –en el que reside la lesión de un bien jurídico– es atribuible a un comportamiento» y que se extiende en la doctrina para corregir el alcance la teoría de la equivalencia de las condiciones y que, en realidad, va mas allá de la causalidad (DÍEZ-PICAZO, *Derecho de daños*, p. 341; PANTALEÓN, *Causalidad e imputación objetiva*, pp. 1561 y ss., que menciona entre los criterios para la exclusión de la imputación objetiva de un curso lesivo: el del riesgo general de la vida, el de la prohibición de regreso, el de la provocación, el del incremento del riesgo y el del fin de protección de la norma; XIOL RÍOS, «La imputación objetiva en la jurisprudencia», pp. 1 y ss.; MARÍN DE LA BÁRCENA, conecta también la imputación objetiva con la antijuridicidad, pp. 151 y ss., en esp., pp. 168 y ss.; DE ANGEL YAGÜEZ, *Causalidad en la responsabilidad extracontractual: sobre el arbitrio judicial, la imputación objetiva y otros extremos*, Cizur Menor (Navarra), 2014).

> *Como es sabido esos criterios normativos para la imputación a un sujeto de un resultado dañoso no están perfectamente delimitados sino que se van estableciendo por el intérprete, en función de la estructura y fin de las normas de responsabi-*

lidad civil y la mayor parte de las veces operan como criterios de exclusión de la imputación. Sin perjuicio de lo que se diga al referirnos a los distintos grupos de casos, procede destacar aquí, en relación con la imputación del resultado, la relevancia del criterio de la finalidad de la norma para considerar indemnizables sólo los protegidos por la infracción de la norma y del criterio de la probabilidad (adecuación) en el sentido de que no cabe atribuir el resultado dañoso a la conducta del sujeto cuando para un observador experto y debidamente informado no era probable que se produjera el resultado dañoso. En esta perspectiva la sentencia del Tribunal Supremo de 28 de abril de 2006 diferencia, como claramente distintos, «los problemas de imputación objetiva (conocimiento por los reclamantes de la situación de la sociedad en el momento de la generación del crédito, solvencia de la sociedad, existencia de créditos compensables de la sociedad frente a los acreedores que reclaman)» y los problemas de «imputación subjetiva, esto, es la posibilidad de exoneración de los administradores que... demuestren una acción significativa para evitar el daño (lo que se ha de valorar en cada caso) o que se encuentre ante la posibilidad de evitarlo». También se alude, en el ámbito de la responsabilidad por deudas sociales, a los problemas de imputación objetiva en la Sentencia del Tribunal Supremo de 5 de diciembre de 2007, cuya utilidad es más limitada (MARÍN DE LA BÁRCENA, «Responsabilidad por deudas y derecho de daños», RdS, nº 31, 2008, pp. 397 y ss.). Con posterioridad en las STS de 20.11.2008 y de 14.5.09. En este contexto nos parecen de interés las declaraciones de la sentencia del Tribunal Supremo de 30 de noviembre de 2004 sobre el ámbito de aplicación y la imputabilidad de daños en el marco del artículo 241 de la Ley de Sociedades de Capital, en un supuesto en que se discute la existencia e incumplimiento del compromiso de los demandados de transmitir al actor (recurrente) un determinado porcentaje de las acciones que aquellos tenían en otras sociedades dedicadas a la publicidad para, así, quedar integrado el actor en un grupo de sociedades en igualdad de condiciones. A juicio del Tribunal Supremo «si el daño cuya reparación se pedía en la demanda lo ponía el propio demandante en relación directa con el incumplimiento por los demandados del tantas veces aludido compromiso, de suerte que las infracciones atribuidas a éstos como administradores no habrían sido sino instrumentales de aquel incumplimiento, mal puede ahora reelaborarse a través de este motivo una especie de nueva demanda que no sólo prescinde de elementos necesarios de la responsabilidad regulada en los preceptos citados (arts. 236 y 241 LSC), como la relación de causalidad, sino que incluso omite el más mínimo razonamiento sobre cuáles serían, de los perjuicios detallados y cantidades consignadas en uno de los hechos de la demanda, los concretamente atribuibles a la infracciones que tan abstractamente se imputan a los demandados».

En relación con la valoración de la conducta desplegada por los administradores como órgano de gestión y su trascendencia en relación con los daños al patrimonio social o, directamente, al patrimonio de los acreedores, deben destacarse, las afirmaciones de la sentencia del Tribunal Supremo de 23 de febrero de 2004, en el sentido de que la Sala «estima por completo ajeno al litigio, en que se ventila una acción individual de responsabilidad civil contra un administrador, el estu-

dio de su actuación como tal en la gestión de la sociedad, cuyo marco adecuado es la acción social de responsabilidad regulada en el artículo 134 de la Ley de Sociedades Anónimas (arts. 238-240 LSC) y dicha acción no se ha ejercitado. Por tanto, atribuir al impago de "A" de los servicios prestados por la recurrente a las consecuencias de la gestión social que juzga fraudulenta, en modo alguno es constitutivo del daño directo que legitima para el ejercicio de la acción de responsabilidad individual el artículo 135 (art. 241 LSC). El daño que aquella gestión originó es un daño al patrimonio social, que afecta a los socios y a los acreedores y que les legitima para ejercitar la acción social de responsabilidad».

De gran interés sobre el tema de la causalidad y la imputación objetiva son las Sentencias del Tribunal Supremo de 9 de octubre y de 14 octubre de 2008 sobre responsabilidad de los auditores, separando el plano de la relación causal (según la regla de la conditio sine qua non y de la equivalencia de condiciones) y la causalidad conforme a una valoración jurídica en la que entran en juego criterios normativos que justifican la imputación objetiva de un resultado a su autor. En la misma línea la Sentencia del Tribunal Supremo de 17 de noviembre de 2011 (Res. nº. 793/2011), en un supuesto en que se ejerce la acción social de responsabilidad, declara que "la relación causal... se reconstruye, en una primera fase, mediante la aplicación de las reglas de la "conditio sine qua non" –conforme a la que toda condición, por ser necesaria o indispensable para el efecto, es causa del resultado– y de la "equivalencia de condiciones" –según la cual, en el caso de concurrencia de varias, todas han de ser consideradas iguales en su influencia causal si, suprimidas imaginariamente, la consecuencia desaparece también–. Solamente afirmada la relación causal según las reglas de la lógica y ya en una segunda fase, habrá que identificar la causalidad jurídica, permitiendo la entrada en juego de criterios normativos que justifiquen o no la imputación objetiva de un resultado a su autor, en función de que permitan otorgar, previa discriminación de todos los antecedentes causales del daño y de su verdadera dimensión jurídica, la calificación de causa a aquellos que sean relevantes o adecuados para producir el efecto". La Sentencia del Tribunal Supremo de 22 de diciembre de 2014, en la misma línea declara, en un supuesto en que se discute la responsabilidad civil extracontractual de los auditores, que la sentencia recurrida "llevó a cabo una correcta aplicación de los criterios de imputación causal, empleados en estos casos por la jurisprudencia, como recuerda la citada Sentencia 338/2012, de 7 de junio , con cita de otras anteriores (Sentencias 798/2008, de 19 de septiembre; 869/2008, de 14 de octubre; 115/2009, de 5 de marzo; 355/2009, de 27 de mayo; 815/2010, de 15 de diciembre, entre otras), en cuanto «(t)uvo en cuenta, al fin, la regla de causalidad alternativa, según la que se entiende que cada actividad que baste por sí para causar un daño, lo ha causado en la medida correspondiente a tal probabilidad». El tribunal de instancia no se aparta de esta doctrina cuando razona que la conducta de los auditores incidió en la causación del perjuicio que supone el impago parcial de los créditos surgidos por los suministros realizados por los demandantes". Y la misma Sentencia del Tribunal Supremo de 22 de diciembre de 2014, en relación con el juicio de imputabilidad del nexo causal entre las irregularidades contables cometidas por los administradores y *el daño causado a unos acreedores por impago parcial de sus créditos, afirma que "el juicio realizado por el tribunal de instancia responde a la doctrina sentada por esta Sala, entre otras en la Sentencia 815/2010, de 15 de diciembre, que, una vez advertida la causalidad física por aplicación de la teoría de la equivalencia de las condiciones, asienta la causalidad jurídica «sobre juicios de probabilidad formados con la valoración de los demás antecedentes causales y de otros criterios, entre ellos, el que ofrece la consideración del bien protegido por la propia norma cuya infracción atribuya antijuricidad al comportamiento fuente de responsabilidad». Como razona la Sentencia núm. 545/2007, de 17 de mayo, en virtud de «la causalidad jurídica, (...) cabe atribuir jurídicamente (imputar) a una persona un resultado dañoso como consecuencia de la conducta observada por la misma, sin perjuicio, en su caso, de la valoración de la culpabilidad (juicio de reproche subjetivo) para poder apreciar la responsabilidad civil, que en el caso pertenece al campo extracontractual». Y para "sentar la existencia de la causalidad jurídica, que visualizamos como segunda secuencia configuradora de la relación de causalidad, tiene carácter decisivo la ponderación del conjunto de circunstancias que integran el supuesto fáctico y que son de interés en dicha perspectiva del nexo causal»."*

La prueba del daño y de la relación de causalidad incumbe a quien sufrió el daño [entre otras, SSTS de 19.5.2003; de 20.11.2003; de 27.5.2004 y de 22.7.2004].

3. La culpa

La infracción de los deberes del cargo debe ser subjetivamente imputable al administrador. Con ello se quiere decir que al juicio de antijuricidad, en el que se valora, como hemos visto, «si la acción u omisión del sujeto considerada abstractamente ha vulnerado de forma injustificada un derecho o un interés jurídicamente protegido», sigue el juicio de culpabilidad, en el que «se determina si el comportamiento del autor del hecho injusto ha contravenido los deberes de conducta que el ordenamiento impone en atención a su finalidad protectora de bienes jurídicos» (PEÑA LÓPEZ, *Culpabilidad*, p. 284). A estos efectos, doctrina y jurisprudencia, consideran que funcionan como criterios de imputación el dolo y la culpa. El primero entendido como consciencia del significado del acto ilícito y voluntad de realizarlo y la segunda como omisión de la diligencia debida. Doctrina y jurisprudencia coinciden en definir el nivel de diligencia exigible conforme a criterios objetivos (culpa en sentido objetivo), a partir de lo previsto para la responsabilidad contractual en el artículo 1104.1 del Código Civil. Sin perjuicio de que en las obligaciones de contenido indeterminado (obligaciones de medios) la diligencia pueda cumplir la función de determinar el contenido de la prestación debida (BADOSA, *Diligencia*, pp. 694 y ss.; DÍEZ-PICAZO, *Fundamentos*, p. 98

y pp. 608 y ss.), aquí se contempla la falta de diligencia con la función de imputación subjetiva, siendo elementos relevantes a este respecto la exigencia de un determinado grado de discernimiento en el agente –la imputabilidad– y la ausencia de una situación en la que sea inexigible al autor obrar de otro modo –la inexigibilidad–. Existirá omisión de la diligencia debida cuando el perjuicio antijurídico causado era previsible («previsibilidad») para un buen administrador en las circunstancias del caso (en consideración del encargo asignado y, en su caso, de las competencias específicas consideradas en el acto del nombramiento) y susceptible de ser evitado («evitabilidad») con el empleo de la diligencia exigida (para ulterior desarrollo y referencias véase, por todos, PEÑA LÓPEZ, pp. 278 y ss.).

Se ha sostenido en las versiones anteriores de este trabajo que la carga de la prueba de la culpa o negligencia corresponde al perjudicado accionante, como ha sostenido la jurisprudencia (entre otras, con referencia a jurisprudencia anterior, puede verse la STS de 20 de junio de 2005). Algún sector autorizado de la doctrina había mantenido que es "el administrador demandado quien debe probar, bien que concurrió un suceso externo que le impidió cumplir, bien que empleó la diligencia promotora (deber de cuidado interno) exigible según la naturaleza de la prestación, el tiempo y el lugar (art. 1.104 CC) para situarse en posición de cumplir con el comportamiento establecido en las normas legales o estatutarias o para observar el estándar del ordenado empresario", considerando que "la culpa, que se presume iuris tantum, consiste en emplear el cuidado interno debido" (MARÍN DE LA BÁRCENA, *La acción individual*, p. 187). Y en la jurisprudencia reciente, la Sentencia del Tribunal Supremo de 3 de septiembre de 2014, declara que "el artículo 133.1 de la Ley de Sociedades Anónimas (acción de responsabilidad de los administradores, actualmente arts. 236 y 238 LSC) que es la norma por la que han sido condenados los administradores, exige la concurrencia de distintos presupuestos: 1) una acción u omisión , causante del daño; 2) imputabilidad de dicha acción u omisión en base al ejercicio del cargo; 3) la antijuridicidad por ir su conducta en contra de las leyes, los estatutos o sin la diligencia debida; 4) la culpabilidad que se presume una vez probados los anteriores presupuestos, sin que sea necesaria la tipicidad de una norma concreta; y 5) el daño causado por al acción u omisión y su relación de causalidad (SSTS 242/2014, de 23 de mayo, 396/2013, de 20 de junio, 395/2012, de 18 de junio, entre otras). La acción social de responsabilidad (art. 134 LSA - art 238 y ss LSC) tiene por finalidad el resarcimiento del patrimonio social, en tanto que la acción individual de responsabilidad busca el resarcimiento del patrimonio del acreedor (tercero) cuando se lesionan directamente sus intereses (art. 135 LSA - 241 LSC). Sin embargo los presupuestos de ambas acciones de responsabilidad son los mismos, sólo cambia la finalidad de la acción". Advirtamos que no se deben pasarse por alto la necesidad de identificar en el caso la modalidad de ilícito imputable al administrador. La reforma de la Ley de Sociedades de Capital por la Ley 31/2014, en el marco de la norma general de responsabilidad de los administradores acoge expresamente este criterio, en cuanto a la culpabilidad, al tratar de los presupuestos generales de responsabilidad de los administradores (en principio con referencia a la acción social), estableciendo que la "culpabilidad se presumirá, salvo prueba en contrario, cuando el acto sea contrario a la ley o a los estatutos sociales" (art. 236.1 párrf. 2°).

> Como afirma la sentencia del Tribunal Supremo de 25 de febrero de 2002, «el que la jurisprudencia de esta Sala haya declarado aplicable la técnica de la carga de la prueba en determinados ámbitos del muy amplio campo de la responsabilidad, normalmente caracterizados por el riesgo que genera la actividad del sujeto demandado como responsable del daño sirviendo como ejemplo más característico el de la circulación de vehículos de motor, no significa que esa técnica sea trasladable sin más a todos los litigios sobre responsabilidad civil y, menos todavía, a aquellos en que se enjuicia la culpa o negligencia del profesional. Más en concreto, acerca de la responsabilidad de los administradores de sociedades anónimas fundada en el artículo 135 (art. 241 LSC)... la sentencia del Tribunal Supremo de 28 de junio de 2000 declara que el demandante tiene que probar la acción u omisión dolosa o culposa del actor, la sentencia del Tribunal Supremo de 30 de marzo de 2001 exige la prueba por el demandante no sólo del daño sino también del nexo causal y, en fin la sentencia de 20 de julio de 2001... y la de 21 de septiembre de 1999..., da por consolidada la doctrina de que la carga de la prueba incumbe al demandante, con lo que cae por su base el planteamiento del motivo, pues el reconocimiento de una inversión de la carga de la prueba por la Sala en este ámbito se ha ceñido a aspectos muy concretos en que es la propia Ley la que establece una presunción en contra de los administradores, cual sucede en el artículo 133.2 de la Ley de Sociedades Anónimas (actual. art. 237 LSC) con la solidaridad de todos los miembros del órgano de administración que hubiere realizado el acto o adoptado el acuerdo lesivo [STS de 18.1.2000]». En el mismo sentido, contrario a la inversión de la carga de la prueba, se pronuncian las sentencias del Tribunal Supremo de 4 de abril de 2004 y la de 22 de julio de 2004. En cambio la sentencia de 22 de enero de 2004 declara que «conforme a la teoría del riesgo, la culpa se presume con presunción iuris tantum, en tanto que no se demuestre que el agente obró con prudencia y diligencia, lo que aquí no ocurrió». La Sentencia del Tribunal Supremo de 28 de abril de 2006 (núm. 417/2006), declara que la «viabilidad de la acción individual de responsabilidad requiere... lesión directa en los intereses del acreedor reclamante... la relación de causalidad entre daño y actuación, suponiendo una culpa, aunque bajo presunción, que puede destruir el afectado» (art. 133 LSA; actual art. 236 LSC). No hay, pues, una responsabilidad que pueda calificarse en sentido propio como «objetiva».

V. GRUPOS DE CASOS RECONDUCIBLES AL ÁMBITO DE LA ACCIÓN INDIVIDUAL

Dada la heterogeneidad de supuestos que pueden enjuiciarse como de responsabilidad civil por daño directo de los administradores nos parece aconsejable tratar de los *distintos grupos de casos*. El criterio de ordenación que nos parece más adecuado es aquel que atiende, respetando la terminología de la ley, a la vinculación o no de los perjudicados con la sociedad y, en consecuencia, distingue entre terceros no vinculados (acreedores extracontractuales), terceros contractuales (en virtud de muy diversas relaciones contractuales) y socios (por su especial relación con la sociedad). A partir de esa ordenación nos parece que el subcriterio relevante debe ser el de la modalidad del ilícito cometido por los administradores, que permite descubrir peculiaridades de los supuestos en cuanto a intereses lesionados, justificación de su inclusión en el ámbito de la acción individual y singularidades de régimen. Con esta sistematización tratamos de contribuir a clarificar y avanzar en el análisis de este importante sector de la realidad, en el que subsisten zonas de sombra y alguna inseguridad, tanto en la doctrina como en la jurisprudencia, aunque, justo es reconocerlo, son muchos los avances realizados en la última década. Además esta ordenación permite situar en su contexto de validez relativa afirmaciones que se pretende de validez general y que sólo son adecuadas en relación con el grupo de casos contemplados. En concreto esta aproximación facilita apreciar mejor el comportamiento ilícito imputable a los administradores. Como ya se ha advertido en la acción individual son relevantes deberes propios del cargo de administrador (legales y administrar con diligencia) en relación con deberes de prevención y evitación de daños directos a socios y terceros. Y esto habrá que tenerlo en cuenta según los casos pues no siempre coincidirán los presupuestos de responsabilidad de la sociedad y los de los administradores ni, en relación con la responsabilidad de éstos, coincidirán presupuestos y efectos de la responsabilidad por acto ilícito en el desempeño de sus funciones (basta pensar, por ej., en el distinto régimen de los arts. 241 –responsabilidad por daño– y 367 LSC –responsabilidad por deudas sociales–).

1. Lesión de intereses de terceros que no están en previa relación jurídica con la sociedad («ilícitos de empresa»)

Es obvio que el desarrollo de la actividad empresarial puede causar daños a terceros, derivados de una heterogénea e inabarcable serie de ilícitos colectivos –en el sentido de vinculados a la más o menos compleja actividad organizada de empresa–. Con carácter general basta referirse a daños a la integridad física, los bienes, la salud o la libertad de los demás y en concreto debe destacarse la importancia de los daños al medio ambiente, no retirada del mercado de productos defectuosos, actos de competencia desleal, ataques a los derechos de propiedad industrial, etc. (sobre estos últimos DE LA VEGA GARCÍA, *Responsabilidad civil*, pp. 1735 y ss.).

Ante estos supuestos surge el problema de establecer el marco de la responsabilidad de la sociedad y el propio de la responsabilidad personal de los administradores. Desde la perspectiva de la responsabilidad personal de los administradores deberá detectarse una infracción de deberes que pertenezca a la esfera de competencia de los administradores en el marco concreto de esa sociedad. El deber de control de los riesgos que genera la actividad empresarial y de evitar que se materialicen en daños frente a terceros, que es propio de la persona jurídica, se extiende también a los administradores que actúan en su ámbito de competencia por la persona jurídica. Existirá una infracción de esos deberes extracontractuales (en la medida que se proyectan para terceros, en este caso, terceros para la sociedad y para los propios administradores) no sólo en los casos de dolo, que opera como criterio general de imputación de responsabilidad civil, y en aquellos en que se haya producido una intervención directa del propio administrador, sino también, y éste es hoy el punto conflictivo, cuando haya existido una omisión de deberes de vigilancia e intervención que en el caso correspondían al administrador y que hubieran podido evitar o aminorar el daño causado.

La imputación de responsabilidad de la sociedad deberá resolverse de acuerdo con los presupuestos y condiciones establecidos en cada sector del tráfico o tipo de productos y que pueden variar según los casos (en todo caso será extracontractual y deberá soportar las consecuencias, por razones orgánicas, de los actos ilícitos de sus administradores). Como se ha advertido con acierto la antijuridicidad del comportamiento de la persona investida del cargo puede basarse sobre presupuestos normativos y parámetros valorativos diferentes de los que conciernen a la acción organizada en su conjunto y en estos casos la imputabilidad individual a los «agentes humanos» en los distintos puestos de la estructura empresarial «presupone la configuración de un comportamiento ilícito personal, que se inserta de manera cualificada en la dinámica de la producción del daño» (en este sentido GUERRERA, *Illecito*, pp. 297 y 348). La acción individual de responsabilidad contra los administradores sólo podrá prosperar cuando concurre un comportamiento ilícito personal en la causación del daño directo a los terceros. En este sentido la doctrina italiana, en relación con el artículo 2395 del Código Civil italiano en el que se inspira el artículo 241 de la Ley de Sociedades de Capital, ha insistido tradicionalmente en que el hecho ilícito deriva de forma directa del comportamiento doloso o culposo del administrador, para impedir la consecuencia de que el incumplimiento contractual de la sociedad lleve consigo, por si mismo, la responsabilidad del administrador. De otra manera se corre el riesgo de hacer a los administradores garantes frente a terceros de todas las deficiencias funcionales o de las obligaciones o faltas de la organización de las que no deben responder salvo que se pueda identificar la contribución de un comportamiento activo u omisivo del administrador. Esta responsabilidad sólo existe cuando estaba en su mano (en el marco del ejercicio de sus competencias de dirección y control de la marcha de la empresa en las circunstancias del caso) haber podido actuar para prevenir el daño causado por la actividad empresarial. Se puede incurrir en responsabilidad por actuación negligente que causa daños a terceros, p. ej. en el ámbito de ilícitos concurrenciales, daños medioambientales o infracciones de derechos de propiedad industrial (en este sentido, con amplias referencias a la doctrina comparada, puede verse MARÍN DE LA BÁRCENA, *La acción individual*, Cap. III, *passim* y pp. 294 y ss.). En relación con la responsabilidad frente a acreedores extracontractuales de la sociedad ALFARO sostiene que la "responsabilidad del administrador sólo podrá afirmarse, en cada caso, si ha sido su actuación personal la que ha causado el daño al tercero –caso general, porque haya infringido una norma de las que rigen su comportamiento como administrador cuyo cumplimiento se exija por el ordenamiento para proteger a terceros específicos; o en relación con las omisiones, si puede afirmarse que el administrador ha adquirido una posición de garante que le obliga a impedir la producción de los daños", *La responsabilidad externa, p. 11*

> *La jurisprudencia ha estimado la responsabilidad conjunta de la sociedad y su «gerente» (no queda, sin embargo, claro en el caso si tenía configuración orgánica o no), cuando a éste le es imputable una «omisión de su diligencia en la conservación de las instalaciones eléctricas que tenía a su cargo» [STS de 5.1.1977] y la ha desestimado para el gerente al no ser identificable un acto causante del daño directo al tercero [STS de 25.5.1987, que condena sólo a la sociedad].*

> *Ilustrativa de este grupo de casos se puede considerar la Sentencia del Tribunal Supremo de 22 de enero de 2004 en la que condena solidariamente a la sociedad (responsabilidad extracontractual ex art. 1902) y a dos administradores (responsabilidad directa ex art. 241 LSC) por los daños sufridos por un menor que accedió a una mina sin vigilancia ni señal alguna de peligro ni prohibición de entrada. Para la resolución judicial se reputa acto directo en el marco de la acción individual «la omisión y el incumplimiento de los deberes generales de seguridad y de protección de terceros indeterminados y, en general, los relativos al cumplimiento de las*

exigencias y cuidados de la vida en comunidad y a la evitación de posibles daños a terceros». Considera que «el daño fáctico es paradigma y ejemplo de total descuido y negligencia respecto a terceros. En todo caso, la negligencia de unos menores de 12 y 10 años de edad no puede desvirtuar, ni anular la grave culpa de los responsables de la empresa minera de tener sin vigilancia, sin vallados y sin señales una maquinaria de uso peligroso para los profanos en su manejo y con deficiencias contrastadas. Concurren por ello los elementos de omisión de las medidas de cautela y previsión socialmente aceptadas y establecidas por el ordenamiento jurídico, debiendo tenerse en cuenta por ello los principios de la previsión del riesgo, la producción de un resultado dañoso y el nexo causal». Y añade que «la culpa extracontractual no consiste en la omisión de normas inexcusables, sino en el actuar no ajustado a la diligencia exigible, según las circunstancias del caso, de las personas, tiempo y lugar para evitar perjuicio a los bienes ajenos y que conforme a la teoría del riesgo, la culpa se presume con presunción iuris tantum, en tanto que no se demuestre que el agente obró con prudencia y diligencia, lo que aquí no ocurrió». En esta sentencia se establece correctamente la responsabilidad de los administradores por omisión de deberes extracontractuales de tráfico que pesan sobre quien es responsable máximo de la dirección y control de la actividad empresarial. Al tratarse de una mina que ha dejado de funcionar puede entenderse que los administradores debieron tomar las oportunas decisiones dirigidas a la adopción de las oportunas medidas de seguridad en prevención de daños (en este sentido MARÍN DE LA BÁRCENA, La acción individual, p. 297 en nota n.º 1; en sentido crítico con nuestra valoración de esta sentencia, ALFARO, Recensión, p. 9).

La Sentencia del Tribunal Supremo de 23 de octubre de 2008 condena al administrador por conducta negligente «en relación con la falta de medidas de seguridad del trabajador de limpieza accidentado» por no haber «facilitado la empresa cinturón de seguridad, pues sólo disponía de uno en mal estado de funcionamiento, debiendo destacarse que esas labores se llevaban a cabo a más de cuatro metros de altura, por lo que entrañaban notable riesgo».

2. Lesión de intereses de socios por intromisión ilícita en las relaciones societarias del socio con la sociedad

Al administrador, como miembro del órgano societario, corresponden deberes «societarios» específicos o, en última instancia, en virtud del deber general de buen administrador (art. 225 LSC), con el alcance señalado, en orden a atender a las diversas pretensiones, facultades y derechos que la ley reconoce a los accionistas frente a la sociedad en virtud de su relación/posición jurídica. La doctrina se refiere con reiteración a estas hipótesis de privación de la condición de socio o de infracción de derechos de participación y económicos de los socios, perjudicando ("directamente") el valor de su participación societaria: prohibición de acceso a la Junta general, impedimento del ejercicio del derecho de voto, infracción del derecho de información, desconocimiento del derecho de suscripción preferente, atribución de las acciones a persona distinta del verdadero titular, amortización indebida de acciones, no entrega de certificados o documentación correspondiente a su condición de socio; no respecto de la paridad en el canje de acciones en los supuestos reconocidos en el ordenamiento, etc. (MARÍN DE LA BÁRCENA, *La acción individual*, pp. 280 y ss.; recientemente la posibilidad de ejercicio de la acción individual por el perjuicio causado al socio por incumplimiento doloso o culposo objetivamente imputable a los administradores de los deberes que sobre ellos recaen en relación con la correcta determinación del tipo de canje se ha sostenido por RECAMAN, *La responsabilidad de los administradores en relación con la determinación del tipo de canje en la fusión, RdS* 39, 2012-2, pp.107 y ss).

Incluimos en este marco únicamente las lesiones que se producen sobre quien ya es socio –y donde por tanto se le perjudica en su posición como socio o sus derechos de socio–, dejando fuera de nuestra consideración en este apartado los casos en que los socios toman decisiones sobre sus acciones –de inversión o desinversión– por informaciones suministradas por los administradores, que se tratan en un punto siguiente (3.2). Obviamente también se remiten al apartado correspondiente los casos en que el socio se ve perjudicado como «acreedor extrasocietario» que mantiene una relación contractual (por ej. compraventa, arrendamiento, prestación de servicios, garante de devolución de créditos societarios) con la sociedad (4). Por otro lado, no se deben confundir los daños indirectos con los cubiertos con el artículo 241 de la Ley de Sociedades de Capital. Una mala gestión que genera pérdidas o falta de los beneficios esperados provoca un daño indirecto exigible en el ámbito de la acción social, ya que perjudica al patrimonio social [la STS de 7.5.1998 no reconoce responsabilidad porque no se prueban los daños en un caso en que los administradores ordenaron que los trabajos realizados por la sociedad se facturaran a bajo precio, de tal forma que los socios se quedaron prácticamente sin beneficios sociales; entendemos que el asunto era de responsabilidad social] y mientras no hay acuerdo de reparto el daño es reflejo [STS de 26.2.1993]. Lo mismo sucede cuando un administrador hace la competencia a la sociedad y ello incide negativamente en los resultados sociales, cuando el administrador único se autoatribuye retribuciones supuestamente excesivas [es el caso de la STS de 30.10.1999] o cuando los administradores realizan operaciones por una cuantía superior al capital [que acertadamente la STS de 12.6.1995 considera normal y que en todo caso excluye del ámbito de la responsabilidad directa frente a socios y terceros]. La Sentencia del Tribunal Supremo de 27 de noviembre de 2008 sale al paso de la pretensión de la parte recurrente de acoger una interpretación extensiva del concepto de daño directo en su supuesto en que se reprocha al administrador único haber despatrimonializado la sociedad, con el consiguiente perjuicio a los socios, que tratan de cubrir con la acción individual *ex* 241 de la Ley de Sociedades de Capital. Con acierto el Tribunal Supremo considera que con la base fáctica alegada se ha producido «única y exclusivamente un quebranto del patrimonio social... que por este motivo sólo por vía del artículo 134 de la Ley de Sociedades Anónimas (arts. 238-240 LSC) puede ser restituido», con argumentación que es de interés para supuestos en que habiéndose producido una despatrimonialización la acción la ejercen los acreedores. Compartimos el criterio de la Sentencia del Tribunal Supremo de 20 de junio de 2013 que considera como eventual supuesto de daño al patrimonio social y no directo al patrimonio del socio el supuesto de beneficios no repartidos y de venta de activos. Con acierto declara que "el demandante identifica, sin matiz ni condicionamiento alguno, los beneficios de la sociedad con los beneficios del socio, al exigir a los administradores el 50% de las cantidades que afirma debieron ser computadas como beneficios si se hubieran elaborado correctamente las cuentas anuales, o que considera fueron distraídas por los administradores y por tanto correspondían a beneficios sociales que no fueron ingresados en la caja social. Y confunde el patrimonio social con el patrimonio de los socios, al exigir el 50% del perjuicio patrimonial causado a la sociedad por la indebida enajenación de activos en beneficio de un tercero que habría dejado sin actividad a la sociedad. Obvia por completo que para que los beneficios de la sociedad puedan llegar al socio es precisa la adopción en junta de socios de determinados acuerdos, en concreto el de aplicación de resultados, en la que el reparto de dividendos está sujeto a determinados requisitos, destinados de modo principal a garantizar la solvencia y continuidad de la sociedad (art. 213 del Texto Refundido de la Ley de Sociedades Anónimas, actual art. 273 del Texto Refundido de la Ley de Sociedades de Capital). Tales requisitos hacen altamente improbable que la totalidad de los beneficios de la sociedad puedan traducirse en dividendos para los socios. Y obvia también el recurrente que para que el patrimonio social pueda ser repartido entre los socios cuando la sociedad deje de realizar la actividad social, es preciso un procedimiento de liquidación que finalice con el reparto de las cuotas liquidativas, en el que se garanticen los derechos de terceros, señaladamente los acreedores sociales. En la junta impugnada se acordó la disolución y liquidación de la sociedad. Es en ese proceso liquidativo en el que hay que determinar el haber social a repartir entre los socios, integrado en su caso con las indemnizaciones por los daños causados por los administradores a la sociedad obtenidas mediante el ejercicio de la acción social ejercitada por la propia sociedad o, subsidiariamente, por la minoría social".

Asimismo rechaza, con razón, la Sentencia del Tribunal Supremo de 23 de octubre de 2009 que se pueda invocar la concurrencia del daño directo en un caso de venta de patrimonio social, considerando que en su caso el daño sería indirecto, pues la incidencia en el patrimonio del socio "se produce por un daño al patrimonio social que repercute en su participación como socio, y no por una relación directa del acto ilícito (hipotético) con su patrimonio personal". Recientemente se ha sostenido, no sin fundamento, que en casos excepcionales puede defenderse, también, la posibilidad de ejercicio de la acción individual por el socio minoritario indirectamente expoliado por los administradores y socios mayoritarios que constituyen una sociedad, sin el socio minoritario, a la que traspasan en bloque sus activos y por tanto excluyendo de hecho al socio minoritario de los beneficios que generaba la actividad societaria. Pues bien "cuando el trasvase patrimonial va acompañado de la paralización de la actividad de la sociedad originaria, al margen de una liquidación societaria formal y real, el proceso en su conjunto consiste en realidad en la exclusión 'de hecho' y sin causa del socio de la sociedad expoliada que no fue invitado a participar en la sociedad destinataria del patrimonio de aquella. La total omisión del procedimiento legal, que hubiera comprendido al menos la posibilidad de obtener el reembolso con cargo al patrimonio social del valor razonable de la cuota del socio (cfr. art. 356 TRLSC) genera un daño directo cuya indemnización se podría exigir mediante la acción individual (art. 241 TRLSC)" (RODRÍGUEZ ARTIGAS/MARÍN DE LA BARCENA, *La acción social de responsabilidad*, p. 160. En este sentido tienen interés las Sentencias del Tribunal Supremo de 12 de marzo de 2007 y de 4 de noviembre de 2010, reseñadas a continuación del texto en este apartado. Y este mismo supuesto excepcional lo admite en su caso la Sentencia del Tribunal Supremo de 20 de junio de 2013. Finalmente debemos advertir que no es de descartar que el socio sea un tercero extracontractual perjudicado por un «ilícito de empresa», en cuyo caso tendrá las acciones correspondientes, cuando se den los presupuestos a que ya nos hemos referido.

La mera enumeración de los supuestos mencionados pone de manifiesto que la modalidad de ilicitud del comportamiento de los administradores consistirá en la infracción de deberes legales, estatutarios o, en los límites indicados, inherentes a su posición orgánica que atentan a *intereses protegidos* de los socios y que esos incumplimientos pueden tener expresiones distintas según los supuestos mencionados. En el supuesto resuelto por la Sentencia del Tribunal Supremo de 3 de septiembre de 2014 un socio, en el marco de un pacto de socios) realiza una aportación a la sociedad a cuenta de un aumento de capital, que finalmente no se lleva a cabo, y los administradores destinan la cantidad a un préstamo a la sociedad del grupo. Si entendemos bien, en este caso el Tribunal Supremo, sobre la base de la demanda de responsabilidad de los administradores, por infracción de sus deberes, basada en el ejercicio de una acción social, resuelve, aplicando el principio *iura novit curia*, estimando la existencia de daño no al patrimonio social (que no existía) sino daño directo causado al socio por dar a la aportación un destino distinto al pactado. Hubiera sido oportuno que a la hora de identificar la modalidad de ilicitud del comportamiento de los administradores se hubiera subrayado que, en el caso, se ha producido una infracción de deberes impuestos a los administradores, en el conjunto de la normativa aplicable, en interés de los socios. En algunos de estos supuestos el ilícito orgánico se inserta en el proceso de formación de la voluntad de un órgano colegial (JG), que puede resultar viciado, concurriendo la posibilidad de la tutela impugnatoria (por ej. infracción de derechos administrativos, como asistencia, información o voto) con la indemnizatoria (GUERRERA, ob. cit., p. 260). Surge entonces el problema de la coordinación entre ambos mecanismos de protección. Pudiera pensarse que, en relación con aquellos daños que podrían haber sido «indemnizados» mediante el ejercicio favorable de la acción impugnatoria, no se podría reclamar la indemnización a los administradores que intervinieron en la preparación y/o ejecución del acuerdo antijurídico si la nulidad o anulabilidad del acuerdo de la Junta general era reconocible por el accionista y éste no ejerce su derecho a la impugnación, pero nos parece que, más bien, son medidas opcionales a disposición del socio [en la tendencia pero sin pronunciamiento expreso (STS de 11.3.2005), ya que la impugnación no es un deber (en este sentido también ahora MARÍN DE LA BÁRCENA, *La acción individual*, pp. 254 y ss., en esp. nota 27 en pp. 258 y ss.). Ciertamente en caso de ejercicio de la acción impugnatoria y de haber prosperado sólo podrá reclamarse el daño restante.

Un sector de nuestra doctrina propone que, frente a la regla general de daños causados por los administradores como gestores de la empresa social, no tiene justificación imputar a la sociedad los daños causados por los administradores a los socios como gestores del contrato social, ya que a) en este caso serían los demás socios los que acabarían indemnizando al socio dañado, por lo que la sociedad debe cumplir pero no indemnizar; b) esa parece ser la voluntad de legislador al excluir los artículos 238-239 de la Ley de Sociedades de Capital la reintegración del patrimonio de los socios como objeto de la acción social e incluir el artículo 241 expresamente a los socios y c) lo aconseja una razón de economía procesal. En consecuencia se propone que de estos daños sólo responde el administrador (y no la sociedad) (ALFARO, *La llamada acción individual*, pp. 74 y ss. y *Recensión*, p. 10). Parece discutible esta propuesta reductora de la responsabilidad por daños de la sociedad estos casos, ya que sin perjuicio de reconocer la mayor vinculación funcional entre administradores y socios y la posición jurídica peculiar de los administradores, no deja de ser cierto que dicha vinculación tiene lugar en el marco del contrato de organización societaria, donde el papel de mediador y garante de los administradores en la disposición sobre el patrimonio social esta sometido a una serie de reglas sobre separación entre patrimonio social y patrimonio personal, sobre integridad y conservación del patrimonio social, que en el sistema del artículo 241 de la Ley de Sociedades de Capital se incluye expresamente esa tutela de los intereses directos de los socios y no sólo de los terceros y donde es una pieza importante que, en último término, el patrimonio social pueda recuperar la indemnización satisfecha dirigiéndose contra el administrador responsable [la ya mencionada STS de 20.3.1998 en un litigio en que los administradores se niegan al canje de acciones impidiendo adquirir la condición de socio al comprador de las acciones, reconoce correctamente la responsabilidad de los administradores, pero en cambio niega la de la sociedad haciéndose eco de la no compartible tesis de que en este caso existe una «actuación personal y como administradores de la sociedad»]. La voluntad del legislador, que pudiera haber sido otra, parece ser más bien clara a favor de la tutela de los intereses directos de los socios (art. 241 LSC), separando su régimen del establecido en el artículo anterior y, finalmente, el argumento de economía procesal no es específico de este grupo de casos. Por tanto, el socio perjudicado que mantiene una relación societario-contractual con la sociedad dispone de la acción de responsabilidad contra la sociedad por actos ilícitos de sus administradores (art. 38 y 1902 CC) y, además en los supuestos en que es imputable el daño a la intervención de los administradores, de la acción directa contra éstos de carácter orgánica y extracontractual (en este mismo sentido, MARÍN DE LA BÁRCENA, *La acción individual*, pp. 249 y ss., con referencia al debate de la doctrina alemana y a los argumentos en contra de ALFARO, *La llamada acción individual*, pp. 74 y ss. y *Recensión*, p. 10); SALDAÑA, *La acción individual*, pp. 277 y ss.; RONCERO, *La acción individual* pp. 215 y s.

> *En la jurisprudencia la sentencia del Tribunal Supremo de 29 de julio de 1994 declara la responsabilidad de los administradores por la privación a un socio del derecho de información y por la vulneración del compromiso de no competencia celebrado entre los socios (el demandante y los administradores). Aunque se argumenta conjuntamente sobre los dos fundamentos para establecer la responsabilidad, no se entra en la difícil cuestión de la relación de causalidad*

entre infracción del derecho de información y daño y parece que en el caso era más decisivo el segundo fundamento que nos aleja de la acción individual para entrar en el ámbito de los incumplimientos contractuales o parasociales. Posteriormente la sentencia del Tribunal Supremo de 25 de septiembre de 1996, en un supuesto de aumento de capital, resuelto por falta de inscripción imputable a los administradores, declara la responsabilidad directa de éstos, ya que su «conducta omisiva ha ocasionado un perjuicio... al provocar un desplazamiento patrimonial sin contraprestación alguna, privándola de la cualidad de socio y, por consiguiente, del ejercicio de los derechos inherentes a esta condición». No basta pues infracción de derechos de los socios, sino que se precisa la prueba de los daños y perjuicios causados por ello [en este sentido la SAP de Jaén (Secc. 1ª), de 10.3.1997, en un caso en que se invoca haber impedido asistencia a Junta general que fue declarada nula por ello, pero en la que se rechaza la responsabilidad de los administradores porque no se prueba el daño producido]. La sentencia del Tribunal Supremo de 6 de marzo de 2006 considera como un supuesto de hecho constitutivo de «lesión directa de los intereses de los socios» el incumplimiento de la obligación de devolución de las aportaciones en el plazo marcado por la Ley en el caso de aumento de capital incompleto (aunque de forma errónea a mi juicio admite también, en el mismo supuesto de hecho, la imputación de responsabilidad frente al socio en virtud del artículo 236.1 de la Ley de Sociedades de Capital, ignorando las cuestiones de patrimonio lesionado –es el particular del socio o en su caso el social si la sociedad hubiera debido atender a la devolución al socio– y de legitimación del socios –subsidiaria– en relación con el artículo 239 de la Ley, que se plantean de forma sustancialmente distinta en el ámbito del artículo 241 de la Ley en relación con la infracción de deberes orgánicos ex 236.1, como es bien sabido. La sentencia del Tribunal Supremo de 7 de marzo de 2006 niega la responsabilidad del administrador único por el daño causado por la falta de presentación de las cuentas (que además en el caso no se debe a infracción de deberes de los administradores en su formulación, sino a la falta del informe de auditoría –aunque no queda claro a quien es imputable ese incumplimiento–), ya que no se ha acreditado el daño producido en sus derechos como socio (en particular en relación con su derecho a la información) y en la misma dirección la sentencia de 17 de junio de 2004, admite que «la falta de presentación de las cuentas anuales en el Registro Mercantil constituye un incumplimiento de las obligaciones que a los administradores impone la ley (pero) tal incumplimiento no es bastante, en este caso, para ser considerado como causa de daño o perjuicio alguno para el acreedor demandante». En el mismo sentido la Sentencia del Tribunal Supremo de 26 de mayo de 2006.

En el supuesto debatido en la Sentencia del Tribunal Supremo de 12 de marzo de 2007, en el que se declaró probado que "los administradores codemandados idearon y desarrollaron, en el transcurso de varios años, una actuación conjunta y concertada tendente a frustrar los derechos patrimoniales (dividendos y cuota de liquidación, fundamentalmente) que al socio demandante le hubiese debido corresponder en la entidad C., S.L., actuación que, por un lado, se desarrolla mediante el desvío a los entes jurídicos por ellos creados y antes referidos de una *gran parte de los beneficios reales de la sociedad inicial constituida por los tres... y que, por otro lado, se consuma mediante la liquidación de la sociedad inicial y el trasvase a uno de los entes nuevos, en el que sólo los codemandados tienen interés, de las relaciones y expectativas de la primera", se condena a los administradores por el antijurídico trasvase de fondos.* La Sentencia del Tribunal Supremo de 4 de noviembre de 2010 se enfrenta a un supuesto en que se ha dejado inactiva la sociedad, vaciando su patrimonio, no convocando las Juntas generales ordinarias oportunas, habiéndose producido una derivación de activos y negocio hacia otras sociedades en la que no participa el actor y en las que prestan sus servicios antiguos empleados de la primera sociedad y sin que se haya promovido su disolución. Se ha producido un perjuicio al actor al dejarle apartado de los derechos políticos y económicos que le corresponden en las sociedades beneficiarias de la derivación de los activos. El Tribunal Supremo estima, con un enfoque correcto de partida, que "en el presente supuesto no es dudoso que los hechos que la sentencia admite como probados tienen adecuado encuadre en la previsión contenida en el artículo 133 de la Ley de Sociedades Anónimas –hoy artículo 236 de la Ley de Sociedades de Capital –, ya que el vaciamiento del patrimonio de la sociedad administrada y la derivación de sus activos tangibles e intangibles, tanto si se ejecuta de forma activa como por simple tolerancia consciente de que se está llevando a cabo por terceros: 1) Constituye un supuesto paradigmático de actuación lesiva ex re ipsa para la sociedad. 2) Supone la infracción del deber de diligente administración impuesto por el artículo 127.1 del propio texto –hoy artículo 225.1 de la Ley de Sociedades de Capital –. 3) Existe relación causa a efecto imputable a los administradores en concepto de tales. No obstante, al no haberse seguido el trámite previsto en el artículo 134 de la propia Ley de Sociedades Anónimas para su ejercicio por la minoría –hoy artículo 239 de la Ley de Sociedades de Capital –, deviene improcedente la pretendida ampliación de la demanda en la comparecencia celebrada" y, a continuación admite que, "aunque como regla el daño a la sociedad susceptible de ser reclamado por vía del artículo 133 de la Ley de Sociedades Anónimas –hoy artículo 236 de la Ley de Sociedades de Capital –) conceptualmente excluye el ejercicio por los socios de la acción prevista en el artículo 135 de la Ley de Sociedades Anónimas –hoy artículo 241 de la Ley de Sociedades de Capital –), dado que el daño en estos casos, de existir, como regla, puede calificarse de indirecto o reflejo, en supuestos extraordinarios como el que nos ocupa, en el que no se ha impugnado la conclusión de la sentencia recurrida de existencia de daño y en el que la sociedad ha desaparecido de hecho y la actuación de los administradores desde la perspectiva civil merece el más severo reproche, hay base para entender que entre la lesión de los intereses del socio en la liquidación de la sociedad por vía de hecho sin atribución de la cuota correspondiente en el remanente, de conformidad con lo previsto en el artículo 276 de la Ley de Sociedades Anónimas –hoy 394 de la Ley de Sociedades de Capital –, y la actuación de los administradores existe relación directa que no quiebra por el hecho de que también dañe a los intereses de la sociedad desaparecida". También se condena a las sociedades colaboradoras en la producción del daño que, "mediante una actuación perfectamente orquestada, colaboran de forma efectiva y, con pleno conocimiento de su ilicitud, se benefician*

de ella" y, al establecer la indemnización de los daños y perjuicios causados al
actor se concretan, para tales sociedades, "en la cuota parte correspondiente" a los
activos de la compañía transmitidos" a las sociedades enriquecidas, respondiendo
solidariamente los administradores sociales por la cuota parte correspondiente de
los daños causados al actor en la liquidación de los activos de la sociedad.

3. Supuestos de intromisión lesiva en el proceso de formación de la voluntad del tercero-acreedor (o del socio)

3.1. Introducción

Por su peculiar posición institucional a los administradores, en cuanto encargados de la gestión de la empresa, les corresponde una función de dirección/control de los procesos económicos, financieros y comerciales de la sociedad que administran y en consecuencia les incumbe diversas tareas y cometidos de muy diversa naturaleza que en ocasiones se concretan en la propia ley (deberes de elaboración de balances y otro tipo de documentos, folletos informativos etc.) y en otros casos se conectan de forma genérica a los deberes inherentes al cargo (actividad de gestión y representación) que se materializa en la promoción y ejecución de nuevas operaciones y relaciones jurídicas con terceros y socios y que en su puesta en práctica efectiva va a depender de la especifica organización de tareas en cada sociedad.

En este apartado seleccionamos algunos supuestos que tienen como elemento común que esa actividad heterogénea del administrador se proyecta sobre el proceso de toma de decisión de un tercero (o socio) en la adquisición (o venta) de acciones o participaciones de la sociedad o bien en la realización o no de determinadas operaciones o su ejecución en determinadas condiciones. En la práctica los supuestos de mayor frecuencia e interés tienen que ver con (a) informaciones falsas que inciden en la libertad contractual de inversores y contratantes, con especial atención al caso de operaciones de inversión o desinversión de quienes ya son socios, y en particular con (b) la omisión de deberes societarios en caso de «crisis disolutoria» (arts. 363-366 LSC) y (c) la omisión de los deberes en caso de «crisis concursal» (arts. 2 y 5 LC). En la práctica en ocasiones los supuestos agrupados aquí bien como inducción a contratar o a realizar operaciones de inversión o desinversión [sub a)] o a contratar con empresas en crisis [sub b) y c)] se solapan, ya que no son categorías excluyentes y es obvio que estos supuestos no agotan la rica casuística que aquí puede darse, pero nos parecen suficientemente relevantes a la luz del derecho español que se ocupa específicamente de los deberes en fase de crisis disolutoria y concursal.

Por otra parte en relación con el supuesto de ocultación de informaciones o de suministro de las informaciones erróneas o falsas relevantes para decidir una operación por un socio o un tercero hay que separar los supuestos en que esa información se suministra u omite en el marco de una actividad societaria, existiendo conexión objetiva con el desempeño de las funciones del cargo, que es cuando tiene aplicación el artículo 241 de la Ley de Sociedades de Capital, y los supuestos en que interfiere en las operaciones un administrador a título particular (contratado como asesor, emitiendo consejos como experto etc., sin estar desempeñando funciones del cargo de administrador de la sociedad administrada). En estos últimos casos se aplicará el artículo 1902 del Código Civil y la sociedad no debe tener implicación alguna frente al perjudicado por el ilícito del administrador.

3.2. Responsabilidad por informaciones falsas o incorrectas

Como es sabido durante el periodo de formación del contrato las partes deben conducir sus negociaciones conforme al principio de buena fe. No procede abordar aquí en general el problema de la responsabilidad precontractual y su naturaleza jurídica por lo que concierne a las partes intervinientes –contractual o extracontractual–. A nuestros efectos interesa ahora destacar que en determinados supuestos se impone expresamente a los administradores como órgano responsable/competente o genéricamente a la propia sociedad como sujeto del mercado (y que deben cumplir los administradores) el deber de elaborar, poner a disposición y/o publicar determinados documentos o informes de interés para quienes están interesados en llevar a cabo determinadas operaciones como inversores actuales (socios y adquirentes de otros instrumentos financieros distintos de las acciones) y potenciales inversores (o desinversores) o contratantes de la sociedad (otros financiadores o suministradores de bienes o servicios). La cuestión que aquí interesa es en que medida el suministro de informaciones no verdaderas en el ámbito de competencia de los administradores desencadenan su responsabilidad personal, al margen de la que pueda recaer en la sociedad, que tendrá título y régimen distinto según los distintos supuestos (precontractual, imputación de actos ilícitos de sus administradores).

Nos parece aceptable el planteamiento que atiende al fundamento y finalidad del deber de informar. Cuando el deber de informar se establece en una norma habrá que determinar cual es el ámbito de protección de la norma (p. ej. intereses de socios actuales, de potenciales inversores o en general de terceros que pueden tener relaciones con la sociedad) y, una vez determinado esto, la mera infracción (culpable o dolosa) de su contenido y la producción de daños coligados a la misma permitirá declarar la responsabilidad de los administradores al amparo del artículo 241 de la Ley de Sociedades de Capital, sin perjuicio de la responsabilidad de la sociedad. Es lo que sucede con la infracción (falsedades, inexactitudes, omisiones) del deber legal específico de información a través de los folletos informativos en las ofertas públicas de valores (GRIMALDOS, *Responsabilidad civil*, pp. 201 y ss.; en relación con la responsabilidad del oferente y otras entidades, LÓPEZ MARTÍNEZ, *La responsabilidad por el contenido del folleto*, pp. 127 y ss.). En este contexto nos parece que constituyen supuestos concretos de responsabilidad directa de los administradores el incumplimiento del deber de anunciar la emisión de obligaciones en el Boletín Oficial del Registro Mercantil (art. 408.2 LSC), las informaciones falsas o las omisiones de datos relevantes del folleto (art. 38.1 y 3 LMV) y, con su régimen específico de prescripción, la información contenida en el informe anual financiero que no proporcione una imagen fiel del emisor (art. 124 LMV). En la misma dirección la responsabilidad por el contenido y publicación del informe financiero anual y del semestral (arts. 10 y 17 del Real Decreto 1362/2007, de 19 de octubre que desarrolla la LMV en relación con los requisitos de transparencia relativos a la información sobre los emisores de valores cotizados). En el marco de nuestro estudio el interés de estos supuestos regulados reside en alejar cualquier duda sobre el reconocimiento como un caso de daño directo por infracción de un deber específico de suministrar información societaria (sin perjuicio del daño, en su caso, al patrimonio social), sobre la exigencia de que además del daño concurra culpa y sobre el régimen de solidaridad, que ha resultado polémica en el ámbito de la responsabilidad extracontractual (IRIBARREN BLANCO, *«Responsabilidad civil por la información divulgada por las sociedades cotizadas»*. Madrid 2008, pp. 159 y ss.).

Constituye, por la finalidad de la norma y porque precisamente inspiró la redacción del artículo 2395 del Código Civil Italiano –antecedente de nuestro artículo 241 de la Ley de Sociedades de Capital –, un supuesto de esta naturaleza, que debe incluirse aquí, el caso de emisión de informaciones falsas contenidas en balances que inducen a socios o a terceros a suscribir o adquirir acciones u otros valores de la sociedad (obligaciones, pagarés, etc.) que tienen un valor real inferior al que se desprende de la información facilitada o disponible. Debe ser así siempre que esa información haya sido adecuada en el caso para frustrar la confianza del socio o tercero. De esta forma la responsabilidad por daños extensible a quien haya procedido de forma ilícita en el ejercicio de sus funciones de administrador, en su ámbito de competencia, contribuye a generar confianza en las informaciones suministradas. Nos parece que si el inversor o acreedor puede probar que esas cuentas irregulares son las que se tuvieron en cuenta para tomar sus decisiones debe poder imputarse responsabilidad a los administradores. En esta dirección se ha pronunciado recientemente la Sentencia del Tribunal Supremo de 22 de diciembre de 2014, en un supuesto en que se discute la relación de causalidad (y el juicio de imputabilidad del nexo causal) entre la información contable que reflejan las cuentas de la sociedad anteriores a la realización de unos suministros y el impago de los créditos surgidos, que se recoge ampliamente a continuación en este apartado en los extractos de jurisprudencia. (En esta obra para el marco de la responsabilidad contable puede verse, MACHADO PLANAS, *La responsabilidad de los administradores sociales en el ámbito contable; a*dmite la posibilidad de que se deriven del incumplimiento de deberes contables daños directos, distintos de los reflejos eventualmente causados al patrimonio social, pudiendo acudir a la acción individual para esos individualizados, OLMEDO PERALTA, *La responsabilidad contable en el gobierno corporativo de las sociedades de capital,* Madrid 2014, pgs. 365 y ss.) En contra se ha afirmado que «las normas reguladoras de las cuentas anuales tienen por finalidad la protección de intereses generales, es decir, de cualquiera que por cualquier razón (como trabajador, socio ahorrador, o inversor, acreedor actual o futuro) entre en relación con la sociedad y no es posible identificar un grupo concreto de personas específicamente protegido por las mismas, de tal manera que de su mera infracción no se puede derivar responsabilidad para los administradores en relación con ningún tipo de daños» (MARÍN DE LA BÁRCENA, *La acción individual,* p. 269, aunque admite supuestos en los que la posición de garantía de los administradores puede implicar la responsabilidad de los administradores –incumplimiento del deber de informar ante una OPA, en operaciones de aumento o reducción de capital, pp. 267 y 278–; en el mismo sentido ALFARO considera que el deber de llevanza ordenada de contabilidad sólo es relevante internamente frente a la sociedad, *La llamada acción individual,* p. 73, y frente a los inversores sólo considera «responsables a los administradores personalmente que hubieran conocido el carácter erróneo o falso de la información y no hubieran hecho nada para evitar el engaño sufrido por el inversor», *Recensión,* p. 10). En este grupo de supuestos lo relevante será la apariencia de solvencia que induce a los inversores o acreedores a realizar esas operaciones. En el caso de la Sentencia del Tribunal Supremo de 22 de diciembre de 2014 se declara que "lo relevante era que la información contable distorsionada de la sociedad generó una confianza en los dos acreedores demandantes que les llevó a asumir un riesgo que no hubieran adoptado de haber tenido conocimiento de la verdadera situación patrimonial de la sociedad deudora".

La sentencia del Tribunal Supremo de 31 de enero de 2001 en un supuesto de venta de sociedades en que existe «un pasivo oculto o alteración fraudulenta de las cifras de balance» declara la responsabilidad extracontractual de los administradores, por el daño causado «por el desfase económico negativo que presentan los balances», y por «la actuación negligente de los administradores, pues a los mismos les correspondía su confección, conforme al artículo 102 y siguientes (LSA 1951) (arts. 253 y siguientes LSC) para mayor garantía tanto de los socios, como de acreedores y terceros en general, concurriendo la necesaria relación de causalidad y estando sujeta su apreciación a los principios generales de Derecho civil, no procediendo hacer cuestión de la misma y ha de conectarse con la reserva de acciones frente a terceros incorporada al contrato... que de este modo incluye al demandante, en la referencia a pasivos ocultos y alteración fraudulenta de las cifras del balance que sirvió de base a la transmisión». Tiene interés a efectos de delimitar los daños directos a adquirentes de acciones y el daño social la Sentencia del Tribunal Supremo de 19.12.2011, que en un supuesto en que se discute el falseamiento de la contabilidad y sobrevaloración de los activos y en que se ejerce la acción social alegando daño al patrimonio social, estima «que la sentencia recurrida ha diferenciado con precisión entre la eventual incidencia que la contabilidad inexacta puede tener en la decisión del comprador de acciones –singularmente en el error sobre la decisión de compra o sobre el precio a pagar– y la repercusión que tiene en el patrimonio de la sociedad, que permanece inmutable esté bien o mal reflejado y, sin ápice de incongruencia, nada más ha acogido la partida en la que la "minoración por gastos de personal" ha entendido demostrado el daño efectivo causado al patrimonio de la sociedad en relación causa a efecto con la conducta de los administradores mediante pagos injustificados, lo que nada tiene que ver con la "minoración contable"». Es muy interesante la doctrina sentada por la importante Sentencia del Tribunal Supremo de 22 de diciembre de 2014, que sin duda resultará debatida. Por parte de los administradores recurrentes se alega que «desde el punto de vista del juicio causal fáctico, las diferencias, errores o desajustes en la contabilidad de una sociedad publicadas en el Registro Mercantil para información general, no parece que sean en sí mismas aptas, adecuadas causalmente, para una acción individual contra sus administradores, que exige una acción u omisión singular directamente orientada hacia el acreedor perjudicado (art. 241 LCS)». Y también se combate el juicio causal valorativo que (los recurrentes) "consideran inexistente, cuando la sentencia razona que dado que los acreedores demandantes incrementaron sus ventas para la campaña de Navidad de 2004 y sus créditos proceden de esa campaña, deben asumir el 40% de la responsabilidad derivada de su propio daño", Pues bien, la Sentencia del Tribunal Supremo de 22 de diciembre de 2014 declara, poniendo el foco primero en la modalidad de conducta ilícita de los administradores y en la identificación del daño, que "en nuestro caso, la conducta de los administradores respecto de la que se exige responsabilidad constituye un incumplimiento grave de los deberes relativos a la llevan-

za de la contabilidad y a la formulación de las cuentas anuales, que, conforme a las exigencias generales previstas en el artículo 34.2 del Código de Comercio, deben mostrar la imagen fiel del patrimonio, de la situación financiera y de los resultados de la empresa. En realidad, no se cuestiona la conducta ilícita en cuanto ha quedado acreditado en la instancia que la propia sociedad procedió, antes de solicitar su concurso de acreedores en julio de 2005, a realizar ajustes contables por un importe total de 13.556.354 euros, que correspondían a regularización de existencias, saneamiento de gastos, descuentos sobre compras, saneamiento de elementos del inmovilizado, litigios laborales y desactivación de un crédito fiscal. De estas regularizaciones, 8.962.095 euros correspondían a los ejercicios anteriores al cerrado a 31 de marzo de 2005. El daño sufrido por los acreedores demandantes, que suministraron sus productos para la campaña de Navidad 2004/2005, y en concreto por el impago parcial de sus créditos, es un perjuicio directo en la medida en que, como se afirma en la doctrina, la conducta ilícita de los administradores les haya llevado a confiar en la situación patrimonial aparente y a seguir contratando sin recabar especiales garantías para prevenir del riesgo de incumplimiento de la sociedad". Y sigue esta sentencia, poniendo ahora el foco en la relación de causalidad y en el juicio de imputabilidad, "tiene razón el recurrente cuando afirma que las diferencias, errores o desajustes en la contabilidad de una sociedad publicadas en el Registro Mercantil para información general, en sí mismas no son necesariamente aptas, adecuadas causalmente, para una acción individual contra sus administradores. Pero eso no impide que en supuestos excepcionales como el presente, en que la relevancia de las inexactitudes que afectaban a la imagen de solvencia de la compañía, hubiera provocado una falsa confianza en los acreedores demandantes para llevar a cabo importantes suministros en la campaña de Navidad sin recabar las garantías que aseguraran el cobro de sus créditos. Y que esto pueda permitir al tribunal de instancia concluir que a este comportamiento de los administradores debe imputarse, en parte, el perjuicio derivado del impago parcial de los créditos de estos dos acreedores, que cifró de forma estimativa y prudencial en un 40%. La relación de causalidad en este caso, como en el de los auditores, viene determinada porque la conducta ilícita de los administradores privó a los acreedores demandantes de una información que les hubiera permitido adoptar medidas con las que evitar o aminorar el riesgo de impago de los créditos que surgirían por los suministros que le eran requeridos para la campaña de Navidad 2004/2005. El juicio realizado por el tribunal de instancia responde a la doctrina sentada por esta Sala, entre otras en la Sentencia 815/2010, de 15 de diciembre , que, una vez advertida la causalidad física por aplicación de la teoría de la equivalencia de las condiciones, asienta la causalidad jurídica «sobre juicios de probabilidad formados con la valoración de los demás antecedentes causales y de otros criterios, entre ellos, el que ofrece la consideración del bien protegido por la propia norma cuya infracción atribuya antijuricidad al comportamiento fuente de responsabilidad». Como razona la Sentencia núm. 545/2007, de 17 de mayo , en virtud de «la causalidad jurídica, (...) cabe atribuir jurídicamente (imputar) a una persona un resultado dañoso como consecuencia de la conducta observada por la misma, sin perjuicio, en su caso, de la valoración de la culpabili-

dad (juicio de reproche subjetivo) para poder apreciar la responsabilidad civil, que en el caso pertenece al campo extracontractual». Y para "sentar la existencia de la causalidad jurídica, que visualizamos como segunda secuencia configuradora de la relación de causalidad, tiene carácter decisivo la ponderación del conjunto de circunstancias que integran el supuesto fáctico y que son de interés en dicha perspectiva del nexo causal»".

A falta de norma que imponga esos deberes de específica información compartimos la idea de que para imputar responsabilidad a los administradores habrá que acreditar que era razonable que el destinatario confiara en la información suministrada y que en base a la información suministrada el socio o tercero haya realizado la operación (p. ej. establecer o continuar los suministros, conceder financiación a la sociedad o desinvertir), fundándose la responsabilidad de los administradores en la infracción del deber objetivo de cuidado (deber de informar diligentemente), en el marco de su competencia o dominio de organización, respecto de los acreedores que contratan con la sociedad (MARÍN DE LA BÁRCENA, *La acción individual*, pp. 264 y ss. y pp. 331 y ss.). En este entendimiento la cuestión central es determinar en qué medida el tercero no habría realizado la operación o la habría realizado en otras condiciones de haber conocido la situación verdadera. Por supuesto no plantean problema los casos de intromisión dolosa del administrador en la fase de negociación (o ejecución) «en forma activa facilitando información falsa a sabiendas de su falsedad –u omisiva– callando información, que según había de constarle, de ser conocida por el tercero, no hubiera celebrado el contrato» (en este sentido ALFARO, que sólo bajo este requisito admite la responsabilidad personal del administración por informaciones erróneas, *La llamada acción individual*, pp. 65 y ss.).

> *La sentencia del Tribunal Supremo de 10 de junio de 2005, en un supuesto en que se discute el contenido del deber de información en fase de negociación de un préstamo, condena al administrador sobre la base de que ha «habido ocultación... de los datos financieros reales de la entidad prestataria al tiempo del contrato de préstamo suscrito entre... (la entidad bancaria) y... (la sociedad prestataria)... al no revelar con exactitud la presencia de documentos de garantía a favor de... (otra entidad de crédito), cuyo conocimiento estaba obligado a proporcionar a la actora por la índole y la entidad económica de la relación contractual de referencia (subrayado nuestro)». De acuerdo con lo dicho no basta alegar genéricamente omisión del deber de diligencia en el cargo, ni que se haya producido una disminución del patrimonio social que impida a la sociedad hacer frente a sus deudas, sino que la cuestión es si en las circunstancias del caso se ocultó información que debió suministrarse, ya que era razonable considerar que esos datos financieros eran decisivos para la celebración de la operación.*

Fuera del artículo 241 de la Ley de Sociedades de Capital quedan aquellos supuestos en los que por su cuenta informa o aconseja sobre la oportunidad de realizar operaciones, en los que se aplicarán según las circunstancias el derecho común de responsabilidad contractual (art. 1101 CC) o extracontractual (art. 1902 CC) (MARÍN DE LA BÁRCENA, ob. cit. pp. 262 y ss.), sin implicar a la sociedad.

3.3. Contratación en situación de dificultades económicas (omisión de deberes disolutorios y nuevos acreedores)

En el marco de la responsabilidad por daño *ex* artículo 241 de la Ley de Sociedades de Capital a efectos de comportamiento ilícito debe distinguirse entre los supuestos de contratación en situación de dificultades económicas o financiera de los de crisis ya irreversible. El recurso al crédito o a la realización de operaciones comerciales en la primera de las situaciones no conlleva responsabilidad, siempre que nos movamos en lo que es comportamiento «normal», para un administrador diligente en esas especiales circunstancias, aunque después se desemboque en el concurso [la STS de 16.2.2004 declara que «la contratación... en situación de dificultades económicas de la sociedad... entra en el ámbito de la normalidad comercial»; en el mismo sentido la STS de 17.6.2004; STS 7.12.2004]. Otra cosa sucede con la actuación en la situación de crisis concursal (que tras la LC debemos identificar con los supuestos de insolvencia actual o inminente), donde los riesgos para la satisfacción de los intereses de los acreedores son cualitativamente distintos, así como los remedios. Se ha advertido con razón que ha de evitarse que la asunción de obligaciones en situaciones de grave endeudamiento se traduzcan en una sistemática responsabilización de los administradores cuestionando el principio de la autonomía patrimonial y las exigencias propias de la actividad empresarial basada en el riesgo y la aleatoriedad (GUERRERA, *Illecito*, p. 238), pero hay un momento a partir del cual los intereses de protección de los acreedores pasan al primer plano de la consideración también en la disciplina de la responsabilidad de los administradores.

En nuestro ordenamiento cuando concurren las llamadas causas de disolución previstas en el artículo 363 de la Ley de Sociedades de Capital y en especial el supuesto de las pérdidas cualificadas –reducción del patrimonio social a una cantidad inferior a la mitad del capital social– y siempre que no sea procedente solicitar la declaración de concurso conforme a lo dispuesto en la Ley Concursal, se imponen unos deberes específicos en orden a promover la disolución o a remover su causa. Estos deberes consisten en convocar la Junta general en el plazo de dos meses para que adopte, en su caso, el acuerdo de disolución (o si procediere el concurso judicial) y, en solicitar la disolución judicial (o si procediere el concurso judicial) en el plazo de dos meses a contar desde la fecha prevista para la celebración de la Junta, cuando ésta no se haya constituido o desde el día de la Junta, cuando el acuerdo hubiera sido contrario a la disolución (art. 367 LSC).

El incumplimiento de estos deberes da origen a unas consecuencias en el plano de la responsabilidad especial de los administradores por deudas de la sociedad, cuya naturaleza y alcance es discutida en nuestra doctrina y jurisprudencia, pero conforme a la orientación mayoritaria que nosotros compartimos, sin entrar ahora en la valoración político jurídica de la normativa dulcificada por la reforma realizada por la Ley 19/2005, no se trata de una responsabilidad por daños, sino de una responsabilidad-garantía legal (véase en esta obra, BELTRÁN, *La responsabilidad por obligaciones sociales*; recientemente cuestiona que la responsabilidad por deudas sea una garantía legal MARÍN DE LA BÁRCENA, proponiendo como mejor fundado y más satisfactorio considerar el supuesto legal como "la consecuencia jurídica *ad hoc* derivada del incumplimiento de normas de protección de la correspondencia mínima entre capital y patrimonio igual que la responsabilidad por déficit concursal", en *Asunción del riesgo y responsabilidad de los administradores*, de próxima publicación en *Cuadernos Civitas de Jurisprudencia Civil*; en efecto sea una u otra la calificación jurídica lo indiscutible es que el legislador en el supuesto del artículo 367 de la Ley de Sociedades de Capital ha establecido una consecuencia jurídica al comportamiento antíjuridico de los administradores que va mas allá de la indemnización de los daños causados a la sociedad e indirectamente a sus acreedores; en este contexto nos parece de interés también la contribución de MARÍN DE LA BÁRCENA sobre los algunos criterios que pueden servir para identificar el fundamento y los límites de la responsabilidad específicamente concursal del artículo 172 bis de la Ley Concursal (responsabilidad por el déficit concursal), derivada del incumplimiento de deberes de control y minoración del riesgo de insolvencia de la sociedad -que en la proximidad de la insolvencia es riesgo de impago- y que se establecen en protección de los acreedores, *Responsabilidad concursal*, en *Anuario de derecho concursal*, n°. 28, 2013, pp. 103 y ss.).

Pues bien, al margen de esa sanción civil específica por el incumplimiento de estos concretos deberes legales establecida por el artículo 367 de la Ley de Sociedades de Capital, que en la práctica ha reducido el alcance aplicativo del artículo 241 de dicha Ley a este grupo de casos, procede plantearse sus consecuencias en el plano de la responsabilidad indemnizatoria del artículo 241. Dejando para un apartado posterior los daños en relación con socios y acreedores que lo son con anterioridad al momento en que se deben cumplir esos deberes y donde ha incidido la reforma realizada por la Ley 19/2005, procede analizar ahora las eventuales repercusiones para los contratos celebrados a partir de la situación de crisis patrimonial que exigía cumplir con esos deberes disolutorios, objeto de continuo litigio ante los Tribunales y en los que no siempre se distinguen con precisión presupuestos y efectos de las respectivas acciones y si estamos ante viejos o nuevos acreedores. Ciertamente la omisión de deberes disolutorios puede contribuir a empeorar la situación económica de la sociedad y de forma indirecta perjudicar las expectativas de cobro de los acreedores. Pero en principio la simple omisión de esos deberes en una fase en que la sociedad es solvente no debe considerarse suficiente a efectos de atribuir responsabilidad por daño directo a los administradores transgresores frente a los nuevos acreedores. Esta situación es eludible mediante la adopción de las medidas de saneamiento que se estimen oportunas (convocar la Junta general y proponer las medidas adecuadas según corresponde a un diligente administrador).

Para imputar responsabilidad a los administradores en el ámbito del artículo 241 de la Ley de Sociedades de Capital es preciso que el conocimiento de esa situación de crisis (no manifestada por la conducta ilícita de los administradores en el caso) hubiera podido influir en que la operación se hubiera desarrollado en otras condiciones (o que ni siquiera se hubiera realizado). Si no existe un deber de informar a los eventuales acreedores sobre esa situación de crisis, que no es todavía irreversible, hay que entender que solo será posible la imputación de responsabilidad a los administradores cuando el conocimiento de esa situación, dadas las circunstancias del caso –por ej. se ha demandado información sobre el tema o se ha solicitado documentación y hay ocultación o falsedades– era decisiva en la negociación (en este sentido MARÍN DE LA BÁRCENA, *La acción individual*, pp. 349 y ss., que, con acierto, admite la responsabilidad directa *ex* artículo 241 por dolo cuando los administradores conocen la gravedad de la situación económica –esencial para la contratación en el caso– y no informan correctamente al acreedor que solicita esa información). Ciertamente la acción individual de responsabilidad no debe prosperar cuando, en el contexto, la omisión de los deberes legales fue irrelevante para la operación celebrada porque por ejemplo la causa de disolución no se conecta con una situación de crisis irreversible o dicha situación patrimonial era conocida y asumida por la otra parte, por falta en este caso de buena fe, que tras la mas reciente jurisprudencia podríamos calificar de "cualificada" (por las circunstancias concurrentes) en el

ejercicio de los derechos [SSTS de 30.12.2002; de 12.2.2003; y en casos de
acción *ex* 262. 5 LSA o 105.5 LSRL (art. 367 LSC), SSTS de 20.7.2001; de
16.10.2003; de 27.6.2004; de 16.2.2006; de 31.1.2007 y de 14.5.2009, en
los que se ha manifestado la tendencia a moderar el alcance de la responsabilidad por deudas; el alcance del conocimiento y el sentido de la buena fe ha sido revisado por la jurisprudencia más reciente: así la STS de 4
de diciembre de 2013, con voto particular del Magistrado D. S. Sastre Pa-
piol, considera irrelevante el conocimiento de la situación económica de
la sociedad por parte de los acreedores –salvo que concurran además "circunstancias determinantes de que la reclamación contra los administradores puedan calificarse de contraria a la buena fe"– y, en consecuencia,
declara la anterior "interpretación superada por la actual jurisprudencia,
contenida en las Sentencias 557/2010, de 27 de septiembre; 173/2011,
de 17 de marzo, 826/2011, de 23 de noviembre; 942/2011, de 29 de diciembre;225/2012, de 13 de abril y 395/2012, de 18 de junio]". Analizando la citada Sentencia del Tribunal Supremo de 4 de diciembre de 2013
y la evolución de la doctrina jurisprudencial, MARÍN DE LA BÁRCENA
considera que, para resolver el problema de valorar el comportamiento
del afectado en relación con el juicio de atribución de la responsabilidad
en el caso, debe abandonarse el recurso a la buena fe en el ejercicio de
los derechos y centrarse en "identificar si el acreedor asumió voluntariamente el riesgo de insolvencia de la sociedad de modo objetivamente
imputable, esto es, de modo que sirva para excluir la responsabilidad del
sujeto a quien la Ley imputa la creación de ese riesgo (administrador que
incumple los deberes de promoción de la disolución)", es decir, tratando
este grupo de casos como supuestos de exclusión de la imputación objetiva, en "Asunción del riesgo y responsabilidad de los administradores", de
próxima publicación en *Cuadernos Civitas de Jurisprudencia Civil*

> En la jurisprudencia apunta en la dirección correcta la sentencia del Tri-
> bunal Supremo de 16 de febrero de 2004 al admitir responsabilidad por daño
> directo cuando los administradores «contratan en fase de crisis irreversible con
> acreditada falta de capital»... «y la concurrencia de conocimiento suficiente-
> mente por los administradores de que la sociedad atravesaba fase de grave en-
> deudamiento y descapitalización y no obstante llevan a cabo actividades de
> comercio mediante un comportamiento ilícito, al no informar a los clientes del
> estado económico de la sociedad y mover su voluntad al contratar, la que de este
> modo resulta interferida en cuanto a la posibilidad de que se hubiesen realizado
> las operaciones o lo fueran en otras condiciones». Y más adelante considera que
> «no es usual, aunque no esté expresamente prohibido, que para concertar nego-
> cios mercantiles que pueden resultar los normales en el tráfico, se consulte pre-
> viamente al Registro y, en todo caso, la recurrente sí contaba con la facultad, en
> vía prenegocial, de poder interesar de la Sociedad deudora, información o segu-

ridades sobre su situación patrimonial y decidir con mayor seguridad, concluir el negocio o desistir, pues el riesgo de las actividades negociales resulta inherente a las mismas cuando se realizasen en la forma que es usual en el ámbito del comercio de sociedades». Sólo una matización por nuestra parte, cuando se da esa situación de grave crisis económica, con imposibilidad actual o previsible de cumplir regular y puntualmente sus obligaciones (art. 2 LC) la responsabilidad de los administradores no sólo se desencadena en caso de conocer efectivamente, sino también por haber debido conocer (dolo o negligencia).

En la sentencia del Tribunal Supremo de 26 de abril de 2005 se excluye la responsabilidad de los administradores prevista en el artículo 241 de la Ley de Sociedades de Capital, ya que «resulta inaplicable desde el momento en que los administradores realizaron los pedidos a la compañía vendedora que conocía suficientemente las dificultades que se presentarían para el cobro de su precio, sin dejar de lado que tampoco quedó suficientemente acreditado la total insolvencia de G.», precisando que otra cosa hubiera resultado en el caso de que «los administradores hubieran llevado a cabo algún comportamiento ilícito o maniobra contraria a la buena fe mercantil para inducir a la recurrente a la venta de las mercaderías adeudadas»; el conocimiento por parte de la sociedad demandante de la situación patrimonial de la sociedad es valorado entre otros elementos para excluir la responsabilidad de los administradores de la sociedad deudora en la sentencia del Tribunal Supremo de 28 de mayo de 2005.

De «intromisión lesiva en la relación contractual entre las dos sociedades» que implica producción de daño directo se califica por la Sentencia del Tribunal Supremo de 27 de octubre de 2004 el supuesto de «celebración de un contrato con ocultación de que el endeudamiento es excesivo para las posibilidades patrimoniales de la sociedad por la que actúa el administrador, cuando finalmente la misma no cumple de modo voluntario sus obligaciones ni puede hacerlo por carecer de bienes suficientes». En relación con un supuesto en que se discute si había contratación con conocimiento de las dificultades de la sociedad y voluntad de no pagar la deuda, la SAP de Barcelona (sec. 15) de 2 de enero de 2014, se declara que no puede concluir "a partir sólo de la falta de depósito de las cuentas y de las presumibles dificultades económicas de la sociedad, que el administrador demandado hubiere contratado con el actor, como éste sostiene en su demanda, con el conocimiento y la voluntad de no pagar la deuda que se generaba. Aunque apreciemos la falta de diligencia del administrador (en la falta de depósito de las cuentas anuales) y la existencia de daño (en la frustración del crédito del Sr. ...), no podemos establecer la relación causal directa entre uno y otro". Añadamos nosotros que otra cosa es que la falta de depósito de las cuentas implique dificultad de prueba de la situación de la sociedad y que entre en juego en esas circunstancias el principio de la carga de prueba a cargo de la sociedad demandada por la facilidad probatoria y proximidad a las fuentes de la prueba. Como ya hemos dicho para la imputación de responsabilidad a los administradores, en el ámbito del artículo 241 de la Ley de Sociedades de Capital en relación con el grupo de casos de este apartado, lo decisivo es que o bien haya ocultación indebida ante las circunstancias concretas del *caso o una situación de insolvencia actual o inminente que los administradores conocían o debían haber conocido; en suma, un acto imputable al administrador del que derive un daño para el contratante.*

3.4. Contratación con sociedad insolvente (omisión de deberes concursales y nuevos acreedores)

Contando con la posición interpretativa sostenida en el apartado anterior es más fácil identificar y delimitar la responsabilidad respecto de los nuevos acreedores de la sociedad surgidos a partir de la situación de crisis concursal que se prolonga sin que los administradores hayan adoptado las medidas exigidas por concretos deberes legales. Advirtamos que, conforme a la ordenación sistemática de los grupos de casos adoptada en este trabajo, de la repercusión de la omisión de estos deberes en los acreedores anteriores al momento en que se debió cumplir con los deberes de la crisis concursal nos ocupamos en el siguiente apartado. Sin perjuicio de la eventual lesión del patrimonio social, el daño para esos nuevos acreedores se puede considerar directo, en la medida en que la conducta ilícita del administrador lleva al tercero a confiar en la situación patrimonial aparente y a concluir el negocio que después resulta dañoso por el previsible incumplimiento de la contraparte. Hay que entender que el fin de la norma que impone esos deberes es precisamente que la sociedad no siga actuando en condiciones normales del tráfico, sino que se declare la situación de crisis concursal, adoptando las medidas correspondientes en protección de los diversos interesados, entre ellos los potenciales acreedores. No se pueden trasladar a los terceros que contratan con la sociedad los riesgos de esa situación de crisis conocida o que se debió conocer pero que se oculta o no se hace manifiesta como debía haber sucedido si los administradores hubieran cumplido con sus deberes. Por esto, frente a los nuevos acreedores, es decir los surgidos con ocasión de operaciones celebradas a partir del momento de situación de crisis concursal de la sociedad que permite presumir que se producirá el impago total o parcial, los administradores infractores de sus deberes deberán cargar con el daño causado. En este sentido se ha afirmado que en este grupo de casos la responsabilidad de los administradores deriva de la infracción dolosa del deber de informar de la situación económica de la sociedad que la ley les impone para proteger los intereses de la contraparte de esos contratos (ALFARO, *La llamada acción individual*, p. 68; *Recensión*, p. 11; *La responsabilidad externa*, p. 15). Es cierto que normalmente habrá contratación «a sabiendas», como se acredita en los casos vistos en los Tribunales, pero no necesariamente, pues bien puede suceder que el administrador simplemente se desentienda por negligencia de la situación patrimonial de la sociedad y continúe realizando operaciones, o permitiendo que otros colaboradores las realicen, sin promover el concurso (en este sentido MARÍN DE LA BÁRCENA, *La acción individual,* pp. 363 y ss., en especial nota 139 en p. 368). A los nuevos acreedores concursales se asimilan los «antiguos acreedores» que mantenían con la sociedad una relación jurídico obligatoria duradera y hubieran podido rescindir validamente el contrato si hubieran conocido la situación (MARÍN DE LA BÁRCENA, ob cit., p. 364). En los casos de liquidación de hecho de la sociedad sin haber pagado todas las deudas de la sociedad, para ALFARO "el criterio de imputación de responsabilidad personal a los administradores puede encontrarse en que realizar una ordenada liquidación de una sociedad es un deber de los administradores/liquidadores impuesto, no sólo en beneficio de los socios, sino sobre todo, de los acreedores, como lo demuestra la prohibición de repartir el haber social entre los accionistas o socios en tanto no se hayan pagado todas las deudas sociales" (*La responsabilidad externa, p. 15*)

El problema es determinar el momento a partir del cual nos encontramos en esa situación de crisis concursal que impone el cumplimiento de específicos deberes a los administradores, en protección de los acreedores, cuyo incumplimiento desencadena respecto de los nuevos acreedores daño directo amparado por la acción individual del artículo 241 de la Ley de Sociedades de Capital, sin perjuicio del juego y relaciones en estos casos de la responsabilidad por deudas sociales del artículo 367 de dicha Ley y de la responsabilidad concursal derivada de la calificación como culpable del concurso (arts. 172 bis y 165.1 LC) y, por supuesto, de la acción social por daño al patrimonio social, cuyo régimen queda remitido a los estudios correspondiente en esta obra (véase, BELTRÁN, *La responsabilidad por obligaciones sociales,* GARCÍA CRUCES, *La responsabilidad concursal,* Lara, *La acción social de responsabilidad;* todos con ulteriores referencias a la muy abundante doctrina y a la Ley de reforma de la Ley Concursal, Ley 38/2011, que ha tratado de resolver los problemas de coordinación entre las acciones societarias y el régimen concursal de responsabilidad).

Del incumplimiento de los deberes establecidos en la Ley Concursal para el supuesto de insolvencia (arts. 2 y 5) se pueden derivar responsabilidades sujetas a diversos regímenes. A nosotros nos corresponde sólo la repercusión de esos incumplimientos a efectos de la acción individual y por tanto de los derechos de los (nuevos) acreedores por daño directo. Desde esta perspectiva es relevante la omisión del deber de solicitar la declaración del concurso en el supuesto de insolvencia actual (art. 5.1 LC), la omisión del deber de convocar la Junta general para que decida la disolución o el concurso cuando concurra la causa de disolución por pérdidas cualificadas que impliquen situación de insolvencia actual o inminente (en el caso de que la insolvencia sea actual deberán solicitar el concurso con independencia de haber convocado la Junta y de lo que ésta acuerde, PULGAR, *El presupuesto objetivo*, p. 87 y 96; MARÍN DE LA BÁRCENA, ob. cit., p. 359).

La infracción de estos deberes constituye una modalidad de ilícito orgánico susceptible de originar daño directo a los nuevos acreedores, que es de suponer no hubieran contratado con la sociedad de haber conocido esa situación o lo hubieran hecho en otras condiciones. En efecto, se puede considerar que cuando el legislador exige que se promueva proceso concursal ya no sería correcto no manifestar la situación de crisis para poder intentar medidas de saneamiento y reflotación, sino que «surgen deberes de información a los acreedores que son expresión de un deber objetivo de cuidado en relación con la esfera de éstos» (MARÍN DE LA BÁRCENA, *La acción individual*, p. 364). Como ya se ha indicado se está infringiendo el deber de información que corresponde a su orgánica posición jurídica y con ello atentando al derecho de los acreedores. Por ello en estos casos junto a la acción de responsabilidad contractual contra la sociedad, de acuerdo con la relación constituida con la sociedad, el acreedor dispone de la acción orgánica y extracontractual contra el administrador, fundadas en sus respectivos títulos jurídicos. La indemnización de los daños por haber contratado en esas condiciones debe conducir a situar a los contratantes perjudicados en la misma posición que estarían de no haberse celebrado el contrato, es decir, por el interés negativo, no por el interés positivo, una vez descontada la cuota que recibirían como acreedores concursales con cargo a la masa (MARÍN DE LA BÁRCENA, *La acción individual*, p. 365, que advierte, con razón, de lo improcedente de muchas sentencias que equiparan «daño directo» con «crédito impagado»). Como ya hemos advertido quién contrata conociendo la situación de la sociedad carece de legitimación para exigir responsabilidad a los administradores.

> *En la jurisprudencia española son numerosos los casos de operaciones celebradas con terceros cuando los administradores conocen que no podrán atender los pagos, declarando la responsabilidad de aquellos, aunque no siempre se delimitasen, en el pasado, en relación con el supuesto de hecho, los casos de dificultades económicas que deben tratarse conforme a lo dicho en el apartado anterior (por regla general no hay base para imputar a los administradores responsabilidad por daño directo) y los supuestos de crisis concursal y sin que*

se distinguiera a siempre con claridad si se estaba á condenando conforme a la responsabilidad indemnizatoria del artículo 135 de la Ley de Sociedades Anónimas (ahora art. 241 LSC) o a la responsabilidad (garantía legal) por deudas sociales del artículo 262.5 de la Ley de Sociedades Anónimas (ahora 367 LSC). Entre otras sentencias del Tribunal Supremo que declaran la responsabilidad de los administradores se pueden mencionar: la de 14 de mayo de 1996, en un supuesto en que la administradora única llevó a cabo la compra de mercancías «contando con datos económicos y contables suficientes de que no serían abonadas al tiempo del vencimiento de las cambiales libradas para su pago», causando «perjuicio deliberado a dicha entidad acreedora»; la de 22 de junio de 1995 ya que habían concertado operaciones de suministro con la actora cuando los bienes de la sociedad están embargados y «a sabiendas de las oscuras perspectivas existentes»; la de 21 de julio de 1995 en que la sociedad desaparece justo en el momento en que debía efectuar el primer pago a un acreedor con quien se contrató poco antes; no aparece bien perfilado el supuesto de hecho de la sentencia de 9 de noviembre de 2002 que en principio parece de crisis no irreversible, ya que los administradores de la sociedad siguen contrayendo nuevas deudas pensando que podrían pagarlas con las nuevas operaciones, y se considera que «esta falta de actuación de los demandados pone de manifiesto su actuación negligente... al proseguir en su endeudamiento, conociendo la situación económica de la sociedad, y a sabiendas por ello... de que las deudas no podían ser satisfechas, a las fechas de sus respectivos vencimientos, circunstancia ésta, que avala una condena al pago de la indemnización por daños causados a los acreedores, por esta actuación culposa en el ejercicio de su actividad como administrador... y no la objetiva basada en el número 5 del artículo 262 de la Ley de Sociedades Anónimas (art. 367 LSC)»; la Sentencia del Tribunal Supremo de 25.3.2010, que condena a pagar la deuda de la sociedad a los administradores que contrataron en nombre de la sociedad conociendo que no sería posible el cumplimiento provocando un desplazamiento patrimonial a cargo de la demandante basado en la apariencia de solvencia de la que la deudora carecía. En la Sentencia de la Audiencia Provincial de Castellón (Secc. 3) de 12.12.2013, en que se ejerce acción individual de responsabilidad, se condena al administrador a pagar el importe de la deuda considerando que "la actuación del administrador demandado perjudicó a A. SL, al contratar en el ejercicio de su cargo con la mercantil actora y comprometerse al pago de una elevada cantidad, pese a la altísima probabilidad de que no pudiera hacerse efectiva la misma, habida cuenta de la difícil situación económica de V. SA, lo que no ignoraba. El perjuicio económico causado se cifra en el importe de la deuda no satisfecha y en la misma cuantía fijamos la indemnización debida y a que el demandado debe ser condenado. Esta negligente conducta se traduce en que el administrador ha de responder personalmente, contribuyendo en el pago de las deudas sociales ante los terceros, cuando se constata la insolvencia societaria". En relación con la evolución de la jurisprudencia del Tribunal Supremo sobre la relevancia del conocimiento de la situación de crisis económica o de insolvencia por el acreedor véase lo dicho *en el apartado anterior al referirnos a la Sentencia del Tribunal Supremo de 4 de diciembre de 2013 (V.3.3.)*

4. Supuestos de intromisión lesiva en la fase de ejecución de las relaciones existentes entre la sociedad y los terceros acreedores

4.1. Introducción: daño derivado del incumplimiento del contrato y la responsabilidad de los administradores

En los casos en que existe inejecución o cumplimiento defectuoso de una relación contractual surgen los mayores problemas para la admisión de la invocación del artículo 241 de la Ley de Sociedades de Capital, en unos casos, por la dificultad de identificar un daño en el patrimonio del acreedor distinto del producido en el patrimonio social (en principio el eventual daño para el acreedor será "indirecto", que queda fuera de la acción individual), en otros, por la dificultad de establecer la relación de causalidad entre la actividad ilícita de los administradores y el daño sufrido por el tercero (insatisfacción parcial o total de su crédito) y, en general, por la dificultad de delimitar los ilícitos relevantes de los administradores que fundamenten la superación, siempre con carácter excepcional, de los principios tradicionales que residencian únicamente en la responsabilidad contractual de la sociedad la garantía de los intereses de los acreedores sociales y que excluyen la responsabilidad personal de los miembros de los órganos.

En efecto nos enfrentamos aquí a un grupo de casos particularmente difíciles, donde más discutida resulta la aplicación de la responsabilidad personal de los administradores, ya que en línea de principio el artículo 241 de la Ley de Sociedades de Capital parece que debiera quedar excluido, de acuerdo con el principio de separación entre las partes contractuales (la sociedad y la correspondiente contraparte) y la condición de ajeno a esa relación del administrador. Gran parte de las dificultades de delimitación del ámbito de aplicación de la acción individual y de la calificación de su naturaleza han surgido cuando los intérpretes se han enfrentado a casos en que habiéndose establecido una relación entre la sociedad y un acreedor, a través del administrador-«representante», surgen problemas con el cumplimiento de la prestación que incumbe a la sociedad. ¿En que circunstancias a la responsabilidad contractual de la sociedad (art. 1001 CC) podrá añadirse la del administrador para reclamar los daños derivados del incumplimiento de la prestación contractual?

Un sector de la doctrina, considerando significativo que el artículo 241 de la Ley de Sociedades Capital se refiera a terceros y no específicamente a acreedores, interpreta que la lesión cuya indemnización se contempla en el artículo 241 «no puede ser la que afecte a los intereses protegidos con la titularidad de un derecho de crédito, sino la que afecte a cualquier otro tipo de intereses, patrimoniales o no, que no se encuentren implicados en algún tipo de relación jurídica preexistente con la sociedad» (SUÁREZ LLANOS, *La responsabilidad por deudas*, p. 2502). Sustancialmente viene a coincidir con este planteamiento la doctrina que al delimitar el ámbito de aplicación excluye de la responsabilidad de los administradores los casos de actuación representativa del administrador, en los que únicamente responde la sociedad y formula la tesis de que sólo comprende los casos en que actúa dentro del círculo de sus actividades pero fuera de su condición de órgano social representativo (POLO SÁNCHEZ, *Los administradores*, pp. 373 y ss.; DE LA CÁMARA, *Administración social*, pp. 151 y ss.; DÍAZ ECHEGARAY, *Responsabilidad civil*, p. 489). Una mención especial merece MARÍN DE LA BÁRCENA, que advierte de la necesidad de coordinar adecuadamente las normas de responsabilidad personal orgánico-extracontractual del administrador (arts. 236 y 241 LSC) con la de responsabilidad contractual de la sociedad frente al acreedor perjudicado (contrato y arts. 1101 y ss. CC), y parte del «principio de que, ni los administradores ni cualquier otro auxiliar de la sociedad, responden por la defectuosa ejecución de los contratos asumidos por ésta con sus acreedores, por muy directos que sean los daños y mucha negligencia imputable en el cumplimiento de ejecutar personalmente la prestación debida por esos contratos o de velar porque la sociedad las cumpla». A su juicio la exclusión de responsabilidad en estos casos se debe a que «las normas sobre responsabilidad orgánica (arts. 133 y ss. LSA) (arts. 236 y ss. LSC) quedan desplazadas por las de responsabilidad civil contractual, que rigen la relación entre la sociedad y el acreedor perjudicado (arts. 1.101 y ss. CC), normas contractuales, que son las únicas, y en la medida en que sea así, en las que se puede basar una pretensión indemnizatoria de este tipo de daños». Lo anterior no es obstáculo a la posibilidad de «imputar responsabilidad personal a los administradores cuando la antijuridicidad de su comportamiento causa otro tipo de daños (daños a los derechos reales o a los derechos de la personalidad del acreedor), deriva de la infracción de una norma distinta de la contractual (infracción de una Ley de protección, no dañar a otro dolosamente, responsabilidad por infracción de la *lex artis*) o genera un nuevo riesgo que no pertenece a los típicos del contrato suscrito entre la sociedad y el acreedor perjudicado, etc.» (*La acción individual*, pp. 181-183 y 328-331).

A este respecto es muy interesante y renovadora en la jurisprudencia la Senten-cia del Tribunal Supremo de 30 de mayo de 2008, que se enfrenta a un supuesto de actuación de los administradores beneficiosa para la sociedad administrada (resolución unilateral e injustificado de un contrato) que resulta perjudicial para el tercero y que considera excluido del ámbito de aplicación del artículo 241 de la Ley de Sociedades de Capital, separando los títulos de imputación de respon-sabilidad de la sociedad y de los administradores. Comienza señalando que debe diferenciarse entre la sociedad que es quien se vincula por el contrato y sus órganos de administración, «sin que, como regla, puedan imputarse a los administrado-res los incumplimientos de la sociedad, bajo el riesgo, en otro caso, de desconocer alternativamente: a) la personalidad jurídica propia de las sociedades que, en el caso de las anónimas atribuye el artículo 7 de la Ley de Sociedades Anónimas a las inscritas (art. 33 LSC); o b) el principio de que los contratos sólo producen efecto entre las partes que los otorgan y sus herederos, que proclama el artículo 1257 del Código Civil» y continúa declarando que «en el presente caso se evi-dencia que una actuación beneficiosa para la sociedad administrada, adecuada a la diligencia del ordenado empresario y del leal representante, puede resultar perjudicial para el tercero, es por ello que el artículo 135 de la Ley de Sociedades Anónimas (art. 241 LSC), al enunciar que los administradores responderán de los actos que lesionen directamente los intereses de los terceros, precisa que lo es "no obstante lo dispuesto en los artículos precedentes" que tienen por finalidad regular la actuación del administrador en el ámbito societario no frente a terceros –el administrador debe ser leal a la sociedad, a la que ha de administrar como or-denado empresario, no a los terceros con quienes ningún vínculo mantiene–; y 3) Para que los administradores deban responder no es suficiente que su actuación, correcta desde la perspectiva interna, devenga a la postre dañosa para terceros. Es necesario, además, la existencia de una singular relación causal requerida por la norma y reiteradamente exigida por la Jurisprudencia: que la relación entre el daño y la actuación de los administradores sea «directa». Pues bien, no es éste el caso de autos en el que el daño deriva de forma «directa» de la resolución injus-tificada y unilateral del contrato "por la sociedad" concedente. No por sus admi-nistradores que no fueron parte en él». Y añade al tratar de establecer la relación causal, que «en la actuación de los administradores sociales del caso no concurre una conducta fraudulenta o negligente en el ejercicio de su cargo que se conecte causalmente en relación directa, como exige el artículo 135 de la Ley de Sociedades Anónimas (art. 241 LSC), con el perjuicio sufrido por la entidad actora. Este perjuicio se deriva de la actuación de la sociedad, sujeto de derecho con personali-dad jurídica autónoma, que, ante la alternativa que se encontraba, optó por dar satisfacción económica a una empresa en detrimento de otra, y la actuación de los administradores, como órgano de la sociedad, precisada de personas físicas para su operatividad jurídica, no se individualiza respecto del ente social, sino que se integra plenamente en la organicidad de la sociedad, que no es susceptible de una valoración individual, con secuencia de responsabilidad, independiente de por quien actuaron como representantes necesarios.»

Pero no se puede descartar la aplicación del artículo 241 de la Ley de Sociedades de Capital a los supuestos de daño derivado del incumplimiento contractual, aunque tengan carácter marginal, como ha señalado un sector de la doctrina, cuya orientación restrictiva seguimos en esta edición, revisando la opinión sostenida en versiones anteriores. En efecto, el supuesto de incumplimiento doloso de la prestación asumida por la sociedad (por ej, el administrador que da una orden de no atender al vencimiento una obligación con el fin de perjudicar a determinado acreedor, Borgioli, *Líamministrazione delegata*, p. 294) sirve de imputación de responsabilidad personal de dicho administrador, según los principios generales de responsabilidad extracontractual por dolo (QUIJANO, *La responsabilidad en TR 1989*, pp. 23 y ss.; ALFARO, ob. cit., p. 67; MARÍN DE LA BÁRCENA, *La acción individual*, p. 338). Así mismo no se excluye la responsabilidad de aquel que desconoce los derechos de un determinado acreedor en operaciones societarias y de liquidación. Así en la Sentencia del Tribunal Supremo de 27.11.2014, se condena a un administrador por su conducta como tal y por su conducta posteriormente como liquidador frente a determinado acreedor preterido; como administrador, al no haber incluido al acreedor en la lista de personas con derecho a participar en el precio obtenido con la venta de las participaciones y como liquidador porque incumplió la norma que le prohibía abonar la cuota de liquidación sin la previa satisfacción de su crédito contra la sociedad o sin consignar su importe. La responsabilidad del administrador no se puede conectar al hecho objetivo del incumplimiento (o defectuoso cumplimiento) de la relación contractual (GUERRERA, *Illecito*, p. 239), convirtiéndoles en garantes de las deudas sociales, en contra de las reglas que gobiernan su posición orgánica administrando la empresa y el ámbito propio y relativo de la relación contractual entre sociedad y sus contrapartes [SSTS de 2.7.1998; de 9.7.1999 y la citada de 30.5.2008]. No se contrae esa responsabilidad personal externa cuando en el ámbito del poder discrecional de decisión que corresponde a su juicio empresarial *(Business Judgement Rule)* se decide una determinada política de cumplimiento en función de los intereses de la sociedad en las circunstancias del caso (que ciertamente podrá dar lugar a responsabilidad contractual de la sociedad respecto al acreedor que ve incumplida su prestación). Se deben descartar del ámbito del artículo 241 de la Ley de Sociedades de Capital los supuestos en que el incumplimiento de la sociedad deriva de su estado de desarreglo económico y no se pueden identificar comportamientos específicos que atenten a los intereses de determinados acreedores. Si el administrador ha contribuido con su «mala gestión» a la insolvencia de la sociedad (y consiguiente impago total o parcial de los acreedores) la responsabilidad deberá en principio decidirse en el marco de la acción social y, en su caso, en el de la especial responsabilidad concursal de la Ley Concursal [en este sentido la STS 28.7.2000, frente a la reclamación de un acreedor que no cobra de sociedad deficitaria, excluye la responsabilidad individual de un administrador por falta de relación de causalidad entre los actos de los administradores y el daño; pensamos que en puridad estamos en un supuesto excluido del artículo 241 LSC, ya que como hemos indicado no es un supuesto de daño directo, que debe distinguirse de la relación de causalidad]. El mero incumplimiento de la sociedad por insuficiencia del patrimonio social no puede provocar la responsabilidad externa de los administradores por daño directo [entre otras, SSTS de 20.7.2001; de 9.1.2006; de 14 de mayo de 2009]. Y, en su caso, las infracciones de deberes del cargo causantes del desastre económico de la sociedad podrán desencadenar una eventual acción de responsabilidad por daño al patrimonio social, pero no una acción individual.

> *En un supuesto en que se cuestiona la licitud del comportamiento de los administradores por no haber atendido unas letras a su vencimiento y por haber solicitado después, entre el vencimiento de las letras y la interposición de la demanda, un crédito bancario garantizado con hipoteca sobre el único bien inmueble de la sociedad, y que según la Sentencia de Primera Instancia sirvió de base para condenar a los administradores, por falta de previsión de riesgos o planificación de la actividad económica como causa del daño, materializado en la imposibilidad de cobrar, el Tribunal Supremo en correcta sentencia de 22 de julio de 2004 declara, descartando que se estuviera ejerciendo la acción ex 262.5 de la Ley de Sociedades Anónimas (art. 367 LSC) y que existiera confabulación de los administradores con un banco en perjuicio de los demás acreedores, que la acción individual de responsabilidad de los administradores es «una acción resarcitoria de daños y no una acción de responsabilidad solidaria de aquéllos por obligaciones sociales, de suerte que la prueba exigible a aquélla no podía quedar reducida únicamente al hecho de la deuda, de su impago y de la inactividad de los demandados, como la misma parte parece pretender, sino que, con arreglo a la jurisprudencia de esta sala, sobre aquélla pesaba la carga de probar no sólo el daño sufrido sino también la conducta de los administradores, ilegal o carente de la diligencia de un ordenado empresario y de un representante leal, así como el nexo causal entre ambos elementos... sin inversión de la carga de la prueba en contra de los demandados... y sin que el sólo hecho del incumplimiento de una obligación social fuera por sí mismo demostrativo de la culpa del administrador ni determinante de su responsabilidad..., siendo bien significativo al respecto que el planteamiento inicial de la parte hoy recurrente en su demanda, es decir, esa especie de confabulación de los demandados con un banco para que éste ejecutara el único inmueble de la sociedad deudora, se fuera diluyendo a todo lo largo del pleito hasta quedar prácticamente reducido a lo puramente marginal en este recurso de casación»*

> *La sentencia del Tribunal Supremo de 25 de abril de 2005, en que se reconoce la acción contra la sociedad por impago de la deuda contraída, no considera*

suficiente a este respecto, en el marco del supuesto de incumplimiento de contrato, la consignación hecha por la sentencia de la segunda instancia, que en cambio sí había servido para la condena en esa instancia, de que por el hecho de que «al encontrarse al frente de la sociedad y corresponderle supervisar el giro o tráfico de la misma, evitando eventuales daños, a terceros que pudieran derivarse de la actividad de la mercantil, asume la responsabilidad de dicha gestión», y declara, lo que debe destacarse como criterio de imputación, que no cabe atribuir responsabilidad al administrador ya que «los elementos fácticos que se establecen... no permiten construir, por insuficiencia, el supuesto de hecho normativo imputable al administrador para exigir la responsabilidad». *La sentencia de 26 de mayo de 2005*, en la dirección que nos parece correcta, reitera que la acción individual «no es de responsabilidad por deuda, sino resarcitoria de daño, por lo que no nacería con el mero incumplimiento contractual» y hace suyos los términos de la sentencia de instancia: «aunque se ha producido una lesión del patrimonio del demandante, lo cierto es que no existe una directa y efectiva determinación de cuál ha sido la conducta del administrador demandado que haya originado el daño (como no sea el impago de las anteriores remesas de géneros). Sin esta base mal puede hablarse de culpa. Pero lo que realmente define el tema litigioso es que de ninguna forma se ha probado como corresponde al demandante por aplicación del artículo 1214 del Código Civil es que el perjuicio patrimonial sufrido por el mismo haya sido debido precisamente a la actuación del demandado».

No parece que pueda fundarse, como en cambio hace *la sentencia del Tribunal Supremo de 11 de marzo de 2005*, responsabilidad ex artículo 241 de la Ley de Sociedades de Capital ejercitada por uno de los socios titular del 50% del capital social: partiendo de que «desde la fecha en que el actor adquirió sus participaciones sociales no ha presentado ningún pase de cuentas, ni ha convocado Junta para tal fin... y... de que el resultado de la prueba pericial ha sido demostrativo de las irregularidades existentes en la administración de la sociedad, y de que consta en autos la efectiva realización de las cuentas anuales... incumpliendo así la Administradora los deberes impuestos por el artículo 171 y 172 de la Ley de Sociedades Anónimas (arts. 253 y 254 LSC)... y sin que aparezca demostrado en autos la solvencia de la sociedad para hacer frente a la deuda social con el actor... (llega a) la conclusión de que la Administradora debe responder con la entidad codemandada de la deuda social de conformidad con lo dispuesto en los artículos 135, 133.2 y 127 de la Ley de Sociedades Anónimas (arts. 241, 236.1 y 225 LSC)... habida cuenta de que entre las acciones y omisiones de aquella y el daño existe nexo de causalidad». Con mejor criterio, a nuestro juicio, a efectos del artículo 241, había negado responsabilidad la Audiencia, cuya sentencia casa el Tribunal Supremo. Como venimos afirmando, en este caso lo que no existe es daño directo ni modalidad de ilícito orgánico relevante a estos efectos. No basta por sí que para entrar en el ámbito de imputación de responsabilidad que la actuación del administrador haya producido «una disminución patrimonial que impida a la sociedad hacer frente a sus deudas, o puesto en peligro la satisfacción del crédito del socio, accionista o tercero acreedor, o dañado un derecho si se trata de tercero *no acreedor» [como afirman ésta y otras sentencias por ej. SSTS de 17.12.2003, de 7.5.2004; de 10.6.2005, de 27.6.2005], sino que debe valorarse también si la incidencia del daño es directa y, además, si éste resulta imputable administrador de acuerdo con los criterios conocidos conforme a la doctrina de la imputación objetiva (en el caso, el fin de la norma, riesgo permitido, dominio de la organización etc.). No admite responsabilidad en base al artículo 241 de la Ley de Sociedades de Capital la sentencia del Tribunal Supremo de 6 de abril de 2006 en que se reclama indemnización de daño (por impago del crédito por causa de insolvencia de la deudora) que se imputa a los administradores por haber ejercitado el derecho de retención que ha paralizado el vehículo durante el tiempo de duración del litigio sobre el importe de la reparación efectuada, ya que «el «derecho de retención» o facultad de retener, ejercitado por los administradores en base al artículo 1600 del Código civil, que lo reconoce y ampara, no puede ser valorado como una negligencia, pues qui suo iure utitur neminem laedit, a menos que se trate de un ejercicio abusivo, como tantas veces ha dicho esta Sala desde la sentencia de 14 de febrero de 1944 ni cabe imputar al retenedor la larga duración del litigio planteado sobre la factura que dio pie a la retención, y más cuando no consta que el propietario del vehículo retenido intentara un acuerdo o un aval que, garantizando el pago de la factura pendiente, permitiera la utilización del camión, y, en todo caso, la sentencia definitiva recaída sobre la factura redujo su importe, pero dejó vigente la reclamación por el 60%». En cambio la citada Sentencia del Tribunal Supremo de 17.12.2003 enmarca en el artículo 241 «la actuación del administrador (que provoca) una disminución patrimonial que impida a la sociedad hacer frente a sus deudas, o puesto en peligro las satisfacción del crédito del accionista o tercero acreedor o dañado un derecho si se trata de un tercero no acreedor» y considera que «la conducta negligente del administrador único de la compañía demandada resultó gravemente perjudicial para la situación económica de ésta, al aumentar el endeudamiento de la misma, y provocó un daño a la actora, con evidente relación causal entre aquella y éste».*

En la buena dirección la sentencia del Tribunal Supremo de 20 de junio de 2005 declara que «hubo, pues, impago de deudas sociales, pero este impago no puede equivaler necesariamente a un daño directamente causado a los acreedores sociales por los administradores de la sociedad deudora, a menos que el riesgo comercial quiera eliminarse por completo del tráfico entre empresas o se pretenda desvirtuar el principio básico de que los socios no responden personalmente de las deudas sociales. De ahí que esta Sala venga exigiendo al demandante, además de la prueba del daño, tanto la de la conducta del administrador, ilegal o carente de la diligencia de un ordenado empresario, como la del nexo causal entre conducta y daño [SSTS 30.3.2001, 20.7.2001, 19.11.2001, 25.4.2002, 12.12.2002, 24.12.2002 y 4.3.2003], sin que en este ámbito resulte aplicable la inversión de la carga de la prueba en contra del administrador demandado [SSTS 20.7.2001 y 25.2.2002] y sin que tampoco el incumplimiento de una obligación social sea demostrativo por sí mismo de la culpa del administrador ni determinante sin más de su responsabilidad [SSTS 2.7.1998, 20.7.2001 y 6.3.2003]. Más concreta-

mente, y toda vez que la falta de presentación de las cuentas anuales en el Registro Mercantil se aduce también en el motivo como dato que demostraría la responsabilidad de los demandados con arreglo al artículo 135 de la Ley de Sociedades Anónimas (art. 241 LSC), debe subrayarse que la muy reciente sentencia de esta Sala de 26 de abril último rechaza un argumento similar razonando que esa falta de presentación, para determinar la responsabilidad, debe estar causalmente conectada con el daño, y es precisamente este elemento del nexo causal el que aparece desdibujado en todo el recurso, como también lo estaba en la propia demanda».

La sentencia del Tribunal Supremo de 13 de diciembre de 2004, admite la responsabilidad de los administradores en un caso de incumplimiento contractual en el que se existen actuaciones personales dirigidas a perjudicar a determinados acreedores contractuales. En un supuesto de contrato de contenido complejo, de entrega de casa a cambio de un piso en nuevo edificio y dos plazas de garaje y de compromiso de adquisición de otro piso colindante y plaza de garaje por determinado precio, resulta que, como base de responsabilidad ex artículo 241 de la Ley de Sociedades de Capital «los administradores no son totalmente ajenos al incumplimiento denunciado y demostrado, dada su función relevante de gestión de la compañía y por ello de procurar que las obligaciones asumidas tuviesen efectiva realización lo que aquí eludieron de forma pasiva y durante un largo periodo tratándose de actuaciones graves omisivas (afirmaciones, debemos puntualizar nosotros, que en principio no son decisorias para responsabilidad frente a los acreedores contractuales), a las que hay que añadir las activas al haber dispuesto a favor de terceros de las viviendas que debían entregar» (donde, entendemos, en función de las circunstancias del caso se hubiera podido materializar la modalidad del ilícito extracontractual relevante a efectos del art. 241).

Supuestos distintos y de discutible adscripción a la acción individual, son aquellos en que el daño se produce en bienes que están en el patrimonio social, pero cuya lesión tiene incidencia directa en la posibilidad de cumplir frente al acreedor (aquellos en que de forma dolosa o culposa se hace desaparecer, deteriora o se apropia la cosa debida como obligación de entrega o de devolución; en el sentido de ilícito relevante causante de daño directo en la doctrina italiana –GUERRERA, *Illecito*, pp. 244 y 248– o en que simplemente el daño se causa con ocasión del cumplimiento en otros derechos o bienes del patrimonio del acreedor de la prestación contractual frente a la sociedad). En efecto, consideramos que, de acuerdo con la doctrina general sobre responsabilidad civil extracontractual de los auxiliares del deudor por daños causados al acreedor de su principal en el ejercicio de sus funciones, los administradores responden vía acción individual, de la lesión a derechos de la personalidad (fundamentalmente daños físicos) o a los derechos reales (por ej. bienes de propiedad del acreedor), en cuyo caso se infringen deberes derivados generales de cuidado que incumben en el caso (lo que debe acreditarse) a la posición orgánica del administrador (en este sentido MARÍN DE LA BÁRCENA, ob. cit., p. 336; ampliamente sobre distintos supuestos de lesión extracontractual del crédito puede verse FERNÁNDEZ ARÉVALO, *La lesión extracontractual, passim;* PÉREZ GARCÍA, *La protección aquiliana, passim*). En relación con estos supuestos tiene interés la sentencia del Tribunal Supremo de 29 abril de 1999, que se cuestiona si el acreedor tiene o no acción individual y entiende que «si bien no lo refleja el artículo 135 (art. 241 LSC), que habla de socios y terceros, el acreedor, sí debe estar legitimado para ejercitar esta acción individual no en cuanto actúe como tal acreedor, sino en cuanto, sin perjuicio de ser acreedor, sea tercero; en definitiva, cuando el perjuicio que se le irrogue por parte del acto del administrador o consejero, no sea en su crédito en concreto, sino en el resto de su patrimonio».

4.2. Incumplimiento de deberes disolutorios y acreedores anteriores

Ya hemos tenido ocasión de referirnos (apdo. V. 3.3) a los deberes impuestos a los administradores en caso de crisis disolutoria (arts. 363-365 LSC) y a que la reforma de los artículos 262.5 de la Ley de Sociedades Anónimas y 105 de la Ley de Sociedades de Responsabilidad Limitada por Ley 19/2005 (art. 367 LSC), que elimina la responsabilidad por omisión de deberes disolutorios, respecto las deudas sociales anteriores al acaecimiento de la causa legal de disolución, incide en el debate sobre si los daños vinculados a operaciones por continuidad de la actividad social tras la concurrencia de una causa de disolución son daños al patrimonio social e indirectos para los acreedores (acción social) o directos (acción individual). Procede ahora, pues, desde la perspectiva de la responsabilidad por daños del artículo 241 de la Ley de Sociedades de Capital, analizar si la *omisión por los administradores de dichos deberes con ocasión de la concurrencia de determinadas causas de disolución* provoca propiamente un daño directo en los *acreedores anteriores* a ese momento, acreedores que han establecido sus relaciones con la sociedad en condiciones normales y que deben en principio asumir los riesgos eventuales de crisis e insolvencia de la otra parte. Ciertamente la omisión de aquellos deberes puede perjudicar a los acreedores surgidos con anterioridad a ese momento en la medida en que disminuyan las posibilidades de satisfacción de sus créditos, al no adoptarse medidas que pudieran paliar el desarreglo económico. Pero esa disminución estará vinculada a que se realicen pagos por la sociedad o se incremente el pasivo. Y ciertamente el interés de los acreedores es relevante en la imposición legal de deberes específicos o de los que derivan de la posición institucional de los administradores para estas circunstancias. Téngase en cuenta que en el derecho español se impone a los administradores no sólo el deber de convocar la Junta general y la exigencia de que se adopten las medidas correspondientes (caso de pérdidas cualificadas: reducción, aumento de capital, reintegración patrimonial, disolución de la sociedad), sino que los propios acreedores (como «interesados») pueden solicitar la disolución judicial de la sociedad (arts. 366.1 LSC). Pero hay que preguntarse si, en el sistema vigente de responsabilidad, el perjuicio causado a los acreedores por esas actuaciones ilícitas de los administradores, en realidad, sólo deriva del daño al patrimonio social como instrumento de garantía de los intereses de los acreedores o si también el daño se causa de forma primaria a los acreedores (o a los socios en sus expectativas de reparto en caso de liquidación). Y si en realidad el fin de la norma que impone tales deberes respecto de los acreedores anteriores es que se tomen las medidas adecuadas no sólo para que se eviten los riesgos de deterioro del patrimonio social, sino para que estén advertidos de la nueva situación de una sociedad que debiera haberse saneado o haber entrado en período de liquidación societaria.

Es obvio que la *omisión de los deberes legales de promoción o remoción de la disolución* constituye una conducta ilícita de los administradores, pero en el marco de la responsabilidad por daños es un elemento o momento que debe ser completado con el análisis de la o las operaciones posteriores a la aparición de la causa de disolución. Otra cosa sucedía en el ámbito de la responsabilidad *ex* artículos 262.5 de la derogada Ley de Sociedades Anónimas y 105.5 de la derogada Ley de Sociedades de Responsabilidad Limitada antes de su modificación por Ley 19/2005 que limitó su ámbito objetivo de la responsabilidad a las obligaciones sociales posteriores al acaecimiento de la causa legal de disolución. Y por ello conviene prevenir contra los riegos de una indebida utilización de la acción individual en este grupo de casos o con qué alcance. En primer lugar habrá que verificar si existe daño por esa actuación posterior, ya que si la situación patrimonial de la sociedad mejora, pese a la omisión de los referidos deberes, es obvio que no habrá lugar para la sanción de responsabilidad por daños. Y, caso de disminución patrimonial, respecto de esas operaciones hay que valorar si se mueven o no en el marco de lo exigido empresarialmente a un administrador de una empresa del sector en una situación de crisis similar (art. 225 LSC). Si su conducta no supera positivamente el juicio económico-empresarial de la diligencia razonable exigible a los administradores en el desempeño del cargo deberán responder por el deterioro producido en el patrimonio social por la mala gestión tras la aparición de la causa de disolución. En este contexto la ilicitud de los administradores se puede vincular, según las circunstancias del caso, con concretas operaciones lesivas o con la no adopción de medidas para evitar el progresivo deterioro del patrimonio social. Deterioro que ha de probarse como concreción del daño. En la medida en que esa conducta ilícita incide en el patrimonio social como garantía genérica del cumplimiento de las obligaciones de la sociedad entendemos que el instrumento de tutela a disposición de los intereses protegidos (de sociedad, socios y acreedores) es la acción social de responsabilidad (en el mismo sentido MARÍN DE LA BÁRCENA, ob. cit. p. 350). El interés (indirecto) de los acreedores en que se actúen las normas de promoción o remoción de la disolución para la reordenación de la situación y en evitación del riesgo de empeoramiento (por la continuidad de la actividad empresarial ordinaria en situación de «crisis societaria») es tutelado en principio en el sistema español vigente –además de por el reconocimiento de la facultad de instar la disolución judicial de la sociedad (art. 366.1 LSC)– por la vía (indirecta) de la acción social cuando efectivamente el deterioro se produce y si finalmente se llega a una situación de insuficiencia patrimonial (art. 240 LSC). El importe del daño vendrá dado por la disminución operada en el patrimonio social por o a partir del momento de la conducta ilícita (acción u omisión) dañosa imputable a los administradores y generada por las nuevas operaciones. En todo caso, aunque se llegara a admitir la acción individual como hace la Jurisprudencia [entre otras, SSTS 6.11.1997, de 18.1.2000; de 25.11.2002], no se puede identificar sin más el daño con el incumplimiento del contrato (ese daño debe soportarlo la sociedad como responsabilidad contractual), sino con el daño derivado de la continuidad de la sociedad sin haberse procedido a una ordenada disolución y liquidación [STS de 15.12.2003] y que se concretará en un daño proporcional (reducción del patrimonio social derivado de la continuidad que se repartirá en proporción a lo que se ha dejado de cobrar por ello). Desde luego si en el momento de producirse el incumplimiento de dichos deberes existía ya una situación de insolvencia no podrá imputarse al incumplimiento de los deberes disolutorios administradores esa previa reducción patrimonial (aunque obviamente podrá plantearse la responsabilidad de los administradores vía acción social por su conducta anterior (art. 236-240 LSC y vía responsabilidad concursal, cuando se den los requisitos, art. 172 bis LC). Algún autor ha propuesto que si bien la infracción de las normas de liquidación societaria (liquidación de hecho sin respetar las normas del art. 391 LSC) supone una lesión de los derechos de crédito «en su faceta de poder de ejecución del patrimonio social, a consecuencia de la "desaparición" del patrimonio social que genera una pretensión indemnizatoria que, en principio, sería de reintegración de dicho patrimonio», estaría justificada «la extensión del ámbito de la acción individual a la indemnización de los citados daños». Esta reinterpretación de las relaciones entre la acción social y la acción individual podría admitirse (MARÍN DE LA BÁRCENA, ob. cit. p. 94). Tal vez fuera procedente pensar de «lege ferenda» en otorgar una «acción social propia» a los acreedores en supuestos de actos contrarios a la conservación del patrimonio o que por su entidad lesiva provoquen directamente la situación de insuficiencia patrimonial en caso de no apertura del procedimiento concursal o si mas bien parece llegado el momento de replantearse el régimen de la responsabilidad en el supuesto de «proximidad a la insolvencia» («wrongful trading») –que se debate entre soluciones concretas por incumplimiento de deberes disolutorios o de retraso en la solicitud de concurso y la determinación de responsabilidad por no actuación conforme a los intereses de los acreedores en esa fase– y verificar si el complejo e inestable sistema español responde satisfactoriamente a las exigencia de tutela de los intereses de los acreedores. Por tanto, conforme al derecho vigente, una cosa es que exista mero incumplimiento de los deberes disolutorios formales, otra es que a partir de ese momento continúen las operaciones de los administradores con daño al patrimonio social, que por tanto desencadenan en principio la aplicación de la acción social de responsabilidad, con sus correspondiente cadena de legitimados en cada caso, otra distinta es que se produzca la desaparición del patrimonio social y que por razones prácticas tenga sentido la extensión de la acción individual por el daño proporcional a su cuota (lo no cobrado con cargo al patrimonio social y que hubieran debido cobrar de haberse seguido el proceso de ordenada disolución y liquidación societaria) y otra distinta, finalmente, es que concurriendo una situación de insolvencia no declarada oportunamente y existiendo una actuación de los administradores contraria al principio de paridad de trato exista un daño claramente directo a determinados acreedores anteriores que estarán amparados en este caso por la acción individual de responsabilidad *ex* 241 de la Ley de Sociedades de Capital, de lo que trata el apartado siguiente.

4.3. *Incumplimiento de deberes concursales y acreedores anteriores*

¿Cuál es la intensidad y forma de tutela de los intereses de los acreedores a partir del momento de la concurrencia de causas que sitúan a la sociedad en fase de crisis concursal y se *incumplen los deberes de solicitud de apertura de procedimiento concursal* en los términos que hemos mencionado? (apdo. V. 3.4.). Desde que surge la imposibilidad de cumplir las obligaciones sociales existentes se produce una modificación relevante en las exigencias de tutela de los intereses de los acreedores. Entran en juego los «deberes concursales» (arts. 5, 165 LC) y el régimen específico concursal dirigido a la satisfacción de la masa de acreedores según el principio de la *par conditio creditorum*, sin perjuicio de los privilegios reconocidos. Si la sociedad es declarada en concurso entran en juego las normas concursales, poniéndose en marcha la limitación de las facultades patrimoniales de administración y disposición del concursado (intervención o suspensión) en orden a atender los intereses del concurso, y si el concurso se declara culpable la sentencia se pronunciará sobre la devolución de los bienes o derechos que hubieren obtenido indebidamente del patrimonio del deudor o hubiesen recibido de la masa activa, sobre la indemnización de los daños y perjuicios causados y, en su caso, sobre la cobertura, total o parcial del déficit del concurso, cuyas cantidades se integrarán en la masa activa del concurso (art. 172, 2-3º y art. 172 bis LC). En este caso surgen los problemas de coordinación entre este régimen de responsabilidad concursal y el societario por daños (arts. 236 y 241 LSC) y por deudas sociales (art. 367 LSC). Adviértase que la reforma de este último supuesto (por Ley 19/2005) redujo el ámbito objetivo de la responsabilidad a las obligaciones posteriores a la concurrencia de la causa de disolución, por lo que protege con su sistema de responsabilidad-garantía a todos los acreedores posteriores surgidos en esa etapa «preconcursal» –pensando sobre todo en el supuesto de sociedades incursas en situación de pérdidas cualificadas– (y, por supuesto, en la etapa postconcursal). Ahora abordamos el supuesto en que el proceso concursal no se abre habiéndose incumplido por los administradores sus deberes concursales y la relevancia en relación con quienes ya eran acreedores de la sociedad.

En estos casos, en principio, el daño consistirá, por las pérdidas ocasionadas por la indebida continuación de la actividad empresarial, en la reducción de la cuota de satisfacción de sus derechos por obra de las sucesivas operaciones concluidas tras la omisión de los deberes en fase de crisis concursal (realización de actos de disposición con cargo al patrimonio por ej. ventas a bajo precio, actos a título gratuito). En principio la repercusión dañosa será la cuantía de la diferencia (cuota diferencial) entre lo que el acreedor hubiera podido obtener de haber cumplido los administradores con sus deberes y lo que puede recibir en la situación económica dada de la sociedad. Ahora bien, consideramos que se trata no de un daño autónomo causado a los acreedores sino de un «daño propagado» a los acreedores por la reducción provocada en el patrimonio social como garantía de la satisfacción de sus créditos. La responsabilidad por daño de incumplimiento surge de un perjuicio reflejo. Aunque el tema es discutible y se ha sostenido en doctrina y jurisprudencia otra cosa, consideramos que, en el sistema de relaciones entre la acción social y la acción individual en el derecho español, en principio los acreedores para intentar recuperar el daño sufrido en su crédito no disponen de la acción directa y autónoma del artículo 241 de la Ley de Sociedades de Capital, sino de la acción social *ex* artículo 240 de dicha Ley. A nuestro entender está excluido el recurso a la acción individual en todos aquellos casos en que la indemnización vía acción social –y por tanto para reintegrar el patrimonio social dañado– no deja ningún margen para identificar un daño distinto y autónomo en el patrimonio del tercero no cubierto por aquél. Entre nosotros el tema se ha desenfocado por obra del establecimiento de la responsabilidad por deudas sociales del artículo 367 de la Ley de Sociedades de Capital, creándose, sobre todo en la primera etapa, una gran confusión entre el régimen de una y otra acción, unas veces por desconocer el juego y relaciones de las distintas acciones de nuestro sistema y, otras, por tratar de buscar la «justicia del caso» a partir del planteamiento inicial del litigio por las partes, que ha llevado a declarar la responsabilidad de los administradores, como se ha dicho con palabras certeras, «en un loable esfuerzo para cortar frecuentes abusos y fraudes, aunque para ello tengan que ampliar, en ocasiones, el concepto de daño directo y hasta presumir la existencia de una relación de causalidad entre la conducta omisiva de los administradores y el daño producido» (ROJO, *Los deberes legales*, p. 1449, nota 20).

La acción de responsabilidad impulsada, cuando ello sea viable según la normativa societaria, por los acreedores individualmente fuera del procedimiento concursal (art. 240 LSC), o por los representantes legales de la masa, caso de declaración de procedimiento concursal, se debe dirigir a la reintegración del patrimonio social. Y si el daño indemnizable consiste en la disminución patrimonial vinculada a la conducta imputable a los administradores, habrá que tener en cuenta la situación patrimonial de la sociedad al momento de la omisión de los deberes infringidos (con claridad y precisión sitúa también SUÁREZ-LLANOS estos supuestos fuera de la acción individual; a su juicio, si los administradores han provocado la despatrimonialización de la sociedad ello «significa que el perjuicio a los intereses de los actores vendría no tanto por una acción directa como por mediación de actos de gestión de los administradores que, en su caso, tendría un efecto reflejo o indirecto en el interés económico dañado de los demandantes que se situaría fuera del supuesto de la acción individual», *La responsabilidad por deudas*, p. 2503; VERDÚ CAÑETE, *La responsabilidad civil del administrador de sociedad de capital en el concurso de acreedores*, Madrid 2008, p. 322 y s.).

Pero en este planteamiento hay que introducir una importante corrección. Como se ha advertido hay que distinguir de estos supuestos de operaciones que reducen el patrimonio social y que desencadenan la responsabilidad vía acción social (art. 238 y 240 LSC), aquellos actos que atentan directamente al principio de paridad de trato, como los pagos a algunos acreedores (en dinero, cesión de bienes, suministros, ejecución de bienes en procesos de ejecuciones singulares) excluyendo los pagos derivados de contraprestaciones que sean imprescindibles para la continuidad de la empresa (art. 43.1 LC). La realización de pagos prohibidos (extinguir obligaciones ya contraídas y pendientes de pago sin respetar la igualdad de trato de los acreedores) es un comportamiento que no causa daño al patrimonio social (a este respecto supone una disminución del pasivo exigible), sino a la masa de acreedores y viene representado por la diferencia entre la cantidad pagada y la cuota concursal correspondiente al acreedor al que se ha pagado. Ese daño es directo y los restantes acreedores pueden reclamar, vía acción individual, la indemnización de la cuota que han dejado de percibir por ese pago indebido (en este sentido MARÍN DE LA BÁRCENA, *La acción individual*, pp. 371 y ss., que considera que, en cambio, si se llega a declarar el concurso –culpable–, aparte de la posibilidad de impugnar el pago realizado, la indemnización de este «daño de cuota» se reintegrará en la masa en virtud del artículo 172.2.3° de la Ley Concursal, por exigencias de coordinación de las normas de responsabilidad concursal y responsabilidad por daños, p. 378). Recientemente RODRÍGUEZ ARTIGAS/MARÍN DE LA BARCENA, consideran en este sentido que "cuando los administradores de una sociedad en situación de insuficiencia patrimonial destinan la totalidad de activos a pagar deudas de determinados acreedores sociales, normalmente entidades financieras a las que avalan personalmente, lo que resulta relativamente frecuente en el ámbito de las pequeñas sociedades en situación de crisis... (esos pagos) no lesionan el patrimonio de la sociedad, porque se destinan elementos del activo a extinguir obligaciones, de manera que el patrimonio neto queda inalterado. Sin embargo, se priva al resto de acreedores sociales de cobrar la cuota de sus derechos de crédito que les habría correspondido si esos activos se hubieran dedicado a pagar a todos los acreedores causándoles «daños de cuota» que son directos y exigibles mediante la acción del artículo 241 del Texto Refundido de la Ley de Sociedades de Capital", *La acción social de responsabilidad*, pp. 164 y s.

La jurisprudencia posterior a la Ley de Sociedades Anónimas de 1989, que se ha enfrentado a supuestos de incumplimiento de deberes concursales (no promoción de la apertura de los procedimientos concursales), vaciamientos patrimoniales de sociedades y liquidaciones de hecho, ha sido muy abundante, aunque no siempre podemos conocer la gravedad de la crisis del supuesto de hecho ni las eventuales actuaciones de los administradores para poder distinguir este grupo de casos del anterior y poder valorar el comportamiento de los administradores a efectos de la acción individual. Una parte importante de las resoluciones, a nuestro entender, se ha visto «contaminada» en alguna medida por dos tipos de «agentes» (si se nos permite la expresión): uno externo y peculiar del derecho español, que es la normativa especial sancionatoria de responsabilidad por deudas sociales y otro interno, que es la propia dificultad de delimitar el ámbito del daño directo frente al reflejo en relación con este peculiar grupo de casos en que se produce impagos a acreedores de deudas sociales que corresponde atender con el patrimonio social. Al tener que realizar esta operación en dos «frentes», el de la acción social y el de la acción *ex* artículo 367 de la Ley de Sociedades de Capital, el proceso ha sido lento y zigzagueante. Sin duda al día de hoy se han despejado muchas incógnitas y se ha avanzado en la formulación de criterios directrices sobre los tipos de acciones, en particular en la última década, tal como se recoge en el trabajo, pero en relación con este grupo de casos, ha predominado, a nuestro juicio una concepción extensiva del daño directo, que debe seguir revisándose, ya que no corresponde ni al sistema ni a la función del artículo 241 de la Ley (la evolución de la jurisprudencia de la década de los noventa y la posterior sobre las relaciones entre la acción individual y la responsabilidad por deudas sociales, en supuestos de vaciamiento patrimonial y cierre de hecho puede verse en SALDAÑA, *La acción individual de responsabilidad en el marco de la crisis*, pp. 1329 y ss). En la práctica muchas resoluciones han puesto freno a dicho punto de partida al exigir la prueba de la relación de causalidad entre los deberes omitidos y el daño sufrido. Pero nos parece que la buena orientación está antes, en la identificación del supuesto como un supuesto de daño directo o no y en valorar si el daño es imputable objetivamente al comportamiento del administrador. En los últimos años, tras la reforma del ámbito objetivo de aplicación de la responsabilidad por obligaciones sociales del artículo 367 de la Ley de Sociedades de Capital (en este sentido también SALDAÑA, *La acción individual*, pp. 333 y ss.), a las obligaciones nacidas después de la concurrencia de la causa de disolución ha renacido el interés de la jurisprudencia que fija los requisitos de la acción individual en casos de grave crisis económica (insolvencia) sin que se hayan cumplido por los administradores con los deberes de promoción de la disolución o de solicitud del concurso. Se observa una cierta «reactivación» de la línea jurisprudencial que si bien parte con acierto, de que el solo hecho del incumplimiento de una obligación social no es por sí mismo demostrativo de la culpa del administrador ni determinante de su responsabilidad y de que "la insolvencia de la sociedad provocada por los administradores al incumplir su obligación de promover la disolución puede ser determinante de la responsabilidad a que se refiere el artículo 262.5 de la derogada

Ley de Sociedades Anónimas (en la redacción aplicable a este proceso por razones temporales –ahora art. 367 LSC–), por incumplimiento objetivo de la obligación de disolución y liquidación ordenadas de la sociedad que establece el artículo 260, 3° y 4° de la Ley de Sociedades Anónimas" [art. 363, b), c) y d) LSC], afirma también que la "desaparición de empresas sin haber practicado la oportuna liquidación" puede también dar paso a la responsabilidad individual (STS 14.3.2007). En esta dirección el Tribunal de Casación italiano, al aplicar el artículo 2395 del Código Civil Italiano (equivalente a nuestro art. 241 LSC), sostiene recientemente que el *curatore fallimentare* está legitimado para actuar en el sentido del artículo 2395 contra los administradores de una sociedad en concurso, cuando éstos había progresivamente depauperado la sociedad con el único fin específico de sustraerse al cumplimiento respecto de la sociedad actora, causando un daño meramente aparente a la sociedad deudora, en cuanto preordenado a mantener indemnes tanto a los socios como a otros acreedores de las consecuencias negativas que se derivarían del cumplimiento de la deuda (*Corte di Cassazione*, 10 de abril 2014, n. 8458)

> *Entre las sentencias relevantes, tras la reforma de la Ley de Sociedades Anónimas de 1989, merece destacarse la sentencia del Tribunal Supremo de 4 de noviembre de 1991 que aborda un supuesto de reclamación de acreedor frente a sociedad liquidada de hecho y frente al administrador. Según esta sentencia «los administradores no pueden limitarse a eliminar a la sociedad de la vida comercial o industrial sin más. Han de liquidarla en cualquiera de las formas prevenidas legalmente, que están precisamente orientadas para salvaguardar los intereses de terceros en el patrimonio social, sin que ello signifique por supuesto que no pueden intentar el arreglo extrajudicial con sus acreedores antes de llegar a ese trance». Y añade en un párrafo luego muy citado por otras sentencias: «la no liquidación en forma legal del patrimonio social cuando la sociedad se encuentra en una situación de insolvencia es susceptible de inferir ese daño directo contemplado en el artículo 81 (art. 241 LSC) por configurar una negligencia grave de los administradores en el incumplimiento de sus deberes legales». Más adelante declara, «pero todo ello no es suficiente para que la acción... prospere, porque es ineludible que haya una relación de causalidad entre el daño producido (impago de los géneros suministrados) y el incumplimiento de aquellos deberes. La recurrente no ha demostrado... que la sociedad recurrida tenía patrimonio suficiente para hacer surgir en los acreedores sociales expectativas siquiera de cobro si se liquidaba ordenadamente..., sino que se ha limitado a solapar esa ausencia de prueba con las alusiones reiteradas al incumplimiento de deberes legales de los administradores, por lo que falta un requisito esencial para que puedan ser obligados al resarcimiento del daño que se les imputa. Tampoco ha probado que se ha ocultado o dispuesto injustificadamente de él, hipótesis de clara responsabilidad subsumible en el art. 81 (art. 241 LSC)». Es discutible a nuestro juicio esa admisión indiscriminada del daño directo, aunque también es cierto que apunta certeramente la*

sentencia a la causación en todo caso de un daño proporcional: en función del patrimonio existente en el momento de la omisión de los deberes. En el fondo se está exigiendo la demostración de que de haberse disuelto y liquidado ordenadamente el patrimonio de la sociedad los acreedores, en concreto el demandante, hubieran visto satisfecho en alguna medida su crédito. Favorable al reconocimiento de daño directo por no promoción de liquidación ordenada es la sentencia del Tribunal Supremo de 26 de diciembre de 1991. También es importante en este contexto la sentencia del Tribunal Supremo de 21 mayo de 1992, que contempla un supuesto en que los administradores se limitaron a «cerrar la fábrica o taller, sin aviso a los acreedores, distrayendo el patrimonio de su finalidad legal, o sea la realización del activo social para pago a los acreedores», que absuelve a los administradores por falta de relación de causa a efecto entre la actuación y el resultado dañoso y se manifiesta contraria a una interpretación laxa de los preceptos que convierta en todo caso a los administradores en responsables absolutos, con responsabilidad patrimonial universal, por encima o además del patrimonio social. La sentencia del Tribunal Supremo de 10 de diciembre de 1996 considera con acierto que en el caso no existe lesión directa en el sentido del artículo 81 de la Ley de Sociedades Anónimas de 1951 (art. 241 LSC) pues «el hecho... de que éstos (los administradores) no promovieran temporáneamente la declaración de la codemandada entidad... en estado de suspensión de pagos o de quiebra, no ha sido en modo alguno, la determinante directa de que la entidad actora no pudiera cobrar el precio de las mercaderías vendidas, sino que ello fue debido exclusivamente al estado de insolvencia en que, con declaración de quiebra o sin ella, se hallaba la deudora codemandada... lo que impedía el pago de sus deudas a sus numerosos acreedores». También merecen reseñarse la de 4 de febrero de 1999, sobre condena por desvío fraudulento de los fondos sociales que causaron la insolvencia social; de 5 de noviembre de 2003 para la que la desaparición de hecho de forma totalmente incorrecta es una actuación «determinante causal de que el acreedor no pudiera percibir el importe de los créditos contraídos por la sociedad»; de 20 de noviembre de 2003 que declara: «es negligencia grave de los administradores no instar la liquidación legal de la sociedad, si fracasan los arreglos extrajudiciales intentados con los acreedores, pero esta conducta no produce necesariamente la emergencia de un daño y sólo puede condenarse a una indemnización si se prueba que ha ocasionado una lesión a los intereses de los socios o terceros por disminución del patrimonio repartible en el supuesto del liquidarse legalmente». La sentencia del Tribunal Supremo de 9 de enero de 2006, importante a otros efectos (retroactividad de la reforma operada por la Ley 19/2005), reitera a propósito de la acción individual que el «presupuesto básico viene constituido por la existencia de un daño directo, que no puede consistir meramente en la insolvencia de la sociedad». Ciertamente, conforme ya hemos dicho, la cuestión es si hay o no daño directo e imputabilidad del daño a la conducta de los administradores, y en principio la disminución del patrimonio repartible no constituye daño directo, salvo que se trate de actos que afectan directamente al principio de paridad de trato de los acreedores. En este sentido debe resaltarse la sentencia del Tribunal Supremo de 26 de mayo de 2004 que considera procedente la acción individual en un caso de realización de operaciones de cesión de bienes (en una trama entre sociedades) que provocaron el vaciado patrimonial de la sociedad con la finalidad de defraudar a los acreedores.

En un supuesto de impago de las obligaciones derivadas de un contrato de leasing suscrito por la acreedora con la sociedad, la sentencia del Tribunal Supremo de 22 de marzo de 2006 se rechaza la acción individual, pese a que se ha probado el incumplimiento de determinadas obligaciones sociales (falta de presentación de cuentas), por no explicarse el nexo de causalidad entre esa omisión y el daño producido y la indicación de que se impidió a los acreedores conocer la real situación económica de la sociedad no se produjo en el momento de la firma del contrato. pues en el periodo anterior se había cumplido con la obligación de presentar las cuentas y los incumplimientos posteriores se producen de forma coetánea con el impago de los recibos, suficiente para llamar la atención del acreedor sobre la existencia de problemas económicos.

La sentencia del Tribunal Supremo de 30 de noviembre 2005 en la que se «aduce como fundamento fáctico el impago de un pagaré librado por la representación de la sociedad demandada el 15 de octubre de 1995 por importe de 26.439.409 pesetas, que produjo gastos de devolución ascendentes a la suma de 13.220 pesetas y el cierre de la empresa con desaparición de hecho de la sociedad de forma irregular e ilegal», declara que «la prosperabilidad de la acción de responsabilidad individual de los administradores no exige, cuando la lesión del interés del accionante derive de una deuda impagada de la sociedad, de modo indefectible, el presupuesto de la condena al pago de la entidad, por lo que carece de fundamento la prejudicialidad alegada en el motivo. Y si bien es cierto que la resolución recurrida en el caso acoge la excepción de litispendencia respecto de la sociedad, la apreciación responde únicamente a la necesidad de evitar su doble condena –non bis in idem–. Lo expuesto no obsta a que en el proceso de responsabilidad de los administradores ex artículo 135 de la Ley de Sociedades Anónimas (art. 241 LSC) deba probarse, como realidad de la lesión o daño, la existencia de la deuda y la imposibilidad de realización respecto de la sociedad», En cuanto al daño derivado del impago se considera relevante «la imposibilidad de realizarlo por desaparición de la empresa y la inexistencia de bienes»; y que es innegable que concurren los requisitos para que prospere la acción individual de responsabilidad del artículo 241 de la Ley de Sociedades de Capital, consistente, en el caso, en un comportamiento, cuando menos omisivo, contrario a la Ley y sin la diligencia de un ordenado comerciante, causante de una lesión concreta a los intereses de un tercero (acreedor de la sociedad), existiendo una relación causal directa entre tal comportamiento y el daño [Sentencias, entre otras, 27.10 y 7.12.2004 y 25.4, 26.5 y 20.6.2005]; aparte de que la resolución recurrida condena también a los codemandados personas físicas con base en los artículos 260.1, 4ª y 262. 5 de Ley de Sociedades Anónimas [art. 363. 1 d) y 367 LSC], sobre responsabilidad solidaria por obligaciones sociales –cuya acción se ejercitó acumuladamente en la demanda–. Decisión que, desde la perspectiva del artículo 241 de la Ley de Sociedades de Capital, debe considerarse correcta en la medida en que el daño directo derive de la violación del principio de paridad de trato de los acreedores en caso de insolvencia.

La sentencia del Tribunal Supremo de 28 abril de 2006, deja sentado con claridad, en un supuesto de sociedad incursa en causa de disolución en el que existe un ejercicio acumulado de las acciones individual (arts. 236 y 241 LSC) y responsabilidad por deudas ex artículo 367 de la Ley de Sociedades de Capital, que cuando se produce la insolvencia ésta es el factor determinante de la frustración del crédito que se reclama (al amparo del art. 367 LSC), sin embargo «no hay aquí la lesión directa que exige el artículo 135 de la Ley de Sociedades Anónimas (art. 241 LSC) pero puede haber un riesgo o peligro de que, en defecto de una liquidación ordenada, los acreedores de la sociedad sufran el agravamiento de su posición o los efectos de un comportamiento desordenado o arbitrario de su deudor, la sociedad, cuyo patrimonio es en principio la única garantía, que por efecto de este precepto se ve reforzada con la de los de los administradores que no hayan promovido la liquidación o el concurso a su debido tiempo». Y en un supuesto de cierre de la sociedad ante las dificultades económicas la Sentencia del Tribunal Supremo de 21.9.1999, se declara que es incuestionable la infracción de los deberes por parte de los administradores y la existencia de un daño, «pero no hay fundamento para estimar que éste (el impago de la deuda) es consecuencia (directa, ni en el caso indirecta) de los datos fácticos que pueden se valorados. Dicho de otra manera, falta conciencia o convicción de que se hubiera podido evitar el daño con un comportamiento distinto de los administradores (siempre en relación con el ámbito fáctico prefijado). El mero incumplimiento de los apartados referidos del artículo 262 de la Ley de Sociedades Anónimas (art. 364-366 LSC) y la situación de insolvencia de la sociedad no son suficientes para considerar fundada una pretensión del artículo 135 de la propia Ley (art. 241 LSC), si no se prueba el nexo causal».

En un litigio promovido al amparo del artículo 135 de la Ley de Sociedades de Capital (art. 241 LSC), contra administradores que cesaron tras no aprobarse el acuerdo de disolución, por los trabajadores de la compañía que no habían cobrado salarios e indemnizaciones reconocidos en sentencia, después de instar en vía laboral la ejecución de los bienes de la sociedad, alegando la situación de crisis económica imputable a los administradores ya que provocaron su descapitalización con desvío de fondos a otras empresas, la sentencia del Tribunal Supremo de 7 de diciembre de 2004 declara que no se acreditó debidamente que los hechos alegados como constitutivos de desviación de fondos pudieran obedecer a razones ajenas al propio desenvolvimiento empresarial de la sociedad, que no se puede establecer la relación entre estas operaciones con los derechos de los trabajadores y que el artículo 135 (art. 241 LSC) no establece de modo automático que la responsabilidad de los administradores procede cuando la marcha de la sociedad no es prospera y se descapitaliza y si la favorece respecto a las actividades antijurídicas que puedan imputárseles antes de su cese.

No parece que, a efectos de la responsabilidad ex artículo 241 (otra cosa pudiera ser a la luz del art. 262.5 LSA vigente en el momento de la sentencia), se pueda considerar bien fundada la sentencia del Tribunal Supremo de 5 de mayo de 2005, en un caso en que se reclama el impago de una deuda y se pide la respon-

sabilidad solidaria de los miembros del Consejo de Administración, por el hecho de que los miembros del Consejo de Administración «conocía(n) la situación de endeudamiento de la sociedad, y aún así no hicieron actividad alguna conducente al pago ni a la disolución de la misma, así como de las reclamaciones del acreedor y a remediar la desaparición del consejero delegado».

Particularmente relevante entre las Sentencias del Tribunal Supremo de la última década sobre el posible ejercicio de la acción individual de responsabilidad en caso de insolvencia de la sociedad sin que los administradores hayan promovido su disolución es la de 14 de marzo de 2007, que tiene interés en una perspectiva de futuro, tras la reforma por Ley 19/2005 del ámbito objetivo de responsabilidad ex artículo 262.5 de la Ley de Sociedades Anónimas y 105.5 de la Ley de Sociedades de Responsabilidad Limitada (art. 367 LSC), que ha abierto nuevas posibilidades reales de aplicación del artículo 241 de la Ley de Sociedades de Capital en supuestos de crisis para acreedores anteriores a ese momento. Aunque en el caso se aplicaba el derecho anterior a la mencionada reforma de 2005 y por tanto ningún problema planteaba, como así sucedió en el caso, la aplicación del artículo 367 de la Ley de Sociedades de Capital a acreedores vinculados a la sociedad con anterioridad a la concurrencia de una causa de disolución de la sociedad, el Tribunal argumenta también en base a la posible aplicación al mismo supuesto de hecho (incumplimiento de deberes disolutorios en sociedad en situación de insolvencia) del artículo 241 de la Ley de Sociedades de Capital. En el caso admite una lesión directa consistente en el imposible cobro de una deuda insatisfecha. Para nosotros lo relevante es que se hayan producido actuaciones (pagos prohibidos) que no hayan respetado el principio de par conditio creditorum, también alegado por el Tribunal Supremo, pero se hacen afirmaciones más generales sobre la relación entre la acción individual y la lesión del derecho de crédito por no adoptar las medidas de ordenada disolución y liquidación, que conviene tomar con cautela, tal como se ha indicado anteriormente, ya que en muchos casos el daño a los acreedores será indirecto, derivado del mero deterioro del patrimonio social y no de actuaciones que discriminan a algunos acreedores, como sucede con los actos de disposición y con los pagos prohibidos que afectan al principio de la igual de trato y comunidad de pérdidas de los acreedores. Esta es la argumentación del Tribunal: «el solo hecho del incumplimiento de una obligación social no es por sí mismo demostrativo de la culpa del administrador ni determinante de su responsabilidad (SSTS 2 de julio de 1998, 20 de julio de 2001 y 6 de marzo de 2003). La insolvencia de la sociedad provocada por los administradores al incumplir su obligación de promover la disolución puede ser determinante de la responsabilidad a que se refiere el artículo 262.2 (art. 367 LSC, en la redacción aplicable a este proceso por razones temporales), por incumplimiento objetivo de la obligación de disolución y liquidación ordenadas de la sociedad que establece el artículo 260, 3º y 4º de la Ley de Sociedades Anónimas (art. 363. b), c) y d) LSC). Pero la jurisprudencia de esta Sala admite que, en régimen de concurso ideal, dicha situación puede también dar paso a la responsabilidad individual (artículo 135 LSA; art. 241 LSC) cuando la insolvencia de la sociedad provocada por la negligencia de los administradores causa una lesión directa a los acreedores (SSTS de 11 de octubre de 1991, 10 de diciembre de 1996, 11 de noviembre de 1997, 17 de diciembre de 2003, 20 de febrero de 2004), ya que la responsabilidad por los actos de los administradores comprende la acción y la omisión. En efecto, la desaparición de empresas sin haberse practicado la oportuna liquidación comporta una vulneración de la ley y puede llevar consigo un perjuicio para los titulares de créditos pendientes que no han podido controlar la liquidación de la mercantil ni el destino final de su patrimonio. La vulneración de un deber legal tan esencial comporta la existencia de culpa, salvo prueba por parte de los administradores de que su actuar individual no fue negligente. El ejercicio de la acción individual de responsabilidad responde por ello con frecuencia a supuestos en que los derechos de crédito de acreedores de la sociedad se han visto perjudicados por la actuación de los administradores que, ante situaciones de grave crisis económica, no adoptan medidas para la regularización de su patrimonio o no proceden a su disolución a través de los cauces legales, impidiendo controlar a los terceros interesados el destino del patrimonio social. Es cierto que la acción encaminada a exigir la responsabilidad ope legis [por ministerio de la ley] fundada en el artículo 262.5 de la Ley de Sociedades Anónimas (art. 367 LSC) elude la dificultad de probar la concurrencia de los requisitos necesarios para que prospere la acción individual (negligencia, daño y relación de causalidad); pero esto no supone que el ejercicio de la acción individual sea improcedente, en estos supuestos, si se demuestra la existencia de negligencia y de un daño concreto en el patrimonio de los acreedores. Como admiten las Sentencias del Tribunal Supremo de 17 de octubre de 2005, 30 de noviembre de 2005, 9 de marzo de 2006, 22 de marzo de 2006, 23 de junio de 2006, ambas acciones, en consecuencia, pueden ser acumuladas, y no incurre en incongruencia la sentencia que fija, como determinante de la responsabilidad, no el invocado artículo 135 de la Ley de Sociedades Anónimas (art. 241 LSC), sino el artículo 262 de la Ley de Sociedades Anónimas (art. 367 LSC), siempre que concurran los requisitos de la acción individual de responsabilidad y los hechos en que se funda hayan sido alegados por la parte (STS de 28 de septiembre de 2006), teniendo en cuenta que la ausencia de la diligencia ordenada exigible a los administradores, cuando se constata la omisión del deber de proponer la disolución de la sociedad en presencia de los presupuestos que legalmente la exigen, se agrava hasta alcanzar la grave negligencia cuando dicho incumplimiento afecta a otros elementos típicos del comportamiento de un administrador, tales como la previsión, la prevención de riesgos, la planificación adecuada de la actividad económica, y otros demostrativos del descuido en que incurre ille qui non praevidet quod praevidere debuit [quien no prevé lo que debió]. Las declaraciones fácticas formuladas por la sentencia recurrida, en unión de un examen de la prueba realizada, demuestran que los administradores demandados incurrieron en negligencia, cifrada, en esencia, en la desaparición de los activos de la sociedad sin instar, como era obligado (art. 260.3 y 4 LSA) (art. 363, b) c), d) LSC) la disolución y liquidación de la misma (según acredita la ausencia de baja de la sociedad en el Registro Mercantil y la falta de aportación a éste de documentación alguna relativa a los actos de los acuerdos sociales a partir del año 1993, a excepción de la revocación del poder al Sr. Jon) por reducción del patrimonio e imposibilidad de realizar el fin social (evidenciada por la carencia de instalaciones, de maquinaria y de mano de obra y por el cierre de las oficinas, como así lo atestiguan las diligencias negativas de embargo). No se estima probado, ante las diligencias negativas de embargo, que la sociedad deudora disponga de medios suficientes para hacer frente a sus deudas, ya que las fotografías y relaciones presentadas son insuficientes para ello, ante la evidencia de la falta de pago de los créditos y el dictamen pericial que valora los bienes remanentes en una cantidad, insuficiente para cubrir una mínima parte de la deuda, muy inferior a la correspondiente a un informe de existencias correspondiente a años anteriores. Como esta Sala ha sentado especialmente en relación con el ejercicio de la acción rescisoria en fraude de acreedores (entre otras, STS de 8 de junio de 2006), la carga de la prueba de la insolvencia del deudor no se puede hacer recaer sobre el acreedor, pues éste no tiene por qué conocer cuáles son los bienes de aquél y no cabe exigirle una labor de investigación o indagación más allá de lo que puede advertirse fácilmente por los signos externos o consulta de un registro. Por el contrario, el deudor fácilmente puede desvirtuar la afirmación de insolvencia mediante la indicación de bienes de su propiedad susceptibles de realización, por lo que a él incumbe la carga de la prueba en la materia, y no basta, desde luego, la indicación general contenida en la demanda, como ocurre en el caso examinado, de existir en poder de la sociedad bienes suficientes para hacer frente a las deudas reclamadas. Existe una lesión directa a los intereses de la actora, consistente en el imposible cobro de una deuda judicialmente declarada por importe de 20.381.264 pesetas, como demuestran los embargos realizados con resultado negativo. Se observa asimismo, la existencia de una relación de causa a efecto entre la culpa y el daño, pues, ante las dificultades económicas de la empresa, los administradores no se ha probado que realizaran actuación alguna eficaz para respaldar las obligaciones de la sociedad, y, una vez constatada la imposibilidad de cumplir el fin de la sociedad y desparecidos prácticamente sus activos, no procedieron a la disolución, sino que se limitaron a negociar con los acreedores de manera desordenada acuerdos para saldar sus respectivos créditos o buscar fórmulas de reflotamiento de la empresa que no tuvieron viabilidad alguna, colocando a los acreedores sociales en una situación de imposibilidad para el cobro total o parcial de sus créditos mediante una liquidación ordenada de la sociedad que respetase el principio par conditio creditorum [igual condición de todos los acreedores]"

La Sentencia del Tribunal Supremo de 20.5.2009 citando la de 14.3.2007 y otras sentencias anteriores (las de 11.10.1991, 10.10.1996, 11.11.1997, 17.10.2003 y 20.2. 2004), estima que «la negligencia de los Administradores, cuya gravedad también se destaca, fue determinante de la insolvencia y la causa del daño, proposición que no es adecuadamente combatida y que, además, expresa una posición que ha sido aceptada por esta Sala al admitir (que) la insolvencia de la sociedad puede dar paso a un supuesto de responsabilidad individual, ahora exigible por la vía de los artículos 133 y 135 de la Ley de Sociedades Anónimas (arts. 236 y 241 LSC), pero que también lo sería, en supuestos de culpa grave, bajo la Ley de 1951, cuando la insolvencia de la sociedad provocada por la negligencia de los administradores causa una lesión directa a los acreedores». Cae en el ámbito de la acción individual el supuesto de sociedad que cesa de hecho sin garantizar, a través del proceso liquidatorio correspondiente, los derechos del tercero y sin que conste bien alguno de la sociedad que perseguir que resuelve la Sentencia del Tribunal Supremo *de 11.11.2008. En el caso los administradores llevaron a su sociedad «a una situación de no operativa, haciéndola desaparecer del tráfico mercantil de una manera incorrecta, logrando así una posición de insolvencia, y a causa de ello, determinado acreedor no ha podido percibir el importe de su crédito contra dicha sociedad, siendo ello una consecuencia ineludible y derivada de todo lo anterior» habiéndose celebrado acuerdos ocultos para acreedores y terceros, «siendo así que en el caso de autos la actitud de los administradores trasciende incluso al incumplimiento de tal obligación para adentrarse en el terreno de la actuación maliciosa». En un supuesto de hecho (impago de deuda e incumplimiento de obligaciones de sociedad declarada en quiebra) cuya presentación adolece de alguna imprecisión en cuanto a eventuales actuaciones fraudulentas dirigidas a provocar la descapitalización, se estima que concurren los requisitos de la acción individual en la Sentencia del Tribunal Supremo de 29 de julio de 2008. Esta es su argumentación: «a) La existencia del daño es una cuestión de hecho ajena al recurso de casación, sin que al amparo de los preceptos del enunciado quepa debatir acerca del tema relativo al alcance del convenio de la quiebra; b) Resulta incuestionable la existencia en el año 1997 de una situación de insolvencia definitiva de la sociedad, a la que contribuyeron los administradores con actos de descapitalización, y sin adoptar las decisiones legales exigibles, y en concreto la convocatoria de la Junta general conforme a lo establecido en los arts. 363 y 365 de Ley de Sociedades de Capital. Por otra parte, en la resolución recurrida se recogen varias ilegalidades e irregularidades relativas a la contabilidad y a la llevanza de los libros de la entidad que demuestran la omisión de la diligencia exigible a todo administrador social; y, c) Finalmente, deviene indiscutible la existencia del nexo causal, por cuanto el daño cuya indemnización se reclama en la demanda, consistente en el crédito que la entidad actora tenía con la entidad "F", S.A., es una consecuencia de la situación de insolvencia de esta sociedad, a la que contribuyeron los administradores demandados y, además, no trataron de dar la salida de disolución del ente social conforme prevé la normativa legal». Rechaza, acertadamente, la existencia de responsabilidad individual ex artículo 241 de la Ley de Sociedades de Capital la Sentencia del Tribunal Supremo de 14 de mayo de 2009, en un caso el que se ha producido un incumplimiento de contrato por sociedad insolvente realizado por contratante que conocía la situación de insolvencia de la sociedad –y que ya por sí le privaba de legitimación para actuar contra los administradores–. Para la responsabilidad individual ex artículo 241 de la Ley de Sociedades de Capital se «requiere que se demuestre la relación de causalidad entre la omisión del Administrador demandado y el daño, que en el caso consiste en la imposibilidad de cobro de la deuda, pero es claro que tal imposibilidad no deriva del incumplimiento del pacto de poner a la sociedad en liquidación, sino de la insolvencia de la sociedad, que no hubiera sido remediada por el cumplimiento del pacto».*

La Sentencia del Tribunal Supremo de 2 de marzo de 2009, trata como supuesto de daño al patrimonio social la actuación del administrador único, consistente en la despatrimonialización de la sociedad mediante traspaso a otra sociedad del patrimonio de la sociedad administrada. La acción social es ejercitada por los socios que significaban el 75% del capital social y «no se reprocha al Adminis-

trador el estado de insolvencia en que pueda haber incurrido la sociedad, sino la despatrimonialización por entender que existe la despatrimonialización de la sociedad en beneficio de otra compañía, que pertenece ciento por ciento a las hijas del Administrador. Lo que la Sala de instancia ha calificado como un traspaso del patrimonio social de "Explotación Agrícola Rebate, S.A.". mediante una "maquinación fraudulenta"».

En el supuesto resuelto por la Sentencia del Tribunal Supremo de 14 de marzo de 2011 (Res. n° 135/2011), se reclama, por la administración concursal, el perjuicio causado por operaciones de descapitalización de la sociedad: venta de una rama importante de la actividad de la sociedad y seguidamente remisión de gran parte de su importe a otra sociedad, que en el caso es la matriz, con lo que disminuyó notoriamente el patrimonio social de la entidad que administraba y fue una de las causas de la situación posterior de concurso. Tal proceder no puede considerarse un comportamiento aceptable de un ordenado comerciante y representante legal y ello tanto más cuando resulta razonable estimar que no desconocía la situación económica de la matriz que fue declarada pocos meses después en liquidación concursal. El Tribunal Supremo considera, correctamente, que esas operaciones afectan directamente al patrimonio de la sociedad remitente e indirectamente a los acreedores que entablaron relación con la filial descapitalizada, por lo que el supuesto se enmarca en el ámbito de la responsabilidad social del artículo 48.2 de la Ley Concursal (art. 48 quater tras reforma por Ley 38/2011) en relación con el artículo 134 de la Ley de Sociedades Anónimas (arts. 238-240 LSC). Además declara, entrando a valorar las consecuencias de la situación de grupo y la existencia de una eventual compensación (en el caso no fundamentada) en interés del grupo, que "en nada atenúan la responsabilidad por la actuación expresada, único aspecto en que se le condena, las instrucciones que haya podido recibir de la sociedad francesa (sociedad matriz), ni la hipotética situación económica real de la empresa al tiempo de la operación o las especulaciones sobre el derecho al dividendo, carentes de soporte discursivo en la sentencia recurrida, y que no son coherentes con la versión contradictoria (del Sr. administrador) de que el producto remitido... lo fue porque el objeto vendido pertenecía a la matriz, lo que al no ser acreditado revela la connivencia del mismo con aquélla para hacer un desplazamiento patrimonial sin ninguna causa justificada, ni procedimiento legal".

5. *Responsabilidad por el ejercicio de la dirección unitaria en los supuestos*

En el ámbito de los grupos de sociedades se pueden separar dos grupos de casos: i) el ejercicio de la dirección unitaria impartiendo instrucciones ilegitimas por parte de los administradores de la matriz que causen daño al patrimonio de la filial, que es «tercera» respecto de dichos administradores, puede originar la responsabilidad de tales administradores *ex* artículo 241 de la Ley de Sociedades de Capital, sin perjuicio de la eventual responsabilidad de los propios administradores de la filial frente a ésta, en aquellos casos en que no se haya previsto compensación alguna o en las debidas condiciones (asumiendo la teoría de las ventajas compensatorias entre el interés del grupo y de las sociedades filiales). En relación con este supuesto en el derecho español (responsabilidad intragrupo), en ausencia de una disciplina legislativa específica del grupo, la legitimación corresponde a la sociedad y solo en vía subrogatoria a los accionistas minoritarios y a los acreedores, por el daño sufrido indirectamente *ex* art. 1111 CC); la escasa utilidad actual de esta vía de tutela –subrogación en la acción que corresponde a la sociedad frente a los administradores de la matriz ex artículo 241 de la Ley de Sociedades de Capital– solo podrá corregirse por el reconocimiento de lege ferenda de una legitimación directa y expresa a los acreedores de la filial por daño reflejo (en la línea del art. 2497 CCivil italiano); ii) el supuesto de lesión directa al patrimonio del acreedor de una sociedad filial por acto no cometido directamente por el administrador de la matriz sino por el administrador de su sociedad filial deudora que actúa en cumplimiento de instrucciones de aquél (responsabilidad extragrupo), en el que se puede originar la responsabilidad de los administradores de la sociedad matriz (caso de acreditarse que dicho daño tiene su origen en las instrucciones impartidas por aquellos) y de los de la filial deudora; en este caso la conducta antijurídica de los administradores de la matriz (instrucciones indebidas) ha podido materializarse en la formación o ejecución de las relaciones de la sociedad dominada con el acreedor y la acción se dirige a reintegrar el patrimonio del acreedor; así mismo la influencia de la matriz pudiera haberse sustanciado en la comisión por los administradores de la filial de los que hemos calificado "ilícitos de empresa", provocando la lesión de intereses de terceros que no están en previa relación jurídica con la sociedad filial, en cuyo caso estarán legitimados tales terceros (*vid.* ampliamente con ulteriores referencia a la doctrina, FUENTES NAHARRO, «*Grupos de sociedades y protección de los acreedores*», Madrid 2007 pp. 231 y ss.).

VI. OTRAS CUESTIONES DEL RÉGIMEN DE LA ACCIÓN INDIVIDUAL Y PROBLEMAS DE COORDINACIÓN CON OTRAS ACCIONES DE RESPONSABILIDAD DE LOS ADMINISTRADORES

Tras el análisis de las cuestiones anteriores subsiste un temario de trascendencia en la práctica, al que debe prestarse atención también en el marco de la acción individual. Se trata de un temario de cuestiones en parte propias del régimen de la acción individual, en parte comunes con las demás acciones de responsabilidad y en parte derivadas de las relaciones con el ejercicio de otras acciones de responsabilidad nacidas del mismo supuesto de hecho o por el hecho mismo de la posibilidad de acumulación de acciones. Por razones de espacio se recogen de forma resumida aquellas que nos parece de mayor interés.

1. *Legitimación activa y pasiva*

Si la acción individual es un instrumento para resarcirse los socios o los terceros del daño directo provocado por los administradores, *legitimados activos* son sólo aquellos (socios o terceros) que sufren el daño en su patrimonio. Los socios podrán actuar como perjudicados en los derechos frente a la sociedad derivados de su relación jurídico societaria (ataques a su posición jurídica y a sus derechos de contenido administrativo o económico) o en sus derechos como tercero (como potencial inversor o desinversor o como titular de cualquier otra relación contractual extrasocietaria con la sociedad (p. ej., suministro o arrendamiento) o tercero víctima de un daño extracontractual en sus bienes o derechos). En su caso pudieran actuar los demás administradores que se consideren perjudicados por el acto de uno de ellos, cuando lesionen directamente sus intereses [STS de 17.12.2003]. La sociedad no dispone de la acción individual, ya que los daños al patrimonio social en el ejercicio del cargo se indemnizan vía acción social [STS de 1.12.1993]. La apropiación de una determinada cantidad, sustraída a la sociedad por el administrador durante el ejercicio del cargo, se debe encauzar, en el plano civil, por la vía de la acción social *ex* 238-240 de la Ley de Sociedades de Capital (STS 23.1.2009). Si fuera del ejercicio del cargo o con ocasión del mismo pero sin que esa actividad sea imputable a la sociedad el administrador causa un daño a la sociedad, ésta como cualquier tercero dispone de la acción general de daños *ex* artículo 1902 del Código civil. En cuanto a la legitimación de terceros (acreedores o no) nos remitimos a lo dicho antes al tratar de los distintos grupos de casos (V). No podemos compartir la afirmación realizada en algunas sentencias en el sentido de que la norma del artículo 135 de la Ley de Sociedades Anónimas (ahora 241 LSC) no se refiere a los acreedores sino a los terceros no acreedores: Sentencias del Tribunal Supremo de 16 de julio de 2012, de 18 de julio de 2012 y 11 de enero de 2013. No vemos ninguna razón para sostener esta interpretación que no se ajusta al origen del precepto ni a la mantenida de forma prácticamente unánime por la jurisprudencia y doctrina. Otra cosa es que, como se ha señalado en el trabajo, haya que identificar en caso la modalidad de ilícito de los administradores que incide en los intereses protegidos de los acreedores en el ámbito de la acción individual, en especial en el supuesto de incumplimiento de contrato con la sociedad.

Legitimados pasivos son los administradores que intervinieron en la producción del daño de forma culposa o dolosa. Es decir aquel administrador (o a aquellos administradores) a quien sea imputable el comportamiento ilícito causante del daño en el supuesto de hecho de que se trate, de acuerdo con lo dicho al tratar de los presupuestos de responsabilidad. Si se ha producido su cese (por cualquier causa) es irrelevante la falta de inscripción registral del mismo, siempre que en el caso en cuestión haya permanecido desvinculado de hecho del resultado dañoso y por tanto no le sea imputable objetivamente ni subjetivamente. Lo decisivo en materia de responsabilidad es la imputación o no de la conducta generadora del daño, cuestión distinta de la del problema de la relevancia frente a terceros de la actuación realizada por administradores no inscritos o que permanecen inscritos después de su cese (en este sentido es correcta la consideración en SSTS de 28.4.2006, de 23.5.2006 y de 16.7.2004). No es relevante a estos efectos que se haya presentado la dimisión con posterioridad al momento en que se realizó por comisión u omisión el comportamiento ilícito imputable [no adopción de medidas disolutorias o liquidatorias, en STS 4.2.1999]. Si, por ejemplo, se reclama por haber formulado pedido de mercancías a sabiendas de que la entidad por su mala situación económica no podrá atender el pago y luego se produce la sustitución de aquellos administradores, que no toman las medidas exigidas en caso de crisis concursal, la demanda de acuerdo con el fundamento de la responsabilidad (por ej., contratación con sociedad insolvente), debe dirigirse contra los primeros [para el supuesto de hecho es de interés en este aspecto la STS de 10.12.1996]. Pero si se reclama, ejerciendo la acción correspondiente, por no adopción de las medidas disolutorias o concursales, la responsabilidad es imputable a los administradores en el cargo [SAP de Barcelona (Secc. 3) de 7.1.1997]. En la jurisprudencia se ha ido dando respuesta, a veces oscilante, a algunos supuestos: no responden los administradores por hechos ocurridos con posterioridad a su cese [STS de 20.11.2003], aunque éste no se hubiera inscrito [STS de 10.5.1999], en cambio exige inscripción para la eficacia exoneradora la STS 30.10.2001; no es responsable quien fue nombrado administrador pero en las circunstancias del caso no llegó a desarrollar tal función de forma efectiva precisamente por haberlo impedido la diligencia de su antecesor en la administración [STS de 8.5.2001]; no es responsable el administrador cuando los hechos-base de la demanda se produjeron antes del nombramiento (STS de 26.5.2004; no es responsable el administrador que ignora la situación patrimonial de la sociedad pese a las gestiones emprendidas para su esclarecimiento [STS de 23.3.2006]; no se exonera el administrador que se inhibe de la marcha de la sociedad anunciando en prensa la renuncia a su cargo [STS de 22.12.1999]; tampoco se admitió la exoneración por transcurso del plazo de duración del cargo [STS de 7.4.2000].

No sólo son responsables los administradores de derecho sino también los de hecho. A este respecto, de acuerdo con la aproximación funcional a la figura de administrador de hecho que aflora en la nueva definición introducida por la Ley 31/2014 ("tanto la persona que en la realidad del tráfico desempeñe sin título, con un título nulo o extinguido, o con otro título, las funciones propias de administrador, como, en su caso, aquella bajo cuyas instrucciones actúen los administradores de la sociedad", art. 236.4 LSC) se incluyen tanto los administradores con cargo caducado, administradores con nombramiento irregular y los que, sin nombramiento formal como administradores actúan frente a terceros como administradores o sin aparecer como tal de hecho ejercen una influencia decisiva sobre los administradores de derecho (administradores aparentes y ocultos). En la jurisprudencia reciente, antes de la reforma, se había pronunciado sobre la delimitación de la figura, citando otras, la Sentencia del Tribunal Supremo de 4 de diciembre de 2012, declarando que ante la falta de definición en la norma, lo son "quienes, sin ostentar formalmente el nombramiento de administrador y demás requisitos exigibles, ejercen la función como si estuviesen legitimados prescindiendo de tales formalidades.... Es decir, cuando la actuación supone el ejercicio efectivo de funciones propias del órgano de administración de forma continuada y sin sujeción a otras directrices que las que derivan de su configuración como órgano de ejecución de los acuerdos adoptados por la junta general". Problemática ha venido resultando en la práctica el supuesto de los apoderados. En contra de su aplicación a apoderados se pronuncia la sentencia del Tribunal Supremo de 30 de julio de 2001 ya que en el caso no pudo determinarse si el nombramiento del administrador único «lo ha sido sólo como hombre interpuesto para cubrir la responsabilidad de los verdaderos administradores». Con posterioridad en el mismo sentido la de 22 de marzo de 2004 argumentando no existir pruebas suficientes de haber ejercido las funciones de administrador de hecho. Según la Sentencia del Tribunal Supremo de 14.3.2007 la equiparación del apoderado o factor mercantil al administrador de hecho «debe quedar reservada para los supuestos en que la prueba acredite tal condición en el apoderado, como puede ocurrir cuando se advierte un uso fraudulento de la facultad de apoderamiento en favor de quien realmente asume el control y gestión de la sociedad con ánimo de derivar el ejercicio de acciones de responsabilidad hacia personas insolventes, designadas formalmente como administradores que delegan sus poderes. Si no concurre una situación de idéntica o análoga naturaleza, los sujetos responsables (como declaran las SSTS 7 de junio de 1999 y 30 de julio de 2001) son los administradores, no los apoderados, por amplias que sean las facultades conferidas a éstos, pues si actúan como auténticos mandatarios, siguiendo las instrucciones de los administradores legalmente designados, no pueden ser calificados como administradores de hecho». En un supuesto de ejercicio de la acción social, en el que se simultaneaba la condición de mero consejero con la de apoderado, se condena, al administrador-apoderado ya que «el simple apoderamiento puede no determinar la concurrencia en el interesado de la condición de administrador; pero resulta indudable que quien forma parte del consejo de administración responde en calidad de administrador por las consecuencias negligentes de su conducta perjudiciales para la sociedad y el hecho de que resulte especialmente apoderado para la realización de determinadas funciones no le priva de la condición de administrador ni de su responsabilidad. Por otra parte, la sentencia recurrida considera probado que el demandado actuaba con plenas facultades como un administrador de facto y la jurisprudencia... asimila esta figura a la del administrador en sentido formal... Según la jurisprudencia es admisible la equiparación del apoderado o factor mercantil al administrador de hecho en los supuestos en que la prueba acredite que actuaba en esa condición (SSTS 26 de mayo de 1998, 22 de marzo de 2004, RC nº 1556/1998, 14 de marzo de 2007, RC nº 262/2000, 7 de mayo de 2007, RC nº 2225/2000, 8 de febrero de 2008, RC nº 5168/2000, 14 de marzo de 2008, RC nº 74/2008)». En el marco del ejercicio de las diversas acciones de responsabilidad, también de la acción individual, la Sentencia del Tribunal Supremo de 14.4.2009 condena como administrador de hecho a quien a partir del cese como administrador continúa como administrador de hecho; en la jurisprudencia más reciente puede verse la Sentencia de la Audiencia Provincial de Barcelona (sec. 15) de 9.1.2015 (en la doctrina por todos, con ulteriores referencias a jurisprudencia y doctrina LATORRE, *El administrador de hecho en las sociedades de capital,* Granada 2003 y *Administrador de hecho y apoderado general (comentario a la STS de 8 de febrero de 2008),* en RdS 32, 2009, pp. 389 y ss. GARCÍA CRUCES, *Administradores sociales y administradores de hecho,* en *Estudios de derecho mercantil en memoria del Profesor Aníbal Sánchez Andrés,* Coord. por SÁENZ GARCÍA DE ALBIZU/ OLEO BANET/MARTÍNEZ FLÓREZ, 2010, pp. 527 y ss ; en relación sobre todo con el supuesto de los grupos, FUENTES NAHARRO, *Grupos de sociedades,* cit. pp. 250 y ss. y en esta obra MARTÍNEZ SANZ, *Ámbito subjetivo de la responsabilidad;*). Tras la reforma de la Ley de Sociedades de Capital por la Ley 31/2014, se incluye entre los sujetos a los que se extienden deberes y responsabilidad de los administradores a la persona que cualquiera que sea su denominación tengan atribuidas funciones de más alta dirección en las sociedades que no tengan delegación de facultades del Consejo (art. 236.4 LSC) así como se somete a los mismos deberes y responsabilidad solidaria con la persona jurídica administrador a la persona física designada para el ejercicio permanente de las funciones propias del cargo de administrador persona jurídica -artículo 235.5 de la Ley de Sociedades de Capital- (sobre la situación anterior a la reforma, puede verse, HERNÁNDEZ SAINZ, *La administración de sociedades de capital por personas jurídicas. Régimen jurídico y responsabilidad*, Cizur Menor (Navarra), 2014, pp. 371 y ss.

Dada su naturaleza (daño directo a socios o terceros) su ejercicio no requiere acuerdo de la Junta general ni porcentaje mínimo de capital en caso de que el demandante sea un accionista [STS de 25.11.2002]. Es igualmente claro que, como ya se ha reiterado a lo largo del trabajo, los daños indirectos que sufran socios o los acreedores no podrán reclamarse por la vía del artículo 241 de la Ley de Sociedades de Capital, sino por la del artículo 238-240 [entre otras, SSTS de 17.12.2003, y de 7.5.2004 y entre las más recientes la de 20.6.2013].

2. *Concurrencia de varios administradores en la producción del daño: solidaridad, delegación y exoneración*

En caso de *pluralidad de administradores* surge la necesidad de resolver el problema del régimen externo e interno de responsabilidad. Considerado como un supuesto de responsabilidad extracontractual, de acuerdo con una jurisprudencia reiterada [SSTS de 15.10.1976; de 12.12.1988; de 11.3.1996; de 4.7.1996], pese a que la cuestión continua sujeta a discusión en la doctrina (puede verse CRISTÓBAL MONTES, *Mancomunidad*), la responsabilidad será solidaria, sin perjuicio del derecho de repetición en las relaciones internas de acuerdo con el grado de participación en la producción del daño. Esa solidaridad se fundamenta en la concurrencia en la producción de los daños, sin que sea posible establecer los daños concretos atribuibles a los participantes [entre otras, STS de 11.4.2000; de 16.12.2005]. Esta conclusión es clara si se considera además que el artículo 236 de la Ley de Sociedades de Capital, al establecer los presupuestos generales de la responsabilidad y el régimen para el supuesto de pluralidad de administradores (solidaridad y exoneración), tiene aplicación a la acción social y a la acción individual (en este sentido SÁNCHEZ CALERO, *Administradores*, p. 326 y en *Los administradores en las sociedades*, pp. 386 y ss.); QUIJANO, *Responsabilidad de los consejeros* p. 587; CALBACHO, *Ejercicio de las acciones*, pp. 328 y 378 y ss.; PUYOL MARTÍNEZ-FERRANDO, *El régimen de exoneración, passim*). A nuestro juicio de la caracterización de la responsabilidad del artículo 241 de la Ley de Sociedades de Capital como responsabilidad orgánica, en el sentido de contraída en el ejercicio del cargo de administración (aunque extracontractual) se desprende la «natural» aplicación de esta norma, cuya función es resolver el difícil problema de la antijuridicidad colectiva (acto de un órgano pluripersonal) y su imputación a los miembros del órgano. No vemos incompatibilidad entre la calificación de extracontractual de esta responsabilidad con la aplicación de la regla de solidaridad y de las llamadas causas de exoneración previstas por el legislador que permiten determinar, en fase de exoneración individual de los consejeros, la imputación de responsabilidad o no a cada miembro en función de la delegación de facultades o no y, en caso de existir ésta, el cumplimiento de los deberes de vigilancia e intervención en la evitación de los daños en el caso concreto (en este sentido MARÍN DE LA BÁRCENA, ob. cit., pp. 195 y ss.). El sector de la doctrina que focaliza en la naturaleza de la acción la vertiente de acción de derecho común y remite su régimen al derecho común de forma exclusiva y excluyente al margen de la normativa societaria excluye la aplicación del actual artículo 237 de la Ley (ALFARO, ob. cit., p. 52; DÍAZ ECHEGARAY, ob. cit., p. 497; POLO SÁNCHEZ, de acuerdo con la distinta calificación de la responsabilidad, la considera mancomunada en los supuestos de responsabilidad extracontractual y solidaria en los de responsabilidad contractual, *Los administradores*, p. 378).

En principio responden todos miembros del órgano que realizó el acto o adoptó el acuerdo lesivo directamente en el patrimonio de socios o terceros, salvo los que puedan exonerase conforme al artículo 237 de la Ley de Sociedades de Capital. Si existe delegación la responsabilidad solidaria, en principio, se extiende a los que realizaron el acto o adoptaron el acuerdo, sin que esté excluida la de todos aquellos que hayan omitido el ejercicio de sus obligaciones de vigilancia o intervención, siempre que pueda haber tenido relevancia ese comportamiento en los límites en que pueden y deben operar para evitar el daño u oponerse expresamente al mismo. Han declarado la responsabilidad de los consejeros delegados por ser los que llevan la gestión las sentencias del Tribunal Supremo de 12 de junio de 1995 y de 7 de noviembre de 2003. La sentencia del Tribunal Supremo de 28 de abril de 2006, en un supuesto de ejercicio acumulado de acción individual y por deudas sociales *ex* artículo 262.5, admite la exoneración de responsabilidad de una administradora que durante los tres meses de permanencia en el cargo, desarrolló «una acción significativa para evitar el daño» o se encontró «ante la imposibilidad de evitarlo», resultando infructuosas sus averiguaciones, ya que no pudo obtener ni información satisfactoria, ni una auditoría ni la rendición de cuentas que solicitó.

Si consideramos que el ilícito orgánico provoca un daño no al patrimonio social sino a un patrimonio distinto del social, el de socios o terceros, nos parece que debe excluirse toda relevancia a todo tipo de acuerdos preventivos o a posteriori sobre la responsabilidad de los administradores (arts. 236.2, 238.2 y 239 LSC) o de pactos de limitación de la responsabilidad de los administradores. Exclusión de relevancia que no deriva de lo previsto en relación con la acción social [art. 236.2 LSC; a este respecto es de interés la STS de 20.7.2010, que en un complejo supuesto de ejercicio de acción social excluye la exoneración de responsabilidad de los administradores por la existencia de un acuerdo de la JG (cuya ejecución causó daño), considerando irrelevante que se hubiera adoptado por unanimidad o por mayoría], sino porque la sociedad no puede disponer de esa pretensión, salvo en la vertiente interna, es decir en el plano del eventual derecho de regreso de la sociedad contra el administrador al que reclama el pago que hubiera hecho la sociedad al socio o tercero dañado (de acuerdo en esto con ALFARO, ob. cit. p. 52; a favor de la aplicación del art. 236.2 LSC, SÁNCHEZ CALERO, *Administradores*, p. 327 y en *Los administradores en las sociedades*; p. 388; de forma matizada, en función del carácter contractual o extracontractual POLO, ob. cit., p. 378; por ello, en esto, no nos parece correcta la afirmación de la STS de 3 de octubre de 2008 que en un supuesto de acción individual contra los miembros del Consejo Rector de una Cooperativa no les considera responsables «por haberse limitado a dar cumplimiento efectivo a los acuerdos adoptados... por la Asamblea General». Una cosa es la supremacía de la Junta general en la SA o de la Asamblea General de la Cooperativa (en el caso amparada en el art. 65.2 L. Coop. de 2 de abril de 1987) y otra la indisponibilidad por dicho órgano social de la pretensión individual del socio o del tercero por un daño directo. En la jurisprudencia son abundantes los pronunciamientos favorables a la solidaridad, aunque no siempre se explicita el fundamento legal: sentencias del alto Tribunal de 18 de mayo de 1998; de 29 de julio de 1998; de 22 de diciembre de 1999, con apoyo en el artículo 133.2 de la Ley de Sociedades Anónimas (el actual art. 237 LSC); de 18 de febrero de 2000; de 11 de abril de 2000; de 31 de enero de 2001; de 19 de abril de 2001; de 2 de abril de 2002; de 28 de octubre de 2002; de 9 de noviembre de 2002 con apoyo en art. 133.2 LSA (hoy art. 237 LSC); de 26 de mayo de 2003; de 22 de enero de 2004;14 de marzo de 2007 y de 16 de noviembre de 1997).

3. Prescripción

Una de las novedades introducidas en la reforma de la Ley de Sociedades de Capital por la reciente Ley 31/2014, de 3 de diciembre, es la modificación del régimen de prescripción de la acción social e individual de responsabilidad de los administradores, que se producirá a los cuatro años "desde el día en que hubiera podido ejercitarse" la acción (art. 241 bis). Ha de entenderse que el computo del plazo se inicia no desde la realización del acto ilícito sino desde que se manifiestan sus efectos perjudiciales (Véase en esta obra FERNÁNDEZ SEIJO, *La prescripción de las acciones de responsabilidad*). Nos parece que sigue teniendo interés la referencia a la prescripción aplicable a la responsabilidad en que se haya incurrido con anterioridad a la entrada en vigor de la reforma, que se recoge a continuación.

Como ya se ha señalado al tratar de la naturaleza de la acción individual (III) la última línea jurisprudencial consolidada eras la que sostiene el *plazo cuatrienal de prescripción*, con varios argumentos, de los cuales, a nuestro juicio el más decisivo es que estamos en presencia de responsabilidad por actuación orgánica que cuenta con una norma especial en el propio Código de comercio (el art. 949 C. de C.), aunque sin duda en la propuesta interpretativa tal vez haya pesado, la también alegada razón de seguridad jurídica (sobre el tema ampliamente en esta obra, FERNÁNDEZ SEIJO, *La prescripción de las acciones de responsabilidad*). Las más relevantes sentencias del Tribunal Supremo son la de 20 de julio de 2001; de 24 de marzo de 2004; de 7 de mayo de 2004, que da por «definitivamente zanjada» la cuestión del plazo de prescripción de la acción individual. Entre otras sentencias del Tribunal Supremo que aplican el plazo de 4 años se pueden citar la de 29 de abril de 1999, de 31 de octubre de 2000; de 19 de mayo de 2003; de 26 de mayo de 2004, de 22 de marzo de 2005; de 25 de abril de 2005; de 26 de octubre de 2005; de 22 de diciembre de 2005; de 9 de marzo de 2006; 19 de mayo de 2006; 28 de noviembre de 2006; 26 de octubre de 2007; 26 de mayo de 2008; 29 de julio de 2008; 11 de noviembre de 2008; 6 de octubre de 2009 y 12 de marzo de 2010. La Sentencia del Tribunal Supremo de 6 de marzo de 2006, en un supuesto de acción de responsabilidad (apoyando la demanda exclusivamente en el artículo 236, sin invocar la acción individual del artículo 241 de la Ley de Sociedades de Capital, pero que se resuelve a la luz de ambas disposiciones, aunque a nuestro juicio la única perspectiva correcta es la de la acción individual) por falta de restitución a un socio de las cantidades aportadas para la suscripción de un aumento de capital incompleto, considera aplicable en general también a este supuesto el plazo de cuatro años, pero entiende que la cuestión del plazo «no se plantea en el presente recurso, porque durante el litigio, ambas partes han entendido que la norma aplicable era el artículo 1968,2° del Código Civil suprimir y en lo único que discrepan es en relación al *dies a quo* para el inicio del plazo de prescripción»; en el mismo sentido en cuanto al plazo, la sentencia del Tribunal Supremo de 20 de febrero de 2006, sostiene que, al estar conformes las partes en que debía aplicarse el plazo de un año, y tratarse de prescripción que no es estimable de oficio, debe el Tribunal atenerse a las pretensiones y planteamientos de las partes, de acuerdo con uno de los criterios admitidos en el momento de la pretensión, antes de la consolidación de la jurisprudencia sobre el plazo cuatrienal. En este sentido también las Sentencias del Tribunal Supremo de 13 de febrero y de 14 de marzo de 2007.

Quede aquí constancia de la corriente, abandonada después, favorable al plazo de 1 año: además de la básica sentencia del Tribunal Supremo de 21 de mayo de 1992, entre otros posteriores, las de 2 de julio de 1999; de 2 de octubre de 1999, de 31 de enero de 2001, de 26 de octubre de 2001.

En el caso de prescripción cuatrienal *ex* artículo 949 Código de comercio. el *dies a quo* del plazo de prescripción se cuenta desde el cese en el cargo. Cese que debe entenderse como el momento en que los socios o terceros le conocieron o pudieron conocer (entre otras la STS de 4 de diciembre de 2008). Caso de que la producción del daño tenga lugar con posterioridad al cese, la doctrina interpreta que el momento del cómputo debe hacerse a partir del aquella fecha, ya que de otra manera se incurriría en la paradoja de que el plazo de prescripción se iniciaría antes de la producción del daño (SUÁREZ-LLANOS, *Responsabilidad de los administradores*, pp. 930 y ss.; POLO SÁNCHEZ, *Los administradores*, p. 329; distintas alternativas interpretativas en CALBACHO, *Ejercicio*, pp. 47 y ss.). La doctrina que venía sosteniendo la aplicación del plazo general de la responsabilidad extracontractual del artículo 1968.2 del Código civil establecía el *dies a quo* del plazo de prescripción en la fecha de conocimiento o posibilidad de conocimiento por el agraviado de la causación del daño. Para esta tesis, teniendo en cuenta la diversidad de supuestos susceptibles de provocar el daño directo a que nos hemos referido con anterioridad, habría que analizar en cada caso las conductas activas u omisivas de los administradores para fijar el comienzo del plazo, siempre en relación con el hecho dañoso que permite el ejercicio de la acción. La carga de probar el día inicial del cómputo del plazo de prescripción pesa sobre quien opone la misma.

Ciertamente el computo del plazo a partir del cese puede explicarse en relación con el ejercicio de la acción social dirigida a la reintegración del patrimonio social (ALFARO, ob. cit. 52), pero no se adecua a las características de la acción destinada a compensar el daño directo a socios o terceros, donde el elemento relevante debe conectarse con el acto que ha perjudicado al socio o a los terceros y, cuando el daño se manifieste después, el término debe comenzar desde que el acto dañoso sea conocido o pudo conocerse por el socio o tercero. Estos problemas interpretativos desaparecen con el nuevo artículo 241 bis de la Ley de Sociedades de Capital.

En la práctica han surgido problemas de aplicación del *dies a quo* en relación con acciones ya interpuestas bajo la idea del viejo criterio del plazo de 1 año, resolviéndose con muy diversos criterios –a partir del *dies a quo* fijado en las sentencias de instancias, teniendo en cuenta que aquella es una cuestión de hecho no revisable en casación– que han creado una cierta situación de confusión e inseguridad que no debe confundir sobre cual es el nuevo criterio derivado de la remisión al artículo 949 del Código de comercio, como advierte MARÍN DE LA BÁRCENA, *La acción individual*, pp. 238 y ss.).

La reciente Sentencia del Tribunal Supremo de 22 de diciembre de 2014 aborda el tema de interrupción de la prescripción de la acción individual, a la luz del artículo 60.2 de la Ley Concursal (hoy art. 60.3) que no distingue entre los varios tipos de acciones de responsabilidad contra los administradores, y sostiene que "el hecho de que el ejercicio de esta acción individual no quede suspendido como consecuencia de la declaración de concurso no significa que no alcance a esta acción el efecto de la interrupción de la prescripción. La interrupción de la prescripción no va ligada necesariamente a la suspensión o paralización de la acción, siendo posible que estando interrumpida la prescripción pueda ejercitarse la acción. En estos casos, la justificación del efecto interruptivo de la prescripción es distinto, y guarda relación con la conveniencia de que los terceros afectados, en nuestro caso acreedores de la sociedad, esperen a lo que pudiera acontecer en el concurso, que pudiera afectar al daño o perjuicio susceptible de ser resarcido por los administradores con la acción individual, y también al conocimiento de las conductas o comportamiento de los administradores que pudieran justificar la responsabilidad"

> *La sentencia del Tribunal Supremo de 26 de octubre de 2004 vincula el inicio del cómputo al cese del administrador, mencionando algunas causas aptas para producirlo (apertura de la liquidación de la sociedad, consecuencia automática, salvo en supuestos excepcionales, de su disolución; la renuncia del administrador, o su separación por decisión de la Junta general); la sentencia del Tribunal Supremo de 22 de marzo de 2005 considera que «día inicial para el cómputo de la prescripción es aquél en que los administradores fueron notarialmente requeridos; requerimientos que se efectúan en el mes de... deduciéndose del contenido del*

*referido documento reseñado que desde aquella fecha, la actora conocía los hechos
y circunstancias que según los términos del requerimiento hacía concluir en las
graves responsabilidades en que hubieren podido incurrir los administradores»; la
sentencia del Tribunal Supremo de 17 de febrero de 2005 parece referirlo a la fecha
de la Junta general convocada con relación a la disolución de la sociedad; para la
de 22 de diciembre 2005, el inicio de la prescripción es la fecha de la renuncia del
administradores, no siendo constitutiva la inscripción del cese, que en el caso tuvo
lugar casi un año después; para la de 16 de diciembre de 2005 «el momento inicial del computo aquel en que consta que los socios (en el caso, administradores)
cesaron como tales», considerando que más bien tiene naturaleza de caducidad,
pues «dicho plazo de prescripción... es de determinación de oficio». La Sentencia
del Tribunal Supremo de 14 de marzo de 2007 afirma, una vez más, que el plazo
de prescripción es de cuatro años, pero que «en el caso examinado, sin embargo,
razones de congruencia con las pretensiones de las partes y de respeto al principio
de especialidad del recurso de casación, que nos impide tratar cuestiones no planteadas en la instancia, exige que nos atengamos al plazo de un año desde que la
acción pudo ejercitarse, establecido por el artículo 1968 del Código Civil para las
acciones de responsabilidad extracontractual y que para fijar el "dies a quo" «hay
que analizar... las circunstancias del caso para determinar el momento en que el
daño se hallaba suficientemente establecido para permitir el ejercicio de la acción.
Las circunstancias del caso examinado llevan a la conclusión de que el principio
actio nata [acción nacida] impide considerar que la acción pudo ejercitarse antes,
como mínimo, del momento en que las deudas de la sociedad fueron declaradas
mediante sentencia firme y, en su ejecución, se procedió infructuosamente al embargo de bienes de la sociedad administrada por los demandados, pues sólo entonces quedó acreditado el daño (la imposibilidad de realizar los créditos con cargo
al patrimonio social) y nada permite afirmar que antes de este momento pudiera
asegurarse la imposibilidad por parte de la sociedad de hacer frente a dichas deudas con su propio patrimonio, especialmente teniendo en cuenta que existe una
valoración de existencias anterior en dos años por un importe superior a la deuda
reclamada. La sentencia impugnada, al considerar que el conocimiento de la
falta de viabilidad de la sociedad es el momento a partir del cual podía ejercitarse
la acción, no se atiene a esta interpretación y, en consecuencia, incurre en la infracción que se le imputa, toda vez que el ejercicio de la acción de responsabilidad
contra los administradores, aun admitiendo el plazo de un año para su ejercicio,
estaba subordinado no solamente al conocimiento de la inviabilidad económica
de la empresa, sino también, como mínimo, a la constancia de la insolvencia de
la sociedad como factor demostrativo de la imposibilidad de hacer efectivos los créditos contra ella». La Sentencia del Tribunal Supremo de 12.2.2009 declara que
«siendo por lo demás incuestionable que incumbía a la parte demandada, aquí
recurrente, acreditar los presupuestos de su planteamiento consistentes en fecha del
efectivo cese de la actividad administradora, y no mera inactividad, y conocimiento del dato por el tercero... entre tanto debe prevalecer la publicidad que patentiza
el Registro Mercantil y en este sentido se manifiesta la doctrina de esta Sala (SS.
26 de junio de 2006 y 4 de diciembre de 2008, entre otras)». La Sentencia del Tri-*

bunal Supremo de 23.10.2009 declara que aunque el «dies a quo» del cómputo del plazo de cuatro años de prescripción extintiva del artículo 949 del Código de Comercio no sea el del acto lesivo en que se fundamenta la acción, como estima la resolución recurrida, sino el del cese de los administradores, a los efectos de dicha prescripción de la acción el cese se produjo con la renuncia de los administradores solidarios en el año 1995 (7 y 8 de agosto), renuncia que fue comunicada fehacientemente a la sociedad, en tanto que declaración de voluntad recepticia, pero que no precisa de la aceptación de la Junta. La Sentencia del Tribunal Supremo 11.3.2010 declara que el plazo de prescripción no comienza a partir del cese si continúan como administradores de hecho, como sucedió en el caso al existir un proceso abierto en el que es parte la sociedad y, por tanto, mientras se mantuvo la tramitación de proceso no pudo iniciarse el plazo de prescripción.

La Sentencia del Tribunal Supremo de 3.7.2008, siguiendo la de 26 de junio de 2006, se distingue entre los efectos en orden sustantivo que pueden derivar de la ausencia de inscripción del cese en cuanto a la pervivencia y extensión temporal de la responsabilidad del administrador cesado (ha de estarse al cese efectivo) y los efectos en el plano procesal, que esa falta de inscripción origina en cuanto al cómputo del plazo de prescripción de la acción («debe entenderse que, si no consta el conocimiento por parte del afectado del momento en que se produjo el cese efectivo por parte del administrador, o no se acredita de otro modo su mala fe, el cómputo del plazo de cuatro años que comporta la extinción por prescripción de la acción no puede iniciarse sino desde el momento de la inscripción, dado que sólo a partir de entonces puede oponerse al tercero de buena fe el hecho del cese y, en consecuencia, a partir de ese momento el legitimado para ejercitar la acción no puede negar su desconocimiento»). En la misma línea las Sentencias del Tribunal Supremo de 27.11.2008; de 1.4.2009; 14.4.2009 y la 11.3.2010. La Sentencia del Tribunal Supremo de 21.3.2011, declara que "la inscripción del cese de los administradores no es constitutiva (entre las más recientes sentencias 123/2010 de 11 de marzo, 206/2010 de 15 de abril, 291/2010 de 18 de mayo, y 96/2011 de 15 de febrero), por lo que aunque no se haya inscrito, salvo excepciones derivadas del principio de confianza, el administrador no responde frente a terceros de actuaciones u omisiones posteriores al cese aunque sean anteriores a su inscripción en el Registro Mercantil, ya que en tales supuestos no concurre el ineludible requisito de que la acción u omisión determinante de que surja el deber de responder pueda imputarse precisamente en condición de administrador a quien ha cesado", acogiendo el criterio de la última resolución citada sobre el día inicial del computo del plazo de prescripción y añadiendo, en cuanto a la caducidad del nombramiento y cese en el cargo, que "1) No puede identificarse la publicidad del tiempo por el que los administradores han sido designados con la publicidad de la caducidad del cargo, ya que ésta es un efecto que no tiene por qué ser conocida por legos que tan solo conocerán el tiempo para el que fue designado el administrador, pero no las consecuencias que derivan de su transcurso. 2) No puede equipararse la "caducidad del cargo" con el "cese efectivo", ya que son dos cosas diferentes y nada impide que el administrador continúe de hecho una vez transcurrido el plazo previsto en el artículo 126 del texto refundido de la Ley de Sociedades Anónimas en las fechas en las que se desarrollaron los hechos, y hoy en el artículo 221.2 del Texto Refundido de la Ley de Sociedades de Capital". En un supuesto de ejercicio de acción individual, la Sentencia del Tribunal Supremo de 19 de noviembre de 2013 recoge la tesis generalizada de que "dicho artículo 949 del Código de Comercio comporta una especialidad respecto al «dies a quo» [día inicial] del cómputo del referido plazo de cuatro años, que queda fijado en el momento del cese en el ejercicio de la administración por cualquier motivo válido para producirlo, si bien se retrasa la determinación del «dies a quo» a la constancia del cese en el Registro Mercantil cuando se trata de terceros de buena fe (artículos 21.1 y 22 del Código de Comercio y 9 del Reglamento del Registro Mercantil), con fundamento en que solo a partir de la inscripción registral puede oponerse al tercero de buena fe el hecho del cese, dado que el legitimado para ejercitar la acción no puede a partir de ese momento negar su desconocimiento. Este criterio extensivo no resulta aplicable cuando se acredita la mala fe del tercero o que el afectado tuvo conocimiento anterior del cese efectivo". En este sentido se pronuncian, a partir de la sentencia núm. 749/2001, de 20 de julio, recurso núm. 1495/1996, muchas otras que cita. "De acuerdo con el artículo 949 del Código de Comercio la acción prescribe a los cuatro años desde que el administrador hubiere cesado en la administración. El cese del administrador puede acaecer por cualquier motivo válido o causa apta para producirlo, entre los que se encuentra el cese por caducidad del nombramiento como consecuencia del agotamiento del plazo por el que fue designado"

Tiene interés la Sentencia del Tribunal Supremo de 11.11.2008 que, en relación con comportamientos continuados, declara que «el dies a quo o día inicial para el ejercicio de la acción por responsabilidad extracontractual es aquél en que puede ejercitarse la acción, según el principio actio nondum nata non praescribitur [la acción que todavía no ha nacido no puede prescribir], al que se acoge el Código Civil (STS 27 de febrero de 2004). Este principio exige, para que la prescripción comience a correr en su contra, que la parte que propone el ejercicio de la acción disponga de los elementos fácticos y jurídicos idóneos para fundar una situación de aptitud plena para litigar. La jurisprudencia ha matizado la regla del artículo 1968.2 del Código Civil en el caso de que los daños hayan sido causados por comportamientos continuados permanentes (SSTS de 12 de diciembre de 1980, 12 de febrero de 1981, 6 de mayo de 1985, 17 de marzo de 1986 y 24 de junio de 1996, entre otras) y ha exigido para el inicio del plazo una verificación total de los daños producidos, al entender que sólo con ella el perjudicado está en condiciones de valorar en su conjunto las consecuencias dañosas y de cifrar el importe de las indemnizaciones que puede reclamar por concurrir una "situación jurídica de aptitud plena para el ejercicio de las acciones", según la expresión utilizada por la Sentencia del Tribunal Supremo de 21 de abril de 1986. El inicio del plazo de prescripción no sólo viene determinado por la concurrencia de las circunstancias que determinan la procedencia de la disolución de la sociedad, sino también por la certeza de las deudas imputables a ésta y de la imposibilidad de obtener su percepción con cargo al patrimonio social. En la citada Sentencia de la Sala se consideró que la acción no pudo ejercitarse antes, como mínimo, del momento en que las deudas de la sociedad fueron declaradas mediante sentencia firme y, en su ejecución, se procedió infructuosamente al embargo de bienes de la sociedad administrada por los demandados, así como que su ejercicio estaba subordinado no solamente al conocimiento de la inviabilidad económica de la empresa, sino también, como mínimo, a la constancia de la insolvencia de la sociedad como factor demostrativo de la imposibilidad de hacer efectivos los créditos contra ella, lo cual en el caso de autos no era posible al no haberse realizado operación alguna de liquidación de la sociedad, y ello, por lo que se refiere al presente, sin olvidar, se insiste, en que ninguna razón se dio del destino dado al importe de la venta de la finca».

4. Acumulación de acciones: acción contra la sociedad y acción individual contra el administrador

El socio o tercero perjudicado por acto ilícito de los administradores dispone también de la correspondiente *acción contractual o extracontractual para reclamar a la sociedad* los daños sufridos. En efecto, si se trata de una actuación en el marco de una relación obligatoria es la sociedad quien es parte en las relaciones jurídicas actuadas por los miembros de los órganos y en tal condición adquiere derechos, facultades, obligaciones y responsabilidades. La sociedad no expresa su voluntad sino a través de sus órganos y por tanto la sociedad debe responder de los actos de éstos tanto en la fase prenegocial como en la de cumplimiento de la relación jurídica que vincula a la sociedad. Es obvio que ello es así siempre que se muevan en el ámbito de las competencias que les corresponde en su posición orgánica (incluyendo los supuestos especiales de tutela de terceros de buena fe pese a actuación extrafacultades, art. 234 LSC) y respetando los procedimientos para emitir una declaración de voluntad vinculante para la sociedad. La sociedad tiene que cargar con las actuaciones culposas o dolosas de sus órganos en el cumplimiento de sus funciones, ya que precisamente las acciones de responsabilidad en manos de la sociedad tratan de compensar a la sociedad por los eventuales daños que la han causado los titulares de posiciones orgánicas. El fundamento reside en el riesgo asumido por el hecho del nombramiento.

Y si se trata de una actuación ilícita frente a un tercero con el que no se mantiene previa relación jurídica, hoy se acepta fundadamente la responsabilidad extracontractual de la sociedad por los actos ilícitos dañosos de sus órganos en el desempeño de su cargo, ya que el acto lesivo constituye, como se ha dicho con acierto, «la actualización de un riesgo típico de la normal explotación del objeto social» (PAZ-ARES, *Responsabilidad del socio colectivo,*

pp. 32 y ss.). Actualmente se considera por la doctrina y jurisprudencia dominante que la sociedad es responsable, con fundamento en la condición
orgánica de los administradores, por hecho propio –responsabilidad directa– (arts. 38 y 1902 CC) o con fundamento, más discutido, en la aplicación
extensiva de lo dispuesto en el artículo 1903.4 del Código Civil por hecho de
sus «auxiliares» responsabilidad indirecta [CAFFARENA, *Comentario CC*, I, p.
244, y FERNÁNDEZ ARÉVALO, *La lesión extracontractual*, pp. 358 y ss., con
ulteriores referencias. En la jurisprudencia invocan la aplicación directa del
artículo 1902 a las personas jurídicas, entre otras, las sentencias del Tribunal
Supremo de 22 de junio de 1992 y de 10 de marzo de 1994].

En consecuencia los perjudicados por acto ilícito de los administradores, en los casos y términos señalados en los apartados anteriores, pueden actuar *ex* artículo 241 de la Ley de Sociedades de Capital contra los
administradores, pero también pueden dirigirse contra la sociedad, con
el fundamento que se acaba de indicar. Esto no quiere decir que pueda
obtenerse una doble indemnización por el mismo daño, sino que se dispone de dos vías para su reclamación fundada en sus respectivos títulos
jurídicos (responsabilidad por incumplimiento contractual o por daño
extracontractual frente a la sociedad y responsabilidad por infracción de
sus deberes orgánicos frente a los administradores) pudiendo según reiterada jurisprudencia acumular las acciones [entre otras SSTS de 4.11.1991,
de 21.5.1992; de 14.5.1996; de 10.12.1996; 29.4.1999; de 20.11.2003; de
7.5.2004; de 25.4.2005; la STS de 23.5.2014 en que, en un supuesto de
acumulación de acciones, se discute sobre la si la responsabilidad de los
administradores era subsidiaria a la de la sociedad –y por tanto había que
esperar a declarar la insolvencia de la sociedad, como había considerado
la Sentencia de la Audiencia Provincial- o solidaria con la de la sociedad,
declara que la acción acción individual de responsabilidad es una "acción
directa y principal, no subsidiaria", condenando solidariamente a la sociedad y a los administradores].

Aunque faltan normas sobre coordinación de esta situación de pluralidad de deudores se puede entender que, en principio, se produce en lo
externo una responsabilidad solidaria en cuanto al hecho dañoso y a la
indemnización debida, sin perjuicio de las relaciones internas entre administrador y sociedad. En este segundo plano, la sociedad que paga podrá
resarcirse en el marco de la acción social de responsabilidad.

Es claro que la responsabilidad de la sociedad no tendrá lugar en todos
aquellos casos en que los administradores hayan actuado al margen de las
funciones del cargo (entonces se aplica el régimen general del art. 1902 CC).

La puesta en marcha de los Juzgados de lo Mercantil está generando perplejidad en los profesionales por la actual disparidad de criterios judiciales sobre la posibilidad de acumular a una acción mercantil de responsabilidad contra los administradores *ex* artículos 236, 241 y 367 de la Ley de Sociedades de Capital –al amparo del artículo 86 ter Ley Orgánica del Poder Judicial– otra de naturaleza civil, como por ejemplo, la acción de reclamación de cantidad contra la sociedad por incumplimiento contractual, disparidad que se mueve entre las posiciones favorables a la acumulación a favor de los Juzgados de lo Mercantil [Auto de la Audiencia Provincial de Madrid (Secc. 20) de 24.6.2005], a la acumulación a favor de los Juzgados de Primera Instancia (Auto del Juzgado de la Mercantil n° 1 de Gerona de 11.11.2005 y las contrarias a la acumulación de acciones (Auto de la Audiencia Provincial de Alicante de 18.10.2005) (ARROYO/FRANCO, *La competencias de los Juzgados*, pp. 171 y ss.; PICÓ I JUNOY, *El problema de la acumulación*, pp. 1 y ss.; con posterioridad, para el panorama de jurisprudencia y doctrina, puede verse entre otros, DE FÉLIX PARRONDO/ DÍEZ-HOCHLEITNER GONZÁLEZ ¿Hacia la inadmisibilidad *de la acumulación de acciones civiles y mercantiles?*, *La Ley*, *N° 7935*, Sección Doctrina, 2 Oct. 2012). La Sentencia del Tribunal Supremo de 23 de mayo de 2013, reitera la doctrina de su sentencia de 10 de septiembre de 2012 en el sentido de que las acciones contra la sociedad, por incumplimiento de una obligación ante un acreedor, y contra sus administradores, para reclamarles el importe de la deuda por no promover la disolución, han de acumularse ante el juzgado de lo mercantil.

5. Responsabilidad social y responsabilidad directa

En los supuestos en que *un mismo acto ocasione simultáneamente daño directo* al patrimonio social y al patrimonio del socio o de terceros (por ej. cuentas falsas que fundamentan reparto de dividendos ficticios y suscripción de acciones por socios y terceros), cada acción de responsabilidad (social e individual) tiene sus legitimados y su régimen.

Si se plantea la demanda en base a la acción individual, el principio de congruencia, impide al juez condenar en virtud de la llamada responsabilidad social no ejercitada [STS de 21.5.1985]. Este problema no surge si en la misma demanda la reclamación de daños se ampara también, para el caso de que no prospere la acción individual, en el ejercicio subsidiario o sucesivo de la acción social *ex* artículo 240 de la Ley de Sociedades de Capital. En cada caso concreto el problema de la congruencia o no dependerá de la formulación de la pretensión procesal, es decir de la relación de los hechos contenida en la demanda y en los escritos mencionados que permiten concretar los aspectos objeto de debate. Si aquella relación de hechos concierne a las infracciones contempladas en el artículo 367 de la Ley de Sociedades de Capital, el Tribunal no incurrirá en incongruencia, aunque el demandante no haya acertado con la fundamentación jurídica de su pretensión. El principio *iura novit curia* implica la potestad judicial para subsumir el supuesto fáctico en la norma jurídica aplicable al caso, siempre que no exista discrepancia entre la pretensión del actor oportunamente planteada y lo resuelto en el caso y no se provoque indefensión en el demandado [entre otras muchas, SSTS de 25.11.2002; de 26.5.2004; de 5.10.2004; de 17.10.2005; de 9.3.2006].

> *La sentencia del Tribunal Supremo de 7 julio 2005 considera que existe incongruencia en un supuesto en que se ejercen las tres acciones a disposición de los acreedores (arts. 240, 241 y 367 LSC) y en que en los órganos de instancia se entendió que en realidad sólo se había ejercitado la de responsabilidad personal ex artículo 241. Conforme a la misma «no puede, como pretenden dichos órganos, hacerse fusión de las tres causas de pedir de demanda, eligiendo la que los mismos entienden como principal, interpretando así incorrectamente la voluntad del demandante, que en su acumulación dicha, no da preferencia a ninguna, ni entiende englobadas dos en la otra, pues lo cierto es que la demanda dirige las 3 contra los Administradores, y la causa del artículo 262, según su número 4 (actual art. 366 LSC), establece una clara responsabilidad de los administradores por actos propios a ellos exigibles, y no realizados, causa que procede de una inicial reforma legal de la anterior Ley de Sociedades Anónimas, y que se introduce en la nueva, aquí aplicable. Por ello, esta Sala, que entiende que la infracción legal denunciada se ha producido en la Sentencia recurrida, y casando la misma, se convierte en Sala de instancia, debe de resolver, a continuación, sobre esa concreta conducta de los responsables sociales, así articulada en la Ley que se aplica.»*

> *La sentencia del Tribunal Supremo de 14 de julio de 2004, se enfrenta al supuesto de actuación desleal de administrador que cargaba a la sociedad «gastos que eran del matrimonio y no sociales (construcción de un chalet, pago de estudios de la hija, adquisición de algunos vehículos) y resuelve con acierto rechazando la demanda planteada como levantamiento del velo de la persona jurídica, dado que no concurrían los presupuestos, pero dejando abierto el caso como cuestión de responsabilidad mediante la acción social (ésta era la correcta a nuestro juicio) o individual, en el que no se pudo entrar por la limitación del objeto del juicio y no ser la cuestión de responsabilidad del administrador de orden o interés público y en la tendencia coincide la sentencia del Tribunal Supremo de 16 de septiembre de 2004, que rechaza reclamación fundada en levantamiento del velo en un caso de no devolución de cantidad objeto de un contrato de préstamo y deja abierta la cuestión como de responsabilidad de los administradores.*

6. *Responsabilidad por deudas sociales y acción individual*

Tras la reforma de la Ley de Sociedades Anónimas de 1989 (con la introducción de la responsabilidad-sanción del art. 262.5 LSA y con posterioridad el art. 105. 5 LSRL, actual art. 367 LSC) donde surgen más dudas para determinar los presupuestos de exigencia de responsabilidad y su extensión y fundamento, es, como se ha señalado en apartados anteriores, en los *supuestos de sociedades desaparecidas del tráfico mercantil, o en las que concurren las causas de disolución o de apertura de procedimiento concursal sin que se hayan puesto en marcha los mecanismos legales de la disolución societaria ni de la reordenación/liquidación concursal,* establecidos en interés de los socios, de acreedores y del tráfico en general. En estos casos el impago total o parcial a los acreedores repercute de forma perjudicial en sus intereses. Lo que se discute en caso de ejercicio de la acción de responsabilidad por deudas del artículo 367 de la Ley de Sociedades Limitadas es si se debe o no acreditar la existencia de un daño y consiguiente relación de causalidad con el comportamiento de los administradores. En estos años han sido muy frecuentes los supuestos de ejercicio conjunto de ambas acciones (entre otras, STS de 20.2.2004; de 9.3.2006; 2.12.2009; de 14.10.2010 y de 23.12.2011), que tras la reforma del ámbito objetivo por la ley 19/2005, sólo procederá en relación con supuestos de responsabilidad de los administradores por obligaciones nacidas tras la concurrencia de la causa de disolución. En relación con las deudas existentes en el momento del incumplimiento de los deberes disolutorios, la cuestión será determinar si estamos, en su caso, ante supuestos de daño al patrimonio social o daño directo a terceros, como ya se ha dicho.

Para la reclamación y condena en virtud del artículo 367 de la Ley de Sociedades de Capital, que establece un *régimen especial de responsabilidad-garantía de carácter "sancionatorio" (no indemnizatoria) por las deudas sociales,* basta probar, según la interpretación doctrinal y jurisprudencial que compartimos, la concurrencia de la causa de disolución, la infracción negligente de los deberes específicos impuestos a los administradores en tal circunstancia (convocatoria de la Junta en el plazo de dos meses desde la concurrencia de la causa o, en su caso, instancia de la disolución judicial –o si procediere, el concurso judicial–) y la existencia de una obligación social no atendida por el deudor (la sociedad), sin que sea preciso acreditar el daño ni la relación de causalidad. Otra cosa sucede en el supuesto de ejercicio de la acción individual *ex* artículo 241 de la Ley de Sociedades de Capital, pues en este caso, además de la infracción negligente de los deberes que incumben a los administradores en caso de crisis societaria o concursal, debe acreditarse, como se ha expuesto reiteradamente a lo largo del trabajo, el daño vinculado a esa conducta. Por ello la jurisprudencia que exige probar la relación de causalidad entre el daño y el incumplimiento por el administrador de las obligaciones que impone los artículos 365 y

366 de la Ley de Sociedades de Capital, mediante la demostración de que de haberse disuelto y liquidado ordenadamente el patrimonio de la sociedad los acreedores, en concreto el demandante, hubiesen visto satisfechos sus créditos [SSTS 3.4.1990; de 11.11.1991; de 4.11.1991; de 21.5.1992; de 28.2.1996; de 10.12.1996; 20.11.2003] es inobjetable siempre que se trate de resolver pretensiones al amparo del artículo 241 de la Ley de Sociedades de Capital. No así cuando se invoque el artículo 367 que, reiteramos, a nuestro entender, no exige acreditación de daño ni de la relación de causalidad, al tratarse de un supuesto especial de responsabilidad-garantía de deuda ajena (acertadamente en esta dirección la STS de 20.2.2004 –que cita en ese mismo sentido las de 30.10.2000, de 20.12.2000, de 20.7.2001–, la de 23.2.2004, de 17.6.2004, de 23.6.2006; de 10.7. 2008; de 11.7. 2008; de 12.2.2010, de 12.3.2010, y de 27.9.2010 y 29.12.2011). Nos parece que este planteamiento no es cuestionado en su sustancia hasta ahora por la orientación jurisprudencial que interpreta la responsabilidad *ex lege* del artículo 367 de la Ley de Sociedades de Capital en clave de responsabilidad civil extracontractual, tratando con ello de modular o atemperar la responsabilidad de los administradores, acudiendo a diversos expedientes como la valoración de la buena fe en el ejercicio de la acción, el conocimiento de la situación por la contraparte de la sociedad o la imposibilidad por parte de los administradores de conocer la situación de la sociedad o de promover la disolución y la consideración de que «se ha de dar un interés digno de protección que justifique la acción y su consecuencia respecto de la responsabilidad, lo que equivale a exigir un daño en sentido amplio, que sería el impago del crédito, consecuencia de la insolvencia de la sociedad y una conexión con la actuación (o la omisión) de los administradores» (sts de 6.4.2006; de 28.4 2006; de 14.3.2007; de 20.11. 2008; de 1 y 2. 12. 2008), pues en parte se mueve en planteamientos de política jurídica y con nuevos conceptos de daño y conexión, ajenos a la responsabilidad indemnización propiamente dicha. En sentido estricto debe rechazarse la idea de exigencia de daño como presupuesto de la acción (con independencia de que es obvio que en los casos de incumplimiento del pago hay un perjuicio a los acreedores), por la simple consideración de que se puede poner en marcha por actuaciones de crisis disolutorias no conectadas necesariamente a situación de crisis económica y en el caso de crisis económica cuando concurre una situación preconcursal. En este sentido, es muy clarificadora la Sentencia de la Audiencia Provincial de Barcelona (Secc. 15ª) de 23 de abril de 2012, que se reseña al final de este apartado. Otra cosa es lo que se pueda decir sobre el carácter «no objetivo» de la responsabilidad sino derivado de incumplimientos legales que deben resultar imputables a la conducta del administrador, donde la jurisprudencia hasta tiempos

recientes no ha realizado consideraciones matizadas. En la jurisprudencia, como declara la Sentencia del Tribunal Supremo de 19 de mayo de 2011, se "viene admitiendo la posibilidad de excluir la responsabilidad de los administradores en supuesto de desequilibrio patrimonial cuando por los mismos se adoptaron medidas para restablecer el equilibrio entre el patrimonio contable y el capital social o reflotar la empresa, sin que el simple hecho de resultar las mismas infructuosas sea razón suficiente para declarar la responsabilidad de los *artículos 105.5 de la Ley de Sociedades de Responsabilidad Limitada y 262.5 del Texto Refundido de la Ley de Sociedades Anónimas* (entre otras, SSTS de 20 de julio de 2001 y 4 de febrero de 2009). Doctrina que ha sido completada en supuestos de resultado negativo de las medidas tomadas, exigiéndose la demostración de una acción significativa para evitar el daño para que pueda exonerarse de responsabilidad (SSTS de 28 de abril de 2006, 20 de noviembre de 2008 y 1 de junio de 2009, entre otras"). En efecto como ha señalado la mejor doctrina una cosa es la inexigencia de relación de causalidad entre el daño y la conducta y otra el carácter «objetivo» de la responsabilidad (que no lo es, al exigirse imputación del incumplimiento a título de culpa o dolo). Bienvenidas sean las aportaciones de esta jurisprudencia sobre la valoración de la conducta del administrador en el marco del artículo 367 de la Ley de Sociedades de Capital (entre otras STS de 28.4.2006 y de 1.12.2008) siempre que se tenga claro que la norma del 367 (antes arts. 262.5 LSA y 105.5 LSRL) no exime a los administradores que incumplen el deber de promover la disolución del deber de responder por las deudas a que se refiere con independencia de la relación de causalidad de esa conducta con el daño (STS de 23.11.2011 y de 27.6.2014).

Por ello si la responsabilidad indemnizatoria *ex* artículo 241 de la Ley de Sociedades de Capital y la responsabilidad-garantía por deudas *ex* artículo 367 constituyen supuestos de distinta naturaleza con sus respectivos presupuestos y efectos, en el caso de que ejercite la acción individual por daño directo *ex* artículo 241 el Tribunal no podrá sancionar, por impedirlo el principio de congruencia, conforme al régimen de responsabilidad *ex* 262.5, vicio procesal que no puede plantearse de oficio (STS de 20.2.2004 y de 18.7.2012). Ninguna dificultad existe para el ejercicio simultáneo de ambas acciones de responsabilidad cuando concurran simultáneamente los diferentes supuestos previstos legalmente (STS de 23.12.2011). En relación con un supuesto en que se ejercitan ambas acciones con la misma petición, la Sentencia del Tribunal Supremo de 4 de diciembre de 2013, que condenó solidariamente a los administradores respecto del pago de determinados créditos que los demandantes tenían contra la sociedad sobre la base de la acción ex artículo 262.5 de la Ley de Sociedades Anónimas (hoy artículo 367 de la Ley de Sociedades de Capital), habiendo dejado de resolver la acción individual de responsabilidad, considera que la estimación de unas acciones cumple con la pretensión ejercida, que "puede considerarse que las acciones se ejercitan de forma alternativa o subsidiaria, salvo que se manifieste un específico interés, en la declaración de responsabilidad" y que, en el caso, "la estimación de la acción de responsabilidad por pérdidas ha permitido la estimación de todas las pretensiones contenidas en la demanda, por lo que la omisión del análisis de la procedencia de la acción individual es irrelevante". Sobre el régimen de la acción del artículo 367 y el nuevo rumbo de la jurisprudencia, véase en esta obra BELTRÁN, *La responsabilidad por obligaciones sociales*.

> *Para la sentencia del Tribunal Supremo de 24 de noviembre de 2005 «el fracaso de la llamada acción individual de responsabilidad regulada por el artículo 135 del Texto refundido –artículo 241 de la Ley de Sociedades de Capital– (como consecuencia de que el daño directo causado por el comportamiento de los administradores no lo hubiera recibido el patrimonio de la acreedora, sino el de la propia sociedad deudora) no significa que no se haya cumplido el supuesto de hecho al que el artículo 262.5 (art. 367) del mismo Texto vincula, como sanción, el efecto de responsabilizar a aquellos de todas las obligaciones sociales (no estaba vigente la redacción dada al precepto por la Ley 19/2005), sobre lo que en las instancias se ha guardado un silencio que cumple suplir».*

> *Entre las Sentencias del Tribunal Supremo sobre la última orientación sobre la naturaleza y finalidad de la responsabilidad por las obligaciones sociales (art. 367 LSC) merece citarse la de 26 de septiembre de 2007, que argumenta de esta forma para calificarla de «medida aflictiva»: «es cierto –como precisa el Tribunal Constitucional en la sentencia 127/2001, de 4 de junio, y en las que en ella se citan– que "la garantía material del principio de legalidad comporta el mandato de taxatividad o certeza, que se traduce en la exigencia de predeterminación normativa de las conductas punibles", con implicaciones "no sólo para el legislador, sino también para los órganos judiciales". Pero no cabe olvidar que el carácter sancionador que los recurrentes atribuyen al artículo 105.5 de la Ley 2/1995 –y al artículo 262.5 del Texto refundido de la Ley de Sociedades Anónimas (art. 367 LSC)– solo puede admitirse en un sentido impropio –se suele afirmar con el fin de facilitar la distinción entre el supuesto previsto en dichos preceptos y el consistente en la responsabilidad por daños–. Y es que, en sentido propio, la norma a que se refiere el motivo no forma parte del derecho sancionador. En efecto, que al administrador que omita el comportamiento exigido en el artículo 105 se le imponga responder por las deudas sociales constituye una reacción del ordenamiento, ante una conducta omisiva considerada antijurídica, que se traduce en una medida aflictiva para su autor. Pero dicha medida no persigue –más que remotamente– la protección del interés general, sino, propiamente, la de los intereses de los acreedores sociales, que ven correlativamente ampliada la esfera de sus facultades de cobro mediante un incremento del número de*

sus deudores –solidarios– ante el peligro que representa para sus créditos el que una sociedad que está sometida a la regla de limitación de responsabilidad subsista sin disolverse –y liquidarse–, cuando ello era lo procedente. En definitiva, esa correlación entre los efectos negativo y positivo de la medida para los administradores y los acreedores sociales, respectivamente, y, al fin, esa función protectora de los intereses de estos últimos que cumple el artículo 105.5 de la Ley 2/1995 –así como el 262.5 del Texto refundido de la Ley de Sociedades Anónimas (art. 367 LSC)– impide calificar a la referida norma como sancionadora, lo que, consecuentemente, se traduce en que no corresponda considerar llamado el conjunto de reglas jurídicas que la Constitución Española vincula a las de aquella naturaleza». En el mismo sentido en la Sentencia del Tribunal Supremo de 30 de junio de 2010 se declara que "ciertamente esta Sala en reiteradas ocasiones se ha referido a la responsabilidad regulada en el artículo 262 de la Ley de Sociedades Anónimas como "sanción"... pero lo cierto es que, como afirma la sentencia número 417/2006, de 28 de abril, en gran parte de las sentencias se ha empleado esta expresión no tanto para referirse a la idea de "pena" cuanto a "reacción del ordenamiento ante el defecto de promoción de la liquidación de una sociedad incursa en causa de disolución que no requiere una estricta relación de causalidad entre el daño y el comportamiento concreto del administrador, ni lo que se ha denominado un «reproche culpabilístico» que hubiera que añadir a la constatación de que no ha habido promoción de la liquidación mediante convocatoria de Junta o solicitud judicial, en su caso (o, después de la reforma operada por la Ley 22/2003, de 9 de julio, Concursal, solicitud de declaración de Concurso), ni una negligencia distinta de la prevista en el propio precepto del artículo 262.5 de la Ley de Sociedades Anónimas (Sentencias de 1 de marzo de 2004, de 26 de marzo de 2004, 20 de octubre y 23 de diciembre de 2003, 20 y 23 de febrero de 2004, entre otras)". Y con posterioridad, la Sentencia del Tribunal Supremo de 26 de noviembre de 2011, afirma como doctrina de las últimas sentencias, que: «1) Nuestro sistema impone a los administradores de las sociedades capitalistas una serie de deberes, entre ellos, cuando la sociedad incurre en pérdidas cualificadas determinantes de la concurrencia de causa legal de disolución, el de promover la liquidación de la sociedad por el procedimiento societario, reorientando el objeto social al reparto entre los socios del haber existente después de pagar las deudas sociales o, alternativamente, promover la adopción de acuerdos dirigidos a remover la causa de disolución concurrente y reconstruir el patrimonio social o, en su caso, reducir el capital social restableciendo el equilibrio entre la cifra de capital y el patrimonio, con la necesaria publicidad que ello conlleva (artículos 262.2 de la Ley de Sociedades Anónimas y 105.1 de la Ley de Sociedades de Responsabilidad Limitada en la fecha en la que se desarrollaron los hechos y hoy 365 del Texto Refundido de la Ley de Sociedades de Capital). 2) Para garantizar la efectividad de dicho mecanismo, la Ley impone a los administradores la responsabilidad solidaria por las deudas sociales dentro de ciertos límites en caso de incumplimiento o cumplimiento tardío de la obligación de promover la disolución (artículos 262.5 de la Ley de Sociedades Anónimas y 105.4. de la Ley de Sociedades de Responsabilidad Limitada en la fecha en la que se desarrollaron los hechos y hoy artículo 367 del referido Texto Refundido). 3) Tal responsabilidad tan solo exige la infracción imputable del deber de promover la li-

quidación de la sociedad mediante convocatoria de la oportuna Junta o la solicitud de que se convoque judicialmente cuando sea el caso (262.4 de la Ley de Sociedades Anónimas y 105.4 de la Ley de Sociedades de Responsabilidad Limitada y hoy 366 de la Ley de Sociedades de Capital). 4) La responsabilidad regulada en los expresados preceptos no tiene naturaleza de "sanción" en sentido estricto, como lo prueba el hecho de que no sólo determina un efecto negativo para el administrador, sino un correlativo derecho para los acreedores y que la norma no impide al administrador subrogarse en la posición del acreedor y repetir contra la sociedad con éxito en el caso de que la sociedad, pese a estar incursa en causa de disolución, tenga bienes suficientes para atender su crédito. En definitiva, como afirma la sentencia 228/2008, de 25 marzo reiterada en las ya indicadas 458/2010, de 30 de junio, y 680/2010, de 10 de noviembre, "La responsabilidad de los administradores por obligaciones sociales, con carácter solidario con la sociedad, prevista en los artículos 260.1, núms. 3° y 4° y 260.5 de la Ley de Sociedades Anónimas, constituye una responsabilidad por deuda ajena "ex lege", que no tiene naturaleza de sanción o pena civil"».

Un supuesto complejo de interés para analizar las relaciones entre la acción de responsabilidad de los administradores por deudas sociales y la acción individual es el resuelto por la Sentencia del Tribunal Supremo de 14 de marzo de 2011 (Res. 131/2011), en que una sociedad matriz ha concedido un préstamo a la filial y con posterioridad la matriz es declarada en quiebra y la filial deudora (inactiva) ha liquidado extrajudicialmente su patrimonio satisfaciendo a sus acreedores, pero no a la matriz. La sindicatura de la sociedad matriz-quebrada-acreedora ejercita, conforme al artículo 262.5 de la Ley de Sociedades Anónimas (art. 367 LSC), acción de responsabilidad contra los administradores de la filial-deudora (que son los mismos que los de matriz) por haber infringido los deberes impuestos a la sociedad en caso de crisis disolutoria. El Tribunal Supremo condena a los administradores de la filial considerando se ejercita una "acción de reintegración que lo único que pretende es que se recupere por la masa activa de una quiebra un valor económico... que le pertenece" y que concurren los requisitos legales para que prospere la acción de responsabilidad de administradores sociales por deudas sociales del artículo 262.5 en relación con el artículo 260.1, 3° y 4° de la Ley de Sociedades Anónimas". Este ha sido el mecanismo jurídico de defensa de los intereses de un acreedor —y en el caso, dada su insolvencia, los acreedores del quebrado—, beneficiándose de la vía simplificada en cuanto a prueba de la responsabilidad por obligaciones sociales. Ahora bien, si pensamos que el mismo supuesto se hubiera planteado tras la entrada en vigor de la reforma del citado artículo 262-5 por Ley 19/2005, que limita la responsabilidad únicamente a las "obligaciones sociales posteriores al acaecimiento de la causa legal de disolución", entonces no hubiera sido posible invocar tal supuesto especial de responsabilidad. A nuestro juicio estamos en un supuesto que encaja en el ámbito de aplicación de la acción individual pues se ha liquidado el patrimonio de la sociedad filial-deudora en perjuicio de un determinado acreedor (la sociedad matriz) cuando han sido satisfechos los restantes acreedores, como se reconoce en el caso. El hecho del concurso de acreedores (en el caso la quiebra) plantea un problema de legitimación para el *ejercicio de la acciones de la sociedad en concurso, pero no afecta al tipo de accio-nes que tiene el perjudicado (la sociedad matriz, en el caso "tercero especial" por la relación de grupo que ha resultado perjudicado por la decisión de sus administra-dores de no satisfacer esa deuda sin justificación alguna). Y, por tanto, a nuestro juicio podría en este supuesto haberse ejercitado la acción individual del artículo 135 (art. 241 LSC) por haberse causado un daño directo a determinado acreedor.*

Por su alcance clarificador sobre el debate en torno a la naturaleza "sanciona-dora versus indemnizatoria" de la responsabilidad por deudas debe mencionarse la Sentencia de la Audiencia Provincial de Barcelona (Secc. 15ª) de 23 de abril de 2012, que cambia de criterio sobre la naturaleza de la responsabilidad concursal ex artículo 272 bis de la Ley Concursal, a la luz de las recientes Sentencias del Tri-bunal Supremo de 6 de octubre de 2011 y 17 de noviembre de 2011, y establece, a efectos de calificación de la responsabilidad, una acertada relación entre el citado artículo 272 bis de la Ley Concursal y el artículo 367 de la Ley de Sociedades de Capital. Según esta reformulación clarificadora de la materia realizada por la ci-tada SAP de Barcelona, "que esta responsabilidad no tenga carácter sancionador, como también ha afirmado la propia Sala Primera respecto de la responsabilidad del artículo 262.5 del Texto Refundido de la Ley de Sociedades Anónimas (actual art. 367 LSC), no significa que necesariamente tenga carácter indemnizatorio y sea una responsabilidad por daño y culpa; y que tenga una función de resarci-miento, como se afirma en estas resoluciones, tampoco implica que su naturaleza sea la propia de una acción de daños, como tampoco ocurre en la responsabilidad por deudas del artículo 367 de la Ley de Sociedades de Capital, que también cumple, indirectamente, una función resarcitoria. ... La doctrina jurisprudencia a la que antes nos hemos referido no le atribuye el carácter de una acción de daños porque cuando se refiere a su función resarcitoria no se refiere al daño directo sino a algo distinto, el daño que indirectamente fue causado a los acreedores". Y continúa más adelante declarando que "la finalidad que esta norma (se refiere directamente al art. 172 bis LC) persigue no es estrictamente resarcitoria,, para lo que ya existen otras normas en la propia Ley Concursal (la del art. 172.2.2º) o en la legislación societaria (las diversas acciones de responsabilidad por daños, particularmente la acción social), sino de distribución o atribución de responsabi-lidad derivada de la insolvencia. En suma se trata de una norma sobre distribu-ción o atribución de los riesgos; en el caso, de atribución del riesgo de insolvencia, que deja de pesar sobre los acreedores y pasa a recaer sobre el administrador de la sociedad cuando incurre en las conductas que permiten considerar culpable el con-curso" y añade esta relevante Sentencia de la Audiencia Provincial de Barcelona, "esa misma naturaleza es la que ostenta la norma de responsabilidad del artículo 262.5 del Texto Refundido de la Ley de Sociedades Anónimas (actual art. 367 LSC). Desde que el administrador conoce o debió haber conocido que la sociedad se encuentra en causa de disolución y ha incumplido el deber de convocar la junta, le son imputadas las nuevas deudas que la sociedad adquiera, sin necesidad de ningún requisito adicional. Es decir, un riesgo que previamente pesaba sobre la so-ciedad deudora y sobre los acreedores se traslada por el legislador al administrador

*que debe soportarlo" [en esta perspectiva, criticando la idea del daño, ni siquiera
en sentido amplio, y apuntando a la función de la responsabilidad por deudas de
atribución del riesgo, véase MARÍN DE LA BARCENA, Naturaleza jurídica de
la responsabilidad concursal (Comentario a la STS 1ª de 23 de 2011), pp. 463 y
ss., en esp. pp. 472 y s.]*

7. Acción individual y procedimiento concursal

Al no dirigirse la acción individual a la reintegración del patrimonio social la doctrina, como es obvio. ha venido considerando que la declaración
de crisis concursal de la sociedad no afecta al derecho propio de los legitimados *ex* artículo 241 de la Ley de Sociedades de Capital. Entendemos que
la Ley Concursal no modifica la situación y que, por tanto, con la apertura
del procedimiento concursal la legitimación para el ejercicio de la acción
individual del 241 no se ve afectada (sigue residiendo en los correspondientes socios y terceros). No entra en el ámbito de la competencia del Juez del
concurso (sobre el problema de la coordinación entre la responsabilidad
concursal y la acción individual, que puede presentar complejos supuestos
en que sea difícil marcar las fronteras, puede verse, por todos, QUIJANO,
La responsabilidad societaria en el seno del concurso: marco de relaciones, pp. 412
y ss.; del mismo autor, *La responsabilidad concursal tras la Ley 38/2011 de reforma de la Ley concursal, Revista de derecho concursal y paraconcursal,* n°. 18, 2013
, pp. 51 y ss.; GARCÍA-CRUCES, *Declaración de concurso y acciones societarias
de responsabilidad frente a los administradores de la sociedad concursada, Anuario
de derecho concursal,* n° 28, 2013, pp. 31 y ss.; con amplias referencias a doctrina y jurisprudencia, HERNANDO MENDIVIL, *Calificación del concurso
y coexistencia de las responsabilidades concursales y societaria,* Barcelona 2013;
MORALES BARCELÓ, *La responsabilidad de los administradores de sociedades
mercantiles en situación de pérdidas y de insolvencia,* Valencia, 2013).

El artículo 48 quáter de la Ley Concursal tras la reforma por Ley 38/2011
establece con claridad que las acciones contra los administradores en las
que, declarado el concurso, la legitimación corresponde en exclusiva a la
administración concursal son las acciones de las que es titular la sociedad
concursada, entre las que no se encuentra la acción individual del artículo
241 de la Ley de Sociedades de Capital. No debe confundirse con este supuesto aquel en que el daño directo lo ha sufrido una sociedad declarada
en concurso, en cuyo caso corresponde el ejercicio de la acción individual
contra los administradores causantes de ese perjuicio a los administradores
concursales en interés de la masa de acreedores. Tampoco se excluye que
la acción individual ejercitada por el socio o tercero (por daño directo)

contra los administradores fuera del concurso declarado pueda concurrir con la acción social de responsabilidad ejercitada por los administradores concursales por el daño al patrimonio social, que pueda derivar de un mismo acto antijurídico que ocasione simultáneamente ambos tipos de daños, con sus diversos legitimados. No consideramos que sea correcto entender que la *par conditio creditorum* pueda servir de fundamento para que la responsabilidad individual del artículo 241 sólo fuese exigible una vez cubierta la responsabilidad concursal de los administradores frente a todos los acreedores sociales en base al artículo 172 bis de la Ley Concursal (así lo considera, en cambio, ALONSO UREBA, *La responsabilidad concursal de los administradores*, p. 560), por la sencilla razón de que quién se encuentra en concurso es la sociedad y no los administradores y mientras no se declare el concurso de los administradores –cuando concurran los presupuestos legales– no parece haber razón para impedir que los legitimados *ex* artículo 241 puedan exigir la correspondiente indemnización (en este sentido también MUÑOZ PLANAS/MUÑOZ PAREDES, ob. cit. p. 1350 y MARÍN DE LA BÁRCENA, ob. cit. p. 378, nota 51). La Sentencia del Tribunal Supremo de 14 de octubre de 2010 (Res. Nº 634/2010), en su supuesto en que, además de la acción de responsabilidad por deudas sociales (entonces, art. 105.5 LSRL, y ahora en el art. 367 LSC), se ejercitó la acción individual de responsabilidad (art. 135 LSA y ahora, art. 241 LSC) y se debatía la legitimación de la sindicatura de la quiebra para su ejercicio declara que "ningún precepto atribuye a la masa pasiva de la quiebra la titularidad de las acciones previstas en los *artículos... 135* de la Ley de Sociedades Anónimas, que pertenecen individualmente a quien afirme ser... socio o tercero perjudicado por la actuación de los administradores, con independencia de que su crédito haya sido o no reconocido en la quiebra". Expresamente la reciente Sentencia del Tribunal Supremo de 22 de diciembre de 2014 declara que "la norma procesal no prevé ningún efecto de la declaración de concurso respecto de la acción individual (antes regulada en el art. 135 TRLSA y actualmente en el art. 241 LSC), de tal forma que puede ser ejercitada por los terceros perjudicados, ante el juez mercantil que corresponda, al margen del concurso de acreedores". Tras la reforma de la Ley concursal por la Ley 38/2011, se han atendido los problemas de coordinación del concurso con los procedimientos iniciados antes de la declaración del concurso en los que se hubieren ejercitado acciones de reclamación de obligaciones sociales contra los administradores de las sociedades de capital concursadas que hubieran incumplido los deberes impuestos en caso de concurrencia de causa de disolución (art. 51 bis). Véase en esta obra BELTRÁN, *La responsabilidad por obligaciones sociales* y GARCÍA CRUCES, *La responsabilidad concursal*.

Capítulo 6

LA RESPONSABILIDAD DE LOS ADMINISTRADORES POR OBLIGACIONES SOCIALES

EMILIO BELTRÁN
Catedrático de Derecho mercantil
Universidad CEU San Pablo[1]

SUMARIO: I. EL SISTEMA LEGAL DE RESPONSABILIDAD DE LOS ADMINISTRA-DORES POR OBLIGACIONES SOCIALES. 1. La evolución del sistema legal. 2. Las funciones del sistema legal. II. LOS DEBERES LEGALES. 1. El nacimiento de los deberes legales. 1.1. El deber de convocatoria de la junta general. 1.1.1. La cuantía de las pérdidas. 1.1.2. El momento relevante para la determinación de la concurrencia de las pérdidas. 1.1.3. La superposición del estado de insolvencia de la sociedad. 1.2. El deber de solicitud de la disolución judicial. 2. La extinción de los deberes legales. 3. El cumplimiento de los deberes legales. 3.1. La convocatoria de la junta general. 3.2. La solicitud de disolución judicial. 3.3. La solicitud de concurso de acreedores. 4. El cumplimiento tardío. III. EL RÉGIMEN DE LA RESPONSABILIDAD POR LAS NUEVAS OBLIGACIO-NES SOCIALES. 1. La naturaleza de la responsabilidad. 1.1. El carácter sancionador. 1.2. El carácter solidario. 2. El ámbito de la sanción. 2.1. El ámbito objetivo: la asunción de las obligaciones sociales nacidas tras la concurrencia de la causa de disolución. 2.2. El ámbito subjetivo. 2.3. El ámbito temporal. 3. La suspensión de las reclamaciones en el concurso de acreedores.

I. EL SISTEMA LEGAL DE RESPONSABILIDAD DE LOS ADMINISTRADORES POR OBLIGACIONES SOCIALES

1. *La evolución del sistema legal*

El sistema legal de responsabilidad de los administradores de socieda-des de capital por obligaciones sociales, que tiene como finalidad hacer efectiva la concurrencia de una causa de disolución, particularmente la de pérdidas patrimoniales que reduzcan el patrimonio neto de la sociedad a

---

[1]   El trabajo ha sido revisado y actualizado por la Profª. Dra. de Derecho mercantil, Mª Luisa Sánchez Paredes.

un valor inferior a la mitad del capital social, se compone de dos elementos básicos: la imposición de unos *deberes legales* específicos de los administradores en orden a la promoción oportuna de la disolución (convocatoria de junta general y, sucesivamente, en su caso, solicitud de disolución judicial: arts. 365 y 366 LSC) y la consiguiente sanción, consistente en la imposición de *responsabilidad por las nuevas obligaciones sociales,* en caso de incumplimiento de esos deberes legales (art. 367 LSC).

El sistema se creó en la Ley 19/1989, de 25 de julio, de Reforma parcial y Adaptación de la legislación mercantil a las Directivas de la Comunidad Económica Europea (CEE) en materia de sociedades, de donde pasaría al texto refundido de la *Ley de Sociedades Anónimas,* aprobado por Real Decreto Legislativo 1564/1989, de 22 de diciembre, recogiéndose en los artículos 260.1-3º, 4º, 5º y 7º y 262, aplicables en toda su extensión, por remisión legal, a las *sociedades comanditarias por acciones* (art. 152 C. de C.) y a las *sociedades de garantía recíproca* (art. 59.2 LSGR). El mismo sistema se aplicaba –con algunas pequeñas diferencias– a las *sociedades de responsabilidad limitada,* regulándose después de manera específica en la Ley 2/1995, de 23 de marzo [arts. 104.1-c) a g) y 105]. Por el contrario, el sistema no se extendió a las *sociedades cooperativas,* a pesar de su estructura corporativa y de una regulación de la disolución inspirada en las sociedades de capital, de modo que el consejo rector no podrá ser específicamente sancionado por no promover la disolución, sin perjuicio de la eventual responsabilidad por daños y/o por generación o agravación de la insolvencia en caso de concurso de acreedores de la sociedad cooperativa.

> La incorporación de España a la Comunidad Económica Europea obligaba a modificar el tratamiento legislativo de las pérdidas graves del capital de las sociedades anónimas. El Anteproyecto de Ley de Reforma parcial y Adaptación de la legislación mercantil a las Directivas de la Comunidad Económica Europea en materia de sociedades, aprobado por la Sección de Derecho Mercantil de la Comisión General de Codificación en 1987, no contenía esa modificación. La Secretaría General Técnica del Ministerio de Justicia solicitó algunos informes, entre los que destacaría el elaborado por el profesor Rojo, que constituía una simple revisión del Anteproyecto, bajo la forma de Texto revisado, pero cuyas soluciones tuvieron amplia acogida en el Informe elaborado por la Secretaría General Técnica del Ministerio de Justicia el 16 de octubre de 1987 y en el Anteproyecto fechado el 19 de enero de 1988, que, con muy ligeras modificaciones, habría de convertirse en Proyecto de Ley y, tras la tramitación parlamentaria, en la Ley 19/1989, de 25 de julio.
>
> El Texto revisado proponía la creación de los instrumentos técnicos adecuados para impedir que la sociedad que se encontrase en una situación de pérdidas de la mitad del capital social siguiera actuando en el tráfico, para lo cual ofrecía una

doble opción: de un lado, decidir entre una solución general, aplicable a todas las causas de disolución, y una solución especial, aplicable única y exclusivamente a las pérdidas cualificadas, y, de otro lado, decidir el tipo de sanción, de carácter civil o de carácter administrativo. El Texto revisado dejaba sin resolver la primera cuestión y, respecto a la segunda, optaba por imponer a los administradores determinados deberes de promoción de la disolución (la convocatoria de junta general y la solicitud de disolución judicial) y por sancionar su infracción con la imposición de responsabilidad (civil) por las obligaciones de la sociedad «contraídas por ésta desde la fecha de solicitud de convocatoria o, caso de haberse convocado la Junta, desde la fecha prevista para su celebración», es decir, sólo por las deudas posteriores al incumplimiento de los deberes legales. El Proyecto de Ley suprimió la referencia temporal a las deudas sociales que podían imputarse a los administradores incumplidores, de manera que responderían de todas las deudas sociales, posteriores y anteriores al acaecimiento de la causa de disolución (como, para despejar cualquier duda, se encargaría de expresar el artículo 105.5 de la Ley de Sociedades de Responsabilidad Limitada de 1995). Esa opción de política legislativa explica también que el sistema legal no se circunscribiera al caso de las pérdidas graves del capital social, sino que se extendiera a todas las causas legítimas para la disolución.

El sistema legal cobraba pleno sentido cuando la causa de disolución concurrente fuese la de *pérdidas graves* del capital social y la sociedad se encontrase, al propio tiempo, en estado de *insolvencia*, porque se convertía entonces en un atractivo instrumento de satisfacción de los acreedores sociales. Y, en efecto, en la práctica, los casos más frecuentes de utilización del sistema han sido aquellos de falta de adopción de las medidas oportunas por parte de administradores de sociedades insolventes, con independencia de que se hubiese o no abierto el correspondiente procedimiento concursal. No debe extrañar, por ello, que, con la loable intención de resolver las importantes dudas existentes en torno a las relaciones entre la causa de disolución consistente en las pérdidas graves y la existencia y declaración de un estado de insolvencia, las dos Leyes reguladoras de las sociedades de capital fueran reformadas en ese punto por la Ley 22/2003, de 9 de julio, Concursal (respectivamente, disposiciones finales 20ª y 21ª). Con esa reforma, la insolvencia de la sociedad (art. 2 LC) y el consiguiente deber de instar el concurso de acreedores (arts. 3, 5 y 165.1-1º LC) se integraron en algunos casos y no siempre de forma armónica en un sistema legal que había sido diseñado para hacer efectiva la concurrencia de una causa de disolución. En concreto, la Ley Concursal modificó el sistema legal con la finalidad de considerar expresamente la solicitud de declaración de concurso voluntario de la sociedad como un supuesto de *cumplimiento alternativo* de los deberes legales impuestos a los administradores en presencia de la causa de disolución por pérdidas, y, en consecuencia, como una causa de inaplicación de la responsabilidad prevista para los administradores incumplidores. De esa manera, en caso de pérdidas graves del capital los deberes legales de los administradores se entenderían cumplidos no sólo cuando convocasen la junta general y, en su caso, solicitasen la disolución judicial, sino también cuando instasen el concurso de acreedores, porque entonces el sistema legal previsto para obtener la disolución se sustituiría por las normas concursales. La reforma pretendía exclusivamente zanjar los problemas de la práctica, ya que unas resoluciones judiciales reconocían que la solicitud de quiebra y de suspensión de pagos debían producir el mismo efecto que la solicitud de disolución judicial y otras consideraban que el silencio legal impedía liberar de responsabilidad a los administradores de una sociedad suspensa o quebrada que no solicitasen la disolución judicial (v. SSTS 4.2.1999, 21.9.1999, 13.4.2000. V., también, aunque ya con posterioridad a la entrada en vigor de la Ley Concursal, SSTS 20.10.2003, 16.12.2004, 9.1.2006, 6.4.2006, 19.9.2007, 14.5.2008, 24.6.2008, 1.12.2008, 30.6.2010, 14.7.2010). Sin embargo, la nueva redacción de esos preceptos fue tan desafortunada que dificultaría gravemente su interpretación y complicaría la aplicación del sistema legal. En adelante, las críticas al sistema legal no se dirigirían tan sólo a resaltar su dureza y a poner de manifiesto los muchos problemas de interpretación de las correspondientes normas, sino que se centrarían en la subsistencia misma de un sistema que debería ser absorbido por las normas generales de responsabilidad civil (en este sentido se ha orientado de forma decidida el Tribunal Supremo desde las dos sentencias del pleno de 28 de abril de 2006) y, sobre todo, por las eventuales sanciones concursales a los administradores que causen o agraven la insolvencia de la sociedad.

La reforma de los artículos 260 y 262 de la Ley de Sociedades Anónimas y 104 y 105 de la Ley de Sociedades de Responsabilidad Limitada realizada, respectivamente, por las disposiciones finales vigésima y vigésimo primera de la Ley Concursal, fue también muy tortuosa. En efecto, de un lado, la modificación del sistema legal no se preveía ni en el Anteproyecto de Ley Concursal elaborado por la Comisión General de Codificación en 2000 ni en el Proyecto de Ley presentado por el Gobierno en 2002, sino que tuvo su origen en las únicas enmiendas presentadas a las referidas disposiciones finales en toda la tramitación parlamentaria (las enmiendas números 399 y 400, presentadas en el Congreso por el Grupo Socialista), y, de otro lado, el resultado final está muy alejado de la intención perseguida inicialmente. En efecto, las referidas enmiendas proponían una simple modificación dirigida a establecer que la solicitud de declaración de concurso voluntario de la sociedad constituyera un supuesto de cumplimiento alternativo de los deberes legales impuestos a los administradores y, en consecuencia, una forma de eludir la sanción legalmente prevista. De esa manera, en caso de pérdidas graves del capital los deberes legales de los administradores se entenderían cumplidos no sólo cuando convocasen la junta general y, en su caso, solicitasen la disolución judicial, sino también cuando instasen el concurso de acreedores. Como consecuencia de las discusiones derivadas de la presentación de esas enmiendas, el texto de la disposición final en la que se modificaba la Ley de Sociedades Anónimas emanado del Congreso (que reproducía el del Informe de la Ponencia y el del Dictamen de la Comisión) contenía tres nuevos apartados. El apartado quinto aceptaba la referida enmienda, de modo que la solicitud de concurso voluntario liberaría, en efecto, de la sanción a los administradores; pero iba mucho más lejos, porque la falta de solicitud de concurso dentro del plazo legal merecería la misma sanción que el incumplimiento de los deberes legales de promoción de la disolución. Y los apartados tercero y cuarto –sin explicación alguna– añadían una previsión tan absurda como errónea: la tradicional pérdida de la mitad del capital social dejaba de constituir causa de disolución de la sociedad y pasaba a ser una circunstancia que obligaba a la sociedad a solicitar su declaración de concurso. En el Senado no se presentó ninguna enmienda; pero la evidente incorrección del texto del Congreso –que parecía olvidar que una sociedad puede haber perdido la mitad del capital social sin encontrarse por ello en estado de insolvencia– obligaría a modificar el texto de la disposición final vigésima (primero en el Dictamen de la Comisión y luego, con más cambios, en el Pleno), con el siguiente resultado: En primer lugar (apartado 3), renació la causa de disolución por pérdidas graves, aunque ahora con el añadido –lógico– de que concurrirá dicha causa «siempre que no sea procedente solicitar la declaración de concurso». En segundo lugar, la pérdida de la mitad del capital social faculta a los administradores a solicitar la declaración de concurso cuando la sociedad sea insolvente, previsión que cae en un absurdo contrario al del texto del Congreso, puesto que, literalmente, no existiría deber de los administradores de una sociedad anónima insolvente de instar su concurso, algo que contradice la Ley Concursal (art. 5), y la concurrencia de causa legítima para el concurso faculta a los accionistas para solicitar a los administradores la convocatoria de junta general, desconociendo también que la competencia para solicitar el concurso no se atribuye a la junta general, sino a los administradores (art. 3.1-II LC). En fin, se matiza que la solicitud de concurso, alternativa a la convocatoria de la junta o a la solicitud de disolución judicial, sólo podrá realizarse «si procediere».

De forma simultánea –aunque no idéntica–, se procedió también a la modificación de la Ley de Sociedades de Responsabilidad Limitada (disp. final 21ª LC). El texto aprobado por el Congreso incluía el incumplimiento de la obligación de solicitar la declaración de concurso como desencadenante de la sanción a los administradores, sin referirse en ningún momento a las relaciones entre las pérdidas graves del capital y la insolvencia de la sociedad. En el Senado no se presentaría enmienda alguna, pese a lo cual –y como ya había sucedido con la sociedad anónima– se modificó el sistema de la disolución por pérdidas y su relación con el concurso de acreedores, aunque en un sentido –parcialmente– diferente al de la sociedad anónima. En concreto, se incluyeron tres referencias literales al concurso de acreedores, que resultan difíciles de comprender: que la solicitud de concurso

de la sociedad requerirá acuerdo de la junta general, que los administradores
deberán convocar dicha junta en el plazo de dos meses para que adopte el acuerdo
de disolución o inste el concurso y que cualquier socio podrá solicitar a los admi-
nistradores la convocatoria de la junta general si estima que concurre insolvencia.
Y finalmente se estableció –como ya había sucedido con las sociedades anónimas
y con una redacción igualmente desafortunada– que los administradores respon-
derán de las deudas sociales si no convocan junta o no solicitan la disolución
judicial o, cuando procediere, la declaración de concurso.

Consciente de las dificultades interpretativas que generaba, la propia
Ley Concursal incluyó una pintoresca *disposición adicional* –de idéntica rúbrica, por cierto, a la de las ya referidas disposiciones finales–, a cuyo tenor
«el Gobierno remitirá al Congreso de los Diputados un Proyecto de Ley de
modificación de la Ley de Sociedades Anónimas, texto refundido aprobado por Real Decreto Legislativo 1564/1989, de 12 (*sic*) de diciembre, y de
la Ley 21/1995, de 23 de marzo, de Sociedades de Responsabilidad Limitada, a fin de adecuarlas a esta Ley». Sin embargo, en lugar de «adecuar»
las Leyes de Sociedades Anónimas y de Responsabilidad Limitada a la Ley
Concursal, lo que, en buena lógica, hubiera obligado a integrar ese sistema
legal en el concurso de acreedores con las debidas precisiones en su régimen jurídico, o, al menos, a precisar el alcance de las relaciones entre la
pérdida de la mitad del capital social y el estado de insolvencia, se optó por
una simple *modificación de las normas* –aunque de un alcance innegable–,
utilizando la *Ley sobre la sociedad anónima europea domiciliada en España* (Ley
19/2005, de 14 de noviembre). Desde ese momento, la especial responsabilidad de los administradores que incumplan los deberes impuestos se
extiende únicamente a las obligaciones sociales «*posteriores al acaecimiento de*
la causa legal de disolución», con lo que se reduce drásticamente el alcance
del sistema legal, si bien se establece que «*las obligaciones sociales reclamadas*
se presumirán de fecha posterior al acaecimiento de la causa legal de disolución de la
sociedad, salvo que los administradores acrediten que son de fecha anterior».

La modificación tuvo su origen en una enmienda (la núm. 34) presentada
por el Grupo Parlamentario Socialista del Congreso al correspondiente Proyecto de
Ley, en la que se proponía la introducción de una nueva disposición final, que, a
la postre, pasaría a ser disposición final primera, cuyo apartado 8 introducía en
la Ley de Sociedades Anónimas la precisión de que la responsabilidad solidaria de
los administradores se extiende únicamente a las obligaciones sociales «posteriores
al acaecimiento de la causa legal de disolución». La enmienda se justificaba por
«la necesaria coordinación que en materia de responsabilidad de los administra-
dores debe existir entre esta Ley y la Ley 22/2003, de 9 de julio, Concursal, y que
en estos momentos no se produce. Con la regulación actualmente en vigor, en el
Derecho societario se sanciona a los administradores infractores de sus deberes en
los supuestos en los que concurra una causa de disolución de la sociedad con la

responsabilidad solidaria frente a terceros por todas las deudas sociales, la cual es muy superior a la que contiene la Ley Concursal en caso de insolvencia de la sociedad causada o agravada por los administradores. Con esta modificación se eliminan también las dudas interpretativas que ha suscitado en esta materia la Ley 22/2003, de 9 de julio». Más tarde el legislador cayó en la cuenta de que existía una disposición similar para las sociedades de responsabilidad limitada, de modo que en la propia Ley 19/2005 se introduciría la disposición final segunda, que modificaría la Ley de Sociedades de Responsabilidad Limitada. Con esta modificación se produce, pues, un regreso a la propuesta originaria de extender la sanción sólo a las obligaciones posteriores, aunque con una notable –y confusa– diferencia: los administradores serán responsables de las deudas nacidas tras el acaecimiento de la causa de disolución y no sólo de las nacidas con posterioridad al incumplimiento de sus deberes legales.

La Ley de Sociedades de Capital (Real Decreto Legislativo 1/2010, de 2 de julio), promulgada al amparo de la habilitación contenida en la disposición final séptima de la Ley 3/2009, de 3 de abril, sobre modificaciones estructurales de las sociedades mercantiles, trató de simplificar la regulación de tan complejo sistema legal (arts. 362 a 367 LSC). La simplificación se produjo no sólo porque, como era obligado, y en palabras de la Exposición de Motivos, «*se supera la tradicional regulación separada de las formas o tipos sociales designadas con esa genérica expresión, que ahora, al ascender a título de la ley, alcanza rango definidor*», sino también porque, dando un paso más, unificó en esta compleja materia el régimen de las sociedades anónimas y de responsabilidad limitada, que, incomprensiblemente, se había separado en más de un punto concreto. En efecto, como señala también la Exposición de Motivos, «*las Cortes Generales han establecido el método y, al mismo tiempo, los límites del encargo al poder ejecutivo: ese único texto legal debe ser el resultado de la regularización, la aclaración y la armonización de los plurales textos legales antes señalados. La refundición no puede limitarse, pues, a una mera yuxtaposición de artículos, sino que exige desarrollar una compleja actuación en pos de ese triple objetivo, en el que, por razón del interés general, descansa la decisión legal. Al redactar el texto refundido, el Gobierno no se ha limitado a reproducir las normas legales objeto de la refundición, sino que ha debido incidir en esa normativa en una delicada labor para cumplir fielmente la encomienda recibida*». La Ley de Sociedades de Capital pone fin a las divergencias entre las dos formas de sociedades de capital y trata de precisar las relaciones entre las pérdidas de la mitad del capital y el estado de insolvencia de la sociedad, que, sin embargo, distan todavía mucho de ser claras.

Para comprender el alcance de la tarea llevada a cabo en esta materia por la Ley de Sociedades de Capital, parece necesario profundizar en el significado de la habilitación. El primer mandato era el de regularización de los textos objeto de la refundición. Como dice la Exposición de Motivos, «regularizar significa ajustar, reglar o poner en orden. Al servicio de esa regularización se ha modificado, en ocasiones, la sistemática, a la vez que se han intentado reducir las imperfecciones de las proposiciones normativas. Naturalmente, el texto refundido contiene la integridad de lo que refunde. Ni se han suprimido aquellas partes que la experiencia ha podido evidenciar obsoletas; ni se han modificado las soluciones arbitradas por la ley aunque la práctica haya puesto en duda la eficiencia y destacado el coste de aplicación; ni se han incorporado reglas que todavía no han alcanzado reconocimiento legislativo anticipando la previsible solución. Pero un texto refundido que saliera a la luz sin esa imperativa regularización traicionaría los términos de la habilitación conferida». Pues bien, en este sentido se ha procedido a reordenar la materia dedicada a la disolución, de modo que se regulan en diferentes secciones las diversas formas de disolución, con lo que queda claro que el sistema legal que estudiamos se refiere exclusivamente a la «disolución por constatación de la existencia de causa legal o estatutaria» (Sección 2ª del Capítulo I del Título X: arts. 361 a 367), y el contenido de los complejos artículos 262 de la Ley de Sociedades Anónimas y 105 de la Ley de Sociedades de Responsabilidad Limitada queda dividido en varios preceptos, que separan, adecuadamente, el deber de los administradores de convocar junta general (art. 365), la disolución judicial (art. 366) y la responsabilidad solidaria de los administradores (art. 367).

La segunda tarea era la aclaración de los textos. Continúa señalando la Exposición de Motivos que, «junto a la regularización, la habilitación exige aclarar, es decir, eliminar, en la medida de lo posible, las dudas de interpretación que suscitan los textos legales, determinando el exacto alcance de las normas. En ocasiones –las menos–, la propia sistemática permite conseguir ese resultado; las más de las veces se necesita precisar lo que la norma dice con eliminación de aquello que dificulta la comprensión, la modificación de fórmulas poco logradas o la incorporación de los elementos indispensables para facilitar la inteligencia. De este modo, en lugar de proceder a reformar los textos legales, se concreta el sentido de las normas, perfeccionando el conjunto sin necesidad de sustituciones». Por último, la habilitación se refería a la necesaria armonización de los textos, que, en palabras de la Exposición de Motivos, «impone la supresión de divergencias de expresión legal, unificando y actualizando la terminología, e impone sobre todo superar las discordancias derivadas del anterior proceso legislativo. En este sentido, el texto refundido ha procedido a una muy importante generalización o extensión normativa de soluciones originariamente establecidas para una sola de las sociedades de capital, evitando no sólo remisiones, sino también tener que acudir a razonamientos en búsqueda de identidad de razón. Esta armonización era particularmente necesaria en lo referente a la determinación de la competencia de la junta general y, sobre todo, en lo relativo a la disolución y liquidación de las sociedades de capital, pues contrastaba el muy envejecido capítulo IX de la Ley de sociedades anónimas con el mucho más moderno capítulo X de la Ley de sociedades de responsabilidad limitada, que se ha tomado como base para la refundición».

La última modificación del sistema legal es la que tuvo lugar con la reforma de la Ley Concursal producida con la Ley 38/2011, de 10 de octubre. La modificación es muy importante porque el sistema de responsabilidad de los administradores por no promoción de la disolución deja de ser operativo en caso de concurso de acreedores de la sociedad. En efecto, la Ley Concursal prohíbe el ejercicio de reclamaciones de los acreedores durante el concurso de la sociedad (art. 50.2 LC) y deja en suspenso las acciones que ya se hubieran ejercitado con anterioridad a la declaración de concurso (art. 51 bis.1 LC). En adelante, pues, si se declara el concurso de la sociedad los acreedores sociales no podrán reclamar el pago a los administradores que hubieran incumplido los deberes legales. En consecuencia, se interrumpe durante el concurso el plazo para el ejercicio de tal acción (art. 60.3 LC).

2. Las funciones del sistema legal

La referida evolución legislativa obliga a diferenciar las funciones que ha cumplido y está llamado a cumplir el sistema legal. En la medida en que, como se ha indicado, el sistema tiene todo su sentido en caso de insolvencia de la sociedad, las funciones se encuentran claramente relacionadas con el concurso de acreedores.

A) Desde su origen, ese sistema cumple una *función preventiva*, apoyada en la consideración del *capital social* como cifra de garantía de los acreedores sociales y, en particular, una *función preconcursal* (así, SSTS 2.3.2004; 20.2.2007 y 13.6.2012): impedir que, en presencia de pérdidas graves del capital, la sociedad continúe actuando en el tráfico y acabe siendo insolvente (en este sentido, la STS 1.4.2014 deja claro que no cabe identificar pérdidas graves e insolvencia, la STS 18.6.2012 ya advertía que «*se trata de una institución preconcursal dirigida a la liquidación "societaria"*» y la STS 11.1.2013 aprecia que: «*como ha reiterado la doctrina, se trata de una institución preconcursal por la que los administradores están obligados a promover la disolución y liquidación de la compañía por vía societaria cuando la sociedad aún puede cumplir íntegramente sus obligaciones, sin esperar a que el deterioro del patrimonio la coloque en situación de insolvencia concursal*»). Para evitar que la sociedad llegue al estado de insolvencia, con el consiguiente daño a los acreedores, se establece un mecanismo preventivo: en una situación de pérdida de más de la mitad del capital social (y no, por tanto, necesariamente, de insolvencia) la sociedad ha de disolverse y liquidarse de forma voluntaria o, alternativamente, eliminar ese desequilibrio patrimonial, de modo que los administradores pasarán a ser responsables de las nuevas obligaciones sociales si no realizan los actos necesarios para que esos acuerdos sociales se lleguen a adoptar y a ejecutar. Esa función se pone todavía más claramente de manifiesto desde el momento en que se precisa primero que no concurrirá causa de disolución por pérdidas graves del capital cuando la sociedad sea ya insolvente y, en consecuencia, «sea procedente solicitar la declaración de concurso» (art. 363.1-e) LSC) y se establece después que el sistema legal deja de operar en caso de concurso de acreedores, puesto que, si la sociedad se encuentra ya en estado de insolvencia, carece de sentido poner en marcha una causa de disolución cuya finalidad fundamental es, precisamente, evitar esa insolvencia mediante la correspondiente liquidación voluntaria u otra medida alternativa. La determinación de la pérdida de la mitad del capital como causa de disolución pretende evitar la declaración de concurso, pero si eso no es posible, porque la sociedad se encuentra ya en estado de insolvencia, las medidas societarias dejan paso a las concursales y el sistema legal dirigido a la promoción de la disolución se sustituye por la normativa concursal.

> *A la función meramente preventiva se añadió una función represora, dirigida a conseguir la efectiva disolución de la sociedad –o, al menos, su modificación– cuando concurra cualquier causa legal o estatutaria. La norma no contiene sólo, pues, una medida de fomento de la disolución vinculada a la función del capital social, sino también una medida coactiva cuya efectividad se consigue a través de la imposición a los administradores de una responsabilidad legal por las nuevas obligaciones sociales cuando no promuevan oportunamente la disolución de la sociedad, cualquiera que sea la causa concurrente. Siempre que exista alguna causa legítima para la disolución, la sociedad ha de disolverse, es decir, ha de iniciar el proceso extintivo, o, alternativamente, ha de enervar la causa dentro del plazo legal, y se impone a los administradores una sanción civil –la responsabilidad por las nuevas obligaciones sociales– por el incumplimiento del deber primario de convocar o del deber subsidiario de solicitar la disolución judicial o el concurso de la sociedad.*

B) El sistema legal cumple también una *función paraconcursal*. Con frecuencia, los acreedores, en lugar de instar el concurso de acreedores, que tiene el inconveniente, en muchos casos, de su inutilidad por falta de bienes, optan por realizar reclamaciones a los administradores de sociedades insolventes. Esa función, que sería incluso incentivada por el silencio inicial de la Ley Concursal (en la medida en que no impidió que durante el concurso de la sociedad los acreedores sociales, a la par que acreedores concursales, reclamasen el pago de sus créditos a los administradores que hubieran incumplido los deberes legales), se redujo drásticamente desde el momento en que la responsabilidad de los administradores quedó limitada a las nuevas obligaciones sociales y, por tanto, no puede beneficiar a todos los acreedores sociales, pero se ha reactivado con la prohibición de ejercicio de acciones de reclamación en caso de concurso.

Tras la modificación de la Ley Concursal por la Ley 38/2011, de 10 de octubre, que prohíbe el ejercicio de reclamaciones de los acreedores durante el concurso de la sociedad (art. 50.2 LC) y deja en suspenso las acciones que ya se hubieran ejercitado con anterioridad a la declaración (art. 51 bis.1 LC), el sistema legal deja de cumplir la que podíamos llamar *función concursal*, pues los acreedores de la sociedad concursada no pueden reclamar el pago a los administradores que hubieran incumplido los deberes legales.

II. LOS DEBERES LEGALES

1. *El nacimiento de los deberes legales*

1.1. El deber de convocatoria de la junta general

El primero de los deberes que se impone a los administradores es el de convocar junta general (art. 365.1 LSC). El deber surge cuando concurra una causa de disolución (art. 363 LSC), es decir, cuando acaezca cualquier hecho que la ley o los estatutos consideren que ha de conducir, por acuerdo de la junta general o por decisión judicial, a la disolución de la sociedad. El sistema legal es aplicable cualquiera que sea la causa de disolución concurrente (así, aunque con alguna confusión, STS 26.4.2005, y claramente, sobre la vinculación de esta responsabilidad a «cualquier causa de disolución», entre otras, SSTS 3.12.2013 y 14.5.2015). La sentencia del Tribunal Supremo de 24 de marzo de 2008 casó una sentencia por incongruencia, porque la responsabilidad se solicitó por la concurrencia de una causa de disolución y se declaró por otra distinta. Las causas de disolución de la sociedad de capital son el cese en el ejercicio de la actividad o actividades que constituyan el objeto social, la conclusión de la empresa que constituya su objeto, la imposibilidad manifiesta de conseguir el fin social (así, SSTS 2.7.1999, 30.4.2008 y 14.5.2008), la paralización de los órganos sociales (así, STS 26.5.2006), las pérdidas cualificadas, siempre que no exista insolvencia, la reducción del capital por debajo del mínimo legal que no sea consecuencia del cumplimiento de una ley, la violación sobrevenida y duradera del límite impuesto a la emisión de participaciones sociales sin voto o de acciones sin voto y, en fin, cualquier otra que se establezca en los estatutos (art. 363.1 LSC). En las *sociedades comanditarias por acciones*, son

también causas de disolución el fallecimiento, cese, incapacidad o apertura
de la fase de liquidación en el concurso de acreedores de todos los socios
colectivos, salvo que en el plazo de seis meses y mediante modificación de
los estatutos se incorpore algún socio colectivo o se acuerde la transformación de la sociedad en otro tipo social (art. 363 LSC).

> *Por otro lado, si la sociedad de capital reduce su capital por debajo del mínimo
> legal, se establece un sistema peculiar por cuya virtud, transcurrido un año sin
> que se hubiera inscrito el acuerdo de transformación o el de disolución de la socie-
> dad o el de aumento del capital, se producen, de modo simultáneo, la disolución
> de pleno derecho de la sociedad y la responsabilidad de los administradores por las
> deudas sociales (art. 360.1-b) LSC). Con esa amenaza para los administradores
> sólo puede pretenderse forzar a la sociedad a remediar su situación irregular antes
> de que transcurra el plazo de un año. Sin embargo, el mecanismo de la disolución
> automática transcurrido ese año elimina el riesgo de que se prolongue indefinida-
> mente la situación, lo que hace dudar de la conveniencia de tan dura sanción. Si
> se tiene en cuenta, además, que el presupuesto de la sanción es la falta de inscrip-
> ción de la medida impeditiva en tiempo oportuno (por faltar el correspondiente
> acuerdo social, o porque la medida acordada no se inscriba tempestivamente),
> lo que no siempre será imputable a los administradores, se comprenderá mejor la
> incongruencia de la sanción prevista y, sobre todo, la necesidad de interpretar el
> precepto en el sentido de que la sanción sólo procederá cuando la falta de enerva-
> ción de la disolución de pleno derecho sea imputable a los administradores, por no
> convocar junta general para la adopción del acuerdo pertinente, o por no solicitar
> la inscripción del acuerdo en tiempo oportuno.

La prueba de la concurrencia de la causa de disolución en un momento determinado corresponderá en principio, como es lógico, al acreedor
social que reclame al administrador el pago de la deuda (expresamente,
STS 3.4.1998, que recuerda la regla básica de que incumbe la prueba de
las obligaciones al que reclama su cumplimiento; y, en el mismo sentido,
SSTS 22.12.1999, 17.11.2003, 22.3.2006, 28.4.2006, 23.5.2006, 20.2.2007,
21.2.2007). No obstante, la pintoresca previsión legal de que «las obligaciones sociales reclamadas se presumirán de fecha posterior al acaecimiento
de la causa de disolución» (art. 367.2 LSC) determina que en realidad corresponda a los administradores la prueba de que no concurría la causa de
disolución en un momento determinado (así, STS 30.6.2010).

El sistema legal cobra pleno sentido cuando la sociedad no se encuentre
en buena situación económica, pues entonces los acreedores beneficiarios
intentarán la satisfacción de sus créditos contra la sociedad reclamando a
los administradores responsables. Tiene, pues, particular interés determinar cuándo concurre la causa de disolución consistente en la pérdida de la
mitad del capital y nace, por tanto, el deber legal de los administradores.

Ello obliga a concretar la *cuantía* de las pérdidas exigidas (1.1.1), a fijar el *momento* en que esas pérdidas deben estimarse constitutivas de causa de disolución (1.1.2) y a analizar la circunstancia de que la sociedad se encuentre simultáneamente en estado de insolvencia (1.1.3).

1.1.1. La cuantía de las pérdidas

La configuración de la pérdida de la mitad del capital como causa de disolución es, sobre todo, una *medida de protección de la integridad del capital social*, cuya finalidad es evitar una desproporción elevada entre capital y patrimonio que pueda reducir de manera significativa la garantía de los acreedores sociales (v. STS 24.3.2008, que señala que atiende únicamente al supuesto en que la cifra de capital se encuentra muy alejada del valor patrimonial de la sociedad, supuesto distinto al de la infracapitalización material o formal). Se trata, pues, de compeler a la sociedad a adoptar alguna medida para evitar que se llegue a una situación de insolvencia y se cause un daño a los acreedores. Para que concurra la causa de disolución y, por consiguiente, para que nazca el deber legal de convocatoria de la junta general, se exige que las pérdidas hayan reducido el patrimonio neto a un valor inferior a la mitad del capital social. A estos efectos, el patrimonio se calculará conforme a lo establecido para la elaboración de las cuentas anuales, incrementando el importe del capital social suscrito no exigido y el importe del nominal y de las primas de emisión o asunción del capital social suscrito que esté registrado contablemente como pasivo, sin que, además, se consideren patrimonio neto los ajustes por cambios de valor originados en operaciones de cobertura de flujos de efectivo pendientes de imputar a la cuenta de pérdidas y ganancias, de conformidad con lo previsto en el artículo 36 c) del Código de Comercio; e incrementando a su vez los préstamos participativos que hubiere solicitado la sociedad, de acuerdo con lo previsto en el artículo 20.1.d) del Real Decreto-ley 7/1996, y por el importe de las pérdidas por deterioro de valor del inmovilizado material, las inversiones inmobiliarias y las existencias con arreglo a la disposición adicional única del Real Decreto-ley 10/2008.

La causa de disolución opera del mismo modo cualquiera que sea la cifra del capital social, es decir, tanto si el capital es el mínimo legal general (art. 4 LSC) o especial, como si es superior a ese mínimo. Es indiferente igualmente la *causa* de esas pérdidas: pueden ser consecuencia de resultados negativos de actividades ordinarias o extraordinarias o un efecto de las dotaciones para amortizaciones y de las provisiones que, por imperativo legal o reglamentario, sea preciso realizar. Es también indiferente el *carácter* de las pérdidas: la Ley equipara los casos en los que la disminución del patrimonio social por debajo de la mitad del capital social se haya producido de modo súbito o repentino y aquellos otros en los que sea consecuencia de un proceso de deterioro. Y es, en fin, indiferente que existan o no *posibilidades objetivas de recuperación*. Si esas posibilidades existen, tienen que materializarse antes de que transcurra el plazo para el cumplimiento del deber de convocatoria (v. SSTS 16.12.2004 y 28.4.2006; v., sin embargo, STS 20.2.2007) y, en caso de fracaso de la junta convocada, antes de que transcurra el plazo para el cumplimiento del deber de solicitud de disolución judicial de la sociedad. Los administradores tienen cierto margen de maniobra para eludir la sanción incluso cuando las posibilidades de recuperación no puedan materializarse dentro del plazo de cumplimiento del deber de convocatoria de la junta, puesto que parece suficiente para ello con que los socios, apreciando la proximidad de esa recuperación, voten en contra de la disolución, lo que abre otro plazo de dos meses para el cumplimiento por los administradores del deber subsidiario de instar la declaración judicial de disolución. Los administradores pueden esperar hasta los días finales de ese segundo plazo para comprobar si dicha recuperación ha tenido lugar efectivamente o no.

El Real Decreto-ley 10/2008, de 12 de diciembre, por el que se adoptan medidas financieras para la mejora de la liquidez de las pequeñas y medianas empresas, y otras medidas económicas complementarias, con la finalidad de reducir la aplicación del sistema legal –principalmente, a las empresas del sector de la construcción–, introdujo dos importantes medidas. La primera, que, durante los dos ejercicios sociales que se cierren a partir de su entrada en vigor, «no se computarán las pérdidas por deterioro reconocidas en las cuentas anuales, derivadas del inmovilizado material, las inversiones inmobiliarias y las existencias» (disp. ad. única). Y la segunda, a su vez, que supuso la modificación del concepto de patrimonio neto (disposición final primera, que modifica el artículo 36, apartado 1, letra c) del Código de Comercio). No obstante, como consecuencia de la –delicada– situación económica española vigente al inicio del ejercicio 2010, se promulgó el Real Decreto-ley 5/2010, de 31 de marzo, en el que, entre otras medidas, se decidió prorrogar la exclusión de las pérdidas por deterioro de valor del inmovilizado, las inversiones inmobiliarias y las existencias en el patrimonio neto de la sociedad durante otros dos ejercicios sociales. El Real Decreto-ley 4/2014, de 7 de marzo, por el que se adoptan medidas urgentes en materia de refinanciación y reestructuración de deuda empresarial, convalidado por la Ley 17/2014, de 30 de septiembre, pone fin (desde 2015) a la normativa excepcional vigente desde 2008 y prorrogada durante 2013 y 2014 (v. disp. final 7ª).

1.1.2. *El momento relevante para la determinación de la concurrencia de las pérdidas*

La causa de disolución ha de estimarse concurrente desde el mismo momento en que los administradores conocieran o hubieran debido conocer la existencia de las pérdidas (SSTS 30.10.2000, 20.7.2001, 16.7.2007, 23.10.2008, 14.7.2010, 10.11.2010 y 19.5.2011). La determinación del importe de las pérdidas resultará normalmente de documentos contables, sean las cuentas anuales, o sean los que con anterioridad al cierre del ejercicio manifiesten con evidencia el referido desequilibrio patrimonial; pero la pérdida puede llegar a ser tan manifiesta que los administradores no puedan ignorarla sin necesidad de documento contable alguno. En consecuencia, a partir del momento en que los administradores conozcan o deban conocer –no puedan ignorar– el desequilibrio patrimonial legalmente exigido comienza a correr el plazo para que convoquen la junta general que ha de decidir la medida a adoptar.

> Esta es la solución jurisprudencial prevalente, asumida por el Tribunal Supremo desde la sentencia de 30 de octubre de 2000: «el dato decisivo para efectuar el cómputo del plazo de dos meses no se puede reconducir de modo absoluto al momento en que se conoce el resultado de las cuentas anuales, sino que se ha de contemplar en relación con el conocimiento adquirido, o podido adquirir (...), acerca de que se da una situación en la que el patrimonio social es inferior a la mitad del capital social» (v., en idénticos términos, STS 23.3.2006). La sentencia del Tribunal Supremo de 20 de julio de 2001, afirma que comienza «en el momento mismo en que los administradores conocen la situación patrimonial». E insisten en esa tesis las sentencias del Tribunal Supremo de 16 de diciembre de 2004, que añade que el desequilibrio puede deducirse tanto de un balance de comprobación como de un estado de situación, de 20 de febrero y 4 y 16 de julio de 2007, según las cuales el deber del administrador nace «cuando advierte o debió advertir el desequilibrio patrimonial»; de 23 de octubre de 2008, según la cual el cómputo del plazo de dos meses comienza cuando el administrador conoció o pudo conocer –aplicando la normal diligencia en el ejercicio de su cargo– la situación económica de crisis, y no desde que se publicasen las cuentas anuales, y de 14 de julio de 2010, que resume la doctrina legal sobre la materia (doctrina que se confirma, entre otras, en la STS 17.3.2011).
>
> Se ha defendido también la interpretación de que la causa legítima para la disolución no puede estimarse concurrente hasta el momento en el que se formulan las cuentas anuales por los administradores y, en caso de falta de formulación, hasta el último día del plazo legal establecido a tal fin. Conforme a esta segunda

tesis, si los administradores formulan las cuentas anuales antes de que finalicen los tres meses contados a partir del cierre del ejercicio social, se deberá estar a la fecha de la formulación; y si, por el contrario, infringiendo el deber legal de formulación oportuna, dejan transcurrir ese plazo de tres meses sin redactar las cuentas anuales, el dies a quo para la convocatoria de la junta sería el último día del plazo para esa formulación oportuna (es el caso de la sentencia del Tribunal Supremo de 23 de febrero de 2004, que, sin embargo, no se pronunció sobre el problema).

La diferencia entre una y otra tesis se manifiesta en los casos de especial gravedad, en que antes del cierre del ejercicio social y de la formulación de las cuentas correspondientes a dicho ejercicio la situación sea tan insostenible que los administradores tengan que adoptar medidas para el saneamiento financiero de la sociedad (convenios extrajudiciales con uno o varios acreedores, ejercicio de la facultad delegada de acordar el aumento del capital social, etc.) o tengan que convocar junta general para que acuerde las medidas oportunas o la disolución de la sociedad o incluso el concurso de acreedores. Según la primera tesis, en ese momento ya nacería el deber de los administradores de convocar junta general en el plazo de dos meses, cuyo incumplimiento acarrearía la correspondiente sanción. Para la segunda tesis, en cambio, no se iniciaría en ese momento el dies a quo para el cómputo del plazo del cumplimiento de ese deber específico de convocatoria; pero ello no impediría que, en ocasiones, el deber general de administración diligente exigiese una concreta actuación de los administradores, antes del cierre de ese ejercicio, para evitar las consecuencias negativas de unas pérdidas sobrevenidas o del incremento de pérdidas preexistentes.

Una tesis hasta cierto punto intermedia es la defendida por la sentencia del Tribunal Supremo de 20 de febrero de 2007, que, partiendo de la base de que el hecho determinante del inicio del plazo es el conocimiento de las pérdidas por parte de los administradores exige que eso tenga lugar «en términos de normalidad económica y contable», de modo que pueda retrasarse el inicio del plazo de la situación inicial de pérdidas, que podía entenderse superada unos meses después, para reflejarse finalmente en las cuentas sometidas a la junta general.

El análisis de los argumentos que pueden utilizarse en defensa de una y otra tesis revela las dificultades para inclinarse por una de ellas y obliga a postular una reforma legislativa sobre el particular.

A) El primer argumento es, lógicamente, el que se deriva del fundamento del sistema legal: si ese fundamento es la tutela de los acreedores sociales, cualquier demora en su operatividad iría en contra de dichos acreedores, ya que la sociedad podría caer en estado de insolvencia; pero, en sentido contrario, la vinculación de las pérdidas a la formulación de las cuentas anuales sería más congruente con la regla de la interpretación restrictiva de las causas legítimas para la disolución.

B) En segundo lugar, se argumenta sobre la base del concepto de pérdidas. Así, para unos, pérdida equivale sencillamente a disminución de patrimonio susceptible de cuantificación, de modo que si la Ley no añade nada es porque estaría utilizando ese significado de pérdidas, algo que se justificaría por la gravedad de la situación. Para otros, la Ley concibe las pérdidas –más técnicamente– como el resultado negativo que figure en las cuentas anuales.

C) El tercer argumento es de orden lógico. Se afirma, en un sentido, que ha de tratarse de pérdidas reflejadas en el balance anual, ya que, en caso contrario, al no existir cautela temporal alguna, se podría llegar a un resultado absurdo o ilógico. Así, por ejemplo, en el supuesto de que, en el primer trimestre de un ejercicio, una sociedad experimente resultados negativos que superen la mitad de la cifra del capital social y en los meses siguientes obtenga resultados positivos que sitúen las pérdidas al final de ese ejercicio por encima de ese porcentaje. De seguir la tesis de que el dies a quo coincide con el momento en el que las pérdidas se producen materialmente, los administradores de la sociedad, al confeccionar el balance trimestral de comprobación, conocerían la cuantía de esas pérdidas (o, mejor, de esos resultados negativos) y, desde ese mismo momento comenzaría a correr el plazo de dos meses para convocar la junta general con el objeto de acordar la disolución de esa sociedad. Si esa situación patrimonial fuera pasajera o reversible –v. gr.: obedeciera simplemente a un descenso transitorio en la cotización de elementos del patrimonio en época de volatilidad del mercado de mercaderías o de valores–, al final de ese mismo ejercicio, la sociedad se encontraría disuelta y en fase de liquidación a pesar de que la situación patrimonial no fuera de déficit o éste tuviera un carácter menor. Pero, del mismo modo que a un balance trimestral de comprobación en el que figuren resultados negativos graves puede seguir un balance trimestral o anual en el que ya no figuren (por haberse compensado con resultados positivos, por revalorización de elementos del activo, etc.), esas pérdidas cualificadas pueden existir al final de un ejercicio social determinado y haber desaparecido el día de celebración de la junta general convocada para acordar la disolución, o poco tiempo después.

Parece, pues, conveniente solucionar el problema mediante una intervención legislativa. Esa intervención iba a producirse en la Ley de reforma y adaptación de la legislación mercantil en materia contable para su armonización internacional con base en la normativa de la Unión Europea, pero finalmente la Ley 16/2007, de 4 de julio, no entró en el tema. En los primeros trabajos de elaboración de esa Ley se proponía una fórmula intermedia, según la cual las pérdidas habrían de concurrir «al cierre del ejercicio social», y en el Proyecto de Ley proponía la siguiente redacción (art. 363.1-d) LSC): la sociedad (anónima o de responsabilidad limitada) se disolverá (...) «cuando las cuentas anuales reflejen que el patrimonio neto de la sociedad ha quedado reducido a una cantidad inferior a la mitad del capital social (...)». Por su parte, el Anteproyecto de Ley del Código Mercantil de mayo de 2014, en relación con los deberes de los administradores en la situación de pérdidas de la mitad del capital, recoge que «en el caso de que concurra causa legal de disolución por pérdidas, una vez que los administradores hayan formulado las cuentas anuales de las que se desprendan tales pérdidas, deberán incluir en el orden del día de la junta que haya de aprobarlas la propuesta de aumentar, reducir o reintegrar el capital social o de disolver la sociedad» (art. 272-11).

1.1.3. La superposición del estado de insolvencia de la sociedad

La causa de disolución por pérdidas de la mitad del capital social concurrirá «siempre que no sea procedente solicitar la declaración de concurso» (art. 363.1 letra «e» *in fine* LSC). Aunque la formulación concreta deje mucho que desear, la *precisión legal* es lógica y, además, *sumamente significativa*: si la sociedad se encuentra en estado de insolvencia y, por tanto, *procede* la declaración de concurso (en los términos de la Ley Concursal: arts. 2, 3 y 5), carece de sentido poner en marcha una causa de disolución cuya finalidad fundamental es, precisamente, evitar esa insolvencia a través de una liquidación voluntaria o de una medida alternativa. De este modo, *en caso de insolvencia, la pérdida de la mitad del capital dejaría de operar como causa de disolución para ceder el paso a la solución concursal.* Parece claro, pues, que, como es lógico, *en situaciones de dificultad corresponda a los administradores sociales valorar y decidir si procede la convocatoria de la junta general, porque la sociedad haya perdido la mitad de su capital (pero no se encuentre en estado de insolvencia), o si procede, por el contrario, solicitar la declaración de concurso, porque la sociedad se encuentra en estado de insolvencia (haya o no perdido la mitad de su capital).* En caso de pérdida de la mitad del capital sin estado de insolvencia, la sociedad deberá disolverse –o adoptar una medida alternativa–, porque «no es procedente solicitar la declaración de concurso», de modo que si, en esa situación, los administradores no convocan junta en el plazo de dos meses, pasarán a responder de las nuevas obligaciones sociales (art. 367 LSC), con independencia de que más tarde la sociedad llegue o no a ser insolvente y se declare o no el concurso de acreedores. En caso de estado de insolvencia, los administradores habrán de solicitar la declaración de concurso, con independencia de que concurran o no las pérdidas legalmente fijadas como causa de disolución (así, SSTS 6.4.2006 y 30.6.2010), y dentro del concurso la sociedad habrá de adoptar la medida que corresponda, pero sin que proceda presionar a los administradores con tan duro sistema de responsabilidad.

La consecuencia evidente de que a la concurrencia de las pérdidas de la mitad del capital se una el estado de insolvencia es, pues, que *los administradores no deban convocar junta general,* en la medida en que deja de concurrir la causa de disolución (arts. 364 y 365 LSC), sino que *deban instar el concurso de acreedores* (arts. 2, 3 y 5 LC), de modo que no podrán ser sancionados por el incumplimiento de un deber ahora inexistente. Sin embargo, la Ley añade que, *cuando concurra causa de disolución,* los administradores deberán convocar la junta para que adopte el acuerdo de disolución *«o, si la sociedad fuera insolvente, ésta inste el concurso»* (art. 365.1 LSC), de modo que, literalmente, en caso de insolvencia de la sociedad que concurriera con una causa de disolución, los administradores no estarían obligados a solicitar el concurso (pese a lo dispuesto en los arts. 2, 3 y 5 LC), sino que podrían limitarse a convocar junta general de socios. Si se tiene en cuenta que la propia Ley establece que la insolvencia de la sociedad enerva la causa de disolución, sólo cabe interpretar el precepto considerado en el sentido de que los administradores deberán convocar junta general cuando concurra causa de disolución y no concurra estado de insolvencia, pero en ese caso la junta no sólo podrá acordar la disolución –que constituye competencia exclusiva de ella (art. 160 letra «g» LSC)– o la remoción de la causa (art. 365.2 LSC), sino que podrá también «proponer» a los administradores la solicitud de concurso. En tal caso, por supuesto, queda también cumplido el deber de los administradores de convocar la junta general, de modo que no sería procedente la consecuencia derivada del incumplimiento (art. 367 LSC).

> *Los antecedentes legislativos demuestran que la única finalidad de la reforma de las Leyes de Sociedades Anónimas y de Responsabilidad Limitada realizada por la Ley Concursal en 2003, de la que derivan las referidas normas, era que la solicitud de concurso de acreedores de la sociedad incursa al mismo tiempo en causa de disolución se considerase como cumplimiento alternativo de los deberes legales impuestos y, por tanto, impeditiva de la sanción. Sin embargo, consciente o inconscientemente, las dos Leyes reguladoras de las sociedades de capital fueron en su redacción más allá de esa finalidad. Así, al establecer que los administradores «podrán solicitar la declaración de concurso por consecuencia de pérdidas» (art. 262.2-II LSA), se estaba diciendo que, cuando concurriera el estado de insolvencia de la sociedad, los administradores podrían no sólo, como es obvio, solicitar –directamente– la declaración de concurso (arts. 2, 3.1 y 5.1 LC), sino que podrían también, lo que parece menos lógico, convocar junta general. De ese modo, la Ley de Sociedades Anónimas (modificada en este punto por la Ley Concursal) vino a establecer una regla especial de competencia para la solicitud de concurso en estos supuestos: el órgano «competente para decidir sobre la solicitud» (art. 3.1-II LC) no será únicamente el órgano de administración, porque este órgano queda facultado también para someter la solicitud de concurso a la consideración de la junta de accionistas. Naturalmente, el simple incumplimiento del deber –concursal– de solicitar el concurso cuando concurra el estado de insolvencia (art. 5 LC) no implica la imposición a los administradores de la responsabilidad por las nuevas obligaciones sociales, porque, a esos efectos, la Ley «transforma» el deber de solicitar el concurso en una simple facultad, alternativa a la de convocar la junta general –aunque sí podrá producirse la responsabilidad derivada de la eventual calificación del concurso como culpable–. Para que nazca la responsabilidad por obligaciones sociales, es preciso, además, que los administradores no convoquen junta general en el plazo de dos meses, o que, convocada la junta, no se celebre o no acuerde solicitar el concurso y los administradores no soliciten el concurso en «el plazo de dos meses a contar desde la fecha prevista para la celebración de la*

Junta o desde el día de la Junta, cuando el acuerdo hubiera sido contrario al con-
curso», o que, finalmente, la junta convocada para decidir acerca de la solicitud
de concurso acuerde esa solicitud y los administradores no insten el concurso en el
plazo de dos meses (art. 262.5 LSA).

Más lejos aún fue la Ley de Sociedades de Responsabilidad Limitada. En
efecto, en estas sociedades, cuando, de forma simultánea a la causa de disolución,
concurriera el estado de insolvencia, los administradores no sólo no deberían, sino
que ni siquiera podrían solicitar directamente la declaración de concurso de la
sociedad, puesto que el deber legal consistía necesariamente en «convocar la Junta
General en el plazo de dos meses para que (...) inste el concurso» (art. 105.1,
segundo inciso). El deber de solicitar el concurso (art. 5 LC) se convertía, pues,
en un deber de convocar la junta general, y la competencia de los administradores
para decidir sobre la solicitud de concurso (art. 3.1-II LC) pasaba, al menos en
un primer momento, a la junta general. Para que no quedase duda alguna sobre
la modificación de esas dos reglas previstas por la Ley Concursal, se partía de la
base de que «la solicitud de concurso (...) requerirá acuerdo de la Junta General
adoptado por la mayoría a que se refiere el apartado 1 del artículo 53» (art.
105.1, primer inciso).

La Ley de Sociedades de Capital, en cuanto simple texto refundido,
no podía modificar lo dispuesto en las Leyes reguladoras refundidas; pero
sí podía –y debía– «aclarar» lo dispuesto en tales leyes. Pues bien, la Ley
–cumpliendo su deber de aclaración–, de un lado, suprimió la previsión según la cual los administradores «podrán solicitar la declaración de concurso por consecuencia de pérdidas que dejen reducido el patrimonio a una
cantidad inferior a la mitad del capital social, a no ser que este se aumente
o se reduzca en la cuantía suficiente, siempre que la referida reducción
determine la insolvencia de la sociedad, en los términos a que se refiere el
artículo 2 de la Ley Concursal» (art. 262.2-II LSA), que era, a todos luces,
innecesaria, y, además, podía inducir a confusión. Además, la Ley unificó el régimen de las sociedades limitadas y anónimas, que contenía diferencias injustificadas. Sin embargo, la Ley no modificó –porque no podía
hacerlo– el deber de los administradores tal y como estaba concebido en
las leyes reguladoras, aunque la disposición de los artículos reguladores
permite comprender mejor la tesis expuesta en torno a las relaciones entre
causa de disolución por pérdidas y estado de insolvencia.

El Tribunal Supremo ha abordado aquellas relaciones en la sentencia de 15
de octubre de 2013 manifestando que «El estado de insolvencia no constituye, por
sí, una causa legal que haga surgir el deber de los administradores de promover la
disolución de la sociedad. No cabe confundir, [...], entre estado de insolvencia y la
situación de pérdidas que reducen el patrimonio neto de la sociedad por debajo de
la mitad del capital social, que, [...], sí constituye causa de disolución. Aunque es
frecuente que ambas situaciones se solapen, puede ocurrir que exista causa de disolu-

ción por pérdidas patrimoniales que reduzcan el patrimonio de la sociedad a menos de la mitad del capital social, y no por ello la sociedad esté incursa en causa de concurso. En estos supuestos opera con normalidad el deber de promover la disolución conforme a lo prescrito, antes en los artículos 262 del Texto Refundido de la Ley de Sociedades Anónimas y 105 de la Ley de Sociedades de Responsabilidad Limitada, y ahora en el artículo 367 de la Ley de Sociedades de Capital. Y a la inversa, es posible que el estado de insolvencia acaezca sin que exista causa legal de disolución, lo que impone la obligación de instar el concurso, cuya apertura no supone por sí sola la disolución de la sociedad, sin perjuicio de que pueda ser declarada durante su tramitación por la junta de socios y siempre por efecto legal derivado de la apertura de la fase de liquidación (art. 145.3 LC)». El Tribunal concreta que: «En supuestos en que concurra la causa 4ª del artículo 260.1 del Texto Refundido de la Ley de Sociedades Anónimas [actual núm. 363.1.e) LSC], pérdidas que hayan reducido el patrimonio neto por debajo de la mitad del capital social, cesa el deber de instar la disolución si, por concurrir además el estado de insolvencia de la compañía conforme al artículo 2.2 de la Ley Concursal (cuando "no puede cumplir regularmente sus obligaciones exigibles"), se solicita y es declarado el concurso de acreedores de la sociedad. Así se desprende de una interpretación del citado artículo 260.1.4°, en relación con los apartados 2 y 5 del artículo 262. Lo anterior no significa que la declaración de concurso de acreedores exima de la posible responsabilidad ex artículo 262.5, en que los administradores hubieran podido incurrir antes del concurso, sin perjuicio de que, tras la reforma introducida por la Ley 38/2011, de 10 de octubre, la declaración de concurso suspenda el ejercicio de esta acción de responsabilidad (art. 50.2 LC) y, si [...] estuviera en tramitación, se paralizará el procedimiento (art. 51.1.bis LC).Sin embargo, sí supone que, tras la declaración de concurso, cesa el deber legal de los administradores de instar la disolución, que se acordará finalmente, como un efecto legal de la apertura de la fase de liquidación (art. 145.3 LC), cuando se opte por esta solución concursal. Que cese este deber legal de promover la disolución de la sociedad, mediante la convocatoria de la junta de accionistas para que adopte el preceptivo acuerdo, no significa que la junta de accionistas no pueda acordarlo, pues está perfectamente legitimada para hacerlo sin que deba necesariamente concurrir una causa legal para ello (art. 260.1.1° TRLSA). Todo ello con la finalidad de precisar que: «Tampoco durante la fase de cumplimiento del convenio puede surgir el deber de promover la disolución y la consiguiente responsabilidad por no hacerlo dentro del plazo legal. Lo impide, no la vigencia de los efectos de la declaración de concurso, que cesan conforme al artículo 133.2 de la Ley Concursal, sino la propia normativa societaria (en nuestro caso, los arts. 260.1.4 ° y 262.2 y 5 TRLSA), que establece el concurso de acreedores como un límite al deber de los administradores de promover la disolución, bajo la lógica de que la situación de concurso de la compañía se rige por una normativa propia, que expresamente prevé la disolución de la compañía, como consecuencia necesaria a la apertura de la fase de liquidación (art. 145.3 LC), y que, en caso de aprobación de convenio, impone al deudor el deber de instar la liquidación cuando, durante la vigencia del convenio, conozca la imposibilidad de cumplir los pagos comprometidos y las obligaciones contraídas con posterioridad a su aprobación (art. 142.2 LC)».

1.2. El deber de solicitud de la disolución judicial

El segundo deber legalmente impuesto a los administradores es el de solicitar la disolución judicial de la sociedad, cuando el acuerdo social fuese contrario a la disolución o no pudiera ser logrado (art. 366.2-I LSC). La solicitud habrá de formularse en el plazo de dos meses a contar, según los casos, desde el día de la fecha prevista para la celebración de la junta o desde el día de la junta (art. 366.2-II LSC). El deber de solicitud de la disolución judicial de la sociedad tiene un *doble presupuesto*: la *subsistencia* de la causa de disolución y el *fracaso* de la junta general convocada para acordar la disolución. El sistema legal obliga, sin embargo, a tener en cuenta en ambos casos la posibilidad de que sobrevenga la insolvencia de la sociedad, pues se superpone entonces el deber legal de instar el concurso.

El *primer presupuesto* es la *subsistencia de la causa de disolución*. Por tanto, los administradores no deberán solicitar la disolución judicial de la sociedad si la causa de disolución hubiera desaparecido, por cualquier causa, en la fecha de la junta o durante los dos meses siguientes al día fijado para la celebración de la junta convocada, hubiérase o no constituido, o si en ese plazo de dos meses la disolución hubiera sido ya instada por algún interesado (así, STS 24.10.2002). La disolución judicial tampoco deberá ser solicitada cuando, durante el plazo de dos meses, aun subsistiendo la causa de disolución, sobreviniera el *estado de insolvencia*, porque, en tal caso, el deber de los administradores pasará a ser el de *instar el concurso*: de nuevo el sistema legal de tutela basado en el capital social es sustituido por el derecho de la insolvencia, y así lo manifiesta la Ley, aunque la técnica utilizada no sea tampoco la más adecuada. En efecto, se establece que «responderán solidariamente de las obligaciones sociales (...) los administradores que no soliciten la disolución social *o, si procediere, el concurso de la sociedad*» (art. 367.1 LSC). Quiere ello decir que, cuando la insolvencia de la sociedad sobrevenga dentro del plazo para el cumplimiento del deber subsidiario de instar la disolución judicial (del mismo modo que cuando el estado de insolvencia se superponía a la existencia de pérdidas cualificadas), los administradores deberán solicitar el concurso de la sociedad (y no la disolución judicial). No habrán de instar la disolución judicial y tampoco podrán convocar junta general para que se pronuncie sobre la situación, porque no parece razonable reiniciar el cómputo de los plazos. Naturalmente, la falta de solicitud de concurso determinará la responsabilidad de los administradores por las nuevas obligaciones sociales, ya que el deber de instar el concurso de acreedores vendría a sustituir al deber de instar la disolución judicial, y también supondría, si el concurso llegara a declararse y se abriera la sección de calificación, la presunción de concurso culpable, salvo prueba en contrario (art. 165.1-1° LC).

El *segundo presupuesto* es que la junta general de socios, específicamente convocada para la adopción del acuerdo de disolución, no hubiera podido constituirse o no hubiera adoptado el acuerdo de disolución. Si adopta ese acuerdo, los administradores no están obligados a solicitar la disolución judicial o el concurso. Por supuesto, en cuanto interesados, los administradores *podrán,* si lo consideran oportuno, solicitar la disolución judicial de la sociedad (art. 366.1 LSC); pero se trata de una mera facultad, y no de un deber en sentido técnico-jurídico.

2. La extinción de los deberes legales

Si los dos deberes legales de cumplimiento sucesivo nacen con la concurrencia de la causa de disolución, han de considerarse extinguidos si, antes de que finalice el respectivo plazo de dos meses establecido para su cumplimiento, *la causa hubiera desaparecido o hubiera sido removida.* La desaparición o la remoción de la causa de disolución puede tener lugar dentro del plazo de cumplimiento del primer deber –esto es, dentro del plazo establecido para la convocatoria de la junta– o dentro del plazo de cumplimiento del segundo deber, cuando, fracasado el objetivo de un acuerdo voluntario de disolución, los administradores han de instar la disolución judicial (o el concurso) de la sociedad. Se establece expresamente que la junta general convocada por los administradores en cumplimiento de su deber legal tiene competencia para remover la causa de disolución (art. 365.2 LSC). La Ley distingue claramente entre causa de disolución y disolución propiamente dicha: el efecto de la disolución no se produce por la simple concurrencia de la causa, pues los órganos sociales conservan todos sus poderes y, entre ellos, el de eliminar la causa, haciendo desaparecer el presupuesto de la disolución. Por otra parte, esa parece ser la solución más lógica: si, al lado de la existencia de una causa legal o estatutaria de disolución, considerada como incompatible con la continuidad de la sociedad, la Ley exige, en todo caso, un acuerdo de la junta que abra la liquidación, parece correcto entender que el acuerdo social no puede ser contrario a la disolución si la causa existe y subsiste, pero si la propia junta procede a la eliminación de aquella causa, tomando los acuerdos oportunos, ha de estimarse como válida y eficaz la remoción de la causa de disolución.

Particular interés presenta la posibilidad de remover la causa de disolución consistente en la pérdida de la mitad del capital, que la Ley contempla autónomamente (art. 363.1 letra «e» LSC). La desaparición de las pérdidas graves puede tener lugar por causa económica o por causa jurídica. Se produce la *desaparición económica* de las pérdidas graves cuando la sociedad obtiene resultados positivos, por ingresos ordinarios o extraordinarios, o cuando, de cualquier otro modo, consiga enjugar las pérdidas en medida suficiente. Ahora bien, se reproduce aquí el problema de la concurrencia de la causa de disolución: si no existen propiamente pérdidas y tampoco ganancias hasta la formulación de las cuentas anuales (o hasta que transcurra el plazo para la formulación de esas cuentas), los resultados positivos obtenidos en el siguiente ejercicio no enervarán los deberes legales de convocar junta y de instar la disolución judicial de la sociedad hasta que finalice ese ejercicio y se formulen las cuentas anuales. En todo caso, la carga de la prueba de que esos resultados positivos efectivamente se han producido pesa sobre los administradores.

Se produce la *desaparición jurídica* de la causa de disolución cuando la sociedad adopta y ejecuta determinados acuerdos sociales que, directa o indirectamente, producen ese específico efecto. Esas medidas pueden ser directas o indirectas. Entre las *medidas directas*, la Ley menciona dos operaciones sociales, el aumento y la reducción del capital social, que, una vez ejecutadas, extinguen los deberes de convocar la junta general y de instar la disolución judicial de la sociedad. No se trata de una enumeración taxativa y excluyente. No sólo es posible la combinación de ambas medidas (la reducción y el aumento simultáneos, denominada «operación acordeón»), sino que existen otras medidas directas como la aportación de los socios para la compensación de pérdidas (reintegración del capital), que producen el mismo efecto. Las *medidas indirectas* son aquellas que no tienen por finalidad primaria la eliminación de la causa legal de disolución, sino la modificación de la normativa aplicable a la sociedad, de manera que la pérdida de la mitad del capital dejase de constituir causa legítima para la disolución. Así sucede cuando la sociedad anónima o de responsabilidad limitada afectada se transforma en sociedad colectiva o en sociedad comanditaria simple, formas sociales en las que, para que exista causa legal de disolución por pérdidas, se exige la pérdida entera del capital social (art. 221-2º C de C), y en las que, además, aun concurriendo esa causa, no pesa sobre los administradores deber legal específico de clase alguna, y también cuando se modifican las normas contables, de tal modo que el cálculo de las perdidas varía.

En fin, «desaparece» también la causa de disolución, como ya se ha indicado, y como subraya la Ley (art. 363.1 letra «e» *in* fine), cuando se produce el estado de insolvencia de la sociedad. La superposición del estado de insolvencia hace que deje de concurrir la causa de disolución por pérdidas.

La Ley prevé expresamente que esta causa legal de disolución se elimine mediante el aumento o la reducción del capital social. Cabe, pues, que los administradores convoquen junta general para tratar de ese aumento o de esa reducción del capital y no de la disolución de la sociedad (v., en ese sentido, STS 23.2.2004) y cabe también que el punto relativo a la disolución se sitúe en el orden del día después del relativo a ese aumento o a esa reducción (o a esa *operación acordeón*), para el caso de que estas operaciones de saneamiento no fueran aprobadas. La virtualidad para enervar la eficacia de la causa legal de disolución corresponde a la *operación* de aumento o de reducción (o a la operación combinada de reducción y de aumento simultáneos) y no al simple acuerdo de aumento o de reducción. La Ley establece, con toda claridad, que, en caso de pérdidas graves, la sociedad está obligada a disolverse, a no ser que el capital se aumente o se reduzca en la medida suficiente. El acuerdo de aumento o de reducción es, pues, condición necesaria, pero no es condición suficiente: se requiere la *ejecución* de ese acuerdo, es decir, que el capital efectivamente se aumente o se reduzca en la medida suficiente (SSTS 23.2.2004, 16.12.2004 y 14.7.2010).

> *Tanto el aumento como la reducción pueden realizarse en la medida necesaria para eliminar la desproporción entre el capital y el patrimonio neto. Si, como consecuencia del aumento, el patrimonio neto alcanza o supera la mitad del capital social, desaparece la causa legal de disolución y, por consiguiente, se extinguen los deberes de los administradores de promover la disolución de la sociedad. Del mismo modo, la reducción no tiene que comprender la totalidad de las pérdidas. Para enervar los efectos de la causa de disolución, la junta debe acordar la reducción del valor nominal de las acciones o participaciones sociales bien por la totalidad de las pérdidas efectivamente producidas, bien por parte de ellas, siempre que, como consecuencia de la reducción, la cifra del capital sea superior a la mitad del patrimonio neto de la sociedad. No es, pues, necesario que cuantía de las pérdidas y cuantía de la reducción sean coincidentes. La reducción del capital es una operación más sencilla que el aumento. El único inconveniente es que el acuerdo de reducción es competencia exclusiva de la junta general, mientras que, en caso de capital autorizado, la competencia para adoptar el acuerdo de aumento es del órgano de administración, lo que supone un ahorro de tiempo que puede ser importante.*
>
> *Mientras que la ejecución del acuerdo de reducción por pérdidas graves no es necesaria, por agotarse la operación en el propio acuerdo (sin que pueda considerarse ejecución propiamente dicha la formalización del acuerdo), la ejecución del acuerdo de aumento del capital social supone un tiempo, más o menos largo, como consecuencia necesaria del proceso de suscripción (o asunción) y desembolso de las nuevas acciones o participaciones sociales (o como consecuencia del desembolso en caso de mera elevación del valor nominal). Con demasiada frecuencia, cuando finaliza la operación de aumento, han transcurrido ya los dos meses establecidos por la Ley para el cumplimiento del deber de convocatoria (así, STS 14.7.2010).*

Por esta razón, parece conveniente que, en la misma junta que adopte el acuerdo de aumento, se adopte también, aunque bajo condición suspensiva, el acuerdo de disolución, facultando a los administradores para que, en caso de fracaso o de retraso de la operación de aumento, puedan considerar cumplida la condición y, por consiguiente, disuelta la sociedad. Es preciso tener en cuenta, igualmente, que la suficiencia del aumento plantea un problema de estrategia, si existen incertidumbres acerca de si la suscripción de las nuevas acciones será o no completa.

En todo caso, para enervar los efectos de la causa legal de disolución, ni el aumento ni la reducción tienen que estar inscritos. La inscripción de la operación de aumento, de la operación de reducción o de la denominada «operación acordeón» no tiene efecto constitutivo, sino meramente declarativo. El aumento o la reducción existen aunque todavía no hayan accedido al Registro mercantil. En todo caso, el acreedor social que, confiando en el Registro, presentara demanda contra los administradores sociales para hacer efectiva la responsabilidad legal por las deudas sociales, no debería ser condenado al pago de las costas a pesar de la desestimación de la demanda; y, si fuera condenado, tendría acción contra los propios administradores (ex art. 241 LSC) si, concurriendo culpa, hubieran demorado éstos el acceso al Registro de la operación de aumento o de reducción, por el daño que dichas costas ocasionan al patrimonio del acreedor demandante.

3. El cumplimiento de los deberes legales

3.1. La convocatoria de la junta general

El cumplimiento ordinario del primer deber legal exige la adopción del acuerdo o de la decisión de convocar junta general y la observancia de las formalidades en relación con el anuncio de convocatoria. No existirá deber legal de convocatoria si ya hubiera tenido lugar una convocatoria judicial a solicitud de la minoría siempre que en el orden del día de dicha junta figure el punto relativo a la disolución de la sociedad o, en su caso, al concurso. El deber de los administradores de convocar junta general se entenderá, pues, cumplido siempre que la convocatoria se realice antes de que transcurran dos meses, a contar desde la concurrencia de la causa de disolución (así, SSTS 30.10.2000, 16.12.2004 y 14.7.2010; contra, sin embargo, STS 23.2.2004, que, de forma más que sorprendente, «amplía» el plazo legal sosteniendo que esa argumentación «se basa en una interpretación rígida y literal de la norma, improcedente cuando el *desfase temporal es de tan pocos* días si es seguido por la convocatoria de la Junta»).

La adopción del acuerdo o decisión de convocar constituye un *deber de carácter orgánico*. Si la administración estuviera encomendada a un consejo, se requiere acuerdo adoptado en sesión legalmente constituida, y si la administración estuviera encomendada a administradores manco-munados, se requiere decisión conjunta. Los miembros singulares del consejo de administración (o un singular miembro del órgano de administración mancomunada) no pueden convocar individualmente la junta general. Es dudoso si, en caso de cese de la mayoría de los miembros del consejo de administración, cualquiera de los administradores que permanezcan en el ejercicio del cargo, que puede convocar junta general con la finalidad de completar el órgano (art. 171-II LSC), puede o no incluir en el orden del día de dicha junta el tema de la disolución, aunque parece lógico pensar que, al existir tanto un deber legal como un concreto plazo para su cumplimiento, el consejo deficitario tendría competencia para añadir la disolución de la sociedad al punto relativo a la cobertura de las vacantes.

3.2. La solicitud de disolución judicial

El cumplimiento ordinario del deber legal subsidiario impuesto a los administradores exige la presentación de solicitud de disolución judicial de la sociedad –o de declaración de concurso– ante el juez competente. Por lo que se refiere a la disolución judicial, será necesario acreditar la existencia de la causa de disolución y que, desde su acaecimiento, han transcurrido dos meses sin que la junta general hubiera acordado la disolución de la sociedad (bien por falta de convocatoria de la junta, bien por falta de constitución de la misma, o bien por falta de acuerdo de disolución) o sin que la sociedad hubiera procedido a la remoción de dicha causa legal de disolución (v. STS 28.4.2006, según la cual las juntas «*no pueden tenerse por celebradas cuando manifiestamente incumplen los presupuestos legales para su existencia y eficacia*»). En el Derecho español, es posible impugnar acuerdos positivos, pero no acuerdos negativos, o, con mayor claridad, la falta de adopción de un determinado acuerdo (v. STS 2.6.2015). La razón estriba en que el juez no puede, con carácter general, suplir la voluntad de la junta general. Por esta razón, si la junta no acuerda la disolución de la sociedad, los administradores no deben impugnar dicho acuerdo negativo, sino que deben solicitar la disolución judicial de la sociedad. En todo caso, si se impugnara ese acuerdo negativo, la impugnación no produce efectos suspensivos del deber supletorio de instar la disolución judicial o el concurso de la sociedad.

> No es necesario acumular a la solicitud de disolución judicial la solicitud de nombramiento de los liquidadores. Salvo disposición contraria de los estatutos o, en su defecto, en caso de nombramiento de los liquidadores por la junta general de socios que acuerde la disolución de la sociedad, quienes fueren administradores

al tiempo de la disolución de la sociedad quedarán convertidos en liquidadores (art. 376.1 LSC).

Aunque los términos en que se expresan las normas legales aplicables no son suficientemente claros, el deber de solicitar la disolución judicial no es un deber individual, sino un *deber de ejecución orgánica.* Lógicamente para evitar la responsabilidad personal por obligaciones sociales, cada uno de los miembros del órgano de administración tiene el derecho, en cuanto interesado, de instar esa disolución (art. 366.1 LSC).

> *En ese sentido, la sentencia de la Audiencia Provincial de Barcelona [15ª] de 19 de septiembre de 2000 consideró que había cumplido con los deberes de promoción oportuna de disolución el administrador único nombrado el 14 de marzo de 1996 que el 3 de abril siguiente convocó junta para el día 23 del mismo mes, dimitiendo poco después de esa convocatoria; y luego, ante la falta de adopción del acuerdo de disolución y ante la falta de aceptación de la renuncia, por existir dos bloques de socios al cincuenta por ciento, solicitó, actuando como socio, y no como administrador, la disolución judicial de esa sociedad.*

El hecho de que un interesado solicite la disolución judicial de la sociedad exime a los administradores del deber de solicitar dicha disolución y, en consecuencia, los exonera de responsabilidad. Como señala la sentencia del Tribunal Supremo de 24 de octubre de 2002, *«no es aceptable la interpretación literal, rígida e inflexible (...), de modo que baste simplemente la no convocatoria de la junta de accionistas, o que no se solicite la disolución judicial, todo ello dentro de los plazos señalados en la citada norma para hacerlo, para que se declare la responsabilidad solidaria de los administradores por las deudas sociales. Ha de tenerse en cuenta que (la Ley) permite a cualquier interesado solicitar la disolución judicial de la sociedad cuando la junta no fuese convocada o no pudiese lograrse el acuerdo o éste fuera contrario a la disolución. Por tanto, puede darse el hecho de que en el plazo de dos meses (...) los administradores no cumplan su obligación, pero haya solicitado la disolución cualquier interesado. No es razonable que, pese a cumplirse la finalidad de la ley, los administradores sean responsables solidarios».*

3.3. La solicitud de concurso de acreedores

Los deberes legales se entienden también cumplidos cuando los administradores soliciten la declaración judicial del concurso de acreedores (así, SSTS 6.4.2006 y 28.4.2006). La solicitud de concurso de la sociedad presentada dentro de los dos meses a contar desde la concurrencia de la causa de disolución produce el mismo efecto que la convocatoria de la junta general, considerándose como un supuesto de cumplimiento alternativo.

El cumplimiento de los deberes legales se hace más complejo cuando los administradores, concurriendo el estado de insolvencia, hubieran optado por convocar junta general en lugar de solicitar el concurso (opción que parece permitir la Ley insertando el deber de solicitud del concurso dentro del sistema legal de promoción de la disolución). En ese caso, el deber de los administradores no es ya el de instar la disolución judicial, sino el de solicitar el concurso de acreedores. Además, ese deber se impondrá cualquiera que fuese el resultado de la decisión anterior, porque, como es obvio, la junta general no tiene competencia para acordar el concurso y ni siquiera para su solicitud: el deber concurrirá tanto cuando la junta convocada al efecto no se hubiera celebrado o no hubiera acordado solicitar el concurso como cuando hubiese acordado dicha solicitud.

Cualquiera que sea el momento en que se realice, la solicitud de declaración del concurso de acreedores es un *deber orgánico* y no es tarea de los administradores individualmente considerados (arts. 3 y 5 LC).

4. El cumplimiento tardío

Con la expresión cumplimiento tardío se hace referencia a aquellos casos en los que los administradores convocan junta general para que adopte el acuerdo de disolución transcurridos ya dos meses desde el acaecimiento de la causa legítima para la disolución, sin que se haya producido un cumplimiento alternativo, y también cuando cualquiera de ellos solicita la disolución judicial de la sociedad transcurridos ya dos meses desde la fecha prevista para la celebración de la junta, si ésta no se hubiera constituido, o desde el día de su celebración, si el acuerdo hubiera sido contrario a la disolución. El cumplimiento tardío no es sino el cumplimiento fuera de plazo, sea del deber primario de convocatoria, sea del deber subsidiario o de solicitud de disolución judicial, sea incluso el de solicitud de declaración de concurso de la sociedad. La Ley no sólo ha establecido esos deberes legales, sino que los ha configurado con un plazo rígido para el cumplimiento –dos meses–, variando únicamente el *dies a quo* para el cómputo. Es irrelevante la importancia del retraso –unos pocos días o varios meses o años (v., sin embargo, STS 23.2.2004, según la cual la responsabilidad no nace «*cuando el desfase temporal es de tan pocos días si es seguido por la convocatoria de la Junta*»)–; y es igualmente irrelevante la causa de ese retraso (v. gr.: disensiones entre los administradores acerca de la aplicación de determinados criterios contables; problemas con el auditor; convocatoria tardía de la junta para acordar la disolución tras el fracaso de una operación de aumento autorizado del capital social, etc.).

El cumplimiento tardío del deber no produce efectos respecto de los acreedores que en ese momento ya disfrutaran del derecho a reclamar, sino sólo respecto de las deudas sociales contraídas con posterioridad. Una vez cumplido el correspondiente deber legal, los administradores dejarán de responder por las nuevas obligaciones que contraiga la sociedad, pero continuarán respondiendo de aquellas de las que ya fueran responsables. Una sugestiva tesis sostiene que el cumplimiento fuera de plazo del deber legal de convocar o del deber legal de instar la disolución judicial de la sociedad produce *también* efectos hacia el pasado, en el sentido de que la deuda social sólo será exigible a los administradores si, en el momento en que se les reclama su pago, *continúan* en situación legal de incumplimiento. Transcurrido el plazo de dos meses, los administradores que no hayan observado el deber de convocar junta general o, en su caso, de solicitar la disolución judicial de la sociedad, están expuestos a que determinados acreedores puedan exigir y obtener de ellos el pago de las deudas sociales; pero, aunque hayan transcurrido esos dos meses, si convocan junta o si, fracasada ésta, instan la disolución de la sociedad, ha de considerarse extinguida la responsabilidad también por esas deudas sociales anteriores al momento del cumplimiento *frente a todos aquellos acreedores que no hubieran ejercido, judicial o extrajudicialmente, el derecho correspondiente.*

Sin embargo, esa tesis ha sido rechazada por el Tribunal Supremo, que, en sentencia de 16 de diciembre de 2004, defiende una interpretación más rigurosa del plazo legal, según la cual «*el texto legal no ofrece lugar a dudas: se impone un plazo inexorable de dos meses a los administradores de sociedades anónimas para convocar la junta de accionistas para en su caso acordar la disolución o las medidas sustitutivas adecuadas (...). En efecto, si la responsabilidad se alzase en el momento del cumplimiento tardío, ello supondría que los administradores en cualquier momento (transcurridos meses o años), cumplido que fuera el deber se liberarían de la responsabilidad que la norma les atribuye y carecería de sentido alguno el plazo bimensual que tan claramente ha establecido la ley*» (v. también, STS 9.3.2006). En consecuencia, no producirá tampoco efecto alguno la solicitud de declaración de concurso realizada cuando ya hubieran transcurrido los dos meses legalmente previstos (así, SSTS 28.4.2006 y 14.7.2010).

Naturalmente, la *transformación* de la sociedad anónima en sociedad limitada –o a la inversa– tampoco produce efecto alguno: si los deberes legales ya se hubieran incumplido, se producirán sus efectos (STS 7.7.2005).

III. EL RÉGIMEN DE LA RESPONSABILIDAD POR LAS NUEVAS OBLIGACIONES SOCIALES

1. La naturaleza de la responsabilidad

1.1. El carácter sancionador

El sistema legal consiste, como se ha ido adelantando, en imponer a los administradores una responsabilidad por obligaciones sociales como consecuencia del incumplimiento de deberes legales específicamente dispuestos a los propios administradores dirigidos a conseguir la disolución o a adoptar una medida alternativa, entre las que se incluye, en su caso, la declaración de concurso. La Ley establece, pues, una *consecuencia específica por el incumplimiento de un deber igualmente específico*: los administradores pasan a responder solidariamente de obligaciones ajenas por el simple incumplimiento de alguno de los deberes derivados de la concurrencia de una causa de disolución (así lo viene indicando el Tribunal Supremo desde la sentencia de 15.7.1997). De este modo, los acreedores sociales surgidos tras la concurrencia de la causa de disolución podrán exigir el pago de su crédito no sólo a su deudor (la sociedad), sino también a cualquiera de los sujetos solidariamente responsables (los administradores). Se trata, pues, de una asunción de responsabilidad *ex lege*: a la responsabilidad de la sociedad deudora se añade *ministerio legis* la responsabilidad de los administradores (en este sentido, STS 24.6.2008, que habla de «asunción acumulativa de deuda»). En adelante, la sociedad será la única *deudora*, pero no será la única *responsable*. Sin ser *deudores* y sin que la sociedad pierda la responsabilidad por deuda propia, los administradores de la sociedad que incumplan los deberes legalmente impuestos se convierten en *responsables* de obligaciones sociales –esto es, de obligaciones ajenas–. Los administradores tienen, pues, *ex lege* la consideración de *garantes solidarios*.

> *No es posible, por ello, compartir aquella tesis según la cual estarían legitimados para ejercer la acción no sólo los acreedores sociales, sino también la sociedad y los accionistas. Esa «extensión» de la legitimación carece por completo de sentido: es evidente que la sociedad no puede reclamar a los administradores el pago de obligaciones sociales. Y tampoco los socios podrán reclamar deudas sociales, a menos, claro está que sean al mismo tiempo acreedores de la sociedad. Sólo quien sea acreedor podrá exigir a los administradores esta especial responsabilidad. Todo ello sin perjuicio de que la sociedad y los socios puedan, en cambio, ejercitar contra los administradores una acción de responsabilidad por los daños que esa misma actuación u omisión haya podido causar al patrimonio social o al patrimonio individual de los socios.*

Desde esa perspectiva, parece innegable que la responsabilidad establecida en el artículo 367 de la Ley de Sociedades de Capital tiene un *carácter sancionador*: producida la conducta prevista legalmente, es decir, el incumplimiento de los deberes específicamente impuestos, los administradores a quienes les sea imputable tal incumplimiento sufren una pena –de carácter civil– consistente en la asunción de responsabilidad solidaria por las obligaciones sociales nacidas tras la concurrencia de la causa de disolución, sin que sea necesario probar la existencia de un daño ni, en consecuencia, la relación de causalidad entre el incumplimiento del deber legal y el daño. Se ha tratado de negar carácter sancionador y de rechazar la calificación como pena civil sobre la doble base de que la consecuencia de la norma no afecta sólo a los administradores, sino también a los acreedores en los que nace un derecho, y de que los administradores pueden repetir lo pagado a la sociedad (así, STS 30.6.2010), pero lo cierto es que esa doble circunstancia –que, en realidad, nadie discute– no altera la «naturaleza» de la responsabilidad: los acreedores pueden reclamar la deuda social a los administradores precisamente porque en eso consiste la sanción, en convertirlos en obligados solidarios de las nuevas deudas sociales, y los administradores pueden repetir a la sociedad lo pagado por la sencilla razón de que la sanción consiste en hacerles pagar deudas ajenas. Si la sanción consiste en la imposición de una garantía legal, ambas consecuencias son innegables.

El sistema legal no puede asimilarse al de *responsabilidad por daños* a la sociedad, a los socios o a los acreedores sociales, pues no consiste en la atribución de una responsabilidad por los daños derivados de la falta de disolución de una sociedad incursa en causa de disolución o de la falta de declaración de concurso de una sociedad insolvente, sino en hacer a los administradores solidariamente responsables de obligaciones sociales como consecuencia de haber incumplido determinados deberes legales. Es más, lo que la Ley pretende es, justamente, evitar las dificultades derivadas de un régimen ordinario de responsabilidad por daños. Si se tratara de un régimen de responsabilidad por daños, las normas que analizamos serían superfluas, ya que sería suficiente acudir a las normas generales correspondientes (arts. 236 a 241 LSC).

> *El Tribunal Supremo, que en un primer momento exigió un perjuicio a los acreedores para hacer responsables a los administradores (así, STS 15.7.1997), pronto modificó su posición. La sentencia de 3 de abril de 1998 no aludía ya a la exigencia de perjuicio, sino sólo a la prueba de la concurrencia de la causa de disolución y del incumplimiento del deber de los administradores. Con algunas dudas (v. SSTS 4.2.1999, 29.4.1999 y 12.11.1999), empieza a fijar las diferencias entre la acción individual de responsabilidad y la acción derivada de la sanción por no promoción de la disolución, insistiendo en el carácter indemnizatorio de*

la primera, que, sin embargo, no tiene la segunda (STS 21.9.1999). Esa línea se consolidaría con las sentencias de 30 de octubre de 2000, que sostuvo expresamente que «no se requiere, por lo tanto, ni nexo causal entre el crédito accionado y la inactividad de los administradores, ni otra negligencia de éstos que la que valora o toma en cuenta la propia norma legal» (v. sin embargo, dudas en SSTS 29.12.2000, 30.1.2001 y 31.5.2001), y de 20 de julio de 2001: no es «necesaria ni una relación de causalidad entre la omisión de los administradores y la deuda social ni una negligencia distinta de la prevista en el propio precepto».

Insiste en la distinción la sentencia de 23 de febrero de 2004 (una responsabilidad es «de naturaleza extracontractual, y requiere que se den los requisitos propios de la responsabilidad de esta naturaleza (acción u omisión culposa, daño y relación de causalidad entre éste y aquélla), mientras que (la otra) no requiere ninguna culpa en el administrador, ni relación de causalidad alguna con el daño, basta el hecho objetivo del incumplimiento de las obligaciones que la Ley de Sociedades Anónimas impone específicamente al administrador social para que se desencadene el efecto sancionador»). La distinción quedaría definitivamente desarrollada en la sentencia de 2 de marzo de 2004: «La responsabilidad (...) por la no convocatoria en dos meses de junta general para la adopción del acuerdo de disolución de la sociedad o la no solicitud de su disolución judicial, constituye una responsabilidad objetiva y solidaria, cuya acción se fundamenta en el incumplimiento por los administradores de las obligaciones que les impone la Ley, y no requiere producción de daño, ni exige la existencia de perjuicios, y tampoco la relación de causalidad, pues se trata de un sistema preconcursal (...). La citada responsabilidad constituye una modalidad de responsabilidad "ex lege", y requiere tan sólo la concurrencia de los presupuestos objetivos siguientes: a) Existencia de un crédito contra la sociedad. b) Concurrencia de alguna de las causas de disolución de la sociedad. c) Omisión por los administradores de su obligación de convocar junta general, en el plazo de dos meses, para que adopte el acuerdo de disolución de la sociedad, o solicitud, en su caso, de disolución judicial. (...) Nos encontramos, pues, ante una responsabilidad objetiva, que no se evita con las alegaciones de la falta de culpa y del nexo causal» (según STS 16.12.04, «se trata de una responsabilidad carente de las notas conceptuales de la responsabilidad aquiliana» y «que no requiere más que la prueba de los hechos que son presupuesto de la efectividad de la sanción»). La sentencia de 9 de enero de 2006, con depurada técnica jurídica, resumió la doctrina jurisprudencial: «Los administradores responden porque no han convocado la junta, no por razón de que no se haya adoptado el acuerdo de disolución, pero la omisión por la que se responde no es, por sí misma, generadora de daños a los acreedores de la sociedad, ni siquiera los agrava considerada en sí misma, y puesto que el daño no deriva de la acción (rectius, omisión), hasta el punto de que carece de sentido la relación de causalidad que es presupuesto ordinario de cualquier responsabilidad (...), la omisión que implica el incumplimiento del deber de convocar, con la consecuencia de poner a cargo de los administradores, de forma solidaria, el pasivo social (...), ha de tener, a fortiori, veste de sanción. Lo que se ha denominado, en la doctrina y en buena parte de la jurisprudencia, "una sanción o pena civil, en forma de responsabilidad objetiva por todas las deudas sociales"». La sentencia de 29 de mayo de 2009 dice que la responsabilidad «se genera por el mero incumplimiento de la obligación de convocar Junta General, sin necesidad de que concurra cualquier otro género de culpa o negligencia».

Como es lógico, el Tribunal Supremo ha ido «aproximando» el régimen de la sanción que se analiza al sistema de responsabilidad civil, pero sin perder de vista las diferencias con la responsabilidad indemnizatoria. Destaca, sin duda, la sentencia de 28 de abril de 2006 (dictada en Pleno) y muy citada por sentencias posteriores (SSTS 5.10.2006, 22.11.2006, 31.01.2007, 21.2.2007, 20.11.2008, etc.). En esa reconocida sentencia se planteó el problema de «la relación que cabe establecer entre las dos acciones de responsabilidad que se ejercitan, en el sentido de determinar si la acción ex artículo 262.5 de la Ley de Sociedades Anónimas es, en el fondo, una especie de la acción de responsabilidad que deriva de los artículos 133 y 135 de la Ley de Sociedades Anónimas, los cuales, a su vez, traducen un régimen especial de la genérica responsabilidad extracontractual del artículo 1902 del Código civil. De modo que la responsabilidad de los administradores en el supuesto del artículo 262.5 LSA (como en el del 105.5 LSRL), que la jurisprudencia de esta Sala ha ido configurando como objetiva o como cuasiobjetiva [...] tuviera que ser templada en razón de una valoración de la conducta de los responsables, a la que también es necesario llegar si se parte de una concepción de la responsabilidad de que se trata como una suerte de sanción [...]. Esto es, si se parte de que la responsabilidad de que se trata es un supuesto de responsabilidad extracontractual [...]en que se ha de tomar como punto de partida la existencia de un daño, que en general consistirá en el impago del crédito que se reclama (un crédito contra la sociedad, cuya frustración, desde la perspectiva del artículo 135 de la Ley de Sociedades Anónimas, sería un daño indirecto, ya que la insolvencia de la sociedad deudora no puede tomarse como un supuesto de lesión directa causada por los administradores) que se relaciona causalmente de modo muy laxo con el comportamiento omisivo de los administradores (carencia de convocatoria en plazo, omisión del deber de solicitar la disolución judicial o el concurso), pero que, a partir de ese dato (daño y relación de causalidad preestablecida) requeriría la aplicación de las reglas y de las técnicas de la responsabilidad civil, evaluando los problemas de imputación objetiva (conocimiento por los reclamantes de la situación de la sociedad en el momento de generación del crédito, solvencia de la sociedad, existencia de créditos compensables de la sociedad frente a los acreedores que reclaman) y de imputación subjetiva, esto es, la posibilidad de exoneración de los administradores que, aun cuando hayan de pechar con la carga de la prueba [...]demuestren una acción significativa para evitar el daño (lo que se ha de valorar en cada caso) o que se encuentren ante la imposibilidad de evitarlo (han cesado antes de que se produzca el hecho causante de la disolución, se han encontrado ante una situación ya irreversible). Valoración de la conducta de los administradores que se ha de producir forzosamente si se estableciera que estamos ante una sanción o pena civil (lo que requiere una matización, como se verá) pues lo exigen los principios del sistema., y que aparece ya en decisiones anteriores, bajo diversos expedientes [...].

Aparte de que la reiterada calificación como «sanción», en gran parte de las Sentencias de esta Sala en las que se ha empleado esta expresión [...]evoca no tanto la idea de «pena» (a veces, se la denomina «pena civil», precisamente para diferenciarla de la expresión paralela en el Derecho penal) cuanto el concepto de una reacción del ordenamiento ante el defecto de promoción de la liquidación de una sociedad incursa en causa de disolución que no requiere una estricta relación de causalidad entre el daño y el comportamiento concreto del administrador, ni lo que se ha denominado un «reproche culpabilístico» que hubiera que añadir a la constatación de que no ha habido promoción de la liquidación mediante convocatoria de Junta o solicitud judicial, en su caso (o, después de la reforma operada por la Ley 22/2003, de 9 de julio, Concursal, solicitud de declaración de Concurso), ni una negligencia distinta de la prevista en el propio precepto [...].

Pero esta idea de «sanción» no excluye que, si bien con rasgos muy específicos, no haya de alejarse el operador jurídico, al interpretar y aplicar las normas en examen, del territorio de la responsabilidad civil, pues de otro modo no se explica que se imponga a los administradores una «responsabilidad solidaria» por las obligaciones sociales, sobre todo cuando la sociedad puede hallarse incursa en causas de disolución que no impliquen riesgo de especie alguna para el buen fin de los créditos que ostenten frente a ella los acreedores».

Con posterioridad, el Tribunal Supremo ha seguido pronunciándose sobre la "naturaleza" de esta especial responsabilidad, insistiendo en que se trata de una responsabilidad que no exige más culpa que no haber promovido la disolución y que no requiere relación de causalidad entre el daño y el comportamiento del administrador (SSTS 14.5.2008, 27.6.2008, 10.7.2008, 11.7.2008, 23.7.2008, 2.12.2008, 12.2.2009). Un excelente resumen puede encontrarse en la sentencia de 12 de marzo de 2010: «no exige la concurrencia de más negligencia que la consistente en omitir el deber de promover la liquidación de la sociedad mediante la convocatoria de la junta o solicitando que se convoque judicialmente cuando sea el caso –y ahora también mediante solicitud de la declaración de concurso, cuando concurra su presupuesto objetivo–. No se exige, pues, una negligencia distinta de la prevista en la Ley (...). Tampoco es menester que se demuestre la existencia de una relación de causalidad entre el daño y el comportamiento del administrador, sino que la imputación objetiva a éste de la responsabilidad por las deudas de la sociedad se realiza ope legis».

Con especial claridad distingue entre responsabilidad por daños y responsabilidad por deudas sociales la sentencia de 13 de junio de 2012: la primera exige culpa, daño y relación de causalidad, rigiendo un criterio de imputación de responsabilidad de índole subjetivo, en tanto la segunda no requiere relación de causalidad ni reproche de culpabilidad –aunque sí de imputabilidad– de la conducta.

Se trata, pues, de una *sanción civil* (o, si se prefiere, de una *responsabilidad-garantía legal*), y no de una *responsabilidad-indemnización* (responsabilidad por daños). La sanción consistente en la imposición de responsabilidad por obligaciones sociales trata de provocar la eliminación de una situación anormal de cierta gravedad y peligrosa para los intereses de los acreedores o simplemente de sancionar a los administradores que no promuevan la disolución de la sociedad o el concurso de acreedores, y no de indemnizar a los acreedores por daños pretendida o efectivamente causados. Si la sanción consiste en imponer a los administradores incumplidores una responsabilidad por obligaciones de la sociedad, parece evidente que serán acumulables las acciones dirigidas a reclamar la satisfacción del crédito a la sociedad deudora y a los administradores incumplidores (v., ampliamente, STS 9.3.2006, sobre la base de un criterio flexible que ha de presidir el tratamiento y aplicación de la acumulación subjetiva de acciones que regula el artículo 156 de la Ley de Enjuiciamiento Civil, de la vinculación existente entre las dos acciones y de la circunstancia de que «*el tratamiento separado de una y otra acción entrañaría el riesgo de resoluciones contradictorias en cuanto a la existencia o cuantía de las deudas sociales de las que han de responder la sociedad deudora y los administradores que incumplen las obligaciones de que nace su responsabilidad*»; y, tras ella, muchas otras sentencias: por ejemplo, SSTS 27.6.2008, 10.7.2008, 23.7.2008).

Se trata, además, de una *sanción que puede acumularse a la eventual responsabilidad por daños*, de modo que, ante un supuesto concreto, se aplicarían simultáneamente los dos regímenes (así SSTS 9.3.2006, 22.3.2006, 28.4.2006, 23.5.2006 y 26.5.2006): los administradores responderán frente a la sociedad, los socios y los acreedores sociales de los daños producidos en el patrimonio social o en el individual por el incumplimiento de los deberes legales, siempre que medie relación de causalidad entre la conducta de los administradores y el daño (arts. 236 a 241 LSC), y, además, se les hace responsables de las nuevas obligaciones que contraiga la sociedad. Ni la sociedad, ni los socios –salvo que, al mismo tiempo, sean acreedores de la sociedad– podrían exigir –como ya se señaló– responsabilidad a los administradores al amparo del mecanismo que estudiamos. En cambio, el acreedor social podría tener –y muchas veces tiene– a su favor las dos acciones: una para exigir el pago de la obligación social surgida tras la concurrencia de la causa de disolución, ya que, junto a la sociedad, responden de ella los administradores, por imperativo legal, y otra para exigir la reparación de los daños y perjuicios que, en su caso, hayan ocasionado los administradores con el incumplimiento (v., especialmente, SSTS 21.9.1999, 23.7.2008 y 30.6.2010).

> Con frecuencia, sin embargo, los acreedores sociales se limitan a acumular las
> dos acciones sin fundamentación suficiente y sin tener en cuenta su distinta na-

turaleza y sus diferentes presupuestos (v., por ejemplo, STS 18.9.2003). En efecto, no pueden desconocerse las diferencias entre ambos sistemas legales, de modo que si se ejercita exclusivamente la acción individual por daño directo, el juez no podrá aplicar el régimen de responsabilidad legal por no promoción de la disolución por impedirlo el principio de congruencia entre el objeto del proceso y el fallo judicial. Así, lo ha reconocido de forma decidida el Tribunal Supremo (SSTS 21.9.1999, 28.6.2000, 20.7.2001, 26.5.2006, 28.9.2006, 9.10.2006 y 8.3.2007; v., sin embargo, STS 3.12.2002), tratando de poner fin a las dudas que se habían suscitado en las Audiencias. La sentencia del Tribunal Supremo de 20 de junio de 2005 realiza unas interesantes consideraciones: «Siendo claramente distinta la responsabilidad de los administradores por daños causados a la propia sociedad, a los socios o a terceros (...) de la responsabilidad solidaria por las obligaciones sociales que a modo de sanción civil por el incumplimiento de unos deberes específicos establece (...) la misma ley, resulta inadmisible plantear esta última en casación, mediante el subterfugio de poner en relación los (relativos preceptos), sin haberlo hecho antes en la demanda ni tampoco como fundamento de la apelación, ya que en aquélla (...) su pretensión contra los administradores demandados era inequívocamente la declaración de su responsabilidad por «daño directo» a las codemandantes; mientras que, a su vez, del fundamento jurídico segundo de la sentencia recurrida se desprende que la hoy recurrente, como coapelante en su día, se limitó a impugnar «la desestimación de la acción individual», como no podía ser menos ya que tampoco cabe el planteamiento de cuestiones nuevas en apelación. Ni siquiera al amparo de la más flexible doctrina de esta Sala sobre aplicación en esta materia del principio «iura novit curia» (p. ej. SSTS 20.7.01 y 7.6.02) sería posible salvar dicha omisión de planteamiento ya que, de un lado, la petición de la demanda contra los administradores por «daño directo» a las actoras era inequívoca, según se ha constatado anteriormente, y, de otro, esa misma demanda contenía un fundamento de derecho específico sobre acumulación de acciones que se refería a las de reclamación de cantidad contra la sociedad deudora y contra sus administradores» (el caso justamente contrario fue el de la sentencia del Tribunal Supremo de 7 de julio de 2005, que casa la sentencia de la Audiencia por no aplicar el sistema de responsabilidad por obligaciones sociales, sino el sistema de responsabilidad por daños, a pesar de que las dos posibilidades figuraban en la demanda). La sentencia del Tribunal Supremo de 17 de octubre de 2005 consideró «que no puede hablarse de incongruencia respecto de una sentencia como la recurrida, que se fija, como causante de la responsabilidad, no en el invocado artículo 135 de la Ley de Sociedades Anónimas, sino en el también indicado y reseñado artículo 262 (...), de acuerdo con el principio "iura novit curia", que, desde luego, permite dentro de la fundamentación jurídica alegada, elegir la norma más conforme con la prueba practicada, para analizar la labor de subsunción en la aplicación normativa». Y, en fin, la sentencia del Tribunal Supremo de 23 de julio de 2008, señaló que «la denominada acción individual de responsabilidad y la acción de responsabilidad solidaria por deuda social son dos acciones diferentes, con requisitos distintos que por ello deben ser examinadas en sus respectivas perspectivas fáctica y jurídica según sus específicos regímenes legales; puedan ejercitarse acumuladas en una misma demanda con unidad de "petitum", y un mismo hecho constitutivo de una infracción de ley societaria pueda servir de presupuesto a las dos acciones, y que entonces, incluso, el mayor rigor de la normativa relativa a la acción de responsabilidad solidaria por deuda social –al no exigir prueba de la culpa ni de la relación de causalidad entre las omisiones del administrador y el incumplimiento de la obligación social– haga innecesario examinar la acción individual de responsabilidad».

La pena civil derivada del incumplimiento de los deberes legales de promoción de la disolución no se subordina, pues, a la *insuficiencia patrimonial* de la sociedad, es decir, a la circunstancia de que resulte incumplida una obligación social por incapacidad de su patrimonio, donde se situaría el requisito del *daño,* de modo que no puede exigirse tampoco que medie una *relación de causalidad* entre el incumplimiento de la obligación de los administradores y la insuficiencia patrimonial o el impago de la deuda (así, con claridad, entre otras, SSTS 9.1.2006, 3.4.2006, 6.4.2006, 28.4.2006, 26.5.2006, 21.2.2007, 14.5.2008, 11.7.2008, 23.7.2008, 12.2.2009, 30.6.2010, 14.7.2010). Por lo que se refiere especialmente al supuesto de pérdida de la mitad del capital social, los deberes de los administradores y la consiguiente sanción por su incumplimiento no se imponen para cubrir la insolvencia de la sociedad, que no tiene por qué existir, sino, en todo caso, para impedir que llegue a producirse, es decir, para evitar que una situación de pérdida de la mitad del capital derive en una situación de insolvencia. La imposición a los administradores de responsabilidad por las nuevas obligaciones sociales no es, en el sistema legal español, una consecuencia de la insolvencia –y mucho menos del impago de una obligación social–, sino una medida preventiva de esa insolvencia: si en una situación grave, pero en la que todavía hay solvencia, se obliga a la sociedad a disolverse o a adoptar una medida alternativa, bajo la amenaza a los administradores de responder de obligaciones sociales, parece evidente que se trata de evitar el concurso. Lo mismo puede afirmarse si se tratase de otra causa de disolución: al administrador se le sanciona por no convocar la junta general o por no instar la disolución judicial y no por la insolvencia de la sociedad (en este sentido, v. SSTS 18.6.2012, 11.1.2013 y 27.6.2014).

La sentencia del Tribunal Supremo de 28 de abril de 2006, en la línea ya indicada de aproximar la sanción civil que analizamos al régimen general de la responsabilidad civil, se detiene expresamente, en la cuestión de la relación de causalidad (v. también STS 26.5.2006). Sostiene, en efecto, que «la cuestión no es que haya o no una relación de causalidad, sino si ha de haberla (...) Reiteradas sentencias de esta Sala han analizado la cuestión, con soluciones que divergen más en la expresión formal que en el fondo, pues cuando se señala que se trata de una responsabilidad cuasiobjetiva o incluso objetiva (Sentencias de 3 de abril de

> *1998, de 20 de abril y 22 de diciembre de 1999, de 20 de diciembre de 2000, de 20 de julio de 2001, de 25 de abril de 2002, de 14 de noviembre de 2002) se dice, en el fondo, que está basada en el hecho objetivo (la omisión de la convocatoria o de la solicitud, en general de la promoción de la liquidación y –ahora– del concurso) sin atender a la calificación de la conducta culposa o diligente del administrador en el ejercicio del cargo (como, en cambio, requiere la acción individual). Tal es la razón de que algunas decisiones de esta Sala, no pudiendo establecer la conexión entre el comportamiento y el daño, hayan señalado que se trata de una sanción o pena civil (Sentencias de 30 de octubre y 21 de diciembre de 2000, de 12 de febrero de 2002 sobre la carencia de relación de causalidad; 29 de diciembre de 2000, 30 de enero de 2001, 20 de octubre de 2003, 16 de diciembre de 2004, 16 de febrero de 2006). La responsabilidad de que se trata no se basa en la relación de causalidad entre un determinado acto lesivo y el daño, que generalmente consiste en el impago de un crédito (…), pero puede haber un riesgo o peligro de que, en defecto de una liquidación ordenada, los acreedores de la sociedad sufran el agravamiento de su posición o los efectos de un comportamiento desordenado o arbitrario de su deudor, la sociedad, cuyo patrimonio es en principio la única garantía, que por efecto de este precepto se ve reforzada con la de los de los administradores que no hayan promovido la liquidación o el concurso a su debido tiempo».*

La pena no se subordina tampoco a la circunstancia de que llegue a producirse efectivamente la *disolución* de la sociedad, lo que obligaría al acreedor social demandante a instar, con anterioridad o simultáneamente a la demanda contra los administradores, la disolución judicial, sino que deriva del incumplimiento de los correspondientes deberes legales (v. aunque a veces con dudas, SSTS 16.12.2004, 26.4.2005 y 23.3.2006).

En sentido contrario, la circunstancia de que no se trate de un régimen de responsabilidad por daños no significa en modo alguno que nos encontremos ante un sistema de responsabilidad objetiva o cuasiobjetiva –a pesar de que muchas veces la jurisprudencia utilice esa expresión: v., por ejemplo, sentencias del Tribunal Supremo 14.5.2008 y 11.7.2008–, en el sentido de que se prescinda de la culpa del agente (otras veces, se utiliza la expresión *responsabilidad formal* o *responsabilidad abstracta*: SSTS 1.12.2008, 30.6.2010). La pena civil se impone por el incumplimiento de deberes legales, incumplimiento que, obviamente, ha de ser imputable a los administradores (v., con ciertas vacilaciones, STS 31.5.2001). Como afirmó la sentencia del Tribunal Supremo de 20 de julio de 2001, la responsabilidad deriva de una negligencia de los administradores consistente en que, conocedores de la situación patrimonial de la sociedad, no proceden como exige la ley. La sentencia del Tribunal Supremo de 9 de enero de 2006 insiste en que la responsabilidad deriva de la falta de convocatoria de la junta general. La sentencia de 23 de marzo de 2006 resume la doctrina jurisprudencial en este punto: «*la interpretación (…) no puede ser rigurosamente literal, ni extrema-*

damente objetiva, ya que bastaría simplemente la no convocatoria de la junta o la no solicitud de la disolución judicial, para declarar en forma automática la responsabilidad de los administradores» (v. también STS 3.4.2006). En esa línea insistiría la sentencia de pleno del Tribunal Supremo de 28 de abril de 2006, según la cual, ante especiales y extraordinarias circunstancias que consten acreditadas, puede justificarse que se exonere de responsabilidad a los gestores (v. SSTS 5.10.2006, 22.11.2006, 31.1.2007, 21.2.2007, 20.11.2008). Ahora bien, como señala con acierto la sentencia de 2 de diciembre de 2008, que parece reaccionar contra ciertos excesos jurisprudenciales, la responsabilidad puede ser excluida por el simple hecho de que los administradores hayan tratado de evitar o minorar las consecuencias, ya que el precepto legal persigue, en beneficio de todos los acreedores de la sociedad y con el fin de garantizar la liquidación ordenada de la misma, que los administradores promuevan su disolución cuando concurran las condiciones que la exigen.

No obstante, la doctrina jurisprudencial inicialmente adscrita a la tesis de la responsabilidad-sanción ha evolucionado hasta negar que estemos ante una responsabilidad de alcance sancionatorio (STS 15.10.2013) y calificarla como responsabilidad por deuda ajena *ex lege* cuya fuente –hecho determinante- «*es el mero reconocimiento legal, sin que sea reconducible a perspectivas de índole contractual o extracontractual. Se fundamenta en una conducta omisiva del sujeto al que por su específica condición de administrador se le exige un determinado hacer y cuya inactividad se presume imputable –reprochable-, salvo que acredite una causa razonable que justifique o explique el no hacer*» (STS 7.10.2013). Abunda en ello la sentencia de 10 de julio de 2014 cuando afirma que: «*es una responsabilidad por deuda ajena "ex lege" que no tiene naturaleza de "sanción" o "pena civil", como señalan las Sentencias del Tribunal Supremo 1063/2012, de 7 de marzo, de 14 de mayo de 2007, 13 de abril de 2012, 26 de noviembre de 2011, 30 de junio de 2010, 10 de noviembre de 2010, entre otras*». Aunque es muy probable que esta evolución responda, por un lado, a la necesidad de justificar el cambio de criterio encaminado a negar la aplicación retroactiva de la reforma introducida por la Ley 19/2005, que limita el alcance de la responsabilidad a las obligaciones sociales posteriores al acaecimiento de la causa legal de disolución, cuando los hechos de los que deriva la responsabilidad exigida son anteriores a su entrada en vigor (v., entre otras, las SSTS 15.10.2013 y 4.12.2013, en la primera el Tribunal se apoya en la «*doctrina contenida en la STC 164/1995, de 13 de noviembre, que declara la improcedencia de extender el concepto de sanción con la finalidad de obtener la aplicación de las garantías constitucionales propias de ese tipo de normas a medidas que no responden, verdaderamente al ejercicio del «ius puniendi» del Estado y que una cosa es que las sanciones integran entre otras una finalidad disuasoria de determinados comportamientos y otra distinta que toda medida con tal finalidad disuasoria constituya una sanción»*; en la segunda aduce que *«(l)a regla de retroactividad de las disposiciones sancionadoras favorables -que la sentencia del Tribunal Constitucional 8/1981, de 30 de marzo , declaró contenida, "a sensu contrario", en el artículo 9, apartado 3, de la Constitución Española, expresamente referido al supuesto de irretroactividad de las disposiciones sancionadoras no favorables-, no es aplicable a la norma del artículo 262, apartado 5, del Texto refundido de la Ley de sociedades anónimas, tal como fue reformada por la disposición final primera de la Ley 19/2005, de 14 de noviembre, por razón de que no es sancionadora, empleada la expresión en un sentido propio»*). Y, por otro lado, a la necesidad de aclarar que el crédito reclamado *«deriva del ejercicio de una acción de responsabilidad civil, que no se extingue por la muerte del obligado responsable, sino que es susceptible de sucesión y, por ello, podría formar parte del caudal hereditario. La muerte extingue la responsabilidad penal, pero no las obligaciones de responsabilidad civil, sea cual fuera la fuente de la que nazcan»* (v. STS 15.10.2013).

1.2. El carácter solidario

La responsabilidad por las nuevas obligaciones sociales impuesta a los administradores que incumplan los deberes legales tiene carácter solidario, por expresa disposición legal. La solidaridad rige no sólo, como parece obvio, entre los administradores responsables por imperativo de la ley (v. STS 31.5.2001), sino también entre la sociedad (única obligada) y los administradores (responsables). En efecto, si bien la Ley no dice expresamente que la solidaridad es «entre sí y con la sociedad» (v., por el contrario, art. 360.1 letra b)-II LSC), la solidaridad con la sociedad puede deducirse sin excesivas dificultades del fundamento del sistema legal y de la circunstancia de que la responsabilidad de los administradores por obligaciones sociales no se encuentra subordinada a la producción de hecho alguno que no sea el incumplimiento de los deberes legales (v., entre otras muchas, SSTS 3.4.1998, 29.4.1999, 22.12.1999, 30.10.2000, 29.12.2000, 16.12.2004, 25.10.2005, 3.4.2006, 8.3.2007, 24.6.2008). Ciertamente, en la gran mayoría de los casos, la responsabilidad está funcionando –y seguirá funcionando– en la práctica *como si* se tratara de responsabilidad subsidiaria, por cuanto que los acreedores no reclamarán el pago de obligaciones sociales a los administradores si existe patrimonio social libre suficiente; pero eso no le priva del carácter solidario. Como consecuencia de ese carácter solidario, pueden acumularse –como vimos– las acciones dirigidas contra la sociedad y contra los administradores.

De conformidad con las reglas generales sobre las obligaciones solidarias (v. STS 31.5.2001), el acreedor goza tanto del *ius eligendi*, por lo que podrá dirigir su acción contra cualquiera de los responsables, o contra todos ellos simultáneamente (art. 1144-I CC), como del *ius variandi*, por lo que podrá demandar sucesivamente a otros responsables mientras no resulte cobrada la deuda por completo (art. 1144-II CC), y el pago hecho por cualquiera de los responsables solidarios extingue la obligación (art. 1145-I CC). Toda relación solidaria tiene también un ámbito interno. Extinguida la obligación, a efectos externos, por el pago de cualquiera de los responsables solidarios, debe abrirse la vía de regreso. El Código Civil dispone, al respecto, que «el que hizo el pago sólo puede reclamar de sus codeudores la parte que a cada una corresponda» (art. 1145-II), pero la fórmula legal no debe entenderse literalmente. La determinación del modo de distribución de la responsabilidad exige el examen de la relación jurídica subyacente, lo que en este caso muestra que el verdadero deudor es la sociedad; los administradores son únicamente responsables, en garantía de los acreedores sociales. Por el contrario, entre los administradores responsables existe una verdadera comunidad de intereses, que permite aplicar literalmente la regla de reparto de la deuda establecida por el Código Civil. En consecuencia, si la obligación es satisfecha por la sociedad, se produce la extinción de la obligación, a efectos externos e internos. La sociedad no goza de acción de regreso contra los administradores que, en garantía de los acreedores sociales, fueran responsables de la obligación social. Por el contrario, el pago hecho por cualquiera de los administradores extingue la obligación en el ámbito externo y hace surgir a su favor una acción de regreso contra la sociedad por la totalidad de la obligación y también una acción de regreso *pro quota* contra los demás administradores sancionados, quienes a su vez podrán exigir a la sociedad el pago de la parte de la obligación satisfecha por ellos (así, STS 30.6.2010).

En la práctica la acción de regreso no suele operar, porque las reclamaciones a los administradores se efectúan normalmente cuando la sociedad es insolvente. La insolvencia de la sociedad determina el reparto de la deuda entre los administradores (art. 1145-III CC). Si a la insolvencia de la sociedad se añadiera la de alguno de los administradores responsables, la deuda se distribuiría entre los restantes.

2. *El ámbito de la sanción*

2.1. El ámbito objetivo: la asunción de las obligaciones sociales nacidas tras la concurrencia de la causa de disolución

La responsabilidad de los administradores se extiende sólo a las *nuevas obligaciones sociales*, es decir, a aquellas obligaciones sociales «posteriores al acaecimiento de la causa legal de disolución» (art. 367.1 LSC). Los administradores incumplidores no son, pues, responsables de las obligaciones sociales anteriores. Es indiferente, en cambio, la naturaleza de la obligación social de que se trate (legal, contractual, extracontractual o cuasicontractual) y es indiferente, asimismo, el órgano o apoderado que hubiese actuado en representación de la sociedad.

La fecha que deberá tenerse en cuenta para determinar las obligaciones sociales de las que responderán los administradores que hubieran incumplido los deberes legales es la de la *concurrencia de la causa de disolución,* a pesar de que –como ya se ha señalado– no es sencillo en todos los casos determinar con exactitud esa fecha. Por esa razón, la Ley acompaña a la delimitación del ámbito objetivo de la responsabilidad una pintoresca presunción: «las obligaciones sociales reclamadas se presumirán de fecha posterior al acaecimiento de la causa legal de disolución de la sociedad, salvo que los administradores acrediten que son de fecha anterior» (art. 367.2 LSC). Parece evidente que con esa presunción pretende hacerse frente al delicado problema de la determinación de la fecha de acaecimiento de la causa de disolución, que marca las obligaciones sociales de las que responden los administradores, y ello a pesar de que la presunción no recae sobre la concurrencia de la causa de disolución, sino sobre la fecha de nacimiento de la obligación social, lo que la haría literalmente inoperante: si la Ley no presume que la causa de disolución concurre en la fecha del crédito que se reclama, sino que presume que el crédito que se reclama es posterior a la fecha de disolución, el acreedor reclamante no tendría que probar la fecha del crédito –algo que no suele presentar dificultades–; pero debería acreditar la concurrencia anterior de la causa de disolución, lo que no siempre es fácil, y el incumplimiento de los deberes legales por parte de los administradores demandados. Debe entenderse, pues, que la presunción se traduce, en realidad, en una inversión de la carga de la prueba de la concurrencia o no de la causa de disolución en el momento del nacimiento del crédito (así, STS 30.6.2010). En consecuencia, y aunque sea de una forma burda, lo que quiere decirse es que no corresponde al acreedor probar el momento del acaecimiento de la causa de disolución y su conocimiento por los administradores, a los efectos de cumplir los deberes legalmente impuestos, sino que juega a su favor la presunción de que la causa de disolución ya concurría en el momento del nacimiento del crédito; correspondiendo entonces a los administradores, a quienes se reclama el pago, desvirtuar esa presunción probando que la causa no concurría o que, si concurría, ellos no tenían conocimiento ni podían haberlo tenido.

Como se ha indicado, la Ley 19/2005, de 14 de noviembre, sobre sociedad anónima europea domiciliada en España, modificó el ámbito objetivo de la responsabilidad, de modo que, desde ese momento, dejó de extenderse a todas las obligaciones sociales para alcanzar sólo a las *posteriores al acaecimiento de la causa de disolución*. La modificación legal del ámbito objetivo de la pena ha llevado a plantear el problema de su posible *aplicación retroactiva*, de manera que la responsabilidad quedaría limitada a las deudas posteriores a la concurrencia de la causa de disolución aun cuando el incumplimiento de los deberes legales se hubiera producido en un momento en el que la pena impuesta era la asunción de la responsabilidad por todas las obligaciones sociales. La jurisprudencia niega, probablemente con razón, la aplicación retroactiva de tal modificación legal, aunque lo hace con la muy discutible –y probablemente innecesaria– justificación de que no se trata de una sanción.

> El tema fue objeto de una breve conclusión en el «segundo encuentro de jueces de la especialidad mercantil» (Valencia 1 y 2 de diciembre de 2005), en la que se negaba carácter retroactivo a la norma, apoyándose en el silencio legal, y en la circunstancia de que «no se trata de una sanción civil sino de un especial régimen objetivo de responsabilidad por daños» y fue también planteado por el Tribunal Supremo en la sentencia de 9 de enero de 2006, que, sin embargo, no se pronunció expresamente sobre la cuestión: «La naturaleza jurídica de la responsabilidad de los administradores en este específico supuesto plantea una cuestión en torno a la aplicación con carácter retroactivo de las sucesivas modificaciones que afectan a los preceptos cuya aplicación se postula en sentido más favorable para quienes habrían de ser sancionados con esta especial forma de responsabilidad». Niegan, en cambio, carácter retroactivo a la modificación legal, aunque sin la menor fundamentación –y sin que ni siquiera se trajese a colación la cuestión– las sentencias del Tribunal Supremo de 31 de enero y de 7 de febrero de 2007. Un paso más dio la sentencia del Tribunal Supremo de 26 de septiembre de 2007, según la cual la función protectora de los intereses de los acreedores «impide calificar a la requerida norma como sancionadora, lo que, consecuentemente, se traduce en que no corresponda considerar llamado el conjunto de reglas jurídicas que la Constitución Española vincula a las de aquella naturaleza» (v. también STS 25.3.2008), y en ese mismo sentido se pronunció la sentencia del Tribunal Supremo de 30 de junio de 2010. (V., también, las sentencias antes citadas de 7 y 15.10.2013, 4.12.2013 y 10.7.2014)

> Por otro lado, durante algún tiempo la jurisprudencia recurrió al principio general del derecho por cuya virtud «los derechos deberán ejercitarse conforme a las exigencias de la buena fe» (art. 7.1 CC) para rechazar algunas reclamaciones de acreedores sociales en quienes concurrían circunstancias especiales. Es evidente, en efecto, que la facultad de reclamación de las deudas de la sociedad a sus administradores debe ejercitarse –como cualquier otro derecho– conforme a las exigencias de la buena fe. Lo que no es tan evidente es que siempre que se haya invocado ese principio general se produjera realmente esa circunstancia. La sentencia del Tribunal

Supremo de 20 de julio de 2001 sostuvo que carecen de la posibilidad de reclamar contra los administradores aquellos acreedores que, conocedores de la situación social, hubieran decidido asumir el riesgo de contratar con esa sociedad porque supondría una interpretación del precepto «totalmente contraria al principio de la buena fe», añadiendo dos elementos para valorar la responsabilidad. El primero, el de «la evolución de la sociedad» y el segundo, el de «la conducta de los administradores para con el acreedor de la sociedad». Se señala, en efecto, que «si la situación de déficit patrimonial está en vías de superación efectiva, no en meras posibilidades, durante los dos años posteriores y, conocida esa situación pasada y las dificultades financieras aún presentes por las entidades hoy recurrentes, éstas aceptan contratar con la sociedad siendo plenamente conscientes del riesgo que corrían sus créditos por haber sido oportuna y lealmente advertidas desde la propia sociedad (...) declarar la responsabilidad de los administradores de esta última (...) supondría una interpretación de tal precepto no solamente ajena sino incluso totalmente contraria al principio de la buena fe exigido para el ejercicio de los derechos en general por el artículo 7 del Código Civil». Ambos argumentos parecen rechazables. De un lado, en efecto, los deberes legales impuestos a los administradores no pueden estimarse cumplidos por la circunstancia de que desaparezca con posterioridad la causa de disolución, porque eso conduciría a soluciones tan absurdas que ni siquiera es preciso enumerar. En realidad, si la situación de pérdidas se soluciona espontáneamente transcurrido ese tiempo, no sólo parece poco probable que fueran a ser demandados, sino que, además, los administradores que, en su caso, debiesen soportar el pago de las deudas sociales, podrían repetir de la sociedad. Y si la situación no se ha solucionado, el sistema legal sigue siendo plenamente vigente. En cuanto a la doctrina del ejercicio de los derechos conforme a las exigencias de la buena fe, no parece que pueda considerarse aplicable al caso concreto: no puede entenderse que los acreedores renuncien a esta garantía legal por el simple hecho de conocer la mala situación de la sociedad y, además, la eventual responsabilidad de los administradores por las deudas sociales constituye un estímulo para contratar con esas sociedades, ya que ese sistema legal se instituyó precisamente para garantía de los acreedores sociales.

En el mismo sentido, la sentencia del Tribunal Supremo de 16 de octubre de 2003 parte del presupuesto –tan equivocado como peculiar– de que «en su caso, esta responsabilidad solidaria "sui generis" antedicha, tiene su fundamento o "ratio", en que con su conducta omisiva los administradores han inducido a error a un determinado tercero contratante con el ente social, que creyendo en una situación normal desde un punto de vista económico y financiero de la sociedad, ha realizado operaciones mercantiles con él, llevándose con el transcurso del tiempo una desagradable sorpresa que afecta gravemente a su posición patrimonial por mor de dicha contratación», para luego establecer que «hay que tener en cuenta el artículo 7.1 del Título Preliminar del Código Civil, que obliga al ejercicio de los derechos conforme a las exigencias de la buena fe. Por tanto, aunque [la Ley...] otorgue a los acreedores el poder de exigir solidariamente a los administradores con la sociedad las deudas sociales, ha de verse si en el ejercicio del mismo obran de buena fe», y concluir –dando un paso excesivo y muy arriesgado, y confundiendo, de nuevo, el fundamento

*de la sanción– que «sería una rémora importantísima para la rapidez de las tran-
sacciones mercantiles que hubiera que acudir al Registro Mercantil para enterarse
de la solvencia de la persona con quien se quiere concertar una operación (...). No
obstante, existen situaciones muy cualificadas en que ello es una carga inevitable
en lógica comercial, y es cuando hay motivos suficientes o indicios racionales de la
insolvencia. No puede amparar la norma al que se despreocupa de ello y opera sin
ninguna cortapisa, suministrando géneros al cliente de solvencia sospechosa. No
puede pretender que juegue entonces a su favor la imposición de la solidaridad de los
administradores con la sociedad para el pago de las deudas sociales, no se actuaría
entonces de la manera razonable, honesta y adecuada a las circunstancias de acuerdo con el artículo 7.1 del Código Civil».*

*En cambio, es claramente aplicable la doctrina al caso resuelto por la sentencia
del Tribunal Supremo de 1 de marzo de 2001: «resulta incuestionable la conducta
contraria a la buena fe mínima exigible en los comportamientos jurídicos, pues
no cabe desconocer que la actora fue fundadora y sigue siendo socia de la compañía demandada, perteneció al Consejo de Administración durante una época en
que era proveedora de la sociedad, generando entonces un importe de deuda que
cuando menos no era inferior al reconocido en autos, y que renunció al cargo de
administrador con posterioridad a la entrada en vigor de la Ley de Sociedades
Anónimas de 1989. Por otro lado no demanda al Presidente del Consejo de Administración que es uno de los dos Consejeros Delegados (al que le une una buena
amistad) y sin embargo dirige la acción contra un vocal del Consejo, el que, según
parece, entró a formar parte del mismo animado por la representación de la actora
para ver de hacer efectivo un crédito que tenía contra la entidad y que no llegó a
cobrar». Constituye un claro supuesto de reclamación contraria a las exigencias de
la buena fe el contemplado en la sentencia del Tribunal Supremo de 18 de septiembre de 2003, en el que el demandante (reclamante del crédito contra la sociedad)
dominaba el consejo de administración de la sociedad deudora en el momento en
que se produjo la infracción de los deberes legales.*

*Han de citarse, en fin, las sentencias del Tribunal Supremo de 16 de diciembre
de 2004, que –sin cita de las anteriores sentencias– niegan la existencia de abuso
del derecho en el acreedor reclamante, considerando que se trata de la normal relación entre deudor y acreedor: «no existe abuso de derecho cuando sin traspasar los
límites de la equidad y la buena fe se pone en marcha el mecanismo judicial, con
sus consecuencias ejecutivas, para hacer valer una atribución que el actor estima
corresponderle»; de 23 de septiembre de 2005, que rechaza la alegación de abuso
de derecho –y la infracción de la doctrina de los actos propios–, sobre la base de que
el acreedor demandante continuó sus relaciones con la sociedad incluso después
de conocer la grave situación en que se encontraba, cesando sólo tras la existencia
de un grave incumplimiento, y de 9 de marzo de 2006, que rechaza igualmente el
ejercicio fraudulento de la acción.*

Además, en este ámbito conviene precisar que la responsabilidad no alcanza a las obligaciones sociales originadas con posterioridad al cese de los

administradores. Estos sólo responderían de las deudas existentes durante el tiempo en que fueron administradores (y tras la reforma de la Ley 19/2005, de 14 de noviembre, esta responsabilidad queda limitada a las obligaciones posteriores a la aparición de la causa de disolución). La responsabilidad cesa en el momento del cese efectivo en el cargo, con independencia del momento en que se produzca la inscripción del cese en el Registro mercantil (SSTS 14.10.2013 y 19.11.2013, en esta última se afirma: «*En el plano material, la falta de inscripción del cese no comporta por sí misma que el administrador cesado siga siendo responsable frente a terceros, salvo excepciones derivadas del principio de confianza, ni que asuma obligaciones sociales por incumplir deberes que ya no le incumben, dado que la inscripción no tiene carácter constitutivo*»). Del mismo modo, los administradores no responden de las obligaciones surgidas con posterioridad a la remoción de la causa de disolución, tan solo lo harán de las que hubieran nacido antes de su remoción (v. STS 14.10.2013, donde se afirma: «*la remoción de la causa de disolución de la compañía no extinguió la posible responsabilidad en que hubiera podido incurrir el administrador durante el tiempo en que incumplió el deber de promover la disolución, respecto de los créditos existentes entonces, pero sí evita que a partir del momento en que cesa la causa de disolución puedan surgir nuevas responsabilidades derivadas de aquel incumplimiento. Esto es, los acreedores de las deudas sociales surgidas después de la compañía hubiera superado la causa de disolución, como es el caso de (…), carecen de legitimación para reclamar la condena solidaria del administrador basada en un incumplimiento anterior*»).

2.2. El ámbito subjetivo

La sanción se impone a *los administradores sociales*, es decir a quienes integren el órgano de administración y representación de la sociedad el día del vencimiento del plazo otorgado para el cumplimiento de los correspondientes deberes legales, cualquiera que sea su configuración estatutaria y, en el caso del consejo de administración, con total independencia de que exista o no delegación de facultades (así, expresamente, SSTS 23.6.2006, 1.12.2008 y 29.5.2009). Por eso, no puede admitirse en modo alguno la afirmación de la sentencia del Tribunal Supremo de 23 de marzo de 2006 de que «*el deber de disolver la sociedad sólo puede afectar al que aparezca como verdadero, real y efectivo administrador social y no al que sólo se presenta como administrador de derecho formal, por su falta de participación efectiva en la gestión y control de la empresa*».

La sanción se aplica también, como es lógico, a los denominados *administradores de hecho* (así, expresamente, SSTS 7.5.2007, 25.9.2007 y 25.3.2008), a quienes han de extenderse las normas previstas para los administradores de derecho y, entre ellas, las relativas a la responsabilidad, pues no sería razonable que disfrutase de mejor condición el administrador de hecho que el administrador de derecho. El argumento de que al administrador de hecho no se le puede sancionar por el incumplimiento de deberes que no puede cumplir (convocar la junta general, solicitar la disolución judicial) no tiene mucho peso si se considera que, en la medida en que efectivamente sea administrador, el administrador de hecho participará en la decisión de cumplir o no cumplir los deberes legales y, sobre todo, que, en su condición de interesado, podrá instar la disolución judicial de la sociedad.

> La sentencia del Tribunal Supremo de 28 de abril de 2006 señala que «se trata de una responsabilidad que sólo ha de ser exigida, por su naturaleza, a los administradores de derecho, no a los de hecho»; pero, en realidad, no afrontaba ese problema en toda su extensión. En efecto, lo que se suscitaba, en realidad, era, en primer lugar, «la cuestión relativa a la posición de los administradores que presentan la dimisión dentro del período en que deberían realizar la promoción de la liquidación», señalándose al respecto que «la renuncia no exonera por sí misma de la responsabilidad (...) cuando se produce después de haber incurrido la sociedad en causa de disolución, que ha debido ya conocer o que de hecho ha conocido el administrador dimisionario, y sin que se haya realizado por el administrador la actuación que legalmente se le impone», y, en segundo lugar, si había de considerarse eficaz la renuncia efectuada a pesar de haberse inscrito en el Registro Mercantil con posterioridad. La sentencia considera eficaz la renuncia: «aun cuando no quepa oponer el cese a terceros de buena fe, por razón de tratarse de un acto sujeto a inscripción (arts. 21.1 y 22.2 CCom, 4, 9, 94.4 y 147.1 RRM), ni cabe aceptar una exoneración por el mero hecho de la renuncia cuando ya la sociedad se halla incursa en causa de disolución, es claro que la renuncia impide una actuación eficaz desde la fecha en que se produce, que en este caso ha de tenerse por cierta, y que, dadas las específicas circunstancias del caso (...) hace irrelevante que el momento de la inscripción se haya dilatado poco más de dos meses». Concluye la sentencia señalando que «la oponibilidad a terceros de los actos sujetos a inscripción y no inscritos, por otra parte, se presenta, en punto al cese de los administradores (arts. 21.1 C. de C. y 9 RRM), como un problema de eficacia respecto de la sociedad de actuaciones o gestiones realizadas por los administradores no inscritos o que permanecen inscritos después de su cese, cuestión distinta de la que aquí se está contemplando sobre todo cuando, como ocurre en el caso, la permanencia de la inscripción registral del administrador que ya ha cesado no ha sido determinante ni influyente en la relación entre la sociedad y el acreedor que reclama» (v. también STS 23.5.2006).

La *cesación en el cargo* de administrador con anterioridad al plazo de dos meses fijado para cumplir los deberes legales liberará de la responsabilidad (v. SSTS 28.4.2006, 26.5.2006, 22.3.2007, 25.9.2007, 25.3.2008, 27.11.2008), salvo, naturalmente, que siga siendo administrador de hecho (STS 25.3.2008), y teniendo en cuenta que la carga de la prueba del cese corresponde al propio administrador (STS 12.2.2009).

Por el contrario, una cesación posterior no puede considerarse como causa de extinción de una sanción ya nacida (v., en ese sentido, para el caso de renuncia, aunque con cierta confusión acerca del presupuesto de la responsabilidad, STS 3.12.2002; v. también SSTS 4.7.2007, 14.3.2008 y 25.3.2008), si bien operará entonces –como veremos– el plazo de cuatro años a contar desde ese cese fijado para el ejercicio de acciones contra administradores de sociedades (art. 949 C. de C.). No hay responsabilidad por obligaciones sociales si el administrador no ha incumplido el deber de convocatoria o el deber de solicitud de la disolución judicial o el de solicitud de concurso. Por esta razón, como ya se ha señalado, si el demandado ha dejado de ser administrador, aunque el cese no conste en el Registro Mercantil, no responde de obligaciones sociales (cfr. SSTS 10.5.1999, 28.4.2006, 22.3.2007 y 25.9.2007; contra, STS 13.4.2000, aunque se trataba de un caso de administrador dimitido sin que constara la aceptación de la renuncia). Por supuesto, el tercero de buena fe que demanda a un administrador cesado cuyo cese no consta en el Registro mercantil no puede ser condenado al pago de las costas aunque la demanda sea desestimada.

Tratándose de deberes legales, debe estimarse que los administradores han de ser sancionados si se limitan a presentar su dimisión sin convocar simultáneamente la junta o, en su caso, solicitar la disolución judicial o el concurso de acreedores. En sentido contrario, los *nuevos administradores* asumirían igualmente los deberes de promoción de la disolución y de solicitud de concurso, de forma que si los incumplen serán también sancionados (así, SSTS 7.7.2005, 9.3.2006, 26.5.2006).

El hecho de que no se trate de una responsabilidad objetiva, sino de una sanción derivada del incumplimiento de deberes legales específicos, hace que no puedan ser sancionados aquellos administradores que prueben que no les es imputable el incumplimiento. En particular, quedarán exentos de responsabilidad quienes hicieran todo lo conveniente para evitar el incumplimiento de los deberes impuestos para propiciar la disolución o el concurso y quienes se opusieran expresamente al acuerdo del órgano de no convocar junta para la disolución o de no solicitar la disolución judicial o el concurso de acreedores (SSTS 22.12.1999, 3.4.2006, 28.4.2006 y 1.12.2008). Como señalamos anteriormente, eso no quiere decir que la sanción pueda ser excluida por el simple hecho de que los administradores hayan tratado de evitar o minorar las consecuencias del incumplimiento de su deber (v. STS 2.12.2008, que parece reaccionar contra ciertos excesos jurisprudenciales). En fin, parece que el cumplimiento tardío del deber de promover la disolución no exonera de responsabilidad a los administradores por las obligaciones anteriores a su cumplimiento, pero sí evitaría la responsabilidad por las obligaciones posteriores a él (en este sentido, la STS de 17.3.2011 apunta: «*una vez que los administradores han incurrido en responsabilidad por tolerar el funcionamiento de la sociedad incursa en causa de disolución sin adoptar las medidas alternativamente previstas dentro del plazo señalado, la reacción tardía no opera a modo de excusa absolutoria como causa de exención de responsabilidad*»).

La sanción no puede imponerse a los *liquidadores* de la sociedad. No se trata sólo de que –al menos en el estado actual de la legislación– los liquidadores no tengan la condición de administradores (arts. 374 y 375 LSC). Se trata más bien de que los liquidadores no pueden –por definición– incumplir el deber de promoción de la disolución, de modo que no pueden ser sancionados por ese incumplimiento, sin perjuicio, claro está, de que pueda –y deba– declararse la responsabilidad –por daños– de los liquidadores de una sociedad disuelta por no haber procedido a realizar las operaciones de liquidación.

> *Es cierto, como ya se señaló, que puede producirse un cumplimiento meramente formal de los deberes legales de los administradores, de manera que existan sociedades disueltas que se encuentren sin liquidadores o cuyos liquidadores no realicen actividad alguna. Eso ha llevado a algunas resoluciones judiciales a considerar que el cumplimiento formal del deber legal de disolver la sociedad no evita la aplicación al liquidador de las normas sobre responsabilidad ex lege de los administradores si ese liquidador no procede a liquidar efectivamente la sociedad. El fundamento jurídico para la afirmación de esta responsabilidad se intenta encontrar en la doctrina del fraude de ley, y no en las normas generales en materia de responsabilidad civil de los liquidadores (SSAP Zaragoza [2ª] 16.2.1996; 20.10.1998 y 11.4.2000). Según esas sentencias, en caso de pérdidas graves, el acuerdo de disolución de la sociedad y de nombramiento de un liquidador que ni siquiera ha confeccionado el inventario y formulado el balance inicial de liquidación y que no ha procedido a realizar operación de liquidación alguna ni, alternativamente, a presentar la solicitud de concurso de la sociedad, constituye una «actuación claramente fraudulenta que, conforme al artículo 6.4 del Código civil, no debe obstaculizar las normas que se han tratado de eludir (en materia de responsabilidad de los administradores)». Esta construcción jurisprudencial no puede ser compartida. Si la inactividad del liquidador causa daño, no procederá la responsabilidad por infracción de los deberes de promoción oportuna de la disolución, sino la responsabilidad indemnizatoria, con la que se trata de conseguir la reparación del daño efectivamente causado por la inactividad de los liquidadores, daño cuya prueba, como es lógico, corresponde al acreedor demandante.*

La sanción no se extiende tampoco a los *representantes voluntarios* (directores generales, gerentes, etc.) nombrados por la sociedad, que no tienen la condición de administradores, salvo, naturalmente, que lo sean de hecho (v. STS 16.7.2002, que niega la imposición de la sanción al «gerente», por carecer de la facultad de convocar la junta y por considerar que las normas sancionadoras no son susceptibles de interpretación extensiva; y, en el mismo sentido, STS 22.3.2004).

2.3. El ámbito temporal

La naturaleza de esta especial responsabilidad permite determinar su *duración*. Si la sanción consiste en hacer a los administradores responsables de obligaciones sociales, parece evidente que la acción de reclamación contra los administradores prescribirá, respecto de cada crédito concreto del que deban responder, en el mismo momento en que lo haga la acción contra la sociedad, pues un responsable solidario no puede tener peor situación que el obligado principal. De otro lado, finalizará la responsabilidad de los administradores, ahora ya respecto de todos los acreedores que disfruten de la posibilidad de reclamar, por el transcurso del plazo de cuatro años fijado con carácter general por el artículo 949 del Código de Comercio para el ejercicio de acciones contra administradores de sociedades, plazo que comienza a contar desde el momento del cese del administrador (pueden verse al respecto SSTS 7.6.1999, 2.7.1999, 15.3.2002, 2.3.2004, 17.2.2005, 9.1.2006, 8.3.2007, 12.3.2007, 14.3.2008, 25.3.2008, 30.4.2008, 14.5.2008, 30.5.2008, 27.6.2008, 10.7.2008, 27.11.2008, 2.12.2008, 6.10.2009 y 4.4.2011, que rechazan expresamente la tesis de la prescripción anual prevista en el Código Civil para la responsabilidad extracontractual; y, reafirmando el *dies a quo* desde el cese de los administradores sociales sin que, en ningún caso, dicho cese suponga la extinción del carácter solidario de la responsabilidad, v., por todas, STS 4.2.2011).

> *Puede verse también (con cita de otras muchas) la sentencia del Tribunal Supremo de 9 de marzo de 2006, que, además, recuerda la existencia de una doble doctrina jurisprudencial sobre prescripción de acciones. La primera, «que lo relativo a la computación de los plazos de prescripción es cuestión de hecho y, por tanto, determinable por la apreciación y valoración de las pruebas practicadas». La segunda, «que corresponde a quien alega la prescripción la prueba del "dies a quo", de manera que la falta de concreción y la indeterminación del día inicial, o las dudas que sobre el particular puedan surgir no deben resolverse en principio en contra de la parte a cuyo favor juega el derecho reclamado».*

En consecuencia, la acción para exigir a los administradores el pago de una deuda social sobre la base de la sanción que analizamos *prescribirá* por el transcurso del plazo establecido para el ejercicio de la acción contra la sociedad (que, a falta de plazo expreso, será el de cinco años del artículo 1964 del Código Civil), y que se contará desde que pudo ejercitarse (o como dice el

1964 «*desde que pueda exigirse el cumplimiento de la obligación*»), y *caducará* por el transcurso del plazo de cuatro años a contar desde que se produzca el cese del administrador. Se trata de dos plazos de distinta naturaleza y, por ello, compatibles: el primero es un plazo –de prescripción– para el ejercicio de la acción derivada del derecho de crédito; el segundo constituye un plazo –de caducidad– durante el cual subsiste la posibilidad de que se ejerciten acciones contra administradores que hubieran cesado en su cargo.

Hay que señalar, en fin, que el Tribunal Supremo ha declarado que la falta de inscripción del cese del administrador en el Registro Mercantil no comporta por sí misma que el administrador cesado siga siendo responsable frente a terceros, salvo excepciones derivadas del principio de confianza, ni que asuma obligaciones sociales por incumplir deberes que ya no le incumben, dado que la inscripción no tiene carácter constitutivo, pero sí impide oponer al acreedor social o al perjudicado la prescripción de la acción, salvo mala fe de éstos o conocimiento efectivo por ellos del cese, porque sólo a partir de la inscripción «puede oponerse al tercero de buena fe el hecho del cese y, en consecuencia, a partir de ese momento el legitimado para ejercitar la acción no puede negar su conocimiento» (SSTS 14.4.2009, 12.6.2009, 18.6.2009, 15.4.2010, 15.2.2011, 21.3.2011 y la ya citada de 19.11.2013).

3. La suspensión de las reclamaciones en el concurso de acreedores

La consecuencia derivada del incumplimiento de los deberes legales de los administradores de reaccionar frente a la concurrencia de una causa de disolución queda en suspenso con la declaración de concurso. La declaración de concurso de acreedores no solo es una forma de cumplimiento alternativo de tales deberes, sino que, además, impide que los acreedores nacidos tras la concurrencia de la causa de disolución reclamen a los administradores el pago de las deudas de la sociedad si el sistema legal ya se hubiera puesto en marcha porque *los administradores hubieran incumplido anteriormente sus deberes legales*.

Como ya se ha señalado, la Ley Concursal –tras la Ley 38/2011, de 10 de octubre– *prohíbe el ejercicio de reclamaciones de los acreedores durante el concurso de la sociedad* (art. 50.2 LC) y *deja en suspenso las acciones que ya se hubieran ejercitado con anterioridad a la declaración de concurso* (art. 51 bis.1 LC). Con ello, la Ley Concursal impide que los acreedores de la sociedad concursada reclamen el pago a los administradores que hayan incumplido los deberes legales.

La razón de esa prohibición es puramente práctica. Se trata de coordinar el régimen de las acciones en el concurso y de evitar las dificultades que originaría el regreso de los administradores contra la sociedad concursada. En efecto, a primera vista, la sanción cobraría pleno sentido cuando se declarase el concurso de acreedores de la sociedad sin que los administradores hubieran adoptado las medidas previstas en la Ley para evitarlo o para que fuera declarado tempestivamente, de modo que a la responsabilidad del patrimonio social vendría a sumarse la de los patrimonios personales de los administradores que, con su omisión, hubieran propiciado la insolvencia de la sociedad o no la hubieran sometido a concurso (SSTS 12.11.1999, 30.10.2000, 20.10.2003, 21.9.2005, 6.4.2006, 30.6.2010). Podría sostenerse incluso que, con cierta frecuencia, la declaración de concurso –que presupone la insolvencia de la sociedad– pondrá de manifiesto, precisamente, que han fallado los mecanismos protectores establecidos para los supuestos en que la sociedad fuese todavía solvente, de modo que la responsabilidad de los administradores se convertiría entonces en un medio complementario de satisfacción de los acreedores concursales posteriores a la concurrencia de la causa de disolución, quienes, a pesar del concurso, conservarían sus acciones contra los administradores.

Pero esa opción originaba delicados problemas interpretativos. De un lado, si, como consecuencia de las reclamaciones, los administradores llegaran a satisfacer obligaciones sociales, habrán de gozar de la correspondiente *acción de regreso* contra la sociedad concursada, clasificándose entonces el correspondiente crédito como *subordinado*, porque el administrador tiene la condición de persona especialmente relacionada con el concursado (arts. 92-5° y 93.2-2° LC). Si, en sentido contrario, algún administrador no pudiera hacer frente a las reclamaciones, podrá declararse su propio concurso –a solicitud del propio administrador o de los acreedores (art. 3.1 LC)–, que podrá ser *acumulado* al concurso de la sociedad (art. 25 LC). La eventual acumulación garantizará la coordinación de los pagos a los acreedores de la sociedad y el regreso del administrador frente a la sociedad, permitiendo incluso –en su caso– la rescisión de los pagos ya realizados por el administrador (art. 71 LC).

Otro delicado problema interpretativo era el de la compatibilidad entre esta sanción y la que pudiera derivar de la calificación del concurso como culpable, consistente en la obligación de los administradores declarados personas afectadas por la calificación de cubrir, total o parcialmente, el déficit que resulte de la liquidación concursal (art. 172 bis LC). El presupuesto de una y otra sanción es diferente, por lo que no siempre procederán las dos: la sanción que analizamos deriva del incumplimiento de los especiales deberes impuestos cuando concurra causa de disolución, mientras que la sanción derivada de la calificación exige la declaración de concurso, la apertura de la fase de liquidación, la calificación del concurso como culpable y la consideración de los correspondientes administradores como personas afectadas por la calificación (v. AAPM 13.11.2007 y 5.2.2008). Podía ocurrir incluso que las reclamaciones de los acreedores derivadas de la primera sanción evitasen la aplicación de la segunda, si, por ejemplo, no llegara a abrirse la fase de liquidación en el concurso. Cuando fueran procedentes las dos sanciones, corresponderá al juez del concurso modular la sanción derivada de la calificación acomodándola a la que se hubiera producido por el incumplimiento de los deberes legales de promoción de la disolución. No en vano la Ley Concursal deja a la decisión del juez tanto la procedencia de la sanción misma cuanto la determinación de su extensión, con el límite del déficit que resultase de la liquidación (art. 172 bis).

Se planteaba, en fin, el problema de los efectos que pueda producir sobre esa sanción la aprobación judicial de un convenio, que tiene especial relieve cuando se hubiera pactado una quita y, sobre todo, cuando los acreedores hubieran renunciado a las acciones que pudieran corresponderles contra los administradores de la concursada. Es el supuesto contemplado por la sentencia del Tribunal Supremo de 23 de febrero de 2004, en una suspensión de pagos: «*Esta Sala no comparte el criterio de la sentencia recurrida para negar legitimación activa a la recurrente como acreedora (...) para exigir la responsabilidad solidaria por su deudas al administrador social demandado, porque efectivamente votó (...) en contra de la aprobación del convenio, y la doctrina de esta Sala en supuestos análogos (deudor en suspensión de pagos que fue afianzado solidariamente por tercero) no niega acción al acreedor siempre que, se repite, haya votado en contra de la aprobación del convenio (sentencias de 24 de enero de 1989 y 8 de enero de 1997). Esta doctrina ha sido acogida precisamente en el artículo 135 de la Ley concursal de 9 de julio de 2003*». En efecto, si la sanción consiste, precisamente, en hacer a los administradores garantes solidarios de la sociedad, parece lógico aplicar la doctrina jurisprudencial plasmada después en la Ley Concursal conforme a la cual «los acreedores que no hubiesen votado a favor del convenio no quedarán vinculados por éste en cuanto a la subsistencia plena de sus derechos frente a los obligados solidariamente con el concursado (...), quienes no podrán invocar ni la aprobación ni los efectos del convenio en perjuicio de aquéllos» (art. 135.1 LC).

Capítulo 7
LA RESPONSABILIDAD CONCURSAL

JOSÉ ANTONIO GARCÍA-CRUCES
Catedrático de Derecho mercantil
UNED

SUMARIO: I. INTRODUCCIÓN: CALIFICACIÓN DEL CONCURSO Y RESPONSABI-LIDAD DEL DEUDOR. II. LA RESPONSABILIDAD CONCURSAL. 1. Presupuestos de la responsabilidad concursal. 2. Excursus: sobre ciertos sujetos a los que cabe imputar la responsabilidad concursal. 3. Criterio de imputación. 4. Calificación jurídica de la responsabilidad concursal. 4.1. El debate doctrina. 4.2. La calificación de la responsabilidad concursal en la jurisprudencia. 5. Pluralidad de obligados y destinatarios del pago. 6. El aseguramiento de la eventual responsabilidad concursal. 7. Coordinación de la responsabilidad concursal con el régimen general de acciones de responsabilidad de administradores y liquidadores. 8. Responsabilidad concursal y responsabilidad de los administradores y liquidadores por las deudas sociales.

I. INTRODUCCIÓN: CALIFICACIÓN DEL CONCURSO Y RESPONSABILIDAD DEL DEUDOR

Nuestro Derecho Concursal Codificado no vinculaba las interdicciones que constreñían al deudor común con el hecho de haber desarrollado una conducta que se juzgaba incorrecta e, incluso, con una concreta situación económica (insolvencia) sino, antes bien, adoptaba un criterio puramente formal, como así se derivaba del hecho de reservarlas al procedimiento de quiebra y configurarlas como un efecto necesario de su mera declaración (en relación con esta opción legislativa y su crítica, vid. MARTÍNEZ FLÓREZ: Las interdicciones legales del quebrado, Civitas, Madrid, 1993, págs. 103 y sigs., con cita de abundante bibliografía). Rompiendo con la consideración de la que partía el Derecho ahora derogado, la vigente Ley Concursal advierte que el estado de insolvencia no sólo es un resultado posible sino, también, lícito. En este texto legal se desvincula el juicio universal de cualquier connotación meramente represora (sobre todos estos aspectos, y ya en relación con el Proyecto de LC, vid. GARCÍA-CRUCES: El problema de la represión de la conducta del deudor común, en "La Reforma de la Legislación Concursal", dir. A. ROJO FERNÁNDEZ-RÍO, Marcial Pons, Madrid – Registradores de España, 2.003, pág. 248 y sigs.) pues el cúmulo de efectos que derivan de la declaración de concurso tiene un significado instrumental de las finalidades de la institución concursal (vid. GARCÍA-CRUCES: Declaración de concurso y administradores de la persona jurídica concursada, en AAVV "Libro Homenaje al profesor Manuel Albaladejo García", Colegio de Registradores de la Propiedad y Mercantiles de España – Servicio de Publicaciones de la Universidad de Murcia, vol. I, Murcia, 2004, págs. 1969 y sigs.) Ahora bien, el legislador no olvida que el estado de insolvencia que padece el deudor puede tener su origen –o haber sido agravado– en una conducta seguida por éste y que pudiera resultar merecedora del oportuno reproche jurídico. Ante esta posibilidad, dentro del procedimiento universal se dispone una sección –la sexta o de calificación del concurso– dirigida a depurar las pertinentes responsabilidades. De este modo, el concurso no supone de por sí una sanción pero no por ello ha de ser ocasión para obviar la represión –en este caso, civil– de conductas que no puedan ser amparadas por el Derecho (sobre todas estas cuestiones vid., con amplitud, GARCÍA-CRUCES: La calificación del Concurso, Aranzadi, Cizur Menor, 2004, passim.)

Por otra parte, la Ley Concursal también se adorna con un encomiable realismo, pues a diferencia del protagonismo que la normativa codificada otorgaba al deudor persona física, viene a ajustarse a la realidad del tráfico en el que el predominio de la persona jurídica –en especial, bajo forma de sociedad mercantil– es indudable. Así, en los supuestos en que el deudor común, a cuya insolvencia se quiere poner remedio con el expediente concursal, fuera una persona jurídica, el enjuiciamiento de conductas ha de referirse a la actuación seguida por sus administradores o, en su caso, liquidadores, pues son éstos quienes con su proceder han determinado la voluntad del ahora concursado (vid. GARCÍA-CRUCES: Concursado, cómplices y personas afectadas por la calificación [en torno al ámbito subjetivo del concurso culpable], en Estudios sobre la Ley Concursal. Libro Homenaje a Manuel Olivencia, tomo V., Marcial Pons, Madrid, 2005, pág. 1969 y sigs.) Pero, además, ese realismo de la Ley Concursal se acentúa –entre otros lugares (ad ex. artículos 48, 48 ter y 93, 2, 2º LC)– en sede de calificación del concurso. En efecto, siguiendo una tendencia constatada en el ámbito de la legislación especial (cfr. artículo 271.1 LMV; artículo 40, a) LOSSP) y generalizada en las normas generales (cfr. artículo 236.3 Texto Refundido de la Ley de Sociedades de Capital), la valoración de las conductas desarrolladas de cara al origen o agravamiento del estado de insolvencia incluye la de aquellos sujetos que, a despecho de un nombramiento formal y vigente, han actuado como administradores o liquidadores de la persona jurídica en concurso (administrador o liquidador de hecho).

Junto con lo anterior, las sucesivas –y. seguramente, excesivas– reformas de la Ley Concursal han incorporado a otros sujetos a ese elenco de los que cabe, en su caso, exigirles la denominada responsabilidad concursal. Así, tras la reforma llevada a cabo por la Ley 38/2011 se añadió la previsión conforme a la cual también resulta posible que la condena por responsabilidad concursal recaiga sobre los apoderados generales de la concursada. De otro lado, entre las varias reformas de la Ley Concursal que se han producido a lo largo del año 2014, Ley 17/2014 incorporó en aquel texto legal, tal y como ya anticipara el Real Decreto Ley 4/2014, un supuesto particular que, en las condiciones allí dispuestas, permite que la condena al pago del fallido concursal tenga que ser afrontada por los socios de la deudora común. La trascendencia práctica, pero también dogmática, de estas nuevas previsiones aconseja su consideración separada, a fin de poder valorar su alcance y la repercusión sobre el régimen previsto para la institución (sobre estas reformas, vid. GARCÍA-CRUCES: Las reformas de la Ley concursal en materia de calificación del concurso [RDL 4/2014, Ley17/2014 y Ley 9/2015], en DÍAZ MORENO, A. y LEÓN SANZ, F. (Dirs.), Acuerdos de refinanciación, Convenio y Reestructuración, Aranzadi, Cizur Menor, 2015, pp. 183 y ss.).

La sección de calificación se configura en el nuevo texto legal como una pieza separada y regida por dos criterios. En primer lugar, al despojarse al instituto concursal de una función represora de la mera insolvencia y confiar a esta sección el enjuiciamiento de las conductas seguidas, se hace preciso fijar un criterio de valoración de la actuación que desencadenara –o agravara– la insolvencia del ahora concursado. Y este criterio no es otro que el que señala el artículo 164.1 de la Ley Concursal, norma a cuyo tenor

> *El concurso se calificará como culpable cuando en Ia generación o agravación del estado de insolvencia hubiera mediado dolo o culpa grave del deudor o, si los tuviere, de sus representantes legales y, en caso de persona jurídica, de sus administradores o liquidadores, de hecho y de derecho, apoderados generales, y de quienes hubieran tenido cualquiera de estas condiciones dentro de los dos años anteriores a la fecha de la declaración del concurso.*

Pero, junto con este criterio de culpabilidad, la norma concursal adopta –de forma más discutible– otro de oportunidad, pues la apertura de la sección de calificación no siempre resulta procedente, ya que se reserva para determinados casos. Con anterioridad a la Ley 38/2011, el artículo 163.1.1° de la Ley Concursal delimitaba la procedencia de la apertura de la Sección de calificación por referencia a dos supuestos. En primer lugar, resultaba procedente la apertura de esta Sección cuando, habiéndose aprobado un convenio, en éste se dispusiera, para todos los acreedores o para los de una o varias clases, una quita superior a un tercio del importe de sus créditos o una espera superior a tres años. De igual modo, este proceder había de seguirse en todos los supuestos de apertura de la fase de liquidación (artículo 163.1.2° LC).

Tras la reforma de la Ley Concursal, este planteamiento parece mantenerse en la redacción del nuevo artículo 167.1 de la Ley Concursal, de modo que la reforma se habría limitado en este punto a insertar con mejor sistemática tal criterio de oportunidad dentro de las reglas de orden procesal. Así, y para los supuestos en que la solución al concurso fuera la de un convenio gravoso, se mantiene el mismo criterio, debiendo ordenarse la formación de la sección sexta en la sentencia aprobatoria de dicho convenio. Sin embargo, en aquellos casos en que la solución al concurso sea la liquidatoria, el primer inciso del apartado 1° del artículo 167 de la Ley Concursal dispone que la formación de la sección se acordará en la resolución judicial por la que se apruebe el plan de liquidación o, en su caso, en la que se resuelva que la liquidación se practicara de conformidad con la reglas legales supletorias. Este planteamiento se ha mantenido en las últimas reformas del texto legal, pues el Real Decreto Ley 11/2014 se ha limitado a añadir la previsión de que el convenio también se considera gravoso no solo cuando la quita o la espera señalada afecte a todos los acreedores o a las una o varias clases sino, también, habrá que destacar que por tal clase, se entenderán aquéllas en su estricto significado concursal al igual que "las establecidas en el artículo 94.2".

Sin embargo, una atenta lectura del segundo inciso del nuevo artículo 167.1 de la Ley Concursal viene a mostrar una importante alteración de ese criterio de oportunidad, seguramente no querida por el legislador. Repárese que la nueva redacción del criterio de oportunidad se formula ahora de modo negativo, esto es, señalando no los supuestos en que debe formarse sino, mejor, cuando no procede la apertura de la sección.

Pues bien, si se repasa el tenor literal de la norma podrá comprobarse cómo se señalan dos supuestos en donde no debe abrirse la sección de calificación, pues así deberá procederse si el convenio establece, para todos los acreedores o para los de una o varias clases "una quita inferior a un tercio del importe de sus créditos", así como en los casos en que el convenio acoja "una espera inferior a tres años".

El error en la redacción de la norma radica en mantener la disyuntiva, tal y como hacía la literalidad del antiguo artículo 163.1 de la Ley Concursal, cuando ahora, sin embargo, no se señalan los supuestos en que procede la apertura de la sección de calificación sino aquellos casos en que no ha de procederse de tal modo.

Si ahora se quisiera concretar las consecuencias prácticas a que ha de conducir la nueva redacción del precepto, cabría señalar que el número de supuestos en los que no ha de procederse a formar la sección de calificación se incrementa. Así, no procederá ese actuar si el convenio contiene una quita superior a un tercio pero una espera inferior a tres años. Pero, también, no procederá la formación de la sección de calificación si el convenio dispone una espera superior a tres años aun cuando incorpore una quita inferior a un tercio del importe de los créditos. De este modo se ha ampliado, por una error de redacción, el número de supuestos que quedan excluidos de la valoración de conductas que encierra la sección de calificación (GARCÍA-CRUCES: La calificación del concurso tras la reforma de la Ley Concursal, en "Estudios de Derecho Mercantil en Homenaje al Prof. Vicent Chuliá", Tirant lo Blanch, Valencia, 2013, pp. 1629 y siguientes).

La limitación de los supuestos en que debe abrirse la sección de calificación no es coherente con la nítida separación entre el ilícito civil que se depurará en este trámite y la consideración jurídico-penal de las mismas conductas (sobre estos aspectos, vid. ad ex., CUGAT: El impacto de la nueva Ley Concursal en el delito de quiebra, La Ley, nº 5932, 2004, pág. 1 y sigs. Sobre la represión penal de los ilícitos en este ámbito, vid., con carácter monográfico, OCAÑA: El delito de insolvencia punible del artículo 260 CP a la luz del nuevo Derecho Concursal. Aspectos penales y civiles, Tirant lo Blanch, Valencia, 2004, passim). Dada la vigencia de los tipos penales, siempre será posible, aunque difícil, que una concreta actuación seguida en relación con el origen o agravamiento del estado de insolvencia pueda merecer el reproche penal y, pese a ello, no ser ni siquiera objeto de consideración en el plano civil pues, por no alcanzarse las quitas y esperas dispuestas en el artículo 167.1.1º de la Ley Concursal, no pueda abrirse la sección de calificación en el concurso.

La solución acogida en el texto legal no deja de estar exenta de críticas pues, probablemente, hubiera sido posible una solución distinta y más acertada. Con carácter informativo puede recordarse cómo en la Propuesta de Anteproyecto de Ley Concursal de 1995, que elaborara el Profesor ROJO, el planteamiento seguido a fin de concretar los criterios que determinaban la procedencia de la Sección de calificación obedecía a una orientación distinta. En efecto, el artículo 208 del citado texto advertía el carácter necesario de la apertura de la Sección de calificación en todo caso, señalando como excepciones a tal regla general los supuestos en que el concurso fuera voluntario –lo que pudiera resultar discutible– y aquellos en que se hubiera aprobado un convenio que permitiera la íntegra satisfacción de los créditos concursales en un plazo no superior a tres años o, en caso de liquidación, que de lo actuado resultara la suficiencia de los medios propios del deudor común para satisfacer todas las obligaciones.

Por todo ello, y sin menoscabo alguno de coherencia con la opción de política jurídica asumida por la Ley Concursal, podría haber resultado más acertado este otro proceder. La razón de esta afirmación radica en la finalidad de, sin perjuicio de la necesaria tipificación de los supuestos, no limitar en exceso la posibilidad de actuar la calificación del concurso, ya que siempre son posibles otros casos distintos de los previstos –ahora de modo negativo– en el artículo 167.1 del texto legal y en los que pudiera resultar conveniente la apertura de esta Sección. La razón última a que obedece esta opinión estriba en el hecho de que, de acuerdo con la caracterización de la calificación del concurso y su configuración como instrumento al servicio –con carácter principal, entre otros– de los legítimos intereses de los acreedores, siempre son dables supuestos en que, sin estar incluidos en la norma que nos ocupa, exista la necesidad de indemnizar un daño o, bien, resulte insatisfecho el crédito de tercero, pudiendo merecer, en ambos casos, un reproche la conducta antecedente del deudor común o de quienes le hubieran representado o conforman su voluntad. En estos supuestos, sin embargo, y de acuerdo con el tenor literal del texto legal, no será posible –pese a su conveniencia– la apertura de la Sección de calificación ni actuar las consecuencias derivadas de ésta. En definitiva, hubiera sido –probablemente– más acertado sentar una regla general de apertura de la calificación concursal para, a continuación, restringir y no ampliar (como viene a hacerse tras las distintas reformas de la LC) aquellos supuestos en que, por no mediar un daño relevante y lograrse la satisfactoria realización del crédito de los acreedores, carece de sentido el desarrollo de la Sección de calificación.

El enjuiciamiento civil, dentro del proceso concursal, de las conductas seguidas respecto de la causación o agravamiento del estado de insolvencia del ahora deudor común se hará de conformidad con el trámite dispuesto (vid. artículos 167 a 171 LC), pudiendo llegarse a la declaración de concurso culpable en virtud de sentencia. Esta resolución judicial, si con fundamento en los hechos adverados calificara el concurso como culpable, contendrá determinados pronunciamientos pues, tras constatar el dolo o la culpa lata que requiere aquella calificación, dispondrá los sujetos –deudor, cómplices y personas afectadas por la calificación (sobre este concepto, vid. la nueva redacción del artículo 172.2.1º LC y GARCÍA-CRUCES: La Calificación del Concurso, cit., págs. 114 y sigs.)– cuya conducta responde a tal elemento intencional y que justifica las oportunas declaraciones de condena. Éstas, y en razón de las concretas circunstancias, consistirán tanto en efectos personales como patrimoniales. En lo que hace a los primeros, las personas afectadas por la calificación (pero no el cómplice. Cfr. artículo 172, 2, 2º y 3º LC), sufrirán su inhabilitación para administrar los bienes ajenos durante un periodo de dos a quince años, así como para representar a cualquier persona durante el mismo periodo, atendiendo, en todo caso, a la gravedad de los hechos y a la entidad del perjuicio, así como la declaración culpable en otros concursos (el alcance de la inhabilitación dispuesto en esta norma ha de completarse con la prohibición de ejercicio de comercio que sanciona el artículo 13, 2 C de C, en su nueva redacción dada por la disp. final. 2ª LC. Sobre todas estas cuestiones, vid. GARCÍA VICENTE: La inhabilitación como efecto de la calificación culpable del concurso, págs. 175 y siguientes). Por otra parte, y de acuerdo con el concreto supuesto de hecho, la sentencia de calificación dispondrá la pérdida de cualquier derecho que las personas afectadas por la calificación o declaradas cómplices tuvieran como acreedores concursales o de la masa y la condena a devolver los bienes o derechos que hubieran obtenido indebidamente del patrimonio del deudor o hubiesen recibido de la masa activa, así como a indemnizar los daños y perjuicios causados (sobre el régimen de estos efectos patrimoniales anudados a la calificación culpable del concurso, vid. ZUBIRI DE SALINAS: Los efectos patrimoniales de la calificación culpable del concurso, en García-Cruces (Dir.), Insolvencia y responsabilidad, Civitas, Madrid, 2012, págs. 189 y sigs.)

Pero, también, el nuevo artículo 172 bis de la Ley Concursal advierte la posibilidad de un último efecto que se vincula a la calificación culpable del concurso. Así, la sentencia de calificación puede disponer, de igual modo, la responsabilidad concursal de los administradores, liquidadores o apoderados generales de la persona jurídica en concurso. Pues bien, esta posible responsabilidad concursal es el objeto de estas páginas. Desde luego, no estará de más advertir de las dificultades que presenta cualquier análisis de esta norma, al igual que la polémica que su reconocimiento ha generado entre nosotros. Por otro lado, también ha de reseñarse la novedad que el reconocimiento de la responsabilidad concursal –o, quizás, mejor, por el fallido concursal– supone en nuestro Derecho, aun cuando siempre es posible buscar algún antecedente en el Derecho comparado (así l'action en comblement du passif del Derecho francés. Sobre la misma vid. SORTAIS: Les contours de l'action en comblement de l'inssufisance d'actif, en Le juge et le droit de l'economie. Mélanges en l ?honneur de Pierre Bézard, Montcherstien, París, 2002, pág. 321 y sigs.; y VEROUGSTRAETE: L'action en comblement du passif, en AAVV, "Les créanciers et le Droit de la Failli-té", Bruylant, Bruselas, 1.983, pág. 425 y sigs.)

II.　LA RESPONSABILIDAD CONCURSAL

1.　Presupuestos de la responsabilidad concursal

El primer apartado del artículo 172 bis de la Ley Concursal sanciona la previsión de una responsabilidad concursal que ha sido acogida de forma positiva pero, también, con grandes críticas. En concreto, la citada norma dispone que:

> *Cuando la sección de calificación hubiera sido formada o reabierta como consecuencia de la apertura de la fase de liquidación, el juez podrá condenar a todos o a algunos de los administradores, liquidadores, de derecho o de hecho, o apoderados generales, de la persona jurídica concursada, así como los socios que se hayan negado sin causa razonable a la capitalización de créditos o una emisión de valores o instrumentos convertibles en los términos previstos en el número 4.° del artículo 165, que hubieran sido declarados personas afectadas por la calificación a la cobertura, total o parcial, del déficit, en la medida que la conducta que ha determinado la calificación culpable haya generado o agravado la insolvencia.*

Desde luego, la novedad e importancia de una regla de este tipo es más que evidente. Nuestro Derecho Concursal tradicional no conocía un pronunciamiento semejante y su trascendencia práctica no puede discutirse pues, en definitiva, con tal previsión viene a permitirse a los acreedores concursales que puedan exigir el pago del fallido concursal a terceros, cuyo patrimonio personal no constituye garantía alguna en favor de la persona jurídica concursada (parecían negar la pertinente justificación a este reconocimiento de responsabilidad, RODRÍGUEZ RUIZ DE VILLA y HUERTA BIESCA: ¿Más responsabilidad de los administradores en el Anteproyecto de Ley Concursal de 2001?, DN, Abril, 2002, pág. 13)

Pero, antes de nada, y sin perjuicio de una posterior valoración de esta opción de política jurídica, conviene destacar cómo la norma que nos ocupa parece estar dirigida por una exquisita prudencia, pues no viene a referir esta posible responsabilidad concursal a cualquier supuesto, sino que, antes bien, lo reserva para aquellos que entiende como más graves. Esta observación viene impuesta por el tenor literal del citado artículo 172 bis.1 de la Ley Concursal, ya que esta norma limita la posibilidad de esta responsabilidad concursal requiriendo con carácter necesario la concurrencia de ciertos presupuestos. Estos presupuestos son tres. En primer lugar, se exige la concurrencia de un presupuesto material, pues no basta con que la calificación del concurso fuera la de culpable, sino que la Ley Concursal restringe la procedencia de la condena por responsabilidad concursal a aquellos supuestos en que se llegara a tal calificación por haberse abierto o, en su caso, reabierto la sección sexta como consecuencia de la apertura la liquidación concursal. Por otra parte, resulta también necesario respetar un presupuesto cuantitativo, ya que deviene necesario a estos fines que la masa activa a liquidar no permita la íntegra satisfacción del crédito de los acreedores concursales, lo que exige, a su vez, el previo pago de los créditos contra la masa. Y, en último lugar, debe observarse un presupuesto de orden subjetivo, pues esta condena por responsabilidad concursal sólo podrá recaer sobre los administradores o liquidadores, de derecho o de hecho, así como los apoderados generales de la persona jurídica cuyo concurso fuera calificado como culpable y los socios en las particulares condiciones que más adelante se detallarán (no cabe la extensión de este pronunciamiento a los cómplices. Vid. SAP Madrid [Sección 28] 5 de febrero de 2008 ADCo., 17, 2009, pp. 533 y ss., SAP Barcelona [sección 15] 21 de febrero de 2008 [Sentencia 67/2008; Rollo 694/2007], SAP León 25 de junio de 2007; y SAP Málaga [Sección 6] 19 de diciembre de 2007. Sobre el concepto, a estos efectos, de cómplice, vid. STS 27 de enero de 2016 (Roj: STS 89/2016 - ECLI:ES:TS:2016:89). Curiosamente, la jurisprudencia no había dudado en excluir del ámbito de la responsabilidad concursal al apoderado general cuya actuación no fuera considerada como la propia de un administrador de hecho. Cfr. SAP Asturias 13 de noviembre de 2009; Sentencia 388/2009; Rollo 174/2009]). Ahora bien, respecto de este último presupuesto de carácter subjetivo sí conviene realizar una importante advertencia, pues el texto legal señala expresamente una extensión del mismo. Así, también podrán sufrir tal condena quienes hubieran tenido cualquiera estas condiciones dentro de los dos años anteriores a la fecha de declaración del concurso (artículos 164.1 y 172 bis.1 LC).

La concreción de estos presupuestos –material, cuantitativo, subjetivo– que hacen posible la llamada responsabilidad concursal no está, empero, exenta de problemas y dudas. En primer lugar, pudiera llamar la atención la exigencia legal que reserva la posibilidad de esta responsabilidad por el fallido concursal a aquellos supuestos en que la sección de calificación hubiera sido formada o reabierta como consecuencia de la apertura de la fase de liquidación. Desde luego, y en atención a su significado material, no cabe excluir supuestos en que la adopción de un convenio pueda llegar a implicar un sacrificio para los acreedores que materialmente pudiera amparar la posible responsabilidad concursal de las personas afectadas por la calificación. De hecho, y a efectos de sentar los supuestos en que procede la apertura de la sección de calificación, la Ley Concursal limita su procedencia a los supuestos más graves pero equiparando –desde este punto de vista– los casos en que se diera la apertura de la liquidación con cierto tipo de convenios caracterizados por un elevado importe en la quita y una relevante espera. Ahora bien, quizás pudiera explicarse el proceder de legislador si se recuerda su generosidad para con el concursado al posibilitarle, de forma más que importante, la solicitud de apertura de la liquidación concursal (cfr. artículo 142.1° LC). De este modo, el presupuesto material que ha de respetarse para declarar la responsabilidad concursal ex artículo 172 bis de la Ley Concursal vendría a tener el significado de ser un mecanismo de presión sobre el deudor, a fin de que éste no acudiera alegremente a la liquidación del concurso y así se favorezca la adopción de un convenio, que es la solución primada en la propia Ley. De igual manera, también es posible una segunda razón que amparara la procedencia de reservar esta responsabilidad concursal a los supuestos de apertura de la liquidación. Y ésta no es otra que el mayor grado de protección que tienen los acreedores en los supuestos en que se alcanzara un convenio frente al expediente liquidatorio. Su posible iniciativa y participación en el convenio (artículos 99.1; 102.1; 103.1; 108.1; 110.2 y 121.4 LC), el limitado efecto novatorio que tiene el convenio respecto de la quita (cfr. artículo 136 LC), así como la posibilidad de devengo de interés para la espera si mediara remanente tras la liquidación (artículo 59.2 in fine LC), son razones que quizás pudieran justificar la distinta –y probablemente más favorable– posición de los acreedores en el convenio respecto de la liquidación concursal. De todos modos, y pese a las razones anteriores, el proceder del legislador al sentar esta limitación no deja de estar exento de reparos.

Mayor complejidad pudiera presentar una correcta inteligencia del que hemos denominado como presupuesto subjetivo de la responsabilidad por el fallido concursal. Como se recordará, tal condena sólo puede recaer sobre los administradores o liquidadores, de derecho o de hecho, así como respecto de los apoderados generales de la persona jurídica concursada y, en su caso, los socios pero, también, el apartado primero de este artículo 172 bis de la Ley Concursal viene a hacer una extensión, pues el mismo pronunciamiento podrá acordarse en la sentencia de calificación respecto de quienes hubieren tenido cualquiera de estas condiciones dentro de los dos años anteriores a la fecha de la declaración de concurso.

Con esta opción de política legislativa, parece querer introducirse un criterio de seguridad jurídica, a fin de delimitar el período temporal en que los administradores y liquidadores pueden ver enjuiciadas sus actuaciones al frente de la sociedad luego declarada en concurso. Pese a ello, no cabe desconocer lo discutible de tal opción y que no ha dejado de suscitar ciertos reparos entre nosotros. Así, se ha observado que «no nos parece en cambio congruente con la propia configuración legal de la responsabilidad concursal el limitar el posible alcance subjetivo de la misma a quienes hayan ostentado la condición de administrador, de hecho o de derecho, dentro de los dos años anteriores a la fecha de la declaración de concurso, pues del presupuesto material o sustantivo de la responsabilidad se deriva, que lo único relevante es quiénes sean los administradores a los que quepa imputar la generación o agravamiento del estado de insolvencia mediando dolo o culpa grave, sin perjuicio, eso sí, de la prescripción de la responsabilidad concursal de los administradores en base al artículo 949 del Código de comercio, es decir, cuando ya haya transcurrido cuatro años desde que por cualquier motivo cesaren en el cargo de administrador; no apreciamos motivos para establecer a este respecto un régimen diferenciado del general o común aplicable a los administradores sociales por el referido artículo 949 del Código de comercio». (ALONSO UREBA: La responsabilidad concursal de los administradores de una sociedad de capital en situación concursal. El artículo 172, 3 de la Ley Concursal y sus relaciones con las acciones societarias de responsabilidad, en AAVV, "Derecho Concursal. Estudio sistemático de la Ley 22/2003 y de la Ley 8/2003, para la Reforma Concursal, ed. Dilex, Madrid, 2003, págs. 538 y 539).

La citada regla aboca a una primera observación pues, con la finalidad de salvaguardar exigencias elementales y evitar que estos sujetos se vean expuestos a un cierto riesgo de indefensión, resultará necesario su emplazamiento en la forma dispuesta en el artículo 170.2º de la Ley Concursal. Por otra parte, no estará de más advertir que, de acuerdo con la literalidad de la norma, y aún cuando tal opción pudiera resultar criticable, la procedencia de la condena por responsabilidad concursal sólo puede recaer sobre quienes merecieran la consideración de administrador, liquidador, apoderado general o –bajo ciertas condiciones- socio, excluyéndose de tal efecto a otros sujetos que en la sentencia de calificación pudieran haber sido condenados como «personas afectadas por la calificación», sin perjuicio de que, en su caso, pudieran ser considerados como administradores o liquidadores de hecho y a ellos se extendiera la aplicación de cuanto dispone el artículo 172 bis de la Ley Concursal.

Atendida esta exigencia, la regla de extensión que nos ocupa plantea un segundo problema, ya que es imprescindible sentar un criterio que permita enjuiciar la conducta seguida por quienes en los dos años anteriores a la declaración de concurso fueron administradores, liquidadores o apoderados generales del ahora concursado a fin de considerar la procedencia de que sobre ellos recaiga una condena por responsabilidad concursal. En mi opinión, creo que ese criterio de enjuiciamiento no puede ser otro que el requerido para los administradores, liquidadores o apoderados generales con cargo vigente y que, en su caso, justificara tal condena. Esto es, ese criterio de enjuiciamiento de la conducta de quien fue administrador o liquidador, de hecho o de derecho, no puede ser otro que el del dolo o la culpa lata con que hubieran participado en la causación o agravamiento del estado de insolvencia de la persona jurídica ahora concursada (vid., en relación con el entonces Anteproyecto de Ley, LLEBOT: La responsabilidad concursal de los administradores, RGD, 657, Junio, 1.999, pág. 7565). Las previsiones del artículo 164.1 de la Ley Concursal impiden otra conclusión.

Atendidos los anteriores problemas queda, sin embargo, una cuestión de no menor dificultad, pues resulta necesario interrogarse acerca de cual es la ratio a que obedece esta extensión de responsabilidad. Desde luego, esta previsión permite poner coto a ciertas prácticas, en virtud de las cuáles quienes materialmente hubieran originado o empeorado el estado de insolvencia de la persona jurídica deudora quedarían al margen de cualquier efecto anudado a la calificación concursal como consecuencia del hecho de haber cesado en su nombramiento o abandonado su capacidad de decisión con anterioridad a la declaración del concurso. Ahora bien, si esta es la finalidad a la que obedece tal previsión, la duda que pudiera surgir hace referencia a que es lo que añade el hecho de haberla acogido de forma expresa en el artículo 172 bis de la Ley Concursal.

En mi criterio, esta decisión de política legislativa parece responder a una finalidad por lograr la necesaria seguridad jurídica, delimitando el período temporal en que los administradores, liquidadores y apoderados generales pueden ver enjuiciadas sus actuaciones al frente de la sociedad luego declarada en concurso. Pese a ello, tal y como antes señalara, parte de la doctrina española no ha dudado en criticar este proceder del legislador, considerando que hubiera sido preferible confiar el alcance temporal de esta responsabilidad concursal al juego de la prescripción de la acción que, en principio, vendría determinada por la regla general ex artículo 949 C.com. Sin embargo, me parece más acertado el proceder del legislador pues no habría que olvidar la vigencia de las normas generales, de modo que el cómputo del plazo prescriptivo no sería posible en tanto en cuanto no fuera factible el ejercicio de la acción (artículo 1969 C.c.). Pues bien, dado que el ejercicio de la acción dirigida a exigir la pertinente responsabilidad concursal sólo es posible dentro de la sección sexta del juicio universal (Sobre estas cuestiones, vid. HERRERO PEREZAGUA: Tiempo de ejercicio de las acciones de calificación, en García-Cruces (Dir.), Insolvencia y responsabilidad, Civitas, Madrid, 2012, págs. 3763 y siguientes), ello vendría a suponer –en la práctica– un resultado similar al de la imprescriptibilidad de tal acción. Por ello, y a fin de realizar una exigencia mínima de seguridad jurídica, resulta acertada la opción del legislador delimitando temporalmente –de modo expreso– los sujetos que pueden venir afectados por tal condena.

2. Excursus: sobre ciertos sujetos a los que cabe imputar la responsabilidad concursal

Como acaba de indicarse, la condena por responsabilidad concursal requiere la satisfacción de un presupuesto subjetivo, pues este pronunciamiento solo podrá recaer, tal y como advierte la norma, sobre "los administradores, liquidadores, de derecho o de hecho, o apoderados generales, de la persona jurídica concursada, así como los socios que se hayan negado sin causa razonable a la capitalización de créditos o una emisión de valores o instrumentos convertibles en los términos previstos en el número 4.º del artículo 165, que hubieran sido declarados personas afectadas por la calificación".

El tenor literal del vigente artículo 172 bis.1 de la Ley Concursal es resultado de dos reformas de la Ley Concursal que, frente a la redacción inicial del precepto, incrementaron su ámbito subjetivo como la inclusión de los "apoderados generales" (Ley 38/2011) y, más tarde, de "los socios que se hayan negado sin causa razonable a la capitalización de créditos o una emisión de valores o instrumentos convertibles en los términos previstos en el número 4º del artículo 165" (Ley 17/2014).

La incorporación de estos sujetos al elenco de aquellos que pueden verse obligados a satisfacer a los acreedores el fallido concursal obliga a la consideración detenida del alcance de tales previsiones, así como del acierto del legislador y los muchos y graves problemas que pueden suscitarse.

En primer lugar, habrá que atender a la previsión que extiende la posible condena por responsabilidad concursal a los apoderados generales de la persona jurídica (la equiparación, a los efectos de la posible exigencia de responsabilidad, de estos sujetos respecto de los administradores sociales se ha plasmado –siempre que se den ciertos presupuestos– como regla general en el ámbito societario, tras la reforma de la LSC llevada a cabo por la Ley 31/2014. Cfr. artículo 236.4 LSC). Esta decisión de política legislativa supone, a estos efectos, una regla de equiparación de tales sujetos respecto de los administradores y liquidadores sociales (sobre esta regla, vid. MORALEJO MENÉNDEZ: El ámbito subjetivo del concurso culpable: concursado, cómplices y personas afectadas por la calificación, en García-Cruces (Dir.), Insolvencia y responsabilidad, Civitas, Madrid, 2012, págs. 65 y siguientes, en especial págs. 74 y siguientes).

En relación con la posible responsabilidad que cabría requerir de los apoderados generales, el criterio tradicional en nuestra jurisprudencia lo expresa, con cita de sus precedentes, la Sentencia del Tribunal Supremo de 8 de febrero de 2008 (Roj: STS 1709/2008 - ECLI:ES:TS:2008:1709), al destacar que "la condición de administrador de hecho no abarca, en principio, a los apoderados (SSTS de 7 de junio de 1999 y 30 de julio de 2001), siempre que actúen regularmente por mandato de los administradores o como gestores de éstos, pues la característica del administrador de hecho no es la realización material de determinadas funciones, sino la actuación en la condición de administrador sin observar las formalidades esenciales que la ley o los estatutos exigen para adquirir tal condición".

Desde luego, y como consecuencia de la reforma del texto legal, parece que habrá que entender superado tal criterio, dada la incorporación de una regla de equiparación. Con esta regla de equiparación entre el representante voluntario y el representante orgánico, la nueva redacción de la Ley Concursal incurre –a mi juicio– en un error, altera el significado de la sección de calificación y sus consecuencias prácticas pueden ser importantes. En las reglas dispuestas en los artículos 163 y siguientes del texto legal, la imputación de responsabilidad que se hace a determinados sujetos –administradores y liquidadores sociales– no se justifica tanto en la actividad efectiva que hubieran desarrollado como, mejor, en la autonomía con que deciden o pueden decidir para actuar o permitir la actuación de un tercero. Dicho en otras palabras, deben responder quiénes, en último término, conforman o pueden conformar la voluntad de la sociedad. Estos sujetos presentan, entonces, una característica pues son representantes orgánicos; esto es, en puridad no representan a la sociedad sino que en sus decisiones son la sociedad. Por el contrario, un apoderado general, con independencia de la amplitud del poder conferido, es siempre un representante voluntario o representante en sentido estricto. De este modo, con su actuar representan a la sociedad, ahora concursada, pero no forman su voluntad. Si se quiere expresar de otro modo, cabría indicar que un apoderado general no tiene, en principio, una autonomía de decisión sino que ejecuta las decisiones de quién le ha atribuido la representación. De ahí que, también, la actuación del representante voluntario ceda si concurre en el acto el representado, pues hay una posibilidad necesaria de vinculación y de sujeción a sus instrucciones, que en el último término se manifiesta en la facultad de revocar el apoderamiento conferido.

El resultado que ahora interesa destacar es que un apoderado general no decide, en sentido propio, ni tiene autonomía para decidir, por lo que nunca se le imputa la responsabilidad derivada de los actos que ejecuta en nombre del representado y como consecuencia de la decisión de éste. Las consecuencias a que conduce la decisión plasmada con ocasión de la reforma respecto del apoderado general, no resultan acertadas. En primer lugar, se altera –sin justificación alguna– el régimen de responsabilidad con que nuestro Derecho positivo ha configurado la representación voluntaria. Repárese que, de conformidad con expresas previsiones de nuestro Derecho positivo, el apoderado general, en el ejercicio del poder de representación conferido, nunca incurre en responsabilidad que pueda ser exigida por terceros, a menos que oculte a éstos el carácter de representante con el que actúa (cfr. artículos 284, 285 y 287 C.com.). La solución es, además, arbitraria, pues si se considerara que también ha de extenderse la noción de persona afectada por la calificación a los supuestos de representación voluntaria, no se entiende por qué se limita a los casos de apoderado general y no abarca, de igual modo, a los apoderados singulares. Estos apoderados singulares también podrían llegar a participar, en virtud de la limitada representación conferida, en un acto o actos que ocasionen o agraven el estado de insolvencia, justificándose así la extensión a ellos de la noción de persona afectada por la calificación. Debe observarse, también, la incongruencia que, a estos efectos, supone limitar la regla de equiparación tan solo a los supuestos de persona jurídica, cuando la persona natural también puede otorgar esos apoderamientos generales (MORALEJO MENÉNDEZ: El ámbito subjetivo del concurso culpable: concursado, cómplices y personas afectadas por la calificación, cit., pág. 75)

Sin embargo, y por la fuerza de las cosas, no cabe desconocer cómo la práctica enseña que existen supuestos de apoderados generales que no sólo actúan en nombre de la sociedad y que por ella ejecutan las instrucciones recibidas sino, también, que disponen de una amplia autonomía de decisión que va más allá de su carácter de mero representante voluntario. En estos casos, ¿deben ser responsables los apoderados generales que actúan con esa autonomía de decisión? La respuesta tiene que ser, necesariamente, positiva. Ahora bien, repárese que lo que se está poniendo de manifiesto en estos casos es que la imputación de responsabilidad se justifica no en el carácter de apoderado general de tal sujeto sino, sobre todo, en la autonomía de decisión con que actúa y que obliga a recalificarlo como "administrador de hecho" (GARCÍA-CRUCES: Administradores sociales y administradores de hecho, en "Estudios de Derecho Mercantil en Memoria del Profesor Aníbal Sánchez Andrés", ed. Civitas, Madrid, 2010, pp. 527 y ss.).

El supuesto al que se está haciendo referencia, desde luego conocido sobradamente en la práctica, es aquél en que quien tiene los medios para hacerse con la capacidad de decisión en una sociedad –normalmente, la mayoría de votos– ejerce tal poder pero con una vestidura formal ajena a la de administrador, apareciendo como apoderado voluntario de carácter general y, a la par, procede a designar un tercero –en demasiadas ocasiones, insolvente– como administrador de derecho (Vid. JUSTE MENCÍA: En torno a la aplicación del régimen de responsabilidad de los administradores al apoderado general de la sociedad, RdS, 14, 2000, pp. 444 y 445.). En tales supuestos, el criterio jurisprudencial afirma la extensión de responsabilidad a tal sujeto, pues el mismo, de darse tales circunstancias y al margen del apoderamiento general conferido, ha de ser considerado como administrador de hecho (STS de 14 de marzo de 2007 [Roj: STS 2103/2007 - ECLI:ES:TS:2007:2103]. Este criterio se ha reiterado, entre otras, en la STS 8 de febrero de 2008 [Roj: STS 1709/2008 - ECLI:ES:TS:2008:1709]. Vid., también, las SSTS de 23 de Marzo de 1998; 26 de Mayo de 1998 y de 7 de Junio de 1999). Así, de darse estas circunstancias, y ante las dificultades que plantea su correcto enjuiciamiento, el Tribunal Supremo parece haber sugerido un criterio de actuación, pues "la figura del administrador de hecho de las sociedades anónimas se presenta a veces como actuación de apoderados-gestores, aunque carezcan de poderes, entendiendo por tales además los que refiere el artículo 141 de la Ley de Sociedades Anónimas, y los factores generales o singulares (artículo 286 del Código de Comercio) y similares, haciendo necesario se lleve a cabo prueba suficiente, directa o indiciaria, acreditativa de ostentar y actuar con la condición de administrador de hecho, que aparece más clara cuando la sociedad carece de efectivo administrador legalmente nombrado, ya que no resulta posible la existencia de una Sociedad Anónima que opere sin los órganos sociales previstos con carácter imperativo en la Ley reguladora de las mismas" (STS de 22 de marzo de 2004).

El planteamiento asumido en la vigente redacción de la Ley Concursal parece hacerse eco de tal problema y, a la vez, sienta una regla de máximo, en el sentido de pecar por exceso. En efecto, el problema práctico más importante que suscita la presencia de un administrador de hecho que exterioriza su actuación como apoderado general radica en la necesidad, pero también dificultad, de probar los elementos que integran el supuesto de hecho, en particular, la autonomía de decisión que caracteriza su actuar. Estando así las cosas, el legislador parece querer solventar tales dificultades de un modo radical y definitivo pues, a los efectos dispuestos en esta sede, viene a incluir a los apoderados generales, sin mayor precisión, dentro del elenco de sujetos a los que cabe requerir, en su caso, la oportuna responsabilidad concursal. Dado este proceder, no habrá que descartar la posibilidad de que el apoderado general pudiera quedar exonerado de responsabilidad, siempre que lograra la oportuna prueba que advere la falta de autonomía en su decisión y su sujeción a las instrucciones recibidas de su poderdante. En tales casos, no parece razonable imputarle las actuaciones que vinieran a justificar la exigencia de atender el pago del fallido concursal.

Llegados a este punto, se hace necesario considerar el segundo grupo de sujetos con que se incrementa el elenco de quiénes pueden ser condenados a pagar lo que los acreedores no consiguieron cobrar tras la liquidación de la masa activa. La Ley 17/2014, precedida por el Real Decreto Ley 4/2014, incorporó en ese acervo de sujetos responsables a "los socios que se hayan negado sin causa razonable a la capitalización de créditos o una emisión de valores o instrumentos convertibles en los términos previstos en el número 4º del artículo 165, que hubieran sido declarados personas afectadas por la calificación".

Una interpretación sistemática de las reglas previstas en los artículos 165.4 y 172 bis.1 de la Ley Concursal, así como de la consideración de los socios como "personas afectadas por la calificación" que sanciona el artículo 172.2.1º de la Ley Concursal, permite constatar tres extremos que ahora conviene destacar. En primer lugar, resulta obvio que estas previsiones obedecen a la finalidad de promover y remover los obstáculos que pudieran entorpecer el logro de un acuerdo de refinanciación en el que se incluyera la previsión de una capitalización de deuda. De otro lado, cabe destacar cómo el texto legal dispone un deber de capitalización cuando concurran determinadas circunstancias que la norma concreta y que recae tanto sobre los administradores como los socios de la ahora concursada. Por último, que la exigibilidad de tal deber viene a asegurarse mediante distintas sanciones, entre las que tiene un papel protagonista la denominada responsabilidad concursal que, en su caso, podrá exigirse a los socios de la deudora común.

Siendo así las cosas, resulta razonable que comencemos el análisis de tales reglas concretando las condiciones que hacen surgir ese deber de capitalización y que, en consecuencia, delimitan la posibilidad de que recaiga sobre los socios una condena a pagar el fallido concursal (sobre estas cuestiones, vid. GARCÍA-CRUCES: Los efectos de los acuerdos de refinanciación en el concurso consecutivo: la calificación, ADCo, 33, 2014, pp. 177 y siguientes).

La determinación de esas condiciones queda confiada a cuanto dispone el artículo 165.4 de la Ley Concursal y de su lectura cabe concluir que éstas son las siguientes.

La primera exigencia es la necesidad de que el negocio sea calificado como un acuerdo de refinanciación colectivo u homologado en el que se incluya un pacto de capitalización de deuda. De conformidad con el tenor literal del artículo 165.4 de la Ley Concursal, la obligatoriedad de la recapitalización ha de derivar de "un acuerdo de refinanciación de los previstos en el artículo 71 bis.1 o en la disposición adicional cuarta". Esta previsión arrastra como consecuencia la necesidad de que el acuerdo de refinanciación que se alcance satisfaga los requisitos dispuestos, según los casos, para cada tipo de acuerdo. Ello significa, también, y esta observación puede tener consecuencias importantes, que el acuerdo de refinanciación que añadiera un contenido de capitalización de deuda deberá responder a la finalidad que, de conformidad con la previsión legal, justifica el régimen particular de los acuerdos que se quieren proteger. Esto es, la capitalización de deuda habrá de justificarse y responder a un "un plan de viabilidad que permita la continuidad de la actividad profesional o empresarial en el corto y medio plazo". Desde luego, el respeto de esta exigencia, y la discusión acerca de su satisfacción, podrán tener una indudable importancia práctica, en particular en lo que hace a la defensa de quienes se opusieran a la capitalización a fin de evitar la aplicación de las sanciones dispuestas para el incumplimiento de tal deber.

El segundo elemento que conforma el supuesto de hecho al que la Ley Concursal anuda un deber de capitalización de la deuda, hace referencia a la necesidad de que el acuerdo disponga la atribución de un derecho de adquisición preferente a favor de los socios y bajo ciertas condiciones respecto de los valores resultantes de la capitalización. Este requisito aparece destacado en el tenor literal del artículo 165.4 de la Ley Concursal, al advertir que "el acuerdo propuesto deberá reconocer en favor de los socios del deudor un derecho de adquisición preferente sobre las acciones, participaciones, valores o instrumentos convertibles suscritos por los acreedores, a resultas de la capitalización o emisión propuesta, en caso de enajenación ulterior de los mismos". El texto legal delimita el alcance de este derecho a través de dos reglas. En la primera de ellas, se admite la posibilidad de que, por pacto expreso, quede excluido tal derecho respecto de aquellas transmisiones que se hicieran a favor de una entidad del mismo grupo o a cualquier entidad que tenga por objeto la tenencia y administración de participaciones en otras sociedades. Por otro lado, la norma también concreta cuándo ha de entenderse que se actúa una transmisión ulterior, pues ésta se dará cuando quién transmita sean los acreedores que capitalizaron sus créditos pero, de igual modo, si esa enajenación la hicieran las entidades integradas en el mismo grupo o una entidad de tenencia de valores a los que esos acreedores hubieran transmitido los valores resultantes de la capitalización (lo que suscita la duda de la extensión de esta prevención a los casos de transmisiones indirectas; esto es, del capital de la sociedad tenedora de los valores resultantes de la capitalización).

La tercera condición que ha de satisfacer el supuesto de hecho en que surge el deber de capitalización de deuda exige que, a fin de poder aplicar el régimen de sanciones previsto, se de una negativa a la capitalización de la deuda. Lógicamente, al tratarse de un deudor persona jurídica, el deber de capitalización de la deuda se proyecta sobre los órganos sociales y así lo considera separadamente el texto legal. En primer lugar, estarán las manifestaciones de voluntad que, con ocasión del acuerdo, pueda hacer la administración social. De otro lado, siendo necesaria una segunda manifestación de voluntad por parte de otro órgano (salvo el improbable supuesto en que pudiera actuarse la capitalización con la entrega de la autocartera), el texto legal también contempla la posible negativa de la junta general (acuerdo social contrario a la capitalización) y adopta las oportunas previsiones en los artículos 172.2.1° y 172 bis.1 de la Ley Concursal. Pero, a fin de aplicar estas particulares reglas que nos ocupan, no basta con tal negativa sino que es necesario que ésta derive en un resultado. Así lo advierte la norma al destacar que la negativa ha de ser la causa que actúe "frustrando la consecución de un acuerdo de refinanciación de los previstos en el artículo 71 bis.1 o en la disposición adicional cuarta". Por lo tanto, la negativa a la capitalización puede derivar de las manifestaciones de distintos órganos y dar lugar a dos supuestos de hecho diferentes. El primero de ellos sería aquél en que la propuesta de acuerdo con contenido de capitalización de deuda es rechazada por la administración social de la deudora. Pero, también, habría un segundo supuesto posible, pues éste sería el del acuerdo alcanzado que no puede ejecutarse porque la junta general de la deudora rechaza la necesaria ampliación de capital a fin de convertir la deuda.

La exigibilidad de un deber de capitalización de la deuda con ocasión de un acuerdo de refinanciación se sujeta a la concurrencia de un cuarto y último requisito, pues es necesario que la negativa a tal capitalización no pueda justificarse en una "causa razonable". Con este proceder, el legislador acoge un concepto indeterminado y no ofrece mayores precisiones acerca de qué debamos entender por tal "causa razonable", pese a su importancia práctica. Sin embargo, y dadas estas dificultades, el texto legal parece ofrecer alguna ayuda a través de dos reglas. En primer lugar, la norma advierte que la capitalización está justificada (esto es, responde a una "causa razonable") cuando, con anterioridad a la negativa del deudor, así se declare mediante un informe emitido por "experto independiente nombrado de conformidad con lo dispuesto en el artículo 71 bis 4". Esta previsión no resuelve, sin embargo, un problema, pues no se concreta criterio alguno que deba guiar el informe de experto independiente. Si nos interrogáramos acerca de cuál habría de ser éste, deberíamos recordar cómo la capitalización de deuda se inserta en un acuerdo de refinanciación y, por lo tanto, que aquélla no será más que un instrumento para lograr la finalidad perseguida por éste. Por ello, si la legitimación material del acuerdo radica en su justificación en un plan de viabilidad, la capitalización de la deuda debe responder a esta misma finalidad y encontrar en él su razón de ser. Ahora bien, dadas las consecuencias anudadas a la capitalización de la deuda (afirmación de un deber exigible cuyo incumplimiento se sanciona), parece que será oportuno advertir dos ideas más. En este sentido, parece acertado afirmar que el informe no solo ha de poner de manifiesto la razonabilidad de la operación sino, también, justificar de modo expreso y bastante la capitalización de la deuda. Pero, de igual manera, entiendo que tal informe deberá expresar y justificar el carácter excluyente de la capitalización, en el sentido de que no existen otras alternativas que permitan alcanzar el mismo resultado que aquélla. La justificación suficiente pero, también, excluyente de la capitalización de la deuda insertada en el acuerdo de refinanciación ha de ser determinante para considerar que la misma responde a una "causa razonable". La segunda regla que en torno a estas cuestiones dispone el texto legal se refiere a aquellos casos en que, por la razón que sea, se hubiera emitido más de un informe de experto independiente. En tal caso, la norma parece conformarse con un criterio "democrático", pues la norma advierte que se entenderá que concurre una "causa razonable" para la capitalización cuando en ese juicio coincidan "la mayoría de los informes emitidos". Resta la duda de que alcance tiene esta exigencia de coincidencia de los diversos informes emitidos, en particular, cuando la justificación que ofrezcan los diferentes informes obedezca a razones distintas y medien discrepancias entre ellos.

La ampliación de capital (o, en su caso, la emisión de obligaciones convertibles) encierra una manifestación de voluntad por parte de la sociedad deudora que, lógicamente, se expresa a través de la decisión de sus órganos sociales. Por ello, como antes indicara, el texto legal proyecta este deber de capitalización de la deuda sobre los distintos órganos sociales en el desempeño de sus facultades y competencias.

En primer lugar, de acuerdo con las reglas generales del Derecho de Sociedades, a los administradores sociales les compete la facultad de propuesta de tal ampliación de capital (o de emisión del empréstito obligacionario) (artículos 286 y 414.2 LSC).

La lectura de las distintas reglas que sobre estas cuestiones se han acogido con ocasión de la reforma de la Ley Concursal permite sentar una primera conclusión, pues a los administradores de la sociedad que participe en la refinanciación les resultará exigible un deber en relación con la capitalización de deuda que fuera pactada en el acuerdo. Así, el artículo 165 de la Ley Concursal contempla ciertos deberes que son exigibles a los administradores sociales y entre los que ahora hay que añadir la previsión de su apartado cuarto. Por ello, teniendo presentes las competencias de los administradores sociales en orden a una ampliación de capital (o a la emisión de obligaciones convertibles) y, de otro lado, la previsión del artículo 165.4 de la Ley Concursal, debe concluirse señalando que sobre los administradores sociales recae el deber de convocar la junta general de la sociedad deudora y proponer a ésta la adopción de los acuerdos necesarios para lograr la capitalización de deuda prevista en el acuerdo, siempre que ésta satisfaga los requisitos antes vistos.

De otro lado, y conforme con las reglas societarias, el acuerdo de ampliación de capital (o la emisión de obligaciones convertibles) que hace posible la capitalización de deuda prevista en el acuerdo de refinanciación se encomienda a los socios reunidos en junta general (arts. 285.1, 296, 406 y 414.1 LSC).

La libertad que asiste a los socios reunidos en junta general parece que ahora viene a menos en los supuestos contemplados en las nuevas reglas resultantes de la reforma de la Ley Concursal, pues esta norma adopta ciertas previsiones configurando un deber exigible a los socios, ya que éstos deberán votar a favor del acuerdo que haga posible la capitalización de deuda prevista en el acuerdo de refinanciación. Lógicamente, la procedencia de este deber de los socios se hace depender siempre de que la capitalización de la deuda satisfaga los requisitos vistos anteriormente.

Como antes se indicara, la exigibilidad de tal deber de los socios se asegura con dos llamativas previsiones de carácter sancionador. En primer lugar, si el acuerdo de refinanciación fracasara y posteriormente se declara el concurso de la deudora, serán calificados como "personas afectadas por la calificación" los "socios que se hubiesen negado sin causa razonable a la capitalización de créditos o una emisión de valores o instrumentos convertibles en los términos previstos en el número 4.º del artículo 165, en función de su grado de contribución a la formación de la mayoría necesaria para el rechazo el acuerdo" (art, 172.2.1º LC). Pero, también, se acoge una segunda sanción pues, de igual modo, podrán ser condenados "los socios que se hayan negado sin causa razonable a la capitalización de créditos o una emisión de valores o instrumentos convertibles en los términos previstos en el número 4.º del artículo 165, que hubieran sido declarados personas afectadas por la calificación a la cobertura, total o parcial, del déficit, en la medida que la conducta que ha determinado la calificación culpable haya generado o agravado la insolvencia" (artículo 172 bis.1 LC).

Llegados a este punto, resulta aconsejable que nos detengamos en considerar la eficacia que cabe predicar de las sanciones dispuestas como garantía de la ejecución del deber de capitalización de deuda dispuesto en las condiciones señaladas. A tal fin resulta oportuno advertir ciertas diferencias en razón de los sujetos afectados.

Así, y respecto de los administradores de la sociedad deudora y partícipe en la refinanciación que no convocaran ni propusieran a la junta general la adopción de la pertinente decisión para lograr la capitalización de la deuda, incumplirían este deber, realizando el supuesto de hecho al que el artículo 165.4 de la Ley Concursal anuda una presunción de culpabilidad en el concurso. Sin embargo, si tenemos presentes las circunstancias de tal supuesto de hecho, podrá considerarse que, al menos en ciertos casos, es relativamente fácil que los administradores satisfagan este deber, pues serán ellos quienes habrán celebrado el acuerdo de refinanciación y podrán llevar a cabo las actuaciones necesarias para hacer posible la ejecución del acuerdo, sin que ello garantice la realidad de la capitalización de la deuda, dado que no les compete la decisión última. De hecho, la Ley Concursal advierte de la inaplicabilidad de esta presunción cuando los administradores hubieran recomendado la adopción de los pertinentes acuerdos a fin de alcanzar la capitalización de la deuda (segundo inciso del artículo 172.2.1º LC).

Ahora bien, no debe dejarse de lado que la presunción ex artículo 165.4 de la Ley Concursal tiene un alcance muy limitado. Esta norma dispone distintas presunciones de carácter relativo, en el doble sentido de no solo admitir prueba en contrario que permita evitar su aplicación sino, también, en lo que hace al alcance de la propia regla presuntiva. La norma citada solo presume el elemento intencional (dolo, culpa lata) en la calificación del concurso, pero no más. Por ello, y a fin de justificar la calificación culpable del concurso en estos supuestos, será necesario acreditar que el incumplimiento de tal deber de promover la capitalización, junto con presumir el dolo o la culpa lata requeridos, además causó o agravó el estado de insolvencia de la deudora (vid. STS de 17 de noviembre de 2011 [Roj:STS 8004/2011-ECLI:E S:TS:2011:8004]. En contra, aunque de forma confusa, STS de 1 de abril de 2014 [Roj: STS 1368/2014-ECLI:ES:TS:2014:1368]). De otro lado, también hay que tener presente que esta presunción tiene una eficacia "iuris tantum" por lo que los administradores podrán articular prueba que justifique su actuar o que revele su actuación diligente pese a no haber promovido la adopción de los acuerdos necesarios para la capitalización de la deuda.

Respecto de las sanciones previstas para los socios que se opongan a estos acuerdos dirigidos a lograr la capitalización de la deuda, hay que señalar que el incumplimiento de este deber tendría como consecuencia la consideración de los socios incumplidores como "personas afectadas por la calificación".

Sin embargo, si se repasa el tenor literal de la norma podrá comprobarse como la sanción tienen un alcance más reducido que lo que sugiere a primera vista. Desde luego, la consideración como "personas afectadas por la calificación" debería reservarse para aquellos socios que hubieran llevado a cabo un actuar positivo que fuera contrario a la adopción del acuerdo necesario para la capitalización de deuda. Expresamente, la norma advierte que la sanción solo se aplicará a los socios "que hubieran contribuido al rechazo". Dado que se trata de una norma sancionadora, la misma ha de ser objeto de una interpretación restrictiva. De este modo, si el socio no rechaza el acuerdo pero evita su adopción (abstención y falta de quorum) o no participa en la junta y consigue el mismo resultado (por no alcanzarse el quórum necesario para la adopción del acuerdo) resultaría más que dudoso que realizara el supuesto de hecho al que se anuda aquella consecuencia. Por el contrario, en aquellos casos en que el socio votara en contra y se rechazara la adopción del pertinente acuerdo por la junta general, este socio –y el resto de los que votaran en igual sentido– podrían ser calificados como "personas afectadas por la calificación" si posteriormente se hubiera declarado el concurso y éste fuera calificado como culpable.

La consideración, en su caso, de los socios como "personas afectadas por la calificación" acarrea particulares consecuencias. La nueva redacción dada al artículo 172 bis.1 de la Ley Concursal concreta éstas, al disponer que los socios podrán ser condenados a cubrir el déficit concursal, de modo "total o parcial", y "en la medida que la conducta que ha determinado la calificación culpable haya generado o agravado la insolvencia". Ahora bien, de la consideración de un sujeto como "persona afectada por la calificación" se derivan otras consecuencias sancionadoras, algunas de las cuáles no están sujetas –además– al principio de justicia rogada. Por ello, si los socios, en el supuesto analizado, llegaran a tener tal consideración deberán soportar, además, la inhabilitación en los términos dispuestos en el artículo 172.2.2° de la Ley Concursal, y los efectos económicos que dispone el artículo 172.2.3° de la Ley Concursal.

Llegados a este punto, no estará de más hacer una valoración sobre los particulares deberes que resultan exigibles cuando en el acuerdo de refinanciación se quisiera incorporar o se hubiera incorporado una capitalización de deuda, así como las sanciones dispuestas para asegurar su exigibilidad. Y, a fin de hacer esa valoración, puede diferenciarse según quienes sean los sujetos afectados y la sanción dispuesta para el incumplimiento del deber de capitalización de deuda.

En relación con los administradores sociales, cabe observar que las normas reformadas se limitan, en este punto, a incorporar una presunción de culpabilidad en el concurso. Pues bien, resulta razonable afirmar que es bastante probable que esta presunción tenga una muy limitada eficacia práctica. Ese resultado se deriva en primer lugar, de la caracterización del artículo 165.4 de la Ley Concursal como presunción de culpabilidad en el concurso y no de concurso culpable, junto con su carácter "iuris tantum". De otro lado, recuérdese que basta con que los administradores sociales recomienden la adopción del acuerdo de capitalización, pues –en tal caso– la norma advierte la inaplicabilidad de tal presunción. Por último, y sobre todo, dadas las competencias que asisten a los administradores sociales y que no les habilitan para adoptar la decisión de capitalización (necesidad del acuerdo de la junta general), será bastante factible que tales administradores no incurran en el supuesto de hecho pues la decisión última acerca de la ampliación de capital escapa de sus competencias.

El régimen de sanciones ante el incumplimiento del deber de capitalización de deuda en los términos ya señalados, también se extiende respecto de los socios, asegurándose su eficacia con un particular régimen de sanciones.

Con las decisiones de política legislativa adoptadas respecto de los socios, y con las que pretende favorecerse la adopción por éstos de la decisión de capitalización de la deuda integrada en un acuerdo de refinanciación, el legislador parece conocer mal tres normas vigentes, incurriendo en notables incongruencias valorativas en el seno de nuestro Derecho privado. En efecto, las previsiones de los reformados artículos 172.2.1º y 172 bis.1 de la Ley Concursal casan mal tanto con la Ley Concursal como con la Ley de Sociedades de Capital e, incluso, con algunas exigencias constitucionales básicas. Por ello, y dada la trascendencia de estas cuestiones, conviene analizar separadamente las contradicciones que encierran estas previsiones derivadas de la reforma de la Ley Concursal llevada a cabo por la Ley 17/2014 respecto de otras reglas.

En primer lugar, la previsión de una responsabilidad concursal que pudiera exigirse a los socios ante la negativa a la capitalización de deuda resulta contraria a principios básicos acogidos en la Ley Concursal, junto con el limitado alcance práctico que pudiera tener aquella sanción.

En este sentido, habrá que advertir, antes de nada, la muy limitada eficacia práctica que puede tener esta previsión de una sanción de responsabilidad concursal exigible a los socios que rechazaran la capitalización de la deuda. Debe tenerse presente que el rechazo del acuerdo de capitalización de la deuda por los socios no está acogido como una causa de calificación culpable del concurso ex artículo 164.2 de la Ley Concursal, ni como un supuesto de culpabilidad en el concurso ex artículo 165 de la Ley Concursal. De igual modo, tampoco la conducta antecedente que hubieran seguido los socios puede justificar la calificación culpable del concurso, pues ésta solo se actúa en consideración a lo actuado por el concursado, sus representantes legales y, en caso de persona jurídica, por sus administradores, liquidadores y apoderados generales, tal y como expresamente dispone el artículo 164.1 de la Ley Concursal. Por lo tanto, será preciso, a fin de poder aplicar las distintas sanciones respecto de los socios, que concurra una causa de calificación culpable del concurso al margen y de modo ajeno al incumplimiento del deber de capitalización.

Pero, al margen de su limitada eficacia práctica, las sanciones acogidas para los socios en la nueva redacción dada a los artículos 172.2.1° y 172 bis.1 de la Ley Concursal alteran los planteamientos básicos de algunas instituciones concursales y suponen una grave incoherencia valorativa en el seno de este texto legal, encerrando una opción de política legislativa que carece de todo fundamento (sobre estos aspectos, vid. GARCÍA-CRUCES: Los efectos de los acuerdos de refinanciación en el concurso consecutivo: la calificación, cit., pp. 177 y siguientes).

En efecto, la nueva y particular previsión respecto de los socios añadida al artículo 172 bis.1 de la Ley Concursal resulta contraria a la finalidad y significado de la responsabilidad concursal, pues ésta se vincula siempre con el ejercicio del poder de decisión en la persona jurídica. En el texto de la Ley Concursal las decisiones de la junta nunca generan responsabilidad alguna para quienes en ella participan adoptando tales acuerdos, incluso si éstos pudieran justificar materialmente la calificación culpable del concurso.

De otro lado, la redacción dada al nuevo artículo 172 bis.1 de la Ley Concursal muestra claramente una muy defectuosa comprensión del instituto de la responsabilidad concursal y que, si no se interpreta adecuadamente, pudiera alterar el significado que en principio tiene tal sanción por el déficit concursal. La responsabilidad concursal o por el déficit concursal encierra una sanción patrimonial cuya procedencia y justificación no se justifica en el hecho que determinó la calificación culpable del concurso sino en la lesión, como consecuencia de tal suceso, de un deber o exigencia que cabe requerir de los sujetos afectados. Por ello, la responsabilidad concursal no es una sanción automática que derive, sin más, de la calificación culpable del concurso sino que, antes bien, requiere de una justificación ulterior (recuérdese que la ausencia de esa justificación específica y de su prueba impide la condena por responsabilidad concursal, pese a que el concurso se calificara como culpable al amparo de las previsiones de los artículos 164 y 165 de la Ley Concursal. Cfr. STS de 20 de junio de 2012 [Roj:STS 4589/2012-ECLI:ES:TS:2012:4589]). Esa justificación se da, y la condena por responsabilidad concursal será procedente, si el acto que justifica la calificación culpable supone, además, la infracción de un deber o una exigencia que, en atención a todas las circunstancias concurrentes, quepa requerir del sujeto sobre el que pudiera recaer esa condena. Así se deriva del significado de la institución, tal y como parece que viene reiterando la jurisprudencia del Tribunal Supremo (STS 6 de octubre de 2011 [Roj:STS 6838/2011-ECLI:ES:TS:2011:6838], STS 17 de noviembre de 2011 [Roj:STS 8004/2011-ECLI:ES:TS:2011:8004], STS 21 de marzo de 2012 [Roj: STS 2542/2012 - ECLI:ES:TS:2012:2542], STS 20 de abril de 2012 [Roj: STS 2883/2012-ECLI:ES:TS:2012:2883], STS 26 de abril 2012 [Roj: STS 2877/2012-ECLI:ES:TS:2012:2877], STS 21 de mayo de 2012 [Roj: STS 4441/2012-ECLI:ES:TS:2012:4441], STS 19 de julio de 2012 [Roj: STS 6086/2012-ECLI:ES:TS:2012:6086], STS 14 de noviembre de 2012 [Roj: STS 9182/2012-ECLI:ES:TS:2012:9182], STS 20 de diciembre de 2012 [Roj: STS 9145/2012-ECLI:ES:TS:2012:9145], y STS 28 de febrero de 2013 [Roj: STS 3499/2013 - ECLI:ES:TS:2013:3499], entre otras).

Sin embargo, una primera lectura del nuevo artículo 172 bis.1 de la Ley Concursal pudiera llevarnos a pensar que se alteraría, seguramente sin quererlo, este planteamiento, ya que la concreción de tal condena por responsabilidad concursal se da "en la medida en que la conducta que ha determinado la calificación culpable haya generado o agravado la insolvencia". De hecho, no han faltado voces que proclaman, en virtud de una interpretación –pretendidamente– literal, una configuración distinta de la denominada responsabilidad concursal o por el déficit concursal tras la reforma de la Ley Concursal llevada a cabo con la Ley 17/2014. Sin embargo, pudieran concurrir razones más que relevantes para no compartir tal opinión.

El argumento teleológico excluye la posibilidad de una interpretación como la que se critica. Resulta innegable que la finalidad atendida con esta reforma del texto legal es mucho más modesta y no pretende afrontar el problema de la naturaleza jurídica de la responsabilidad concursal. La finalidad que quiere atenderse no es otra que la de "adoptar medidas favorecedoras del alivio de la carga financiera o desapalancamiento", tal y como indica el preámbulo del Real Decreto Ley 4/2014, antecedente de la Ley 17/2014. Finalidad que se reitera, de modo específico en sede capitalización de deuda, cuando el legislador advierte que su propósito se centra en acoger "determinadas medidas destinadas a favorecer la transformación de deuda en capital, rebajando las mayorías exigibles por la Ley de Sociedades de Capital y estableciendo, con las debidas cautela y garantías, una presunción de culpabilidad del deudor que se niega sin causa razonable a ejecutar un acuerdo de recapitalización". Todo ello sin desconocer, como expresamente se advierte, que "las modificaciones de la Ley 22/2003, de 9 de julio, introducidas en este real decreto-ley se circunscriben exclusivamente a su ámbito de aplicación". Por ello, ha de afirmarse que el legislador supone la configuración dogmática de la responsabilidad concursal que hace la Ley Concursal y que no pretende alterar sino, tan solo, quiere valerse de este instrumento para extender su aplicación a otro supuesto no contemplado en la normativa que ahora se completa.

En definitiva, resultaría razonable pensar que el legislador habría querido alterar el significado que tiene la responsabilidad concursal sino, tan solo, añadir un grupo de sujetos sobre los cuáles, y en las condiciones señaladas, pueda recaer esa condena por el déficit concursal y como consecuencia de la infracción de un particular deber (en este caso, el de adoptar el acuerdo de capitalización de deuda). De todas las maneras, como luego habrá ocasión de comprobar, no parece ser éste el sentir de la última jurisprudencia. Más adelante ésta será analizada.

Junto con lo anterior, también cabe afirmar que las previsiones de los nuevos artículos 172.2.1° y 172 bis.1 de la Ley Concursal resultarían contrarios a principios básicos de nuestro Derecho Societario, acogidos en distintas reglas de la Ley de Sociedades de Capital.

Recuérdese que, por definición, la junta general es un órgano social irresponsable, de modo que por las decisiones de la Junta (esto es, sus acuerdos), no cabe exigir responsabilidad alguna a los socios que los adoptaron. La mejor prueba de ello radica en aquellos supuestos en que la sociedad, a través de una decisión de su junta general, ha de dar cumplimiento a una norma adoptando un acuerdo que se impone con carácter imperativo. Cuando la Ley exige que la junta adopte un acuerdo, ante la falta de tal pronunciamiento o el acuerdo contrario el texto legal dispone distintos instrumentos para satisfacer tal deber, pero, en ningún caso, sanciona una responsabilidad personal exigible a los socios que no adoptaron o rechazaron aquella decisión.

Los ejemplos que ofrece la legislación societaria son múltiples y, en todos ellos, rehuyendo sancionar cualquier responsabilidad personal de los socios, dispone mecanismos de cumplimiento del deber de adoptar el acuerdo imperativamente requerido (así, en los supuestos de amortización obligatoria de la autocartera derivativa constituida irregularmente [artículo 139.3 y 4 LSC], de reducción obligatoria de capital como consecuencia de pérdidas cualificadas [artículo 327 LSC] y, en particular, en los casos de disolución judicial ante acuerdos contrarios a una causa de disolución artículo 366 LSC]).

Por último, antes advertía que, con las previsiones acogidas en los reformados artículos 172.2.1º y 172 bis.1 de la Ley Concursal, se suscita la duda de su acomodo a ciertas exigencias dispuestas en el texto constitucional. En particular, las nuevas previsiones derivadas de la reforma de la Ley Concursal podrían llegar a suponer una afección negativa del derecho a la tutela judicial efectiva ex artículo 24.1 de la Constitución Española, en la medida en que, dado el supuesto de hecho de que se parte (la insolvencia, actual o inminente), a la deudora se le estaría impidiendo –o dificultando gravemente– recurrir al auxilio judicial e impetrar la oportuna tutela judicial solicitando al declaración de concurso. De otro lado, y ante el efecto de dilución asociado a la capitalización de la deuda y la imperatividad con que se requiere tal proceder, pudieran quedar también entredicho la tutela y contenido de los derechos de propiedad (artículo 33 CE) y de libertad de empresa (artículo 38 CE) que asisten a los sujetos afectados.

3. Criterio de imputación

Examinadas las anteriores cuestiones, ha de señalarse que, si concurrieran todos los presupuestos antes indicados, el Juez del concurso estará facultado –podrá, dice el texto legal– para acordar la responsabilidad concursal de estos sujetos (Alguna jurisprudencia ya advirtió que la expresión «podrá» no se refiere a una facultad del juez sino a potencialidad del contenido de la sentencia (Vid. SAP Madrid (Sección 28) 5 de febrero de 2008, ADCo., 17, 2009, pp. 533 y ss.; SAP Madrid (sección 28) 30 de enero de 2009, AC 2009/294; SAP Madrid (Sección 28) 6 de marzo de 2009; SAP Madrid (Sección 28) 26 de junio de 2009, AC 2009/2065; SAP Córdoba (Sección 3) 28 de marzo de 2008, Sentencia 57/2008, Rollo 58/2008; SAP

Granada (Sección 3) 14 de diciembre de 2007, Rollo 530/2007, SAP La Coruña (sección 4) 26 de junio de 2009, AC 2009/1742). Esta previsión no significa que la condena de responsabilidad concursal no le venga impuesta al juez del concurso (en contra parecen manifestarse RODRÍGUEZ RUIZ DE VILLA y HUERTA VIESCA: ¿Más responsabilidad de los administradores en el Anteproyecto de Ley Concursal de 2001?, cit., pág. 11)

El significado que ha de darse al expresivo «podrá» con que texto se refiere a la imposición de tal condena significa, tan sólo, que éste no es, a diferencia de cuanto se dispone en el artículo 172 de la Ley Concursal, un pronunciamiento que resulte necesario en todo caso de concurso culpable (expresamente, la STS 14 de noviembre de 2012 [Roj: STS 9182/2012-ECLI:ES:TS:2012:9182], destaca que "de la calificación del concurso como culpable no deriva de forma necesaria e inexorable la condena de los administradores o liquidadores de hecho o de derecho de la sociedad concursada a pagar el déficit concursal"). Tal calificación permitirá la posible condena por responsabilidad concursal pero, a diferencia de lo que sucede respecto de los efectos personales y patrimoniales que ha de tener la sentencia de calificación y a los que antes nos referimos, será precisa una justificación adicional que, en razón de las circunstancias concurrentes en el particular concurso calificado como culpable, le lleve al juez concursal a sentar la procedencia de esta última condena. La calificación del concurso como culpable es condición necesaria pero no suficiente para fundamentar tal condena, pues la procedencia de la responsabilidad concursal deberá asentarse en las particulares circunstancias que rodeen aquel concurso culpable. Así lo ha advertido, de modo expreso el Tribunal Supremo, señalando que esta responsabilidad concursal "no es, según la letra de la norma, una consecuencia necesaria de la calificación del concurso como culpable, sino que requiere una justificación añadida" (STS 6 de octubre de 2011 [Roj:STS 6838/2011-ECLI:ES:TS:2011:6838]. En igual sentido, vid. STS 20 de diciembre de 2012 [Roj: STS 9145/2012-ECLI:ES:TS:2012:9145]; STS 14 de noviembre de 2012 [Roj: STS 9182/2012-ECLI:ES:TS:2012:9182]; STS 19 de julio de 2012 [Roj: STS 6086/2012-ECLI:ES:TS:2012:6086]; STS 21 de mayo de 2012 [Roj: STS 4441/2012-ECLI:ES:TS:2012:4441]; STS 20 de abril de 2012 [Roj: STS 2883/2012-ECLI:ES:TS:2012:2883]; STS 21 de marzo de 2012 [Roj: STS 2542/2012 - ECLI:ES:TS:2012:2542]; y STS 17 de noviembre de 2011 [Roj:STS 8004/2011-ECLI:ES:TS:2011:8004]). Por ello, resulta imprescindible que la sentencia motive suficientemente el pronunciamiento de condena por responsabilidad concursal, dado su carácter no necesario (expresamente, vid. STS 20 de junio de 2012 [Roj: STS 4589/2012-ECLI:ES:TS:2012:4589]). De esta manera, el legislador ha confiado al arbitrio judicial la concreción de los supuestos en que ha de resultar procedente la condena por responsabilidad concursal, y que habrán de referirse, en todo caso, a aquellos casos en que, por sus particulares circunstancias, encierren una mayor gravedad.

Debe observarse, en todo caso, que la derivación de la responsabilidad por el déficit concursal que pueda recaer sobre ciertos sujetos encierra una condena de carácter acumulativo y sujeta a un principio de rogación o de justicia de rogada, pues no cabe su imposición de oficio (ad ex. SAP Córdoba (Sección 3) 11 de julio de 2008, y SAP Alicante (Sección 8) 13 de enero de 2009. En contra, y de forma extraña, vid. SAP Vizcaya (Sección 4) 6 de octubre de 2009, Sentencia 704/2009; Rollo 283/2009). Con ese carácter lo que queremos poner de relieve es el hecho de que la responsabilidad concursal será soportada sin perjuicio de los otros efectos personales y patrimoniales que para tales sujetos tiene la calificación del concurso como culpable. Expresamente, y a diferencia de cuanto se dispone para los efectos personales y patrimoniales que tiene anudado el concurso culpable, el artículo 172 bis de la Ley Concursal nos dice que además podrá acordarse por el juez del concurso esta responsabilidad concursal. Por ello, esta observación nos reafirma en la idea antes expresada de que la procedencia de la responsabilidad por el déficit concursal no podrá obedecer a la misma justificación que legitima la declaración de persona afectada por el concurso, pues ello tiene como consecuencia los efectos personales y patrimoniales previstos en el artículo 172 de la Ley Concursal, sino que requerirá, al menos, un agravamiento de tal fundamentación en razón de las circunstancias concurrentes en aquel concurso culpable.

Pero, también, conviene advertir de la amplia extensión que el artículo 172 bis de la Ley Concursal da al arbitrio judicial (de hecho algún autor ha afirmado, a mi juicio equivocadamente, el carácter facultativo de esta condena. Vid. FERNÁNDEZ DE LA GÁNDARA: La responsabilidad concursal de los administradores de sociedades de capital, en AAVV, "Comentarios a la Ley Concursal", coord. por FERNÁNDEZ DE LA GÁNDARA, L. y SÁNCHEZ ÁLVAREZ, M. Mª., ed. Marcial Pons, 2004, pág. 714) y que ha sido objeto de crítica. Así, se ha denunciado que, en relación con el entonces Anteproyecto de Ley que ya acogía este particular, el texto «adolece de una falta de tipificación intolerable: no se dice en virtud de que causas o razones puede el juez condenar a los administradores o liquidadores de derecho o de hecho y a los que hubiesen tenido tal condición dentro de los dos años anteriores a la fecha de declaración del concurso a pagar total o parcialmente a los acreedores concursales el importe de los créditos no satisfechos con la liquidación; no se entiende por qué se condena a personas que no se ven afectadas por la calificación, como son los ex administradores y ex liquidadores; no hay criterio legal alguno para determinar cuando el pago debe ser total y cuando parcial, y, en definitiva, nada se dice sobre el carácter, solidario o mancomunado, de la obligación impuesta» (ALCOVER: Introducción al régimen jurídico de la calificación concursal, en AAVV, "Derecho Concursal. Estudio sistemático de la Ley 22/2003 y de la Ley 8/2003, para la reforma concursal", Dilex, Madrid, 2003, pág. 502.) Estos defectos de la norma ha llevado a algún autor a calificar el precepto como un «cheque en blanco» que se concede al juez concursal (PÉREZ DE LA CRUZ: Reflexiones sobre la calificación del concurso y sus consecuencias en la nueva Ley Concursal, en AAVV, Estudios sobre la Ley Concursal. Libro Homenaje a Manuel Olivencia, V, II, 2005, pág. 5012).

Ahora bien, sin desconocer una cierta indeterminación que parece caracterizar la norma, un detenido repaso de la previsión ex artículo 172 bis de la Ley Concursal puede ofrecernos algunos criterios para llegar a obtener una respuesta satisfactoria a muchas de las cuestiones planteadas. La regla acogida en el texto nos advierte expresamente que la responsabilidad concursal podrá recaer sobre todos los administradores o liquidadores, de derecho o de hecho, y ahora, también, respecto de los apoderados generales y, con ciertos condicionantes, los socios de la persona jurídica concursada, pero también que puede reducirse su alcance a algunos de ellos. Por otra parte, y en lo que hace a su contenido material, la condena por responsabilidad concursal –que por su naturaleza siempre encierra una prestación pecuniaria– podrá extenderse a todo el déficit del concurso o, bien, limitarse a una parte del fallido en la liquidación. De este modo, puede afirmarse lícitamente que la labor del juez del concurso será extraordinariamente delicada, debiendo verificar cuál ha sido la conducta seguida por cada uno de los sujetos sobre los que puede recaer tal pronunciamiento y, en consecuencia, justificando la particular condena –o, en su caso, absolución– de forma individualizada y en razón de aquella actuación antes adverada, a fin de concretar en la sentencia de calificación el alcance subjetivo y cuantitativo de la responsabilidad concursal que se declarara.

Este criterio aparece expresamente destacado en la literalidad de la norma, advirtiendo la necesidad, a fin de que pueda imponerse esta condena por responsabilidad concursal, de una valoración de la conducta seguida por cada persona afectada por la calificación respecto de aquellos actos que causaran o agravaran la insolvencia de la persona jurídica ahora concursada. Así, el tercer inciso del artículo 172 bis.1 de la Ley Concursal destaca la necesidad de que, "en caso de pluralidad de condenados, la sentencia deberá individualizar la cantidad a satisfacer por cada uno de ellos, de acuerdo con la participación en los hechos que hubieran determinado la calificación del concurso". Otro tanto cabe señalar en relación con cuanto dispone el segundo inciso del tan citado artículo 172 bis.1 de la Ley Concursal pues, en los supuestos de reapertura de la sección de calificación por incumplimiento del convenio, el juez deberá atender, a fin de justificar la condena a la cobertura del déficit concursal, "tanto a los hechos declarados probados en la (precedente) sentencia de calificación como a los determinantes de la reapertura".

La necesidad de la valoración individualizada de las conductas es el parecer que ha expresado nuestra jurisprudencia (así lo destaca la STS 22 de abril de 2016 [Roj: STS 1781/2016 - ECLI:ES:TS:2016:1781]), para quien el criterio que deberá presidir en todo momento la graduación de esta responsabilidad y los límites de la condena deberá venir dado por la gravedad de las conductas que han servido para la calificación misma del concurso como culpable y por el grado de culpa imputable a cada una de las personas afectadas, lo que a su vez exigirá atender a la participación que hubieran tenido y a la mayor o menor intencionalidad, culpa o negligencia con que hubieran actuado (Vid., en este sentido, SAP Asturias 13 de noviembre de 2009).

Este criterio parece haber sido refrendado por el Tribunal Supremo. Así, el alto tribunal destacó que "para que pueda pronunciar esa condena y, en su caso, identificar a los administradores y la parte de la deuda a que alcanza, además de la concurrencia de los condicionantes impuestos por el propio apartado del artículo 172 –la formación o reapertura de la sección de calificación ha de ser consecuencia del inicio de la fase de liquidación–, es necesario que el Juez valore, conforme a criterios normativos y al fin de fundamentar el reproche necesario, los distintos elementos subjetivos y objetivos del comportamiento de cada uno de los administradores en relación con la actuación que, imputada al órgano social con el que se identifican o del que forman parte, había determinado la calificación del concurso como culpable" (STS 6 de octubre de 2011, Roj:STS 6838/2011-ECLI:E S:TS:2011:6838). Criterio que viene a desarrollarse en la posterior STS de 16 de julio de 2012 (Roj: STS 5172/2012-ECLI:ES:TS:2012:5172), al advertir que "la norma atribuye al Juez una amplia discrecionalidad, razón por la que de la calificación del concurso como culpable no deriva necesaria e inexorablemente la condena de los administradores de la sociedad concursada a pagar el déficit concursal, pero no fijaba ningún criterio para identificar a los concretos administradores que debían responder ni para cuantificar la parte de la deuda que debía ser cubierta, por lo que si bien no cabe descartar de forma apriorística otros parámetros, resulta adecuado el que prescindiendo totalmente de su incidencia en la generación o agravación de la insolvencia, tiene en cuenta la gravedad objetiva de la conducta y el grado de participación del condenado en los hechos que hubieran determinado la calificación del concurso" (el Tribunal supremo insiste en tal criterio y lo reitera, entre otras, en las STS 20 de diciembre de 2012 [Roj: STS 9145/2012-ECLI:ES:TS:2012:9145]; STS 14 de noviembre de 2012 [Roj: STS 9182/2012-ECLI:ES:TS:2012:9182]; STS 19 de julio de 2012 [Roj: STS 6086/2012-ECLI:ES:TS:2012:6086]; STS 21 de mayo de 2012 [Roj: STS 4441/2012-ECLI:ES:TS:2012:4441]; STS 20 de abril de 2012 [Roj: STS 2883/2012-ECLI:ES:TS:2012:2883]; STS 21 de marzo de 2012 [Roj: STS 2542/2012 - ECLI:ES:TS:2012:2542]; y STS 17 de noviembre de 2011 [Roj:STS 8004/2011-ECLI:ES:TS:2011:8004]).

Ahora bien, este planteamiento, logrado tras una muy importante discusión doctrinal y jurisprudencial, parece ponerse en entredicho con ocasión de las últimas reformas de la Ley Concursal, respecto de las que se ha sugerido un cambio en la naturaleza o calificación que ha de merecer la responsabilidad concursal. Por ello, debe analizarse a continuación este problema principal.

4. Calificación jurídica de la responsabilidad concursal

4.1. El debate doctrinal

Una cuestión de extraordinaria importancia, y que ha de conducir a resultados más que relevantes en orden a la aplicación práctica de cuanto dispone el artículo 172 bis de la Ley Concursal, es la relativa a la calificación jurídica que ha de merecer la llamada responsabilidad concursal o responsabilidad por el fallido concursal. Este problema merece una solución con carácter previo y fundamental, pues en razón de la caracterización de este supuesto de responsabilidad podrá, entonces, concretarse su régimen jurídico, resultado que, si siempre es importante, más lo es aún en nuestro caso dadas las imprecisiones, no resueltas de modo definitivo tras las distintas reformas de la Ley Concursal, de que pudiera adolecer el artículo 172 bis de la Ley Concursal. Por otro lado, cabe advertir que este tema no sólo no tiene una fácil solución sino que, también, ha sido objeto de una cierta polémica en la que he tenido ocasión de participar (vid. GARCÍA-CRUCES: La Calificación del Concurso, cit., pág. 170 y sigs. En relación con los antecedentes, vid. GARCÍA-CRUCES: El problema de la represión de la conducta del deudor común, cit., pág. 247 y sigs., en particular, pág. 304 y sigs.)

Primero en relación con el Anteproyecto de Ley Concursal y luego respecto del texto legal he venido afirmando que la configuración jurídica de la responsabilidad concursal se hace bajo el esquema de una sanción civil. Esta opinión devino abrumadoramente mayoritaria en nuestra doctrina, afirmándose el significado punitivo de la responsabilidad concursal, destacando su caracterización como una «responsabilidad-sanción» (RODRÍGUEZ RUIZ DE VILLA y HUERTA VIESCA: ¿Más responsabilidad de los administradores en el Anteproyecto de Ley Concursal de 2001?, cit., pág. 13.) y sin dudar en la calificación de esta previsión legal como la propia de un «régimen sancionatorio» (FERNÁNDEZ DE LA GÁNDARA: La responsabilidad concursal de los administradores de sociedades de capital, cit., pág. 711) (Vid., en igual sentido, y entre muchos, BELTRÁN: La responsabilidad concursal, en García-Cruces (Dir.), Insolvencia y responsabilidad, Civitas, Madrid, 2012, págs.. 227 y siguientes; VICENT CHULIÁ: La responsabilidad de los administradores en el Concurso, RDCP, 4, 2006, pág. 15 y sigs.; LLEBOT MAJÓ: La responsabilidad concursal de los administradores, cit., pág. 7559 y sigs.; VIÑUELAS: El problema de la naturaleza de la condena a la cobertura del déficit patrimonial, ADCo., 4, 2005, pág. 265 y sigs.; GUERRERO LEBRÓN y GÓMEZ PORRÚA: La responsabilidad de los administradores de las sociedades de capital en situación concursal, en AAVV, Estudios sobre la Ley Concursal. Libro Homenaje a Manuel Olivencia, II, II, 2005, pág. 1965 y sigs.; BELLO MARTÍN-CRESPO: Responsabilidad civil de administradores de sociedades de capital y Ley concursal, en AAVV, Estudios sobre la Ley Concursal. Libro Homenaje a Manuel Olivencia, II, II, 2005, pág. 1679; MARÍN DE LA BÁRCENA GARCIMARTÍN: Deberes y responsabilidad de los administradores ante la insolvencia de las sociedades de capital, RdS, 24, 2005, pág. 91 y sigs.). La configuración de la responsabilidad por el fallido concursal no parecía que pudiera ser otra. De hecho, ya en relación con su precedente en la Propuesta de Anteproyecto de Ley Concursal de 1995 se observó que «lo primero que debe señalarse es que estamos ante una sanción y que no se trata en absoluto de una acción más que los síndicos o los interventores puedan ejercitar contra los administradores con el fin de reintegrar el patrimonio social. El carácter sancionador de la medida queda manifiesto si se observa el carácter punitivo de la misma. En efecto, la obligación de cubrir todo o parte del déficit patrimonial del deudor está absolutamente desvinculada del daño que la conducta de los administradores haya causado al patrimonio del deudor, pues este daño será, en su caso, objeto de reintegración mediante el ejercicio de la acción social de responsabilidad. Es claro, por tanto, que la medida no puede tener carácter indemnizatorio y que, dada la hipotética amplitud de la misma, puede ser correctamente calificada como sanción de carácter punitivo» (LLEBOT: La responsabilidad concursal de los administradores, cit., pág. 7564)

Frente a este parecer, no faltó el criterio de quien entiende el carácter puramente resarcitorio a que obedece la responsabilidad ex artículo 172 bis de la Ley Concursal (En la jurisprudencia, vid. SAP Barcelona de 19 de marzo de 2007; Auto AP Barcelona de 6 de febrero de 2006; Sts. JM-3 Barcelona de 5 de octubre de 2007; Sentencia JM-2 Barcelona de 19 de enero de 2007; y Sentencia JM-2 Barcelona de 9 de mayo de 2006). Esta consideración de la responsabilidad concursal, junto con plantear el problema de su difícil justificación al amparo de cuanto disponía el texto legal, además era causa de gravísimos problemas de coordinación entre esta responsabilidad por el fallido concursal y el régimen, así como su procedencia, de las acciones generales de responsabilidad de los administradores –y, en su caso, liquidadores y apoderados generales– de la sociedad ahora en concurso, como luego después habrá ocasión de comprobar.

Pese a estas consideraciones, y frente a la opinión mayoritaria, también se defendió el carácter indemnizatorio de la responsabilidad concursal. En este sentido, se ha manifestado que «el régimen legal en materia de responsabilidad concursal que acabamos de analizar y, en particular, los aspectos relativos a sus presupuestos, alcance y exoneración, permiten considerar que estamos en el ámbito más general de la responsabilidad civil subjetiva o por daños de los administradores sociales, si bien con las particularidades de régimen que derivan de su ubicación y juego en sede concursal y, además, siempre que el concurso derive en la liquidación. (…) De lo expuesto se deriva que en esencia estamos ante una responsabilidad por daño, concretamente el causado a la sociedad al generar o agravar el estado de insolvencia de la misma, daño que en cuanto tal dará lugar a que los acreedores puedan no ver satisfechos íntegramente sus créditos, siendo por tanto el daño a los acreedores derivativo del daño causado a la sociedad. La Ley Concursal sólo hace jugar esta responsabilidad concursal cuando el daño a la sociedad provoca efectivamente que los créditos de sus acreedores resulten total o parcialmente fallidos, siendo este un aspecto singular de esta responsabilidad, que sin embargo no es óbice a su calificación como responsabilidad por daños. No se está por tanto ante una responsabilidad-sanción que opere al margen de la noción de daño, como en cambio si ocurre en el ámbito de los artículos 262, 5 de la Ley de Sociedades Anónimas y 105,5 de la Ley de Sociedades de Responsabilidad Limitada» (ALONSO UREBA: La responsabilidad concursal de los administradores de una sociedad de capital en situación concursal [el artículo 172.3 de la LC y sus relaciones con las acciones societarias de responsabilidad»], cit., pp. 544 y 545. Comparten esta calificación indemnizatoria de la responsabilidad concursal, entre otros, BLASCO GASCÓ: Responsabilidad Concursal y embargo de los bienes de los administradores, Valencia, 2007, pp. 45 y ss.; SANCHO GARGALLO: Calificación del Concurso, en QUINTANA, BONET y GARCÍA-CRUCES, Las Claves de la Ley concursal, Cizur Menor, 2005, pp. 545 y ss.; y VERDÚ CAÑETE: La responsabilidad civil del administrador de sociedad de capital en el concurso de acreedores, Madrid, 2008, pp. 79 y ss.).

En la anterior cita venía a resumirse la configuración de la responsabilidad concursal como una responsabilidad por daños, cuya especificidad derivaría de las particularidades de la situación concursal en que procede. Esta opinión, no obstante, pudiera ser objetada por, al menos, dos razones, ya que vendría a constituir una previsión superflua, dada la vigencia del régimen general de las acciones de responsabilidad frente a los administradores de la sociedad ahora concursada (cfr. artículo 48 quáter LC), a la par que implicaría una restricción injustificada de la procedencia de la súplica resarcitoria, ya que la misma –frente a cuanto previene el citado régimen general– sólo resultaría procedente en los supuestos de liquidación y bajo los presupuestos que anteriormente se señalaran (dolo, culpa lata), excluyéndose así su posibilidad –y, por tanto, la reparación del daño– en los casos en que se alcanzara convenio, pudiendo –además– limitar cuantitativamente la reparación debida, ya que la condena por responsabilidad concursal podrá ser total o parcial en relación con el fallido habido tras la liquidación (desde luego, la posibilidad de una condena reparatoria parcial queda referida en nuestro Derecho a los supuestos de concurrencia de culpas que, obviamente, carece de sentido en el supuesto que consideramos).

Ahora bien, para mejor comprender y valorar esta posible caracterización de la responsabilidad ex artículo 172 bis de la Ley Concursal como una responsabilidad por daño, será necesario atender a aquellos argumentos que les permite a sus defensores llegar a tal conclusión.

En primer lugar, y con un limitado valor argumentativo, se advierte que «no basta sin embargo con el estado de insolvencia que abre la vía concursal para que entre en juego la responsabilidad concursal de los administradores. Es preciso, además, la imputabilidad a los administradores de la generación o agravación del estado de insolvencia de la sociedad mediando dolo o culpa grave al respecto (artículo 172 bis en relación con el artículo 164.1 LC) Este presupuesto pone de manifiesto que se está en el ámbito de la responsabilidad civil subjetiva o por daños que exige la imputabilidad, aún cuando en este caso se trate de una imputación agravada en tanto se exige el dolo o al menos la culpa grave» (ALONSO UREBA: La responsabilidad concursal de los administradores de una sociedad de capital en situación concursal [el artículo 172.3 de la LC y sus relaciones con las acciones societarias de responsabilidad],cit., pp. 533 y 534). Sin embargo, me parece que con tal argumento lo único que viene a hacerse es recordar alguno de los presupuestos que requiere la aplicación de cuanto dispone el artículo 172 bis de la Ley Concursal, para añadir –a continuación– la necesidad de que la conducta que la norma contempla sea imputada a los administradores sobre los que puede recaer tal condena. Pero, tales afirmaciones no pueden llevar a la conclusión pretendida, pues también la construcción de esta responsabilidad por el fallido concursal como una responsabilidad-sanción viene a requerir, necesariamente, un criterio de imputabilidad, aún cuando sea título de culpa cualificada (dolo, culpa lata). En nuestro Derecho positivo, y pese a la ocasional e incorrecta terminología de alguna jurisprudencia, los supuestos reconocidos como instrumento punitivo civil –ad ex, artículo 367 de la Ley de Sociedades de Capital– no encierran una estricta responsabilidad objetiva, dado el carácter imprescindible del elemento subjetivo o intencional (criterio de imputación) (Este es ya un lugar común en la doctrina y jurisprudencia, pues si el incumplimiento de los deberes de promoción o de remoción de la disolución no fuera imputable a los administradores, éstos se verían exonerados de la responsabilidad por las deudas sociales que sanciona el artículo 367 de la Ley de Sociedades de Capital. Ad ex, y de modo expreso, en relación con los derogados artículos 262.5 de la Ley de Sociedades Anónimas y 105.5 de la Ley de Sociedades de Responsabilidad Limitada, STS de 29 de septiembre de 2007. Vid., con abundante cita de jurisprudencia, GARCÍA-CRUCES: La responsabilidad de los administradores por no promoción o remoción de la disolución de la sociedad: consideraciones en torno al debate jurisprudencial, en Galán Corona y García-Cruces (Dirs.) La responsabilidad de los administradores de las sociedades de capital, Madrid, 1999, pp. 48 y ss. Últimamente, vid. BELTRÁN: La responsabilidad de los administradores por obligaciones sociales, en Rojo y Beltrán, "La responsabilidad de los administradores de las Sociedades Mercantiles", 5ª edición, Tirant lo Blanch, Valencia, 2013, pp. 249 y ss.).

Con idéntica finalidad de adverar el carácter indemnizatorio de esta responsabilidad concursal, también se señala que «el criterio de medida de imputabilidad de la responsabilidad personal e individualizada a cada uno de los administradores no es otro sino el de imputabilidad a cada uno de ellos del daño generado a la sociedad al contribuir a la generación o agravamiento del estado de insolvencia. Es el grado de participación de cada uno de los administradores en ese daño directo a la sociedad y derivativo a los acreedores, lo que servirá de criterio a la sentencia de calificación respecto del alcance subjetivo y cuantitativo de la responsabilidad concursal. Esto no es responsabilidad-sanción-punitiva, sino responsabilidad por daños y en función de la contribución de cada uno de los administradores a ese daño» (ALONSO UREBA: La responsabilidad concursal de los administradores de una sociedad de capital en situación concursal [el artículo 172.3 de la Ley Concursal y sus relaciones con las acciones societarias de responsabilidad], cit., p. 556). Desde luego, y por las razones que antes expusiera, es absolutamente acertado advertir que el criterio de imputación a los administradores va a hacerse depender de la particular actuación seguida por cada uno de ellos, pues en razón de cuál haya sido ésta (dolo, culpa lata), se concretará en la sentencia de calificación, de forma individualizada, el alcance que tal pronunciamiento ha de tener. Ahora bien, este argumento poco ayuda a la finalidad pretendida, pues ese criterio de valoración individualizada de la conducta resulta ser más adecuado para los supuestos de responsabilidad-sanción que no respecto de aquellos otros que responden a una simple finalidad resarcitoria. La caracterización del régimen general de responsabilidad de los administradores en nuestro Derecho positivo (artículos 236 y ss. LSC), y del que, desde luego, no hay duda alguna acerca de su significado indemnizatorio, no discrimina en atención al grado de culpa que en relación con la producción del daño caracteriza el actuar de cada administrador, viniendo todos ellos a ser responsables del que efectivamente se causara a la sociedad, socios y terceros, según los casos. De hecho, así lo advierte, de forma quizás no coherente, el autor citado al recordar la caracterización del régimen general de responsabilidad previsto en la legislación societaria, en el que al configurar el régimen de la responsabilidad social de los administradores no se hace exoneración alguna en base al grado de culpa, pues los daños generados a la sociedad por el incumplimiento del deber de diligencia que incumbe a los administradores, genera en todo caso una responsabilidad cualquiera que sea el grado de culpa que les sea imputable a aquéllos (ALONSO UREBA: La responsabilidad concursal de los administradores de una sociedad de capital en situación concursal [el artículo 172.3 de la Ley Concursal y sus relaciones con las acciones societarias de responsabilidad], cit., p. 538). La relevancia del distinto proceder de los administradores sólo es posible en un contexto muy distinto al propio de una responsabilidad indemnizatoria, supuesto éste donde el grado de culpa deviene irrelevante a fin de justificar la debida reparación (recuérdese que tal responsabilidad se articula sobre la culpa leve). Por el contrario, si la construcción de la responsabilidad exigible por este concepto responde a cánones propios de la sanción civil, entonces cobra todo su significado, y resulta posible, un criterio de imputación diferenciado, en razón del dolo o la culpa lata que adorna la actuación con que tales sujetos han participado en la causación o agravamiento del estado de insolvencia de la sociedad ahora concursada. Dicho de otra manera, resulta irrelevante la concurrencia de dolo o culpa grave si de lo que se trata es de reparar un daño pero no, desde luego, si estamos ante una sanción.

De todos modos, se sigue insistiendo en la afirmación de la responsabilidad ex artículo 172 bis de la Ley Concursal como una responsabilidad indemnizatoria, ya que, como una nueva razón para tal conclusión, frente a la consideración de que la responsabilidad por el fallido concursal se desvincula en el texto legal del daño que los administradores hubieran ocasionado al patrimonio del deudor-concursado (GARCÍA-CRUCES: El problema de la represión de la conducta del deudor común, cit., p. 310. En igual sentido, vid. LLEBOT MAJO: La responsabilidad concursal de los administradores, cit., p. 7564), se manifiesta que «será el grado de imputación a cada uno de los administradores de la generación o agravación del estado de insolvencia (daño) lo que determinará cuáles de ellos responderán concursalmente y, a su vez, será el daño causado directamente a la sociedad y derivativamente a los acreedores (dando lugar al fallido de sus créditos) como consecuencia de esa actuación generadora o agravadora del estado de insolvencia, lo que permitirá determinar el quantum de la responsabilidad personal o individual de cada uno de ellos, (…) (el estado de insolvencia) en cuanto presupuesto de la responsabilidad concursal, es el criterio conforme al cual el juzgador deberá determinar qué administradores son los que responden y hasta cuánto responden» (ALONSO UREBA: La responsabilidad concursal de los administradores de una sociedad de capital en situación concursal [el artículo 172.3 de la Ley Concursal y sus relaciones con las acciones societarias de responsabilidad], cit., p. 538).

Pese a estas consideraciones, parece más acertada la afirmación de que, conforme con el texto legal, en la responsabilidad concursal el origen o empeoramiento del estado de insolvencia es un mero presupuesto que, con independencia de su significado como daño para la sociedad concursada, permite atender a una finalidad distinta, cómo es el de sancionar la conducta seguida por los administradores, procurando un mecanismo de cobertura del fallido concursal. La existencia del daño y su imputación no justifica la responsabilidad sancionada en el artículo 172 bis de la Ley Concursal, pues –en todo caso– la imputación requerida ha de ser cualificada (dolo, culpa lata) y, además, la procedencia de aquella responsabilidad se reserva para los supuestos de liquidación. Entiendo que esta conclusión no sólo es respetuosa, y la dota de pleno significado, con la previsión del artículo 172 bis de la Ley Concursal sino que, además, es la única que permite una interpretación sistemática de tal regla respecto de otras normas acogidas en la Ley Concursal, a la par que posibilita la adecuada inserción de aquella en nuestro Derecho privado.

La construcción de la acción ex artículo 172 bis de la Ley Concursal como la derivada de una responsabilidad resarcitoria vendría a suponer el carácter manifiestamente superfluo de la norma, dada la regla expresa de compatibilidad en el concurso entre aquélla y el régimen general de responsabilidad de los administradores que, para los supuestos en que el daño lo sufra la propia sociedad, acoge el artículo 48 quáter de la Ley Concursal y, de otro lado, en relación con el soportado por cada acreedor, no queda excluido por el juicio universal, pues la declaración de concurso no impide –ni ha de impedir– el posible ejercicio de la acción ex artículo 241 de la Ley de Sociedades de Capital. En efecto, con tal caracterización de la responsabilidad por el fallido concursal se estaría afirmando una duplicidad de regímenes para conseguir un mismo resultado; esto es, la reparación del daño causado a la sociedad ahora concursada y, de forma derivada, a sus acreedores. Obsérvese que tal resultado ya se alcanzaría con las previsiones de los artículos 236 y siguientes de la Ley de Sociedades de Capital, pues allí se viene a configurar una responsabilidad indemnizatoria que han de soportar los administradores por el daño que como tales causaran. Dada la vigencia del régimen general que sancionan las disposiciones societarias, la previsión del citado artículo 172 bis de la Ley Concursal carecería de sentido.

Pero, además, la afirmación del carácter meramente reparatorio de la responsabilidad concursal lleva a ciertas conclusiones de muy difícil justificación. En primer lugar, y a fin de mantener tal construcción de este tipo de responsabilidad, resultaría necesario –en puridad– excluir la aplicación del régimen general de responsabilidad resarcitoria acogido en la normativa societaria en los supuestos en que fuera declarado el concurso de la sociedad a la que estos administradores sirven, a fin de evitar una duplicidad –innecesaria– de regímenes con igual finalidad. Desde luego, podría compartirse la bondad de tal solución, pero frente a ella nos encontraríamos el tenor literal del artículo 48 quáter de la Ley Concursal y con el hecho indubitado de que, a fin de lograr la reparación del daño que pudiera habérseles causado, los acreedores siempre podrían acudir, pese a la declaración de concurso, al ejercicio de la acción individual de responsabilidad prevista en el artículo 241 de la Ley de Sociedades de Capital (En este sentido, y con anterioridad a la Ley 38/2011, vid. BELTRÁN: Comentario artículo 48, en ROJO y BELTRÁN (Dirs.), Comentario de la Ley Concursal, II, Civitas, Madrid, pp. 971 y ss.).

De igual modo, también cabe señalar, si se entendiera salvado –lo que no es posible– el anterior obstáculo, que las conclusiones a las que nos llevaría una configuración de la responsabilidad ex artículo 172 bis de la Ley Concursal como responsabilidad indemnizatoria serían seguramente inaceptables. En efecto, no podría justificarse, pues resulta contrario a elementales exigencias de nuestro Derecho positivo, que la procedencia de la reparación del daño quedara limitada a los supuestos en que el agente hubiera procedido con dolo o culpa lata, viniéndose a excluir toda suerte de resarcimiento en cualquier otro supuesto en que se hubiera procedido con distinto grado de culpabilidad. Por otro lado, e incluso por referencia al actuar doloso o con culpa grave, no podría aceptarse que el distinto grado de culpabilidad llegara a justificar una extensión diferente de la indemnización, pues la cobertura reparadora del daño ha de ser total, a no ser que medie concurrencia de culpas, circunstancia que no es posible en el supuesto que nos ocupa. En último lugar, no puede aceptarse, y sería una conclusión necesaria derivada de la configuración de esta responsabilidad concursal como responsabilidad resarcitoria, que la reparación del daño quedara limitada por el hecho de que la solución dada al concurso fuera la liquidación, quedando excluidos los supuestos de convenio. Todas estas razones obligan a una conclusión, y ésta no puede ser otra que la de negar el carácter indemnizatorio de la responsabilidad por el fallido concursal que dispone el artículo 172 bis de la Ley Concursal.

Pero, no sólo existen razones suficientes para rechazar la consideración de la responsabilidad ex artículo 172 bis de la Ley Concursal como un supuesto indemnizatorio sino que, también, el propio texto legal ofrece motivos más que relevantes para concluir en su tipificación como un supuesto de responsabilidad-sanción. En este sentido, habrá que atender al resto de previsiones que dispone la Ley Concursal en sede de calificación concursal, pudiéndose entonces comprobar cómo, entre otros pronunciamientos que contendrá la sentencia de calificación, en tal resolución el juez del concurso condenará, en su caso, a las «personas afectadas por la calificación», entre los que necesariamente habrá que incluir a los administradores, liquidadores, apoderados generales y, bajo ciertas condiciones, los socios de la deudora común, «a indemnizar los daños y perjuicios causados», tal y como ordena el inciso final del artículo 172.2.3° de la Ley Concursal. Esta pretensión indemnizatoria a favor de la masa activa permite deducir las pertinentes peticiones resarcitorias que, en razón de las concretas circunstancias, pudieran hacerse valer (ad ex indemnización ex artículo 73.2 LC). Desde luego, no parece que el legislador, al sancionar la procedencia de esta condena resarcitoria, haya pretendido una suerte de acumulación de pretensiones indemnizatorias que, superpuestas entre sí, deriven en un resultado que carece absolutamente de sentido. Si, a todo ello, se añade la procedencia del régimen general de responsabilidad de los administradores, que también cabe hacer valer en el expediente de calificación al amparo del artículo 172.2.3º de la Ley Concursal, podrá llegar a concluirse en la necesidad de dar una explicación necesariamente distinta de la responsabilidad por el fallido concursal.

Y, en este sentido, parece que tal explicación sólo puede ser aquélla que manifiesta el carácter sancionatorio de la responsabilidad ordenada por el artículo 172.3 de la Ley Concursal. Esta configuración del tipo de responsabilidad que nos ocupa parece obedecer a una concreta finalidad de política jurídica, pues viene a mostrar la constatación de las insuficiencias del régimen general de responsabilidad de los administradores durante la vigencia del Derecho Concursal codificado. Las disposiciones del Código de Comercio reguladoras de la institución concursal no excluían la posible aplicación de las previsiones acogidas en el régimen general de responsabilidad que para los administradores disponían las normas societarias, tal y como venía a destacarse por nuestra doctrina más autorizada. Nuestra experiencia concursal no era, precisamente, satisfactoria en lo que hace a la valoración de las conductas, en particular respecto de los administradores sociales, que se habían seguido con ocasión del estado de insolvencia. El resultado a que conducía la aplicación de aquellas normas generales y de carácter indemnizatorio distaba mucho de los resultados que serían deseables. Por ello, cabe lícitamente entender que la responsabilidad concursal obedece a una finalidad distinta, pues responde a un deseo de moralización de las conductas, a fin de reprimir aquellas que, actuadas con ocasión de la producción o del empeoramiento del estado de insolvencia, pudieran considerarse más graves. Esto es, estamos ante una responsabilidad sanción con la que quiere asegurarse la vigencia de unas exigencias éticas mínimas (dolo, culpa lata).

Esta calificación como pena civil no ha de plantear, en principio, mayores problemas, dada su tradición en el ámbito del Derecho Privado (desde luego la cita obligada es el artículo 367 de la Ley de Sociedades de Capital, así como su antecedente en los artículos 262.5 de la Ley de Sociedades Anónimas y 105.5 de la Ley de Sociedades de Responsabilidad Limitada. Pero no cabe desconocer antecedentes de tal técnica legislativa en el propio Código, como así ocurre con la previsión de su artículo 147 al sancionar la responsabilidad del socio comanditario por las deudas sociales cuando «incluyese su nombre o consintiese su inclusión en la razón social»). La pena o sanción civil es un instrumento de Derecho Privado por el que se vinculan el interés general y legítimos intereses privados, que se caracteriza por la doble nota de que la iniciativa para instar su aplicación puede, incluso, hacerse descansar en los particulares quienes, a su vez, obtienen –o pueden obtener– una ventaja patrimonial con la aplicación de aquélla (esta idea parece destacarse en alguna jurisprudencia. Vid. SAP Córdoba, Sección 3ª, 15 de julio de 2008). Se trata, de este modo, de garantizar la eficacia de la medida frente a las sanciones tradicionales que provienen del Derecho Público. La responsabilidad sanción, en el ámbito del Derecho Privado, toma como presupuesto el incumplimiento, con la exigencia del grado de culpa que se estime oportuno, de determinados deberes. De igual modo, puede atender –aunque no necesariamente– al resultado dañoso derivado de aquel proceder, pero no para alterar su propio significado sino, mejor, para modular el alcance de la sanción. Ello explica que, en el contexto del artículo 172 bis de la Ley Concursal, y pese a la dualidad de grados de culpa en la imputación (dolo, culpa lata), la sanción resulte procedente. Pero, también, justifica que en función del grado de culpa que en cada caso concurra el alcance de la sanción pueda tener un contenido distinto (fallido total o parcial). De este modo, se entenderán mejor las opciones, también las de política jurídica, que hace la Ley Concursal y que llevan a encomendar al arbitrio judicial la concreción del alcance –total o parcial, tanto subjetiva como cuantitativamente– de la condena de los administradores a satisfacer el déficit concursal.

4.2. La calificación de la responsabilidad concursal en la jurisprudencia

El problema de la naturaleza de la responsabilidad concursal también ha tenido un cierto protagonismo en la jurisprudencia que se ha venido formando en la aplicación de la Ley Concursal. La discusión acerca de su naturaleza indemnizatoria o sancionadora se ha plasmado en distintos pronunciamientos jurisprudenciales, resultando –hasta ahora– mayoritaria la línea jurisprudencial que afirma su carácter sancionador. A fin de que estas páginas tengan una extensión razonable, ceñiremos el estudio de la Jurisprudencia recaída sobre la responsabilidad concursal a aquélla que ha sido dictada por el Tribunal Supremo, no sin dejar de advertir de la excelente calidad de muchas de las resoluciones dictadas tanto por las Audiencias Provinciales como en primera instancia.

El análisis de la jurisprudencia recaída respecto de la interpretación y aplicación del artículo 172 bis de la Ley Concursal requiere realizar una advertencia, como así se deriva de los últimos pronunciamientos habidos.

En efecto, conviene, antes de nada, señalar que deben diferenciarse dos orientaciones jurisprudenciales distintas en razón de la entrada en vigor de la Ley 17/2014, anticipada mediante el Real Decreto Ley 4/2014, que ha modificado el tenor literal del artículo 172 bis.1 de este texto legal.

En todo caso, y diferenciando ambas líneas jurisprudenciales, debemos atender a cuál ha sido el criterio que ha manifestado el Tribunal Supremo acerca de la calificación jurídica que pueda merecer la denominada responsabilidad concursal y que ha abordado en distintas sentencias.

En las primeras sentencias dictadas, la Sala vino a enfrentar la cuestión desde una particular óptica pues, de conformidad con el contenido de los recursos, se suscitaba un problema de irretroactividad de la regla dispuesta –actualmente– en el artículo 172 bis (anterior artículo 172.3) de la Ley Concursal. Con tal finalidad, en la Sentencia del Tribunal Supremo de 23 de febrero de 2011 (Roj: STS 1068/2011-ECLI:TS:ES:2011:1068) se advirtió que la responsabilidad concursal sancionada en la norma que nos ocupa "carece de la naturaleza sancionadora que le atribuye el recurrente, dado que en él la responsabilidad de los administradores o liquidadores sociales –sean de hecho o de derecho– deriva de serles imputable –por haber contribuido, con dolo o culpa grave– la generación o agravamiento del estado de insolvencia de la sociedad concursada, lo que significa decir el daño que indirectamente sufrieron los acreedores de …, en una medida equivalente al importe de los créditos que no perciban en la liquidación de la masa activa".

Este criterio, y a fin de resolver el mismo problema de la irretroactividad de la norma, se reiteró en la Sentencia del Tribunal Supremo de 12 de septiembre de 2011 (Roj: STS 5833/2011-ECLI:ES:TS:2011:5833).

La lectura –quizás precitada– de estos pronunciamientos llevó a algunos autores a considerar, equivocadamente, que el alto tribunal había atribuido a la norma una función meramente reparadora del daño.

Sin embargo, todas esas ideas vinieron a ponerse en entredicho con la importante STS 6 de octubre de 2011 (Roj: STS 6838/2011-ECLI:ES:TS:2011:6838), cuyas principales afirmaciones se reiteran se reiteran y completan en posteriores pronunciamientos. En esta Sentencia de 6 de octubre de 2011, el Tribunal Supremo realiza dos pronunciamientos de extraordinaria importancia práctica, a cuyo través se reordena todo el debate. En primer lugar, y como ya indicara, la Sala destaca el carácter no necesario de la condena por responsabilidad por el fallido en aquellos supuestos en que el concurso hubiera sido calificado como culpable. En efecto, en el Fundamento cuarto de esta resolución se pone de manifiesto que la responsabilidad concursal "no es, según la letra de la norma, una consecuencia necesaria de la calificación del concurso como culpable, sino que requiere una justificación añadida".

Pero, además, y desde tal presupuesto, se concreta cuál ha de ser el objeto del pronunciamiento judicial, rechazando que éste constituya el daño causado y su relación de causalidad con la conducta de los administradores, liquidadores y –ahora– apoderados generales y socios que actuaron como agente de la causación o del agravamiento del estado de insolvencia. Como antes se indicara, para la procedencia de un pronunciamiento condenatorio y la concreción de los sujetos sobre los que recae, la Sala manifiesta que "además de la concurrencia de los condicionantes impuestos por el propio apartado del artículo 172 –la formación o reapertura de la sección de calificación ha de ser consecuencia del inicio de la fase de liquidación–, es necesario que el Juez valore, conforme a criterios normativos y al fin de fundamentar el reproche necesario, los distintos elementos subjetivos y objetivos del comportamiento de cada uno de los administradores en relación con la actuación que, imputada al órgano social con el que se identifican o del que forman parte, había determinado la calificación del concurso como culpable".

Se reitera tal criterio, de manera más escueta, en la Sentencia del Tribunal Supremo de 7 de mayo de 2015 (Roj: STS 2211/2015 - ECLI:ES:TS:2015:2211), al destacar que "para condenar al administrador o liquidador social a cubrir, en todo o en parte, el déficit concursal, la Sala ha declarado que no es suficiente que el concurso haya sido calificado como culpable y que los bienes hayan sido insuficientes para cubrir las deudas de la sociedad concursada, dado que no se trata de un régimen "automático" de responsabilidad, sino que es precisa esa "justificación añadida" a que hace referencia la recurrente".

Posteriormente, la Sentencia del Tribunal Supremo de 22 de julio de 2015 (Roj: STS 3442/2015 - ECLI:ES:TS:2015:3442) insiste, aunque quizás de un modo confuso, en este criterio, al advertir que "la exigencia de una justificación añadida responde a la idea de que la mera calificación culpable del concurso no debe determinar la condena a cubrir el déficit concursal, sino que es preciso que concurra alguna razón adicional relacionada con lo que es objeto de condena, la cobertura total o parcial del déficit, que lo justifique. Esta, según aquella jurisprudencia, no necesariamente tenía que ser la generación o agravación de la insolvencia, pero, obviamente podía serlo, en la medida en que formara parte de los elementos objetivos y subjetivos de alguna de las conductas que habían motivado la calificación culpable. Así ocurrió en el caso que propició la Sentencia 29/2013, de 12 de febrero, en que la conducta que había justificado primero la calificación culpable y luego la condena a la cobertura del déficit cumplía los presupuestos normativos del artículo 164.1 de la Ley Concursal, pues había generado la insolvencia de la sociedad concursada, con culpa grave de su administrador: (...) Cuando la conducta que ha motivado la calificación del concurso es la tipificada en el artículo 164.1 de la Ley Concursal, y, más en concreto, haber mediado culpa grave en la generación del estado de insolvencia por parte de los administradores de la compañía, no cabe duda de que, como exige en la actualidad el artículo 172 bis de la Ley Concursal, la responsabilidad de estos administradores respecto de la cobertura del déficit estará en función de su participación en esta conducta, que es, además, la que indirectamente ha provocado la insatisfacción total o parcial de los créditos".

Esta línea jurisprudencial se consolidó siendo recogida en otras muchas sentencias dictadas por el Tribunal Supremo (Vid. STS 21 de mayo de 2015 [Roj: STS 4441/2012-ECLI:ES:TS:2015:4441]; STS 7 de mayo de 2015 [Roj: STS 2211/2015 - ECLI:ES:TS:2015:2211]; STS 5 de febrero de 2015 [Roj: STS 432/2015 - ECLI:ES:TS:2015:432]; STS 28 de febrero de 2013 [Roj: STS 3499/2013 - ECLI:ES:TS:2013:3499]; STS 20 de diciembre de 2012 [Roj: STS 9145/2012-ECLI:ES:TS:2012:9145]; STS 14 de noviembre de 2012 [Roj: STS 9182/2012-ECLI:ES:TS:2012:9182]; STS 19 de julio de 2012 [Roj: STS 6086/2012-ECLI:ES:TS:2012:6086]; STS 16 de julio de 2012 [Roj: STS 5172/2012-ECLI:ES:TS:2012:5172]; STS 21 de mayo de 2012 [Roj: STS 4441/2012-ECLI:ES:TS:2012:4441]; STS 26 de abril de 2012 [Roj: STS 2877/2012-ECLI:ES:TS:2012:2877]; STS 20 de abril de 2012 [Roj: STS 2883/2012-ECLI:ES:TS:2012:2883]; STS 21 de marzo de 2012 [Roj: STS 2542/2012 - ECLI:ES:TS:2012:2542]; STS 16 de enero de 2012 [Roj: STS 525/2012-ECLI:ES:TS:2012:525]; y STS 17 de noviembre de 2011 [Roj: STS 8004/2011-ECLI:ES:TS:2011:8004]. Las STS 16 de julio de 2012 [Roj: STS 5172/2012-ECLI:ES:TS:2012:5172] y STS 28 de febrero de 2013 [Roj: STS 3499/2013 - ECLI:ES:TS:2013:3499], afirman que la responsabilidad concursal encierra un supuesto de responsabilidad por deuda ajena).

En definitiva, el Tribunal Supremo ha excluido la necesidad de la prueba del daño y de la necesaria relación de causalidad a fin de justificar la procedencia de la condena dineraria por responsabilidad concursal, debiendo valorarse –exclusivamente– la conducta seguida por el agente.

Expresamente, la Sentencia del Tribunal Supremo de 14 de noviembre de 2012 (Roj: STS 9182/2012-ECLI:ES:TS:2012:9182) destaca que "no se trata de una indemnización por el daño derivado de la generación o agravamiento de la insolvencia por dolo o culpa grave -imperativamente exigible al amparo del artículo 172.2°.3 de la Ley Concursal –".

Reitera tal postura la Sentencia del Tribunal Supremo de 20 de diciembre de 2012 (Roj: STS 9145/2012-ECLI:ES:TS:2012:9145), acudiendo a un criterio hermenéutico tanto literal como sistemático, pues "el sentido propio de las palabras que componen la norma del artículo 172, apartado 3, no permiten, en buena técnica, condicionar el ejercicio de una potestad, como la atribuida al Juez del concurso –esto es, la de decidir si debe condenar a la satisfacción del déficit concursal, a que administradores, en qué medida y con qué alcance–, a la presencia de un daño indemnizable ni a la influencia del comportamiento imputado a los administradores o liquidadores de la persona jurídica sobre la generación o agravación del estado de insolvencia de la misma, cuando - como acontece en el caso enjuiciado - la calificación del concurso como culpable ha resultado de la concurrencia de, al menos, uno de los supuestos descritos el apartado 2 del artículo 164. Lo que pretende el recurrente significaría, además de evitar el llamado canon hermenéutico de la totalidad, confundir daño y su indemnización con deuda - de la sociedad - y asunción de la misma. (…) El criterio sistemático, utilizado para iluminar unos con otros los textos legales, no favorece la postura del recurrente, dado que la indemnización de daños está específicamente prevista en la norma que antecede, en el propio artículo 172, a la que interpretamos, esto es, la del ordinal tercero del apartado 2 del mismo artículo 172, que - de aceptarse su interpretación - convertiría en innecesaria de todo punto la que ha sido aplicada por el Tribunal de apelación".

Llegados a este punto, cabria interrogarse acerca de la caracterización que merece la llamada responsabilidad concursal según la Jurisprudencia del Tribunal Supremo. A la luz de las decisiones posteriores a la tan citada Sentencia del Tribunal Supremo de 6 de octubre de 2011, sería lícito concluir en la afirmación de que el Tribunal Supremo habría manifestado el carácter sancionador de la llamada responsabilidad concursal. Sin embargo, no puede desconocerse cómo ha rechazado, de modo literal, la consideración de esta condena pecuniaria como una sanción civil (En este sentido, aunque sin consecuencias prácticas, STS 21 de mayo de 2012 [Roj: STS 4441/2012-ECLI:ES:TS:2012:4441]. En igual sentido, STS 26 de abril de 2012 [Roj: STS 2877/2012-ECLI:ES:TS:2012:2877]), pese a que la configuración que ofrece la jurisprudencia respondería a tal caracterización.

En realidad, si se repasa el contenido de éstas y de otras resoluciones, quizás pueda simplificarse el problema y advertir que, probablemente, todo quede reducido a una cuestión de terminología, llegándose a conclusiones prácticas iguales que las que se derivarían de afirmar esa naturaleza sancionadora. En efecto, y pese al rechazo formal a la afirmación de una pena civil, el Tribunal Supremo concluye manifestando que la caracterización que merece la denominada responsabilidad concursal o por el fallido concursal es la propia de una *responsabilidad por deuda ajena*. Expresamente, la Sentencia del Tribunal Supremo de 16 de julio de 2012 (Roj: STS 5172/2012-ECLI:ES:TS:2012:5172), negando cualquier carácter indemnizatorio de la responsabilidad concursal, afirma su configuración como responsabilidad por deuda ajena, pues "no se trata, en consecuencia de una indemnización por el daño derivado de la generación o agravamiento de la insolvencia por dolo o culpa grave -imperativamente exigible al amparo del artículo 172.2°.3 de la Ley Concursal -, sino un supuesto de responsabilidad por deuda ajena cuya exigibilidad requiere: ostentar la condición de administrador o liquidador -antes de la reforma operada por la Ley 38/2011, de 10 de octubre, no se requería que, además tuviesen la de "persona afectada"-; que el concurso fuese calificado como culpable; la apertura de la fase de liquidación; y la existencia de créditos fallidos o déficit concursal".

Reiteran este criterio las Sentencias del Tribunal Supremo de 14 de noviembre de 2012 (Roj: STS 9182/201)] y de 20 de diciembre de 2012 (Roj: STS 9145/2012-ECLI:ES:TS:2012:9145). De modo más confuso, vid. STS 28 de febrero de 2013 (Roj: STS 3499/2013 - ECLI:ES:TS:2013:3499).

En definitiva, parece que ha de concluirse advirtiendo que el criterio de imputación, a los efectos de lo dispuesto en el artículo 172 bis.1 de la Ley Concursal, no se hace descansar en la causación de un daño que, debido al dolo o la culpa lata del agente, deba repararse sino, antes bien, en la propia conducta seguida y a su desvalor en atención al rechazo social que provoca. Sólo así es posible entender que la condena por responsabilidad concursal pueda ser a la cobertura total pero también parcial del déficit concursal y que, por tanto, el criterio de imputación no sea otro que el dolo o la culpa lata con que se actuara.

La consecuencia última a que conduce esta forma de entender la llamada responsabilidad concursal no es otra que la de considerar improcedente la valoración del daño que tales conductas hubieran causado, evitando requerir su relación de causalidad con el daño que ha de ser objeto de reparación. No se trata de reparar un daño sino de reprimir aquellas conductas que causan un profundo rechazo social, dado el dolo o la culpa lata con que procedieron esos administradores y liquidadores, de derecho o de hecho, así como –ahora– los apoderados generales de la persona jurídica concursada. Y para conseguir tal resultado se acude a una categoría que no es extraña a nuestro Derecho Privado, y en la que se imbrican el interés público por el correcto funcionamiento del mercado y la represión de conductas ilícitas, junto con el legítimo interés privado de los acreedores por conseguir la realización de sus créditos.

Antes se advertía que la reforma de la Ley Concursal llevada a cabo con ocasión de la Ley 17/2014, y anticipada a través del Real Decreto Ley 4/2014, ha modificado el tenor literal del artículo 172 bis.1 de este texto legal. Una primera lectura de este nuevo artículo 172 bis.1 de la Ley Concursal pudiera llevarnos a pensar que se altera, seguramente sin quererlo, el planteamiento en torno a la naturaleza de la responsabilidad concursal que hasta ahora se ha expuesto, ya que la concreción de tal condena parece que ha de actuarse "en la medida en que la conducta que ha determinado la calificación culpable haya generado o agravado la insolvencia". De hecho, no han faltado voces que vienen a proclamar, en virtud de una interpretación –pretendidamente– literal, una configuración distinta de la denominada responsabilidad concursal o por el déficit concursal tras la reforma de la Ley Concursal llevada a cabo con la Ley 17/2014.

La última jurisprudencia dictada por el Tribunal Supremo parece hacerse eco de esta cuestión. Recientemente, el alto tribunal ha reiterado, aunque quizás introduciendo una salvedad, su anterior postura en torno a la calificación jurídica de la responsabilidad concursal en la que negaba su carácter resarcitorio, pues la Sentencia del Tribunal Supremo de 5 de febrero de 2015 (Roj: STS 432/2015 - ECLI:ES:TS:2015:432) afirma que "la naturaleza del régimen de responsabilidad concursal establecido en el artículo 172.3 de la Ley Concursal, antes de la reforma operada por el Real Decreto-ley 4/2014, de 7 de marzo, había sido fijada por una serie de sentencias de esta Sala de un modo razonablemente uniforme, de modo que no podía considerarse como una responsabilidad de naturaleza resarcitoria sino como un régimen agravado de responsabilidad civil por el que, concurriendo determinados requisitos, el coste del daño derivado de la insolvencia podía hacerse recaer, en todo o en parte, en el administrador o liquidador social al que son imputables determinadas conductas antijurídicas, y no en los acreedores sociales. Por tanto, no se exigía la concurrencia de una relación de causalidad entre la conducta del administrador o liquidador determinante de la calificación del concurso como culpable y el déficit concursal del que se hacía responsable a dicho administrador o liquidador o, por decirlo en otras palabras, no era necesario otro enlace causal distinto del que resulta "ex lege" de la calificación del concurso como culpable según el régimen de los artículos 164 y 165 de la Ley Concursal y la imputación de las conductas determinantes de tal calificación a determinados administradores o liquidadores de la persona jurídica concursada. (…) Tal responsabilidad había sido encuadrada en alguna de las sentencias de esta Sala entre los mecanismos que modulaban la heteropersonalidad de las sociedades respecto de sus administradores en la exigencia de responsabilidad por sus acreedores. Las sentencias núm. 501/2012, de 16 de julio, 669/2012, de 14 noviembre, y 74/2013, de 28 de febrero, afirmaron que la responsabilidad prevista en el artículo 172.3 de la Ley Concursal es un supuesto de responsabilidad por deuda ajena, naturaleza que no queda oscurecida por la amplia discrecionalidad que la norma atribuye al Juez tanto respecto del pronunciamiento de condena como de la fijación de su alcance cuantitativo".

Repárese que el Tribunal Supremo reitera su criterio acerca de la naturaleza jurídica de la responsabilidad concursal pero cercenando su alcance temporal, pues éste limitaría su vigencia a "antes de la reforma operada por el Real Decreto-ley 4/2014, de 7 de marzo".

Este pronunciamiento vino precedido por la importante Sentencia del Tribunal Supremo de 12 de enero de 2015 (Roj: STS 256/2015 - ECLI:ES:TS:2015:256), dictada por el pleno de la Sala Primera, y en la que la Sala parece corregir su anterior doctrina jurisprudencial. El Tribunal Supremo parece entender la necesidad de ofrecer otra inteligencia acerca del problema que nos ocupa, y ello como consecuencia de la valoración que, a su juicio, ha de merecer la citada modificación legislativa. Así, se afirma, sin mayores razonamientos, que "existiendo esta jurisprudencia razonablemente uniforme (a lo que no obsta la existencia de una cierta evolución y la introducción de algunos matices por una u otra sentencia), la introducción de tal inciso en esa reforma legal no puede considerarse como una aclaración o interpretación de la normativa preexistente, sino como la decisión del legislador de modificar el criterio determinante de la responsabilidad concursal e introducir un régimen de responsabilidad de naturaleza resarcitoria, en cuanto que podrá hacerse responsable al administrador, liquidador o apoderado general de la persona jurídica (y, en determinadas circunstancias, a los socios) de la cobertura total o parcial del déficit concursal «en la medida que la conducta que ha determinado la calificación culpable haya generado o agravado la insolvencia".

De este modo, el Tribunal Supremo viene a afirmar que la reforma de la Ley Concursal llevada a cabo con la Ley 17/2014 supone una modificación de la calificación que ha de atribuirse a la responsabilidad concursal, la cual vendría ahora a merecer su consideración como un supuesto particular de responsabilidad indemnizatoria o resarcitoria.

La posterior Sentencia del Tribunal Supremo de 22 de julio de 2015 (Roj: STS 3442/2015 - ECLI:ES:TS:2015:3442) parece hacerse eco de esta posición, al advertir que

> *"La regulación de esta responsabilidad por déficit fue modificada primero por la Ley 38/2011, que la trasladó al artículo 172 bis de la Ley Concursal, aunque en parecidos términos. De tal forma que la jurisprudencia que interpretó el originario artículo 172.3 de la Ley Concursal, y, en concreto, determinó los caracteres de esta responsabilidad, resultaba sustancialmente aplicable al artículo 172 bis de la Ley Concursal introducido por la Ley 38/2011.*
>
> *Ha sido la reforma introducida por el Decreto Ley 4/2104, de 7 de marzo, que incorpora en el artículo 172 bis de la Ley Concursal la exigencia expresa de que la condena a cubrir el déficit concursal lo sea en la medida en que la conducta que mereció la calificación culpable hubiera generado o agravado la insolvencia, la que, a juicio de esta Sala, ha cambiado sustancialmente la justificación de esta responsabilidad por déficit. Así nos pronunciamos en la Sentencia del Pleno 772/2014, de 12 de enero de 2015, al considerar que el legislador introduce «un régimen de responsabilidad de naturaleza resarcitoria, en cuanto que podrá hacerse responsable al administrador liquidador o apoderado general de la persona jurídica (y, en determinadas circunstancias a los socios) a la cobertura total o parcial del déficit "en la medida que la conducta que ha determinado la calificación culpable haya generado o agravado la insolvencia"».*
>
> *En esta misma sentencia de pleno 772/2014, de 12 de enero de 2015, declaramos que este nuevo régimen de responsabilidad debía aplicarse a los casos en que la sección de calificación se hubiera abierto con posterioridad a la entrada en vigor del Decreto Ley 4/2014.*
>
> *De esta última declaración, extraemos también el criterio sobre la normativa aplicable al caso. El régimen legal aplicable será el vigente al tiempo de abrirse la sección de calificación. En nuestro caso, la sección se abrió antes de la reforma introducida por la Ley 38/2011, por lo que resulta de aplicación el artículo 172.3 de la Ley Concursal, en su redacción original, que hemos transcrito al comienzo de este fundamento jurídico".*

A través de los pronunciamientos que acaban de citarse, el Tribunal Supremo viene a destacar la interpretación que le parece merecer la nueva norma resultante de la reforma de la Ley Concursal y que, sin embargo, no aplica –ni podría aplicar– al supuesto que en cada caso se enjuicia. Dicho de otra manera, se consolida la interpretación que hasta ahora venía ofreciendo la Sala respecto de la calificación y caracterización de la responsabilidad concursal pero, a la vez, se advierte del cambio legislativo, de manera que en aquellos asuntos a los que resulten de aplicación las nuevas reglas habrá de tenerse presente que el reformado artículo 172 bis.1 de la Ley Concursal merecerá una interpretación distinta.

En todo caso, no estará de más que, ante esta suerte de *jurisprudencia predictiva*, nos cuestionemos si no sería posible una inteligencia distinta de la norma reformada. En este sentido, quizás otra lectura diferente de la nueva redacción dada al artículo 172 bis.1 de la Ley Concursal, así como la consideración de básicos criterios de interpretación de las normas (en particular, el llamado *canon de la totalidad* o criterio de interpretación sistemática, al igual que una hermenéutica finalista o teleológica de tal precepto), pudiera llevarnos a una conclusión distinta (en este sentido, vid. GARCÍA-CRUCES: Las reformas de la Ley Concursal en materia de calificación del concurso (RDL 4/2014; Ley 17/2014 y Ley 9/2015, pp. 183 y ss.).

En primer lugar, el argumento teleológico pudiera excluir la posibilidad de una interpretación como la que parece recogerse en los citados pronunciamientos judiciales. Resulta innegable que la finalidad atendida con esta reforma del texto legal es mucho más modesta y no pretende afrontar el problema de la naturaleza jurídica de la responsabilidad concursal. La finalidad que quiere atenderse no es otra que la de "adoptar medidas favorecedoras del alivio de la carga financiera o desapalancamiento", tal y como indica el preámbulo del Real Decreto Ley 4/2014, antecedente de la Ley 17/2014. Finalidad que se reitera, de modo específico en sede capitalización de deuda, cuando el legislador advierte que su propósito se centra en acoger "determinadas medidas destinadas a favorecer la transformación de deuda en capital, rebajando las mayorías exigibles por la Ley de Sociedades de Capital y estableciendo, con las debidas cautela y garantías, una presunción de culpabilidad del deudor que se niega sin causa razonable a ejecutar un acuerdo de recapitalización". Todo ello sin desconocer, como expresamente se advierte, que "las modificaciones de la Ley 22/2003, de 9 de julio, introducidas en este real decreto-ley se circunscriben exclusivamente a su ámbito de aplicación". Por ello, pudiera afirmarse que el legislador supone, con esta reforma, la configuración dogmática de la responsabilidad concursal que hace la Ley Concursal y que no pretende alterar sino, tan solo, quiere valerse de este instrumento para extender su aplicación a otro supuesto no contemplado en la normativa que ahora se completa (esto es, la extensión de este régimen de responsabilidad a los socios de la concursada cuando se den determinados requisitos).

En definitiva, no parece que el legislador hubiera querido alterar el significado que tiene la responsabilidad concursal sino, tan solo, añadir un grupo de sujetos sobre los cuáles, y en las condiciones allí señaladas, pueda recaer esa condena por el déficit concursal y como consecuencia de la infracción de un particular deber (en este caso, el de adoptar el acuerdo de capitalización de deuda).

De otra parte, un criterio de interpretación sistemática parece que habría de llevarnos a una conclusión igual. En efecto, el artículo 172 bis de la Ley Concursal, al sancionar la responsabilidad concursal, supone que el daño derivado de la conducta antecedente y que se valora a los efectos de tal condena ha sido reparado, pues sobre las "personas afectadas por la calificación" habrá recaído, igualmente, otra condena como es la de "indemnizar los daños y perjuicios causados", pues éste es otro de los pronunciamientos sobre los que ha de pronunciarse la sentencia de calificación (artículo 172.2.3° LC). Esto es, el daño derivado de la conducta seguida por tales sujetos ya habría sido objeto del oportuno pronunciamiento judicial, por lo que, si se afirmara la naturaleza resarcitoria de la responsabilidad concursal, su objeto y finalidad vendrían a ser los mismos que aquella condena previa, resultando así redundante y, por tanto, innecesaria.

Pero, de igual manera, y sin que quepa considerarlo como un argumento ab absurdum, no estará de más que nos cuestionemos las consecuencias que llevaría aparejada la afirmación de la naturaleza resarcitoria de la condena por responsabilidad concursal. Antes se han señalado los presupuestos que requiere la condena ex artículo 172 bis de la Ley Concursal y que limita la procedencia de la responsabilidad concursal a aquellos supuestos en que la sección de calificación se abrió como consecuencia de la apertura de la liquidación concursal, dado que si la solución fuera la de convenio ésta queda excluida. La duda que entonces surge, necesariamente, es la de sí es posible que la reparación de un daño venga a quedar condicionada por tal exigencia procedimental o si, por el contrario, no debería extenderse también a los casos en que se alcanzara una solución negocial, a no ser –claro está– que se partiera de un error en la afirmación de partida acerca de la naturaleza de esa responsabilidad. Pero, es más, no puede olvidarse que la calificación del concurso como culpable supone, con carácter imprescindible, que se advere el dolo o la culpa lata de las denominadas "personas afectadas por la calificación". Dada tal exigencia, la afirmación del carácter resarcitorio de la responsabilidad concursal viene a suponer que, en nuestro Derecho, la reparación del daño causado quedaría limitada a los casos en que el agente hubiera actuado con dolo, lo cual no parece que deba ser aceptado.

Frente a todos estos argumentos podría entonces argüirse la literalidad de la norma reformada que, no conviene olvidarlo, viene a limitar la posibilidad de condena respecto de ciertos sujetos y "en la medida que la conducta que ha determinado la calificación culpable haya generado o agravado la insolvencia". Ahora bien, el tenor literal de la norma podría admitir, al menos, dos lecturas diferentes. Una es la que, pese a ser lineal, se ha hecho en las sentencias que antes se han señalado. Pero, también, es posible una segunda comprensión del texto en la que la nueva exigencia incorporada para efectuar la condena por responsabilidad concursal –esto es, la necesidad de considerar "la medida (en) que la conducta que ha determinado la calificación culpable haya generado o agravado la insolvencia"– no vaya referida a todos los sujetos que contempla la norma sino, tan solo, a aquéllos que se incorporan a tal elenco con ocasión de la reforma. Es decir, el nuevo texto legal no habría alterado el sentido y finalidad de su precedente sino, mejor, se habría limitado a incorporar a otros sujetos (los socios que no atendieron el deber de capitalización) a los que también cabría requerir la oportuna responsabilidad concursal pero solo en la medida en que con su conducta hubieran participado o agravado la insolvencia.

Todas estas razones quizás puedan abocar a la conclusión de que la condición impuesta en la norma a fin de efectuar la condena por responsabilidad concursal y concretar su extensión (en "la medida que la conducta que ha determinado la calificación culpable haya generado o agravado la insolvencia") solo debiera referirse a los socios que incumplieran su deber de capitalización en los términos expresados por el artículo 165.4 de la Ley Concursal, sin que deba extenderse su aplicación respecto del resto de sujetos enumerados en el artículo 172 bis.1 de la Ley Concursal (administradores y liquidadores, de hecho o de derecho, y apoderados generales).

De todos modos, no cabe desconocer, aunque no se comparta, el criterio expresado por el Tribunal Supremo en las citadas Sentencias de 12 de enero de 2015; de 5 de febrero de 2015 y de 22 de julio de 2015 y que, cabe suponer, será objeto de mayor desarrollo y concreción en su futura jurisprudencia.

5. *Pluralidad de obligados y destinatarios del pago*

En todo caso, no cabe desconocer y sí destacar las imprecisiones de la norma sobre dos extremos. En primer lugar, el criterio de imputación y determinación de la extensión de esta responsabilidad concursal que se hace radicar en la conducta seguida por cada concreto administrador o liquidador no resuelve la duda de cómo calificar la obligación asumida en los casos de pluralidad de obligados. La exigencia del texto legal, de acuerdo con su literalidad, requiere la valoración de la conducta seguida, verificando cuál ha sido el proceder de los distintos administradores, liquidadores y apoderados generales, atribuyéndoles –en consecuencia– la condena pertinente y con la cuantificación que se establezca, pues "en caso de pluralidad de condenados, la sentencia deberá individualizar la cantidad a satisfacer por cada uno de ellos, de acuerdo con la participación en los hechos que hubieran determinado la calificación del concurso (tercer inciso del apartado 1 del artículo 172 bis LC)

Obviamente, dada la imprevisión de la Ley Concursal, resultarán de aplicación las reglas generales vigentes en nuestro Derecho que manifiestan su preferencia por la mancomunidad (artículo 1.137 CC). Sin embargo, ese rechazo de la regla de solidaridad no puede ampararse –en algunos supuestos– más que en la imprevisión del texto pues, pese a lo afirmado en alguna ocasión (FERNÁNDEZ DE LA GÁNDARA: La responsabilidad concursal de los administradores de sociedades de capital, cit., pág. 719), no obedece a justificación específica alguna. Así, y a fin de ofrecer esa fundamentación excluyente de la regla de solidaridad se nos dice que la ratio a que obedece esta previsión en otros supuestos (ad ex artículo 237 Texto Refundido de la Ley de Sociedades de Capital) no parece que concurra en sede concursal, pues con la declaración de concurso se accede a la contabilidad, documentos complementarios, actas de órganos ejecutivos, etc., de modo que puede obtenerse una información que se verá completada incluso con el propio desarrollo de la pieza de calificación, de tal manera que los interesados van a disponer de una amplísima información, sin que estos supuestos se de la perspectiva de control de la administración social que se atribuye a la responsabilidad que cabe requerir a estos sujetos y que permitiría el ejercicio de la acción social de responsabilidad. Por todo ello, se concluye afirmando la exclusión de una regla de solidaridad en sede de responsabilidad concursal (Así, ALONSO UREBA: La responsabilidad de los administradores de una sociedad de capital en situación concursal. El artículo 171, 3 del Anteproyecto de Ley Concursal y sus relaciones con las acciones societarias de responsabilidad, cit., pág. 308).

Sin embargo, no puede olvidarse otro extremo más. En este sentido, el argumento que acabamos de recoger decaería en aquellos supuestos en que la calificación culpable del concurso viniera impuesta como consecuencia de la falta de la necesaria información (vid., ad ex, artículo 164, 2, 1º, 2º, 5º y 6º LC) (parece hacerse eco de esta consideración, aunque quizás de forma confusa, PUYOL MARTÍNEZ-FERRANDO: La responsabilidad concursal de los administradores, en AAVV, Gobierno corporativo y crisis empresariales, Marcial Pons, Madrid, 2006, págs. 280 y 281). Por otra parte, el criterio de imputación que atiende al concreto proceder de cada administrador no evitaría la posible identidad de la condena entre varios de ellos o, simplemente, la coincidencia parcial respecto del importe de dicha responsabilidad (parcial para uno de ellos y total o por un importe superior para otro), dándose lugar a situaciones en que el interés de los acreedores abogaría en favor del reconocimiento de tal regla de solidaridad.

En contra de este parecer se ha afirmado que «nos parece un acierto la exclusión que hace el artículo 172.3 de la Ley Concursal respecto de la solidaridad en la responsabilidad concursal de los administradores frente al régimen general de las acciones social e individual de responsabilidad que como sabemos parte del carácter solidario de la misma (artículo 133 LSA) Como se ha expresado por nuestra doctrina más autorizada, la solidaridad es el efecto de una presunción de imputabilidad colectiva que alcanza a todos los miembros del órgano de administración y que invierte la carga de la prueba en su contra, de modo que la exoneración sólo beneficiará al administrador que individualmente destruya la presunción mediante la prueba de unos hechos suficientes para estimar que no le es imputable el incumplimiento del deber de diligencia que le es exigible» (ALONSO UREBA: La responsabilidad de los administradores de una sociedad de capital en situación concursal. El artículo 171, 3 del Anteproyecto de Ley Concursal y sus relaciones con las acciones societarias de responsabilidad, cit., pág. 541). Sin embargo, la lectura de la norma y su interpretación sistemática pudiera llevar a una consideración distinta. En efecto, lo primero que ha de constatarse es que el artículo 172.3 de la Ley Concursal no excluye la regla de la solidaridad respecto de la responsabilidad concursal sino que, simplemente, estamos ante la ausencia de un pronunciamiento expreso. Por otro lado, puede considerarse que la solidaridad es el efecto de una presunción de imputabilidad colectiva que alcanza a todos los miembros del órgano de administración y que invierte la carga de la prueba en su contra, pero ello no impide –mejor, vendría a ratificar– la afirmación de que si, en razón de las concretas circunstancias se adverara ese actuar común, el juez del concurso estaría facultado para que la condena por responsabilidad concursal tuviera carácter solidario. Desde luego, no hay una norma que presuma la actuación colectiva dolosa o con culpa lata en la causación o agravamiento del estado de insolvencia y, en consecuencia, no hay una inversión de la carga de la prueba. Pero estas observaciones no impiden, y es cosa distinta, que el pronunciamiento judicial sancione la solidaridad entre aquellos administradores, liquidadores y apoderados generales sobre los que recayera la condena por responsabilidad concursal, cuando así se justificara en la prueba alcanzada y que acreditara un actuar –doloso o con culpa grave– común a todos ellos.

El silencio del legislador respecto de estos extremos, no parece que deba ser interpretado a favor de una solución contraria a la regla de solidaridad sino, quizás mejor, la falta de esa previsión obedezca a la confianza en la necesaria prudencia jurisprudencial (Parece sumarse a este criterio, PUYOL MARTÍNEZ-FERRANDO: La responsabilidad concursal de los administradores, cit., pág. 281). Me parece, entonces, que habrá de concluirse señalando que quedará al arbitrio judicial la determinación del posible carácter solidario, sin que la ausencia de un pronunciamiento expreso en la Ley Concursal constituya un argumento definitivo en sentido contrario. Las circunstancias del supuesto concreto podrán justificar la aplicación de criterios jurisprudenciales que, adoptados pese al silencio y, por ende, deviniendo aplicable la regla general, deben considerarse tradicionales en la práctica forense (ad ex., el criterio de la unidad de fin, como fundamento de la solidaridad, y que expresamente acoge la STS de 1 de julio de 2002. Más recientemente, y deduciendo la regla de solidaridad por la concurrencia de distintas circunstancias, vid. STS 17 de diciembre de 2014 [Roj: STS 5376/2014 - ECLI:ES:TS:2014:5376] y STS 10 de septiembre de 2014 [Roj: STS 4339/2014 - ECLI:ES:TS:2014:4339]). Por supuesto, tal decisión deberá obedecer a un fundamento expreso que se explicite en la sentencia de calificación, de acuerdo con las circunstancias que rodeen el caso enjuiciado (ad ex., en los supuestos en que la actuación de los administradores se les hubiera confiado con carácter mancomunado y así, bajo el respeto de tal regla, hubieran procedido con el dolo o la culpa grave que permite la calificación culpable del concurso)

Bajo la vigencia del texto de 2003 venía a denunciarse una segunda imprecisión de la regla acogida en el artículo 172.3 de la Ley Concursal, en el sentido de advertir que el precepto incurría en una falta de determinación de los destinatarios del pago que, en virtud de la responsabilidad concursal, debieran realizar quienes sufrieran tal condena (esta imprecisión ya fue denunciada respecto del entonces Proyecto de Ley. Vid. RODRÍGUEZ RUIZ DE VILLA y HUERTA VIESCA: ¿Más responsabilidad de los administradores en el Anteproyecto de Ley Concursal de 2001?, cit., pág. 12). Una lectura superficial de la norma entonces vigente (en la que se advertía que la condena lo era «a pagar a los acreedores concursales») llevaba a pensar que son los acreedores tales destinatarios pero, también, los legitimados para requerir tal proceder de los condenados por este concepto (de hecho, algún autor calificó, incorrectamente, tal responsabilidad como subsidiaria pero directa. Vid. FERNÁNDEZ DE LA GÁNDARA: La responsabilidad concursal de los administradores de sociedades de capital, cit., pág. 714). Pese a ello, no podían dejarse de lado poderosas razones de orden funcional y que radican en la misma base de la construcción del concurso que abogarían por afirmar la conveniencia de que los administradores realizaran su responsabilidad concursal a favor de la masa activa. Con ello no se vendría a introducir alteración alguna acerca de quienes son, en último término, los destinatarios de tales pagos. Por otra parte, la ubicación sistemática y la finalidad propia del expediente de calificación, también favorecían la misma conclusión. Resultaba, por tanto, más que oportuno afirmar que la satisfacción de esta responsabilidad por el fallido concursal debería actuarse en el concurso y a favor de la administración concursal, de tal modo que en la distribución de estas cantidades entre los acreedores vinieran a aplicarse las reglas de pago previstas en los artículos 154 y siguientes de la Ley Concursal.

Pero, también, y en razón del tenor literal de la norma («a pagar a los acreedores concursales») se ha suscitado la duda, en relación con la delimitación del objeto de la condena, de cuáles habrían de ser los créditos cuyo pago constituye el objeto de la condena por responsabilidad concursal. De nuevo la literalidad de la norma, unido a la dicción del artículo 84 de la Ley Concursal, parecía dar amparo a la afirmación jurisprudencial excluyendo de tal cobertura a los créditos contra la masa (SAP Madrid (Sección 28), 21 de julio de 2009; SAP Barcelona (Sección 15) 14 de septiembre de 2009; SAP Jaén (Sección 1) 15 de noviembre de 2007. En contra parece pronunciarse la SAP Madrid (Sección 28) 5 de febrero de 2008, ADCo., 17, 2009, pp. 533 y ss.). Este criterio, sin embargo, venía a encerrar una grave incoherencia valorativa, pues a su través venía a negarse la necesaria tutela que han de recibir los créditos contra la masa y que justifica su particular tratamiento en la Ley Concursal. Por ello, se advertía que la prededucibilidad de los créditos contra la masa no podía hacerse venir a menos, de modo que si el fracaso del concurso fuera tal que el importe del déficit concursal resultara total y abarcara también créditos contra la masa, la condena ex artículo 172.3 de la Ley Concursal igualmente debería englobar a éstos (GARCÍA-CRUCES: La reforma del régimen dispuesto para la responsabilidad concursal de los administradores sociales, en "Los problemas de la Ley Concursal", dir. Beltrán y Prendes, Colección Estudios de Derecho Concursal, ed. Civitas, Madrid, 2009, pp. 363 y 364).

De todos modos, tras la reforma llevada a cabo por la Ley 38/2011, la nueva dicción de la Ley Concursal parece resolver todas estas dudas en el sentido que hemos indicado respecto de su precedente (ARRIBAS: La responsabilidad de los administradores sociales y personas afectadas por la calificación, RDCP, 14, 2011, p. 105). En efecto, el tenor literal del primer inciso del apartado 1 del artículo 172 bis no toma como referencia a ningún sujeto para determinar cuál es el objeto de la condena, pues éste será "la cobertura, total o parcial, del déficit". Pero, además, el apartado 3 del tan citado artículo 172 bis de la Ley Concursal señala que "todas las cantidades que se obtengan en ejecución de la sentencia de calificación se integrarán en la masa activa del concurso". Por lo tanto, el reparto que de estas cantidades venga a hacerse, se actuará con el escrupuloso respeto de las reglas de pago dispuestas en los artículos 154 y siguientes de la Ley Concursal, guardando la prededucibilidad de los créditos contra la masa, al igual que las preferencias de satisfacción que encierra la ordenación de los créditos concursales en sus distintas clases.

Todas estas previsiones se acompañan con otra más acerca de la legitimación para instar la ejecución de la condena por responsabilidad concursal (apartado 2 del artículo 172 bis LC) Ésta se atribuye a la administración concursal. Sin embargo, esta regla de legitimación se acompaña con la previsión de una legitimación subsidiaria. En efecto, los acreedores (sin prejuzgar si lo son de masa o concursales) que hubieran requerido por escrito a la administración concursal que instara tal ejecución, podrán hacerlo por sí mismos –y siempre a favor de la masa activa– cuando no lo hubiera hecho aquélla dentro del mes siguiente a la fecha del requerimiento practicado.

En lo que hace al plazo de prescripción de la acción para hacer valer esta responsabilidad concursal, podría pensarse en la aplicación, dada la naturaleza del supuesto de hecho, de lo previsto en el artículo 949 del Código de Comercio, considerando, por tanto, que dicho plazo es el cuatrienal sancionado en la norma. Sin embargo, no parece que ésta deba ser la respuesta al interrogante de cómo incide en la acción el transcurso del plazo sin que la misma viniera a ejercitarse. En realidad, la acción no nace con la declaración de concurso sino con la apertura de la propia Sección de calificación, de modo que, siempre y en todo caso, su posible ejercicio deriva de la resolución judicial que se adoptara en tal sentido. Ahora bien, como antes se ha señalado, el ejercicio de la acción –o acciones– de calificación ha de sujetarse a ciertas exigencias temporales, de modo que los legitimados habrán de actuarla tempestivamente. Así, los legitimados ex artículo 168 de la Ley Concursal deberán actuar en el plazo de diez días que dispone la norma, mientras que la administración concursal habrá de ejercitar la acción (con la presentación de su informe) en el plazo de quince días a contar desde la expiración del anterior plazo (sobre el cómputo de este plazo y la necesidad de notificación por parte del órgano judicial,

vid. STS 1 de abril de 2014 [Roj: STS 1368/2014-ECLI:ES:TS:2014:1368]),
tal y como advierte el artículo 169.1 de la Ley Concursal, y el Ministerio
Fiscal deberá presentar su dictamen dentro de un nuevo plazo de diez días
(susceptibles de prórroga) y en los términos que sanciona el artículo 169.2
de la Ley Concursal.

La presentación de alegaciones por los interesados, del informe por la
administración concursal y del dictamen por parte del Ministerio Fiscal
suponen, desde el punto de vista de su significado material, no sólo la realización de un "acto" en el proceso sino, también y sobre todo, del ejercicio
de la pertinente acción. Esta observación conduce, entonces, a una consecuencia particularmente relevante y que permite afrontar un delicado
problema. En efecto, si nos interrogamos acerca de las consecuencias derivadas de la inacción de cualquiera de estos sujetos, parece que habrá que
concluir advirtiendo, en cada caso, no solo el efecto preclusivo que así se
derivaría sino, de igual modo, la pérdida de la acción dada su caducidad.
La inacción en estos casos acarrea la decadencia del poder jurídico que
encierra la acción que a cada uno de los legitimados asiste. No cabe, en
consecuencia, que los legitimados acudan al ejercicio intempestivo de la
acción –o acciones– de calificación, pues "permitir que cualquiera de ellos
pueda válidamente ejercitar la acción una vez transcurrido el plazo sería
tanto como dotar de eficacia a unos actos que tienen señalado un tiempo
para que la desplieguen sorteando las prescripciones normativas al convertir en prorrogables unos plazos a los que se niega tal carácter o extender
la prorrogabilidad, predicada excepcionalmente en el caso del Ministerio
Fiscal, por encima de los límites legales taxativamente determinados" (HE-
RRERO PEREZAGUA: Tiempo de ejercicio de las acciones de calificación,
cit., pág. 386).

6. El aseguramiento de la eventual responsabilidad concursal

La importancia que puede llegar a tener esta previsión de responsabilidad concursal que acoge la Ley explica, también, otra norma que aparece
recogida en el texto legal. El artículo 48 ter.1 de la Ley Concursal advierte
una regla de extraordinaria importancia práctica, pues dispone que:

> «Desde la declaración de concurso de persona jurídica, el juez del concurso, de
> oficio o a solicitud razonada de la administración concursal, podrá acordar, como
> medida cautelar, el embargo de bienes y derechos de sus administradores y liqui-
> dadores, de hecho y de derecho, apoderados generales y de quienes hubieran tenido
> esta condición dentro de los dos años anteriores a la fecha de aquella declaración,
> cuando de lo actuado resulte fundada la posibilidad de que en la sentencia de ca-

lificación las personas a las que afecte el embargo sean condenadas a la cobertura del déficit resultante de la liquidación en los términos previstos en esta ley ».

Esta norma, que ya fuera asumida - aunque con otros matices - en el texto original de la Ley Concursal, ha suscitado un más que relevante interés en la práctica concursal que se viene formando tras la entrada en vigor de este texto legal, como así lo acreditan las numerosas decisiones jurisprudenciales que la han aplicado. Por ello, puede resultar de interés ahora reflexionar sobre el alcance del precepto y el sentido con que está siendo aplicado por nuestros Tribunales.

Desde luego, la norma dispuesta en el artículo 48 ter.1 de la Ley Concursal acoge la posibilidad de una medida cautelar a fin de hacer realidad y no perjudicar la futura condena de responsabilidad por el déficit concursal.

> *Esa finalidad es advertida en la jurisprudencia concursal que se viene formando al señalar que con tal medida cautelar se quiere prevenir «cualquier posible comportamiento de los gestores de la concursada que en ciernes de serles exigidas responsabilidades por su actuación podrían tener la tentación de tratar de desprenderse de bienes o de ponerlos a salvo de una posible ejecución, lo que pudiera comprometer el buen fin de la medida cautelar, que no es otro que asegurar la posible condena que pudiera recaer sobre aquéllos» (Auto JM nº 4 de Madrid, de 31 de enero de 2005, ADCo, 5, 2005, pág. 368. En igual sentido, y constituyendo ya un lugar común, vid. Auto JM nº 1 de Barcelona, de 11 de abril de 2005, ADCo, 5, 2005, pág.371; Auto JM Málaga, de 25 de enero de 2005, ADCo, 6, 2005, pág. 415; Auto JM nº 2 de Barcelona, de 5 de mayo de 2005, ADCo, 6, 2005, pág. 422; Auto JM nº 5 de Madrid, de 10 de octubre de 2005, ADCo, 7, 2006, pág. 336; Auto JM nº 2 de Barcelona, de 16 de noviembre de 2005, ADCo, 8, 2006, pág. 357; Auto JM nº 5 de Madrid, de 13 de enero de 2006, ADCo, 8, 2006, pág. 359, entre muchos otros)*

Como toda medida cautelar, no hay duda de que el embargo preventivo cuya posibilidad dispone la norma, presenta la característica de su instrumentalidad (vid. artículo 730 LEC) respecto de un proceso principal, en este caso, la sección de calificación que se desarrolla como parte del proceso concursal y el posible pronunciamiento sobre responsabilidad por el fallido en el concurso.

> *En lo que hace al procedimiento a seguir para la adopción de esta medida cautelar, no faltó quien se pronunciara por la aplicabilidad del trámite dispuesto para el incidente concursal, en virtud de la regla acogida en el artículo 192 de la Ley Concursal (ORTELLS RAMOS, M.: Concurso de acreedores y tutela judicial cautelar (a propósito de la nueva Ley Concursal), en QUINTANA; BONET y GARCÍA-CRUCES (Dirs.): Las claves de la Ley Concursal, Aranzadi, Cizur Menor, 2005, pág. 153) Sin embargo, la jurisprudencia ha rechazado esta solución, optando por las prescripciones de la Ley de Enjuiciamiento Civil. Así, se ha*

señalado que «es cierto que el artículo 192, 1 de la Ley Concursal dice que todas las cuestiones que se susciten durante el concurso y no tengan señalada en esta Ley otra tramitación se ventilarán por el cauce del incidente concursal, y es igualmente cierto que la Ley Concursal no establece una forma especial para tramitar las medidas cautelares como las presentes, pero lo que igualmente no parece muy lógico es tramitar unas medidas cautelares por el mismo procedimiento que el pleito principal, y en este caso, la calificación se tramita parcialmente por el trámite de los incidentes (artículo 171.1 LC) Por lo tanto, y dado que la propia Ley Concursal prevé expresamente la supletoriedad de la Ley de Enjuiciamiento Civil (disp. final 5ª), parece lo más adecuado jurídicamente acudir a las normas de procedimiento de las medidas cautelares reguladas en dicha ley» (Vid. AAP Barcelona [Secc. 15ª] 17 de diciembre de 2009 [Auto 220/2009]; SAP León 15 de octubre de 2008; AAP Zaragoza [Secc. 5ª] 31 de octubre de 2007 [AC 2008/438]). Vid., también, Auto JM nº 4 de Barcelona, de 10 de junio de 2005, ADCo, 6, 2005, pág. 427. En igual sentido, vid. Auto JM nº 3 de Barcelona, de 18 de febrero de 2005, ADCo, 6, 2005, pág. 416 y Auto JM nº 1 de Bilbao, de 23 de marzo de 2005, ADCo, 6, 2005, pág. 419, entre otros).

La decisión de practicar esta traba con carácter cautelar se confía, pues no podía ser de otro modo, al juez del concurso, quien podrá proceder de oficio o a petición razonada, y por tanto fundamentada, de los administradores concursales.

El alcance de la legitimación activa ex artículo 48 ter.1 de la Ley Concursal se ha cuestionado ante los tribunales en alguna ocasión, a fin de interesar su extensión a favor de cualquier acreedor. La respuesta dada por los tribunales es contundente, rechazando la legitimación activa a favor de los acreedores (Vid., ad ex., SAP Barcelona, Sección 15, de 26 de julio de 2007, AC 2008/424; AAP Madrid (Sección 28) de 6 de mayo de 2011, Auto 61/2011, Rollo 402/2010 y AAP Vizcaya, Sección 4, 1 de marzo de 2010, auto 183/2010, Rollo 362/2009). Con un criterio realista se ha resuelto afirmando que «es cierto que la norma no concede legitimación para solicitarlo a los acreedores, pero ello no significa que a éstos les esté vedada realizar cualquier solicitud. La única consecuencia de tal exclusión es que tal solicitud no merece, necesariamente, un pronunciamiento en el fondo. Ello no es incompatible con el hecho de que la solicitud pueda cumplir otra función más modesta, aunque igualmente eficaz, excitar el celo de los legitimados, esto es, de la Administración concursal y del juzgador, como en el caso ha ocurrido» (Auto JM nº 1 de Barcelona, de 11 de abril de 2005, ADCo, 5, 2005, pág. 372).

El acuerdo puede adoptarse en cualquier momento tras el auto declarativo del concurso («desde la declaración de concurso de persona jurídica», advierte la norma). Sin embargo, y sin negar la posibilidad de que se den supuestos particulares que pudieran llevar a una conclusión distinta, parece razonable considerar que el momento idóneo para que sea solicitado y se acuerde la práctica de este embargo preventivo va a ser aquél en que los administradores concursales presenten su informe ex artículo 74 de la Ley Concursal, en el que, entre otros extremos, se contendrá «la exposición motivada de los administradores concursales acerca de la situación patrimonial del deudor y cuantos datos y circunstancias pudieran ser relevantes para la ulterior tramitación del concurso» (artículo 75.3 LC). En el momento de elaboración de este informe, los administradores concursales dispondrán de la mayor información posible, sin perjuicio de ulteriores noticias, pues habrán concretado en el mismo tanto el inventario de la masa activa como la composición de la masa pasiva que se refleja en la lista de acreedores que han de acompañar a tal documento. Ante la realidad de tal información, parece acertado pensar que la administración del concurso puede disponer ya de los elementos necesarios a fin de evaluar la posible concurrencia de los presupuestos que determinan la procedencia de esta medida cautelar.

El embargo preventivo ex artículo 48 ter.1 de la Ley Concursal ha de satisfacer los presupuestos que requiere el acuerdo de toda medida cautelar; esto es, ha de concurrir el periculum in mora así como la apariencia de buen derecho (artículo 728 LEC). La Jurisprudencia ha advertido las insuficiencias de cuanto dispone el artículo 48 ter de la Ley Concursal, de modo que esta previsión ha de ser integrada con las reglas generales que dispone la Ley de Enjuiciamiento Civil, en razón de la supletoriedad de la ley adjetiva (Vid., ad ex. AAP Barcelona [Secc. 15ª] de 3 de febrero de 2011 [Auto 14/2011]; AAP Barcelona [Secc. 15ª] de 30 de enero de 2009; AAP Barcelona [Secc. 15ª] de 25 de junio de 2008; AAP Barcelona [Secc. 15ª] de 6 de febrero de 2006 [Rollo 841/2005-2]; AAP Álava [Secc. 1ª] de 10 de febrero de 2011 [Auto 42/2011]; AAP Valencia [Secc. 9ª] de 5 de marzo de 2009 [Auto 80/2009]; AAP Zaragoza [Secc. 5ª] de 31 de octubre de 2007 [AC 2008/438]). En lo que hace al peligro por la mora procesal, en los supuestos previstos en el artículo 48 ter.1 del texto legal, éste viene realizado por el riesgo de inefectividad de la futura condena por responsabilidad concursal que, en el momento de acordar tal cautelar, ni siquiera puede aún solicitarse pues tal posibilidad sólo procede tras la apertura de la sección sexta (AAP Alicante [Secc. 8ª] 9 de junio de 2011 [Auto 36/2011]; AAP Barcelona [Secc. 15ª] 26 de enero de 2012 [Auto 16/2012]; AAP Barcelona [Secc. 15ª] 3 de febrero de 2011 [Auto 14/2011]; AAP Barcelona [Secc. 15ª] 26 de mayo de 2010 [Rollo 44/2010]; AAP Barcelona [Secc. 15ª] 30 de enero de 2009; AAP Sevilla [Secc. 5ª] 12 de noviembre de 2010). Por otra parte, y respecto de la apariencia de buen derecho, el citado artículo 48 ter.1 presenta mayores particularidades, ya que, en el momento de acordarse el embargo preventivo, no media –como tal– el ejercicio simultáneo de una pretensión ante el juez del concurso sino, tan sólo, la posibilidad de que, en el desarrollo del proceso concursal, pueda llegarse en un momento ulterior a la apertura de la sección de calificación y, en su caso, a la condena por responsabilidad concursal. Dadas estas particularidades, se entenderá mejor que la Ley haya objetivado cuál ha de ser la apariencia de buen derecho que requiere la adopción de esta decisión, pues el texto legal viene a tomar como referencia que «de lo actuado resulte fundada la posibilidad de que en la sentencia de calificación las personas a las que afecte el embargo sean condenadas a la cobertura del déficit resultante de la liquidación en los términos previstos en esta ley». Desde este punto de vista se comprobará cómo la adopción de esta medida cautelar requiere que, de lo actuado, el juez concluya en la posibilidad de que la masa activa sea insuficiente a fin de satisfacer los créditos concursales, que media la expectativa razonable de haber concurrido un comportamiento de los administradores, liquidadores o apoderados generales que sea revelador de su proceder doloso o con culpa lata en la causación o agravamiento del estado de insolvencia que padece, así como la consideración de que la solución previsible del concurso será la liquidatoria.

El alcance de estas circunstancias, determinantes de la procedencia del embargo preventivo que fuera solicitado, merecen sin embargo alguna matización. En primer lugar, hay que observar que la verificación de la posibilidad del concurso culpable no requiere que se advere la concurrencia en todos y cada uno de los administradores –o, en su caso, liquidadores o apoderados generales– del dolo o la culpa lata que exige la calificación culpable del concurso. Bastará con la concurrencia de tal proceder respecto de alguno o algunos de ellos, e incluso con distinta intensidad, para que el juez del concurso estime la procedencia de esta medida cautelar, aunque lógicamente y en razón de la actuación desarrollada por cada uno de tales sujetos podrá acordase la práctica del embargo preventivo tan sólo respecto de aquellos en que concurriera tal elemento intencional, debiendo advertirse además la posibilidad de una diferente extensión cuantitativa de la traba en razón del grado de culpabilidad que de forma individualizada se sospechara (El AAP Barcelona (sección 15) 25 de marzo de 2008, Concurso 416/2005, ya advirtió que la distribución de la responsabilidad, y por lo tanto la concreción del alcance del embargo, ha de actuarse según la imputabilidad de las conductas en que se basa). Por otra parte, en la medida en que el embargo preventivo ex artículo 48 ter.1 de la Ley Concursal tiene carácter asegurador de la futura y posible responsabilidad concursal, el juez del concurso no sólo habrá de considerar la posibilidad de que la masa activa resulte ser insuficiente a fin de atender el pago de los créditos concursales sino, también, que la solución probable de aquel concurso será la liquidatoria. No puede olvidarse que la procedencia de la responsabilidad por el fallido concursal ex artículo 172 bis de la Ley Concursal se limita a los casos en que se hubiera abierto la liquidación concursal. Ahora bien, esta última exigencia no ha de implicar una grado de concreción excesivo, dadas las dificultades de adverar la posibilidad de que el concurso acabe en tal solución, pues la generosidad del legislador respecto de las facultades del deudor común en orden a solicitar la solución liquidatoria hacen muy difícil cualquier pronunciamiento y valoración sobre tal extremo.

> *En relación con los presupuestos que se han de respetar para acordar esta medida cautelar, el criterio jurisprudencial advierte que «los presupuestos para adoptar las medidas no hay que buscarlos en el artículo 728 de la Ley de Enjuiciamiento Civil sino en el citado artículo 48 de la Ley Concursal, ya que la aplicación de la Ley de Enjuiciamiento Civil sólo es supletoria de la Ley Concursal (disp. final 5ª LC), aplicable sólo en lo no previsto por ella» (Vid. Auto JM nº 4 de Barcelona, de 10 de junio de 2005, ADCo, 6, 2005, pág. 429. Por ello, la labor judicial se limita a la constatación de que resulte fundada la posible calificación culpable del concurso y que la masa activa pueda resultar insuficiente para atender todas las deudas. Vid., Auto JM nº 3 de Madrid, de 9 de febrero de 2005, ADCo, 5, 2005, pág. 370). No obstante, se ha suscitado la duda acerca de la necesidad de verificar la posibilidad de que el concurso acabe en la liquidación, dado que ésta es presupuesto de la responsabilidad concursal que en su momento pudiera ser acordada (cfr. Art. 172 bis LC), tal y como ahora destaca la literalidad de la norma. En relación con este extremo puede observarse una cierta disparidad de criterio. Así, parece señalarse que no es presupuesto requerido que se justifique la posibilidad de una futura liquidación ni, tampoco, impide la adopción de esta medida cautelar la voluntad del deudor común de alcanzar un convenio, pues «el hecho de que la sociedad concursada tenga voluntad de alcanzar un convenio con los acreedores no es óbice para que deba considerarse que concurre tal presupuesto para la adopción de la medida cautelar porque también existe el riesgo de que no consiga alcanzar tal acuerdo, lo que es por sí mismo razón suficiente para que deba considerarse que concurre el periculum que justifica la medida» (Vid. Auto JM nº 1 de Barcelona, de 11 de abril de 2005, ADCo, 5, 2005, pág. 374). En sentido contrario, se afirma que «también, aunque lo omite el artículo 48.3, debe tenerse en cuenta que sólo podrá decretarse el embargo cuando exista algún indicio de que, en su momento, podría llegar a abrirse la liquidación, pues sólo en este caso, es posible la condena a la cobertura del déficit (artículo 172.3 LC). Ahora bien, dicha exigencia debe interpretarse, a juicio de este órgano judicial, de forma muy amplia, en el sentido de que no conste con un mínimo de seriedad la posibilidad de que pueda resultar aprobado un convenio, como por ejemplo, si ya se ha admitido a trámite propuesta anticipada, en cuyo caso no parece que pudiera decretarse el embargo so pretexto de una ulterior no aprobación del mismo e incluso del futuro incumplimiento en caso de que llegar a aprobarse, al no*

concurrir el necesario fumus boni iuris» (Vid. Auto JM n° 5 de Madrid, de 10 de octubre de 2005, ADCo., 7, 2006, pág. 337. En igual sentido, vid. Auto JM n° 5 de Madrid, de 13 de enero de 2006, ADCo, 8, 2006, págs. 359 y 360).

La resolución judicial que acuerde esta medida cautelar, ha de tener un contenido mínimo necesario, pues deberá concretar tanto la cuantía por la que el embargo preventivo se ha de prestar como la determinación de los sujetos obligados a tal proceder. En lo que hace a la cuantía del embargo preventivo que permite el tan citado artículo 48 ter.1 de la Ley Concursal es necesario destacar cómo deberá especificarse ésta respecto de la estimación que, en tal momento, pudiera hacerse acerca del importe del déficit concursal. Por otro lado, el juez del concurso habrá de concretar, también, si esta medida cautelar se presta respecto de todo o parte del importe que se estimara como cuantía del futuro déficit concursal, pues recuérdese que el artículo 172 bis de la Ley le permite al juez del concurso modular la responsabilidad concursal y dar a ésta un alcance cuantitativo distinto.

Algunos autores, quizás con un excesivo prurito, han criticado ciertas omisiones que, a su juicio, adornan el artículo 48 ter.1 de la Ley Concursal. Así, y aun cuando sea en relación con los precedentes, advierten que «la cuantía del embargo se remite a la que el juez estime bastante. Pero falta aquí la previsión legal del canon de bastanteo, pues no se contempla que el juez esté vinculado por algún criterio para que pueda determinar lo que es bastante. A nuestro juicio ello es una importante laguna, susceptible de generar inseguridad jurídica para todos, los administradores y para los acreedores. Por ello defendemos que tal noción debe relacionarse con algo; se es bastante para algo. Consideramos que el artículo 47.3 del Anteproyecto de Ley Concursal 2001 debe interpretarse en relación con el artículo 171.3 del mismo Anteproyecto, para entender que tal suma ha de ser bastante en relación con el presumible importe del saldo de los acreedores que quedará sin abonar con cargo a la masa activa de la quiebra, pues ese es el objeto de la responsabilidad de los administradores que debe venir a garantizar el embargo» (RODRÍGUEZ RUIZ DE VILLA Y HUERTA VIESCA: ¿Más responsabilidad de los administradores en el Anteproyecto de Ley Concursal de 2001?, cit., pág. 9).

> *Por otro lado, ha de señalarse que la concreción de la cuantía del embargo no ha de olvidar algún extremo, conforme ha destacado la jurisprudencia. Así, ha de cubrir «tanto el pasivo real determinado por la administración concursal como la estimación realizada por ésta de los créditos contra la masa» (Auto JM n° 4 de Madrid, de 31 de enero de 2005, ADCo, 5, 2005, págs.369 y 370) Pero, también, y en razón de las circunstancias de cada supuesto, deberá incrementarse la cuantía del embargo como consecuencia de la posible reducción del importe de la*

> *masa activa derivada del hecho de que la valoración de los activos se hiciera bajo un criterio de empresa en funcionamiento y que no son expresivos ante la eventual liquidación, en particular, en aquellos supuestos en que no fuera posible una liquidación global sino separada de aquellos (Vid. Auto JM n° 1 de Barcelona, de 11 de abril de 2005, ADCo, 5, 2005, pág. 375). De igual modo se ha advertido que la cuantía vendrá determinada por la estimación del importe del pasivo previsiblemente insatisfecho incrementado con los gastos del concurso (Auto JM-1 Bilbao 23 de marzo de 2005 [AC 2005/248]) o, bien, por el importe del desbalance que pueda estimarse (AAP Barcelona (Sección 15) 29 de noviembre de 2007 [Rollo 652/2007]). También, y de modo razonable, se ha afirmado la necesidad de reducir el importe de tal embargo deduciendo los créditos –ad ex. de los propios administradores, liquidadores o apoderados generales– que vendrían a extinguirse si el concurso se declarara culpable (AAP Barcelona [Secc. 15ª] 25 de marzo de 2008 [Concurso 416/2005]. Todos estos criterios se reiteran en otras resoluciones. Vid. Auto JM Málaga, de 25 de enero de 2005, ADCo, 6, 2005, pág. 415; y Auto JM n° 4 de Barcelona, de 10 de junio de 2005, ADCo, 6, 2005, pág.431).*

Pero, de igual modo, la resolución judicial que acordara esta traba deberá especificar los sujetos que, en su virtud, van a sufrir tal embargo preventivo sobre bienes de los que integran su patrimonio personal. Ahora bien, para realizar tal determinación el juez deberá pronunciarse sobre dos cuestiones, pues no sólo deberá especificar los administradores y liquidadores, de derecho o de hecho (sobre estos últimos, vid. AAP Baleares (Sección 5) 10 de abril de 2007; AAP Asturias 1 de febrero de 2008; AAP Vizcaya (Sección 4) 17 de julio de 2008; AAP Barcelona (Sección 15) 17 de diciembre de 2009, Auto 220/2009; Rollo 157/2009), así como los apoderados generales y quienes hubieran tenido esta condición en los dos años anteriores a la declaración de concurso, que sufrirán la medida cautelar y el importe al que cada uno de ellos ha de hacer frente sino, también, cuál ha de ser el régimen que ha de regir ese deber que recae sobre una pluralidad de obligados (repárese que dada su ausencia en la norma, no cabe acordar tal medida cautelar respecto de los socios a fin de asegurar su eventual responsabilidad concursal en los términos previstos en los artículos 165.4 y 172 bis LC). Pues bien, a fin de determinar los administradores –o liquidadores o apoderados generales– que se van a ver afectados por tal medida, el criterio no puede ser otro que aquél que presupone el artículo 172 bis de la Ley Concursal (vid. AAP Barcelona [Secc. 15ª] 26 de septiembre de 2012 [Auto 114/2012]), de tal modo que será la imputación concreta que quepa hacer a cada uno de ellos respecto del origen o empeoramiento del estado de insolvencia la referencia que habrá de seguirse. Por otra parte, y ante el silencio legal, me parece que pueden ahora reiterarse las ideas que antes se manifestaran respecto del carácter solidario o mancomunado de la responsabilidad concursal, estando facultado el juez para, en razón de las particulares circunstancias de cada supuesto, adoptar la decisión que se estime procedente (no ha faltado, sin embargo, quien defendiera la conveniencia de sancionar expresamente la regla de solidaridad en tales casos. Cfr. RODRÍGUEZ RUIZ DE VILLA y HUERTA VIESCA: ¿Más responsabilidad de los administradores en el Anteproyecto de Ley Concursal de 2001?, cit., pág. 9).

> La regla de solidaridad es acogida en la Jurisprudencia sin que, en muchas ocasiones, se especifique suficientemente la razón a la que responde (Vid., ad ex. Auto JM nº 4 de Madrid, de 31 de enero de 2005, ADCo, 5, 2005, pág. 369; y Auto JM nº 1 de Bilbao, de 23 de marzo de 2005, ADCo, 6, 2005, pág. 419). En alguna ocasión, sin embargo, se ha manifestado que «la medida cautelar a adoptar procede en este caso realizarla de forma solidaria pues se entiende que los mismos –los administradores– participan en igual medida de la posible responsabilidad y por la cuantía decretada» (Auto JM Málaga, de 25 de enero de 2005, ADCo, 6, 2005, pág. 415).

Llegados a este extremo cabe afrontar una cuestión particularmente delicada y de difícil solución. En lo que hace a la adopción y procedencia de medidas cautelares, el artículo 728.3 de la Ley de Enjuiciamiento Civil advierte, como un presupuesto más que ha de acompañar los anteriores (periculum in mora, apariencia de buen derecho), la necesidad de que el solicitante de aquéllas preste «caución suficiente para responder, de manera rápida y efectiva, de los daños y perjuicios que la adopción de la medida cautelar pudiera causar al patrimonio del demandado» (sobre la función a que responde esta exigencia de caución, vid. ORTELLS RAMOS: Las medidas cautelares, cit., pág. 182) La duda que pudiera, entonces, surgir no es otra que la de la exigibilidad de caución en aquellos supuestos en que se quisiera acordar el embargo preventivo que acoge el artículo 48 ter.1 de la Ley Concursal.

Ahora bien, por la fuerza de las cosas habrá que limitar el alcance de este problema, pues no en todos los supuestos en que se acordara tal medida cautelar vendría a ser exigible la caución ex artículo 728.3 de la Ley de Enjuiciamiento Civil, como así sucedería en aquellos casos en que fuera acordada de oficio. Por lo tanto, parece que un adecuado enfoque del problema nos llevaría a interrogarnos acerca de la necesidad de que se preste caución cuando el embargo preventivo, destinado a asegurar la efectividad de la futura responsabilidad concursal, fuera solicitado por los administradores concursales. Quizás pudiera ofrecerse una primera respuesta que tomara como fundamento el silencio del legislador al acoger esta medida cautelar en la propia Ley Concursal, entendiendo, en consecuencia, que la previsión del artículo 48 ter.1 hace inexigible la prestación de caución alguna (algunos autores advierten que la LC no requiere, para que proceda acordar el embargo preventivo ex artículo 48 ter.1 LC, «la exigencia de prestación de fianza alguna ni tampoco de la existencia de una notoria solvencia en los solicitantes de la medida cautelar (a diferencia de lo que ocurre con el embargo preventivo clásico, previsto ya en el artículo 1402 LEC 1881 y hoy en el artículo 727.1 LEC 2000, por lo que se viene a asimilar este supuesto al de la concurrencia de un título ejecutivo)». RODRÍGUEZ RUIZ DE VILLA y HUERTA VIESCA: ¿Más responsabilidad de los administradores en el Anteproyecto de Ley Concursal de 2001?, cit., pág. 5). Sin embargo, parece que, entonces, se estaría desconociendo el carácter general que cabe predicar de la regla acogida en el artículo 728.3 de la Ley de Enjuiciamiento Civil, norma de la que se ha advertido –con acierto– que «es una forma ciertamente contundente de establecer la regla general, dado que significa que la ausencia de norma sobre este punto en el régimen jurídico de cualquier medida cautelar no debe entenderse como no exigencia de este presupuesto, sino que para ello es necesario norma expresa», norma que «puede consistir tanto en la disposición de no ser exigible caución, como en la de ser exigible pero no en virtud de regla legal estricta, sino discrecionalmente» (ORTELLS RAMOS: Las medidas cautelares, cit., pág. 184) Dado el silencio del legislador concursal, resultaría de aplicación subsidiaria la norma general y, por ende, devendría exigible la prestación de caución bastante a fin de acordar el embargo preventivo que asegurara la efectividad de la futura condena por responsabilidad concursal. Por lo tanto, ha de entenderse que la simple omisión legal no ha de conducir necesariamente a relevar la necesidad de la caución. Para que la ausencia de regla alguna sobre este extremo en la Ley Concursal tuviera algún valor y revelara el sentido a que responde tal omisión resulta necesaria alguna consideración más que dote de un particular sentido al silencio que guarda el texto legal.

De todos modos, parece razonable afirmar que, en razón de las concretas circunstancias que rodean el supuesto de hecho, la respuesta al interrogante inicial ha de ser negativa, considerando también la improcedencia de exigir la prestación de caución cuando el embargo preventivo que permite el artículo 48 ter.1 de la Ley Concursal sea solicitado por la administración concursal. Y la razón de tal conclusión no es otra que el hecho de que, en estos supuestos, no se realiza el fundamento que legitima la previsión del artículo 728.3 de la Ley de Enjuiciamiento Civil a fin de ordenar la caución. En efecto, la ratio que ampara la exigencia de que el solicitante de una medida cautelar preste caución no es otra que la de disponer de una garantía específica, junto a la general constituida por el patrimonio del solicitante (artículo 1911 CC), que asegure la reparación de los daños y perjuicios que la adopción de la medida cautelar pudiera suponer a la contraparte y que vendrían a realizarse en caso de que se desestimara la pretensión cuya efectividad quiere asegurarse con el embargo preventivo que se solicita. Sin embargo, este riesgo no parece que esté presente en el supuesto que nos ocupa. Así, no habrá que olvidar que el solicitante de la medida cautelar es la administración concursal, por lo que la caución que pudiera entenderse exigible debería prestarse no con cargo al patrimonio personal de sus integrantes sino, desde luego, gravando la masa activa. Ahora bien, en tales circunstancias no puede dejarse de lado un extremo más, pues –a tenor de cuanto dispone el artículo 43.2 de la Ley Concursal– el texto legal sanciona un principio de intangibilidad de la masa activa, ya que «hasta la aprobación judicial del convenio o la apertura de la liquidación, no se podrán enajenar o gravar los bienes y derechos que integran la masa activa sin autorización del juez» (repárese que las excepciones permitidas a la intangibilidad de la masa no alteran cuanto manifestamos, ya que vienen a realizarse bajo control judicial –artículo 43.2 de la Ley Concursal– o se trata de actos que obedecen a una justificación expresa y que no alteran el significado del principio, tal y como dispone el artículo 43.3 LC). De este modo, puede fácilmente concluirse advirtiendo que los administradores, al igual que los liquidadores y apoderados generales, frente a los que se solicite la práctica del embargo preventivo de sus bienes probablemente no se verán afectados por el riesgo de falta de cobertura de los daños y perjuicios que la adopción de tal medida cautelar pudiera originar. Pero, además, la posición de estos administradores, liquidadores y apoderados generales se ve favorecida, pues el crédito que pudiera asistirles como consecuencia de la reparación de los daños y perjuicios que sufrieran en tal caso merece la calificación como crédito contra la masa (cfr. artículo 84.2.2° LC), con todas las consecuencias anudadas a tal consideración. Por todas estas razones, parece acertado concluir advirtiendo que la adopción del acuerdo por el que se decide el embargo preventivo ex artículo 48 ter.1 de la Ley Concursal no requiere como presupuesto la prestación de caución alguna por parte de los solicitantes de tal medida cautelar, de tal modo que parece exceptuarse la regla general dispuesta en el artículo 728.3 de la Ley de Enjuiciamiento Civil (parece aceptar tal conclusión ORTELLS RAMOS, M.: Concurso de acreedores y tutela judicial cautelar (a propósito de la nueva Ley Concursal), cit., pág. 151).

Este criterio ha sido ya asumido en la jurisprudencia concursal, que rechaza la necesidad de la prestación de caución alguna, circunstancia que es puesta de manifiesto para destacar las particularidades de la norma que nos ocupa frente al régimen general que la Ley de Enjuiciamiento Civil dispensa a las medidas

cautelares. Así se señaló que «si la medida puede ser acordada e oficio no tiene
sentido la petición de fianza, ni estaría justificado pedírsela a la administración
concursal que sólo podría depositarla, en su caso, con dinero o bienes del propio
concurso» (Auto JM nº 4 de Barcelona, de 10 de junio de 2005, ADCo, 6, 2005,
pág. 430, sin olvidar que «la medida, de adoptarse, no lo es en beneficio particu-
lar de alguno de ellos, sino de toda la masa pasiva». Auto JM nº 1 de Barcelona,
de 11 de abril de 2005, ADCo, 5, 2005, pág. 373. En igual sentido, vid. AAP
Vizcaya [Secc. 4ª] 20 de julio 2011 (Auto 528/2011] AAP Vizcaya [Secc. 4ª] 7
de marzo de 2011 [Auto 149/2011]; AAP Vizcaya [secc. 4ª] 1 de marzo de 2010
[auto 183/2010]); Auto JM nº 3 de Madrid, de 9 de febrero de 2005, ADCo, 5,
2005, pág. 370; Auto JM nº 2 de Barcelona, de 5 de mayo de 2005, ADCo, 6,
2005, pág. 422; y Auto JM nº 5 de Madrid, de 13 de enero de 2006, ADCo, 8,
2006, pág. 361. Vid., también, AAP Vizcaya, sección 4, 1 de marzo de 2010,
auto 183/2010, Rollo 362/2009).

En lo que hace al alzamiento del embargo preventivo que hubiera sido
acordado frente a los administradores de la concursada y con la finalidad
de asegurar la efectividad de la eventual condena por el fallido concursal,
ha de considerarse la aplicación de las normas generales (artículos 743 y
sigs. LEC), sin que el tan citado artículo 48 ter.1 de la Ley Concursal sancione especialidad alguna. Por ello, la procedencia del alzamiento del embargo preventivo acordado obedecerá tanto a razones objetivas, cuando afecte
a los presupuestos que hicieron posible la decisión (ad ex. suficiencia sobrevenida de masa, aprobación de un convenio, etc.), como subjetivas, por
afectar a los propios administradores sobre cuyo patrimonio personal se
trabó aquél (ad ex. absolución en la sentencia de calificación).

Por último, el embargo preventivo cuya posibilidad acoge el artículo 48
ter.1 de la Ley Concursal podrá ser sustituido. El tenor literal de la norma
ya advierte que «podrá ser sustituido, a solicitud del interesado, por aval de
entidad de crédito». El legislador acoge en la literalidad de la norma una
de entre las distintas posibilidades de caución sustitutoria, mención que
sin embargo quizás no debiera entenderse excluyente de la aplicación de
las normas generales y, en consecuencia, de la posibilidad de acudir a otras
formas de sustitución de aquél (vid. artículos 746 y 747 LEC).

La posibilidad de que los afectados soliciten y obtengan la sustitución del em-
bargo preventivo mediante caución constituida en dinero o aval (artículo 48 ter.1
LC en relación con el artículo 746 LEC) es destacada en la jurisprudencia. (Vid.
Auto JM nº 4 de Madrid, de 31 de enero de 2005, ADCo, 5, 2005, pág. 369).
Curiosamente no ha faltado un pronunciamiento en que se especificara el modo
de la sustitución, requiriendo un aval a primer requerimiento por la cantidad
acordada (Vid. Auto JM nº 3 de Barcelona, de 28 de febrero de 2005, ADCo, 6,
2005, pág. 419). Sin embargo, y a mi juicio con razón, se ha señalado que estas

exigencias del aval sustitutorio que se prestara no son necesarias en el contexto del artículo 48 ter.1 de la Ley Concursal, dado que esta norma establece una regla especial frente a la general dispuesta en el artículo 747.3 de la Ley de Enjuiciamiento Civil (Vid. ORTELLS RAMOS, Concurso de acreedores y tutela judicial cautelar (a propósito de la nueva Ley Concursal), cit., pág. 153).

Por último, ha de señalarse que, resolviendo las dudas que se habían manifestado en la práctica, el apartado 3 de este artículo 48 ter de la Ley Concursal advierte expresamente que "contra el auto que resuelva sobre la medida cautelar cabrá recurso de apelación".

7. Coordinación de la responsabilidad concursal con el régimen general de acciones de responsabilidad de administradores y liquidadores

Uno de los aspectos más polémicos que ha tenido la aplicación de la Ley Concursal es el relativo a la incidencia que la declaración de concurso puede tener sobre el ejercicio de las acciones de responsabilidad cuyo ejercicio fuera posible frente a los administradores de la sociedad concursada. El tenor literal tanto de las normas ahora reformadas como de las nuevas que sustituyen a aquéllas hace referencia no sólo a la incidencia que tiene la declaración de concurso respecto de la responsabilidad exigible a los administradores sino, también, a la que pudiera requerirse a los liquidadores y auditores. Ahora bien, dado que –como se verá– los problemas que se suscitan hacen referencia, fundamentalmente, a la legitimación para el ejercicio de la acción, habrá que concluir que bastará con el análisis de las reglas dispuestas en relación con la responsabilidad exigible a los administradores, no sólo por su mayor frecuencia e importancia sino, de igual modo, en razón de la remisión a tal régimen que para esos otros supuestos dispone nuestro Derecho positivo (vid., en relación con los liquidadores, artículo 375.2 LSC. Para los auditores, vid. artículo 271 LSC).

De todos modos, conviene ya advertir cómo el legislador ha decidido, con ocasión de la reforma de la Ley Concursal a través de la Ley 38/2011, adoptar soluciones de máximo, en el sentido de ofrecer algunas respuestas radicales a los distintos problemas que suscita el establecimiento de reglas de coordinación entre las normas societarias y las concursales en punto a la responsabilidad que pudiera exigirse a los administradores de la sociedad devenida insolvente. Con ese proceder, excluyente de toda viabilidad para algunas de las previsiones de nuestro Derecho de Sociedades, se deja al margen cualquier utilidad que pudieran ofrecer las mismas, considerando –a mi juicio, equivocadamente– que su aplicación ha de quedar impedida cuando los administradores lo fueran de una sociedad declarada en concurso.

En todo caso, no estará de más el recordatorio de cuáles son las previsiones de nuestro Derecho Societario respecto de la responsabilidad que cabe a exigir a los administradores sociales y, sobre todo, cuál es la relevancia que en el concurso puede tener el ejercicio de las distintas acciones de responsabilidad, pues sólo desde el perfecto conocimiento de la calificación y alcance de las diferentes acciones de responsabilidad que allí se disponen será posible valorar el significado que tienen las prescripciones de la Ley Concursal y, por tanto, ponderar el acierto de la reforma en todos estos extremos.

Como es conocido, nuestra legislación societaria acoge distintas acciones a cuyo través, con distinta finalidad y alcance, puede requerirse la oportuna responsabilidad a los administradores de una sociedad de capital. De acuerdo con cuanto se ha señalado, ahora conviene recordar, de modo extremadamente sintético, cuál es la relevancia que puede desplegar en el concurso del ejercicio de las diferentes acciones de responsabilidad que, en su caso, pudieran darse frente a los administradores sociales.

La primera de estas acciones es de naturaleza indemnizatoria, cuya finalidad es la de reparar el daño causado por esos administradores a la sociedad a la que sirven (artículo 238.1 LSC). Esta acción, denominada tradicionalmente como acción social de responsabilidad, "se dirige, por ende, a proteger y defender el patrimonio de la sociedad frente a los daños o lesiones que los actos u omisiones ilegales, antiestatutarios o incumplidores de los deberes de los administradores hayan provocado directamente sobre el mismo; esto es, de los daños que los administradores hayan causado a la mercantil por actos u omisiones contrarios a la ley o a los estatutos o por los realizados incumpliendo los deberes inherentes al desempeño del cargo (artículo 236.1 LSC), debiendo existir, en todo caso, una nexo causal entre la acción u omisión ilícita y el daño sufrido por la sociedad" (LARA: La acción social de responsabilidad: ejercicio por la sociedad, en ROJO y BELTRÁN, "La responsabilidad de los administradores de las Sociedades Mercantiles", 5ª edición, Tirant lo Blanch, Valencia, 2013, pág. 90).

Es indudable que, en razón del interés protegido, la atribución de esta acción se hace a favor de la propia sociedad (Vid., por todos, SÁNCHEZ CALERO: Los Administradores en las Sociedades de Capital, 2ª edición, Civitas, Madrid, 2007, pág. 366) que ha sufrido el daño que con el ejercicio de la acción quiere repararse, pues esta acción "se encamina a recomponer o reconstituir el patrimonio social que ha sido dañado por la actuación de los administradores" (STS 22 de marzo de 2006. Vid., también, destacando las diferencias entre acción social de responsabilidad y la denominada acción individual de responsabilidad, STS 27 de noviembre de 2008, STS 14 de marzo de 2007, STS de 22 de enero de 2004, STS 17 de diciembre de 2003, STS 25 de noviembre de 2003, STS 20 de noviembre de 2003, STS 25 de febrero de 2002, STS 19 de abril de 2001; STS 26 de febrero de 1993, STS 21 de mayo de 1992, STS de 11 de octubre de 1991, entre otras). Por ello, y en atención a su titularidad, habrá que advertir, como expresamente hace el artículo 236.1 de la Ley de Sociedades de Capital, que la legitimación para el ejercicio de esta acción se confía a la propia sociedad, quién decidirá lo que estime oportuno a través del pertinente acuerdo de su junta general. Esa legitimación a favor de la sociedad se atribuye sin perjuicio de la legitimación subsidiaria que corresponde a aquellos socios que, por sí o en unión con otros, resulten ser titulares de "una participación que les permita solicitar la convocatoria de la junta general" (artículo 239 LSC tras su reforma por la Ley 31/2014); así como de la legitimación subsidiaria de segundo grado que tienen reconocida los acreedores sociales, en los términos dispuestos en el artículo 240 de la Ley de Sociedades de Capital.

Bastará con lo señalado para que ahora, de acuerdo con cuanto se anunciara, nos cuestionemos el relieve que pueda tener el ejercicio de esta acción en el concurso de la sociedad. En este sentido, resulta evidente su trascendencia, pues la estimación de la acción tendrá como consecuencia que, en razón del sujeto que soportara el daño que es objeto de reparación, se de un incremento del patrimonio social, pues a él irá destinada la cuantía de la indemnización a la que tuvieran que hacer frente los administradores sociales. En este sentido, se ha advertido que "la condena a los administradores será, en el caso de prosperar la acción, la de entregar al patrimonio de la sociedad la indemnización que se fije en la sentencia o en su ejecución. Indemnización que, es preciso insistir en ello, debe ir a nutrir el patrimonio social (a resarcir a la sociedad del daño sufrido (SÁNCHEZ CALERO: Los Administradores en las Sociedades de Capital, cit., pág. 367). Y ese resultado se ha de alcanzar siempre y en todo caso, con independencia de quién sea el legitimado que acudió al ejercicio de la acción, pues la titularidad en todo caso se atribuye a la propia sociedad, sin que ello obste para que, junto con la propia legitimación, sea posible una legitimación subsidiaria (QUIJANO: Comentario artículo 238, en ROJO y BELTRÁN, "Comentario de la Ley de Sociedades de Capital", Tomo II, Civitas, Madrid, 2011, pág. 1709).

Pues bien, desde el punto de vista de sus efectos resulta incuestionable la relevancia de esta acción y de su ejercicio también en el concurso de la sociedad, ya que la consecuencia a la que puede conducir no será otra que la de incrementar la masa activa con el importe de la indemnización a cuyo pago se condene a los administradores sociales, ampliándose así las expectativas de satisfacción de los acreedores concursales. Por ello, no cabe desconocer el significado que tiene esta acción, pues la misma no es otra cosa que una acción de incremento de la masa activa (En relación con el ejercicio de la acción social por la administración concursal, vid. STS 14 de marzo de 2011 [Roj: STS 2022/2011-ECLI:ES:TS:2011:2022)].

Junto con la anterior, nuestra legislación societaria acoge una segunda acción, también de naturaleza indemnizatoria, dirigida a reparar el daño causado por esos administradores a los socios y terceros.

En este sentido, el artículo 241 de la Ley de Sociedades de Capital disciplina la llamada acción individual de responsabilidad, como acción de naturaleza indemnizatoria dirigida a reparar el daño causado a los socios y terceros por actos de los administradores que "lesionen directamente los intereses de aquellos". En virtud de tal regla, los administradores sociales devienen responsables cuando, en el ejercicio de sus funciones como tales (si los actos –u omisiones– de las que derive el daño son ajenos al desempeño de las tareas que desarrolla esa persona como administrador, no procede el ejercicio de esta acción individual de responsabilidad sino, antes bien, su responsabilidad se sustanciará de conformidad con la regla general ("neminen laedere") dispuesta en el artículo 1902 del Código Civil (así lo destaca la jurisprudencia. Vid., ad ex., STS 7 de mayo de 2004, STS 24 de marzo de 2004 y 20 de julio de 2001, entre otras), han causado un daño directo a los socios o terceros, diferenciado del que indirectamente pudiera haberles originado la actuación de tales administradores lesionando el patrimonio social (ESTEBAN: La acción individual de responsabilidad, en ROJO y BELTRÁN, "La responsabilidad de los administradores de las Sociedades Mercantiles", 5ª edición, Tirant lo Blanch, Valencia, 2013, pág. 165).

Dejando de lado las múltiples cuestiones que suscita el análisis de cuanto dispone el artículo 241 de la Ley de Sociedades de Capital, conviene ahora cuestionarse, a los efectos que nos interesan, cuál puede ser la relevancia que tal acción ha de tener en el concurso de la sociedad a la que sirven los administradores que, en su caso, pudieran devenir responsables al amparo de tal precepto. Dado su significado y efectos, parece razonable pensar que las resultas derivadas de esta acción no están llamadas a tener relevancia alguna en el concurso de la sociedad. En efecto, puede constatarse, en primer lugar, que la efectividad de la condena indemnizatoria que, al amparo de cuanto dispone el artículo 241 de la Ley de Sociedades de Capital, pudiera recaer sobre los administradores sociales no incide en la masa activa del concurso, pues tal gravamen recaerá sobre el patrimonio personal de los administradores condenados a indemnizar. De otro lado, si el resultado que con tal indemnización se consigue es la reparación del daño causado –de modo directo– en el patrimonio personal de los socios o terceros legitimados activamente, también es obligado concluir afirmando que el crédito de reparación que les asiste no puede calificarse, en ningún caso, como crédito concursal.

Por todo ello, desde el punto de vista del Derecho Concursal esta acción es irrelevante y no parece que tenga sentido que la declaración de concurso deba desplegar efecto alguno sobre ella. Esta opinión se ha visto refrendada por la jurisprudencia, pues no se ha dudado en afirmar que *sin embargo, la norma procesal no prevé ningún efecto de la declaración de concurso respecto de la acción individual (antes regulada en el artículo 135 TRLSA y actualmente en el artículo 241 LSC), de tal forma que puede ser ejercitada por los terceros perjudicados, ante el juez mercantil que corresponda, al margen del concurso de acreedores* (STS 22 de diciembre de 2014 [Roj: STS 5721/2014 - ECLI:ES:TS:2014:5721]).

En último lugar, también es posible, bajo determinadas circunstancias, el ejercicio de una acción frente a los administradores sociales por la que se les requiere el pago de ciertas obligaciones de la propia concursada.

Así, el artículo 367 de la Ley de Sociedades de Capital dispone que los administradores sociales, como consecuencia de haber incumplido los deberes que se les impone en orden a promover la disolución social o cuando hubieran dejado inatendido el deber de instar el concurso, responderán solidariamente de las obligaciones sociales posteriores a tales incumplimientos.

El relieve práctico que puede tener, ante la crisis de la persona jurídica, la posibilidad de requerir la responsabilidad de sus administradores por las deudas sociales es indudable. Estas normas configuran una responsabilidad "personal, ilimitada, autónoma, no objetiva, de carácter cumulativo y solidaria" (GARCÍA-CRUCES: La responsabilidad de los administradores por no promoción o remoción de la disolución: consideraciones en torno al debate jurisprudencial, en GALÁN CORONA y GARCÍA-CRUCES (Dirs.), La responsabilidad de los administradores de las sociedades de capital, Madrid, 1999, págs. 48 y sigs., en concreto, págs. 67 y sigs.) de los administradores por ciertas deudas sociales ante el incumplimiento de los deberes de promoción o remoción de la disolución social.

No obstante, y pese a su trascendencia práctica en situaciones de crisis, tampoco resultará desacertado insistir en que la responsabilidad que tales normas sancionan no viene, de por sí, a atender necesariamente una función preconcursal. Por supuesto, "no es posible negar que, con gran frecuencia, la norma legal sobre responsabilidad de los administradores por falta de promoción de la disolución de la sociedad puede cumplir esa función preconcursal; pero no siempre es así" (ROJO: Los deberes legales de los administradores en orden a la disolución de la sociedad de capital como consecuencia de pérdidas, en AA.VV, Libro homenaje a Fernando Sánchez Calero, vol. II, Madrid, 2002, pág. 1454, nota 28). La razón, en mi opinión, es obvia, pues la función que atienden estas reglas de responsabilidad es otra y, en coherencia con ello, el supuesto de hecho que desencadena la exigibilidad de ciertos deberes y, en su caso, la pertinente responsabilidad no queda circunscrito a la pérdida cualificada considerada como causa de disolución en el artículo 363.1.b de la Ley de Sociedades de Capital (sin olvidar que el nuevo tenor literal de la norma parece extender tal responsabilidad respecto del incumplimiento del deber de instar el concurso. Cfr. Art. 367 LSC. Sobre la defectuosa redacción de las derogadas disposición final 20ª, apartado 6 y disposición final 21ª, apartado 4 LC, origen de estas reglas, vid. GARCÍA-CRUCES, Los mecanismos de anticipación del Concurso en el Derecho español, Rivista di Diritto Societario, 4, 2007, págs. 22 y ss). En este sentido, se ha manifestado que, en la versión definitiva que fue aprobada como texto de la Ley de Sociedades Anónimas, "a una función meramente preventiva, dirigida a conseguir que existiendo causa legal o estatutaria de disolución, la sociedad no continuara actuando en el tráfico, se añadió una función esencialmente represiva, dirigida a conseguir la efectiva disolución de la sociedad. Y esta segunda función, por la importancia que tiene, habría de eclipsar la originaria función preventiva. La norma no contiene una medida de fomento de la disolución (...) sino una medida coactiva cuya efectividad se consigue a través de esa amenazante responsabilidad legal de los administradores que no promuevan oportunamente la disolución de la sociedad" (ROJO: Los deberes legales de los administradores en orden a la disolución de la sociedad de capital como consecuencia de pérdidas, cit., pág. 1450). Por otra parte, y en coherencia con las funciones advertidas, se entenderá perfectamente el hecho de que la Ley de Sociedades de Capital no vincule la posibilidad de realizar esta responsabilidad legal con una particular causa de disolución sino, antes bien, con cualquiera de ellas, con independencia del relieve patrimonial que la misma pueda tener.

Dejando ahora de lado las numerosas cuestiones que suscita la norma acogida en el artículo 367 de la Ley de Sociedades de Capital (vid., con carácter fundamental, BELTRÁN: La responsabilidad de los administradores por obligaciones sociales, en ROJO y BELTRÁN, "La responsabilidad de los administradores de las Sociedades Mercantiles", 5ª edición, Tirant lo Blanch, Valencia, 2011, págs. 249 y ss.), así como la innumerable jurisprudencia que se ha enfrentado a esta regla, resulta del máximo interés destacar el relieve que el ejercicio de esta acción de responsabilidad puede tener en el concurso de la sociedad. En efecto, con el ejercicio de esta acción de responsabilidad por deudas, los acreedores no afectarán a la masa activa del concurso, pues la realidad de tales exigencias no supondrá menoscabo alguno para tal sumatorio patrimonial. Sin embargo, la incidencia concursal derivada del ejercicio de esta acción de responsabilidad por deudas es evidente desde otro punto de vista, pues podrá obtenerse el pago de ciertos créditos concursales y con cargo al patrimonio personal de los administradores sociales cuya responsabilidad se ha hecho valer.

Destacada la trascendencia que en el concurso tiene el ejercicio de las distintas acciones de responsabilidad frente a los administradores de la sociedad concursada, debe ahora atenderse a las reglas de coordinación que dispone el texto vigente de la Ley Concursal, tras su reforma como consecuencia de la Ley 38/2011 (para la situación anterior, vid. GARCÍA-CRUCES: Cuestiones de actualidad en torno a la responsabilidad societaria y concursal de los administradores. Problemas sustantivos en torno a la coordinación de las acciones de responsabilidad, en II Foro de Encuentro de Jueces y Profesores de Derecho Mercantil, ed. Marcial Pons, Madrid, 2010, págs. 121 y ss.)

La vigente Ley Concursal incide de pleno en todas estas cuestiones y adopta ciertas soluciones que es preciso considerar.

Con carácter común a todas estas acciones que permiten exigir la responsabilidad que fuera pertinente a los administradores sociales, la declaración de concurso de la sociedad deudora produce un efecto, pues resultará de aplicación la regla de interrupción de la prescripción de aquéllas que acoge el artículo 60 de la Ley Concursal (también respecto de la acción ex artículo 241 LSC (de modo expreso, vid. STS 22 de diciembre de 2014 [Roj: STS 5721/2014 - ECLI:ES:TS:2014:5721]).

De otro lado, y en lo que hace a la acción social de responsabilidad ex artículo 238.1 de la Ley de Sociedades de Capital, el texto legal sienta ciertos criterios.

El artículo 48 quáter de la Ley Concursal dispone que "declarado el concurso, corresponderá exclusivamente a la administración concursal el ejercicio de las acciones de responsabilidad de la persona jurídica concursada contra sus administradores, auditores o liquidadores". Esta norma merece varios comentarios.

En primer lugar, la norma excluye la legitimación que corresponde a la propia sociedad concursada, con independencia del régimen de intervención o de suspensión acordado, al igual que la que la legislación societaria atribuye a los socios y a los acreedores sociales. Dicho en otras palabras, la declaración de concurso no impide el ejercicio de esta acción social de responsabilidad frente a los administradores de la sociedad concursada, pero también resultarán inaplicables las reglas de legitimación dispuestas por la normativa societaria. En todo caso, el alcance de la legitimación conferida a la administración concursal se constriñe, en relación con los administradores sociales, al ejercicio de la denominada acción social de responsabilidad, pues "no les habilita para el ejercicio de las acciones de responsabilidad que personalmente corresponden a los acreedores del concurso" (vid. STS 27 de junio de 2014 [Roj: STS 3158/2014 - ECLI:ES:TS:2014:3158]. Sin embargo, la STS 7 de marzo de 2012 [Roj: STS 1063/2012-ECLI:ES:TS:2012:1063] parece admitir, aunque la cuestión no fue objeto de recurso, la legitimación de la administración concursal para ejercitar las acciones de responsabilidad individual y por deudas frente a los administradores de la sociedad concursada).

Ahora bien, un repaso detenido de la nueva previsión del artículo 48 quáter de la Ley Concursal permite una observación más, pues la afirmación del carácter exclusivo –y excluyente– de la legitimación atribuida a la administración concursal, supone también la imposibilidad de aplicar, respecto del ejercicio de esta acción, las reglas generales de legitimación en el ejercicio de acciones del concursado dispuestas por nuestro Derecho de la insolvencia.

Ante tal resultado, cabe pensar si no habría sido más acertado sujetar el ejercicio de esta acción, en cuanto que es una acción del concursado que persigue un incremento de la masa activa, a la regla general dispuesta en el vigente artículo 54.4 de la Ley Concursal (Vid., críticamente, GARCÍA-CRUCES: Ejercicio de las acciones societarias de responsabilidad frente a los administradores de la sociedad concursada, en GARCÍA-CRUCES (Dir.), Insolvencia y Responsabilidad, Civitas, Madrid, 2012, págs. 247 y ss., en concreto, pág. 274). De este modo, se permitiría el ejercicio subrogado de tal acción por parte de los acreedores en las condiciones dispuestas en la norma y que excluyen cualquier riesgo o coste para el concurso, por lo que de tal posibilidad solo podría derivarse un resultado beneficioso. Dicho en otras palabras, puede entenderse conveniente la exclusión, como efecto de la declaración de concurso, del régimen de legitimación dispuesto en la normativa societaria, pese a que nuestra doctrina se ha manifestado en contra, pues «no se ve, francamente, ninguna razón que aconseje privar de esa facultad al resto de legitimados. Si, como regla, debe primar el principio de protección de los acreedores, ¿por qué restringir una vía que puede conducir a una solución más satisfactoria del concurso? A accionistas y acreedores les interesará más, por razones económicas evidentes, que la ejerciten los administradores concursales, pero si no lo hacen, podrán entablarla ellos. Quién lo haga, además, resulta irrelevante, pues una sentencia estimatoria produciría en todo caso los mismos efectos beneficiosos». (MUÑOZ PLANAS y MUÑOZ PAREDES: Repercusiones del concurso de la sociedad sobre la responsabilidad de los administradores, RDM, 250, 2003, págs. 1347 y 1348). Sin embargo, esa decisión no debería impedir la legitimación subsidiaria que, bajo ciertas condiciones, atribuye el texto legal vigente a los acreedores sociales para el ejercicio de acciones del concursado. Quizás, el error en que ha incurrido el legislador con ocasión de la reforma podría explicarse afirmando que se "le ha ido la mano" a la hora de excluir la legitimación para el ejercicio de la acción social tras la declaración de concurso, de modo que pudiendo considerarse razonable la exclusión de las reglas societarias en punto a la legitimación, no cabe afirmar lo mismo respecto de la inaplicabilidad de cuanto advierte el artículo 54.4 de la Ley Concursal.

Ahora bien, y en lo que hace a esta acción social de responsabilidad, la Ley Concursal no se conforma sólo con determinar a quién corresponde la legitimación para su ejercicio sino que, también, acoge una norma muy razonable y que dispone los efectos que tiene la declaración de concurso respecto del ejercicio de esta acción que se hubiera producido con anterioridad.

Así, hay que señalar cómo la Ley 38/2011 modificó la redacción del artículo 51.1 de la Ley Concursal, cuya literalidad afirma la continuidad de los procesos declarativos en los que el deudor fuera parte y que se hubieran iniciado con anterioridad a la declaración de concurso, pero se añade un segundo inciso a cuyo tenor "por excepción se acumularán de oficio al concurso, siempre que se encuentren en primera instancia y no haya finalizado el acto de juicio o la vista, todos los juicios por reclamación de daños y perjuicios contra los administradores, liquidadores o auditores de la persona jurídica concursada".

Respecto de la acción individual de responsabilidad que la legislación societaria dispone a favor de socios y de terceros, la reforma de la Ley Concursal llevada a cabo con la Ley 38/2011 no ha incorporado regla alguna, de modo que nuestro Derecho de la insolvencia sigue guardando silencio sobre tal extremo. Por ello, pudiera suscitarse, también, la necesidad de establecer algún criterio de coordinación que disciplinara el ejercicio de esta acción individual de responsabilidad que frente a los administradores de la sociedad concursada asiste a los socios y terceros tras la declaración de concurso de la sociedad a la que sirven.

Algún autor se ha manifestado en tal sentido, advirtiendo la necesidad de una regla particular que obviara cualquier disfunción que el ejercicio de la acción ex artículo 241 de la Ley de Sociedades de Capital pudiera causar respecto del juicio universal. En este sentido, no ha faltado quien señalara que «a pesar de que en principio la acción individual sólo afecta a quien la ejercita (socio o tercero) y a los administradores, y por tanto no a la sociedad, el artículo. 48,2 de la Ley Concursal debería haber previsto también la competencia del juez del concurso para conocer de la acción individual de responsabilidad cuando el concurso sea calificado de culpable y por tanto entre en concurrencia la responsabilidad individual de los administradores frente a determinados terceros en base al artículo 135 de la Ley de Sociedades Anónimas con la responsabilidad concursal de los administradores frente a los terceros acreedores en base al artículo 172.3 de la Ley Concursal» (ALONSO UREBA: La responsabilidad concursal de los administradores de una sociedad de capital en situación concursal. El artículo 172.3 de la Ley Concursal y sus relaciones con las acciones societarias de responsabilidad, cit., pág. 560. Insiste en esta idea en págs. 562 y 563).

Sin embargo, parece más acertado sostener una opinión distinta y que acoge, con su silencio sobre este extremo, la Ley Concursal (GARCÍA-CRUCES: Ejercicio de las acciones societarias de responsabilidad frente a los administradores de la sociedad concursada, cit., pág. 276). No cabe olvidar que el crédito derivado del ejercicio de la acción ex artículo 241 de la Ley de Sociedades de Capital le asiste al acreedor no como acreedor concursal sino como tercero frente a un deudor también ajeno al concurso. La "par condicio creditorum" y sus exigencias derivadas podrían llegar a referirse, en su caso, a los créditos que puedan asistir frente a los administradores como consecuencia de su responsabilidad concursal pero, desde luego, no puede extenderse más allá y afectar a créditos ajenos. El crédito que asiste al socio o acreedor frente a los administradores y que le permite el ejercicio de la acción ex artículo 241 de la Ley de Sociedades de Capital no es un crédito concursal. Si se atiende a todas estas precisiones, puede señalarse que carece de sentido establecer previsión alguna de coordinación por resultar ésta innecesaria. Por todo ello, parece razonable concluir, tal y como se ha hecho entre nosotros, que «la posición de la Ley para con la acción individual es, por el contrario, pensamos, la única que podía mantenerse. No tendría sentido restringir en modo alguno el derecho de los socios o acreedores a dirigirse contra los administradores por los actos que lesionaron directamente sus derechos, ni parece tampoco necesario que de tales procesos conozca el juez del concurso» (MUÑOZ PLANAS y MUÑOZ PAREDES: Repercusiones del concurso de la sociedad sobre la responsabilidad de los administradores, pág. 1349).

8. Responsabilidad concursal y responsabilidad por las deudas sociales

La necesaria coordinación entre la responsabilidad que en el ámbito concursal sanciona la Ley en relación con el fallido habido en la liquidación y, de otra parte, las acciones de responsabilidad que configura nuestro ordenamiento societario, nos ha de obligar a adentrarnos en una última cuestión de extraordinaria importancia y sobre la que nuestra doctrina, en las distintas manifestaciones sobre las diferentes reformas del Derecho de las crisis económicas, no ha dejado de manifestar un enconado debate. Me refiero a la necesidad de coordinar las reglas concursales y, en particular, la responsabilidad ex artículo 172 bis de la Ley Concursal con distintas previsiones de nuestro Derecho de Sociedades en las que, tras las reformas de 1989 y de 1995, se incorporaron diferentes supuestos de responsabilidad de los administradores y liquidadores por las deudas sociales. Los supuestos son de todos conocidos, y entre ellos habrá que recordar la previsión recogida en el artículo 367 de la Ley de Sociedades de Capital (y que acogieran los derogados artículos 262.5 de la Ley de Sociedades Anónimas y 105.5 de la Ley de Sociedades de Responsabilidad Limitada), que dispone la responsabilidad de los administradores por las deudas sociales ante la falta de promoción o de remoción de la disolución social, y, de otro lado, la posible responsabilidad derivada para los administradores por la aplicación –a mi juicio, bastante discutible– de cuanto sanciona el artículo 120 del Código de comercio en los supuestos de irregularidad societaria ex artículo 39 de la Ley de Sociedades de Capital.

No obstante esa pluralidad de supuestos, y a fin de simplificar la exposición de las cuestiones más relevantes, me referiré tan sólo a la responsabilidad ex artículo 367 de la Ley de Sociedades de Capital, dado que será el supuesto más frecuente y, por tanto, de mayor relevancia práctica a los efectos de su necesaria coordinación con el concurso, pudiendo trasladarse los criterios que manifestemos al resto de los casos antes enunciados. De todas las maneras, y a fin de situar estos problemas en sus justos términos, se advirtió que «en muchos de los casos en que proceda la calificación del concurso como culpable es previsible que los acreedores puedan ejercitar acciones individuales y, especialmente, del 262.5 (por lo que) puede anticiparse que la eficacia práctica del artículo 172.3 de la Ley Concursal será reducida. Los acreedores tratarán de adelantarse a la solución concursal por cualquiera de esas vías extraconcursales, más sencillas y no sometidas a la par conditio» (MUÑOZ PLANAS y MUÑOZ PAREDES: Repercusiones del concurso de la sociedad sobre la responsabilidad de los administradores, cit., pág. 1351). Sin embargo, quizás ese pronóstico no resulte siempre cumplido como consecuencia del tenor literal del vigente artículo 367 de la Ley de Sociedades de Capital (cuyo origen ha de situarse en la previa modificación de los artículos 262.5 de la Ley de Sociedades Anónimas y 105.5 de la Ley de Sociedades de Responsabilidad Limitada efectuada por la Ley 19/2005, de 14 de noviembre, sobre la Sociedad europea domiciliada en España). El atractivo que para los acreedores tenía esta posibilidad de exigir la responsabilidad por las deudas sociales, ante determinadas circunstancias, a los administradores sociales se vio aguado como consecuencia de la drástica reducción de su ámbito objetivo. En efecto, y reenviando sobre estos extremos a la doctrina más autorizada sobre estas materias (BELTRÁN: La responsabilidad de los administradores por obligaciones sociales, en ROJO y BELTRÁN, "La responsabilidad de los administradores de las Sociedades Mercantiles", 5ª edición, Tirant lo Blanch, Valencia, 2011, págs. 249 y ss.), no habrá que olvidar que aquella responsabilidad de los administradores sociales se circunscribe ahora a «las obligaciones sociales posteriores al acaecimiento de la causa legal» de disolución o al incumplimiento del deber de instar el concurso. Ante esta modificación del régimen de responsabilidad de los administradores por las deudas sociales, parece razonable pensar en un mayor protagonismo, en su caso, de la responsabilidad concursal, pues a ella acudirán aquellos acreedores que no pudieran, en razón de la fecha de su crédito, requerir la responsabilidad por deudas ex artículo 367 de la Ley de Sociedades de Capital.

De todos modos, habrá ahora que cuestionarse cuál es la incidencia que tiene la declaración de concurso sobre el posible ejercicio de esta acción de responsabilidad por deudas frente a los administradores de la sociedad concursada. Tal problema no recibía una respuesta expresa en nuestro Derecho positivo, generándose –en consecuencia– un cierto debate (sobre este aspecto y las diferentes opiniones doctrinales vid. GARCÍA-CRUCES: Cuestiones de actualidad en torno a la responsabilidad societaria y concursal de los administradores. Problemas sustantivos en torno a la coordinación de las acciones de responsabilidad, cit., págs. 121 y ss.). En todo caso, no ha de olvidarse que, de modo expreso, el Tribunal Supremo afirmó la compatibilidad entre las distintas acciones de responsabilidad, de modo que el acreedor podría acudir al ejercicio de la acción ex artículo 367 de la Ley de Sociedades de Capital pese a la declaración de concurso de la deudora (con anterioridad a la reforma de la Ley Concursal llevada a cabo con la Ley 38/2011, vid. STS 20 de junio de 2013 [Roj: STS 3447/2013-EC LI:ES:TS:2013:3447]).

Por el contrario, la vigente Ley Concursal, como resultado de la reforma llevada a cabo con ocasión de la Ley 38/2011, ha incorporado ciertas reglas sobre todas estas cuestiones que, con independencia de la valoración que merezcan, abocan a importantes consecuencias de extraordinaria importancia práctica.

La primera de las normas que ha de destacarse es la previsión acogida en el nuevo artículo 50.2 de la Ley Concursal, a cuyo tenor "los jueces de lo mercantil no admitirán a trámite las demandas que se presenten desde la declaración del concurso hasta su conclusión, en las que se ejerciten acciones de reclamación de obligaciones sociales contra los administradores de las sociedades de capital concursadas que hubieran incumplido los deberes impuestos en caso de concurrencia de causa de disolución. De admitirse, será de aplicación lo dispuesto en el último inciso del apartado anterior". De este modo, el nuevo texto legal viene a impedir que, tras la declaración de concurso, los acreedores de la concursada puedan ejercitar esta acción y requerir el pago de su crédito –frente a la sociedad deudora– a los administradores sociales.

Pero, también, el texto legal concreta la incidencia que tiene la declaración de concurso sobre aquellas acciones de responsabilidad por deudas que se hubieran ejercitado con anterioridad a tal resolución judicial, disponiendo la suspensión de los procedimientos que se hubieran iniciado con anterioridad a la declaración de concurso. En este sentido, el artículo 51 bis.1 de la Ley Concursal dispone que "declarado el concurso y hasta su conclusión, quedarán en suspenso los procedimientos iniciados antes de la declaración de concurso en los que se hubieran ejercitado acciones de reclamación de obligaciones sociales contra los administradores de las sociedades de capital concursadas que hubieran incumplido los deberes impuestos en caso de concurrencia de causa de disolución".

El sentido de estas previsiones ha de ser rectamente entendido pues, a decir de la jurisprudencia "lo anterior no significa que la declaración de concurso de acreedores exima de la posible responsabilidad ex artículo 262.5 del Texto Refundido de la Ley de Sociedades Anónimas, en que los administradores hubieran podido incurrir antes del concurso, sin perjuicio de que, tras la reforma introducida por la Ley 38/2011, de 10 de octubre, la declaración de concurso suspenda el ejercicio de esta acción de responsabilidad (artículo 50.2 LC) y, si se lo hubiera sido y estuviera en tramitación, se paralizará el procedimiento (artículo 51.1.bis LC)" (STS 15 de octubre de 2013 [Roj: STS 5186/2013-ECLI:ES:TS:2013:5186]. En igual sentido, STS 21 de junio de 2012 [Roj: STS 6328/2012 - ECLI:ES:TS:2012:6328]).

La importancia de la reforma sobre estos extremos es indudable y, en razón de su trascendencia, aconseja hacer una valoración sobre el acierto de las nuevas reglas, tanto en relación con los posibles defectos que pudiera presentar el texto legal para poder alcanzar los fines pretendidos como de la corrección de las soluciones ahora incorporadas en nuestra legislación sobre la insolvencia.

En primer lugar, debe destacarse el alcance que cabe predicar de esta norma suspensiva. En efecto, la Jurisprudencia ha advertido que la regla de suspensión se ha de aplicar exclusivamente a aquellas acciones con cuyo ejercicio se pretenda la satisfacción de deudas sociales con cargo al patrimonio del administrador demandado pero no respecto de aquellas otras con las que se busque la reparación de un daño que hubiera sufrido el socio o tercero. Así, se ha resuelto que "el artículo 51.1.bis de la Ley Concursal solo afecta a la llamada acción de responsabilidad por deudas y, en nuestro caso, se ha condenado también al Sr. .... en el ejercicio de la acción individual de responsabilidad por daños, acción a la que no afecta la suspensión legal" (SAP Alicante [Secc. 8ª] 23 de octubre de 2013 [Rollo 292/2013]).

De otro lado, conviene valorar los defectos que pudieran estar presentes en la redacción dada a los artículos 50.2 y 51 bis.1 del texto legal en relación con la finalidad pretendida con la reforma. Desde luego, es innegable que lo que se pretende con esta modificación de la Ley Concursal es evitar, a toda costa, que una vez declarado el concurso pueda requerirse o hacerse efectiva la responsabilidad por las obligaciones sociales que cabría exigir a los administradores de la concursada al amparo del artículo 367 de la Ley de Sociedades de Capital (La STS 21 de junio de 2012 [Roj: STS 6328/2012 - ECLI:ES:TS:2012:6328], advierte expresamente de la suspensión que provoca la declaración de concurso sobre el ejercicio de la acción de responsabilidad por deudas). Siendo esto así, sin embargo la redacción dada a estas normas es tal que probablemente no siempre se alcanzará el resultado pretendido.

En efecto, repárese que la imposibilidad de ejercicio de la acción, o la suspensión de la ya ejercitada, sólo van referidas a uno de los supuestos en que es posible requerir a los administradores de la concursada el pago de obligaciones sociales. Así, bastará con atender al tenor literal de los nuevos artículos 50.2 y 51 bis.1 de la Ley Concursal para comprobar cómo esa suspensión o la prohibición de ejercicio de la acción se refiere, exclusivamente, a aquellos supuestos en que la posibilidad de ejercitar la acción derive del incumplimiento por parte de los administradores de "los deberes impuestos en caso de concurrencia de causa de disolución". Ahora bien, nuestro Derecho positivo conoce otros supuestos, no infrecuentes en la práctica, en que también resulta procedente y cabe exigir la pertinente responsabilidad de los administradores por obligaciones sociales.

En este sentido, cabe recordar cómo el artículo 120 del Código de comercio conduciría a afirmar esa responsabilidad de los administradores –en cuanto "encargados de la gestión social"– en los supuestos en que la insolvente fuera calificada como sociedad irregular. Pero, sobre todo, para comprobar cuanto se quiere decir, bastará con atender al tenor literal del artículo 367 de la Ley de Sociedades de Capital, en donde se advierte otro supuesto en el que resulta procedente también la responsabilidad de los administradores por ciertas obligaciones sociales, pues ésta es una de las consecuencias anudadas al incumplimiento del deber de instar el concurso que dispone el artículo 5 de la Ley Concursal y cuyo cumplimiento, con todos los matices que se quieran, corresponde a los administradores sociales, a tenor de cuanto advierte el artículo 3 del mismo texto legal.

Dadas estas circunstancias, parece que el legislador ha olvidado en la reforma esos otros supuestos de responsabilidad por deudas que cabe actuar frente a los administradores de la sociedad concursada, por lo que la finalidad pretendida en estos casos, siendo común con la exigible por incumplimiento de los deberes de promoción de la disolución, vendría a menos. Este resultado puede, además, llegar a ser de particular gravedad, pues la práctica concursal muestra la frecuencia con que el deber de instar tempestivamente el concurso resulta inatendido, de modo que, de darse tal supuesto, no habría impedimento alguno, derivado de la declaración de concurso, para poder requerir el pago de ciertas obligaciones sociales con cargo al patrimonio personal de los administradores de la sociedad insolvente.

Ahora bien, advertidos los fines pretendidos con esta modificación proyectada, al igual que el posible desacierto de la redacción de estos preceptos respecto de aquella finalidad, conviene que valoremos la conveniencia y corrección de estas decisiones de política jurídica plasmadas en la Ley Concursal tras su reforma (sobre todas estas cuestiones, vid. GARCÍA-CRUCES: Ejercicio de las acciones societarias de responsabilidad frente a los administradores de la sociedad concursada, págs. 277 y ss.).

Lo primero que llama la atención de estas previsiones derivadas de la reforma es el hecho de disponer ciertos efectos anudados a la declaración de concurso y que recaen no sobre la masa activa sino, exclusivamente, en el hecho de que se impide el pago de créditos concursales con cargo al patrimonio de terceros. Esto es, la declaración de concurso incide sobre una relación jurídica en cuya virtud los acreedores pueden exigir el pago de lo debido por la concursada a un tercero, como son los administradores concursales.

Tal situación no es desconocida para la Ley Concursal, pues el texto legal contempla el pago de créditos concursales que pueda requerirse a un tercero, no disponiendo ningún efecto ni impedimento sobre tal posibilidad sino, tan sólo, se limita a señalar cuáles han de ser las consecuencias derivadas en el concurso del pago que hiciera ese tercero. Este sería el caso en que un tercero hubiera comprometido su responsabilidad personal para así garantizar el crédito concedido a la sociedad luego devenida insolvente (fiador, avalista). En este supuesto, el concurso no empece para que el acreedor pueda hacer efectiva la responsabilidad que asumiera el garante personal. Por otro lado, si así sucediera, el garante que tuvo que hacer frente a su responsabilidad vendría a subrogarse en la posición del acreedor satisfecho (artículo 87.6 LC).

Pues bien, si se compara la diferente solución acogida para los supuestos en que el pago de la deuda ajena pudiera requerirse a los administradores en virtud de cuanto dispone el artículo 367 de la Ley de Sociedades de Capital y, de otro lado, el pago que pudiera exigirse de fiadores y avalistas, podrá obtenerse algunas consecuencias importantes.

Desde el punto de vista del contenido de su responsabilidad, ésta coincide en ambos supuestos, con independencia de que la causa de la responsabilidad del garante descanse en la autonomía de la voluntad (contrato) y de que en el supuesto de los administradores tenga su origen en una sanción de orden civil (artículo 367 LSC). Siendo esto así, no se ve en qué se puede perjudicar el interés del concurso como consecuencia de que el acreedor ejercite la pertinente acción requiriendo la responsabilidad por las obligaciones sociales que recae, en su caso, sobre los administradores de la sociedad concursada. Es más, desde el ángulo del interés de los acreedores –de todos los acreedores– esa posibilidad, si se actuara, les reportaría una indudable ventaja. Piénsese que tal pago al acreedor por parte del administrador siempre va a suponer una mejora posiblemente cuantitativa pero en todo caso cualitativa de la masa pasiva del concurso. En efecto, si se afirmara que al administrador le corresponde un derecho de regreso como consecuencia del hecho de haber hecho efectiva su responsabilidad por las obligaciones sociales, desde luego se daría un resultado ventajoso para el resto de los acreedores, pues el crédito que titulara por tal causa –el derivado de la subrogación por pago– sería subordinado (artículo 92.5 LC), mejorándose cualitativamente la masa pasiva del concurso. Por otro lado, la mejora de la masa pasiva –y, por tanto, de interés de los acreedores– podría, incluso, tener un reflejo cuantitativo, como así cedería si el concurso viniera a calificarse como culpable, pues ello tendría como resultado la extinción de los créditos que titularan los administradores y que fueran considerados como "personas afectadas por la calificación", de acuerdo con cuanto dispone el artículo 172.2.3º de la Ley Concursal.

Frente a todas estas consideraciones podría argüirse que con este proceder un acreedor quedaría al margen del concurso en detrimento del resto, de modo que aquél no sufriría las consecuencias derivadas de la "par condicio creditorum", pues no recibiría su pago en moneda de quiebra. Esta afirmación es, indudablemente, inteligente pero también desacertada, pues parte de un presupuesto que no resulta necesario. En efecto, esa posible lesión de la "par condicio creditorum" no podría referirse nunca a todos los créditos concursales sino, tan sólo, a aquéllos respecto de los cuáles a sus titulares les asistiera la posibilidad de exigir a los administradores sociales la responsabilidad ex artículo 367 de la Ley de Sociedades de Capital. Por otro lado, la garantía prestada por tercero, y que en el supuesto previsto ex artículo 367 vendría a tener un fundamento legal ("ex bono publico"), no supone, ni puede suponer, afección alguna de la regla de paridad de trato, pues la declaración de concurso no viene a hacer venir a menos la eficacia de una garantía personal. Pero, sobre todo, el argumento criticado olvida un extremo más que importante, pues al tratarse de una responsabilidad exigible a los administradores sociales, la vigencia de una regla como la "par condicio" debería referirse tan sólo a los acreedores de tal sujeto, pues su responsabilidad vendrá a hacerse realidad con cargo a su patrimonio personal y, por tanto, diferenciado del de la concursada y que constituye la masa activa del concurso.

En mi opinión, el único riesgo que presenta el mantenimiento de la posibilidad de ejercitar la acción ex artículo 367 de la Ley de Sociedades de Capital, junto con sus indudables ventajas también para el concurso, radica en que en virtud de los pagos que se hicieran como consecuencia de aquélla el administrador concursal no pudiera llegar a hacer realidad la posible responsabilidad concursal a que fuera condenado (artículo 172 bis LC).

Sin embargo, un análisis realista de los problemas permite constatar cómo el resultado denunciado sólo se alcanzaría en aquellos supuestos en que el administrador al que se requiere su responsabilidad no dispusiera de un patrimonio que le permitiera hacer frente a la misma. Ahora bien, de darse tal resultado, lo procedente no es impedir el ejercicio de la acción, ni suspender el procedimiento en que ésta ya se hubiera ejercitado, sino, por el contrario, instar la declaración de concurso de al administrador insolvente.

En todo caso, si la ratio que quisiera atenderse es la de adoptar distintas previsiones en torno al posible ejercicio de la acción ex artículo 367 de la Ley de Sociedades de Capital, a fin de evitar un vaciamiento de la futura condena por responsabilidad concursal, la respuesta debería ser, en mi opinión, otra por, al menos, tres razones.

En primer lugar, no puede desconocerse que el resultado que quiere evitarse se hace depender de demasiadas eventualidades (que el administrador llegue a ser insolvente, que se paguen créditos concursales con cargo a su patrimonio, que llegue a ser condenado en la sentencia de calificación a pagar el fallido concursal). Por otro lado, resulta absolutamente desproporcionado privar al acreedor del ejercicio de una acción frente a un tercero y como consecuencia de la declaración de concurso de la sociedad, pudiendo afectarse negativamente un derecho fundamental que le asiste, como es el de la tutela judicial efectiva (artículo 24 CE). En último lugar, no habría que desconocer que el riesgo de vaciamiento de una posible responsabilidad concursal no sólo podría derivar del ejercicio de la acción ex artículo 367 de la Ley de Sociedades de Capital sino, también, de cualquier otra reclamación que frente al administrador hicieran quiénes fueran sus acreedores, por cualquier título y al margen completamente del concurso y de su actuación como tal administrador social.

Por todo ello, creo que las soluciones incorporadas en la Ley Concursal con ocasión de la reforma llevada a cabo por la Ley 38/2011 no son acertadas en este particular y que, con mejor técnica legislativa, la respuesta a los posibles riesgos debería articularse sobre un doble eje.

En primer lugar, habrá que reiterar la importancia que en este contexto puede tener una medida cautelar, y cuya efectividad se confía –básicamente– a la diligencia de la administración concursal, consistente en instar la adopción de un embargo preventivo de los bienes de esos administradores a fin de asegurar la eventual responsabilidad concursal a que pudieran resultar condenados (artículo 48 ter.1 LC). Desde luego, dada la posición –e información– de la administración concursal, ésta podrá encontrarse en una situación más que adecuada para valorar el posible riesgo de vaciamiento de la futura condena por responsabilidad concursal.

Por otro lado, sería también necesario incorporar una regla más que incidiera en el ejercicio de la acción ex artículo 367 de la Ley de Sociedades de Capital, y a cuyo través se lograra la necesaria coordinación con la responsabilidad concursal que pudiera resultar exigible a los administradores sociales, sin que, por otra parte, impidiera la reclamación del pago de las deudas sociales que pudiera resultar exigible a estos sujetos. Una solución que se propuso fue la de legitimar a la administración concursal para el ejercicio de la acción ex artículo 367 de la Ley de Sociedades de Capital (esta solución ya se incorporaba en la Propuesta de Anteproyecto de Ley Concursal que elaborara el Prof. ROJO en 1995).

Creo, sin embargo, que esa solución carecería de suficiente justificación y, quizás, vendría a suponer un coste no necesario para alcanzar la finalidad pretendida. Podría entenderse preferible otra respuesta que, sin permitir que la administración concursal se inmiscuyera en el ejercicio de los derechos que le asistan al acreedor frente a los administradores (y que siempre son en el ejercicio de la acción ex artículo 367 LSC, en principio, terceros respecto del concurso), evitara cualquier riesgo de vaciamiento de la posible responsabilidad concursal. En este sentido, bastaría con incorporar una condición de procedibilidad para el ejercicio de la acción que asiste al acreedor para reclamar el pago de las deudas sociales a los administradores de la sociedad concursada, en el sentido de requerir, como condición determinante de su legitimación, que el acreedor interesado comunique por escrito a la administración concursal su voluntad de acudir al ejercicio de la acción, señalando las pretensiones concretas en que consista y su fundamentación jurídica, de modo que no pudiera hacer efectiva su reclamación en un plazo que se considerara prudencial (ad ex. un mes). Durante la vigencia de ese plazo, el acreedor interesado podría instar la adopción de las medidas cautelares que estimara oportunas y que se sustanciarían de acuerdo con las normas procesales de carácter general. Pero, también, durante el transcurso de tal plazo la administración concursal podría resolver acerca de la decisión de instar el embargo preventivo ex artículo 48 ter.1 de la Ley Concursal y con cuya realidad vendría a conjurarse cualquier riesgo de vaciamiento de una eventual condena de responsabilidad concursal. Por supuesto, este embargo preventivo interesado por la administración concursal debería tener carácter preferente respecto del que pudiera intentar o conseguir el acreedor interesado en requerir la responsabilidad de los administradores a fin de que éstos atendieran el pago del crédito que titulara aquél frente a la concursada.

Capítulo 8

LA RESPONSABILIDAD PENAL DE LOS ADMINISTRADORES DE SOCIEDADES MERCANTILES

MARÍA GUTIÉRREZ RODRÍGUEZ

Profesora Dra. Derecho penal
Universidad Complutense Madrid

I. INTRODUCCIÓN

1. *Tendencia legislativa expansiva en materia socioeconómica en las sucesivas reformas del Código penal*

Desde la aprobación del Código penal en 1995 se ha instaurado una tendencia en la legislación penal española hacia la penalización de determinadas conductas lesivas de bienes jurídicos, individuales o colectivos, que se llevan a cabo en el ámbito de las sociedades mercantiles. El mundo de los negocios, que anteriormente era ajeno al Derecho penal, se convirtió desde entonces en el centro de atención del moderno Derecho penal.

Ya desde los años 30, cuando se acuñó en la sociología americana (Sutherland) el concepto de "delincuencia de cuello blanco" (*white-collar criminality*), se puso de manifiesto que el Derecho penal no solo era propio de las clases más deprimidas y socialmente marginadas de la sociedad; también los delincuentes de cuello blanco (altos ejecutivos, directores, administradores, etc.) podían ser sujetos activos de conductas delictivas. Así, el Derecho penal debía afrontar el reto de luchar además de contra los tradicionales delitos contra la propiedad (hurtos, robos, apropiaciones indebidas y estafas) cometidos, por lo general, por delincuentes de "cuello azul", frente a conductas más sofisticadas propias de delincuentes de "cuello blanco". La peculiaridad reside en que estas últimas, además de implicar un perjuicio para intereses patrimoniales individuales, pueden llegar a afectar a intereses supra-individuales o incluso en algunos casos a la propia economía del país. Para la protección de estos bienes jurídicos supraindividuales (orden socio-económico, transparencia de los mercados, competencia leal, etc.) se recurre a técnicas de tipificación que suponen un adelantamiento de las barreras de protección (p. ej. delitos de peligro) y que resultan características del denominado moderno Derecho penal.

Durante el final de la década de los años 70 algunos pronunciamientos judiciales exigían una modificación de los preceptos del Código penal que ampliara o revisara los tradicionales delitos patrimoniales para abarcar otras conductas lesivas de bienes jurídicos, como el orden socio-económico, que no encontraban sanción con la regulación anterior. El Código penal de 1995 vino así a tipificar *ex novo* los delitos societarios (arts. 290 a 295), que sancionan determinadas conductas que se llevan a cabo en el seno de sociedades, que resultan lesivas para sus integrantes o para terceras personas que se relacionan con ellas. Entre estos delitos destaca el delito de administración desleal del patrimonio social (art. 295), que amplía el ámbito punible a supuestos que no encajaban por completo en el clásico delito de apropiación indebida.

También se incluyeron por primera vez en el Código penal de 1995 otras figuras delictivas, como el espionaje empresarial (art. 278); el delito publicitario (art. 282); la facturación ilícita (art. 283); el abuso de información privilegiada en el mercado de valores (art. 285 CP); la discriminación laboral (art. 314), etc.

La tendencia mencionada se ha visto reforzada mediante la reforma operada en el Código penal a través de la Ley Orgánica 5/2010, de 22 de junio, que también incrementa el castigo de prácticas empresariales que se consideran delictivas mediante la creación, por ejemplo, de un nuevo delito de corrupción entre particulares (art. 286 bis), que incluye una mención a la corrupción en el deporte, o la incorporación de la denominada "estafa de inversores" (art. 282 bis), introduciendo por primera vez en nuestro ordenamiento jurídico-penal la responsabilidad penal de la persona jurídica (art. 31 bis). Posteriormente, mediante la Ley Orgánica 7/2012, de 27 de diciembre, se han realizado reformas importantes en materia de defraudación a la hacienda pública y a la seguridad social. Por último, la Ley Orgánica 1/2015, de 30 de marzo, ha venido igualmente a perfilar aspectos importantes de la responsabilidad penal de las personas jurídicas y a modificar algunos de los preceptos reguladores de los delitos patrimoniales clásicos, introduciendo un delito genérico de administración desleal de patrimonios (art. 252) y reformando los delitos de alzamientos de bienes (art. 257 y ss.); también resulta destacable la creación dentro de los delitos relativos al mercado de una sección referida a los delitos de corrupción en los negocios (arts. 286 bis a 286 quater). Esta última Ley de reforma entró en vigor el 1 de julio de 2015.

En este Capítulo se estudian algunas cuestiones generales que afectan a la responsabilidad penal del administrador de sociedades mercantiles y los delitos relacionados con su ámbito de actuación. Ahora bien, no sería adecuado analizar la responsabilidad penal de los administradores sin abordar una de las cuestiones que más discusión teórica ha suscitado en los últimos años, la referida a la posible responsabilidad penal de las personas jurídicas, y que ha sido objeto de los últimos cambios legislativos.

Como se ha mencionado, la reforma de junio de 2010 incorporó en la regulación penal española por primera vez la responsabilidad penal autónoma y directa de las personas jurídicas en relación con la comisión de determinadas infracciones penales (sistema de *numerus clausus*). No obstante, esta incorporación no altera el alcance de la responsabilidad penal de los administradores de sociedades, pero sus comportamientos sí pueden ser determinantes de la responsabilidad penal de la persona jurídica que administran.

2. *Relaciones entre el Derecho penal y otras ramas jurídicas*

Antes de abordar este análisis hay que destacar frente a la mencionada tendencia expansiva, la necesidad de respetar el principio de subsidiariedad y de intervención mínima del Derecho penal, según los cuales la utilización del Derecho penal, por ser el mecanismo de control social más represivo de cuantos tiene a su disposición el Estado, debe quedar reservado a los ataques más graves a los bienes jurídicos más importantes, debiendo recurrirse en otro caso al resto de disciplinas jurídicas (Derecho administrativo sancionador, Derecho mercantil, etc.); el Derecho penal debe utilizarse solo cuando éstas resulten insuficientes y la conducta merezca reproche penal (por todos, MUÑOZ CONDE). El Derecho penal no debería, por tanto, convertirse en un mero derecho sancionatorio de conductas reguladas en otras ramas del Ordenamiento jurídico.

Cuando en la materia objeto de análisis, el Derecho penal concurra en la sanción de determinados comportamientos con aquellas otras disciplinas, tendrá que observarse el principio *non bis in idem*, que en su aspecto material conecta con las exigencias derivadas del principio de legalidad penal y de proporcionalidad e impide la imposición de una dualidad de sanciones, penal y administrativa, al mismo sujeto, por los mismos hechos y con idéntico fundamento; en su vertiente procesal impide la dualidad de procedimientos y determina la prioridad de la jurisdicción penal sobre la potestad sancionadora de la Administración, y la subordinación de ésta a la actuación de la jurisdicción penal (STC 2/2003, de 16 de enero; STC 334/2005, de 20 de diciembre).

Como consecuencia de la preferencia de la vía penal sobre la administrativa, cuando haya recaído una previa sanción administrativa por los mismos hechos, a fin de respetar la preferencia de la vía penal y no vulnerar el principio *non bis in idem*, será preciso, como señalan las Sentencias del Tribunal Constitucional citadas, que el importe de la multa ya abonado se descuente en la fase de ejecución de la sentencia penal (técnica del descuento).

II. LA RESPONSABILIDAD PENAL DE LAS PERSONAS JURÍDICAS EN LA NUEVA REGULACIÓN PENAL

Tras la entrada en vigor, el 23 de diciembre de 2010, de la reforma del Código penal aprobada mediante la Ley Orgánica 5/2010, de 22 de junio, ha dejado de regir en el Ordenamiento jurídico-penal español el tradicional principio "societas delinquere non potest". La reforma incorporó el reconocimiento expreso de la responsabilidad penal, directa y autónoma, de las personas jurídicas, y su posible concurrencia con la de la persona física que actúa en el seno de la jurídica, en el novedoso artículo 31 bis. Rige, por tanto, desde entonces en el Código penal el principio "societas delinquere potest" en relación solo con determinados delitos. Las previsiones en esta materia han sido reformadas de forma sustancial en la reciente Ley Orgánica 1/2015, de 30 de marzo.

La responsabilidad de las personas jurídicas ya se encontraba presente en el ámbito del Derecho administrativo sancionador y había sido considerada conforme con los principios limitadores de la responsabilidad que deben regir en un Estado democrático de Derecho (en esencia, principio de culpabilidad, principio de responsabilidad por el hecho y principio de personalidad de las penas) por el Tribunal Constitucional (STC 246/1991, de 19 de diciembre). No obstante, la doctrina penal mayoritaria entendía que existían determinados impedimentos que hacían imposible defender la responsabilidad penal de las personas jurídicas; se aludía, principalmente, a que éstas no poseían capacidad de acción, basada en esencia en la voluntad humana, ni tampoco capacidad de culpabilidad para ser sujetos de un reproche jurídico-penal, pues la retribución y la reeducación no parecían conceptos que pudieran ir referidos a otros sujetos diversos de las personas físicas. Además, se criticaba el hecho de que la pena pudiera afectar a sujetos distintos de aquellos concretos que hubieran cometido la infracción penal, en contra del principio de personalidad de las penas.

Sin embargo, el Código penal español ya caminaba, al menos desde el año 2003, en esta dirección. En el texto legal previo a la reforma existía ya una cierta tendencia hacia el reconocimiento de esta responsabilidad, pues en los supuestos, a los que luego se aludirá, de "actuación en nombre de otro", recogidos en el artículo 31 del Código Penal, las personas jurídicas podían responder de forma solidaria de la pena de multa que se impusiera a la persona física, según disponía el artículo 31.2 del Código Penal, ya derogado.

Además, a las personas jurídicas se le podían imponer determinadas medidas que bajo el título de "consecuencias accesorias" (no se trataba de una responsabilidad penal autónoma) se contemplaban en el artículo 129 del Código Penal y que coincidían básicamente con las penas ahora establecidas en el artículo 33 del Código Penal (con excepción de la pena de multa). Tras la reforma de 2010 el régimen previsto en el artículo 129 del Código Penal, que también sufrió modificaciones, resulta de aplicación a las entidades carentes de personalidad jurídica.

También en otros preceptos del Código penal, en la regulación concreta de algunos delitos, se contenían otras penas de aplicación a las personas jurídicas, como en los delitos de defraudación fiscal y fraude de subvenciones (arts. 305 y 308 CP), que preveían la pérdida de la posibilidad de obtener subvenciones o gozar de beneficios fiscales o de la Seguridad Social por un periodo de 3 a 6 años; también en el delito de alteración de precios en subastas o concursos públicos (art. 262 CP) se contemplaba la imposibilidad de contratar con la Administración por parte de la empresa en cuyo nombre se actuó por un periodo de 3 a 5 años. Estas penas se mantienen tras la reforma llevada a cabo por la Ley Orgánica 5/2010.

Por último, las personas jurídicas también podían ser consideradas civilmente responsables de los daños y perjuicios ocasionados por el delito cometido por sus empleados o en su establecimiento, de conformidad con lo establecido en el artículo 120 nº 3 y nº 4 del Código Penal que recogen algunos supuestos de "responsabilidad civil subsidiaria". Ahora la responsabilidad civil de la persona jurídica, una vez sea declarada penalmente responsable, también será directa. Sin embargo, la regulación contenida en el artículo 120 continúa vigente para el resto de supuestos.

A algunos de estos preceptos en su redacción anterior a la reforma y a los cambios introducidos por ésta me referiré con posterioridad, una vez que sea analizada la responsabilidad penal de la persona jurídica.

1. Ámbito de aplicación

El modelo de responsabilidad penal de la persona jurídica contenido en el artículo 31 bis del Código Penal va a permitir que se pueda investigar, enjuiciar y sancionar a una persona jurídica por determinados delitos. El legislador penal no da una definición de lo que deba entenderse por persona jurídica a efectos penales, de modo que en concordancia con el resto del Ordenamiento jurídico debe tratarse de una entidad con personalidad jurídica independiente de la de sus integrantes. No puede restringirse al concepto penal de sociedad que se contiene en el artículo 297 del Código Penal referida a los delitos societarios. Tampoco puede ampliarse el concepto para incluir entes jurídicos sin personalidad a los que se les concede cierto reconocimiento en otras ramas del Ordenamiento jurídico (p. ej. comunidades de bienes, herencias yacentes, etc.).

La regulación resulta aplicable no solo a las sociedades españolas, sino también a las extranjeras si tienen domicilio social en España (el art. 8 RD 1/2010, Texto Refundido de la Ley de Sociedades de Capital, las considera españolas). Las sociedades de capital en formación (art. 20 RD 1/2010, Texto Refundido de la Ley de Sociedades de Capital), tienen reconocida una "personalidad jurídica transitoria" desde el acuerdo social hasta el momento de su inscripción registral, que resulta indispensable para la constitución de la sociedad. Tanto las sociedades en formación como las denominadas irregulares (no llegan finalmente a inscribirse) pueden ser penalmente responsables.

La responsabilidad penal de la persona jurídica no se extingue como consecuencia de las modificaciones que pueda sufrir (transformación, fusión, absorción o escisión), pues la responsabilidad se trasladará a la sociedad resultante de la operación, pudiendo el Juez moderar la pena en función de la magnitud que represente la sociedad en la nueva; la disolución encubierta (continuación de la actividad social con otra entidad) tampoco extingue la responsabilidad penal (art. 130 CP).

Inicialmente se excluían de este régimen de responsabilidad en el apartado 5 del artículo 31 bis a los entes estatales, autonómicos y locales, a los partidos políticos y sindicatos, a las organizaciones internacionales de derecho público y a quienes ejerzan potestades públicas de soberanía, mencionando incluso a las sociedades mercantiles estatales que ejecuten políticas públicas o presten servicios de interés general. Lo anterior rige salvo que la forma jurídica en cuestión haya sido creada con el fin exclusivo de eludir una eventual responsabilidad penal ("sociedades pantalla"). No obstante, la Ley Orgánica 7/2012, de 27 de diciembre, que modificó el Código penal en materia de transparencia y fraude contra la hacienda pública y la seguridad social, incluyó la responsabilidad penal de los partidos políticos y los sindicatos.

Según las previsiones del Código penal, a las que se remite el artículo 31 bis ("En los supuestos previstos en este Código..."), la responsabilidad penal de las personas jurídicas podrá declararse solo en los siguientes delitos (sistema de *numerus clausus*): tráfico de órganos (art. 156 bis); trata de seres humanos (art. 177 bis); prostitución y corrupción de menores (art. 189 bis); acceso ilícito a datos y programas informáticos (art. 197.3); estafa (art. 251 bis); insolvencias punibles (art. 261 bis); daños informáticos (art. 264.4); delitos relativos a la propiedad intelectual, industrial y al mercado y los consumidores y delito de corrupción entre particulares (art. 288); receptación y blanqueo de capitales (art. 302.2); delitos contra la Hacienda pública y la Seguridad Social (art. 310 bis); delitos contra los derechos de los trabajadores extranjeros (art. 318 bis 4); delitos contra la ordenación del territorio (art. 319.4); delitos contra el medio ambiente (arts. 327 y 328.6, ahora art. 328); vertido de radiaciones ionizantes (art. 343.3); tráfico de explosivos (art. 348.3); tráfico de drogas (art. 369 bis); falsificación de tarjetas de crédito y cheques de viaje (art. 399 bis); cohecho (art. 427.2, ahora art. 427 bis); tráfico de influencias (art. 430); corrupción de funcionario público extranjero o de organización internacional (art. 455.2); organizaciones y grupos criminales (art. 570 quater), y financiación del terrorismo (art. 576 bis 3). Tras la modificación de la Ley Orgánica 12/1995, de 12 de diciembre, de represión del contrabando, mediante la Ley Orgánica 6/2011, de 6 de junio, también se contempla la posible responsabilidad de personas jurídicas respecto a las infracciones penales de contrabando. Tras la reforma operada por Ley Orgánica 1/2015, de 30 de marzo, se ha previsto también la responsabilidad penal de la persona jurídica en los nuevos delitos de frustración de la ejecución (art. 258 ter), en los delitos de daños (art. 264 quater), los delitos de corrupción en los negocios (art. 286 quater), delito de financiación ilegal de partidos políticos (art. 304 bis 5), delitos contra la salud pública (art. 366) y en el delito de incitación al odio, discriminación o violencia (art. 510 bis).

2. *Fundamento de la responsabilidad*

El fundamento de esta responsabilidad se asienta, según el apartado 1 del artículo 31 bis, en una doble vía:

–En primer lugar, se establece la imputación a la persona jurídica de los delitos cometidos por determinadas personas con capacidad de representación (representantes legales y administradores de hecho y de derecho –tras la reforma de 2015 el precepto se refiere a los representantes legales o a quienes están autorizados para actuar en nombre de la persona jurídica u ostentan facultades de organización y control-) en su nombre o por su cuenta y en su provecho. Es preciso, por tanto, que la persona jurídica actúe en la comisión de un delito, lo que se produce en este primer supuesto a través de la conducta de quienes pueden representar a la sociedad y actuar en su nombre, esto es, del órgano de gobierno de la entidad o de quienes de hecho la organizan y controlan..

–En segundo lugar, la persona jurídica también responderá de las infracciones penales cometidas, en el ejercicio de actividades sociales y por su cuenta y en su provecho, por personas subordinadas a los representantes de la persona jurídica, y propiciadas por no haberse ejercido sobre los autores el debido control en atención a las circunstancias del caso concreto (tras la reforma de 2015 la mención al debido control se sustituye por el incumplimiento grave de los deberes de supervisión, vigilancia y control). En este supuesto el delito se comete por personas subordinadas a los representantes de la entidad, pero precisamente porque estos no han cumplido con sus obligaciones de prevención de delitos; se imputa así a la persona jurídica la omisión de los representantes de los deberes de vigilancia de los subordinados.

En todo caso, además de la actuación en nombre o por cuenta de la persona jurídica, los tribunales deben exigir, según se desprende del tenor literal del precepto, que la conducta delictiva pueda suponer un beneficio para la persona jurídica, lo que podrá suceder tanto de forma directa (incremento de beneficios) como indirecta (recorte de gastos). Se trata de un criterio limitador fundamental, pues cuando los representantes o empleados actúen exclusivamente en beneficio propio no cabrá atribuir responsabilidad a la persona jurídica (sin perjuicio de que pueda responder civilmente de forma subsidiaria frente a terceros perjudicados).

Se va a castigar penalmente a la entidad por los delitos que se cometen por su cuenta y en su provecho tanto por parte de los representantes que actúan en su nombre como por los empleados cuando los representantes no hayan implementado medidas adecuadas de control. Parece que el legislador penal pretende equiparar la actuación, bien por acción bien por omisión de los controles debidos, de quienes tienen el poder de decisión dentro de la persona jurídica, con la actuación de la propia persona jurídica. Al igual que sucede en el ámbito mercantil, esto supondría que los actos u omisiones de los órganos de administración de una persona jurídica se consideran actos u omisiones propios de ésta; aunque existe una diferencia importante, en Derecho penal podrán ser considerados también actos de los individuos que se integran en dichos órganos, pues la responsabilidad penal de la persona jurídica no elimina la de la persona física actuante.

Ahora bien, según se anunció en el Preámbulo de la Ley Orgánica 5/2010, no se trataba de la instauración de sistema de responsabilidad objetiva. La responsabilidad de la persona jurídica debería entonces fundamentarse en la denominada "culpabilidad por una defectuosa organización" (como señalan, BACIGALUPO ZAPATER; DOPICO GÓMEZ-ALLER; ORTIZ DE URBINA; se muestran críticos, CARBONELL/MORALES). De esta forma, la responsabilidad penal de la persona jurídica podría verse excluida en los supuestos en los que no exista ningún defecto en su organización en cuanto al establecimiento de un sistema interno de control de las actuaciones de sus directivos y demás empleados para la prevención de conductas delictivas (los denominados "protocolos o programas de prevención de delitos"), siempre que la infracción cometida estuviera contemplada de forma específica en el programa de cumplimiento. En otras palabras, no puede trasladarse a la persona jurídica de forma automática y objetiva la conducta, activa u omisiva, de la persona física; la responsabilidad no debe extenderse a la persona jurídica cuando el representante o empleado, según los casos, haya tenido que actuar de forma subrepticia para soslayar los controles idóneos existentes, aun cuando lo haya hecho en nombre y provecho de la persona jurídica.

Parecía, sin embargo, de otra opinión la Fiscalía General del Estado, que en la Circular 1/2011, relativa a la responsabilidad penal de las personas jurídicas tras la reforma, señala que las dos vías de imputación responden a un modelo de hetero-responsabilidad o de responsabilidad de naturaleza indirecta que hace responder a la corporación de los delitos que cometen las personas mencionadas en la regulación legal. Se trataba para la Fiscalía de un sistema de responsabilidad vicarial o de transferencia que residencia en la persona física los elementos constitutivos de la infracción cometida (tipicidad objetiva y subjetiva y antijuridicidad de la conducta) y que respecto de la persona jurídica tan solo exige que concurran las circunstancias señaladas en el artículo 31 bis (que las personas físicas hayan actuado en nombre y en provecho de la corporación y que tratándose de los subordinados los gestores hubieran omitido el debido control). No resulta necesario, por tanto, según la Circular, que se genere una nueva teoría general del delito para las corporaciones que incorpore la denominada culpabilidad por defecto de organización. Para la Fiscalía –al amparo de la regulación inicialmente introducida– la elaboración y cumplimiento de los denominados programas de prevención de conductas penales, en definitiva de normas auto-reguladoras de las propias empresas, nada aportan a su eventual responsabilidad penal y solo serán relevantes "en la medida en que traduzcan una conducta".

En el ámbito administrativo sancionador, la Sentencia del Tribunal Constitucional 246/1991, de 19 de diciembre, tras reconocer la capacidad infractora de las personas jurídicas en Derecho administrativo señaló que no puede tratarse de una responsabilidad objetiva ni suprimirse el elemento subjetivo de la culpa, aunque este principio se ha de aplicar necesariamente de forma distinta a como se hace respecto de las personas físicas. Según el Tribunal Constitucional, la propia naturaleza de ficción jurídica de la persona jurídica hace que la construcción en estos casos deba ser diferente. Los criterios decisivos para atribuirle responsabilidad son, para el Alto Tribunal, la "capacidad de infracción de las normas a las que están sometidas" y el "juicio de reprochabilidad" basado en la necesidad de estimular el riguroso cumplimiento de las normas a las que está sujeta (en este supuesto se trataba de unas medidas de seguridad) en aras a una eficaz protección del bien jurídico. El recurrente en amparo, una entidad bancaria, impugnaba la sanción administrativa impuesta por incumplimiento de las medidas de seguridad para prevenir la comisión de delitos, como consecuencia de la falta de funcionamiento de la alarma de seguridad y la apertura retardada de la caja durante un atraco en una sucursal. También el Tribunal Supremo ha venido considerando que no se vulnera en estos supuestos el principio de culpabilidad desde su Sentencia de 20 de mayo de 1992 (Sala 3º). La misma doctrina constitucional se ha reiterado con posterioridad en la Sentencia del Tribunal Constitucional 129/2003, de 30 de junio.

Pues bien, antes incluso de que se conociera la interpretación judicial de los requisitos legalmente establecidos, la reforma de 2015 ha venido a reforzar la importancia de los programas de prevención, detección y sanción de delitos en el seno de la empresa. . Ahora estos programas alcanzan un reconocimiento legislativo expreso, pues mientras que en la regulación anterior sólo se aludía a la implantación de estos programas en el seno de la persona jurídica tras la comisión del delito y antes del juicio oral como circunstancia atenuante, la nueva norma establece la eficacia exoneratoria de estos programas, si concurren una serie de requisitos.

Así, en el apartado 4º del artículo 31 bis, se señala: "Si el delito fuera cometido por las personas indicadas en la letra b) del apartado 1, la persona jurídica quedará exenta de responsabilidad si, antes de la comisión del delito, ha adoptado y ejecutado eficazmente un modelo de organización y gestión que resulte adecuado para prevenir delitos de la naturaleza del que fue cometido o para reducir de forma significativa el riesgo de su comisión". En el siguiente apartado el propio precepto, como consecuencia de las dudas que se habían generado al amparo de la normativa anterior, establece los requisitos que deben cumplir estos modelos de organización y gestión, señalando lo siguiente:

"– Identificarán las actividades en cuyo ámbito puedan ser cometidos los delitos que deben ser prevenidos.

– Establecerán los protocolos o procedimientos que concreten el proceso de formación de la voluntad de la persona jurídica, de adopción de decisiones y de ejecución de las mismas con relación a aquéllos.

– Dispondrán de modelos de gestión de los recursos financieros adecuados para impedir la comisión de los delitos que deben ser prevenidos.

– Impondrán la obligación de informar de posibles riesgos e incumplimientos al organismo encargado de vigilar el funcionamiento y observancia del modelo de prevención.

– Establecerán un sistema disciplinario que sancione adecuadamente el incumplimiento de las medidas que establezca el modelo.

– Realizarán una verificación periódica del modelo y de su eventual modificación cuando se pongan de manifiesto infracciones relevantes de sus disposiciones, o cuando se produzcan cambios en la organización, en la estructura de control o en la actividad desarrollada que los hagan necesarios".

Por consiguiente, la persona jurídica debería contar con medidas de prevención y control de las conductas de los directivos y empleados en el ámbito de los concretos delitos de los que se puede hacer responsable a la entidad en función de los riesgos que puedan derivarse de la actividad social desarrollada. Entre estas medidas cabe destacar la regulación del régimen de autorizaciones y delegaciones, la inclusión del principio de segregación de funciones, la formación de los empleados, la instauración de un procedimiento interno de denuncia de conductas sospechosas de los compañeros, el nombramiento de un oficial de cumplimiento, etc. Una actuación diligente en este sentido debería servir para limitar o excluir la eventual atribución de responsabilidad delictiva a la persona jurídica.

Por último, como se ha expuesto, el artículo 31 bis del Código Penal posibilita la imputación a la persona jurídica de determinados actos de sus representantes como si fueran actos propios. Se permite así sancionar a la persona jurídica por la comisión de sus propios delitos a título de autoría. Cabe plantearse si la regulación permite también la atribución de responsabilidad por otros títulos (p. ej. cuando el gestor o empleado no cometa un delito como autor sino que tan solo intervenga como partícipe en un delito ajeno). Aunque en principio el precepto se refiere a la comisión del delito, lo que solo puede realizarse por los verdaderos autores, esta misma referencia en otros preceptos del Código penal no ha impedido considerar incluidas otras formas de intervención delictiva (p. ej., en la propia regulación de la responsabilidad civil subsidiaria contenida en el art. 120.4 CP).

3. Independencia de la responsabilidad

La regulación también aclara, en los apartados 2 y 3 del artículo 31 bis (ahora art. 31 ter), que la responsabilidad de la persona jurídica es independiente de la de la persona física (podrá declararse aunque no pueda individualizarse la responsabilidad de la persona física actuante y ser perseguida penalmente, p. ej., porque haya fallecido o se encuentre huida), así como de la concurrencia de circunstancias que afecten a la responsabilidad del acusado. En el año 2010 se suprimió, por innecesario, el anterior artículo 31.2 del Código Penal, al que me referiré brevemente a continuación, y que posibilitaba en determinados delitos el castigo solidario de la persona jurídica respecto al pago de la multa impuesta a la persona física, única responsable penal de forma directa en la regulación previa a la reforma. Todos los casos en los que se declare la responsabilidad penal de la persona jurídica serán casos de responsabilidad directa y autónoma y se le aplicarán las penas correspondientes.

Esta autonomía de la responsabilidad penal de las personas jurídicas se desprende también del hecho de que se encuentren sometidas a unas circunstancias atenuantes específicas. En el apartado 4 del artículo 31 bis (ahora art. 31 quáter) se contemplan las únicas circunstancias atenuantes que resultan de aplicación a las personas jurídicas y que se refieren todas a comportamientos posteriores a la comisión delictiva: i) confesión antes de conocer la existencia del procedimiento judicial; ii) colaboración en la investigación aportando pruebas decisivas para esclarecer la responsabilidad durante el procedimiento; iii) reparación o disminución del daño causado antes del inicio del juicio oral; iv) instauración, también antes del inicio del juicio oral, de medidas eficaces de prevención y descubrimiento de delitos en el futuro.

No se regula, sin embargo, ninguna circunstancia agravante (a salvo de la mención a la reincidencia y a la multi-reincidencia en el art. 66 bis) ni tampoco causas que puedan excluir la responsabilidad penal de la persona jurídica. Al respecto deberán ser de aplicación las reglas establecidas en la Parte General del Código penal, en la medida que sean compatibles con las peculiaridades de la persona jurídica.

4. Sanciones previstas en la ley

En el apartado 7 del artículo 33 del Código Penal se regulan las penas, todas de carácter grave, que resultarán de aplicación a las personas jurídicas, según se prevea en cada uno de los delitos en cuestión: a) multa (por cuotas o proporcional); b) disolución de la persona jurídica; c) suspensión de las actividades por un periodo de hasta 5 años; d) clausura de sus locales por un periodo de hasta 5 años; e) prohibición temporal (de hasta 5 años) o definitiva de llevar a cabo determinadas actividades relacionadas con la comisión del delito; f) inhabilitación para obtener subvenciones, ayudas o contratos públicos por plazo de hasta 15 años; g) intervención judicial durante un plazo de hasta 5 años. La clausura de los locales, la suspensión de las actividades y la intervención judicial pueden ser acordadas por el Juez o Tribunal como medidas cautelares durante la fase de instrucción.

A fin de concretar la pena a imponer, el artículo 66 bis se remite a las normas genéricas de determinación de la pena y además recoge algunas reglas específicas que afectan a la aplicación de las penas a las personas jurídicas. Así, señala que se deben valorar tres aspectos: las necesidades de prevención del delito, las consecuencias económicas y sociales que pueda conllevar, en especial para los trabajadores, y el puesto jerárquico de la persona que incumplió el deber de control. Se establece también una limitación de las penas de duración limitada al tiempo máximo de la pena de prisión prevista para la persona física. Además, para la imposición de penas superiores a dos años es necesaria la concurrencia de reincidencia y de la instrumentalización de la persona jurídica para la comisión de delitos; y para la imposición de sanciones superiores a cinco años o permanentes es precisa la concurrencia de una reincidencia agravada (condena al menos por tres delitos de la misma naturaleza) y de la instrumentalización de la persona jurídica para la comisión de delitos. Esto último sucede, según aclara la propia regulación, cuando la actividad ilegal de la empresa supere la legal. Por último, tras la reforma de 2015, se señala que la pena no podrá ser superior a dos años cuando el delito se haya cometido como consecuencia de un incumplimiento que no tenga carácter grave de los deberes de vigilancia y control a los que se refiere el art. 31 bis apartado 1 letra b). Esto último parece contradictorio con la exigencia contemplada en ese mismo precepto de que el incumplimiento sea grave.

La pena que resulta de aplicación general a la persona jurídica es la multa, que puede ser por cuotas o proporcional. En el primer caso, la extensión de la pena de multa se fija atendiendo a un criterio temporal (cuotas diarias) en función de la gravedad del hecho cometido y de la culpabilidad del autor; posteriormente en atención a la capacidad económica del sujeto infractor se establece la cuantía de cada una de las cuotas a satisfacer, que puede oscilar entre 30 y 5.000 euros cuando se va a imponer a una persona jurídica (art. 50 CP). Se trata de evitar que el establecimiento de una pena de multa fija pueda afectar de forma diversa a los sujetos infractores en función de su situación económica. La multa proporcional se suele utilizar en aquellos delitos cuya comisión proporciona un beneficio económico al infractor y consiste en el abono de una cantidad igual o superior a la obtenida de forma ilícita (art. 52 CP). Se ha previsto una regla de conversión para cuando el beneficio no puede ser calculado (art. 52.4 CP). Es posible obtener el fraccionamiento del pago de la multa, durante un periodo de hasta cinco años, cuando su abono ponga en peligro la continuidad de la empresa o de sus puestos de trabajo o por razones de interés general y se prevé la intervención de la empresa hasta el total pago de la multa si resulta impagada (art. 53.5 CP).

Teniendo en cuenta que la comisión del delito en el marco de una persona jurídica puede conllevar la imposición de una pena de multa a la persona física y otra a la jurídica, el artículo 31 bis apartado 2 del Código Penal señala que en tal caso los Jueces o Tribunales pueden flexibilizar las cuantías a fin de que la suma de ambas no resulte desproporcionada respecto a la gravedad del hecho cometido. Esta previsión viene a mitigar las objeciones que desde el punto de vista del principio *non bis in idem* pudieran plantearse.

Además, según se señala en el artículo 116 del Código Penal, al que se añadió en el año 2010 un tercer párrafo, la responsabilidad civil derivada del delito cometido por la persona jurídica será directa y solidaria junto con las personas físicas que, en su caso, sean condenadas por los mismos hechos; por tanto, la responsabilidad civil de la persona jurídica condenada penalmente es asimismo directa y no subsidiaria como sucedía en el texto anterior al amparo de lo dispuesto en el artículo 120.3 y 4 del Código Penal, que continúa vigente para otros supuestos.

5. Tratamiento procesal de la persona jurídica

Finalmente, las críticas relativas al vacío legal existente tras la reforma penal respecto al tratamiento procesal de la persona jurídica imputada (SILVA SÁNCHEZ; GASCÓN INCHAUSTI), se han visto mitigadas tras la aprobación de la Ley 37/2011, de 10 de octubre, de medidas de agilización procesal. En su artículo primero esta Ley introduce reformas en la Ley de Enjuiciamiento Criminal para incorporar las previsiones procesales aplicables cuando una persona jurídica deba ser imputada en un procedimiento penal (art. 119 LECrim). Para llevar a cabo la imputación el Juez de instrucción debe convocar a la persona jurídica a una comparecencia. Esta primera notificación se realizará en el domicilio social de la persona jurídica y se requerirá a ésta para que designe un representante, así como abogado y procurador. La actuación de la persona jurídica en el proceso se hará a través de un representante, si la persona jurídica lo nombra al efecto, pues en otro caso bastará con la presencia del abogado defensor. Si el representante no comparece a la toma de declaración de la persona jurídica, se entiende que ésta se acoge a su derecho a no declarar. En la práctica de las diligencias de investigación y en el propio acto del juicio será suficiente con la presencia del abogado defensor de la persona jurídica tanto si no se ha designado representante como si éste no comparece. Se trata de evitar que se produzca un bloqueo del proceso penal debido a la inactividad de la persona jurídica.

Cuando existan indicios de la comisión por parte de una persona jurídica de uno de los delitos en los que puede ser sancionada, ésta debería ser llamada al proceso y adquirir de esta forma el estatus jurídico procesal de imputada, incluso aunque se trate de una sociedad utilizada de forma instrumental para la comisión de delitos. Se discute, actualmente, si todas las personas jurídicas deben alcanzar este estatus o si debe limitarse a aquellas que puedan considerarse imputables. A este respecto, un sector de la doctrina científica señala que cuando la entidad carezca totalmente de actividad legal o ésta sea solo residual o aparente ello no será preciso, por tratarse de una entidad inimputable, estableciéndose la línea divisoria entre las entidades imputables y las inimputables en función de la existencia de una mínima estructura organizativa interna (GÓMEZ-JARA DÍEZ); si ésta no existe, nos encontraríamos ante meras sociedades pantalla (inimputables), bastaría entonces con acudir a la doctrina del "levantamiento del velo" y considerar que existe identidad con las personas físicas imputadas. Un pronunciamiento judicial pionero en esta materia (Auto de la Sección Segunda de la AN de 19 de mayo de 2014) ha aceptado esta distinción entre personas jurídicas imputables e inimputables, aunque pese a negar la condición de imputado a estas últimas sí permite que puedan personarse en el procedimiento penal para ejercitar correctamente su derecho de defensa. También la Circular de la Fiscalía General del Estado 1/2016, acoge esta distinción.

Aunque la ley no lo dice, es patente que el representante designado por la persona jurídica no tendrá la condición de imputado, así que respecto de su persona no podrá ordenarse la detención ni medidas de naturaleza cautelar; éstas solo pueden recaer sobre la persona jurídica. La regulación señala expresamente (art. 409 bis LECrim) que el representante de la persona jurídica tiene derecho a guardar silencio, a no declarar contra sí mismo y a no confesarse culpable, así como ejercer el derecho a la última palabra al finalizar el acto del juicio. Además, se excluye legalmente la posibilidad de nombrar representante a quien deba declarar en el juicio como testigo (art. 786 bis 1 LECrim).

La nueva regulación también contiene previsiones referidas a la conformidad con la acusación, que debe ser alcanzada por parte de un representante con poder especial al efecto (art. 787.8 LECrim), a la situación de rebeldía de la persona jurídica cuando no se conozca su domicilio social y tras la llamada al proceso mediante requisitoria, y a la adopción de medidas cautelares (suspensión de actividades, cierre de los locales e intervención judicial), siempre previa petición de parte y tras la celebración de la vista correspondiente (art. 544 quáter LECrim).

No obstante, la regulación no ha sido lo minuciosa que hubiera sido necesaria y permanecen abiertos varios interrogantes, que tendrá que resolver la práctica.

III. LAS ENTIDADES SIN PERSONALIDAD JURÍDICA Y LAS CONSECUENCIAS ACCESORIAS

Como se ha mencionado, antes de la Ley Orgánica 5/2010 en el artículo 129 del Código Penal se recogían con el nombre de "consecuencias accesorias" unas medidas de naturaleza controvertida que podían aplicarse a las sociedades, empresas, fundaciones o asociaciones, en los delitos expresamente previstos, previa audiencia del Ministerio Fiscal y de su representante legal.

La finalidad que orientaba estas medidas era la de prevenir la continuidad de la actividad delictiva y sus efectos. Solo resultaban de aplicación cuando estuvieran expresamente previstas para el delito en cuestión en el Código penal, lo que sucedía en los siguientes supuestos: delito de alteración de precios en subastas o concursos públicos; delitos contra la propiedad industrial e intelectual; delitos relativos al mercado y los consumidores; delito societario de obstaculización a la actividad inspectora o supervisora; delitos contra los derechos de los trabajadores, y delito ambiental. En la práctica no gozaron de una amplia difusión, siendo escasos los supuestos en los que resultaron aplicables.

Más interés suscitaron en el plano científico; se despertó en la doctrina una polémica sobre su naturaleza jurídica, pues aunque no se denominaban legalmente penas, en realidad tenían una evidente naturaleza sancionadora; lo que se corrobora ahora con la remisión expresa a gran parte de las penas previstas en el artículo 33.7 del Código Penal. Se contemplaban en este precepto, junto a las que se mantienen tras la reforma por remisión al artículo 33 del Código Penal, la propia disolución de la persona jurídica. La doctrina había considerado, sin embargo, que las medidas de carácter definitivo solo debían decretarse respecto a entidades cuyas actividades fueran exclusivamente delictivas. El plazo de las medidas de naturaleza temporal no podía ser superior a cinco años. También podían acordarse durante la instrucción de la causa, como medidas cautelares, la clausura de los locales o la suspensión de las actividades, siempre con el aludido plazo máximo.

Como no podía ser de otra forma, una vez reconocida la responsabilidad penal directa de la persona jurídica, la Ley Orgánica 5/2010 concedió una nueva redacción al artículo 129, en el que se contempla la posibilidad de imponer a entidades que no gocen de personalidad jurídica, y que por tanto no pueden estar sujetas al régimen de responsabilidad previsto en el artículo 31 bis del Código Penal, como consecuencias accesorias a la pena que corresponda al autor del delito, alguna de las penas previstas para las personas jurídicas en el artículo 33.7 del Código Penal, con excepción de la multa y la disolución.

En concreto, se faculta al Juez o Tribunal para que, de forma motivada, recurra a las siguientes medidas: i) suspensión de las actividades por un periodo de hasta 5 años; ii) clausura de sus locales por un periodo de hasta 5 años; iii) prohibición temporal (de hasta 5 años) o definitiva de llevar a cabo determinadas actividades relacionadas con la comisión del delito; iv) inhabilitación para obtener subvenciones, ayudas o contratos públicos por plazo de hasta 15 años; v) intervención judicial durante un plazo de hasta 5 años. Se excluyen, por tanto, del listado de penas previstas para las personas jurídicas, la multa y la disolución. Se trata, sin embargo, de una posibilidad no de una obligación, como sucede en el caso de las penas a las personas jurídicas. Al igual que sucede con las penas previstas para la persona jurídica, la clausura de los locales, la suspensión de las actividades y la intervención judicial pueden ser acordadas por el Juez o Tribunal como medidas cautelares durante la fase de instrucción (art. 129.3 CP).

La imposición de estas medidas se reserva a aquellos delitos o faltas en los que se establezca esta posibilidad expresamente o cuando se trate de alguno de los delitos o faltas en los que se reconoce la responsabilidad penal de la persona jurídica en los términos del artículo 31 bis del Código Penal (art. 129.2 CP). Tras la reforma de 2010 el Código penal alude a la posible aplicación de estas medidas en los siguientes delitos: alteración de precios en subastas o concursos públicos; delito societario de obstaculización a la actividad inspectora o supervisora; delitos contra los derechos de los trabajadores; delitos de riesgo producido por explosivos o similares; delitos alimentarios y farmacéuticos, y falsedad de moneda. Carece de explicación que en estos delitos no se encuentre prevista la responsabilidad penal de la persona jurídica y, sin embargo, puedan aplicarse las medidas del artículo 129 del Código Penal cuando la entidad carezca de personalidad jurídica.

Al contrario de lo que sucede en el ámbito de la responsabilidad penal de la persona jurídica no nos encontramos ante una responsabilidad directa. El carácter accesorio de estas consecuencias proviene de la necesidad de que se haya individualizado y perseguido a la persona física que ha actuado en el seno de la entidad, que debe tratarse de una persona dependiente de la misma. Las dudas se producen cuando se trata de determinar si el sujeto debe ser considerado culpable ("accesoriedad de la pena") o si es suficiente con que se haya cometido un hecho típico y antijurídico ("accesoriedad del delito"). Esta segunda posición parece preferible si se tiene en cuenta el fundamento de estas medidas que pretenden combatir la peligrosidad de la entidad.

Debido a la identidad que existe entre estas medidas accesorias y algunas de las penas que resultan de aplicación a las personas jurídicas, algunos autores han propuesto, de forma acertada, la traslación a estos supuestos de los requisitos exigidos para la imposición de una pena a la persona jurídica recogidos en el artículo 31 bis del Código Penal (DOPICO GÓMEZ-ALLER; DE LA FUENTE HONRRUBIA).

Desde un punto de vista procesal, en la anterior regulación se exigía para su aplicación, además de la petición durante el procedimiento penal por las acusaciones, que se diera audiencia al titular o representante legal de la persona jurídica y que el órgano judicial lo acordase de forma motivada en la sentencia. La regulación vigente ha omitido estas referencias. Teniendo en cuenta que nos encontramos ante medidas de índole sancionadora, idénticas a las que se contemplan para la persona jurídica, debería facilitarse a la entidad el acceso al procedimiento judicial en igualdad de condiciones.

IV. LA RESPONSABILIDAD PENAL DE LOS ADMINISTRADORES DE SOCIEDADES MERCANTILES

1. La actuación en nombre de otro (art. 31 CP)

Al amparo de la anterior regulación y, en cierto modo, como corolario de la falta de reconocimiento de la responsabilidad de la persona jurídica, los administradores de las sociedades mercantiles resultaban imputados en relación con ciertos delitos que requerían el cumplimiento de determinas cualificaciones (delitos especiales) que solo concurrían en la persona jurídica. Debido a que este proceder podía vulnerar el principio de legalidad (tipicidad) y culpabilidad, mediante Ley Orgánica 8/1983, de 25 de junio, se introdujo en el Código penal un precepto, el artículo 15 bis, que tenía como finalidad colmar las lagunas de punibilidad que esos casos podían presentar, al carecer el sujeto activo de los requisitos típicos. Esta regulación se traspasó posteriormente al artículo 31 del Código penal de 1995 y se mantiene actualmente vigente.

La Ley Orgánica 15/2003 incorporó un apartado 2 en este artículo, que ha sido suprimido por la Ley Orgánica 5/2010, para permitir que la persona jurídica respondiera de forma solidaria de la pena de multa impuesta a la persona física en algunos supuestos. La Fiscalía General del Estado en su Circular 2/2004, de 22 de diciembre, sobre la aplicación de la reforma operada por Ley Orgánica 15/2003, había entendido que solo sería aplicable en aquellos delitos cometidos a través de personas jurídicas en los que hubiera sido necesaria la aplicación del primer párrafo para resolver los problemas de tipicidad, esto es, en los delitos especiales propios. El legislador consideró, correctamente, que el precepto carecía de sentido tras el reconocimiento de la responsabilidad penal directa de la persona jurídica en los términos previstos en el artículo 31 bis del Código Penal, de ahí que lo derogara.

En la actualidad, el artículo 31 del Código Penal contempla la cláusula de "actuación en nombre de otro", que debe ser aplicada para poder condenar a quien actúa como administrador de hecho o de derecho de una persona jurídica o en representación de una persona física, cuando habiendo cometido el administrador o representante una conducta delictiva no concurran en él las circunstancias especiales que requiera el tipo, que sí concurren en la entidad o persona por cuya cuenta actúan (p. ej., en el delito fiscal la defraudación debe ser cometida por el obligado tributario, que en el Impuesto de Sociedades es la sociedad, de modo que este precepto permite suplir esta laguna, ya que el requisito especial no concurre en la persona física actuante). No se ha suprimido esta previsión tras la reforma como consecuencia de la declaración de compatibilidad entre la responsabilidad penal de la persona jurídica y de la persona física en el artículo 31 bis del Código Penal.

El precepto resulta, por tanto, de aplicación exclusiva a los denominados "delitos especiales propios", que son aquellos que exigen la concurrencia de determinadas características en el sujeto activo y que no cuentan con un correlativo tipo común que pueda ser cometido por quien no cumpla esos requisitos (p. ej., delito fiscal: obligado tributario; alzamiento de bienes: deudor; delito concursal: concursado, etc.). Ahora bien, tal y como han reconocido tanto el Tribunal Supremo (entre otras, SSTS nº 2179/2002, 30 de diciembre, y nº 305/2008, 29 de mayo) como (sobre el anterior art. 15 bis) el Tribunal Constitucional (STC 253/1993, 20 de julio), el precepto no introduce una regla de responsabilidad objetiva que deba aplicarse de forma automática, a fin de salvar problemas de prueba sobre la atribución de los hechos en el seno de la persona jurídica a una concreta persona física. Es necesario constatar previamente que una determinada persona ha llevado a cabo la acción típica en cuestión (de forma inmediata, mediata o conjuntamente con otros), para poder aplicar este precepto, que solo sirve para dar cobertura legal a la falta de concurrencia de los elementos especiales exigidos por el tipo. Ha de quedar probada, por tanto, la real participación en los hechos y su culpabilidad por parte del administrador de la entidad; la responsabilidad penal no debería alcanzar al mero administrador formal que no ha tenido ninguna intervención en la realización de la conducta típica, salvo que pueda fundamentarse su responsabilidad en una omisión penalmente relevante.

2. El administrador de hecho y el administrador de derecho

Tanto el artículo 31 del Código Penal, que regula los supuestos de actuación en nombre de otro, como el artículo 31 bis referido a la responsabilidad penal de la persona jurídica (antes de la reforma de 2015), se refieren al "administrador de hecho o de derecho". La misma referencia encontramos en algunos tipos delictivos, objeto de posterior estudio, como por ejemplo los "delitos societarios".

La referencia a estas dos figuras, y su equiparación a efectos penales, es fácilmente comprensible sobre todo si se tiene en cuenta que el Derecho penal no le interesan las categorías formales, más propias de otras ramas del Derecho, sino que requiere profundizar en el sustrato material para determinar qué personas han intervenido de hecho en la realización de la conducta delictiva. Solo entonces podrá determinarse su grado de participación, como autores o como partícipes (arts. 27 a 30 CP), huyendo además de la atribución de responsabilidad objetiva a los intervinientes por el simple dato de que ostenten un cargo o puesto determinado, lo que conculcaría los principios más elementales del moderno Derecho penal en un Estado de Derecho, a saber, principios de presunción de inocencia, responsabilidad por el hecho, culpabilidad, personalidad de las penas, etc.

A efectos penales, dentro del concepto administrador "de derecho" se incluyen aquellas personas que administran la sociedad en virtud de un título jurídicamente válido, perteneciendo al órgano de administración de la entidad y estando debidamente inscritos en el Registro Mercantil; se incluyen también a las personas que han recibido funciones delegadas (consejeros delegados y miembros de comisiones ejecutivas) o a las que gozan de un nombramiento específico para la realización de determinadas actuaciones (administradores concursales, judiciales, etc.). Este concepto coincide con el del Derecho mercantil.

El concepto de administrador "de hecho" es, sin embargo, más amplio en Derecho penal que en Derecho mercantil, pues no solo engloba a aquellos que hayan sido nombrados como tales aunque exista alguna irregularidad en su nombramiento, sino a toda persona, que por sí sola o conjuntamente con otras, ejerza el control sobre la gestión de la sociedad, tomando decisiones e imponiéndolas (dirección efectiva de la sociedad), incluyendo por tanto a quien en efecto gobierna la entidad, aunque sea desde la sombra (administradores ocultos).

En los supuestos de órganos colegiados (p. ej., Consejo de Administración) hay que tener en cuenta que la responsabilidad penal, como ya se ha mencionado, es de naturaleza personal, de tal forma que no puede pregonarse una responsabilidad solidaria y conjunta de todos los integrantes del órgano colegiado por la mera pertenencia al mismo. Más bien al contrario, es preciso analizar de forma individualizada la actuación de cada uno de ellos y su repercusión en la adopción del acuerdo. Además, en relación con los delitos de resultado, no solo el comportamiento activo resulta sancionable desde un punto de vista penal; también la omisión, bajo determinadas condiciones (art. 11 CP), puede ser equiparada a la acción.

3. Cuestiones generales sobre la intervención delictiva

La responsabilidad penal del administrador de una sociedad mercantil derivará de su intervención, como autor o como partícipe, en determinados delitos. El Código penal recoge, en sus artículos 27 a 29, un sistema diferenciador de autoría, que distingue entre intervinientes principales, denominados autores (autor individual, autor mediato y coautor), e intervinientes accesorios, denominados partícipes (inductor, cooperador necesario y cómplice –aunque la pena de los dos primeros se equipara a la del autor nos encontramos ante verdaderos partícipes–). Las tres figuras de autoría exigen, para la posición dominante en la doctrina y jurisprudencia, el dominio del hecho delictivo. Rige en la participación el principio de accesoriedad, que exige que el partícipe lo sea en un hecho al menos típico y antijurídico del autor que haya llegado a la fase de tentativa. No se sanciona ni la participación intentada ni la participación imprudente.

Además, para ser castigado como autor principal es preciso que en el sujeto concurran las características especiales que el delito haya previsto en su configuración típica; cuando el tipo exige alguna cualidad específica en el sujeto activo se afirma que nos encontramos ante un delito especial; por el contrario, cuando el tipo puede ser cometido por cualquier persona se cataloga como delito común. En los delitos especiales a los sujetos que reúnen la cualificación exigida se les denomina *intranei* y a los que no la cumplen *extranei*. Debido al principio de accesoriedad, un *extraneus* puede ser partícipe en el delito especial que comete el *intraneus* como autor (con la posible reducción de pena prevista en el art. 65.3 CP, según los casos), pero no puede responder como autor del delito.

La intervención del administrador en el delito puede producirse tanto de forma activa como omisiva. La responsabilidad penal no solo puede derivarse de comportamientos activos, sino también de la omisión de determinadas actuaciones que son exigidas legalmente. Algunos delitos castigan de forma específica conductas que consisten en no hacer aquello que la ley ordena (p.ej. no socorrer, no denunciar); estos delitos se denominan delitos de omisión pura o propia. Junto a estos, el artículo 11 del Código Penal regula la omisión impropia, también denominada comisión por omisión, que permite equiparar la comisión activa a la omisiva en los delitos de resultado. A tal efecto, según este precepto, debe concurrir una "posición de garante" que implica un deber jurídico de actuar, derivado de la ley, del contrato o de una previa actuación creadora de riesgo (injerencia), junto a la posibilidad de actuar para evitar el resultado.

Recientemente, varias Sentencias del Tribunal Supremo han abordado el estudio del deber de garante (deber jurídico de evitación del resultado) que incumbe a quienes tienen una determinada autoridad y posibilidad de vigilancia sobre otras personas dentro de una organización. En concreto, a delimitar el deber de garante en estructuras empresariales se han dedicado las Sentencias del Tribunal Supremo n° 234/2010, de 11 de marzo, y n° 1193/2010, de 24 de febrero de 2011, que concretan el contenido y alcance de las obligaciones de vigilancia por parte del administrador respecto de las actividades de otros miembros del Consejo de Administración o de los subordinados, respectivamente.

En relación con las obligaciones de vigilancia y control de los miembros del Consejo de Administración sobre los demás consejeros, el Tribunal Supremo parte en la Sentencia n° 234/2010, de 11 de marzo, de la previsión establecida en la legislación mercantil respecto al cumplimiento de las obligaciones de un "ordenado empresario". El Tribunal Supremo entiende que los miembros del Consejo de Administración no tienen obligación de vigilar la actividad de los demás en la ejecución de actividades propias del giro de la sociedad hasta el extremo de comprobar que no aprovechan su cargo para la comisión de delitos. El fundamento parece encontrarlo en el hecho de que la actividad en sí misma (inversión de cantidades recibidas de terceros) no suponía un peligro especial que precisara del permanente control y vigilancia de terceros. La Sentencia contiene, no obstante, un voto particular (Excmo. Sr. D. Enrique Bacigalupo) que considera que el administrador tiene un deber de vigilancia de la legalidad de la actuación de la sociedad y de sus miembros y que este deber sí engloba la evitación de los actos contrarios a la ley de los demás (desvío de fondos).

Con posterioridad, la Sentencia del Tribunal Supremo nº 1193/2010, de 24 de febrero de 2011, profundiza en esta materia y se ocupa de los deberes de control de los directivos respecto de quienes en la organización empresarial ocupan puestos subordinados. El Tribunal Supremo estima, con apoyo en el artículo 237 de la Ley de Sociedades de Capital, que no existe ninguna razón para excluir la responsabilidad penal del superior que conoce la ejecución del acto antijurídico del inferior y elige permanecer inactivo, sin requerir más información y sin ejercer sus facultades de supervisión y control; lo expresa en los siguientes términos: "el directivo que dispone de datos suficientes para saber que la conducta de sus subordinados, ejecutada en el ámbito de sus funciones y en el marco de su poder de dirección, crea un riesgo jurídicamente desaprobado, es responsable por omisión si no ejerce las facultades de control que le corresponden sobre el subordinado y su actividad, o no actúa para impedirla".

A la vista de lo anterior cabe concluir que el Tribunal Supremo no extiende la obligación de control del administrador o directivo a todas las actividades de sus subordinados que pertenezcan al giro ordinario de la empresa, que por lo general no crean un riesgo para intereses ajenos, pero sí a las que son peligrosas (más allá de lo jurídicamente permitido) si tiene conocimiento de ello.

V. DELITOS EN LOS QUE SUELE SANCIONARSE LA CONDUCTA DEL ADMINISTRADOR

En la Parte Especial del Código penal, destinada a la regulación de las concretas infracciones penales, existen algunos delitos en los que el administrador –de hecho o de derecho– de las sociedades mercantiles es mencionado expresamente entre los sujetos que pueden cometer el delito (incluso en ocasiones como único sujeto activo). Estos delitos son además delitos especiales propios, pues no se contempla un delito equivalente que pueda ser cometido por quien no reúna la condición de administrador. No son estos, sin embargo, los únicos delitos que pueden ser cometidos por los administradores de las sociedades en el marco de su actuación societaria. Existe también otro grupo de delitos que, incluso pudiendo tratarse igualmente de delitos especiales propios, no mencionan expresamente al administrador societario en su descripción típica, pero cuando el delito se comete en el marco de una empresa, suelen conllevar la responsabilidad del administrador, por lo general mediante el recurso a la regla de "actuación en nombre de otro" (art. 31 CP), pues se trata de supuestos en los que el administrador actúa en nombre de la persona jurídica a la que representa (p.ej., el delito fiscal).

Se analizan a continuación los delitos más relevantes para los administradores de sociedades, prestando especial atención a las cuestiones que mayor controversia suscitan en su interpretación y a las modificaciones que fueron introducidas en algunos tipos delictivos por la Ley Orgánica 5/2010, la Ley Orgánica 7/2012 y la Ley Orgánica 1/2015.

1. El delito de apropiación indebida y el delito de administración desleal

El Código penal castiga conductas de apropiación o distracción de cosas muebles ajenas que se poseen legítimamente por título que obliga a su devolución. El delito de apropiación indebida, contemplado hasta la reforma de 2015 en el artículo 252 y después en el artículo 253, se comete por quien (sujeto activo) tiene en su poder (posesión) una cosa mueble ajena (la propiedad es del sujeto pasivo) en virtud de un título que le obliga a devolverla. El precepto cita, a título de ejemplo, la administración, junto con el depósito y la comisión. Debe tratarse, por tanto, de un título por el que solo se traslada la posesión al sujeto activo, de tal forma que únicamente pueden integrar el delito de apropiación indebida aquellos títulos que, por su naturaleza y efectos, no impliquen una transmisión de la propiedad. El objeto material sobre el que debe recaer la acción de apoderamiento ha de ser una cosa mueble, pudiendo tratarse de dinero, efectos, valores u otro activo patrimonial. No es posible, salvo para un sector doctrinal minoritario, la apropiación indebida de bienes inmuebles.

La conducta típica consiste en disponer de las cosas ajenas que se poseen como si fueran propias, de tal forma que la inicial posesión legítima se torna, tras los actos de apropiación, en una propiedad ilegítima. Se trata de un delito especial, pues solo quien ha recibido las cosas muebles ajenas en los términos mencionados puede cometer el delito como autor. Si la cosa se entrega por error derivado de un engaño previo, será aplicable el delito de estafa (art. 248 CP). La apropiación indebida suele llevarse a cabo mediante la realización de actos de disposición que implican el ejercicio de facultades dominicales sobre la cosa o mediante la negación de haberla recibido. No resultan punibles conforme al artículo 252 del Código Penal las "apropiaciones indebidas de uso". El delito se consuma cuando se lleva a cabo la utilización ilegítima por el sujeto activo. Ahora bien, respecto a las conductas sancionadas tradicionalmente por el delito de apropiación indebida, la reforma de 2015 ha suprimido el verbo típico "distraer", refiriéndose ahora solo a la modalidad de apropiación. La jurisprudencia anterior había considerado, como se expone a continuación, que en la conducta consistente en distraer podían incluirse supuestos de administración desleal de patrimonios ajenos que no implicaran una apropiación definitiva de los bienes pero si su uso de forma diversa a la pactada, en especial cuando se refería a bienes fungibles como el dinero.

El legislador ha decidido incluir ahora una novedosa figura de administración desleal en el artículo 252 del Código Penal, para sancionar, con las mismas penas, a quien teniendo facultades para administrar un patrimonio ajeno, las infrinjan, excediéndose de las mismas y causando un perjuicio al patrimonio administrado. Tras la inclusión de esta figura genérica desaparece igualmente el tipo contenido en el artículo 295 del Código Penal, que regulaba el delito de administración desleal en el ámbito societario.

Antes de la reforma de 2015 el administrador social que utiliza fondos propios de la entidad que administra para fines privados cometía, en principio, un delito de apropiación indebida, aunque debe aplicarse el delito societario de administración desleal (art. 295 CP) en aquellos supuestos en los que la apropiación no sea definitiva. Desde la incorporación en el Código penal de 1995 del delito de administración desleal, la distinción entre estos dos delitos ha dado lugar a una gran discusión. Los problemas surgieron, principalmente, a raíz de la interpretación que el Tribunal Supremo realizó del delito de apropiación indebida en su Sentencia nº 224/1998, de 26 de febrero –Caso Argentia Trust–. En esta Sentencia consideró que atendiendo a los dos verbos típicos del artículo 252, apropiar y distraer, existían dos formas de cometer este delito ya que el significado de estos verbos es distinto. Así, mientras que, según el Tribunal Supremo, "apropiar" implica un carácter definitivo, esto es, una privación definitiva de la propiedad, el verbo "distraer" puede referirse a una apropiación de uso; además tratándose de dinero, por ser un bien fungible, basta con que se le dé un fin diverso del pactado para que nos encontremos ante un supuesto de distracción. Los hechos enjuiciados habían sucedido con anterioridad a la entrada en vigor del Código penal de 1995, de modo que el delito de administración desleal (art. 295 CP) no podía ser aplicado.

Esta interpretación había generado problemas de distinción entre el delito de apropiación indebida y el delito de administración desleal. El Tribunal Supremo consciente de ello señaló que era inevitable que ambos delitos se solapasen, pues la relación entre ambos es la de dos "círculos secantes" y en el sector común se hallan los usos temporales. Estos usos temporales, al ser la relación entre los dos delitos la propia de un concurso de normas, habrían de resolverse aplicando el artículo 8.4 del Código Penal (principio de alternatividad: delito con más pena), es decir, se opta a favor del delito de apropiación indebida.

La doctrina puso enseguida de manifiesto, de forma adecuada a mi entender, que la fórmula utilizada no era correcta y que no debían subsumirse en el delito de apropiación indebida por la vía del término "distraer" conductas no apropiatorias, pues el delito sólo castiga los usos dominicales apropiatorios, es decir, los que se realizan con la voluntad de privar definitivamente al legítimo titular de la propiedad de sus bienes (GÓMEZ BENÍTEZ; CASTRO MORENO). De esta forma, la distinción debía buscarse en el carácter definitivo (apropiación indebida) o temporal (administración desleal) del uso ilícito que el administrador realiza.

Posteriormente, el Tribunal Supremo cambió su interpretación sobre la relación entre ambos delitos en su Sentencia nº 867/2002, de 29 de julio –Caso Banesto–, y afirmó que aun estando de acuerdo con la idea de que existen dos círculos, sin embargo habría que convertirlos en círculos tangentes. El administrador se encontraría en el punto de tangencia entre ambos círculos, de tal forma que llega a la conclusión de que ambos delitos regulan casos distintos. Así, el delito de administración desleal regularía los casos de usos temporales ilícitos, mientras que el delito de apropiación indebida castigaría los casos de apropiación definitiva.

En otros pronunciamientos, sin embargo, el Tribunal Supremo volvió a recurrir a la teoría de los círculos secantes, solucionando mediante la aplicación del concurso de normas aquellos supuestos que podían subsumirse en ambos delitos, es decir, en los referidos a la conducta típica distraer en el sentido antes expuesto (entre otras, STS nº 37/2006, de 25 de enero – Caso Torras–).

En los últimos años algunas Sentencias han intentado buscar el elemento diferenciador en los límites del título jurídico en virtud del cual se efectúa el acto dispositivo, es decir, atendiendo a si la actuación se encuentra dentro o fuera de las facultades de administración concedidas. Así, por ejemplo, la Sentencia del Tribunal Supremo n° 915/2005, de 11 de julio, señala que cuando se trata de dinero u otras cosas fungibles el delito de apropiación indebida requiere como elementos del tipo objetivo, además de haber recibido el objeto material por título que obliga a su devolución y el perjuicio en el sujeto pasivo, que el autor lleve a cabo un acto de disposición que exceda de las facultades conferidas por el título de recepción, dándole en su virtud un destino definitivo distinto del acordado, impuesto o autorizado. Se configura este delito como una especie de gestión desleal. Sin embargo, el administrador que comete un delito de administración desleal (art. 295 CP) debe, según esta línea interpretativa, actuar en todo momento como tal administrador, dentro de los límites de sus funciones, aunque al hacerlo de modo desleal cause un perjuicio típico disponiendo fraudulentamente de los fondos de la entidad o contrayendo obligaciones a su cargo. Así se afirma que mientras que en la apropiación indebida el exceso es extensivo, porque el sujeto activo se excede de sus funciones, en el delito de administración desleal el exceso es intensivo, porque su actuación se mantiene dentro de sus facultades aunque las ejercita indebidamente. Así, si el administrador supera sus facultades cometerá apropiación indebida y si actúa dentro de ellas pero perjudicando a la sociedad administración desleal (en el mismo sentido, SSTS n° 841/2006, 17 de julio –Caso BSCH–, n° 565/2007, de 4 de junio y n° 434/2010, de 4 de mayo). Esta distinción no parece, sin embargo, convincente, pues el administrador de la entidad tendrá por lo general poderes muy amplios (p. ej, para contratar, realizar pagos, etc.), de modo que siguiendo este criterio siempre debería aplicarse el delito de administración desleal, lo que por otra parte no hace la jurisprudencia, pues cuando las apropiaciones de bienes de la sociedad por parte de los administradores son definitivas recurre al delito de apropiación indebida.

También hay que señalar que se suele rechazar la existencia del delito de apropiación de una cosa en copropiedad cuando se ignora la concreta cuota de participación de cada uno de los condueños, pero se reputa típico el apoderamiento de cosas comunes en los casos en que cada uno de los copropietarios tenga perfectamente atribuida su porción o cuota sobre el objeto cuando un condueño se apropia de la cosa íntegramente o de una parte de la cuota de participación que excede de la que tiene (STS n° 457/2011, de 20 de mayo, con cita de otras anteriores).

El "derecho de retención", siempre que se ejercite dentro de los límites previstos en la legislación civil y mercantil (p. ej., arts. 1600 y 1780 CC), entre dos sujetos recíprocamente acreedores y deudores, operará como causa justificante de la apropiación cometida (STS n° 537/2010, de 31 de mayo).

Además, el Tribunal Supremo se ha pronunciado sobre la incidencia que en este delito presenta la liquidación de cuentas entre las partes y niega la existencia del delito cuando entre denunciante y denunciado han existido relaciones mercantiles o económicas complejas en los que no sea posible determinar, con la documentación existente en la causa penal, las cantidades pertenecientes a cada uno. En estos casos hay que distinguir los supuestos de deudas no satisfechas o pendientes de pago de los de apropiación ilícita, pues en los primeros aunque exista un acto de apropiación no concurre el elemento subjetivo consistente en el ánimo apropiatorio de la cosa ajena (vid., STS nº 918/2008, de 31 de diciembre, con cita de otras muchas).

El delito exige dolo en el sujeto activo y ánimo de lucro como elemento subjetivo adicional, sin que pueda, por tanto, ser cometido de forma imprudente.

La pena del tipo básico del delito de apropiación indebida es de 6 meses a 3 años. En el artículo 250 del Código Penal se contienen las circunstancias agravantes (por referencia a las previstas para el delito de estafa), que hacen que el marco de la pena se eleve a prisión de 1 a 6 años y multa de 6 a 12 meses. Estas circunstancias fueron objeto de modificación mediante la Ley Orgánica 5/2010; se exponen a continuación la regulación anterior y las reformas introducidas.

Antes de la reforma de 2010, en el citado precepto se recogían las siguientes agravaciones: i) cosas de primera necesidad, viviendas u otro bien de reconocida utilidad social; ii) simulación de pleito o fraude procesal; iii) uso de cheque, pagaré, letra de cambio en blanco o negocio cambiario ficticio; iv) abuso de firma de otro o alteración documental; v) bien del patrimonio artístico, histórico, cultural o científico; vi) especial gravedad por la cuantía y situación en la que se deja a la víctima o su familia; vii) abuso de relaciones personales o credibilidad empresarial. Algunas resultan de difícil aplicación al delito de apropiación indebida, porque están realmente pensadas para la estafa (p. ej., fraude procesal). Si concurría la circunstancia referida a los bienes de primera necesidad (i) con la de especial gravedad por la cuantía y situación de la víctima (vi) o la de abuso de relación profesional o empresarial (vii), la pena podía elevarse a prisión de 4 a 8 años y multa de 12 a 24 meses.

Como consecuencia de la reforma de 2010, las circunstancias agravantes específicas de este delito fueron modificadas en dos sentidos: por una parte, desapareció la referente al uso de cheque, pagaré, letra de cambio en blanco o negocio cambiario ficticio, y por otra, se introdujo una agravante nueva cuando el valor de la defraudación supere los 50.000 euros.

La pena también se eleva cuando concurra esta nueva circunstancia o las anteriores vi) o vii) con la i).

No se ha previsto para el delito de apropiación indebida la responsabilidad penal de la persona jurídica. Tampoco respecto del nuevo delito de administración desleal de patrimonio ajeno.

Por último, se contemplaba una falta de apropiación indebida (art. 623.4 CP), que ha desaparecido tras la reforma de 2015. La distinción entre el delito y la falta dependía de si la cuantía de lo apropiado excede de 400 euros. Tras la reforma de 2015 esta falta pasa a considerarse delito leve (art. 253.2 CP).

2. *Frustración de la ejecución e insolvencias punibles*

Los delitos contenidos en los artículos 257 a 261 del Código penal castigan determinadas conductas de ocultación o distracción de bienes llevadas a cabo por un deudor en perjuicio de los acreedores tanto cuando no existe un procedimiento concursal en marcha (arts. 257 y 258: frustración de la ejecución) como si éste ya se ha iniciado o pudiera llegarse a iniciar (arts. 259 a 261: insolvencias punibles).

Todas las conductas que se analizan a continuación tienen en común que se dirigen hacia la protección de los derechos de crédito de los acreedores, de tal forma que se puede afirmar que estos delitos protegen, en primer lugar, los intereses de los acreedores actuales, para una completa o posible satisfacción de sus reclamaciones patrimoniales; y, en segundo lugar, la tutela del funcionamiento del crédito como sistema de pago en metálico y de intercambio para la prestación de servicios, mercancías y dinero.

Estos delitos fueron objeto de una modificación mediante Ley Orgánica 15/2003, de 25 de noviembre, que sirvió además para adaptar la terminología a la utilizada por la Ley Concursal 22/2003, de 9 de julio (se suprimieron así las referencias a la quiebra y a la suspensión de pagos, que se unifican bajo el término concurso).

La reforma penal de 2010 introdujo alguna modificación puntual para contemplar unos supuestos agravados específicos y reconoció la posible responsabilidad penal de la persona jurídica. A tal efecto, la Ley Orgánica 5/2010 añadió un artículo 261 bis que señala las penas que pudieran ser de aplicación a la persona jurídica: multa de 2 a 5 años, si el delito cometido por la persona física tiene prevista una pena de prisión de más de 5 años; multa de 1 a 3 años, si el delito cometido por la persona física tiene prevista una pena de prisión de más de 2 y hasta 5 años, o multa de 6 meses a 2 años en los demás casos. Se prevé también la posibilidad de aplicar alguna otra de las penas previstas en el artículo 33.7 del Código Penal, siempre que se cumplan los requisitos del artículo 66 bis del Código Penal.

Por último, la reforma de 2015 ha introducido modificaciones importantes en esta materia. Así, ha cambiado incluso la rúbrica del Capítulo que ahora se refiere a la "frustración de la ejecución", incluyendo nuevas conductas delictivas, a las que me referiré a continuación.

2.1. Frustración de la ejecución

Dentro de las conductas que se engloban bajo la nueva rúbrica, hay que destacar el tradicional delito de alzamiento de bienes (art. 257.1.1° CP), que se comete por el deudor que, para frustrar los derechos de crédito de sus acreedores, extrae de su patrimonio bienes o valores colocándose en una situación de insolvencia que le impide atender el cumplimiento de sus obligaciones. El acreedor puede ser tanto una persona privada como pública (p. ej. Hacienda). La extracción de los bienes se lleva a cabo, por lo general, mediante ocultación si se trata de bienes muebles o mediante negocios jurídicos simulados en el caso de inmuebles (p. ej. ventas ficticias de activos, donaciones a familiares, traspasos de activos a una nueva sociedad sin liquidación correcta de la anterior para continuar con la actividad empresarial, etc.). El delito se castiga con pena de prisión de 1 a 4 años y multa de 12 a 24 meses.

No se trata de un mero incumplimiento de pagos (art. 2.2 Ley Concursal define la insolvencia a efectos mercantiles como cesación de pagos), sino de una conducta fraudulenta del deudor, sin que sean típicas las insolvencias fortuitas ni las debidas a una gestión arriesgada o incluso imprudente del patrimonio. Según el propio tenor literal del precepto, el sujeto activo debe actuar "en perjuicio de los acreedores". Teniendo en cuenta la expresión utilizada, que generalmente se interpreta como un elemento subjetivo, la mayoría de la doctrina y la jurisprudencia señalan que nos encontramos ante un delito de tendencia, de peligro o de resultado cortado (basta con la intención de perjudicar mediante la ocultación); se plantean dudas sobre si nos encontramos ante un delito de mera actividad (basta con llevar a cabo la conducta de ocultación con esa intención, no siendo el perjuicio necesario al pertenecer entonces a la fase de agotamiento del delito) o si, por el contrario, se trata de un delito de resultado. Esta segunda opción me parece preferible, puesto que además de la acción típica, será necesario exigir un resultado lesivo, que no debe confundirse con el perjuicio al acreedor: la situación de insolvencia del deudor. Así, el delito se consuma con la actuación de extracción de los bienes del patrimonio, pero siempre que con ello se produzca (resultado) la situación de insolvencia: la imposibilidad de que los acreedores cobren con los bienes existentes.

Se requiere, por tanto, de una situación de insolvencia, aunque se trata de un presupuesto fáctico, que no precisa de declaración judicial, y puede ser total o parcial, real o aparente, pero debe ser definitiva, de tal forma que tras la realización de las conductas de ocultación o distracción de los bienes el pasivo supere al activo. El alzamiento se consuma cuando se llevan a cabo las extracciones de bienes, siempre que se constate la situación de insolvencia (aparente) descrita. La existencia de bienes suficientes en el patrimonio del deudor para atender sus obligaciones de pago excluye la existencia de este delito. Un resumen de la línea jurisprudencial mayoritaria en este sentido puede consultarse en la Sentencia del Tribunal Supremo nº 163/2006, de 10 de febrero.

El delito presupone la existencia de una relación obligacional entre el sujeto activo y el pasivo, pudiendo tratarse de cualquier tipo de deuda, tanto de naturaleza pública como privada, aunque no tiene necesariamente que ser líquida, vencida y exigible en el momento de la comisión del delito. Sobre la situación de exigibilidad de la deuda hay que señalar que si bien la doctrina del Tribunal Supremo vino inicialmente condicionando el delito a la existencia de uno o más créditos de ordinario vencidos, líquidos y exigibles, la línea mayoritaria actual estima que el delito se comete aunque la actividad ocultadora del sujeto activo se lleve a cabo en momentos en los que el crédito todavía no puede estimarse vencido, y, por ende, exigible (por todas, STS nº 1052/2005, de 20 de septiembre).

Se trata, por consiguiente, de un delito especial, que solo puede ser cometido por quien sea deudor, por quien mantenga esa relación obligacional a la que se ha aludido, sin perjuicio de que los no deudores, como ya se expuso, puedan ser castigados como partícipes (inductor, cooperador necesario o cómplice). En los supuestos en los que el administrador, de hecho o de derecho, de la sociedad lleve a cabo la conducta típica de ocultación de bienes para eludir deudas de la entidad, será necesario acudir a la cláusula de actuación en nombre de otro del artículo 31 del Código Penal para poder castigarle pese a que la cualidad de deudora recaiga en la entidad.

La responsabilidad civil derivada del delito de alzamiento de bienes no puede, por regla general, asimilarse al pago de la deuda cuyo abono se pretendía evitar, pues ésta es previa a la comisión del delito; debe consistir en la declaración de nulidad de los actos realizados para extraer los bienes del patrimonio del deudor, salvo en los supuestos en los que esta restitución sea imposible, en cuyo caso el valor de esos bienes actuará como límite de esta responsabilidad. Al respecto resultan de interés las Sentencias del Tribunal Supremo n° 1101/2002, de 13 de junio y n° 1943/2002, de 15 de noviembre.

Además se contemplan en el Código penal unos alzamientos específicos, que se encuentran castigados con la misma pena. Se trata de las siguientes figuras delictivas: i) alzamiento para impedir o dificultar un procedimiento ejecutivo en marcha o de previsible iniciación (art. 257.1.1° CP); ii) alzamiento para evitar el abono de la responsabilidad civil *ex delicto* (art. 258 CP).

La Ley Orgánica 5/2010 incluyó una agravación de las penas (prisión de 1 a 6 años y multa de 12 a 24 meses) en los supuestos en los que la deuda u obligación que se trata de eludir sea de derecho público y la acreedora sea una persona jurídico-pública, así como cuando concurra cualquiera de las siguientes circunstancias agravantes: cosas de primera necesidad, viviendas u otro bien de reconocida utilidad social; especial gravedad por la cuantía y situación en la que se deja a la víctima o su familia; el valor del alzamiento supere los 50.000 euros (art. 257.3 y 4 CP).

Junto al tradicional delito de alzamiento de bienes, la regulación sanciona otras conductas que tienen por finalidad frustrar la ejecución sobre los bienes del deudor. Además de la realización de actos que dilaten, dificulten o impidan la eficacia de un embargo o de un procedimiento ejecutivo (art. 257.1.2°), se incluye tras la reforma de 2015, de forma expresa, la presentación en un procedimiento de ejecución, judicial o administrativo, de una relación de bienes incompleta o mendaz si con ello se consiguen dichos efectos (art. 258). Se equipara a estos efectos la no presentación de la relación de bienes por el deudor una vez ha sido requerido al efecto (art. 258.2). Y se contempla una causa específica de exención de la responsabilidad si el deudor comunica los bienes reales antes de que el funcionario descubra el carácter mendaz o incompleto de la declaración presentada (art. 258.3).

2.2. Insolvencias punibles

Una vez detectada la crisis económica o la insolvencia del deudor, la legislación concursal regula los trámites que deben seguirse para resolver estas situaciones (Ley 22/2003, 9 de julio, Concursal). También con el fin de proteger los derechos de créditos de los acreedores y garantizar el cumplimiento de la mencionada regulación, se castigan determinadas conductas fraudulentas del deudor, bien en el momento de la solicitud del concurso, bien una vez que ésta ha sido admitida a trámite o cuando ya se ha declarado su existencia. Estos delitos también han sido objeto de modificación en la reforma de 2015, incluyendo ahora alguna conducta en la que basta con la existencia de una situación de insolvencia actual o inminente, como se verá.

Se contemplan tres figuras delictivas:

El artículo 259 del Código Penal castigaba el "favorecimiento de acreedores", cuando el deudor, tras la admisión a trámite de la solicitud de concurso, sin autorización judicial ni de los administradores concursales y fuera de los casos permitidos por la ley, realiza un acto de disposición patrimonial o generador de obligaciones destinado a pagar a uno o varios acreedores con posposición del resto, sean aquéllos privilegiados o no. El dictado del auto de admisión a trámite del concurso (o del de declaración cuando aquél no sea preciso) constituye una condición objetiva de penalidad. La pena prevista es de prisión de 1 a 4 años y multa de 12 a 24 meses. Tras la reforma, este delito se contiene en el artículo 260, e incluye un supuesto de favorecimiento de acreedores antes incluso de la admisión a trámite de la solicitud de concurso, siendo suficiente con que el deudor se encuentre en una situación de insolvencia actual o inminente, siempre que además la operación carezca de justificación económica o empresarial. El artículo 260 del Código Penal recoge el delito de "insolvencia o concurso punible", denominado anteriormente "quiebra fraudulenta", que sanciona al deudor que sea declarado en concurso cuando la situación de crisis económica o la insolvencia haya sido causada o agravada de forma intencionada por él mismo o por persona que actúe en su nombre. La declaración del concurso mediante auto judicial es aquí una condición objetiva de penalidad, al contrario de lo que sucede en el delito de alzamiento de bienes, cuyas conductas típicas no son muy diferentes en el fondo. La legislación penal señala expresamente que la calificación de la insolvencia en el proceso civil no vincula a la jurisdicción penal y reconoce la inexistencia de prejudicialidad, al permitir que ambos procedimientos puedan seguir su curso de forma independiente. La pena prevista para este delito es de prisión de 2 a 6 años y multa de 8 a 24 meses. El importe de la responsabilidad civil derivada de este delito se debe reintegrar en la masa. Este delito se modifica sustancialmente tras la reforma de 2015, apareciendo ahora en el artículo 259, que sanciona la realización de diversas conductas por quien se encuentre en una situación de insolvencia actual o inminente. Estas conductas son de diversa índole, aunque todas denotan una falta de diligencia en la llevanza de los negocios o una ocultación de la situación económica real; de hecho, el apartado 9° del artículo 259 contempla una cláusula abierta en este sentido. Se exige para la sanción de estas conductas que el deudor haya dejado de cumplir regularmente sus obligaciones exigibles o haya sido declarado en concurso (art. 259.4). El delito se sanciona también en su modalidad imprudente (art. 259.3).

El nuevo artículo 259 bis contempla circunstancias agravantes de este delito (afectación a una generalidad de personas o causando grave situación económica; perjuicio superior a 600.000 euros; al menos la mitad del importe de los créditos concursales sean de la Hacienda Pública o la Seguridad Social).

El artículo 261 del Código Penal castiga a quien presente, a sabiendas, en el procedimiento concursal datos falsos sobre su estado contable con el fin de lograr de forma indebida la declaración del concurso. Este delito de "presentación de datos falsos" se encuentra sancionado con penas de prisión de 1 a 2 años y multa de 6 a 12 meses. Este delito no ha sufrido ninguna modificación.

3. Delitos societarios

En los artículos 290 a 295 del Código Penal se recogen los delitos societarios, que castigan conductas que se llevan a cabo en el seno de las "sociedades" definidas en el artículo 297 del Código Penal de forma amplia, incluyendo diversas formas asociativas que se caracterizan porque participan de forma permanente en el mercado.

Por lo que se refiere a la perseguibilidad de estos delitos, el artículo 296 del Código Penal señala que es precisa la denuncia de la persona agraviada o de sus representantes legales, salvo en los supuestos en los que el delito afecte a los intereses generales o a una pluralidad de personas. Hay que tener en cuenta que, generalmente, la jurisprudencia considera que en los casos en los que la perjudicada es una persona jurídica, no existen múltiples perjudicados aunque indirectamente afecte a los socios (STS n° 843/2006, de 24 de julio).

No se contempla la responsabilidad de la persona jurídica en ninguno de los delitos societarios, pese a que respecto al delito contenido en el artículo 294 del Código Penal se prevé la posible aplicación de las consecuencias accesorias del artículo 129 del Código Penal, reservadas sin embargo a las entidades sin personalidad jurídica.

3.1. El desaparecido delito de administración desleal en el ámbito societario

De todos estos delitos el más importante en la práctica era el de "administración desleal" que se contenía en el artículo 295 del Código Penal y que castigaba a los administradores de hecho o de derecho o a los socios (delito especial) que, con abuso de las funciones de su cargo y en beneficio propio o de tercero, disponían fraudulentamente de los bienes de la sociedad o contraían obligaciones en su contra. Este delito ha desaparecido tras la reforma operada mediante Ley Orgánica 1/2015, como consecuencia de la introducción de un delito genérico de administración desleal de patrimonios ajenos –no necesariamente en el ámbito societario– en el artículo 252, en el que deberán subsumirse estos supuestos a partir de su entrada en vigor.

La conducta típica consistía en realizar actos de administración de la entidad (disponer de sus bienes o contraer obligaciones a su cargo) no destinados al beneficio de ésta, sino del propio sujeto activo o de un tercero (de forma fraudulenta). El administrador antepone su propio interés al de la empresa, actuando en consecuencia de forma desleal. El objeto material sobre el que debían recaer los anteriores actos dispositivos eran los bienes de la sociedad.

Según el Tribunal Supremo estos actos debían suponer una defraudación de la confianza debido a una actuación desleal del administrador, pero que actúa dentro de sus facultades como tal, eso sí disponiendo fraudulentamente de los bienes de la sociedad o contrayendo obligaciones en su nombre y causando con ello un perjuicio a la sociedad (vid., STS nº 434/2010, de 4 de mayo, con cita de otras anteriores). El criterio de la actuación dentro de los poderes conferidos al administrador no parecía, sin embargo, un criterio relevante, pues en tal caso también los actos de apropiación definitiva realizados dentro del poder (p.ej., mediante la firma de cheques por debajo del importe autorizado) tendrían que subsumirse en este precepto, lo que no parece correcto, salvo que se considere que esto deba ser así por exigencias del principio de especialidad (art. 8.1 CP) y que este precepto debe aplicarse con preferencia sobre el delito de apropiación indebida, aunque no es éste el criterio jurisprudencial de distinción entre ambas infracciones penales. Las diferentes posiciones del Tribunal Supremo en la interpretación y relación entre ambas figuras delictivas fueron objeto de exposición *supra* en el análisis del delito de apropiación indebida.

Además, debía constatarse un resultado lesivo consistente en la causación directa de un perjuicio económico a los socios, depositarios, cuentapartícipes o titulares de los bienes, valores o capital que administre el sujeto activo del delito. La redacción del precepto en este sentido era un tanto confusa, pues mientras que la acción típica debe recaer sobre los bienes de la entidad, el perjuicio económico no está previsto que lo sea para la propia sociedad sino para terceros que se relacionan con ella. La opinión mayoritaria había criticado el dictado legal al entender que el delito tendría que conceder protección de forma directa al interés patrimonial de la sociedad, de modo que el único sujeto pasivo debería ser ésta, con lo que indirectamente se protegería también el interés patrimonial de los socios en la medida en que son partícipes de la sociedad (MARTÍNEZ-BUJÁN PÉREZ). No existían, sin embargo, problemas para entender incluida a la sociedad entre los sujetos pasivos, pues tiene perfecta cabida en la mención a los "titulares de los bienes, valores o capital que administren" (Castro Moreno).

El delito de administración desleal se consumaba cuando la acción de administración fraudulenta ocasiona un perjuicio económicamente evaluable a los sujetos pasivos a los que hacía referencia el precepto. Así lo enuncia el Tribunal Supremo, en su Sentencia nº 867/2002, de 29 de julio –Caso Banesto–: "el delito de administración desleal se consuma sin necesidad de que exista acreditado un beneficio económico para su autor, que proceda de los bienes de la sociedad, siendo suficiente con que se constate el perjuicio económico a las personas que se describen en el artículo 295 del Código Penal".

La doctrina mayoritaria consideraba que en los supuestos en los que, tratándose de dinero o de bienes muebles, el administrador los incorpora de forma definitiva a su patrimonio, resulta de aplicación preferente el delito de apropiación indebida que tenía asignada una mayor pena (anterior art. 252 CP), debiendo quedar reservado el delito de administración desleal para aquellos casos en los que se producían usos temporales ilícitos de los bienes de la sociedad u otras conductas no subsumibles en el delito patrimonial clásico (p. ej., concesión de créditos a los administradores en condiciones excesivamente ventajosas, abusos de autocartera, avales de la sociedad o gravamen sobre bienes sociales para el afianzamiento de deudas personales, etc.).

Respecto a las retribuciones de los administradores, en la Sentencia del Tribunal Supremo nº 841/2006, 17 de julio –Caso BSCH–, el Tribunal Supremo confirmó la absolución del Presidente, Vicepresidente y Consejero Delegado de la entidad bancaria del delito de administración desleal del que habían sido acusados como consecuencia de la percepción de unas pensiones de jubilación y *bonus* en atención al trabajo realizado durante el proceso de fusión. Entre los argumentos utilizados, además de la transparencia que existió en la fijación de estas remuneraciones y el hecho de que fueron aprobadas por la Junta General, se señaló que no existían en España normas ni usos que limitaran la remuneración de los administradores (más ampliamente sobre estos supuestos, Gómez-Jara Díez).

La pena prevista para este delito era alternativa entre la prisión de 6 meses a 4 años o la multa del tanto al triplo del beneficio obtenido. La pena era, por tanto, inferior a la del delito de apropiación indebida. Tras la reforma de 2015 la pena es idéntica en ambos delitos.

3.2. Otros delitos societarios

Se contemplan cuatro figuras delictivas entre los delitos societarios.

El artículo 290 del Código Penal castiga el "falseamiento de documentos sociales" por parte de los administradores de hecho o de derecho, siempre que se trate de las cuentas anuales (balance, cuenta de pérdidas y ganancias y la memoria) o de otros documentos que deban reflejar la situación económica o jurídica de la entidad (p. ej. informe de gestión, propuesta de aplicación de resultado, etc.). Cuando se falsean datos en documentos que se presentan en un procedimiento concursal se debe aplicar el artículo 261 del Código Penal, analizado con carácter previo entre los delitos concursales, por su especialidad. La falsedad debe ser idónea (delito de peligro) para causar un perjuicio económico a la sociedad, a los socios o a un tercero. La pena es de prisión de 1 a 3 años y multa de 6 a 12 meses. Si el perjuicio llega a producirse las penas se imponen en su mitad superior.

Los artículos 291 y 292 del Código Penal contemplan la "imposición de acuerdos abusivos o lesivos" y castigan con pena de prisión de 6 meses a 3 años o multa del tanto al triplo del beneficio obtenido a los accionistas mayoritarios que impongan acuerdos abusivos o a aquellos que impongan acuerdos lesivos adoptados por mayoría ficticia (abuso de firma en blanco, atribución de derecho de voto a quien no lo tiene o negación a quien sí disponga de él). Es preciso que el sujeto activo actúe con ánimo de lucro propio o ajeno y que los acuerdos perjudiquen a los demás socios y no reporten beneficios a la sociedad.

La "obstaculización del ejercicio de los derechos de los socios" se sanciona con multa de 6 a 12 meses en el artículo 293 del Código Penal, que castiga a los administradores de hecho o de derecho de la sociedad que sin causa legal nieguen o impidan a un socio el ejercicio de sus derechos de información, participación en la gestión o control de la actividad social o de suscripción preferente. No se exige en este caso la actuación con ánimo de lucro ni la causación de un perjuicio patrimonial. Estos derechos deben ejercitarse de acuerdo con los cauces legales previstos al efecto.

Por último, la "obstaculización de las labores de inspección o supervisión" por parte de los administradores de hecho o de derecho o los socios se castiga en el artículo 294 del Código Penal en relación con las entidades que actúan en mercados sujetos a supervisión administrativa (p. ej. mercado de valores, seguros privados, entidades de crédito). Es necesario que se produzca una desobediencia a los requerimientos administrativos que impida de forma absoluta la actividad inspectora o supervisora de la Administración.

4. Defraudaciones tributarias

En los artículos 305 a 310 del Código Penal se contemplan los delitos contra la Hacienda Pública y contra la Seguridad Social. Junto con el tradicional delito fiscal (art. 305 CP) se encuentran tipificadas otras conductas consistentes en defraudar a los presupuestos de la Unión Europea, en la concesión de ayudas públicas o en los abonos al sistema de Seguridad Social (arts. 306 a 309 CP). Se castigan también algunas conductas de obstruccionismo fiscal mediante el falseamiento en la contabilidad mercantil o libros fiscales de información con relevancia tributaria (art. 310 CP). Estos delitos han sido objeto de una profunda reforma a través de la Ley Orgánica 7/2012, de 27 de diciembre, con el objetivo declarado de mejorar la eficacia de los mecanismos de control de los ingresos y los gastos públicos.

La responsabilidad por estos delitos en el seno de sociedades mercantiles suele recaer sobre el administrador de derecho de la sociedad, que es quien tiene la obligación de firmar las declaraciones de impuestos que debe presentar la entidad ante las autoridades tributarias. Teniendo en cuenta, sin embargo, que el administrador no puede ser considerado obligado tributario en relación con los impuestos que gravan los beneficios o las actividades de la sociedad ni tampoco el obligado a llevar la contabilidad o libros fiscales, es preciso acudir a la cláusula, analizada previamente, de actuación en nombre de otro contenida en el artículo 31 del Código Penal.

Antes de la reforma de 2010 la pena de prisión prevista para el delito fiscal y los delitos de fraudes de subvenciones y contra la Seguridad Social (arts. 305 a 309 CP) tenía un marco abstracto de 1 a 4 años; el límite máximo fue ampliado a 5 años con la citada reforma. Tras la reforma de 2012, en los tipos cualificados (art. 305 bis CP) la pena privativa de libertad puede llegar a 6 años; se amplía con ello también el plazo de prescripción del delito de cinco a diez años. Además, la pena de multa comprende el tanto al séxtuplo de la cuantía defraudada en el tipo básico y el doble al séxtuplo en los cualificados y la pérdida del derecho a obtener subvenciones y gozar de beneficios o incentivos fiscales o de la Seguridad Social, cuya duración varía en ambos casos. Se prevé también, en relación con el delito fiscal, que los Jueces y Tribunales recaben el auxilio de los órganos de la Administración Tributaria para la ejecución de la pena de multa y la responsabilidad civil. Esta última se corresponde con la deuda tributaria incluyendo los intereses de demora. La reforma de 2010 también incorporó la posible responsabilidad penal de la persona jurídica en los términos del artículo 31 bis del Código Penal en todos estos delitos (art. 310 bis CP). La previsión de pena es, sin embargo, distinta. En los supuestos en los que una persona jurídica sea responsable de la comisión de un delito fiscal o de un delito de fraude de subvenciones o contra la Seguridad Social, la pena de multa podrá oscilar entre el doble y el cuádruple de la cantidad defraudada o indebidamente obtenida (se añadió una referencia a que el delito cometido por la persona física tenga prevista una pena de prisión de más de dos años, lo que resulta confuso porque en todos estos delitos se supera esa previsión). Sin embargo, se señala expresamente que cuando la persona jurídica sea responsable del delito contable tributario (art. 310 CP), la pena de multa puede oscilar entre los 6 meses y 1 año. En todos los casos se prevé la posibilidad de aplicar alguna otra de las penas previstas en el artículo 33.7 del Código Penal, siempre que se cumplan los requisitos del artículo 66 bis del Código Penal.

Conforme a la Ley 30/2007, de 30 de octubre, de contratos del sector público, la condena por algún delito contra la Hacienda Pública y la Seguridad Social, entre otros, de una persona física representante de una persona jurídica permite la imposición a esta última de la prohibición de contratar con el sector público por un plazo máximo de 8 años (art. 49).

Por su parte, la Ley Orgánica 7/2012 introdujo a su vez varias novedades importantes. Entre ellas, en primer lugar, se contempla la regularización (art. 305.4 CP) como causa de exclusión del tipo, abandonando su concepción como una causa de exclusión de la punibilidad. En segundo lugar, se introduce una excepción al principio de prejudicialidad penal, al permitir que la Hacienda Pública continúe con su liquidación mientras se desarrolla el procedimiento penal (art. 305.5 CP). Y, en tercer lugar, se contempla un tipo atenuado, que permite imponer al Juez la pena inferior en 1 ó

2 grados, si dentro del plazo de 2 meses desde la citación judicial como imputado se satisface la deuda tributaria y se reconocen judicialmente los hechos, así como para el caso de colaboración activa de otros partícipes en el delito (art. 305.6 CP).

Por último, la reforma de 2015 ha introducido un artículo 308 bis en el que se contemplan determinadas especialidades a tener en cuenta respecto a la posible suspensión de la ejecución de la pena privativa de libertad en estos delitos.

4.1. Delito fiscal

El artículo 305 del Código Penal contiene el delito fiscal, que castiga conductas de defraudación a la Hacienda pública por parte del obligado tributario (delito especial), bien mediante la elusión del pago de tributos, cantidades retenidas o que se hubieran debido retener o ingresos a cuenta, bien mediante el disfrute indebido de beneficios o devoluciones fiscales, siempre que el importe de la cuota que se haya dejado de ingresar sea superior a 120.000 euros. Tras la reforma de 2012, se menciona de forma expresa la obtención indebida de devoluciones como modalidad típica del fraude fiscal y se señala que la mera presentación de la declaración o autoliquidación no excluye el delito.

Se trata de un delito especial, que solo puede ser cometido por quien ostente la cualificación jurídica de obligado tributario. La conducta típica puede cometerse tanto por acción (p. ej. declarar menos ingresos que los realmente percibidos o incrementar de forma ficticia los gastos del ejercicio) como por omisión (p. ej. no incluir determinados ingresos o, para la línea jurisprudencial mayoritaria, no presentar la declaración en plazo). Es preciso que con estos comportamientos se produzca un resultado de defraudación. Se afecta de esta forma negativamente a la actividad recaudatoria de la Administración.

Un sector doctrinal cada vez más amplio y una corriente jurisprudencial interpretan que este delito se fundamenta en la existencia de una defraudación, que exige un elemento de mendacidad o engaño, de modo que el sujeto activo debe ocultar su situación tributaria a la Hacienda pública. La responsabilidad penal no surge del mero impago, sino de la ocultación de las bases imponibles o de la ficción de los gastos (AYALA GÓMEZ). No es suficiente con causar objetivamente un perjuicio económico a la Hacienda pública. En esta línea, algunos autores defienden que incluso la falta de declaración y pago puede no ser delictiva cuando la Hacienda pública tenga conocimiento de las bases (MESTRE DELGADO) o incluso aunque no tenga conocimiento alguno (CASTRO MORENO). Otro sector doctrinal, por el contrario considera que el delito fiscal es un delito de infracción de deber, que se comete con la infracción de los deberes tributarios que se equiparan a la mera elusión del pago de la cuota tributaria en cuantía superior a la fijada en el tipo penal (BACIGALUPO ZAPATER; SÁNCHEZ-VERA GÓMEZ-TRELLES). Igualmente, existe una línea jurisprudencial, aunque hay que destacar que no es la única, que señala que no deben considerarse delito fiscal los supuestos de "fraude de ley tributaria" (ahora denominado "conflicto en la aplicación de la norma") regulados en el artículo 15 de la Ley 58/2003, General Tributaria, en los que el sujeto actúa de forma transparente, dejando a un lado los supuestos de simulación, en los que sí existe engaño u ocultación. En este sentido se han pronunciado las Sentencias del Tribunal Supremo de 28 de noviembre de 2003 y nº 737/2006, de 20 de junio, así como la del Tribunal Constitucional 120/2005, de 10 de mayo. Sin embargo, el Tribunal Constitucional alcanza otra conclusión en la Sentencia 129/2008, de 27 de octubre, pues respecto a unos hechos idénticos a los analizados en la Sentencia 120/2005 considera que existe simulación (por falta de racionalidad económica de la operación) y que, por tanto, la condena por delito fiscal es correcta. Resulta, por lo tanto, controvertida la interpretación del elemento típico "defraudación" (ALCÁCER GUIRAO).

Existe también una discusión doctrinal y jurisprudencial sobre la tributación de rentas ilícitas y la posible comisión de un delito fiscal cuando los ingresos de la actividad delictiva son ocultados a la Hacienda pública, decantándose la posición más amplia por la negación de este delito, sin perjuicio de aplicar la figura del comiso a esas ganancias (art. 127 CP). Al respecto resulta interesante la Sentencia del Tribunal Supremo nº 1113/2005, de 15 de septiembre.

La cuantía mencionada en el tipo (120.000 euros) es considerada una condición objetiva de penalidad, de modo que si no se llega a esta suma el hecho no puede ser considerado delictivo. A fin de determinar si se supera esta cuantía el propio precepto señala que en los tributos con declaración periódica (p. ej. IRPF, IS), debe estarse a lo defraudado en cada periodo impositivo y si éste es inferior a 12 meses (p. ej. IVA), el importe de lo defraudado hay que computarlo en cada año natural; en otro caso, irá referido a cada uno de los conceptos susceptibles de liquidación. Cuando la defraudación fiscal sea contra la Hacienda de la Unión Europea el importe de la cuantía defraudada para que exista delito debe exceder de 50.000 euros y para la falta de 4.000 euros (art. 627 CP).

El delito exige la concurrencia de dolo, de tal forma que un error sobre los elementos del tipo, excluirá la punición de la conducta de conformidad con lo dispuesto en el artículo 14.1 del Código Penal. No es posible la punición de estas conductas mediante imprudencia (sistema de *numerus clausus* previsto en el art. 12 CP). En los supuestos en los que el sujeto actúa en la creencia de ajustarse a Derecho, por haber recibido el correspondiente asesoramiento letrado, debería entenderse que nos encontramos ante un error de tipo invencible (BAJO/BACIGALUPO).

El anterior artículo 305.1, 2º párrafo del Código Penal establecía unos tipos cualificados, que hasta la reforma de 2012 contemplaba los siguientes supuestos: i) utilización de personas interpuestas para ocultar la verdadera identidad del obligado tributario; ii) defraudación de especial trascendencia y gravedad debido a la existencia de una cuantía elevada o de una estructura organizativa que afecte a una pluralidad de obligados tributarios. Tras la citada reforma se introduce también como supuesto agravado el que la cuota defraudada exceda de 600.000 euros. La pena en estos supuestos también varía, pues antes de la reforma de 2012 se aplicaba la pena en su mitad superior y tras la reforma la prisión de 2 a 6 años y la multa del doble al séxtuplo (art. 305 bis CP).

De gran relevancia práctica resulta el mecanismo de la regularización fiscal, contemplado en el artículo 305.4 del Código Penal que supone la exclusión de la pena si el obligado tributario regulariza su situación tributaria antes de que la Administración le comunique el inicio de actuaciones de comprobación o antes de que el Ministerio Fiscal o el Abogado de la Administración interpongan querella o denuncia o lleven a cabo actuaciones que puedan ser conocidas por aquél (STS nº 1/1997, de 28 de octubre; STS nº 1371/2000, de 29 de septiembre, admite la regularización realizada el mismo día que fue notificado al contribuyente el inicio de las diligencias penales). En cierto modo, la admisión jurisprudencial (STS nº 974/2012, de 5 de diciembre –Caso Ballena Blanca– confirmatoria en este sentido de la de la SAP de Málaga) del delito fiscal como delito precedente del delito de blanqueo de capitales, en lo que se refiere a la posibilidad de considerar la cuota defraudada como bien ilícito susceptible de ser blanqueado (aunque contiene un excelente voto particular en sentido contrario), ha podido influir en la reforma del régimen legal de la regularización. Con la intención de evitar la persecución penal por blanqueo de capitales de quien ha llevado a cabo una regularización fiscal se entiende ahora que nos encontramos ante una causa de exclusión del tipo que neutraliza por completo del desvalor de la conducta. Este parece ser también por el momento el camino que está siguiendo la praxis judicial.

La regularización por parte del obligado tributario no afecta a terceras personas que hayan podido intervenir en el delito y comprende asimismo la responsabilidad por los delitos de falsedad que se hayan cometido en relación con la deuda objeto de regularización. El pago en un momento posterior, y siempre antes del momento del juicio, no eximiría de pena, pero podría dar lugar a la aplicación del nuevo tipo atenuado si se ha realizado en el plazo establecido de dos meses desde la citación judicial (art. 305.6 CP) o de la atenuante genérica de reparación del daño (art. 21.5 CP). Respecto de terceras personas distintas del obligado tributario la atenuación puede obtenerse en los casos de colaboración activa.

En relación con el instituto de la prescripción del delito hay que destacar que pese a que la infracción administrativa prescribe a los cuatro años desde la fecha de su comisión, el plazo de prescripción del tipo básico del delito fiscal es de cinco años y el de los tipos cualificados de diez años (art. 131 CP), pudiendo ser exigida la deuda en vía penal, aunque se encuentre prescrita en sede administrativa.

Aunque existe algún pronunciamiento judicial aislado que admite la posibilidad de delito continuado (art. 74 CP) en estas infracciones, la línea jurisprudencial prácticamente unánime se muestra contraria a su admisión (STS n° 952/2006, de 6 de octubre). Los distintos hechos semejantes que haya podido cometer el autor en distintos periodos impositivos deben sancionarse mediante las reglas del concurso real de delitos (art. 73 CP).

El delito fiscal se entiende consumado el último día del plazo fijado para la presentación de la declaración, en aquellos tributos que exigen que el obligado tributario lleve a cabo esta actuación. La reforma de 2012 ha incorporado una regla especial sobre la perseguibilidad del delito (art. 305.2 CP), para considerar que el delito es perseguible desde que la defraudación alcance la suma de 120.000 euros, siempre que se haya realizado en el seno de una organización o grupo criminal o por personas o entidades que aparentan desarrollar una actividad económica inexistente (parece estar pensada esta previsión para los denominados en la práctica casos de fraude carrusel sobre el IVA).

4.2. Fraudes de subvenciones y contra la Seguridad Social

En los artículos 306 a 309 del Código Penal se castigan otras conductas de fraude a los presupuestos de la Unión Europea o a la Seguridad Social. La reforma de la Ley Orgánica 7/2012 también ha afectado a estos delitos de forma similar al delito fiscal. Tras la aprobación del Convenio relativo a la protección de los intereses financieros de las Comunidades Europeas de 27 de noviembre de 1995, los fraudes a los presupuestos de la Unión Europea se regulan en los artículos 306 y 309 del Código Penal. Estos preceptos sancionan la obtención indebida de fondos mediante falseamiento de las condiciones requeridas u ocultación de las impeditivas y el destino de fondos a fines diferentes de aquellos para los que se concedieron, siempre que la cuantía defraudada sea superior a 50.000 euros. El artículo 628 del Código Penal recogía hasta la reforma de 2012 una falta de defraudación de fondos comunitarios cuando en los mismos supuestos anteriores la cuantía fuera superior a 4.000 euros. La falta fue suprimida por la Ley Orgánica 7/2012, de 27 de diciembre, de modo que desde entonces por encima de 4.000 euros la infracción siempre es delito y la pena se incrementa si se supera la cuantía de 50.000 euros.

Tras la reforma de 2015, en el artículo 306 se ha incluido como pena, junto con la prisión y la multa, la pérdida de la posibilidad de obtener subvenciones o ayudas públicas y del derecho a gozar de beneficios o incentivos fiscales y de Seguridad Social por tiempo de 3 a 6 años.

Por su parte, el artículo 307 del Código Penal contiene el delito de "defraudación a la Seguridad Social" con una estructura similar a la del delito fiscal, que castiga con idénticas penas la elusión del pago de cuotas o conceptos de recaudación conjunta, la obtención indebida de devoluciones y el disfrute indebido de deducciones, en cuantía superior a 120.000 euros. Tras la reforma operada mediante Ley Orgánica 7/2012, la cuantía relevante penalmente se ha visto rebajada a 50.000 euros. El impago de la "cuota obrera" por parte del empresario previamente descontada del salario del trabajador se venía considerando por la jurisprudencia delito de apropiación indebida. Tras la incorporación de este delito por Ley Orgánica 6/1995, en atención al principio de especialidad, se suelen incluir en este precepto, de modo que solo será delictiva la conducta si en la liquidación de las cuotas (incluyendo la obrera y la empresarial) se supera la cuantía señalada (STS nº 1184/1997, de 21 de noviembre, y otras posteriores). Se establecen, además, las mismas agravaciones y se prevé igual efecto para la regularización en tiempo.

La reforma de 2012 introdujo además dos preceptos nuevos. El artículo 307 bis, que agrava la pena (prisión de 2 a 6 años y multa del doble al séxtuplo) cuando la cuantía defraudada exceda de 120.000 euros, cuando la defraudación se cometa en el seno de una organización o grupo criminal o cuando se utilicen personas físicas o jurídicas interpuestas que dificulten la identificación del sujeto obligado o del responsable del delito. Y el artículo

307 ter, que crea un nuevo delito de "disfrute de prestaciones indebidas" del sistema de Seguridad Social con independencia de la cuantía de dicha prestación; el precepto no solo sanciona a quien obtiene la prestación sino también a quien facilita a otros su obtención. Las penas varían en función de la gravedad de los hechos (importe defraudado, medios empleados, circunstancias personales del autor); la pena se agrava si la cuantía es superior a 50.000 euros. El reintegro de las cantidades indebidamente percibidas junto con el interés legal incrementado en dos puntos se considera causa de exención de la responsabilidad penal si se cumplen los requisitos establecidos en el apartado 3 de este nuevo precepto.

El artículo 308 del Código Penal contiene el delito de "fraude de subvenciones" que castiga con las mismas penas, a las que se añade la pérdida del derecho a obtener subvenciones o beneficios fiscales o de la Seguridad Social, a quien obtenga una subvención, desgravación o ayuda públicas (delito de resultado), y lleve a cabo alguna de estas conductas: i) falsear las condiciones requeridas para su concesión u ocultar las que la hubieran impedido o ii) incumplir las condiciones requeridas mediante alteración sustancial de los fines para los que fue concedida. La primera de las conductas es anterior a la obtención de la subvención y se trata de la conducta idónea que genera el error en la Administración; la segunda de las conductas es posterior a la obtención de la ayuda o subvención y supone alterar de forma sustancial los fines a los que estaba destinada. Hasta la reforma de 2012 el hecho solo constituía delito si el importe de la subvención, desgravación o ayuda superaba los 80.000 euros. Tras la reforma mediante Ley Orgánica 7/2012, la cuantía se elevó a 120.000 euros, y al igual que en el delito fiscal (art. 305 CP), se contempla como elemento negativo del tipo el reintegro de las cantidades recibidas antes de tener conocimiento de la existencia de actuaciones inspectoras o de control o de la interposición de la querella o denuncia. Vigente la regulación anterior, según el Tribunal Supremo el fraude en la obtención de prestaciones de desempleo debía subsumirse en este precepto y no en el delito de estafa, de modo que solo sería típico si se superaba la citada cuantía, al contrario de lo que sucedía respecto a la pensión de jubilación por no tratarse de una subvención (vid., SSTS nº 830/2003, de 9 de junio y nº 1954/2002, de 29 de enero). La Ley Orgánica 7/2012 ha creado, no obstante, un nuevo tipo, en el artículo 307 ter, relativo a la obtención de prestaciones indebidas del sistema de Seguridad Social, al que ya he aludido.

Al igual que en el delito fiscal y en el de defraudación a la Seguridad Social, este precepto prevé también como causa que exime de la responsabilidad penal el reintegro de las cantidades recibidas más el interés legal incrementado en dos puntos antes de tener conocimiento de la existencia de actuaciones inspectoras o de control o de la interposición de la querella o denuncia (art. 308.5 CP). Al igual que sucede en el delito fiscal, la nueva regulación también permite que la Administración exija el reintegro por vía administrativa de las cuantías defraudadas con independencia de la existencia del procedimiento penal (art. 308.6 CP).

4.3. Delito contable tributario

El artículo 310 del Código Penal contempla el denominado "delito contable tributario", también denominado "delito de obstruccionismo fiscal" y en él se castigan, como delito autónomo, una serie de conductas preparatorias de una eventual infracción fiscal. Se adelanta de esta forma la barrera de protección penal. La pena asignada a este delito es de prisión de 5 a 7 meses.

Los comportamientos sancionados son dolosos e implican una falta de cooperación por parte del contribuyente con la Administración tributaria que se caracterizan por el incumplimiento de obligaciones legales de llevar contabilidad mercantil o libros o registros fiscales. Se sanciona (a) el incumplimiento absoluto de esta obligación por quien se encuentre en régimen de estimación directa de bases tributarias y (b) la llevanza de diversas contabilidades que oculten o simulen la verdadera situación de la empresa. Por otro lado, se castiga también (c) la no anotación de operaciones en los libros o su anotación con cifras diferentes a las verdaderas y (d) la realización de anotaciones contables ficticias. En estos dos últimos supuestos es necesario que también se haya omitido la presentación de las declaraciones tributarias o que las presentadas sean reflejo de la falsa contabilidad, siempre que la cuantía, en más o en menos, de los cargos o abonos omitidos o falseados, sin compensación económica entre ellos, exceda de 240.000 euros por cada ejercicio económico. Por tanto, no es suficiente con que se falsee la contabilidad, sino además debe presentarse la declaración ante la Administración tributaria o dejar que transcurra el plazo en que debió presentarse sin hacerlo, y cumplir con el citado requisito cuantitativo.

La relación entre el delito fiscal (art. 305 CP) y este delito es de normas (art. 8 CP), de tal forma que éste sólo resulta aplicable cuando no se haya producido la defraudación a la Hacienda pública constitutiva de delito, pues se trata de una especie de acto preparatorio, de tal forma que el delito fiscal consume la sanción de los delitos de falsedad que se hubieran cometido a tal fin.

La excusa absolutoria de regularización prevista en el artículo 305.4 del Código Penal también alcanza a este delito.

5. Delitos relativos al mercado y a los consumidores

Los delitos contenidos en los artículos 281 a 284 del Código Penal protegen al consumidor mediante el castigo de determinadas conductas de empresarios que atentan contra sus intereses patrimoniales y que afectan además a la libre competencia y a la transparencia del mercado.

5.1. Publicidad engañosa y facturación fraudulenta

En concreto, los artículos 282 y 283 del Código Penal tipifican conductas de fraude, bien en el anuncio de los productos o servicios, bien en su facturación. El Real Decreto Legislativo 1/2007, 16 de noviembre, de Defensa de los Consumidores y Usuarios y la Ley 34/1988, 11 de noviembre, General de Publicidad, resultan de interés en esta materia al describir infracciones administrativas.

El delito de publicidad engañosa (art. 282 CP) sanciona a los fabricantes o comerciantes (delito especial) por la realización de alegaciones falsas o la manifestación de características inciertas sobre sus productos o servicios, siempre que esta conducta tenga la suficiente entidad para poder causar un perjuicio grave y manifiesto a los consumidores (delito de peligro hipotético). Se trata, por tanto, de una especie de acto preparatorio o tentativa de estafa, que tutela el derecho de los consumidores a obtener una información veraz sobre los servicios o productos ofertados. Debido a su ubicación sistemática se interpreta que el perjuicio debe ir referido a elementos patrimoniales, siendo preciso acudir a otros tipos cuando el peligro afecte a otros bienes jurídicos (p. ej. salud pública). La acción debe recaer sobre algún extremo esencial del objeto material "productos o servicios" (origen, naturaleza, composición, calidad, cantidad, categoría, etc.). No se sancionan penalmente otras formas de publicidad prohibidas por la normativa administrativa (p. ej. publicidad subliminal). Tampoco abarca el tipo penal los casos de exageraciones toleradas socialmente en la actividad publicitaria dirigidas a motivar al consumidor, ni puede exigirse que la información del anuncio sea exhaustiva, así como tampoco se consideran relevantes penalmente las características anunciadas que devienen imposibles o distintas por razones sobrevenidas ajenas a la voluntad o control del anunciante (STS n° 27/2009, de 26 de enero). La pena de prisión es alternativa a la de multa de 12 a 24 meses, sin que exista diferenciación en atención a la clase de producto o servicio publicitados (sobre medicamentos y alimentos cfr. arts. 362.3 y 363.1 CP).

La facturación, en perjuicio del consumidor, de cantidades superiores a las que correspondan por productos o servicios mediante la manipulación de aparatos automáticos medidores de su coste o precio se castiga con idéntica pena de prisión y con multa de 6 a 18 meses (art. 283 CP).

Cuando tras la realización de las anteriores conductas fraudulentas se llegue a producir un perjuicio material concreto como resultado, estos delitos entrarían en concurso de normas con el delito de estafa (arts. 249-250 CP), a solucionar mediante las reglas del concurso de normas (art. 8 CP) a favor de este último para no vulnerar el principio *non bis in ídem* (STS n° 357/2004, de 19 de marzo: si el engaño viene conformado por la publicidad engañosa, ésta queda absorbida por el delito de estafa).

Tras la reforma operada por la Ley Orgánica 5/2010 cabría declarar la responsabilidad penal de la persona jurídica por los delitos previstos en los artículos 282 y 283, según se desprende del nuevo artículo 288 del Código Penal. Ahora bien, la previsión de penas varía en cuanto a la multa, pues el artículo 282 acoge el sistema de días/multa y prevé una multa de 1 a 3 años, mientras que el artículo 283 del Código Penal recurre a la multa proporcional del doble al triple del beneficio obtenido. Atendidas las reglas contenidas en el artículo 66 bis también pueden imponerse alguna otra de las penas establecidas en el artículo 33.7 del Código Penal.

5.2. La denominada estafa de inversores

Mediante la Ley Orgánica 5/2010, de 22 de junio, fue introducido el artículo 282 bis del Código Penal, que incorpora la denominada "estafa de inversiones", modalidad más bien de publicidad engañosa en el ámbito del mercado de inversión asimismo como acto preparatorio o tentativa de estafa. Se protege mediante este delito la transparencia (integridad) en los mercados financieros para que los inversores tengan acceso a información veraz sobre los productos de inversión en los que puedan estar interesados (BONILLA PELLA).

En este precepto se sanciona a los administradores de hecho o de derecho (delito especial) de una sociedad emisora de valores negociados en mercados de valores que falseen, en los folletos de emisión o en otras informaciones que legalmente deban publicar, datos sobre sus recursos, actividades y negocios presentes y futuros con el propósito de vender sus productos o captar financiación. La falsedad en la información puede llevarse a cabo de forma activa u omisiva (p. ej. no incluir datos relevantes).

Los criterios de interpretación utilizados respecto del artículo 282 del Código Penal también deberían ser aplicables, *mutatis mutandi*, a este nuevo delito, de modo que se exija que la información falsa sea relevante para la valoración de los riesgos por parte de quien contrata o concede la financiación.

El precepto se configura, además, como una norma penal en blanco, pues se remite a la normativa administrativa reguladora del mercado de valores para determinar la información que deba ser objeto de publicación o la que deba contenerse en los folletos de emisión. En este materia resulta relevante la regulación administrativa contenida en la Ley 24/1988, de 28 de julio, del Mercado de Valores; el Real Decreto 1310/2005, de 4 de noviembre, que desarrolla la anterior en materia de admisión a negociación de valores en mercados secundarios oficiales, de ofertas públicas de venta o suscripción y del folleto exigible a tales efectos, y el Real Decreto 1362/2007, de 19 de octubre, que desarrolla los requisitos de transparencia relativos a la información sobre los emisores cuyos valores estén admitidos a negociación en un mercado secundario oficial o en otro mercado regulado de la Unión Europea.

El delito se configura como un delito doloso en el que además el sujeto activo debe obrar con una intención específica, la de vender sus productos o captar financiación. No se sanciona la comisión imprudente.

La pena asignada al delito es la de prisión de 1 a 4 años. La pena será impuesta en su mitad superior si se consigue colocar el producto u obtener la financiación, pudiendo llegar hasta 6 años de prisión, junto con multa de 6 a 12 meses, cuando el perjuicio causado sea de notoria importancia.

Tras la reforma de 2010 es posible declarar la responsabilidad penal de la persona jurídica por este delito, según se desprende del nuevo artículo 288 del Código Penal, debiendo aplicarse, si concurren los requisitos del artículo 31 bis del Código Penal, una pena de multa de 1 a 3 años.

5.3. Manipulación de precios en el mercado

Los artículos 281 y 284 del Código Penal sancionan conductas que se llevan a cabo para forzar una alteración de precios y así afectar a las reglas de competencia en el mercado. Resulta de interés la Ley 15/2007, 3 de julio, de Defensa de la Competencia, que también prevé infracciones administrativas en esta materia.

El artículo 281 del Código Penal contempla el acaparamiento o detracción de materias primas o productos de primera necesidad con la intención de desabastecer un sector del mercado, de forzar una alteración de precios o de perjudicar gravemente a los consumidores, que se sanciona con pena de prisión de 1 a 5 años y multa de 12 a 24 meses, imponiéndose las penas en su mitad superior cuando el delito se comete en situación de grave necesidad o catastrófica. Se trata de un delito de mera actividad, pues solo requiere la realización de la conducta consistente en detraer del mercado las materias primas o productos de primera necesidad, con cualquiera de las intenciones mencionadas, sin que sea necesario que efectivamente se haya llegado a producir el desabastecimiento, la alteración o el perjuicio grave a los consumidores.

El artículo 284 del Código Penal recoge el delito de maquinaciones para alterar el precio de las cosas, que castiga con pena de prisión de 6 meses a 2 años o multa de 12 a 24 meses a quien mediante la difusión de noticias falsas, el empleo de violencia, amenaza o engaño o el uso de información privilegiada intente alterar los precios de todo tipo de bienes, sean muebles o inmuebles o de servicios que deban resultar de la libre concurrencia. Tan solo son penalmente sancionadas las conductas contrarias a la libre competencia que se llevan a cabo por alguna de las modalidades comisivas que se mencionan de forma taxativa en el citado precepto. También aquí la mera actividad encaminada a alterar los precios es suficiente para cometer el delito, sin que sea precisa la obtención de resultados económicos.

Este último precepto fue objeto de modificación mediante la Ley Orgánica 5/2010, que dejó el primer párrafo prácticamente invariable, a salvo de la supresión de la difusión de noticias falsas como modalidad comisiva, que se trasladó al segundo apartado. En éste se castiga la difusión de noticias o rumores con datos económicos total o parcialmente falsos sobre personas o empresas, con la finalidad de alterar o preservar el precio de cotización de un valor o instrumento financiero, siempre que el autor obtenga para sí o para un tercero un beneficio económico o cause un perjuicio económico, en ambos casos superior a 300.000 euros.

También fue incorporado, en el apartado tercero de este mismo artículo, un delito de maquinación para alterar el precio de valores o instrumentos financieros en el que se castiga a quien, utilizado información privilegiada: i) realice transacciones u ordene operaciones capaces de proporcionar indicios engañosos sobre la oferta, la demanda o el precio de valores o instrumentos financieros; ii) se asegure, solo o en concierto con otros, una posición dominante en el mercado de dichos valores o instrumentos con el fin de fijar sus precios en niveles anormales o artificiales. Se trata de un supuesto de utilización indebida de información privilegiada relacionada con la fijación de los precios solo de valores o instrumentos financieros.

Además de las penas previstas en el artículo 284 del Código Penal, se ordena la imposición de la pena de inhabilitación de 1 a 2 años para intervenir en el mercado financiero como actor, agente, mediador o informador. El artículo 287 del Código Penal señala que este delito es perseguible de oficio, sin que sea necesario, como sucede en otros delitos previstos en la misma Sección del Código penal, la presentación de denuncia por parte del perjudicado.

La Ley Orgánica 5/2010 estableció en el artículo 288 del Código Penal la posible responsabilidad penal de la persona jurídica por el delito contenido en el artículo 281 del Código Penal, no así para el delito del artículo 284 del Código Penal, quizás por olvido, pues no parecen existir razones para que se excluya este precepto cuando se reconoce esta posibilidad en todos los delitos que integran el Capítulo dedicado a los delitos contra la propiedad intelectual, propiedad industrial y defensa de los consumidores. La pena prevista es la multa de 1 a 3 años. Atendidas las reglas contenidas en el artículo 66 bis también pueden imponerse alguna otra de las penas establecidas en el artículo 33.7 del Código Penal.

5.4. Uso de información privilegiada en el mercado de valores

El artículo 285 del Código Penal contempla el delito de uso de información privilegiada en el mercado de valores, conocido en otros Ordenamientos jurídicos como "insider trading" o "délit d'initié". Por regla general, la información de las empresas que afecta a la cotización de sus acciones debe ser pública; sin embargo, legalmente se establecen algunas excepciones y hasta que la información se transmite al mercado es posible que solo algunas personas, por la relación que mantienen con la entidad, la conozcan. Debe atenderse a lo dispuesto en la Ley 24/1988, de 28 de julio, del Mercado de Valores (LMV).

Este delito sanciona dos conductas: por una parte, la utilización, de forma directa o por medio de una persona interpuesta, de información privilegiada sobre la cotización de cualquier valor o instrumento negociado; y, por otra, el suministro a terceros de dicha información. Para que la información pueda ser considerada como tal debe ser precisa y concreta, no encontrarse disponible en el mercado para el público inversor y ser idónea para incidir de manera apreciable sobre la cotización de uno o varios valores o títulos negociables en mercados oficiales (art. 81 LMV). Como resultado de estas conductas el sujeto debe obtener para sí o para un tercero un beneficio superior a 600.000 euros. Resulta complejo determinar el momento comisivo de la infracción, aquél en el que debe obtenerse este beneficio. El Tribunal Supremo, en la única Sentencia dictada al respecto (STS nº 1136/2010, de 21 de diciembre –Caso Tabacalera–), se decanta por la "teoría de la revalorización latente", que sitúa el momento comisivo cuando se produce la mayor revalorización de los valores como consecuencia de la información obtenida de forma privilegiada.

El círculo de sujetos activos del delito se encuentra limitado por la redacción típica, que exige que la información secreta haya sido conocida con ocasión del ejercicio de su actividad profesional o empresarial. Se incluyen, por tanto, sujetos internos (empleados, socios, directores, etc.) y externos (auditores, asesores, etc.) a la compañía, siempre que su actividad profesional o su situación empresarial le otorgue un cierto control sobre esa información. Existen dudas sobre si el precepto abarca también a los terceros a los que el "iniciado" comunica la información para que la utilicen ("iniciados secundarios" o "tippees"); su punición como autores queda excluida puesto que no la obtienen con ocasión del ejercicio de su actividad profesional o empresarial. Cuando el sujeto activo es un funcionario público hay que tener en consideración lo dispuesto en el artículo 442 del Código Penal, que no se encuentra limitado al mercado de valores.

La pena del tipo básico es la de prisión de 1 a 4 años, multa del tanto al triplo del beneficio obtenido e inhabilitación especial de 2 a 5 años. En el artículo 285.2 del Código Penal se contemplan las siguientes circunstancias, que agravan la pena y que permiten sancionar con pena de prisión de 4 a 6 años y las mismas penas de multa y de inhabilitación especial previstas en el tipo básico: i) habitualidad de estas prácticas abusivas; ii) beneficio de notoria importancia; iii) grave daño a los intereses generales.

Como otra posible consecuencia jurídica se contempla en el artículo 288 del Código Penal la publicación de la sentencia condenatoria en los periódicos oficiales y, previa solicitud del perjudicado, en otro medio informativo a costa del condenado.

Por lo que se refiere a las condiciones para poder perseguir este delito, el artículo 287 del Código Penal señalaba (antes de la reforma de 2010) que era precisa la denuncia de la persona agraviada o de sus representantes legales, salvo en los supuestos en los que el delito afectase a los intereses generales o a una pluralidad de personas. Sin embargo, la situación cambió radicalmente tras la reforma, pues desde entonces este delito es perseguible de oficio en todo caso, de modo que no se requiere ya la denuncia del perjudicado.

Tras la Ley Orgánica 5/2010 en el artículo 288 del Código Penal también se prevé la posibilidad de que la persona jurídica sea penalmente responsable por la comisión de este delito. Se recurre para sancionar a la persona jurídica al sistema de multa proporcional: multa del doble al cuádruple del beneficio obtenido. Atendidas las reglas contenidas en el artículo 66 bis también pueden imponerse alguna otra de las penas establecidas en el artículo 33.7 del Código Penal.

6. Corrupción en los negocios

La Ley Orgánica 1/2015, de 30 de marzo, ha modificado la rúbrica de la Sección del Código penal que engloba ahora los artículos 286 bis, 286 ter y 286 quater, que pasa a denominarse de la corrupción en los negocios. Esta Sección contiene junto con el delito de corrupción entre particulares (art. 286 bis), un delito de corrupción de funcionario en transacciones internacionales (art. 286 ter) y unas circunstancias agravantes comunes a los dos tipos (art. 286 quater). Estas últimas se refieren a supuestos de los que puede desprenderse una especial gravedad de los hechos (beneficio elevado, acción no simplemente ocasional, bienes de primera necesidad o humanitarios, existencia de organización o grupo criminal).

6.1. Corrupción entre particulares

El artículo 286 bis del Código Penal, introducido por la Ley Orgánica 5/2010, supuso la trasposición de la Decisión Marco 2003/568/JAI, de 22 de julio, relativa a la lucha contra la corrupción en el sector privado, cuya finalidad radicaba en la protección de la competencia justa y honesta y el respeto de las reglas de buen funcionamiento del mercado. Se pretende combatir la "corrupción" en el ámbito privado mediante el castigo de conductas de soborno en las relaciones privadas entre dos partes contratantes. También se prevé un tipo específico referido a la corrupción en el deporte (art. 286 bis 4 CP).

La conducta típica resulta similar a la del delito de cohecho (corrupción pública), pudiendo ser doble y consistir tanto en (corrupción activa):

i) prometer, ofrecer o conceder un beneficio o ventaja de carácter injustificado a quienes tienen capacidad para tomar decisiones en la compra-venta de mercancías o en la contratación de servicios dentro de una empresa mercantil, sociedad, asociación, fundación u organización con el fin de que, incumpliendo sus obligaciones, le favorezca a él o a un tercero frente a otros; como en (corrupción pasiva): ii) recibir, solicitar o aceptar ese beneficio o ventaja económica por parte de determinadas personas vinculadas a la empresa con el fin de favorecer en esa contratación de bienes o servicios a quien le concede el beneficio frente a otros.

La primera de las conductas típicas puede llevarse a cabo por cualquier persona, bien de forma directa o a través de otra (delito común); la segunda, sin embargo, solo puede ser cometida por determinados sujetos activos (delito especial): directivos, administradores, empleados o colaboradores de una empresa mercantil, sociedad, asociación, fundación u organización, igualmente de forma directa o a través de otro. En este precepto el legislador parece haber olvidado referirse a la clásica distinción entre administrador de hecho y de derecho, quizás porque se incluye también al directivo, un término más amplio y que puede englobar a quien desarrolla de hecho funciones de dirección de la empresa. Por otra parte, la inclusión de los colaboradores amplía el círculo de sujetos activos a personas que no pertenecen propiamente a la empresa u organización.

El tipo no requiere que se cause un perjuicio económico a la sociedad (si así ocurriese podrían entrar en juego los delitos de apropiación indebida o administración desleal) ni a terceras personas, solo que se beneficie (o se intente beneficiar) a las personas físicas que deben tomar la decisión con la finalidad indicada. Tampoco exige que se alcance un determinado beneficio. Sin embargo, en su apartado 3 el precepto faculta al Juez o Tribunal a imponer la pena inferior en grado y reducir la multa atendiendo a la cuantía del beneficio o ventaja y a la importancia de las funciones que desempeñe el culpable en la organización o empresa.

En cualquier caso, deberían quedar fuera del alcance del tipo los pequeños obsequios o regalos promocionales, invitaciones a comidas y, en definitiva, todo lo que en el sector en cuestión se encuentre dentro de lo socialmente permitido, pues este tipo de ventajas o beneficios no tienen la suficiente entidad como contraprestación del favorecimiento buscado (en la misma línea, Ventura Püschel). También deben considerarse atípicos los supuestos en los que el beneficio o ventaja no se recibe por las personas físicas mencionadas en el tipo, sino por la propia sociedad (por ej. mejores condiciones contractuales en el suministro de determinados bienes por mantener una relación en exclusiva o de una duración determinada), porque aquí la ventaja la obtiene la entidad y no el individuo.

Finalmente, el precepto dedica un apartado al castigo de la denominada "corrupción en el deporte" (art. 286 bis 4) que sanciona las mismas conductas anteriores cuando sean realizadas por directivos, administradores, empleados o colaboradores de una entidad deportiva, así como por deportistas, árbitros o jueces, siempre que se realicen con la finalidad de manipular el resultado de pruebas o competiciones deportivas profesionales.

La pena en ambos delitos es la misma: prisión de 6 meses a 4 años, inhabilitación especial por tiempo de 1 a 6 años y multa del tanto al triplo del valor del beneficio o ventaja.

Además, el artículo 288 del Código Penal admite la posible responsabilidad penal de la persona jurídica por los hechos castigados en el artículo 286 bis (tras la reforma de 2015 también para el delito contemplado en el art. 286 ter al que me refiero a continuación).

6.2. Corrupción de funcionario en actividades económicas internacionales

El actual artículo 286 ter, introducido en la reforma de 2015, sanciona una figura de cohecho específicamente limitada a la realización de actividades económicas internacionales. La conducta típica consiste en corromper o intentar corromper mediante el ofrecimiento, la promesa o la concesión de cualquier beneficio o ventaja indebidos, a un funcionario público o autoridad, así como atender las solicitudes que estos realicen, a fin de que actúen o se abstengan de actuar, para conseguir o conservar un contrato, negocio o cualquier ventaja competitiva en una actividad económica internacional. Las penas previstas son la prisión de 3 a 6 años y la multa de 12 a 24 meses, salvo que el beneficio obtenido fuese mayor, en cuyo caso será del triplo. Además, se establece la prohibición de contratar con el sector público y de obtener subvenciones o ayudas públicas por periodo de 7 a 12 años.

7. Delitos contra los derechos de los trabajadores

En los artículos 311 y siguientes del Código Penal se contienen los "delitos contra los derechos de los trabajadores", que castigan una serie de conductas que afectan a las condiciones laborales mínimas reconocidas a los trabajadores. Dentro de los principios rectores de la política social y económica, el artículo 40 de la Constitución Española obliga a los poderes públicos a fomentar una política que vele por estos derechos.

El artículo 311 del Código Penal reprime, con penas de prisión de 6 meses a 3 años y multa de 6 a 12 meses, la imposición, mediante engaño o abuso de una situación de necesidad, o el mantenimiento en caso de transmisión de empresas, de condiciones ilegales de trabajo o de seguridad social; las penas se agravan si se utiliza violencia o intimidación. La reforma de 2015 ha introducido un tipo agravado en el artículo 311 bis, cuando exista reiteración en la contratación de ciudadanos extranjeros sin permiso de trabajo o cuando se emplee a un menor de edad sin permiso de trabajo.

El artículo 312 del Código Penal sanciona, con penas de prisión de 2 a 5 años y multa de 6 a 12 meses, el tráfico ilegal de mano de obra o el reclutamiento o contratación de personas mediante ofertas falsas de trabajo, así como el empleo de ciudadanos extranjeros sin permiso de trabajo en condiciones que perjudiquen sus derechos laborales.

Con idénticas penas a las anteriores se contempla en el artículo 313 del Código Penal la provocación o promoción de la inmigración clandestina de trabajadores a España o su determinación o favorecimiento mediante engaño. Tras la reforma operada por Ley Orgánica 5/2010 la redacción del precepto alude a la necesidad de simular un contrato o colocación o a la utilización de un engaño semejante.

El artículo 314 del Código Penal castiga, con pena de prisión de 6 meses a 2 años o multa de 12 a 24 meses, las formas más graves de discriminación en el trabajo, que ya resultan prohibidas mediante el Real Decreto Legislativo 5/2000, 4 de agosto, sobre Infracciones y Sanciones en el Orden Social (LISOS), exigiendo que haya existido un previo requerimiento o sanción administrativa y que, a pesar de ello, no se haya restablecido la situación y reparado los daños económicos causados.

El artículo 315 del Código Penal protege penalmente el ejercicio de la libertad sindical y el derecho de huelga, mediante el castigo con penas de prisión de 6 meses a 3 años (el límite superior se ha reducido a 2 años tras la reforma de 2015) y multa de 6 a 12 meses, a quien impida o limite estos derechos de los trabajadores mediante el empleo de engaño o abuso de una situación de necesidad. La pena se agrava si media el uso de fuerza, violencia o intimidación (tras la reforma de 2015 el precepto solo se refiere al uso de la coacción); por otro lado, en el apartado 3 se sanciona con idénticas penas la coacción a la huelga.

Por último, con el fin de intentar reducir la siniestralidad laboral, los artículos 316 y 317 del Código Penal recogen el "delito contra la seguridad e higiene en el trabajo", mediante la descripción de conductas que infringen normas de prevención de riesgos laborales y ponen en grave peligro la vida, la salud o la integridad física de los trabajadores. La norma penal debe ser completada con lo dispuesto en la Ley 31/1995, 8 de noviembre, de Prevención de Riesgos Laborales (LPRL) y en sus disposiciones de desarrollo (norma penal en blanco).

La conducta típica es omisiva y consiste en la no facilitación, por quienes están legalmente obligados, de los medios necesarios para que los trabajadores desempeñen su actividad con las medidas de seguridad e higiene adecuadas. Según la normativa vigente, resulta de especial relevancia, en términos generales, que se haya elaborado un Plan de Prevención de Riesgos Laborales, así como que conste acreditado que se ha facilitado a los empleados los equipos de protección necesarios para el desarrollo de sus funciones y que se les haya impartido formación sobre riesgos laborales.

El sujeto activo viene delimitado por aquellas personas que se encuentran obligadas a facilitar los medios (delito especial). En principio, la persona obligada es el empresario (arts. 14.3 y 45 LPRL), quien ha podido además delegar esta labor en determinadas personas, que también deberán ser consideradas sujetos obligados. La normativa específica de cada sector puede establecer obligaciones específicas para otras personas (p. ej., RD 1627/1997, de 24 de octubre, en el sector de la construcción). Por regla general, los Tribunales no limitan la responsabilidad al empresario ni al administrador o gerente de la empresa o sociedad empleadora, sino que llegan hasta los encargados directos del servicio, sin que, por lo general, la atribución de responsabilidad a éstos exonere a los niveles intermedios o escalones superiores por sus omisiones dolosas.

Según el artículo 318 del Código Penal cuando los hechos se atribuyan a una persona jurídica los "sujetos obligados" son los administradores o encargados del servicio que sean responsables y quienes conociendo los hechos no adoptaron ninguna medida para evitarlos (cláusula especial de actuación en nombre de otro). Se ha criticado por la doctrina especializada la amplitud de la cláusula al incluir a todos los que conocieron los hechos teniendo facultades de impedirlos; esta mención debe interpretarse en consonancia con lo dispuesto en el artículo 316 del Código Penal, de modo que solo podrán ser autores quienes además se encuentren obligados legalmente a facilitar los medios (MARTÍN LORENZO/ORTIZ DE URBINA GIMENO).

El concepto "medios necesarios" incluye tanto los medios materiales (equipos de protección) como los de carácter intelectual (información, cursos de formación, adecuación de las tareas a la experiencia, etc.) y organizativo (turnos de trabajo, horarios, procedimientos de emergencia, etc.).

Además, el empresario mantiene un deber de vigilancia sobre el uso de esos medios (art. 15.4 LPRL), de modo que responderá de aquellos resultados lesivos que sean imputables a la omisión de sus deberes de control. Ahora bien, este deber no incluye aquellos supuestos en los que el trabajador ha actuado con imprudencia temeraria, que escapan de lo previsible desde un punto de vista objetivo. Con justificación variable se entiende que la aceptación por parte del trabajador de condiciones de trabajo peligrosas no supone un consentimiento válido respecto a los posibles riesgos que de ello se deriven, pues nos encontramos ante una materia indisponible para el trabajador (SAP Rioja n° 5/2003, de 21 de enero). La imprudencia derivada de la falta de supervisión por parte del empresario debería ser considerada leve cuando concurra con una imprudencia no temeraria, pero sí de especial relevancia, del trabajador.

Además, la infracción de la normativa administrativa de prevención de riesgos laborales debe poner en peligro grave los bienes individuales que se mencionan en el precepto. Si no concurre este peligro de naturaleza grave –capacidad para causar la propia muerte del sujeto o lesiones graves–, la infracción deberá permanecer en el ámbito administrativo.

Si el peligro se concreta en un resultado lesivo, deberán aplicarse las reglas del concurso de normas (art. 8 CP: solo se castigaría el delito de resultado lesivo) o las del concurso ideal (art. 77 CP: se aplicaría la pena del delito más grave en su mitad superior), según si el peligro ha afectado a las mismas o a más personas de las finalmente lesionadas, respectivamente (STS n° 1036/2002, 4 de junio).

Este delito se castiga tanto en su forma dolosa como imprudente grave (art. 317 CP).

Por último, se encuentra prevista la posibilidad de aplicar las consecuencias accesorias del artículo 129 del Código Penal (art. 318 CP). La reforma introducida por Ley Orgánica 5/2010 no ha previsto para este precepto, ni para el resto de delitos contra los derechos de los trabajadores del Título XV, la posibilidad de que la persona jurídica responda penalmente, pues la referencia que se contiene en el artículo 318 bis tan solo hace alusión a los delitos recogidos en su propio Título (XV Bis), dedicado a la tutela de los derechos de los trabajadores extranjeros; lo anterior carece de explicación, debe tratarse de un olvido, especialmente teniendo en cuenta que en este ámbito, al menos en relación con la prevención de riesgos laborales, existe una abundante regulación que debe ser cumplida por las empresas en orden a evitar los accidentes laborales.

8. Delito urbanístico

El artículo 319 del Código Penal contiene el denominado "delito urbanístico", que antes de la reforma de 2010 venía a sancionar a los promotores, constructores o técnicos directores (delito especial) que llevan a cabo una: i) construcción no autorizada en suelos destinados a viales, zonas verdes, bienes de dominio público o lugares de reconocido valor paisajístico, ecológico, artístico, histórico, cultural o de especial protección (penas de prisión de 6 meses a 3 años, multa de 12 a 24 meses e inhabilitación profesional de 6 meses a 3 años); ii) edificación no autorizable en suelo no urbanizable (penas de prisión de 6 meses a 2 años, multa de 12 a 24 meses e inhabilitación profesional de 6 meses a 3 años). La primera de las conductas descrita era más grave y hacía referencia a cualquier construcción, siendo suficiente con que no dispusiera de licencia, en atención al nivel de protección de los suelos afectados. La segunda de las conductas era más restringida, tanto por lo que se refiere al uso del término edificación como a la exigencia de que no sea autorizable, que exige no sólo que la obra no tenga licencia, sino que además no sea posible obtenerla ni legalizarla.

Con la reforma de 2010 el tipo penal sufre una importante modificación. En primer lugar, se amplían las conductas típicas para incluir junto a la construcción y a la edificación, las obras de urbanización, que por lo general suelen preceder a aquellas otras. Además en su nueva redacción el precepto iguala las tres conductas típicas, esto es, urbanizar, edificar y construir, y las castiga tanto si se llevan a cabo en suelos destinados a viales, zonas verdes, bienes de dominio público o lugares de reconocido valor paisajístico, ecológico, artístico, histórico, cultural o de especial protección (pena de prisión de 1 año y 6 meses a 4 años, multa de 1 a 24 meses, salvo que el beneficio sea mayor, en cuyo caso se recurre a la multa proporcional del tanto al triplo, e inhabilitación especial de 1 a 4 años), como en suelos no urbanizables (idénticas penas salvo la de prisión de 1 a 3 años). En todos los supuestos la obra debe ser "no autorizable", es decir, no basta con no tener licencia, sino que además su obtención debe ser imposible.

El concepto "promotor" incluye, según la línea jurisprudencial predominante (SSTS n° 1250/2001, de 26 de junio, y n° 690/2003, de 14 de mayo), a cualquier persona física o jurídica que impulsa, programa o financia una construcción para sí o para su posterior enajenación a terceros (de conformidad con lo dispuesto en el art. 9 de la Ley 28/1999, de 5 de noviembre, de Ordenación de la Edificación); no es necesario, por tanto, que se trate de un promotor profesional. Cuando la condición de promotor recaiga en una persona jurídica, a fin de poder castigar al administrador, de hecho o de derecho, que materialmente haya realizado la conducta típica, será preciso acudir a la regla de actuación en nombre de otro prevista en el artículo 31 del Código Penal.

Estas conductas solo se castigan en su versión dolosa, de modo que un error sobre los elementos del tipo conlleva su impunidad (art. 14.1 CP), como consecuencia del sistema de *numerus clausus* utilizado para incriminar la imprudencia (art. 12 CP).

El precepto también prevé que el Juez o Tribunal pueda ordenar, de forma motivada, la demolición de la obra, a cargo del autor del hecho, sin perjuicio de las indemnizaciones que deban abonarse a terceros de buena fe (art. 319.3 CP). Tras la reforma de 2015 se permite que tras oír a la Administración competente la demolición se condicione temporalmente a la prestación de garantías para asegurar el pago de las indemnizaciones. Desde la reforma de 2010 se permite el decomiso de las ganancias obtenidas, con independencia de las transformaciones sufridas.

La pena se impondrá, además, en un grado superior si las conductas afectan a un espacio natural protegido (art. 338 CP) y judicialmente se pueden adoptar medidas encaminadas a la restauración del equilibrio ecológico perturbado o a proteger los bienes afectados (art. 339 CP).

La reforma de 2010 también introdujo respecto a este delito la posible responsabilidad penal de la persona jurídica, señalando el artículo 319.4 del Código Penal que se le impondrá la pena de multa de 1 a 3 años, salvo que el beneficio obtenido sea mayor, en cuyo caso será del doble al cuádruple de dicho beneficio. Además, es posible imponer otras de las penas contempladas en el artículo 33.7 del Código Penal, si se dan los requisitos establecidos en el artículo 66 bis del Código Penal.

La reparación voluntaria del daño por parte del culpable actúa como atenuante específica y conlleva la aplicación de la pena inferior en grado (art. 340 CP).

9. Delitos ambientales

El artículo 325.1 del Código Penal recoge el tipo básico del denominado "delito ambiental" o "delito de contaminación atmosférica", en el que se incluyen determinadas acciones que serán consideradas delictivas siempre que pueden perjudicar de forma grave al medio ambiente (delito de peligro) y cuando, además, supongan una infracción de la normativa administrativa que regula el ámbito en el que se realiza la acción.

Las acciones consisten en provocar o realizar, directa o indirecta, de emisiones, vertidos, radiaciones, vibraciones, inyecciones o depósitos y captaciones de agua. Resulta decisiva la normativa administrativa sectorial, tanto legal como reglamentaria, cuyo incumplimiento se exige como presupuesto del delito (norma penal en blanco). No existe en la actualidad una Ley General del Medioambiente y la existencia de competencias adicionales de protección y legislativas de desarrollo por las Comunidades Autónomas hacen que la normativa extra-penal se encuentre dispersa y pueda incluso diferir de un territorio a otro.

La conducta debe, además, ser idónea para perjudicar de forma grave el equilibrio de los sistemas naturales. Esta idoneidad debe quedar acreditada en el procedimiento penal mediante la correspondiente prueba pericial, pues se trata de conocimientos técnicos de los que el Tribunal carece.

Las penas previstas para este delito fueron incrementadas mediante la reforma de 2010. La pena de prisión se elevó tanto en su límite inferior como en el superior (de prisión de 6 meses a 4 años a prisión de 2 a 5 años). La multa y la inhabilitación permanecieron igual (multa de 8 a 24 meses e inhabilitación profesional de 1 a 3 años). La multa se modificó, sin embargo, en la reforma de 2015 (de 10 a 14 meses), que también redujo la inhabilitación (de 3 a 2 años).

El artículo 325 *in fine* contempla una agravación de la pena (mitad superior) si el riesgo de grave perjuicio va dirigido a la salud de las personas, que se ha elevado en la reforma de 2015 (pudiendo llegar a la pena superior en grado).

Cuando como consecuencia del riesgo grave ocasionado se produzcan daños o lesiones se sancionarán también estos delitos acudiendo al concurso ideal, lo que supone aplicar la pena del delito más grave en su mitad superior (art. 77 CP).

La mayor parte de los casos de condena por delito ambiental son de emisiones a la atmósfera de gases contaminantes, vertidos tóxicos a recursos hidrográficos y, en los últimos tiempos, emisión de ruidos (contaminación acústica); paulatinamente, ha ido aumentando la imposición de penas privativas de libertad de ingreso efectivo en prisión. En ocasiones los Tribunales para condenar al administrador de la sociedad recurren a la cláusula de actuación en nombre de otro (art. 31 CP), lo que resulta innecesario, pues no nos encontramos ante un delito especial que haga necesaria la transferencia de una determinada cualidad de la persona jurídica al representante, sino de un delito común que puede ser cometido por cualquier persona.

El artículo 326 del Código Penal contiene unos tipos cualificados (tras la reforma de 2015 se han situado en el art. 327 CP), que facultan al Juez para imponer la pena superior en grado cuando concurra alguna de las siguientes circunstancias: i) empresa clandestina (interpretada de modo formal bastará con no tener licencia; para una interpretación material deberá existir además una ocultación o desconocimiento por parte de la Administración); ii) desobediencia de las órdenes administrativas de suspensión o corrección de la actividad (las órdenes deben ser expresas, proceder de la Administración competente y ser conocidas por el sujeto); iii) falseamiento de información ambiental (tanto en el momento de iniciar la actividad como con posterioridad, por ejemplo, durante una auditoría ambiental); iv) obstaculización de la actividad inspectora de la Administración; v) riesgo de deterioro irreversible o catastrófico (la naturaleza no puede reponerse o el daño afecta a una gran extensión), y vi) extracciones ilegales de agua en período de restricciones (sequía). La concurrencia de cualquiera de las cuatro primeras circunstancias implica la imposición de la pena superior en grado.

La pena será impuesta además en un grado superior si las conductas afectan a un espacio natural protegido (art. 338 CP) y los Jueces y Tribunales pueden adoptar, a cargo del autor del hecho, medidas encaminadas a la restauración del equilibrio ecológico perturbado o a proteger los bienes afectados u otras medidas cautelares necesarias (art. 339 CP).

La reparación voluntaria del daño por parte del culpable actúa como atenuante específica y permite la aplicación de la pena inferior en grado (art. 340 CP). En ocasiones esta atenuante ha sido interpretada de forma amplia, incluyendo la cesación de la conducta contaminante (STS nº 1183/2003, de 23 de septiembre, en relación con la clausura de un vertedero ilegal).

Junto al delito doloso, está prevista la punición de los supuestos en los que la conducta típica se haya cometido mediante imprudencia grave (art. 331 CP), es decir, desatendiendo las más elementales normas de cautela.

Además, el Código penal sancionaba, entre otras conductas que atentan contra el medio ambiente, las siguientes: establecer depósitos o vertederos de deshechos o residuos que sean tóxicos o peligrosos y puedan perjudicar gravemente el equilibrio de los sistemas naturales o la salud de las personas (art. 328.1 CP); (tras la reforma de 2010) explotar instalaciones en las que se lleven a cabo actividades peligrosas o se almacenen o utilicen sustancias peligrosas, contraviniendo las leyes o disposiciones generales que puedan causar la muerte o lesiones graves a las personas o daños sustanciales al aire, suelo, agua, animales o plantas (art. 328.2 CP); (tras la reforma de 2010) gestión ilegal de residuos: creación de los peligros mencionados en el procedimiento de destrucción o aprovechamiento de residuos, incluyendo su recogida y transporte (art. 328.3 CP); (tras la reforma de 2010) traslado de cantidades importantes de residuos contraviniendo leyes o disposiciones generales en la materia (art. 328.4 CP). Tras la reforma de 2015 en los artículos 326 y 326 bis se contemplan con otra redacción las anteriores conductas delictivas relacionadas con el tratamiento de residuos y con la explotación de actividades peligrosas.

Tras la reforma de 2010 se prevé la responsabilidad penal de las personas jurídicas, estableciendo penas de multa diferentes para el delito ambiental y para el resto de delitos, en función de las penas previstas para la persona física. Tras la reforma de 2015 las penas de multa se unifican para todos los delitos del Capítulo y varían respecto de las anteriormente previstas (art. 328 CP). Además, como antes, será posible imponer alguna otra de las penas previstas en el artículo 33.7 del Código Penal, si concurren las circunstancias del artículo 66 bis.

10. Falsedades documentales

En el artículo 392 del Código Penal se regula la falsedad en documento público, oficial o mercantil cometida por particular, mediante remisión a las tres primeras conductas falsarias que se contemplan en el artículo 390 del Código Penal para el delito cometido por funcionario público; a saber: i) alteración de un documento en alguno de sus requisitos o elementos esenciales; ii) simulación en todo o en parte de un documento, de modo que induzca a error sobre su autenticidad; iii) suposición en un acto de personas que no han intervenido o atribución a las que han intervenido de manifestaciones que no hayan realizado.

Por "documento" a efectos penales se entiende "cualquier soporte material que exprese o incorpore datos, hechos, narraciones con eficacia probatoria o cualquier otro tipo de relevancia jurídica" (art. 26 CP); la jurisprudencia incluye junto al soporte escrito, los vídeos, grabaciones, disquetes, etc. Los documentos "públicos" son los que se enumeran en el artículo 317 de la Ley de Enjuiciamiento Civil; los "oficiales" los que proceden de la Administración o de organismos públicos, aunque en ocasiones también se consideran públicos aquellos que con independencia de su procedencia se incorporan a un expediente público; documentos "mercantiles" son los que recogen una operación de comercio o actividades propias del ámbito de la empresa.

Se afirma que se ha alterado algún elemento o requisito esencial cuando la acción falsaria recae sobre alguna de las funciones que cumple el documento como son las de prueba, perpetuación y garantía. Se excluye la denominada falsedad ideológica, que consiste en faltar a la verdad en la narración de los hechos (la mentira escrita) y que salvo que sea punible conforme a otros tipos (p. ej. falsedad en documentos sociales que como delito societario se sanciona en el art. 390 CP), solo es delictiva si se comete por funcionario público. La falsedad debe afectar a elementos esenciales del documento, sin que tenga relevancia penal cuando se refiere a extremos tangenciales e intrascendentes.

Ahora bien, la creación *ex novo* de un documento se incluye, según la jurisprudencia, en la segunda de las modalidades típicas señaladas (p. ej., creación de facturas falsas que no se corresponden con ningún negocio jurídico real), al estimar que cuando la mendacidad afecta a todo el documento no puede considerarse falsedad ideológica atípica (desde la STS nº 1/1997, de 28 de octubre, FJ 26 –Caso Filesa–). En este sentido, las sentencias más recientes han consolidado el criterio de que las llamadas falsedades ideológicas siguen siendo penadas en el texto penal vigente. Y así, el Tribunal Supremo ha señalado que la modalidad despenalizada para los particulares es aquella en la que la falsedad se refiere exclusivamente a alteraciones de la verdad en algunos de los extremos consignados en el documento, pero no aquella en la que el documento en sí mismo "se confeccione deliberadamente con la finalidad de acreditar en el tráfico jurídico una realidad jurídica absolutamente inexistente" (vid., STS nº 278/2010, de 15 de marzo, con cita de otras anteriores).

Desde la reforma de 2010 se sanciona expresamente el tráfico, aun sin intervención en la falsificación, de documentos nacionales de identidad (art. 392.2 CP), la utilización y tráfico de certificaciones falsas (art. 399 CP), así como la alteración, reproducción o falsificación de tarjetas de crédito o débito o cheques de viaje, pudiendo responder de este último delito las personas jurídicas, y la utilización por quien no ha intervenido en la falsificación (art. 399 bis CP).

VI. LA RESPONSABILIDAD CIVIL DERIVADA DEL DELITO EN EL ÁMBITO SOCIETARIO

Toda persona física y, tras la reforma del Código penal de 2010, también toda persona jurídica, responsable de un delito o falta debe asumir la reparación de los daños y perjuicios derivados de la infracción penal cometida.

Así, el administrador de una entidad, como cualquier otra persona física, que resulte condenado por la comisión de una infracción penal deberá indemnizar los daños y perjuicios que su actuación delictiva haya ocasionado. La regulación procesal española permite, como regla general a menos que exista una expresa renuncia, el ejercicio conjunto de la acción penal y civil en el seno del procedimiento penal (arts. 100 y 108 LECrim). En tal caso, el Juez penal no solo se pronunciará en su Sentencia sobre la responsabilidad penal, sino también sobre la pretensión civil.

La responsabilidad *ex delicto* se regula en el Código penal (art. 109 y ss.), pues viene subordinada a la existencia misma del delito o falta, pese a que su naturaleza es en puridad civil. Esta responsabilidad civil, de conformidad con lo señalado en el artículo 110 del Código Penal, comprende la restitución, la reparación del daño y la indemnización de los daños y perjuicios materiales y morales, según los casos.

Las personas jurídicas pueden ser declaradas responsables civiles por los daños y perjuicios causados por la infracción penal. Ahora bien, la responsabilidad civil derivada del delito de la sociedad puede ser directa (si se trata de una persona jurídica que responde también penalmente a partir de la reforma de 2010 o que haya asegurado el riesgo) o subsidiara (por hechos de terceros y cubriendo su insolvencia).

La Ley Orgánica 5/2010 añadió un nuevo apartado al artículo 116 del Código Penal, el tercero, que señala que la responsabilidad penal de una persona jurídica llevará consigo su responsabilidad civil en los términos establecidos en el artículo 110 del Código Penal. Esta responsabilidad civil será directa y solidaria junto con las personas físicas que hayan sido condenadas por la infracción penal.

La regulación antes de la reforma de 2010 era sustancialmente diversa. Dejando a salvo los supuestos en los que la persona jurídica fuera una compañía de seguros que tuviera asegurado el riesgo, en cuyo caso la responsabilidad civil respecto de los daños y perjuicios causados con ocasión del delito era de naturaleza solidaria, tal y como se señala en el artículo 117 del Código Penal (siempre hasta el límite de la indemnización legalmente establecida o pactada entre las partes y sin perjuicio de su derecho de repetición), solo se contemplaban otros dos casos de responsabilidad civil, pero de naturaleza subsidiaria, esto es, en defecto o cubriendo la insolvencia de la persona declarada responsable penal, que es quien viene civilmente obligada de forma directa. Estos dos casos se encuentran regulados en los números 2 y 3 del artículo 120 del Código Penal. Ahora bien, estas reglas entrarán en juego solo en los supuestos en los que no sea posible acudir a lo dispuesto en el artículo 116.3 del Código Penal, porque no se haya podido declarar la responsabilidad penal de la persona jurídica en el caso en cuestión (por no estar expresamente prevista esa posibilidad en el delito en concreto o por no concurrir los requisitos necesarios para declarar esa responsabilidad).

Así, según el número 3 del artículo 120 del Código Penal responden civilmente de forma subsidiaria las personas naturales o jurídicas dueñas de los establecimientos mercantiles en los que se haya cometido el delito o falta por una tercera persona cuando por parte de sus directores, administradores, dependientes o empleados se hayan infringido reglamentos de policía (violación de deberes impuestos por normas jurídicas), sin cuya infracción el delito no se hubiera cometido. No es preciso para aplicar este precepto que se encuentre imputada en el procedimiento penal ninguna persona de la entidad, simplemente que se constate la infracción de esas normas y el favorecimiento del delito. Suele aplicarse este precepto respecto a entidades bancarias en casos de cobros en ventanilla de cheques o certificados de reintegro falsos, con apoyo además en el artículo 156 de la Ley Cambiaria y del Cheque, que establece la responsabilidad del librado respecto al daño resultante de abonar un cheque falso, salvo que el librador haya sido negligente en la custodia del talonario o hubiera procedido con culpa (al respecto pueden consultarse las SSTS nº 615/2001, de 12 de abril; nº 599/2005, de 10 de mayo; nº 1225/2005, de 21 de octubre; nº 1192/2006, de 28 de noviembre; nº 229/2007, de 22 de marzo).

En el número 4 de artículo 120 se contempla la responsabilidad civil subsidiaria de las personas dedicadas a cualquier actividad comercial por los delitos o faltas cometidos por sus representantes, gestores, empleados o dependientes en el desempeño de sus obligaciones o servicios. Se exige una dependencia entre el infractor y el responsable civil subsidiario y que la infracción penal no se encuentre desconectada del ejercicio normal o anormal de sus funciones, esto es, que el sujeto actúe y se desenvuelva como empleado de la entidad; se interpreta como una suerte de culpa *in eligendo* o *in vigilando*. Este precepto se ha venido aplicando, en especial, en los casos de "banca paralela", en los que se cometen estafas o apropiaciones indebidas por los empleados de la entidad bancaria frente a clientes, y también en relación con las infracciones penales cometidas por guardias de seguridad (sobre el particular, vid., SSTS nº 211/2002, de 15 de febrero; nº 1727/2002, de 22 de octubre; nº 753/2003, de 23 de mayo; nº 525/2005, de 27 de abril; nº 544/2008, de 15 de septiembre).

Como puede observarse del estudio de las Sentencias mencionadas, la jurisprudencia suele aludir para la interpretación de estos dos supuestos del artículo 120 del Código Penal a los principios de creación de riesgo y de obtención de beneficios, de modo que esta responsabilidad de naturaleza civil adopta cada vez más un carácter dominante de responsabilidad objetiva.

Por último, el artículo 122 del Código Penal contempla la figura del "partícipe a título lucrativo", que puede ser una persona física o jurídica, y recoge la obligación de quienes se hayan lucrado de los efectos del delito de restituir la cosa o de resarcir los daños hasta el límite de su participación. No se refiere a los partícipes en el delito, sino a terceros que si bien no han intervenido en el delito se han visto beneficiados, haciéndose así responsables civiles.

Capítulo 9

LA RESPONSABILIDAD DE LOS ADMINISTRADORES SOCIALES EN EL ÁMBITO CONTABLE

JOSÉ MACHADO PLAZAS

Catedrático habilitado de Derecho mercantil
Universitat Oberta de Catalunya

SUMARIO: I. INTRODUCCION: DEBER DE LLEVANZA DE LA CONTABILIDAD Y SISTEMA SANCIONADOR. II. INFRACCIONES CONTABLES, CALIFICACION CULPABLE DEL CONCURSO Y SANCIONES. 1. El sistema de sanciones indirectas en el Derecho concursal. 2. Los hechos de calificación de naturaleza contable. 2.1. El incumplimiento sustancial del deber de llevanza de la contabilidad. 2.2. La doble contabilidad. 3. La comisión irregular relevante contable para la comprensión de la situación patrimonial o financiera de la contabilidad. 4. Las presunciones *iuris tantum* de concurso culpable de naturaleza contable: falta de formulación, auditoría y depósito de las cuentas anuales en alguno de los tres ejercicios anteriores a la declaración de concurso. 5. Las sanciones. 5.1. Introducción. 5.2. La inhabilitación de las personas afectadas por la calificación. 5.3. La devolución de bienes o derechos obtenidos indebidamente. 5.4. La indemnización de daños y perjuicios causados. 5.5. La responsabilidad concursal. 5.5.1. La naturaleza jurídica de la responsabilidad concursal y el debate doctrinal y jurisprudencial. 5.5.2. La responsabilidad conforme al grado de participación en los hechos que hubieran determinado la calificación del concurso. 5.5.3. La masa activa como destinataria de las cantidades que se obtengan en la ejecución de la sentencia condenatoria. La inclusión de los créditos contra la masa. III. LA RESPONSABILIDAD SOCIETARIA POR INCUMPLIMIENTOS CONTABLES.

I. INTRODUCCION: DEBER DE LLEVANZA DE LA CONTABILIDAD Y SISTEMA SANCIONADOR

La Ley impone, sin excepción, a todo empresario el deber de llevanza de una contabilidad ordenada, adecuada a la actividad de la empresa (art. 25.1 C. de C.). Los empresarios deben llevar una contabilidad ordenada, adecuada a la actividad de la empresa que permita su seguimiento cronológico de todas sus operaciones, así como la elaboración periódica de balances e inventarios, siendo libros obligatorios el de Inventarios y cuentas anuales y el Diario, además de los balances (balances de sumas y saldos o balances de comprobación), sin perjuicio de lo establecido en las leyes o disposiciones especiales (v. sobre este deber legal, SAP de A Coruña (Sección 4ª), de 26.10.2011).

Este deber legal recae en el caso de sociedades mercantiles en los administradores sociales, pudiendo cumplirse de forma directa o, lo que es más habitual, de forma indirecta a través de una o más personas autorizadas (art. 25.2 C. de C., sobre el deber de llevanza de contabilidad nos remitimos a ROJO, *Lecciones de Derecho mercantil*, I, 9ª. Ed., Cizur Menor, 2011, págs. 165-166; BERCOVITZ, *Apuntes de Derecho mercantil*, Cizur Menor, 11ª ed., 2010, págs. 198 y ss., BLANCO CAMPAÑA, *Régimen jurídico de la contabilidad*, Madrid, 1980, pág. 71 y ss., MARINA GARCIA-TUÑON, *Régimen jurídico de la contabilidad empresarial*, Valladolid, 1992, pág. 61 y ss., ALONSO ESPINOSA, "El deber de documentación de la empresa y de llevanza de contabilidad tras la Ley 16/2007, de 4 de julio", *RMV*, 5, 2009, pág. 23 y ss., esp. pág. 26 y ss., que lo configura como un "deber de carácter profesional e instrumental"). Esta llevanza de la contabilidad por persona autorizada (*vgr.* contables vinculados por relación laboral o por contrato de prestación de servicios) no exime la responsabilidad de los administradores sociales (art. 25.2 C. de C. y art. 1903.IV CC). Los administradores serán no sólo responsables del real y efectivo cumplimiento del deber legal, sino de la *veracidad* del contenido de la contabilidad. Así es por aplicación del artículo 37.1 del Código de Comercio, a cuyo tenor "*las cuentas anuales deberán ser firmadas por las siguientes personas, que responderán de su veracidad: (...) 3º. Por todos los administradores de las sociedades*" (v. también en relación a las cuentas consolidadas, el art. 44.6 C. de C.). Como destaca recientemente un autor, "la Ley 16/2007 introduce, por tanto, una obligación legal de responsabilidad civil directa y personal sobre los sujetos responsables del efectivo cumplimiento del deber de llevanza que se extiende tanto al aspecto formal como al aspecto sustancial o de contenido de la documentación general y contable por los daños causados a la sociedad, a los socios, a terceros y a los poderes públicos en general cuya causa tenga relación con la infracción del principio de veracidad del contenido de la documentación contable y de sus soportes o antecedentes de la misma" (v. ALONSO ESPINOSA, cit., pág. 32).

El incumplimiento de las normas legales en materia de contabilidad entraña sanciones graves para los administradores sociales que operan, a modo de *sanciones indirectas,* especialmente en el ámbito concursal en caso de concurso de acreedores culpable (v. II). No se establece en la legislación mercantil española un sistema general de sanciones directas como reacción frente al incumplimiento del deber de llevanza de la contabilidad [v., en ese sentido, ROJO, en *Lecciones de Derecho mercantil, cit.*, pág. 165, que mantiene que "la legislación mercantil no contiene sanciones directas que contemplen el incumplimiento de las prescripciones legales relativas a la llevanza y conservación de los libros, pero establece sanciones indirectas de indudable gravedad en caso de concurso de acreedores; sistema que contrasta con la legislación mercantil histórica, pues a diferencia de las previsiones legales represoras contempladas en la regulación del Código de Comercio de 1829, que imponía sanciones o multas pecuniarias para el caso de que los libros se hallaren "informales o defectuosos" (art. 43), faltare alguno de los legalmente prescritos, fueren ocultados al ser ordenada su exhibición (arts. 45)].

No obstante, el incumplimiento de prescripciones legales contables constituye infracción de deberes legales de los administradores que pueden ocasionar daños a la sociedad, a los socios y a terceros, o, al menos, constituir un presupuesto previo para la determinación de la responsabilidad por daños (arts. 238 y ss., 241 LSC) o, en su caso, por deudas sociales, de los administradores sociales (art. 367 LSC).

En el ámbito de las entidades sujetas a un régimen especial de supervisión (entidades de créditos, entidades de seguros, sociedades y agencias de valores, etc.), también se establecen muy graves para los administradores sociales en el caso falta de llevanza de la contabilidad exigida legalmente, o su realización irregular, que impidan conocer la situación patrimonial o financiera de la sociedad.

Estas responsabilidades de naturaleza civil, no empecen, en su caso, la imposición de sanciones de naturaleza penal (vgr. delito contable a efectos fiscales ex art. 310 CP o delito de falseamiento de las cuentas anuales de las sociedades mercantiles ex. art. 290 CP), o de naturaleza administrativa, especialmente de índole tributaria.

II. INFRACCIONES CONTABLES, CALIFICACION CULPABLE DEL CONCURSO Y SANCIONES

1. *El sistema de sanciones indirectas en el Derecho concursal*

El mecanismo de sanciones indirectas se centra fundamentalmente en el derecho concursal y, particularmente, en las sanciones contenidas en sede de calificación (arts. 172 y 172.bis LC) cuando el concurso es declarado culpable conforme a los artículos 164 y 165 de la Ley Concursal.

En dichos preceptos se determinan una serie de conductas o circunstancias que fundamentan la declaración, en sede de calificación, de concurso culpable y que entrañan sanciones personales y patrimoniales para los administradores de derecho o de hecho de la sociedad concursada.

Entre dichas circunstancias destacan, siguiendo la tradición concursal histórica, las vinculadas al incumplimiento del deber de contabilidad.

La Ley concursal establece dos sistemas de enjuiciamiento de conductas para la determinación de un concurso culpable (v. STS 6 de octubre de 2011):

a) En primer lugar, el concurso se califica como culpable cuando en la generación o agravación de la insolvencia hubiera mediado dolo o culpa grave del deudor personal natural o de sus representantes legales o de los administradores o liquidadores de derecho o de hecho, o de los apoderados generales de la persona jurídica (art. 164.1 LC), presumiéndose iuris tantum la existencia de dolo o culpa grave en determinados casos, entre los que destaca a la nivel contable el incumplimiento del deber de formulación de cuentas anuales, auditoría y deposito en el Registro Mercantil en algunos de los tres últimos ejercicios anteriores a la declaración del concurso.

La presunción *iuris tantum* afecta, conforme a jurisprudencia reciente, únicamente al dolo o culpa grave, pero no a la necesidad de acreditar en prueba la generación o agravación del estado de insolvencia (v. STS de 16 de noviembre de 2011), con la consecuencia que no podrá declararse el concurso como culpable si no se prueba que la infracción de las obligaciones contable ha ocasionado la insolvencia o, al menos, la ha agravado (v. SAP de Pontevedra, de 22.12.2010).

b) En segundo lugar, el legislador establece un sistema de hechos de calificación culpable cuya concurrencia determina la calificación del concurso como culpable. Como destaca jurisprudencia (v. STS de 6.10.2011) y doctrina (ROJO/BELTRAN, *El Derecho concursal*, Cizur Menor, 2012, pág. 65), el acaecimiento de estos hechos, que constituyen conductas muy graves, y que operan como presunciones iuris et de iure, justifican, en sede de calificación concursal, la declaración del concurso como culpable y la imposición de las sanciones contempladas en los artículos 172 y 172 bis de la Ley Concursal. Entre estos hechos de calificación de concurso culpable, destaca el incumplimiento sustancial del deber de llevanza de la contabilidad, la doble contabilidad y la comisión irregular relevante para la comprensión de la situación patrimonial o financiera en la contabilidad.

Cierra el sistema la sanción de la cooperación con las personas afectadas por la calificación, esto es, los cómplices, personas que, con dolo o culpa grave, hubieran cooperado a la realización de cualquier acto que hubiera fundado la calificación del concurso como culpable (art. 166 LC).

2. Los hechos de calificación de naturaleza contable

El concurso es culpable cuando se han realizado conductas que son subsumibles en los hechos de calificación consistentes en el incumplimiento sustancial del deber de llevanza de la contabilidad, la doble contabilidad y la comisión irregular relevante para la comprensión de la situación patrimonial o financiera en la contabilidad.

2.1. El incumplimiento sustancial del deber de llevanza de la contabilidad

El incumplimiento *sustancial* del deber legal de llevanza de la contabilidad constituye la primera presunción iuris et de iure de concurso culpable.

La introducción del término "sustancial" plantea problemas de interpretación. De ahí la necesidad de dotarla de contenido. El incumplimiento ha de ser grave, o, como expresa, la dicción literal, sustancial, lo que significa que no toda infracción del deber ha de dar lugar a la calificación de concurso culpable. Es preciso que la contravención del deber impida el conocimiento a través del conjunto de los libros de contabilidad, de la imagen fiel del patrimonio, de la situación financiera y de los resultados de la empresa (art. 34 C. de C.). En otros términos, el incumplimiento ha de impedir que los libros contables cumplan la función de facilitar el conocimiento de la situación patrimonial y financiera de la empresa. En este ámbito, el concurso culpable se circunscribe a la conducta del deudor que rompe con la función informativa de los libros de contabilidad, comportamiento valorado de mayor gravedad que la omisión del obligado depósito de las cuentas anuales, que atiende más a una función externa de la publicidad (v. en doctrina, GARCIA-CRUCES, *La calificación del concurso*, Cizur Menor, 2004, pág. 44 y MACHADO, *El concurso de acreedores culpable*, Cizur Menor, 2006, pág. 110). El artículo 164.2.1 se refiere a los supuestos en que o bien el empresario, o en su caso, los administradores sociales no llevan la contabilidad o bien la que llevan impide sustancialmente conocer la situación económico patrimonial del deudor (v. SANCHO GARGALLO, "La calificación del concurso", en *Las claves de la Ley concursal*, Cizur Menor, 2005, pág. 554).

Constituye incumplimiento sustancial la no llevanza absoluta de contabilidad (v. SAP de Zaragoza (Sección 5ª), de 13.07.2011) como la infracción de la preceptiva legalización de los libros de contabilidad (v. SAP de León (Sección 1ª), de 29.07.2011, la SAP de Madrid, de 20.05.2011, que matiza, en relación a la falta de legalización, *"en este punto el problema se centra, por tanto, en valorar la transcendencia de tal irregularidad, por cuanto no cabría considerarla como hecho subsumible en el artículo 164.2.1 si no operase efectivamente como circunstancia obstativa a la comprensión de la situación patrimonial o financiera del deudor, situación por lo general únicamente apreciable cuando se valora conjuntamente con otros hechos, pero no cuando, como aquí acaece, se plantea como único factor a tomar en consideración"*). Los libros deben presentarse al Registro Mercantil para su legalización, bien antes de su utilización, bien a posteriori, pero siempre antes de que transcurran los cuatro meses siguientes a la fecha de cierre del ejercicio, con la posibilidad de legalización a través de procedimientos telemáticos (Instrucción de la DGRN de 26.05.1999). Asimismo, han de ser llevados, cualquiera que sea el procedimiento utilizado, con claridad, por orden de fechas, sin espacios en blanco, interpolaciones, tachaduras, ni raspaduras, salvándose a continuación, inmediatamente que se adviertan, los errores u omisiones padecidos en las anotaciones contables y sin que puedan utilizarse abreviaturas o símbolos cuyo significado no sea preciso conforme a la normativa contable. La legalización es imprescindible en el proceso de llevanza de una contabilidad ordenada porque impide la alteración de los asientos después del cierre contable, de ahí que los Registros mercantiles estén obligados a llevar el Libro de legalizaciones (art. 27 RRM), el carácter obligatorio de la legalización de los libros obligatorios (art. 329 RRM) y el hecho de que los libros deben estar encuadernados de modo que no sea posible la sustitución de los folios, debiendo tener el primer folio en blanco y los demás numerados correlativamente y por el orden cronológico que corresponda a los asientos y anotaciones practicados en ellos (art. 333 RRM) (en dichos términos se expresa la excelente resolución del JM de Pontevedra, sede Vigo, de 15.07.2011, que considera que "son perfectamente asimilables la no llevanza de los libros obligatorios y el incumplimiento de la obligación de legalización de éstos, lo que el concursado llevaba era un conjunto heterogéneo de apuntes contables, más o menos sueltos, acertados o exactos, pero incumplió sustancialmente su obligación de llevanza de la contabilidad, sin que la vaga explicación sobre el sistema de llevanza ofrecida en la testifical clarifique algo tan sencillo de acreditar como lo expuesto")

La falta de los libros contables, voluntaria y de forma ilícita, constituye una grave perturbación pues hace imposible la comprobación de las operaciones mercantiles de la empresa y generan desinformación voluntaria, que justifica la presunción legal de culpabilidad, que no admite prueba en contrario (v. SSAP de Alicante (Sección 8) de 23.09.2008 y de 23.12.2008, 29.01.2009 y de 3.11.2011, SAP de Tarragona, de 23.10. 2006, SAP de La Rioja, Sección 1ª), de 17.10.2008, SAP de Pontevedra, Sección 1ª, de 23.06.2011; SAP de León, de 20.06.de 2011).

De otra parte, la mera tenencia de los libros obligatorios sin hacer en ellos los asientos pertinentes ha de considerarse como incumplimientos sustancial del deber de llevanza de la contabilidad y ha de determinar la calificación del concurso como culpable (ya en la doctrina jurisprudencial clásica, v. SSTS de 8.10.1974, y 20.05.1975, en la que se refiere a un caso en el que durante años no se hicieron anotaciones).

No basta con cumplir la obligación de depósito de las cuentas anuales cuando no es posible contrastarlas con los libros de contabilidad porque éstos, con gran descuido por parte de la administradora de la sociedad, se han extraviado (v. SAP de Alicante (Sección 8), de 18.06.2010 y de 3.11.2011).

La inexistencia de los libros de contabilidad no puede justificarse con la existencia de unos listados de ordenador que ni siquiera consta que recogieran todas las operaciones y, por tanto, han de considerarse incompletos para conocer la verdadera situación económica o financiera de la sociedad concursada (v. SAP de A Coruña (Sección 4ª), de 26.10.2011, en el caso contemplado por la Audiencia Provincial la concursada no disponía de los libros legalmente obligatorios sino de unos listados de ordenador que recogían solo parcialmente las operaciones durante los ejercicios de 2007 hasta el 31 de marzo de 2009, sin que el listado "diario" del primero contabilizase todas las operaciones, empleando asientos globalizados, sin posibilidad de saber a quién se efectuaban los pagos ni a quien se cobraban, ni existencia de cuenta de caja sino solo una de bancos).

Con todo, frente a la imputación del incumplimiento sustancial de la obligación de llevanza de la contabilidad, el afectado por la calificación, conforme al criterio normal de facilidad probatoria (art, 217.6 LEC), podrá verificar, si ello es posible, la adecuada llevanza de la misma (v. SJM num. 3, de Pontevedra, sede Vigo, de 15.07.2011). Ha de tenerse presente, en este caso, que la ausencia de libros contables pueda no ser imputable al empresario o, en caso de sociedad mercantil, a los administradores sociales, porque se haya debido a un robo o a otra circunstancia objetiva (*vgr*. incendio) o, en general, a causa no imputable (así en jurisprudencia clásica, v. SSTS de 21.04.1930, de 10.12.1985 y de 5.07.1989). Los administradores podrán alegar en su defensa la existencia de caso fortuito o fuerza mayor en los casos de robo, sustracción o destrucción de los libros de contabilidad (v. también STS de 10.12.1985, 18.02.1911, 21.04.1930 y 5.07.1989, en la que no se acepta la inimputabilidad ante la alegada desaparición de los libros de contabilidad con ocasión del desahucio del local de la empresa, por carencia de la prueba concreta y actitud pasiva del deudor, "que pudo y debió y non lo hizo, interesar de la comisión judicial que lo llevo a cabo… la verificación inventariada de enseres, utensilios, libros y documentos que eran objeto de diligencia; v. también STS de 18.04.1990).

No puede considerarse como contabilidad la exclusiva existencia de facturas y otros documentos que simplemente constituyen la base documental, sin anotaciones en los libros obligatorios. (v. SAP de Alicante, Sección 8ª, de 23.09.2009).

2.2. La doble contabilidad

El artículo 164.2.1 hace referencia como hecho de calificación que constituye presunción *iuris et de iure* de concurso culpable, la "doble contabilidad". La doble contabilidad exige la concurrencia de la práctica de llevanza de libros paralelos que manifiestan una duplicidad entre los libros oficiales –en los que no se registran todos los asientos- que no dan la información contable exigida legalmente sino una información muy restringida y alejada del estado real contable, y los libros no oficiales en el que sí se registran el estado real de los movimientos contables. La llevanza de la doble contabilidad persigue habitualmente el ocultamiento de datos contables con fines normalmente de eludir el cumplimiento de obligaciones fiscales (v. arts. 133 y ss., de la LIS).

Con todo, este hecho de calificación no concurre cuando existe incumplimiento sustancial del deber de llevanza de la contabilidad, pues como expresa una reciente resolución judicial, "*no se puede concluir la existencia de doble –o triple- contabilidad si ni siquiera existe la contabilidad oficial llevada conforme a derecho; la conducta perseguida en el artículo 164.2.1 permite la alternatividad precisamente por ello; se incumple sustancialmente la obligación de llevar la contabilidad cuando se dispone de libros no oficiales, no legalizados y donde sólo constan parcialmente los asientos; en esta tesitura no puede sostenerse la existencia de doble contabilidad, que podrá concurrir si no se incumple sustancialmente la obligación de llevanza, de suerte que aun aparentando ser conforme a derecho la presentada, en realidad oculta toda suerte de datos y transacciones llevados de forma paralela, siendo la realmente presentada oficial, pero no veraz"* (SJM num. 3 de Pontevedra, sede Vigo, de 15.07.2011).

La llevanza de una doble contabilidad constituye un hecho ilícito que entraña una voluntad de engaño y de ocultación. Este implícito ánimo defraudatorio ha sido reiteradamente afirmado por la jurisprudencia (v. STS de 30.01.1991: "toda doble contabilidad tiene por finalidad el ánimo defraudatorio". La contabilidad paralela pretende una distorsión o simulación de la información contable (v. MACHADO, *El concurso de acreedores culpable, cit.,* pág. 113 y Conclusiones del II Congreso de magistrados especialistas de lo mercantil: "la doble contabilidad debe entenderse siempre verificada con ánimo defraudatorio o con intención de perjudicar a los acreedores y debe dar lugar a la calificación del concurso culpable, incluso aunque la información de la contabilidad exterior, llevada hasta la declaración del concurso reflejase la situación patrimonial real del concursado", v. MUÑOZ PAREDES, "La calificación del concurso", en *Tratado judicial de la insolvencia,* págs. 614-615, quien manifiesta que la doble contabilidad está estrechamente ligada al fraude fiscal, a través de la disimulación del activo, tendiendo a mantener opacos, principalmente al Fisco y, por extensión al resto de acreedores, diversos elementos del activo, generalmente ingresos en dinero "B" para reducir el hecho imponible del impuesto de sociedades o para no declarar el IVA en empresas prestadoras de servicios).

3. La comisión irregular relevante contable para la comprensión de la situación patrimonial o financiera de la contabilidad

En esta hipótesis legal destaca la expresión "irregularidad relevante", lo que significa que no todo incumplimiento de obligaciones contables conduce a la declaración de concurso culpable ya que los incumplimientos contables que determinan la calificación como culpable son aquellos que por su relevancia impiden conocer la situación patrimonial o financiera de la sociedad concursada.

La irregularidad relevante contable entrañaría una infracción dolosa o culposa de los principios y normas contables que tenga la entidad suficiente, cuantitativa o cualitativa para alterar sustancialmente la comprensión de la situación patrimonial o financiera de la sociedad.

Dicha irregularidad puede proceder tanto de falsedades contables cometidas de forma intencional como de errores derivados de la infracción de la diligencia debida en la llevanza de los libros de contabilidad (v. JM num. 5 de Madrid, de 2.02.2010), pero, en todo caso, habrá de ser significativa, importante y grave, sin justificación alguna que impida obtener de la contabilidad la información necesaria para valorar la conducta del concursado en la situación de insolvencia.

Así constituyen irregularidades contables relevantes la inclusión de partidas que no se corresponden con la realidad o la no constancia de partidas que deberían incluirse necesariamente (v. SAP de Madrid, de 17.06.2011, considera el concurso culpable por falta de provisión de ciertos saldos acreedores por el concepto de inversiones financieras y deudores a corto plazo).

La determinación de la concurrencia de una irregularidad relevante para la comprensión de la situación patrimonial o financiera de la concursada en la contabilidad exige que se cumplan una serie de requisitos (v. SAP de Pontevedra (Sección 1ª), de 26.09.2011):

a) "La aplicación de esta presunción exige que el deudor esté obligado a llevar la contabilidad, que se cometa alguna irregularidad en la misma y que sea relevante para comprender la situación patrimonial o financiera.

b) La razón de ser de esta presunción está en que la comisión de irregularidades desvirtúa la información que la contabilidad, así resultante, proporciona, impidiendo valorar correctamente la actuación del concursado. La irregularidad contable supone que se ha incurrido en una incorrecta contabilización, cualquiera que fuese su reflejo, afectando a las exigencias de claridad y precisión que deben caracterizarlas (arts. 25, 29 y 34.2 C. de C.) debiendo incluirse tanto las irregularidades procedentes de falsedades contables cometidas por el deudor (conducta incidental), como aquellos otros supuestos en los que el origen de la irregularidad radica en el error, derivado de la infracción de diligencia debida en la llevanza de los libros contables.

c) Para que la presunción despliegue su eficacia se requiere que la irregularidad contable sea relevante, es decir, significativa, importante o grave, de manera que produzca una distorsión de la infracción derivada de la contabilidad, al punto de impedir el obtener de la misma el conocimiento del verdadero estado económico-patrimonial del deudor (…)".

En definitiva, la conducta presupone, como destaca la sentencia de la Audiencia Provincial de Barcelona (Sección 15ª), de 27 de abril de 2007, la existencia de una irregularidad contable clara, de acuerdo con las normas de contabilidad, y que además sea relevante en cuanto impida una comprensión cabal de la situación patrimonial o financiera de la sociedad concursada.

También la sentencia de la Audiencia Provincial de Alicante (Sección 8ª), de 30 de junio de 2011, da contenido al concepto de "irregularidad relevante", destacando los siguientes elementos: "a) material: una información o falta de información derivada de la contabilidad del deudor que no se corresponde con la realidad de la operación económica; b) cuantitativo: esa discordancia entre la contabilidad y la realidad económica debe traducirse en diferencias económicas importantes, por lo que se excluirán las diferencias de escasa cuantía atendiendo al volumen del conjunto de operaciones del concursado; c) cualitativo: debe afectar a elementos determinantes para conocer la verdadera situación patrimonial y financiera del concursado, por lo que se excluirán las irregularidades que no alteran de forma determinante la información sobre la verdadera situación patrimonial y financiera; d) subjetivo: debe revelar la irregularidad cierta intencionalidad o el incumplimiento de las más elementales reglas de la diligencia exigible al concursado". Al exigirse por la Ley concursal el calificativo de relevante, se dispone de un plus que supone alguna gravedad, carente de justificación y que afecte directamente a las finalidades de claridad, rigor y precisión que derivan de las normas de contabilidad (v. SAP de Baleares, de 21.04.2010 y SJM de Pontevedra, con sede en Vigo, de 10.06.2011).

A los efectos de definición de la *irregularidad relevante* se ha defendido la aplicación de la distinción entre error e irregularidad empleada por la Resolución del Instituto de Contabilidad y Auditoría de Cuentas de 15 de junio de 2000, por la que se publica la Norma técnica sobre errores e irregularidades. Los errores serían actos no intencionados y las irregularidades serían actos intencionados que alteran significativamente la información de las cuentas anuales. De tratarse de una alteración poco significativa, en la medida que no modifica la imagen fiel, la irregularidad quedaría cubierta por el principio de importancia relativa (v. MUÑOZ PAREDES, "La calificación del concurso", cit., páag. 626; tratándose de cantidades despreciables, por mínimas, la irregularidad no puede merecer la calificación de relevante: v. SJM de Bilbao, num. 1, de 26.04.2007, v. también en relación a la irregularidad relevante y su significación las SJM de Oviedo, de 29.07.2011, en la que se defiende que constatada la irregularidad y su relevancia cuantitativa o cualitativa, la misma no queda eliminada por el hecho de que no se haya traído al proceso como cómplice al auditor, pues esto lo único que impide es exigirle responsabilidad, pero no sana unos vicios cuya existencia queda sobradamente acreditada en autos).

Aunque la norma técnica puede ser orientativa en cuanto a la infracción de los principios contables, no parece que haya de aplicarse el concepto estricto contable de irregularidad relevante de la misma, sino una noción concursal que englobe tanto los errores como las irregularidades (v. MUÑOZ PAREDES, "La calificación del concurso", cit. p. 624. De otra opinión es la SJM num. 3 de Barcelona, de 18.02.2008). Así se ha defendido ya por un juez mercantil en atención de que el alcance y extensión de la misma (norma técnica) "*son absolutamente nítidos y no pueden extrapolarse a las conductas sobre las que la norma concursal establece un presunción de culpabilidad*" (así la citada SJM de Pontevedra, con sede en Vigo, de 10.06.2011, en la que se defiende que "*la distinción deja de cobrar sentido en tanto que la presunción iuris et de iure es de dolo o culpa grave –por remisión al artículo 164.1- lo que abarcaría tanto a la irregularidad como al error, con tal que ambos tengan significación entitativa suficiente; de ahí que no todas las presunciones del artículo 164 contengan un elemento intencional, como es el caso de la inexactitud grave documental frente a la falsedad, o el incumplimiento sustancial de llevanza de la contabilidad, que es neutro y carece de epíteto calificativo o por causa imputable al concursado, imputabilidad que no necesariamente implica la atribución de conducta dolosa*").

Entre los casos de irregularidad relevante que recogen las resoluciones judiciales, destacan:

a) Contabilización de gastos de establecimiento que no son propios junto a la concesión de créditos a sociedad en insolvencia, que objetivamente no eran recuperables, así como contabilización de créditos inexistentes, prácticas que implican que los activos de la concursada aparecieran distorsionados contablemente en una considerable suma, irregularidades que en su conjunta consideración si merecen calificarse como relevantes a la comprensión de la verdadera situación patrimonial o financiera de la entidad concursada y bastaría con ello para declarar culpable el concurso al amparo de la presunción que se contempla en el artículo 164.1.1 de la Ley Concursal (SAP de Valladolid (Sección 3ª), de 21.11.2011).

b) Falta de dotación de una provisión como consecuencia de la condena dineraria imputada a la concursada por sentencia, sin que se anotara por los administradores la deuda una vez firme la sentencia por inadmisión del recurso de casación, lo que provocó una imagen distorsionada de la situación financiera de la compañía ocultando unos fondos propios negativos durante años (v. SAP de Madrid (Sección 28ª), de 23.06.2011).

c) Constancia contable del importe de la deuda por efectos descontados a favor de entidad de crédito inferior al real afectando por tanto a la cifra del pasivo y constancia en el activo de una suma en concepto de acreedores (deudores de la sociedad) que no debería constar al resultar incobrables los créditos por haber transcurrido más de tres años desde el vencimiento de los mismos (SAP de Madrid (sección 28ª), de 16.09.2011).

d) La no inclusión en la contabilidad de varios ejercicios de deudas frente a la Seguridad social sin efectuar las provisiones para atenderla en tanto que la responsabilidad había sido declarada en expediente de derivación de responsabilidad por sucesión de actividad (v. SAP de Zaragoza (Sección 5ª), de 15.07.2011, "es de apreciar que la no inclusión en las cuentas de la contingencia reiterada y la no provisión de la misma ni en las cuentas ni en la contabilidad de las sociedad concursada obedece a un propósito deliberado de ocultar la verdadera situación económica de la sociedad concursada e impide que su contabilidad permita la comprensión de la situación patrimonial o financiera, de tal modo que oculta la inviabilidad de la sociedad desde pocos meses después de su constitución").

e) Activación de un gasto de investigación y desarrollo que ocultaba gastos de explotación en cuantía muy elevada "para la justificación de subvenciones", así como la ilícita activación de créditos impositivos por importes elevados. En ambos casos, se dice en la sentencia de la Audiencia Provincial de Pontevedra de 23 de junio de 2011, que "*se crearon activos ficticios, irrealizables que enmascaraban perdidas*".

4. Las presunciones iuris tantum de concurso culpable de naturaleza contable: falta de formulación, auditoría y depósito de las cuentas anuales en alguno de los tres ejercicios anteriores a la declaración de concurso

El concurso se califica como culpable cuando en la generación o agravación de la insolvencia hubiera mediado dolo o culpa grave del deudor personal natural o de sus representantes legales o de los administradores o liquidadores de derecho o de hecho, o de los apoderados generales de la persona jurídica (art. 164.1 LC), presumiéndose *iuris tantum* la existencia de dolo o culpa grave en determinados casos, entre los que destaca a la nivel contable el incumplimiento del deber de formulación de cuentas anuales, auditoría y deposito en el Registro Mercantil en algunos de los tres últimos ejercicios anteriores a la declaración del concurso.

La presunción *iuris tantum* persigue sancionar la infracción de deberes societarios vinculados a la función de la información externa de la contabilidad sobre la imagen de la situación patrimonial, financiera y de los resultados de la empresa.

La norma contempla tres deberes que han de ser de obligado cumplimiento por los administradores sociales.

El primero es el deber de formular las cuentas anuales. La formulación de las cuentas anuales constituye una obligación en sentido técnico jurídico de los administradores constituidos en órgano social. El retraso en el cumplimiento de la obligación de formulación de las cuentas puede determinar la responsabilidad de los administradores por los daños y perjuicios ocasionados, salvo que se pruebe que se debió a fuerza mayor y que actuaron conforme a la diligencia de un ordenado empresario y representante leal, pero la formulación tardía de las cuentas anuales no ha de dar lugar al hecho base de presunción del artículo 165.3 de la Ley Concursal. La formulación de las cuentas anuales es una obligación sometida a término, pero no un término esencial: es posible el cumplimiento tardío del deber, sin perjuicio de la responsabilidad por daños y perjuicios que haya podido ocasionar (v. en esos términos, VAZQUEZ CUETO, "Las cuentas y la documentación contable en las sociedad anónima", en *Tratado de derecho mercantil*, Madrid-Barcelona, 2001, pág. 128). La Administración concursal o el ministerio fiscal habrán de probar, según la interpretación acogida por la jurisprudencia, que el incumplimiento de la formulación originó o agravó la insolvencia (v. STS de 16.11.2011 y SJM de Santander de 19.12.2007)

El segundo es el deber de someter las cuentas anuales a la auditoría cuando esta sea obligatoria. Las cuentas anuales han de ser objeto de revisión y verificación por los auditores de cuentas, una vez han sido formuladas por los administradores. Esta auditoria realizada por expertos independientes redunda en una mayor protección a terceros y en una mayor fiabilidad de las cuentas anuales. El no sometimiento de las cuentas anuales a auditoría implicará la existencia de una presunción iuris tantum de concurso culpable.

La tercera de las presunciones legales es la infracción del deber de depositar las cuentas anuales aprobadas en el Registro Mercantil en alguno de los tres últimos ejercicios anteriores a la declaración del concurso (v. SAP de Burgos (s. 3ª) de 25.03.2011, SAP de Pontevedra (s. 1ª) de 22.12.2010, Sentencia J.M. nº 3 de Pontevedra, sede Vigo, de 15.07.2011). De producirse el incumplimiento se impide, en contra de normas de orden público que lo imponen, el acceso de los terceros a la información de la imagen fiel de la situación patrimonial y financiera de la sociedad, generando un grave déficit en la información contable en el tráfico mercantil. El deber legal se infringe cuando aprobadas las cuentas anuales, el depósito no se ha realizado en el plazo legal. El plazo de presentación para los documentos contables en el Registro mercantil es dentro del mes siguiente a la aprobación de las cuentas anuales. Si las cuentas anuales no han sido aprobadas, no surge la obligación de su depósito público. Con todo, hay que valorar, para determinar la concurrencia de la presunción de culpa grave o dolo, la causa de la falta de depósito (así concurriría si la falta de aprobación de las cuentas anuales se debe al accionista único de la sociedad unipersonal y que, al tiempo, es el administrador de la misma).

La jurisprudencia mantiene que el artículo 165.3 de la Ley Concursal establece puramente una presunción de culpa grave o dolo, debiéndose acreditar la relación causal en la generación o agravación de la insolvencia. Es clara en este sentido, la sentencia de la Audiencia Provincial de Pontevedra (s. 1ª) de 5 de mayo de 2011, en la que puede leerse que "En caso de concurso, además de las sanciones anteriores, la falta de depósito de cuentas para su publicación puede suponer la sanción de culpabilidad, pero no resulta ni lógico ni proporcionado que por el mero hecho de incumplir el deber del depósito se declare culpable el concurso, si tal omisión resulta que ha resultado irrelevante para los intereses de los acreedores. A diferencia de otros supuestos del artículo 165, en el caso que ocupa se tipifica una conducta preconcursal, no un incumplimiento de deberes concursales que pueden resultar inocuos a efectos de la generación o agravación de la insolvencia. Si el deudor no presenta cuentas para el depósito será sancionado con multa y con el cierre del registro, pero si no ha presentado las cuentas correspondientes a algún ejercicio de los tres anteriores al concurso, sólo tendrá sentido la declaración de culpabilidad si este comportamiento, de algún modo, ha incidido en la generación o en la agravación de la insolvencia, por ejemplo coadyuvando al mantenimiento en el tráfico de una sociedad que debió haberse disuelto o generando una apariencia de normalidad que llevara a los acreedores desinformados a contraer créditos que no habrían contraído de haber conocido la situación contable de la empresa".

Esta necesidad de probar por la Administración concursal o por el Ministerio fiscal el nexo causal de la conducta con la generación o agravación de la insolvencia es, además, la interpretación sentada por la sentencia del Tribunal Supremo de 16 de noviembre de 2011 (v. también SAP Madrid de 14.07.2009, de 4.12.2009, de 15.01.2010, SAP de Jaén, de 10.03.2008, SAP de Alicante, de 20.02.2009, SAP de Córdoba, de 28.03.2008 y SAP de Murcia, de 16.07.2009). Así la sentencia de la Audiencia Provincial de Pontevedra (s. 1ª) de 22 de diciembre de 2010 considera el concurso como fortuito, pese al incumplimiento del deposito de las cuentas anuales, por la razón de que ni la Administración concursal ni el Ministerio fiscal han probado la relación causal del incumplimiento con la generación o agravación de la insolvencia:

"SEXTO.- (...) *Finalmente, por lo que hace a la presunción del artículo 165-3° de la Ley Concursal, si bien es cierto que ha venido a constatarse la falta de depósito en el Registro Mercantil de las cuentas anuales correspondientes a los tres últimos ejercicios anteriores a la declaración del concurso (años 2005, 2006 y 2007), -incumplimiento éste del que no es dable pueda excusarse el administrador de la concursada so pretexto de un incorrecto desempeño de sus servicios por la anterior asesoría fiscal a la que había encargado la llevanza de la contabilidad, a tenor de lo preceptuado en el artículo 25-2 del Código de comercio-, no obstante, no cabe sostener en dicha presunción la declaración de culpabilidad del concurso, dado que dicha presunción sólo ampara el elemento subjetivo del dolo o culpa grave del deudor, mas no la acreditación de que por tal circunstancia se ha venido a generar o agravar el estado de insolvencia de la entidad concursada (art. 164-1 LC), extremo éste cuya demostración han omitido por completo las partes (Administración concursal y Ministerio Fiscal) que pretenden la calificación culpable del concurso. En atención a todo lo anteriormente expuesto, procede la estimación del recurso de apelación, debiendo ser calificado el concurso como fortuito"*.

5. Las sanciones

5.1. Introducción

La calificación concursal no entraña sanciones penales, sino exclusivamente sanciones de naturaleza civil, que se contemplan en los artículos 172 y 172 bis, relativos a la sentencia de calificación y a la responsabilidad concursal. La Ley 38/ 2011, de 10 de octubre, de reforma de la Ley concursal de 2003 no establece un cambio radical del sistema sancionador, sino que pretende, en este ámbito, aclarar cuestiones interpretativas que ha suscitado la doctrina y especialmente la práctica judicial.

En el establecimiento de un sistema sancionador civil, la ley concursal adoptó las consecuencias jurídicas tradicionales, si bien limitando, en algunas de ellas, su ámbito temporal y acentuando su naturaleza restrictiva. La exclusión en el sistema de sanciones penales fue uno de los objetivos del legislador. La Exposición de Motivos de la Ley concursal declara expresamente que "los efectos de la calificación se limitan a la esfera civil, sin trascender a la penal". En esa dirección el artículo 163 manifiesta claramente que la calificación concursal no vinculará a los jueces y tribunales del orden jurisdiccional penal que, en su caso entiendan de actuaciones del deudor que pudieran ser constitutivas de delito.

El artículo 172, tras disponer que la sentencia declarará el concurso como fortuito o como culpable, expresando, en el caso de declaración de concurso culpable, la causa o causas en que se fundamente la calificación (arts. 164 y 165 LC), determina los pronunciamientos que ha de contener la resolución judicial. En cuanto a la fundamentación pretende el legislador que la sentencia determine claramente la concurrencia del hecho de calificación culpable, esto es, la concurrencia de los supuestos que integran las presunciones o, sin más, la conducta con dolo o culpa grave que ha generado o ha agravado la insolvencia.

En cuanto a los pronunciamientos de la sentencia han de destacarse los relativos al ámbito subjetivo, esto es, tras la declaración del concurso como culpable y la expresión de la causa o causas en que se fundamente la calificación, el primer pronunciamiento de la resolución judicial es la determinación las personas afectadas por la calificación así, como en su caso, las personas declaradas cómplices (arts. 172 y 166 LC). En el caso de persona jurídica pueden ser considerados personas afectadas por la calificación no sólo los administradores o liquidadores de hecho o de derecho, sino también los apoderados generales y aquellas personas que hubieran tenido cualquiera de estas condiciones dentro de los dos años anteriores a la fecha de la declaración del concurso. Como es de pura lógica, la atribución de la condición de administrador o liquidador de hecho obliga al juzgador a motivarla en la resolución judicial.

En el ámbito objetivo o de los efectos, la Ley concursal tipifica una serie de sanciones de orden personal y patrimonial, entre las que destaca: a) la inhabilitación para la administración de bienes ajenos; b) la pérdida de derechos como acreedor, la devolución de bienes y la indemnización de daños y perjuicios y c) la responsabilidad concursal.

Tras la Ley 38/2011, el sistema sancionador sigue cumpliendo dos funciones básicas: una tradicional de represión de las conductas ilícitas del concursado o, en su caso, de sus representantes legales y la función de perseguir la mayor satisfacción de los acreedores titulares de créditos concursales y de créditos contra la masa a través de la imposición de sanciones de naturaleza puramente patrimonial. Como no puede ser de otro modo, al hacer referencia a sanciones utilizamos la expresión en sentido impropio, esto es, las sanciones incorporadas en los artículos 172 y 172 bis no se integran, en términos estrictos, en el Derecho sancionador (así SSTS de 23.02.2011, de 12.09.2011, de 6.10.2011 y 17.11.2011).

5.2. La inhabilitación de las personas afectadas por la calificación

La primera de las sanciones del concurso culpable es la inhabilitación de las personas afectadas por la calificación para administrar los bienes ajenos durante un período de dos a 15 años, así como para representar o administrar a cualquier persona durante el mismo período, atendiendo, en todo caso, a la gravedad de los hechos, a la entidad del perjuicio y, la reforma añade como criterio, "la declaración culpable en otros concursos". Ha de destacarse aquí que esta inhabilitación para la administración de los bienes es la sanción básica o respuesta principal del ordenamiento frente aquellos que realizan actos o infringen deberes inherentes a una buena y regular administración.

Esta inhabilitación constituye, en sentido propio, una sanción personal, esto es, un reproche de desvalor social de la concreta conducta ilícita. Que se trata de una sanción, si bien temporal, no hay duda; así lo manifiesta la propia Exposición de Motivos de la Ley concursal, y que su imposición corresponde al juez en sentencia, sin estar sometido al principio dispositivo.

A nuestro juicio, aunque la Administración concursal no la solicite, declarado culpable el concurso, la sanción personal ha de imponerse por el juez, de oficio, conforme a los criterios determinados en la ley concursal. Esta tesis fue la acogida en el III Encuentro de Jueces especialistas celebrado en Salamanca los días 30 de noviembre y 1 de diciembre de 2006, si bien en la práctica se aprecia, en los casos en los que la Administración concursal y el Ministerio fiscal no incluyen en sus escritos la sanción de inhabilitación, distintos posicionamientos desde aquellos que no la aprecian de oficio (v. SJM num. 1 de La Coruña, de 20.06.2006) hasta los que la imponen en su grado mínimo (v. SJM núm. 1 de Madrid de 16.01.2007 o SJM de Oviedo de 2.06.2007, que considera la sanción de orden público).

Los administradores y los liquidadores de la sociedad concursada, inhabilitados en la sentencia de calificación, cesarán automáticamente en sus cargos (art. 173 LC). Para el caso no improbable que el cese de los inhabilitados provoque la paralización o impida el funcionamiento del órgano de administración o liquidación, la Ley faculta a la Administración concursal a convocar la Junta o, en su caso, la Asamblea de socios para proceder al nombramiento de aquellas personas que hayan de cubrir las vacantes (art. 173, relativo a la sustitución de los inhabilitados).

La Ley 38/2011 introduce, acogiendo las críticas de un sistema excesivo por severo, en el régimen jurídico una importante modificación en los casos de que se alcance la aprobación judicial de convenio. Si el Administrador concursal lo solicita, excepcionalmente la sentencia de calificación podrá autorizar al inhabilitado a continuar al frente de la empresa o como administrador de la sociedad concursada. De forma armonizada con esta medida se ha tenido que, en buena técnica legislativa, reformar el contenido del apartado segundo del artículo 13 del Código de Comercio, que establece la prohibición para ejercer el comercio de las personas que sean inhabilitadas por sentencia firme conforme a la Ley concursal mientras no se haya concluido el período de inhabilitación. En la nueva redacción del precepto, se matiza que en el caso de la autorización referida, los efectos de ésta "se limitarán a lo específicamente previsto en la resolución judicial que la contenga".

La segunda sanción civil, de necesario pronunciamiento expreso en la sentencia de calificación, es la "pérdida de cualquier derecho de las personas afectadas por la calificación o declaradas cómplices tuvieran como acreedores concursales o de la masa" (art. 172.2.3° LC). La especialidad de esta sanción es, en contraste con el Derecho tradicional de quiebras, la amplitud de su ámbito subjetivo, pues, recuérdese que el artículo 894 del Código de Comercio de 1885 sólo contemplaba esta sanción respecto a los cómplices.

La medida podrá imponerse a cualquiera de las personas afectadas, incluidos, por tanto, los administradores o liquidadores, de derecho o de hecho, así como aquellas personas que hubieran tenido esta condición dentro de los dos años anteriores a la fecha de la declaración del concurso.

En cuanto a su ámbito objetivo, la ley no distingue: no restringe la pérdida de derecho a los nacidos con ocasión del acto ilícito realizado, sino que se expresa en términos de extraordinaria amplitud: "cualquier derecho (...) como acreedores concursales o de la masa". Se produce, por tanto, un efecto sancionador consistente en la extinción de cualquier derecho no sólo como acreedor concursal sino como titular de un crédito contra la masa. Con esta sanción de naturaleza patrimonial se beneficia al resto de acreedores concursales.

5.3. La devolución de bienes o derechos obtenidos indebidamente

Con el mismo criterio y ámbito subjetivo, el artículo 172.3 de la Ley Concursal tipifica una tercera sanción civil, consistente en la condena a devolver los bienes o derechos que las personas afectadas por la calificación y las declaradas cómplices, hubieran obtenido indebidamente del patrimonio del deudor o hubiesen recibido de la masa activa (art. 172.2.3 in fine).

En esta sanción se distinguen dos hipótesis: a) la primera consiste en la obligada devolución de los bienes o derechos obtenidos indebidamente del patrimonio del deudor. La norma es, en este extremo, excesivamente genérica e imprecisa Así, no concreta que ha de considerarse por obtención indebida de bienes. Lo que la Ley persigue es que los bienes entregados indebidamente por el deudor con anterioridad a la declaración del concurso se restituyan. Dado que nada expresa el precepto, no queda más remedio que acudir a los criterios empleados por el legislador en la disciplina de las acciones de reintegración, en la que se especifican los casos en que los actos de disposición patrimonial anteriores a la declaración del concurso de acreedores resultan injustificados, con la salvedad que, en sede de calificación concursal, no cabe la aplicación del artículo 73.3 de la Ley Concursal, pues, como ya hemos indicado, los afectados por la calificación pierden cualquier derecho que tuvieran como acreedores concursales o de la masa; b) la segunda hipótesis muestra con mayor nitidez su carácter sancionador: el afectado por la calificación debe devolver los bienes o derechos que hubiera recibido de la masa activa, esto es, con posterioridad a la declaración del concurso (art. 73.1 LC). En ese caso, no tiene relevancia alguna que el acto dispositivo con cargo a la masa activa, haya sido lícito o ilícito, debido o no: las personas afectadas por la calificación y los cómplices habrán de restituir dichos bienes y derechos.

5.4. La indemnización de daños y perjuicios causados

La obligación de indemnizar los daños y perjuicios causados por parte de las personas afectadas por la calificación concursal y los cómplices tiene también su origen inmediato en el artículo 894 del Código de Comercio de 1885. Según este precepto, los cómplices podían ser condenados a reintegrar a la misma masa los bienes, derechos y acciones sobre cuya sustracción hubiere recaído la declaración de su complicidad, "con intereses e indemnización de daños y perjuicios". Esta obligación de cubrir los intereses y la indemnización de daños y perjuicios no constituía una sanción independiente, sino una consecuencia vinculada a la devolución de los bienes indebidamente salidos del patrimonio del quebrado.

El pronunciamiento legal de indemnización de daños y perjuicios actúa a modo de "previsión de cierre" La cuestión es si, conforme a los términos generales empleados por el legislador en el artículo 172.2.3 de la Ley Concursal, en la "indemnización de daños y perjuicios", cabe incluir, en el caso de concurso de sociedad, la hipótesis de una acción social de responsabilidad contra los administradores o liquidadores que tenga como finalidad la reconstrucción del patrimonio social (arts. 172.2.2, 48 quater LC y art. 238 LSC), cuyo ejercicio corresponde ahora de forma exclusiva a la Administración concursal. La nueva dicción del artículo 172 bis, que permite una reformulación de la naturaleza jurídica del precepto en términos indemnizatorios justifica una interpretación restrictiva del artículo 172.2.3 *in fine* dando un sentido más limitado a la indemnización de daños y perjuicios. En este sentido, parecen correctos los razonamientos de la sentencia del Juzgado Mercantil núm. 1 de La Coruña de 20 de junio de 2006, al declarar que por indemnización de daños y perjuicios ha de entenderse "los daños y perjuicios que la persona afectada por la calificación o el cómplice hubiesen causado a la masa activa como consecuencia de actos de disposición patrimonial previos al concurso o de la detracción de bienes o derechos de la masa". Así podría condenarse a las personas afectadas por la calificación y a los cómplices a indemnizar los perjuicios ocasionados "por la privación temporal de un bien que salió indebidamente del patrimonio del deudor, los deterioros que el bien detraído o percibido haya podido experimentar o incluso la ganancia dejada de obtener como consecuencia de la privación temporal del bien". Así para un sector de la jurisprudencia esta indemnización se limitaría exclusivamente a los daños y perjuicios causados por la atribución patrimonial indebida, comprendiendo los daños derivados de la privación temporal de su uso, los deterioros de su valor o la ganancia dejada de obtener (v. también SAP de Barcelona de 25.03.2008). No resulta posible, a la luz de la nueva regulación de la reciente reforma concursal, dar una interpretación más amplia a la expresión legal "indemnización de daños y perjuicios", sin invadir, como menciona la citada sentencia del Juzgado Mercantil núm. 1 de La Coruña, el ámbito de responsabilidad concursal del artículo 172.bis o el de la acción social de responsabilidad.

5.5. La responsabilidad concursal

5.5.1. La naturaleza jurídica de la responsabilidad concursal y el debate doctrinal y jurisprudencial

La Ley 38/2011 ha introducido un nuevo artículo 172.3 bis, relativo a la responsabilidad concursal. El precepto mantiene el régimen de la responsabilidad concursal, pero introduce modificaciones muy significativas, requeridas por la doctrina, que obligan a un replanteamiento de su naturaleza jurídica y a una interpretación del sistema sancionador.

El artículo 172.3 bis dispone que "cuando la sección de calificación hubiera sido formada o reabierta como consecuencia de la apertura de la fase de liquidación, el juez podrá condenar a todos o a algunos de los administradores, liquidadores, de derecho o de hecho, o apoderados generales, de la persona jurídica concursada que hubieran sido declarados personas afectadas por la calificación a la cobertura, total o parcial, del déficit".

Las primeras interpretaciones sobre la naturaleza jurídica de la responsabilidad concursal contemplada en el antiguo artículo 172.3 de la Ley Concursal fueron muy distintas. Algunos autores interpretaron que se trataba de una responsabilidad por daños Otros autores optaron por una calificación de responsabilidad que operaba a modo de sanción civil de naturaleza esencialmente punitiva.

La tesis de la responsabilidad-sanción ha sido, hasta la fecha la mayoritariamente defendida en doctrina y por la mayoría de las resoluciones judiciales (v. especialmente la SAP de Madrid, de 5.02.2008). Esta interpretación se asentaba, sobre sólidos argumentos, a la luz de la literalidad del precepto modificado. De un lado, la interpretación auténtica procedente de la tramitación legislativa ofrecía serios indicios sobre la naturaleza jurídica de la responsabilidad. De otro, la interpretación sistemática excluía que el legislador tipificase dos responsabilidades por daños y perjuicios, pues convertía una de las dos en superflua y hacía difícil la coexistencia en el concurso de la acción social de responsabilidad. De la misma forma, la sanción civil operaba como una medida de prevención general del cumplimiento de no sólo de determinados deberes preconcursales, sino además concursales, cuya infracción fundamentaba la calificación del concurso como culpable.

Frente a los actos ilícitos contemplados en los artículoss 164.2 y 165 de la Ley Concursal, el legislador tipificaba una responsabilidad por el déficit patrimonial, sin necesidad de vincular la sanción a la generación o agravación de la insolvencia

En tercer lugar, el contenido de la responsabilidad era un déficit patrimonial y no un daño. Se condena al pago de la totalidad o parte del déficit patrimonial. En definitiva, se hace responder por deudas y no por daños.

Frente a la tesis sancionadora, los partidarios de la interpretación de que la responsabilidad contemplada en el artículo 172.3 de la Ley Concursal es una responsabilidad por daño sometida a las servidumbres clásicas de dicha responsabilidad que exigen la prueba del dolo o la culpa grave del responsable y la relación de causalidad en relación al pasivo insatisfecho. Es conocida la defensa de esta interpretación por parte de la Sección 15 de la Audiencia Provincial de Barcelona, especialmente desde el Auto de 6 de febrero de 2006, en el que se deja claro que se trata de una responsabilidad resarcitoria en la que es necesario probar el nexo de causalidad y la falta de satisfacción de los créditos de los acreedores.

En efecto, a juicio de un destacado sector de la doctrina la responsabilidad concursal prevista en el artículo 172.3 es una responsabilidad por daños y por culpa, esto es, de naturaleza esencialmente indemnizatoria y no sancionadora o punitiva. Se trataría de una responsabilidad por culpa agravada –culpa grave o dolo- en la que entraría en juego el daño sufrido por los acreedores y que derivaría de la generación o agravación de la insolvencia. Los defensores de esta interpretación argumentan que "el importe de los créditos no satisfechos es el daño que la situación de insolvencia provoca para los acreedores (...) y la compensación de este daño, cuando haya sido provocado por la actuación dolosa o culposa de los administradores o liquidadores del deudor persona jurídica será el objeto de la condena. En esa línea, la sentencia condenatoria exigirá la acreditación del actuar doloso o culposo, la determinación del daño –el importe de los créditos no satisfechos por la liquidación) y la relación de causalidad entre el actuar de los administradores y liquidadores y el daño mencionado.

La nueva redacción del artículo 172 bis se inclina por la tesis resarcitoria, pues, afirma que en caso de pluralidad de condenados, la sentencia deberá individualizar la cantidad a satisfacer por cada uno de ellos, "de acuerdo con la participación en los hechos que hubieran determinado la calificación del concurso". Esta tesis permite al juzgador una graduación de la responsabilidad en función de la mayor o menor incidencia en la generación o agravación de la insolvencia, determinando quienes son los responsables de la misma en atención a la participación de su conducta. La tesis además rompe con los resultados desproporcionados de la doctrina sancionadora. Esta es una de las críticas más razonables que ha recibido la tesis de la sanción civil que no ofrece parámetros de graduación racionales para la aplicación judicial y que ofrece un grado de discrecionalidad al juez excesivo, si bien también es cierto que en la aplicación judicial de la responsabilidad, la prudencia del juez ha moderado los efectos desproporcionados de la tesis sancionadora, atendiendo a distinto grado de intervención efectiva de los administradores en los hechos que dieron lugar a la calificación culpable para condenar al pago total o parcial y condenar a más cuota de responsabilidad a unos administradores o liquidadores sobre otros (así destaca la SAP de Granada de 14.12.2007, en la que se condena a pago a dos administradores de un 40 por ciento del pasivo y a otro solamente al 20 por ciento, o la SAP de Córdoba de 28.03.2008, o la SJM de Oviedo, de 29.10.2007, que atiende a la distinta gravedad de las conductas o hechos de calificación contemplados en los artículos 164 y 165 de la Ley

Concursal, imponiendo un porcentaje superior a las más graves –un 75 o un 100 por 100 del pasivo no satisfecho con la liquidación en el caso de las conductas extremadamente graves como la llevanza de la doble contabilidad, la inexactitud grave o falsedad documental aportada al concurso, el alzamiento de bienes, los actos que retrasen, dificulten o impidan la eficacia de un embargo, las salida fraudulenta de bienes o los actos de simulación), una condena inferior a otras conductas graves, de un 30 a un 75 por ciento –como el incumplimiento sustancial de la obligación de llevanza de la contabilidad, la irregularidad relevante contable, la apertura de la liquidación por causa imputable al concursada y la falta de formulación, auditoría y depósito de las cuentas anuales ex art. 165.3 LC- y una condena que no debería superar al 30 por 100 en el caso de incumplimiento del deber de solicitar la declaración del concurso de acreedores).

El Tribunal Supremo ha defendido la naturaleza jurídica de la responsabilidad concursal como indemnizatoria (SSTS de 23.02.2011, de 12.09.2011, de 6.10.2011 y 16.11.2011). En la sentencia del Tribunal Supremo de 23 de febrero de 2011 se sigue el criterio interpretativo de la Sección 15 de la Audiencia Provincial de Barcelona, al declarar que "el artículo 172, apartado 3, (…) carece de la naturaleza sancionadora que le atribuye el recurrente dado que en él la responsabilidad de los administradores o liquidadores sociales por la generación o agravación del estado de insolvencia de la sociedad concursada, lo que significa el daño que indirectamente sufrieron los acreedores en una medida equivalente al importe de los créditos que no perciban en la liquidación de la masa activa. En definitiva, tal como ha sido aplicada por la Audiencia Provincial la mencionada norma cumple una función reguladora de responsabilidad por daño que la aleja del ámbito de aquellas que en motivo se dicen infringidas". La interpretación doctrinal de la Sala primera del Tribunal Supremo es, hasta la fecha, que el artículo 172.3 de la Ley Concursal (actual 172 bis) es una responsabilidad por daños. En concreto, en su último pronunciamiento la Sentencia del Tribunal Supremo de 6 de octubre de 2011, manifiesta de forma clara que

"No se contradice lo expuesto con la negación de la calificación de la norma del apartado 3 del artículo 172 como sancionadora en sentido estricto –sentencias 56/2011, de 23.02.2011, y 615/2011, de 12.09.2011– dado que la responsabilidad de los administradores o liquidadores sociales –sean de hecho o de derecho– que la misma establece cumple una función de resarcimiento del "daño que indirectamente fue causado a los acreedores [...], en una medida equivalente al importe de los créditos que no perciban en la liquidación de la masa activa".

5.5.2. La responsabilidad conforme al grado de participación en los hechos que hubieran determinado la calificación del concurso.

Frente a las dudas que suscitaba la norma anterior, en caso de pluralidad de obligados la regla será, no la de la solidaridad, sino que cada sujeto responsable responderá de acuerdo con su participación en los hechos que hubieran determinado la calificación del concurso, si bien no puede descartarse la existencia de situaciones en las que exista una dificultad insalvable determinar o individualizar el grado de participación de cada uno de los sujetos responsables, debiéndose, en ese caso, proceder a la regla de la solidaridad.

5.5.3. La masa activa como destinataria de las cantidades que se obtengan en la ejecución de la sentencia condenatoria. La inclusión de los créditos contra la masa

Asimismo, el nuevo artículo 173 bis resuelve una de las grandes polémicas, en relación a los beneficiarios de la condena y a la inclusión o exclusión de los acreedores titulares de un crédito contra la masa.

En la redacción del antiguo artículo 172.3 de la Ley Concursal se condenaba a "pagar a los acreedores concursales", de tal forma que para un sector de la doctrina no se incluían los créditos contra la masa. El artículo 172.3 de la Ley Concursal expresaba que la condena consistía "en pagar a los acreedores concursales, total o parcialmente, el importe que de sus créditos no perciban en la liquidación de la masa activa...". La literalidad del texto legal parecía indicar que los administradores o liquidadores que resultasen condenados deberían pagar directamente a cada uno de los acreedores concursales. Con todo un sector de la doctrina defendía que cabía, sin embargo, una interpretación más lógica y funcional: los pagos debían efectuarse, no a los acreedores, sino directamente a la masa activa. En ese caso, correspondía a la Administración concursal realizar los pagos correspondientes a los acreedores, con arreglo a las normas de la liquidación concursal, cuya infracción podía dar lugar a la responsabilidad por los daños que cause (art. 36 LC). Por el contrario, una interpretación literal generaba enormes distorsiones procedimentales y vulneraba esenciales principios del concurso de acreedores. Así, en primer lugar, el principio de la par conditio creditorum puede romperse en el caso, no impensable, de que determinados acreedores más diligentes, asesorados o, sin más, mejor relacionados con uno o más de los administradores condenados, lograse un pago de éstos antes que otro acreedor, o un pago que agotase el patrimonio del condenado, o el importe a cuyo pago hubiese sido condenado. Podría decirse que, formalmente, no se trataba ya de acreedores de la concursada, sino de acreedores de los administradores condenados, pero está fuera de duda que esos administradores estarían pagando una deuda ajena, cuyo obligado principal es una entidad concursada. No es la única colisión con el sistema concursal que entrañaba la tesis enunciada. Así, en el caso de que los acreedores con privilegio general no hubiesen cobrado la totalidad de sus créditos con el producto de la liquidación, el pago directo a uno o más acreedores ordinarios, podría también implicar la ruptura de las reglas de prelación de créditos si cualquiera de los condenados pagase a uno o más acreedores ordinarios. Recuérdese que el mismo precepto, al regular otras sanciones que consisten en pagos, así las indemnizaciones o la devolución de bienes manifiesta que lo son a la masa activa (art. 172.2.3 LC). No parecía ni coherente ni razonable que unos pagos se realizasen a la masa y, en cambio, otros directamente a los acreedores sociales. Es más, motivos de índole procesal y de la propia naturaleza de ejecución universal del concurso inducían a la necesidad de una ejecución unitaria de la sentencia de condena ex artículo 172.3 de la Ley Concursal, evitando una multiplicidad de ejecuciones singulares. Aparte de que un administrador o liquidador condenado que hubiera satisfecho el pago a uno o varios acreedores, y, en ese caso, extinguiendo su obligación, podría oponerse con éxito a la reclamación del resto de los acreedores. De ese modo, puede comprenderse que una interpretación literal ocasionaba en la práctica un avispero de procedimientos inútiles y costosos para los propios acreedores que, con vanas esperanzas, esperaban satisfacer el crédito no satisfecho. Parece más eficiente que corresponda a la Administración concursal de la sociedad la representación del colectivo de todos los acreedores en la masa pasiva del concurso del administrador.

Las críticas han sido acogidas en la reforma concursal. La interpretación que ha de darse a la nueva redacción del artículo 172 bis es clara: la norma dispone que "todas las cantidades que se obtengan en la ejecución de sentencia de calificación se integrarán en la masa activa del concurso", lo que ha de implicar necesariamente que, una vez integradas, habrá de aplicarse el orden establecido en los artículos 154 y siguientes de la Ley Concursal, debiéndose respetar en primer lugar el pago a los titulares de créditos contra la masa.

Además la legitimación para solicitar la ejecución de la condena corresponde, en principio, a la Administración concursal. Los acreedores pueden instar por escrito a la Administración concursal la solicitud de la ejecución y, si ésta hace caso omiso, aquéllos tienen una legitimación (por tanto, subsidiaria) para solicitar al juez la ejecución de la condena de déficit patrimonial con la finalidad de que se integre en la masa activa.

III. LA RESPONSABILIDAD SOCIETARIA POR INCUMPLIMIENTOS CONTABLES

Los administradores pueden ser responsables civiles por los daños que ocasione el incumplimiento de obligaciones contables a la sociedad, a los socios y a los terceros. Se trata ésta de una responsabilidad por culpa sometida a las servidumbres probatorias del sistema de responsabilidad por daños: no sólo será precisa acreditar la inobservancia de normas contables sino que la misma ha ocasionado un daño en el perjudicado que, asimismo, ha de cuantificar. La dificultad del sistema reside precisamente en la prueba de la relación o nexo causal entre el acto ilícito y el daño ocasionado (v. sobre esta dificultad operativa del sistema de responsabilidad civil, v., en doctrina, BONELLI, "La responsabilità degli amministratori", en COLOMBO/PORTALE, "Amministratori-direttore generale", *en Trattato delle società per azioni*, 4, Torino, 1991, pág. 339 y ss.).

El incumplimiento sustancial del deber de llevanza de la contabilidad, la falta de formulación de las cuentas anuales constituyen conductas que entrañan un incumplimiento grave de obligaciones legales de los administradores sociales, si bien el incumplimiento en sí mismo considerado no resulta suficiente para determinar la responsabilidad societaria de los administradores sociales, en la medida que el incumplimiento de obligaciones formales no causan directamente daños a la sociedad, a los socios o a terceros (así BONELLI destaca, en relación a la falta de elaboración del balance, que ésta no causa directamente un efectivo daño a la sociedad, a los socios o a los terceros, así que no sería por sí suficiente para determinar la responsabilidad civil de los administradores, v. *cit.*, pág. 340). Con todo, y al margen de las sanciones de naturaleza concursal, ya examinadas, el incumplimiento sustancial del deber de llevanza de la contabilidad, puede constituir un presupuesto previo de responsabilidad civil por daños o deudas sociales. Este incumplimiento –ya sea total, ya sea con retraso notorio– puede perseguir ocultar una situación de pérdidas graves que obligaría a los administradores a cumplir con las obligaciones legales previstas para el caso de que la sociedad incurriese en causa de disolución obligatoria y cuya contravención daría lugar a la responsabilidad solidaria por las deudas sociales (art. 367 LSC).

La falta de llevanza de la contabilidad y de la formulación de las cuentas anuales, no puede beneficiar a los administradores infractores. De ahí que frente a la imposibilidad del acreedor de probar la existencia de una situación de pérdidas patrimoniales graves por incumplimiento del deber de llevanza de la contabilidad, formulación de cuentas o falta de depósito de las cuentas anuales, ha de aplicarse, en este caso, el principio de facilidad probatoria previsto en el artículo 217.6 de la Ley de Enjuiciamiento Civil y desplazar la prueba a los administradores sociales demandados de que la sociedad tenía una patrimonio neto contable superior a la mitad de la cifra del capital social.

El incumplimiento de la obligación de depósito implica directamente sanciones graves para la sociedad. El cierre registral y las multas administrativas. Ello no obsta a que la sociedad puede ejercer la acción social por los daños que origine el cierre registral ocasionado por la conducta omisiva de los administradores, así como por los perjuicios que origina la imposición de las sanciones administrativas por falta de depósito de las cuentas anuales.

Asimismo, los administradores sociales, aun cumpliendo formalmente con el deber de llevanza de la contabilidad, pueden incurrir en responsabilidad por "*conductas de manipulación*", incumpliendo con los deberes que derivan de la normativa contable, con la finalidad de generar sobrevaloración o infravaloración del patrimonio de la compañía, y alterar con fines espureos la imagen fiel de la situación patrimonial, financiera y de los resultados de la empresa. Estas actuaciones de los administradores pueden perseguir no sólo la ocultación de situaciones de pérdidas patrimoniales graves, sino la distribución de dividendos injustificada entre los socios, o por el contrario, a través de infravaloraciones injustificadas, el incumplimiento de la obligación de reparto de dividendos o el incumplimiento de obligaciones fiscales.

De otra parte, la elaboración de cuentas anuales en la que se falsean los datos contables, genera información que no contiene la imagen fiel de la situación patrimonial, financiera y de los resultados de la sociedad, y puede inducir a terceros a la adquisición de acciones de la compañía o a la contratación con la misma con informaciones engañosas o falsas, debiendo responder los administradores sociales de los daños y perjuicios que ocasione su actuación a los terceros contratantes.

La declaración del concurso de acreedores presenta especialidades en relación a la interposición de las acciones societarias. Con anterioridad a la reforma de la Ley 38/2011, el legislador español, a diferencia de otros ordenamientos, aún declarado el concurso de acreedores de la sociedad, permitía el ejercicio por sus legitimados activos de las acciones societarias por daños. De un lado, el ejercicio de la acción social será posible declarado el concurso pero corresponderá exclusivamente a la Administración concursal (art. 48 *quater* LC). De otro, declarado el concurso, y hasta su conclusión, quedarán en suspenso los procedimientos iniciados antes de la declaración del concurso en la que se hubieran ejercitado acciones de reclamación de obligaciones sociales contra los administradores de las sociedades de capital concursadas que hubieran incumplido los debes impuestos en caso de concurrencia de causa de disolución (art. 51.1 LC). Asimismo, no se admitirán a trámite las demandas en las que se ejercite la acción de responsabilidad ex artículo 367 de la Ley de Sociedades de Capital. Por el contrario y a falta de previsión expresa, parece que resultará compatible el ejercicio de la acción individual de responsabilidad de los administradores sociales.

Capítulo 10

LA RESPONSABILIDAD LABORAL Y DE SEGURIDAD SOCIAL DE LOS ADMINISTRADORES SOCIALES

JESÚS R. MERCADER
Catedrático de Derecho del trabajo y de la seguridad social
Universidad Carlos III

BORJA SUÁREZ CORUJO
Profesor Titular de Derecho del trabajo y de la seguridad social
Universidad Autónoma de Madrid

SUMARIO: I. CUADRO GENERAL DE LA RESPONSABILIDAD LABORAL Y DE SEGURIDAD SOCIAL DE LOS ADMINISTRADORES SOCIALES. II. ÁMBITO SUBJETIVO DE LA RESPONSABILIDAD. III. INCENTIVOS Y DESINCENTIVOS PARA LOS TRABAJADORES AL RECURSO A LA RESPONSABILIDAD POR DAÑOS PRODUCIDOS POR LOS ADMINISTRADORES SOCIALES: ACCIÓN SOCIAL Y ACCIÓN INDIVIDUAL. 1. Desincentivos para los trabajadores para el recurso a la acción social. 2. La vía natural del recurso a la acción individual. IV. LA RESPONSABILIDAD POR DEUDAS SOCIALES. 1. La acción de responsabilidad derivada de incumplimiento de la obligación de disolver la sociedad (art. 367 LSC). 2. La responsabilidad de los administradores societarios derivada de las derogadas Disposiciones Transitorias 3ª y 6ª de la Ley de sociedades anónimas. V. EL SISTEMA DE DERIVACIÓN DE RESPONSABILIDAD POR LA SEGURIDAD SOCIAL Y LA INSPECCIÓN DE TRABAJO. 1. Autotutela administrativa y principios informadores del procedimiento de derivación de responsabilidad contra los administradores societarios. 2. Acciones de responsabilidad contra los administradores societarios susceptibles de derivación. 3. Los procedimientos administrativos de derivación de responsabilidad contra los administradores de las sociedades mercantiles. 3.1 La reclamación de deuda por la Tesorería General de la Seguridad Social como vía de derivación. 3.2 El acta de liquidación por la Inspección de Trabajo y Seguridad Social como vía de derivación.

I. CUADRO GENERAL DE LA RESPONSABILIDAD LABORAL Y DE SEGURIDAD SOCIAL DE LOS ADMINISTRADORES SOCIALES

El estudio de la responsabilidad de los administradores sociales en el ámbito laboral (y de Seguridad Social) constituye un tema de gran trascendencia teórica y práctica dada la intensidad y, en ocasiones, excesiva, proliferación de este tipo de acciones y su continua revisión legislativa. Muchos han sido, por ello, los estudios que, desde esta perspectiva, se han enfrentado al complejo problema de en qué medida y con qué alcance deben responder aquellos sujetos que representan a las sociedades mercantiles. Es, en efecto, el entrecruzamiento de la lógica laboral y la mercantil unida a la propia de la Administración Pública en sus intervenciones de derivación de responsabilidad, y que queda gráficamente representada por la concurrencia de tres órdenes jurisdiccionales en la solución de los conflictos, lo que contribuye presentar el análisis de la responsabilidad de los administradores societarios como un difícil e inestable territorio de estudio.

Los administradores tienen como misión ejercer la administración de la sociedad, representándola en juicio o fuera de él, y para ello deben desempeñar el cargo con la diligencia de un ordenado empresario teniendo en cuenta la naturaleza del cargo y las funciones atribuidas, con la dedicación adecuada, y adoptando las medidas precisas para la buena dirección y el control de la sociedad [art. 225.1 y .2 RDLeg. 1/2010, de 2 de julio, por el que se aprueba el texto refundido de la Ley de Sociedades de Capital que deroga el Real Decreto Legislativo 1564/1989, de 22 de diciembre, por el que se aprueba el texto refundido de la Ley de Sociedades Anónimas y la Ley 2/1995, de 23 de marzo, de Sociedades de Responsabilidad Limitada]. Ejercicio de administración que es definido como el conjunto de actos de variada índole, que se realizan sobre el patrimonio social y que tienden a la consecución del objeto social estatutariamente establecido. En resumidas cuentas, los administradores como órganos sociales asumen las funciones de dirección y gestión de la empresa.

Junto a las obligaciones de matriz mercantil cabe hallar en el terreno laboral también obligaciones genéricas y específicas para los administradores [art. 49.1 g), 51.2, 64.1.3 y 64.1.5 RDLeg. 2/2015, de 13 de octubre, por el que se aprueba el Texto Refundido de la Ley del Estatuto de los Trabajadores o arts. 91.5 y 249 Ley 36/2011, 10 de octubre reguladora de la jurisdicción social, entre otros]. No obstante, el interés por la responsabilidad de los administradores sociales no se encuentra en el incumplimiento de alguno de los anteriores deberes sino de aspectos que afectan a la médula de la relación laboral. Son, de este modo, la reclamación por parte del trabajador (individual o colectivamente) del impago cualquier cantidad con independencia de su naturaleza, cuantía y causa justificativa, esto es, salarios, indemnizaciones correspondientes a la extinción del contrato o de aquellas vinculadas con traslados, modificaciones o suspensiones, los que pueden legítimamente justificar el deseo de los trabajadores de obtener la adecuada tutela (C. GALA DURÁN, *La responsabilidad laboral y de seguridad social de los* administradores de las sociedades mercantiles, Barcelona, Bosch, 2007, pp. 13-16). A ellas, es frecuente que se unan otras reclamaciones como las relativas al abono de mejoras voluntarias, suscripción de pólizas de seguro u otras vinculadas con la denominada «política social empresarial».

Es importante subrayar que el citado interés de los acreedores en la tutela de sus derechos no queda limitado en el campo social exclusivamente a la defensa del interés de los trabajadores. La legislación de Seguridad Social incluye, igualmente, como potenciales supuestos de responsabilidad los especiales de «responsabilidad derivada» o, como prefiere decir la Ley, de «derivación de la responsabilidad del sujeto obligado al pago». La derivación de responsabilidad a los administradores sociales por parte de la Tesorería General de la Seguridad Social o de la Inspección de Trabajo, tanto en materia de cotizaciones (art. 104 RDLeg. 1/1994, de 20 de junio, por el que se aprueba el Texto Refundido de la Ley General de Seguridad Social), como de prestaciones (art. 127 LGSS), se encuentra plenamente admitida por el artículo 15.3 y 4 de la Ley General de la Seguridad Social. De este modo, las Tesorerías Generales de la Seguridad Social o la Inspección de Trabajo tienen potestad para declarar responsables solidarios a los administradores sociales directamente y mediante un procedimiento administrativo por los casos establecidos en la legislación mercantil.

A tenor del citado marco de referencia, resulta necesario precisar el alcance y posibles efectos de las actuaciones ilícitas de quienes profesionalmente se ocupan de la gestión de la empresa o de los eventuales incumplimientos de los deberes inherentes al desempeño del cargo de administrador [deberes fiduciarios generales de diligencia y lealtad así como los deberes específicos que puedan derivar de una disposición normativa (vgr. LSC o cualquier otra norma) o de los estatutos de cada concreta sociedad (art. 236.1 LSC)]. El conjunto de consecuencias que deben asumir los administradores por el incumplimiento de los deberes inherentes al desempeño del cargo constituye el sistema de sanciones que comprende no sólo las consecuencias de naturaleza civil o mercantil sino también las que se proyectan en otros ámbitos como el penal o el administrativo. En el ámbito civil o mercantil existe una pluralidad de instrumentos para salvaguardar la tutela de los acreedores, entre ellos los trabajadores, en función de los concretos deberes incumplidos por los administradores en el desempeño del cargo. Estas técnicas reparadoras civiles o mercantiles van desde las estrictamente societarias como la separación del cargo y la exclusión de la sociedad hasta las civiles por naturaleza y que tienen por objeto bien la cesación de la conducta infractora, bien la indemnización de los daños causados, o bien la restitución de los beneficios obtenidos y otras que están a disposición de la sociedad o de los terceros. Son, obviamente, estas últimas las que resultan de mayor interés a la hora de buscar el efectivo resarcimiento por trabajadores y Seguridad Social.

La legislación societaria prevé un doble régimen legal, según se trate de responsabilidad por daños (art. 236, 238 y 241 LSC, antiguos arts. 133, 134 y 135 LSA), o de responsabilidad por deudas (art. 367 LSC, antiguos arts. 262.5 LSA y 105.5 LSRL). El artículo 236.1 de la Ley de Sociedades de Capital establece que los administradores responderán, entre otros, ante los acreedores sociales del daño que causen por actos u omisiones contrarios a la Ley o a los estatutos, o por incumplimiento de los deberes inherentes al desempeño del cargo, siempre y cuando (novedad introducidas por la Ley 31/2014, art.Único.20) haya intervenido dolo o culpa, presumiéndose esta última, "… salvo prueba en contrario, cuando el acto sea contrario a la ley o a los estatutos sociales". De aquí deriva, de una parte, una acción social de responsabilidad que, junto a otras posibilidades, puede ser ejercitada contra los administradores por los acreedores de la sociedad cuando se satisfagan dos requisitos: que no haya sido ejercitada por la propia sociedad o por sus accionistas, y que el patrimonio social resulte insuficiente para la satisfacción de sus créditos (art. 238 LSC, antiguo art. 134 LSA). Y, de otra, una acción individual que corresponde también a terceros afectados por actos de los administradores que lesionen directamente sus intereses (art. 241 LSC, antiguo art. 135 LSA).

En segundo lugar, se establece una responsabilidad por deudas sociales. La misma se encuentra prevista en el artículo 367 de la Ley de Sociedades de Capital. Ante determinados incumplimientos de los administradores (no solicitud de la disolución o, si procediere, el concurso de la sociedad), este precepto prevé como sanción la responsabilidad solidaria de los administradores por todas las deudas sociales. En este caso, a diferencia del anterior, no se exige la existencia de un daño.

Definido el marco general de actuación queda por precisar el objeto de nuestro análisis. Como ha quedado expuesto en las primeras líneas del presente estudio la bibliografía laboral en esta materia ha sido amplia y de una excelente calidad. No es, por tanto, objetivo de la presente investigación analizar con detalle los presupuestos que sirven de base a los diversos tipos de acciones de responsabilidad ni proceder a un estudio de sus presupuestos que corresponde, como es obvio, a los especialistas en Derecho mercantil. De forma más modesta nuestro objetivo se limita a plantear, desde la perspectiva laboralista, un balance de intereses –las ventajas o desventajas– que, para los acreedores laborales, posee el recurso a tan distintas vías de acción. Es, desde esa particular perspectiva, la ponderación de medios y resultados en cada tipo de acción el objetivo de las páginas que siguen. En todo caso, y antes de abordar el citado análisis, conviene precisar el alcance del propio sujeto de responsabilidad, esto es, delimitar el concepto de administrador social.

II. ÁMBITO SUBJETIVO DE LA RESPONSABILIDAD

El administrador o los administradores constituyen un órgano de la sociedad (art. 209 LSC). A los administradores corresponde la gestión o administración en sentido estricto (esfera interna) y la representación (esfera externa) de la sociedad, en juicio y fuera de él (art. 233 LSC, antiguo, art. 128 LSA). Los estatutos de la sociedad determinarán "(e)l modo o modos de organizar la administración de la sociedad, el número de administradores o, al menos, el número máximo y el mínimo, así como el plazo de duración del cargo y el sistema de retribución, si la tuvieren" [art. 23 e) LSC]. La disciplina de la responsabilidad de los administradores se aplica, por tanto, a quienes, habiendo sido formalmente investidos de la condición de administradores de una sociedad, tengan su cargo vigente e inscrito en el Registro Mercantil. En suma, por «administrador» hay que entender a todo aquél que actúe como órgano de administración de la sociedad anónima, sea unipersonal o pluripersonal (E. POLO SÁNCHEZ, Los Administradores y el Consejo de Administración de la Sociedad Anónima, en Comentario al Régimen Legal de las Sociedades Mercantiles (URÍA, R., MENÉNDEZ, A. y OLIVENCIA, M. Dir.), Madrid, Civitas, 1992, IV. F. SÁNCHEZ CALERO, Administradores (arts. 123 a 143), en SÁNCHEZ CALERO, F. (Dir.) Comentarios a la Ley de Sociedades Anónimas, Madrid, Civitas, 1994, V, 1º, pp. 11 a 386. J. R. SALELLES CLIMENT, El funcionamiento del Consejo de Administración, Madrid, Civitas, 1994).

La administración social, de acuerdo con el artículo 210 de la Ley de Sociedades de Capital, puede organizarse de las siguientes formas: 1º) un administrador único, supuesto frecuente en las sociedades cerradas y de pequeñas dimensiones; 2º) varios administradores que actúen solidariamente, esto es, cada uno de ellos ostentará todas las funciones del órgano de administración y podrá ejercitarlas de forma independiente, sin necesidad de contar con la autorización de los restantes administradores; 3º) dos administradores conjuntos o mancomunados, que procederán de mutuo acuerdo; 4º) un consejo de administración, integrado por un mínimo de tres miembros (art. 242 LSC), que actúa colegiadamente, tomando sus decisiones por mayoría absoluta de los consejeros concurrentes a la sesión (art. 248 LSC).

El Consejo puede delegar algunas de sus facultades en uno o varios miembros del consejo, a título individual (consejero delegado) o conjunto (comisión ejecutiva). También puede conferir «apoderamientos» a cualquier persona (art. 249.1 LSC). La extensión del poder varía, pudiendo darse desde el supuesto del apoderado singular para la celebración de un negocio concreto, hasta la figura del director general, que celebra con la sociedad un contrato de trabajo especial de alta dirección, cuyo régimen jurídico es el establecido en el Real Decreto 1382/1985.

Es evidente que habiéndose incrementado el rigor en la exigencia de responsabilidad, el ejercicio del cargo de administrador implica para su titular la asunción de una elevada dosis de riesgo. Es evidente que habiéndose incrementado el rigor en la exigencia de responsabilidad, el ejercicio del cargo de administrador implica para su titular la asunción de una elevada dosis de riesgo (F. MARTÍNEZ SANZ, *Ámbito subjetivo de la responsabilidad*, en A. ROJO y E. BELTRÁN (Dir.), *La responsabilidad de los administradores de las sociedades mercantiles*, Valencia, Tirant lo Blanch, 2011, 4ª ed., pp. 59 ss.). Es por ello explicable que en ocasiones se haya tratado de eludir la responsabilidad recurriendo al expediente de desempeñar funciones administrativas personas que previamente no han sido investidas de la condición de administradores. Por ello el concepto de administrador social se extiende tanto a los de hecho como a los de derecho [arts. 231.2 b) y 236.3 LSC]. A tal fin, "tendrá la consideración de administrador de hecho tanto la persona que en la realidad del tráfico desempeñe sin título, con un título nulo o extinguido, o con otro título, las funciones propias de administrador, como, en su caso, aquella bajo cuyas instrucciones actúen los administradores de la sociedad".

La Sentencia del Tribunal Supremo de 26 de enero de 2007, considera administrador de hecho a quien sin ostentar formalmente la condición de administrador de la sociedad, ejerza poderes de decisión de la sociedad y concretando en él los poderes de un administrador de derecho. Es la persona que, "en realidad manda en la empresa, ejerciendo en los actos de administración, de obligación de la empresa, aunque formalmente sean realizadas por otra persona que figure como su administrador". De este modo, el elemento esencial que define al administrador de hecho es la autonomía o falta de subordinación a un órgano de administración social. La condición de administrador de hecho debe siempre probarse. Una situación o condición de hecho que opera como presupuesto de una imputación de responsabilidad (incluso en el ámbito penal) requiere siempre una actividad probatoria diligente y proporcionada a cada supuesto.

Como antes señalábamos, directamente relacionado con el tema anterior se presenta la posible extensión subjetiva del régimen de responsabilidad orgánica de los administradores a los apoderados generales o directores generales. La doctrina mercantil considera que los apoderados generales, reciban la denominación que reciban (gerentes, directores generales, etc.), no entran dentro del ámbito subjetivo de la responsabilidad de los administradores sociales (F. MARTÍNEZ SANZ, Ámbito subjetivo de la responsabilidad, cit., pp. 75 a 78.). De entrada, es muy discutible que el director general sea órgano de la sociedad (desde luego, no lo es en el caso más habitual de designación por el propio órgano de administración), y sigue sus propias reglas de responsabilidad civil. No obstante, lo anterior no impide que en determinados casos, el régimen de responsabilidad de los administradores sociales resulte de aplicación también a apoderados o directores generales. Pero lo será, por haber sido previamente calificados tales sujetos como administradores de hecho (en cuyo caso entrarían en el ámbito del art. 236.3 LSC), no por su simple condición de apoderados generales.

Igualmente, establece el artículo 236.4 de la Ley de Sociedades de Capital atribuye a los directores generales o "apoderados generales" la condición de administrador a los efectos de deberes y responsabilidad cuando señala que "cuando no exista delegación permanente de facultades del consejo en uno o varios consejeros delegados, todas las disposiciones sobre deberes y responsabilidad de los administradores serán aplicables a la persona, cualquiera que sea su denominación, que tenga atribuidas facultades de más alta dirección de la sociedad, sin perjuicio de las acciones de la sociedad basadas en su relación jurídica con ella".

La persona física representante de un administrador persona jurídica estará sometida a los mismos deberes y obligaciones que ésta. La persona física responderá solidariamente con la persona jurídica a la que representa (art. 236.4 LSC). Ello supone una suerte de "levantamiento del velo" legal, dado que en caso de incurrir en responsabilidad, se penetraría en la personalidad jurídica de la sociedad para exigir responsabilidad solidaria a su representante.

III. INCENTIVOS Y DESINCENTIVOS PARA LOS TRABAJADORES AL RECURSO A LA RESPONSABILIDAD POR DAÑOS PRODUCIDOS POR LOS ADMINISTRADORES SOCIALES: ACCIÓN SOCIAL Y ACCIÓN INDIVIDUAL

1. *Desincentivos para los trabajadores para el recurso a la acción social*

La primera de las posibles vías de reclamación frente al actuar dañoso de los administradores sociales es la denominada acción social. Atendiendo a los objetivos que hemos definido al inicio de estas páginas debemos evaluar el balance de intereses que para los trabajadores puede tener el recurso a esta acción. Cabe anticipar en este momento que el uso de esta vía no ofrece un especial interés para ellos. El régimen de la acción social se contiene en el artículo 238 de la Ley de Sociedades de Capital (antiguo, art. 134 LSA) –que es aplicable también a la sociedades anónimas y de responsabilidad limitada– no aporta especiales incentivos del lado laboral, ni el fundamento, ni los efectos aparejadas a la misma ni, en fin, la jurisdicción competente para conocer de la misma operan como incentivos al uso por los trabajadores de esta medida.

Ante todo, el fundamento de la acción social de responsabilidad constituye un primer factor a valorar. La misma se dirige a proteger y defender el patrimonio de la sociedad frente a los daños o lesiones que los actos u omisiones ilegales, antiestatutarios o incumplidores de los deberes de los administradores hayan provocado directamente sobre el mismo; esto es, de los daños que los administradores hayan causado a la mercantil por actos u omisiones contrarios a la ley o a los estatutos o por los realizados incumpliendo los deberes inherentes al desempeño del cargo (art. 236.1 LSC), debiendo existir, en todo caso, un nexo causal entre la acción u omisión ilícita y el daño sufrido por la sociedad que, tras la Ley 31/2014, se concreta en dolo o culpa, con la particularidad, ya apuntada, de que se presume la concurrencia de esta última cuando el acto sea contrario a la ley o a los estatutos sociales "... salvo prueba en contrario...". Se trata, en suma, de una acción dirigida a la protección del patrimonio social lo que conlleva la legitimación para su ejercicio sea plural y se atribuya en primer término a la sociedad, subsidiariamente a los accionistas, en cuanto titulares de un interés indirecto en la defensa del patrimonio social y, en último extremo, a los acreedores sociales.

Es evidente, pues, que la posición de los trabajadores en la misma se encuentra subordinada, en primer lugar, a la del propio ente social, porque, es justamente el receptor del daño, el que precisa un acuerdo en Junta con una mayoría ordinaria o simple, en donde se decida, ejercitar la acción de responsabilidad, contra el Consejero o contra el Administrador (art. 238 LSC). También lo está a los propios socios –cuando posean individual o conjuntamente una participación que les permita solicitar la convocatoria de la junta general–, que podrán entablar la acción de responsabilidad en defensa del interés social en los siguientes supuestos (art. 239, tras la modificación por la Ley 31/2014): "cuando los administradores no convocasen la junta general solicitada a tal fin, cuando la sociedad no la entablare dentro del plazo de un mes, contado desde la fecha de adopción del correspondiente acuerdo, o bien cuando este hubiere sido contrario a la exigencia de responsabilidad"; además, el ejercicio de esta acción social de responsabilidad puede ser directo, sin necesidad de someter la decisión a la junta general, "... cuando se fundamente en la infracción del deber de lealtad". Por último, el artículo 240 de la Ley de Sociedades de Capital contempla la posibilidad del tercer supuesto de legitimación activa *ad causam* que corresponde a los acreedores, quienes también podrán ejercitar la acción de responsabilidad social, contra el Administrador o Consejero infractor. El repaso de la doctrina judicial permite constatar que los titulares de créditos de origen laboral son acreedores sociales a estos efectos. Así, «(l)os créditos laborales son, obviamente, créditos societarios y, por tanto, se incluyen en el concepto de "acreedores sociales" a que se refiere el artículo 133 de la Ley de Sociedades Anónimas (actual, art. 240 LSC)» [AAP Girona 31-6-1999]. Por ello, constituye un daño generador de responsabilidad para los administradores el «...impago de salarios e indemnizaciones por despido» [STS (4ª) 9-6-2000]. En sentido similar, «...el no percibo de las cantidades indemnizatorias y salariales que tiene reconocidas a su favor en sentencias firmes del orden social...» [SAP-Vizcaya 30-11-2001], pero también se incluye como perjuicio una «...deuda de seguridad para con los trabajadores...», esto es, un incumplimiento en materia de prevención de riesgos laborales [SSTSJ País Vasco 27-1 y 30-11-1999].

La ley otorga la legitimación subsidiaria para el ejercicio de la acción social a los acreedores de la sociedad bajo dos presupuestos: por una parte, que la acción no haya sido ejercitada por la sociedad o por sus socios; por otra, que el patrimonio social resulte insuficiente para la satisfacción de sus créditos. Esta posición, «doblemente subsidiaria» (SSAP Madrid 7-4-2001, 21-12-2002 y 23-3-2004), como la ha calificado la doctrina judicial, que requiere que ni la sociedad ni ningún socio de la misma han instado la acción social, dificulta hasta el extremo de la intervención de estos acreedores. Un segundo factor de complejidad se encuentra vinculado con las dificultades de prueba con las que pueden encontrarse el trabajador o los trabajadores que transitaran por esta vía cuando los mismos pretendieran probar la «insuficiencia patrimonial» requerida. Por todo ello y dado los relevantes condicionantes que se imponen la acción social constituye una vía «débil» para la tutela de los intereses laborales.

El refuerzo de la actividad probatoria constituye un importante obstáculo añadido a lo hora de iniciar la acción a la que nos venimos refiriendo. En efecto, el análisis del tenor del artículo 236 de la Ley de Sociedades de Capìtal (antiguo, art. 133.1 LSA) permite la identificación de tres presupuestos para la exigencia de responsabilidad a los administradores por el daño causado a los acreedores sociales:

a) La realización por parte del administrador de un acto dañoso para la sociedad, va se trate de una acción o de una omisión, y que ese acto se ha llevado a cabo en el ejercicio de su cargo y no en cualquier otra actuación o situación. La precisión del concepto de daño, su determinación y la medida de su contenido no son tareas fáciles, debiendo acudirse a la teoría general civil sobre el daño y, por tanto, a los conceptos de daño emergente y lucro cesante, si bien debiendo tenerse presente en todo caso que la función de los administradores de gestionar una empresa entraña necesariamente la asunción de determinados riesgos («riesgo de empresa») cuyos efectos negativos no pueden imputarse sin más a ellos (J. ORIOL LLEBOT, Deberes y responsabilidad de los administradores, en A. ROJO y E. BELTRÁN (Dir.)., La responsabilidad de los administradores, Valencia, Tirant lo Blanch, 2011, 4ª ed., pp. 34-35). El fundamento de la responsabilidad de los administradores no deriva sin más de actos que sean lesivos a la sociedad, ya que pueden producirse pérdidas importantes en el patrimonio social debidas a la gestión de los administradores de las que no serán responsables, porque una cosa es el riesgo de empresa, que necesariamente ha de asumir la sociedad, aunque tenga como resultado pérdidas cuantiosas, y otra el riesgo de una gestión negligente de los administradores, los cuales, por incumplir con sus obligaciones legales y estatutarias, pueden ocasionar daños a la sociedad de los que los administradores deben responder.

b) El segundo presupuesto es la comisión por parte de los administradores, sea por acción sea por omisión [STS (1ª) 25-9-1996], de un acto que resulte contrario a la Ley, a los Estatutos o que se realice sin la debida diligencia. En este sentido, una gestión negligente (por «...nefasta...» o por «...mal proceder...») constituye una conducta plenamente subsumible entre las aludidas en el artículo 236.1 de la Ley de Sociedades de Capital (antiguo art. 133.1 LSA) [STS (4ª) 8-5-2002; STSJ-Madrid 16-12-2003; STSJ-Cataluña 14-7-2011]. Cabe especificar que si esto último se refiere a la infracción del deber general de diligencia en la administración y representación social, los actos en contra de la Ley no se limitan sólo a la vulneración de la normativa mercantil (por ej., la obligación de ejecución de los acuerdos de la Junta general impuesta por él), sino que se extienden también a transgresiones de la ley laboral, ya sea sustantiva o procesal. La sentencia del Tribunal Superior de Justicia de Andalucía (Sevilla) 20-12-2002 cita, ilustrativamente, los artículos 49.1, g), 51.2.11, 64.1.3, 64.1.5 del Estatuto de los Trabajadores, 91.3 y 247 de la Ley de Procedimiento Laboral (hoy 91.3 y 249 LJS) y Ley 10/1997, sobre derechos información y consulta de los trabajadores en empresas y grupos de empresas de dimensión comunitaria. En relación con los actos contrarios a la Ley, la mayoría de la doctrina propugna una interpretación extensiva entendiendo que el término «Ley» abarca a toda norma jurídica cualquiera que sea su rango y no sólo a los actos contrarios a las obligaciones concretas que la Ley impone a los administradores sino también a aquellos supuestos en que se produce una extralimitación en las competencias que tienen atribuidas. Ello supone incluir dentro del ámbito de aplicación de la norma los convenios colectivos.

c) Finalmente, el trabajador deberá probar la existencia de una relación de causalidad entre el acto del administrador y el daño ocasionado a la sociedad. El tercer presupuesto de la responsabilidad de los administradores radica en la necesidad de la existencia de una relación de causalidad entre el acto ilícito de los administradores y el daño sufrido por la sociedad. La problemática que plantea esta relación de causalidad ha de resolverse conforme a los principios generales del derecho civil en esta materia, lo que puede dar lugar a problemas especiales, no sólo por la natural concatenación entre los distintos actos de gestión de los administradores, sino también por la concurrencia de hecho externos, como la situación del mercado, la acción de sociedades competidoras, etcétera. La doctrina jurisprudencial ha sentado que es causa suficiente del resultado aquella que, aun concurriendo con otras, prepare, condicione o complete la acción de la causa última; y, también, que la causalidad adecuada requiere valorar si el acto anterior tiene virtualidad suficiente para que del mismo se derive, como consecuencia necesaria, el efecto lesivo producido. En esta línea, y como ya se ha mencionado, el artículo 236.1 de la Ley de Sociedades de Capital (tras la Ley 31/2014) alude expresamente a la concurrencia dolo o culpa, presumiendo la concurrencia de ésta, salvo prueba en contrario, cuando el acto sea contrario a la ley o a los estatutos sociales.

Un tercer factor en contra del recurso por los trabajadores a la acción social se vincula con los propios efectos de la misma. Es necesario recordar que en el supuesto del ejercicio de la acción social de responsabilidad, la indemnización o la compensación que se consiga deberán necesariamente integrarse en el patrimonio social, con independencia del legitimado que haya provocado la solicitud de responsabilidad. La finalidad de la acción no es, pues, el restablecimiento patrimonial del trabajador frente a un daño sufrido. Ello implica que, de tener éxito la acción social, el trabajador sólo obtendría un beneficio indirecto o reflejo, derivado del hecho de que si se resarce el patrimonio social, el trabajador tendría mayores posibilidades de ver atendida su concreta reclamación frente a la sociedad mercantil (C. GALA DURÁN, *La responsabilidad laboral y de seguridad social de los administradores de las sociedades mercantiles*, cit., p. 66). En definitiva, como el patrimonio beneficiario de la indemnización será, exclusivamente, el social, no se aprecian, al menos claramente y con carácter general, las ventajas de iniciar esta vía.

A todo lo anterior cabe añadir, como una dificultad adicional, que la jurisdicción competente para conocer de esta acción es la civil. Ciertamente, la determinación del orden jurisdiccional que ha de conocer de la responsabilidad de los administradores no plantea problema alguno cuando el trabajador ejercita la acción social prevista en el artículo 238 de la Ley de Sociedades de Capital para la reparación del patrimonio de la sociedad: dado que la responsabilidad exigida al administrador se plantea frente a dicha sociedad, es indiscutible que el conocimiento de tal acción queda en manos del orden civil.

Es importante recordar en este punto que, acogiendo un criterio jurisprudencial ya asentado [véase la STS (1ª) 14-3-2007; igualmente SSTS (1ª) 26-5-2004, 22-3, 13 y 22-12-2005, 2-2, 6 y 9-3, 23 y 26-6, 9 y 27-10 y 28-11-2006, 13-2-2007, 15-7-2007, entre otras], el artículo 241bis, introducido por la Ley 31/2014, establece que la acción de responsabilidad contra los administradores –social o individual– prescribirá a los cuatro años a contar desde el día en que hubiera podido ejercitarse.

El carácter indirecto y «débil» de la protección de los acreedores a través de esta acción la ha convertido en un expediente escasamente utilizado. Debe señalarse que son pocos, si bien no inexistentes, los litigios planteados en materia laboral en los que se haya invocado este artículo 133 de la Ley de Sociedades Anónimas (actual, 236 LSC) como título para la exigencia de responsabilidad a los administradores por créditos laborales [SSTSJ Cataluña 21-10-2002 y 12-4-2000, Castilla y León, Valladolid 23-2-1999, Aragón 27-5-1998, Cataluña 29-1-1998, y 17-6-1997, Madrid 2-12-1996 y 12-7-1996; SAP-Vizcaya 31-3-2014]. En suma, «la parvedad de supuestos en los que se ejercita la acción social de responsabilidad por la propia sociedad» obedece al hecho de que, salvo casos de graves perjuicios, la mayoría de los accionistas que en Junta general ha nombrado a los administradores no estará interesada en ejercitar la acción social y, normalmente, optará por otras vías menos alarmantes para el tráfico y el crédito de la compañía como, por ejemplo, la no reelección o la revocación (G. ESTEBAN VELASCO, La acción social y la acción individual de responsabilidad contra los administradores de las sociedades de capital, en AAVV, La responsabilidad de administradores de Sociedades de Capital, CGPJ/CGN, Madrid, CGPJ, 2000 pp. 57-130).

2. *La vía natural del recurso a la acción individual*

La acción individual prevista en el artículo 241 de la Ley de Sociedades de Capital (antiguo, art. 135 LSA) expresa que «quedan a salvo las acciones de indemnización que puedan corresponder a los socios y a los terceros por actos de administradores que lesionen directamente los intereses de aquellos». El citado precepto queda referido a la responsabilidad de los administradores por actos llevados a cabo en el ejercicio de sus funciones de administrador –actividad orgánica, comprensiva de las distintas facetas de las funciones inherentes al cargo, ya sea la actividad empresarial o la intra-societaria– y no en el ámbito de su esfera personal ajena a la gestión socie-taria. En otro caso, cuando el administrador causa daños al margen de esta condición, es decir en cuanto conserva su propia esfera de actividad indi-vidual y extraorgánica, entra en juego la responsabilidad extracontractual impuesta a cualquier persona por hecho dañoso a tercero según el artículo 1902 del Código Civil (G. ESTEBAN VELASCO, La acción individual de responsabilidad, en A. ROJO y E. BELTRÁN (Dir.), La responsabilidad de los administradores, Valencia, Tirant lo Blanch, 2011, 4ª ed., pp. 176-177).

Entrando en el balance de intereses que para los trabajadores supone el recurso a la acción individual de responsabilidad, es evidente que la misma resulta más atractiva que la social, pues en ella desaparecen algunos de los desincentivos que podrían desmotivar el interés en la defensa por esta vía. Se trata de una acción en la que se tutela un interés directo sin que la posición de los trabajadores quede relegada a la «doble subsidiariedad» a la que nos referíamos al estudiar la acción social. Igualmente, el efecto del ejercicio de la acción recae en los propios actores de la pretensión sin que opere el desplazamiento de los resultados al patrimonio de la sociedad. Queda en el debe, como veremos, la atribución de la competencia para su conocimiento al orden jurisdiccional civil.

Reimplantando el patrón de análisis utilizado en caso de la acción social, es necesario analizar, en primer lugar, el fundamento de la acción individual de responsabilidad. La fórmula del legislador en el artículo 241 de la Ley de Sociedades de Capital: «actos de los administradores que lesionen directa-mente los intereses de aquellos» (socios y terceros), es interpretada de forma prácticamente unánime por la doctrina en el sentido de que la finalidad de la acción individual es la reparación patrimonial de los daños directos que los socios o terceros puedan sufrir como consecuencia de la actuación ilegal, contraria a los estatutos de la sociedad o derivado de un incumplimiento de los deberes inherentes a la condición de administrador.

Ciertamente los daños al patrimonio social repercuten indirectamente en el patrimonio de socios y acreedores en cuanto disminuyen el valor de sus acciones, las expectativas de ganancias o la garantía de satisfacción de sus créditos, pero esos daños indirectos están cubiertos por la acción social de responsabilidad, con el complejo sistema de legitimación subsidiaria para so-cios y acreedores [arts. 239 y 240 LSC (antiguos, art. 134. 4 y 5 LSA)] y, en su caso, por las acciones ex artículo 367 de la Ley de Sociedades de Capital (an-tiguo, art. 262.5 LSA) y ex artículo 172.3 de la Ley Concursal. El daño directo es aquí el presupuesto para el ejercicio de la acción individual contra los ad-ministradores, que determina la legitimación primaria del perjudicado, en la medida en que ha existido una invasión directa de su esfera jurídica protegida. La acción individual se convierte, de este modo, en el instrumento que permite el resarcimiento del daño sufrido por los terceros, entre los que se encuentran indiscutidamente los trabajadores, del daño directo provocado por los administradores. Legitimados activos son, por tanto, sólo aquellos que sufren el daño en su patrimonio, pero, en este caso y a diferencia de la acción social, sin que exista un orden de preferencia.

Un segundo factor de valoración se encuentra en los requisitos para articular la referida acción. La jurisprudencia viene exigiendo para la viabilidad de la pretensión de resarcimiento con base en la responsabilidad de los administradores prevista en el artículo 241 de la Ley de Sociedades de Capital el daño al acreedor por lesión directa en su patrimonio, derivada de actos u omisiones negligentes por omisión de la diligencia exigible conforme al artículo 225 y siguientes de la Ley de Sociedades de Capital, con relación de causalidad entre la conducta y daño (SSTS (1ª) 28-4-2006, 7, 14 y 22-3-2007, y 19-5-2011, entre otras). En este caso, además de la infracción negligente de los deberes que incumben a los administradores en caso de crisis societaria o concursal, debe acreditarse, el daño vinculado a esa conducta. Por ello la jurisprudencia exige probar la relación de causalidad entre el daño y el incumplimiento por el administrador de las obligaciones.

Entre los grupos de casos reconducibles al ámbito de la acción individual cabe incluir, siguiendo a Esteban Velasco (G. ESTEBAN VELASCO, La acción individual de responsabilidad, cit.., pp. 194 ss.): los denominados «ilícitos de empresa»; la lesión de intereses de socios por intromisión ilícita en las relaciones societarias del socio con la sociedad; supuestos de intromisión lesiva en el proceso de formación de la voluntad del tercero acreedor (responsabilidad por informaciones falsas o incorrectas, contratación en situaciones de dificultades económicas, contratación con sociedad insolvente); y, en fin, supuestos de intromisión lesiva en la fase de ejecución de las relaciones existentes entre la sociedad y los terceros acreedores (incumplimiento de los deberes disolutorios, incumplimiento de los deberes concursales).

Un tercer factor se vincula con los propios efectos de la misma. En el plano de los intereses económicos en juego, la distinción conlleva que en el caso de la acción social la indemnización se dirige a compensar el patrimonio de la sociedad, cualquiera que sea el legitimado actuante, mientras que en el supuesto de la acción individual la indemnización se destina a reintegrar el patrimonio del concreto socio o acreedor demandante.

Cuestión especialmente controvertida que hace más complejo el balance de intereses es el orden jurisdiccional competente para conocer de esta acción. A partir del Auto del Tribunal Supremo (4ª) 8-3-1996, y a falta de un pronunciamiento definitivo del Tribunal Supremo sobre el particular, cabría considerar que el conocimiento del ejercicio de esta acción compete a la jurisdicción civil, apreciación que se fundamentaría en lo siguiente. De un lado, la acción del citado artículo 241 de la Ley de Sociedades de Capital nada tiene ver con la relación laboral existente entre la empresa y los trabajadores (en su caso, demandantes) excepto en el origen del crédito insatisfecho. Y, de otro, la *causa petendi* de dicho precepto reside en el incumplimiento de los deberes que competen a los administradores sociales, por lo que se estima que es una cuestión a resolver en el campo civil de la jurisdicción por ser ajena a la materia laboral [SSTS (4ª) 15-1-1997, 8-5-2002, SSTSJ Andalucía, Granada 18-10-2000, Comunidad Valenciana 25-1-2001, Canarias, Las Palmas 28-2-2001, Cataluña 13-3-2001, Cataluña 9-10-2001, Cataluña 21-10-2002].

No faltan pronunciamientos que, en sentido inverso, defienden la competencia del orden social (STS (4ª) 20-9-1999). Tal es el caso de la Sentencia del Tribunal Superior de Justicia de Madrid 12-4-1996 en la que, de modo un tanto alambicado, se afirma que «...la reclamación de un crédito laboral a través de esta acción, no muda la naturaleza de la relación jurídica legitimadora de la pretensión y obliga a la, en corolario a su ubicación taxonómica en la rama social del derecho, competencia de esta jurisdicción conforme a los artículo 9.5º de la Ley Orgánica del Poder Judicial y 2, a) de la Ley de Procedimiento Laboral» A mayor abundamiento, la misma sentencia añade que «(l)a relación jurídico-laboral comprende tanto el débito, como la responsabilidad, y correlativamente el conocimiento de la jurisdicción laboral comprende el entero núcleo obligacional de tal relación conforme a su diseño legal –más amplio que el estrictamente paccional del contrato– y máxime cuando la propia Ley diseña la «responsabilidad patronal» con un criterio tuitivo del trabajador y preferencial de su crédito, estableciendo técnicas correlativas de preeminencia competencial (arts. 32.5 ET y 254 LJS *ad exemplum*) y extensión cognoscitiva (art. 4.1 LJS). Por ello, es competente la jurisdicción de lo social para resolverla.

Este planteamiento en favor del conocimiento de la acción del antiguo artículo 135 de la Ley de Sociedades Anónimas (actual art. 241 LSC) por parte de los tribunales laborales topa con un obstáculo importante, cual es la doctrina jurisprudencial en torno al artículo 262.5 de la Ley de Sociedades Anónimas (actual, art. 367 LSC) que, como pronto se verá, atribuye al orden civil la competencia para conocer de la acción de responsabilidad prevista en dicho precepto (SSTS (4ª) 28-2-1997, 13-4-1998, con voto particular, 9-11-1999, 17-1-2000 y 9-6-2000; STSJ-Madrid 29-1-2007). Sin embargo, también cabe encontrar pronunciamientos de Tribunales Superiores de Justicia que, sin discutir el criterio a favor de la jurisdicción ordinaria en ese caso, trazan una línea de separación entre el ejercicio de la acción del artículo 241 de la Ley de Sociedades de Capital (antiguo 135 LSA) y el correspondiente a la prevista en el artículo 367 de la Ley de Sociedades de Capital (antiguo 262.5 LSA), lo que lleva aparejado soluciones competenciales distintas.

Así, el reconocimiento por parte del antiguo artículo 135 de la Ley de Sociedades Anónimas (actual, art. 241 LSC) de una acción de indemnización a favor de terceros por actos de los administradores que lesionen directamente los intereses de aquéllos supone, a juicio de la Sentencia del Tribunal Superior de Justicia de Cataluña 8-5-2001 [de forma idéntica o muy parecida: SSTSJ Cataluña 17-5-2000 y 9-10-2001], la configuración de «una acción de responsabilidad contra el administrador de carácter general, diferente de la específica que regula el artículo 262.5 de la Ley de Sociedades Anónimas». Y abunda en esta idea para añadir que el citado «artículo 135 de la Ley de Sociedades Anónimas contiene una norma declarativa, por cuanto la responsabilidad en ella prevista existirá aun cuando no estuviera recogida en la ley, por aplicación de las normas sobre responsabilidad contractual o extracontractual, según los casos; mientras que en el supuesto del artículo 262, recoge una norma constitutiva en cuanto crea dicha responsabilidad legal que no existirá de no existir una norma legal».

Tal circunstancia justificaría el distinto cauce jurisdiccional de una y otra responsabilidad: si el orden civil es competente para enjuiciar la responsabilidad fundada en la omisión de los deberes societarios impuestos en el artículo 367 de la Ley de Sociedades de Capital (antiguo, art. 262.5 LSA), se aprecia la competencia del orden jurisdiccional social para el conocimiento de la responsabilidad basada en los daños causados conforme al artículo 238 de la Ley de Sociedades de Capital (antiguo, art. 133 LSA), exigida a través de la acción individual prevista en el artículo 241 de la Ley de Sociedades de Capital (antiguo, art. 135).

En relación con lo anterior, en alguna ocasión también se ha planteado a jueces y tribunales si la responsabilidad exigible a través del antiguo artículo 135 de la Ley de Sociedades Anónimas es de naturaleza contractual o extracontractual. La Sentencia del Tribunal Superior de Justicia de Andalucía, Sevilla 20-12-2002, tomando inspiración directa en el voto particular formulado por el magistrado Salinas Molina a la Sentencia del Tribunal Supremo (4ª) 13-4-1998, ha señalado sobre este particular que, ante un funcionamiento regular de la sociedad empleadora fruto de la adecuada actuación de sus administradores, la responsabilidad contractual laboral sólo se le podrá exigir a la sociedad. En cambio, si se produce un funcionamiento irregular de la sociedad por una actuación ilícita o inadecuada de sus administradores que provoca una lesión directa de los intereses de los contratados laboralmente por la sociedad, los administradores se hacen corresponsables de las hipotéticas responsabilidades derivadas. Así las cosas, la Sentencia del Tribunal Superior de Justicia de la Comunidad Valenciana 13-7-2000 añade, con la misma fuente de inspiración anterior, que «(h)ay que pensar que el administrador social no es una parte ajena al contrato de trabajo suscrito por la sociedad, pues es la persona de la que la sociedad se vale para ejecutar sus decisiones, por lo que su responsabilidad bien podría encuadrarse como cercana a la contractual, con lo que la previsión legislativa actúa con una finalidad de amparo de los terceros respecto de los cuales no puede predicarse que exista una relación de igualdad en la contratación, como es el caso de los trabajadores». Desde la perspectiva jurisprudencia civil [por ej., STS (1ª) 14-5-1996] se podría afirmar que tal acción directa ejercitada por un acreedor perjudicado vinculado a la sociedad por un contrato es, al igual que la acción ejercitada contra la sociedad corresponsable de la actuación ilícita de su administrador, una acción contractual.

Adviértase que semejante observación no es baladí, pues la consideración de la responsabilidad de los administradores como contractual facilita la atribución del conocimiento de esta cuestión a la rama laboral. El citado voto particular a la Sentencia del Tribunal Supremo (4ª) 13-4-1998 sostiene que «...si resulta que la lesión derivada de su actuación ilícita se ha concretado en el incumplimiento de las obligaciones derivadas del contrato de trabajo, parece lógico y efectivo que deba residenciarse ante el orden social de la jurisdicción la determinación de quien o quienes deban responder del incumplimiento de las obligaciones laborales». No obstante, para Desdentado Bonete y Desdentado Daroca tal argumento no es "concluyente, puesto que la actuación del administrador como órgano social supone [precisamente] que personalmente queda al margen de la relación laboral" (A. DESDENTADO BONETE, E. DESDENTADO DAROCA, Administradores sociales, altos directivos y socios trabajadores: calificación y concurrencia de relaciones profesionales, responsabilidad laboral y encuadramiento en la Seguridad Social, Valladolid, Lex Nova, 2000, p. 207).

IV. LA RESPONSABILIDAD POR DEUDAS SOCIALES

1. *La acción de responsabilidad derivada de incumplimiento de la obligación de disolver la sociedad (art. 367 LSC)*

Cuando concurren las llamadas causas de disolución previstas en el artículo 363 de la Ley de Sociedades de Capital (antiguos, arts. 260 LSA y art. 104 LSRL) y en especial el supuesto de las pérdidas cualificadas (reducción del patrimonio social a una cantidad inferior a la mitad del capital social) y siempre que no sea procedente solicitar la declaración de concurso conforme a lo dispuesto en la Ley Concursal, se imponen unos deberes específicos en orden a promover la disolución o a remover su causa. Entre esas causas de disolución se incardina, justamente, la imposibilidad manifiesta de realizar el fin social y la despatrimonialización del ente societario por debajo del mínimo legal pretende evitar, entre otras circunstancias patológicas, que la sociedad opere sin contar con una base patrimonial real, dado el riesgo que genere para la seguridad del tráfico, en general, y para los terceros en particular, riesgo, que al ser originado por el órgano de administración de la Entidad, debe ser asumido, consiguientemente, por los miembros que lo integran, que cuenten con todas la competencias delegadas.

Estos deberes, que han sido objeto de regulación por la Ley Concursal, consisten en convocar la Junta general en el plazo de dos meses para que adopte, en su caso, el acuerdo de disolución (o si procediere el concurso judicial) y, en solicitar la disolución judicial (o si procediere el concurso judicial) en el plazo de dos meses a contar desde la fecha prevista para la celebración de la Junta, cuando ésta no se haya constituido o desde el día de la Junta, cuando el acuerdo hubiera sido contrario a la disolución o al concurso (art. 367 LSC).

Esta imposición de responsabilidad a los administradores por la inobservancia del concreto deber de promover la disolución social tiene una finalidad de tutela de los acreedores sociales (y así, sólo los titulares de los créditos insatisfechos por la sociedad pueden exigir responsabilidad a los administradores por esta vía). Este régimen de responsabilidad presenta, por ello, un marcado carácter preventivo de la insolvencia, y se afirma que en el vigente régimen societario se refuerza la conexión entre el deber de promover la disolución de la sociedad y el de instar su declaración concursal.

El carácter de acreedores societarios lleva a que un trabajador o un colectivo de trabajadores pueda acudir a la acción regulada por el artículo 367 de la Ley de Sociedades de Capital para reclamar el pago de las deudas salariales y o indemnizatorias o de cualquier otro tipo que le adeude una sociedad, y la responsabilidad solidaria del administrador (o administradores) se fundamentara, exclusivamente, sobre la prueba de que se ha producido una de las causas de disolución de la sociedad antes apuntadas o de concurso y que aquél no ha convocado en el plazo de dos meses la Junta general para que adoptase, en su caso, el acuerdo de disolución o de solicitud de concurso o no ha instado la disolución judicial o el concurso de la sociedad, en el plazo de dos meses a contar desde la fecha prevista para la celebración de la junta cuando ésta no se haya constituido, o desde el día de la junta, cuando el acuerdo hubiera sido contrario a la disolución o al concurso o no se hubiera adoptado.

La reclamación y condena en virtud del artículo 367 de la Ley de Sociedades de Capital (antiguos, art. 262.5 LSA y art. 105.5 LSRL), constituye un régimen especial de responsabilidad-garantía de carácter sancionatorio (no indemnizatoria) por las deudas sociales, en el que basta probar, la concurrencia de la causa de disolución (G. Esteban Velasco, La acción individual de responsabilidad, cit., p. 236.), la infracción negligente de los deberes específicos impuestos a los administradores en tal circunstancia (convocatoria de la Junta en el plazo de dos meses desde la concurrencia de la causa o, en su caso, instancia de la disolución judicial –o si procediere, el concurso judicial–) y la existencia de una obligación social no atendida por el deudor eliminar (la sociedad), sin que sea preciso acreditar el daño ni la relación de causalidad al tratarse de un supuesto especial de responsabilidad-garantía de deuda ajena (acertadamente en esta dirección las SSTS (1ª) 30-10-2000, 20-12-2000, 20-7-2001, 23-2-2004, 17-6-2004, 23-6-2006 y 10-7 y 11-7-2008). Se trata así de una responsabilidad de naturaleza cuasi objetiva y ex lege y que comienza en el mismo momento en que, conociendo la deficiente situación patrimonial de la empresa, no procedieran en la forma prevista en los artículos 364, 365 y 366 de la Ley de Sociedades de Capital, de tal manera que la pasividad del administrador lleva aparejada su responsabilidad solidaria por las obligaciones sociales a modo de consecuencia objetiva. Se trata, en definitiva, de un régimen de responsabilidad riguroso, pero que plantea evidentes ventajas desde la perspectiva de los trabajadores a la hora de poder satisfacer los créditos que le adeude una sociedad mercantil, particularmente, que los mismos quedan exonerados de las cargas probatorias que les venían exigidas en las acciones social e individual analizadas con anterioridad.

Una vez probada por parte de los trabajadores la existencia de la causa de disolución o de concurso de la sociedad y el incumplimiento por parte del administrador del deber de convocar la Junta general o de promover la disolución judicial o el concurso, se consideraría cubierta la exigencia de prueba tradicionalmente reclamada por el Tribunal Supremo para que pueda tener éxito esta acción de responsabilidad, recayendo sobre el administrador la carga de acreditar la concurrencia, en su caso, de alguna causa que le exonere de responsabilidad. El artículo 237 de la Ley de Sociedades de Capital limita las causas de exoneración: «Todos los miembros del órgano de administración que realizó el acto o adoptó el acuerdo lesivo responderán solidariamente, menos los que prueben que, no habiendo intervenido en su adopción y ejecución, desconocían su existencia o, conociéndola, hicieron todo lo conveniente para evitar el daño o, al menos, se opusieron expresamente a aquél». Sobre este particular, el artículo 236.2 de la Ley de Sociedades de Capital enfatiza que «en ningún caso exonerará de responsabilidad la circunstancia de que el acto o acuerdo lesivo haya sido adoptado, autorizado o ratificado por la junta general».

Como ha señalado CARRASCO PERERA, «una sociedad que se disuelve por la única razón de que sus administradores temen la sanción es una sociedad que no agota sus opciones para salvar riqueza y puestos de trabajo» (A. CARRASCO PERERA, Una nueva luz en la noche de la responsabilidad de los administradores sociales, AJA, 2009, nº 770. Tribuna). Hasta hace unos años, el Tribunal Supremo había desestimado demandas de responsabilidad cuando el acreedor demandante era conocedor cabal de la situación de la sociedad al contratar, o cuando su conducta contraviniera las exigencias de la buena fe, o cuando hubiera contracréditos compensables de la sociedad contra el actor. Por ello, debe valorarse positivamente la Sentencia del Tribunal Supremo (1ª) 20-11-2008 [en la misma línea, STS (1ª) 12-2-2010), que libera de responsabilidad a los administradores que acreditan haber realizado «un esfuerzo significativo a la hora de evitar el daño», tomando medidas para reflotar o mejorar la situación económica, que produzcan un «aumento de liquidez», por más que la sociedad no se disolviera, no redujera capital o no hubiera pedido el concurso, que es la conducta que sería exigible por la norma. Según el Tribunal Supremo, incumplido el mandato en el tiempo perentorio de los dos meses, todavía habrá que considerar cómo actuaron los administradores para intentar (sin éxito, claro) atender al pago de las deudas.

Es importante precisar, también, que, cuando la empresa esté constituida por una persona jurídica, cualquiera que sea su forma los contratos laborales se extinguirán si ésta pierde su personalidad jurídica por alguna de las causas previstas por el legislador pero, para ello, es necesario seguir la tramitación propia de los despidos colectivos prevista en el artículo 51 del Estatuto de los Trabajadores, a la que remite el artículo 49.1.g) del mismo texto legal. En este caso nos encontramos con una norma de carácter laboral que prevalece sobre la mercantil y que limita la posibilidad de una disolución automática. No puede ser obstáculo a ello, como ha recordado la Sentencia del Tribunal Superior de Justicia de Madrid 26-3-2007, que «la extinción de la personalidad jurídica no se produzca hasta la inscripción en el Registro Mercantil del balance final de la sociedad anónima, pues desde el acuerdo de disolución la sociedad entra en fase de liquidación,

cesan los administradores y son sustituidos por liquidadores, con una serie de funciones limitadas a llevar a cabo la cesación total de actividades
[...] conservando entretanto la sociedad su personalidad jurídica con el
fin de poder realizar estos cometidos [...], y es claro que es en esta fase de
liquidación cuando debe procederse a la extinción de los contratos de trabajo solicitando la autorización administrativa a través del expediente de
regulación de empleo, ya que producida la definitiva y total extinción de
la sociedad sería ya imposible instar la tramitación de expediente alguno,
pues la sociedad habría desaparecido del mundo jurídico y lógicamente
tampoco tendría representante alguno».

En todo caso es claro que esta responsabilidad alcanza a todas las posibles deudas laborales y de Seguridad Social (salarios, indemnizaciones de
todo tipo, mejoras voluntarias. pago de prestaciones por responsabilidad
empresarial ex artículo 167 LGSS, cotizaciones, etc.), con independencia
de la causa que las fundamente siempre, no obstante, que se trate de deudas posteriores al momento en que se produjo la causa de disolución de la
sociedad.

La apreciación sobre si concurren o no las circunstancias determinantes
del deber de disolución de la sociedad enumeradas en el artículo 363 de la
Ley de Sociedades de Capital (antiguo, art. 260.1 LSA) no es competencia
del orden social, puesto que no puede considerarse que tal determinación
sea accesoria respecto de las obligaciones sociales. Ello supone la incompetencia objetiva de los Juzgados y Tribunales de dicha rama para conocer
de la responsabilidad por el incumplimiento de tal obligación que se prevé
en el artículo 367 de la Ley de Sociedades de Capital (antiguo 262.5 LSA)
[STSJ Cataluña 15-2-2001]. Tal es la línea seguida a partir de la Sentencia
del Tribunal Supremo (4ª) 28-2-1997. Dicha línea fue continuada por, entre otras muchas, las Sentencias del Tribunal Supremo (4ª) 28-10-1997, 13-
4-1998, 21-4-1998, 21-7-1998, 9-11-1999, 17-1-2000 (Comentando la misma
B. GUTIÉRREZ-SOLAR CALVO, La responsabilidad de los administradores y la competencia del orden jurisdiccional social (Comentario a la STS
4ª 17 de enero de 2000), RL., 2000, nº 12, pp. 79 a 82), 9-6-2000, 21-7-2003
y el Auto del Tribunal Supremo 11-1-1999. También mantuvieron la citada
orientación interpretativas las Sentencias de los Tribunales Superiores de
Justicia de Aragón 15-4-1998, Andalucía 4-12-1998, Cataluña 12-11-1999,
13-12-1999, 13-12-1999, 19-6-2001, de Andalucía, Granada 2-12-2003, Murcia 30-12-2005, Sentencia de la Audiencia Provincial de Vizcaya 30-11-2001,
y Auto de la Audiencia Provincial de Girona 31-7-1999.

En el caso resuelto por la Sentencia del Tribunal Supremo (4ª) 28-2-1997, el Tribunal considera que el pronunciamiento sobre la responsabilidad de un administrador único ante un supuesto de no disolución del ente social, no constituye una cuestión prejudicial respecto de las deudas salariales reclamadas en el litigio de la que pudiera conocer el orden social conforme a lo establecido por el artículo 10 de la Ley Orgánica del Poder Judicial. En cualquier caso, sigue la misma sentencia, deben distinguirse «...entre aquellas cuestiones que son prejudiciales porque van a identificar como empresarios a quienes no lo son aparentemente (titulares individuales de la empresa que se hacen sustituir por una persona jurídica, intentando excluir su responsabilidad), cedentes o cesionarios, antecesores o sucesores en términos de los artículos 42, 43 y 44 del Estatuto de los Trabajadores, cuya responsabilidad como empresarios precisa de una decisión prejudicial que les identifique en tal condición, de aquellas responsabilidades subsiguientes al establecimiento de la estrictamente laboral, y que no condicionan tal establecimiento...» [véanse también: SSTSJ Comunidad Valenciana 8-11-2001, Cataluña 21-10-2002]

Así pues, para determinar si hay o no responsabilidad de la empresa sobre salarios pendientes, por ejemplo, es innecesario un pronunciamiento previo sobre la responsabilidad del administrador: no hay prejudicialidad «cuando no se trata de identificar sujetos de la relación laboral, sino de extender a otros sujetos responsabilidades de cualquier naturaleza, que les alcanzan por títulos jurídicos no laborales...». Debe tenerse en cuenta, por un lado, que esta materia constituye una cuestión a resolver con posterioridad a los aspectos estrictamente laborales [en palabras de la STS (4ª) 8-5-2002, «...las posibles responsabilidades, aún solidarias en su caso, son posteriores en su declaración y constatación a lo que conforma el contenido típico del litigio laboral entre empleador societario y empleado del mismo...»]; y, por otro, que para su conocimiento resulta imprescindible la determinación previa de si concurren o no las causas que imponen la disolución de la sociedad ex artículo 363 de la Ley de Sociedades de Capital (antiguo, art. 260.1 LSA o art. 104 LSRL), siendo así que, lógicamente, tal aspecto ha de ser conocido por los tribunales competentes en materia mercantil, el orden jurisdiccional civil, en la medida en que este asunto no puede reputarse como una cuestión accesoria respecto a las obligaciones sociales (en el mismo sentido, la STS (4ª) 31-12-1997; más recientemente, STSJ-Cataluña 14-7-2011). Así, «...cuando la cuestión no tiene carácter prejudicial, ni viene determinada «ex lege» por ninguna norma, sino que exige el análisis de si el administrador debió o no proceder a realizar determinada conducta dentro del campo de sus obligaciones mercantiles y de gestión, es decir, cuando es necesario conocer si se actuó o no conforme a los términos exigibles legalmente, entonces, el necesario análisis de los motivos que condujeran a la disolución y liquidación de la sociedad: situación de la actividad, pérdidas, condicionamientos del mercado, etc. obliga a reconducir a los órganos jurisdiccionales civiles la declaración de la existencia o no de dicha responsabilidad».

El anterior planteamiento parte de la consideración de que el artículo 367 de la Ley de Sociedades de Capital configura una acción de responsabilidad, de carácter específico y de creación legal, por la cual los administradores que incumplan las obligaciones sociales allí previstas habrán de responder solidariamente por ellas [STSJ Cataluña 15-2-2001]. Se trata, por lo demás, de una responsabilidad que, a juicio de la Sentencia de la Audiencia Provincial de Vizcaya 30-11-2001, parece «...objetiva en cuanto parte de una presunción legal de culpa de los Administradores en la concurrencia de tales causas de disolución, y en concreto, en la situación de insolvencia a quien, por ello, se traslada la prueba de desvirtuarla, así la acción social se destina a reparar el daño social, esto es, el sufrido por la propia sociedad titular de la acción en su patrimonio, aunque afecte indirectamente a socios y acreedores...» [Por ej., la «...existencia de pérdidas acumuladas que han dejado el patrimonio contable de la sociedad producido a muchos menos de la mitad de capital social (...) sin que este se aumente adecuadamente...» Sentencia del Tribunal Superior de Justicia de Castilla-La Mancha 18-4-1996]. En esta línea, la Sentencia del Tribunal Supremo (1ª) 9-1-2006 considera que la responsabilidad prevista en el antiguo artículo 262.5 de la Ley de Sociedades Anónimas (actual, art. 367 LSC) se ha ido aplicando con un tono cada vez más objetivo «...no debe, sin embargo, ser exagerado» [menos tajante: STS (1ª) 16-2-2004]. De este modo, se apreciaría «...la existencia de responsabilidad (...) de los administradores por el hecho de incumplirse una obligación específica determinada en la Ley sin acudir a acreditaciones por medios probatorios de un nexo causal entre el incumplimiento legal y el daño»; previsión con la cual se perseguiría «...introducir una vía de exigibilidad a su obligación de observar la diligencia de un ordenado comerciante y de cumplir en el ejercicio de su cargo societario las normas legales y estatutarias» [STSJ Cataluña (CA) 4-10-2002]. De nuevo la Sentencia de la Audiencia Provincial de Vizcaya 30-11-2001, donde también se alude a otra postura judicial en virtud de la cual la exigencia de responsabilidad en este caso quedaría supeditada a la acreditación de la existencia efectiva de una relación de causalidad entre el incumplimiento y el daño causado. Por su parte, la Sentencia del Tribunal Superior de Justicia de Canarias, Santa Cruz de Tenerife 26-2-2003 recuerda que «...no debe caerse en el error del confundir este modalidad de responsabilidad, prevista en el antiguo artículo 105.5 de la Ley de Sociedades de Responsabilidad Limitada [equivalente al art. 367 LSC], con el régimen general organizado por el artículo 69 en relación con los artículos 133 a 135 de la Ley de Sociedades Anónimas (actuales, arts. 236 a 241 LSC), pues mientras éste se estructura como una responsabilidad por daños, sustentada sobre una relación de causalidad entre el perjuicio causado y la conducta negligente del administrador, aquella se instruye como una responsabilidad por deudas, que se anuda, como sanción ex lege, al incumplimiento de una determinada obligación legal».

Podría sorprender que, tras la unificación de doctrina, [el hito lo marca la ya citada sentencia del Tribunal Supremo (4ª) 28-2-1997; después se dictan por el alto Tribunal las Sentencias (4ª) 28-10-1997 y 31-12-1997, entre otras muchas. Sin embargo, en el periodo anterior al año 1997 se dictaron numerosas sentencias que consagraban la competencia social sobre la cuestión: Sentencias de los Tribunales Superiores de Justicia de Cantabria 27-2-1992, Aragón 28-9-1994, País Vasco 7-11-1994, Castilla-la Mancha 29-4-1995, Cataluña 4-7-1995 y 7-9-1995], aún haya tribunales del orden social que se consideren competentes para conocer del ejercicio de una acción de responsabilidad solidaria conforme al artículo 262.5 de la Ley de Sociedades Anónimas (actual, art. 367 LSC). Así, ante un caso en el que procedía la disolución de la sociedad al producirse una disminución del capital social por debajo del límite del artículo 260 de la Ley de Sociedades Anónimas (actual, art. 363 LSC), y en el que no se convocó la Junta general con tal fin, la Sentencia del Tribunal Superior de Justicia de Castilla-la Mancha 15-7-1998 condena a los administradores sociales a responder solidariamente de las obligaciones de la sociedad, admitiendo pues la competencia de este orden. En este sentido, cabe mencionar igualmente: sentencias del Tribunal Superior de Justicia de Castilla-La Mancha 18-4 y 1-10-1996. Para el primero de estos pronunciamientos, el incumplimiento de determinadas obligaciones legales (en este caso, arts. 262.5 LSA y 69.1 LSRL) lleva aparejado, como clara sanción, la extensión de la responsabilidad a la persona que tiene atribuida la función societaria de administración, siendo así que tal «...cuestión debe entenderse como propia del ámbito jurisdiccional de lo social, conforme se desprende...» de los artículos 9.5 de la Ley Orgánica del Poder Judicial y 2, a) de la Ley de la Jurisdicción Social. A juicio del Tribunal, tal apreciación se ha de producir «...de modo claro y directo, sin necesidad (...) de tener que acudir a la cobertura normativa que la obligación de resolución prejudicial del artículo 4.1 de la Ley de Procedimiento Laboral establece para los órganos judiciales de lo social...».

Lo cierto es que parece difícil no apreciar imprudencia (si no exageración) en la afirmación de la Sentencia del Tribunal Supremo (4ª) 28-2-1997 de que la decisión en torno a la responsabilidad de los administradores no impide «...y ni siquiera condiciona...» la de la pretensión laboral principal (por ej. una deuda salarial); bien al contrario, se trata evidentemente de una garantía de la que disfrutan los trabajadores para reforzar las posibilidades de percepción de sus créditos laborales. Tal es, como veremos, el planteamiento que lleva al Tribunal Supremo en la sentencia (4ª) 28-10-1997 a justificar el conocimiento por parte del orden social de los supuestos de responsabilidad derivados de lo previsto en la antigua Disposición Transitoria 3ª.3 de la Ley de Sociedades Anónimas. El voto particular formulado por el magistrado Salinas Molina a la Sentencia del Tribunal Supremo (4ª) 13-4-1998 destaca que «(l)a responsabilidad de los administradores respecto a las deudas sociales (...) es un refuerzo de los derechos de quienes se relacionaron con el ente social, de lo que es dable deducir que tal responsabilidad legalmente establecida constituye una garantía (cuestión accesoria) que se adiciona al propio contrato de trabajo (cuestión principal) concertado con la sociedad cuyos administradores actúen ilícitamente, siendo esa garantía una cuestión accesoria respecto a la cuestión principal que la constituyen los derechos de naturaleza laboral de los trabajadores de la sociedad». Con buen criterio, CABAÑETE POZO ha señalado, en línea muy similar, que «...mal se refuerza la posibilidad de cobro declarándose una responsabilidad solidaria, pero teniendo que demandar al empresario ante la jurisdicción social y al administrador ante la jurisdicción civil» (R. CAÑABATE POZO, Jurisdicción competente para determinar la responsabilidad de los administradores de una sociedad de responsabilidad limitada derivada del despido de un trabajador, AS, 1999, II, p. 2689). También Serrano García reconoce que «...negar la competencia del orden social de la jurisdicción no es la solución más práctica. A los trabajadores les resultaría mucho más cómodo adicionar la acción de responsabilidad directa de los órganos sociales a la que ostentaran frente a la sociedad, a través de su ejercicio conjunto ante los Juzgados de lo Social (...) [mientras que] a los empresarios no administradores también les favorecería la unión de acciones, en la medida en la que verían cómo el actuar ilícito de los órganos sociales encuentra una respuesta ágil y directa» (M. J. SERRANO GARCÍA, La responsabilidad de los administradores sociales en los grupos de empresas: orden jurisdiccional competente (Comentario a la STS 4ª de 9 de julio de 2001), RL, 2002, I, pp. 883 a 888.).

En este sentido, la ya citada Sentencia del Tribunal Superior de Justicia de Madrid 27-11-1998 [casada por la STS (4ª) 9-6-2000] introduce alguna reflexión interesante que viene a cuestionar esa doctrina judicial y que pasa, sustancialmente, por dar a la acción de responsabilidad del (antiguo) artículo 262.5 de la Ley de Sociedades Anónimas el mismo tratamiento que recibe esa otra acción de la Disposición Transitoria 3ª de la misma Ley (ya derogada), cuyo conocimiento corresponde (pacíficamente) a la jurisdicción laboral [planteamiento expresamente rechazado por la STSJ Cataluña 12-11-1999, que se remite a la STS (4ª) 21-7-1998 en la que se distingue y justifica un tratamiento jurídico dispar a la responsabilidad derivada del artículo 262.5 y de la DT 3ª LSA. A juicio de la STS (4ª) 28-10-1997 se salva así la contradicción con el criterio establecido en la STS (4ª) 28-2-1997]. Así lo que hacen aquel y otros Tribunales Superiores de Justicia en diversos pronunciamientos es interpretar de forma laxa la aceptación de que el supuesto de la citada Disposición Transitoria 3ª de la Ley de Sociedades Anónimas queda en manos del orden social, en el sentido de que ello ha de suponer al mismo tiempo que la otra acción específica de responsabilidad de los administradores legalmente prevista, la del artículo 262.5 de la Ley de Sociedades Anónimas, también deba ser conocida por la rama social. Algún autor va más allá al sostener que corresponde al orden social el conocimiento de todos los supuestos de responsabilidad exigida por un acreedor laboral de la sociedad empleadora frente al administrador (F. Cavas Martínez, La responsabilidad patrimonial de los socios y administradores sociales en el ámbito laboral, AS, 2002, n° 9, Tribuna).

En definitiva, se interpreta que las Sentencias del Tribunal Supremo (4ª) 28-10 y 31-12-1997 vienen a rectificar el criterio consagrado por la sentencia (4ª) 28-2-1997 para sentar la doctrina de que los órganos del orden social son competentes para entrar a dilucidar la responsabilidad solidaria de los administradores de las sociedades mercantiles respecto a los créditos de carácter laboral, cuando aquélla deriva del incumplimiento de sus obligaciones legales.

El fundamento de esta postura reside en el hecho de que tal responsabilidad «...se plantea en el ámbito de una reclamación de carácter laboral, [indiscutiblemente] atribuida al orden jurisdiccional social [arts. 9.5 LOPJ y 2, a) LJS], y, por lo tanto, susceptible de ser resuelta con carácter prejudicial como establece el artículo 4.1 de la Ley de la Jurisdicción Social, si bien solamente sea para tener efectos en el concreto ámbito del proceso de que se trate» [STSJ Castilla-La Mancha 9-9-1999]. En palabras de la Sentencia del Tribunal Superior de Justicia de Madrid 27-11-1998 «...entender que la jurisdicción laboral no puede conocer de una responsabilidad que la Ley constituye como solidaria del crédito laboral supone hacer insolidaria la solidaridad y discriminar al acreedor laboral del resto de los acreedores sociales, civiles, mercantiles o tributarios. La Ley al fijar la responsabilidad como solidaria remite a su propio concepto legal que, conforme el artículo 1144 del Código Civil supone que "el acreedor puede dirigirse contra cualquiera de los deudores solidarios o contra todos ellos simultáneamente". Siendo pues obvio que la acción contra la empresa no podía ejercitarse, por su naturaleza laboral, ante la jurisdicción civil sino sólo ante la laboral, sólo en ésta puede hacerse valer el privilegio de la simultaneidad que caracteriza a la solidaridad legal. Negarlo es negar el carácter solidario de la responsabilidad y por ello negar el texto –y el contexto– de la ley». En este sentido se pronuncia también CAVAS MARTÍNEZ (F. CAVAS MARTÍNEZ, La responsabilidad patrimonial de los socios y administradores sociales en el ámbito laboral, cit..). En definitiva, se viene a establecer que ha de ser la naturaleza de los créditos sociales pendientes de satisfacción la que determine el orden jurisdiccional competente, de tal manera que si la cuestión principal (deuda social) es laboral la exigencia adicional (la responsabilidad de los administradores) deberá ser conocida por la jurisdicción social. Tal es el criterio apuntado por el voto particular formulado por el magistrado Salinas Molina a la Sentencia del Tribunal Supremo (4ª) 13-4-1998.

Lo anterior se refuerza con dos argumentos adicionales [STSJ Castilla-La Mancha 9-9-1999]. De una parte, se señala que negar la competencia del orden social «...implicaría no sólo una distorsión competencial y una dilación injustificada de la tutela judicial, contraria al artículo 24.1 de la Constitución Española, sino una vulneración de la especial tutela que implica la jurisdicción social para los trabajadores, en cuanto presidida por principios especiales (...) más acordes con la particular situación de inferioridad económica y social en que se encuentran en el ámbito de la relación laboral». Y, de otra, «(c)arece (...) de sentido el dividir la competencia, entre la civil y la social, según se aplique uno u otro precepto de la misma Ley Mercantil, teniendo en cuenta, además, que lo relevante no es la sustantividad no laboral de dicha norma, sino su aplicación en el ámbito de una relación laboral, de donde surge un crédito laboral, atraído así al ámbito jurisdiccional social, como consecuencia de la garantía de jurisdicción social que debe entenderse que conforma parte esencial de nuestro Estado social de convivencia (art. 1.1 CE)». Debe insistirse en que, como han observado DESDENTADO BONETE y DESDENTADO DAROCA (A. DESDENTADO BONETE, E. DESDENTADO DAROCA, Administradores sociales, altos directivos y socios trabajadores, cit., p. 206.), la pretensión principal consiste en la reclamación de un crédito laboral, de tal manera que es lógico que sea el mismo orden social el que conozca también de una cuestión de carácter complementario cual es la responsabilidad de los administradores sociales. Entre otras cosas, de este modo se ha de evitar la distorsión que puede generar el ejercicio paralelo o sucesivo de acciones en órdenes distintos que arrojen resultados contradictorios.

2. La responsabilidad de los administradores societarios derivada de las derogadas Disposiciones Transitorias 3ª y 6ª de la Ley de sociedades anónimas

Ante todo, debe partirse de que la vigente Ley de Sociedades de Capital ha derogado la Ley de Sociedades Anónimas por lo que, aunque ya con anterioridad a la entrada en vigor de la Ley de Sociedades de Capital era dudosa la virtualidad de tales disposiciones, en la actualidad han perdido por completo la misma. Ello no obstante y dados los problemas aplicativos que en su momento plantearon las Disposiciones Transitorias 3ª y 6ª de la Ley de Sociedades Anónimas, resulta ilustrativo hacer un sucinto repaso de ellas.

Había que distinguir en la redacción de esta Disposición Transitoria 3ª de la Ley de Sociedades Anónimas dos supuestos de infracción. El primero, más general, era la falta de adaptación de los estatutos a lo dispuesto en la Ley (apartado 1). El segundo consistía en el incumplimiento de la obligación de aumentar «...efectivamente... el capital de la sociedad hasta un mínimo de diez millones de las antiguas pesetas (apartado 2). En uno y otro caso se establecía como límite para su cumplimiento el día 30 de junio de 1992, fecha a partir de la cual se preveía que los administradores responderían personal y solidariamente entre sí y con la sociedad de las deudas sociales (apartado 3, siempre de la misma disposición). Es reseñable que la sentencia del Tribunal Superior de Justicia de la Comunidad Valenciana 13-7-2000 afirmara que «...no cabe admitir los razonamientos del recurrente relativos a que en el momento de aumentar el capital social éste ya se había desembolsado en un 50% (los cinco millones con los que la sociedad se constituyó), y ello, no sólo porque se trata de una interpretación sesgada de los requisitos de constitución que se aplican a una sociedad ya constituida con anterioridad, sino también porque los términos en que se expresa la citada disposición transitoria, que no habla de "desembolso" sino de "aumento efectivo", impide la estimación de dicho razonamiento como acertado, e impide, también, la interpretación que se pretende, es decir, que se trata de un desembolso de capital ordinario, que permite su fragmentación»

Debe también puntualizarse el sentido de la expresión «deudas sociales» que empleaba la Disposición Transitoria 3ª.3 de la Ley de Sociedades Anónimas. Como es lógico, quedaban incluidos los créditos salariales (cantidades reclamadas en concepto de salarios no satisfechos) que los trabajadores pudieran tener frente a la sociedad [STS (4ª) 31-3-1999], lo cual es relevante por lo que en seguida veremos. Pero igualmente quedaban englobadas las deudas contraídas con el sistema de Seguridad Social en relación con las prestaciones por incumplimiento de las obligaciones en materia de afiliación, altas y bajas y cotización en los términos del artículo 126.2 de la Ley General de la Seguridad Social. Sirva de ilustración la Sentencia del Tribunal Supremo (4ª) 20-9-1999, en la que la empresa tenía contraída con un trabajador una deuda correspondiente a una prestación de jubilación por infracotización durante la relación laboral preexistente.

Entrando propiamente en la cuestión competencial, cabe señalar que, a salvo de algún pronunciamiento favorable a la jurisdicción civil [sin más argumentación rechaza la competencia del orden social la Sentencia del Tribunal Superior de Justicia de Andalucía, Sevilla 24-2-1995], era cuestión pacífica que el conocimiento del supuesto de responsabilidad de los administradores contemplado en la Disposición Transitoria 3ª.3 de la Ley de Sociedades Anónimas correspondía al orden social. No obstante, para Serrano García «...lo correcto es negar siempre [incluyendo, por tanto, el supuesto de la disp. transitoria 3ª.3 LSA] la competencia a los Juzgados y tribunales laborales, ya que lo pretendido con el ejercicio de esta acción [individual de los trabajadores] es hacer efectiva una responsabilidad que no posee base en el contrato de trabajo (...), sino que se desprende de una ley mercantil (...), actuando al margen de la posible condición de empresarios de sus titulares (...), sin que a mayor abundamiento, exista una norma con rango de ley que conceda competencia la orden social...» [M. J. SERRANO GARCÍA, La responsabilidad de los administradores sociales en los grupos de empresas: orden jurisdiccional competente (Comentario a la STS 4ª de 9 de julio de 2001), cit.].

Así, la Sentencia del Tribunal Supremo (4ª) 28-10-1997 afirmaba que la naturaleza de los créditos sociales resultaba determinante de la competencia de los tribunales, de tal manera que si la causa de pedir era laboral habían de ser los tribunales del orden social los encargados de conocer del asunto, sin importar que la extensión de responsabilidad a los administradores sociales se basara en la infracción de obligaciones de carácter mercantil (como señalaba la STS (4ª) 12-2-2000, «(e)l Orden Social no declina su competencia por el hecho de tener que aplicar en sus resoluciones normas distintas de las reguladoras del Derecho del Trabajo o de la Seguridad Social», consideración que viene amparada por los artículo 4.1 LPL y 10 LOPJ); es decir, que en tal caso era el crédito laboral «..., como aspecto más relevante, el que deb(ía) configurar la naturaleza de la acción ejercitada» [STS (4ª) 31-12-1997. Otros pronunciamientos en el mismo sentido son los siguientes: SSTS (4ª) 21-7-1998, 12-4-2000, 9-6-2000, SSTSJ Madrid 7-11-2000 y 28-1-2003, Comunidad Valenciana 4.7.2003, AAP Girona 31-7-1999]. En definitiva, como señalaba la Sentencia del Tribunal Supremo (4ª) 31-3-1999, cabía «...exigir responsabilidad a los administradores sociales cuando su conducta omisiva pueda incidir en las garantías salariales de los trabajadores». En este sentido, podía afirmarse que la Disposición Transitoria 3ª.3 de la Ley de Sociedades Anónimas «...obliga a considerar que la responsabilidad solidaria surge del simple incumplimiento de las normas mercantiles, conducta a la que se anuda las negativas consecuencias de la marcha de la sociedad, cuando la empresa culmina en un despido por cierre o por incurrir en algún supuesto de descapitalización que le impide responder de las deudas laborales anejas a la resolución de los contratos» [A. CAMPUZANO LAGUILLO, Competencia del orden social y responsabilidad de los administradores (Comentario a la STS de 31 de marzo de 1999), REDT, 2000, nº 99, pp. 137 a 140].

Llama la atención que la solución alcanzada sea distinta a la correspondiente al (antiguo) artículo 262.5 de la Ley de Sociedades Anónimas, antes analizada, cuando en uno y otro caso se trata de una responsabilidad derivada del incumplimiento de obligaciones mercantiles legalmente establecidas. El, ya se adelanta, poco convincente razonamiento de justificación de esta disparidad aparentemente tan contradictoria (en verdad lo es) se exponía en la sentencia del Tribunal Supremo (4ª) 28-10-1997. Acogieron expresamente esta doble solución, entre otras las Sentencias del Tribunal Superior de Justicia de la Comunidad Valenciana 6-2-2003 y 26-10-2002.

Por un lado, se consideraba que el incumplimiento de la obligación de aumentar el capital social a diez millones de pesetas, ex Disposición Transitoria 3ª.3 de la Ley de Sociedades Anónimas, afectaba a la garantía de los acreedores (entre los cuales los trabajadores), pues se colocaba a la sociedad en situación de no poder satisfacer los créditos frente a aquéllos. Por ello era lógico que la responsabilidad de los administradores fuera exigible ante los Tribunales que conocieran de las deudas sociales insatisfechas [véanse, igualmente: SSTS (4ª) 31-12-1997, 31-3-1999, 20-9-1999, y STSJ Cataluña 12-11-1999].

Por otro, ya se ha visto que cuando se trata del supuesto planteado en el artículo 262.5 de la Ley de Sociedades Anónimas (hoy art. 367 LSC) se considera, bien al contrario, que la obligación de disolver la sociedad ante la concurrencia de determinadas causas exigía con carácter previo dilucidar si en efecto estas podían apreciarse o no, siendo así que, como señala la Sentencia del Tribunal Supremo (4ª) 31-12-1997 [asimismo: SSTS (4ª) 21-7-1998, 9-6-2000 y STSJ Madrid 13-2-2001], «...parece lógico...» que ello corresponda a los tribunales competentes en materia mercantil, pues su «...determinación no es accesoria respecto a las obligaciones sociales». El reconocimiento explícito de esta doble solución, competencia civil en el supuesto del antiguo artículo 262.5 de la Ley de Sociedades Anónimas y social en el correspondiente a la Disposición Transitoria 3ª.3 de la citada Ley, se recogía en muchas de las sentencias que se ocupaban de la interpretación de esta última disposición pero también en otras que interpretaban aquel precepto. De ahí que la sentencia del Tribunal Supremo (4ª) 28-10-1997 afirmara que «(l)a interpretación que en [la misma] se realiza [en torno a la DT 3ª.3 LSA] no contradice la expuesta en la de 28-2-1997» [sobre el art. 262.5 LSA]. En el mismo sentido: Sentencias del Tribunal Supremo (4ª) 31-12-1997, 31-3-1999, 9-11-1999, 17-1-2000, 8-5-2002, y Sentencia del Tribunal Superior de Justicia de Madrid 28-11-2000.

En verdad, la distinción resultaba poco convincente por la constatación de la similitud existente entre ambos supuestos. En los dos se producía una determinada circunstancia (concurrencia de una causa de disolución y necesidad de aumento del capital social –art. 262.5 y DT 3ª LSA, respectivamente–) que generaba una obligación para los administradores sociales que, de no ser satisfecha, podía dar lugar a la exigencia de responsabilidad a ellos: en un caso, debería convocar la Junta general en el plazo de dos meses para que adoptara la disolución de la sociedad o instar su disolución judicial; y en el otro, debían lograr un aumento de capital hasta la cuantía mínima. Es cierto que esta última obligación resultaba más difusa porque no eran los administradores sociales los que personalmente adoptaban la decisión de aumentar el capital; sin embargo, es indudable (de ahí la previsión) que por su posición orgánica son ellos quienes se encontraban en mejor disposición para alcanzar tal resultado.

Frente a quien pudiera considerar que lo previsto en la Disposición Transitoria 3ª.3 de la Ley de Sociedades Anónimas constituía una medida excesivamente estricta para los administradores, la Sentencia del Tribunal Superior de Justicia de la Comunidad Valenciana 13-7-2000 ponía de relieve que no debía perderse de vista que precisamente una de las razones por las que se introdujo la exigencia de un capital social mínimo fue la de dotar de solvencia a las empresas y garantizar los derechos de terceros que contratan con la sociedad, entre los que se incluyen los trabajadores.

Finalmente, el legislador de 1989 pretendió presionar a los administradores sociales para lograr la adaptación de los estatutos a las entonces nuevas previsiones legales a través de un segundo instrumento. En efecto, la Disposición Transitoria 6ª de la Ley de Sociedades Anónimas establecía que las sociedades anónimas que a fecha de 31 de diciembre de 1995 no hubieran presentado en el Registro Mercantil escritura que recogiera el acuerdo de elevación del capital social y el desembolso de una cuarta parte, como mínimo, del valor de las acciones quedarían disueltas de pleno derecho, sin perjuicio de lo cual subsistiría la responsabilidad personal y solidaria de los administradores.

Aunque no se ha encontrado ningún pronunciamiento judicial al respecto, debía concluirse a la luz de lo anteriormente analizado que el conocimiento de la responsabilidad de los administradores por créditos laborales ante una situación como ésta se había de atribuir al orden social, por las mismas razones expuestas en el caso de la Disposición Transitoria 3ª.3 de la Ley de Sociedades Anónimas.

V. EL SISTEMA DE DERIVACIÓN DE RESPONSABILIDAD POR LA SEGURIDAD SOCIAL Y LA INSPECCIÓN DE TRABAJO

1. *Autotutela administrativa y principios informadores del procedimiento de derivación de responsabilidad contra los administradores societarios*

La declaración de responsabilidad solidaria de los administradores de una sociedad puede ser también un acto sujeto al Derecho Administrativo y no sólo al Derecho Privado, sometido al régimen de autotutela administrativa. Tradicionalmente esta facultad administrativa ha encontrado su justificación en un doble orden de factores. De un lado se afirma que la Administración en tanto defiende y satisface los intereses generales, necesita, como elemento imprescindible para la eficacia administrativa, de la ejecutividad inmediata de sus actos, sin necesidad de esperar la decisión de los Tribunales. De otra parte, se señala que la ejecutividad tiene su fundamento en el principio de presunción de validez de los actos administrativos. La Sentencia del Tribunal Constitucional 22/1984, de 17 de febrero, señala que «el privilegio de autotutela atribuido a la Administración pública no es contrario a la Constitución, sino que engarza con el principio de eficacia enunciado en el artículo 103 de la Constitución Española», si bien el propio Tribunal recuerda que «la efectividad que se predica de la tutela judicial respecto de cualesquiera derechos e intereses legítimos reclama la posibilidad de acordar las adecuadas medidas que aseguren la eficacia real del pronunciamiento futuro que recaiga en el proceso» (SSTC 14/1992 y

148/1993). El artículo 57.1 de la Ley de Régimen Jurídico y del Procedimiento Administrativo Común establece a estos efectos que «los actos de las Administraciones Públicas sujetos al Derecho Administrativo se presumirán válidos y producirán efectos desde la fecha en que se dicten, salvo que en ellos se disponga otra cosa».

En efecto, la Administración está capacitada para tutelar por sí misma sus propias situaciones jurídicas, distinguiendo entre la autotutela declarativa, coincidente con la ejecutividad, y la autotutela ejecutiva, en cuanto ejecución forzosa de los actos administrativos. Esta potestad de la Administración, como exigencia de eficacia, permite a ésta dictar sus propios actos declarativos de derechos, proceder a la ejecución de los mismos y revisarlos, de oficio o a instancia de parte, sin perjuicio de un ulterior control jurisdiccional. Cabe hablar, también, de una autotutela no meramente conservativa o defensiva de situaciones previas, sino ad extra o agresiva, consistente en una coerción, dirigida sobre el patrimonio del deudor, para obtener la satisfacción del crédito público.

En el plano de la tutela de las deudas con la Seguridad Social la referida potestad lleva consigo la potestad de identificar al sujeto responsable y exigirle a través del correspondiente procedimiento administrativo el pago de la correspondiente deuda. De este modo, la administración tiene capacidad para derivar la deuda contraída por la sociedad hacia los administradores sociales cuando en estos concurran las causas de responsabilidad establecidas por la Ley.

Lo que verdaderamente resulta destacable es que, tanto la Tesorería General de la Seguridad Social (en adelante, TGSS), como la Inspección de Trabajo y Seguridad Social, tienen plena capacidad para derivar la responsabilidad por deudas al administrador, mediante el correspondiente procedimiento recaudatorio, en vía administrativa, «de derivación de responsabilidad», sin necesidad de recurrir al correspondiente proceso ante el orden jurisdiccional civil, fundamentándose para ello exclusivamente en la aplicación de normas mercantiles, en concreto en los artículos 241 de la Ley de Sociedades de Capital (que regula la acción individual de responsabilidad del administrador) y artículo 367 de la Ley de Sociedades de Capital (que regula una responsabilidad específica del administrador).

No obstante, la citada posibilidad no ha estado exenta de polémicas. Es así que la Tesorería General de la Seguridad Social había postulado de forma repetida ante el Tribunal Supremo en diversos recursos de casación en interés de la Ley, que la misma tenía plena potestad para declarar de forma directa responsables solidarios a los administradores sociales de concurrir los supuestos de responsabilidad contemplados en los antiguos artículo 104 y 105 de la Ley de Sociedades de Responsabilidad Limitada y 262.5 de la Ley de Sociedades Anónimas (actual, art. 367 LSC). La respuesta fue negativa declarando diversos pronunciamientos que la competencia para la derivación de la responsabilidad solidaria a los administradores de una sociedad corresponde a la jurisdicción civil. Las Sentencias del Tribunal Supremo (3ª) 18-6-2002, 31-3-2003 y 21-6-2003 [un repaso de la citada jurisprudencia en R. MARTÍN JIMÉNEZ, A. MATEOS BEATO, La responsabilidad de empresas y administradores con la Seguridad Social, Pamplona, Aranzadi, 2009, pp. 204-206], rechazaron la citada pretensión basándose para ello en los siguientes argumentos.

En primer lugar, que los precedentes jurisdiccionales (Auto de Sala de Conflictos de Competencia del Tribunal Supremo 8-3-1996, y SSTS (4ª) 15-1-1997, 28-2-1997 y 21-7-1998) han declarado que la competencia para la derivación de la responsabilidad solidaria a los Administradores de una Sociedad corresponde a la jurisdicción civil, pues para fijar estas responsabilidades es necesario un previo pronunciamiento sobre si concurren o no los supuestos de hecho que la ley señala como determinantes del deber de disolver la sociedad, pronunciamiento que ha de ser realizado por los Tribunales competentes en materia mercantil, sin que tal determinación sea accesoria respecto a las obligaciones sociales. En segundo lugar, que no basta la existencia de una deuda de la empresa con la Seguridad Social para derivar la responsabilidad a los socios administradores, sino que deben aplicarse las normas mercantiles para determinar si concurren las circunstancias y causas que dan lugar a la responsabilidad de esas personas, como son el incumplimiento de sus obligaciones o el no haber interesado la disolución de la sociedad o la convocatoria de Junta General de accionistas. Esta aplicación, con la valoración que supone, no es competencia de la Tesorería General de la Seguridad Social. Como consecuencia de todo ello, se ha venido declarando que estas declaraciones de responsabilidad incurrirían en nulidad de pleno derecho, pues no entenderlo así supondría que tal acto de la Administración quedara exento de control jurisdiccional.

La situación legal sufrió un cambio radical con la entrada en vigor de la Ley 52/2003, de 10 de diciembre, de disposiciones específicas en materia de Seguridad Social. A partir de la entrada en vigor de la citada Ley, la Tesorería General de la Seguridad Social no puede ejercitar la acción contra los administradores sociales establecida por la antigua Ley de Sociedades Anónimas y Ley de Sociedades de Responsabilidad Limitada «declarando y exigiendo» la responsabilidad solidaria en que hayan incurrido, sino mediante el «procedimiento recaudatorio» administrativo (en los propios términos del art. 15.3 LGSS), sea cual fuere el momento en que el impago del deudor originario dio lugar al crédito de la Seguridad Social. De acuerdo con lo establecido en el citado artículo «son responsables del cumplimiento de la obligación de cotizar y del pago de los demás recursos de la Seguridad Social las personas físicas o jurídicas o entidades sin personalidad a las que las normas reguladoras de cada Régimen y recurso impongan directamente la obligación de su ingreso y, además, los que resulten responsables solidarios, subsidiarios o sucesores mortis causa de aquéllos, por concurrir hechos, omisiones, negocios o actos jurídicos que determinen esas responsabilidades, en aplicación de cualquier norma con rango de Ley que se refiera o no excluya expresamente a las obligaciones de Seguridad Social, o de pactos o convenios no contrarios a las Leyes. Dicha responsabilidad solidaria, subsidiaria, o mortis causa se declarará y exigirá mediante el procedimiento recaudatorio establecido en esta Ley y su normativa de desarrollo».

La Ley de Sociedades de Capital cumple, por tanto, los dos requisitos legalmente exigidos: el rango de ley y la no exclusión expresa de la responsabilidad derivada de las deudas de Seguridad Social. Sobre esta base, la responsabilidad solidaria del administrador societario podría declararse y exigirse por parte de la administración actuante mediante el correspondiente procedimiento recaudatorio, sin necesidad de recurrir al correspondiente proceso ante el orden jurisdiccional civil.

Una cuestión que planteó cierta polémica fue la relativa al alcance retroactivo de la citada Ley 52/2003. Con apoyo en diversos pronunciamientos dictados por distintos Tribunales de Justicia, se había venido entendiendo que aunque en el momento de producirse los hechos que hubieran generado la responsabilidad no se encontrase en vigor la regulación de la citada Ley, podía procederse a la derivación por vía administrativa, al tratase de una norma procedimental que venía a clarificar la competencia para declarar la responsabilidad por deudas de la Seguridad Social, basada en incumplimientos de la legislación mercantil. Así, la Sentencia del Tribunal Superior de Justicia de Andalucía (CA) 30-11-2006, afirmó que si bien el precepto de la Ley 52/2003 «no estaba vigente cuando se dictaron las resoluciones administrativas [el mismo] supone el desarrollo del principio legal de asunción de la competencia por la Administración para la declaración de responsabilidad solidaria en virtud de cualquier norma. La norma reglamentaria no hace sino especificar las normas sustantivas por las que se puede declarar la responsabilidad, pero la competencia ya estaba otorgada por la Ley, por lo que procede la desestimación de la alegación de falta de competencia». Por su parte, la Sentencia del Tribunal Superior de Justicia de Castilla y León 27-7-2006, afirmaba que «...en la fecha en la que se emite la declaración de responsabilidad, en febrero de 2005, ya se encontraba en vigor la reforma, sin que quepa atender el período en que se generan las deudas...». Finalmente, la Sentencia del Tribunal Superior de Justicia de Castilla La Mancha 28-5-2007 afirma que "...la norma introduce como novedad el procedimiento para declarar una responsabilidad por hechos determinados. Pero declaración que se lleva a cabo en virtud de normas sustantivas que ya estaban en vigor a la fecha de ocurrencia de los hechos determinantes de la declaración de responsabilidad (...) Lo único que ocurre es que esta declaración de responsabilidad se lleva a cabo en virtud de un procedimiento que si permite declarar ahora dicha responsabilidad (...) Los efectos jurídicos de los actos del recurrente no se ven en ningún caso alterados (derivación de responsabilidad), variando el cauce procedimental a través del cual se exige dicha responsabilidad».

Tal duda ha sido resuelta negativamente por la Sentencia del Tribunal Supremo (3ª) 31-3-2010, por la que se declara que no procede la aplicación de la retroactividad a la citada Ley 52/2003, para exigir responsabilidad por hechos anteriores a su entrada en vigor, pues como la misma expresa: «la reforma llevada a cabo por la Ley 52/2003 carece de eficacia retroactiva, al no haber establecido la norma nada al respecto y ser la irrectroactividad un principio general de nuestro ordenamiento, salvo, claro está, respecto de una regulación más favorable de una norma sancionadora, situación aquí ausente».

2. Acciones de responsabilidad contra los administradores societarios susceptibles de derivación

Cuestión que plantea numerosas dudas es la relativa al tipo de responsabilidad susceptible de derivación ex artículo 15.3 de la Ley General de la Seguridad Social. Como hemos venido analizando, la legislación societaria prevé un doble régimen legal, según se trate de responsabilidad por daños (art. 236, 238 y 241 LSC, antiguos arts.. 133, 134 y 135 LSA), o de responsabilidad por deudas (art. 367 LSC, antiguos arts. 262.5 LSA y 105.5 LSRL). La primera de estas vías plantea ciertos interrogantes a la hora de articular la derivación administrativa de responsabilidad.

En efecto, en el caso de la responsabilidad por daños, la dificultad procede, por las razones apuntadas a lo largo del presente estudio, de la complejidad de acreditar las exigencias de prueba requeridas legalmente. De este modo, aunque la Ley General de la Seguridad Social abre la vía de la derivación de responsabilidad sin necesidad de acudir al trámite judicial, el recurso al procedimiento administrativo para exigir la responsabilidad por daños (art. 236 LSC) la misma ofrecerá notables dificultades y, paradójicamente, deberá ser la vía judicial ante el orden civil la que deba transitarse en estos casos. Así, lo ha reconocido la propia Subdirección General de Ordenación e Impugnaciones de la Tesorería General de la Seguridad Social al señalar que: «cuando se trata de una posible declaración de responsabilidad con fundamento en el artículo 133 de la Ley de Sociedades Anónimas (actual, art. 236 LSC), la necesaria prueba de daño y la culpa del administrador y el reconocimiento de tales circunstancias por el órgano que la declara, son aspectos que exceden de la competencia de esta Tesorería General de la Seguridad Social incurriendo en ámbitos propios de actuación judicial, ya se trate de supuestos simples o más complejos de determinación, por ello esta Subdirección General considera que la tutela de la responsabilidad establecida en el artículo 133 de la Ley de Sociedades Anónimas, corresponde a los órganos jurisdiccionales, no pudiendo ser declarada por este Servicio Común» [Consulta de la Subdirección General de Ordenación e Impugnaciones de la Tesorería General de la Seguridad Social de 12 de marzo de 2007 (Exp. 1605/2006)]. Por tanto, el procedimiento directo de derivación de responsabilidad estará vedado, tanto para la acción social (art. 238 LSC, antiguo, art. 134 LSA), como para la individual (art. 241 LSC, antiguo art. 135 LSA). [Admite la derivación en este caso, si bien reconoce la notable dificultad de su articulación práctica, C. GALA DURÁN, *La responsabilidad laboral y de seguridad social de los administradores de las sociedades mercantiles*, cit., pp. 195-196].

Sí resultarán competentes tanto la Tesorería General como la Inspección de Trabajo para derivar directamente la responsabilidad solidaria basada en el artículo 367.1 de la Ley de Sociedades de Capital (antiguos, arts. 262.5 LSA y 104 y 105 LSRL), dada la naturaleza objetiva de dicha responsabilidad, de modo que constatado el hecho del incumplimiento en plazo de sus obligaciones nacerá automáticamente la responsabilidad del administrador. Dicha reclamación afectará a las deudas de Seguridad Social posteriores al momento en que acaeció la correspondiente causa de disolución de la sociedad (artículo 367.2 LSC). Es importante precisar que, tal y como indica el artículo 367.2 de la Ley de Sociedades de Capital (antiguo, art. 262.5 LSA), las deudas reclamadas se presumen de fecha posterior al acaecimiento de la causa legal de disolución, de modo que la carga de la prueba de otra fecha posterior corresponde a los administradores. Se indica, también, que la expresión de la norma en su último párrafo a «las obligaciones sociales reclamadas», se refiere a las deudas reclamadas a los administradores en base a lo dispuesto en el párrafo anterior, es decir, en virtud de la responsabilidad solidaria establecida en el mismo artículo y no a las deudas que hayan podido reclamarse a la sociedad con anterioridad a la causa de disolución. Por tanto, solo pueden imputarse a los administradores sociales, en virtud de la citada responsabilidad solidaria, las deudas de la sociedad causadas con posterioridad a la causa legal de disolución, hayan sido o no reclamadas a la empresa, y no cualquier deuda reclamada a la sociedad, y una vez efectuada la imputación y reclamadas las deudas. Estas deudas así reclamadas se presumen causadas con posterioridad al acaecimiento de la causa de disolución» [Consulta de la Subdirección General de Ordenación e Impugnaciones de la Tesorería General de la Seguridad Social de 2 de abril de 2007 (Expte. 1021/2006)]. Las deudas anteriores deberán reclamarse por la vía del artículo 241 de la Ley de Sociedades de Capital o, por la más compleja de la acción social, en vía judicial civil.

Se hace preciso recordar, por último, que el plazo de prescripción para el ejercicio de la acción de responsabilidad solidaria por deudas por cuotas es el establecido en el artículo 21.1 de la Ley General de la Seguridad Social, de acuerdo con el cual: «prescribirán a los cuatro años los siguientes derechos y acciones: a) El derecho de la Administración de la Seguridad Social para determinar las deudas con la misma cuyo objeto esté constituido por cuotas, mediante las oportunas liquidaciones; b) las acción para exigir el pago de las deudas por cuotas de la Seguridad Social». La Sentencia del Tribunal Superior de Justicia de la Comunidad Valenciana (CA) 20-5-2004, precisa que no debe olvidarse que «la derivación de responsabilidad solidaria pone al declarado responsable solidario en la misma posición que el sujeto originante de la deuda, es decir, no se trata de iniciar una nueva vía de apremio sino que el declarado responsable solidario se coloca en la misma posición jurídica que el sujeto por el que debe responder solidariamente significando que si la vía de apremio estaba agotada contra la misma ni puede discutir los descubiertos originales de cuotas a la Seguridad Social ni puede oponerse a la vía de apremio originaria». Dicho plazo de prescripción podrá interrumpirse, igualmente, por las causas que establece el artículo 21.3 de la Ley General de la Seguridad Social, esto es, «por las causas ordinarias y, en todo caso, por cualquier actuación administrativa realizada con conocimiento formal del responsable del pago conducente a la liquidación o recaudación de la deuda y, especialmente, por su reclamación administrativa mediante reclamación de deuda o acta de liquidación».

3. Los procedimientos administrativos de derivación de responsabilidad contra los administradores de las sociedades mercantiles

Los artículos 30 y 31 de la Ley General de la Seguridad Social delimitan con carácter general la competencia de la Tesorería General de la Seguridad Social y de la Inspección de Trabajo y Seguridad Social, y en ambos, se precisa la posibilidad de derivar la responsabilidad en otros sujetos diferentes del directamente responsable. Sobre la base de la existencia de un incumplimiento del sujeto obligado al pago y dado que las cuotas deben ser abonadas en el plazo reglamentario, la expiración del citado plazo, sin hacerse efectivo el pago pone en marcha los correspondientes mecanismos recaudatorios.

El artículo 61 del Real Decreto 1415/2004, de 11 de junio, por el que se aprueba el Reglamento General de Recaudación de la Seguridad Social determina que «la falta de cotización en plazo reglamentario determinará el devengo de los correspondientes recargos e intereses y, en los casos en que legalmente proceda, la emisión de reclamación de deuda, acta de liquidación o providencia de apremio, sin perjuicio de las sanciones que procedan». Sin embargo el artículo 13.1 del Reglamento General de Recaudación de la Seguridad Social al precisar el régimen aplicable a los responsables solidarios establece que "cuando concurran hechos, negocios o actos jurídicos que determinen la responsabilidad solidaria de varias personas, físicas o jurídicas o entidades sin personalidad, respecto de deudas con la Seguridad Social, podrá dirigirse reclamación de deuda o acta de liquidación contra todos o contra cualquiera de ellos», sin referirse a la providencia de apremio. Son, pues, dos las vías naturales de derivación de responsabilidad: la reclamación de deuda y el acta de liquidación. Parece patente que, del contexto general en que se producen los referidos artículos 30 y 31 de la Ley General de la Seguridad Social (téngase en cuenta las modificaciones introducidas por la Ley 34/2014, de 26 de diciembre, implanta la liquidación directa de cuotas de la Seguridad Social por la Tesorería General), el deslinde de los cometidos en la materia que corresponden a la Tesorería General y a la Inspección, respectivamente, vienen a descansar en la concurrencia o no de ocultación al Servicio Común –y, por tanto, de su desconocimiento– sobre las situaciones efectivas que pueden dar lugar a la tan referida extensión de responsabilidad. En suma, las reclamaciones mediante acta de liquidación no se basarían en las particularidades que afecten a la naturaleza del descubierto reclamado, sino en la mayor dificultad de las gestiones y comprobaciones para la exacta determinación de la deuda, dado que al no existir declaración empresarial sobre el período en descubierto existe cierta incertidumbre sobre la aplicabilidad de los datos conocidos, correspondientes a anteriores períodos.

3.1. La reclamación de deuda por la Tesorería General de la Seguridad Social como vía de derivación

El artículo 30.2 de la Ley General de la Seguridad Social y 62.2 del Reglamento General de Recaudación de la Seguridad Social establecen que transcurrido el plazo reglamentario sin ingreso de las cuotas debidas, la Tesorería General de la Seguridad Social procederá a la reclamación de la deuda correspondiente cuando, «en atención a los datos obrantes en la Tesorería General de la Seguridad Social o comunicados por la Inspección de Trabajo y Seguridad Social, y por aplicación de cualquier norma con rango de ley que no excluya la responsabilidad por deudas de Seguridad Social» (versión vigente tras la aprobación de la Ley 34/2014, de 26 de diciembre, de medidas en materia de liquidación e ingreso de cuotas de la Seguridad Social), deba exigirse el pago de dichas deudas: «A los responsables solidarios, en cuyo caso la reclamación comprenderá el principal de la deuda a que se extienda la responsabilidad solidaria, los recargos, intereses y costas devengados hasta el momento en que se emita dicha reclamación» [letra a) del art. 30.2 LGSS]. La imputación de responsabilidad solidaria que se lleva a efecto a través de la reclamación de deuda requiere de la cuidadosa valoración de que concurren los presupuestos legales previstos en la legislación mercantil. Por ello, en estos casos la Tesorería General debe basarse en un informe previo de la Inspección de Trabajo que constate la situación económica de la empresa, y en los casos en que fuera necesario, la actuación de la Tesorería deberá acompañar de informes del Servicio Jurídico de la Administración de la Seguridad Social.

Previamente a su emisión, se dictará acuerdo de iniciación del expediente que se notificará al interesado dándole trámite de audiencia por un plazo de 15 días a partir del siguiente a la notificación de dicho acuerdo, a fin de que efectúe las alegaciones y presente los documentos y justificantes que estime pertinente. La emisión de la reclamación de deuda por derivación no requerirá de acuerdo de iniciación previo ni audiencia al interesado cuando se base en los mismos hechos y fundamentos de derecho que motivaron una previa reclamación de deuda por derivación al mismo responsable; en tal caso, se hará constar dicha circunstancia en la reclamación (art. 13.4 RGRSS). Ante dicho acto, el administrador o administradores podrán presentar las alegaciones que estime oportunas y aportar los documentos y justificantes que estime pertinentes, para lo que tiene un plazo no inferior a diez días ni superior a quince desde la recepción de la notificación de dicho trámite (art. 84 LRJPAC). La oposición normalmente se fundamentará bien en la prescripción de la deuda, bien en el cese en el cargo de administrador, bien en la falta de concurrencia de alguna de las anteriores causas de disolución.

La reclamación de deuda, de acuerdo con el artículo 63 del Reglamento General de Recaudación de la Seguridad Social, deberá incluir "los datos necesarios para la determinación de la deuda con indicación del importe reclamado, así como de la cuantía del recargo aplicado, y con expresión, en su caso, del número de trabajadores a que se refiere la reclamación y de las bases y tipos de cotización aplicados». Ciertamente, la Resolución administrativa que proceda a imputar responsabilidad no puede basarse en una mera alusión al artículo 15.3 de la Ley General de la Seguridad Social, lo que explica la necesidad de una precisa determinación del incumplimiento mercantil en el que se subsume la responsabilidad solidaria que se deriva.

Una cuestión que plantea en la práctica importantes problemas es la relativa a si resulta posible iniciar un expediente de derivación de responsabilidad hacia los administradores sociales por deudas de la sociedad, cuando ya se ha presentado declaración de concurso de acreedores ex artículo 2 de la Ley 22/2003, de 9 de julio, Concursal. La respuesta dada por la administración de Seguridad Social es positiva [Consulta de la Subdirección General de Ordenación e Impugnaciones de la Tesorería General de la Seguridad Social de 12 de marzo de 2007 (Expte. 1646/2006)]. A tal efecto se considera que habrá de esperarse a que el órgano jurisdiccional declare la situación de concurso de la empresa, y si así se produce, efectivamente habrá una presunción iuris tantum de que los administradores sociales, como representantes del deudor persona jurídica, conocían el estado de insolvencia (plazo de 3 meses de impago de cuotas) y al no solicitar el concurso en el plazo de los dos meses siguientes a dicha fecha entrará en juego los efectos del artículo 367 de la Ley de Sociedades de Capital (antiguo, art. 262.5 LSA), en relación con el artículo 2.4.4° de la Ley Concursal, en orden a la responsabilidad solidaria de los administradores por las deudas de la empresa en materia de Seguridad Social, desde que acontece el hecho que motiva la insolvencia. Por todo ello, es posible la derivación de responsabilidad a los administradores sociales, con independencia de la solicitud de declaración de concurso por los acreedores.

Contra la reclamación de deuda, y en el plazo de un mes a contar desde el día siguiente a su notificación, podrá interponerse recurso de alzada ante el Director Provincial de la Tesorería General de la Seguridad Social, de conformidad con lo establecido en el citado artículo 46 del Reglamento General de Recaudación de la Seguridad Social, en relación con los artículos 114 y 115 de la Ley de Régimen Jurídico y del Procedimiento Administrativo Común. Sin perjuicio de lo especialmente establecido para el recurso de alzada contra la providencia de apremio, el procedimiento recaudatorio sólo se suspenderá por la interposición de recurso administrativo si el recurrente garantiza el pago de la deuda perseguida mediante aval suficiente o consigna su importe a disposición de la Tesorería General, en la forma prevista en el artículo 46.2 del Reglamento General de Recaudación de la Seguridad Social.

La reclamación de deuda podrá hacerse efectiva en período voluntario hasta el día 5 o el día 20 del mes siguiente o el inmediato hábil posterior, si la notificación se produce ente el 1 y 15 o entre el 16 y el último día de cada mes, respectivamente, con el recargo citado, en cualquier Entidad Financiera autorizada a actuar como Oficina Recaudadora de la Seguridad Social, de conformidad con lo establecido en los artículos 21 y 64 del Reglamento General de Recaudación de la Seguridad Social. Transcurrido dicho plazo sin que se haya justificado el cumplimiento de lo interesado en la reclamación se iniciará el procedimiento de apremio mediante la emisión de providencia de apremio con la aplicación de un recargo del 20 o del 35%, según establecen los artículos 27, 28 y 33 de la Ley General de la Seguridad Social. Una vez iniciada la vía ejecutiva, el ingreso deberá realizarse ante la Unidad de Recaudación Ejecutiva indicada en cada uno de los desgloses de la deuda.

3.2. El acta de liquidación por la Inspección de Trabajo y Seguridad Social como vía de derivación

Por su parte, y de acuerdo con lo establecido en el artículo 31.1 c) de la Ley General de la Seguridad Social y 65 del Reglamento General de Recaudación de la Seguridad Social, procederá la expedición por la Inspección de Trabajo de acta de liquidación de cuotas en los siguientes supuestos: «Por derivación de la responsabilidad del sujeto obligado al pago, cualquiera que sea su causa y régimen de la Seguridad Social aplicable, y en base a cualquier norma con rango de ley que no excluya la responsabilidad por deudas de Seguridad Social. En los casos de responsabilidad solidaria legalmente previstos, la Inspección podrá extender acta a todos los sujetos responsables o a alguno de ellos, en cuyo caso el acta de liquidación comprenderá el principal de la deuda a que se extienda la responsabilidad solidaria, los recargos, intereses y costas devengadas hasta la fecha en que se extienda el acta».

En el caso de los administradores sociales, la derivación sólo procede, una vez acreditada la existencia de causa legal de disolución, cuando los administradores hayan incumplido las obligaciones establecidas con carácter alternativo en el citado artículo 367 de la Ley de Sociedades de Capital: a) convocar la junta general para que adopte el acuerdo de disolución –o el concurso, si además existe situación de insolvencia–, o bien b) solicitar la disolución judicial –o el concurso, en caso de insolvencia– cuando la junta no se haya constituido o cuando su acuerdo hubiera sido contrario a la disolución o al concurso.

El plazo previsto para cumplir las obligaciones es el siguiente: a) dos meses desde que hubieran conocido o hubieran debido conocer la causa legal de disolución; b) dos meses a contar desde la fecha en la que hubiera debido celebrarse la junta, si ésta no llegó a constituirse, o desde la fecha de la junta si el acuerdo de ésta hubiera sido contrario a la disolución o el concurso. En el caso de que la causa de disolución fuera la del artículo 363.1 d) de la Ley de Sociedades de Capital (antiguo, art. 260.1.4° LSA), el plazo de dos meses empieza a contar desde el momento en el que el administrador hubiera tenido conocimiento de su existencia, lo que debe entenderse producido en el plazo máximo de tres meses –plazo máximo para formular las cuentas anuales– contados a partir de la fecha del cierre del ejercicio anual, que será considerada como fecha de la causa de disolución. Conforme a lo anterior, el incumplimiento por los administradores de la obligación de solicitar la declaración de concurso dentro de los dos meses siguientes a la fecha en que hubieran conocido o debido conocer su estado de insolvencia, establecida en el artículo 5 de la Ley Concursal, no permite declarar su responsabilidad solidaria si no se aprecia causa de disolución de la sociedad.

De acuerdo con lo establecido en el artículo 32 del *Real Decreto 928/1998, de 14 de mayo, por el que se aprueba el Reglamento general sobre procedimientos para la imposición de sanciones por infracciones de orden social y para los expedientes liquidatorios de cuotas de la Seguridad Social,* las actas de liquidación deberán comprobar la existencia de presunto responsable solidario o subsidiario, se hará constar tal circunstancia, así como el motivo de su presunta responsabilidad. Cobran especial importancia en los supuestos de derivación de responsabilidad los hechos motivadores de la extensión que deberán figurar suficientemente descritos y determinados. Suficiencia que también es necesaria respecto a los elementos de convicción de que ha dispuesto el funcionario inspector para concluir los probados y la valoración de los mismos si las circunstancias del caso lo requieren, y la cita del precepto o preceptos incumplidos.

Según lo expuesto, el acta de liquidación o el informe en el que se derive la responsabilidad a los administradores por las deudas sociales deberá hacer constar en todo caso la existencia de una causa legal de disolución de la sociedad de las contempladas en el artículo 363 de la Ley de Sociedades de Capital [antiguos, artículos 260.1 LSA y 104.1 LSRL], que deberá justificarse por los medios apropiados. En particular, la existencia de las pérdidas [art. 363.1 d) LSC, antiguos, artículos 260.1.4º LSA 104.1 e) LSRL] deberá considerarse acreditada mediante el examen del balance. En el muy frecuente supuesto de que ese examen no sea posible (por no haber sido localizada la empresa o los administradores, por incomparecencia de éstos o por falta de depósito de las cuentas en el Registro), la insuficiencia patrimonial deberá justificarse por vías indirectas, bien por haber sido declarado el crédito incobrable por la Tesorería o bien acudiendo a lo declarado por los tribunales (así, STSJ Extremadura 25-1-2000, SAP Madrid 7-6-2005, SAP La Coruña 23-11-2006, STSJ Cataluña 10-3-2010), y exponiendo las circunstancias relevantes a estos efectos que hubieran podido observarse durante las actuaciones de comprobación. Como señala el Criterio Técnico de la Inspección de Trabajo 61/2008, sobre derivación de responsabilidad a los administradores de sociedades mercantiles capitalistas en materia de deudas por cuotas a la Seguridad Social, «la mera falta de pago de las cuotas a la Seguridad Social durante tres meses –o la existencia de cualquiera de los demás hechos contemplados en el artículo 2 de la Ley Concursal– no autoriza por sí misma la derivación de la responsabilidad a los administradores, pues la simple insolvencia no supone la existencia de una causa de disolución de la sociedad».

De acuerdo con el artículo 66 del Reglamento General de Recaudación de la Seguridad Social, «los importes de las deudas figurados en las actas de liquidación de cuotas, se expidan o no simultáneamente actas de infracción por los mismos hechos, no impugnadas o impugnadas mediante recurso de alzada sin presentación de aval o consignación suficiente, se ingresarán hasta el último día del mes siguiente al de la notificación del correspondiente acto administrativo definitivo de liquidación».

Las actas de liquidación extendidas con los requisitos reglamentariamente establecidos, señala el artículo 31.2 de la Ley General de la Seguridad Social, una vez notificadas a los interesados, tendrán el carácter de liquidaciones provisionales y se elevarán a definitivas mediante acto administrativo de la Dirección General o de la respectiva Dirección provincial de la Tesorería General de la Seguridad Social, a propuesta del órgano competente de la Inspección de Trabajo y Seguridad Social, preceptiva y no vinculante, tras el trámite de audiencia al interesado. Contra dichos actos liquidatorios definitivos cabrá recurso de alzada ante el órgano superior jerárquico del que los dictó.

Los administradores declarados responsables solidarios conforme al preceptivo procedimiento administrativo responderán con todo su patrimonio, con las salvedades del artículo 92 del Reglamento General de Recaudación de la Seguridad Social, que remite expresamente a los artículos 605 y 606 de la Ley de Enjuiciamiento Civil.

Capítulo 11
LA RESPONSABILIDAD TRIBUTARIA

MARTA VILLAR EZCURRA
Catedrática de Derecho financiero y tributario
Universidad CEU San Pablo

I. LA RESPONSABILIDAD TRIBUTARIA[1]

La responsabilidad tributaria otorga mayores garantías de cobro a los créditos de la Hacienda Pública. Suele concebirse en la doctrina como una

---

[1] La Ley 58/2003, de 17 de diciembre (BOE núm. 302) General Tributaria, en vigor desde el 1 de julio de 2004, introdujo importantes modificaciones en la regulación sustantiva y procedimental de la responsabilidad tributaria para asegurar el cobro de las deudas tributarias (como consecuencia, la Ley 230/1963, de 28 de diciembre, modificada por la Ley 25/1995, de 20 de julio, y la Ley 1/1998, de 26 de febrero, de Derechos y Garantías de los Contribuyentes quedaron derogadas). No obstante, los procedimientos tributarios de derivación de responsabilidad iniciados antes del 1 de julio de 2004 se rigieron por la normativa anterior hasta su conclusión, salvo en las excepciones expresamente previstas y en lo referente a la aplicación de las normas sancionadoras más favorables (DT 3ª y DT 4ª). Con posterioridad, la responsabilidad tributaria se ha visto afectada por diversas reformas, siendo de obligada cita la Ley 7/2012, de 29 de octubre (BOE núm. 261), de modificación de la normativa tributaria y presupuestaria y de adecuación de la normativa financiera para la intensificación de las actuaciones en la prevención

medida, al menos indirecta, de *aseguramiento* del crédito. Este criterio mayoritario, es amparado por la jurisprudencia (SSTS 16.5.1991, 8.7.2004 y 10.2.2014). También se ha opinado que constituye una garantía personal en sentido técnico, asimilable a una *fianza*, con la consiguiente aplicabilidad de todas las prescripciones del Código Civil sobre el fiador personal (salvo las referentes al carácter voluntario, incompatible con la condición *ex lege* de la prestación tributaria). El crédito tributario se rodea de garantías muy diversas (personales, reales y procedimentales), y la responsabilidad tributaria es tan sólo una de ellas. Se trata de un régimen jurídico que permite dirigir la acción de cobro hacia personas distintas del deudor principal, pero vinculadas a él, sean o no administradores de sociedades.

La regulación de «los responsables tributarios» se contempla en la Ley General Tributaria, tanto en los aspectos sustantivos (arts. 41 a 43, ex arts. 37 a 41) como en los procedimentales (arts. 174 a 176), siendo estos últimos objeto de regulación en el Reglamento General de Recaudación (arts. 10 a 14) con anterioridad al 1 de julio de 2004. El vigente Reglamento General de Recaudación, de 2005, concreta el procedimiento de declaración de responsabilidad y regula la certificación por adquisición de explotaciones o actividades económicas y el certificado expedido a instancia de los contratistas o subcontratistas de obras y servicios (arts. 124 a 126) . Finalmente, es preciso también mencionar que el Reglamento General de Gestión e Inspección Tributaria (Real Decreto 1065/2007, de 27 de julio, BOE núm. 213) regula la declaración de responsabilidad que se produce en el curso de un procedimiento inspector (art 196). También en la Ley General Tributaria se contemplan los *supuestos genéricos* de responsabilidad tributaria (a los que aludiremos al estudiar las clases de responsabilidad), uno de los cuales es la responsabilidad de los administradores. Por su parte, las leyes reguladoras de los impuestos, contemplan *supuestos específicos* de responsabilidad tributaria a los efectos de garantizar el cumplimiento de las obligaciones tributarias de cada impuesto en particular.

---

y lucha contra el fraude, en vigor desde el 31 de octubre de 2012. El presente capítulo se ha redactado conforme a la regulación de la Ley 58/2003 (LGT), modificada por la Ley 7/2012 y la Ley 34/2015, que se completará con las referencias –que sean estrictamente necesarias– a la Ley 230/1963. La cita a los preceptos de la Ley 230/1963 en la redacción dada por la Ley 25/1995 se hace como («ex artículo») y en las cuestiones donde coincide el contenido del precepto con matices se incluye la advertencia («cfr.»). En cualquier caso, las disposiciones del Reglamento General de Recaudación que no contravengan la Ley 58/2003 han sido de plena aplicación hasta la aprobación del nuevo Reglamento General (Real Decreto 939/2005, de 29 de julio, BOE núm. 210).

El tratamiento de la Ley General Tributaria de 1963 (Ley 230/1963) resultaba poco eficaz, por las dificultades de prueba con que se encontraba la Administración para justificar el comportamiento malicioso o gravemente negligente del responsable. Así, la sentencia del Tribunal Supremo de 16 de diciembre de 1992 anuló una derivación de responsabilidad, precisamente por ausencia de motivación sobre la cualificación de la conducta imputada, ante la falta de prueba de un comportamiento malicioso o negligente, suficientemente acreditado. Para superar estas deficiencias, la reforma realizada en 1985 (Ley 10/1985) rebajó al mínimo el nivel o el grado de culpabilidad exigido, incurriendo en importantes excesos que hubo de corregir la reforma de 1995 (Ley 25/1995). Como seguía sin diseñarse claramente el régimen jurídico de la responsabilidad tributaria, porque el texto legal incurría en contradicciones y colisionaba con las normas y principios sancionadores, el Informe de la Comisión para la Reforma de la Ley General Tributaria de 2001, renunciando a propugnar una reforma radical de carácter unitario, propuso mejoras con carácter pragmático, entre otras, trasladar los supuestos de responsabilidad por actos ilícitos al capítulo que regula las infracciones y sanciones. La misma tesis sostuvo el Informe sobre el Borrador del Anteproyecto de la vigente Ley General Tributaria, de 23 de enero de 2003, siendo de destacar la propuesta de reconocer la responsabilidad de los administradores de hecho y dar solución a los problemas que se plantean en la aplicación de la prescripción de acciones contra el responsable.

La vigente Ley General Tributaria (Ley 58/2003, de 17 de diciembre, que entró en vigor el 1 de julio de 2004), recoge esos planteamientos y – como señala la exposición de motivos–, tratando de superar los problemas que la práctica ha demostrado, introdujo en la regulación de los responsables «*importantes medidas para asegurar el cobro de las deudas tributarias. Así (...) se gradúa la responsabilidad de los administradores en función de su participación, mencionando expresamente a los administradores de hecho (...).*»

Por su parte, la reforma de la Ley General Tributaria operada por la Ley 7/2012, sobre prevención y lucha contra el fraude, "*pretende aclarar las implicaciones derivadas de la naturaleza jurídica del responsable tributario, que no debe ser identificado como un sujeto infractor, sino como obligado tributario en sentido estricto, aun cuando responda también de las sanciones tributarias impuestas a dicho sujeto infractor. Entre las modificaciones que pretenden significar tal situación jurídica, dentro del régimen jurídico sancionador se establece un sistema de reducción de sanciones a imponer por conformidad y pronto pago. En relación con la reducción de conformidad, en caso de concurrencia de una situación de responsabilidad respecto de la sanción, se modifica la norma para ofrecer la posibilidad al responsable de que pueda dar su conformidad con la parte de la deuda derivada procedente de una sanción en sede del deudor principal y beneficiarse de la reducción legal por conformidad. Asimismo, se reconoce al responsable la eventual reducción por pronto pago de su propia deuda. Se introduce un nuevo supuesto de responsabilidad subsidiaria, destinado a facilitar la acción de cobro contra los administradores de aquellas empresas que carentes de patrimonio, pero con actividad económica regular, realizan una actividad recurrente y sistemática de presentación de autoliquidaciones formalmente pero sin ingreso por determinados conceptos tributarios con ánimo defraudatorio"* (*vid.* exposición de motivos).

Finalmente, la Ley 34/2015, de 21 de septiembre, de modificación parcial de la Ley General Tributaria (BOE núm. 227) introduce en el ámbito de los responsables tributarios, modificaciones coherentes con las reformas orgánicas en la regulación del delito contra la Hacienda Pública (Ley Orgánica 7/2012, de 27 de diciembre, BOE núm. 312), que tratan de eliminar situaciones de privilegio y situar al presunto delincuente (por delitos contra la Hacienda Pública) en la misma posición que cualquier otro deudor tributario. Se establece así en la Ley General Tributaria un nuevo supuesto de responsabilidad tributaria basado en la condición de causante o colaborador en la defraudación, cualificada, además, por la necesidad de la condición de imputado en el proceso penal. La declaración de responsabilidad en estos supuestos posibilitará la actuación de la Administración Tributaria para el cobro de la deuda tributaria, liquidada en origen al obligado tributario sujeto pasivo, en sede del responsable, llevando a sus últimos efectos el mandato de la modificación penal en cuanto a la recaudación de la deuda tributaria liquidada vinculada al presunto delito (art. 258 de la Ley 34/2015).

Como consecuencia del principio de reserva de ley del artículo 31.3 de la Constitución (STS 6.5.1983, SAN 19.4.1994), es preciso que sea una norma con ese rango la que declare quién es responsable, en qué condiciones y con qué alcance y extensión. De ahí que el tratamiento jurídico de la responsabilidad tributaria se inicie afirmándose que «*la Ley podrá configurar como responsables solidarios o subsidiarios de la deuda tributaria, junto a los deudores principales, a otras personas o entidades*» (art. 41.1 LGT).

1. Concepto y elementos esenciales

El responsable es un tercero que se coloca *junto al deudor principal* en la obligación de pagar la deuda tributaria de éste. Es, con todas sus consecuencias, un nuevo obligado tributario, al que la Administración dirigirá su acción de cobro ante el impago del deudor principal. Habrá pues, dos deudores tributarios, aunque por diferentes motivos y con un régimen jurídico distinto. El responsable no sustituye nunca al deudor principal, sino que adquiere el papel de «obligado secundario» (SAN 6.10.2003) por darse un presupuesto de hecho distinto de la realización del hecho imponible. Responde de la *deuda tributaria* (art. 41 LGT) del deudor principal, lo que significa que no debe hacerse cargo de las obligaciones tributarias formales necesarias para la determinación y satisfacción de la deuda, sino únicamente de las materiales, esto es, las que se traducen en el pago de la deuda.

El responsable es considerado entre los «obligados tributarios» (art. 35.5 LGT), que se colocan junto a los «deudores principales» (art. 41.1 LGT). Los obligados tributarios que se consideran deudores principales a estos efectos están enumerados en la Ley General Tributaria a título ejemplificativo: los contribuyentes, los sustitutos del contribuyente, los obligados a realizar pagos fraccionados, los retenedores, los obligados a practicar ingresos a cuenta, los obligados a repercutir, los obligados a soportar la repercusión, los obligados a soportar la retención, los obligados a soportar los ingresos a cuenta, los sucesores, y los beneficiarios de supuestos de exención, devolución o bonificaciones tributarias, cuando no tengan la condición de sujetos pasivos (art. 35.2 LGT). También el sujeto infractor tiene la consideración de deudor principal a efectos de la declaración de responsabilidad (art. 181.2 LGT).

Esta consideración de «obligado tributario» no supone alteración conceptual del significado del responsable tributario, que sigue siendo un tercero ajeno al hecho imponible, definido por ley, a quien la Administración puede dirigir la acción de cobro de una deuda ajena (de un obligado deudor principal) a falta de pago por los deudores principales.

Para que la responsabilidad sea exigible, son precisos un presupuesto material, que consiste en el impago de la deuda por el deudor principal, y un presupuesto procedimental o formal, que se traduce en el acto que debe dictar la Administración declarando la derivación de responsabilidad, previa audiencia del responsable, y determinando el alcance y la extensión de su obligación de pago.

La competencia para declarar la responsabilidad reside tradicionalmente en los correspondientes *órganos de recaudación* que tengan a su cargo la tramitación del expediente, pues el acto de derivación constituye una parte del procedimiento de recaudación encaminado al cobro de la deuda tributaria (arts. 160 a 177 LGT). Ello no obstante, alguna doctrina ha entendido que, aunque la competencia recaiga en los órganos de recaudación, el acto de derivación de responsabilidad es un acto «declarativo» y no estrictamente «recaudatorio». Se ha afirmado, que constituye «*una manifestación de la autotutela declarativa*», entendiendo que «*al derivar la acción frente al responsable la Administración está ejerciendo su derecho a «determinar la deuda tributaria», en el sentido de que está determinando un elemento de dicha deuda (el carácter de responsable, y por tanto de obligado, de la persona frente a la que se deriva la acción) además de la cuantía o alcance de la derivación»* (FALCÓN, 6), concepción de la que resultan importantes efectos en orden al cómputo de los plazos de prescripción, como más adelante veremos. La Ley General Tributaria afirma la competencia del órgano de recaudación, pero excepciona el supuesto de liquidaciones administrativas en las que la declaración de responsabilidad se efectúe con anterioridad al vencimiento del período voluntario de pago. En tal supuesto, será el órgano competente para dictar la liquidación el que deba dictar el acto de declaración de responsabilidad (art. 174.2 LGT). Separa, además, claramente el acto de declaración de responsabilidad (art. 174 LGT) del procedimiento para exigirla (arts. 175 y 176 LGT).

«Salvo precepto legal expreso en contrario, la responsabilidad será siempre subsidiaria» (art. 41.2 LGT). Como consecuencia de esta presunción, el Tribunal Supremo declaró la nulidad de pleno Derecho del artículo 13.3 del derogado Reglamento General de Recaudación, que, en relación con la responsabilidad por adquisición de titularidad o sucesión en el ejercicio de explotaciones o actividades económicas –y sin cobertura legal en el antiguo artículo 72 de la Ley General Tributaria– afirmaba que se trataba de una responsabilidad solidaria (STS 15.7.2000), si bien el criterio jurisprudencial ha sido corregido por el legislador que califica este supuesto de responsabilidad solidaria [art. 42.1.c) LGT].

La Ley reconoce expresamente que *«los responsables tienen derecho de reembolso frente al deudor principal en los términos previstos en la legislación civil»* (art. 41.6 LGT), algo que los tribunales venían afirmando para evitar el *enriquecimiento injusto* del obligado principal del tributo. Así, la sentencia del Tribunal Supremo de 30 de septiembre de 1993, a propósito de la responsabilidad de los administradores, menciona –*obiter dicta*– el derecho del administrador a exigir el reembolso con cargo a la persona jurídica y reconoce el deber de «*tener que soportar con carácter subsidiario el pago de la deuda, de la que sin embargo, podrá resarcirse, en su caso, ejercitando las acciones pertinentes frente al deudor principal*» (en el mismo sentido, STSJ de Galicia 30.9.1994, y STSJ de Murcia 28.6.1995). La cuestión no tiene demasiado alcance práctico, al menos en lo que a los administradores se refiere, pues fallida la sociedad, será extraordinariamente difícil que prospere la acción de regreso. En cambio, el administrador que satisfaga la deuda podrá repetir parcialmente el pago sobre los demás administradores en función de la culpabilidad de cada uno (art. 1145 CC, en relación con el art. 41.3, *ex* art. 37.3 LGT o *ex* art. 1844 CC referente a la fianza).

Desde el punto de vista procesal, el responsable habrá de ejercitar la acción de regreso por la vía civil y no se beneficia de los cauces administrativos para su ejercicio, a diferencia de lo que ocurre con otros supuestos como el de las retenciones o repercusiones tributarias, para los que el procedimiento económico-administrativo al menos en su fase declarativa ofrece una vía especialmente expeditiva para obtener el resarcimiento (art. 227.4 LGT).

En caso de pluralidad de administradores responsables, los tribunales reconocen que el artículo 1145 del Código Civil y la doctrina del enriquecimiento injusto legitima la acción de reclamación al resto de administradores, como deuda civil, siendo competente la jurisdicción civil. No es necesario dirigirse previamente contra la sociedad para reclamar contra los demás miembros del Consejo de Administración, pues en virtud del pago realizado nace simultáneamente el derecho de repetición (SAP Madrid 10.12.2013). También se ha aclarado que no es necesaria declaración fiscal de responsabilidad para el deber de reintegración (SAP Asturias, 30.9.2014).

2. La naturaleza de la responsabilidad tributaria

Como consecuencia de la pluralidad y heterogeneidad de supuestos, no hay un criterio unánime sobre la naturaleza jurídica de la responsabilidad tributaria. Unas veces, los hechos determinantes son dolosos o culposos, y otras, está ausente toda idea de ilícito. La construcción se dificulta también por el carácter ambiguo del propio concepto de responsabilidad en la teoría general del Derecho. Convergen en ella los diversos sentidos jurídicos del concepto de responsabilidad, reconducible a la tipología básica de responsabilidad civil, sancionadora y objetiva. La responsabilidad civil subjetiva surge de un acto antijurídico y culpable –donde la culpa cumple una mera función de imputación– cuyas consecuencias dañosas han de ser reparadas, mientras que la sancionadora supone un reproche jurídico ante una conducta culpable que viola el ordenamiento, y, la objetiva exige la indemnización de un daño a cargo de un sujeto, pese a que éste no haya incurrido en culpa o negligencia. Pues bien, la responsabilidad tributaria tiene connotaciones propias de la responsabilidad civil (derivación de la cuota) y de la responsabilidad sancionadora (derivación de la sanción), a las que se suman algunos elementos de responsabilidad objetiva (en los casos de sucesión de empresa o responsabilidad de entes de hecho).

La jurisprudencia no sólo discrepa como consecuencia de esa diversidad de supuestos, sino también ante un mismo supuesto fáctico. Con toda rotundidad, la sentencia del Tribunal Supremo de 30 de septiembre de 1993, en un caso sobre responsabilidad de administradores, niega que estemos ante una responsabilidad de naturaleza sancionadora, y afirma en su fundamento jurídico segundo, que se trata de una *responsabilidad civil,* pues la Ley General Tributaria, al regular la responsabilidad de los administradores ha optado por una «*técnica jurídica de naturaleza no sancionadora al asegurar el pago de las deudas mediante la previsión legal de casos de responsabilidad civil subsidiaria por quienes tienen algún tipo de concreta y precisa relación con el crédito impagado por el deudor principal. Es, en este caso, el vínculo legal que se origina al cumplirse el presupuesto de hecho de ser administrador de una persona jurídica y concurrir, además, alguna de las otras circunstancias que describía el art. 40 de la Ley General Tributaria, a las cuales —incluida la de que hubieren mediado mala fe o negligencia grave— no hay por qué darles la naturaleza de elementos originadores de una responsabilidad sancionadora en sentido técnico, ya que son nociones perfectamente integradas en el ámbito del ilícito civil, dando lugar a un simple gravamen de esta índole, como es el de tener que soportar con carácter subsidiario el pago de la deuda de la que sin embargo, podrá resarcirse, en su caso, ejercitando las acciones pertinentes frente al deudor principal*». Esta responsabilidad civil afirmada por el Tribunal Supremo ha servido de fundamento para la reclamación a los administradores, no sólo de la cuota sino también de las sanciones. De ahí que el Tribunal Económico Administrativo Central haya utilizado este criterio para llegar a sostener que la Administración no debe probar la conducta negligente del administrador (RTEAC 12.2.1998).

En el mismo sentido, se pronuncia la Audiencia Nacional, en sentencias de 17 de septiembre de 2001, de 12 de junio de 2001 o de 25 de junio de 2001. En esta última, se afirma también que, en el caso de la responsabilidad por cese de actividad de las personas jurídicas de las deudas tributarias pendientes, «*los efectos de la responsabilidad tienen connotaciones de la responsabilidad civil*», pero, sin embargo, se disiente del criterio del Tribunal Supremo, introduciendo un matiz importante para el supuesto de derivación de responsabilidad en sociedades activas o en funcionamiento, por el incumplimiento de las obligaciones tributarias de personas jurídicas que origine infracciones tributarias simples o graves, pues en tal caso —advierte la Audiencia Nacional— «*se debe distinguir la responsabilidad atendiendo a si lo exigido es el importe de la sanción tributaria, o, también, el importe de la deuda tributaria pura*» con el efecto de que se obliga a observar las garantías procedimentales propias de la acreditación por la Administración de que concurren las circunstancias que, en relación con la conducta de los administradores describe el precepto (pasividad ante el incumplimiento o consentimiento en el mismo), si lo exigido es una sanción. El hecho de que los administradores sean absueltos del delito fiscal que se les imputa, no obsta a que la Administración pueda exigirles el importe de la sanción y apreciar que concurre negligencia grave (SAN 17.9.2001).

Insisten en separar los supuestos de responsabilidad civil y sancionadora de los administradores –aún más firmemente– las sentencias de la Audiencia Nacional de 6 de febrero de 2001 y de 8 de octubre de 2001, que otorgan naturaleza sancionadora a la responsabilidad de los administradores de sociedades activas y civil a la que acontece en caso de cese de actividad: «*en este caso, los efectos de la responsabilidad tiene connotaciones de la responsabilidad civil, mientras que en el primer supuesto, se debe distinguir la responsabilidad atendiendo a si lo exigido es el importe de la sanción tributaria, o, también, el importe de la deuda tributaria pura*». Por su parte, la sentencia del Tribunal Superior de Justicia de Andalucía (Sevilla) de 17 de septiembre de 2001, reitera la naturaleza de ilícito civil y salva las garantías procedimentales para derivar las sanciones, no sobre la base fundamentadora de los principios sancionadores sino desde el principio de tutela judicial efectiva, con las siguientes palabras: «*sin perjuicio de que la Administración tenga que aportar las pruebas de los presupuestos de hecho en que la Ley funda la derivación de la responsabilidad, sin embargo la posición jurídica del administrador responsable subsidiario no es estrictamente la de un sancionado, por lo que la protección de sus derechos no puede enmarcarse dentro del sistema del artículo 24.2 de la Constitución Española, sino del régimen general de tutela judicial efectiva regulado en el párrafo primero*» (en igual sentido, STSJ Murcia 28.6.1995).

Tras la reforma de la Ley General Tributaria por Ley 7/2012, resulta claro que el responsable no debe ser identificado con un sujeto infractor y se pretende aclarar con criterio legal las implicaciones derivadas de la naturaleza jurídica del responsable tributario. En relación con la reducción de conformidad de la sanción, se modifica el artículo 41.4 de la Ley General Tributaria para ofrecer la posibilidad al responsable de que pueda dar su conformidad con la parte de la deuda derivada procedente de una sanción en sede del deudor principal y beneficiarse de la reducción legal por conformidad y de la eventual reducción por pronto pago de la propia deuda (SAN 20.1.2014). La ampliación de la reducción por conformidad exige que esta alcance a la declaración de responsabilidad y a las liquidaciones a que esta alcanza (SAN 27.10.2014).

La derivación al responsable de la cuota, aclara el Tribunal Supremo, cumple una mera función indemnizatoria del daño producido por el com-

portamiento imputable al responsable, lo que prima es la naturaleza sancionadora de la responsabilidad exigida, con dos consecuencias, el traslado
al responsable de la obligación de responder a la sanción y la imposición
al responsable de la obligación de hacer frente a los daños causados por su
actuación antijurídica (STS 10.12.2008).

3. Las clases de responsabilidad: solidaria y subsidiaria

La distinción más importante por sus efectos jurídicos prácticos y por su
expreso reconocimiento legal (art. 41.1 LGT) es la que existe entre responsabilidad solidaria y subsidiaria. Es importante recordar que se presume la
subsidiariedad cuando se afirma que «*salvo precepto legal expreso en contrario,
la responsabilidad es siempre subsidiaria*» (art. 41.2 LGT).

La diferencia esencial de régimen jurídico es de tipo procedimental
y radica en el presupuesto de hecho habilitante y en el momento en que
puede declararse la responsabilidad en cada supuesto. Así, en caso de responsabilidad subsidiaria, es necesario que la Administración declare fallido al deudor principal y a los responsables solidarios, si los hubiere (art.
176 LGT). Aclara el Reglamento General de Recaudación que «*se considerarán fallidos aquellos obligados respecto a los cuales se ignore la existencia de bienes o
derechos embargables o realizables para el cobro del débito*» (art. 61 RGR). Por tanto, la Administración sólo puede actuar contra el responsable subsidiario,
si antes, ha dirigido su acción de cobro contra el deudor principal hasta
declararlo fallido, y si existen responsables solidarios, hasta la declaración
de fallidos de éstos. Es importante distinguir la declaración de fallido de
la declaración del crédito como incobrable (art. 61 RGR). En efecto, el
Tribunal Superior de Justicia de Cantabria, en sentencia de 1 de junio de
2001, ha entendido que «*si bien la declaración de fallido del obligado principal
y solidarios permite derivar la responsabilidad por deudas tributarias a los deudores
subsidiarios, la declaración como incobrable de un crédito supone la imposibilidad
definitiva de hacerlo efectivo*». Pese a ser la declaración de fallido un requisito
de procedibilidad, no es necesario notificarla al responsable, al constituir
un acto administrativo interno. Así lo reconoce la sentencia del Tribunal
Superior de Justicia de Cantabria de 18 de mayo de 2001, la del Tribunal
Superior de Justicia de Castilla y León (Burgos), de 13 de enero de 2003
y la del Tribunal Superior de Justicia de Baleares, de 2 de noviembre de
2001: «*la declaración de fallido no precisa para su efectividad ser notificada ni al
deudor principal ni al responsable subsidiario*». Se trata de un «*acto conclusivo del
procedimiento ejecutivo dirigido contra el sujeto pasivo y como tal en ningún momento aparece establecida la obligación de su notificación por la Administración a quien*

todavía no forma parte del procedimiento recaudatorio, que solamente se inicia con la comunicación de apertura del proceso de derivación de responsabilidad» (RTEAC 22.3.2001).

Por el contrario, la responsabilidad solidaria permite a la Administración dirigirse, indistintamente, contra el deudor principal y contra el responsable, pudiendo el acto declarativo dictarse antes o después de vencer el periodo voluntario de ingreso del deudor principal (art. 175.1 LGT). De ahí que, por regla general, se entienda que los supuestos de responsabilidad subsidiaria constituyen un régimen privilegiado frente a los de responsabilidad solidaria. No obstante, por lo que se refiere a la responsabilidad subsidiaria de los administradores de sociedades, se ha afirmado que desde el punto de vista del Derecho sancionador, el artículo 40.1 de la Ley General Tributaria (actual art. 43.1) establece un régimen más severo (al exigir sanciones) que se justifica técnicamente en la configuración de la sociedad como sujeto infractor (INFORME, 2001, 178).

La doctrina ha propuesto otras clasificaciones, siendo de destacar la que atiende al *alcance patrimonial de la responsabilidad,* pues hay casos en que todo el patrimonio del responsable está afecto al pago de la deuda tributaria y otros –más excepcionales– en los que sólo una parte se vincula al pago de la deuda. También se distingue entre *responsabilidad culposa,* derivada de una acción antijurídica del responsable, que estaría presente en los supuestos de responsabilidad solidaria de los causantes o colaboradores activos en la realización de una infracción tributaria [art. 42.1.a) LGT] y en la responsabilidad subsidiaria de los administradores de personas jurídicas que, habiendo éstas cometido infracciones no hayan hecho lo necesario para evitarlo [art. 43.1.a) LGT], y *responsabilidad objetiva,* derivada sin más de la especial relación del responsable con el obligado principal, que sería la exigible a los partícipes de las entidades sin personalidad jurídica [art. 42.1.b) LGT] y a los adquirentes de bienes afectos por ley al pago de la deuda tributaria [art. 43.1.d) LGT].

4. Los supuestos genéricos y específicos

La Ley General Tributaria contempla múltiples supuestos *genéricos,* tanto de responsables solidarios como subsidiarios. Así, se declaran *responsables solidarios:*

– Las personas o entidades que sean causantes o colaboren activamente en la realización de una infracción tributaria, extendiéndose la responsabilidad a la sanción [art. 42.1.a)].

- Los partícipes o cotitulares de herencias yacentes, comunidades de bienes y demás entidades que, carentes de personalidad jurídica, constituyan una unidad económica o un patrimonio separado, susceptibles de imposición, en proporción a sus respectivas participaciones respecto a las obligaciones tributarias materiales de dichas entidades (art. 42.1.b) en relación con el art.35.4).

- Las personas o entidades que sucedan por cualquier concepto en la titularidad o ejercicio de explotaciones o actividades económicas, por las obligaciones tributarias contraídas del anterior titular y derivadas de su ejercicio, salvo que se trate de adquirentes de elementos aislados a menos que dichas adquisiciones, realizadas por una o varias personas o entidades, permitan la continuación de la explotación o actividad; que se trate de sucesión por causa de muerte o, por último, que la adquisición tenga lugar en un procedimiento concursal. La responsabilidad se extiende a las obligaciones derivadas de la falta de ingreso de las retenciones e ingresos a cuenta practicados o que se hubieran debido de practicar [art. 42.1.c)].

- Las personas o entidades que sean causantes o colaboren en la ocultación o transmisión de bienes o derechos del obligado al pago con la finalidad de impedir la actuación de la Administración tributaria; las que, por culpa o negligencia incumplan las órdenes de embargo y las que, con conocimiento del embargo, la medida cautelar o la constitución de la garantía, colaboren o consientan en el levantamiento de los bienes o derechos embargados o de aquellos bienes o derechos sobre los que se hubiera constituido la medida cautelar o la garantía *«serán responsables del pago de la deuda tributaria pendiente, y en su caso, del de las sanciones tributarias, incluido el recargo y el interés de demora del periodo ejecutivo, cuando procedan, hasta el importe del valor de los bienes o derechos que se hubieren podido embargar o enajenar por la Administración Tributaria»* [art. 42.2. a), b) y c)].

- Las personas o entidades depositarias de los bienes del deudor que, una vez recibida la notificación del embargo, colaboren o consientan en el levantamiento de aquellos [art. 42.2.d)] con idéntico alcance y extensión que en el apartado anterior.

Se declaran responsables *subsidiarios*:

- Los administradores de hecho o de derecho de las personas jurídicas que, habiendo éstas cometido infracciones tributarias, no hubiesen realizado los actos necesarios que sean de su incumbencia para el cumplimiento de las obligaciones y deberes tributarios, hubiesen consentido el incumplimiento por quienes de ellos dependan o hubiesen adoptado acuerdos que posibilitasen las infracciones. Su responsabilidad también se extenderá a las sanciones [art. 43.1.a)].

– Los administradores de hecho o de derecho de aquellas personas jurídicas que hayan cesado en sus actividades, por las obligaciones tributarias devengadas de éstas que se encuentren pendientes en el momento del cese, siempre que no hubieran hecho lo necesario para su pago o hubieran adoptado acuerdos o tomado medidas causantes del impago [art. 43.1.b)].

– Los integrantes de la administración concursal y los liquidadores de sociedades y entidades en general que no hubiesen realizado las gestiones necesarias para el íntegro cumplimiento de las obligaciones tributarias devengadas con anterioridad a dichas situaciones e imputables a los respectivos obligados tributarios. De las obligaciones tributarias y sanciones posteriores a dichas situaciones responderán como administradores cuando tengan atribuidas funciones de administración [art. 43.2.c)].

– Los adquirentes de bienes afectos por la ley al pago de la deuda tributaria (art. 43.2.d), en relación con el art. 79).

– Los agentes y comisionistas de aduanas, cuando actúen en nombre y por cuenta de sus comitentes, sin que alcance la responsabilidad a la deuda aduanera [art. 43.2.e)].

– Las personas o entidades que contraten o subcontraten la ejecución de obras o la prestación de servicios correspondientes a su actividad económica principal, por las obligaciones tributarias relativas a tributos que deban repercutirse o cantidades que deban retenerse a trabajadores, profesionales u otros empresarios, en la parte que corresponda a las obras o servicios objeto de la contratación o subcontratación. La responsabilidad no será exigible cuando el contratista o subcontratista haya aportado al pagador un certificado específico de encontrarse al corriente de sus obligaciones tributarias emitido a estos efectos por la Administración tributaria durante los 12 meses anteriores al pago de cada factura correspondiente a la contratación o subcontratación, o quedará limitada al importe de los pagos que se realicen sin haber aportado el contratista o subcontratista al pagador el certificado de encontrarse al corriente de sus obligaciones tributarias, o habiendo transcurrido el periodo de 12 meses dese el anterior certificado sin haber sido renovado [art. 43.2.f)].

La Ley 36/2006, de 29 de noviembre, de medidas para la prevención del fraude fiscal, en vigor desde el 1 de diciembre de 2006, introdujo en la Ley General Tributaria dos nuevos supuestos de responsabilidad tributaria solidaria que permiten exigir en vía administrativa la responsabilidad en los casos de sociedades interpuestas, sin necesidad de que la Hacienda Pública tenga que acudir a la vía judicial para corregir «el levantamiento del velo», que son los que a continuación se indican:

– Las personas o entidades que tengan el control efectivo, total o parcial, directo o indirecto, de las personas jurídicas o en las que concurra una voluntad rectora común con éstas, cuando resulte acreditado que las personas jurídicas han sido creadas o utilizadas de forma abusiva o fraudulenta, para eludir la responsabilidad patrimonial universal frente a la Hacienda Pública y exista unicidad de personas o esferas económicas, o confusión o desviación patrimonial. La responsabilidad se extenderá a las obligaciones tributarias y a las sanciones de dichas personas jurídicas [art. 43.1.g)].

– Las personas o entidades de las que los obligados tributarios tengan el control efectivo, total o parcial, o en las que concurra una voluntad rectora común con dichos obligados tributarios, por las obligaciones tributarias de éstos, cuando resulte acreditado que tales personas o entidades han sido creadas o utilizadas de forma abusiva o fraudulenta como medio de elusión de la responsabilidad patrimonial universal frente a la Hacienda Pública, siempre que concurran, ya sea una unicidad de personas o esferas económicas, ya una confusión o desviación patrimonial [art. 43.1.h)].

Con estos dos nuevos supuestos, se permite a la Administración levantar el velo de la personalidad jurídica para evitar que ésta se utilice como pantalla para ocultar o desviar situaciones patrimoniales o imputaciones a quienes efectivamente son sus titulares o bien ostentan el poder de decisión y control.

Por su parte, la Ley 7/2012, de 29 de octubre, sobre prevención y lucha contra el fraude, en vigor desde el 31 de octubre de 2012, añadió para las deudas tributarias derivadas de tributos que deban repercutirse o de cantidades que deban retenerse a trabajadores, profesionales u otros empresarios, la responsabilidad de los administradores de hecho o de derecho de las personas jurídicas obligadas a efectuar la declaración e ingreso de tales deudas cuando, existiendo continuidad en el ejercicio de la actividad, la presentación de autoliquidaciones sin ingreso por tales conceptos tributarios sea reiterativa y pueda acreditarse que dicha presentación no obedece a una intención real de cumplir la obligación tributaria objeto de autoliquidación (art. 43.2 LGT).

Aclara el precepto legal que se entenderá que existe reiteración en la presentación de autoliquidaciones cuando en un mismo año natural, de forma sucesiva o discontinua, se hayan presentado sin ingreso la mitad o más de las que corresponderían, con independencia de que se hubiese presentado solicitud de aplazamiento o fraccionamiento y de que la presentación haya sido realizada en plazo o de forma extemporánea. A estos efectos, no se computarán aquellas autoliquidaciones en las que, habiendo existido solicitud de aplazamiento o fraccionamiento, se hubiese dictado resolución de concesión, salvo incumplimiento posterior de los mismos y con independencia del momento de dicho incumplimiento, no computándose, en ningún caso , aquellos que hubiesen sido concedidos con garantía debidamente formalizada.

Se considerará, además, a efectos de esta responsabilidad, que la presentación de las autoliquidaciones se ha realizado sin ingreso cuando, aun existiendo ingresos parciales en relación con todas o algunas de las autoliquidaciones presentadas, el importe total resultante de tales ingresos durante el año natural señalado en el segundo párrafo no supere el 25 % del sumatorio de las cuotas a ingresar autoliquidadas.

De otro lado, se presume que no existe intención real de cumplimiento de las obligaciones mencionadas, cuando se hubiesen satisfecho créditos de titularidad de terceros de vencimiento posterior a la fecha en que las obligaciones tributarias a las que se extiende la responsabilidad establecida en esta disposición se devengaron o resultaron exigibles y no preferentes a los créditos tributarios derivados de estas últimas.

5. La extensión de la responsabilidad

De acuerdo con el régimen jurídico general, *«la responsabilidad alcanzará a la totalidad de la deuda tributaria exigida en período voluntario»* y *«no alcanzará a las sanciones, salvo las excepciones»* que en la Ley General Tributaria o en otra Ley se establezcan (art. 41.3 y 4 LGT). Se prevé, expresamente, entre otros supuestos, la extensión a las sanciones de los administradores de personas jurídicas que hayan cometido infracciones, cuando les sea imputable la conducta activa o pasiva descrita en la Ley [art. 42.1.a) y 43.1.a)] en relación con el art. 182 LGT). Se zanja así una de las cuestiones más polémicas que planteaba la Ley General Tributaria en la redacción de 1995: la posibilidad de derivar las sanciones al responsable –ahora absolutamente clara– pues el enunciado del principio general no admitía expresamente excepciones.

De acuerdo con la regulación anterior a la Ley 58/2003 (aplicable a los expedientes iniciados antes del 1 de julio de 2004), la extensión de la responsabilidad no alcanza a la totalidad de la deuda, pues *no se extiende a las sanciones ni al recargo de apremio*, que sólo es exigible al responsable, cuando éste no efectúe el pago en el período voluntario que, a tal efecto, se le ha de conceder (art. 37.3 LGT). La nueva redacción dada al entonces artículo 37 de la Ley General Tributaria por la Ley 25/1995 fue el resultado de las directrices emanadas del Tribunal Constitucional, que, en su sentencia de 12 de mayo de 1994, al fallar sobre la responsabilidad tributaria en tributación conjunta por el Impuesto de la Renta de las Personas Físicas, declaró que la responsabilidad no puede extenderse al ámbito de las sanciones, toda vez que el principio de personalidad de la sanción (art. 25 CE) es enteramente aplicable al ámbito del ordenamiento administrativo sancionador. De ello se sigue la derogación implícita del correspondiente precepto reglamentario, que, al delimitar el ámbito de la responsabilidad solidaria, no advertía de la no extensión a las sanciones (anterior art. 12.2 RGR).

Con relación a los supuestos de *responsabilidad solidaria*, el Tribunal Supremo ha entendido, tras la referida reforma de 1995, que la responsabilidad *no puede extenderse a las sanciones* (STS 30.1.1999). Esta declaración supuso un salto jurisprudencial enormemente significativo en relación a la postura sostenida por la Sentencia del Tribunal Supremo de 30 de septiembre de 1993. Niegan también la extensión de la responsabilidad solidaria a las sanciones las sentencias del Tribunal Superior de Justicia de Extremadura (28.1.1997) y del Tribunal Superior de Justicia de Murcia (13.7.1998).

Siendo claro el precepto general y el criterio del Tribunal Supremo al respecto, algunos supuestos de responsabilidad definidos por ley, expresamente incluyen las sanciones, por lo que en un primer momento se planteó la duda de si esta declaración general de la no inclusión del componente sancionador de la deuda en la derivación de la responsabilidad, implica que en ningún caso sean exigibles las sanciones (no extensión) o si, por el contrario, debe prevalecer el precepto especial frente al general (extensión), problema sobre el que se ha pronunciado el Tribunal Supremo, en términos inequívocos como los que se desprenden de la sentencia de 21 de diciembre de 2007: "*En la nueva Ley General Tributaria, aprobada por Ley 58/2003, de 17 de diciembre, el artículo 41.4 excluye, con carácter general, la posibilidad de que se reclame al responsable el pago de las sanciones impuestas al deudor principal. La cuestión resulta clara en aquellos supuestos en que la responsabilidad no deriva de la comisión de una infracción tributaria: en ningún caso podrán exigirse al responsable las sanciones, no sólo por ser ello contrario a lo dispuesto en el artículo 41.4 de la Ley, sino por suponer una vulneración del principio de personalidad de la pena.*

Sin embargo, puede pensarse —y así lo hace, sobre todo, la Administración recurrente— que el establecimiento de una responsabilidad subsidiaria respecto de las sanciones no lesiona aquel principio en los casos en los que el presupuesto de hecho de la responsabilidad está constituido por la participación en un acto ilícito. Si ello es así, cabe que un precepto de rango legal contradiga lo dispuesto en el artículo 41.4 de la Ley General Tributaria/2003, estableciendo la exigencia de sanciones al responsable. Pues bien, la Ley General Tributaria/2003 ha optado por acoger esta posición de manera muy explícita. Así su artículo 182 señala que se exigirán las sanciones, entre otros supuestos, cuando la responsabilidad derive de la colaboración activa en un ilícito —artículo 42.1 a— y en el caso de los administradores de personas jurídicas que participen en la infracción cometida por la entidad —artículo 43.1.a) —.

El único supuesto, pues, donde no se produce la extensión de la responsabilidad a las sanciones es el de los administradores de las personas jurídicas que cesan en sus actividades dejando deudas tributarias pendientes —artículo 43.1.b) —. La exclusión de las sanciones en este último supuesto es ineludible, toda vez que la conducta del administrador, aunque negligente, no alcanza la gravedad necesaria, para ser constitutiva de integrar una infracción tributaria".

Pese a que ha sido criterio administrativo el de la extensión de la responsabilidad a las sanciones, la Audiencia Nacional en sentencias de 25 de enero de 2001 y de 8 de febrero de 2001, a la vista de los artículos 37.3 y 38.1 de la anterior Ley General Tributaria, ha afirmado que «*de la lectura de estos preceptos, se desprende que* ni la responsabilidad solidaria ni la subsidiaria (...) comprenden las sanciones, *a las que ya no se extiende por el cauce de la derivación de responsabilidad. En este sentido se pronuncia el Tribunal Supremo, Sala 3ª, Sección 2ª, en sentencia de fecha 30 de enero de 1999, recurso 3974/1994, y esta misma Sala en su sentencia de 3 de mayo de 2000, recurso 415/1997, como lógica consecuencia del principio de retroactividad de las normas sancionadoras más favorables que cuenta apoyo en los* artículos 9.3 de la Constitución Española y 4.3 de la Ley 1/1998, de 26 de febrero, de Derechos y Garantías del Contribuyente».

Por su parte, el Tribunal Superior de Justicia de Cantabria ha venido a aclarar que el artículo 41.4 de la Ley General Tributaria excluye, con carácter general, la posibilidad de que se reclame al responsable el pago de las sanciones impuestas al deudor principal, afirmando que la cuestión resulta clara en aquellos supuestos en que la responsabilidad no deriva de la comisión de una infracción tributaria no solo por expresa disposición legal sino también por suponer una vulneración del principio de la personalidad de la pena. Ahora bien, puede pensarse que el establecimiento de una responsabilidad subsidiaria respecto de las sanciones no lesiona aquel principio en los casos en que el presupuesto de hecho de la responsabilidad está constituido por la participación en un acto ilícito, pues la Ley General Tributaria ha optado por acoger esta posición de manera muy explícita. Así, el único supuesto en el que no se produce la extensión de la responsabilidad a las sanciones es el de los administradores de las personas jurídicas que cesan en sus actividades dejando deudas tributarias pendientes –artículo 4.1.b) –. La exclusión de las sanciones en este último supuesto es ineludible, toda vez que la conducta del administrador, aunque negligente, no alcanza la gravedad necesaria para ser constitutiva de integrar una infracción tributaria (TSJ Cantabria 25.5.2009).

No obstante, los criterios de los tribunales han diferido según el presupuesto contemplado, e incluso referidos a un mismo supuesto, resultaban contradictorios.

En cualquier caso, si se exigen sanciones al responsable, se podrá suspender automáticamente, sin caución, la ejecutoriedad de las mismas previa su impugnación (art. 212.3 de la Ley 58/2003) y el expediente de derivación de responsabilidad podrá continuarse sólo por el resto de la deuda, hasta que se confirme la procedencia o improcedencia de la sanción.

El Tribunal Supremo al analizar los artículos 42.1.a) y 182.1 de la Ley General Tributaria ha afirmado que «*no cabe diferenciar a efectos de suspensión (...) entre sanción y cuota, ya que ambos conceptos deben seguir la misma suerte, pues si se declara que el responsable no puede ser merecedor de la sanción en estos casos la consecuencia inmediata debe ser la imposibilidad de exigir la cuota al mismo*», porque "*la derivación de la cuota al responsable, con independencia del régimen aplicable a la derivación de la sanción, cumple una mera función indemnizatoria del daño producido por el comportamiento imputable al responsable, por lo que en estos casos hay que reconocer que lo que prima es la naturaleza sancionadora de la responsabilidad exigida*" (STS 10.12.2008).

De otro lado, tiene declarado el Tribunal Económico-Administrativo Central que si se declara nula la sanción desaparece el requisito que permite la derivación y en consecuencia, no sería exigible la derivación de la deuda por liquidación, debiendo la Administración responder por la indebida imputación de una conducta ilícita al administrador (RTEAC 28.6.2006).

Respecto a los *intereses de demora*, al integrar la deuda tributaria liquidada al obligado principal, serán exigibles al responsable, pero no puede practicarse nueva liquidación por este concepto (Instrucción de 2 de noviembre de 1995 del Departamento de Recaudación de la AEAT). Por ello, la Ley 58/2003 aclara que cuando haya transcurrido el plazo voluntario de pago que se conceda al responsable sin realizar el ingreso, se iniciará el período ejecutivo y se exigirán los recargos e intereses que procedan (art. 41.3 LGT). Se mejora de esta manera técnicamente el precepto al hacer referencia a la totalidad de la deuda *exigida* en período voluntario y no a la *vigente* (*ex* art. 37.3 LGT).

La sanción exigida, en su caso, al responsable será (salvo para el responsable solidario) por el importe total de la impuesta al deudor principal, pero en el trámite de audiencia para la derivación de responsabilidad podrá beneficiarse de la reducción del 30% del artículo 188.1.b) de la Ley General Tributaria, si da su conformidad a la misma, más la del 25% del artículo 188.3 si la ingresa en el periodo voluntario que se le concede al responsable.

6. El procedimiento de derivación de responsabilidad

La Ley General Tributaria de 2003, elevó a rango de ley algunos preceptos del anterior Reglamento General de Recaudación, al regular el «procedimiento frente a los responsables», y separa el procedimiento de «declaración de responsabilidad» (art. 174), del «procedimiento para exigir la responsabilidad» solidaria (art. 175) y subsidiaria (art. 176), aclarando definitivamente algunas dudas que se venían planteando sobre el presupuesto material del acto de derivación de responsabilidad. Así, establece que la responsabilidad puede ser declarada en cualquier momento posterior a la práctica de la liquidación o a la presentación de la autoliquidación, salvo que la ley disponga otra cosa. En el supuesto de liquidaciones administrativas, si la declaración de responsabilidad se efectúa con anterioridad al vencimiento del período voluntario de pago, la competencia para dictar el acto administrativo de declaración de responsabilidad corresponde al órgano competente para dictar la liquidación, mientras que en los demás casos, dicha competencia corresponderá al órgano de recaudación (art. 174.2 LGT).

La declaración de responsabilidad puede realizarse con carácter previo a la constatación de falta de pago del deudor principal en período voluntario, si bien la falta de pago es siempre condición inexcusable para requerir el pago al responsable, tanto si se trata de responsabilidad solidaria (art. 175.1 LGT) como de responsabilidad subsidiaria (art. 176 LGT). Se confirma así el criterio que establecía el anterior Reglamento General de Recaudación (art. 12) al regular el procedimiento para exigir la responsabilidad solidaria, por el que se configura la falta de pago del deudor principal como un requisito material para la exigencia de responsabilidad, en otras palabras, para requerir el pago correspondiente a la responsabilidad, aunque no para declarar la responsabilidad.

La duración máxima del procedimiento es de seis meses (art. 124.1 RGR). Si el expediente de derivación de responsabilidad iniciado por el órgano liquidador no ha sido ultimado una vez finalizado el plazo de ingreso en período voluntario de la deuda del deudor principal, el procedimiento declarativo de responsabilidad se dará por concluido sin más trámite, sin perjuicio de que con posterioridad pueda iniciarse un nuevo procedimiento por los órganos de recaudación. A tal efecto, las actuaciones realizadas en el curso del procedimiento inicial, así como los documentos y otros elementos de prueba obtenidos en dicho procedimiento, conservarán su validez y eficacia a efectos probatorios en relación con el mismo u otro responsable (art. 124.3 RGR)

Los requisitos procedimentales son esenciales: como ha afirmado la sentencia del Tribunal Supremo de 1 de julio de 1996, las irregularidades del procedimiento anulan el acto de derivación.

Conforme establece el Tribunal Supremo, aunque el artículo 41 de la Ley General Tributaria permite adoptar medidas cautelares contra el responsable, y puede ser previas a la declaración de responsabilidad, no pueden dictarse antes de iniciarse el procedimiento de derivación contra él, que exige, a su vez, haber liquidado al obligado principal (STS 16.6.2011). De otro lado, el Tribunal Económico Administrativo Central, en resolución a recurso extraordinario de alzada para unificación de criterio, ha establecido el criterio de que en los procedimientos de responsabilidad solidaria realizados al amparo del artículo 42.2 de la Ley General Tributaria, la Administración Tributaria, en orden a limitar el alcance de la responsabilidad, podrá aceptar la valoración que hayan dado las partes a los bienes ocultados o transmitidos, sin que sea de aplicación lo previsto legalmente para la comprobación de valores (RTEAC 30.10.2014).

6.1. El acto de declaración de responsabilidad

Salvo que una norma con rango de ley establezca otra cosa, es preciso un acto administrativo en el que previa *audiencia al interesado*, se declare la responsabilidad y se determine su alcance y extensión (art. 41.5 LGT). Con anterioridad a dicho trámite, podrá el interesado realizar las alegaciones que estime pertinentes y aportar la documentación que considere necesaria (art. 174.3 LGT). La Ley General Tributaria no especifica en qué consiste el *trámite de audiencia*, por lo que resulta de aplicación supletoria la Ley 30/1992 de Régimen jurídico de las Administraciones Públicas y procedimiento administrativo común, que prevé que «*los interesados, en un plazo no inferior a diez días ni superior a quince, podrían alegar y presentar los documentos y justificantes que estimen pertinentes*» (art. 84.2 LGT) de manera que «*si antes del vencimiento del plazo los interesados manifiestan su decisión de no efectuar alegaciones ni aportar nuevos documentos o justificantes, se tendrá por realizado el trámite*» (art. 84.3 LGT). El reconocimiento legal del trámite previo de audiencia, pone fin a la práctica administrativa y a su admisión por el Tribunal Económico-Administrativo Central, consistente en acudir a interpretaciones finalistas para negar tal derecho, como se pone de manifiesto, entre otras muchas, las resoluciones del Tribunal Económico-Administrativo Central de 5 de junio de 1996, de 10 de octubre de 1996, de 22 de noviembre de 1996 y de 12 de junio de 1997. En esta última se declaraba que «*la derivación de responsabilidad se rige por las normas propias del procedimiento recaudatorio en las que no se contemplaba el trámite de audiencia, por lo que no es invocable la Ley de Procedimiento Administrativo (...) que sería aplicable únicamente a título supletorio, como "a sensu contrario" se demuestra por la innovación introducida por la Ley 25/1995, de Reforma de la Ley General Tributaria, que ha venido a introducir expresamente para estos supuestos el indicado trámite (art. 37.4) lo que implica que el mismo no era preceptivo con anterioridad*».

El Reglamento General de Recaudación fija en quince días el trámite de audiencia contados a partir del día siguiente al de notificación de la apertura de dicho plazo y regula por primera vez la duración máxima del procedimiento de derivación de responsabilidad, fijándolo en seis meses desde la notificación del acuerdo de iniciación hasta la notificación de la resolución (art. 124.1).

El acto de declaración de responsabilidad debe ser motivado y debe notificarse a los responsables con el contenido siguiente:

a) Texto íntegro del *acuerdo declarando la responsabilidad* [art. 174.4 a) LGT] *con indicación del presupuesto de hecho habilitante y las liquidaciones a las que alcanza dicho presupuesto* [art. 174.4 a) LGT]. La falta de motivación suficiente vicia el acto y en consecuencia, habrá de ser anulado. Así lo ha entendido el Tribunal Económico Administrativo Central, en resoluciones de 1 de febrero de 1995 y de 1 de marzo de 1995: «*en el presente caso la Dependencia de Recaudación (...) hace referencia en el acuerdo impugnado a los supuestos de imputación de responsabilidad contemplados en el art. 40 de la Ley General Tributaria en la redacción dada por la Ley 10/1985 (...) sin especificar si se aprecia la concurrencia de ambas o de una sola de tales causas ni determinar los elementos de hecho que permitan deducir que las mismas puedan ser atribuidas al declarado responsable subsidiario lo que ya de por sí determina que, adoleciendo de falta de motivación el acto de derivación de responsabilidad impugnado debe ser anulado, porque además no aparece en el expediente de gestión documentación que acredite los presupuestos de hecho y circunstancias que determinaron a la Administración Tributaria a practicar la derivación de responsabilidad del reclamante que ni aun en vía de reclamación económico-administrativa, al ser puesto el expediente de manifiesto en primera instancia, pudo conocer los hechos que fundamentaron su declaración de obligado tributario lo que le impide tener cualquier posibilidad de rebatir aquellos colocándole en una situación práctica de indefensión*».

Es exigencia legal que el acto administrativo determine el *alcance de la responsabilidad*, expresando si es subsidiaria o solidaria y la extensión de la misma, esto es, a qué elementos de la deuda tributaria se extiende la responsabilidad (cuota, intereses, recargos y sanciones) y el importe de la misma (art. 41.5 LGT). En caso de que se deriven las sanciones, *es preciso motivar* las circunstancias que acreditan el dolo o la culpa, en virtud del principio de culpabilidad y de la regla según la cual «*quien haga valer su derecho deberá probar los hechos constitutivos del mismo*» (art. 105.1 LGT). Así ha sido reconocido por el Tribunal Supremo en sentencias de 16 de mayo de 1991 y 30 de septiembre de 1993 y por el Tribunal Superior de Justicia de Madrid en sentencias de 11 de febrero y 28 de abril de 2010. En caso de que la responsabilidad sea subsidiaria, el requisito de la motivación exige de la Administración la prueba de haber agotado el procedimiento de recaudación contra el deudor principal, haber buscado la existencia de responsables solidarios y si éste es el caso, haber agotado también en ellos el procedimiento de recaudación. Por ello, la omisión en el expediente de derivación de la inexistencia de deudores solidarios cuya declaración es exigida por la ley con carácter previo, no ya a la derivación de responsabilidad, sino a la misma declaración de falencia, determina la anulación del acto de derivación (RTEAC 13.5.1998). La investigación a cargo de la Administración de la existencia de posibles responsables solidarios no sólo es una obligación normativamente impuesta, es también una potestad que asegura a la Hacienda pública el más rápido cobro de la deuda impagada y, desde luego, es una garantía jurídica del posible responsable subsidiario al que no se le puede dejar en la indefensión, derivándose una responsabilidad cuando pudo existir otro llamado a responder solidariamente.

Deben determinarse *los elementos esenciales de la liquidación* [arts. 37.4 y 124.1 a) LGT]. Si tales elementos no se notifican debidamente, el acto debe anularse. Así lo hizo el Tribunal Superior de Justicia de Valencia, en sentencia de 19 de abril de 1995 pues *«el acuerdo se limitaba a fijar una cantidad total por todos los ejercicios sin especificar la correspondiente a cada uno de ellos. El Anexo al acuerdo contiene la identificación del valor, ejercicio al que corresponde, el objeto tributario, y el importe de la liquidación, pero no contiene expresión de los elementos esenciales de la liquidación, como base imponible, tipo de gravamen o tarifa aplicables, etc. Por tanto se debe llegar a la conclusión de que con la notificación conjunta de la declaración de fallido y derivación de responsabilidad, no se hubiere producido indefensión al recurrente, si al mismo tiempo se le hubieran notificado las liquidaciones con expresión de los elementos esenciales de aquéllas; cosa ésta que no ocurrió, vulnerándose con ello el artículo 124 de la Ley General Tributaria y el precepto reglamentario anteriormente citado; lo que nos ha de llevar a la nulidad de actos impugnados».* En igual sentido, el Tribunal Económico-Administrativo Central, en resolución de 26 de julio de 1995, entendió que producía indefensión el no especificar el ejercicio a que se referían las liquidaciones. Sin embargo, no se exige la *«transcripción íntegra de las actas y liquidaciones originales»* (RTEAC 7.10.1999), aunque sí constituye un defecto de procedimiento el que no consten en el expediente las providencias de apremio (STSJ de Extremadura 29.6.2001).

b) Expresión de los *medios de impugnación* que puedan ser ejercitados contra dicho acto, órgano ante el que hubieran de presentarse y plazo para interponerlos [art. 174.4.b) LGT], tanto contra la liquidación como contra la derivación de responsabilidad pues son actos recurribles autónomamente (STS de 22.12.1993). Este criterio ha sido acogido por la Ley que expresamente reconoce que *«en el recurso o reclamación contra el acuerdo de declaración de responsabilidad podrá impugnarse el presupuesto de hecho habilitante y las liquidaciones a las que alcanza dicho presupuesto»* pero advirtiendo que en ningún caso pueden revisarse como consecuencia de estos recursos o reclamaciones *«las liquidaciones que hubieran adquirido firmeza, sino únicamente el importe de la obligación del responsable»* (art. 174.5 LGT). En el supuesto contemplado en el artículo 412 de la Ley General Tributaria solo podrá impugnarse el alcance global de la responsabilidad –no las liquidaciones de origen– y no se aplica la suspensión de ejecutoriedad de las sanciones prevista en el artículo 212.3 de la Ley General Tributaria.

Los Tribunales han reconocido que no existen motivos limitados de impugnación. En efecto, según la sentencia del Tribunal Superior de Justicia de Murcia de 28 de junio de 1995 «*el tenor literal de los preceptos que conceden al responsable subsidiario la posibilidad de impugnar las liquidaciones, no contienen limitación alguna, no pudiendo la Administración establecer motivos limitados de impugnación, por no existir norma que se lo permita*». En la misma línea se pronuncia la sentencia del Tribunal Superior de Justicia de Cataluña de 15 de enero de 1997: «*deben decaer las objeciones opuestas por el Ayuntamiento relativas a que al haberla recurrido en su día el principal sujeto pasivo y haber sido rechazadas finalmente sus pretensiones por el Tribunal Económico Administrativo Central, aquélla ha devenido inatacable, ya que de los preceptos dichos se desprende con claridad que el responsable subsidiario puede recurrir de nuevo sin limitación de causas; en consecuencia debemos entender que con la notificación de la Resolución de 4 de marzo de 1994 que acordó la derivación de responsabilidad se notificó también la liquidación de 18 de mayo de 1992, siendo admisible su impugnación en esta instancia*». Pese a la claridad de las normas tributarias que confieren al responsable tributario los mismos derechos del deudor principal, algunas resoluciones judiciales han pretendido extender las limitaciones del recurso contra la providencia de apremio al acto de derivación de responsabilidad (TS 15.7.2011). Frente a las mismas, es clara la Sentencia del Tribunal Constitucional 140/2010, de 21 de diciembre que concedió el amparo solicitado y afirmó la posibilidad del responsable de impugnar la cuota liquidada porque "*al responsable no se le deriva una liquidación firme y consentida por el obligado principal y, en consecuencia, inimpugnable al momento de la derivación, sino que lo que se le deriva es la responsabilidad de pago de una deuda, frente a la cual y desde el mismo instante en que se le traslada, se le abre la oportunidad, no sólo de efectuar el pago en período voluntario, sino también de reaccionar frente a la propia derivación de responsabilidad, así como frente a la deuda cuya responsabilidad de pago se le exige*".

c) *Lugar, plazo y forma en que deba ser satisfecho el importe exigido al responsable* [art. 174.4 c) LGT]. Se debe otorgar un período voluntario de pago.

Desde el momento en que se reciba notificación del acto de declaración de responsabilidad, el responsable puede impugnar tanto la liquidación como la propia derivación de responsabilidad (art. 174.5 LGT), pues la notificación del acto de derivación le confiere el *status* del deudor principal. De ahí que haya de requerirse al responsable el pago en las mismas condiciones que al deudor principal, pudiéndose realizar el ingreso en período voluntario y sin recargo alguno. Ahora bien, si no ingresa en dicho período, el responsable deberá satisfacer también el recargo ejecutivo que proceda, pero dicho recargo se deberá, única y exclusivamente, a su pasividad por no haber ingresado en el período voluntario.

Finalmente, es preciso también mencionar que el Reglamento General de Gestión e Inspección Tributaria regula la declaración de responsabilidad que se produce en el curso de un procedimiento inspector (art 196), y así, cuando en el curso de un procedimiento de inspección el órgano actuante tenga conocimiento de hechos o circunstancias que pudieran determinar la existencia de responsables tributarios, podrá acordarse el inicio del procedimiento para declarar dicha responsabilidad, previéndose que si el alcance incluye sanciones será necesario que se haya iniciado previamente el procedimiento sancionador. El trámite de audiencia al responsable ha de realizarse con posterioridad a la formalización del acta al deudor principal y, cuando la responsabilidad alcance a las sanciones, a la propuesta de resolución del procedimiento sancionador al sujeto infractor.

6.2. La exigencia de responsabilidad

El procedimiento para exigir la responsabilidad es distinto según se trate de responsabilidad solidaria o subsidiaria. En el supuesto de *responsabilidad solidaria,* cuando ésta haya sido declarada y notificada al responsable en cualquier momento anterior al vencimiento del período voluntario de pago de la deuda originaria, bastará con requerirle el pago una vez transcurrido dicho período. Pero en otro caso, una vez transcurrido el período voluntario, el órgano competente debe dictar un acto de declaración de responsabilidad y notificarlo al responsable (art. 175 LGT).

Para exigir *responsabilidad subsidiaria,* ha de declararse fallido previamente al deudor principal y en su caso a los responsables solidarios. Como ha entendido el Tribunal Económico Administrativo Central en unificación de criterio, la declaración de fallido "*no depende de que se hayan cumplido todos los actos de procedimiento ejecutivo de apremio respecto de todas las deudas derivadas del sujeto pasivo, sino de que responda a la ausencia real de bienes o derechos realizables del deudor conocidos por la Administración Tributaria*" (RTEAC 9.6.210).

La Administración tributaria, dictará entonces el acto de declaración de responsabilidad que notificará al responsable subsidiario (art. 176 LGT).

Al formar parte el expediente de derivación de responsabilidad del mismo procedimiento de apremio para la recaudación de deudas, no procede declarar la caducidad si existen actuaciones frente al deudor principal (RRTEAC 24.2.2000 y 8.3.2000).

7. La pluralidad de responsables

Para el caso de *pluralidad de responsables* (solidarios o subsidiarios), la Ley establece que la deuda puede exigirse íntegramente a cualquiera de ellos (art. 35.7 LGT que se refiere genéricamente al supuesto de pluralidad de *obligados tributarios*). Hay que advertir que los fundamentos de la solidaridad civil no son trasladables al ámbito tributario sin más, pues la solidaridad opera respecto a la obligación de pago de la deuda tributaria, mientras que los procedimientos de cobro son autónomos para cada uno de los responsables, de modo que las incidencias de cada uno de los procedimientos únicamente afectan a cada responsable (por ejemplo, la anulación del acto de derivación, o la prescripción ganada por uno de ellos). Ésta es una de las cuestiones más polémicas y así, mientras la resolución del Tribunal Económico-Administrativo Central de 24 de julio de 1998 entiende que «*la anulación del acto sin ningún tipo de restricciones, afecta de forma evidente a la totalidad de los responsables implicados en el mismo, lo cual es por otra parte, consecuencia obligada del carácter solidario con que el mencionado acuerdo estableció la responsabilidad subsidiaria de diversas empresas*», la de 28 de enero de 1999 afirma que «*el acto de derivación de responsabilidad, del que derivan las restantes actuaciones es un acto plúrimo, es decir, que si bien normalmente es único son varios y distintos sus destinatarios, por lo que la anulación de sus efectos respecto uno o varios de éstos, no implica como establece con acierto el Tribunal de Instancia la automática anulación para los otros; y ello, en primer lugar, porque estableciendo el acto en cuestión la responsabilidad de cada uno de los interesados, variable en función de sus respectivas circunstancias, hay una determinación individual de las deudas tributarias que se les exige, deudas autónomas según establece el artículo 62.1 de la Ley General Tributaria; por ello, y por aplicación de los artículos 64 ("la anulabilidad en parte del acto administrativo no implicará la de las partes del mismo independientes de aquélla") y 66 ("el órgano que declare la nulidad y anule las actuaciones dispondrá la conservación de aquellos actos y trámites cuyo contenido se hubiese mantenido igual de no haberse cometido la infracción") de la Ley 30/1992, de 26 de noviembre, de Régimen jurídico de las Administraciones Públicas y Procedimiento Administrativo Común, el acto de derivación de responsabilidad y los actos ejecutivos posteriores no pudieron verse afectados mas que por la declaración de nulidad hecha respecto de algunos interesados concretos, por lo que procede la ratificación de su validez para los restantes*».

En principio, la Administración puede dirigirse a todos o a alguno de los administradores, pero la práctica administrativa exige la responsabilidad a cada uno de los responsables, probablemente comenzando por el más solvente. El Tribunal Económico-Administrativo Central ha entendido que «*no existe desviación de poder por el hecho de que la derivación de la responsa-*

bilidad no se refiera a todos los componentes del Consejo de Administración por haber prescrito la acción administrativa contra ellos, pues se trata de un acto reglado» (RTEAC 13.1.2000).

Si bien el criterio que se desprende de la Resolución del Tribunal Económico Administrativo Central no puede ser cuestionado respecto de la fase declarativa de la responsabilidad, es indiscutible que, en su exigencia, la actuación administrativa debe venir limitada exclusivamente al cobro de la deuda objeto de derivación, y que, las garantías del pago de la misma tampoco deberían exceder del montante susceptible de ejecución, en su caso.

Dispone el Reglamento General de Recaudación que las solicitudes de aplazamiento o fraccionamiento de deudas o de suspensión del procedimiento de recaudación efectuadas por un responsable no afectarán a procedimiento de recaudación iniciado frente a los demás responsables de las deudas a las que se refieran dichas solicitudes (art. 124.2) y que la resolución de un recurso o reclamación contra un acuerdo de declaración de responsabilidad, en lo que dicha resolución se refiera a las liquidaciones a las que alcance el presupuesto de hecho, no afectará a aquellos obligado tributarios para los que las liquidaciones hubieran adquirido firmeza (art. 124.4.).

II. LA RESPONSABILIDAD TRIBUTARIA DE LOS ADMINISTRADORES

1. Consideraciones generales

El punto de partida de la regulación de la responsabilidad tributaria de los administradores es el reconocimiento por el Tribunal Constitucional de la capacidad de las personas jurídicas de cometer infracciones tributarias. Así, la sentencia *246/1991,* de 19 de diciembre, afirmó que la persona jurídica considerada en sí misma puede ser autora –exclusivamente o junto con otras personas físicas o jurídicas– del incumplimiento de las obligaciones tributarias y de la comisión de infracciones de la misma índole y, por tanto, susceptible de ser sancionada. La consecuencia fundamental de este principio es que el ordenamiento tributario hace objeto inmediato de la acción recaudatoria y sancionadora a la propia sociedad y sólo con fines de garantía –y si acaso disuasorios– a quienes detentan sus órganos, los directivos de la entidad o incluso terceros. Se sigue así un criterio semejante a la de los artículos 238 y 240 de la Ley de Sociedades de Capital en relación con el ejercicio de la acción social de responsabilidad, que deja en manos de la sociedad la exigencia de responsabilidad a los administradores, atribuyendo sólo acción a terceros en caso de insuficiencia patrimonial de la sociedad.

El incumplimiento de las obligaciones tributarias de las sociedades genera diversos tipos de responsabilidad para los administradores: civil, frente a las sociedades, sus socios y acreedores, por los daños causados; penal, en el caso de que las conductas realizadas sean constitutivas de delito de defraudación o contable, y, tributaria, de carácter estrictamente administrativo. El artículo 40.1 de la Ley 230/1963 General Tributaria (en la redacción de 1995), aplicable a los expedientes iniciados antes del 1 de julio de 2004, contemplaba expresamente la responsabilidad tributaria de los administradores de sociedades como un supuesto de *responsabilidad subsidiaria*, lo que significa –como ya hemos avanzado– que la Administración, previamente, debe investigar si existen responsables solidarios, y si es así, dirigir la acción de cobro contra ellos. Sin embargo, la regulación se completaba con los artículos 37 y 38 de la Ley General Tributaria y con algunas otras previsiones específicas, como la referida a determinadas conductas en el procedimiento de embargo (art. 131.5 LGT), a las sociedades patrimoniales que no tengan títulos nominativos (art. 63 TRLIS) o a las operaciones societarias en las que intervengan, entre otros, los administradores haciéndose cargo del capital aportado o entregando bienes (art. 24 LITP y AJD).

Los problemas interpretativos n planteados en la aplicación práctica del precepto específico entonces (art. 40.1 LGT) han afectado fundamentalmente a dos cuestiones: la extensión de la responsabilidad a las sanciones y el posible carácter solidario de la responsabilidad de los administradores. En efecto, el precepto específico debía integrarse con los preceptos generales sobre responsabilidad (art. 37 y 38 LGT) y las contradicciones resultantes eran más que patentes. Mientras de un lado se establece la regla general de que «*la responsabilidad alcanzará a la totalidad de la deuda tributaria, con excepción de las sanciones*» (art. 37.3 LGT), de otro, se hacía responder al administrador de las sanciones por infracción simple y de la totalidad de la deuda (que según el tenor literal del art. 58 LGT integraba igualmente sanciones) en caso de infracción grave cometida por la sociedad (art. 40.1 LGT). Además, se ordenaba la responsabilidad solidaria «*de las obligaciones tributarias todas las personas que sean* causantes o colaboren *en la realización de una infracción tributaria*» (art. 38 LGT), planteándose si los administradores habían «participado» en la infracción cometida por la sociedad, la posibilidad de que se les exijiera responsabilidad solidaria y no subsidiaria.

La doctrina del Tribunal Económico-Administrativo Central ha sostenido la extensión de la responsabilidad a las sanciones invocando reiteramente el criterio de estricta *especialidad.* Para todos los casos de derivación de responsabilidad de administradores, ha entendido el Tribunal Económico-Administrativo Central, que la extensión a las sanciones se fundamenta, además, en la *imputabilidad,* al exigir que los administradores no realicen los actos necesarios para el cumplimiento de las obligaciones infringidas; que consientan en su incumplimiento, o que adopten acuerdos que hagan posible las infracciones. Los tres supuestos previstos en la norma (el del administrador en actividad normal, en cese de actividad y en liquidación) son deberes normales y propios de la diligencia exigible a un gestor. Por ello, la supresión de la exigencia de mala fe o negligencia grave en el precepto no supone la desaparición de los principios de voluntariedad o de personalidad en su conducta (RRTEAC 12.2.1999, 15.1.1999 y 28.1.1999).

Sobre el carácter solidario o subsidiario de la responsabilidad, la doctrina no ha mantenido un criterio uniforme. En ocasiones, ha considerado determinante la circunstancia de que los sujetos implicados formen o no parte de los órganos de administración, de manera que si forman parte, el precepto aplicable era el artículo 40 de la Ley General Tributaria (responsabilidad subsidiaria) y, en caso contrario, el artículo 38 de la Ley General Tributaria (responsabilidad solidaria). Así, la resolución del Tribunal Económico-Administrativo Central de 26 de abril de 2001, considera *responsable solidario* a quien sin ser administrador ni socio de una sociedad tiene la iniciativa, como propietario y auténtico gestor, de crear la misma y diseñar todas sus operaciones económicas siendo el causante o el colaborador en la comisión de una infracción tributaria. En otras palabras, el criterio administrativo es que procede la declaración de responsabilidad solidaria para el *administrador de hecho* y subsidiaria para el *administrador de derecho.* Más claramente, la resolución de 26 de abril de 2001 insiste en que al administrador de hecho no le es aplicable el artículo 40.1 de la Ley General Tributaria, pero con el siguiente argumento: «*con independencia del carácter de administrador discutido, el expediente permite deducir que se está verosímilmente en presencia de infracciones tributarias graves, cometidas por la sociedad en cuestión y que son consecuencia de la actividad desempeñada por quien probablemente realizaba operaciones mercantiles cuya responsabilidad imputaba a la sociedad pero de las que era directamente causante*». Otras veces el Tribunal Económico-Administrativo Central ha formulado su distinción sobre la base de que «*el supuesto previsto en el artículo 38.1 de la Ley General Tributaria requiere una conducta activa dirigida a la comisión de la infracción, mientras que los supuestos del artículo 40 de la Ley General Tributaria descansan en conductas pasivas*» (RTEAC 15.1.1999). Debe advertirse que puede resultar dudosa la recalificación por el Tribunal Económico-Administrativo Central de un supuesto de responsabilidad subsidiaria en solidaria desde la prohibición de la *reformatio in peius* (SSTS 4.12.1990, 17.12.1996 y 14.12.1996).

También se ha afirmado que la derivación de responsabilidad a los administradores se sustenta por la Administración en tres títulos: a) como administrador durante la existencia de la sociedad, b) como administrador de una entidad que ha cesado en su actividad, sin que en este caso sea exigible otro requisito que el mero cese, y c) como liquidador, siendo exigible en este caso actuación, cuando menos negligente (STSJ de Cantabria 28.9.1998). Estos tres presupuestos se desarrollarán a continuación de modo separado, al ser diferentes las premisas generadoras de la responsabilidad.

La vigente Ley General Tributaria zanja definitivamente la polémica sobre la extensión de la responsabilidad a las sanciones y menciona expresamente a los administradores de hecho en los siguientes términos:

> *«Artículo 43.1. Serán responsables subsidiarios de la deuda tributaria las siguientes personas o entidades:*
>
> *a) Sin perjuicio de lo dispuesto en la letra a) del apartado 1 del artículo 42 de esta Ley, los administradores de hecho o de derecho de las personas jurídicas que, habiendo éstas cometido infracciones tributarias, no hubiesen realizado los actos necesarios que sean de su incumbencia para el cumplimiento de las obligaciones y deberes tributarios, hubiesen consentido el incumplimiento por quienes de ellos dependan o hubiesen adoptado acuerdos que posibilitasen las infracciones. Su responsabilidad también se extenderá a las sanciones.*
>
> *b) Los administradores de hecho o de derecho de aquellas personas jurídicas que hayan cesado en sus actividades, por las obligaciones tributarias devengadas de éstas que se encuentren pendientes en el momento del cese, siempre que no hubieran hecho lo necesario para su pago o hubieran adoptado acciones o tomado medidas causantes del impago.*
>
> *c) Los integrantes de la administración concursal y los liquidadores de sociedades y entidades en general que no hubiesen realizado las gestiones necesarias para el íntegro cumplimiento de las obligaciones tributarias devengadas con anterioridad a dichas situaciones e imputables a los respectivos obligados tributarios. De las obligaciones tributarias y sanciones posteriores a dichas situaciones responderán como administradores cuando tengan atribuidas funciones de administración...»*

Es criterio de la Audiencia Nacional que la posición del administrador responsable subsidiario no es estrictamente la de un sancionado, y de ello se deriva que la protección de sus derechos no puede enmarcarse dentro del sistema del artículo 24.2 de la Constitución Española, sino en el de tutela judicial efectiva regulada en el párrafo primero del propio artículo (SAN 20.1.1014).

Lo más destacado de la vigente regulación es sin lugar a dudas la específica mención a los administradores de hecho. Ha de tenerse en cuenta que la premisa para la «activación» del régimen de responsabilidad específicamente previsto para administradores radica en el concepto mismo de administrador, y que los tribunales han venido dando más importancia al contenido y alcance de las funciones desempeñadas y reflejadas en los estatutos que a la denominación que se ostente. No cabrá pues, sostener ya que los administradores de hecho sean responsables solidarios y los de derecho, subsidiarios, sino que todos son, en principio, responsables *subsidiarios*, salvo que la Administración pueda demostrar que han causado o han colaborado *activamente* en la realización de una infracción tributaria, y si es así, responderán solidariamente de la deuda tributaria. La *responsabilidad se extenderá en todo caso a las sanciones* [arts. 42.1.a) y 43 LGT, que confirman el criterio sostenido por el Tribunal Económico-Administrativo Central, entre otras, en la resolución 15.1.1999 antes citada, en cuanto al criterio de atender a si la conducta es activa o pasiva respecto a la comisión de infracciones de las personas jurídicas, otorgando un régimen más duro (responsabilidad solidaria) para el caso de conductas activas y más suave (régimen de responsabilidad subsidiaria) para el supuesto de conductas pasivas].

De otro lado, se incorporan mejoras técnicas, como la referencia al incumplimiento de deberes tributarios que pueden generar sanciones, o a las conductas que imputarán responsabilidad a los administradores en caso de cese, o a los liquidadores y administradores del concurso en procesos concursales. En efecto, el artículo 40.1, párrafo 2°, de la Ley 230/1963 General Tributaria (en la redacción de 1995) hacía responder a los administradores de las sociedades inactivas «*en todo caso*». Puesto en relación con el artículo 89.4 de la Ley General Tributaria y con el 40.2 de la Ley General Tributaria, para encontrar su correcto fundamento y su ámbito de aplicación, resulta que si la sociedad se disuelve y se liquida, los socios responden hasta la cuota de liquidación recibida (art. 89.4 LGT) y también responden los liquidadores si incumplen la obligación de liquidar correctamente (art. 40.2 LGT). Por el contrario, el supuesto de responsabilidad previsto por el artículo 40.1, párrafo 2°, se produce en caso de «cese» y no de «disolución» de la sociedad, pudiendo entenderse por «cese» la imposibilidad de conseguir el fin social o aquella situación de la empresa que está en causa de disolución y no se disuelve. El Tribunal Económico-Administrativo Central ha considerado «*particularmente grave para los intereses de la Hacienda Pública la falta de apertura de un procedimiento de disolución y liquidación, porque impide que entren en juego otras responsabilidades que actúan a modo de garantía del crédito tributario, como la subsidiaria de los liquidadores ex artículo 40.2 de la Ley*

General Tributaria, o la que establece el artículo 89.4 de la propia Ley» (RTEAC 24.9.1999) y en ocasiones ha declarado la *responsabilidad solidaria* de los administradores en las deudas de la sociedad en el caso de no convocar la junta general cuando concurra alguna de las causas de disolución de la sociedad (RTEAC 23.1.2000). Quizás por ello, se decidiera omitir toda referencia a criterios subjetivos en el administrador para determinar su responsabilidad, con lo que los Tribunales han tenido que forzar sus argumentos en estos casos.

El criterio administrativo se ha inclinado a favor de la responsabilidad objetiva, prescindiendo de la actuación lícita o ilícita de los administradores, criterio que plantea serias dudas de constitucionalidad y llevado a posturas extremas haría responsable hasta al administrador de la sociedad en cese que desconozca la ocultación fraudulenta de deudas tributarias devengadas con anterioridad. Según la postura inicial del Tribunal Económico-Administrativo Central, el párrafo 2º, del artículo 40.1 de la Ley General Tributaria al señalar que «en todo caso» responden dichos administradores de las obligaciones tributarias pendientes, no establece un supuesto de responsabilidad objetiva contraria al ordenamiento, sino que se fundamenta en que, cuando tal situación se produce (cese *de ipso* sin disolución ni liquidación), es por, al menos, negligencia del administrador. Esta expresión comporta responsabilidad aun en los casos en los que no exista infracción de la persona jurídica y así se diferencia del párrafo primero (RTEAC 2.5.1999). En cierto modo, también la Sala de lo Civil del Tribunal Supremo ha seguido el mismo planteamiento, al considerar conducta de «*evidente negligencia grave*» la actitud de los administradores al no liquidar en forma legal el patrimonio social cuando la sociedad se encuentra en situación de insolvencia (SSTS 22.4.1994 y 26.12.1991).

La propia Administración tributaria, por medio de la doctrina del Tribunal Económico-Administrativo Central, ha ido sentando criterios más subjetivistas y pese que en algunas resoluciones ha seguido insistiendo en el carácter objetivo de este tipo de responsabilidad, y así, en la resolución de 22 de febrero de 1995 se decanta claramente por la tesis de la imputación de culpabilidad. En efecto, en su considerando sexto, afirma que «*a pesar de que la norma no incorpora el fundamento de la imputación de responsabilidad a los administradores, el hecho de que el supuesto esté incluido en el artículo 40.1 de la Ley General Tributaria, que contempla casos de infracción, conduce a referir su aplicación a situaciones de ilícito fiscal, que consistiría en la omisión por el administrador de la diligencia precisa para efectuar las oportunas provisiones, cumplir o poner a la sociedad en condición de cumplir las obligaciones tributarias pendientes, y en su caso, llevar a efecto la disolución y liquidación de la sociedad*».

En el mismo sentido, la resolución de 8 de febrero de 2001 entiende que se trata de una «*responsabilidad subjetiva vinculada al cometido legal de la condición de administrador*».

La responsabilidad en caso de cese de actividad, como pone de manifiesto el Tribunal Superior de Justicia de Aragón, en sentencia de 18 de febrero de 2000, no es un supuesto de responsabilidad objetiva, sino que supone la concreción en el ámbito tributario de la responsabilidad que las leyes mercantiles establecen para los administradores de la sociedad. También el Tribunal Económico-Administrativo Central lo ha entendido así (RRTEAC 24.9.1999 y 3.12.1998), llegándose a admitir implícitamente por algún Tribunal la posibilidad de acudir a la vía del artículo 367 de la Ley de Sociedades de Capital para declarar la responsabilidad, en lugar de utilizarse la vía del artículo 40 de la Ley General Tributaria (STSJ de Navarra 20.1.2000), posibilidad que el Tribunal Económico-Administrativo Central niega, pues la Administración no puede actuar como si la sociedad estuviera en liquidación, ni declararla en esa situación unilateralmente, al invadir esferas reservadas a la jurisdicción civil (RTEAC 23.6.2000).

El Tribunal Supremo en sentencia para la unificación de doctrina (STS 22.9.2008) ha sentado el criterio de que «*la responsabilidad del administrador no puede entenderse en los supuestos de cese en la actividad de la entidad de forma objetiva, ya que dicha responsabilidad no puede derivar sólo de la existencia de unas deudas tributarias, sino que la misma tiene su fundamento en la conducta al menos negligente del administrador que omite la diligencia precisa para poner a la sociedad en condición de cumplir las obligaciones tributarias pendientes y, en su caso, llevar a efecto la disolución y liquidación de la sociedad, haciéndose partícipe con la sociedad del incumplimiento de la obligación tributaria, debiendo predicarse la negligencia no respecto del cumplimiento de las obligaciones en el momento en que éstas surgen sino respecto de la conducta posterior*».

Resulta por todo ello plausible y coherente con el planteamiento general de la nueva norma, las referencias constantes a criterios de imputabilidad de conductas para extender la responsabilidad patrimonial a las sanciones, que siguen siendo para el caso de los administradores, una excepción al principio general según el cual la responsabilidad no alcanza a las sanciones (art. 41.4 LGT). Igual comentario positivo merece la redacción del apartado c) del artículo 43.1 que da entrada a los «*integrantes de la administración concursal*» en la previsión de la responsabilidad de los administradores de empresas en concurso de acreedores, recogiendo las diferentes situaciones que en el orden temporal pueden darse en la administración concursal, en línea con lo establecido por la Ley Concursal.

2. La condición de administrador como presupuesto subjetivo fáctico

Sin perjuicio de que la expresa mención a los administradores de hecho en el precepto específico regulador de la responsabilidad de los administradores (art. 43), incorporado por la Ley 58/2003, zanja definitivamente la posibilidad de aplicarlo no sólo a los administradores de derecho sino a los de hecho, en sentido afirmativo, conviene considerar el estado de la cuestión de la regulación anterior y la interpretación dada por los tribunales.

Como no podía ser de otra manera, los tribunales han dado más importancia al contenido y alcance de las funciones desempeñadas y reflejadas en los estatutos que a la denominación que se ostente (presidente del Consejo de Administración, consejero-delegado, gerente, apoderado, secretario, etc.) Así, no puede admitirse la responsabilidad por el solo dato de ser consejero-delegado de la sociedad, sin que conste ninguna otra circunstancia concreta, pues la Administración debe probar el elemento intencional en la comisión de las infracciones (RTEAC 21.2.1996).

El administrador es un órgano social (no un mero representante o mandatario) y, en consecuencia, ejerce funciones de gestión y representación social. En efecto, el Tribunal Económico-Administrativo Central ha entendido que no puede ser considerado administrador quien sólo ejerce facultades por apoderamiento expreso del administrador único, pues lo contrario sería una extensión analógica de la consideración de sujeto responsable (RTEAC 28.10.2004) y que la responsabilidad «*alcanza únicamente a quienes desempeñan los cargos orgánicos que estatutariamente tienen atribuida la gestión interna y la actuación externa de la sociedad*», por lo que considera que no procede exigir responsabilidad a la persona que actúa como apoderado de la sociedad anónima y que no obsta a ello la dificultad de localización e insolvencia de quien ostenta el cargo de administrador social (RTEAC 11.2.2000). En igual sentido se pronuncian las resoluciones de 22 de febrero de 1995, 18 de noviembre de 1999 y de 7 de junio de 2000 y la sentencia de la Audiencia Nacional de 18 de septiembre de 2001, que afirma que el apoderamiento sólo a favor de otros administradores es irrelevante, pues los poderdantes deben responder por las actuaciones de los apoderados. En sentido contrario, se manifiesta la resolución del Tribunal Económico-Administrativo Central de 1 de diciembre de 1999, si bien se trataba de un caso en el que no existía Consejo de Administración.

El especial vínculo que genera la responsabilidad del administrador exige que efectivamente lo sea *en el momento en que la persona jurídica actuó lícita o ilícitamente* y como consecuencia surgió la obligación tributaria, con o sin componente sancionador. Así, la sentencia del Tribunal Superior de

Justicia de Murcia, de 13 de julio de 1998 afirma que la derivación de responsabilidad exige que el administrador lo fuera efectivamente *al tiempo* de cometerse las infracciones, pues no puede responder la persona que pruebe que cesó como administrador con anterioridad. El nombramiento de administrador surte efectos desde su aceptación y no desde su inscripción, ya que ésta no tiene carácter constitutivo (arts. 214.3 y 215 LSC y TS 28.10.2010). El Tribunal Supremo, en sentencia para unificación de doctrina afirmó que el administrador tras su cese, sigue respondiendo por las infracciones cometidas por la sociedad después de la escritura pública de cese en el caso de que ésta no se inscriba en el Registro Mercantil (STS 2.12.2010) y ha de admitirse la prueba del cese por otros medios, por lo que si se acredita suficientemente esta circunstancia, antes de la cesación de actividad de la sociedad, debe quedar excluido de responsabilidad subsidiaria (STS 14.6.2007), sin perjuicio de que alguna sentencia parece decir justamente lo contrario (STS 2.12.2010, SIMÓN ACOSTA, 2014). Por su parte, la sentencia de la Audiencia Nacional de 13 de junio de 2005, declara que el régimen jurídico por el que se rige la responsabilidad de los administradores es el vigente *en el momento de producirse los hechos generadores de la misma* y si el hecho generador es la comisión de infracciones tributarias, será éste el momento determinante.

La Administración no puede invocar una situación similar a la de un tercero de buena fe cuando cuenta con instrumentos legales más que suficientes para determinar en cada momento quién es la persona que está realmente al frente de la administración (RTEAC 25.2.1998). Es más, «*hay que atender a los elementos directos e indirectos aportados que demuestran el efectivo cese en el cargo de administrador, que pueden desvirtuar la presunción de exactitud registral*» (STSJ Asturias 2.11.2001).

Cuando ha caducado el poder de representación del administrador, y no ha sido renovado, ni nombrado otro en su lugar, aquél en cuanto administrador de hecho deberá comparecer en nombre y por cuenta de la correspondiente sociedad, siendo conforme a Derecho la derivación de responsabilidad. Aunque la caducidad no sea automática (art. 145.1 RRM), en tanto que al vencimiento del plazo se añade como requisito la celebración de junta general, debe responder el administrador que no convoca la junta, pues sería «*insólita*» la consecuencia de que el incumplimiento de una obligación legal se premiara «*con la irresponsabilidad de las infracciones cometidas por el mismo sujeto*» (RTEAC 8.2.2001). La Dirección General de los Registros y el Notariado también obliga a los administradores cesantes a continuar con su gestión en caso de que dejen el cargo vacante, como exigencia de su deber de diligencia, y así afirma que «*sin prejuzgar la facultad que corresponde a los Administradores de desvincularse unilateralmente del cargo que les ha sido conferido y han aceptado, por más que la sociedad pretenda oponerse a ello, no cabe desconocer que el mínimo deber de diligencia exigible en el ejercicio de esa carga cuando como consecuencia de su renuncia quede el mismo totalmente vacante –o sin que ello llegue a producirse, devenga inoperante– renuncia de un administrador mancomunado o un número de administradores que impide la válida constitución del Consejo de Administración obliga a los renunciantes, pese a su decisión, a continuar al frente de la gestión hasta que la sociedad haya podido adoptar las medidas necesarias para proveer a dicha situación»* (RDGRN 24.3.1994).

Es doctrina del Tribunal Económico-Administrativo Central que el cese en el cargo de administrador es ineficaz frente a terceros, entre ellos la Hacienda Pública, hasta su inscripción en el Registro Mercantil (RRTEAC 24.9.1999, 3.12.1998 y 25.6.1998, aunque *«no se vincula con la baja en el índice de entidades del artículo 28 de la Ley del Impuesto de Sociedades»* (RTEAC 24.9.1999, citada). Por el contrario, para el Tribunal Supremo, *«la inscripción no tiene carácter constitutivo o de validez del nombramiento de los administradores sociales o directores-gerentes, como parece confirmarse por el antes transcrito artículo 11.2, al distinguir dos momentos en el nombramiento: el de su aceptación y posterior presentación en el Registro, pero especificando que aquél surtirá efectos desde la aceptación»* (STS 14.6.1993) y no asume la responsabilidad el que al momento de la infracción ya hubiera cesado, siempre que se hubiera producido la renuncia efectiva, y no meramente el acuerdo de baja sin inscripción registral. El acuerdo de renuncia de cargos en junta de accionistas, sin que aparezca elevado a escritura pública no alcanza *«a desvirtuar la primitiva composición de los órganos sociales actuantes en las fechas de devengo de las liquidaciones correspondientes»* (...) *«Es a partir de la notificación del acto de derivación de responsabilidad a los administradores correctamente realizada, cuando aquellos pueden proceder a oponerse ejercitando su derecho a reclamar mediante los argumentos que tengan por conveniente»* (STS 22.12.1993, FJ 5° y 4°). Igual criterio sigue la resolución del Tribunal Económico-Administrativo Central de 1 de diciembre de 1999, que otorga eficacia a la renuncia de poder formulada notarialmente y entregada por el fedatario en el domicilio social de la entidad, pese a que no hubiera sido inscrita en el Registro.

Sostiene el Tribunal Económico Administrativo Central en unificación de criterio, que el nombramiento de administradores surte efectos desde su aceptación y no desde su inscripción. Aunque se trate de un acto inscribible, el cese o dimisión de los administradores no es de inscripción obligatoria por lo que la inexistencia de dicha inscripción no puede ser por si sola un dato concluyente para determinar la condición de administrador de la persona a la que se pretende derivar la responsabilidad (RTEAC 23.1.2003).

Sobre los efectos de la falta de inscripción en el Registro Mercantil del cese del administrador, la jurisprudencia ha diferenciado los materiales o sustantivos de los efectos formales que afectan al cómputo del plazo de prescripción (STS 27.11.2008). En el plano sustantivo, la falta de inscripción no comporta por sí misma la ampliación del lapso temporal en el que deben de estar comprendidas las acciones u omisiones determinantes de responsabilidad, pues la imposibilidad de oponer a terceros de buena fe los actos no inscritos en el Registro Mercantil no excusa la concurrencia de los requisitos exigibles en cada caso para apreciar la responsabilidad establecida por la ley. Únicamente cabe admitir que la falta de diligencia que comporta la falta de inscripción puede, en algunos casos, constituir uno de los elementos que se tengan en cuenta para apreciar la posible responsabilidad, en la medida en que la falta de inscripción pueda haber condicionado la conducta de los acreedores o terceros fundada en la confianza en quienes creían ser los administradores y ya habían cesado. Al carecer la inscripción en el Registro Mercantil del cese del administrador de carácter constitutivo, ha de estarse al cese efectivo en orden a fijar la responsabilidad del administrador, lo que significa que sólo cabe extender la responsabilidad a los actos que tengan lugar hasta el momento en que cesó válidamente, y no pueden los terceros de buena fe ampararse en la falta de inscripción para demandar responsabilidades derivadas de actos ocurridos después del cese y antes de su inscripción en el Registro (STS 14.4.2009).

La renuncia a la condición de administrador en documento privado no tiene efectos respecto de terceros, pero en caso de que se aporten otros medios distintos de la elevación a escritura pública, como es la falta de firma de las cuentas anuales por parte del administrador sin que el Registrador pusiera reparo alguno, se podría sostener que se ha producido el cese como administrador, pues la inscripción de las cuentas en el registro sin su firma no hubiera sido posible si tal cese no se hubiera producido (TSJ Madrid, 24.11.2008). La ausencia de inscripción es indicativa de la continuidad en el cargo, aunque cabe prueba en contrario (RTEAC 19.6.2003). La condición de administrador puede demostrarse por indicios tales como ser accionista mayoritario, ostentar funciones de apoderado general con amplias facultades, la importancia de la remuneración percibida el trato personal constante con proveedores y clientes o la relación inmediata con el personal de la sociedad.

En el caso de que se trate de una sociedad familiar en la que no existe Consejo de Administración, eligiendo la junta de socios a un presidente y a un secretario a los que apodera para la administración del establecimiento que constituía el objeto social de la empresa, procede considerar a los apoderados como administradores de la sociedad a los efectos de exigirles responsabilidad (RTEAC 1.12.1999).

La responsabilidad de los administradores se refiere a cualquier forma social, por lo que peculiar naturaleza de las sociedades agrarias de transformación no impide la aplicación del artículo 40.1 y por tanto, la derivación de las deudas tributarias a los miembros de la junta rectora, como órgano colegiado de representación y administración ordinaria de dichas sociedades (RTEAC 25.5.2000).

En casos de pluralidad de administradores, frente a la Hacienda pública, como ha dicho la sentencia del Tribunal Superior de Justicia de Galicia de 30 de septiembre de 1994, «*la responsabilidad subsidiaria de los administradores tiene carácter de solidaria y no de mancomunada*». La mera existencia de consejeros delegados no exime de responsabilidad a los demás administradores que hubieran incumplido sus obligaciones tributarias por hacer dejación de sus funciones, según criterio del Tribunal Económico Administrativo Central en unificación de criterio (RRTEAC 5.5.2005; 2.6.2005; 13.5.2008 y 22.10.2008).

3. La responsabilidad en sociedades con actividad

3.1. Los presupuestos de la responsabilidad

Junto a la ya analizada exigencia de que concurra la *condición de administrador*, es necesaria una conducta imputable al administrador (*elemento subjetivo*), que tenga como resultado la comisión de una infracción tributaria por la persona jurídica (*elemento material*). La Ley General Tributaria (art. 43.1.a) exige varios requisitos para que pueda declararse la responsabilidad subsidiaria de los administradores en este supuesto: la comisión de una infracción tributaria por la sociedad administrada, la condición de administrador al tiempo de cometerse la infracción y la existencia de una conducta ilícita por parte del administrador como tal (SAN 6.10.2003).

Para que se produzca una infracción grave hace falta algo más que dejar de ingresar. Así, según la sentencia del Tribunal Supremo de 27 de septiembre de 1999 «*el tipo de infracción grave no es simplemente no ingresar en plazo, sino que exige que la falta de ingreso resulte de la no presentación de declaraciones, de la presentación fuera de plazo o de la presentación de declaraciones intencional y culposamente incompletas. Después de la Ley 25/1995, el régimen de autoliquidación obligatorio exige que la falta de ingreso se derive de una declaración-liquidación manifiestamente errónea y hasta cabría decir que temerariamente producida*». Y en igual sentido se pronuncian las sentencias del Tribunal Superior de Justicia de Asturias de 25 de febrero de 1999 y de 31 de marzo de 2000 y la sentencia del Tribunal Superior de Justicia de Murcia de 14 de marzo de 2001.

La conducta no diligente imputable del administrador determinante del supuesto de hecho de la responsabilidad subsidiaria puede ser activa, pasiva o permisiva. Puede ir dirigida a adoptar los acuerdos que hagan posible la infracción (por ejemplo, no atender a un requerimiento); consistir en no realizar los actos que fueren de su incumbencia (presentación de declaraciones) o estar explicitada en el consentimiento de incumplimientos por quienes de él dependan. Respecto a este último supuesto, se ha afirmado que *«los administradores son los responsables de la gestión social y de su correcto desempeño, sin que les exima el hecho de que existan otras personas que materialmente realicen los actos del acontecer diario de tal gestión»* (STSJ de Castilla y León (Burgos) 17.5.2001 y RTEAC 10.6.1999). Incumbe al administrador la presentación de los correspondientes modelos. Ahora bien, la atención a un requerimiento viene condicionada por su conocimiento, y éste debe acreditarse, so pena de enervar la derivación de responsabilidad (STSJ Murcia 28.6.1995).

Por lo tanto, los administradores que hayan salvado su voto o no hayan asistido a la reunión en que se adoptó el acuerdo correspondiente verán excluida su responsabilidad, no sólo por aplicación literal del artículo 43.1.a) (*ex* art. 40.1) de la Ley General Tributaria sino por aplicación analógica del artículo 179.2.d) de la Ley General Tributaria en materia de infracciones [*ex* art. 77.4.d)]. Así, se ha exonerado a los administradores al constatar que *«en la actuación inspectora desarrollada con la sociedad se puso de manifiesto que la contabilidad se llevaba debidamente legalizada, sin que la Inspección hiciese constar omisión o anomalía alguna, que las declaraciones se presentaron y que no se regularizan omisiones u ocultaciones, sino diferencias en la calificación, sin constar si se trataba de una interpretación razonable de la norma, pues al no haber infracción, desaparece el fundamento de la responsabilidad al amparo del primer párrafo del artículo 40.1 de la Ley General Tributaria, sin perjuicio de que sea posible la responsabilidad de los administradores por cese de actividad. Otro argumento que cabe alegar para excluir responsabilidad, al menos por infracción grave, es la subjetivización del ilícito que las sentencias antes citadas (STS 27.9.1999) han reconocido, subjetivización que cabrá oponer frente a la habitual calificación de los expedientes sancionadores ("hubo una conducta maliciosa o al menos negligente") pues si no hubo infracción grave no cabrá la derivación de la responsabilidad subsidiaria»* (RTEAC 24.9.1999).

Si los administradores han participado activamente en la comisión de la infracción por parte de la persona jurídica, procederá la declaración de responsabilidad solidaria de carácter general y no a título de administradores (por aplicación del art. 42.1.a) LGT).

Respecto a los aspectos probatorios, para eludir su responsabilidad el administrador habrá de, al menos, alegar, aportando hechos concretos, que efectivamente actuó tratando de esclarecer y resolver la actuación prohibida, o bien que lo hizo por concurrencia de fuerza mayor o caso fortuito. Ello no supone que nos encontremos ante una inversión de la carga de la prueba, pues las especiales circunstancias que puedan hacer imposible la actuación de quien es garante, han de ser alegadas de forma racional y fundada por quien omitió la conducta expresamente impuesta (STS 21.3.2013). Si el nombramiento de administrador se debió a que hacía falta una tercera persona en el Consejo de Administración, se prueba con testigos que no se participó nunca en la gestión de la sociedad ni se obtuvo beneficio alguno y no tiene la condición de socio, no resulta imputable el incumplimiento de obligaciones fiscales de la sociedad, ni por mera negligencia (SAN 28.4.2008).

El administrador de una sociedad infractora podrá impugnar la sanción que se le deriva como parte del presupuesto de hecho de la responsabilidad, así como esgrimir la posible prescripción de la potestad sancionadora de la derivación (STS 24.1.2013), así como en general, las eventuales irregularidades de las actuaciones inspectoras al sujeto pasivo, aunque él mismo actuara en ellas como representante de la sociedad (STS 25.10.2013).

El acto administrativo de derivación debe *motivarse* y probar la conducta activa, pasiva o permisiva del administrador que constituye el presupuesto de hecho para derivar la responsabilidad. Como ha puesto de manifiesto la resolución del Tribunal Económico-Administrativo Central de 8 de marzo de 2000, no excluye la responsabilidad el que hayan existido dificultades de tesorería que se alegan como razones de fuerza mayor. La motivación del tipo de conducta imputable es especialmente importante pues si la conducta del administrador que lleva a la persona jurídica a cometer una infracción tributaria lleva a calificarle como «causante o colaborador» activo, su responsabilidad se considerará solidaria [art. 42.1.a) LGT].

3.2. La extensión de la responsabilidad

En la redacción de 1995, la Ley General Tributaria separaba el alcance de la responsabilidad para sociedades en funcionamiento o activas (art. 40.1 párrafo 1º) y para las inactivas (art. 40.1 párrafo 2º). En el primer caso, el administrador responde de las infracciones simples y de la totalidad de la deuda tributaria en el caso de infracciones graves. En sociedades inactivas, con cese de hecho, la responsabilidad alcanza a las deudas pendientes con exclusión de las sanciones. En este caso, también se exige una negligencia mínima del administrador, como no promover, debiendo hacerlo, la disolución de la sociedad (arts. 363 y 365 LSC).

El tema más discutido ha sido el de la derivación de las sanciones. Es criterio reiterado del Tribunal Económico-Administrativo Central, refrendado por algunos tribunales, que el artículo 40.1 de la Ley General Tributaria tiene carácter especial frente al artículo 37 de la propia Ley, por lo que la derivación debe alcanzar a las sanciones. Así, la sentencia de la Audiencia Nacional de 8 de febrero de 2001 entiende que «*la contradicción existente entre lo previsto en ambos preceptos debe resolverse tratando de armonizar las disposiciones examinadas. Una primera interpretación de los mismos podría conducir a la conclusión de que la regla general prevista en el apartado tercero del artículo 37 impide que la responsabilidad subsidiaria atribuida a los Administradores cuando concurren los presupuestos contemplados en el artículo 40, apartado primero, inciso primero, alcance a las sanciones impuestas por la comisión de las infracciones en dicho precepto referidas. Sin embargo, tal interpretación vaciaría de contenido real el primero de los supuestos de responsabilidad subsidiaria de los Administradores de personas jurídicas que establece el artículo 40.1 de la Ley General Tributaria, pues extendiéndose tan sólo a la responsabilidad por las infracciones tributarias simples debe entenderse que éste sólo puede alcanzar las sanciones pecuniarias a imponer por la comisión de tales infracciones, no atribuibles al responsable subsidiario por el artículo 37.3 bajo la interpretación antes expuesta. Por otro lado, la interpretación expresada no tiene en cuenta la consideración de que procedente la actual redacción del artículo 37.3 de la Ley General Tributaria de la reforma operada por la Ley 25/1995, de 200 de julio, y dimanente la redacción actual del artículo 40.1 de la Ley General Tributaria de la modificación llevada a cabo en la citada Ley por la Ley 10/1985, de 25 de abril, que no resultó alterada por la Ley 25/1995, de 20 de julio, el primer precepto citado constituye una norma general de aplicación a los responsables subsidiarios frente al carácter específico que tiene la responsabilidad subsidiaria recogida en el segundo precepto señalado, justificada por la intervención activa u omisiva de los administradores responsables en la comisión por las personas jurídicas que administran, de las infracciones tributarias que determinan la responsabilidad subsidiaria de aquéllas o, lo que es lo mismo, por su participación en la comisión de tales infracciones tributarias. Además, la interpretación señalada privaría también de relevancia la utilización de las expresiones "deuda tributaria" y "obligaciones tributarias" empleadas en el apartado 1º del artículo 40 de la Ley General Tributaria para delimitar diferenciándolo el ámbito material de la responsabilidad subsidiaria atribuida a los Administradores, pues ambas excluirían a las sanciones, cuando de por sí la segunda expresión no comprende las sanciones. Por último, tal tesis supondría imputar al legislador una utilización inadecuada y carente de rigor técnico de los conceptos tributarios, dado que con claridad se define en el artículo 58.2 de la Ley General Tributaria lo que por "deuda tributaria" debe entenderse, no presumible».* En igual sentido, se pronuncian la sentencia del Tribunal Superior de Justicia de Baleares, de 2 de noviembre de 1991 y la sentencia del Tribunal Superior de Justicia de Castilla y León (Burgos), de 17 de mayo de 2001, que insiste en que la inclusión de las sanciones en la deuda procede «*al no haber variado la redacción del artículo 40.1 de la Ley General Tributaria y al tratarse de un supuesto de responsabilidad por infracción*» y alude a una «*apasionante discusión doctrinal*».

El Tribunal Económico-Administrativo Central reitera el argumento de la especialidad del artículo 40.1 frente a la regla general del artículo 37.3 y el criterio de que estamos ante una responsabilidad de tipo civil –sustentado inicialmente por el Tribunal Supremo (por todas, STS 12.2.1998) –. Sin embargo, estas tesis han de revisarse a la luz de los últimos pronunciamientos constitucionales y de las modificaciones que la Ley 1/1998 introdujo en el régimen sancionador tributario, consideración que hace la sentencia del Tribunal Superior de Justicia de Valencia, de 29 de junio de 2001, pues excluye las sanciones con el argumento de que «*tratándose de una nueva disposición legal que afecta al Derecho sancionador (se refiere a la Ley 25/1995) resulta favorable para el interesado, y resultará de aplicación retroactiva*» (FJ 6°). También la sentencia del Tribunal Superior de Justicia de Murcia de 24 de enero de 2001 sostiene que el artículo 37 de la Ley General Tributaria «*contiene una prohibición general y absoluta de extender la responsabilidad tributaria sobre sanciones imputadas a los deudores*» y en igual sentido la sentencia del Tribunal Superior de Justicia de La Rioja, de 13 de febrero de 2001 afirma que «*en la derivación de responsabilidad no alcanza a las sanciones porque el art. 37 es una norma referida a todos los responsables*».

La extensión a las sanciones es absolutamente clara en la vigente Ley (art. 43.1.a), como se ha expuesto en apartados anteriores, con lo que se cierra cualquier debate al respecto.

4. La responsabilidad en caso de cese de la actividad

Este supuesto de responsabilidad de administradores de empresas inactivas y cerradas fue introducido por la Reforma de la Ley General Tributaria de 1985, probablemente para zanjar la muy extendida práctica de «cerrar» las empresas con deudas tributarias o de no formalizar previamente su disolución y liquidación, perjudicando las legítimas expectativas de los acreedores. El artículo 40.1, párrafo 2°, ha de ponerse en relación con el artículo 89.4 y con el 40.2, para encontrar su correcto fundamento y su ámbito de aplicación. De esta manera, si la sociedad se disuelve y se liquida, los socios responden hasta la cuota de liquidación recibida (art. 89.4 LGT) y también responden los liquidadores si incumplen la obligación de liquidar correctamente (art. 40.2 LGT). Por el contrario, se ha considerado que el supuesto de responsabilidad previsto por el artículo 40.1, párrafo 2°, se produce en caso de «cese» y no de «disolución» de la sociedad, pudiendo entenderse por «cese» la imposibilidad de conseguir el fin social o aquella situación de la empresa que está en causa de disolución y no se disuelve. Es *«particularmente grave para los intereses de la Hacienda Pública la falta de apertura de un procedimiento de disolución y liquidación, porque impide que entren en juego otras responsabilidades que actúan a modo de garantía del crédito tributario, como la subsidiaria de los liquidadores ex artículo 40.2 de la Ley General Tributaria, o la que establece el artículo 89.4 de la propia Ley»* (RTEAC 24.9.1999) hasta el punto en que en ocasiones se ha declarado la *responsabilidad solidaria* de los administradores en las deudas de la sociedad en el caso de no convocar la junta general cuando concurra alguna de las causas de disolución de la sociedad (RTEAC 23.6.2000).

La vigente Ley contempla la responsabilidad subsidiaria de los administradores de hecho y de derecho de las personas jurídicas que hayan cesado en sus actividades (art. 43.1.b) introduciendo mejoras técnicas y estableciendo como requisito el que los administradores no hayan hecho lo necesario para el pago de las obligaciones tributarias devengadas o que hayan adoptado acciones o tomado medidas causantes del impago.

4.1. Los presupuestos de la responsabilidad

El requisito fundamental es el *cese de actividad* (art. 43.1.b). Constituye *«un hecho objetivo, cuya constatación no puede asentarse en presunciones o en hechos que denoten una disminución en la actividad de la sociedad»* (SAN 22.10.2003). El cese se aprecia como una cuestión fáctica, aunque se mantenga una actividad residual para eludir el supuesto (STS 10.2.2011). Tal cese puede operar aunque no se produzca de forma absoluta y total, es decir, aunque no esté paralizada totalmente la empresa; la simple inercia del tráfico comercial puede mantener *«un nivel mínimo de actuaciones que no es incompatible con el cese de actividad a los efectos de exigencia de responsabilidad»* (RRTEAC 30.1.1998, y 13.5.1998 y SAN 25.1.2001). *«El cese de actividades supone una situación fáctica, no jurídica, consistente en una situación de hecho caracterizada por una paralización material de la actividad mercantil societaria en el tráfico sin que se produzca conforme a Derecho la extinción o desaparición de la entidad, la cual conserva intacta su personalidad jurídica. Esta desaparición ha de ser, además, completa, irreversible y definitiva, no bastando una cesación meramente parcial ni la suspensión temporal de las actividades, aunque dicha exigencia ha de matizarse en cada caso al objeto de evitar posibles conductas fraudulentas, por lo que el cese no puede identificarse siempre con la desaparición integra de todo tipo de actuación, pudiendo apreciarse el mismo en aquellos supuestos en que, a fin de eludir las responsabilidades que pudieran resultar exigibles en el pago de las deudas tributarias, se simule la existencia de cierta actividad o se mantenga un nivel mínimo de actuaciones derivado de la simple inercia del tráfico comercial»* (STS 30.1.2007).

El cese se presume por no haberse presentado declaraciones tributarias de ningún tipo, aunque la sociedad no se haya dado de baja en el índice de entidades previsto en el artículo 29 de la Ley 61/1978, de 27 de diciembre (RTEAC de 24.9.1999), al igual que en el caso en el que del balance de la empresa se desprenda que no existe una actividad comercial con presencia real de tráfico mercantil, limitándose a mantener formalmente la subsistencia de la entidad con el fin de eludir la exigencia de responsabilidades (RTEAC 13.5.1998, ya citada).

Según el tenor literal del artículo 40.1 párrafo 2º de la Ley General Tributaria 230/1963: *«serán responsables subsidiariamente, en todo caso, de las obligaciones tributarias pendientes de las personas jurídicas que hayan cesado en sus actividades los administradores de las mismas»*. La primera duda que se ha planteado es si es preciso que se den las mismas conductas de imputación en los administradores que en el caso previsto en el párrafo anterior para las sociedades activas, o bien la expresión «en todo caso» ha de interpretarse en el sentido de que no es exigible probar la conducta de los administradores.

El criterio administrativo contenido en el Informe de la Dirección General de Inspección Financiera y Tributaria de 11 de enero de 1990, se inclinó a favor de la responsabilidad objetiva, prescindiendo de la actuación lícita o ilícita de los administradores, postura que plantea serias dudas de constitucionalidad y lleva a posturas extremas que harían responsable hasta al administrador de la sociedad en cese que desconozca la ocultación fraudulenta de deudas tributarias devengadas con anterioridad.

Según criterio inicial del Tribunal Económico-Administrativo Central, no se trata de un supuesto de responsabilidad objetiva contraria al ordenamiento, sino que se fundamenta en que, cuando tal situación se produce (cese *de ipso* sin disolución ni liquidación), es por, al menos, negligencia del administrador. Tal expresión comporta la responsabilidad del mismo aun en los casos en los que no exista infracción de la persona jurídica y así se diferencia del párrafo primero (RTEAC 2.5.1999). En cierto modo, también la Sala de lo Civil del Tribunal Supremo siguió esta argumentación, al considerar conducta de «evidente negligencia grave» la actitud de los administradores al no liquidar en forma legal el patrimonio social cuando la sociedad se encuentra en situación de insolvencia (SSTS 22.4.1994, y 26.12.1991). «La falta de promoción por los administradores de los acuerdos necesarios para una ordenada disolución y liquidación de la sociedad que ha cesado de hecho en sus operaciones, los constituye en responsables tributarios salvo prueba de que por fuerza mayor u otra causa bastante no pudieran promover tales acuerdos, o salvo el caso de que siendo colegiado el órgano de administración hubieren hecho todo lo posible legalmente para lograr un pronunciamiento del mismo dirigido a ello» (STSJ de Sevilla 6.2.2003).

La propia Administración tributaria, por medio del Tribunal Económico Administrativo Central, ha ido sentando criterios más subjetivistas y pese a que en algunas resoluciones ha insistido en el carácter objetivo de este tipo de responsabilidad, en la resolución de 22 de febrero de 1995 se decantó claramente por la tesis de la imputación de culpabilidad. En efecto, en su considerando sexto, afirmaba que «*a pesar de que la norma no incorpora el fundamento de la imputación de responsabilidad a los administradores el hecho de que el supuesto esté incluido en el artículo 40.1 de la Ley General Tributaria, que contempla casos de infracción, conduce a referir su aplicación a situaciones de ilícito fiscal, que consistiría en la omisión por el administrador de la diligencia precisa para efectuar las oportunas provisiones, cumplir o poner a la sociedad en condición de cumplir las obligaciones tributarias pendientes, y en su caso, llevar a efecto la disolución y liquidación de la sociedad*». En el mismo sentido, la resolución de 8 de febrero de 2001 ha afirmado que se trata de una «*responsabilidad subjetiva vinculada al cometido legal de la condición de administrador*».

Ha entendido el Tribunal Supremo que la responsabilidad en caso de cese de actividad, no puede entenderse de forma objetiva ya que no puede derivar sólo de la existencia de unas deudas tributarias, sino que la misma tiene su fundamento en la conducta al menos negligente del administrador, que omite la diligencia precisa para poner a la sociedad en condición de cumplir las obligaciones tributarias pendientes y, en su caso, llevar a efecto la disolución y liquidación de la sociedad, haciéndose partícipe con la sociedad del incumplimiento de la obligación tributaria, debiendo predicarse la negligencia no respecto del cumplimiento de las obligaciones en el momento que estas surgen sino respecto de la conducta posterior

(STS 22.9.2008) y también ha explicitado el alcance de la conducta exigible al administrador cuyo incumplimiento da lugar a la responsabilidad afirmando que «nuestra legislación mercantil obliga al administrador social a procurar por todos los medios a su alcance la disolución y liquidación ordenada de la sociedad cuando concurra causa de disolución, así como a procurar la declaración de la sociedad en concurso (anteriormente en suspensión de pagos o quiebra según procediera) si el déficit patrimonial obligara a dicha medida complementaria, debiendo a estos efectos el administrador social convocar la correspondiente Junta de Accionistas o Socios. La culpa del administrador social que legitima la exigencia de responsabilidad al mismo para el pago de todos los conceptos adeudados por la sociedad frente a la Hacienda Pública, no es, como en el supuesto del párrafo 1° del artículo 40.1 de la Ley General Tributaria , la concurrencia de culpa en la comisión de la infracción (sin perjuicio de que esta culpa pueda concurrir en la misma persona, máxime en un caso como el que nos ocupa en el que era administrador único de la entidad), sino la culpa implícita en haber permitido un cese de facto desordenado de la actividad social, existiendo deudas pendientes frente a la Hacienda Pública, incumpliendo las obligaciones y responsabilidades que tanto la ley mercantil como la ley fiscal establecen para estos supuestos respecto de los administradores» (STS 9.5.2013).

Como ha puesto de manifiesto el Tribunal Superior de Justicia de Aragón, en sentencia de 18 de febrero de 2000, no es éste un supuesto de responsabilidad objetiva, sino que supone la concreción en el ámbito tributario de la responsabilidad que las leyes mercantiles establecen para los administradores de la sociedad. También el Tribunal Económico-Administrativo Central lo ha entendido en ocasiones así (RRTEAC 24.9.1999 y 3.12.1998). Algún Tribunal ha llegado a admitir implícitamente la posibilidad de acudir a la vía del artículo 367 de la Ley de Sociedades de Capital para declarar la responsabilidad, en lugar de utilizarse la vía del artículo 40 de la Ley General Tributaria (STSJ de Navarra de 20 de enero de 2000), posibilidad que niega el Tribunal Económico-Administrativo Central pues la Administración no puede actuar como si la sociedad estuviera en liquidación, ni declararla en esa situación unilateralmente, al invadir esferas reservadas a la jurisdicción civil (RTEAC 23.6.2000). Como se ha aclarado, la declaración de responsabilidad «*es un acto sujeto al Derecho Administrativo y no al Derecho Privado, protegido, pues, por el privilegio de la autotutela declarativa recogido en el artículo 57.1 de la Ley 30/1992 (...) La autotutela declarativa y el principio de ejecutividad significan la obligatoriedad del acto administrativo para su destinatario. A lo que debemos añadir que el principio constitucional de eficacia ampara que el Legislador ordinario conceda a las Administraciones Públicas el privilegio de la autotutela (por todas, sentencia del Tribunal Constitucional número 22/1984, de 17 de febrero (F. 4º). En consecuencia, la autotutela declarativa no es sino una técnica de gestión administrativa eficaz de los servicios públicos. Su generalidad requiere que toda exclusión se contemple en norma especial, lo que no es el caso»* (STSJ La Rioja 3.5.2001).

Sobre la exigencia de responsabilidad, el Tribunal Económico-Administrativo Central ha entendido que la falta de iniciativa para promover un expediente de suspensión de pagos en la empresa que se encuentra en una situación financiera delicada, se considera negligencia del administrador único, en un caso en que éste se limitó a dar de baja en el Impuesto sobre Actividades Económicas a la sociedad pero sin disolver ni liquidar la misma, lo que privó a la Hacienda Pública de su derecho a hacer efectivos sus créditos (RTEAC 15.4.1998).

El Tribunal Supremo ha unificado la doctrina exigiendo culpa en la conducta del responsable aun a título de simple negligencia (STS 22.9.2008).

La Ley 58/2003, General Tributaria incorpora como presupuesto subjetivo de responsabilidad la exigencia de que los administradores de hecho o de derecho de las personas jurídicas que hayan cesado en su actividad, «*no hubieran hecho lo necesario para su pago o hubieren adoptado acuerdos o tomado medidas causantes del impago»* (art. 43.1.b), siendo por tanto exigible que el acto de declaración de responsabilidad fundamente la imputabilidad de la conducta de los administradores, sin perjuicio de que no hayan de responder de las sanciones.

4.2. La extensión de la responsabilidad

Hay dos cuestiones que se planteaban al respecto con anterioridad a la Ley 58/2003. La primera, si son derivables las sanciones y en este caso si debe exigirse una conducta «culpable» del administrador o por el contrario éste responde «en todo caso»; la segunda, cómo ha de interpretarse el concepto de «obligaciones pendientes».

Respecto al tema de las sanciones y la naturaleza de la responsabilidad, el criterio del Tribunal Supremo ha sido que *la responsabilidad subsidiaria por cese no debe alcanzar a las sanciones* (STS 30.1.1999), pues les afecta la limitación que excluye el importe de las mismas (art. 37.3 LGT) y, a pesar de que la Administración considere que se trata de un precepto específico y singular frente a otro precepto general, entenderlo de otra manera desnaturalizaría el sentido del artículo 40 que presupone negligencia en la conducta. Además, devendría inoperante la primera frase del artículo 40.1 que establece que en las infracciones simples el administrador sólo responde de las sanciones (RRTEAC 12.2.1998, siguiendo la STS 30.9.1993, y RTEAC 15.1.1999). Por su parte, la sentencia del Tribunal Superior de Justicia de Cantabria de 18 de mayo de 2001, declara que en caso de cese de actividad, es improcedente la inclusión de sanciones con el argumento de que «*la derivación de responsabilidad por infracciones y sanciones tributarias a los administradores, sólo es viable en el supuesto de que la persona jurídica continúe en su actividad, pues al permanecer la persona jurídica, responsable como sujeto pasivo principal de la infracción, tal derivación conserva su razón de ser, dado su carácter subsidiario*» (en el mismo sentido se pronuncia la STSJ de Cantabria 12.7.2001). Por el contrario, si la persona jurídica ha cesado en su actividad *cobra relevancia lo establecido en el artículo 89.4 de la Ley General Tributaria, que establece: «En el caso de Sociedades o Entidades disueltas y liquidadas, sus obligaciones tributarias pendientes se transmitirán a los socios o partícipes en el capital que responderán de ellas solidariamente y hasta el límite del valor de la cuota de liquidación que se les hubiera adjudicado. Armonizando ambos preceptos (art. 40.1 y 89.4 LGT), se desprende, como ha señalado la Audiencia Nacional en sus Sentencias de 8 de octubre de 1998 y de 21 de febrero de 2000 que la derivación de responsabilidad en el supuesto de "deudas pendientes", cuando la persona jurídica "cese en la actividad", no incluye el importe de las sanciones*» (FJ 10°).

Pero no han faltado pronunciamientos en sentido contrario, y así, la sentencia de 17 de mayo de 2001 del Tribunal Superior de Justicia de Castilla y León (Burgos) afirma que tras la Ley 25/1995 se incluyen las sanciones en la responsabilidad de los administradores y entiende que hay culpabilidad en una situación en que la sociedad está en crisis y cesa sus actividades no atendiendo a las deudas tributarias: «*el administrador en tal circunstancia debió promover una ordenada disolución y liquidación de la sociedad, y al no hacerlo se manifiesta también un incumplimiento de uno de los deberes de un buen administrado*» (FJ 4°).

Respecto al concepto «obligaciones tributarias pendientes», la Administración, basándose en el Informe antes citado, ha entendido que la responsabilidad alcanza tanto a las deudas ya liquidadas como a las pendientes de liquidación y tanto en la parte correspondiente a cuota como a sanción. Pero a tal interpretación se opone el artículo 14.3 del Reglamento General de Recaudación de 1990 que dispone que «*la responsabilidad subsidiaria no alcanza a las sanciones impuestas al deudor principal, salvo cuando aquella resulte de la participación del responsable en una infracción tributaria*». El criterio del Tribunal Económico Administrativo Central es que no pueden considerarse «obligaciones pendientes en el momento del cese» las que sean posteriores a éste (RTEAC 13.5.1998).

Sobre todas estas cuestiones polémicas el criterio de la nueva Ley es claro al establecer que la responsabilidad alcanza a *«las obligaciones tributarias devengadas de éstas que se encuentren pendientes en el momento del cese»*, pero no se extiende a las sanciones, pues ninguna excepción en este sentido se contempla expresamente [art. 43.1.b) LGT].

5. Regímenes especiales de responsabilidad de ciertos administradores

En este apartado se agrupa un conjunto de responsabilidades especiales de los administradores, que completa el régimen jurídico general que se ha perfilado.

5.1. Administrador que dificulta el procedimiento de embargo o enajenación de bienes

La Ley General Tributaria de 1963 establecía que *«responderán solidariamente del pago de la deuda tributaria pendiente, hasta el importe del valor de los bienes o derechos que se hubieren podido embargar, las siguientes personas: a) Los que sean causantes o colaboren en la ocultación maliciosa de bienes o derechos del obligado al pago con la finalidad de impedir su traba. b) Los que por culpa o negligencia incumplan las órdenes de embargo. c) Los que, con conocimiento del embargo, colaboren o consientan en el levantamiento de los bienes»* (art. 131.5). Y el Reglamento General de Recaudación de 1990 precisaba que, *«en los supuestos de depositarios de bienes embargables que, con conocimiento previo de la orden de embargo, elaboren o consientan en el levantamiento de los mismos, las responsabilidad alcanzará al importe de la deuda hasta el límite del importe levantado»* (art. 12.5 RGR). El artículo 118 del Reglamento General de Recaudación de 1990 se refería específicamente al procedimiento de declaración y exigencia de responsabilidad por el levantamiento de bienes embargados, atribuyendo a los órganos de recaudación funciones de investigación, si bien cuando se dirijan a movimientos de cuentas de todo tipo, precisando la autorización del Director del Departamento de Recaudación o del Delegado de la Agencia Estatal de la Administración Tributaria. Completada la información, se debía dar audiencia en el expediente al depositario en el plazo de diez días, y, en su caso, declarar la responsabilidad solidaria del depositario, concediéndole plazo para el ingreso de la deuda, procediéndose en caso de no efectuarlo, a la apertura del procedimiento de apremio. Para el resto de los supuestos a que se refiere el artículo 131 de la Ley General Tributaria de 1963, en ausencia de normas específicas, se seguía el procedimiento descrito en el artículo 12 del Reglamento General de Recaudación de 1990.

La vigente Ley General Tributaria recoge estos supuestos como generadores de *responsabilidad solidaria* (art. 42.2), limitando también la responsabilidad al importe del valor de los bienes o derechos que se hubieran podido embargar o enajenar por la Administración tributaria: para los causantes o colaboradores en la ocultación o transmisión de bienes o derechos del obligado al pago con la finalidad de impedir la actuación de la Administración tributaria; las personas o entidades que, por culpa o negligencia incumplan las órdenes de embargo; las que con conocimiento del embargo, la medida cautelar o la constitución de la garantía, colaboren o consientan en el levantamiento de los bienes o derechos embargados o de aquellos bienes o derechos sobre los que se hubiera constituido la medida cautelar o la garantía y, por último, las personas o entidades depositarias de los bienes del deudor que, una vez recibida la notificación del embargo, colaboren o consientan en el levantamiento de aquellos (apdos. a, b, c y d, del art. 42.2 LGT redacc. Ley 36/2006).

Se mejora la redacción del supuesto generador de la responsabilidad, omitiendo el calificativo de «maliciosa» para la conducta de ocultación y contemplando expresamente el supuesto de transmisión de esos bienes o derechos, con la finalidad de impedir la actuación de la Administración tributaria. También, respecto a los que colaboren, o consientan en el levantamiento de los bienes o derechos embargados, amplía la consideración de responsables a aquellas personas o entidades que con conocimiento de una medida cautelar o una constitución de garantía, colaboren o consientan en el levantamiento de los bienes o derechos sobre los que se hubiera constituido la medida cautelar o la garantía.

Este supuesto ha sido expresamente calificado por el Tribunal Supremo de responsabilidad por actos ilícitos (STS 18.2.2009). Se ha considerado también que no cabe alegar error en la interpretación de la diligencia de embargo, ni extravío del segundo requerimiento (RTEAC 7.9.2000). Tampoco evita la responsabilidad el incumplimiento de la orden de embargo de créditos aún no vencidos por la entidad pagadora, pues a efectos del embargo de los créditos realizables es indiferente que estuvieran vencidos o no (SAN 9.12.2002). No puede aceptarse que el único motivo por el que una entidad bancaria no proceda a realizar el embargo de efectivo en cuentas bancarias, sin incurrir en responsabilidad solidaria, sea la inexistencia de saldo, ya que para que tal responsabilidad pueda declararse deben producirse las circunstancias establecidas en el artículo 131.5 (RTEAC unificación de criterio 21.11.2002). Procede la exigencia de responsabilidad, con independencia de lo dispuesto en el artículo 1902 del Código Civil, por el levantamiento del embargo de un depósito a plazo embargado (RTEAC 11.2.2000); cuando existe una confusión entre propietario y administrador, quedando probado que dispone de fondos de la sociedad no pudiendo esta havcer frete a sus deudas (RTEAC 6.6.2013); si no señala el administrador bienes susceptibles de ser embargados cautelarmente por haberlos transferido (SAN 26.4.2010) o si hay vaciamiento patrimonial en perjuicio de la Hacienda Pública mediante la transmisión de bienes y derechos al cónyuge del administrador, impidiendo que puedan realizarse (SAN 27.1.2014) En respuesta a consulta tributaria, la Dirección General de Tributos ha emitido resolución vinculante entendiendo que el deudor que realice operaciones de despatrimonialización, antes o después de la orden de embargo, puede incurrir en un ilícito y que el causante o colaborador en la ocultación (dolosa o negligentemente) puede incurrir en un supuesto de responsabilidad solidaria (DGT 21.7.2009).

La responsabilidad se extiende a las deudas tributarias pendientes, y en su caso, sanciones tributarias, incluidos recargo e interés de demora del periodo ejecutivo. De otro lado, los declarados responsables están excluidos de la reducción de sanciones y de la suspensión automática de las sanciones (art. 212.3 LGT).

5.2. Operaciones societarias

El artículo 24 del Texto Refundido del Impuesto sobre Transmisiones Patrimoniales y Actos jurídicos Documentados, declara la responsabilidad *subsidiaria* de los administradores en el pago del impuesto de operaciones societarias en los términos siguientes: «*serán subsidiariamente responsables del pago del impuesto en la constitución, aumento y reducción de capital social, fusión, escisión, aportaciones de los socios para reponer pérdidas, disolución y traslado de la sede de dirección efectiva o del domicilio social de sociedades, los promotores, administradores o liquidadores de las mismas que hayan intervenido en el acto jurídico sujeto al impuesto, siempre que se hubieran hecho cargo del capital aportado o hubiesen entregado los bienes*».

La especialidad consiste en el carácter objetivo de la responsabilidad que, por tanto, no abarca las sanciones, de tal manera que de cometerse una infracción mediante culpa de los administradores sería aplicable el régimen general de responsabilidad de los administradores expuesto anteriormente.

6. La extinción de la responsabilidad

Debido al carácter «secundario» de la derivación de responsabilidad al administrador, cualquier actuación extintiva de la deuda tributaria por parte de los obligados principales, de los responsables solidarios o de cualquier otro responsable subsidiario implica la extinción de la responsabilidad subsidiaria de los administradores. Así, el pago íntegro por el deudor principal o por cualquiera de los responsables libera a los demás (art. 59.2 LGT). También la prescripción ganada por el deudor principal aprovecha al responsable salvo lo dispuesto en el artículo 68.8 de la Ley General Tributaria (art. 69.1 LGT). En efecto, si ha prescrito ya la obligación principal, no pueden iniciarse actuaciones frente al responsable, pues existen dos periodos diferentes: el que se refiere a la prescripción de las acciones frente al deudor principal, que abarca hasta la notificación de la derivación de responsabilidad y el que se abre con tal acto (RTEAC 15.1.1999).

De otro lado, también la misma obligación del responsable se extingue por los modos contemplados por la Ley General Tributaria para las obligaciones: pago, prescripción, compensación y condonación (art. 59.1 LGT).

Las cuestiones más polémicas y discutidas se han planteado respecto a la *prescripción* de la responsabilidad tributaria de los administradores. Antes de la vigente Ley de 2003, no existía previsión normativa específica y debían aplicarse las reglas generales en materia de prescripción (art. 64, 65, 66 y 67 LGT y 59 a 62 RGR). Así pues, era indubitado que la prescripción de la responsabilidad subsidiaria se produce en el plazo general de 4 años (art. 64 LGT y art. 24 de la Ley 1/1998, también conforme al art. 66 Ley 58/2003), pero no había consenso en cómo y cuándo se entiende interrumpida la prescripción con efectos para el responsable subsidiario, ni en cuál debía ser el «*dies a quo*» en el cómputo de la prescripción para el responsable, si coincide con el cómputo de los plazos respecto al deudor principal, con la fecha de declaración de fallido, que es requisito de procedibilidad, o con la fecha en que puede dictarse el acto de derivación de responsabilidad.

Sobre la interrupción de la prescripción, el Reglamento General de Recaudación establecía que «*interrumpido el plazo de prescripción para uno, se entiende interrumpido para todos los obligados al pago*» (art. 62.2 RGR), sin resolver la cuestión de fondo, lo cual es lógico al tratarse de materia reservada a Ley. Algunos tribunales han entendido que ésta se produce por cualquier acto de interrupción frente al deudor principal. La sentencia del Tribunal Superior de Justicia de Murcia de 7 de octubre de 1998 suscribe este criterio, al considerar que todas las actuaciones que se realicen contra el deudor principal interrumpen el cómputo de la prescripción para el responsable subsidiario, de tal manera que mientras no prescriba la deuda tributaria del deudor principal, se podrá dictar acto de derivación de responsabilidad y exigir ésta, sin que se pueda apreciarse que ha prescrito la acción respecto al responsable.

Esta forma de enfocar el problema lleva a que pueda derivarse la acción hacia el responsable subsidiario cuando hayan transcurrido más de cuatro años desde la notificación de la liquidación inicial al sujeto pasivo, siempre y cuando hayan existido actuaciones interruptivas de la prescripción de la acción recaudatoria hacia el deudor principal, como normalmente ocurrirá.

Por ello, parece criterio contrario a la seguridad jurídica, pues prolonga el tiempo de incertidumbre del responsable subsidiario, más allá del plazo de prescripción y además sin que el interesado tenga noticia de algo que tan gravemente afecta a su economía, hasta que la Administración decida reclamarle el pago que no hizo, hace más de cuatro años, el deudor principal.

Otra tesis es la que sostiene que, siendo el procedimiento de derivación individual para cada responsable, la interrupción ha de apreciarse también de forma individual, sin que la interrupción de la prescripción de la acción de cobro contra el deudor principal, responsables solidarios o cualquier otro responsable subsidiario, deba tener ningún efecto sobre el responsable subsidiario hasta el momento en que se le haya efectuado la derivación de responsabilidad. Algunos pronunciamientos jurisprudenciales avalan este parecer (sentencias del TSJ de Valencia 19.4.1995 o 15.12.2000) y configuran la acción para dirigirse contra el responsable como una *acción autónoma* reconducible al género de acciones recaudatorias [art. 66 b) LGT], pero con sus propias reglas de prescripción, con la consecuencia de que la prescripción respecto al responsable comenzaría a computarse desde la finalización del período de pago otorgado al deudor principal, sin quedar afectada por las interrupciones de acciones contra el deudor principal.

Quizás el problema no haya sido bien resuelto desde las tesis extremas y haya de abordarse considerando que la derivación de responsabilidad no es una actuación tendente al cobro de una cantidad ya liquidada, sino una verdadera y propia liquidación, o al menos una manifestación de la autotutela declarativa, por lo que no existiría prescripción del derecho a derivar la responsabilidad como derecho autónomo, sino prescripción de la obligación tributaria por el no ejercicio de las facultades integrantes de la autotutela declarativa, ya sea en relación con el sujeto pasivo (o deudor principal), en una primera fase, o en relación con el responsable. Así, el acto de derivación tendría un doble efecto: meramente declarativo, en cuanto a la existencia de la obligación, y constitutivo, respecto de su exigibilidad. De esta manera, puede considerarse que la producción del propio acto de derivación de responsabilidad está sometida a prescripción en contra de lo que entiende el Tribunal Económico-Administrativo Central, si bien en este caso se trata de la prescripción del derecho a liquidar y no de la prescripción del derecho a recaudar.

La Administración ha venido entendiendo que el inicio del cómputo comienza con la *declaración de fallido*, acto previo que abre la vía para la derivación de responsabilidad y en este sentido se ha pronunciado reiteradamente el Tribunal Económico-Administrativo Central, en resoluciones de 26 de abril de 2001, 22 de febrero de 2001, 5 de octubre de 2001, 8 de marzo de 2000 y 15 de enero de 1999. Según esta última resolución, hay que diferenciar «*entre existencia de obligación y exigibilidad de la misma, que no se produce hasta la declaración de falencia del deudor principal y los responsables solidarios y la derivación de la acción administrativa*». El cómputo del plazo de prescripción comienza pues, «*únicamente desde que se puede ejercitar la acción contra el mismo y no desde la fecha en que se devenga originariamente la deuda liquidada*».

La resolución de 3 de diciembre de 1998 diferencia «*dos períodos diferentes en la prescripción, el referido a la prescripción de acciones frente al deudor principal, que abarca el tiempo transcurrido hasta la notificación de la derivación de responsabilidad, y el relativo a las acciones a ejercitar con el responsable, que se abre con dicho acto cuando la prescripción no se hubiera producido con anterioridad*». Por el contrario, «*el Tribunal Económico Administrativo Regional de Valencia (entre otras, Resolución de 30 de junio de 1994) y el Tribunal Superior de Justicia de Valencia (Sentencias de 13 de junio y 2 de diciembre de 1994) sostienen que la obligación del responsable subsidiario nace a partir del momento en que se realiza el hecho imponible determinante de la obligación principal, lo cual vendría a suponer que, en la mayoría de los supuestos, cuando la sociedad haya sido declarada fallida (finalizado el procedimiento de apremio), la obligación del responsable se encontrará ya prescrita. Por su lado, el Tribunal Superior de Justicia de Cataluña adopta una interpretación similar a esta última, sin embargo introduce un matiz importante. Este Tribunal Superior de Justicia considera que la acción de derivación de responsabilidad a los administradores no se entiende prescrita por haber sido exigida doce años después de haberse liquidado la deuda a la sociedad ya que, y aquí se encuentra lo novedoso de esta tesis, de conformidad con lo previsto en el artículo 62 de la Ley General Tributaria la interrupción del plazo de prescripción para uno se entiende interrumpido para todos los obligados al pago. Téngase en cuenta que este supuesto de interrupción es dudosamente aplicable a los supuestos de responsabilidad, ya que hasta que no se produce el acto de derivación el administrador no pasa a encontrarse entre los obligados al pago del tributo»* (STSJ Cataluña 15.1.1997).

Así pues, la postura del Tribunal Económico-Administrativo Central ha seguido la tesis de la «*actio nata*» que avalan, entre otras, las sentencias de la Audiencia Nacional de 21 de febrero de 2000, 25 de enero de 2001, 13 de junio de 2005 y 21 de mayo de 2007. En efecto, la primera de ellas insiste que el período de prescripción de la responsabilidad tributaria comienza «*en la fecha en que se dictó el acuerdo de derivación, y no en el ejercicio impositivo en el que surgió la deuda principal. Todo ello porque la del responsable es una obligación accesoria a la principal, que surge una vez que concurren los presupuestos legales, de forma que el principio de la "actio nata" impide acudir a la prescripción de una obligación cuando aún no ha nacido al mundo jurídico*».

También sigue dicha tesis y aborda el *dies ad quem*, la Sentencia de la Audiencia Nacional de 8 de febrero de 2001, que aplica retroactivamente el plazo de cuatro años establecido por la Ley 1/1998, afirmando que «*es preciso una diferenciación entre existencia de obligación y exigibilidad de la misma, que no se produce hasta la declaración de falencia del deudor principal y los responsables solidarios y la derivación de la acción administrativa*».

El Informe sobre el Borrador del Anteproyecto de la Nueva Ley General Tributaria, de la Comisión para el Estudio del Borrador del Anteproyecto de la Nueva Ley General Tributaria, a la vista de las normas que afectan a la prescripción, opinaba que «*en el mismo precepto, debe alojarse, según la Comisión, la solución a otra de las cuestiones más controvertidas: el cómputo de los plazos de prescripción de la acción para exigir la obligación de pago a los responsables solidarios y subsidiarios. De las diversas posiciones doctrinales y jurisprudenciales mantenidas al respecto en los últimos años podría decirse, que, la Comisión ha optado por aquélla que aporta mayor seguridad jurídica y que coincide con la tesis de la "actio nata". Así, con carácter general, el plazo de prescripción de la acción para exigir la obligación de pago a los responsables solidarios comenzará a contarse desde el día siguiente a la finalización del plazo de pago en período voluntario, si bien en los supuestos particulares de responsabilidad solidaria previstos en el artículo 42 del borrador de Anteproyecto, dicho plazo se iniciaría en el momento en que concurran los hechos que constituyan el presupuesto de la responsabilidad. Tratándose de responsables subsidiarios, lo será desde la notificación de la última actuación recaudatoria practicada al deudor principal o a cualquiera de los responsables solidarios. Respecto a las causas de interrupción de los plazos de prescripción la novedad más destacable afecta a la estructura del precepto en el que se establecen. A fin de adaptarse al principio jurisprudencial de independencia de procedimientos, formulado al hilo del artículo 66 de la Ley General Tributaria, se ha considerado más correcto especificar, por separado, las causas de interrupción que pueden afectar a los diversos plazos de prescripción. De este modo se visualiza mejor el régimen de la institución, lo que, sin duda, contribuirá a disminuir las dudas que tanta litigiosidad ha motivado en décadas pasadas, a propósito de la eficacia interruptiva de las actuaciones de la Administración y de los actos de los particulares».* (INFORME, 2003, 30-32).

Las polémicas quedan zanjadas en lo que respecta al cómputo de la prescripción con el artículo 67 de la nueva Ley, que distingue el caso del responsable solidario y subsidiario y establece de manera continuista con el criterio del Tribunal Supremo que el *dies a quo* no es para el responsable solidario la declaración de fallido de deudor principal (STS 19.7.2012). Tras la reforma de la Ley 7/2012 de prevención y lucha contra el fraude, en su apartado 2 *in fine,* establece que *«tratándose de responsables subsidiarios, el plazo de prescripción comenzará a computarse desde la notificación de la última actuación recaudatoria practicada al deudor principal o a cualquiera de los responsables solidarios»,* siguiendo prácticamente al pie de la letra el criterio del Informe, antes expuesto, que aunque supone un avance significativo no aporta, en nuestra opinión, seguridad jurídica al que pueda ser declarado responsable.

Concreta este precepto que el plazo de prescripción para exigir la obligación de pago a los responsables *solidarios* comenzará a contarse desde el día siguiente a la finalización del plazo de pago en período voluntario del deudor principal. No obstante, en el caso de los hechos que constituyan el presupuesto de la responsabilidad se produzcan con posterioridad a tal plazo, el de prescripción se iniciará a partir del momento en que tales hechos hubieran tenido lugar. Respecto a los efectos de la interrupción de los plazos de prescripción, el artículo 68.8 de la Ley General Tributaria, en su versión reformada por la Ley 7/2012 dispone que *«interrumpido el plazo de prescripción para un obligado, dicho efecto se extiende a todos los demás obligados, incluidos los responsables. No obstante, si la obligación es mancomunada y sólo se reclama a uno de los obligados tributarios la parte que le corresponde, el plazo no se interrumpe para los demás. Si existieran varias deudas liquidadas a cargo de un mismo obligado al pago, la interrupción de la prescripción sólo afectará a la deuda a la que se refiera. La suspensión del plazo de prescripción, por litigio, concurso u otras causas legales, respecto del deudor principal o de algunos de los responsables, "causa el mismo efecto en relación con el resto de los sujetos solidariamente obligados al pago, ya sean otros responsables o el propio deudor principal, sin perjuicio de que puedan continuar frente a ellos las acciones de cobro que procedan"* (art 68.8 LGT).

Después de ciertas vacilaciones, el Tribunal Supremo fijó jurisprudencia, declarando que el plazo de prescripción de las acciones de responsabilidad contra los administradores societarios, independientemente de su respectiva naturaleza, es el de cuatro años a partir del cese del cargo de administrador (entre otras muchas, SSTS 14.3.07; 14.5.07, 26.10.07, 26.9.07).

III. LA RESPONSABILIDAD TRIBUTARIA DE LA ADMINISTRACIÓN CONCURSAL Y DE LOS LIQUIDADORES

1. *Consideraciones generales*

La Ley General Tributaria sanciona con responsabilidad económica la falta de una vigilancia especial de los derechos de prelación del crédito tributario en el concurso de acreedores y de los intereses del crédito tributario en la fase de liquidación del patrimonio social, responsabilidad que recae en los integrantes de "la administración concursal" y los auxiliares delegados, que asumirán, en su caso, la función de liquidar el patrimonio del deudor (art. 26 a 39 LC reformada por la L 38/2011 y 17/2014). A diferencia de lo que ocurre con los administradores de sociedades, que pueden «ser culpables» del incumplimiento de las obligaciones tributarias por parte de la sociedad, las personas que gestionan (y en su caso liquidan), el patrimonio social en situación de concurso no han podido intervenir en tales incumplimientos. El bien jurídico protegido con la responsabilidad económica de los administradores concursales es el respeto a los derechos de prelación de los créditos tributarios, que se ven perjudicados por «*la negligencia de las gestiones fiscales de determinadas personas (liquidador, síndico, etcétera)*» (SAN 27.8.2001). Se trata, de nuevo, de un supuesto de garantía del crédito tributario.

La configuración de la responsabilidad *subsidiaria* de los integrantes de la administración concursal y de los liquidadores [art. 43.1.c) LGT] de modo independiente de los administradores de sociedades, hace posible que la Administración pueda dirigir la acción de declaración de responsabilidad a ambos sujetos. Si éste fuera el caso, todos los responsables subsidiarios deberán observar entre sí el régimen de solidaridad para el pago de las deudas por los conceptos impositivos comunes (art. 35.6 LGT, previsto con carácter general, para los obligados tributarios).

La responsabilidad tributaria de administradores concursales y liquidadores se diferencia sustancialmente de la responsabilidad mercantil, tanto en su ámbito objetivo como en la conducta exigida. Así el artículo 397.2

de la Ley de Sociedades de Capital dispone que «*los liquidadores de la sociedad anónima serán responsables ante los accionistas y los acreedores de cualquier perjuicio que les hubiesen causado por fraude o negligencia grave en el desempeño de su cargo*» mientras que el artículo 43.1 c) de la Ley General Tributaria, sin referencia alguna al grado de culpabilidad, dispone que responden subsidiariamente «*los integrantes de la administración concursal y los liquidadores de sociedades y entidades en general que no hubiesen realizado las gestiones necesarias para el íntegro cumplimiento de las obligaciones tributarias devengadas con anterioridad a dichas situaciones e imputables a los respectivos obligados tributarios. De las obligaciones tributarias y sanciones posteriores a dichas situaciones responderán como administradores cuando tengan atribuidas funciones de administración*».

La competencia para la declaración de responsabilidad es de la Agencia Tributaria y de la jurisdicción contencioso-administrativa (STS 9.4.2013).

2. El presupuesto de hecho de la responsabilidad

Deben distinguirse dos supuestos de responsabilidad, uno por las obligaciones tributarias de la entidad devengadas con anterioridad a la situación concursal de la entidad o de la liquidación de la misma y otro, por las obligaciones tributarias y sanciones posteriores al proceso concursal o de liquidación de la entidad deudora principal.

En el primer caso, se exige ser integrante de la administración concursal o liquidador del deudor principal y haber desarrollado una conducta no diligente, consistente en no haber realizado las gestiones necesarias para el cumplimiento íntegro de las obligaciones tributarias de la entidad, devengadas con anterioridad a la situación concursal o de liquidación de esta. En el segundo supuesto, únicamente se derivará la responsabilidad subsidiaria por tales obligaciones tributarias y sanciones a las personas integrantes de la administración concursal de la entidad o a sus liquidadores, cuando se tengan asignadas funciones de administración, resultando aplicables en tal caso las disposiciones previstas para la responsabilidad de administradores contenidas en la Ley General Tributaria (arts. 431.a) y b) LGT).

A diferencia de lo que ocurre en la vigente Ley General Tributaria, el artículo 40.2 de la Ley 230/1963 General Tributaria requería una conducta *negligente o maliciosa* de quienes interviniesen en la fase de liquidación del patrimonio social gestionando el patrimonio del deudor, de manera que causasen perjuicio a los créditos tributarios. Para imputarles responsabilidad tributaria era preciso que la Administración demostrase la existencia de una conducta *negligente* en el ejercicio de sus funciones y, que como consecuencia, se hubiese perjudicado el crédito tributario. De tal manera que, cuando en la liquidación de la sociedad sus responsables tuviesen conocimiento de la existencia de deudas tributarias, la conducta negligente sería indubitada si en la fase de liquidación se atendiera al pago de acreedores de peor condición antes que a los preferentes, o si se distribuyese el capital social entre los socios sin atender al pago de las deudas tributarias.

Pero la indefinición es el campo de batalla de la prueba, si tenemos en cuenta que no siempre los administradores del patrimonio del concursado tienen conocimiento de las deudas tributarias, de los procedimientos de apremio y de los embargos ya iniciados sobre determinados bienes, o de las trabas realizadas con anterioridad a la apertura del proceso concursal. Asimismo, debe considerarse que el perjuicio al crédito tributario no sólo es posible por la falta de respeto al derecho de prelación de los créditos tributarios (art. 77 LGT), sino que algunos créditos tributarios ostentarán un derecho de separación de la masa activa –es el caso de los créditos garantizados (art. 78 y 82 LGT)– que permite la ejecución separada sobre bienes determinados, con lo que no es impensable que algún grado de negligencia pueda encontrar la Administración para derivar su acción de cobro a los integrantes de la administración concursal y liquidadores, si no se consigue el «íntegro cumplimiento» de las obligaciones tributarias devengadas con anterioridad. Las funciones que correspondan a cada una de las personas que gestionan el patrimonio del concursado e intervienen en el proceso de liquidación determinarán a quién debe imputarse negligencia en el ejercicio de sus funciones.

El Tribunal Económico-Administrativo Central, en resolución de 25 de abril de 1998, entendió que procedía derivar responsabilidad al liquidador que reconoció pagos a diferentes acreedores y proveedores sin atender a los créditos de la Hacienda Pública, y en resolución de 25 de febrero de 1998 que la actuación negligente del liquidador se presentaba como manifiesta «*con sólo observar que no incluyó la deuda contraída con la Hacienda Pública en los balances de liquidación, no convocó las reuniones preceptivas, y en especial dejó de promover la declaración de quiebra necesaria, vista la situación de insolvencia de la sociedad, a lo que venía obligado no sólo por la legislación aplicable sino también por los propios Estatutos sociales*». Por su parte, la sentencia de 28 de septiembre de 1998 del Tribunal Superior de Justicia de Cantabria se pronuncia sobre el umbral de diligencia en el caso de un liquidador anterior administrador de la sociedad, de la manera que sigue: «*por lo que respecta a la responsabilidad como liquidador de la sociedad (art. 40.2 LGT) por las deudas pendientes de pago, aquí sí que se exige la negligencia o mala fe, plasmada en el hecho de no realizar las gestiones necesarias para el íntegro cumplimiento de las obligaciones tributarias imputables a los sujetos pasivos pero tal negligencia es evidente, si se tiene en cuenta: a) que resulta impagada la totalidad del impuesto durante los años 1994 a 1996, b) que no consta actuación del liquidador encaminada al pago de tales débitos; c) que tampoco ha probado el recurrente que se dirigiera a la Administración, en dicho periodo, manifestando la actuación de insolvencia o desbalance de la empresa, interesando aplazamientos o fraccionamientos; d) que sí constan diversos pagos de otras deudas a otros acreedores que desconocen la preferencia de los créditos tributarios (art. 71 de la LGT), por lo que no se puede afirmar que la conducta de la recurrente como administrador y liquidador fuera diligente, antes al contrario, provocó, con el pago a acreedores de inferior entidad en cuanto a la prelación del cobro, el impago de la Hacienda municipal».* El umbral de diligencia es más claro si el liquidador lo es como consecuencia de un convenio concursal pues su misión consiste en satisfacer los créditos de los acreedores según el orden establecido. La diligencia exigida a los administradores concursales es la de *«un ordenado administrador y de un representante leal»* (art. 35 LC).

Es importante advertir que la Ley Concursal modificada por la Ley 38/2011 permite al juez del concurso acordar, como medida cautelar, desde la declaración del concurso de persona jurídica, el embargo de bienes y derechos de sus administradores o liquidadores, de hecho o derecho, apoderados generales y de quienes hubieran tenido esta condición dentro de los dos años anteriores a la fecha de la declaración del concurso, cuando de lo actuado resulte fundada la posibilidad de que en la sentencia de calificación las personas a las que afecte el embargo sean condenadas a la cobertura del déficit resultante de la liquidación en los términos previstos en esta ley. El embargo se acordará por la cuantía que el juez estime y podrá ser sustituido, a solicitud del interesado, por aval de entidad de crédito, pudiendo contra el auto que resuelva sobre la medida cautelar interponerse recurso de apelación (Ley 22/2003 modif. Ley 38/2011, art. 48 ter).

3. *La extensión de la responsabilidad*

La responsabilidad aparece referida a las «obligaciones tributarias devengadas con anterioridad» a las situaciones concursales [art. 43.1 c) LGT]. Por ello, la derivación alcanzará a la deuda inicialmente liquidada al deudor principal. No obstante, el empleo de la expresión obligaciones «devengadas» frente al de «liquidadas», ha de interpretarse en el sentido de admitir el alcance de la responsabilidad a aquellas deudas nacidas antes de la situación concursal aunque liquidadas con posterioridad.

Respecto a la extensión a las sanciones, la respuesta de la doctrina mayoritaria –anterior a la Ley vigente– ha sido afirmativa y así se ha interpretado en la práctica administrativa. Basándose en la ubicación del precepto junto al de la responsabilidad de los administradores, se argumenta que entenderlo de otra manera desnaturalizaría el sentido del artículo 40 que presupone negligencia en la conducta (RTEAC 12.2.1998). Sin embargo, también existen pronunciamientos (SAN 8.10.1998) que afirman la extinción de las sanciones en caso de liquidación del ente social.

La vigente Ley General Tributaria, al referirse exclusivamente a la responsabilidad por las obligaciones tributarias devengadas e imputables a las sociedades o entidades en concurso y no a las sanciones, es suficientemente explícita. No cabe pues, con carácter general, afirmar la extensión a las sanciones, ni con posterioridad al 1 de julio de 2004 ni antes, como consecuencia del principio de la aplicación de la norma más favorable. No obstante, sí responderán estos sujetos de las obligaciones tributarias y de las sanciones posteriores a las situaciones concursales únicamente en el caso en que tengan atribuidas funciones de administración. La lógica del precepto obedece a la necesidad de exigir responsabilidad por la condición de administrador, debiendo ser aplicables en este supuesto, a nuestro entender, las reglas generales previstas para los administradores (art. 42 y 43 LGT).

Capítulo 12

EL SEGURO DE RESPONSABILIDAD CIVIL DE LOS ADMINISTRADORES DE SOCIEDADES DE CAPITAL

ANTONIO RONCERO
Catedrático de Derecho mercantil
Universidad de Castilla-La Mancha

I. INTRODUCCIÓN: ORIGEN, EVOLUCIÓN Y LICITUD DEL SEGURO DE RESPONSABILIDAD CIVIL DE ADMINISTRADORES DE SOCIEDADES DE CAPITAL

La tendencia hacia la ampliación y agravamiento del ámbito y régimen de la responsabilidad de los administradores de las sociedades de capital que se aprecia en la generalidad de los ordenamientos jurídicos particularmente a partir de la segunda mitad del siglo pasado, ha provocado una notable ampliación de los supuestos de exigencia de responsabilidad y, en consecuencia, ha aumentado de un modo muy destacado el riesgo de responsabilidad de los administradores sociales. Ello ha suscitado, a su vez, el debate sobre la necesidad de arbitrar medidas que permitan a los administradores afrontar su riesgo de responsabilidad ante el temor de que el cargo de administrador no sea aceptado por los profesionales más cualificados y competentes. En este contexto, al margen de otras alternativas, se sitúa el extraordinario desarrollo alcanzado por el seguro de responsabilidad civil de los administradores de sociedades que, sin perjuicio de sus antecedentes (la extensión de la técnica aseguradora a la actividad desarrollada por los administradores de las sociedades anónimas se planteó ya a finales del siglo XIX, aunque en ese momento la propuesta tuviese escaso éxito), se produce en Estados Unidos y los países anglosajones fundamentalmente a partir de la década de los años setenta del siglo pasado y, posteriormente, también en la Europa continental donde ha experimentado una notable difusión sobre todo en la década de los años noventa del siglo pasado, aun cuando todavía no haya alcanzado un grado de implantación similar al existente en Estados Unidos (sobre el origen, desarrollo y situación actual de esta modalidad de seguro en EEUU *vid.* el completo y autorizado trabajo de PÉREZ CARRILLO, *Aseguramiento*, pp. 31 y ss.).

El desarrollo de esta modalidad asegurativa, internacionalmente conocida como «seguro D&O» (abreviatura de *directors and officers*) lo que refleja la importancia que en la configuración y difusión del mismo ha tenido la praxis anglosajona y, particularmente, la estadounidense (influencia que se aprecia no solo en su denominación sino, sobre todo, en la delimitación de la cobertura), ha sido cíclico alternándose etapas de considerable expansión con otras de acusada recesión. En Estados Unidos, tras la profunda crisis de este sector del mercado asegurador a mediados de los años ochenta y la subsiguiente etapa de expansión experimentada a finales de esa misma década y principios de los noventa, el inicio de la nueva centuria ha coincidido con una nueva fase de recesión; en particular, la evolución del número de reclamaciones en exigencia de responsabilidad contra administradores de sociedades de capital (que muestra un incremento sostenido en los últimos años con un avance muy significativo en 2001 y un aumento de la media de la cuantía de los daños potenciales cuya indemnización se reclama a través de *class actions* interpuestas por accionistas de un setecientos por cien en los últimos cuatro años) y el aumento de la cuantía de las indemnizaciones que han de ser satisfechas como consecuencia de transacciones o de resoluciones judiciales (solamente las indemnizaciones satisfechas por las compañías aseguradoras por transacciones en 2000 ha supuesto 2,73 veces la cuantía total de las primas percibidas por éstas en ese mismo año) así como acontecimientos de gran trascendencia para el sector asegurador (ataques terroristas del 11 de Septiembre de 2001, escándalos financieros de multinacionales estadounidenses como Enron o WorldCom), han provocado pérdidas muy importantes en este ramo del seguro (en algunos casos del doscientos o trescientos por cien) y con ello una nueva convulsión en la oferta de esta modalidad asegurativa que realizan las compañías aseguradoras concretada fundamentalmente en un espectacular aumento de las primas (sobre todo en relación con administradores de sociedades dedicadas a ciertos sectores de la actividad económica como telecomunicaciones, alta tecnología, aviación o biotecnología, con incrementos en algunos casos de hasta un mil por cien) y una reducción de la cobertura (incremento de cláusulas de exclusión de cobertura, reducción de límites cuantitativos, aumento de las franquicias, etc.), tendencia que ha continuado en 2003 y parece haberse estabilizado en 2004 (*vid.* PÉREZ CARRILLO, *Aseguramiento*, págs. 20 y 21). Confirmando el carácter cíclico de esta modalidad de seguro, en los últimos tiempos se incluye al mismo entre los seguros con mayor potencial de crecimiento en el marco de la crisis actual y en el futuro más inmediato (vid. las referencias que incluye PÉREZ CARRILLO, El seguro de responsabilidad, p. 275). Específicamente en España, en los últimos tiempos se aprecia una tendencia claramente al alza en la contratación de este seguro (en este sentido, el *IV Estudio Marsh* señala que la contratación del seguro D & O creció en apenas cuatro más años –entre 2006 y 2010– más de un 200% así como que, en los últimos ocho años, se ha cuadruplicado el importe total destinado por las sociedades al pago de las primas correspondientes a este tipo de seguro; a partir de ese momento, el crecimiento se ha ralentizado pero continúa al alza -vid. el VII Estudio Marsh, presentado en noviembre de 2014-).

Como puede apreciarse, la evolución del seguro de responsabilidad civil de administradores de sociedades de capital en tanto instrumento para facilitar la reducción del riesgo de responsabilidad asumida por éstos, ha sido paralela al propio proceso de evolución del régimen de responsabilidad de los administradores, lo cual no es más que otra manifestación de la interrelación existente entre responsabilidad civil y seguro de responsabilidad civil (*vid.* GARRIGUES, *Contrato*, pág. 357; CALZADA, *El seguro*, pág. 44 y SÁNCHEZ CALERO, *Evolución*, pág. 19). Ello explica que en el mercado asegurador español esta modalidad de seguro sólo haya aparecido con posterioridad a la reforma de la Ley de Sociedades Anónimas en 1989, una modificación legislativa que marcó el punto de inflexión en el ejercicio de acciones de responsabilidad contra los administradores de las sociedades anónimas y, en consecuencia, en el aumento de su riesgo de responsabilidad (en adelante nos referiremos fundamentalmente a las sociedades anónimas, aun cuando las consideraciones que se realicen son básicamente trasladables también al seguro de responsabilidad de administradores de otras sociedades de capital y sin perjuicio de que esta modalidad asegurativa se esté extendiendo también a la cobertura del riesgo de responsabilidad derivado de la gestión de otras entidades o instituciones; al respecto vid. RONCERO, pág. 97 y ss. y PÉREZ CARRILLO, *Aseguramiento*, pág. 21). Por el momento, no obstante, el volumen de contratación de

este seguro en nuestro país es todavía moderado, aun cuando pueda pre-
verse una evolución positiva en consonancia con ese aumento del riesgo
de responsabilidad de los administradores (FERNÁNDEZ DEL MORAL, *El
seguro*, pág. 273 y ss.; PÉREZ CARRILLO, «Asegurados», pág. 1728 e IRIBA-
RREN, *El seguro*, pág. 330).

Entre los motivos que, al menos en un primer momento, han podido
frenar la expansión del seguro se cita la consideración de que su contratación puede constituir un incentivo para exigir responsabilidad a los administradores sociales (según el viejo principio de que «la cobertura provoca
la responsabilidad»; SÁNCHEZ CALERO, *Evolución*, pág. 21 y ss.) y, sobre
todo, la posibilidad de que su existencia genere una mayor propensión a
declarar responsables a los administradores y/o a fijar indemnizaciones
más cuantiosas (FERNÁNDEZ DEL MORAL, *El seguro*, pág. 160, nota 211),
lo cual puede significar que la propia contratación del seguro implica un
aumento del riesgo de responsabilidad de los administradores que ha de
ser valorado por la compañía aseguradora a efectos de la delimitación del
riesgo asegurado, cálculo de la prima y eventualidad de la distribución del
riesgo con otros aseguradores. No obstante, las razones más relevantes que
han podido frenar la difusión de este seguro derivan de la extraordinaria
complejidad del riesgo asegurado originada por las dificultades que plantea su definición, la apreciación de su existencia y, sobre todo, el estudio estadístico de la probabilidad de producción de los siniestros e importancia
económica de éstos lo cual se traduce, entre otros aspectos, en problemas
para la elaboración de bases técnicas que permitan un cálculo adecuado de
las primas (en parecido sentido *vid.* SÁNCHEZ CALERO, *El seguro*, págs.
400 y 401).

La admisión y difusión de esta modalidad asegurativa en cada ordenamiento jurídico ha exigido la superación previa de los obstáculos que tradicionalmente se han opuesto a su licitud, una cuestión que sin embargo en
la actualidad puede considerarse superada. Los principales argumentos esgrimidos a este respecto han sido básicamente la negativa influencia que la
contratación de un seguro puede provocar sobre el comportamiento de los
administradores (el aseguramiento de la responsabilidad puede provocar
una disminución de la diligencia y atención del administrador asegurado
en el cumplimiento de sus funciones) y su incompatibilidad con el carácter
imperativo y de orden público del régimen legal de la responsabilidad de
los administradores de una sociedad anónima. El primer argumento, reflejo a su vez del aducido tradicionalmente contra el seguro de responsabilidad civil en general, se basa en una hipótesis que no ha sido demostrada
ni es probablemente demostrable, sin perjuicio de que también quepa una

interpretación distinta y positiva del efecto que la conclusión de un contrato de seguro de responsabilidad civil puede provocar sobre el comportamiento de los administradores sociales, al permitir a éstos la adopción de decisiones empresariales asumiendo el nivel de riesgo necesario para satisfacer el interés de los accionistas (*vid.* GÓMEZ-LLORENTE, pág. 237 y CAMPINS VARGAS, págs. 987 y 988).

Por otra parte, para analizar su pretendida incompatibilidad con el carácter imperativo y de orden público del régimen legal de responsabilidad de los administradores sociales debe abordarse el significado, de un lado, de la contratación del seguro sobre la responsabilidad del administrador y, de otro, del carácter imperativo del régimen legal. La contratación del seguro no constituye un supuesto de exoneración de la responsabilidad de los administradores sino únicamente una limitación de la misma en sentido económico (el administrador asegurado responde exactamente igual y por las mismas conductas que el no asegurado si bien aquél comparte en mayor o menor medida las consecuencias patrimoniales de su responsabilidad con otro sujeto, la compañía aseguradora). Junto a ello, el carácter imperativo del régimen legal significa que no cabe su derogación por voluntad de las partes, es decir, no cabe su alteración en lo que respecta, al menos, a una liberación, limitación o reducción de la responsabilidad legalmente impuesta; ello no impide que el administrador declarado responsable pueda compartir las consecuencias económicas de su responsabilidad con otro sujeto salvo que éste sea el propio perjudicado pues, en este caso, quedaría sin cubrir la parte de dichas consecuencias trasladas a éste incumpliéndose así la prescripción legal que impone la obligación de indemnización íntegra de los daños causados al perjudicado. Si se asume que la responsabilidad de los administradores cumple no tanto una función preventiva cuanto compensativa o resarcitoria y de distribución de los costes del daño, el contrato de seguro resultaría determinante para reforzar esa función de la responsabilidad y, en consecuencia, plenamente compatible con el régimen legal pues, en definitiva, vendría a cumplir junto a éste una misma función de resarcimiento (en la doctrina española *vid.* SÁNCHEZ CALERO, *El seguro*, pág. 394).

La licitud de esta modalidad de contrato de seguro de responsabilidad civil resulta en la actualidad indiscutible incluso en aquellos ordenamientos jurídicos que no establecen expresamente su admisibilidad. El debate se ha centrado en los últimos tiempos fundamentalmente en el examen de la licitud de ciertos aspectos del contrato de seguro de responsabilidad de administradores y, en particular, en la admisibilidad del pago de la prima por parte de la sociedad en la cual el administrador o administradores asegurados ejercen sus funciones, una cuestión que, como veremos posteriormente, también puede considerarse hoy plenamente superada (*infra* apartado III.2). Resuelto el problema de la licitud, la cuestión se desplaza al análisis de los elementos del contrato para resolver las cuestiones de Derecho societario y de Derecho de seguros que los mismos pueden plantear. A este respecto debe señalarse que, en nuestro ordenamiento jurídico, la ausencia de una regulación específica que establezca el régimen jurídico básico del seguro de responsabilidad civil de administradores de sociedades anónimas, como por otra parte sucede en la generalidad de los ordenamientos jurídicos, plantea ciertas dificultades y obliga a «reconstruir» su disciplina jurídica a partir fundamentalmente del régimen propio del contrato de seguro (en particular, del seguro de responsabilidad civil cuyo régimen legal es también extraordinariamente parco) y de las normas reguladoras de la posición jurídica de administrador de una sociedad anónima (nos referiremos preferentemente a este tipo societario, que es en relación con el cual se plantea más frecuentemente la contratación de este seguro, aunque obviamente también pueda plantearse su contratación en relación con otros tipos societarios –particularmente, sociedades de capital– y otras entidades –por ejemplo, Cajas de Ahorro–).

II. CARACTERIZACIÓN GENERAL DE ESTA MODALIDAD DE SEGURO

1. Consideraciones previas: referencia a factores que han influido en la delimitación contractual de esta cobertura asegurativa

Con carácter previo a abordar sus caracteres es necesario realizar algunas consideraciones que contribuyen a definir con mayor nitidez los perfiles de esta figura asegurativa y que hacen referencia a factores que han tenido una influencia determinante en su delimitación contractual en nuestro y en otros mercados aseguradores. Ante todo, al margen de la complejidad del riesgo asegurado que ha sido señalada en el apartado anterior, debe subrayarse la significativa heterogeneidad apreciable en los clausulados generales elaborados por las diferentes compañías aseguradoras que, aun cuando no afecte a los caracteres básicos de este seguro que pueden considerarse comunes a todos los ordenamientos jurídicos, plantea una notable dificultad en orden, sobre todo, a la exposición de la delimitación de la cobertura del riesgo y del contenido del contrato (las pólizas suelen elaborarse como «trajes a medida» atendiendo a las singularidades en cada compañía del riesgo asegurado; SÁNCHEZ CALERO, *El seguro*, pág. 401). En los mercados aseguradores menos desarrollados en relación con este ramo del seguro puede observarse que, en un primer momento, la oferta de seguro de responsabilidad civil de administradores es una mera traducción de la que se realiza en otros mercados aseguradores y, singularmente, de las pólizas utilizadas en Estados Unidos y en el mercado reasegurador de Londres. Sólo en una segunda fase las compañías aseguradoras comienzan a elaborar pólizas adaptadas con mayor o menor rigor a las singularidades del mercado nacional y, particularmente, al concreto régimen jurídico de la responsabilidad de los administradores de sociedades de capital vigente en éste pero, aún en esta segunda fase, la dependencia respecto del clausulado general traducido continúa siendo elevada.

La traslación mimética de pólizas del contrato construidas en relación con otros ordenamientos jurídicos no plantea problemas de ilicitud sino exclusivamente de clara y, en ocasiones, profunda inadecuación. La utilización de los clausulados generales elaborados en el mercado estadounidense ha convertido a algunos aspectos de la cobertura y del contenido del contrato en *standard* internacional a pesar de la diferente relevancia que los mismos tienen en otros ordenamientos jurídicos. Cuestiones como la cobertura conjunta del riesgo de responsabilidad de administradores de sociedades y altos cargos o personal de alta dirección bajo la misma modalidad asegurativa, la utilización de conceptos acuñados en el ordenamiento jurídico estadounidense para delimitar el riesgo asegurado, la inclusión en la cobertura asegurada del riesgo de que la sociedad pueda verse obligada a indemnizar a sus administradores por los gastos que a éstos haya podido originar la exigencia de responsabilidad y la exclusión de la cobertura del riesgo de la responsabilidad social o frente a la sociedad cuando ésta es exigida por la propia sociedad tomadora, constituyen claros ejemplos de esa tendencia; precisamente como consecuencia de esta proximidad resulta especialmente relevante tomar en consideración los criterios interpretativos consagrados en la doctrina y jurisprudencia estadounidense (sobre esta cuestión *vid.*, en particular, PÉREZ CARRILLO, *Aseguramiento*, pág. 40 y ss. y también IRIBARREN, *El seguro*, pág. 31).

A su vez, la utilización no sólo de los clausulados generales redactados por las compañías aseguradoras estadounidenses, sino también de la propia experiencia del mercado asegurador norteamericano para elaborar la cobertura del seguro de responsabilidad civil de administradores en la Europa continental provocó también, al menos en los primeros momentos de comercialización de este seguro en nuestro mercado asegurador, efectos desfavorables sobre el desarrollo de esta modalidad asegurativa o, como mínimo, un desajuste entre la oferta realizada por las compañías aseguradoras y la demanda del mismo existente entre las sociedades de capital.

Debe tenerse en cuenta, igualmente, que el mercado del seguro de responsabilidad civil de administradores de sociedades se encuentra fuertemente internacionalizado y, sobre todo, muy mediatizado por el mercado del reaseguro, lo cual determina que las compañías aseguradoras elaboren y asuman la cobertura del riesgo tomando en consideración, a veces exclusivamente, las posibilidades de que dicho riesgo pueda ser asumido por una compañía reaseguradora mediante una operación de reaseguro. Esta dependencia del reaseguro, que en el caso del mercado español ha supuesto un límite muy importante a la expansión de esta modalidad de seguro al menos hasta la modificación de la Ley del Contrato de Seguro por la Ley de Ordenación y Supervisión de los Seguros Privados de 1995 que supuso la admisión de las cláusulas de delimitación temporal del riesgo denominadas «*claims made*», explica el mimetismo que ha podido apreciarse entre la oferta del seguro realizada en nuestro país y la existente en ciertos mercados de reaseguro.

En estrecha conexión con esta última consideración debe señalarse también la permanente variación del contenido del condicionado general de estos seguros que se aprecia en todos los mercados aseguradores lo cual puede obedecer, al margen de a la propia evolución del régimen de responsabilidad de administradores y, por tanto, del riesgo asegurado, a la competencia existente entre las compañías aseguradoras en este ramo del seguro. En cualquier caso, la singularidad de esta modalidad de seguro de responsabilidad civil radica, como en general sucede en relación con otras clases o modalidades del mismo, en la propia peculiaridad del supuesto de responsabilidad asegurado. De este modo, las diferencias apreciables entre las pólizas de seguro de responsabilidad civil de administradores ofrecidas en los distintos mercados aseguradores obedecen fundamentalmente a las propias diferencias existentes en los distintos ordenamientos jurídicos en relación con el régimen jurídico aplicable a la responsabilidad civil de los administradores sociales.

2. *Caracterización como modalidad del seguro de responsabilidad civil*

El seguro de responsabilidad civil de administradores de una sociedad anónima constituye una clase o modalidad del seguro de responsabilidad civil, modalidad asegurativa que en nuestro Derecho positivo se configura a su vez como un seguro de daños entendiendo por tal aquel en cuya virtud el asegurador se compromete a indemnizar el daño derivado de la realización del riesgo delimitado en el propio contrato (ello presupone que por daño en esta modalidad de seguro entendemos el nacimiento a cargo del asegurado de una deuda de responsabilidad, es decir, la obligación de indemnizar los daños y perjuicios ocasionados a un tercero por un acto del que aquél sea civilmente responsable –por todos, SÁNCHEZ CALERO, *Ley*, pág. 1127–).

Desde el punto de vista de su caracterización como modalidad del seguro de responsabilidad civil, constituye en primer lugar un seguro voluntario pues ninguna norma legal impone obligatoriamente su contratación sin perjuicio de que la misma pueda imponerse convencionalmente (así, mediante una disposición estatutaria o acuerdo de la junta general a tenor de lo previsto en el art. 214.2 de la Ley de Sociedades de Capital, aprobado por Real Decreto Legislativo 1/2010, de 2 de julio) e igualmente de que desde una perspectiva de *lege ferenda* pueda considerarse conveniente la introducción del deber legal de los administradores, al menos en ciertas sociedades, de concluir un seguro de responsabilidad civil (así SÁNCHEZ CALERO, *Administradores*, págs. 40 y 41; de hecho, en la tramitación parlamentaria de la Ley 6/2005, de 22 de abril, ya se planteó la imposición de la obligación de concluir un seguro a los administradores de sociedades cotizadas, aunque finalmente no se incorporase al texto final de la Ley). A su vez, en tanto la fuente u origen de la responsabilidad asegurada en caso de seguro de responsabilidad civil de administradores viene constituida por el ejercicio de las funciones propias del órgano de administración de una sociedad anónima, debe considerarse como un seguro de responsabilidad civil derivada del desarrollo de una actividad que presenta perfiles específicos que impide su asimilación a otras actividades (ello impide en particular calificar a este seguro como modalidad de seguro de responsabilidad civil profesional que, por otra parte, tampoco tendría consecuencias relevantes; *vid.* RONCERO SÁNCHEZ, pág. 65 y ss.; MORRAL SOLDEVILLA, pág. 319 e IRIBARREN, *El seguro*, pág. 32; en contra FERNÁNDEZ DEL MORAL, *El seguro*, pág. 39 y ss.; VICENT CHULIÁ, pág. 300 y SÁNCHEZ CALERO, *El seguro*, pág. 393) y le dota de singularidad frente a otros seguros de responsabilidad civil derivada del desarrollo de una actividad.

Junto a ello, en función de la concreta configuración adoptada en cada caso, el seguro de responsabilidad civil de administradores de una sociedad anónima puede presentar otros caracteres. Así, aun cuando obviamente cabe la contratación individual del seguro por el administrador que quiere ponerse a salvo de su riesgo de responsabilidad, frecuentemente se configura como un contrato de seguro por cuenta de terceros (art. 7 LCS) en tanto se concluye por la sociedad en la cual ejercen sus funciones los administradores asegurados, configurándose así como un seguro celebrado en nombre propio (sociedad contratante) pero por cuenta e interés de un tercero (administrador o administradores asegurados); en la praxis, frente a los seguros contratados individualmente por los propios administradores asegurados, predominan de forma absolutamente mayoritaria los suscritos por la sociedad para asegurar la responsabilidad de sus administradores, una situación que en ocasiones deriva de la propia exigencia de las compañías aseguradoras que no admiten la contratación individual de este seguro (*vid.* LLINÁS VILA, pág. 181; VICENT CHULIÁ, pág. 282). Por otra parte, la superación por el tomador del seguro (sociedad contratante) de los parámetros cuantitativos establecidos en el artículo 107.2 de la Ley de Contrato de Seguro permitirá la calificación de éste como seguro «de grandes riesgos» (en relación con lo cual debe tomarse en consideración que el propio artículo 107.2 de la Ley determina que «*si el tomador del seguro formara parte de un conjunto de empresas cuyo balance consolidado se establezca con arreglo a lo dispuesto en los artículos 42 a 49 del Código de Comercio, los criterios mencionados anteriormente se aplicarán sobre la base del balance consolidado*») lo que tendrá como principal consecuencia la inaplicación del mandato de imperatividad contenido en el artículo 2 de la Ley de Contrato de Seguro (art. 44 LCS); ello supone no la exclusión de la aplicación de la Ley de Contrato de Seguro sino únicamente el aumento del ámbito de autonomía de la voluntad de las partes contratantes al atribuir carácter meramente dispositivo a sus disposiciones (ALMAJANO PABLOS en SÁNCHEZ CALERO, *Estudios*, pág. 70 y ss.; SÁNCHEZ CALERO, *Ley*, págs. 71, 72, 683 y 684) si bien, para evitar la desnaturalización del contrato de seguro, se entiende que determinados preceptos de la Ley de Contrato de Seguro no podrán ser derogados por voluntad de las partes, como son los que establecen la necesaria concurrencia de los elementos del contrato (riesgo –art. 4 LCS–, interés –art. 25 LCS–, etc.) o el respeto al principio indemnizatorio (art. 26 LCS) así como tampoco aquellos preceptos a través de los cuales se reconoce a un tercero un derecho propio que como tal está al margen del poder de disposición de las partes del contrato como el reconocimiento de acción directa al tercero perjudicado en el seguro de responsabilidad civil (art. 76 LCS; *vid.*, por todos, SÁNCHEZ CALERO, *Ley*, págs. 72 y 684; esta misma doctrina ha sido asumida por el Tribunal Supremo en su Sentencia de 29 de julio de 2002 en la que, entre otros aspectos, se resuelve una cuestión relacionada con un seguro de responsabilidad civil de administradores de sociedades anónimas; en esta resolución, el Tribunal Supremo afirma: «*la naturaleza dada a un contrato de responsabilidad civil de «pólizas de grandes riesgos» por el acuerdo de las partes y que las autoriza a separase en sus relaciones de lo establecido imperativamente en la ley, no permite considerar suprimidos los derechos de los terceros perjudicados, ajenos al contrato, derechos que tengan su fuente en una ley, que de forma expresa los reconozca, como ocurre con el citado artículo 76»).*

III. SUJETOS INTERVINIENTES EN LA RELACIÓN ASEGURADORA

1. Asegurador

En el contrato de seguro de responsabilidad civil de administradores de sociedades no se plantea ninguna especialidad en torno a la delimitación de la figura del asegurador. Dado que se trata de una modalidad del seguro de responsabilidad civil, la entidad aseguradora habrá de disponer de autorización administrativa para el ejercicio de la actividad aseguradora en el ramo correspondiente e, igualmente, dentro de la zona geográfica adecuada que, en principio y para entidades aseguradoras domiciliadas en España, será la correspondiente al Espacio Económico Europeo. A este respecto, el contrato podrá ser concluido tanto por entidades aseguradoras domiciliadas en España, en otros países miembros del Espacio Económico Europeo o en terceros países, siempre que en cada caso se cumplan los requisitos para el ejercicio de la actividad aseguradora establecidos en la normativa de ordenación y supervisión de los seguros privados.

En general, la complejidad y grado de sofisticación de este seguro ha provocado que su contratación se concentre en todos los mercados aseguradores en un reducido conjunto de compañías aseguradoras (en Estados Unidos, en el año 2001, sólo dos compañías –American International Group y Chubb & Son Incorporate– reunían el cuarenta por ciento del total de pólizas y el cuarenta y ocho por ciento del volumen total de primas; si a ello añadimos la cuota que ostenta el mercado del Lloyd se obtiene más del sesenta por cien del volumen de contratación, mientras que el resto de compañías no superan individualmente el cinco por ciento; en España, PÉREZ CARRILLO, El seguro de responsabilidad, pág. 300, señala que el 97% del mercado está en manos de siete compañías aseguradoras y que la mayor parte de los contratos siguen siendo concluidos por aseguradoras americanas). En algunos mercados aseguradores se han creado *pools* o agrupaciones entre compañías aseguradoras para facilitar la gestión de los contratos de seguro de responsabilidad civil de administradores sociales concertados por todas ellas. La agrupación no asume en ningún caso ni total ni parcialmente el riesgo asegurado por cada una de las compañías aseguradoras participantes, sino que ocupa exclusivamente la posición de una oficina central cuya labor se limita a la realización de los trabajos preparatorios en relación con las ofertas y proposiciones de seguro (elaboración de principios comunes sobre el condicionado general, intercambio de informaciones, etc).

2. Tomador. Consecuencias de la asunción por la sociedad de la posición jurídica de tomador

Como hemos señalado anteriormente, aun cuando el seguro de responsabilidad civil de administradores de sociedades anónimas puede ser contratado bien individualmente por el propio administrador que quiere ponerse a salvo del riesgo derivado de su eventual responsabilidad (seguro por cuenta propia) bien colectivamente por la sociedad en la cual ejercen sus funciones los administradores asegurados (seguro por cuenta ajena), en la praxis predominan de manera abrumadora los supuestos de contrato de seguro concluidos por la propia sociedad, una posibilidad cuya licitud ha sido discutida en el pasado pero que resulta hoy incuestionable (*vid*. los argumentos en RONCERO SÁNCHEZ, pág. 88 y ss.). Incluso, en algunos casos, las compañías aseguradoras no admiten la celebración de esta clase de contrato de seguro directamente por cada uno de los administradores asegurados sino que exigen que el mismo sea concluido de forma colectiva por la propia sociedad en la que éstos desarrollan sus funciones (desde un punto de vista práctico, la contratación del seguro de responsabilidad de todos los administradores de una sociedad con una misma compañía aseguradora permite a ésta calcular con mayor precisión el riesgo asegurado y evita que se produzcan «lagunas de protección», al margen de que elimina los problemas que podrían plantearse en caso de que cada administrador contrate el seguro con una compañía diferente particularmente como consecuencia del carácter solidario de su responsabilidad; *vid*. FERNÁNDEZ DEL MORAL, *El seguro*, págs. 53 y 54; VICENT CHULIÁ, pág. 282).

No obstante, en nuestro país una de las primeras decisiones jurisprudenciales sobre este seguro ha llevado a algunos autores a sugerir una modificación de esta praxis al entender que resulta más conveniente que la posición de tomador sea ocupada por uno de los administradores asegurados (por ejemplo, el Presidente o el Secretario del Consejo de administración) actuando por cuenta de todos los demás (*vid*. PAVELEK, pág. 43). En este sentido, en la Sentencia de la Audiencia Nacional de 31 de marzo de 2000, entre los argumentos esgrimidos para rechazar la reclamación del tomador-perjudicado contra la compañía aseguradora por daños sufridos como consecuencia de la actuación de los asegurados (administradores de aquél), se afirma que «... *Banesto, en cuanto tomador del seguro, al mismo tiempo que perjudicado, conocía perfectamente estas cláusulas de exoneración y no puede razonablemente invocarse en este caso la especial tutela que al perjudicado brinda el art. 76 de la Ley del Contrato de Seguro*», añadiéndose que «...*se da la circunstancia de que el perjudicado es Banesto, que fue tomador del seguro, por lo que las excepciones oponibles fueron expresamente pactadas con su intervención*» (argumentación que se recoge sin contradicción en la Sentencia del Tribunal Supremo de 29 de Julio de 2002); ello pone de manifiesto que la asunción por la sociedad de la posición jurídica de tomador del seguro puede tener importantes consecuencias en los supuestos en los cuales la propia sociedad sea la perjudicada por la actuación de los administradores y siempre que la responsabilidad interna o social sea objeto de cobertura por el seguro (al respecto debe señalarse que en ocasiones la cobertura del riesgo de responsabilidad de los administradores frente a la sociedad para la cual ejercen sus funciones se limita o se excluye, salvo en los casos en los que dicha responsabilidad sea exigida en favor de la sociedad por los socios o acreedores en los términos de los arts. 239 y 240 LSC); en particular, implica que la sociedad-perjudicada, en cuanto tomadora del contrato, es conocedora de todo el contenido de la póliza lo cual, en opinión de nuestros tribunales, puede disminuir sus posibilidades de ejercicio de la acción directa frente al asegurador respecto al supuesto en el cual el perjudicado sea un tercero, dado que permitirá que la compañía aseguradora oponga excepciones basadas en el contrato que no podría oponer a otros perjudicados (ello, sin embargo, no puede referirse a las exclusiones de cobertura, como parece hacerse en la Sentencia de la Audiencia Nacional de 31 de marzo de 2000, pues éstas constituyen delimitaciones de la cobertura del riesgo y, en cuanto tales, son oponibles a cualquier perjudicado; en cambio, sí abarcaría por ejemplo la excepción basada en el incumplimiento del deber de declarar el riesgo que podría oponerse al asegurado y que, en cambio, no puede oponerse al tercero perjudicado que ejerce la acción directa –*vid.* la SAP de Burgos, sección 3ª, de 11 de noviembre de 2009–).

Debe advertirse, no obstante, que aun cuando el seguro sea contratado por la sociedad el mismo se concluye en interés de los administradores asegurados; es decir, sin perjuicio del interés que eventualmente pudiera tener la sociedad en la contratación del seguro (interés o intereses que tienen relevancia únicamente para valorar el significado de la contratación del seguro por la sociedad desde una perspectiva estrictamente jurídico-societaria), éste se concluye para proteger exclusiva o preferentemente el interés de los administradores a mantener la integridad de su patrimonio personal en los casos en los que el mismo se vea gravado como consecuencia del nacimiento de una deuda de responsabilidad (la mayoría de la doctrina afirma que la contratación de este seguro se dirige a proteger intereses propios de la sociedad para la que los administradores desarrollan sus funciones –*vid.* DE LA TORRE, pág. 84, CALBACHO, pág. 569, FERNÁNDEZ DE LA GÁNDARA y otros, pág. 49, FERNÁNDEZ DEL MORAL, *El seguro,* pág. 53, PÉREZ CARRILLO, *La administración,* pág. 248, nota 51, MOYA JIMÉNEZ, pág. 279, CAMPINS VARGAS, pág. 1003 y ss.–, intereses que sin perjuicio de su nivel de satisfacción mediante la contratación del seguro no deben ser confundidos con el interés asegurado –*vid.* RONCERO SÁNCHEZ, pág. 87 y ss. y también CAMPINS VARGAS, pág. 1007–).

En todo caso, la asunción por la sociedad de la posición de tomador determina importantes consecuencias y plantea algunos problemas tanto desde la perspectiva de la relación aseguradora como desde un plano estrictamente jurídico-societario. Así, desde la primera perspectiva, ello implica que la sociedad asumirá «*las obligaciones y deberes que derivan del contrato... salvo aquellos que por su naturaleza deban ser cumplidos por el asegurado*» (art. 7 LCS). En la suscripción del contrato, la sociedad-tomadora podrá actuar por medio de sus administradores lo cual, en el caso (frecuente en la praxis) de que la póliza excluya la cobertura en relación con reclamaciones que versen sobre hechos acaecidos con anterioridad a su entrada en vigor y conocidos por el tomador, plantea la cuestión de determinar si el conocimiento por un administrador-asegurado del hecho que provoca la reclamación debe entenderse que implica conocimiento por la propia sociedad-tomadora y, en consecuencia, determina la no cobertura de la misma; en principio, el conocimiento de un hecho dañoso por uno o varios administradores asegurados excluirá la cobertura de la reclamación dirigida contra éstos pero no la dirigida contra administradores que desconociesen la existencia del mismo, sin que pueda estimarse que el conocimiento individual del hecho dañoso por uno o varios administradores implique que deba considerarse que la propia sociedad es conocedora del mismo (sobre los deberes de información del riesgo de responsabilidad que recaen sobre el tomador del seguro y, eventualmente, también sobre los asegurados, *vid.* ampliamente IRIBARREN, *El seguro,* págs. 215 a 243).

A su vez, desde un plano jurídico-societario, la suscripción del seguro por la sociedad suscita diferentes cuestiones. Ante todo plantea la caracterización del pago de la prima por la sociedad-tomadora desde el punto de vista de la relación existente entre sociedad y administrador y, en particular, determinar si la misma constituye contenido de la retribución satisfecha a los administradores (a favor, entre otros, SÁNCHEZ CALERO, *Administra-*

dores, pág. 41, FERNÁNDEZ DE LA GÁNDARA y otros, pág. 52, SÁNCHEZ ÁLVAREZ, *Grupos*, pág. 153 y VICENT CHULIÁ, pág. 300; en contra, entre otros, CALBACHO LOSADA, págs. 569 y 570, GIRGADO, pág. 216 y ss., CAMPINS VARGAS, pág. 1008 y ss., IRIBARREN, pág. 100 y s. y PÉREZ CARRILLO, El seguro de responsabilidad, pág. 313). La respuesta a esta cuestión requiere, de un lado, el análisis del significado y relevancia de los intereses que tratan de satisfacerse a través de la conclusión de un contrato de seguro de responsabilidad civil de los administradores de una sociedad anónima y, de otro, la delimitación de los concretos elementos que componen la retribución de éstos. Por lo que al primer aspecto se refiere, un sector de la doctrina afirma que la contratación del seguro y el pago de la prima no puede considerarse elemento de la retribución de los administradores dado que con ella se pretende la satisfacción de intereses propios de la sociedad contratante (en particular, la protección del patrimonio social al aumentar las posibilidades de que la sociedad pueda ver resarcidos los daños y perjuicios que pueda sufrir como consecuencia de una actuación de sus administradores; así CALBACHO LOSADA, pág. 569); sin embargo, el análisis detenido del significado de la contratación del seguro por la sociedad pone de manifiesto que con el mismo se persigue, directa y principalmente, proteger el interés de los administradores consistente en salvaguardar su patrimonio personal de las consecuencias económicas que pueden derivar de su declaración de responsabilidad, sin perjuicio de que junto a ello también puedan satisfacerse de modo mediato y reflejo intereses de la sociedad (es cierto que la contratación del seguro aumenta las posibilidades de que la sociedad, como cualquier potencial perjudicado, pueda ver resarcido el daño sufrido, pero ello por sí solo no justifica que los potenciales perjudicados concluyan a su cargo contratos de seguro para cubrir la responsabilidad en que pueden incurrir quienes con su actuación pueden causar los daños; no obstante, otros autores consideran que la sociedad obtiene un beneficio directo con la contratación del seguro suficiente para justificar su pago; así IRIBARREN, *El seguro*, págs. 93 y 94); a su vez, desde la perspectiva de las relaciones existentes entre sociedad y administradores, la contratación del seguro implica igualmente una ventaja patrimonial para el administrador asegurado que se corresponde con la parte de su patrimonio personal que éste no debe sacrificar para contratar el seguro.

Desde la perspectiva de la retribución, si por tal entendemos toda contraprestación satisfecha por la sociedad a sus administradores por el ejercicio del cargo con la única exclusión de la compensación de los gastos necesarios satisfechos por el administrador y la indemnización de los daños sufridos por éste como consecuencia del ejercicio del cargo (esta es la definición de retribución más extendida: véase, por todos, TUSQUETS, págs. 130, 145 y 146), la conclusión debe ser que el pago de la prima realizado por la sociedad, en tanto no constituye compensación por gastos *necesarios* (no debe olvidarse que se trata de una modalidad de seguro *voluntario* de responsabilidad civil) ni tampoco indemnización de daños, constituirá parte integrante de la retribución satisfecha. Cuestión distinta es que se entendiese (como hace un sector de la doctrina alemana y, entre nosotros siguiendo a este sector, CAMPINS VARGAS, pág. 1008 y ss.), con un planteamiento que de *lege ferenda* consideramos incuestionable, que del concepto de retribución debieran excluirse no sólo el pago de gastos necesarios y la indemnización de daños sino también el pago de los gastos –no necesarios sino simplemente convenientes– realizados por la sociedad para posibilitar o facilitar la realización de la actividad de administración, lo cual exigiría, no obstante, establecer simultáneamente el régimen legal aplicable a este conjunto de gastos (órgano competente para su determinación y aprobación, fijación de límites, normas de transparencia, etc); obviamente, la consideración del pago de la prima como retribución en sentido sustantivo o material no impide que el coste del seguro imputable a cada administrador pueda ser fiscalmente excluido del conjunto de rentas que integran el rendimiento del trabajo personal del administrador y, en consecuencia, se exonere a éste de la obligación de tributar respecto de dicha cantidad como también sucede en relación con otras ventajas obtenidas directa o indirectamente con ocasión del desarrollo de su actividad (así podría interpretarse que sucede en España, aunque ello sea una cuestión discutible; cfr. los arts. 43 y 44 de la Ley del Impuesto de la Renta de las Personas Físicas y el art. 42 de su Reglamento); en todo caso, el tratamiento fiscal no puede determinar la caracterización del pago de la prima desde una perspectiva sustantiva o material. La consideración del pago de la prima como retribución implica que en la contratación del seguro habrá de respetarse el régimen previsto para la retribución de los administradores lo que, en particular, se traduce en la necesidad de cumplir ciertas exigencias como presupuesto de licitud (determinación estatutaria del carácter retribuido del cargo de administrador y cobertura por el concreto sistema retributivo previsto; intervención del órgano u órganos competentes para la fijación de la retribución de los administradores). Por su parte, quienes entienden que, incluso con el régimen legal vigente, es posible diferenciar entre ventajas patrimoniales obtenidas por la prestación del servicio que constituyen remuneración del administrador y ventajas patrimoniales obtenidas por la prestación del servicio que no constituyen remuneración de éste (pero tampoco gasto necesario para la sociedad) sino presupuestos de hecho para la asunción del cargo de administrador, concluyen atribuyendo a la junta general la competencia para decidir la contratación del seguro y evitar así la autocontratación (*vid.* CAMPINS VARGAS, págs. 1013 y 1014 e IRIBARREN, El seguro, pág. 102; en otros casos, por encima de su consideración como retribución o como gasto, se propone también la extensión al pago de la prima de normas de transparencia propias de la retribución –*vid.* PÉREZ CARRILLO, «Asegurados», pág. 1729).

Tras la reforma de la Ley de sociedades de capital por la Ley 31/2014, de 3 de diciembre, el artículo 249.4 determina que en el contrato que se ha de suscribir entre la sociedad y los consejeros que desarrollen funciones ejecutivas se han de especificar los conceptos a través de los cuales se pueda obtener una retribución por el desarrollo de dichas funciones así como, en su caso, «*la eventual indemnización por cese anticipado en dichas funciones y las cantidades a abonar por la sociedad en concepto de primas de seguro o de contribución a sistemas de ahorro*». Aún cuando no se menciona específicamente a las primas de seguro de responsabilidad civil de consejeros y directivos (seguro D&O), la doctrina ha entendido igualmente que en dicho contrato ha de especificarse también la contratación de este seguro en tanto constituye un concepto retributivo (así, LEÓN SANZ, F., «Artículo 249. Delegación de facultades del consejo de administración», en JUSTE MENCÍA, J. (Coord.), *Comentario de la reforma del régimen de las sociedades de capital en materia de gobierno corporativo (Ley 31/2014). Sociedades no cotizadas*, Cizur Menor, 2015, pág. 515).

A su vez, el régimen de transparencia de las retribuciones de los administradores previsto con carácter general para todas las sociedades de capital ha sido objeto de una reforma posterior a través de la Ley 22/2015, de 20 de julio, de auditoría de cuentas, que entrará en vigor el 17 de junio de 2016, consistente en la modificación del artículo 260 de la Ley de Sociedades de Capital en lo relativo al contenido de la memoria que forma parte de las cuentas anuales. A este respecto, junto a la exigencia de que en la memoria se hagan constar las retribuciones percibidas por el personal de alta dirección y los miembros del órgano de administración cualquiera que sea su causa, así como de las obligaciones contraídas en materias de pensiones o de pagos de prima de seguros de vida, se incluye también la exigencia de la constancia de los pagos de primas de seguros de responsabilidad civil respecto de los miembros antiguos y actuales del órgano de administración y personal de alta dirección, añadiéndose que «*en el caso de que la sociedad hubiera satisfecho, total o parcialmente, la prima del seguro de responsabilidad civil de todos los administradores o de alguno de ellos por daños ocasionados por actos u omisiones en el ejercicio del cargo, se indicará expresamente en la Memoria, con indicación de la cuantía de la prima*». Ello parece confirmar igualmente la consideración del pago por la sociedad de la prima del seguro D&O como un mecanismo retributivo de los administradores y personal de alta dirección (en este sentido, RON-CERO SÁNCHEZ, A., «Principales deficiencias de técnica y política jurídica del nuevo régimen sobre retribución de los administradores de sociedades de capital», en VVAA, *Liber amicorum Luis Fernández de la Gándara,* en prensa).

Por otra parte, cada vez con mayor frecuencia en los estatutos sociales de las compañías cotizadas se incluye la referencia a la contratación de seguros de responsabilidad civil de administradores sociales bien como facultad de la sociedad (caso, por ejemplo, del art. 46.3 de los Estatutos Sociales de IBERDROLA) o directamente como mecanismo de retribución de los administradores sociales (por ejemplo, art. 58.5 de los Estatutos Sociales de Banco Santander, S.A., art. 36 de los Estatutos sociales de ENAGAS, S.A. o art. 45 de los Estatutos Sociales de REPSOL, S.A.), incluyéndose igualmente en los informes de remuneraciones sometidos anualmente a votación consultiva de los accionistas (vid., por ejemplo, el apartado A.5 del informe de remuneraciones 2015 de IBERDROLA o el apartado A.3 del informe de remuneraciones 2015 de Banco Santander, S.A).

En definitiva, tomando en consideración tanto el análisis técnico-jurídico de la caracterización del pago por la sociedad de la prima del seguro de responsabilidad civil, como la evolución del régimen legal aplicable a las sociedades de capital y la propia praxis en sociedades cotizadas, entendemos que puede concluirse que la contratación por una sociedad de un seguro de responsabilidad civil a favor de sus consejeros y personal de alta dirección y el correspondiente pago de la prima ha de considerarse como retribución en especie percibida por éstos.

Desde la perspectiva del régimen de responsabilidad, no puede entenderse que la contratación del seguro por la sociedad implique ni una exoneración o limitación a la responsabilidad de los administradores (se trata únicamente de una limitación de las consecuencias económicas derivadas de la declaración de responsabilidad) ni tampoco una renuncia anticipada al ejercicio de la acción social de responsabilidad contra éstos (en tanto la suscripción del seguro aumenta las posibilidades de que los daños sufridos como consecuencia de la actuación de los administradores sean indemnizados –CALBACHO, pág. 569–, la contratación del seguro no puede interpretarse como voluntad de no exigir responsabilidad a los administradores sino, al contrario, como deseo de reforzar las posibilidades de obtener resarcimiento en caso de responsabilidad social de los administradores).

Finalmente, la contratación del seguro por la sociedad determina también que los cambios estructurales o de situación que pueda experimentar la sociedad (fusión, escisión, transformación, cesión global de activo y pasivo, cambio de control, apertura de un procedimiento concursal,...) puedan afectar a la ejecución del contrato de seguro, implicando una alteración del riesgo de responsabilidad cubierto, una modificación de las personas aseguradas o de su régimen de responsabilidad o una incertidumbre sobre el cumplimiento futuro de las obligaciones asumidas por el tomador. Ello aconseja que estas circunstancias sean tomadas en consideración en la póliza (lo cual es frecuente en la praxis aunque deba señalarse que con notables imprecisiones y omisiones) en la perspectiva, más que de introducir limitaciones a la cobertura ofrecida por el asegurador, de imponer al tomador una obligación de información al asegurador y atribuir a éste el derecho a proponer la modificación del contrato en esos casos atendiendo a las nuevas circunstancias concurrentes.

Por su parte, en relación con la contratación individual del seguro por los propios administradores sociales, en los últimos tiempos se ha introducido también en nuestro mercado asegurador una modalidad de contrato dirigida a proteger a un administrador en particular contra el riesgo de responsabilidad que asume por los cargos que ostente en una o varias sociedades (sobre esta posibilidad véase PÉREZ CARRILLO, El seguro de responsabilidad, págs. 313 y 314)

3. *Asegurado*

3.1. Concepto de asegurado

En el seguro de responsabilidad civil, asegurado es el sujeto cuyo patrimonio se vería gravado como consecuencia del nacimiento de una deuda de responsabilidad (SÁNCHEZ CALERO, *Ley*, pág. 1129 y ss). En la concreta modalidad objeto de nuestro estudio, parece claro que en tanto el seguro se dirige a proteger contra las consecuencias que derivan de la responsabilidad civil en que puedan incurrir ciertos sujetos que ocupan el cargo de administrador o desempeñan ciertas funciones en el seno de la sociedad, la posición de asegurado será asumida por estas personas. Sin embargo, en algunos países y singularmente en Estados Unidos, el denominado seguro D&O ofrece una doble cobertura: de un lado, protege a los administradores y altos ejecutivos (*directors and officers*) contra las consecuencias que origine su responsabilidad (*D&O coverage*) y, de otro, protege también a la sociedad contra las obligaciones que pueden nacer a cargo de ésta en el supuesto de que sus administradores o altos ejecutivos incurran en responsabilidad en el desarrollo de sus funciones (*corporate reimbursement coverage* o cobertura «de reembolso»), lo cual podría conducir a concluir que, en este caso, la posición de asegurado es asumida tanto por los administradores y altos cargos como por la propia sociedad. En nuestro país, como consecuencia de que el contenido del contrato que se oferta por los aseguradores no ha sido originalmente diseñado tomando en consideración nuestro marco jurídico sino trasladando mediante su simple traducción las pólizas ofertadas por las compañías aseguradoras en otros mercados de seguros, también esta modalidad de seguro ofrece en la praxis cobertura tanto para los administradores y «altos ejecutivos» como para la propia sociedad, a pesar de lo cual se considera que la posición jurídica de asegurado es asumida exclusivamente por aquéllos (en la definición de asegurado a estas personas se añaden también otras vinculadas al administrador o alto directivo asegurado –cónyuge, herederos–, lo que por otra parte tiene como consecuencia el aseguramiento de un elevado conjunto de personas: *vid.* SÁNCHEZ CALERO, *El seguro*, pág. 402). No obstante, también cabría considerar que el seguro no se dirige a ofrecer cobertura a la sociedad interpretando que el reembolso que la compañía aseguradora se compromete a satisfacer a la sociedad tomadora, deriva de un acuerdo de subrogación en virtud del cual la propia sociedad tomadora se ha comprometido a adelantar al administrador asegurado una parte de la indemnización que éste debe satisfacer al tercero perjudicado, en cuyo caso no cabría considerar a la sociedad como asegurado (al respecto vid. PÉREZ CARRILLO, El seguro de responsabilidad, págs. 306 a 308).

En cualquier caso, se considere como parte de la cobertura ofrecida por la compañía aseguradora o como derivación de un acuerdo de subrogación, la denominada cobertura de reembolso en virtud de la cual la compañía aseguradora se compromete a reembolsar a la sociedad los gastos que, siendo legalmente permitidos o exigidos, ésta haya asumido al indemnizar a sus administradores y altos ejecutivos por los gastos y pagos que a éstos haya podido originar una reclamación de responsabilidad, tiene como lógico presupuesto la admisibilidad de la asunción por la sociedad de la obligación de indemnizar a sus administradores por los gastos o daños que les haya podido originar la exigencia de responsabilidad. En Estados Unidos este aspecto de la cobertura se vincula a la denominada *corporate indemnification* que se refiere al conjunto de medidas legales, estatutarias y negociales en virtud de las cuales la sociedad ha de indemnizar a sus administradores o altos ejecutivos por gastos sufridos por éstos como consecuencia de un procedimiento de exigencia de responsabilidad (sobre esta posibilidad *vid.* RONCERO SÁNCHEZ, pág. 133 y ss. y, más recientemente, PÉREZ CARRILLO, *Aseguramiento*, pág. 177 y ss. y El seguro de responsabilidad, pág. 289 y ss.); así, dado que la sociedad puede venir obligada a asumir las consecuencias patrimoniales derivadas de la exigencia de responsabilidad a sus administradores y altos ejecutivos, es frecuente que las compañías estadounidenses, particularmente si sus estatutos sociales establecen la obligación de indemnización a los administradores en ciertos supuestos de responsabilidad de éstos, se procuren la cobertura del riesgo de tener que hacer frente a dicha indemnización, lo cual ha venido realizándose precisamente a través del seguro de responsabilidad de D&O.

Sin embargo, este aspecto de la cobertura presenta un interés radicalmente distinto en el ámbito de nuestro ordenamiento jurídico. En Derecho español es también posible que la exigencia de responsabilidad al administrador de una sociedad anónima origine gastos o daños a la propia sociedad pues, aun cuando legalmente no se imponga un deber en este sentido, puede entenderse, de un lado, que la sociedad viene obligada a satisfacer los gastos de defensa judicial y a indemnizar daños que le haya podido originar el proceso de exigencia de responsabilidad al administrador siempre que la actuación que ha dado origen al mismo no constituya infracción de los deberes de actuación propios del cargo y, de otro, que la sociedad puede comprometerse frente al administrador a indemnizar los daños o compensar los gastos que pueda originarle la exigencia de responsabilidad, compromiso que, sin embargo y como consecuencia del carácter imperativo del régimen legal, queda limitado exclusivamente al supuesto de que los daños hayan sido causados a un tercero que no pueda exigir responsabilidad alguna a la sociedad o por un comportamiento que no genere responsabilidad frente a la sociedad en el supuesto de que ésta pague la indemnización al tercero lo cual, ciertamente, deja un escasísimo margen de eficacia a dichos compromisos (al respecto véase RONCERO SÁNCHEZ, págs. 142 a 164; en el mismo sentido, IRIBARREN, pág. 324 y ss. y PÉREZ CARRILLO, El seguro de responsabilidad, pág. 291).

De este modo, la obligación de indemnización a cargo de la sociedad frente a sus administradores en los casos de exigencia de responsabilidad a éstos, no tiene ni el mismo carácter ni sobre todo la misma extensión en Derecho español que en Derecho estatal estadounidense y, por ello, carece de sentido que en las pólizas de los contratos de seguro de responsabilidad civil de administradores de sociedades anónimas que se concluyen en nuestro país se incluya mecánicamente como parte de la cobertura del riesgo también la denominada *corporate indemnification*, particularmente cuando no existe compromiso por parte de la sociedad de indemnizar los daños o reembolsar los gastos que un proceso de esas características origine a los administradores.

Al margen de ello, la consideración de los administradores como asegurados y la delimitación de la figura del asegurado que se realiza en las pólizas de seguro D&O que, generalmente, adolece de notable ambigüedad y falta de precisión generadoras a su vez de relevantes problemas de interpretación (FERNÁNDEZ DEL MORAL, *El seguro*, pág. 130), plantea algunas cuestiones de interés. El principal problema radica en determinar el sujeto o sujetos que en un momento determinado ostentan la condición de administrador de la sociedad o sociedades a las que se extiende el seguro de responsabilidad civil, dado que la posición jurídica de asegurado va ligada a la condición de administrador (en consecuencia, deberían quedar excluidos quienes formalmente no ocupen dicha posición, como puede suceder en caso del llamado «administrador de hecho», sin perjuicio de que las consecuencias de los actos realizados por éste pudieran ser imputadas a los administradores «de derecho» de la sociedad; la redacción dada al art. 133 de la Ley de sociedades anónimas por la Ley 26/2003, de 17 de julio –actual art. 236 LSC-, asimiló la responsabilidad de quien actúa como administrador de hecho a la atribuida a quienes formalmente ostenten la condición de administrador lo cual, en principio, consideramos que no es suficiente para entender que la responsabilidad en la que puedan incurrir los administradores de hecho *ex* art. 236 LSC quedaría también cubierta por el seguro de responsabilidad civil concluido para asegurar la responsabilidad de los «administradores de la sociedad», pues dicha asimilación no convierte a los administradores de hecho formalmente en titulares de la posición jurídica de administrador, aunque en todo caso la cuestión habrá de resolverse atendiendo a la definición de asegurado contenida en la póliza; y lo mismo debería concluirse, tras su entrada en vigor, respecto a la denominada responsabilidad concursal contenida en el art. 172 *bis* de la Ley Concursal que se atribuye a los administradores de hecho y de derecho); así, frecuentemente el seguro se concluye para cubrir del riesgo de responsabilidad no sólo a los administradores de la sociedad tomadora sino también a quienes ostenten la condición de administrador en sociedades filiales o participadas (lo cual exige una exacta delimitación de los administradores asegurados y del riesgo cubierto por el seguro así como también una precisa definición de sociedad filial y/o participada; sobre esta praxis *vid*. SÁNCHEZ CALERO, *El seguro*, pág. 404 y ss.) y, a su vez, es también frecuente que en la póliza se ofrezca cobertura no sólo para quienes en el momento de conclusión del contrato ostentan la condición de administradores de la sociedad tomadora, sino también para quienes la ostentaron en el pasado y puedan hacerlo en el futuro.

Por otra parte, en tanto la posición jurídica de asegurado va ligada al desempeño del cargo de administrador en una concreta sociedad, el cese del administrador por cualquier causa implica que éste dejará de estar cubierto por el seguro (si bien únicamente respecto de las actuaciones que pueda realizar en el futuro y no respecto de las actuaciones que haya realizado mientras ostentaba el cargo de administrador), lo cual obliga a tomar en consideración el momento a partir del cual el sujeto nombrado administrador ocupa la posición de asegurado así como el momento en el cual el administrador cesado deja de ocupar la posición de asegurado respecto de actuaciones futuras. Del mismo modo, habrán de atenderse las situaciones particulares que pueden plantearse, por ejemplo, en el supuesto de que el cargo de administrador sea ocupado por una persona jurídica (a este respecto, tras la reforma llevada a cabo por la Ley 31/2014, el art. 236.5 LSC determina que el representante persona física de un administrador persona jurídica asume los mismos deberes y responde solidariamente con el propio administrador persona jurídica; no obstante, si en la póliza se define como asegurado al administrador social la cobertura no se extendería a la responsabilidad del representante persona física del administrador persona jurídica salvo que expresamente se incluyese en la definición de asegurado lo cual, por otra parte, es muy frecuente en la praxis –SÁNCHEZ CALERO, El seguro, págs. 403 y 404-).

3.2. Extensión al personal de alta dirección

También como consecuencia de la inercia derivada de la transcripción de formularios del seguro elaborados en otros países, el contrato de seguro de responsabilidad de administradores de sociedades es ofrecido usualmente en España por las compañías aseguradoras como contrato de seguro de responsabilidad civil de administradores y «altos cargos» de una sociedad anónima. Con las fórmulas utilizadas en nuestro país por las compañías aseguradoras para delimitar al asegurado (administradores, consejeros o miembros del órgano de administración y altos cargos, altos ejecutivos o personal de alta dirección) se pretende emular, con diversa fortuna, la cobertura que se presta en el mercado asegurador anglosajón a los denominados *directors* y *officers,* una opción que en los ordenamientos jurídicos anglosajones resulta comprensible dada la proximidad existente entre el régimen de responsabilidad aplicable a unos y otros cargos. Sin embargo, en nuestro ordenamiento jurídico esta tendencia resulta inapropiada y desaconsejable fundamentalmente como consecuencia de las notables diferencias existentes entre la relación jurídica que vincula a un administrador y a un alto cargo con la sociedad para la cual desarrollan sus funciones o prestan sus servicios, que trascienden también al régimen de su respectiva responsabilidad.

Así, la relación jurídica que vincula a un administrador con la sociedad en la cual desempeña su cargo (la denominada «relación de administración») es una relación de naturaleza orgánica cuyo contenido se determina en gran parte por el propio régimen legal, sin perjuicio de que su origen sea un negocio jurídico bilateral e igualmente al margen de que quepa integrar su contenido con otras medidas de naturaleza negocial que, en último extremo, no hacen sino completar aspectos de la relación orgánica (*vid.* POLO SÁNCHEZ, pág. 48 y ss.; SÁNCHEZ CALERO, *Administradores*, pág. 66 y ss.). Por su parte, la relación jurídica que vincula a otros sujetos que presten sus servicios en la sociedad con ésta tiene naturaleza estrictamente contractual, si bien el tipo de contrato puede variar (así, relación laboral general, relación laboral especial –alta dirección–, relación de arrendamiento de servicios).

Las diferencias apreciables entre la relación que vincula con la sociedad a unos y otros sujetos trascienden también a su respectiva responsabilidad, no sólo en lo que se refiere a la responsabilidad personal del administrador o del colaborador sino también en lo relativo a la responsabilidad de la sociedad frente a terceros por actos realizados por sus administradores o por sus colaboradores dependientes en el desarrollo de sus funciones o en la prestación de sus servicios. Los administradores de sociedades anónimas se encuentran sometidos a un régimen especial de responsabilidad frente a la sociedad (responsabilidad social o interna) y frente a socios y terceros (responsabilidad externa), en el cual se establecen sus presupuestos, carácter solidario y causas de exoneración, un régimen que en principio resulta aplicable exclusivamente a los sujetos que ostenten la condición legal de administrador (con la notable excepción ahora de la «*persona que tenga atribuidas facultades de más alta dirección de la sociedad*» a quien, a tenor de lo previsto en el art. 236.4 LSC le resultarán aplicables todas las disposiciones sobre deberes y responsabilidad de los administradores en el supuesto de que no exista delegación permanente de facultades del consejo en uno o varios consejeros delegados). . En cambio, no existe un régimen especial de responsabilidad civil del «alto cargo no administrador» de una sociedad anónima (prescindiendo de los problemas que en Derecho español puede plantear la delimitación de esta categoría de colaboradores dependientes) sino que, en principio, el mismo derivará de la aplicación de las normas generales en materia de responsabilidad civil y de la concreta naturaleza y régimen de la relación que vincule al «alto cargo» con la sociedad para la cual preste sus servicios, quedando al margen de la que sea imputable a quienes ostenten el cargo de administrador; en particular, con carácter general (prescindiendo por tanto de la naturaleza concreta de la relación que vincule al auxiliar o colaborador con el empresario), los artículos 1903 y 1904 del Código civil establecen, respectivamente, la responsabilidad del empresario frente a los terceros por los perjuicios ocasionados por sus dependientes y el derecho de repetición de aquél frente a éstos (por lo que respecta a los dependientes dotados de poder de representación, deberá tomarse en consideración lo establecido en los arts. 281 y ss C. de C); de ello se desprende que la responsabilidad del empleado o dependiente es únicamente interna, es decir, frente al empresario o principal pues es éste quien responderá frente a terceros de los daños causados por la actuación de aquél, sin perjuicio además de la clara tendencia existente en Derecho comparado a restringir o limitar la responsabilidad del dependiente frente al empresario.

A pesar de la diferencia de naturaleza existente entre la relación jurídica que vincula con la sociedad al administrador y a los «altos cargos no administradores», debe también señalarse, de un lado, la existencia en Derecho administrativo sancionador de normas que establecen un régimen de responsabilidad común a administradores y a altos directivos (legislación del mercado de valores, de las entidades de crédito y de las entidades aseguradoras) así como su asimilación también a efectos de aplicación de normas reguladoras de aspectos de su posición jurídica (en este sentido, la retribución de directivos y administradores en sociedades cotizadas) y, de otro, la existencia de propuestas de extensión de la responsabilidad legalmente prevista para quienes ostentan la condición de administrador a otros sujetos que asumen funciones gestoras en el seno de una sociedad, particularmente, el o los apoderados generales o, con otra denominación, el o los directores generales, fundamentalmente con la finalidad de evitar la frustración del sistema legal de responsabilidad (que, en algunos casos, se refieren no tanto a la aplicación del régimen al director general en cuanto tal sino al sujeto que se considera, en atención a las circunstancias concurrentes, administrador "de hecho» de la sociedad que puede o no ser, a su vez, el propio director general). Pero, sin perjuicio de que pudiera reconocerse una tendencia hacia la aproximación, al menos en algunos aspectos, del régimen jurídico aplicable a administradores y a altos directivos, lo cierto es que las propuestas de extensión del régimen de responsabilidad previsto para los administradores de las sociedades de capital a ciertos empleados dependientes de la sociedad (y, singularmente, al director general) no han recibido por el momento respaldo legal (con la salvedad excepcional ya apuntada del caso del directivo que asuma funciones de más alta dirección en supuestos en los que no exista delegación permanente de facultades del consejo en uno o varios consejeros delegados –art. 236.4 LSC-). Por ello, entre ambos subsisten todavía notables diferencias que impiden su asimilación y desaconsejan el aseguramiento conjunto de su responsabilidad civil.

Ello resulta especialmente claro en los casos en los que la sociedad ha concluido, junto a un seguro de responsabilidad civil de administradores y altos directivos, un seguro de responsabilidad civil empresarial modalidad explotación que cubre, entre otros riesgos, la responsabilidad del empresario (sociedad) por daños causados por un empleado o dependiente; en este caso, el seguro D&O cubriría la responsabilidad del alto directivo frente a la sociedad, es decir, el derecho de repetición previsto en general en el artículo 1904 del Código civil. Sin embargo, teniendo en cuenta que en virtud del artículo 43 de la Ley de Contrato de Seguro en los seguros de responsabilidad civil empresarial la compañía aseguradora no puede subrogarse en el derecho de repetición que pudiera corresponder al asegurado (empresario) contra el causante del daño salvo que éste tenga cubierta su responsabilidad civil y que el empresario asegurado generalmente no ejercitará su derecho de repetición contra el dependiente causante del daño, la contratación simultánea de ambos seguros (y la satisfacción de las primas correspondientes por la sociedad) únicamente tiene como consecuencia posibilitar que el asegurador de la responsabilidad civil empresarial pueda repetir contra el asegurador de la responsabilidad civil del alto directivo; por ello, la contratación de un seguro de responsabilidad empresarial que cubra también los daños causados por la actuación de altos directivos excluye lógicamente la inclusión de éstos en un seguro de responsabilidad civil de administradores, salvo que se quiera satisfacer una doble prima por obtener una misma y única cobertura.

Por otra parte, la cobertura conjunta obliga a realizar continuas precisiones fundamentalmente en relación con la delimitación del riesgo asegurado (tanto positiva como, sobre todo, negativa –exclusiones de cobertura–), cálculo de la prima y otros aspectos del contenido del contrato de seguro que, sin embargo, habitualmente no se realizan en las pólizas emitidas en nuestro mercado asegurador (así MARTÍN GIL, pág. III), lo que pone de manifiesto la artificialidad de la agrupación de administradores y altos directivos a efectos del aseguramiento de su responsabilidad civil.

IV. EL RIESGO Y SU COBERTURA

1. Consideraciones previas: la responsabilidad civil asegurable

Atendiendo a la configuración legal del seguro de responsabilidad civil en nuestro ordenamiento jurídico, el riesgo cubierto por esta modalidad asegurativa viene constituido por el nacimiento de una deuda indemnizatoria a cargo del asegurado como consecuencia de su responsabilidad civil (art. 73 LCS; cfr. SÁNCHEZ CALERO, *Ley*, pág. 1129 y ss.) si bien, en los casos en los cuales el asegurador se comprometa a asumir también la defensa jurídica del asegurado, habrá que entender que el seguro cubre no sólo el riesgo de responsabilidad sino también el riesgo de defensa jurídica, sin perjuicio de que la cobertura de éste sea accesoria y complementaria respecto de la de aquél (la cobertura del riesgo de defensa jurídica se incluye salvo pacto en contrario en el seguro junto a la cobertura del riesgo de responsabilidad civil: art. 74 LCS). A partir de esta definición general de riesgo será necesario, por tanto, que en el caso concreto se individualice el supuesto de responsabilidad asegurado que puede generar la deuda a cargo de la persona asegurada (a ello se refiere la propia LCS al determinar en su art. 73 que el asegurador se compromete a asegurar el riesgo de responsabilidad civil *«dentro de los límites establecidos en la ley y en el contrato»*; véanse SÁNCHEZ CALERO, *Ley*, pág. 1138 y ss. y FONT RIBAS, *La asegurabilidad*, págs. 98 y 99) lo cual exigirá la concreción de los hechos origen de la responsabilidad civil asegurada (delimitación positiva) combinada con la indicación de las causas de exclusión de la cobertura (delimitación negativa).

En relación con cada supuesto o grupo de supuestos de responsabilidad cuyas consecuencias son objeto de cobertura por un seguro de responsabilidad civil, interesa distinguir entre la eventual responsabilidad asegurable y la concreta responsabilidad asegurada. La primera hace referencia, dentro de la modalidad de responsabilidad de que se trate, al ámbito de posibles supuestos de responsabilidad que en abstracto pueden ser objeto de cobertura por un contrato de seguro, entretanto la segunda se refiere a los concretos supuestos que, dentro de la responsabilidad asegurable, son objeto de cobertura en particular por un concreto contrato de seguro de responsabilidad civil; en consecuencia, la responsabilidad asegurada viene delimitada por la responsabilidad asegurable así como por los supuestos de responsabilidad descritos y las exclusiones o limitaciones contenidas en el propio contrato.

En la delimitación de la responsabilidad civil asegurable, con carácter general ha de hacerse mención a la exclusión legal de la asegurabilidad de la responsabilidad civil derivada de dolo del asegurado (art. 19 LCS), exclusión que no impide que el perjudicado o sus herederos puedan dirigirse contra el asegurador en ejercicio de la acción directa para exigir el cumplimiento por éste de su obligación de indemnizar, sin perjuicio de la posibilidad de repetición contra el asegurado que actuó dolosamente (art. 76 LCS; en la SAP de Burgos –sección 3ª– de 11 de noviembre de 2009, el Tribunal determina que no es oponible frente al tercero perjudicado que ejercita la acción directa contra el asegurador, la excepción fundada en el incumplimiento del deber de declarar el riesgo, como tampoco lo es la basada en el dolo del causante del daño —véanse también las SSTS de 20 de junio de 2005 y 17 de abril de 2015–). Ello no permite concluir que en el seguro de responsabilidad civil cabe asegurar el dolo sino, simplemente, que por diferentes razones de política jurídica la ley ha extendido frente al perjudicado la obligación del asegurador de indemnizar los daños sufridos por éste (sobre la crítica a esta extensión *vid.*, por todos, SÁNCHEZ CALERO, *Ley*, pág. 1246 y ss.); en todo caso, esta situación hace innecesaria la exclusión convencional del dolo (dado que la exclusión se referiría a un riesgo que queda legalmente excluido de la cobertura ofrecida por el seguro: BAÍLLO, págs. 1278 y 1279) e impide que las partes contratantes puedan, mediante pacto en ese sentido, hacer oponible al perjudicado la inasegurabilidad del dolo o, simplemente, la exclusión de la cobertura del dolo del asegurado (el art. 76 LCS admite imperativamente el ejercicio de la acción directa también en este caso, una norma que como señalamos anteriormente resulta aplicable incluso a los seguros de «grandes riesgos», a pesar de lo cual algunos autores consideran que el dolo del asegurado es una excepción extracontractual oponible por la compañía aseguradora al tercero perjudicado –BAÍLLO, pág. 1283–; en contra, no obstante, IRIBARREN, *El seguro*, pág. 306). Sin embargo, en un supuesto relativo a un seguro de responsabilidad civil de administradores de sociedades anónimas, el Tribunal Supremo ha considerado que «*no puede incluirse válidamente en la cobertura de la responsabilidad civil la ocasionada por hechos delictivos fraudulentos o dolosos, aunque hayan sido aceptadas por el asegurador, ya que es un principio general no discutido el de la no asegurabilidad del dolo criminal, pues sería contrario a la moralidad y la ética, que la gente asegure su patrimonio contra las consecuencias negativas que se le puedan derivar de sus propios comportamientos delictivos*» y, por ello, estima que en el supuesto enjuiciado el acto doloso generador del daño «*no está cubierto por el seguro establecido, excluyendo a la compañía aseguradora de la obligación de pago en base a la carencia objetiva de cobertura, lo que equivale a lo que algunos llaman "inexistencia del seguro". No solo estamos ante una delimitación de derechos, como indica la sentencia de esta Sala 14 de noviembre de 1998, sino que al mismo tiempo estamos ante una limitación de derechos y que, consecuentemente, debe regir respecto de las mismas el art. 3 de la Ley de Contrato de Seguro*» (Sentencia del Tribunal Supremo de 29 de Julio de 2002; al respecto *vid.* PÉREZ CARRILLO, «El seguro», págs. 202 y 203 e IRIBARREN, *El seguro*, págs. 306 a 308 quien, acertadamente a nuestro juicio, considera que la argumentación que realiza el Tribunal Supremo en esta Sentencia basada en la oponibilidad del dolo, además de ser contraria a la línea jurisprudencia mayoritaria, era innecesaria en el caso que se juzga dado que, la responsabilidad de los asegurados quedaba ya excluida del ámbito del seguro como consecuencia de ciertas cláusulas de exclusión previstas en el contrato de seguro y, en particular, la relativa a la obtención por el asegurado de ventajas o beneficios a los que no tuviese derecho).

Al margen de ello, en relación en particular con la responsabilidad de los administradores de una sociedad anónima ha de considerarse como responsabilidad asegurable todos aquellos supuestos de responsabilidad *civil* (quedan excluidos por tanto los actos que generen únicamente responsabilidad penal, fiscal y/o administrativa) en que pueda incurrir el administrador de una sociedad anónima en el ejercicio de su cargo que, en concreto, serán aquellos contemplados en el régimen especial de responsabilidad de los administradores contenido en los artículos 236 a 241 de la Ley de Sociedades de Capital y otros supuestos vinculados a determinados incumplimientos o infracciones (cfr. en este sentido los arts. 36, 37, 137 y 367 LSC y las Disposiciones Transitorias 3ª y 6ª LSA, así como el art. 172 *bis* LC). Entre estos últimos podría resultar discutible la asegurabilidad del supuesto de responsabilidad contemplado en el artículo 367 de la Ley de Sociedades de Capital (y también de los contenidos en las Disposiciones Transitorias 3ª y 6ª LSA, si bien en relación con éstos deba señalarse que es difícil que hubiesen sido objeto de cobertura en el pasado e inimaginable que lo sean en el futuro) por tratarse de un supuesto de responsabilidad-sanción por incumplimiento de una obligación legal cuya exigencia no requiere la existencia de un daño (sobre la caracterización de este supuesto de responsabilidad *vid.* en esta misma obra el trabajo del Prof. BELTRÁN); sin embargo, la desvinculación de la responsabilidad respecto de la producción de un daño efectivo no significa que la misma pierda su carácter de responsabilidad civil ni tampoco que adquiera el carácter personalísimo que tienen las sanciones penales y administrativas y, en consecuencia, ha de concluirse afirmando la asegurabilidad del supuesto de responsabilidad contemplado en el artículo. 367 de la Ley de Sociedades de Capital (*vid.* VICENT CHULIÁ, págs. 303 y 304; SÁNCHEZ CALERO, *El seguro*, pág. 411 e IRIBARREN, *El seguro*, pág. 169 y «El seguro de la responsabilidad», págs. 1468 y 1469).

A partir de la contemplación conjunta de los supuestos de responsabilidad en que puede incurrir el administrador de una sociedad anónima y que pueden ser objeto de cobertura por el seguro de responsabilidad civil de administradores, debe señalarse que el riesgo en esta modalidad de seguro presenta características singulares respecto del riesgo cubierto por otros seguros de responsabilidad civil. Por encima de otras consideraciones, debemos destacar nuevamente que se trata de un riesgo extraordinariamente complejo dadas las dificultades que plantea sobre todo el estudio estadístico de la probabilidad de producción de los siniestros e importancia económica de éstos (véase *supra* apartado I). Ello se traduce en una notable dificultad para el cálculo de la prima y asimismo en problemas para establecer directrices generales sobre la asunción de este tipo de riesgos fundamentalmente porque, en esta modalidad de seguro, el riesgo presenta particularidades en cada caso de modo que su cobertura no es generalizable a otros casos. En general, los supuestos de responsabilidad civil de administradores sociales no son evidentes y, a su vez, el esclarecimiento de los hechos es normalmente muy complejo y difícil particularmente en los casos de responsabilidad frente a la sociedad y, sobre todo, si el administrador demandado es separado de su cargo. Todo ello pone de manifiesto la necesidad de prestar una atención singular en la elaboración del contenido de las pólizas que documentan esta modalidad de seguro en cada caso, para lo cual resulta esencial la consideración del régimen jurídico aplicable a la responsabilidad de los administradores de sociedades anónimas en nuestro ordenamiento jurídico.

2. Delimitación de la responsabilidad civil asegurada

La delimitación convencional del riesgo en el contrato de seguro se realiza positivamente mediante la concreción del riesgo asegurado y negativamente mediante la enunciación de exclusiones o limitaciones a dicho riesgo (*vid.* SÁNCHEZ CALERO, *Ley*, pág. 1138 y ss). Las exclusiones de cobertura, por tanto, se refieren a supuestos que en principio han de entenderse comprendidos en el riesgo asegurado pero que, por voluntad de las partes contratantes, quedan fuera de la cobertura de modo que su realización no desencadenará la obligación del asegurador. En el seguro de responsabilidad civil el riesgo asegurado es la responsabilidad civil y, salvo que se excluya, también la defensa jurídica del asegurado frente a reclamaciones formuladas contra él en exigencia de su responsabilidad (art. 74 LCS). Usualmente, la delimitación de ambos riesgos se realiza de forma independiente aunque interconectada como consecuencia precisamente de la propia interconexión existente entre la cobertura de ambos riesgos, utilizándose en ambos casos criterios propios de delimitación entre los que destaca el relativo a la causa de la responsabilidad (o hecho dañoso) si bien, en principio, la delimitación del riesgo de responsabilidad civil vincula a la del riesgo de defensa jurídica en el sentido de que el asegurador se compromete a realizar la prestación correspondiente a esta cobertura únicamente en los casos en los cuales el supuesto concreto o la reclamación correspondiente queden incluidos en la cobertura del riesgo de responsabilidad civil.

En principio, salvo en los supuestos de seguros obligatorios de responsabilidad civil, cabe que las partes establezcan cuantas exclusiones o limitaciones a la cobertura del riesgo asegurado tengan por conveniente. No obstante, las cláusulas incluidas en el contrato con dicha finalidad habrán de ser claras y precisas (art. 3 LCS) y, a su vez, se entiende que las exclusiones no pueden ser de tal amplitud que hagan ilusoria la garantía que proporciona el seguro (*vid.* ALONSO SOTO, pág. 295; FONT RIBAS, *La asegurabilidad*, pág. 99). Del mismo modo, aun cuando conceptualmente no pueda admitirse la identificación entre cláusulas delimitativas del riesgo asegurado y cláusulas limitativas de los derechos del asegurado, lo cierto es que la jurisprudencia del Tribunal Supremo (fundamentalmente de la Sala de lo Penal y sólo excepcionalmente también de la Sala de lo Civil) con la finalidad de proteger al asegurado ha equiparado en ocasiones ambos tipos de cláusulas (*vid.* SÁNCHEZ CALERO, *Ley*, pág. 98; TAPIA HERMIDA, pág. 983 y ss.; LATORRE, pág. 67 y ss.); por ello, no puede obviarse la posibilidad de que cláusulas delimitativas del riesgo puedan ser consideradas como limitativas de los derechos del asegurado y, en consecuencia, sometidas a los requisitos establecidos para la validez de éstas o, en su caso, como lesivas del asegurado (ello puede suceder particularmente en relación con aquellas cláusulas denominadas «sorprendentes» que delimitan el riesgo de forma no frecuente o habitual: *vid.* FONT RIBAS, *Estudio*, págs. 40 y 41).

Debe señalarse igualmente la tendencia de nuestra jurisprudencia a realizar una interpretación amplia de las inclusiones de riesgos en la cobertura del contrato y una interpretación restrictiva de las exclusiones (TAPIA HERMIDA, pág. 986), lo cual provoca que resulte especialmente relevante una redacción clara y precisa de las cláusulas de exclusión para conseguir que éstas respondan exactamente a la voluntad de las partes y no defrauden sus respectivas expectativas.

Respecto a la redacción de las cláusulas delimitativas del riesgo asegurado, debe tomarse en consideración la delimitación de la cobertura del riesgo de responsabilidad civil que se realiza en los seguros de responsabilidad civil general pues, una parte importante de las exclusiones de cobertura de algunas modalidades de éste no son más que un reflejo de las elaboradas con carácter general para el mismo (en este sentido en relación con el seguro D&O véanse FERNÁNDEZ DEL MORAL, *El seguro*, pág. 145 y ss. y VICENT CHULIÁ, pág. 302).

En todo caso, el aspecto principal en la delimitación del riesgo de responsabilidad asegurado por esta modalidad de seguro viene constituido no por la identificación de los supuestos de responsabilidad incluidos en la cobertura (delimitación positiva del riesgo) sino, al contrario, por las exclusiones de la misma (delimitación negativa del riesgo). Las cláusulas que se introducen con esta última finalidad son muy numerosas y heterogéneas lo que, al margen de dificultar la identificación del riesgo asegurado en cada caso, pone de manifiesto que una de las principales características de esta modalidad asegurativa es la necesidad de que la cobertura ofrecida se adapte exactamente a las circunstancias del riesgo asegurado (consciente de la singularidad del supuesto de responsabilidad asegurado, las propias compañías aseguradoras ofrecen pólizas específicamente adaptadas a las necesidades que se originan en ciertas sociedades o entidades). La heterogeneidad de los clausulados generales de esta modalidad de seguro puede apreciarse tanto si se comparan las pólizas ofrecidas en diferentes mercados aseguradores como si se comparan las pólizas ofrecidas por las distintas compañías aseguradoras en un mismo mercado asegurador (VICENT CHULIÁ, págs. 302 y 303), concentrándose las diferencias precisamente en las exclusiones (supuestos de responsabilidad excluidos de la cobertura). El número de exclusiones ha experimentado un crecimiento sostenido desde inicios de los años ochenta (como contrapartida a la progresiva amplitud que se otorga a la delimitación positiva del riesgo asegurado –*vid.* PÉREZ CARRILLO, «Asegurados», pág. 1729–) si bien, a finales del siglo pasado, puede constatarse una reacción en dirección contraria en la perspectiva de mejorar y aumentar la cobertura ofrecida por esta póliza, una tendencia que se ha visto frenada con el inicio de la nueva centuria y la crisis experimentada por este ramo del seguro que ha tenido como consecuencia, entre otras, una cobertura más restrictiva.

La amplitud y heterogeneidad de las cláusulas de exclusión aconsejan que centremos nuestra atención únicamente en las principales exclusiones de entre aquellas más comunes que con mayor frecuencia pueden encontrarse en las diferentes pólizas, sistematizadas en atención también a los criterios o parámetros utilizados para la delimitación del riesgo asegurado.

2.1. Delimitación causal

En el seguro de responsabilidad civil de administradores de sociedades anónimas, la identificación del riesgo de responsabilidad asegurado que se realiza en las pólizas que se ofrecen en nuestro mercado asegurador se hace girar en torno a la definición de la expresión «acto incorrecto», «acto negligente», «acto dañoso» u otra equivalente, con una evidente proximidad a la técnica y fórmulas utilizadas en otros mercados aseguradores (singularmente en Estados Unidos donde con ese fin se utiliza el concepto «*wrongful act*»; sobre la interpretación de este término *vid.*, por todos, PÉREZ CARRILLO, *Aseguramiento*, pág. 130 y ss.); ello unido a la imprecisión con la que normalmente se procede a la definición del concepto utilizado (SÁNCHEZ CALERO, *El seguro*, págs. 406 y 407) plantea dificultades para la identificación exacta de los supuestos de responsabilidad cubiertos por el seguro. No obstante, en general puede señalarse que en todos los casos se hace referencia, con mayor o menor precisión técnica, a los supuestos de responsabilidad derivados de acciones u omisiones culposas, negligentes o imprudentes que supongan incumplimiento de un deber o sean realizadas sin la diligencia debida o resulten contrarias a la ley o a los estatutos de la sociedad y sean realizadas por los administradores en el desarrollo de sus funciones como tales.

A partir de esta formulación general debe realizarse el esfuerzo por determinar los concretos supuestos de responsabilidad de los administradores de sociedades anónimas que quedan incluidos en la misma. Es claro que dentro del riesgo asegurado han de entenderse incluidos los supuestos de responsabilidad derivados de la aplicación de los artículos 236 a 241 de la Ley de Sociedades de Capital, que son precisamente los supuestos prototípicos en relación con los cuales se diseña la cobertura del seguro de responsabilidad civil de administradores sociales, pero también el resto de supuestos de responsabilidad en los que puede incurrir el administrador de una sociedad anónima, incluido también el contemplado en el artículo 367 de la Ley de Sociedades de Capital (a este respecto, las compañías aseguradoras han comenzado recientemente a incluir cláusulas específicas de exclusión de este supuesto del riesgo asegurado: VICENT CHULIÁ, págs. 303 y 304, quien afirma que la exclusión se limita a las pequeñas sociedades y SÁNCHEZ CALERO, *El seguro*, pág. 411, quien se manifiesta contrario a la previsión de dicha exclusión pues este supuesto «debería entrar dentro de la cobertura de este seguro»; en contra de esta interpretación *vid*. MORRAL SOLDEVILLA, pág. 326); no obstante, si la voluntad de las partes es realmente cubrir dicho riesgo es necesario que el mismo reciba una atención específica en la configuración de ciertos aspectos del contenido de la póliza, pues éstos están generalmente diseñados pensando en supuestos de responsabilidad-indemnización y no contemplan las singularidades que plantean los supuestos de responsabilidad-sanción. Igualmente, tras la entrada en vigor de la Ley Concursal, se entenderá también incluido en la cobertura, salvo exclusión expresa, el riesgo de incurrir en la responsabilidad concursal prevista inicialmente en el artículo 172.3 de esa Ley y, tras la reforma de 2011, en el actual artículo 172 *bis* de la Ley Concursal, tanto si se considera que se trata de un supuesto de responsabilidad-sanción (GARCÍA-CRUCES, págs. 309 y 310) como si se entiende, como estimamos más acertado, que se trata de un supuesto de responsabilidad por daños (ALONSO UREBA, «La responsabilidad», pág. 304 y ss.). Ello sin perjuicio de la propia eficacia de este supuesto de responsabilidad, de sus peculiaridades y de las adaptaciones en la aplicación del régimen jurídico del seguro que las mismas imponen (sobre los diferentes aspectos que plantea la cobertura asegurativa de este supuesto de responsabilidad *vid.*, en particular, el preciso trabajo de IRIBARREN, «La extensión», pág. 83 y ss.).

Por lo que respecta a las exclusiones debe señalarse, en primer lugar, que dado que se trata de un seguro de responsabilidad civil quedará excluido de su cobertura el riesgo de responsabilidad que no tenga este carácter (fundamentalmente, los supuestos de responsabilidad derivados de infracciones administrativas y penales –*vid.* PÉREZ CARRILLO, «Asegurados», pág. 1730–, pero no así la responsabilidad civil derivada de la comisión culposa de un delito o falta). A su vez, en tanto la cobertura ofrecida por el seguro se refiere a la responsabilidad derivada del ejercicio de las funciones propias de órgano de administración de una sociedad anónima, han de entenderse excluidos de la misma, entre otros y sin necesidad de que se pacte expresamente una exclusión en este sentido, el riesgo de responsabilidad derivado del desarrollo para la sociedad de funciones distintas de las propias del cargo de administrador (caso en el que el administrador desarrolle otras funciones –letrado, ingeniero, médico,...–), la responsabilidad que pueda imputarse a un administrador que a su vez ostente la condición de socio como consecuencia de la aplicación de la doctrina del levantamiento del velo de la personalidad jurídica así como el denominado «riesgo de empresa» (aunque en rigor los administradores no asumen responsabilidad por el llamado «riesgo de empresa» dado que las obligaciones asumidas por aquéllos son de comportamiento y no de resultado: ALONSO UREBA, pág. 686; SÁNCHEZ CALERO, *Administradores*, pág. 243; cfr. el art. 226 LSC que, tras la reforma llevada a cabo por la Ley 31/2014, consagra expresamente la protección de la discrecionalidad empresarial).

Las cláusulas de exclusión relativas a la causa de la responsabilidad que con mayor frecuencia se incluyen en esta modalidad de seguro se refieren a la diferenciación y separación de la cobertura ofrecida por este seguro de la ofrecida por otras modalidades asegurativas (al margen de las cláusulas genéricas, entre éstas deben citarse las dirigidas a separar la cobertura del seguro de responsabilidad civil de administradores de la ofrecida por, entre otros, el seguro de responsabilidad empresarial por productos defectuosos y el seguro de responsabilidad patronal), al grado de culpabilidad del asegurado (se excluyen así los supuestos de responsabilidad en los que concurra dolo, mala fe o conducta fraudulenta del asegurado, aunque ello resulte innecesario) y a la naturaleza de la causa de la responsabilidad y la concreta materia sobre la que la misma versa (entre otros supuestos, se excluye la responsabilidad por imposición de multas y sanciones o por conductas o actuaciones delictivas, la derivada de la obtención ilícita o fraudulenta de ventajas, beneficios o remuneraciones y el pago de comisiones, sobornos, regalos o gratificaciones a grupos políticos o sindicales o, en general, a cualquier sujeto). Así mismo, suelen excluirse los supuestos de responsabilidad derivados de la realización de actividades ajenas al cargo, exclusión que, como hemos señalado, también resulta innecesaria (sobre estas cláusulas *vid.* RONCERO SÁNCHEZ, pág. 264 y ss., PÉREZ CARRI-LLO, *Aseguramiento*, pág. 199 y ss., y El seguro de responsabilidad, pág. 318 y ss. e IRIBARREN, *El seguro*, pág. 177 y ss.).

Del análisis de un conjunto importante de las pólizas de seguro de responsabilidad de administradores que se ofertan en nuestro mercado asegurador se desprende la existencia de notables defectos de técnica jurídica en su elaboración generadores, a su vez, de incertidumbre e inseguridad jurídica, unas deficiencias que en su mayor parte derivan de la traslación de conceptos, términos y expresiones contenidas en las pólizas ofrecidas en otros mercados aseguradores y, singularmente, en Estados Unidos. La observación en conjunto de las numerosas cláusulas de exclusión contenidas en las pólizas de esta modalidad de seguro permite apreciar frecuentes coincidencias o solapamientos entre las mismas (en algunos casos un mismo supuesto de responsabilidad puede enmarcarse en dos o más cláusulas de exclusión), dificultades para la identificación del supuesto de responsabilidad excluido y, sobre todo, la utilización de expresiones genéricas o imprecisas cuya concreción no es en modo alguno sencilla lo cual plantea graves problemas interpretativos y de aplicación además de llevar, en ese afán de la compañía aseguradora por eliminar cualquier duda sobre la exclusión de determinados supuestos de responsabilidad, a atribuir a estas exclusiones un ámbito más amplio del probablemente previsto por las partes y, singularmente, por el asegurado. La progresiva adaptación de las pólizas ofrecidas en nuestro mercado asegurador al régimen de responsabilidad de administradores de sociedades anónimas vigente en Derecho español, ha significado afortunadamente la desaparición de algunas exclusiones de origen norteamericano que se incluían en los primeros formularios (en ocasiones con referencia expresa a normas vigentes en otros ordenamientos jurídicos) aunque los asegurados no estuviesen sometidos al riesgo excluido, o la limitación de su eficacia únicamente a las reclamaciones interpuestas en territorio de los Estados Unidos y Canadá (en general, sobre las cláusulas de exclusión de carácter causal *vid.* FERNÁNDEZ DEL MORAL, *El seguro*, pág. 144 y ss.; RONCERO SÁNCHEZ, págs. 264 a 276; en todo caso, resulta especialmente conveniente tomar en consideración los criterios interpretativos que se han consolidado en EEUU en relación con cada una de estas exclusiones –al respecto *vid.*, por todos, PÉREZ CARRILLO, *Aseguramiento*, pág. 199 y ss.).

2.2. Delimitación subjetiva

En principio, en el supuesto de seguro de responsabilidad civil de administradores sociales, el círculo de posibles perjudicados resulta en abstracto ilimitado dado que éstos pueden ser la propia sociedad tomadora, los socios y cualesquiera otros sujetos. A estos efectos resulta por tanto decisiva la limitación convencional que de dicho círculo realicen las partes contratantes mediante la previsión de exclusiones a la cobertura lo cual, en el concreto aspecto al que nos referimos, se realiza mediante la previsión de cláusulas de exclusión *ad hoc* y/o mediante la delimitación de la figura del tercero perjudicado que habitualmente también se realiza en la póliza. Así, en unos casos, la delimitación del círculo de perjudicados se realiza mediante la definición de tercero perjudicado de la cual se excluyen ciertos sujetos y, en otros, mediante la previsión de cláusulas que excluyen de la cobertura del riesgo las reclamaciones en exigencia de responsabilidad formuladas por determinados sujetos, siendo igualmente admisible que se combinen ambas posibilidades.

Las exclusiones de cobertura basadas en la identidad del tercero perjudicado tienen como fundamento común la eventual existencia de un riesgo de simulación del siniestro sobre la base de un concierto entre tercero y asegurado con la finalidad de obtener la indemnización del asegurador (junto a éste se señalan también otros argumentos que carecen de alcance general; *vid.* CALZADA, *El seguro*, pág. 246 y ss.). En el supuesto del seguro de responsabilidad civil de administradores de sociedades anónimas en particular, las exclusiones cuyo fundamento radica en el riesgo de concierto o colusión entre asegurado y perjudicado son básicamente las relativas a las reclamaciones de responsabilidad interna o social (es decir, responsabilidad frente a la sociedad por daños sufridos por ésta) interpuestas por la propia sociedad tomadora, las reclamaciones dirigidas contra un asegurado por otro asegurado, las reclamaciones interpuestas por terceros estrechamente vinculados al asegurado (principalmente, miembros de su familia) y las reclamaciones interpuestas por accionistas mayoritarios, con participación relevante o con posición de control en la sociedad tomadora (exclusión cuya extensión debe determinarse atendiendo más a criterios sustantivos –control, poder de decisión determinante– que formales –titularidad de un determinado porcentaje de capital social–; *vid.* PÉREZ CARRILLO, *La administración,* pág. 274; precisamente la utilización exclusiva de criterios cuantitativos hace que algunos autores consideren injustificada esta exclusión: *vid.* SÁNCHEZ CALERO, *El seguro,* pág. 410).

La exclusión del riesgo de responsabilidad interna o social, que es reflejo de la exclusión que en los seguros de responsabilidad civil general celebrados por cuenta ajena afecta a las reclamaciones interpuestas por el tomador del seguro (en el seguro de responsabilidad de administradores ya ha sido señalado que generalmente el tomador es la propia sociedad) y se contiene con frecuencia en las pólizas de seguro D&O en Estados Unidos, merece una atención particular. Generalmente, dicha exclusión se refiere únicamente a las reclamaciones en exigencia de responsabilidad social interpuestas por la propia sociedad y no, en cambio, a los supuestos de ejercicio de la acción social de responsabilidad por otros sujetos legitimados (en particular, socios y acreedores); sin embargo, esta limitación de cobertura, teniendo en cuenta el carácter restrictivo con el que en Derecho español y, en general, en la Europa continental se reconoce legitimación subsidiaria para el ejercicio de la acción social (al menos comparativamente con lo que sucede en Estados Unidos), sitúa a la sociedad tomadora en una situación de desprotección frente a otros perjudicados y, con ello, disminuye notablemente el atractivo de esta modalidad asegurativa. Debe reconocerse, no obstante, que la cobertura ilimitada del riesgo de responsabilidad social conlleva un relevante peligro de abuso y manipulación (si se plantea un concierto entre administradores asegurados y sociedad tomadora para simular un siniestro en la perspectiva de conseguir una indemnización del asegurador, será muy difícil que éste pueda, sin ayuda de los asegurados, defenderse frente a esa reclamación).

Por ello, si bien no es conveniente (ni frecuente) que en las pólizas ofertadas en nuestro mercado asegurador se excluya el riesgo de responsabilidad interna o social, sí lo es la previsión de un conjunto de cautelas para eliminar o reducir ese riesgo de abuso concretadas en la introducción de restricciones o limitaciones a la cobertura de este riesgo; las posibilidades a este respecto son múltiples: puede limitarse la cobertura de este riesgo únicamente a los casos en los cuales la reclamación en exigencia de responsabilidad social sea ejercitada contra los administradores siguiendo las instrucciones o la iniciativa de los socios o con participación de éstos; cabe excluir de la misma los casos en los cuales la reclamación en exigencia de responsabilidad sea planteada por los propios administradores asegurados, por una sociedad filial o por la sociedad matriz del grupo; o la cobertura de la responsabilidad interna pero vinculando el deber de indemnización de la compañía aseguradora al cese efectivo en su cargo del administrador asegurado demandado o a la determinación judicial de la indemnización de daños y perjuicios; incluso, en ocasiones, se tratan de reducir las posibilidades de manipulación a través de la regulación de la franquicia (sobre ésta y otras exclusiones de carácter subjetivo véanse FERNÁNDEZ DEL MORAL, *El seguro*, pág. 150 y ss.; PÉREZ CARRILLO, *La administración*, pág. 245 y ss.; RONCERO SÁNCHEZ, pág. 276 y ss.).

2.3. Delimitación temporal

En el seguro de responsabilidad civil de administradores de sociedades, como en general sucede también en otros seguros de responsabilidad civil, la prestación del asegurador se vincula generalmente a la reclamación realizada por el tercero perjudicado (*claim made*) que deberá haberse producido durante la vigencia material del seguro y prescindiendo, por tanto, del momento en el cual se haya producido el hecho dañoso causante de la responsabilidad del asegurado. La admisión de estas cláusulas en Derecho español, en tanto implican no sólo la fijación de un período de vigencia material del seguro (lo cual resulta plenamente admisible a tenor de lo establecido en el art. 22 LCS) sino, sobre todo, una fijación convencional del siniestro al menos en su perspectiva de hecho o acto desencadenante de la prestación del asegurador, ha sido intensamente demandada por las compañías aseguradoras y objeto de una importante controversia en la doctrina y jurisprudencia hasta la modificación del artículo 73 Ley del Contrato de Seguro por la Ley de Ordenación y Supervisión de los Seguros Privados en 1995; tras esta reforma, y sin perjuicio de la valoración que la misma pueda merecer (para una valoración crítica de la misma *vid.*, entre otros, SÁNCHEZ CALERO, *La delimitación*, pág. 33 y ss. y *Ley*, págs. 1158 y 1159; CALZADA CONDE, *La delimitación*, pág. 52 y ss.), se ha consagrado en nuestro ordenamiento jurídico la admisibilidad de las cláusulas *claim made* que reúnan los requisitos señalados en ese precepto y, consiguientemente, la nulidad de las restantes (conclusión esta última que, sin embargo, no juega en los seguros de «grandes riesgos» pues la exclusión del carácter imperativo de la LCS en relación con éstos, lleva a admitir cualquier fórmula de delimitación temporal del riesgo basada en la reclamación del perjudicado; así OLIVENCIA, págs. 208 y 209; SÁNCHEZ CALERO, *La delimitación*, págs. 42 y 43 y *Ley*, págs. 1164 y 1165; FERNÁNDEZ DEL MORAL, *El seguro*, pág. 217). En particular, el artículo 73 de la Ley de Contrato de Seguro exige que, en el supuesto de que el siniestro se vincule a la reclamación del perjudicado, se contemple bien la cobertura retroactiva (deben quedar cubiertos los supuestos en los que la obligación de indemnizar a cargo del asegurado haya nacido con anterioridad, al menos, de un año desde el comienzo de los efectos del contrato) bien la cobertura posterior (supuestos en los que la reclamación se haya producido en un período de tiempo no inferior a un año tras la terminación del período de duración del contrato o, en su caso, de sus prórrogas).

Con frecuencia en las pólizas del seguro de responsabilidad civil de administradores de sociedades anónimas, el siniestro se define como la reclamación realizada por un tercero contra el asegurado en exigencia de su responsabilidad, a la vez que se determina el período de vigencia material del seguro tomando en consideración el momento de realización de la reclamación (véanse FERNÁNDEZ DEL MORAL, *El seguro*, pág. 189 y ss.; PÉREZ CARRILLO, *La administración*, pág. 274 y ss.; SÁNCHEZ CALERO, *El seguro*, pág. 411 y ss. e IRIBARREN, *El seguro*, pág. 201 y ss.). En este sentido, la Sentencia de la Audiencia Nacional de 31 de marzo de 2000 se ocupa, entre otros aspectos, de la extensión temporal de la cobertura ofrecida por una póliza de seguro de responsabilidad civil de administradores sociales (en la misma se afirma: «*...De la póliza resulta que la cobertura se encuentra delimitada temporalmente (...), estableciéndose una cobertura retroactiva hasta comprender «hechos o actuaciones realizados antes o durante la vigencia de la póliza, siempre que el asegurado no tuviera conocimiento con anterioridad al 11 de febrero de 1991 de cualquier incidente o circunstancia que pudiera dar lugar a una reclamación». Esta cláusula limitativa, que delimita temporalmente la cobertura de la póliza, puede ser opuesta por el asegurador, pues en el caso de asunción voluntaria de la obligación de aseguramiento, el asegurador puede acotar temporalmente el alcance de su obligación de aseguramiento. Debe tenerse en cuenta que los hechos que hemos declarado punibles de responsabilidad de los asegurados son hechos dolosos y que, en consecuencia, los asegurados conocían la circunstancia –el delito- por la que podían ser objeto de reclamación respecto de los hechos que se realizaron con anterioridad al 11 de febrero de 1991. Conforme resulta del relato fáctico, la operación Cementeras, la de Carburos Metálicos y la operación locales comerciales discurren en un momento anterior al del período de cobertura, por lo que respecto de estos hechos no puede declararse la responsabilidad civil de La Unión y El Fénix. No se trata en este caso de una excepción a las que se refiere el art. 76 de la Ley de Contrato de Seguro de 8 de octubre de 1980, que declara inmunes a la acción directa del perjudicado las excepciones que pueda oponer el asegurador al asegurado, sino simplemente de la delimitación temporal de la vigencia de la póliza establecida por las partes de acuerdo con el principio de libertad de pacto del art. 1255 del Código Civil. Las cláusulas «claims made» han sido reconocidas por el art. 73 de la Ley del Contrato de Seguro, tras su reforma por la Ley 30/1995, de 8 de noviembre, de Ordenación y Supervisión de los Seguros Privados, con la limitación de que la cobertura retroactiva alcance al menos a un año de antelación al comienzo de los efectos del contrato, por lo que el establecimiento de la fecha del 11 de febrero de 1991 cumplía este requisito al haberse formalizado la póliza el 12 de agosto de 1993...*», para añadir posteriormente «*...Por otro lado hay una aceptación especial por Banesto de las cláusulas «Claims Made Basis», que aparte de los efectos declarados, obligaba a la reclamación dentro del período de vigencia de la póliza, lo que no tuvo lugar al ser rescindida la póliza con fecha 22 de marzo de 1994, que hubiere quedado rescindida naturalmente al término de su vigencia a las cero horas del día 14 de noviembre de 1994, día en que se interpuso la querella por el Ministerio Fiscal, que no fue comunicada al asegurado hasta el día siguiente. No consta que se notificase al asegurador la reclamación dentro del período de vigencia de la póliza, por lo que éste puede oponer las cláusulas de delimitación temporal de la cobertura aceptadas especialmente por Banesto*»; esta argumentación no ha sido discutida posteriormente en la STS 29.7.2002; *vid.* PÉREZ CARRILLO, «El seguro», pág. 197 y ss.).

La vinculación de la prestación del asegurador a la reclamación del perjudicado realizada dentro de un determinado período exige definir qué se entiende por «reclamación» (y, en particular, si es suficiente cualquier clase de exigencia o requerimiento para entender formulada una reclamación o si, por el contrario, es necesario que la misma se refiera al pago de una compensación económica) y a quién ha de formularse la misma (básicamente, al asegurado o a la sociedad tomadora) en relación con lo cual debe tomarse en consideración la posibilidad de acción directa que el artículo 76 de la Ley de Contrato de Seguro reconoce al perjudicado contra la compañía aseguradora (posibilidad que generalmente es ignorada en las pólizas que se ofrecen en nuestro mercado asegurador: *vid.* SÁNCHEZ CALERO, *El seguro*, pág. 413); la definición de reclamación contenida en la póliza resulta, por tanto, determinante para el nacimiento de la obligación del asegurador (en este sentido, en la Sentencia de la Audiencia Provincial de Burgos de 19 de diciembre de 2002, recaída en un supuesto de reclamación de los asegurados contra la compañía aseguradora de la responsabilidad civil de administradores de una sociedad anónima, la póliza contenía una definición de reclamación que no se ceñía «*exclusivamente a las acciones ejercitadas sino también a las acciones susceptibles de ejercitarse, esto es, a las acciones aún no ejercitadas pero que hubieran podido ya ejercitarse*», lo cual permite que el Tribunal afirme que «*debemos considerar que el siniestro entendido como el acto incorrecto consistente en el incumplimiento de la obligación por parte de los actores de convocar Junta General –generador de la obligación de pago declarada judicialmente–, se produjo en el período comprendido entre los días 5 de agosto y 5 de octubre de 1993, momento a partir del cual se entiende producida la reclamación porque existía una acción susceptible de ejercitarse, aunque la misma no se ejercitara hasta el día 9 de junio de 1994*», por lo que la responsabilidad de los administradores queda cubierta por la póliza «*cuyo período de vigencia comprende desde el 11 de noviembre de 1992 hasta el 11 de noviembre de 1993 y, por tanto, se encontraba en vigor en la fecha de la reclamación, esto es, el 5 de octubre de 1993*»). Asimismo, entendemos que el artículo 73 de la Ley de Contrato de Seguro únicamente autoriza la vinculación de la prestación del asegurador a la reclamación del perjudicado realizada dentro del período de vigencia material del seguro pero no a la notificación de ésta al asegurador por lo que, en consecuencia, no serán válidas aquellas cláusulas que exijan que no sólo la reclamación sino también su notificación al asegurador se haya realizado dentro del período de vigencia material del seguro (que, no obstante, se incluyen en algunas pólizas; *vid.* SÁNCHEZ CALERO, *El seguro*, pág. 413).

Por otra parte, la vinculación de la prestación del asegurador a la reclamación del perjudicado puede plantear dificultades en algunos supuestos. Así, en la Ley Concursal se prevé la posibilidad de que el juez del concurso, en la sentencia de calificación del concurso, condene a todos o a algunos de los administradores, liquidadores, de derecho o de hecho, o apoderados generales, de la persona jurídica concursada que hubieran sido declarados personas afectadas por la calificación a la cobertura, total o parcial, del déficit (art. 172 bis LC). .
Tras la entrada en vigor de esta Ley (que ya contemplaba originariamente un régimen de responsabilidad concursal de los administradores de sociedades de capital en el artículo 172.3, que ha sido sustituido por el contenido en el vigente artículo 172 *bis* tras la reforma realizada por la Ley 38/2011, de 10 de octubre), por tanto, es posible que se determine la responsabilidad de los administradores sociales directamente por el juez y sin previa reclamación por parte de los acreedores de la persona jurídica declarada en concurso culpable; no obstante, a partir de esta sentencia, generalmente los acreedores sociales realizarán la correspondiente reclamación a los administradores declarados responsables de modo que, en principio, habría de ser tomada en consideración la fecha de esta reclamación y no la de la sentencia a efectos de verificar la inclusión de este supuesto de responsabilidad en la cobertura del seguro por haber acaecido dentro de su período de vigencia material (en ningún caso podría tomarse en consideración como fecha de la reclamación la de la solicitud de declaración del concurso formulada por un acreedor dado que la misma no implica una demanda o exigencia de responsabilidad a los administradores sociales ni tampoco desembocará necesariamente en ésta); el problema que plantea esta interpretación se refiere a los supuestos en los que el administrador declarado responsable procediese espontáneamente a satisfacer a los acreedores el importe de sus créditos en los términos fijados en la sentencia dictada por el juez del concurso y, quizás por ello, resulte preferible entender por reclamación la apertura de la fase de liquidación y, más concretamente, la formación de la sección de calificación que se ordena en la misma resolución judicial, dado que esta resolución constituye el inicio de un procedimiento que concluye con una sentencia en la que el juez podrá determinar la responsabilidad de los administradores (así lo propone IRIBARREN, «La extensión», págs. 97 y 98 en relación con el régimen contenido en el antiguo art. 172.3 LC).

2.4. Delimitación geográfica o espacial

En los seguros de responsabilidad civil, la determinación de la extensión geográfica o territorial de la cobertura del riesgo asegurado, cuestión que depende de la voluntad de las partes, generalmente se circunscribe al territorio del Estado en el cual se contrata; no obstante, en el seguro de responsabilidad civil de administradores de sociedades anónimas, en tanto generalmente se contrata por grandes compañías para cubrir el riesgo de responsabilidad de sus administradores y de los administradores de sus sociedades filiales cuyos intereses pueden extenderse más allá del territorio donde radica el domicilio social de la sociedad matriz, no es infrecuente que se amplíe la extensión geográfica de la cobertura pudiendo comprender los supuestos de responsabilidad en que puedan incurrir los asegurados en cualquier lugar del mundo (cfr. FERNÁNDEZ DEL MORAL, *El seguro*, pág. 230 y ss.; PÉREZ CARRILLO, *La administración*, pág. 279; SÁNCHEZ CALERO, *El seguro*, pág. 413 e IRIBARREN, *El seguro*, pág. 193 y ss). Esta posibilidad, que resulta de gran interés para los asegurados que desarrollan sus funciones de administración fuera del lugar de celebración del contrato, exige desde la perspectiva del asegurador una correcta valoración del riesgo asumido lo cual suele conducir a la adopción de determinadas medidas limitativas de la cobertura ofrecida; así, en atención al elevado riesgo de responsabilidad que asumen los administradores de sociedades en algunos países y, particularmente en Estados Unidos y Canadá, las compañías aseguradoras que ofrecen este seguro en nuestro país y extienden su cobertura al mundo entero, incluyen un tratamiento específico para la cobertura de los supuestos de responsabilidad que se hayan producido en un determinado país o que hayan de juzgarse con arreglo a su ordenamiento jurídico, medidas que generalmente afectan a los dos países señalados y que pueden consistir bien en la exclusión de cobertura en estos casos, bien en la previsión de un conjunto de exclusiones que juegan exclusivamente en los supuestos de responsabilidad que se produzcan en los mismos o deban ser juzgados con arreglo a sus respectivos ordenamientos jurídicos.

La extensión geográfica de la cobertura, al margen de la complejidad que introduce particularmente en relación con el cumplimiento de la prestación relativa a la defensa jurídica del asegurado (por todos, FERNÁNDEZ DEL MORAL, *El seguro*, pág. 230 y ss.), plantea también otros problemas. Así, aún cuando la cobertura del riesgo asegurado se extienda a múltiples países, en la póliza generalmente se determina que el contrato de seguro queda sometido al Derecho español (y, en particular, a la LCS); ahora bien, las reclamaciones en exigencia de responsabilidad que puedan plantearse contra los asegurados fuera de España, se regirán por el ordenamiento jurídico correspondiente, con independencia de que las mismas queden cubiertas por el contrato de seguro, lo cual plantea el problema de decidir si los derechos que se reconocen en Derecho español a los perjudicados y, en particular, la acción directa contra el asegurador (art. 76 LCS), podrán ser ejercitados por el perjudicado contra el asegurador sometido al Derecho español en un supuesto de responsabilidad de un asegurado cubierto por el seguro pero que ha de juzgarse con arreglo a un ordenamiento jurídico extranjero (SÁNCHEZ CALERO, *El seguro*, pág. 414).

3. Delimitación de la cobertura del riesgo de defensa jurídica

Salvo en el supuesto de que las partes contratantes acuerden algo distinto, el seguro de responsabilidad civil incluye también la cobertura del riesgo de defensa jurídica, en cuya virtud el asegurador se compromete a prestar el servicio de defensa jurídica al asegurado ante cualquier reclamación dirigida contra éste en exigencia de su responsabilidad (art. 74 LCS). Como consecuencia de su compromiso, el asegurador ha de soportar los gastos de defensa jurídica del asegurado tanto si ha asumido la misma como si ésta ha sido asumida por el propio asegurado (ya porque así lo determinen las partes o porque exista un conflicto de intereses entre ambas), lo cual comprende el pago de todos los gastos necesarios y razonables originados como consecuencia de la defensa del asegurado tanto en el ámbito judicial como en el extrajudicial, incluyendo también en su caso la constitución de fianzas que puedan exigirse al asegurado en razón o como consecuencia de un procedimiento en exigencia de su responsabilidad (una prestación que generalmente suele incluirse expresamente en las pólizas; por referencia al seguro D&O *vid.* SÁNCHEZ CALERO, *El seguro*, pág. 417; no obstante, en relación con la prestación de fianzas por las compañías aseguradoras en el marco de un proceso penal, deben tenerse en cuenta los Autos del Juzgado Central de Instrucción núm. 3, de 11 de enero de 2016, y de la Audiencia Nacional de 19 de febrero de 2016, en los cuales se rechaza la fianza prestada por una compañía aseguradora a pesar de venir comprendida en la cobertura delimitada en el contrato). . Este aspecto de la cobertura es accesorio y complementario respecto de la cobertura del riesgo de responsabilidad civil, lo cual implica que el asegurador asume la dirección jurídica del asegurado únicamente ante reclamaciones en exigencia de responsabilidad civil que queden comprendidas en el riesgo de responsabilidad asegurado (en el mismo sentido, IRIBARREN, *El seguro*, pág. 264), sin perjuicio de que las partes hayan pactado algo distinto (ello comprenderá también, en particular, la asunción por el asegurador de los gastos de defensa jurídica del asegurado en los casos en los que a través de la reclamación se impute a éste responsabilidad derivada de una conducta dolosa; al respecto, puede verse la SAP Sevilla –sec. 8ª– de 25.1.2010, en la que se subraya el carácter complementario de la cobertura de defensa jurídica respecto de la cobertura de responsabilidad civil y se concluye, sobre la base de la póliza del contrato de seguro existente en el caso enjuiciado, rechazando la cobertura de defensa jurídica en un supuesto de reclamación del asegurado de los gastos ocasionados por un procedimiento penal incoado contra él).

En el seguro de responsabilidad civil de administradores sociales, este aspecto de la cobertura presenta mayor o menor importancia en los diferentes mercados aseguradores en atención a la existencia o no de modalidades de seguro alternativas o a otros aspectos del ordenamiento jurídico al que queda sometido dicho mercado y, en particular, el régimen legal de distribución de las costas procesales (uno de los factores decisivos en la expansión del seguro D&O en Estados Unidos ha sido precisamente el sistema de distribución de costas procesales existente en este país –la llamada *american rule*– en cuya virtud, cada parte litigante ha de satisfacer sus propios gastos con independencia del resultado del proceso, frente al criterio del vencimiento objetivo vigente en la generalidad de los ordenamientos jurídicos europeo-continentales). En orden a la delimitación de este aspecto de la cobertura debe subrayarse, ante todo, la complejidad que habitualmente puede presentar una reclamación en exigencia de responsabilidad dirigida contra los administradores de una sociedad anónima, particularmente si se trata de una sociedad de grandes dimensiones, lo cual exige contar con una asistencia jurídica altamente especializada que, además, debe coordinarse con la propia defensa jurídica de la sociedad en los casos en los que ésta es demandada junto a sus administradores. A su vez, debe constatarse también la existencia de un interés de la sociedad tomadora en que sus asuntos internos se traten del modo más confidencial posible (GÓMEZ-LLORENTE, pág. 234), así como que esta clase de seguro resulta especialmente indicada para grandes sociedades que a menudo cuentan con gabinetes jurídicos propios (de carácter interno o externo) capaces de prestar la asistencia jurídica especializada y de confianza que demandan dichas reclamaciones. Todo ello explica que, en la praxis, sea frecuente que las partes contratantes atribuyan al asegurado la dirección jurídica de su defensa mientras que el asegurador asume el pago de los gastos que deriven de la misma dentro de los límites pactados en el contrato reconociéndose a éste, a lo sumo, ciertas facultades en relación con la adopción de las decisiones más relevantes en las que se concreta aquélla (*vid.* SÁNCHEZ CALERO, *El seguro*, pág. 417 e IRIBARREN, *El seguro*, pág. 279 y ss.), lo cual puede plantear problemas de discrepancia entre asegurador y asegurado así como también la cuestión de la eventual existencia de una obligación a cargo del asegurador consistente en el anticipo de gastos (que suele vincularse a la previa autorización del asegurador de los gastos cuyo anticipo se solicita). Junto a ello, en algunos mercados aseguradores y particularmente en Estados Unidos, presenta una gran trascendencia práctica la distribución de los costes originados por la defensa jurídica cuando la reclamación se dirige conjuntamente contra personas aseguradas y contra personas no aseguradas o versa sobre supuestos de responsabilidad cubiertos y supuestos no cubiertos por el seguro (por referencia al mercado español *vid.* PÉREZ CARRILLO, *La administración*, pág. 258).

Por otra parte, no puede entenderse incluido dentro de la cobertura de defensa jurídica (ni, por tanto, puede considerarse que su coste se compute a efectos del límite cuantitativo eventualmente establecido en la póliza para esta cobertura) el pago por el asegurador de los gastos derivados de la realización de campañas publicitarias o de imagen dirigidas a restablecer la reputación, prestigio o imagen pública de un administrador asegurado que haya sido declarado responsable, que con frecuencia se incluye también en las pólizas de esta modalidad de seguro.

Finalmente debe señalarse que, según la interpretación que por el momento han asumido nuestros Tribunales, el límite cuantitativo establecido en la póliza para la cobertura de responsabilidad civil no juega en relación con el pago de los gastos de defensa jurídica salvo que específicamente así se prevea en la propia póliza (en este sentido, en la Sentencia de la Audiencia Provincial de Burgos, de 19 de Diciembre de 2002, se señala: «*tal garantía no debe verse limitada, como entiende el recurrente, por lo dispuesto en la cláusula 6 a) de las propias condiciones particulares, según la cual "la responsabilidad de los Aseguradores no excederá de la cantidad fijada en las Condiciones Particulares de esta Póliza. El límite de indemnización disponible para el pago de las reclamaciones se reducirá y podrá ser agotado por las cantidades incurridas en concepto de costes, gastos, y cargos a los cuales se les aplicará las franquicias estipuladas", puesto que en la misma no se hace referencia expresa a gastos de defensa en juicio. A nuestro entender, la exclusión contractual en el seguro de responsabilidad civil de los gastos de defensa en juicio –en contra de la regla general fijada en el art. 74 de la Ley del Contrato de Seguro– precisa de una mención concreta que en el presente caso no existe, no bastando la referencia genérica a "costes, gastos y cargos" contenida en la cláusula inmediatamente transcrita. En todo caso, la interpretación de las cláusulas oscuras del contrato no debe favorecer a la recurrida, pues fue ésta quien ha ocasionó la oscuridad, según el art. 1288 del Código Civil*»; para una interpretación distinta y más flexible véase IRIBARREN, *El seguro*, págs. 293 y 294).

V. EL SINIESTRO

La determinación del siniestro como realización del riesgo en el seguro de responsabilidad civil presenta algunas dificultades, cuestión que se encuentra íntimamente conectada con la propia determinación del daño en esta modalidad de seguro por cuanto aquél es el hecho desencadenante de éste. Atendiendo a la configuración legal del seguro de responsabilidad civil en Derecho español, el daño consiste en el nacimiento a cargo del asegurado de una deuda de responsabilidad, es decir, una obligación de indemnizar los daños y perjuicios ocasionados al tercero perjudicado (cfr. art. 73 LCS y SÁNCHEZ CALERO, *Ley*, pág. 1129 y ss.) y, en consecuencia, el siniestro vendrá constituido por el hecho que provoca el nacimiento de la deuda de responsabilidad o hecho que causa el daño al tercero dado que la responsabilidad nace del propio hecho causante del daño. Sin embargo, esta definición de siniestro plantea algunos inconvenientes si lo contemplamos como hecho desencadenante de la prestación del asegurador dado que, el nacimiento de la deuda de responsabilidad (daño) como consecuencia del hecho dañoso (siniestro), no desencadena automáticamente la prestación del asegurador, a lo cual debe añadirse que el asegurador puede verse obligado a realizar su prestación (al menos, en la parte relativa al pago de gastos de defensa jurídica) en supuestos en los cuales no haya nacido deuda de responsabilidad a cargo del asegurado (por ejemplo, gastos de defensa judicial en un supuesto de reclamación infundada que se resuelve declarando la no responsabilidad del asegurado pero sin imposición de costas al demandante). De este modo, parece posible tanto que existiendo siniestro y daño sin embargo el asegurador no se vea obligado a realizar su prestación como que no habiendo existido siniestro ni, por tanto, daño, el asegurador deba realizar al menos parcialmente su prestación.

Las contradicciones señaladas derivan en parte de la integración a efectos de su cobertura del riesgo de responsabilidad civil y del riesgo de defensa jurídica, dos riesgos que aún cuando se aseguren conjuntamente por un mismo contrato de seguro, presentan distinto objeto. Por ello, la solución a las mismas debe partir de la distinción entre ambas coberturas, la relativa al riesgo de responsabilidad civil del asegurado y la relativa al riesgo de su defensa jurídica, lo que permite concluir que respecto a la primera cobertura, el siniestro se concreta en principio en el hecho dañoso (nacimiento de la deuda de responsabilidad) y, respecto a la segunda, el siniestro deriva de la reclamación de un tercero referida a un supuesto de responsabilidad (real o no) cubierto por el seguro. No obstante, deberá distinguirse también entre el siniestro como hecho causante del daño y el siniestro como hecho desencadenante de la prestación del asegurador para señalar que la singularidad de esta modalidad de seguro frente a otros seguros de daños radica precisamente en que el hecho que causa el daño no ha de coincidir necesariamente con el hecho que provoca la prestación del asegurador, si bien no es posible que se produzca éste sin que se haya producido aquél.

Todo ello permite concluir que el siniestro, entendido unitariamente en su doble significado de evento causante del daño y evento desencadenante de ciertas obligaciones del asegurado y de la prestación del asegurador, es necesariamente en el seguro de responsabilidad civil un conjunto de sucesos o un suceso complejo que ha de comprender el hecho causante del daño y el hecho desencadenante de la prestación del asegurador en la cobertura del riesgo de responsabilidad civil y en la cobertura del riesgo de defensa jurídica. En relación con el riesgo de responsabilidad civil, el siniestro se inicia con el hecho dañoso que es por tanto su hecho causante si bien, la realización de éste no desencadena necesariamente todos los efectos vinculados a la producción del siniestro en el seguro de daños y, entre éstos, puede no provocar la prestación del asegurador.

A partir de esta situación, se admite que las partes puedan definir el siniestro a los únicos efectos de cumplimiento de la prestación por el asegurador (art. 73 LCS); precisamente, como hemos señalado anteriormente, haciendo uso de esta autorización en las pólizas del contrato de seguro de responsabilidad civil de administradores de sociedades anónima suele estimarse que el siniestro viene constituido por la reclamación formulada por el tercero perjudicado (una cláusula que en todo caso deberá respetar los límites establecidos en el propio art. 73 LCS –véase *supra* el apartado IV.2.3–). La circunstancia de que, en función de la definición de siniestro en su vertiente de hecho causante de la prestación del asegurador contenida en la póliza, la cobertura pueda extenderse a reclamaciones realizadas tras la finalización del contrato pero relativas a actuaciones llevadas a cabo durante la vigencia del mismo (así sucede en los supuestos en los cuales la prestación del asegurador se vincula a la reclamación por parte del tercero perjudicado –cláusula *claim made*–, una praxis que es admitida por el vigente art. 73, párrafo 2, LCS; sobre la importancia en estos seguros de la cobertura posterior *vid.* IRIBARREN, *El seguro*, pág. 206 y ss.), plantea si a efectos de aplicación del límite máximo de la prestación del asegurador eventualmente prevista en la póliza, las reclamaciones formuladas tras la finalización del período de seguro han de considerarse incluidas en la última anualidad de éste (de modo que se computen junto al resto de siniestros producidos en ese año) o en una nueva anualidad (lo cual implicaría que a efectos del cómputo del límite máximo únicamente concurriría con otras reclamaciones que pudieran realizarse en ese mismo período). En principio y sin perjuicio de que en la póliza se resuelva esta cuestión en otro sentido parece que, en tanto se considere que el siniestro en su perspectiva de acto desencadenante de la prestación del asegurador viene constituido por la reclamación formulada por un tercero, habría que inclinarse por esta última posibilidad dado que, para el cálculo del límite se toma en consideración el siniestro pero una vez producida la reclamación (es decir, el momento relevante para incluir un siniestro en uno u otro período de seguro es el de realización de la reclamación). De este modo, si la prestación del asegurador se vincula a la reclamación del perjudicado y, en consecuencia, la cobertura se extiende también a reclamaciones formuladas tras la finalización del período de vigencia formal del seguro (tal y como exige el propio art. 73 LCS), este «período extendido» debe considerarse como un nuevo período a efectos de aplicación del límite máximo a la prestación del asegurador.

El establecimiento de límites a la prestación del asegurador aplicables por siniestro (se combine o no con la fijación de un límite por períodos de tiempo dentro de la vigencia del contrato) suele complementarse con la inclusión de la denominada cláusula de «unidad de siniestro», en cuya virtud los daños producidos a distintos perjudicados que tengan una misma causa por derivar del mismo hecho dañoso, se consideran conjuntamente a efectos de aplicación del límite máximo (PERÁN ORTEGA, pág. 199 y, en relación con el seguro de responsabilidad civil de administradores sociales, FERNÁNDEZ DEL MORAL, *El seguro*, pág. 161; SÁNCHEZ CALERO, *El seguro*, pág. 416 e IRIBARREN, *El seguro*, págs. 211 a 213). No obstante, la singularidad del supuesto de responsabilidad asegurado en el caso de seguro de responsabilidad civil de administradores de sociedades anónimas dificulta la aplicación del principio de unidad de siniestro; así, teniendo en cuenta que la aplicación de este principio exige que los daños provengan del mismo acto (no siendo suficiente con que deriven de actos distintos pero de igual naturaleza), en ocasiones será difícil determinar si los daños sufridos por diferentes perjudicados derivan del mismo acto realizado por el o los administradores, lo cual será especialmente problemático en caso de actuaciones «encadenadas» (es decir, en el supuesto de que los daños sufridos por diferentes sujetos deriven de un conjunto de actuaciones concatenadas llevadas a cabo por los administradores) o de «actos relacionados» (*vid.* IRIBARREN, *El seguro*, pág. 212); en otros casos, incluso, será difícil individualizar el concreto acto que desencadena los daños. A su vez, debe tenerse en cuenta que, a efectos de aplicación del principio de unidad de siniestro, éste debe ser entendido como el hecho dañoso o hecho desencadenante de la responsabilidad del asegurado (con independencia de que en el caso concreto la prestación del asegurador se vincule a la reclamación del perjudicado) y, en consecuencia, lo relevante será que los daños sufridos por los diferentes perjudicados hayan sido originados por la misma causa y no que su indemnización se exija a través de una misma reclamación.

Capítulo 13
LA PRESCRIPCIÓN DE LAS ACCIONES DE RESPONSABILIDAD

JOSÉ Mª FERNÁNDEZ SEIJO
Magistrado
Audiencia Provincial de Barcelona

SUMARIO: I. CUESTIONES GENERALES. II. CONSECUENCIAS DE LA UNIFICACIÓN DE CRITERIOS. III. LAS TENSIONES ENTRE LA DOCTRINA DE LA ACTIO NATA Y LA DOCTRINA DEL CÓMPUTO DEL PLAZO A PARTIR DEL CESE. 1. El cómputo del plazo a partir del cese del administrador. 2. El cómputo del cese aplicando la doctrina de la *actio nata*. IV. LOS PROBLEMAS DERIVADOS DE LA INSCRIPCIÓN REGISTRAL DEL CESE. V. SITUACIONES ASIMILABLES AL CESE DEL ADMINISTRADOR Y DETERMINACIÓN DEL ALCANCE DE LA EXPRESIÓN «POR CUALQUIER MOTIVO». 1. La caducidad del cargo. 2. La renuncia o dimisión. 3. La determinación del alcance de la expresión «por cualquier motivo» referida en el artículo 949 del Código de comercio. VI. SITUACIONES QUE NO QUEDARÍAN SOMETIDAS AL PLAZO DE PRESCRIPCIÓN POR CESE. VII. CUESTIONES PUNTUALES REFERIDAS A LA PRESCRIPCIÓN. 1. La acción de reclamación de cantidad contra la sociedad y la acción de responsabilidad del administrador, cuestiones de solidaridad impropia. 2. La extensión del reconocimiento de las prescripción incluso al demandado que pudiera estar en situación procesal de rebeldía. 3. La declaración de nulidad de la junta en la que se hubiera acordado el cese de un administrador y sus efectos en cuanto al ejercicio de la acción contra ese administrador. 4. Ejercicio de la acción de responsabilidad del artículo 367 de la Ley de Sociedades de Capital por deudas ya prescritas de la sociedad. 5. Perjuicios que se ponen de manifiesto una vez transcurrido el plazo de 4 años desde el cese del administrador. VIII. INCIDENCIA DEL PROCEDIMIENTO CONCURSAL EN EL EJERCICIO DE LAS ACCIONES DE RESPONSABILIDAD CONTRA ADMINISTRADORES DE SOCIEDADES MERCANTILES DECLARADAS EN CONCURSO. 1. El alcance del artículo 60.2 de la Ley Concursal. 2. Identificación de la resolución que pone fin al procedimiento concursal. 3. Conexión con el artículo 48.2 de la Ley Concursal. 4. Sobre la posible prescripción de las acciones de responsabilidad concursales.

I. CUESTIONES GENERALES

Ni la Ley de Sociedades Anónimas en su Texto Refundido de 1989, ni la Ley de Sociedades de Sociedades de Responsabilidad Limitada de 1995 se había ocupado de determinar los criterios para el ejercicio de las acciones de responsabilidad de los órganos de las sociedades mercantiles, de igual modo en el Texto Refundido de la Ley de Sociedades de Capital

(RDL 1/2010 de 2 de julio) tampoco se hacía ninguna mención a esta circunstancia. Dicha circunstancia dio lugar a que hasta 2001 se establecieran modos de interpretación y aplicación dispares que generaron cierta inseguridad pues dependían del juzgado o tribunal que debía resolver. La doctrina mercantilista tampoco clarificaba la cuestión en la medida en la que la cuestión se trataba de modo tangencial.

Dos eran los aspectos fundamentales respecto de los que se producían profundas discrepancias: 1) La determinación del plazo para el ejercicio de la acción y, 2) La fijación de la fecha inicial para el cómputo de las acciones.

Sobre el primer punto las opciones oscilaban entre quienes entendían que debía aplicarse el plazo de una año propio de la responsabilidad extracontractual –artículo 1968 del Código Civil–, y quienes consideraban que el plazo correcto era el cuatrienal del artículo 949 del Código de Comercio; aunque no faltaban resoluciones aisladas que se decantaban por el término de 15 años, propio de las acciones personales no sujetas a plazo (SAP de Ciudad Real 8.6.1994).

Respecto del segundo punto quienes optaban por el plazo anual entendían que debía computarse desde la fecha en la que se produjo el daño, mientras que los que aplicaban el plazo de cuatro años defendían que debía entenderse desde la fecha de cese (para conocer la evolución de la doctrina y de la jurisprudencia sobre esta cuestión es interesante el trabajo realizado por DANIEL RODRÍGUEZ RUIZ DE VILLA y Mª ISABEL HUERTA VIESCA en *La responsabilidad de los Administradores de las Sociedades de Capital*, Editorial Aranzadi, Navarra 1998, 4ª edición).

Las diversas reformas operadas en las leyes societarias no abordaron la materia, pese a ello a partir de la sentencia del Tribunal Supremo de 20 de julio de 2001 el debate pareció sosegarse en la medida en la que dicha sentencia, tras un minucioso análisis, fijaba el criterio en materia de prescripción de acciones de responsabilidad conforme al artículo 949 del Código de Comercio, es decir, consideraba que el plazo correcto era el de cuatro años desde el cese de los administradores.

El Tribunal Supremo inicialmente había considerado como más adecuado el plazo de prescripción anual (STS de 21.5.1992), pero a partir de 1995 se modifica el criterio (SSTS de 22.6.1995 y 29.4.1999), aunque no faltan sentencias en las que para supuestos de ejercicio de la acción derivada del artículo 262.5 de la Ley de Sociedades Anónimas –el actual artículo 367 de la Ley de Sociedades de Capital– mantienen el criterio de la anualidad (STS de 2.7.1999).

Como consecuencia de esta sentencia, así como de las que de modo abrumador consolidaron el criterio jurisprudencial –26.5.2004, 22.3.2005, 19.5.2006, 30.11.2006, 14.5.2008, por citar algunas de ellas–, tanto los tribunales como por la propia doctrina se ha aceptado el criterio cuatrienal y la determinación del día de cómputo a partir de la fecha de cese del administrador sin grandes discrepancias y sin profundizar en algunos de los problemas tanto teóricos como prácticos que plantea este criterio. Aunque hay una serie de sentencias en las que aparece, como un espejismo, el plazo de una anualidad (STS 14.3.2007, 13.2.2007 y 20.2.2006) debido a que las partes han aceptado el término de un año y, por lo tanto, la cuestión no ha sido sometida al recurso de casación.

La sentencia de 20 julio de 2001 se refiere a la acción de responsabilidad derivada del artículo 241 de la Ley de Sociedades de Capital, pero lo cierto es que el abordar la cuestión de la prescripción lo hace con la voluntad de unificar el criterio tanto para las acciones derivadas del artículo 241 como a las del 367 del mismo texto legal. Así lo indica el propio Tribunal en sentencias como la de 28.11.2006.

Las «razones» que emplea el Tribunal Supremo para decantarse por la aplicación del artículo 949 del Código de Comercio son:

A) Argumento sistemático dentro del Código de comercio:

> «El artículo 943 del Código Civil, punto de partida para llegar al artículo 1968-2º del Código Civil, se refiere textualmente a "las acciones que en virtud de este Código no tengan un plazo determinado para deducirse en juicio". Sin embargo resulta que el propio Código Civil, en su artículo 949, sí asigna un plazo determinado, el de cuatro años, a "la acción contra los socios gerentes y administradores de las compañías o sociedades", sin distinción alguna, por más que su emplazamiento sistemático, a la vista del contenido de los dos artículos que le preceden, permita opinar que podría estar refiriéndose sólo a la acción que contra el administrador ejerciten los socios».

B) Argumento de subsidiariedad de primer grado del Código de comercio frente al Código civil respecto de la legislación societaria:

> «La acción individual de responsabilidad, ya corresponda a los socios, ya a terceros, se regula específicamente en un precepto de la Ley de Sociedades Anónimas-Texto Refundido 1989, el artículo 135, que es una norma mercantil cuyo complemento debe buscarse en el Código de Comercio, a tenor del artículo 121 de este último y dado su carácter de Cuerpo legal básico en el ámbito mercantil, antes que en el Código Civil».

C) Argumento de norma especial del 949 del Código de comercio frente al 1968 del Código civil:

> «Existiendo por tanto en el Código de Comercio una norma especial sobre el plazo de ejercicio de "la acción contra los socios gerentes y administradores de las compañías o sociedades", no hay por qué acudir al Código Civil en busca de otro plazo diferente que en realidad se establece para unas acciones menos específicas, las ejercitadas para exigir responsabilidad "por las obligaciones derivadas de la culpa o negligencia de que se trata en el artículo 1902", debiendo aplicarse la norma especial con preferencia sobre la general».

D) Argumento de superación de la distinción entre responsabilidad contractual y extracontractual respecto del artículo 135 de la Ley de Sociedades Anónimas –artículo 241 de la Ley de Sociedades de Capital con una redacción prácticamente literal–;

> «La polémica en torno a la naturaleza contractual o extracontractual de la acción individual contemplada en el artículo 135 de la Ley de Sociedades Anónimas cuando la ejerciten los terceros frente a los administradores es en cierta medida estéril: primero, porque cuenta con una regulación propia en dicho precepto que la especializa o especifica respecto a la obligación genérica, contemplada en el artículo 1902 del Código Civil, de reparar el daño causado por culpa o negligencia; segundo, porque la parcial coincidencia de los requisitos o presupuestos de la obligación reparadora o indemnizatoria contemplada en cada uno de dichos preceptos no significa necesariamente identidad total, dada la conexión del artículo 135 de la Ley de Sociedades Anónimas con sus artículos 133 y 127.1, con la consiguiente referencia a un determinado modelo de diligencia cuya inobservancia determina la culpa del administrador, y la exigencia legal de que la lesión causada a los intereses de los terceros por los actos de los administradores sea directa; tercero, porque la acción individual contemplada en el artículo 135 de la Ley de Sociedades Anónimas lo es de indemnización "por actos de los administradores", es decir en cuanto tales administradores o por razón de su cargo, lo que refuerza la aplicabilidad del artículo 949 del Código de Comercio; cuarto, porque nada impide que junto con la acción del artículo 135 de la Ley de Sociedades Anónimas, por la conducta ilícita del administrador en su actividad orgánica, coexista la acción genérica del artículo 1902 del Código Civil por los daños que el administrador hubiera podido causar a socios o terceros al margen de esa actividad, es decir no ya como tal administrador; quinto, porque si el artículo 135 de la Ley de Sociedades Anónimas se entendiera referido a la responsabilidad del administrador en su esfera personal, resultaría un precepto superfluo que perdería su justificación más segura como excepción a las reglas de imputación normalmente derivadas del carácter orgánico de la actuación del administrador; y sexto, porque la presunta nitidez de la naturaleza extracontractual de la responsabilidad de los administradores frente a quienes no sean socios se desdibuja en gran medida cuando, como suele suceder en la práctica y ocurre también en el caso examinado, la acción se ejercita contra el administrador o administradores por un acreedor social que lo

> *es precisamente en virtud de uno o varios contratos celebrados con la sociedad a través del propio administrador».*

E) Argumento de seguridad jurídica:

> *«La unificación del plazo de prescripción en el de cuatro años del artículo 949 Código de Comercio aporta a esta materia un grado de seguridad jurídica que permite superar la poca precisión que en ocasiones presentan las fronteras entre la responsabilidad contractual y la extracontractual, acudiendo de un modo lógico y dotado de un indiscutible apoyo normativo a un solo plazo para las acciones de responsabilidad de los administradores por su actividad orgánica, con la ventaja añadida de la certeza que en tal caso se logra en orden al cómputo inicial del mismo plazo».*

F) Argumento de la interpretación restrictiva de la institución de la prescripción.

> *«Finalmente, siendo la prescripción una figura de interpretación restrictiva, según reiterada jurisprudencia de esta Sala, en caso de duda sobre dos plazos de prescripción posiblemente aplicables, siempre habría que optar por el de mayor duración por ser el más favorable a la viabilidad de la acción ejercitada».*

Por lo visto hasta este punto el Tribunal Supremo consideraba que, con independencia de la naturaleza de la acción ejercitada, el plazo para el ejercicio de las acciones debe ser el mismo. No faltan autores que consideran que la decisión de unificar criterios es una respuesta a la avalancha de acciones de responsabilidad contra administradores de sociedades mercantiles al amparo del artículo 262.5 de la Ley de Sociedades Anónimas y el 105.5 de la Ley de Sociedades de Responsabilidad Limitada (las referencias deben entenderse ahora al artículo 367 de la Ley de Sociedades de Capital. Así por ejemplo FERNANDO MARÍN DE LA BÁRCENA *La acción individual de responsabilidad frente a los administradores de las sociedades de capital,* ed. Marcial Pons, Colec. Garrigues, Madrid, 2005).

Esta afirmación que podría considerarse correcta hasta la fecha de entrada en vigor de la Ley Concursal dado que a partir del 1 de septiembre de 2004, por expresa decisión del legislador, al regularse la responsabilidad concursal de los administradores de sociedades mercantiles en supuestos de concursos culpables, se introducen importantes correctivos en materia de prescripción que permiten replantearse las «bondades» de la unificación del plazo.

El contenido del artículo 172 de la Ley Concursal –que se examinará con mayor profundidad en un epígrafe específico– permite considerar que en escenarios concursales la acción no prescribe en tanto en cuanto se ha de ejercitar en el seno del procedimiento universal. Cuestión distinta es que el período de fiscalización se entre sólo en los administradores que lo fueran en el momento de declararse el concurso o en los dos años anteriores. De manera que un administrador que lo hubiera sido en los dos años anteriores a la declaración del concurso podrá ser considerado responsable de un concurso culpable aunque la sección de calificación y la sentencia que cierra la misma se hubieran dictado más de cuatro años después de su cese.

Sin embargo la naturaleza de las distintas acciones de responsabilidad contra los administradores no es una cuestión baladí, como lo evidencia el hecho de que la doctrina no se haya puesto de acuerdo sobre esta materia –el Profesor Esteban Velasco en esta misma obra hace referencia al actual estado de la cuestión entre los autores que consideran que el artículo 241 de la Ley de Sociedades de Capital se refiere a una acción de naturaleza siempre contractual, los que consideran que tiene naturaleza extracontractual y los que entienden que su naturaleza varía en función de que la acción la ejercite la sociedad, los socios o terceros–. El Tribunal Supremo –Sentencia de 17.12.2003– considera que la naturaleza de la acción derivada del artículo 241 de la Ley de Sociedades de Capital de carácter extracontractual cuando quien la ejercita es un tercero. O, por lo menos, exige los requisitos propios de las acciones de esta naturaleza –Sentencia del Tribunal Supremo de 28.5.2005. Aunque no faltan sentencias como la de 29-4-1999 que se decantan de manera clara y rotunda por la naturaleza contractual de la acción:

> «cabe sostener que salvo la deficiente referencia a ese leal representante, del 127 de la Ley de Sociedades Anónimas, el espíritu y la propia letra que resplandece en esta Ley, es la de considerar al Administrador o al Consejero como tal órgano, y en este caso, el juego dentro de la responsabilidad contractual, indiscutible, por lo que el plazo de ejercicio es el de 4 años, siendo ésta la razón por la que, la jurisprudencia más actualizada sigue esta tesis, porque antes de la reforma, se consideraba al Consejero o Administrador como tal mandatario de la Sociedad, y entonces, los contratos que celebraba con los terceros, sólo le ligaban a él y al tercero, con independencia, desde luego, de la responsabilidad subsidiaria inherente del ente, mientras que la contractual era contra el Consejero o el Administrador interviniente; sin embargo, con la nueva normativa, al considerarse como tal órgano al Administrador, se estima a todos los efectos, que la responsabilidad es de tipo contractual directamente con el ente».

La cuestión tampoco es sencilla cuando se aborda la naturaleza de la acción derivada del artículo 367 de la Ley de Sociedades de Capital ya que la jurisprudencia se contenta con advertir que se trata de una responsabilidad objetiva o cuasi-objetiva, una responsabilidad *ex lege* –Sentencia del Tribunal Supremo de 28.4.2006 ó 1.3.2004– sin entrar en la dicotomía entre responsabilidades contractuales y extracontractuales.

Otras veces ha contrapuesto la naturaleza extracontractual de la acción del artículo 241 de la Ley de Sociedades de Capital, a la naturaleza objetiva del actual artículo 367 de la Ley de Sociedades de Capital –así la Sentencia del Tribunal Supremo de 23.2.2004– que declara que:

> *«Siendo así que la acción que nace de este último precepto es distinta de la que origina el artículo 265 de la Ley de Sociedades Anónimas; aquélla es de naturaleza extracontractual, y requiere que se den los requisitos propios de la responsabilidad de esta naturaleza (acción u omisión culposa, daño, y relación de causalidad entre éste y aquélla), mientras que la acción "ex" artículo 265 no requiere ninguna culpa en el administrador, ni relación de causalidad alguna con el daño, basta el hecho objetivo del incumplimiento de las obligaciones que la Ley de Sociedades Anónimas impone específicamente al administrador social para que se desencadene el efecto sancionador (sentencias 29 abril y 21 septiembre 1999, 20 julio 2001 y 14 noviembre 2002, entre otras)».*

Y para terminar de confundir respecto de esta cuestión se llegue a considerar en alguna sentencia aislada que la acción del artículo 367 de la Ley de Sociedades de Capital es de naturaleza contractual –Sentencia del Tribunal Supremo de 31.01.2001 Fundamento 4º.

En todo caso el Tribunal Supremo se ha pronunciado respecto de la acción prevista por el artículo 367 de la Ley de Sociedades de Capital, considerando que el plazo no ha de computarse desde el nacimiento del crédito, sino desde el cese. El criterio sentado por el Tribunal Supremo –Sentencia del Tribunal Supremo de 26.6.2006– es el de computar el plazo para el ejercicio de la acción desde el cese del administrador, no desde el nacimiento del crédito. A estos efectos tiene relevancia frente a tercero la inscripción registral del cese de administrador, dado que será a partir de entonces cuando, salvo supuestos de mala fe, deba computarse el plazo de prescripción. Así dice el Tribunal Supremo que:

> *«si no consta el conocimiento por parte del afectado del momento en que se produjo el cese efectivo por parte del administrador, o no se acredita de otro modo su mala fe, el cómputo del plazo de cuatro años que comporta la extinción por prescripción de la acción no puede iniciarse sino desde el momento de la inscripción, dado que sólo a partir de entonces puede oponerse al tercero de buena fe el hecho del cese y, en consecuencia, a partir de ese momento el legitimado para ejercitar la acción no puede negar su desconocimiento».*

En el mismo sentido la Sentencia del Tribunal Supremo de 4 de septiembre de 2008:

> *«pues cesada la administración ya no existirán resortes en el administrador para reconducir la compañía buen fin, para hacerla rentable y en suma para hacer frente a los créditos de los legítimos acreedores, no siendo posible iniciar el ejercicio*

de la acción, residenciándola en la culpa extracontractual, desde el momento en que pudo ejercitarse, para situar este último cuando tuvo conocimiento el acreedor del perjuicio y de la imposibilidad de hacer efectivo el crédito; a estos fines es de todo punto necesario resaltar, con el Juzgador de instancia, como, inscritos los ceses de administrador, produce plenos efectos frente a terceros la publicidad registral, no siendo posible, pasado el plazo prescriptivo desde aquel evento, exigir responsabilidad a los citados administradores, lo que también puede acreditarse, al margen del Registro Mercantil, en los supuestos de que quien ejercita la acción hubiere realizado actos con la compañía demandada y con los nuevos administradores que le hubiere permitido deducir obviamente que alguno de ellos ya había cesado».

Pese a las dudas tanto teóricas como prácticas que para la jurisprudencia pueda generar la naturaleza de estas acciones, lo cierto es que hasta la fecha ha triunfado el criterio unificador en materia de fijación del plazo para la prescripción, criterio que ha optado por eludir cualquier referencia a la naturaleza de las acciones.

La Ley 31/2014, de 3 de diciembre, por la que se modifica la Ley de Sociedades de Capital para la mejora del gobierno corporativo, introduce un nuevo precepto en la Ley de Sociedades de Capital, el artículo 241 bis, que se incluye con la finalidad de solventar de modo definitivo el debate sobre la determinación del plazo de prescripción de las acciones de responsabilidad. El citado precepto establece, bajo el epígrafe de prescripción de las acciones de responsabilidad, que: "La acción de responsabilidad contra los administradores, sea social o individual, prescribirá a los cuatro años a contar desde el día en que hubiera podido ejercitarse". En la exposición de motivos de la reforma no se hace ninguna referencia a las razones que han llevado al legislador a incluir este nuevo precepto en el marco de una norma destinada a introducir en la Ley las conclusiones referidas a la modernización de las reglas sobre gobierno corporativo.

Conforme a este nuevo precepto se deberán considerar superadas las discusiones respecto de la determinación del díes a quo a partir del cual se debe entender que puede ejercitarse la acción tanto para aquellos supuestos en los que el órgano de administración haya cesado, como aquellos otros en los que los órganos de administración sigan teniendo su cargo en vigor.

La norma apenas lleva en vigor unos meses −entró en vigor el 24 de diciembre de 2014− por lo que no hay todavía criterios prácticos asentados, tampoco es posible disponer de jurisprudencia que permita identificar las soluciones que aporta el nuevo régimen y los problemas que genera. Cierto es que con la nueva redacción se solventan todas las disquisiciones a cerca de la determinación del momento en el que debe considerarse efectivo el cese del administrador de una sociedad mercantil dado que el elemento fundamental del nuevo régimen es el de determinación del momento en el que pudo ejercitarse la acción; este nuevo régimen determinará que en el supuesto de acciones individuales de responsabilidad el elemento trascendente sea el de identificación de la acción u omisión que genere el perjuicio; en los supuestos de acciones derivadas del artículo 367 de la Ley será trascendental determinar el momento en el que concurría la causa de disolución.

En la práctica judicial será determinante identificar al legitimado activamente para establecer el momento en el que pudo ejercitarse la acción; los socios, administradores o la propia sociedad tendrán un conocimiento directo, prácticamente inmediato, de los hechos generadores de la responsabilidad; en el caso de que sean terceros los que ejerciten la acción el problema se complica ya que ese tercero puede tener problemas en identificar la acción u omisión imputable al administrador, sin embargo sí que identificará el momento en el que se produce el efectivo perjuicio. Estas consideraciones trasladan los problemas que pueda generar la interpretación de este artículo 241 bis a las reglas sobre prueba, carga de la prueba y disponibilidad probatoria, cuestiones referidas en el artículo 217 de la Ley de Enjuiciamiento Civil.

Aunque no se han dictado resoluciones judiciales relevantes que apliquen de modo directo el nuevo artículo 241 bis, lo cierto es que en algunas sentencias recientes ya se hace mención al efecto reflejo del artículo 241 bis, así la sentencia de la Audiencia Provincial de Barcelona de 12 de febrero de 2015 se hace la siguiente referencia:

«Esta distinción lleva a concluir que "el dies a quo" [día inicial] del plazo de prescripción queda fijado en el momento del cese en el ejercicio de la administración por cualquier motivo válido para producirlo, si bien, atendida la anterior doctrina jurisprudencial, no se ha de computar, frente a terceros de buena fe, hasta que no conste aquél inscrito en el Registro Mercantil. De tal forma que, si no consta el conocimiento por parte del afectado del momento en que se produjo el cese efectivo por parte del administrador, o no se acredita de otro modo su mala fe, el cómputo del plazo de cuatro años que comporta la extinción por prescripción de la acción no puede iniciarse sino desde el momento de la inscripción, dado que sólo a partir de entonces puede oponerse al tercero de buena fe el hecho del cese y, en consecuencia, a partir de ese momento el legitimado para ejercitar la acción no puede negar su desconocimiento. Esta doctrina, respecto de la acción individual, que es la que nos ocupa, ha tenido su eco además en el derecho positivo al establecer el artículo 241 bis de la Ley de Sociedades de Capital [precepto introducido por el apartado veintidós del artículo único de la Ley 31/2014, de 3 de diciembre, por la que se modifica la LSC para la mejora del gobierno corporativo, con vigencia desde el 24 diciembre 2014] que el *dies a quo* empezará a contar desde el día en que hubiera podido ejercitarse la acción».

El anteproyecto de nuevo Código de Comercio incluye en su artículo 215-20 una norma en línea con el nuevo artículo 241 bis de la Ley de Sociedades de Capital.

II. CONSECUENCIAS DE LA UNIFICACIÓN DE CRITERIOS

El contenido literal del artículo 949 del Código de comercio es el siguiente: «La acción contra los socios gerentes y administradores de las compañías o sociedades terminará a los cuatro años, a contar desde que por cualquier motivo cesaren en el ejercicio de la administración».

El significado parece claro, el administrador quedará liberado de cualquier responsabilidad una vez hayan transcurrido cuatro años desde su cese. El precepto parece, pues, una cláusula de cierre, de salvaguarda del administrador al que la ley le permite visualizar el momento a partir del cual quedará realmente desvinculado de la sociedad que hubiera administrado.

Debe ahora examinarse si cuando la jurisprudencia opta por el plazo de prescripción de cuatro años lo vincula al cese del administrador o lo vincula al momento en el que se produjeron las acciones u omisiones susceptibles de responsabilidad.

La sentencia del Tribunal Supremo de 20 de julio de 2001, determinante en la materia, se refiere en el párrafo final de su fundamento 5º a los hechos imputados al administrador en la demanda, no a la fecha de su cese –cuestión que por otra parte no era objeto de controversia en el pleito, no siendo posible determinar si el demandado en aquellos autos había cesado o no. En el mismo sentido la sentencia del Tribunal Supremo de 30 de noviembre de 2001 se refiere a que:

> *«la acción para exigir la responsabilidad correspondiente de los administradores o consejeros prescribe a los 4 años desde que se produjo la conducta, o el acto lesivo».*

En otras resoluciones la cuestión no parece tan clara y así en la sentencia del Tribunal Supremo de 2 de julio de 1999 en la que se superpone el cómputo de plazo a partir de la determinación del momento en el que el administrador debió convocar junta, con la identificación de un supuesto cese de hecho del administrador de la sociedad vinculado al momento en el que la sociedad dejó de ser operativa:

> «*El motivo procede, pues el cómputo del plazo de los cuatro años no ha transcurrido, ya que, al subsistir al comienzo del año 1990 la obligación de los administradores de convocar Junta, debieron de hacerlo dentro de los meses primeros de dicho año, descontándose el plazo de los dos meses que señala el artículo 262.5°, habiéndose presentado la demanda el 22 de julio de 1992. Si bien el artículo 949 hace referencia a que el plazo se contara desde que los administradores cesaron, como suficientemente se demostró, ha tenido lugar un cese de hecho desde el momento en que en julio de 1989 dejaron de desempeñar la actividad propia de su cargo, por ser desde entonces no operativa la sociedad, y esta situación se mantuvo en el año 1990 y tiempo posterior, pero anterior a la presentación de la demanda*».

No faltan resoluciones en las que, de modo general, se indica que el «dies a quo» será el de la fecha del cese, desvinculándose con ello de las acciones u omisiones generadoras de la responsabilidad (SSTS de 21.10.2008, 26.10.2007, 22.12.2005), trasladando con ello el debate no al momento en el que el demandante conoció o pudo conocer los hechos o circunstancias que le causaron perjuicio, sino el conocimiento del momento en el que cesó el administrador.

La cuestión no es ni mucho menos menor como puede deducirse de dos supuestos que pueden darse en la práctica:

Supuesto primero. Recién nombrado un administrador realiza una acción claramente perjudicial para los intereses de un tercero, que conoce desde el primer momento esta actuación. El administrador cumple con su mandato y seis años después es designado otro administrador. Si se computa el plazo para el ejercicio de la acción desde la producción del acto dañoso la demanda interpuesta tras el cese del administrador habría prescrito, sin embargo si se computa desde la fecha del cese esa acción estaría en vigor.

Segundo supuesto. Un administrador cesa en su cargo, cese que accede al Registro Mercantil de modo inmediato. Un acreedor inicia las acciones judiciales tendentes a reclamar una deuda a la sociedad, ajeno a la situación patrimonial de esa sociedad. Obtiene un pronunciamiento favorable en primera instancia, que es recurrido por la sociedad, se confirma la sentencia en segunda instancia y cuando, cuatro años después, culmina el proceso de ejecución de la sentencia el acreedor constata que la sociedad carecía de patrimonio desde que se antes del cese del administrador, que no disponía de activos suficientes para hacer frente a sus obligaciones. Interpone la demanda de responsabilidad contra el administrador cuatro años y medio después de su cese, sin embargo no han transcurrido sino unos meses desde que conoció que la sociedad se encontraba incursa en una causa de disolución ya desde antaño. En este caso aplicando como *dies a quo* el del cese del administrador la acción habría prescrito, cuando todavía no había nacido la acción de responsabilidad por no haberse disuelto la sociedad en tiempo y forma, disolución que debía de haberse instado antes del cese del administrador pues ya entonces concurrían sobradamente las causas de disolución.

Puede confirmarse, por lo tanto, que la evolución de la jurisprudencia en esta materia ha sufrido una mutación en la medida en la que la sentencia de la que traen causa todas las demás acepta el plazo de cuatro años pero lo inicia a partir de la identificación del hecho lesivo, no del cese. Sin embargo las sentencias posteriores parecen haber derivado hacia ese mismo criterio cuatrienal pero computable desde el cese del administrador. Por lo menos ese era el estado de la cuestión hasta que se produce la sentencia del Tribunal Supremo de 11 de noviembre de 2008, que vuelve otra vez a situar el día inicial en el momento en el que pudo ejercitarse la acción, en el momento en el que se produce o se conoce el acto lesivo.

Estas mismas dudas se han trasladado a los trabajos doctrinales más recientes, así en la reciente obra colectiva *Órganos de la Sociedad de Capital*, dirigida por RAFAEL GIMENO-BAYÓN COBOS y LUIS GARRIDO ESPA, Ed. Tirant lo Blanch, Colec. Tratados. Valencia 2008, mientras que GIMENO-BAYÓN COBOS y ORELLANA CANO consideran que si las actuaciones irregulares llegan a conocimiento de los socios antes del cese el cómputo del plazo deberá iniciarse desde el día en que se pudieron ejercitar dichas acciones, sin embargo otros autores en la misma obra –ETXERANDO HERRERA– defiende la tesis contraria, por la cual el plazo para el ejercicio de la acción quedaría en suspenso en tanto no hubiera cesado el administrador.

Como puede apreciarse la mejor doctrina ya anticipada antes de la reforma la necesidad de aplicar como fecha inicial para el cómputo del plazo la que finalmente ha cristalizado en el artículo 241 bis de la Ley.

III. LAS TENSIONES ENTRE LA DOCTRINA DE LA *ACTIO NATA* Y LA DOCTRINA DEL CÓMPUTO DEL PLAZO A PARTIR DEL CESE

El actual estado de la cuestión permite, por lo tanto, distinguir entre las resoluciones que optan de modo inequívoco por aplicar el plazo cuatrienal computado desde la fecha del cese y las que, acudiendo a la doctrina general sobre el ejercicio de las acciones, entienden que el plazo en toco caso se debe vincular al efectivo nacimiento de la acción; como ya se ha indicado la reforma de la Ley llevada a efecto en diciembre de 2014 se decanta por el criterio de la actio nata.

1. *El cómputo del plazo a partir del cese del administrador*

Probablemente la resolución que aborda con mayor precisión la cuestión es la sentencia del Tribunal Supremo de 4 de diciembre de 2008:

> *«Constituye doctrina de esta Sala sobre el "dies a quo" para el cómputo del plazo de prescripción de cuatro años a que está sometida la acción para exigir responsabilidad al administrador, contenida, entre otras, en Sentencia de 3 de julio de 2008 (recurso nº 4186/2001), que cita las sentencias de 18 de febrero y 14 de mayo de 2007, que según esta línea jurisprudencial –que parte de que la fijación del dies a quo– es una cuestión de hecho, lo que no es obstáculo para revisar en casación su determinación cuando la valoración hecha por la Sala de instancia aparezca como incongruente, absurda o arbitraria (Sentencia de 6 de marzo de 2006) ó, el momento establecido en el artículo 949 del Código de Comercio como dies a quo para el ejercicio de la acción de responsabilidad dirigida contra los administradores de la sociedad es el de su cese (Sentencia de 14 de mayo de 2007, con cita de las de 26 de mayo de 2006 y 22 de marzo de 2007, entre las más recientes), lo que ha de entenderse como aquél en que, como señala el precepto, "por cualquier motivo" hubieran cesado en «el ejercicio de la administración», siendo por ello que, como destacó la sentencia de 26 de octubre de 2004, el inicio del cómputo de ese plazo reclama un cese propiamente dicho del administrador demandado, por más que la causa de aquel pueda ser cualquiera de las que se consideran aptas para producirlo».*

La Audiencia Provincial de Barcelona en sentencia de 27 de septiembre de 2007 establece los argumentos en base a los cuales se deshecha el criterio de la *actio nata* y se opta por el del cese:

> *«Sin embargo, esa interpretación, siguiendo la denominada teoría de la actio nata, no puede admitirse pues amén de omitir, inexplicablemente, en el caso concreto la propia literalidad del precepto que sí que establece un determinado dies a quo, llevaría a conculcar la propia finalidad de la prescripción de las acciones la cual radica, fundamentalmente, en la protección de la seguridad jurídica ya que no puede mantenerse activa una acción más allá del tiempo establecido para su ejercicio. En este sentido, de acuerdo con la propia interpretación del aludido precepto que la Sala ha venido reiteradamente siguiendo, resulta procedente acoger la excepción de prescripción de la acción alegada por el apelante dado que la caducidad del cargo de administrador (art. 145 del RRM) resulta ser una causa de cese (STS de 13 de abril de 2000) al suponer una expiración del plazo de su*

mandato con solución de continuidad y haber transcurrido más de cuatro años hasta la interposición de la presente demanda».

2. El cómputo del cese aplicando la doctrina de la actio nata

Sin embargo el propio Tribunal Supremo –sentencia de 11.11.2008– deja abierta la puerta de vincular el plazo al efectivo nacimiento de la acción:

> «El dies a quo o día inicial para el ejercicio de la acción por responsabilidad extracontractual es aquél en que puede ejercitarse la acción, según el principio action ondum nata non praescribitur [la acción que todavía no ha nacido no puede prescribir], al que se acoge el Código Civil (STS 27 de febrero de 2004). Este principio exige, para que la prescripción comience a correr en su contra, que la parte que propone el ejercicio de la acción disponga de los elementos fácticos y jurídicos idóneos para fundar una situación de aptitud plena para litigar... En la citada Sentencia de la Sala se consideró que la acción no pudo ejercitarse antes, como mínimo, del momento en que las deudas de la sociedad fueron declaradas mediante sentencia firme y, en su ejecución, se procedió infructuosamente al embargo de bienes de la sociedad administrada por los demandados, así como que su ejercicio estaba subordinado no solamente al conocimiento de la inviabilidad económica de la empresa, sino también, como mínimo, a la constancia de la insolvencia de la sociedad como factor demostrativo de la imposibilidad de hacer efectivos los créditos contra ella».

Como indica la sentencia de Tribunal Supremo de 14 de marzo de 2007:

> «Este principio exige, para que la prescripción comience a correr en su contra, que la parte que propone el ejercicio de la acción disponga de los elementos fácticos y jurídicos idóneos para fundar una situación de aptitud plena para litigar».

Entronca, con ello, con el régimen general para el ejercicio de cualquier tipo de acciones y con el artículo 1969 del Código civil (sirva como referencia también la STS de 21.3.2005 o la de 23.10.2007). Parece por lo tanto la doctrina más acertada, aunque no sea la que finalmente se haya impuesto en la práctica de los tribunales.

En este punto no debe olvidarse que en los supuestos de ejercicio de la acción derivada del artículo 367 de la Ley de Sociedades de Capital la acción no nacería como consecuencia de la deuda de la sociedad, sino como consecuencia de la falta de diligencia del administrador por no convocar a los accionistas en el plazo de dos meses para abordar la causa de disolución, o no instar la disolución judicial o el concurso en los supuestos de imposibilidad o de fracaso en la convocatoria de la junta.

Para terminar de precisar el criterio de la *actio nata* ha de advertirse que no es necesario que exista un procedimiento judicial previo de reclamación de la deuda contra la sociedad y mucho menos que se haya intentado la ejecución contra la sociedad y que dicha ejecución no haya producido un resultado satisfactorio. El Tribunal Supremo tiene declarado que el Juez que conoce del procedimiento judicial de responsabilidad del administrador puede apreciar, con carácter prejudicial, la existencia y realidad de la deuda como presupuesto para apreciar la responsabilidad del administrador sin que sea exigible un procedimiento judicial previo de reconocimiento de la deuda o de ejecución de la misma, en este sentido las sentencias de Tribunal Supremo de 30 de noviembre de 2005 y 14 de marzo de 2007, esta última considera que:

> «La Sentencia del Tribunal Supremo de 25 de octubre de 2005 ha reconocido la eficacia prejudicial (en el proceso en que se ventila la responsabilidad de los administradores) de la sentencia que condena a la sociedad. Pero esto no significa que la condena de la sociedad sea presupuesto indefectible para la exigencia de la responsabilidad, como declara la Sentencia del Tribunal Supremo de 30 de noviembre de 2005. En suma, no resulta imposible el ejercicio simultáneo de la acción contra la sociedad y contra los administradores en aquellos casos en los cuales puede determinarse con certeza la existencia del perjuicio desde el mismo momento de la reclamación contra aquélla (STS de 28 de noviembre de 2006).

En conclusión, no puede afirmarse con rotundidad que el Tribunal Supremo se haya decantado por el criterio formal del cese del administrador como fecha de referencia para el cómputo del *dies a quo*, y así lo demuestran algunas sentencias en las que, con referencia a los denominados daños continuados –en realidad daños causados por comportamientos permanente –consideran que el plazo para el ejercicio de la acción no debe entenderse abierto hasta que se han verificado totalmente los daños producidos.

Las sentencias de referencia se acogen a la denominada doctrina de la realización (STS de 29-2-2008) por la que se considera que no se puede iniciar el plazo para el ejercicio de las acciones hasta que no se ha terminado de producir el daño.

Es clara en esta cuestión la sentencia de Tribunal Supremo de 11 de noviembre de 2008:

> «La jurisprudencia ha matizado la regla del artículo 1968.2 del Código Civil en el caso de que los daños hayan sido causados por comportamientos continuados permanentes (SSTS de 12 de diciembre de 1980, 12 de febrero de 1981, 6 de mayo de 1985, 17 de marzo de 1986 y 24 de junio de 1996, entre otras) y ha exigido para el inicio del plazo una verificación total de los daños producidos, al entender

que sólo con ella el perjudicado está en condiciones de valorar en su conjunto las consecuencias dañosas y de cifrar el importe de las indemnizaciones que puede reclamar por concurrir una "situación jurídica de aptitud plena para el ejercicio de las acciones", según la expresión utilizada por la Sentencia del Tribunal Supremo de 21 de abril de 1986. El inicio del plazo de prescripción no sólo viene determinado por la concurrencia de las circunstancias que determinan la procedencia de la disolución de la sociedad, sino también por la certeza de las deudas imputables a ésta y de la imposibilidad de obtener su percepción con cargo al patrimonio social. En la citada Sentencia de la Sala se consideró que la acción no pudo ejercitarse antes, como mínimo, del momento en que las deudas de la sociedad fueron declaradas mediante sentencia firme y, en su ejecución, se procedió infructuosamente al embargo de bienes de la sociedad administrada por los demandados, así como que su ejercicio estaba subordinado no solamente al conocimiento de la inviabilidad económica de la empresa, sino también, como mínimo, a la constancia de la insolvencia de la sociedad como factor demostrativo de la imposibilidad de hacer efectivos los créditos contra ella, lo cual en el caso de autos no era posible al no haberse realizado operación alguna de liquidación de la sociedad, y ello, por lo que se refiere al presente, sin olvidar, se insiste, en que ninguna razón se dio del destino dado al importe de la venta de la finca».

Con posterioridad a julio de 2001 y con referencia a las acciones derivadas del artículo 367 de la Ley de Sociedades de Capital se vuelven a detectar sentencias en las que se vincula el ejercicio de la acción no al cese del administrador sino a la identificación del momento en el que la acción pudo ejercitarse. Así la sentencia de Tribunal Supremo de 13 de diciembre de 2005:

«plazo que ha de computarse no como afirma la parte recurrente desde que la obligación, cuyo cumplimiento se exige del administrador, resultó insatisfecha, sino lógicamente desde el momento en que tal acción pudo ejercitarse (artículo 1969 del Código Civil) que no es otro que aquél en el que nació la especial responsabilidad "ex lege" que se exige del demandado, ahora recurrente en casación, la cual nace por disposición legal de lo dispuesto en el artículo 262.5 del Texto Refundido de la Ley de Sociedades Anónimas, aprobado por Real Decreto Legislativo 1564/1989, de 22 de diciembre, una vez transcurridos dos meses desde que, existiendo causa de disolución prevista en el artículo 260.1 de dicha Ley, el administrador estaba obligado a convocar junta general al efecto de acordar la disolución y, sin embargo, omitió dicha convocatoria».

Sin embargo estas resoluciones deben considerarse aisladas, dictadas en atención al supuesto concreto que han de abordar, ya que el criterio mayoritario es claramente partidario de vincular el ejercicio de la acción única y exclusivamente a las circunstancias del cese, así la sentencia de Tribunal Supremo de 26 de junio de 2006:

«*si no consta el conocimiento por parte del afectado del momento en que se produjo el cese efectivo por parte del administrador, o no se acredita de otro modo su mala fe, el cómputo del plazo de cuatro años que comporta la extinción por prescripción de la acción no puede iniciarse sino desde el momento de la inscripción, dado que sólo a partir de entonces puede oponerse al tercero de buena fe el hecho del cese y, en consecuencia, a partir de ese momento el legitimado para ejercitar la acción no puede negar su desconocimiento*».

En el mismo sentido y con mayor claridad la sentencia del Tribunal Supremo de 4 de diciembre de 2008:

«*pues cesada la administración ya no existirán resortes en el administrador para reconducir la compañía buen fin, para hacerla rentable y en suma para hacer frente a los créditos de los legítimos acreedores, no siendo posible iniciar el ejercicio de la acción, residenciándola en la culpa extracontractual, desde el momento en que pudo ejercitarse, para situar este último cuando tuvo conocimiento el acreedor del perjuicio y de la imposibilidad de hacer efectivo el crédito; a estos fines es de todo punto necesario resaltar, con el Juzgador de instancia, como, inscritos los ceses de administrador, produce plenos efectos frente a terceros la publicidad registral, no siendo posible, pasado el plazo prescriptivo desde aquel evento, exigir responsabilidad a los citados administradores, lo que también puede acreditarse, al margen del Registro Mercantil, en los supuestos de que quien ejercita la acción hubiere realizado actos con la compañía demandada y con los nuevos administradores que le hubiere permitido deducir obviamente que alguno de ellos ya había cesado*».

IV. LOS PROBLEMAS DERIVADOS DE LA INSCRIPCIÓN REGISTRAL DEL CESE

La incidencia de la introducción en la Ley de Sociedades de Capital del artículo 241 bis no impedirá que en algunos supuestos la fecha en la que hubiera podido ejercitarse la acción coincida con el cese del administrador, es decir, que el conocimiento de las circunstancias que dan lugar a la responsabilidad sean desveladas como consecuencia del cese, incluso el cese puede estar fundado en esta posible responsabilidad; por lo tanto sigue siendo de interés conocer los criterios interpretativos sobre la necesidad y efectos de la inscripción del cese del administrador.

De modo general la jurisprudencia acepta que la inscripción del cese de los administradores no tenga carácter constitutivo (STS de 4.7.2007, 7.2.2007, 28.5.2005, 16.7.2004, 24.12.2002, 23.12.2002), por lo tanto para determinar la fecha a partir de la cual se pueden ejercitar las acciones de responsabilidad habrá de tenerse en cuenta la efectividad del cese y no su acceso al Registro Mercantil.

La sentencia del Tribunal Supremo de 1 de marzo de 2001, analizando con cierta profundidad la cuestión, concluye que:

> «*la inscripción en el Registro Mercantil del nombramiento de los Administradores no tiene carácter constitutivo, ni condiciona la validez del mismo, es acertado. De conformidad con el artículo 125 de la Ley de Sociedades Anónimas el nombramiento surte efectos desde el momento de la aceptación, y si bien es cierto que del propio precepto y de otras disposiciones (art. 22.2 CCom y 4 y 94.1.4º del RRM) resulta la obligatoriedad de la inscripción, ésta no tiene carácter constitutivo y, por consiguiente, no obsta a la validez de las actuaciones jurídicas de los administradores desde que tuvo lugar la aceptación. Y en este sentido se han pronunciado las recientes Resoluciones de la Dirección General de los Registros y del Notariado de 17 de diciembre de 1997 y 4 de junio de 1998. Asimismo le asiste la razón a la parte recurrente en lo que atañe al motivo cuarto porque la exigencia de la inscripción en el artículo 141 de la Ley de Sociedades Anónimas ("no producirá efecto alguno hasta su inscripción en el Registro Mercantil") no se refiere al nombramiento de administradores sino a la delegación permanente de alguna facultad del Consejo de Administración en la Comisión ejecutiva o en el Consejero delegado y la designación de los administradores que hayan de ocupar tales cargos. Así también lo entiende la Resolución de la Dirección General de los Registros y del Notariado de 25 febrero de 1994*».

Siendo abrumadoramente mayoritaria esta tesis, lo cierto es que algunas sentencias del propio Tribunal o de Audiencias Provinciales se cuestiona la misma y se considera que debe tenerse en cuenta la fecha de inscripción de dicho cese (STS de 2.4.2002, o la SAP de Barcelona de 30.4.1997, SAP de Vizcaya de 21.5.1998, SAP de Valladolid de 15.5.1999).

La Audiencia Provincial de Madrid –Sentencia de 13.2.2009– sintetiza los argumentos jurídicos que llevan a no considerar que la inscripción tenga efectos constitutivos:

> «*La falta de inscripción del nombramiento (...) y del cese no son relevantes para determinar si ha incurrido o no en responsabilidad el demandado al no tener carácter constitutivo por no imponerlo precepto alguno y así se pronuncia la jurisprudencia, entre otras, la sentencias del Tribunal Supremo de 10 de mayo de 1999, y de 23 y 24 de diciembre de 2002. Ya la sentencia del Tribunal Supremo de 17 de abril de 1998 señaló que: "el contenido del Registro Mercantil se presume exacto y válido, que los actos sujetos a inscripción sólo serán oponibles a terceros de buena fe desde su publicación en el Boletín Oficial del Registro Mercantil y que la buena fe del tercero se presume en tanto no se pruebe que conocía el acto sujeto a inscripción y no inscrito, el acto inscrito y no publicado o la discordancia entre la publicación y la inscripción (arts. 20 y 21 del Código de Comercio y 7 y 9 del Reglamento de Registro Mercantil)", tales afirmaciones trascendentes en cuanto a la fuerza obligacional de los actos celebrados por quienes figuran como administradores de las entidades mercantiles, no tienen dicho alcance cuando se*

> *refieren al ámbito de la responsabilidad de dichos administradores, tal como señalan las Sentencias del Tribunal Supremo de 14 de junio de 1993 y 10 de mayo de 1999, al mantener que las inscripciones registrales correspondientes al cese (y al nombramiento) de los administradores en modo alguno pueden considerarse constitutivas, por no imponerlo precepto legal alguno»*

Tras estas discrepancias jurisprudenciales y doctrinales ya superadas subyace una cuestión de capital interés en materia de seguridad jurídica, dado que no es exigible el mismo grado de conocimiento de la situación de la sociedad y de sus órganos en el caso de que la acción se ejercite por los socios, por otros administradores o por la sociedad –que tienen mecanismos más que suficientes para conocer o poder conocer cual es el estado de los órganos de la compañía al margen del Registro Mercantil–, de los supuestos en los que estas acciones de responsabilidad las ejercita un tercero que no sabe ni puede conocer quienes son los administradores de una sociedad y la fecha en la que se acordó su cese como administradores. Para estos terceros el único modo seguro de conocer la situación de los administradores no es otro que el Registro Mercantil.

Dadas estas circunstancias de posible inseguridad el Tribunal Supremo ha ido perfilando su jurisprudencia sobre la materia y ha establecido un doble plano de análisis o de efectos –sustantivo y procesal– que aparecen expuestos en la Sentencia de 4 diciembre de 2008, con referencia a resoluciones anteriores, entre ellas a la de 26 de junio de 2006 que precisa que:

> *«A los efectos que la ausencia de la inscripción del cese del administrador en el Registro Mercantil puede haber producido en relación con la pervivencia y extensión temporal de su responsabilidad y cómputo del plazo de prescripción de la acción para exigirla se han referido sentencias recientes de esta Sala (SSTS de 13 de abril de 2000, 22 de diciembre de 2005, recurso número 1761/1999, 28 de abril de 2006, recurso número 3287/1999, y 26 de mayo de 2006, recurso número 3788/1999). La cuestión es susceptible de ser examinada en dos planos distintos: a) el sustantivo, relativo al tiempo en que se mantiene la responsabilidad del administrador, y b) el procesal, relativo al plazo de prescripción de la acción para exigirla:*
>
> *a) En el plano sustantivo, esta Sala ha declarado que la falta de inscripción en el Registro Mercantil del cese del administrador no comporta por sí misma la ampliación del lapso temporal en el que deben estar comprendidas las acciones u omisiones determinantes de responsabilidad, pues la imposibilidad de oponer a terceros de buena fe los actos no inscritos en el Registro Mercantil (artículo 21.1 C. de C, en relación con el artículo 22.2 C. de C) no excusan de la concurrencia de los requisitos exigibles en cada caso para apreciar la responsabilidad establecida por la Ley. Únicamente cabe admitir que la falta de diligencia que comporta la falta de inscripción puede en algunos casos, especialmente en supuestos de ejercicio de la*

acción individual del artículo 135 de la Ley de Sociedades Anónimas, constituir uno de los elementos que se tengan en cuenta para apreciar la posible existencia de responsabilidad, dado que la ausencia de inscripción pueda haber condicionado la conducta de los acreedores o terceros fundada en la confianza en quienes creían ser los administradores y ya habían cesado.

b) En el plano procesal, distinto es el efecto que debe atribuirse a la falta de inscripción en el Registro Mercantil del cese del administrador a efectos del cómputo del plazo de prescripción de la acción tendente a exigir su responsabilidad. Debe entenderse que, si no consta el conocimiento por parte del afectado del momento en que se produjo el cese efectivo por parte del administrador, o no se acredita de otro modo su mala fe, el cómputo del plazo de cuatro años que comporta la extinción por prescripción de la acción no puede iniciarse sino desde el momento de la inscripción, dado que sólo a partir de entonces puede oponerse al tercero de buena fe el hecho del cese y, en consecuencia, a partir de ese momento el legitimado para ejercitar la acción no puede negar su desconocimiento».

Conforme a esta distinción a los administradores que han cesado desde un punto de vista sustantivo o material no se les podrá imputar responsabilidad por situaciones producidas con posterioridad a su cese efectivo aunque no se hubiera inscrito el mismo. Esta consecuencia sustantiva tiene su más claro reflejo en resoluciones como la de la Audiencia de Madrid de 13 de febrero de 2009:

«Acreditada la concurrencia de la causa de disolución durante el mandato del administrador demandado y el incumplimiento del deber de convocar junta general, la cuestión debatida se limita a determinar si cesado el administrador éste no responde de las deudas posteriores a la fecha en que se produce tal cese.

En el supuesto de autos el cese se produjo el 16 de marzo de 1999 y las deudas fueron contraídas con posterioridad, concretamente entre septiembre y noviembre de 1999, por lo que no puede responder de las mismas el administrador que en esa fecha carecía de poder alguno sobre la sociedad para contraer o cumplir las nuevas obligaciones. El incumplimiento del deber de disolución que es imputable al demandado le hace responder de las deudas posteriores al acaecimiento de la causa de disolución (y en atención a la fecha en que ocurrieron los hechos enjuiciados, también de las anteriores) sin que su cese le libere de esta responsabilidad pero no puede extenderse a las obligaciones posteriores al cese».

Desde un punto de vista procesal en cada caso en concreto se deberá examinar el conocimiento o posibilidad de conocimiento que pudiera tener el perjudicado de dicho cese, de modo que si se acredita que no pudo tener otra vía de conocimiento que la del asiento registral de cese, será esa fecha –la de la inscripción– la que habrá de fijarse como dies a quo. Esta proyección procesal se produce con el objeto de proteger a los terceros de buena fe. En este sentido la sentencia de Audiencia del Provincial de Sevilla de 18 de marzo de 2005 partiendo de que la renuncia y el nuevo nombramiento de administrador no llego a inscribirse en el Registro Mercantil, declara que:

> *«En consecuencia, puesto que los actores solo admiten haber conocido el cese de los demandados desde que se hizo constar en el Registro Mercantil por nota marginal la caducidad de su cargo el día 22 de marzo de 1999, la prescripción habrá de contarse desde esa fecha por lo que la acción estaba vigente cuando se presenta por los hoy actores papeleta de conciliación el día 24 de marzo de 2002... En resumen pues, el cese de los administradores por cualquier causa conforme a los preceptos citados carece de cualquier efecto frente a terceros de buena fe si no se inscribe y publica en el Registro Mercantil, por lo que el plazo de prescripción no podrá contarse sino desde esa publicación o desde que el tercero tuviera efectivo conocimiento del cese, criterio conforme al cual no puede considerarse prescrita la acción ejercitada en los presentes autos».*

El reflejo de estas tesis aparece también en los criterios de otras audiencias provinciales como la audiencia provincial de Cantabria (SAP de 15.3.2005), que analiza cual es el estado de esta cuestión en la doctrina de las audiencias provinciales:

> *«El hecho de que la inscripción en el Registro Mercantil no sea constitutiva se ha defendido, sobre todo, para exonerar a los administradores de responsabilidad por deudas posteriores a su cese real pero no inscrito (STS 24-12-2002, SAP Asturias 21-5-1997) o cuando concurra la causa de disolución con posterioridad a ese cese no inscrito (SAP Castellón 21-7-2003). El Tribunal Supremo, en un caso de responsabilidad de liquidador de una sociedad al amparo del artículo 279 de la Ley de Sociedades Anónimas, entendió que el cómputo inicial «sería «desde que lo supo el agraviado», lo que obliga, forzosamente, a acudir a las disposiciones reguladoras del Registro Mercantil para entender, con ellas, que la fecha a tener en cuenta es la correspondiente al 15 de enero de 1990, al identificarse con la inscripción, en aquél, de la escritura pública sobre disolución y liquidación de la sociedad» (sentencia de 2-10-1999). Las distintas Audiencias Provinciales han resuelto que el cese sólo tiene efectos frente a terceros desde su inscripción en el Registro Mercantil, citando, sobre todo, con el artículo 9 del Reglamento del Registro Mercantil (SS. AP Murcia 29-4-2004, Les Illes Balears 5-4-2004 y 13-10-2003, Madrid 28-1-2004 y 25-1-2002, Valladolid 8-7-2003 y Córdoba 17-12-2001».*

V. SITUACIONES ASIMILABLES AL CESE DEL ADMINISTRADOR Y LA DETERMINACIÓN DEL ALCANCE DE LA EXPRESIÓN «*POR CUALQUIER MOTIVO*»

El artículo 949 del Código de comercio es claro en su redacción: «La acción contra los socios gerentes y administradores de las compañías o sociedades terminará a los cuatro años, a contar desde que *por cualquier motivo* cesaren en el ejercicio de la administración». Esta expresión –*por cualquier motivo*– ha permitido a la doctrina y a la jurisprudencia considerar que el régimen previsto para los supuestos de cese podría aplicarse a otras situaciones distintas por las cuales el administrador se desvincula de la compañía: el fallecimiento o declaración de fallecimiento, la renuncia, la dimisión o la caducidad del cargo, incluso la apertura de la liquidación de la compañía. Así la sentencia del Tribunal Supremo de 22 de diciembre de 2005, refiriéndose a la de 26 de octubre de 2004 considera que ese motivo:

> *«puede ser de varios tipos, incluyendo la renuncia del administrador, según establece el artículo 147.1 del Reglamento del Registro Mercantil».*

Tanto desde un punto de vista teórico como práctico las instituciones de referencia no son similares dado que mientras que el cese exige una toma de decisión por parte de la sociedad, la renuncia o dimisión son decisiones unilaterales del administrador y la caducidad es una situación independiente de unos y otros puesto que se vincula al mero transcurso del tiempo.

1. La caducidad del cargo

La primera de las figuras a analizar es la de la caducidad en el cargo, duración que no podrá exceder de los 6 años –artículos 221 y 222 de la Ley de Sociedades de Capital–, este plazo se tiene que vincular a la previsión del artículo 145.1 del Reglamento del Registro Mercantil conforme al cual «el nombramiento de los administradores caducará cuando, vencido el plazo, se haya celebrado la junta general siguiente o hubiese transcurrido el término para la celebración de la junta que deba resolver sobre la aprobación de cuentas del ejercicio anterior» (redactado que se ha trasladado al art. 222 LSC).

Así las cosas, se plantea, a efectos del cómputo del *dies a quo,* si el plazo se realiza considerando la fecha de caducidad del cargo o si se proyecta sobre la junta posterior en la que se hubiera adoptado algún acuerdo en cuanto al nombramiento de nuevo administración o la ratificación del administrador con cargo caducado. En caso de no celebrarse la junta de modo efectivo debería tenerse en cuenta la fecha de la primera de las juntas en las que la cuestión se hubiera podido incluir.

Al amparo de esta fórmula el ámbito de responsabilidad del administrador con el cargo caducado se ampliaría durante algunos meses más.

Teniendo en cuenta el criterio de la Dirección General de Registros y de Notariado (RDGRN 13.3.1998) que considera que las facultades del administrador con cargo caducado se limitan única y exclusivamente a la convocatoria de junta general para promover la elección o reelección, dicha interpretación podría llevar a pensar que la fecha para fijar el *dies a quo* debería ser el del cumplimiento de los 6 años desde el nombramiento.

Sin embargo el criterio de las audiencias provinciales se decanta por considerar que la caducidad del cargo no determina la liberación del administrador con cargo caducado si la sociedad no ha designado nuevo administrador.

Así la Sentencia de la Audiencia Provincial de Tarragona de 25 de febrero de 2000:

> «*En cuanto a los efectos de la caducidad la jurisprudencia ha venido admitiendo la subsistencia del carácter de administrador del nombrado cuando en otro caso pudiere peligrar la propia existencia de la sociedad así, entre otras, Sentencias del Tribunal Supremo 22-10-1974 y 3-3-1997 y Resoluciones de la Dirección General de los Registros y del Notariado 18-6-1979 y 1-4-1986, pudiendo citar la Sentencia del Tribunal Supremo de 27-10-1997 que nos dice "es muy reiterada y constante la Jurisprudencia que admite la convocatoria de Juntas por Consejos de Administración que han rebasado su período de dirección, entre otras razones por la necesidad social de regularizar los órganos de las sociedades y acomodarlos a la legalidad estricta", lo que viene a acoger la doctrina de los administradores de hecho (frente al de reelección tácita o prórroga tácita, o, en sentido contrario la de caducidad irremisible, en interpretación del artículo 145.1 del Reglamento Mercantil), y si ello debe de entenderse en beneficio de la sociedad, de igual modo debe de considerarse en interés de los acreedores de la sociedad, en cuanto no pueden éstos verse perjudicados por no haberse procedido de conformidad a la ley a la reelección o nombramiento de nuevos administradores, no pudiéndoles perjudicar la infracción legal de los propios administradores, pudiendo citar al respecto la Resolución de la Dirección General de los Registros y del Notariado de 25-4-1994, "...el plazo de vigencia durante el cual cumple el asiento su misión de publicidad, tanto positiva como negativa, es independiente no sólo de las situaciones de hecho que afecten al nombramiento inscrito (separación, renuncia, reelección, etc.) y que habiendo podido producirse no hubieran tenido reflejo registral, sino también de la posible validez de determinadas actuaciones de los administradores con cargo caducado o de su responsabilidad por no haber puesto en marcha los mecanismos tendentes a suplir las consecuencias de esa caducidad...". En todo caso también entendemos que la referencia al administrador de hecho supone la realización de actos como tal o durante la subsistencia real de la sociedad, que determinaran, en casos como el presente, el dies a quo*».

La Audiencia Provincial de Burgos –Sentencia 31.7.2007– opta por el criterio de considerar que el *dies a quo* se computa no desde la fecha en la que caducaron los nombramientos, sino desde la fecha en la que se produce la nota marginal indicando la caducidad.

2. La renuncia o dimisión

En los supuestos de renuncia o dimisión debe tenerse en cuenta que se trata de una decisión unilateral del administrador de desvincularse de la gestión de la sociedad por medio de la renuncia o dimisión para que sea eficaz es necesario que se constate el conocimiento –no necesariamente la aceptación– por parte de la sociedad, por lo tanto será la fecha de conocimiento o de recepción por parte de la sociedad la que deba considerarse a los efectos de la determinación del *dies a quo* –así la Audiencia de Castellón, Sentencia de 21 de junio de 2003, se refiere a la presentación de la renuncia de uno de los miembros del consejo de administración, que no fue rechazada; la sentencia de la Audiencia Provincial de Badajoz de 12 de febrero de 2001 refiere en su fundamento segundo la fecha en la que la renuncia se notificó a la sociedad.

3. La determinación del alcance de la expresión «por cualquier motivo» referida en el artículo 949 del Código de Comercio

La redacción del artículo 949 del Código de Comercio lleva a considerar la posibilidad de que la prescripción pueda computarse desde el momento en el que el administrador se hubieras desvinculado de hecho de la sociedad, sin necesidad de que se tenga que exigir un cese formal en el cargo. Esta cuestión ha sido abordada por el Tribunal Supremo –sentencia de 12.2.2009– y ha dado una respuesta negativa por entender que:

> «[no] cabe confundir un "cese de hecho" con un abandono de hecho de la administración social, en el caso sucede que no hay base fáctica en la sentencia recurrida que permita sostener que se ha producido el cese alegado, siendo por lo demás incuestionable que incumbía a la parte demandada, aquí recurrente, acreditar los presupuestos de su planteamiento consistentes en fecha del efectivo cese de la actividad administradora, y no mera inactividad, y conocimiento del dato por el tercero, pues entre tanto debe prevalecer la publicidad que patentiza el Registro Mercantil, y en este sentido se manifiesta la doctrina de esta Sala (SS. 26 de junio de 2006 y 4 de diciembre de 2008, entre otras)»

Otra de las circunstancias a tener en cuenta por determinante del cese sería la apertura formal de la liquidación en la sociedad, en este sentido la sentencia de Tribunal Supremo de 4 de diciembre de 2008, con referencia a la jurisprudencia anterior, ha declarado que:

> «el inicio del cómputo de ese plazo reclama un cese propiamente dicho del administrador demandado, por más que la causa de aquel pueda ser cualquiera de las que se consideran aptas para producirlo, «entre ellas, la apertura de la

> *liquidación de la sociedad, consecuencia automática, salvo en supuestos excepcio-*
> *nales, de su disolución (artículo 266 del Texto refundido de la Ley de Sociedades*
> *Anónimas), en cuanto determinante de la sustitución del administrador por los*
> *liquidadores en las actividades de gestión y representación (artículos 267 y 272*
> *del mismo texto); o, también, la renuncia del administrador (artículo 147.1° del*
> *Reglamento del Registro Mercantil, RD 1.784/1996, de 19 de julio); o su sepa-*
> *ración por decisión de la junta general (artículo 131 del Texto refundido de la*
> *Ley de Sociedades Anónimas y del 148 del Reglamento del Registro Mercantil, RD*
> *1.784/1996, de 19 de julio)».*

VI. SITUACIONES QUE NO QUEDARÍAN SOMETIDAS AL PLAZO DE PRESCRIPCIÓN POR CESE

Cierto es que la fijación del plazo de prescripción vinculado al cese pue-de solventar muchos problemas prácticos y dar seguridad jurídica al tráfico económico, pero la fórmula no es infalible en la medida en la que se de-tectan algunas situaciones en las que las acciones no prescribirían: 1) La acción de responsabilidad contra el administrador de hecho, que pudiera ejercitarse al amparo del artículo 236 de la Ley de Sociedades de Capital; 2) La acción de responsabilidad contra el administrador que tuviera su cargo en vigor.

Respecto del administrador de hecho la referencia del cese no parece ni eficaz ni clarificador, de ahí que la propia doctrina y la jurisprudencia han tenido que buscar alternativas. Lo primero que debe advertirse es que el propio Tribunal Supremo –Sentencia 25.3.2008– ha considerado que el criterio del cese en el cargo de administrador no es aplicable al adminis-trador de hecho. Si se considera que en todo caso es aplicable el plazo de cuatro años tendrá que computarse desde la fecha en la que se identifique la acción u omisión imputable al administrador de hecho, siendo ésta la fecha inicial a los efectos del plazo para el arranque de la prescripción de las acciones.

Con relación a los administradores no cesados, siguiendo en su literali-dad la tesis del Tribunal Supremo en su sentencia de 20 de julio de 2001, se daría la paradoja de que respecto de un administrador que no hubiera cesado la acción no prescribiría, habilitando al perjudicado para el ejerci-cio de la misma en cualquier momento.

Sin embargo en los supuestos de ejercicios de acciones individuales –*ex* artículos 236 y siguientes de la Ley de Sociedades de Capital– se daría la paradoja de que identificándose la acción u omisión que determinara la responsabilidad, sin embargo el cómputo del plazo para el ejercicio de la acción quedaría supeditado a la determinación de la fecha de cese.

La aplicación de la tesis denominada de la «*actio nata*», considerada de forma sistemática, habría de conducir a considerar que el cómputo del plazo debería de iniciarse con el momento en el que se produce la acción u omisión; de este modo el plazo cuatrienal no se vincularía al cese sino al momento en el que se producen los hechos determinantes de la responsabilidad.

Este criterio, en principio jurisprudencia, se consolida con el artículo 241 bis de la Ley de Sociedades de Capital.

VII. CUESTIONES PUNTUALES REFERIDAS A LA PRESCRIPCIÓN

En este epígrafe se analizan algunas cuestiones prácticas vinculadas al cómputo del plazo cuatrienal.

1. La acción de reclamación de cantidad contra la sociedad y la acción de responsabilidad del administrador, cuestiones de solidaridad impropia

Aunque el artículo 367 de la Ley de Sociedades de Capital habla de responsabilidad solidaria de los administradores respecto de las deudas de la sociedad en los supuestos allí regulados, la distinta naturaleza de las acciones –contra la sociedad y contra sus administradores– determina que la interrupción del plazo de prescripción respecto del crédito frente a la sociedad no afecta a la acción de responsabilidad frente a los administradores, por la distinta naturaleza de las acciones, por lo que no resulta aplicable la regla contenida en el artículo 1974 del Código civil –así lo expone la Sentencia del Tribunal Supremo de 27.6.2006 partiendo de la distinción que realiza la jurisprudencia entre la solidaridad propia y la solidaridad impropia–. En este sentido la Sentencia de la Audiencia Provincial de Barcelona de 27 de septiembre de 2007 y la Sentencia de la Audiencia Provincial de Vizcaya de 2 de octubre de 2008:

> «*Asimismo sólo recordar que la reclamación formulada contra la sociedad en el año 2003 reclamándole la deuda social no interrumpe el plazo de prescripción, pues los efectos que establece el artículo 1974 del Código Civil no se aplican a los supuestos, como el presente, de solidaridad impropia*».

En idéntico sentido la Sentencia también de la Audiencia Provincial de Vizcaya 18 de enero de 2005 que refiere amplia jurisprudencia sobre esta materia:

> «*El antedicho plazo no puede entenderse interrumpido por el hecho de que en fecha 27 de junio de 1997 se hubiera deducido por la ahora apelante reclamación de cantidad frente a Transformados Pealsa S.A. en Juicio Ejecutivo seguido bajo el n° 393/97 ante el Juzgado de Primera Instancia n° 13 de los de Bilbao, el que también consta documentado en las presentes actuaciones y en que se reclamaba a la sociedad con soporte en escritura pública de reconocimiento de deuda, ya que si a tenor del artículo 1973 del Código Civil la prescripción de las acciones se interrumpe por su ejercicio ante los Tribunales ello requiere que se haya ejercitado dicha acción, que la acción primeramente ejercitada y la posterior sean las mismas y no otra que con ella tenga mayor o menor analogía (SSTS de 8 de marzo de 1975, que a su vez cita SS de 8 de julio de 1940 y 6 de noviembre de 1928, 16 de noviembre de 1985), de tal manera que la interrupción de la prescripción no tiene lugar cuando las acciones ejercitadas son distintas e independientes (STS de 20 de junio de 1994), por lo que la prescripción no queda interrumpida por cualquier acción, como se afirma en Sentencia de la Audiencia Provincial de Granada de 11 de julio de 1992, también la Sentencia de la Audiencia Provincial de Madrid de 6 de octubre de 2001, sino que ha de ser aquella concreta que quiere preservarse de la prescripción. Y en el supuesto concreto que aquí se examina la causa de pedir es distinta en ambos procesos ya que el presupuesto del nacimiento de la obligación de responder de los administradores tiene un carácter autónomo e independiente del que dimana la obligación para la sociedad, por lo que no habiéndose reclamado hasta el presente la responsabilidad de los administradores sociales ha de estimarse la excepción de prescripción opuesta por esta parte apelada y con ello la demanda dirigida contra D. Cornelio*».

Lógicamente si hubiera varios administradores y el acreedor hubiera dirigido un requerimiento judicial o extrajudicial frente a uno de ellos no se darían los condicionantes de la solidaridad impropia y, por lo tanto, en estos supuestos sí que quedaría interrumpida la prescripción con efectos respecto de todos los administradores.

2. La extensión del reconocimiento de la prescripción incluso al demandado que pudiera estar en situación procesal de rebeldía

El administrador que se encuentra en situación procesal de rebeldía puede verse beneficiado por la apreciación de la excepción perentoria de prescripción apreciada respecto de otro administrador que la hubiera alegado. Esta es una consecuencia del artículo 496.2 de la Ley de Enjuiciamiento Civil, que indica que la declaración de rebeldía no será considerada como allanamiento ni como admisión de los hechos de la demanda, salvo en los casos en que la ley expresamente disponga lo contrario.

Por lo tanto si en la sentencia se considera que la acción ha prescrito respecto de un administrador, esa misma sentencia puede extender el efecto de la acción prescrita respecto de otros administradores que se encontraran en la misma situación aunque no se hubiera personado.

Así la sentencia de la Audiencia Provincial de Madrid de 10 de julio de 2000:

> «...*por lo que la acción individual de responsabilidad contra los administradores demandados debe desestimarse, pronunciamiento que beneficia al demandado rebelde, pues es doctrina jurisprudencial sentada en las sentencias del Tribunal Supremo de fechas 13 de febrero de 1993 y 29 de junio de 1990 que los efectos de la actuación procesal de uno de los condenados alcanzan a su cooobligado solidario, por virtud de la fuerza expansiva que la solidaridad comporta, que hace que la declaración anulatoria de la condena al pago respecto de uno de los obligados solidarios, por inexistencia objetiva de la obligación de indemnizar, afecte, con igual extensión, a los demás que con él fueran solidariamente condenados».*

Y, en igual sentido, la Sentencia de la Audiencia Provincial de Cádiz de 13 de diciembre de 2005:

> «...*En efecto, partiendo de la base de que la necesidad de invocar la prescripción ha de exigirse sólo en cuanto que la misma no es apreciable de oficio, pero no en el sentido de que deba ser invocada por todos aquellos a quienes dicha excepción haya de beneficiar, ha de estimarse que la prescripción constituye una excepción de carácter objetivo ha de repercutir en todos obligados unidos por vínculos de solidaridad, a tenor de lo dispuesto en los artículos 1137 y siguientes, en relación con el artículo 1974 del Código Civil, pues como ha declarado nuestro Tribunal Supremo, resulta de toda lógica que la absolución de uno de los obligados solidarios "por inexistencia objetiva de la obligación de indemnizar, afecte, con igual extensión, a los demás que con él fueron solidariamente condenados", ya que otra cosa iría contra la naturaleza y conexidad del vínculo solidario proclamado en los artículos 1141, 1148 y concordantes del Código Civil (Sentencias del Tribunal Supremo de 17 de julio de 1984), de manera que "si se declara que la única acción ejercitada contra todos ellos se ha extinguido, por prescripción de la misma, los efectos de la actuación procesal de uno de los condenados ha de alcanzar a sus cooobligados solidarios por virtud de la fuerza expansiva que la solidaridad comporta, ya que entrañaría una ilegalidad, además de un absurdo jurídico, el absolver a uno de los demandados (el recurrente) por prescripción de la acción ejercitada y mantener la condena solidaria de los otros codemandados (no recurrentes) con base en esa misma inexistente acción" (Sentencia del Tribunal Supremo de 30 de enero de 1993), o como ocurre en nuestro caso, por rebeldía».*

3. La declaración de nulidad de la junta en la que se hubiera acordado el cese de un administrador y sus efectos en cuanto al ejercicio de la acción contra ese administrador

La separación o cese del administrador exige el acuerdo de la junta general de accionistas –artículos 223 y 224 de la Ley de Sociedades de Capital–. Los acuerdos adoptados en junta general son ejecutivos desde su adopción y, excepto en supuestos tasados que no afectan a los tratados en este capítulo, no es preceptiva la inscripción del acuerdo para su ejecutividad.

El problema se plantea cuando la junta en la cual se acuerda el cese o separación del administrador es impugnada y los efectos de una sentencia en la que se anulara –por nulidad absoluta o relativa– el acuerdo de cese.

En los supuestos de acciones de nulidad absoluta –acuerdos o convocatoria contraria a la ley o al orden público– la doctrina y la jurisprudencia coinciden en destacar que tiene efectos *ex tunc*, es decir, se retrotraen al momento anterior a la adopción del acuerdo entendiendo que el mismo no pudo desarrollar ningún efecto. Estas tesis determinaría en el supuesto del cese de administrador que la nulidad de dicho acuerdo llevara a considerar la rehabilitación del administrador, que se vería de nuevo en su cargo como si el cese no se hubiera producido.

Las consecuencias derivadas de estos efectos de la sentencia en orden al ejercicio de la acción de responsabilidad serían tremendas si se llevaran a su último extremo puesto que, si el administrador se ve rehabilitado en su cargo y se entiende que no debió haber sido cesado, no se podría considerar el momento del cese como *dies a quo* o fecha inicial en el cómputo del plazo para el ejercicio de las acciones de responsabilidad. Se generaría, en estos supuestos, una situación *extraña* que plantearía problemas de seguridad jurídica, agravados por la duración del proceso judicial de impugnación del acuerdo, puesto que desde el acuerdo de cese hasta la firmeza de la sentencia el administrador se habría desvinculado de la sociedad y habría dejado de desarrollar las obligaciones y funciones propias de su cargo –salvo en supuestos en los que se hubiera adoptado la medida cautelar de suspensión del acuerdo impugnado–. Normalmente en estas situaciones o bien se nombra un nuevo órgano de administración o, como consecuencia del cese, la compañía quedará de hecho administrada o gestionada por un tercero.

Dictada sentencia que recogiera la nulidad del cese o separación el administrador cesado no sólo recuperaría su puesto, sino que además se entendería que nunca debió ser cesado.

El Tribunal Supremo sin embargo ha optado por criterios más pragmá-
ticos, con la finalidad de evitar situaciones de inseguridad jurídica, de ahí
que entienda que incluso en supuestos de nulidad absoluta de la junta en
la que se hubiera acordado la separación la sentencia dictada en el procedimiento de impugnación no determina por sí sola la rehabilitación del
administrador cesado, entendiendo que siendo clara la desvinculación del
administrador la situación generada sería en todo caso asimilable a la de
la dimisión o renuncia por voluntad unilateral del administrador. Así la
Sentencia de 26 de octubre de 2004:

> «*no es incompatible la invalidez de los acuerdos anulados (por la deficiente
> constitución de la junta en que se adoptaron) con la relevancia jurídica y efec-
> tividad del cese de los administradores, a consecuencia de haberse producido, no
> una sanación por transcurso del tiempo (ya que quod ab initio vitiosumest non
> potesttractu tempore convalescere: Digesto 50.17.29), sino una conversión del
> acuerdo, adoptado con el apoyo de la totalidad de capital social, incluido el voto
> de las actoras, en un acto de dimisión o renuncia ejecutado por los propios admi-
> nistradores, que propusieron a la junta general la disolución de la sociedad, como
> socios contribuyeron al logro de los acuerdos con sus votos y, en ejecución de ellos,
> cesaron en sus funciones de gestión y representación, para dar paso a los trámites
> precisos para la completa liquidación de la sociedad, casi cuatro años antes de que
> la nulidad de los acuerdos fuera definitivamente declarada.*
>
> *Con tales comportamientos concluyentes, exteriorizaron una voluntad de des-
> vinculación con el cargo, que no era precisa para la adopción del acuerdo de
> disolución, pero que no puede, anulado el mismo, dejar de tomarse en cuenta, al
> menos a los efectos de la prescripción extintiva de la acción mediante la que se les
> exige responsabilidad como administradores.*
>
> *Otra cosa significaría prolongar desmesuradamente el plazo señalado en el
> artículo 949 del Código de Comercio, como consecuencia de la eficacia ex tunc de
> la sentencia judicial, más allá de lo exige la seguridad jurídica y la propia fina-
> lidad del precepto (que, como se indicaba en la exposición de motivos del Proyecto
> de 18 de marzo de 1882, respondió a la necesidad de poner "término a la incerti-
> dumbre que lleva consigo la prescripción" también respecto de "la responsabilidad
> de los socios gerentes y administradores de las compañías por las operaciones que
> en este concepto hubieren realizado", razón por la que se expresó la conveniencia
> de limitar la duración de dicha responsabilidad y de identificar el día inicial del
> plazo, "ya sean los mismos socios, ya sean los extraños los que se consideren perju-
> dicados", de modo que "tanto unos como otros deberán entablar sus reclamaciones
> dentro de los cuatro años siguientes a la fecha en que por cualquier motivo cesaron
> aquellos en el ejercicio de su administración")*».

El supuesto de hecho analizado en esta sentencia sin embargo no solu-
cionaría los casos en los que es el propio administrador cesado o separado
el que impugna los acuerdos por entender que su cese ha sido contrario

a la ley o al orden público, o por considerar que la convocatoria o la junta en la que se adoptó dicho acuerdo no cumplía con los requisitos legales. En estos casos no puede entenderse que exista una voluntad implícita del administrador de dejar su cargo, más bien al contrario.

4. Ejercicio de la acción de responsabilidad del artículo 367 de la Ley de Sociedades de Capital por deudas ya prescritas de la sociedad

El hecho de que la acción de responsabilidad nacida del artículo 367 de la Ley de Sociedades de Capital no se vincule al nacimiento de la deuda sino a la actuación del administrador, de modo que pueda ser condenado como responsable un administrador distinto de aquel que tuviera su cargo vigente en el momento del nacimiento de la deuda, no quiere decir que se pueda acudir al cauce del artículo 367 de la Ley de Sociedades de Capital para reclamar deudas de la sociedad ya prescritas.

En los supuestos en los que hubiera prescrito la posibilidad de reclamación de las deudas sociales no sería posible la reclamación contra el administrador por inexistencia del objeto de la responsabilidad, no se puede responder de una deuda ya extinguida. Así lo recoge la sentencia de la Audiencia Provincial de Álava de 23 de septiembre de 1996 y autores como los citados RODRÍGUEZ RUIZ DE VILLA, HUERTA VIESCA.

5. Perjuicios que se ponen de manifiesto una vez transcurrido el plazo de cuatro años desde el cese del administrador

Si se sigue el criterio ortodoxo derivado de la jurisprudencia asentada del Tribunal Supremo se llegaría a la conclusión de que antes de haber nacido la acción habría prescrito la posibilidad de ejercitarla. La aplicación estricta del artículo 949 del Código de comercio determina que dicho plazo de 4 años tras el cese funcione como una especie de norma de cierre que liberara al administrador de cualquier responsabilidad una vez cesado. Sin embargo esta argumentación no debe determinar que el artículo 949 del Código de Comercio actúe como un plazo de caducidad –pese a que si se considerara como plazo de caducidad sin duda se entendería mejor su sentido– dado que todas las sentencias se refieren al mismo como de prescripción, con las consecuencias procesales y materiales que ello comporta. La entrada en vigor de la Ley Concursal y, concretamente, el artículo 60 de la misma confirman que el término previsto por el artículo 949 es prescriptivo.

A la vista de esta situación algunos autores como MARÍN DE LA BÁRCENA entienden que no tiene sentido la aplicación del plazo derivado el Código de comercio y remiten al plazo de un año computado desde que naciera la acción que se pretende ejercitar, tesis que, como se ha visto, choca con el criterio defendido por algunas audiencias provinciales (SAP de Barcelona de 27.9.2007, entre otras).

Con el redactado del artículo 241 bis de la Ley de Sociedades de Capital estas dudas doctrinales se resuelven y se trasladan al ámbito de la prueba sobre el momento en el que de modo efectivo el perjudicado pudo ejercitar la acción por conocer los hechos que dan lugar a la responsabilidad, carga de la prueba que se trasladará normalmente al perjudicado.

VIII. INCIDENCIA DEL PROCEDIMIENTO CONCURSAL EN EL EJERCICIO DE LAS ACCIONES DE RESPONSABILIDAD CONTRA ADMINISTRADORES DE SOCIEDADES MERCANTILES DECLARADAS EN CONCURSO

1. El alcance del artículo 60.2 de la Ley Concursal

El Tribunal Supremo entendía que la declaración de quiebra no interrumpía el plazo para el ejercicio de la acción de responsabilidad contra el administrador (STS de 30.3.2005):

> «Ya que dicho proceso universal, dada su naturaleza y finalidad liquidativa, no puede incidir en el ejercicio futuro de estas acciones societarias, puesto que incluso la apertura de la pieza de calificación acordada en dicho proceso civil es inoperante a estos efectos. Es más, la tramitación de la quiebra no puede determinar la finalidad de las acciones de responsabilidad societaria».

Sin embargo la Ley Concursal en su artículo 60 establece de modo inequívoco en su párrafo segundo que «desde la declaración hasta la conclusión del concurso quedará interrumpida la prescripción de las acciones contra los socios y contra los administradores, liquidadores y auditores de la persona jurídica deudora».

El párrafo tercero indica que «en el supuesto previsto en los apartados anteriores, el cómputo del plazo para la prescripción e iniciará nuevamente, en su caso, en el momento de la conclusión del concurso».

El primero de los párrafos de este artículo completa el círculo al suspender también el plazo para el ejercicio de las acciones contra el deudor por los créditos anteriores a la declaración de concurso.

El juego de ambos preceptos determinaría que aunque un administrador hubiera cesado en su cargo en la sociedad antes de la declaración de concurso, el término para el ejercicio de las acciones de responsabilidad contra él dependiera no de la fecha de su cese, sino desde la resolución en la que se ponga fin al procedimiento concursal. Por otro lado al indicarse que se trata de un término de prescripción, concluido el concurso se reinicia el plazo cuatrienal para la acción de responsabilidad. De este modo en marcos concursales la «suerte» de los administradores de la sociedad no quedaría sujeta a su cese sino a la conclusión del concurso, ampliándose con ello el ámbito de la responsabilidad, aunque a los efectos materiales, conforme a la jurisprudencia examinada en epígrafes anteriores, al administrador cesado no se le podría hacer responsable de hechos o circunstancias posteriores a su cese.

No hace distinción el artículo 60 a los distintos tipos de acciones de responsabilidad contra los administradores, ni discrimina entre administradores actuales –los que tuvieran cargo vigente a la fecha de declaración de concurso– o pretéritos. En este punto debe advertirse que no opera el límite que si se establece en otros preceptos de la Ley Concursal, el de circunscribir la responsabilidad a los administradores que lo hubieran sido en los dos ejercicios anteriores a la declaración de concurso –límite que sí se aplica en los supuestos del artículo 172 para la responsabilidad concursal o en el artículo 71 respecto de las acciones de reintegración.

El artículo 60 debe ser entendido como un instrumento destinado a la defensa de los intereses de los acreedores que podrán optar por quedar pendientes del desarrollo del procedimiento concursal o iniciar las acciones que le correspondieran al margen del concurso. No en vano el Código civil ya advierte –artículo 1973– que el plazo para el ejercicio de las acciones se interrumpe por requerimiento judicial, el artículo 60 de la Ley Concursal no hace sino considerar que un procedimiento judicial universal tiene efectos de interrumpir la prescripción durante todo el tiempo que dura el concurso.

No faltan resoluciones que entienden que la suspensión debe interpretarse en el sentido de que durante el procedimiento concursal no será posible el ejercicio de ninguna de las acciones posibles contra los administradores de la sociedad ejercitadas por terceros –así el auto del Juzgado mercantil de Oviedo de 13.12.2005 y auto del Juzgado Mercantil de Cantabria de 13.2.2006, el primero respecto de acciones ejercitadas con anterioridad a la declaración de concurso, el segundo respecto de acciones posteriores–; sin embargo el sentido mayoritario es favorable a entender que la suspensión de la prescripción no supone que quede suspendido el ejercicio de las acciones (Auto de la Audiencia Provincial de Asturias de 29.12.2006, Sentencia Juzgado Mercantil nº 1 de Bilbao de 29.12.2006, Sentencia del Juzgado Mercantil de Málaga de 2.5.2008, Sentencia Juzgado Mercantil nº 3 de Barcelona de 5.10.2007).

No ha de olvidarse que la declaración del concurso de la sociedad no ha de suponer, de suyo, el concurso de sus administradores, de ahí que sea razonable permitir a los acreedores el inicio de acciones contra los administradores que pudieran ser responsables cuando lo consideren oportuno. Esta afirmación no impide advertir que los acreedores que puedan iniciar acciones al margen del concurso evitarán tener que aguardar al resultado del concurso para ver satisfechos sus créditos y que incluso con esas acciones individuales pueden debilitar el patrimonio de los administradores de cara a una posible sentencia condenatoria dictada en la sección de calificación, pero esta situación la podrán paliar los administradores concursales o el propio juez del concurso de oficio acordando el embargo preventivo de los bienes de los administradores que lo hubieran sido en los dos años anteriores a la declaración de concurso.

De este modo ha de advertirse que el marco de las acciones concursales afecta a los administradores que lo fueran en los dos años anteriores, mientras que los acreedores pueden ampliar esa horquilla ejercitando las acciones propias de la normativa no concursal a los administradores que lo hubieran sido en los cuatro años anteriores –incluso a administradores que superaran ese lapso cuatrienal si hubieran ido interrumpiendo la prescripción conforme a las normas generales propias del Código civil.

Como ya se ha advertido el contenido de este artículo supone un cambio radical respecto del criterio que hasta ahora había impuesto la jurisprudencia del Tribunal Supremo y plantea cierta confusión entre las acciones de responsabilidad previstas en las leyes societarias y la responsabilidad concursal.

2. Identificación de la resolución que pone fin al procedimiento concursal

El sentido del artículo 60.2 de la Ley Concursal podría entenderse desde la perspectiva de entender que el procedimiento concursal pudiera servir a los acreedores para identificar las acciones u omisiones de los administradores susceptibles de responsabilidad, o para que el informe de los administradores concursales pudiera precisar la fecha en la que ha de considerarse que la sociedad era insolvente, en orden a la vinculación de esa insolvencia con la causa de disolución que pudiera habilitar las acciones de responsabilidad planteadas al amparo del artículo 367 de la Ley de Sociedades de Capital.

Desde una perspectiva distinta podría considerarse que la medida del artículo 60.2 sería adecuada para garantizar el buen fin de una posible sentencia de calificación del concurso como culpable en la que se ordenara la derivación de responsabilidad a los administradores de la compañía conforme al artículo 172.3 de la Ley.

De ser correcta la primera de las argumentaciones lo razonable es que la suspensión del plazo para el ejercicio de las acciones quedara supeditada a la finalización de la fase común por medio del informe definitivo, momento en el que se permitiría a los acreedores decidir si sus créditos han de correr la suerte del concurso o si hay motivos para que puedan iniciar acciones de responsabilidad individuales contra los administradores.

De ser acertada la segunda de las tesis el momento adecuado sería el de la sentencia de calificación o resolución que pusiera término a la sección de calificación.

Sin embargo el artículo 60 opta por vincular el reinicio de los plazos de prescripción a la resolución que ponga fin al procedimiento concursal, que no es, ni mucho menos, la sentencia o auto que ponga fin a la sección de calificación, sino una resolución distinta que habrá de revestir la forma de auto y que se dictará en los supuestos previstos en el artículo 176 de la Ley Concursal, que refiere los siguientes casos:

1. La firmeza del auto de la audiencia provincial en el que revoque en apelación el auto de declaración de concurso.

2. La firmeza del auto que declare el cumplimiento del convenio concursal o, en su caso, caducadas o rechazadas por sentencia firme las acciones de declaración de incumplimiento.

3. Vigente el procedimiento concursal cuando se produzca o compruebe el pago o la consignación de la totalidad de los créditos reconocidos o la íntegra satisfacción de los acreedores por cualquier otro medio.

4. En cualquier estado del procedimiento, cuando se compruebe la inexistencia de bienes o derechos del concursado ni de terceros responsables Con los que satisfacer a los acreedores.

5. En cualquier estado del procedimiento, una vez terminada a fase común del concurso, cuando quede firme la resolución que acepte el desistimiento o la renuncia de la totalidad de los acreedores reconocidos.

El criterio de la conclusión del concurso y no el de otras resoluciones que se puedan dictar en el marco del concurso ha sido tratado por la sentencia del Tribunal Supremo de 22 de diciembre de 2014.

Tanto en los supuestos de convenio –donde las esperas pueden alcanzar hasta los cinco años– como en los de liquidación el procedimiento concursal se puede demorar durante mucho tiempo lo que hará que durante ese lapso los administradores de la sociedad declarada en concurso podrán quedar comprometidos aunque hubieran cesado en sus cargos. Estas medidas legislativas podrían tener sentido para fijar la verdadera dimensión del artículo 367 de la Ley de Sociedades de Capital, de modo que las expectativas de cobro de los acreedores por esta vía quedarían comprometidas al resultado del concurso, sin embargo no tiene mucho sentido para el ejercicio de las acciones individuales previstas en el artículo 236 y siguientes de la Ley de Sociedades de Capital, en las que es una acción u omisión de los administradores la que genera la responsabilidad. Esa responsabilidad del administrador no tiene porqué estar sometida a los hechos y circunstancias concursales. Sin embargo la decisión del legislador afecta por igual a todo tipo de acciones de responsabilidad y beneficiará, en su caso, no sólo a los acreedores, sino también a la propia sociedad en concurso respecto de la acción social de responsabilidad.

De mantenerse el criterio de que las inscripciones en el Registro Mercantil no tienen efecto constitutivo en orden al inicio del cómputo del plazo para el ejercicio de la acción de responsabilidad, no podrá diferirse el cómputo del plazo de reanudación a la inscripción de esa resolución dictada al amparo del artículo 176 de la Ley Concursal en el Registro Mercantil por mucho que el artículo 178.3 de la Ley Concursal vincule la conclusión del concurso por falta de activos al cierre de la hoja de inscripción en el Registro Mercantil.

Mayores problemas interpretativos ha de plantear la circunstancia de que un acreedor pueda no estar personado en el procedimiento concursal y, por lo tanto, no tenga conocimiento por medio de la notificación de la conclusión del concurso, lo que determinará que el plazo para el ejercicio de la acción de responsabilidad se reinicie a partir de la fecha de la publicación del edicto en el que se publicita el archivo del concurso –ex. artículo 177.3 de la Ley Concursal en relación con el artículo 23 del mismo texto legal y en conexión con las sentencias comentadas en las que se distingue entre el efecto sustantivo y el efecto procesal de la inscripción del cese en el Registro.

3. Conexión con el artículo 48.2 de la Ley Concursal

Mientras que para los terceros la declaración de concurso supone la suspensión de los plazos para el ejercicio de las acciones de responsabilidad contra los administradores de la sociedad, el artículo 48.2 habilita a los administradores concursales para el ejercicio de acciones de responsabilidad contra los administradores de la compañía.

El artículo 48.2 no se limita a las posibles acciones concursales dado que hace referencia, sin mencionarla expresamente, a la denominada acción social de responsabilidad, acción que podrán ejercitar los administradores concursales sin necesidad de convocar junta o de requerir ninguna otra formalidad. En interés del concurso los administradores concursales podrán ejercitar la acción social a lo largo de cualquiera de las fases del procedimiento, no necesariamente durante la fase común.

La acción que ejercite queda sometida a las reglas propias de la normativa societaria, modificándose únicamente la competencia –que pasa a ser del juez del concurso– y la legitimación. Por lo tanto habrán de cuidar los administradores concursales de que la acción social no hubiera prescrito con anterioridad a la declaración de concurso, es decir, que los posibles demandados no deben haber cesado de su cargo más allá de los cuatro años previstos en el artículo 949 del Código de Comercio.

Los administradores concursales sólo tienen legitimación durante la vigencia de su cargo dado que hay supuestos en los que puede no haber concluido el concurso y, sin embargo, haber cesado ellos en sus funciones –en supuestos en los que se hubiera dictado sentencia aprobando el convenio.

Pese a que la Ley Concursal hace referencia genérica a acciones de responsabilidad contra administradores, es más complicado encajar en el marco del artículo 48.2 las denominadas acciones individuales de responsabilidad e incluso la acción del artículo 367 de la Ley de Sociedades de Capital dado que el resultado del ejercicio de esas acciones se vincula al interés legítimo de quien las ejercita y, en último término, la sentencia revierte en su patrimonio. Las acciones que pudieran ejercitar los administradores concursales serían en interés del concurso. Sería sorprendente que en interés del concurso los administradores concursales pudieran irrogarse una legitimación tal que les permitiera reclamar a los administradores de la sociedad en base al artículo 367 de la Ley de Sociedades de Capital sin someterse al régimen de las responsabilidades concursales. Por otro lado sería paradójico que en interés de la masa pudieran colisionar con los intereses de los acreedores que buscaban ver resarcida su deuda sin sometimiento a las reglas del concurso.

4. Sobre la posible prescripción de las acciones de responsabilidad concursales

En el seno del procedimiento concursal, concretamente en la sección de calificación, los administradores concursales o el Ministerio Fiscal pueden reclamar que los administradores de la sociedad se vean afectados por la declaración del concurso como culpable. La sentencia que se dicta conforme al artículo 172 de la Ley Concursal da respuesta a una acción de naturaleza exclusivamente concursal que se basa en la concurrencia de los supuestos del artículo 164 de la Ley, es decir, que se aprecie dolo o culpa grave de los administradores bien en el hecho que genera la insolvencia, bien en la agravación de la misma.

A diferencia de lo que sucede en las acciones de responsabilidad previstas en la normativa societaria, en el caso del concurso los administradores que pueden ver comprometida su responsabilidad son los que lo hubieran sido en los dos años anteriores a la declaración de concurso.

La responsabilidad concursal por lo tanto afectaría a los administradores que lo fueran en el momento de la declaración y los que lo hubieran sido en el bienio anterior a la declaración de concurso, es decir, esta acción afecta a los que hubieran cesado en esos últimos dos años lo que no ha de suponer que ese plazo bianual sea un plazo de prescripción.

Las acciones de responsabilidad previstas en estos artículos no están sujetas a un plazo concreto para su ejercicio, se ejercitan declarado el concurso y abierta la sección de calificación.

ANEXOS

Mª ÁNGELES CUSCÓ
Profesora de Derecho mercantil

I. SELECCIÓN DE SENTENCIAS Y RESOLUCIONES

1. Tribunal Constitucional

STC de 17 de febrero de 1984 [10]

FUNDAMENTOS JURÍDICOS

4. (...) La potestad de la Administración de autoejecución de las resoluciones y actos dictados por ella se encuentra en nuestro Derecho positivo vigente legalmente reconocida y no puede considerarse que sea contraria a la Constitución. Es verdad que el artículo 117.3 de la Constitución atribuye al monopolio de la potestad jurisdiccional consistente en ejecutar lo decidido a los Jueces y Tribunales establecidos en las Leyes, pero no es menos cierto que el artículo 103 reconoce como uno de los principios a los que la Administración Pública ha de atenerse el de eficacia «con sometimiento pleno de la Ley y al Derecho», significa ello una remisión a la decisión del legislador ordinario respecto de aquellas normas, medios e instrumentos en que se concrete la consagración de la eficacia. Entre ellas no cabe duda de que se puede encontrar la potestad de autotutela o de autoejecución practicable genéricamente por cualquier Administración Pública con arreglo al artículo 103 de la Constitución (...)".

STC de 19 de diciembre de 1991 [8 y 11]

FUNDAMENTOS JURÍDICOS

«2º [...] debemos recordar ahora que si bien es cierto que este Tribunal Constitucional ha declarado reiteradamente que los principios inspiradores del orden penal son de aplicación, con ciertos matices, al Derecho administrativo sancionador, dado que ambos son manifestaciones del ordenamiento punitivo del Estado (STC 18/1987 por todas), no lo es menos que también hemos aludido a la cautela con la que conviene operar cuando de trasladar garantías constitucionales extraídas del orden penal al derecho administrativo sancionador se trata. Esta operación no puede hacerse de forma automática, porque la aplicación de dichas garantías al procedimiento administrativo sólo es posible en la medida en que resulten compatibles con su naturaleza (STC 22/1990). En concreto, sobre la culpa, este Tribunal ha declarado que, en efecto, la Constitución española consagra sin duda el principio de culpabilidad como principio estructural básico del Derecho Penal y ha añadido que, sin embargo, la consagración constitucional de este principio no implica en modo alguno que la Constitución haya convertido en norma un determinado modo de entenderlo (STC 150/1991). Este principio de culpabilidad rige también en materia de infracciones administrativas, pues en la medida en que la sanción de dicha infracción es una de las manifestaciones del *ius puniendi* del Estado resulta inadmisible en nuestro ordenamiento un régimen de responsabilidad objetiva o sin culpa (STC 76/1990). Incluso este Tribunal ha calificado de "correcto" el principio de la responsabilidad personal por hechos propios –principio de la personalidad de la pena o sanción– (STC 219/1988). Todo ello, sin embargo, no impide que nuestro Derecho Administrativo admita la responsabilidad directa de las personas jurídicas, reconociéndoles, pues, capacidad infractora. Esto no significa, en absoluto, que para el caso de las infracciones administrativas cometidas por personas jurídicas se haya suprimido el elemento subjetivo de la culpa, sino simplemente que ese principio se ha de aplicar necesariamente de forma distinta a como se hace respecto de las personas físicas. Esta construcción distinta de la imputabilidad de la autoría de la infracción a la persona jurídica nace de la propia naturaleza de ficción jurídica a la que responden estos sujetos. Falta en ellos el elemento volitivo en sentido estricto, pero no la capacidad de infringir las normas a las que están sometidos. Capacidad de infracción y, por ende, reprochabilidad directa que deriva del bien jurídico protegido por la norma que se infringe y la necesidad de que dicha protección sea realmente eficaz (en el presente caso se trata del riguroso cumplimiento de las medidas de seguridad para prevenir la comisión de actos delictivos) y por el riesgo que, en consecuencia, debe asumir la persona jurídica que está sujeta al cumplimiento de dicha norma. [...]».

STC de 10 de febrero de 1992 [10]

FUNDAMENTOS JURÍDICOS

"7 (...) el embargo preventivo es decretado *inaudita parte debitoris,* pero ello no puede merecer reparo de inconstitucionalidad, pues en sí misma considerada la orden de embargo no es más que una medida cautelar, cuya emisión no requiere una plena certeza del derecho provisionalmente protegido, ni es forzoso tampoco que se oiga con antelación a quien la sufre (ATC 186/1983). Es más, la audiencia previa del afectado podría perjudicar en muchos supuestos la efectividad de la medida cautelar, y siempre la retrasaría en detrimento de su eficacia, lo cual podría llegar a menoscabar el derecho a tutela judicial efectiva, reconocido en el art. 24 de la Constitución, pues la tutela judicial no es tal sin medidas cautelares adecuadas que aseguren el efectivo cumplimiento de la resolución definitiva que recaiga en el proceso".

STC de 29 de abril de 1993 [10]

FUNDAMENTOS JURÍDICOS

"4. (...) Ciertamente, el privilegio de autotutela atribuido a la Administración Pública no es contrario a la Constitución, sino que engarza con el principio de eficacia enunciado en el art. 103 de la CE [STC 22/1984], y en términos generales y abstractos la ejecutividad de sus actos tampoco resulta incompatible con el art. 24.1 de la CE [STC 66/1984 y AATC

458/1988, 930/1988 y 1095/1988]. Pero de este mismo derecho fundamental deriva la potestad jurisdiccional de adoptar medidas cautelares. La efectividad que se predica de la tutela judicial respecto de cualesquiera derechos o intereses legítimos reclama la posibilidad de acordar las adecuadas medidas cautelares que aseguren la eficacia real del pronunciamiento futuro que recaiga en el proceso [STC 14/1992]. Es más, la fiscalización plena, sin inmunidades de poder, de la actuación administrativa impuesta por el art. 106.1 de la CE comporta que el control judicial se extienda también al carácter inmediatamente ejecutivo de sus actos [STC 238/1992] (...)".

STC de 20 de junio de 1993 [8]

FUNDAMENTOS JURÍDICOS

«3. A fin de apreciar la alegación del recurrente se impone una inicial consideración sobre el mencionado precepto. Su incorporación al Código Penal, en efecto, no vino en modo alguno a introducir una regla de responsabilidad objetiva que hubiera de actuar indiscriminada y automáticamente, siempre que, probada la existencia de una conducta delictiva cometida al amparo de una persona jurídica, no resulte posible averiguar quiénes, de entre sus miembros, han sido los auténticos responsables de la misma, pues ello sería contrario al derecho a la presunción de inocencia y al propio tenor del precepto. Lo que el mismo persigue, por el contrario, es obviar la impunidad en que quedarían las actuaciones delictivas perpetradas bajo el manto de una persona jurídica por miembros de la misma perfectamente individualizables, cuando, por tratarse de un delito especial propio, es decir, de un delito cuya autoría exige necesariamente la presencia de ciertas características, éstas únicamente concurrieren en la persona jurídica y no en sus miembros integrantes. La introducción del art. 15 bis CP tuvo el sentido de conceder cobertura legal a la extensión de la responsabilidad penal en tales casos, y sólo en ellos, a los órganos directivos y representantes legales o voluntarios de la persona jurídica, pese a no concurrir en ellos, y sí en la entidad en cuyo nombre obraren, las especiales características de autor requeridas por la concreta figura delictiva. Mas, una vez superado así el escollo inicialmente existente para poderles considerar autores de la conducta típica, del citado precepto no cabe inferir que no hayan de quedar probadas, en cada caso concreto, tanto la real participación en los hechos de referencia como la culpabilidad en relación con los mismos. Así lo declaramos, por lo demás, en un supuesto semejante [STC 150/1989, donde estimamos vulnerado el derecho a la presunción de inocencia por haberse impuesto al gerente de una empresa una condena a título de falta de imprudencia con resultado de daños, sin que en ningún momento hubiese quedado acreditado que la producción de los mismos fuera consecuencia, directa o indirecta de la omisión por el condenado de la debida diligencia para impedirlos o de una actuación imprudente por su parte, ni se hubiese hecho razonamiento alguno encaminado a fundamentar la convicción alcanzada por los órganos judiciales respecto de su participación en los mismos».

STC de 12 de mayo de 1994 [11]

FUNDAMENTOS JURÍDICOS

«4º [...] Para enjuiciar la constitucionalidad del precepto impugnado es preciso determinar, en primer lugar, cuál es su alcance y contenido y, en concreto, si la norma impugnada implica que la responsabilidad solidaria de los miembros de la unidad familiar se extiende a las sanciones tributarias; si la respuesta fuera afirmativa, habría que analizar, en un segundo momento, si el contenido de la norma vulnera algún principio constitucionalmente garantizado.

[...] que la responsabilidad solidaria frente a la Hacienda Pública las sanciones pecuniarias, sin perjuicio de que su pago corriera a cargo del miembro de la unidad familiar cuya conducta las originó; añadíamos entonces que la extensión a las sanciones de la responsabilidad solidaria de todos los miembros de la unidad familiar había suscitado reservas en algunos sectores de la doctrina, en especial por la posibilidad de que el Fisco pueda dirigirse contra el patrimonio de los miembros de la unidad familiar que no tienen posibilidad alguna de cometer infracciones sancionables; esas reservas, sin embargo, quedaban fuera de nuestro análisis por nacer de razones que no fueron tomadas en consideración [...]

B) En cuanto a la constitucionalidad del contenido de la norma, como hemos indicado en repetidas ocasiones, los principios inspiradores del orden penal son de aplicación, con ciertos matices, al Derecho administrativo sancionador, dado que ambos son manifestaciones del ordenamiento punitivo del Estado, si bien la recepción de los principios constitucionales del orden penal por el Derecho administrativo sancionador no puede hacerse de forma automática, porque la aplicación de dichas garantías al procedimiento administrativo sólo es posible en la medida en que resulten compatibles con su naturaleza [...]. Entre los principios informadores del orden penal se encuentra el principio de personalidad de la pena, protegido por el art. 25.1 de la Norma fundamental [...] también formulado por este Tribunal como principio de la personalidad de la pena o sanción [...], denominación suficientemente reveladora de su aplicabilidad en el ámbito del Derecho administrativo sancionador.

[...] la obligación solidaria de (todos) los miembros de la unidad familiar frente a la Hacienda; [...] permite que la Administración se dirija para el cobro de la deuda tributaria, incluidas las sanciones, no sólo al miembro o miembros de la unidad familiar que resulten responsables de los hechos que hayan generado la sanción, sino también a otros miembros que no hayan cometido ni colaborado en la realización de las infracciones y vulnera, por ello, el aludido principio de personalidad de la pena o sanción protegida por el art. 25.1 de la Constitución, incurriendo así en vicio de inconstitucionalidad».

STC de 16 de enero de 2003 [8]

FUNDAMENTOS DE DERECHO

«3. Centrado así el objeto de la demanda y las circunstancias que han dado lugar a la misma, hemos de iniciar su examen recordando que desde la STC 2/1981, de 30 de enero, hemos reconocido que el principio "non bis in idem" integra el derecho fundamental al principio de legalidad en materia penal y sancionadora (art. 25.1 CE) a pesar de su falta de mención expresa en dicho precepto constitucional, dada su conexión con las garantías de tipicidad y de legalidad de las infracciones. Así, hemos declarado que este principio veda la imposición de una dualidad de sanciones "en los casos en que se aprecie la identidad del sujeto, hecho y fundamento" (STC 2/1981, F. 4; reiterado entre muchas en las SSTC 66/1986, de 26 de mayo, F. 2; 154/1990, de 15 de octubre, F. 3; 234/1991, de 16 de diciembre, F. 2; 270/1994, de 17 de octubre, F. 5; y 204/1996, de 16 de diciembre, F. 2).

a) La garantía de no ser sometido a "bis in idem" se configura como un derecho fundamental (STC 154/1990, de 15 de octubre, F. 3), que, en su vertiente material, impide sancionar en más de una ocasión el mismo hecho con el mismo fundamento, de modo que la reiteración sancionadora constitucionalmente proscrita puede producirse mediante la sustanciación de una dualidad de procedimientos sancionadores, abstracción hecha de su naturaleza penal o administrativa, o en el seno de un único procedimiento (por todas, SSTC 159/1985, de 27 de noviembre, F. 3; 94/1986, de 8 de julio, F. 4; 154/1990, de 15 de octubre, F. 3; y 204/1996, de 16 de diciembre, F. 2). De ello deriva que la falta de reconocimiento del efecto de cosa juzgada puede ser el vehículo a través del cual se ocasiona (STC 66/1986, F. 2), pero no es requisito necesario para su producción (STC 154/1990, F. 3)».

STC de 30 de junio de 2003 [8]

FUNDAMENTOS DE DERECHO

«10 [...]En oposición a la alegada falta de motivación de la Sentencia impugnada, se apunta que, conforme a la más reciente doctrina del Tribunal Supremo, con cita de la elaborada por este Tribunal Constitucional, el requisito de la congruencia de las resoluciones judiciales se satisface con respuestas globales y genéricas. En el caso actual, la Sentencia cuestionada ha fundado la desestimación de la demanda en la doctrina, que hace suya, del Tribunal Supremo, existiendo el enlace preciso entre los hechos objeto de enjuiciamiento y la aplicación de esa doctrina, pues el juzgador expresamente manifiesta que se trata del mismo supuesto, es decir, la comercialización de semillas una vez trans-currido el plazo de quince días sin que la Administración hubiese realizado el oportuno análisis, añadiendo que la demandante no ha aportado ningún indicio de prueba que pudiera desvirtuar la practicada por la Administración pues ni siquiera en la propuesta de prueba solicitó un análisis contradictorio.

Se rechaza igualmente la supuesta infracción del principio de culpabilidad por ausen-cia de ánimo de fraude. Si en el Derecho penal el dolo es el protagonista, en el Derecho administrativo sancionador ocurre lo contrario, al ponerse el acento en la culpa o negligen-cia. Ello es así porque la mayor parte de las infracciones administrativas son de peligro, de forma que el tipo prevé la simple puesta en riesgo de un bien jurídico, sin requerir su efectiva lesión. De otra parte, el art. 130.1 LPC, bajo el título "responsabilidad", establece que "sólo podrán ser sancionadas por hechos constitutivos de infracción las personas físicas o jurídicas que resulten responsables de los mismos aun a título de simple inob-servancia". En este caso, no puede sostenerse que no haya sido probada la culpabilidad de la empresa, sujeta a importantes controles administrativos y a la que se le presume un elevado deber de diligencia, tal y como se afirma en las Sentencias del Tribunal Supremo de 2 de marzo y 17 de septiembre de 1999, por lo que no puede aducir desconocimiento del sector y, menos todavía, que tenía la convicción de actuar correctamente cuando es conocedora de la existencia del preceptivo control analítico del producto. Además, existen otros expedientes sancionadores incoados a la recurrente, que aunque han sido anulados por caducidad revelan el conocimiento que de la materia tiene».

STC de 10 de mayo de 2005 [8]

FUNDAMENTOS JURÍDICOS

«4 [...] Con carácter previo a dicha determinación, conviene indicar que el concepto de fraude de ley tributaria no difiere del concepto de fraude de ley ofrecido por el art. 6.4 del Código Civil, a cuyo tenor "los actos realizados al amparo del texto de una norma que

persigan un resultado prohibido por el ordenamiento jurídico, o contrario a él, se considerarán ejecutados en fraude de ley y no impedirán la debida aplicación de la norma que
se hubiere tratado de eludir". Como ya dijimos en la STC 37/1987, de 26 de marzo, F. 8, "el
fraude de ley, en cuanto institución jurídica que asegura la eficacia de las normas frente
a los actos que persiguen fines prohibidos por el ordenamiento o contrarios al mismo, es
una categoría jurídica que despliega idénticos efectos invalidantes en todos los sectores
del ordenamiento jurídico", y no exclusivamente en el ámbito civil. El concepto de fraude
de ley es, pues, siempre el mismo, variando únicamente, en función de cuál sea la rama
jurídica en la que se produce, las llamadas, respectivamente, "norma de cobertura" y "norma defraudada" o eludida, así como la naturaleza de la actuación por la que se provoca
artificialmente la aplicación de la primera de dichas normas no obstante ser aplicable la
segunda.

Sentado lo anterior, procede asimismo señalar que el concepto de fraude de ley (tributaria o de otra naturaleza) nada tiene que ver con los conceptos de fraude o de defraudación propios del Derecho penal ni, en consecuencia, con los de simulación o engaño
que les son característicos. La utilización del término "fraude" como acompañante a la
expresión "de Ley" acaso pueda inducir al error de confundirlos, pero en puridad de términos se trata de nociones esencialmente diversas. En el fraude de ley (tributaria o no)
no hay ocultación fáctica sino aprovechamiento de la existencia de un medio jurídico más
favorable (norma de cobertura) previsto para el logro de un fin diverso, al efecto de evitar
la aplicación de otro menos favorable (norma principal). Por lo que se refiere en concreto al
fraude de ley tributaria, semejante "rodeo" o "contorneo" legal se traduce en la realización
de un comportamiento que persigue alcanzar el objetivo de disminuir la carga fiscal del
contribuyente aprovechando las vías ofrecidas por las propias normas tributarias, si bien
utilizadas de una forma que no se corresponde con su espíritu. De manera que no existe
simulación o falseamiento alguno de la base imponible, sino que, muy al contrario, la
actuación llevada a cabo es transparente, por más que pueda calificarse de estratagema
tendente a la reducción de la carga fiscal; y tampoco puede hablarse de una actuación que
suponga una violación directa del ordenamiento jurídico que, por ello mismo, hubiera que
calificar *per se* de infracción tributaria o de delito fiscal. Por ello mismo, la consecuencia
que el art. 6.4 del Código Civil contempla para el supuesto de actos realizados en fraude
de ley es, simplemente, la aplicación a los mismos de la norma indebidamente relegada
por medio de la creación artificiosa de una situación que encaja en la llamada "norma de
cobertura"; o, dicho de otra manera, la vuelta a la normalidad jurídica, sin las ulteriores
consecuencias sancionadoras que generalmente habrían de derivarse de una actuación
ilegal».

STC de 20 diciembre de 2005 [8]

FUNDAMENTOS DE DERECHO

«2 [...] En cuanto a la vulneración aducida del principio non bis in idem, como una de
las garantías inherentes al derecho a la legalidad sancionadora (art. 25.1 CE), el Pleno de
este Tribunal ha destacado en la STC 2/2003, de 16 de enero, apartándose expresamente
de la doctrina establecida en la SSTC 177/1999, de 11 de octubre, y 152/2001, de 2 de
julio, que el núcleo esencial de la garantía material del non bis in idem reside en impedir el
exceso punitivo en cuanto sanción no prevista legalmente. De tal modo que no cabe apreciar una reiteración punitiva constitucionalmente proscrita cuando, aun partiéndose de la

existencia de la imposición de una doble sanción en supuestos de identidad de sujeto, hecho y fundamento, en la ulterior resolución sancionadora se procede a descontar y evitar todos los efectos negativos anudados a la previa resolución sancionadora, ya que, desde la estricta dimensión material, el descontar dichos efecto provoca que en el caso concreto no concurra una sanción desproporcionada (F. 6). Igualmente en la citada STC 2/2003 también hemos reiterado, desde la perspectiva procesal del principio non bis in idem, que "la interdicción constitucional de apertura o reanudación de un procedimiento sancionador cuando se ha dictado una resolución sancionadora firme, no se extiende a cualesquiera procedimientos sancionadores, sino tan sólo respecto de aquellos que, tanto en atención a las características del procedimiento –su grado de complejidad– como a las de la sanción que sea posible imponer en él –su naturaleza y magnitud– pueden equipararse a un proceso penal, a los efectos de entender que el sometido a un procedimiento sancionador de tales características se encuentra en una situación de sujeción al procedimiento tan gravosa como la de quien se halla sometido a un proceso penal" (F. 8); de tal modo que, cuando la sencillez del procedimiento administrativo sancionador y de la propia infracción administrativa, y la naturaleza y entidad de las sanciones impuestas, impidan equiparar el expediente administrativo sancionador sustanciado a un proceso penal, no cabe apreciar la vulneración del derecho a no ser sometido a un nuevo procedimiento sancionador [...]».

STC de 27 octubre de 2008 [8]

FUNDAMENTOS JURÍDICOS

"5. En la demanda de amparo y en el escrito de alegaciones, la representación del demandante invoca reiteradamente la STC 120/2005, de 10 de mayo, en apoyo de su pretensión de que no es posible sustentar la tipicidad penal de su conducta.

Cierto es que en aquella Sentencia se afirmaba, con cita de la STC 75/1984, de 27 de junio, que la figura del fraude de Ley no puede utilizarse legítimamente para afirmar la tipicidad de una conducta que formalmente se situaba fuera de las fronteras del tipo aplicado. Es así constitucionalmente reprochable que se sancione con la pena propia de una conducta típica lesiva de un bien jurídico la lesión del mismo bien jurídico a través de una conducta atípica. Como afirmaba ya la STC 75/1984, la exigencia de tipicidad «se vería soslayada... si, a través de la figura del fraude de Ley, se extendiese a supuestos no explícitamente contenidos en ellas la aplicación de normas que determinan el tipo» (F. 5). Y en frase conclusiva de la STC 120/2005, también para la utilización de la figura del fraude de Ley respecto de las normas no penales que se integran en la norma penal, «la utilización de la figura del fraude de Ley –tributaria o de otra naturaleza– para encajar directamente en un tipo penal un comportamiento que no reúne *per se* los requisitos típicos indispensables para ello constituye analogía *in malam partem* prohibida por el art. 25.1 CE» (F. 4).

No es cierto, sin embargo, que en esta última Sentencia se llegara «a la conclusión de que en el caso enjuiciado en ella no podía hablarse de simulación», como afirma el demandante en su escrito de alegaciones. En la STC 120/2005, el Tribunal Constitucional, que no califica penalmente los hechos objeto de acusación, se limitó a constatar que «[n]i en una ni en otra Sentencia se consideró... acreditada la existencia, pretendida en todo momento por las acusaciones, de negocio simulado alguno, ni, por lo tanto, de engaño u ocultación maliciosa de cualquier género por parte de los acusados» (F. 5), y que, además, el Tribunal de apelación consideró que se había producido un fraude de Ley tributaria, y que «la utilización de un fraude de Ley tributario, como mecanismo para eludir el pago de un tributo, integra la acción definida por el tipo de defraudar» (F. 5).

A partir de esta constatación, la STC 120/2005 se limitó a afirmar que la argumentación judicial en la interpretación de la norma aplicada y en la subsunción de los hechos probados en la misma no tenía la razonabilidad suficiente como para salvaguardar el valor de la seguridad jurídica que informa el derecho a la legalidad penal, pues «la exigencia de previsibilidad de una condena a título de delito fiscal no queda satisfecha en aquellos supuestos en que dicha condena venga fundamentada exclusivamente en un comportamiento calificable como fraude de Ley tributaria» (F. 6). En concreto, la Sentencia de apelación carecía de análisis alguno acerca de «en qué manera podían considerarse realizados por la conducta del demandante de amparo los elementos subjetivos y objetivos necesarios para poder proceder a la aplicación del mencionado tipo penal»; y así, «junto al resultado perjudicial para los legítimos intereses recaudatorios del Estado había de darse el elemento subjetivo característico de toda defraudación, esto es, un ánimo específico de ocasionar el perjuicio típico mediante una acción u omisión dolosa directamente encaminada a ello» (F. 5).

Resulta a todas luces diferente el objeto de la presente Sentencia, que no es, debe recordarse de nuevo, el enjuiciamiento penal de unos hechos, sino la argumentación de unas resoluciones judiciales a las que se les reprocha la, por irrazonable, sorpresiva catalogación penal de una conducta como típica del delito de defraudación fiscal. Y claro es que la conclusión penal final de las mismas de que se ha producido una conducta defraudatoria en el sentido del art. 349 del Código Penal anterior no se sustenta ya, como en el objeto de la STC 120/2005, en la simple consideración de que se ha realizado un negocio jurídico en fraude de Ley, consideración que ahora expresamente se niega, sino en la apreciación de que la compraventa de acciones efectuada tiene componentes de simulación que hacen que la conducta de su promotor reúna todos los caracteres típicos del delito de defraudación tributaria. Dicho en forma conclusiva: el objeto de esta Sentencia y de la STC 120/2005 son diferentes porque diferente es el razonamiento interpretativo y subsuntivo de las resoluciones impugnadas; no puede atenderse a la petición de que se aplique la doctrina constitucional en la presente Sentencia del mismo modo estimatorio que en la STC 120/2005 porque su objeto es diferente hasta el punto de que las Sentencias ahora recurridas niegan el punto de partida argumentativo de las Sentencias que fueron objeto de reproche constitucional en la STC 120/2005".

STC de 21 de diciembre de 2010 [11]

FUNDAMENTOS JURÍDICOS

"Hechas las precisiones que anteceden estamos ya en disposición de dar respuesta a la alegada vulneración del derecho a la tutela judicial efectiva sin indefensión (art. 24.1 CE) que la parte actora hace depender de la negativa judicial a permitirle cuestionar las deudas tributarias que le han sido derivadas. Pues bien, sobre esta cuestión ya hemos tenido ocasión de pronunciarnos para reconocer a los responsables «el derecho de defensa contradictoria mediante la oportunidad de alegar y probar procesalmente sus derechos e intereses», de manera que, como consecuencia de la resolución de los recursos o reclamaciones que aquellos interpongan, pueda revisarse «el importe de la obligación del responsable», considerando este Tribunal la negativa del órgano judicial a controlar las liquidaciones de las que traía causa la responsabilidad derivada «una vulneración del derecho a la tutela judicial efectiva (art. 24.1 CE), causante de una auténtica indefensión» (STC 85/2006, de 27 de marzo. F. 7). Y ello porque «al responsable no se le deriva una liquidación firme y consentida por el obligado principal y, en consecuencia, inimpugnable al momento de la derivación, sino que lo que se le deriva es la responsabilidad de pago de una deuda, frente a la cual y desde el mismo instante en que se le traslada, se le abre la oportunidad, no sólo de efectuar el pago en período voluntario, sino también de reaccionar frente a la propia derivación de responsabilidad, así como frente a la deuda cuya responsabilidad de pago se le exige. [/] No hay que olvidar que una conducta pasiva del deudor principal frente a las pretensiones liquidatorias o recaudatorias administrativas, haciendo dejación de su derecho a reaccionar en tiempo y forma contra los actos de liquidación, dejaría inerme al responsable solidario o subsidiario, al condicionar el ejercicio de su derecho fundamental de acceso a la jurisdicción en petición de nulidad de la deuda que se le deriva de la actitud procesal diligente del deudor principal que la deja impagada» (STC 39/2010, de 19 de julio. F. 4)."

2. Tribunal Supremo

STS de 18 de febrero de 1911 (Civil) [9]

En el mismo sentido, vid., STS de 10 de diciembre de 1985

STS de 21 de abril de 1930 (Civil) [9]

En el mismo sentido, vid., STS de 10 de diciembre de 1985

STS de 15 de octubre de 1976 (Civil) [5]

En el mismo sentido, vid., STS de 4 de julio de 1996

STS de 5 de enero de 1977 (Civil) [5]

En el mismo sentido, vid., STS de 22 de enero de 2004

STS de 3 de marzo de 1977 (Civil) [2]

CONSIDERANDO

«[...] el acuerdo de impugnación se refiere exclusivamente a la constitución del Consejo de administración y no a la posibilidad de un socio minoritario de designar u no o más consejeros en proporción al número de sus acciones, bien individualmente si está en condiciones de hacerlo o bien agrupando voluntariamente las suyas a las de otros socios hasta integrar la cifra contemplada por el indicado art. 71 [...]».

STS de 6 de mayo de 1983 (Contencioso-administrativo) [11]

FUNDAMENTOS DE DERECHO

«Que [...], deberán siempre regularse por Ley, entre otros elementos de la obligación tributaria, "el sujeto pasivo", reserva de Ley que atribuye a una norma de este rango tanto la determinación de quien debe de ser el sujeto pasivo, como su modificación, lo que equivale a prohibir que mediante una Ordenanza, pueda señalarse como sujeto pasivo de una Tasa quien no tiene ese carácter, no sólo en virtud de la Ley específica de Régimen Local, sino también según la Ley General Tributaria, cuyo art. 31 y bajo la rúbrica de "El sujeto pasivo" define a los contribuyentes como las personas natural o jurídica a quien la Ley impone la carga tributaria derivada del hecho imponible, precepto que debe de ponerse en relación con lo que respecto de los "responsables del tributo" establecen los arts. 37 y siguientes de la propia Ley; [...]».

STS de 12 de julio de 1984 (Civil) [1 y 5]

CONSIDERANDO

«[...]los administradores de la entidad "X, S. A.," en su gestión, han producido daño directo al patrimonio de los socios demandantes, y ahora recurridos, emanante de "una actuación verdaderamente culposa con abuso de facultades y con carácter de una negligencia grave" [...], conduce, en contra de lo apreciado por los recurrentes, a que no sea de aplicación en el presente caso el plazo de tres meses a que se contrae el párr. 3º del art. 80 de la vigente Ley de Sociedades Anónimas, pues que tal normativa tiene aplicación con exclusividad al supuesto de ejercicio de la acción subsidiaria de responsabilidad de los Administradores para cuando la sociedad, previo acuerdo adoptado por la Junta General, no actúe, pero no para el caso, que es el producido en el supuesto ahora contemplado, de que, sin precisión de acuerdo alguno por la Junta General, los socios entablen acciones de indemnización por actos de los precitados Administradores que lesionen directamente los intereses de aquéllos; y al entenderlo así la Sala sentenciadora de instancia ciertamente determina que ha interpretado adecuadamente los invocados arts. 80 y 81 de la referida Ley de Sociedades Anónimas de 17 julio 1953».

STS de 24 de abril de 1985 (Civil) [3]

CONSIDERANDO

«1º [...] se denuncia violación por inaplicación de lo prevenido en los artículos veinticuatro, tres de la Ley General de Cooperativas de diecinueve de diciembre de mil novecientos setenta y cuatro y cuarenta y nueve, cinco del reglamento de la misma de dieciséis de noviembre de mil novecientos setenta y ocho, en relación con la sesión de la Asamblea General de la Sociedad Cooperativa que figura como recurrida en este trámite, de treinta y uno de marzo de mil novecientos ochenta y dos, en la que se aprobó –por quinientos setenta y un votos de los ochocientos veintidós emitidos, que representaban más de las dos terceras partes– el ejercicio de una acción de responsabilidad contra el Consejo Rector de la entidad, ante la anómala situación de la misma, consecuencia de graves irregularidades de administración, lo que provocó la dimisión del Presidente y del Secretario, después de lo cual, en la misma sesión, se nombró una Comisión Gestora representativa de los distintos actores, para que aclarara la situación y depurase responsabilidades, cuyos resultados se someterían a una nueva Junta que habría de convocarse al efecto; nada de lo cual figuraba en el orden del día de la convocatoria lo que, según el recurso, contraviene lo dispuesto en los indicados preceptos, a cuyo tenor "la convocatoria de la Junta deberá hacerse por escrito, con antelación al menos de diez días y máximo de veinte, expresando con precisión los puntos a tratar". Siendo de señalar, sin embargo, que la exigencia no tiene aplicación cuando, como sucede en este caso se trata de la acción de responsabilidad contra los miembros del Consejo, pues según el artículo treinta y cinco, dos de la propia Ley de Cooperativas, podrá ser ejercitada por la Asamblea General en cualquier momento; precepto que aparece reproducido en el artículo veintinueve, letra k) de los Estatutos de la entidad, y que obedece a la importancia y urgencia de la materia, sobre la cual es lógico que pueda tomarse la decisión de los cooperativistas, en el seno de la Junta General, a consecuencia de una deliberación suscitada sobre la conducta de los administradores, que no debe hacerse depender –con el consiguiente aplazamiento– de una nueva convocatoria con este objeto específico; como establece para las sociedades anónimas el artículo ochenta de la Ley de su régimen jurídico de diecisiete de julio de mil novecientos cincuenta y uno al permitir expresamente que se adopte el acuerdo, aunque el tema de la responsabilidad "no conste en el orden del día". [...]»

STS de 21 de mayo de 1985 (Civil) [3 y 5]

CONSIDERANDO

«1º Que el artículo setenta y nueve de la Ley sobre el régimen jurídico de las Sociedades Anónimas establece que los Administradores desempeñarán su cargo con la diligencia de un ordenado comerciante y de un representante leal y responderán frente a la Sociedad, frente a los accionistas y frente a los acreedores del daño causado por malicia, abuso de facultades o negligencia grave y el artículo ochenta de la propia Ley, que define y autoriza la acción de responsabilidad por el daño causado a los intereses de la Sociedad, la concede en último lugar a los acreedores con el triple condicionamiento de que tienda a reconstituir el patrimonio social, no haya sido ejercitada por la Sociedad o sus accionistas y se trate de un acuerdo que amenace gravemente la garantía de los créditos, presupuestos que delimitan el alcance de la acción, definen el interés que debe asistir al acreedor que la deduce y subordina la posibilidad de su ejercicio a la circunstancia de que no haya sido ejercitada por la Sociedad o sus accionistas, de lo que resulta tiene claramente un carácter subsidiario.

2º Que, por el contrario, el artículo ochenta y uno de la citada Ley de Sociedades Anónimas reconoce una acción individual a favor de los socios y de los terceros, distinta de la acción social que regula en su artículo ochenta, y tendente no a la indemnización por los Administradores del daño causado al patrimonio social y ordenada a obtener la reconstitución del mismo, como garantía indirecta para el cobro por los demandantes de sus créditos, sino a indemnizarles de los daños directamente sufridos en su patrimonio, requiriéndose, en su consecuencia, para la viabilidad de esta acción directa dos requisitos, un acto del administrador y una lesión directa a los intereses del accionista o del tercero demandante, a lo que ha de añadirse que al establecer el precepto una responsabilidad civil de los administradores la misma ha de establecerse con fundamento en la concurrencia de la culpa, el daño y la relación de causa a efecto entre aquélla y éste.

3º Que según resulta claramente de los fundamentos jurídicos de la demanda inicial de las presentes actuaciones, la acción ejercitada con la misma por la [...] actora, es como aparece [...] que concede a los acreedores el último párrafo del artículo ochenta de la Ley de Sociedades Anónimas, sujeta, por ende, al triple condicionamiento para hacer permisible su viabilidad a que se ha hecho referencia en el primer razonamiento de esta resolución, lo que asimismo se hace notar en los mencionados fundamentos jurídicos de la demanda, acción que no admite confusión alguna con aquella otra directa que contra los administradores autoriza la normativa legal contenida en su artículo ochenta y uno, [...]»

STS de 10 de diciembre de 1985 [9]

FUNDAMENTOS DE DERECHO

"3º Es asimismo de rechazar el motivo tercero, fundamento, amparándose la entidad recurrente en el número cinco del precitado artículo mil seiscientos noventa y dos de la Ley de Enjuiciamiento Civil, en pretendida infracción del artículo ochocientos noventa y uno del Código del Comercio y por omisión y violación del mil trescientos ochenta y dos de aquella Ley Rituaria en relación con el mil trescientos ochenta y seis –que remite al artículo mil ciento cuarenta y tres del Código de Comercio– así como infracción, por violación del artículo veinticuatro de la vigente Constitución Española, de una parte debido a que si ciertamente la prevención del citado artículo ochocientos noventa y uno del Código de Comercio exige la contemplación de los libros de comerciante, cuando sean llevados por éste para establecer presunción de fraudulencia, al igual que ha de suceder para dar el Comisario su informe prevenido en el artículo mil trescientos ochenta y dos de la Ley de Enjuiciamiento Civil y llegar con su base a la solución que acoge el artículo mil trescientos ochenta y seis –que se remite al mil ciento cuarenta y tres del Código de Comercio de mil ochocientos veintinueve– de tal manera que, según pone de manifiesto la sentencia de dieciocho de febrero de mil novecientos once, la declaración de fraudulencia con apoyo en no poder deducirse la quiebra del comerciante de sus libros sea improcedente, al carecer de base o fundamento moral y jurídico, si faltan los libros por causa no imputable al quebrado, como es el supuesto de robo, tampoco cabe desconocer que tanto el Comisario para emitir su preceptivo informe, conducente a apreciación de quiebra fraudulenta, como la Sala sentenciadora de instancia para llegar a la apreciación de tal calificación, no se amparan exclusivamente en dicha ausencia de libros de los que pudiera deducirse la verdadera situación de la entidad comerciante declarada en quiebra «Gráficas H., S. A.», si que también de los aspectos fácticos expresamente reconocidos en la sentencia recurrida, no contradichos por la referida entidad recurrente, por lo que han quedado incólumes y por tanto son vinculantes en casación, de que al momento de ser instada la declaración de quiebra voluntaria «Gráficas H., S. A.», contaba con un saldo de seis pesetas veinticinco céntimos en su cuenta corriente de la Caja de Ahorros y Monte de Piedad de Madrid, no obstante haber percibido durante el mes que precedió a tal declaración de quiebra cantidades que en conjunto superaban los veinte millones de pesetas, cuyo destino no ha quedado justificado, al igual que ocurre con préstamo personal de cuantía superior a seis millones de pesetas, obtenido del «Banco Occidental, S. A.» para la adquisición de maquinarias rotativas cilíndricas para la empresa, cuyo destino tampoco ha quedado justificado, toda vez que dichas máquinas habían sido adquiridas y desembolsado su importe, aproximadamente en el año mil novecientos sesenta y cuatro, así como que, en cambio, ha quedado probado mediante recibos el pago de escrituras de compra de un chalet a nombre de la esposa del administrador de la indicada sociedad quebrada, generando en consecuencia, con independencia del resultado que deparase el examen que pudiera llevarse a cabo de la expresada contabilidad que se dice sustraída, supuestos de fraudulencia comprensibles, cual se aprecia en la sentencia recurrida, en el ámbito de las circunstancias quinta y doce del artículo ochocientos noventa del Código de Comercio, dado que, con abstracción de los libros que se aduce han sido objeto de sustracción, no puede negarse que de tener un normal destino perceptor contable aquella suma superadora de los veinte millones de pesetas y los seis millones obtenidos, por préstamo personal, del «Banco Occidental, S. A.», fácil sería a la entidad quebrada, de no existir anormalidad alguna que enmarque en la circunstancia quinta de dicho artículo ochocientos noventa, acreditarle mediante medios probatorios independientes de la contabilidad reflejada en los relacionados libros que se dicen sustraídos, y no lo ha efectuado en tiempo adecuado y oportuno, y de tener una causa normal la relacionada adquisición del expresado chalet, no encajable en consecuencia dentro del ámbito de la precitada circunstancia doce del repetido artículo ochocientos noventa, también fácil hubiera sido destruir la lógica presunción de estarse en presencia de compra puesta a nombre de tercera persona en perjuicio de acreedores, toda vez que no resulta comprensible en el normal actuar humano el que, sin acreditación de causa justificante alguna y estando abocado a un desfase económico perjudicial, que incluso llevó a la solicitud de declaración de quiebra, satisfaga el importe de adquisición que se pretende efectúa con desvinculación patrimonial del quebrado que atiende a abonos a cargo de la adquisición llevada a cabo; y, de otra parte, en razón a que la presunción de inocencia que establece el artículo veinticuatro de la vigente Constitución Española, que es consustancial al Estado de Derecho que proclama, hay que ponerlo en relación con todo el conjunto del ordenamiento jurídico en vigor, y en consecuencia no se vulnera, como en el presente caso ocurre, cuando existe una norma específica que, de por sí, establezca presunción legal de culpabilidad civil con posible proyección posterior penal, cual es la normativa de reputación de fraudulencia en la quiebra de comerciante por darse cualquiera de las causas prevenidas en el artículo ochocientos noventa del Código de Comercio, ya que precisamente esa específica presunción en manera alguna desvirtúa, en cuanto se mantiene mientras no se produzca sanción penal por tal motivo por el competente órgano jurisdiccional penal, en su caso, la genérica presunción de inocencia que el invocado precepto constitucional proclama, y más en cuanto que, conforme se deduce del contenido del artículo mil trescientos ochenta y seis de la Ley de Enjuiciamiento Civil, la calificación de quiebra fraudulenta que se establezca en la correspondiente pieza formada al respecto es a los meros fines de este pronunciamiento en el campo exclusivamente civil, pues que las consecuencias estrictamente punitivas se desplazan, mediante la expedición de testimonio de tal calificación, al procedimiento penal a seguir posteriormente y que es en el que, en definitiva han de determinarse en su caso y de ser apreciable en tal ámbito jurisdiccional penal, la responsabilidad penal que, mediante aportación de pruebas a tal fin, incluidas las que aporte el quebrado sean deducibles de la expresada calificación, producida en el campo estrictamente civil, habida cuenta que lo que proclama el precitado artículo ochocientos noventa es una mera reputación, en el aspecto civil, de fraudulencia, pero no de responsabilidad penal por su causa, por ser éste un aspecto fáctico-jurídico de la exclusiva y privativa competencia de los Tribunales del mencionado orden jurisdiccional penal."

STS de 13 de octubre de 1986 (Civil) [1]

FUNDAMENTOS DE DERECHO

«3º [...] El Tribunal sentenciador ha realizado del conjunto de las probanzas practicadas, examen hermenéutico que le ha conducido a declarar en orden al artículo 79 de la Ley de Sociedades Anónimas de 17 de julio de 1951, [...] que para que los administradores de las sociedades anónimas respondan frente a los accionistas y acreedores del daño causado, es preciso que hayan incumplido sus obligaciones con malicia, negligencia grave o abuso de facultades, sentado lo cual, la sentencia declara que dicho precepto "al pasar por alto la culpa leve, se ha querido conceder a las personas que administran una especie de franquicia, necesaria para que su actuación no quede sometida a cada paso, a revisión, con la amenaza de tener que responder, en la gestión de los intereses sociales, ante cualquier error o irregularidad que se produzca."

4º Los argumentos con que se pretende combatir el razonamiento de la sentencia impugnada en orden a la responsabilidad que el indicado artículo 79 de la Ley de Sociedades Anónimas atribuye a los administradores, no pueden ser tenidos en cuenta: 1) Porque dicha responsabilidad exige la realidad de un daño y la producción del mismo no aparece acreditada en este concreto supuesto, según resulta del cuarto considerando de la resolución que se recurre cuando dice: "condición ésta, a la que, a mayor abundamiento también se llegaría ante la falta de prueba acreditativa de la existencia del daño"; 2) Porque, a su vez, la responsabilidad que se plasma en el citado precepto es evidentemente subjetiva, en cuanto basada en conductas maliciosas, de abuso de facultades o gravemente negligentes; 3) Porque, a su vez y cual resulta de lo indicado, la culpa originadora de la responsabilidad, en estos casos, ha de ser grave y no leve, como muy bien declara la sentencia que se impugna; 4) Porque como reconoce un muy autorizado sector de la doctrina mercantilista, la calificación de la culpa que el legislador ha establecido en el artículo 79 indicado, más que producto de una concreta técnica legislativa es consecuencia de una inequívoca intención legislativa, al objeto de evitar la resistencia a aceptar el cargo de administrador que se produciría si la responsabilidad se extendiera a las faltas leves de diligencia, sin olvidar los mayores males que podrían derivar de un excesivo rigor en la exigibilidad de estas responsabilidades, [...]»

STS de 25 de mayo de 1987 (Civil) [5]

En el mismo sentido, vid., STS de 22 de enero de 2004

STS de 7 de octubre de 1987 (Civil) [3]

FUNDAMENTOS DE DERECHO

«2º [...] el requisito de la constancia de un acuerdo previo de la Junta General, acuerdo que según expresamente prevé el art. 80 de la Ley de Sociedades Anónimas, puede ser adoptado aunque no conste en el orden del día, se precisa únicamente cuando se entable por la Sociedad "la acción de responsabilidad contra los Administradores" supuesto que no coincide con el de autos en el que las Sociedades actoras únicamente solicitan en su demanda "que se declare nulo el contrato de compraventa de 27 de abril de 1978, celebrado entre los demandados", sin que de ello aparezca en modo alguno ejercitada ninguna acción de responsabilidad contra el administrador [...] por lo que no procede entenderse exigible el requisito de la previa adopción del acuerdo de la Junta General».

STS de 30 de septiembre de 1988 (Civil) [3]

FUNDAMENTOS DE DERECHO

«4º [...] Debe en consecuencia dejarse a salvo el derecho de los litigantes para ejercitar las pretensiones afectadas ante quien corresponda (art. 1715, núm. 1º, de la Ley de Enjuiciamiento Civil), que en este caso ha de ser la Audiencia Territorial [...] que indebidamente dejó se pronunciarse sobre los pedimentos de la demanda relativos a entrega a la sociedad recurrente de instalaciones, mercaderías, locales, documentos, dinero, efectos y cuantos bienes de cualquier naturaleza haya tenido a su disposición, y sus llaves, o el equivalente de dichos objetos, si han desaparecido, cuya identificación se pide se haga en ejecución de sentencia. Ante este pronunciamiento es improcedente, por tanto, mantener lo ya resuelto, porque las peticiones de la demanda deben resolverse todas ellas en el mismo proceso y no sería admisible dividirlas, para resolver unas en momento anterior, según se ha hecho ya, y otras en momento posterior, sin tener en cuenta la posible relación de unas con otras y por impedirlo la conservación de la continencia de la causa, tal como la entiende la Ley Procesal Civil (art. 162). Por otra parte, deben quedar sin resolver el resto de los motivos, tanto de un recurrente como del otro, por tratarse de cuestiones que presuponen la resolución previa de la cuestión de defecto de jurisdicción, al ser posible que la nueva resolución no dé lugar a cuestiones que ahora se articularon en los respectivos motivos, como la acusada incongruencia, que lo fue por ambos recurrentes (motivo 5º del recurso de la sociedad, y motivos 1º y 2º del recurso de don Ramón V.), ni a las cuestiones planteadas como de fondo, como las relativas a la validez de la junta general de accionistas discutida o al error en la apreciación de la prueba en su caso (motivos 3º a 6º del formulado por el señor V. y motivos 4º y 6º del recurso de la sociedad), debiendo de observarse por último, que habiéndose ejercitado ya las pretensiones ante el Tribunal que correspondía, el mandato del artículo 1715, 1º de la Ley de Enjuiciamiento Civil debe cumplirse resolviendo la Sala de instancia todas las pretensiones suscitadas por la demanda para lo cual se le remitirán las actuaciones».

STS de 12 de diciembre de 1988 (Civil) [5]

En el mismo sentido, vid. STS de 4 de julio de 196

STS de 3 de abril de 1990 (Civil) [1 y 5]

FUNDAMENTOS DE DERECHO

«3º [...] Ciertamente los conceptos de "malicia" o de "negligencia grave" son no simples hechos sino apreciaciones de hechos para calificarlos de ese modo. Pero aun así, el motivo no puede ser estimado, no sólo porque a través de él la recurrente hace una nueva apreciación de la prueba, sino especialmente por las siguientes consideraciones: a) El precepto legal invocado no sólo se refiere a la "malicia, abuso de facultades o negligencia grave" de los administradores, sino que presupone "un daño causado" y una relación de causa a efecto entre esa situación irregular o perjudicial y el daño causado, ya que el objeto de la acción es obtener una indemnización o resarcimiento del daño. b) Esos elementos de la responsabilidad (daño y relación causal), no han sido en absoluto probados, ni nada deriva de la apreciación probatoria verificada por la Sala "a quo" en ese sentido, ni tampoco los de culpa grave o malicia o abuso de facultades, que como conceptos subjetivos requerían una prueba que no se ha logrado, y que esta Sala no deduce de los hechos que consigna la sentencia recurrida en sus fundamentos de derecho 3º y 4º.c) Los casos de responsabilidad de los administradores no sólo se refieren a los supuestos que el recurso refiere, sino a muchos otros (arts. 44, 49, 71, 77, 78, 65, 83, 102, 108, 110, 40 y otros), pero todos requieren entre la actuación del administrador y los daños o perjuicios un nexo causal deducido del art. 1107 del Código Civil; sin que baste, por otro lado, alegar cualquier tipo de culpa, de cuya graduación no se ocupa el recurso, pues aun pudiendo suponer actuaciones culposas las que el motivo indica ello no implica por sí la gravedad que la ley requiere y que habría de resultar de hechos que no han sido probados. [...]».

STS de 5 de julio de 1989 (Civil) [9]

En el mismo sentido, vid. STS de 10 de diciembre de 1985

STS de 18 de abril de 1990 (Civil) [9]

FUNDAMENTOS DE DERECHO

"4º (...) Sostiene en el desarrollo del motivo que la pérdida de los libros impide obtener la presunción de fraudulencia del art. 891, así como determinar si en ellos se incluyó alguna partida con daño de terceros. Insiste en su errónea posición del primer motivo, para decir que estas normas que cita como infringidas son verdaderas normas penales y que el extravío de los libros de comercio no está definido como causa para calificar la quiebra como fraudulenta. Al mismo tiempo es de observar que las sentencias que cita no son asimilables al caso ahora contemplado, en el que la desaparición de los libros no se acredita que sea debida a causa justificada no debida a culpa de la recurrente. El Código de Comercio concede tanta trascendencia a los libros de contabilidad que en su art. 33 ordena llevar a los comerciantes que utiliza el adverbio de modo «necesariamente», de aquí que la ausencia, bien total o parcial, en dicha llevanza, determina que la quiebra por el mismo provocada, haya de ser calificada como de fraudulenta, conforme dispone el párrafo 3º del art. 890 de dicho cuerpo legal –Sentencias entre otras, de 5 de noviembre de 1956, 1 de febrero de 1964, 13 de octubre de 1969 y 22 de noviembre de 1985–; ya que la verdadera situación de la entidad quebrada no ha podido deducirse de sus libros lo que abona en presunción de fraudulencia –Sentencia de 7 de febrero de 1980–; caso distinto de cuando la falta de libros se debe a causas ajenas a la voluntad del quebrado, como es el supuesto de robo –Sentencia de 10 de diciembre de 1985–. Pero sobre todo las circunstancias que definen los artículos 890 y 891 del Código de Comercio implican una cuestión de hecho –Sentencia de 4 de junio de 1987– que ha deducido la Sala de instancia del resultado de las pruebas, cuestión que no puede ventilarse en casación, como se pretende, por la vía del nº 5º del art. 1692 de la Ley de Enjuiciamiento Civil, sin que se haya practicado en autos la prueba en contrario de la aludida presunción de fraude, puesto que no puede considerarse tal el testimonio de los testigos (Sentencia de junio de 1906), ni el hecho de la apertura de cierta contabilidad sin garantía alguna o para presentarse en la quiebra –Sentencia de 9 de marzo de 1957–, y todo ello es insuficiente para haber enervado el hecho probado de inexistencia de libros por la vía casacional adecuada. En definitiva, es procedente también desestimar este último motivo del recurso".

STS de 8 de mayo de 1990 (Civil) [1]

FUNDAMENTOS DE DERECHO

«1º [...] Si bien es cierto que el juzgador de instancia ha reconducido toda la cuestión litigiosa a una cuestión de rendición de cuentas por el demandado aquí recurrente, así como las sustanciales diferencias existentes entre aquélla y la acción de responsabilidad derivada de los arts. 79 y 80 de la Ley de Sociedades Anónimas, no puede olvidarse que esta Sala en su Sentencia de 30 de septiembre de 1988, resolviendo el recurso de casación interpuesto contra la Sentencia dictada por la Audiencia Territorial en nueve de mayo de 1987, estableció en el apartado c) del segundo fundamento de derecho que "como alega el motivo tercero, en todo caso de conformidad con el art. 153 de la citada Ley Procesal se trataría de cuestiones o acciones acumulables: una, la de responsabilidad contra el administrador y las derivadas sobre supuesta rendición de cuentas de su gestión, y, otra, las relativas a entregas de bienes o su equivalente, entre la que en este supuesto ningún obstáculo existe para su acumulación..." [...]

4º El séptimo y último motivo de este recurso, acogido al nº 5º del art. 1692, denuncia infracción del ordenamiento consistente en aplicación indebida de los arts. 79 y 80 de la Ley de Sociedades Anónimas, entendiendo que la sentencia recurrida declara al demandado recurrente "responsable de determinados beneficios y pérdidas, condenándole a estar y pasar por esta declaración y abonar las cantidades resultantes con sus intereses legales", sin que hayan sido probados los requisitos que configuran la acción de responsabilidad contra los administradores regulada en los arts. 79 y 80 que se citan como vulnerados. Para el examen de este motivo ha de partirse de los términos literales en que se encuentra redactada la parte dispositiva de la sentencia "a quo" en el pronunciamiento que es objeto de ataque a través del motivo, que son los siguientes: "declarándole responsable de los beneficios sociales no entregados y de las pérdidas que se acrediten con dicha rendición desde el 15 de marzo de 1982, condenándole a estar y pasar por estas declaraciones y a abonar las cantidades con pago de los intereses legales desde que sea firme esta resolución", el señalamiento de ese límite temporal, obliga a considerar dos períodos de tiempo distintos con repercusión en las obligaciones o responsabilidad impuestas a [...] en la sentencia recurrida: a) un primer período comprendido entre el momento de su nombramiento como Consejero-Delegado de la sociedad actora y el de su separación del cargo acordado por la Junta General en virtud del principio de libre revocabilidad que sanciona el art. 75 de la Ley de Sociedades Anónimas según el cual "la separación de los administradores podrá ser acordada en cualquier momento por la junta general", separación que fue notificada al ahora recurrente en 15 de marzo de 1982; en relación a este período de tiempo la condena impuesta en la sentencia se contrae a la rendición de cuentas de su gestión como Consejero-Delegado, obligación que viene impuesta a los administradores durante el desempeño de su cargo por el art. 102 de la citada Ley y que fue incumplida por el recurrente, no estableciéndose en la sentencia de instancia, por el contrario, condena alguna tendente a restablecer el patrimonio social lesionado por la actuación maliciosa, con abuso de facultades o con negligencia grave del administrador, por lo que es claro que no han sido infringidos los arts. 79 y 80 de la Ley de Sociedades Anónimas, preceptos que sólo son aplicables a la exigencia de responsabilidad por daños causados por el administrador durante el ejercicio de sus funciones de gestión y representación de la sociedad, no a la obligación de rendir cuentas de su gestión que deriva del citado art. 102, en la forma establecida en el mismo y sus concordantes, no como erróneamente entiende la Sala de instancia al confundir la acción del art. 80 de la Ley de Sociedades Anónimas con la de rendición de cuentas por el mandatario del art. 1720 del Código Civil, puesto que, aparte del distinto contenido, requisitos y finalidad de una y otra, no es aplicable a los administradores de las sociedades anónimas la regulación del mandato, habida cuenta de las sustanciales diferencias que existen entre ambas figuras jurídicas como reconoce unánimemente la doctrina mercantilista, sobre todo a partir de la Ley de Sociedades Anónimas de 17 de julio de 1951; b) el segundo período de tiempo a contemplar se inicia a partir del 15 de marzo de 1982, en el cual [...] no ostenta la condición de Consejero-Delegado de la sociedad, apareciendo como un mero gestor de hecho poseedor de bienes sociales, como ha reconocido en confesión judicial, obligado a la devolución de esos bienes que detentaba por razón de su cargo y al resarcimiento de los daños y perjuicios causados a la sociedad por esa indebida retención estando sometido en cuanto al deber de cuidado de esos bienes, no al módulo que establece el art. 79 de la antedicha Ley (los administradores desempeñarán su cargo con la diligencia de un ordenado comerciante y de un representante leal), sino al impuesto por el art. 1094 del Código Civil expresivo de que "el obligado a dar alguna cosa lo está también a conservarla con la diligencia de un buen padre de familia", no pudiendo beneficiarse, una vez cesado en su cargo, de las limitaciones que en orden a su responsabilidad frente a la sociedad, los socios o terceros establece el citado art. 79, sino que tal responsabilidad ha de adaptarse a lo dispuesto en los arts. 1100 y siguientes del Código Civil; [...]».

STS de 19 de julio de 1990 (Civil) [1]

Véanse en el mismo sentido, SSTS de 26 de febrero de 1993 y 29 de julio de 1994

STS de 4 de diciembre de 1990 (Contencioso-administrativo) [11]

En el mismo sentido, vid., STS de 17 de diciembre de 1996 [11]

STS de 16 de mayo de 1991 (Contencioso-administrativo, Sección 2ª) [11]

FUNDAMENTOS DE DERECHO

«[...] después de aceptar la premisa de la comentada "sucesión inter vivos", y tras admitir, con el propio recurrente interesado, que los tributos girados desde 1986 a su cargo o al de la empresa cuya titularidad ha asumido corren de su cuenta (si se dan las condiciones legales para ello), es el de concretar cual es la verdadera naturaleza jurídica del papel que ha asumido el hoy apelante, en relación con las deudas tributarias de 1981 a 1985 [...], con motivo de la sucesión empresarial producida.

Dicha sucesión no implica una transmisión o cesión de las deudas y responsabilidades tributarias, puesto que el titular que transfiere la explotación y la actividad económica, es decir, el sujeto pasivo (contribuyente o sustituto), no desaparece como obligado tributario original ni queda eximido de su preexistente deber de pago, conforme precisa el artículo 13.5 del Decreto 3154/68 ("la responsabilidad del adquirente no releva al transmitente de la obligación de pago"); lo que ocurre es una ampliación del campo de los sujetos pasivos, pero sin eliminar al sujeto pasivo [...] primitivo, agregando, junto a éste, y no en su lugar, a otro obligado, con el carácter de responsable, más que de la deuda tributaria en sentido estricto, de una obligación accesoria de garantía. Dicho responsable, es, pues, un tercero que se coloca junto al sujeto pasivo, pero no desplazándolo de la relación tributaria ni ocupando, en principio, su lugar, sino añadiéndose a él como otro deudor, aunque por motivos distintos y con un régimen jurídico diferenciado; pero para que se dé esa situación de "responsabilidad" es necesario que, además de realizarse el presupuesto de hecho (el hecho imponible) determinante de la obligación del sujeto pasivo, se produzca el presupuesto de hecho en cuya virtud se genera la obligación del responsable, presupuesto que, según los artículos 72.1 y 13.1 ya citados, consiste exactamente, como en el supuesto de autos ha ocurrido, en que se haya obtenido o producido la sucesión de la titularidad de la explotación y actividad económica y, además, en que el transmitente no haya satisfecho la deuda tributaria derivada del ejercicio (por él) de aquélla.

[...] En el presente caso se ha omitido prácticamente todo el complejo procedimiento indicado, pues, por un lado, no consta que se haya dirigido el procedimiento de apremio, con carácter previo, contra el titular anterior de la empresa o sujeto pasivo de la deuda tributaria, ni, por tanto, y tampoco, la posterior declaración de fallido o como insolvente del mismo, calificando los créditos de incobrables, y, por otro lado, si bien, con fecha 14 de enero de 1986 [...], se hace constar por diligencia, a la vista de la manifestación hecha por los Sres. [...] de la "cesión" o cambio de titularidad de la empresa [...], que procede requerir a [...] el importe de los débitos tributarios pendientes, y tal documento puede reputarse, en principio, una declaración (aunque no en sentido técnico-jurídico estricto, por tratarse de una mera diligencia) de derivación de la responsabilidad hacia el responsable subsidiario, esta última no sólo no ha sido adoptada por el órgano de gestión o liquidador, remitiéndose exclusivamente las cuotas tributarias líquidas (sin perjuicio de que, posteriormente, quepa agravarlas con las cantidades pertinentes si el propio responsable incurre en demora, apremio o infracción), sino que, amén de haber sido indebidamente extendida por la Recaudación Municipal Ejecutiva, no ha sido notificada en forma, con todas las garantías debidas previstas en los artículos 79 y 80 de la Ley de Procedimiento Administrativo de 1958 [...] hayan sido entregados a dicho interesado cumpliendo todas las prescripciones legales (suficientes para asegurar su recepción y la fecha de la misma), pues carece de valor [...]

Se ha incurrido, por tanto, si no en un caso de nulidad absoluta de los artículos 47.1.c de la Ley de Procedimiento Administrativo o 153.1.c de la Ley 230/63, por haberse prescindido total y absolutamente del procedimiento legalmente establecido para derivar la carga tributaria al responsable subsidiario, si en un supuesto de invalidez por anulabilidad del artículo 48.2 del primero de los textos citados, porque concurren unos defectos u omisiones de forma en el procedimiento seguido que provocan tanto la carencia de los requisitos indispensables para que el acto alcance su fin como la clara indefensión del interesado, circunstancias, todas ellas, que determinan la plena virtualidad de los motivos de oposición previstos en los d) y e) de los artículos 137 de la Ley 230/63 y 95.4 del Decreto 3154/68 y, en consecuencia, la ineficacia de la providencia de apremio correspondiente.

[...] la liquidación se notificará simultáneamente al sujeto pasivo y al responsable solidario y se requerirá de pago, en primer lugar, al sujeto pasivo y, caso de no atenderlo, se seguirá el procedimiento contra el responsable solidario, sin más requisitos que el previo requerimiento para el pago, expresando en éste el precepto legal o el acto administrativo de liquidación en que se declare la responsabilidad, circunstancias que permiten, obviamente, integrar, de forma implícita, tal régimen con algunos de los requisitos exigidos para la responsabilidad subsidiaria, entre ellos, en primer lugar, el doble requerimiento, sucesivo, al sujeto pasivo, primero, y al responsable solidario, después, que, aun cuando no exija que el sujeto pasivo agote el período voluntario sin ingresar el tributo, si requiere la apertura para el responsable solidario de un plazo diferenciado, y, en segundo lugar, con mayor relevancia, la notificación a este último, del acto derivativo de la responsabilidad, pues no basta con notificarle la liquidación girada al sujeto pasivo, ya que, incluso en el caso de que fuese correcta, podría faltar el presupuesto de hecho de la responsabilidad y quedar, así, privado el responsable de la oportunidad de discutirlo (como acontecería si no se le notificase ese acto administrativo expreso declarándola)».

STS de 11 de octubre de 1991 (Civil) [3, 5 y 7]

FUNDAMENTOS DE DERECHO

«[...] la responsabilidad de los Administradores de la Sociedad Anónima se hallaba configurada, en lo que ahora interesa, en los arts. 79 y siguientes de la Ley de 17-7-1951, vigente al tiempo de producirse los hechos y cuando se interpuso la demanda, lo cual obliga a algunas consideraciones al respecto. En efecto, independientemente de la limitación establecida en el último párrafo del art. 80 ("Los acreedores de la Sociedad sólo podrán dirigirse contra los Administradores cuando la acción tienda a reconstituir el patrimonio social, no haya sido ejercitada por la Sociedad o sus accionistas y se trate de un acuerdo que amenace gravemente la garantía de los créditos"), el art. 81 determinaba que "no obstante lo dispuesto en los artículos precedentes, quedan a salvo las acciones de indemnización que puedan corresponder a los socios y a los terceros por actos de los Administradores que lesionen directamente los intereses de aquéllos"; esta acción indemnizatoria contra los Administradores requería: a) Un daño causado por malicia, abuso de facultades o negligencia grave (art. 79), o sea que se excluye cualquier otro género de culpa más leve –criterio tradicional en nuestro Derecho a partir del Código de Comercio de 1829, inspirador del art. 144 del Código de 1885, en que se utiliza una formulación idéntica–, estableciéndose así un sistema regulador de la específica responsabilidad de los Administradores sociales que permita a éstos un normal desenvolvimiento de su actividad, sin verse interferida por eventuales responsabilidades en casos –culpa leve o levísima– de difícil valoración en las operaciones mercantiles; y b) Que se tratase de actos que lesionaren "directamente" los intereses de socios o terceros; [...]»

STS de 4 de noviembre de 1991 (Civil) [3, 5 y 10]

FUNDAMENTOS DE DERECHO

«3º [...] los administradores debieron cumplir lo previsto legalmente para el caso de insolvencia de la empresa, y de su grave negligencia en no hacerlo se ha derivado la total frustración de las expectativas de cobro de sus acreedores.

[...] los administradores no pueden limitarse a eliminar a la sociedad de la vida comercial o industrial sin más. Han de liquidarla en cualquiera de las formas prevenidas legalmente, que están precisamente orientadas para salvaguardar los intereses de los terceros en el patrimonio social, sin que ello signifique por supuesto que no puedan intentar el arreglo extrajudicial con sus acreedores antes de llegar a ese trance, siempre largo y costoso para todos los afectados. En el caso de autos, está probado que los administradores recurridos siguieron esa vía, pero lo cierto es que, ante su fracaso, no prosiguieron con las legales para la liquidación del patrimonio. De ahí se deriva una negligencia grave, encuadrable en el art. 79 de la Ley de Sociedades Anónima de 1951.

[...]

4º [...] La no liquidación en forma legal del patrimonio social cuando la sociedad se encuentra en una situación de insolvencia es susceptible de inferir ese daño directo contemplado en el art. 81 por configurar una negligencia grave de los administradores en el incumplimiento de sus deberes legales. [...]

[...] Pero todo ello no es suficiente para que la acción [...] prospere, porque es ineludible que haya una relación de causalidad entre el daño producido (impago de los géneros suministrados) y el incumplimiento de aquellos deberes. La recurrente no ha demostrado en el pleito que la sociedad recurrida tenía patrimonio suficiente para hacer surgir en los acreedores sociales expectativas siquiera de cobro si se liquidaba ordenadamente [...], sino que se ha limitado a solapar esta ausencia de prueba con las alusiones reiteradas al incumplimiento de deberes legales de los administradores, por lo que falta un requisito esencial para que puedan ser obligados al resarcimiento del daño que se les imputa. Tampoco ha probado que se ha ocultado o dispuesto injustificadamente de él, hipótesis de clara responsabilidad subsumible en el art. 81. [...]».

STS de 11 de noviembre de 1991 (Civil) [5]

En el mismo sentido, vid., entre otras, SSTS de 3 abril 1990, 4 noviembre 1991, 21 mayo 1992, 10 diciembre 1996 y 20 noviembre 2003

STS de 26 de diciembre de 1991 (Civil) [1, 5, y 11]

FUNDAMENTOS DE DERECHO

«3º [...] Reconocido por el precitado demandado [...], que era el Administrador único de la entidad [...] y que en actividad en los negocios sociales ejercía la gestión de los negocios sociales compartidamente con los hermanos M., que eran los otros socios, así como que nunca dicha sociedad ha solicitado la suspensión de pagos o la quiebra, pese a la difícil situación que atravesó, llegando a quedarse sin ahorros, sin actividad y sin patrimonio alguno, sin que dicho confesante, administrador único de la referida sociedad, ni siquiera se ha preocupado por la disolución jurídica de la misma, que continúa existiendo en el Registro Mercantil, aunque físicamente no tiene virtualidad, constándole, [...] y la Sociedad no existe como tal ni tiene posibilidad por tanto de cubrir sus deudas, y habiendo embargado la Seguridad Social los bienes de la sociedad y los trabajadores realizaron sus cobros por medio de la Administración laboral, aclarando que aunque lo referente a la indicada cuestión de si la sociedad existe o no existe ni tiene posibilidad por tanto de cubrir sus deudas, que sigue existiendo como tal, pero no tiene posibilidad de cubrir sus deudas, claramente conduce a que al no considerar, en el aspecto fáctico, [...].

4º [...] como tiene reconocido el mencionado demandado [...], administrador único de la invocada entidad [...], que tras haber cedido a éste el demandante [...] su parte en el inmueble consistente en un solar sito en [...], dicho demandante no ha tenido ninguna posibilidad ni de percibir el piso que dicha entidad había acordado entregarle a cambio, ni poder cobrar de la tan citada Sociedad suma alguna, al carecer de toda clase de bienes, pues el referido piso se ejecutó por la Caja por impago de un crédito que ésta tenía a su favor con relación a la expresada Sociedad, y no existir ésta en la realidad como tal, ni tener posibilidad de cubrir sus deudas habiéndose incluso embargado la Seguridad Social los bienes de dicha Sociedad, percibiendo sus cobros los trabajadores por medio de la Administración laboral, sin que a pesar de esas circunstancias, reveladoras de la total crisis económica del meritado Ente Social, incluso generante de llegar a quedarse sin obreros, sin actividad y sin patrimonio alguno, el tan repetido administrador único demandado [...] hubiese tomado actitud alguna para convocar, por propia iniciativa Junta Extraordinaria del Ente Social de que se viene haciendo mención cual le facultaba el art. 15, "in fine", de los Estatutos que lo regían, en labor de dirección que también le encomendaba el núm. 2º del art. 18 de los mismos Estatutos con la consiguiente facultad de convocatoria de Junta de socios que asimismo le confería el núm. 9º del art. 18 de los expresados Estatutos, en lógica y normal tendencia a tomar las medidas ordinarias y extraordinarios emanantes de las dificultades económicas existentes para atender a todos los créditos que tenía la sociedad obligada y que eran exigibles para garantizar a los acreedores, y entre ellos indudablemente el demandante, ahora recurrente, [...], la "par conditio creditorum", error en la apreciación de que dicho administrador único demandado, y ahora recurrido, [...], al omitir cumplir con las facultades, que ante el evento producido en el Ente Social se habían producido, generante de grave crisis económica que le impedían atender a sus obligaciones económicas en relación a terceros acreedores, crea en su contra, en discrepancia con lo apreciado en la sentencia recurrida, una evidente negligencia grave, conducente a la personal imposibilidad, que previenen los párrafos segundo y tercero del art. 13 de la Ley de 17-7-1953 sobre Sociedades de Responsabilidad Limitada, de aplicación en el ámbito temporal en el presente caso, porque negligencia grave es mostrarse dicho administrador inactivo ante las dificultades económicas producidas en el Ente Social administrado, posibilitando con ello que se atendiesen unos créditos en su totalidad dejando de hacerlo ni en todo ni en parte con otros en el supuesto ahora contemplado en relación al crédito del tan repetido demandante [...], ahora recurrente, y dado que con ese comportamiento se produce la situación de realidad de daño, conducta negligente generadora de culpa grave, que, según se deduce de Sentencias de esta Sala, entre otras, 21-5-1985 y 13-10-1986, dan vida a la indicada responsabilidad sancionada por los indicados párrafos segundo y tercero del art. 13 de la precitada Ley de 17-7-1953, que, en el ámbito temporal regulaba las Sociedades de Responsabilidad Limitada, en relación con los núms. 2º y 3º del art. 30 de la misma Ley, a causa de que la situación social producida, aparte de crear una evidente y clara despatronización de la empresa, originó imposibilidad manifiesta de realizar el fin social, que de conformidad con aquellos preceptos conducían a la disolución total de la tan aludida sociedad, toda vez que si ciertamente la disolución social requiere, a tenor de lo prevenido en el núm. 5º del art. 30, en relación con el párrafo primero del 17, de la antes citada Ley Reguladora, en el ámbito temporal en este caso, de las Sociedades de Responsabilidad Limitada, la votación en favor del acuerdo de disolución un número de socios que representen, al menos, la mayoría de ellos y los dos terceras partes del capital social en primera convocatoria o las dos terceras partes del capital en segunda convocatoria, es lo cierto, asimismo, que, en todo caso, la responsabilidad de promover la actuación social para adoptar tal acuerdo de disolución o reconstruir el patrimonio social, para, a través de una liquidación ordenada, garantizar los derechos paritarios de los acreedores, en caso de disolución, o en el de reconstrucción patrimonial hacer frente, con nuevas aportaciones, al desenvolvimiento normal de la actividad social, incumbía al referido administrador, como consecuencia de las indicadas facultades que regulan los ya aludidos arts. 15, "in fine", y 18, núms. 2º y 9º, le estaban atribuidas y no ejercitó, generando con ello, una vez más sea dicho, el perjuicio sufrido por el demandante, ahora recurrente, [...], y corrobora el art. 15 de la repetida Ley de 17-7-1953 reguladora en el ámbito temporal aplicable a las Sociedades de Responsabilidad Limitada, al establecer que la convocatoria de la Junta General habrá de hacerse por los administradores, con la antelación y en la forma que previene la escritura social, expresándose en aquélla, con la debida claridad, los asuntos sobre los que haya de deliberar, y de cuya omisión a promover la Junta General, normal y lógicamente exigible en una Sociedad con tan grave crisis económica, es lo que precisamente da origen, según ya queda consignado, a la negligencia grave generadora de responsabilidad en el mencionado administrador único demandado [...], y más si se considera que siendo en realidad una sociedad de índole familiar, en cuanto estaba integrado por dicho administrador único y sus dos hermanos [...], es de mayor trascendencia la inactividad aludida apreciada en aquél ante la grave crisis económica, en el Ente Social producida, que culminó en el cese real de su actividad.[...]»

STS de 20 de mayo de 1992 (Penal) [8]

FUNDAMENTOS DE DERECHO

«6º Cuanto se ha expuesto no comporta una preterición del principio de culpabilidad, que indudablemente rige en materia sancionadora, ni un olvido del de personalidad de la sanción (responsabilidad por hechos propios), sino una acomodación de estos principios a la efectividad de deber legal, el exacto cumplimiento de unas medidas de seguridad impuestas a las empresas para prevenir la comisión de actos delictivos, deber que arrastra, en caso de incumplimiento, la correspondiente responsabilidad para el titular de las mismas, aunque tenga su origen en una actuación un no hacer negligentes de quienes, encontrándose a su servicio, no como terceros, tienen encomendado por voluntad de aquél el efectivo funcionamiento de las instalaciones de seguridad, responsabilidad directa que cobra si cabe mayor sentido cuando, como en este caso, el titular de empresa es una persona jurídica –una sociedad anónima–, constreñida por exigencias de su misma naturaleza a actuar por medio de personas físicas; "mutatis mutandis" es lo que ocurre cuando en el ámbito negocial los actos u omisiones de los órganos de una persona jurídica se consideran actos omisiones propios de ésta y no de los individuos que encarnan aquéllos.

Esta solución se propugna también en la STC 246/1991, de 19 de diciembre, dictada en recurso de amparo interpuesto por una entidad bancaria contra la Sentencia de la antigua Sala Quinta del Tribunal Supremo de 27 de abril de 1988, en la que después de afirmarse vigorosamente que principio de culpabilidad rige en materia de sanciones administrativas añade: "Todo ello, sin embargo no impide que nuestro Derecho administrativo admita la responsabilidad directa de las personas jurídicas, reconociéndoles, pues, capacidad infractora. Esto no significa, en absoluto, que para el caso de las infracciones administrativas cometidas por personas jurídicas se haya suprimido el elemento subjetivo de la culpa, sino simplemente que ese principio se ha de aplicar necesariamente de forma distinta a como se hace respecto de las personas física. Esta construcción distinta de la imputabilidad de la autoría de la infracción a la persona jurídica nace de la propia naturaleza de ficción jurídica a la que responden estos sujetos. Falta en ellos el elemento volitivo en sentido estricto, pero no la capacidad de infringir las normas a las que están sometidos. Capacidad de infracción y, por ende, reprochabilidad directa deriva del bien jurídico protegido por la norma que se infringe y la necesidad de que dicha protección sea realmente eficaz (en el presente se trata del riguroso cumplimiento de las medidas de seguridad para prevenir la comisión de actos delictivos) y por el riesgo que, en consecuencia, debe asumir la persona jurídica que está sujeta al cumplimiento de dicha norma" [...]».

STS de 21 de mayo de 1992 (Civil) [3, 5, 7 y 13]

FUNDAMENTOS DE DERECHO

«2º [...] la acción ejercitada contra los administradores es la de responsabilidad extracontractual y, por tanto, no le es de aplicación en su criterio el plazo prescriptivo de 15 años, propio de las acciones personales que no tienen señalado término especial de prescripción (art. 1964), sino el de un año contenido en el art. 1698,2º propio de las acciones derivadas de culpa o negligencia. En consecuencia, para los recurrentes ha prescrito la acción puesto que entre el acto de conciliación celebrado y la presentación de la demanda había pasado más de un año.

Para decidir los motivos debe analizarse cuál sea la acción ejercitada y cuál sea el plazo prescriptivo aplicable y el "dies a quo" o inicial del cómputo. El soporte fáctico de la demanda expone que los administradores "se limitaron a cerrar la fábrica o taller, sin aviso a los acreedores, distrayendo el patrimonio de su finalidad legal, o sea, la realización del activo social para pago a los acreedores", y la fundamentación jurídica se apoya en los arts. 79 y 81 de la Ley de Sociedades Anónimas de 1951, vigente a la sazón. En estos artículos se regulan una acción social cuya finalidad es reintegrar al patrimonio de la sociedad cuanto le corresponda, y una acción individual que legitima tanto a los socios como a los terceros por actos de los administradores que lesionen directamente sus intereses. Pues bien, en esta segunda especie debe incardinarse la demanda acumulada a la de reclamación de precio de mercaderías. Y, por tanto, al no existir vínculo contractual entre las partes del pleito sino el genérico contenido en el principio "naeminem laedere" que alcanza también a las personas físicas de los administradores en su aspecto individual y en su condición de órganos (no mandatarios) el ente social, le es aplicable el art. 1902 del Código Civil [vid. S. 11-10-1991] y, según la mejor doctrina, no confirmada por esta Sala, que no ha tenido ocasión directa de pronunciarse, el plazo de prescripción de un año del art. 1968,2º por remisión del art. 943 del Código de Comercio. El plazo de cuatro años a que se refiere el art. 949 del Código de Comercio es aplicable a las otras responsabilidades derivadas de la gestión social o de la representación, pero no a la responsabilidad del art. 1902 del Código Civil complementado por el art. 81 de la Ley de Sociedades Anónimas.

Pero la fijación del día inicial y la demostración del transcurso total del lapso corresponde, conforme a la teoría general de la carga de la prueba, a quien formula la excepción (art. 1214 del Código Civil), y en autos no hay dato alguno que permita acreditar qué día concreto pudo ejercitarse la acción, puesto que lo alegado es una omisión de la diligencia generadora, según la demanda, de perjuicios a los actores, perjuicios que teóricamente pueden acaso tener origen en la obligación incumplida pero que no se producen necesariamente de dicho incumplimiento sino de la situación creada en la sociedad, según la demanda, por los administradores. La celebración de la conciliación no significa el inicio del plazo, el "dies a quo", ni supone interrupción del plazo de ejercicio del año porque la conciliación versaba exclusivamente sobre la acción de reclamación del precio de las mercaderías, esto es, sobre la responsabilidad contractual, y no sobre la extracontractual que, aprovechando la posibilidad de acumular acciones, ejercitaron los actores conjuntamente pero sin perder su respectiva identidad. [...]»

STS de 16 junio de 1992 (Civil) [1]

FUNDAMENTOS DE DERECHO

4º «Se invoca, en el motivo quinto, infracción de la jurisprudencia relativa al enriquecimiento injusto o sin causa y se alega que el señor I. obtuvo un beneficio patrimonial (las 750.000 ptas. de su sueldo trimestral en "A. E.") correlativo al empobrecimiento de "E" consecuente a la resolución del contrato con la Cooperativa. Ha de perecer igualmente este motivo porque, según ya se ha razonado, no cabe afirmar que "E" se viera perjudicada por la resolución del contrato ni que, por ende, sufriera una disminución en su patrimonio, y tampoco puede entenderse que el percibo de una retribución no excesiva por el señor I., a consecuencia de su trabajo profesional posterior a dicha resolución, constituya un beneficio injustificado, a más de que éste en modo alguno podría considerarse correlativo al supuesto perjuicio causado a la recurrente, por lo que se hallan ausentes todos los requisitos exigidos jurisprudencialmente para estimar que se ha producido un enriquecimiento sin causa [SS. 7 marzo y 22 octubre 1991 y 6-2-1992».

STS de 22 de junio de 1992 (Civil) [5]

En el mismo sentido, vid. STS de 10 marzo 1994

STS de 16 de diciembre de 1992 (Contencioso-administrativo, Sección 2ª) [11]

FUNDAMENTOS DE DERECHO

«[...] según el art. 40.1 de la Ley General Tributaria, en su redacción anterior a la de la Ley 10/1985, de 26 abril, aplicable por su fecha al supuesto enjuiciado "serán responsables subsidiariamente de las infracciones simples de omisión y de defraudación cometidas por las personas jurídicas, los administradores de las mismas, que por mala fe o negligencia grave no realizasen los actos necesarios que fueran de su incumbencia..."; precepto que exige un comportamiento, malicioso o negligente en el administrador suficientemente acreditado para que sirva de motivación al acto mediante el cual se deriva la responsabilidad tributaria en su contra, conducta cualificada por criterios culposos o intencionales, cuya prueba incumbe a la Administración de acuerdo con la regla establecida al respecto por el art. 114.1 de la Ley General Tributaria. Esta previsión legal no aparece cumplida en el expediente, pues si bien se persiguen infructuosamente los bienes y el patrimonio del contribuyente hasta llegar a una declaración de insolvencia, el acto de la oficina gestora donde se acordó derivar la responsabilidad hacia el administrador no está motivado, dando por supuesto su proceder reprobable como causa determinante de la situación deficitaria de la sociedad.

En consecuencia no se cumplen [...] los requisitos legales establecidos para exigir esta responsabilidad derivada y es correcta su anulación, sin perjuicio de que se dicten otros por la Administración, respetando las garantías exigibles. [...]».

STS de 26 de febrero de 1993 (Civil) [1, 3, 4, 5 y 7]

FUNDAMENTOS DE DERECHO

«[...] según se desprende de la propia demanda lo presuntamente vulnerado por el administrador es el contenido del balance con la cuenta de pérdidas y ganancias de la sociedad [...] "de la que los actores ostentaban un 49% del capital social", [...] expresamente se acusa la manipulación por el administrador demandado del "balance final de la contabilidad de la empresa", sino también de la afirmación en el desarrollo del propio motivo, de que "la actuación maliciosa y con abuso de facultades realizada por el administrador produjo como consecuencia que los beneficios de la sociedad repercutieran...", determina que haya de concluirse necesariamente que la acción para exigir la responsabilidad que se denuncia, respecto del administrador causante de un daño patrimonial social, corresponde, por muy evidente que resulte la relación conducta abusiva-perjuicio para los accionistas, la atribuida, con arreglo a lo dispuesto en los arts. 79 y 80 de la Ley de Sociedades Anónimas, en primer término a la sociedad, que es la directamente dañada por la conducta del administrador aunque el daño afecte también, como en el caso presente, al patrimonio de los socios (los demandantes) en cuanto partícipes del patrimonio social, y a los cuales, por otra parte, el propio art. 80 de la Ley atribuye la titularidad de la misma acción social para el supuesto de que la Junta General no la acordase, siendo procedente o se manifestase contraria a su ejercicio o no la ejercitase. Y ello sin otros límites que el temporal que señala el párr. 3º in fine del repetido art. 80 y el cuantitativo que en el mismo artículo se establece de representar, los accionistas que actúen la acción social, al menos la décima parte del capital, porcentaje que en la situación presente se da sobradamente. De modo que la previsión legal de esta acción defectiva de los accionistas dañados a los que, por otra parte, la propia Ley habilita medios de conseguir la convocatoria de la inexcusable Junta General en el supuesto de negativa de los llamados a ello, es recurso legal suficiente, ofrecido como protección a los minoritarios frente a la eventual hostilidad de la mayoría manejada –como aquí podría suceder– por el propio administrador denunciado, en el que concurre la condición de accionista mayoritario.

[...] planteada la deslealtad social del administrador reflejada al presentar los balances sociales negativos, la acción a ejercitar es la del art. 80 de la Ley, pidiendo, desde la Junta General y luego en vía judicial, para las arcas sociales el reintegro de lo indebidamente sustraído a las mismas y, de rebote, lo que a los propios accionistas les corresponda. En lugar de reclamar éstos directamente para su patrimonio el importe de un daño causado precisamente a la sociedad, invocando una acción –la del art. 81 de la Ley de Sociedades Anónimas– que no era la del caso, [...]».

STS de 14 de junio de 1993 (Civil) [2 y 11]

FUNDAMENTOS DE DERECHO

«[...] Ciertamente, entre las disposiciones generales comprendidas en el Reglamento del Registro Mercantil, destaca la del ap. 3º del art. 2 al establecer que "los documentos sujetos a inscripción y no inscritos no producirán efectos respecto de terceros", que viene a ratificarse, en relación con las sociedades de responsabilidad limitada, en el también reglamentario art. 121 al decir "será obligatoria la inscripción del nombramiento y aceptación de los administradores en el Registro Mercantil", y complementarse con la concreta recogida en el ap. 2º del art. 11 de la Ley sobre Régimen Jurídico de las Sociedades de Responsabilidad Limitada al prescribir "el nombramiento de los administradores surtirá efectos desde el momento de su aceptación, y deberá ser presentado, para su inscripción, en el Registro Mercantil...", pero no es menos cierto que, [...], la publicidad registral frente a terceros, a fin de no verse perjudicados en su buena fe en el ámbito contractual, no cierra el paso a cualquier otro medio de conocimiento por vía extrarregistral, y que, en todo caso, la inscripción no tiene carácter constitutivo o de validez del nombramiento de los administradores sociales o directores-gerentes, como parece confirmarse por el antes transcrito art. 11.2, al distinguir dos momentos en el nombramiento: el de su aceptación y posterior presentación en el Registro, pero especificando que aquél surtirá efectos desde la aceptación.

Además, en el aspecto que se está estudiando, no cabe olvidar que los presupuestos fácticos estimados acreditados en la sentencia impugnada, han quedado incólumes, al no haber sido combatidos por vía casacional adecuada, y entre ellos, son de resaltar los siguientes: –la demanda fue presentada por el Procurador, en nombre y representación (de la entidad), cuyo poder se acreditaba en virtud de comparecencia "apud acta" de doña [...]–, –dicha comparecencia la hizo la expresada señora, en su condición de directora-gerente, por nombramiento efectuado por los administradores judiciales de la sociedad, y con las facultades conferidas por los estatutos–, –el referido nombramiento de directora-gerente fue válido, y en base a tal condición y con arreglo a las facultades estatutarias, la señora [...] otorgó poder bastante en favor del Procurador– y, no se ha discutido que (la entidad), como titular del bien ejecutado, no estuviese legitimado [...].

[...] no obstante la falta de inscripción del nombramiento de la tan repetida Directora-Gerente en el Registro Mercantil, [...]no admite equiparación con los de contratación entre terceros y la sociedad, por medio de sus representantes legales, [...]».

STS de 30 de septiembre de 1993 (Contencioso-administrativo) [11]

FUNDAMENTOS DE DERECHO

«[...] El art. 40.1 de la Ley General Tributaria, en su redacción anterior a la Ley 10/1985, establecía que serán responsables subsidiariamente de las infracciones simples de omisión y de defraudación cometidas por las personas jurídicas, los administradores de las mismas que por mala fe o negligencia grave no realizasen los actos necesarios que fueran de su incumbencia para el cumplimiento de las obligaciones tributarias infringidas, consintiesen el incumplimiento por quienes de ellos dependan o adopten acuerdos que hicieran posibles tales infracciones, siendo de notar, asimismo, que el art. 37.4 afirma que a partir del instante de la notificación del acto de derivación, se le confieren al responsable subsidiario todos los derechos del sujeto pasivo.

A partir de estos preceptos, podemos hacer una importante distinción.

Por una parte está el importe de la deuda tributaria en sentido estricto, que subsidiariamente se deriva para que sea pagada por el Administrador. [...] el vínculo legal que se origina al cumplirse el presupuesto de hecho de ser administrador de una persona jurídica y concurrir, además, alguna de las otras circunstancias que describía el art. 40 de la Ley General Tributaria, a las cuales –incluida la de que hubieren mediado mala fe o negligencia grave– no hay por qué darles la naturaleza de elementos originadores de una responsabilidad sancionadora en estricto sentido técnico, ya que son nociones perfectamente integradas en el ámbito del ilícito civil, dando lugar a un simple gravamen de esta índole, como es el de tener que soportar con carácter subsidiario el pago de la deuda, de la que sin embargo, podrá resarcirse, en su caso, ejercitando las acciones pertinentes frente al deudor principal.

Aparentemente distinta es la situación con respecto [...] al concepto de sanciones, con arreglo a lo dispuesto en la propia Ley General Tributaria y que son consecuencia exclusiva de las infracciones de omisión y defraudación imputables a la persona jurídica, no a su deber general de contribuir al sostenimiento de las cargas públicas, deber que queda limitado a lo que en las actas de derivación de la responsabilidad se acoge bajo los epígrafes de cuota e intereses. Pues bien, aquellas sanciones, consistentes en multas, tienen un indudable carácter punitivo, porque realmente suponen un plus sobre lo que constituye el contenido propio de la obligación tributaria, por lo que parece que con relación a esta faceta puramente sancionadora no podrían negársele al responsable subsidiario las mínimas garantías constitucionales establecidas en favor de los sujetos a un procedimiento administrativo sancionador, entre ellos el derecho a la presunción de inocencia, que en estos casos requeriría la existencia de una mínima actividad probatoria, suficiente para que la Administración pueda establecer como razonablemente acreditado que el administrador debe asumir la sanción impuesta a la persona jurídica.

Pero este inicial criterio tiene en su contra que también con respecto al contenido económico de la sanción que el administrador haga efectivo como consecuencia de la derivación, tendrá el derecho de reembolsarse con cargo al patrimonio de la persona jurídica, por lo que en definitiva su situación jurídica no es la propia del sancionado ni, consecuentemente, pueden hacérsele extensibles las garantías inicialmente fijadas para los procesos penales.

Esto no quiere decir, por supuesto, que su situación sea la del indefenso, porque frente al acto de derivación puede hacer valer, tanto en la vía administrativa como en la jurisdiccional, los mismos medios de defensa que cualquier otro administrado respecto del que la Administración adopte una decisión que grave sus intereses. [...]».

STS de 1 de diciembre de 1993 (Civil) [1, 3 y 5]

FUNDAMENTOS DE DERECHO

«3º [...] La esencia de su fundamentación es la consideración de que la acción de la sociedad contra el administrador en exigencia de responsabilidad por sus actos requiere que este último haya obrado en el desempeño de sus funciones, lo que no se detecta en la actuación del demandado, pues en su proceder no representaba a la sociedad. [...]

Los motivos se desestiman porque es acertado el criterio de la Audiencia, confirmando el del Juzgado de 1ª Instancia, de enmarcar la controversia en el ámbito de los arts. 133 y 134 de la vigente Ley de Sociedades Anónimas. El consejero de una sociedad anónima ha de desempeñar su cargo con la diligencia de un ordenado empresario y un representante leal, debiendo guardar secreto de informaciones de carácter confidencial, aun después de cesar en sus funciones (art. 127 LSA). Los hechos indiscutiblemente probados reflejan una conducta contraria a todas esas pautas legales, pues no es siquiera representante leal (al cual se le podrá aplicar, después, el calificativo de diligente o no diligente) ni guarda confidencialidad alguna quien se dedica a la peligrosa divulgación de las intimidades de la sociedad de cuyos órganos de dirección y administración forma parte, ni mucho menos es un ordenado empresario el que con su actuación deliberada tiende a provocar la pérdida de clientela y la pérdida del crédito bancario. El consejero que sigue tal conducta va contra lo dispuesto en la Ley e incurre en la responsabilidad prevista en el ap. 1 del art. 133 LSA, pudiendo la sociedad proceder contra él, previo acuerdo de la Junta General, según dispone el ap. 1 del art. 134 LSA. Es éste un requisito indispensable del procedimiento que no se ha cumplido. [...]»

STS de 22 de diciembre de 1993 (Contencioso-administrativo, Sección 2ª) [11]

FUNDAMENTOS DE DERECHO

«[...] Por Resolución del Tribunal Económico-Administrativo de Málaga de 30-3-1988 se estimó en parte dicha reclamación, anulando las liquidaciones impugnadas por defectos formales en el trámite y ordenando "retrotraer las actuaciones a la fase de ser dictado el acto administrativo de derivación de responsabilidad por la Junta del Puerto de Melilla y subsiguientemente notificación reglamentaria de dicho acto". Sin embargo en el cuerpo de dicha resolución (considerandos segundo, tercero y cuarto) se rechazan los motivos de impugnación referentes a la desvinculación de los reclamantes respecto de la Sociedad constituida [...] y a los defectos opuestos a la declaración de insolvencia, sin perjuicio de apreciar otros vicios formales como la ausencia de notificación del acto administrativo de derivación de responsabilidad, dictado por el órgano a quien correspondía la determinación de la deuda tributaria, cuya omisión dio lugar a la nulidad y retroacción de las actuaciones al momento de ser dictado el acto administrativo de derivación de responsabilidades.

La decisión anterior, contra la que no se formuló recurso alguno por los afectados, dio lugar [...] que las liquidaciones [...], fueran notificadas a doña [...], a don [...]. y a don [...] a través de anuncios en el Boletín Oficial de Melilla, como consecuencia de la derivación de la responsabilidad.

Impugnadas tales liquidaciones una vez acumuladas, el Tribunal Económico-Administrativo Provincial de Málaga, acordó desestimarlas [...].

En esta situación la sentencia apelada que resolvió la impugnación deducida contra el acuerdo anterior, fundó su fallo de inadmisión del recurso en que al haberse estimado éste solamente en cuanto a la falta de notificación de la derivación de responsabilidades, ganó firmeza respecto de la insolvencia y declaración de fallido de la Sociedad [...], al no recurrirse la resolución del Tribunal Económico-Administrativo Provincial, circunstancias determinantes de que los actos recurridos en el contencioso entablado, sean reproducción de otros anteriores definitivos y firmes con arreglo a lo dispuesto en el art. 82,e en relación con el art. 40,a, ambos de la Ley Reguladora de la Jurisdicción Contencioso-Administrativa, y en consecuencia inadmisible el recurso.

Esta Sala no comparte el criterio anteriormente expresado por cuanto la nulidad del acto, declarado por motivos formales, que obliga a repetirlo subsanando los defectos de notificación observados, deja imprejuzgada la cuestión de fondo y permite al recurrente combatirla aunque no se hubiera impugnado el acuerdo del Tribunal Económico-Administrativo Provincial, en vía jurisdiccional, pues es a partir de la notificación del acto de derivación de responsabilidad a los administradores correctamente realizada, cuando aquéllos pueden proceder a oponerse, ejercitando su derecho a reclamar mediante los argumentos que tengan por conveniente.

[...] la cuestión de fondo, en cambio el argumento del recurrente que se apoya en la desvinculación de los administradores respecto de la sociedad constituida, no puede prosperar por cuanto sólo consta acreditado que en la escritura de constitución figura doña [...] como administradora y los demás como accionistas y miembros del Consejo de Administración, pero en modo alguno que aquéllos hubieran cesado en sus respectivos cargos, ni por quiénes fueron sustituidos como era estatutariamente exigible e incumbencia probatoria del recurrente con arreglo al art. 114 de la Ley General Tributaria, pues si es cierto que en la certificación de don [...], actuando en calidad de Secretario de la Junta de Accionistas, se hace contar que en la reunión celebrada el 30-6-1987, se acordó la renuncia de los cargos de los miembros del Consejo tal como –según dice– quedó manifestado en la anterior Junta General celebrada el 21-6-1984, tales modificaciones no aparecen elevadas a escritura pública como en la certificación se anunciaba, por lo que con referencia al Acuerdo de 30-6-1987, no alcanzaría a desvirtuar la primitiva composición de los órganos sociales actuantes en las fechas de devengo de las liquidaciones correspondientes [...].

Esto no obstante y aunque existe base en incompleto y confuso expediente para considerar que la Compañía [...] fue declarada en situación de insolvencia por la Tesorería de la Delegación de Hacienda de Melilla [...], no aparece fundamento bastante para inferir que concurre el elemento culposo exigido por los arts. 40 de la Ley General Tributaria y 171 del Reglamento de Recaudación aprobado por Decreto 2154/1968, de 14 noviembre, para que pueda desviarse hacia el recurrente la responsabilidad subsidiaria, ni la comisión de las infracciones graves susceptibles de generar la obligación de asumir la totalidad de la deuda tributaria».

STS de 10 de marzo de 1994 (Civil) [5]

FUNDAMENTOS DE DERECHO

"4º (...) El artículo civil 1902 es de aplicación a las personas jurídicas, aunque se valgan de personas físicas individualizadas para realizar por su cuenta, orden y beneficio de aquélla las acciones u omisiones de las que se deriven daños, sin asegurar adecuadamente los riesgos que podían surgir [Sentencia de 22 junio 1992]".

STS de 22 de abril de 1994 (Civil) [1 y 11]

FUNDAMENTOS DE DERECHO

«[...] 3º La Sentencia de esta Sala de 4 noviembre 1991 resolviendo un caso similar pero no idéntico en cuanto a los hechos probados en uno y otro proceso, estimaba el motivo casacional esgrimido con los siguientes razonamientos: "El motivo es estimable. Partiendo de la integración del 'factum' tal y como se ha hecho en el fundamento de derecho anterior, parece claro que los administradores no pueden limitarse a eliminar a la sociedad de la vida comercial o industrial sin más. Han de liquidarla en cualquiera de las formas prevenidas legalmente, que están precisamente orientadas para salvaguardar los intereses de los terceros en el patrimonio social, sin que ello signifique por supuesto que no puedan intentar el arreglo extrajudicial con sus acreedores antes de llegar a ese trance, siempre largo y costoso para todos los afectados. En el caso de autos, está probado que los administradores recurridos siguieron esa vía, pero lo cierto es que, ante su fracaso, no prosiguieron con las legales para la liquidación del patrimonio. De ahí se deriva una negligencia grave, encuadrable en el artículo 79 de la Ley de Sociedades Anónimas de 1951". Y más adelante afirma: "la no liquidación en forma legal del patrimonio social cuando la sociedad se encuentra en una situación de insolvencia es susceptible de inferir ese daño directo contemplado en el artículo 81 por configurar una negligencia grave de los administradores en el incumplimiento de sus deberes legales".

4º En nuestro caso demostrado que la insolvencia que impidió hacer efectiva la deuda reclamada, devino tras acuerdos extrajudiciales con alguno de los acreedores habidos en período ya crítico que no se rigieron por el principio del consentimiento unánime, sino que causaron una situación de desequilibrio para otros acreedores, no cabe hacer cuestión de la relación de causalidad entre la negligencia grave de los administradores de la sociedad y el daño habido consistente en el impago de la deuda y, por ende, en la cantidad reconocida judicialmente a consecuencia de los suministros efectuados a la entidad también demandada, sin que pueda atribuirse la carga de la prueba sobre la causa o causas determinantes del cese de la actividad empresarial a la entidad actora como erróneamente razona la sentencia impugnada, por lo que debe acogerse el motivo examinado sin que haya lugar al estudio de los restantes que resulta inútil».

STS de 29 de julio de 1994 (Civil) [1 y 5]

FUNDAMENTOS DE DERECHO

«1º [...] Se dicta Sentencia por el Juzgado de 1ª Instancia número 5º de Barcelona, en 20 junio 1990, en virtud de la cual, se estima la demanda interpuesta por el actor contra los dos codemandados, condenándoles a indemnizar los daños y perjuicios causados al mismo, y desestimando la reconvención interpuesta por éstos; todo ello, por cuanto que se acredita, en el F. 1º, en su apartado a), la falta de información a que ha sido condenado el actor por la actuación de los demandados, administradores de la sociedad, al no celebrarse las Juntas referentes a los años 1985, 1986 y 1987 según se deriva de la carta que le dirigen éstos en 30 de junio de 1989; igualmente, tanto por la prueba testifical como porque la auditoría no ha ofrecido los resultados previstos, así como porque la pericial acordada que no ha podido llevarse a efecto, todo lo que confluye en que ese derecho de información respecto a la marcha de la sociedad, fue prácticamente nulo; igualmente en su apartado b), se hace constar que respecto al compromiso contraído de no participar en sociedades con igual actividad, tampoco ha sido cumplido por los demandados; finalmente, en su apartado c), que el hecho de no haber aportado los demandados los balances correspondientes a los años 1985, 1986 y 1987, demuestran el anormal funcionamiento de éste, por todo ello, debe concluirse que los demandados, Administradores de [...] 1) no han desempeñado sus cargos con la diligencia de un ordenado comerciante y de un representante leal [como exige el artículo 79 de LSA; 2) no han cumplido los pactos de no competencia que voluntariamente suscribieron, y 3) han obstaculizado el derecho irrevocable en todo accionista, [...]

[...] se argumenta que debe analizarse –según su F. 1º–, la acción ejercitada por el actor en que se reclama el importe por los daños y perjuicios causados por los demandados con fundamento, entre otros, en los artículos 288 CCom, 81 y concordantes de la Ley de Régimen Jurídico de Sociedades Anónimas, y 1089 y concordantes del CC; porque en síntesis habiéndose constituido el 19 de abril de 1985 (entre todos los interesados), la sociedad [...], y que el 4 de diciembre de 1985 se realizan diversas modificaciones, [...]; los demandados incumplieron los pactos que habían formalizado y sin dar cuenta alguna a la actora, constituyeron tres sociedades con el mismo objeto que la citada [...]; en su F. 2º se aduce, que la prueba pericial propuesta por la actora no se practicó,[...]; que han de ponerse de relieve las dilaciones sufridas en la realización de la auditoría, que en virtud de lo pactado había solicitado el actor, [...], [...], que en el escrito de contestación a la demanda, se alega que hasta el momento se han celebrado tres Juntas Generales de Accionistas (en 31 de diciembre de 1986, 31 de diciembre de 1987 y la referente a 1985), con las contradicciones sobre tales Juntas que se especifican en dicho F. 2º; que en definitiva, se expone en su F. 3º, cuanto consta respecto a la actividad de las sociedades creadas con posterioridad a la de origen que se ha hecho referencia. [...] El día 19 de febrero de 1985 los accionistas constituyentes acuerdan, entre otros extremos, que (ninguno de ellos podrá participar "en ninguna otra sociedad cuyo objeto social sea igual al de la sociedad hoy constituida"). Sin embargo los administradores de [...] constituyen la entidad: 1) [...] mediante escritura otorgada ante Notario el día 25 de noviembre de 1987, presentada al Registro Mercantil el día 15 de marzo de 1988 figurando en sus estatutos, como objeto del mismo que el de [...] (inscripción de fecha 28 de marzo de 1988) (Sentencias 64 y siguientes). 2) Así mismo constituyen [...] mediante escritura de la misma fecha que la anterior, presentada a registro el 1 de marzo de 1988 e igualmente con el mismo objeto (inscripción de 11 de marzo de 1988 –folios 78 y siguientes–). [...] 3) Debe significase que se constituyó también la entidad [...] a que se refiere el actor en su escrito de demanda, [...] en conclusión y como "ratio decidendi" se especifica, con independencia de que posteriormente se modificara el objeto de las sociedades a que alude la actora, no cabe duda que el pacto de los socios a que se ha hecho referencia fue infringido por los demandados, sin que pueda sostenerse el hecho de que cuando dichas sociedades tenían el mismo objeto [...]. Lo expuesto revela que se han producido perjuicios a la actora [...]

2º [...] el fundamento jurídico de dicha decisión –que ampara la pretensión instada por el actor–, se basa, en exclusiva, en el incumplimiento que los codemandados han incurrido en sus relaciones societarias con respecto al actor, no sólo por lo que atañe a las circunstancias derivadas del derecho de información omitido, del que fue privado el mismo sino, sobre todo, como se ha hecho constar, según aparece en el F. 3º de la recurrida, como conclusión, por la vulneración del compromiso específicamente pactado entre las partes en el contrato del 19 de febrero de 1985 (folio 62); pues acreditado este incumplimiento, es evidente que la consecuencia derivada será, que la víctima o afectado "perjudicado" en fin de ese incumplimiento, esto es, el actor, habrá padecido los daños y perjuicios cuya realidad y cuantificación se remitirán al trámite de ejecución de sentencia, [...] con los apoyos normativos de la pretensión ejercitada, en donde no hay que olvidar que ésta se basaba en un haz de preceptos tales como los que constan en los fundamentos de derecho de la demanda: los artículos 81 y 91 de la Ley de Sociedades Anónimas, el artículo 288 del Código de Comercio, y los artículos 1089 y ss. CC, destacando el propio artículo 1101, al sancionar que quedan sujetos a la indemnización de daños y perjuicios los que en el cumplimiento de sus obligaciones incurriesen en dolo..., esto es, que cuando, sin más acontece una causa determinante de un incumplimiento, consecuencia será que los daños y perjuicios derivados –a salvo, la realidad probada de su inexistencia– habrán de satisfacerse con independencia de que la concreción exacta tanto de esa realidad como de su cuantificación, pueda relegarse al trámite de ejecución de sentencia, [...] el problema de incumplimiento o cumplimiento del contrato es cuestión de hecho, [...] pudiendo revelarse la voluntad de incumplir por una prolongada inactividad o pasividad del deudor [Sentencia del Tribunal Supremo de 10 marzo 1983; pero sin que pueda exigirse una aplicación literal de la expresión "voluntad deliberadamente rebelde" que sería tanto como exigir dolo [Sentencia del Tribunal Supremo de 18 noviembre 1983, bastando frustrar las legítimas aspiraciones de los contratantes, sin precisarse una tenaz y persistente resistencia obstativa al cumplimiento [Sentencias de 31 mayo y 13 noviembre 1985; se reitera en definitiva el incumplimiento acreditado por la sentencia de la Sala "a quo" auténtica "quaestio facti" que debe prevalecer por todo lo razonado"; [...] El día 19 de febrero de 1985 los accionistas constituyentes acuerdan, entre otros extremos, que ninguno de ellos podrá participar "en ninguna otra sociedad cuyo objeto social sea igual al de la sociedad hoy constituida". [...]»

STS de 12 de junio de 1995 (Civil) [5]

FUNDAMENTOS DE DERECHO

"2º (...)Si bien es cierto que en la invocada certificación registral aparece que además de los dos citados demandados, consejeros-delegados de «..., SA», existían otros dos componentes del Consejo de Administración, las respectivas esposas de los citados y un quinto socio, hijo de don Antonio y de doña Isabel G., miembro del citado Consejo, no es menos cierto que quienes llevaban en exclusividad la gestión del negocio eran los codemandados; ha de tenerse en cuenta, y esto es de mayor transcendencia, que frente a don Antonio y don Pascual se ejercita, al amparo de los artículos 79 y 81 de la hoy derogada Ley de Sociedades Anónimas, una acción de responsabilidad por hechos realizados en el ejercicio de su cargo de administradores de la sociedad codemandada y a ellos solos imputados, por lo que la existencia de otros miembros del Consejo de Administración, frente a los cuales no se ejercitan acciones de responsabilidad, en nada altera los hechos que han de ser tenidos en cuenta para la resolución del litigio, reconocida por los codemandados y acreditada en autos su condición de consejeros-delegados de «..., SA»; en consecuencia ha de ser desestimada esta segunda impugnación que se contiene en este tercer motivo que, por todo ello, no puede prosperar."

3º (...) La acción indemnizatoria que a los socios y acreedores de la sociedad reconoce el artículo 81 de la Ley de Sociedades Anónimas frente a los administradores por actos de éstos que lesionen sus intereses requiere: a) Un daño causado por malicia, abuso de facultades o negligencia grave (artículo 79), excluyéndose cualquier otro género de culpa más leve y estableciéndose así un sistema regulador de la específica responsabilidad de los administradores sociales que permita a éstos un normal desenvolvimiento de su actividad, sin verse interferida por eventuales responsabilidades en casos –culpa leve o levísima– de difícil valoración en las operaciones mercantiles; b) que se trate de actos que lesionen directamente los intereses de socios o acreedores.

La sentencia recurrida no establece si la conducta que se imputa a los administradores demandados (el realizar operaciones de cuantía superior al capital social) es constitutiva de malicia, negligencia grave o abuso de facultades, a no ser que la expresión «abuso legal» que utiliza haya pretendido encuadrarse en ese último supuesto; por otra parte incurre la Sala de instancia en una interpretación incorrecta de la función del capital social que constituye una suma de aportación pero nunca una limitación de la actividad mercantil de la sociedad en el sentido de no poder realizar operaciones que excedan en su importe de aquella suma de aportación que, a lo largo de la vida social, puede ser muy inferior al patrimonio acumulado por la sociedad, la cual, por otra parte, puede nutrirse de otras fuentes de financiación que le permitan desarrollar un tráfico jurídico-mercantil que exceda, en su cuantía, del capital social sin que ello implique ningún «abuso legal» por parte de los administradores ni una actuación maliciosa o gravemente negligente de éstos que determine su responsabilidad frente a socios y terceros acreedores (...)".

STS de 22 de junio de 1995 (Civil) [5 y 13]

FUNDAMENTOS DE DERECHO

«3º El segundo de los motivos, con amparo en el número 5º del artículo 1692 de la Ley de Enjuiciamiento Civil denuncia la aplicación indebida del artículo 81 de la Ley de Sociedades Anónimas, "pues –añade– no concurren los presupuestos fácticos necesarios para considerar que los Administradores hayan incurrido en culpa grave" al ser adquiridas las mercaderías cuyo pago se reclama. El motivo sigue la misma suerte desestimatoria que el anterior. En efecto, como el mismo expresa, impugna los "presupuestos fácticos" que la Sala de instancia tuvo en cuenta; es decir, impugna por cauce ahora inadecuado la apreciación de la prueba que aquella Sala verificó, después que, como se ha visto, fracasó la impugnación del primero de los motivos concretado al aspecto fáctico de la litis. En este segundo motivo no se tiene en cuenta que la sentencia recurrida aplica, además del artículo 81, que el motivo invoca, los artículos 79 y 80, y que en su interpretación y aplicación a los hechos acreditados en la litis resulta: a) Que de la conducta gravemente culposa, que la Sala de instancia describe en sus fundamentos jurídicos 2º y 3º, de los administradores demandados, deriva la omisión por parte de aquéllos de la diligencia de un ordenado comerciante que les exige el artículo 79, y que aunque el artículo 80 se refiere a la acción de responsabilidad de la propia sociedad contra sus administradores, el 81, en cambio deja a salvo las acciones de indemnización que puedan corresponder a los terceros por actos de los administradores que lesionen directamente los intereses de aquéllos. b) Y sobre todo que en la presente litis, a diferencia de lo que entiende el recurso, tales acciones de los terceros derivaron de relaciones contractuales de suministro de materiales a la entidad demandada que no han sido pagados en su totalidad, y cuyo crédito no deriva por consiguiente, de acciones extracontractuales, sino de un contrato, como ya se dice, de compraventa continuada de materiales, y su plazo de prescripción, en definitiva, no es el de un año que señala el artículo 1968, párrafo 2, del Código Civil, sino el que preceptúa el artículo 949 del Código de Comercio. c) Por último, corrobora la desestimación del motivo 2º, así como del 3º que acusa una supuesta indebida aplicación del mentado plazo de prescripción del artículo 949, la consideración de que en conclusión la cuestión debatida se reduce a la reclamación de una deuda que la sociedad y administradores demandados contrajeron con otra sociedad mercantil, cuyo régimen jurídico es el mismo de los contratos entre particulares o personas físicas, en cuanto a su obligatoriedad de cumplimiento, es decir, a tenor de los artículos 1091, 1256, 1101, 1258 y 1278 del Código Civil como más importantes reguladores de las obligaciones contractuales; sin necesidad de acudir al régimen específico de las sociedades anónimas para sancionar el deber de pago de una deuda surgida al recibir mercancías cuyo precio no ha sido satisfecho».

STS de 28 de febrero de 1996 (Civil) [5]

En el mismo sentido, vid., entre otras, SSTS de 3 abril 1990, 4 noviembre 1991, 21 mayo 1992, 10 diciembre 1996 y 20 noviembre 2003

Auto del TS de 8 de marzo de 1996 (Sala Conflicto de Competencias) [10]

FUNDAMENTOS DE DERECHO

«1º Es claro que la acción ejercitada por [...] es la prevenida en la Ley de Sociedades Anónimas contra las personas que componen su órgano de administración, que nada tiene que ver con la relación laboral que tenía con la entidad [...] en la cual los demandados integraban su órgano de administración, excepto en el origen del crédito insatisfecho, pero la "causa petendi" reside en el incumplimiento de los deberes que competían a los demandados como administradores sociales. [...].

2º A la vista de todo lo actuado, corresponde la competencia a la jurisdicción civil para conocer del litigio con todas sus consecuencias».

STS de 11 de marzo de 1996 (Civil) [5]

En el mismo sentido, vid. STS de 4 de julio de 1996.

STS de 14 de mayo de 1996 (Civil) [5 y 10]

FUNDAMENTOS DE DERECHO

«3º El motivo cuarto, denuncia la infracción del artículo 13 (párrafos 1º y 2º) de la Ley de Sociedades de Responsabilidad Limitada de 17 julio 1953 (vigente al tiempo de los hechos) y jurisprudencia que se cita. Se argumenta que la acción postulada por la entidad recurrida [...], se basó únicamente en meros presagios y temores de una súbita desaparición de la sociedad demandada, creaciones [...], con vaciamiento de sus bienes para imposibilitar hacer frente a las deudas contraídas y satisfacer pagos pendientes. El referido precepto establece las responsabilidades de las administradoras; la que se reproduce tanto respecto a la sociedad, como con relación a los socios y asimismo frente a los acreedores sociales. A éstos se les concede acción individual, más que propiamente social, cuando se lesiona directamente sus intereses patrimoniales por consecuencia del actuar doloso del administrador o cuando ha incurrido en abuso de facultades o negligencias que ha de tener intensidad grave, y, a su vez, si ha llevado a cabo actuaciones que expresan incumplimiento de la Ley o de la escritura fundacional. Se configura el sistema de responsabilidad del administrador en la concurrencia debidamente probada de "culpa lata", imputable al mismo, si el perjudicado reclama el reconocimiento de daño sufrido, sin perjuicio de que la conducta del administrador responsable hubiera, asimismo, lesionado en forma simultánea a la sociedad que le confió su gestión.

Las acciones ejercitadas por la Sociedad recurrida derivan de las relaciones contractuales del suministro de mercaderías que adquirió la demandada para su comercialización, las que no han sido pagadas en su totalidad, por lo que el crédito no deriva, por consiguiente, de acciones extracontractuales, sino de una relación contractual de compraventa mercantil confirmada, perfeccionada y suficientemente acreditada (Sentencia de 22 junio 1995) y que hace apta la aplicación del artículo 1101 del Código Civil al artículo 13 de la Ley 17 julio 1953 (Sentencia de 16 febrero 1968), si se dan los supuestos precisos para que la indemnización opere que es el caso de autos.

La sentencia recurrida sienta los hechos probados firmes, que han de ser respetados en casación, y ponen de manifiesto que la recurrente ostentaba la condición de socia mayoritaria (su participación social alcanzaba el ochenta y cinco por ciento), administradora-gerente única y presidente de la Junta, con lo que prácticamente era la que dirigía, controlaba y manejaba la sociedad, por lo que tenía pleno conocimiento del endeudamiento progresivo e intenso de la misma, que la sentencia de apelación precisa numéricamente para alcanzar la conclusión de que se produjo situación de insuficiencia económica para atender a las obligaciones contraídas y, a pesar de ello, dicha administradora llevó a cabo la compra de mercancías contando con datos económicos y contables suficientes de que no serían abonadas al tiempo del vencimiento de las cambiales libradas para su pago; las que, a tenor del artículo 1170 del Código Civil, sólo produce este efecto cuando efectivamente son atendidas. De esta manera se causó perjuicio deliberado a dicha entidad acreedora, el que se acrecentó al promover la renovación de las seis primeras letras, y sustituirlas por otras, en las que la aceptación la realizó la que recurre con sólo su propio nombre, pero en la procura de retrasar unos pagos, hasta ahora no satisfechos y a sabiendas del daño económico que ocasionaba.

Todo lo cual configura la responsabilidad de la administradora recurrente, que prevé el artículo 13 de la Ley 17 julio 1953, pues omitió, conforme a lo probado, cumplir con sus obligaciones ante la situación de crisis económica y mala gestión que afectaba la sociedad, con actividades voluntariamente decididas y ejecutadas, representativas de negligencia grave, conducente a la personal responsabilidad que se contiene en los párrafos segundo y tercero del precepto mencionado y de aplicación en el ámbito temporal al supuesto que se enjuicia casacionalmente (Sentencia de 26 diciembre 1991)».

STS de 4 de julio de 1996 (Civil) [5]

FUNDAMENTOS DE DERECHO

"2º El motivo segundo denuncia infracción del artículo 1137, porque condena solidariamente a siete de los demandados, y no establece graduación de la concurrencia de sus conductas a la causación del resultado, pero el motivo no prospera, porque es reiterado el criterio de la Sala conforme al cual puede declararse la solidaridad de la obligación de reparar el daño cuando no existen datos suficientes para atribuir cuotas concretas, y la condena solidaria está admitida por reiterada, constante y conocida jurisprudencia, además no priva a los condenados de eventuales acciones posteriores a ventilar entre los sujetos a quienes no vincule la cosa juzgada."

STS de 25 de septiembre de 1996 (Civil) [5 y 10]

FUNDAMENTOS DE DERECHO

«1º Aunque es cierto que las Resoluciones de la Dirección General de Registros y del Notariado de 13 y 14 noviembre 1991 declaran que la interpretación del Derecho Transitorio de la nueva Ley de Sociedades Anónimas en relación al respeto a situaciones generadas con anterioridad en el tiempo, debe ser sumamente restrictiva en atención al principio del "favor negotti", ello indudablemente no significa la supresión de tales reglas; amén de que, con explicación de la referida óptica limitativa, la mencionada Dirección resolvió posteriormente, en 24 julio 1992, que "...son criterios, todos ellos, que inducen a una interpretación estricta de la Disposición Transitoria segunda del Texto Refundido de la Ley de Sociedades Anónimas, y a no llevar la declaración de ineficacia a aquellas cláusulas relativas a la estructura social respecto de las cuales haya mero desajuste, pero no oposición a las disposiciones de la Ley. Es el mismo legislador el que, atendiendo a la necesidad práctica de que el nuevo régimen respete situaciones anteriores, ha establecido prudentes plazos de adaptación para estos desajustes de estructura (capital mínimo, administradores que vienen ejerciendo el cargo por mas de cinco años, censores de cuentas) o para ciertas obligaciones o prohibiciones (tenencia de acciones propias, auditoría)", y, en la circunstancia originadora del debate, no es que haya desacoplamiento, sino clara contradicción con la norma de actual observancia, inclusive con la nota negativa de que desde el 1 de enero de 1990, fecha de la entrada en vigor del Texto Refundido, hasta el 5 de septiembre de 1991, que lo es de la presentación de la demanda, los responsables de la compañía [...] continuaron con su actitud desidiosa e incumplidora, de manera que, aun con una hermenéutica restrictiva de la Disposición Transitoria segunda, persiste la palpable colisión con el precepto, toda vez que tampoco respetaron el plazo de seis meses, contados desde el citado 1 de enero de 1990, a que se refiere el artículo 162.2 de la nueva Ley, por lo que, con la mentada conducta, hasta con la aplicación de la precedente legislación más favorable a su posición, se acordaría la estimación del pedimento inicial de la parte recurrida por mor del artículo 1124 del Código Civil, dado que ésta, a diferencia de aquellos, atendió debidamente sus obligaciones.

2º El motivo segundo del recurso –al amparo del artículo 1692.4 de la Ley de Enjuiciamiento Civil por infracción de los artículos 133 y 135 de la Ley de Sociedades Anónimas y de la jurisprudencia sentada sobre los mismos, en base a la inexistencia de los requisitos exigidos para que se produzca la responsabilidad de los administradores–, asimismo se desestima porque, de un lado, aunque los actos en que se funda el negocio jurídico, se generaron bajo la legislación precedente, los efectos se han producido con el imperio del Texto Refundido y, por tanto, no entra en juego el artículo 79 de la Ley Caducada, ni la jurisprudencia que lo interpreta, sino los artículos 133 y 135 del Ordenamiento vigente y, de otro, la conducta de la recurrente cae de lleno en el supuesto de responsabilidad del artículo 133.1, como se detalla con precisión impecable en el fundamento de derecho quinto de la sentencia de primera instancia, resolución asumida en su integridad por la sentencia traída a casación, puesto que con su postura omisiva ha ocasionado un perjuicio a la recurrida al provocar un desplazamiento patrimonial sin contraprestación alguna, privándola de la cualidad de socio y, por consiguiente, del ejercicio de los derechos inherentes a esta condición –tanto respecto a la facultad de asistencia a las Juntas Generales y a la de impugnación de los acuerdos sociales, como a la de participación en el reparto de las ganancias sociales o del patrimonio resultante de la liquidación y a la de suscripción preferente en la emisión de nuevas acciones o de obligaciones convertibles en acciones–, sin que el aducido trato amistoso que presidía las relaciones entre los socios valga de justificante a lo acaecido, ya que es inexcusable en este espacio el rigor formal para proteger a terceros de desconocidos tratos particulares sin refrendo en el Registro Mercantil».

STS de 10 de diciembre de 1996 (Civil) [5]

FUNDAMENTOS DE DERECHO

«2º Para que proceda la exigencia de responsabilidad a los administradores, conforme a los artículos 79 a 81 de la Ley de Sociedades Anónimas de 1951 (que es la aplicable a este supuesto litigioso, según determinó la sentencia recurrida y aquí no se ha cuestionado) se requiere inexcusablemente que entre los actos de los administradores y el daño sufrido por los socios o terceros exista una clara y directa relación de causalidad, o, lo que es lo mismo, que los actos que se dicen realizados con malicia, abuso de facultades o negligencia grave por los administradores sean los que han lesionado directamente los intereses de socios o de terceros. Partiendo de esa inexcusable premisa, el referido motivo ha de ser estimado, al no concurrir en el presente supuesto litigioso el expresado requisito de la ineludible relación de causalidad, y ello por las siguientes razones: 1ª Los codemandados administradores, aquí recurrentes, no formularon pedido alguno de mercaderías a la entidad actora, como ya se ha dicho al estimar (parcialmente) el motivo anterior. 2ª El artículo 81 de la Ley de Sociedades Anónimas de 1951 exige lesión directa (los denominados "daños primarios") a los terceros por actos de los administradores, lo que no se ha producido en el presente caso, pues el hecho (que –excluido el primero que acaba de ser referido– es el único en que la sentencia recurrida hace consistir la conducta negligente de los administradores) de que éstos no promovieran temporáneamente la declaración de la codemandada entidad [...] en estado de suspensión de pagos o de quiebra, no ha sido, en modo alguno, la determinante directa de que la entidad actora no pudiera cobrar el precio de las mercaderías vendidas, sino que ello fue debido exclusivamente al estado de insolvencia en que, con declaración de quiebra o sin ella, se hallaba la deudora codemandada entidad [...], lo que impedía el pago de sus deudas a sus numerosos acreedores, aparte de que en Junta Extraordinaria y Universal, promovida, obviamente, por dichos administradores y celebrada el día 18 de diciembre de 1989, la referida sociedad acordó su entrada en período de liquidación, lo que habría permitido, no sólo a la actora, sino a todos los acreedores, cobrar sus créditos en función de la situación económica en que se encontrara dicha sociedad y con sujeción a la ley del dividendo concursal. [...]».

STS de 14 de diciembre de 1996 (Contencioso-Administrativo) [11]

En el mismo sentido, vid., STS de 17 de diciembre de 1996 [11]

STS de 17 de diciembre de 1996 (Contencioso-Administrativo) [11]

FUNDAMENTOS DE DERECHO

"3º (...)En principio no cabe atribuir a la sentencia impugnada, cuya revisión es el objeto de esta apelación, que haya vulnerado el principio que prohíbe la «reformatio in peius», puesto que se limitó a desestimar la demanda, declarando la conformidad al ordenamiento jurídico del acuerdo del Tribunal Económico-Administrativo de Baleares, el que, a su vez, había estimado parcialmente la reclamación, fijando el valor por m aplicable al terreno y ordenando tenerlo en cuenta para la nueva liquidación que sustituyera a la anulada, dejando constancia en uno de sus «considerandos» de la imposibilidad de formular otras modificaciones más gravosas para el contribuyente reclamante.

Ahora bien, de las alegaciones de la apelante, del documento invocado y obrante al folio 54 de los autos de instancia, de lo manifestado por el Abogado del Estado, que habla de la posibilidad de «una incorrecta ejecución de la sentencia o de un nuevo acto administrativo» y de las alegaciones del Ayuntamiento de Calviá diciendo que «fue la recurrente quien con su reclamación desencadenó la rectificación del sistema de valoración de las parcelas» y que «no existe un derecho subjetivo al valor catastral más bajo», sino a que éstas sean objetivas, resulta más que posible que en la práctica se haya producido o llegue a producirse una material «reformatio in peius», de manera que después de la reclamación y de su parcial estimación, jurisdiccionalmente confirmada, el resultado tributario acabe siendo más gravoso que si el contribuyente no hubiera hecho uso de su acción impugnatoria de la liquidación finalmente anulada. (...)".

STS de 15 de enero de 1997 (Social) [10]

FUNDAMENTOS DE DERECHO

«2º El Juzgado dictó Auto, previo el trámite de audiencia al Ministerio Fiscal y de la parte actora que no lo evacuó, el día 30 septiembre 1993, estimó de oficio la incompetencia por razón de la materia de dicho Juzgado, desestimando por Auto de 23 noviembre 1993 el recurso de reposición; contra dicho auto se interpuso recurso de suplicación desestimado por Sentencia de esta Sala de lo Social de Madrid de 20 junio 1992; en la sentencia se razonaba que la pretensión de los actores no se basaba propiamente en el contrato de trabajo, sin que esté incluido en ninguno de los supuestos del art. 2 de la LPL, tratándose de una petición de declaración de responsabilidad fundada en el art. 133 de la LSA, y por tanto no salarial, debiendo acudirse a la jurisdicción civil, con independencia de que como decía el Ministerio Fiscal y recogía el auto recurrido los actores puedan deducir su pretensión ante los Juzgados 6 y 22 de Madrid, donde se fallaron los pleitos principales, y que se consideraba eran los competentes para conocer de esta nueva responsabilidad.

4º De todo lo anterior se deduce como informa el Ministerio Fiscal que no existe contradicción entre ambas sentencias; la "causa petendi" de una y otra sentencia es distinta; en la recurrida en pleito distinto, al originariamente planteado contra la empresa, más tarde declarada insolvente en reclamación de deudas salariales, se fundamentaba la responsabilidad de los Administradores de la Sociedad en el art. 133 de la LSA, que regula la responsabilidad de los Administradores por su actuación al frente de la Sociedad, por incumplimiento de sus obligaciones derivadas de su cargo, estimándose que ello era una cuestión a resolver en el orden civil de la jurisdicción por ser ajena al campo laboral; la acción ejercitada era la prevista en la LSA, contra personas que componían el órgano de Administración de la Sociedad; la responsabilidad de los Administradores no derivaba de la relación laboral de los trabajadores con la empresa demandada, mientras que en la sentencia de contraste, por el contrario, la acción ejercitada derivaba directamente del contrato de trabajo dimanando la responsabilidad solidaria del Administrador demandado, no del art. 133 de la LSA, cuya aplicación se rechazó expresamente en dicha sentencia, sino, en que como se hacía constar, aquél reunía a su nombre la mayoría del capital social, tomando por sí las decisiones del ente societario, coincidiendo por tanto en la propia persona física el poder de control y de resolución de la Sociedad, razón que justificaba dicha condena por deber prevalecer la verdad real sobre los meros formalismos o nominalismos; en suma se aplicaba la doctrina sobre el levantamiento de velo de las personas jurídicas.[...]

Debe por último indicarse que lo resuelto por la sentencia recurrida, además es coincidente con lo decidido por la Sala de Conflictos de Competencias de este Tribunal Supremo que, en su Auto de 8 marzo 1996, declaró la competencia, en un caso idéntico, del orden civil».

STS 28 de febrero de 1997 (Social) [10]

FUNDAMENTOS DE DERECHO

«2º El recurso cita como doctrina contradictoria la establecida en la Sentencia de la misma Sala de lo Social del Tribunal Superior de Justicia del País Vasco de 20 septiembre 1994, en

Recurso 1054/1993, que, al decidir el recurso interpuesto contra la sentencia de instancia, la anula porque en el fallo recurrido se había negado la competencia para decidir, como cuestión prejudicial, la responsabilidad del Administrador único de la sociedad anónima demandada, por omisión en sus responsabilidades, con la consecuencia del perjuicio para quienes eran acreedores, en condición de trabajadores, de la empresa titulada por la compañía mercantil. Aunque en aquella sentencia se conocía de una pretensión de responsabilidad del Administrador único con alegación del artículo 135 de la Ley de Sociedades Anónimas (Texto Refundido aprobado por Real Decreto Legislativo núm. 1564/1989, de 22 diciembre), y en el presente litigio se ha invocado el artículo 262 de la misma Ley, no cabe entender que ello establece diferencias de fundamento que determinen la inexistencia de la contradicción exigida por el artículo 217 de la Ley de Procedimiento Laboral, como entiende el Ministerio Fiscal, pues en el artículo 135 se hace una reserva individual de acciones, que pudieran corresponder "los socios o a los terceros"; mientras que el artículo 262 concreta en su párrafo uno de los supuestos de responsabilidad del Administrador único, cuando haya omitido la promoción del acuerdo de disolución, pese a concurrir algún supuesto legal que le obligara a hacerlo. No hay diferencia en tal sentido. Tampoco puede entenderse que haya diferencia sustancial en razón a la naturaleza u origen de los respectivos créditos laborales objeto de cada uno de los dos procedimientos (salarios devengados y no satisfechos, en uno, e indemnización por extinción del contrato, en otro). Y también hay contradicción doctrinal aunque la aquí demandada fuera sociedad anónima desde el inicio de la actividad como empresa, mientras que en el supuesto decidido por la sentencia de contradicción, la empresa demandada fuera inicialmente personal y después adoptara la forma de compañía anónima. La realidad es que en uno y otro procedimiento la empresa principal demandada es una de estas sociedades, y que, además de a la persona jurídica y a las personas individuales de algunos de sus socios, se demanda en uno y otro proceso la responsabilidad del Administrador único por haber omitido el cumplimiento de deberes societarios, omisión de la que se entiende deriva la situación económica de la empresa, que deja inatendidos sus deberes empresariales, en los que debe subrogarse, dentro de los límites legales, el Fondo de Garantía Salarial, que es quien insta que, previamente a su responsabilidad, se exija la solidaria del Administrador único a que se refiere el mencionado párrafo 5 del artículo 262 del Texto Refundido citado. Ante ello no cabe negar que hay doctrina contradictoria, cuando en una sentencia se declara que el Juez debió decidir la cuestión prejudicial consistente en determinar la responsabilidad o irresponsabilidad del socio respecto de las deudas laborales de la compañía, mientras que en la sentencia recurrida se desestima el recurso interpuesto contra el pronunciamiento de instancia que ha negado la competencia del Juez del orden social para decidir dicha cuestión.

3º [...] no se ha entrado a declarar la responsabilidad del Administrador único de la sociedad anónima respecto de las deudas salariales en que ha incurrido la sociedad en cuanto titular de una empresa y respecto a los trabajadores que, como tal, tenía a su servicio. Evidentemente las deudas de la empresa son laborales; pero no así la del Administrador único, que serán "societarias". En realidad para decidir sobre la responsabilidad salarial de la empresa es innecesario decidir la responsabilidad del Administrador que será una cuestión no "prejudicial", sino posterior a la estricta y realmente laboral. Debe distinguirse entre aquellas cuestiones que son prejudiciales porque van a identificar como empresarios a quienes no lo son aparentemente (titulares individuales de la empresa que se hacen sustituir por una persona jurídica, intentando excluir su responsabilidad), cedentes o cesionarios, antecesores o sucesores en términos de los artículos 42, 43 y 44 del Estatuto de los Trabajadores, cuya responsabilidad como empresarios precisa de una decisión prejudicial que les identifique en tal condición, de aquellas responsabilidades subsiguientes al establecimiento de la estrictamente laboral, y que no condicionan tal establecimiento, como puede ser la misma del Fondo de Garantía Salarial, cuya declaración no es, evidentemente, prejudicial a la del empresario. [...] para extender la deuda salarial de la compañía a su administrador único, primero ha de establecerse la obligación de la empresa, y, después analizar si la conducta social del Administrador le hace responsable de aquella deuda, ha de concluirse que falta el componente de "necesidad previa", propio de las cuestiones así calificadas. Al no tratarse de una cuestión previa o prejudicial, está bien negada la competencia del Orden Social de la Jurisdicción, [...]»

STS de 15 de julio de 1997 (Civil) [6]

FUNDAMENTOS DE DERECHO

«2º El motivo primero del recurso –al amparo del artículo 1692.4 de la Ley de Enjuiciamiento Civil por inaplicación de lo establecido en el artículo 262.5 del Texto Refundido de la Ley de Sociedades Anónimas, en consecuencia de que la sentencia traída a casación fundamenta el fallo absolutorio de los demandados [...] en el principio general de irretroactividad recogido en el artículo 2.3 del Código Civil y considera no aplicable lo dispuesto en el precepto antes citado–, se desestima porque la sentencia recurrida configura la responsabilidad solidaria de los administradores con la de la sociedad por las deudas sociales como una pena civil por la inactividad de aquéllos al no solicitar el acuerdo de la disolución de ésta en aquellos casos en que tal causa puede colocar a la entidad en una situación de insolvencia frente a los acreedores, y, por la fecha de la coyuntura del debate, como las normas intertemporales del Texto Refundido no contemplan esta problemática, somete la misma a la Disposición Transitoria tercera del Código Civil y llega a la conclusión de que, por la circunstancia de que la omisión generadora de aquel deber en común se produjo antes de la vigencia de la nueva Ley, no es aplicable a dichos administradores la sanción del citado artículo 265.5; la argumentación de la decisión impugnada es correcta, pues es evidente que, si vigente la nueva Ley, los administradores incurrieron en la negligencia de no convocar la Junta cuando debían hacerlo, se les podrá sancionar, mas si la situación irregular se había producido previamente a la entrada en vigor de la misma, la inactividad de aquéllos no ha provocado perjuicio alguno para la entidad demandante y, por consiguiente, no cabe penalización.

3º El motivo segundo del recurso –al amparo del artículo 1692.4 de la Ley de Enjuiciamiento Civil por infracción de lo dispuesto en la Disposición Adicional tercera del Código Civil– también se desestima porque la regla aludida, que ordena la exclusión total de la retroactividad de las normas sancionadoras con penalidad civil o privación de derechos, en clara armonía con lo prevenido en el artículo 4.2 del Código Civil y en el artículo 9.3 de la Constitución Española, ha sido aplicada adecuadamente por el Tribunal de instancia.

Corresponde valorar, por una parte, que la existencia, con arreglo al Texto Refundido, de una causa disolutoria de la sociedad derivada de hechos anteriores a su vigencia y el efecto punitivo establecido por el artículo 262.5 del nuevo ordenamiento, son cuestiones diferentes, y, de otra, que la Disposición Transitoria tercera del Código Civil sólo se refiere a las sanciones, de manera que este espacio es el único sobre el cual la norma denunciada proyecta sus efectos.

Por demás, el artículo 4.2 del Código Civil impide la aplicación extensiva de las leyes penales, las excepcionales y las de ámbito temporal, y con arreglo al mismo, dada la inexistencia de cualquier norma transitoria en el Texto Refundido favorecedora de la aplicación del repetido artículo 262.5 a supuestos acaecidos antes de su entrada en vigor, [...]»

STS de 27 de octubre de 1997 (Civil) [2]

FUNDAMENTOS DE DERECHO

«[...] es muy reiterada y constante la Jurisprudencia que admite la convocatoria de Juntas por Consejos de Administración que han rebasado su período de dirección, entre otras razones por la necesidad social de regularizar los órganos de las sociedades y acomodarlos a la legalidad estricta. [...]»

STS de 28 de octubre de 1997 (Penal) [8]

FUNDAMENTOS DE DERECHO

«26 [...]El delito de falsedad en documento mercantil del artículo 303, en relación ahora con el artículo 302.9 del Código de 1973, por simulación de un documento de manera que induzca a error sobre su autenticidad, se corresponde con la modalidad establecida en el Código de 1995 en sus artículos 392 y 390.2 en cuanto que en éstos se habla de la simulación de un documento en todo o en parte, de manera que induzca a error sobre su autenticidad, en expresión en este punto concreto análoga al Código precedente.

Dejando de lado cuanto la falsedad ideológica comporta en relación a los artículos 302.4 y 390.4, respectivamente de los Códigos citados antes, habida cuenta que como tal falsedad ideológica queda «extramuros» del Código de 1995 cuando es cometida por un particular (artículo 392), con lo que sólo se contempla la tipicidad penal si la falsedad se comete por funcionarios públicos faltando a la verdad en la narración de los hechos, dejando de lado tal problema, repítese, hay que aclarar el marco delictivo dentro del que las falsedades se mueven ahora.

Curiosamente la mejor definición de la falsificación de los documentos se contiene en el Proyecto del Código Penal de 1992, cuando señala que tal falsificación es, "además de la simulación total o parcial del mismo o de la realidad jurídica que refleja, toda actuación o intervención material o intelectual que, incidiendo en su contenido, sentido o integridad, intencionadamente configure una situación jurídica que no se corresponde con la realidad o altere su relevancia o eficacia, o lo atribuya a persona u órgano que no haya intervenido en su creación, contenido o firma".

Las facturas falsas son las que responden a un pago cierto y a la voluntad real del emisor y del receptor, refiriéndose sin embargo a un negocio jurídico ficticio o distinto del realmente subyacente. Se había dicho que al no poderse confundir el carácter mendaz de la declaración con la falsedad del propio documento, los documentos mercantiles (en definitiva documentos privados a los que el ordenamiento otorga una mayor protección en atención a su especial contenido) no cumplen la función de probar o garantizar la veracidad de lo que se declara en los mismos, sino tan sólo de que la declaración se ha producido por su autor con un determinado contenido, por lo que dicha alteración de la verdad no podría constituir el delito de falsedad documental al no afectar a ninguna de las tres funciones adveradas por el documento mercantil (función perpetuadora, función de garantía y función probatoria), falsedad entonces impune, sin perjuicio de que en su caso pudiera constituir el engaño relevante y necesario para el delito de estafa o del delito fiscal. Otra cosa es sin embargo cuando el documento en su totalidad constituye una falacia.

Por eso, independientemente de que la eliminación de la falsedad ideológica, por faltar a la verdad en la narración de los hechos, cuando la comete un particular, plantee serias cuestiones, incluso en el Derecho Comunitario, especialmente si las consecuencias de tal inveracidad son transcendentes en las relaciones mercantiles, lo evidente es que, en los casos aquí enjuiciados, las falsedades mercantiles no se refieren al artículo 302.4 sino al 302.9 del Código de 1973, hoy 390.4 ó 390.2 del Código de 1995, tal y como más arriba se ha reseñado. No se refieren a la falsedad ideológica por faltar a la verdad en la narración de los hechos sino a la simulación total del documento, o de los documentos, que no responden en ningún caso a lo que su contenido manifiesta (ver en cuanto a la falsedad ideológica la Sentencia de 9 julio 1997).

En todo caso habría que distinguir, de un lado, entre una factura cierta, alguna de cuyas cuantías no se ajustan a la realidad, en razón del servicio, de la entrega facturada o de su importe, lo que cabría discutir si suponía la simulación o simplemente faltar a la verdad en la narración de los hechos contenidos en la factura, como falsedad ideológica, criterio este último harto controvertido, y de otro, la factura que es incierta en su totalidad, esto es que se emite sin que ninguno de sus conceptos corresponda a una operación mercantil efectuada, pues en este caso claramente se está proclamando la simulación documental, y se está proclamando la existencia de un soporte material falso, no meramente intelectual».

STS de 28 de octubre de 1997 (Social) [10]

FUNDAMENTOS DE DERECHO

«[...] En las demandas que iniciaron este procedimiento se ejercitaba una pretensión contra la sociedad anónima a la que los demandantes prestaban sus servicios, para que se decretara la extinción indemnizada del contrato, como consecuencia del incumplimiento contractual consistente en falta de pago del salario. Para tal acción, promovida dentro de la rama social del Derecho, son competentes los Tribunales del Orden Social (arts. 9.5 de la Ley Orgánica del Poder Judicial y 1 de la Ley de Procedimiento Laboral). La pretensión se planteó, asimismo, frente a los administradores sociales para que, de la posible deuda derivada del éxito de la acción anterior, se declare su responsabilidad solidaria, por haber incumplido un mandato de la Ley de Sociedades Anónimas, que les obligaba a adecuar los estatutos sociales a la nueva normativa rectora de estas sociedades. Y es evidente que aunque esta responsabilidad encuentre su fundamento en preceptos mercantiles, ajenos a la rama social del Derecho, la causa de pedir, sigue siendo laboral, por más que la extensión de responsabilidad a los administradores sociales se base en la infracción de mandatos de la Ley reguladora de las Sociedades Anónimas. La Disposición Transitoria Tercera de esta ley estableció una responsabilidad de los administradores sociales que, no cumplieran el mandato de aumentar el capital al mínimo de diez millones de pesetas, colocando a la sociedad en situación de no poder satisfacer los créditos a sus acreedores. Y deberá ser la naturaleza de los créditos sociales que se hayan de satisfacer la determinante de la competencia de los Tribunales que hayan de decidir sobre el conjunto, pues la responsabilidad de los administradores respecto a las deudas sociales, en este supuesto, es un refuerzo de los derechos de quienes se relacionaron con el ente social, cuya exigencia debe realizarse ante el Tribunal, que deba decidir la cuestión principal que es la determinante de la calificación de la naturaleza de la acción ejercitada.

La interpretación que en esta Sentencia se realiza no contradice la expuesta en la de 24 febrero 1997, pues, en dicha resolución la Sala se pronunció declarando que la responsabilidad del administrador único derivada de la no disolución del ente social, no era cuestión prejudicial respecto a las deudas salariales reclamadas en el litigio. Para decidir sobre la responsabilidad de la empresa es innecesario un previo pronunciamiento sobre la responsabilidad del administrador, que será una cuestión no prejudicial, sino posterior a la estricta y realmente laboral. Contestaba así la resolución judicial a la argumentación del recurrente.

Por otra parte, no son iguales los supuestos contemplados en ambas resoluciones. En este litigio se resuelve sobre la responsabilidad de los administradores que, incumpliendo el mandato de elevar el capital al mínimo legalmente establecido, colocan a la sociedad en situación de dudosa solvencia, en perjuicio de los terceros que mantuvieron relaciones jurídicas con el ente social en la confianza de que cumple los mínimos legalmente establecidos. Es así esta responsabilidad solidaria de los administradores una garantía para quienes contrataron con la sociedad y es exigible ante los Tribunales que conozcan de las deudas sociales insatisfechas.

En el caso regulado en el art. 262 de la Ley de Sociedades Anónimas (caso contemplado en la Sentencia de 24 febrero 1997) se establece una responsabilidad de los administradores que incumplen la obligación de disolver la sociedad (mediante la consiguiente convocatoria de junta de accionistas o declaración judicial) en los supuestos establecidos. Para fijar estas responsabilidades es necesario un previo pronunciamiento sobre si concurren o no los supuestos de hecho que la Ley señala como determinantes del deber de disolver la sociedad. Pronunciamiento que ha de ser realizado por los Tribunales competentes en materia mercantil, pues tal determinación no es accesoria respecto a las obligaciones sociales.[...]»

STS de 6 de noviembre de 1997 (Civil) [5]

FUNDAMENTOS DE DERECHO

«2º [...] El hecho de que por dificultades de financiación, la Sociedad cesara en su actividad no presupone en modo alguno la disolución de la misma "de facto" [...], porque el régimen de inactividad, incluso existiendo baja del antiguo Impuesto Industrial-Licencia Fiscal, no sólo está permitido por la Hacienda Pública sino por el propio Registro Mercantil. A tenor de lo expresado en el artículo 150 los administradores no estaban obligados a disolver la Sociedad sino cuando se dieran cualquiera de los supuestos establecidos en dicho precepto legal, ninguno de los cuales se han dado en la Sociedad demandada, luego no cabe hablar de ilegal disolución de –facto–. En todo momento, los recurrentes actuaron con la diligencia de un ordenado comerciante y no cabe exigírseles responsabilidad frente a los acreedores porque a éstos no se les ha causado ningún daño por malicia, abuso de facultades o negligencia grave, como exige el citado artículo 79. Entre otras, la Sentencia de 13 octubre 1986 nos dice que para que los administradores de las Sociedades Anónimas respondan frente a los accionistas del daño causado es preciso que hayan incumplido sus obligaciones con malicia, negligencia o abuso de facultades, sin que puedan responder en la gestión de los intereses sociales por cualquier error o irregularidad que se produzca. Asimismo, la Sentencia de 21 mayo 1985, viene a determinar que los administradores sólo responderán frente a la Sociedad, frente a los accionistas y frente a los acreedores por malicia, abuso de facultades o negligencia grave en base al artículo 79 de la Ley de Sociedades Anónimas, y en el mismo sentido se pronuncia la Sentencia de 7 junio 1989 (motivo primero). El artículo 81 establece una reserva de acciones a favor de los socios o de "terceros que lesionen directamente los intereses de aquéllos." [...] En la Sentencia de 21 mayo 1985, se dice: "El artículo 81 de la Ley de Sociedades Anónimas reconoce una acción individual a favor de los socios y de los terceros tendentes a indemnizarles de los daños directamente sufridos en su patrimonio, requiriéndose en su consecuencia para la viabilidad de esta acción directa dos requisitos: Un acto de administrador y una lesión directa a los intereses del accionista o del tercero demandante, a lo que ha de añadirse que al establecer el precepto una responsabilidad civil de los administradores la misma ha de establecerse con la concurrencia de culpa, el daño y la relación de causa a efecto entre aquélla y ésta" y para la Sentencia de 12 abril 1989: La acción de responsabilidad de los administradores calificada como acción individual del artículo 81 de la Ley de Sociedades Anónimas en aplicación de la norma legal y la doctrina jurisprudencial exige la concurrencia de un daño estimable y una actuación dolosa o gravemente negligente, Sentencias de esta Sala de fechas 31 enero 1969, 28 marzo 1985 y 13 octubre 1986, entre otras.

6º [...] Ciñéndonos [...] al artículo 1137 del Código Civil, es de tener en cuenta que la jurisprudencia [...] va tendiendo a ampliar el marco de la solidaridad en el ámbito obligacional, de tal manera que aquélla debe entenderse en correlación con la índole de la obligación exigida en cada caso, y dado que se está en presencia de una responsabilidad derivada de la aplicación de los artículos 79 y 81 de la Ley de Sociedades Anónimas y con base fáctica en el incumplimiento de obligaciones contraídas por el ente social frente y con perjuicio de tercero, resulta de toda evidencia que la exigibilidad de las consecuencias de semejante incumplimiento deba dirigirse contra los administradores de manera solidaria, juntamente con la sociedad en la que ejercen su cargo, especialmente, cuando los administradores, como señalan las Sentencias de 4 noviembre 1991 y 22 abril 1994, no pueden limitarse a eliminar a la sociedad de la vida industrial o comercial sin más; han de liquidarla en cualquiera de las formas prevenidas legalmente, que están precisamente orientadas para salvaguardar los intereses de los terceros en el patrimonio social; de ahí se deriva una negligencia grave, encuadrable en el artículo 79 de la Ley de Sociedades Anónimas de 1951, y la no liquidación en forma legal del patrimonio social cuando la sociedad se encuentra en una situación de insolvencia es susceptible de inferir ese daño directo contemplado en el artículo 81 por configurar una negligencia grave de los administradores en el incumplimiento de sus deberes legales».

STS de 16 de noviembre de 1997 (Civil) [5]

En el mismo sentido, vid., SSTS de 22 de enero de 2004 y 14 marzo 2007

STS de 21 de noviembre de 1997 (Penal) [8]

FUNDAMENTOS DE DERECHO

«2º [...]La Sala Plena de este Tribunal en su reunión de 17 de noviembre de 1997, acordó estimar que las defraudaciones a la Seguridad Social inferiores a la suma indicada de quince millones de pesetas carecían de tipicidad y se habían trocado en meros ilícitos administrativos.

Resulta cierto que la conducta empresarial de dejar de ingresar las cuotas obreras de la Seguridad Social fue calificada con anterioridad a las Leyes Orgánicas 6 y 10 septiembre 1995, respectivamente, de 29 junio y 23 noviembre, como constitutivas de delito de apropiación indebida del artículo 535 del viejo Código Penal.

Mas tal criterio se cuestionó cuando la Ley Orgánica 6/1995, creó una figura especial, en el artículo 349 bis, que luego en el nuevo Código pasaría a constituir el artículo 307.

Pretender, como parece deducirse del motivo, que ello se refiere a las cuotas empresariales, pero no a las obreras que debieron seguir incardinándose en el ámbito de la apropiación indebida, y con mayor razón aún las defraudaciones inferiores a la cifra indicada que necesariamente quedan fuera de tales preceptos, no puede sostenerse.

Tanto el artículo 349 bis, como el artículo 307 vigente, hablan de cuotas, sin hacer distinción alguna a su procedencia o destino. Se pone el acento en la literalidad del art. 307 vigente, en hablar de «cuotas de ésta (de la Seguridad Social) y se refiere siempre al 'obligado' frente a la Seguridad Social".

Tanto por el principio de especialidad, que se aplica preferentemente sobre el de subsidiariedad (art. 8.1), como por el concurso de leyes, la ley especial (art. 349 bis y 307 ahora) desplaza a la general de aplicación del viejo artículo 535.

El artículo 349 bis, como el art. 307.2 se refieren a lo defraudado en cada liquidación, siendo éstas conjuntas y englobando ambos la cuota patronal y la obrera y en un todo o conjunto.

Aún había de aducirse el absurdo de estimar como constitutivas de apropiación indebida del artículo 535 (hoy 252) para las defraudaciones inferiores a los quince millones de pesetas, que en muchos casos harían más graves estas conductas que las de cuantía superior u obligarían en coherencia a estimar un concurso de infracción, con lo cual la pérdida se dispararía notoriamente.

El legislador ha pretendido aquí parificar, aunque no de modo absoluto, las defraudaciones fiscales con las de la Seguridad Social y ha dejado unas sumas inferiores al tope señalado como constitutivas de mera infracción administrativa».

STS de 30 diciembre de 1997 (Civil) [1 y 3]

FUNDAMENTOS DE DERECHO

«3º Esta Sala de Casación que no desconoce los problemas de orden doctrinal que se han planteado al respecto y tiene presente la deficiente regulación de la materia, sobre todo en la Ley de Sociedades de Responsabilidad Limitada anterior a la ahora vigente, que [...]. La responsabilidad de los administradores tiene su origen en una obligación "ex lege" y, por ello, un aspecto de institución de orden público o derecho necesario, que no puede soslayarse mediante artificios estatutarios que directa o indirectamente tiendan a restringir el ejercicio de la acción social determinante de su declaración. En el expuesto orden de ideas, la remisión que efectuaba el artículo 1.1 de la anterior LSRL para la aplicación a los órganos de la sociedad de responsabilidad limitada de lo dispuesto sobre los administradores de la sociedad anónima, sólo puede significar que ha de aplicarse en materia de "acción social de responsabilidad" el artículo 134 de la Ley de Sociedades Anónimas, inclusive la prohibición de establecer mayoría distinta a la que previene el párrafo segundo del apartado uno, lo que, en otras palabras supone que la salvedad señalada, en favor de lo establecido en la LSRL, en el último inciso del precepto, no cabe que se convierta en un obstáculo que impida la expeditividad de la acción que tratamos y sus consecuencias legales, debiendo, por tanto, ceñirse su contenido a lo que son especialidades expresas de la ley que no entren en contradicción con la eficacia de aquella acción.

[...], la Ley de Sociedades de Responsabilidad Limitada no expresa en su artículo 17 que para la exigencia de responsabilidad social al Administrador designado en los estatutos sea precisa la voluntad mayoritaria cualificada por los dos tercios del capital social, puesto que en el desarrollo de las cuestiones que en esa norma se señalan no figura la de la exigencia de esa responsabilidad por la sociedad a su administrador. Y no puede establecerse así porque entonces en supuestos como el relativo a la sociedad que se examina, en la que hay tres socios, uno con el cuarenta y cuatro por ciento de participación social que es el administrador designado en sus estatutos, y los otros dos, que representan el cincuenta y cinco por ciento de esas participaciones, de necesitarse esa mayoría cualificada para el ejercicio de la acción social de responsabilidad por parte del administrador, es decir el sesenta y seis por ciento de participaciones, nunca se le podría exigir, con lo cual el Administrador estaría inmune a dicha responsabilidad, pudiendo actuar en forma abusiva y en su beneficio.

4º La destitución del administrador contra el que se acuerda el ejercicio de la acción social de responsabilidad tiene carácter automático y ha de matizarse, en relación, con lo argumentado por la sentencia de instancia que tal medida es simplemente la traducción en términos jurídicos de la ruptura de la relación de confianza depositada por los socios en el administrador, sin que más allá de tal consecuencia haya de verse en ello una sanción, no obstante, lo cual el ejercicio torticero de la acción, acreditado por la sentencia, que ponga fin al asunto puede ser causa de indemnización de los daños y perjuicios originados al administrador, en particular, cuando tal acción se revele como un medio de defraudar las prescripciones estatutarias. Tampoco, la situación, de vacío que se produce en la Administración como consecuencia de la destitución y la imprevisión de los Estatutos al respecto, permite que pueda reputarse nula la designación de nueva administración, conforme a criterios que se adaptan a lo prevenido por el artículo 14 de la Ley de Sociedades de Responsabilidad Limitada aplicable al caso. [...]»

STS de 31 de diciembre de 1997 (Social) [10]

FUNDAMENTOS DE DERECHO

«2º [...] 1. Las pretensiones ejercitadas de reclamación de salarios devengados y no satisfechos pertenecen a la rama social del derecho, y, por ende, su conocimiento corresponde al orden social de la jurisdicción (artículos 95 de la Ley Orgánica del Poder Judicial y 1 de la Ley de Procedimiento Laboral). Es cierto que la responsabilidad de los administradores tiene su asiento en el incumplimiento de un precepto mercantil (concretamente la Disposición Transitoria Tercera, de la Ley de Sociedades Anónimas de 1989, que establece la responsabilidad de los administradores que no cumplan con el deber de aumentar el capital a un mínimo de diez millones de pesetas), pero ello no cambia la naturaleza del crédito cuyo origen laboral, y posible inclusión en el "solidum" de los administradores sociales, dado que, la conducta omisiva de éstos transciende a la garantía de los trabajadores respecto al cobro de su crédito laboral, y es tal crédito, como aspecto más relevante, el que debe configurar la naturaleza de la acción ejercitada.

2. Esta doctrina no contradice la sentada por la Sentencia de esta Sala de 24 febrero 1997, cuyos supuestos, de otra parte, son diferentes. Se examinaba, aquí, la aplicación del artículo 262 de la Ley de Sociedades Anónimas, precepto que impone a los administradores la obligación de disolver la sociedad en los casos enumerados. La responsabilidad derivada del incumplimiento de este deber de disolución del ente exige un previo cono-

cimiento y pronunciamiento sobre la existencia de los condicionamientos legales determinantes o no de dicha obligación de disolución. Y, parece lógico que, al respecto, deba
atribuirse a los Tribunales competentes en materia mercantil, el conocimiento de aquella
cuestión principal de responsabilidad, en cuanto "tal determinación no es accesoria respecto a las obligaciones sociales". En forma diferente, como se ha dicho, el debate en la
cuestión resuelta en la sentencia recurrida, gira sobre la interpretación de la Disposición
Transitoria Tercera de la vigente Ley de Sociedades Anónimas, y se declara la responsabilidad de los administradores en razón a que su obligación incumplida de aumentar
el capital social a diez millones de pesetas, afecta a la garantía de los acreedores, entre
los que se encuentran, los trabajadores, de modo que la responsabilidad de aquéllos "es
exigible ante los Tribunales que conozcan de las deudas sociales insatisfechas"».

STS de 26 de febrero de 1998 (Penal) [8]

FUNDAMENTOS DE DERECHO

«7º [...]En definitiva, el delito surge (STS 16-6-1993) "desde el momento en que la
obligación de devolver el dinero percibido del Juzgado se quebranta, y bajo el pretexto de
la pendencia de extensión de una minuta, que ninguna razón existía para su inactivación,
no se lleva a cabo aquélla, a pesar de la insistencia constante de los fiadores y del celo
del órgano judicial en la práctica de los varios y sucesivos requerimientos a que se ha hecho mención. Cuando tardíamente, y sólo ante la sobrevenencia de un procesamiento, el
acusado decidió reponer la cantidad adeudada, bien puede colegirse que el mismo había
consumado el delito de apropiación indebida, y lo verificado no tiene otra significación
que la reposición del monto de la suma distraída, con efectos meramente afectantes a
la responsabilidad civil. El procesado quebrantó la lealtad debida ante la confianza en él
depositada por sus mandantes. Cual razonada y fundadamente se afirma en la sentencia
recurrida, desde la reiterada y pertinaz negativa del acusado, sin causa ni justificación
posible, a la devolución de la cantidad por él percibida, en concepto de depósito, y sobre
la que no ostentaba ningún derecho de retención motivadora de su conducta, a sus clientes, se consumó el delito, porque la incorporación al patrimonio propio de tal cantidad, lo
convirtió en propiedad ilegítima, quedando de manifiesto el lucro ilícito y el abuso de la
situación de confianza que caracteriza la apropiación indebida". Sentencia que citamos
únicamente a título de precedente jurisprudencial, en justificación de la línea que se mantiene por esta Sala Casacional.

Y reiterada en la STS. 147/2006 de 6.2 que, remitiéndose a la STS. 153/2003 de 8.2,
indica "empero el acusado (abogado) no tenía derecho a quedarse con dinero recibido con
la finalidad de entrega a otra persona, aunque, ciertamente, tuviera un derecho de crédito,
si bien no protegido por un derecho de retención similar a los que están recogidos en los
artículos 1600 y 1780 del Código Civil a favor respectivamente de quien haya hecho una
obra en un bien mueble mientras no se le pague, y del depositario para que se le abone lo
que le sea debido en razón del depósito. Por lo tanto, la conducta enjuiciada ha consistido
en una apropiación. Y también existió el elemento subjetivo de querer el agente quedarse
con lo que sabía no era suyo", y en la STS de 21-10-2002, nº 1749/2002, que recuerda que
"para que se considere lícita la negativa a entregar lo recibido alegando la titularidad de
créditos contra aquél a quien se le debe entregar, es preciso que exista un derecho de
retención que lo ampare". Y esta Sala ya ha negado en alguna ocasión que tal derecho
corresponda a los letrados en relación a sus honorarios, de manera que las cantidades

que estos profesionales perciban de terceros para entregar a sus clientes en relación con sus servicios profesionales no pueden ser aplicadas por un acto unilateral de propia autoridad a satisfacer las minutas que consideren que les deben ser abonadas, sino que deben ser entregadas en su integridad a aquellas personas a favor de quienes han sido recibidas, sin perjuicio de la reclamación que corresponda para hacer efectivo el pago de sus honorarios como Letrado.

Doctrina ésta que puede aplicarse al caso presente pues ni el mandatario, ni el gestor de negocios ajenos ni el arrendatario de servicios poseen derecho alguno de retención sobre las cantidades percibidas que corresponden a su principal o cliente, resultando además tal cuestión irrelevante –dice la SSTS. 307/99–, cuando la apropiación, lejos de referirse a una parte de lo recibido, se ha llevado, en principio sobre el total de la cantidad».

STS de 20 de marzo de 1998 (Civil) [5]

FUNDAMENTOS DE DERECHO

"2º (...) Ha de partirse de que la acción indemnizatoria ejercitada lo es contra las demandadas por su actuación personal y como administradoras de la Sociedad, con lo que se está en el supuesto no del ejercicio de una propia acción social, contemplada en el artículo 133.1º, sino de la individual del artículo 135, que corresponde a los socios respecto a los actos de los administradores que el precepto prevé, tratándose de una relación del socio-perjudicado que se alinea con la responsabilidad personal del administrador y no de la Sociedad, por lo que no cabe confusión ni mezclamiento con acción individual por las responsabilidades en que pudieran incurrir los administradores despojados de tal condición o cuando actúan como meros accionistas (...)".

STS de 23 de marzo de 1998 (Civil) [2 y 7]

FUNDAMENTOS DE DERECHO

«Ante todo ha de puntualizarse, una vez más, que el artículo 1214 del Código Civil [...], en cuanto carente de norma alguna sobre valoración de prueba, solamente es invocable en casación cuando, ante la falta de prueba de algún hecho concreto, la sentencia recurrida, al determinar las consecuencias de esa falta de prueba, no haya tenido en cuenta la regla distributiva del "onus probandi" que dicho precepto establece, lo que no ha ocurrido en el supuesto que, con este motivo, se trata de someter a revisión casacional. Hecha la anterior puntualización, el expresado motivo, a cuya admisión se opuso el Ministerio Fiscal en su preceptivo dictamen, ha de ser también desestimado, no sólo por lo que acaba de decirse en la referida puntualización, que ya sería suficiente, sino también porque aparece probado que cuando se consiguió que [...]., por mera complacencia y sin responsabilidad alguna para él, aceptara la [...] letra de cambio, el demandado y aquí recurrente, [...], venía desempeñando también, junto con su padre [...], las funciones de administrador de hecho [...], para lo que no se requiere tener la condición de socio de la misma (artículo 11 de la Ley de Sociedades de Responsabilidad Limitada de 17 julio 1953, que era la vigente en la fecha de ocurrencia de los hechos aquí enjuiciados), y con su conducta dolosa o, cuando menos gravemente negligente fue también determinante de los daños y perjuicios sufridos [...], de los que el referido administrador o coadministrador (de hecho) ha de responder también frente a dicho acreedor social, conforme a lo establecido en el artículo 13 de la citada Ley.[...]».

STS de 3 de abril de 1998 (Civil) [6]

FUNDAMENTOS DE DERECHO

«1º [...] El primer motivo de este recurso de casación lo residencia la parte recurrente en el artículo 1692.4º, de la Ley de Enjuiciamiento Civil, puesto que, sigue afirmando dicha parte impugnante, en la sentencia recurrida se ha infringido, por no aplicación, el artículo 1214 del Código Civil.[...]

El mencionado artículo 1214 del Código Civil, establece en nuestro derecho y desde un punto de vista procesal, la denominada doctrinalmente regla de juicio, que se aplica a todos los supuestos en el que existe, dentro del proceso, una cierta labor probatoria, lo que le permite exigir a las partes la prueba de los datos esenciales para el éxito de sus pretensiones, y que se puede concretar con el brocardo que explicita que "incumbe la prueba de las obligaciones al que reclama su cumplimiento y la de su extinción al que la opone" (Sentencia de 30 noviembre 1982), que no es otro que el enunciado del referido precepto.

Con arreglo a todo lo anterior es la parte, ahora, recurrida y, antes actora, la que tiene el deber de demostrar todos y cada uno de los datos que exige el artículo 262.5 en relación al artículo 264.4 del Real Decreto Legislativo 1564/1989, de 22 diciembre por el que se aprueba el Texto Refundido de la Ley de Sociedades Anónimas, en cuanto los mismos son elementos afirmativos para su pretensión.

Ello no significa, ni con mucho, adentrarse en una situación de "prueba diabólica", sobre todo cuando la Ley permite unas constataciones registrales que están y pueden estar al alcance de terceros, y sobre todo de los acreedores sociales. [...]. Pero es más, al estudiar el segundo motivo, íntimamente concatenado con éste, se verá que la parte recurrida ha efectuado la actividad probatoria suficiente para el éxito de su pretensión, como se ha antedicho.

2º [...]

Para que exista una responsabilidad solidaria de los administradores de una sociedad anónima [...] es preciso que se den dos requisitos: a) que por consecuencias de pérdidas dejen reducido el patrimonio a una cantidad inferior a la mitad del capital social, a no ser que este se aumente o se reduzca en la medida suficiente, y b) que dichos administradores no cumplan con la obligación de convocar en el plazo de dos meses la Junta General, para que adopte, en su caso, el acuerdo de disolución, cuando se dé la circunstancia del apartado anterior.

Pues bien con respecto al primer requisito del "factum" de la sentencia recurrida se desprende ineludiblemente que han concurrido ambos requisitos, ya que el capital social de la firma [...] era de quince millones cien mil pesetas y las deudas contraídas ascendían a una suma superior, sin que puedan destruir tal constatación, ni una presunta ampliación de capital, ni una equivocación contable.

[...] Y con lo que respecta a la alegación de principios contables para tratar de enfocar de una manera especial el montante de la deuda social, no es más que una falacia, puesto que las deudas sociales que se tienen frente a unos determinados acreedores o proveedores, pueden estar compensadas con los créditos que se ostenten frente a los otros, lo cual puede ser cierto, pero necesita ser probado por la parte recurrente, operación que, ni por asomo, ha realizado. Partiendo sobre todo, siempre para ello, [...] En cuando al segundo requisito, el del plazo de convocatoria, no hay lugar a la duda, de que no se realizó la convocatoria de la Junta General preceptiva, en el plazo de los dos meses que prescribe el artículo 262.5 de dicha Norma Societaria, [...]»

STS de 13 de abril de 1998 (Social) [10]

FUNDAMENTOS DE DERECHO

«3º La cuestión planteada ya ha sido resuelta por esta Sala en unificación de doctrina, en su STS/IV 28 febrero 1997 (Recurso 2928/1996), en favor de la incompetencia del orden jurisdiccional social para conocer de este concreto supuesto de posible responsabilidad solidaria de los administradores societarios por omisión de la promoción del acuerdo de disolución de la sociedad pese a concurrir alguna causa legal que les obligara a hacerlo.

2. En efecto, en la referida sentencia –cuya doctrina se ha estimado no contradice la competencia del orden jurisdiccional social declarada para el supuesto de responsabilidad solidaria de los administradores societarios por incumplimiento del mandato de elevar el capital social al mínimo legalmente establecido, proclamada en las SSTS/IV 28 octubre 1997 (Recurso 3485/1996) y 31 diciembre 1997 (Recurso 1858/1997)–, se declaró, con razonamientos que ahora se asumen y reiteran, que "La censura jurídica se hace consistir en infracción del art. 4.1 y 2 de la LPL porque no se ha entrado a declarar la responsabilidad del Administrador único de la sociedad anónima respecto de las deudas salariales en que ha incurrido la sociedad en cuanto titular de una empresa y respecto a los trabajadores que, como tal, tenía a su servicio". Evidentemente las deudas de la empresa son laborales; pero no así la del Administrador único, que serán "societarias". En realidad para decidir sobre la responsabilidad salarial de la empresa es innecesario decidir la responsabilidad del Administrador que será una cuestión no "prejudicial", sino posterior a la estricta y realmente laboral. Debe distinguirse entre aquellas cuestiones que son prejudiciales porque van a identificar como empresarios a quienes no lo son aparentemente (titulares individuales de la empresa que se hacen sustituir por una persona jurídica, intentando excluir su responsabilidad), cedentes o cesionarios, antecesores o sucesores en términos de los arts. 42, 43 y 44 del ET, cuya responsabilidad como empresarios precisa de una decisión prejudicial que les identifique en tal condición, de aquellas responsabilidades subsiguientes al establecimiento de la estrictamente laboral, y que no condicionan tal establecimiento, como puede ser la misma del FGS, cuya declaración no es, evidentemente, prejudicial a la del empresario. Cuando se trata de "levantar el velo", el Juez de lo Social debe actuar la competencia derivada del precepto que se entiende infringido por el recurrente. Cuando no se trata de identificar sujetos de la relación laboral, sino de extender a otros sujetos responsabilidades de cualquier naturaleza, que les alcanzan por títulos jurídicos no laborales, no se puede calificar la cuestión como prejudicial, porque su decisión no impide y ni siquiera condiciona, la de la pretensión principal. Siendo evidente que para extender la deuda salarial de la compañía a su administrador único, primero ha de establecerse la obligación de la empresa, y, después analizar si la conducta social del Administrador le hace responsable de aquella deuda, ha de concluirse que falta el componente de "necesidad previa", propio de las cuestiones así calificadas. Al no tratarse de una cuestión previa o prejudicial, está bien negada la competencia del Orden Social de la Jurisdicción».

VOTO PARTICULAR

Que formula el Excmo. Sr. Magistrado D. Fernando Salinas Molina a la Sentencia de fecha 13 abril 1998 (Recurso 2925/1997).

La tesis que se defiende en este voto particular consiste en sustentar la competencia del orden jurisdiccional social, con carácter general y sin distinción de supuestos, para conocer de la acción individual de responsabilidad ejercitada por el acreedor laboral de la sociedad de responsabilidad limitada empleadora frente al administrador societario, con fundamento en el alegado incumplimiento de las obligaciones inherentes a su cargo cuando, conforme a la normativa vigente, de tal infracción pueda derivar su responsabilidad solidaria por las deudas sociales y, en concreto, en el supuesto planteado en el presente recurso de casación unificadora de alegado incumplimiento de la obligación de convocar, en plazo, Junta general para que adopte, en su caso, el acuerdo de disolución de la sociedad por concurrir la causa legal de existencia de pérdidas que dejen reducido su patrimonio contable a menos de la mitad del capital social, a no ser que éste se aumente o se reduzca en la medida suficiente.

Se parte de asumir plenamente la doctrina de esta Sala contenida en sus SSTS/IV 28 octubre 1997 (Recurso 3485/1996) y 31 diciembre 1997 (Recurso 1858/1997), en cuanto declaran la competencia del orden jurisdiccional social para conocer del supuesto de responsabilidad solidaria de los administradores societarios por incumplimiento del mandato de elevar el capital social al mínimo legalmente establecido. Entiendo que los razonamientos que se contienen en dichas sentencias para fundamentar la competencia del orden jurisdiccional social son extensibles con carácter general a los restantes supuestos legales de responsabilidad solidaria de los administradores societarios por deudas laborales y que razones de seguridad jurídica y de unificación de doctrina aconsejan declararlo así expresamente para evitar la incertidumbre que puede comportar el que entre los diversos y numerosos supuestos de tal tipo responsabilidad contemplados en nuestra legislación se suscite la cuestión, caso por caso, de si el supuesto es subsumible en el contemplado en la STS/IV 28 febrero 1997 o en los resueltos en las SSTS/IV 28 octubre 1997 y 31 diciembre 1997, en orden a determinar, en el primero, que la cuestión es ajena a la competencia de la jurisdicción social y, en los segundos, que esta jurisdicción es la competente.

La tesis que se defiende se fundamenta, además, en los siguientes razonamientos:

FUNDAMENTOS DE DERECHO

PRIMERO. 1. A la regulación de la responsabilidad de aquellas personas, físicas o jurídicas, que desempeñen el cargo de administrador dedica la Ley de Sociedades Anónimas importantes normas (fundamentalmente los arts. 133, 134 y 135 LSA, Real Decreto Legislativo 1564/1989, de 22 diciembre), las que son aplicables también a los administradores de las sociedades de responsabilidad limitada (art. 69.1 Ley 2/1995, de 23 marzo LSRL), estableciéndose los presupuestos para que surja su responsabilidad personal derivada del "daño que causen por actos contrarios a la Ley o a los Estatutos o por los realizados sin la diligencia con la que deben desempeñar el cargo" (art. 133 LSA).

2. Los presupuestos para que sea exigible responsabilidad a los administradores son los siguientes:

a) Un daño, bien directamente a la sociedad aunque derive un daño indirecto para los socios o para los acreedores (presupuesto de la acción social de responsabilidad, arts. 133.1 y 134 LSA) o bien directamente lesivo para los intereses de socios o acreedores (presupuesto de la acción individual de responsabilidad, art. 135 LSA), que es la acción que ahora nos interesa. Para que prospere esta última es preciso, conforme a la doctrina jurisprudencial civil, que los actos que se invoquen como ilícitos de los administradores «sean los que han lesionado directamente los intereses de socios o de terceros» (SSTS/I

11 octubre 1991, 12 junio 1995, 28 febrero 1996, 31 julio 1996, 10 diciembre 1996 –Recurso 461/1993–), para lo que no basta con acreditar que los administradores no promovieran temporáneamente la declaración de la sociedad anónima en estado de suspensión de pagos o quiebra (STS/I 10 diciembre 1996 –Recurso 461/1993–) o que realizaron operaciones de cuantía superior al capital social (STS/I 12 junio 1995 –Recurso 826/1992–); pero, en cambio, la referida jurisprudencia, ha estimado que es susceptible de inferir ese daño directo la no liquidación en forma legal del patrimonio social cuando la sociedad se encuentra en una situación de insolvencia, produciéndose el cese de actividades sin que la sociedad haya sido formalmente disuelta ni liquidada con arreglo a lo previsto en la Ley (SSTS/I 4 noviembre 1991 y 22 abril 1994 –Recurso 1326/1991–).

b) Un concreto acto ilícito personal de los administradores (contrario a la Ley, a los Estatutos o sin la debida diligencia) por actos propios, ya sea por acción o por omisión (argumento ex STS/I 25 septiembre 1996 –Recurso 4021/1992–). Esta responsabilidad puede derivar del incumplimiento de las obligaciones impuestas a los administradores tanto legalmente, –para lo que no debe tenerse en cuenta sólo la normativa mercantil en general (como la obligación de ejecución de los acuerdos de la Junta General ex art. 156 del Código de Comercio) sino también la laboral, sustantiva y procesal [entre otros, arts. 49.1, g), 51.2.II, 64.1.3., 64.1.5 ET, 91.3 y 247 LPL, Ley 10/1997, de 24 abril, sobre derechos información y consulta de los trabajadores en empresas y grupos de empresas de dimensión comunitaria]–, como estatutariamente, además de las derivadas del deber general de actuar diligentemente en la administración y representación social ex art. 127.1 LSA.

c) Una relación de causalidad entre el acto que se imputa al administrador y el daño causado (en este sentido, SSTS/I 28 febrero 1996 –Recurso 2566/1992–, 25 noviembre 1996, 10 diciembre 1996 –Recurso 461/1993–).

3. La acción individual de responsabilidad procede cuando los perjudicados por el acto lesivo de los administradores han sido directamente los socios o los terceros (art. 135 LSA), mediante ella se pretende compensar los perjuicios inferidos por los administradores a los patrimonios particulares de los socios y terceros acreedores (en este sentido, STS/I 4 noviembre 1991). De estos actos responde, en principio, la sociedad pero se otorga a los socios y a los terceros la protección adicional de la acción individual de responsabilidad directa frente a los administradores.

SEGUNDO. 1. De lo expuesto cabe deducir que nuestra legislación societaria ha querido ampliar externamente –y no sólo internamente para reintegrar el patrimonio social del daño sufrido–, la responsabilidad de las personas físicas o jurídicas de las que necesariamente debe valerse la sociedad para su actuación regular (administradores, en cuanto ahora nos afecta) y ha posibilitado que los terceros lesionados en sus intereses por la actuación ilícita de los órganos societarios puedan ejercitar directamente frente a ellos acciones indemnizatorias, como complemento de la responsabilidad societaria por esos mismos hechos.

2. Por ello, cuando exista un funcionamiento regular de la sociedad empleadora por cumplir sus administradores adecuadamente sus obligaciones, la responsabilidad ex contrato de trabajo sólo se podrá dirigir contra la sociedad, pero si existe un funcionamiento irregular por actuación ilícita de los administradores incumplidores de sus obligaciones legales productora de lesión directa en los intereses de los contratados laboralmente por la sociedad, cede el dogma de que la sociedad sólo responde con su capital por las deudas sociales y la acción o acciones tendentes a obtener el cumplimiento de las obligaciones

laborales se podrá dirigir también contra tales administradores, que en este sentido se externizan del seno de la sociedad corresponsabilizándose con ésta por imperativo legal.

3. Resulta así que el administrador societario no es una parte totalmente ajena al contrato de trabajo suscrito por la sociedad, pues es la persona de la que la sociedad se vale para ejecutar sus decisiones que afectan a dicho contrato, siendo, por tanto, su posición distinta a la del tercero totalmente ajeno a una relación jurídica que incide en la misma causando un daño concreto a una de las partes contratantes; por lo que la actuación generadora de daño por parte del administrador incumplidor a la que la ley anuda su responsabilidad solidaria junto con la sociedad en la que se integra, puede entenderse que, en la distinción clásica de las culpas, estaría más cercana a la contractual que a la extracontractual. Existiría base en la propia jurisprudencia civil (así, en la antes citada STS/I 14 mayo 1996 Recurso 2954/1992) para afirmar que tal acción directa ejercitada por un acreedor perjudicado vinculado a la sociedad por un contrato es, al igual que la acción ejercitada contra la sociedad corresponsable de la actuación ilícita de su administrador, una acción contractual.

TERCERO. 1. Centrándome ya en la cuestión de determinar si el orden jurisdiccional social es el competente para conocer de la acción ejercitada, la solución debe ser afirmativa».

STS de 7 de mayo de 1998 (Civil) [5]

FUNDAMENTOS DE DERECHO

"1º (...) El cuerpo del motivo dice que la infracción se produce porque la Audiencia acepta los fundamentos de la sentencia de primera instancia y ésta señala que el éxito de la acción de responsabilidad, exige que se constate la disminución del patrimonio del demandante y la justificación de los perjuicios invocados, «que no se puede entender logrado, a la vista de la prueba pericial contable que no llegó a practicarse»; concluyendo que «la no práctica de la prueba no debe ser obstáculo para la declaración de la existencia del perjuicio».

El propio texto del motivo pone de manifiesto que no se ha producido interpretación errónea del precepto sino la falta de los requisitos de hecho precisos para su aplicación, y en ello se basa la desestimación de la demanda. No se aplica la condena que el precepto prevé porque no se prueba la existencia de los daños".

STS de 18 de mayo de 1998 (Civil) [5]

En el mismo sentido, vid. SSTS de 29 de julio de 1998 y 22 de diciembre de 1999

STS de 26 de mayo de 1998 (Civil) [2, 5, y 7]

FUNDAMENTOS DE DERECHO

«[...] al amparo del número cuarto del artículo 1692, denuncia infracción de los artículos 1281, párrafo primero, del Código Civil, y de los artículos 57, 281 y 283 del Código de Comercio, por inaplicación, porque, dice, siendo claros los términos de las inscripciones registrales de la sociedad, y las actas de las Juntas, en las que se tomaron los acuerdos base de las inscripciones, ha de estarse a su tenor literal y por ello, no puede tener la Audiencia por administrador de la sociedad a quien, según los citados documentos congruentes con la intención de las partes, sólo es un apoderado general que en Derecho Mercantil recibe el nombre de factor. A continuación analiza los documentos para de su análisis llegar a la conclusión arriba anticipada, tras una apretada y larga exposición de teorías de los autores, resoluciones de la Dirección General y sentencias del Tribunal Supremo.

Para decidir [...] ha de partirse de que: a) según reiterada Jurisprudencia, el análisis de las pruebas es facultad del tribunal de instancia y sus conclusiones han de respetarse [...], salvo que sean absurdas, ilógicas o contrarias a ley, b) los documentos públicos son una prueba más cuyo contenido se tiene en cuenta junto con las restantes pruebas, que no tienen condición inferior, c) la calificación de los vínculos jurídicos, es igualmente facultad del tribunal de instancia.

[...] tras minucioso análisis de todas las pruebas practicadas, de los precedentes sociales en relación con la administración, de los actos realizados por quien la recurrente entiende que sólo es un factor mercantil, llega a la conclusión de que está en presencia de un verdadero administrador, aunque fuere sólo de hecho, de una sociedad familiar cuyo objeto se concreta y agota en los comercios administrados, y por tanto, ni ha infringido el artículo 1281.1 del Código Civil ni los preceptos del Código de Comercio invocados, pues falta el presupuesto fáctico para su aplicación. [...]»

STS de 2 de julio de 1998 (Civil) [5]

FUNDAMENTOS DE DERECHO

«3º El motivo segundo, al amparo del art. 1690.4º LECiv, acusa infracción del art. 13 de la Ley de Sociedades de Responsabilidad Limitada de 17 julio 1953. Se apoya en que la única razón de pedir la condena de los administradores de [...] es la supuesta continuidad en el negocio que antes de su constitución desarrollaba el administrador de don [...] Pero se olvida que ha existido una novación extintiva, en tanto la actora la reconocido en el proceso y fuera de él a [...] como única titular de la relación jurídica litigiosa, con ella ha contratado, además de haber demandado, junto con [...] a sus administradores en esa cualidad, y no en la de continuadores del negocio. El art. 13 LSRL no extiende la responsabilidad de los administradores por los actos derivados de un negocio iniciado con anterioridad por uno de ellos a título individual, ni es un acto de gestión doloso, alusivo, ilegal o una negligencia grave para con un acreedor social, que acepta a su entera satisfacción los contratos en curso al constituirse la sociedad.

El motivo es correcto en su planteamiento, pues la sentencia recurrida hace una aplicación intensiva y extensiva de la responsabilidad de los administradores sociales por deudas también sociales, que se debe de repudiar expresamente, so pena de destrucción de la naturaleza jurídica de las sociedades. Sus abusos deben ser corregidos mediante las técnicas apropiadas (entre ellas la del "levantamiento del velo", que impide que la sociedad sea algo hermético distinto de sus elementos componentes, lo cual no significa que su constitución sea nula), pero no con interpretaciones arbitrarias de los términos legales como la que aquí nos encontramos, pues que una sociedad no cumpla un contrato no significa que haya que condenar por ese simple hecho a sus administradores por negligencia en el desempeño de sus cargos.

[...]. Hubo, pues, una cesión de contrato consentida, un cambio de la titularidad en la posición de una de las partes contractuales, no unos nuevos contratos en sustitución de los anteriores, pues no consta en modo alguno su liquidación, habida cuenta que el cedente había ya recibido sustanciales anticipos para la compra de material.

Así las cosas, la creación de [...] no tuvo ninguna finalidad defraudatoria de los derechos de terceros, hasta el punto de que, sigue narrando la actora [...] en su demanda, don [...] le expuso su proyecto y los bienes que él y su esposa iban a aportar a la constitución de [...], de la que poseen 490 participaciones de las 500 que componen su capital social. Pero el hecho de que sea una sociedad instrumental cuyo patrimonio casi en su totalidad esté formado por bienes gananciales de aquellos esposos y los mismos sean sus administradores, no convierte a [...] en una sociedad cuya constitución es nula, ni los administradores han cometido actos incardinables en el art. 13 LSRL. Lo que ocurre es que no podrá alegarse el hermetismo o aislamiento de la persona jurídica de la de sus elementos personales, ni hay separación entre el patrimonio de aquélla y el de éstos cuando se vean defraudados terceros desconocedores de la maniobra fraudulenta, consistente en la creación de una persona jurídica para evitar los efectos de la responsabilidad patrimonial del art. 1911 del Código Civil».

STS de 3 de julio de 1998 (Civil) [5]

En el mismo sentido, vid., STS de 16 de febrero de 2000.

STS de 21 de julio de 1998 (Social) [10]

FUNDAMENTOS DE DERECHO

«2º [...] la cuestión controvertida, [...], versa sobre la competencia o incompetencia del orden jurisdiccional social para dilucidar la posible responsabilidad de los Administradores por sus actos como tales. Pero para ello, procede siguiendo la doctrina jurisprudencial distinguir dos situaciones: 1) Cuando la pretensión de condena, se basa en el incumplimiento de lo dispuesto en el artículo 262.5 del Real Decreto Legislativo 1564/1989, de 22 diciembre, en cuanto impone a los administradores la obligación de convocar junta general para adoptar el acuerdo de disolución, o solicitar la disolución judicial de la sociedad –que es el supuesto de autos (párrafo segundo del hecho séptimo del escrito de demanda)–. 2) Cuando la responsabilidad de los Administradores societarios se fundamenta en el incumplimiento del mandato de la disposición transitoria 3ª del citado Texto Refundido de la Ley de Sociedades Anónimas, por no haber adoptado los Estatutos Sociales a la nueva normativa (elevar el capital social al mínimo legalmente establecido).

Así en la evolución de la doctrina jurisprudencial, cabe señalar: 1.– El Auto de fecha 8 marzo 1996 dictado por la Sala de Conflictos de este Tribunal, que resuelve en favor de la competencia del orden jurisdiccional civil, porque la acción ejercitada contra los Administradores prevenida en la Ley de Sociedades Anónimas, nada tiene que ver con la relación laboral que tenía el actor con la empresa, pues la "causa petendi" reside en el incumplimiento de los deberes que competían a los demandados como administradores sociales. 2.– La Sentencia dictada en recurso de casación para unificación de doctrina de fecha 28 febrero 1997 que referida al incumplimiento de lo dispuesto en el artículo 262 de la Ley de Sociedades Anónimas dice: "Cuando no se trata de identificar sujetos de la relación laboral, sino de extender a otros sujetos responsabilidades de cualquier naturaleza, que les alcanzan por títulos jurídicos no laborales, no se puede calificar la cuestión como prejudicial, porque su decisión no impide y ni siquiera condiciona, la de la pretensión principal. Siendo evidente que para extender la deuda salarial de la compañía a su administrador único, primero ha de establecerse la obligación de la empresa, y, después analizar si la conducta social del Administrador le hace responsable de aquella deuda, ha de concluirse que falta el componente de 'necesidad previa', propio de las cuestiones así calificadas. Al no tratarse de una cuestión previa o prejudicial, está bien negada la competencia del Orden Social de la Jurisdicción". 3.– La Sentencia de 28 octubre 1997, en donde el fundamento de la pretensión radicaba en la disposición transitoria 3ª del Texto Refundido de la Ley de Sociedades Anónimas, argumenta "que aunque esta responsabilidad encuentre su fundamento en preceptos mercantiles, ajenos a la rama social del Derecho, la causa de pedir, sigue siendo laboral, por más que la extensión de responsabilidad a los administradores sociales se base en la infracción de mandatos de la Ley reguladora de las Sociedades Anónimas. La disposición transitoria 3ª de esta Ley estableció una responsabilidad de los administradores sociales que, no cumplieran el mandato de aumentar el capital al mínimo de diez millones de pesetas, colocando a la sociedad en situación de no poder satisfacer los créditos a sus acreedores. Y deberá ser la naturaleza de los créditos sociales que se hayan de satisfacer la determinante de la competencia de los Tribunales que hayan de decidir sobre el conjunto, pues la responsabilidad de los administradores respecto a las deudas sociales, en este supuesto, es un refuerzo de los derechos de quienes se relacionaron con el ente social, cuya exigencia debe realizarse ante el Tribunal, que deba decidir la cuestión principal que es la determinante de la calificación de la naturaleza de la acción ejercitada"; pero añade esta sentencia, que la interpretación que realiza, no contradice la expuesta en la Sentencia de 28 (por error mecanográfico dice 24) febrero 1997 (Recurso 2928/1996), pues en esta resolución la Sala se pronunció declarando que la responsabilidad del administrador único derivada de la no disolución del ente social, no era cuestión prejudicial respecto a las deudas salariales reclamadas en el litigio y, que para decidir sobre la responsabilidad de la empresa era innecesario un previo pronunciamiento sobre la responsabilidad del administrador, que será una cuestión no prejudicial, sino posterior a la estricta y realmente laboral, y, para fijar estas responsabilidades es necesario un previo pronunciamiento sobre si concurren o no los supuestos de hecho que la ley señala como determinantes del deber de disolver la sociedad, pronunciamiento que ha de ser realizado por los Tribunales competentes en materia mercantil, pues tal determinación no es accesoria respecto a las obligaciones sociales, pues se contemplaba el caso regulado en el artículo 262 de la Ley de Sociedades Anónimas, que establece una responsabilidad de los administradores que incumplen la obligación de disolver la sociedad (mediante la consiguiente convocatoria de Junta de Accionistas o declaración judicial) en los supuestos establecidos, y no resolvía sobre la responsabilidad de los administradores que, incumpliendo el mandato de elevar el capital al mínimo realmente establecido, colocan a la sociedad en situación de dudosa solvencia, en perjuicio de los terceros que mantuvieron relaciones jurídicas con el ente social en la confianza de que cumple los mínimos legalmente establecidos. 4.– Sentencia de 31 diciembre 1997, que en la misma línea que la anterior y cuya doctrina reitera, argumenta "que la responsabilidad de los administradores tiene su asiento en el incumplimiento de un precepto mercantil (concretamente la disposición transitoria 3ª, de la Ley de Sociedades Anónimas de 1989, que establece la responsabilidad de los Administradores que no cumplan con el deber de aumentar el capital a un mínimo de diez millones pesetas), pero ello no cambia la naturaleza del crédito cuyo origen laboral, y posible inclusión en el 'solidum' de los administradores sociales, dado que, la conducta omisiva de éstos trasciende a la garantía de los trabajadores respecto al cobro de su crédito laboral, y es tal crédito, como aspecto más relevante, el que debe configurar la naturaleza de la acción ejercitada... Esta doctrina no contradice la Sentencia de 24 (sic) febrero 1997, cuyos supuestos, de otra parte, son diferentes. Se examinaba, aquí, la aplicación del artículo 262 de la Ley de Sociedades Anónimas, precepto que impone a los administradores la obligación de disolver la sociedad en los casos enumerados. La responsabilidad derivada del incumplimiento de este deber de disolución del ente exige un previo conocimiento y pronunciamiento sobre la existencia de los condicionamientos legales determinantes o no de dicha obligación de disolución. Y, parece lógico que, al respecto, deba atribuirse a los Tribunales competentes en materia mercantil, el conocimiento de aquella cuestión principal de responsabilidad, en cuanto 'tal determinación no es accesoria respecto a las obligaciones sociales'. En forma diferente, como se ha dicho, el debate en la cuestión resuelta en la sentencia recurrida, gira sobre la interpretación de la disposición transitoria 3ª de la vigente Ley de Sociedades Anónimas, y se declara la responsabilidad de los administradores en razón a que su obligación incumplida de aumentar el capital social a diez millones de pesetas, afecta a la garantía de los acreedores, entre los que se encuentran, los trabajadores, de modo que la responsabilidad de aquéllos 'es exigible ante los Tribunales que conozcan de las deudas sociales insatisfechas'". 5.– Sentencia de 13 abril 1998, que reitera la doctrina sentada en las Sentencias de 28 octubre 1997 (por error material se cita octubre y no febrero) y 28 octubre y 31 diciembre 1997.

Concluye pues la jurisprudencia, declarando la incompetencia del Orden Jurisdiccional Laboral cuando se trata de la responsabilidad de los administradores, fundada en la omisión de los deberes societarios impuestos en el artículo 262.5 del Texto Refundido de la Ley de Sociedades Anónimas y, la competencia en los supuestos de responsabilidad de los administradores sociales por incumplimiento de la disposición transitoria 3ª de dicha Ley».

STS de 29 de julio de 1998 (Civil) [5]

FUNDAMENTOS DE DERECHO

«3º Con base en los antecedentes anteriormente expuestos, [...] ha promovido este proceso, en el que pretende que se declare que la antes referida Sentencia de la Sección Decimotercera de la Audiencia Provincial de Barcelona (de fecha 26 junio 1995) ha incurrido en error judicial, al declararle responsable solidario del pago de la deuda social reclamada en el proceso a que dicha sentencia se refiere, por no haber promovido la ampliación del capital social de la entidad mercantil [...] dentro del plazo que señala el apartado 2 de la Disposición Transitoria Tercera del Texto Refundido de la Ley de Sociedades Anónimas, aprobado por Real Decreto Legislativo 1564/1989 cuando él, [...], cesó en el cargo de Administrador de dicha entidad mercantil el día 9 de agosto de 1990 (que lo venía siendo desde 1982) y fue nombrado Administrador único don [...], por lo que entiende el referido demandante que la obligación de promover dicha ampliación de capital social no le incumbía a él, sino al que era Administrador en la fecha en que expiró el plazo que establece dicha Disposición Transitoria Tercera (30 de junio de 1992), que no era él, sino el referido don [...].

4º Es reiterada y notoria doctrina de las diversas Salas de este Tribunal Supremo la de que el llamado "error judicial" viene determinado por un desajuste objetivo, patente e indudable con la realidad fáctica o con la normativa legal, habiendo de tratarse de un error craso, evidente e injustificado o, lo que es lo mismo, un error patente, indubitado e incontestable, que haya provocado conclusiones fácticas o jurídicas ilógicas o irracionales, generadoras de una resolución esperpéntica o absurda, que rompa la armonía del orden jurídico.

Para poder resolver, sobre la base de la doctrina jurisprudencial que acaba de ser expuesta, el supuesto litigioso al que se refiere este proceso, ha de tenerse en cuenta lo que a continuación se expone. El Texto Refundido de la Ley de Sociedades Anónimas, aprobado por Real Decreto Legislativo 1564/1989, de 22 diciembre, entró en vigor el día 1 de enero de 1990 (según establece el inciso inicial de su Disposición Derogatoria), a partir de cuya fecha ya existía la obligación que establece el apartado 2 de su Disposición Transitoria Tercera, en el sentido de que las sociedades anónimas que tuvieran un capital inferior a diez millones de pesetas deberían aumentarlo efectivamente hasta, al menos, esa cifra o transformarse en sociedad colectiva, comanditaria o de responsabilidad limitada. Durante el tiempo comprendido entre el 1 de enero y el 9 de agosto, ambos de 1990, en que el aquí demandante [...] era su Administrador único, la sociedad anónima [...] (que tenía un capital inferior a diez millones de pesetas) no cumplió la obligación antes expresada, así como tampoco lo hizo antes del 30 de junio de 1992, en cuya fecha el señor [...] ya no era Administrador de dicha entidad mercantil, sino que lo era (desde el 9 de agosto de 1990) don [...]. Para el supuesto de que una sociedad anónima no hubiera cumplido dicha obligación una vez transcurrido el plazo fijado para ello (antes del 30 de junio de 1992), el apartado 3 de dicha Disposición Transitoria Tercera responsabiliza personal y solidariamente a los administradores, entre sí y con la sociedad, de las deudas sociales. La redacción "in genere" ("los administradores") de dicho apartado 3 plantea el problema jurídico de si los administradores a los que responsabiliza solidariamente son única y exclusivamente los que lo fueran en la fecha en que venció dicho plazo (30 de junio de 1992) o si ha de extenderse dicha responsabilidad a todos los que fueron administradores de la sociedad durante el tiempo en que estuvo vigente la referida e incumplida obligación (desde el 1 de enero de 1990 al 30 de junio de 1992). [...]».

Auto del TS de 11 de enero de 1999 (Social) [10]

FUNDAMENTOS DE DERECHO

«2º [...] supuesto en el que un trabajador, tras haber obtenido a su favor sentencias firmes condenatorias de la Sociedad de Responsabilidad Limitada empleadora en procesos de despido y reclamación de cantidad, tras no ver satisfechas las cantidades objeto de condena en las ejecuciones definitivas derivadas de aquellos títulos, acude al planteamiento de un proceso declarativo laboral independiente, pretendiendo la declaración de responsabilidad solidaria del administrador societario por incumplimiento de su obligación de convocar oportunamente la Junta General para que acuerde, en su caso, la disolución societaria concurriendo posible causa legal para ello, siendo el pronunciamiento de la Sala favorable a la declaración de tal competencia.

La cuestión planteada ya ha sido resuelta por esta Sala en unificación de doctrina, en su STS/IV 28-2-1997 (recurso 2928/1996), reiterada en las Sentencias de 13-4-1998 (recurso 2925/1997) y 21-7-1998 (recurso 102/1998), en favor de la incompetencia del orden jurisdiccional social para conocer de este concreto supuesto de posible responsabilidad solidaria de los administradores societarios por omisión de la promoción del acuerdo de disolución de la sociedad pese a concurrir alguna causa legal que les obligara a hacerlo».

STS 30 de enero de 1999 (Contencioso-administrativo, Sección 2ª) [11]

FUNDAMENTOS DE DERECHO

«[...] tras la reforma introducida en el artículo 37 de la Ley General Tributaria por la Ley 25/1995, de 20 de julio, [...], la responsabilidad solidaria no puede extenderse a las sanciones. Teniendo en cuenta que [...] fue declarado responsable solidario con [...], que fue entidad sancionada a título principal, es manifiesto que por el principio de retroacción de la norma sancionadora más favorable ha de anularse el acto administrativo en cuanto a dicho extremo.[...]».

STS 4 de febrero de 1999 (Civil) [5 y 6]

FUNDAMENTOS DE DERECHO

«2º En el motivo cuarto, se denuncia al amparo del núm. 4º del artículo 1692 LECiv, la inadecuada aplicación de la disposición transitoria 3ª y del artículo 133 LSA; tratando de demostrar que, por la previa renuncia que hicieron los administradores, en caso alguno estaban obligados a cumplir cuanto se hace constar en la sentencia recurrida, esto es, el incumplimiento del mandato legal de adaptar la sociedad a la nueva legislación sobre Sociedades Anónimas antes de junio de 1992, y por otro lado, el incumplimiento culpable, por parte de mi mandante, como miembro del Consejo de Administración, del mandato de disolución contenido en el artículo 262 LSA por la venta fraudulenta de inmuebles efectuada el 28-12-1991; todos los argumentos para eximir de responsabilidad a los administradores condenados, entre ellos al recurrente, deben ceder frente al contundente juicio que emite al respecto la Sala sentenciadora, siendo fundamental, al punto, el fundamento jurídico 2º, en donde se especifica que, la dimisión efectuada por el interesado, debe resultar inoperante cuando la renuncia se efectuó sin garantizar la continuidad y el normal funcionamiento de la sociedad, como así ocurrió, y luego más adelante se verá... (sic), y con respecto a la procedencia de responsabilidad de los administradores, es bien evidente cuanto se especifica en el citado fundamento jurídico 2º, al hacer constar, "..de la certificación del Registro Mercantil de Álava se desprende cómo los codemandados individuales incumplieron la obligación de ampliar el capital social y adoptar (sic) los estatutos de [...] a la nueva Ley de Sociedades Anónimas. Estos pretenden liberarse de la responsabilidad alegando que dimitieron de sus cargos de administradores en abril de 1992, dos meses antes de que concluyese el plazo de adaptación a la nueva Ley de 30 de junio de 1992 (sic). Sin embargo, esta dimisión del cargo, debe resultar inoperante cuando la renuncia se efectuó sin garantizar la continuidad y el normal funcionamiento de la sociedad, como así ocurrió y luego más detalladamente se verá"».

STS de 31 de marzo de 1999 (Social) [10]

FUNDAMENTOS DE DERECHO

«4º [...] procede hacer la declaración pertinente sobre la competencia, como materia propia del único motivo del recurso que denuncia infracción de los artículos 9.5 de la Ley Orgánica del Poder Judicial y 1 de la Ley de Procedimiento Laboral. El tema debatido ha encontrado ya respuesta en la Sentencia señalada para el contraste, dictada por esta Sala el 31 de diciembre de 1997 y en la anterior de 28 de octubre de 1997, y por elementales razones de seguridad jurídica, y no habiendo circunstancias especiales que aconsejen otra cosa, a esa doctrina unificada habrá de estarse y que, para supuestos similares al presente, ha declarado la competencia del orden social de la jurisdicción para conocer de la responsabilidad de los administradores sociales por incumplimiento de lo mandado en la disposición adicional tercera de la Ley de Sociedades Anónimas. Los argumentos que sustentan esa tesis pueden condensarse en los siguientes:

a) Las cantidades reclamadas lo son en concepto de salarios no satisfechos y la cuestión, evidentemente, pertenece a la rama social del derecho, así es que el conocimiento de tales litigios corresponde al orden social de la jurisdicción, tal como disponen las normas que como vulneradas se citan en el recurso.

b) El hecho de que la responsabilidad de los administradores se origine por incumplimiento de normas de naturaleza mercantil, como es la disposición transitoria tercera de la Ley de Sociedades Anónimas, no cambia la naturaleza de las cosas, y el crédito cuya satisfacción se pretende es de naturaleza laboral; por tanto, cabe la posibilidad de exigir responsabilidad a los administradores sociales cuando su conducta omisiva pueda incidir en las garantías salariales de los trabajadores.

c) No se trata en este caso de asentar la responsabilidad en el artículo 262 de la Ley de Sociedades Anónimas, de manera que pudiera atribuirse la competencia para su decisión al orden civil de la jurisdicción, sino que la cuestión resuelta por la sentencia recurrida gira sobre la interpretación y aplicación de la disposición transitoria tercera de la Ley de Sociedades Anónimas, y se declara la responsabilidad de los administradores en razón a que su obligación incumplida de aumentar el capital social a diez millones de pesetas afecta, como ya se apuntó, a la garantía de los trabajadores acreedores y por ello la responsabilidad habrá de exigirse ante los Tribunales competentes para conocer de las deudas sociales insatisfechas, es decir, los del orden social de la jurisdicción».

STS de 29 de abril de 1999 (Civil) [4, 5, 6, 7 y 13]

FUNDAMENTOS DE DERECHO

«2º [...] el primer motivo del recurso, se denuncia por la vía del núm. 4 del art. 1692 LECiv, la infracción de los arts. 262.5, 260.4, 133, 135 y 127 del Texto Refundido de la Ley de Sociedades Anónimas de 22 de diciembre de 1989; y en su desarrollo se hace constar, que habida cuenta lo dispuesto en el núm. 4º del art. 260, la responsabilidad es inconcusa por parte del administrador codemandado; que "la Sala admite inequívocamente la concurrencia del supuesto, pero no encuentra la relación de causalidad entre el incumplimiento de dicha obligación legal y el daño causado a la entidad actora", por lo cual, se analiza la existencia de dicha relación de causalidad, a cuyo efecto se destaca en el motivo, que actualmente los preceptos de la Ley de Sociedades Anónimas, regulan con mayor amplitud la exigencia de responsabilidad de los Administradores con respecto a la anterior legislación, por cuanto que hoy, el art. 133 es significativo de que es suficiente la falta de gestión, para decretar esa responsabilidad"; que la doctrina, ha interpretado que el art. 262.5º de la LSA, implica la obligación de velar por el mantenimiento de la equiparación entre el capital y el patrimonio; que de la responsabilidad derivada de dicha infracción, no sólo ha de responderse por las deudas sociales contraídas después de la concurrencia de la causa de disolución, sino incluso también de las anteriores; el incumplimiento de esa obligación legal, supone sin más, una presunción de culpa por el hecho de permitir que la situación de insolvencia se prolongue sin promover la disolución de la sociedad en la forma prevista en el citado precepto, que, en definitiva, si bien "la Sala admite que la compañía demandada había perdido en 1991, una cantidad que le obligaba haber acudido a la disolución y, que su Administrador no cumplió el mandato legal, la conclusión es inequívoca, 'debe responder personalmente a tenor de lo dispuesto en el núm. 5 del art. 262 LSA'"; la Sala [...] expone: que, el art. 133 de la LSA vigente de 22-12-1989, determina que "responderán los Administradores, frente a la sociedad, frente a los accionistas y frente a los acreedores sociales del daño que causen por actos contrarios a la Ley, o a los Estatutos, o por los realizados sin la diligencia debida con la que deben desempeñar el cargo"; este tríptico de causas determinantes, requiere a su vez: 1) conducta ilícita, el acto, la voluntad de la conducta, la ilicitud, la transgresión por cada una de las tres causas (o la subsunción del "facere"), en la Ley, en los Estatutos o en la falta de diligencia; 2) la producción del daño y naturalmente; 3) el nexo causal que se sobreentiende; se subraya que con ello se ha rectificado, y se ha corregido la anterior Ley de Sociedades Anónimas, porque, entonces se respondía por los Administradores cuando sus conductas hubiesen incurrido en malicia, abuso de funciones o negligencia grave, con lo que la diferencia es notable; al punto, se agrega que hoy la tutela del perjudicado frente a las actuaciones de los Administradores o Consejeros, es mucho más fornida que la Ley precedente, ya que en la actualidad, prácticamente, dentro de la praxis judicial, se está casi en el umbral de la llamada responsabilidad objetiva o por riesgo, porque, en cuanto se produzca el daño y se acredite el nexo causal, la responsabilidad del Administrador o el Consejero, será inevitable; este art. 133 en su párrafo 2º, impone la responsabilidad solidaria de todos los administradores/consejeros que realizaron el acto o adoptaron el acuerdo, salvo los casos de que no conozcan el acuerdo que se adopte (acuerdo que sea atentatorio, cause daño en los términos del art. 133), o bien, en el caso de que lo conozcan, se hubiesen opuesto expresamente al mismo; se habla asimismo en el art. 134.2º, de que la Junta podrá transigir o desistir del acuerdo adoptado, etc., con el singular efecto de rechazo sobre la destitución de los administradores afectados.

Por otro lado, como es sabido la Ley distingue entre la acción social de responsabilidad y la acción individual de responsabilidad.

A) La acción social: Lo que caracteriza a la acción social, es que el daño se produce a la sociedad, eso en un aspecto propedéutico, sirve para distinguirla de la acción individual, en la cual, ese daño se produce al individuo, al interés personal, daños primarios o directos, según el art. 135; es, pues, una dualidad perfectamente diferenciada, ya que la acción social, procederá cuando una conducta transgresora del consejero o del administrador, por alguna de esas causas, daña a los intereses sociales; luego la ley, desarrolla la legitimación activa, esto es, ante este daño de interés social, puede ejercitar la acción correspondiente:

1) Quien se considere dañado o perjudicado, el ente social, porque, es justamente el receptor del daño, ente social que precisa un acuerdo en Junta con una mayoría, en donde se decida, ejercitar la acción de responsabilidad, contra el consejero o contra el administrador.

2) Accionistas: Luego la Ley, habla en su núm. 4, "ex" art. 134, en una escalada de posibles legitimados "ad causam" dentro de la activa, que pueden ser los accionistas o los acreedores núm. 5; y así se expresa que, los accionistas –siempre que sean más del 5%– podrán promover la convocatoria de la Junta para que se adopte el acuerdo de exigir la responsabilidad social contra el administrador o contra el consejero, y, luego, con evidente

impropiedad o ligereza evidente, prescribe que asimismo se podrá establecer conjuntamente, la acción contra el administrador en los siguientes casos:

a) Cuando los administradores no convoquen la Junta. Pero, se subraya, si no se convoca la Junta, es que no actúa la Sociedad... luego, es una acción individualizada y no concurrente.

b) Cuando convocada la Junta, se adopte el acuerdo y sin embargo, no se entable en un mes la acción de exigir la responsabilidad. Luego también, es una actuación individualizada. No es concurrente.

c) Cuando el acuerdo adoptado hubiera sido contrario a la exigencia de responsabilidad; que tampoco aboca a la concurrencia.

3) Acreedores: Y por último, se contempla en el núm. 5 de citado art. 134, la posibilidad del tercer supuesto de legitimación activa "ad causam" que es, en el caso de los acreedores, quienes también podrán ejercitar la acción de responsabilidad social, contra el administrador o consejero infractor, cuando no haya sido ejercitado por la sociedad o sus accionistas, siempre y cuando no exista patrimonio suficiente, para satisfacer sus créditos.

B) Acción individual: Y por último, está, la acción individual –cabalmente ejercitada en el presente litigio–, prevista en el art. 135, de claro contenido sustantivo, porque, ahí parece ser, que el legislador mercantilista, sin decirlo, viene ya a referirse al "iuris comune" cuando expresa que "no obstante lo dispuesto en los artículos precedentes, quedan a salvo las acciones de indemnización que puedan corresponder a los socios y a los terceros por actos de administradores que lesionen directamente los intereses de aquéllos"; esta acción individual, tiene las siguientes connotaciones: a) se habla de una acción indemnizatoria, y al utilizar la adversativa de "no obstante...", quiere decirse es supletoria o, con independencia de que no se dé la anterior, por lo que, procede ésta cuando proceda; se repite, que el foco de la distinción con la acción social de esta acción individual de responsabilidad, radica en que el acto atacado transgreda intereses individuales del perjudicado, los socios o terceros; b) otro matiz que sobresale es que, por primera vez, en todos los temas de responsabilidad, aquí la Ley, no habla de "accionistas" ni de "acreedores", sino de socios y de terceros, y emerge que pese a repetir la ley de manera reiterativa, el término "accionistas", aquí se habla de socios por primera vez; acaso hubiera sido preferible que se continuase con la palabra accionista, porque, normalmente, en la Sociedad Anónima, el accionista, es socio, aunque en otro tipo de sociedades, no cabe esa identidad; c) se habla también de terceros, cuando antes se ha estado refiriendo a los acreedores, y entonces se plantea la cuestión de delimitación, el acreedor es tercero o no es tercero y cabe sostener, es tercero cuando no está incardinado en el ente social; no es tercero cuando está ligado con la sociedad a través del contrato del cual emana su crédito; y también se cuestiona si el acreedor tiene o no acción individual, pues, si bien no lo refleja el art. 135, que habla de socios y terceros, el acreedor, sí debe estar legitimado para ejercitar esta acción individual no en cuanto actúe como tal acreedor, sino en cuanto, sin perjuicio de ser acreedor, sea tercero; en definitiva, cuando el perjuicio que se le irrogue por parte del acto del administrador o consejero, no sea en su crédito en concreto, sino en el resto de su patrimonio.

Por último, en torno de la exigencia de responsabilidad, al respecto se cuestiona si el tiempo para su cómputo es el que marca el Código de Comercio, art. 949, que dice que la acción para exigir la responsabilidad correspondiente de los administradores o consejeros, prescribe a los 4 años desde que se produjo la conducta, o el acto lesivo (o siguiendo el dictado del art. 1964 CC, en sede de la responsabilidad contractual de 15 años) o bien el art. 1968.2º del CC, de un año, si el marco es la responsabilidad extracontractual, con lo que se plantea el problema acerca de si la responsabilidad del Consejero o del Administrador, civil, o mercantil, es contractual o extracontractual, pues, si es contractual, se estará dentro del marco de 4 años, del 949 del CCom; si es extracontractual, dentro de la responsabilidad aquiliana del 1902 CC, y –se repite– será un año, "ex" art. 1968.2º; el problema, pues, se relaciona sobre si el Consejero, o Administrador es un mandatario, o un representante, así como sobre sus conductas transgresoras, que irroguen un daño, con la polémica incluso doctrinal, cabe sostener que salvo la deficiente referencia a ese leal representante, del 127 de la LSA, el espíritu y la propia letra que resplandece en esta Ley, es la de considerar al Administrador o al Consejero como tal órgano, y en este caso, el juego dentro de la responsabilidad contractual, indiscutible, por lo que el plazo de ejercicio es el de 4 años, siendo ésta la razón por la que, la jurisprudencia más actualizada sigue esta tesis, porque antes de la reforma, se consideraba al Consejero o Administrador como tal mandatario de la Sociedad, y entonces, los contratos que celebraba con los terceros, sólo le ligaban a él y al tercero, con independencia, desde luego, de la responsabilidad subsidiaria inherente del ente, mientras que la contractual era contra el Consejero o el Administrador interviniente; sin embargo, con la nueva normativa, al considerarse como tal órgano al Administrador, se estima a todos los efectos, que la responsabilidad es de tipo contractual directamente con el ente.

3º [...], la acción individual de responsabilidad, que se trata de fundamentar en que el demandado Administrador omitiera dar cumplimiento a lo dispuesto en el art. 262.5º de convocar la Junta General, si, como se afirma, la Sociedad estaba incursa en la causa 4ª del art. 260, ambos preceptos de la Ley Especial que ya antes se citó, porque aun admitiendo este Tribunal que el actuar del demandado pudiera ser formalmente contrario a la Ley y que pudiera entrañar una presunción de culpa en el gestor..."; no hay duda, pues, que por la propia Sala "a quo" se admite que, por parte del Administrador demandado, se omitió el cumplimiento de lo dispuesto en el art. 262.5º, de convocar Junta General, si como se afirma y es cierto, la Sociedad estaba incursa en la causa 4ª del art. 160;[...], a tenor de la normativa aplicable y partiendo como hechos incuestionables de la situación de insolvencia en [...] al hacer constar, que "la insolvencia o falta de liquidez sobrevino a la contratación con la actora de varias cuentas de crédito en el año 1991, y por causa del impago a la sociedad de las cambiales que había girado a sus clientes", no cabe, sino, subrayar que, ante esta situación el deber del Administrador, está perfectamente incurso en la aplicación de lo dispuesto en los arts. 260.4º en relación con el 262.5, LSA, puesto que en el primer supuesto del art. 260.4º, se dice, que procederá la disolución de la Sociedad, a consecuencia de pérdidas que deje reducido el patrimonio a la cantidad inferior a la mitad del capital social a no ser que éste se aumente o se reduzca a la medida suficiente; que esa situación de insolvencia, por ende, supone la existencia de tal pérdida, y en consecuencia, la procedencia de la disolución es inconcusa, y así este deber legal viene recogido en el art. 262.5, al sancionarse que, responden solidariamente de las obligaciones sociales los Administradores que incumplan la obligación de convocar en el plazo de 2 meses la Junta General, para que adopten en su caso, el acuerdo de disolución o que no soliciten la disolución judicial de la sociedad; se añade que, ahí está perfectamente reflejada una responsabilidad por parte del Administrador, cuando se incumpla dicha obligación legal de convocar en el plazo de 2 meses la Junta General, para que adopte en su caso, el acuerdo de disolución en los supuestos en que se determina, en los términos, entre otros, previstos en el repetido núm. 4º del art. 260; y si ello, además, se pone en consonancia con lo recogido en el art. 127, en cuanto que en el ejercicio del cargo de los Administradores, éstos actuarán con la diligencia de un ordenado empresario y de un representante leal, y que asimismo, sobre la acción individual del art. 135, se prescribe que, estarán a salvo siempre las acciones de indemnización que puedan corresponder a los socios y terceros por actos que lesionen directamente los intereses de aquéllos, y lo dispuesto en el art. 133, que en cuanto a la responsabilidad en general, establecía que los Administradores, responderá frente a la sociedad, frente a los accionistas y frente a los acreedores sociales, del daño que causen por actos contrarios a la Ley, es llano que de esa conjunción normativa, en el caso de autos, el incumplimiento de la obligación legal por el Administrador demandado, supuso una conducta contraventora de la Ley, lo que implica, que la responsabilidad derivada y recogida en el art. 262 del núm. 5, sea una consecuencia determinante de la misma, y [...]sin que exista prueba para admitir lo contrario, es obvio que el incumplimiento de esa obligación legal, determinará, según las sanciones previstas, la responsabilidad correspondiente, por lo que, [...] en el repetido art. 262.5, se establece una responsabilidad solidaria de los Administradores, cuando se incumpla la obligación legal de promover la Junta a los fines de que se adopte en su caso el acuerdo de disolución; se reitera, pues, que no es posible entender que cuando esa actitud contraventora se pueda enturbiar o eludirse porque precisamente el efecto damnificante o perjudicial para la sociedad, y en definitiva, para los acreedores en su caso, por el impago de sus deudas, provenga de una insolvencia y en cuya insolvencia no ha tenido participación culposa el Administrador demandado, se aprecie una especie de justificación exonerativa de responsabilidad para éste, ya que, como se dice, emerge como cuestión prioritaria que el incumplimiento de dicha obligación, sin más deberá desencadenar la responsabilidad solidaria legalmente establecida, y ello al margen de que, el daño que se haya producido en sí, pudiera provenir o no de una conducta de aquél culposa o negligente o falta de diligencia; y es que, además ya en el caso de autos, la conducta del Administrador, claramente infractora de dicha obligación legal, supone "ipso facto" que no se desempeñó el cargo con la diligencia de un ordenado empresario o de un representante leal, que, como mínimo, habrá naturalmente de cumplir con las obligaciones legales de su gestión, por lo que esa conducta, contraventora de la ley, determinará la responsabilidad prevista en el art. 132; [...]»

STS de 10 de mayo de 1999 (Civil) [2, 5 y 6]

FUNDAMENTOS DE DERECHO

«1º [...] Los señores [...] fueron administradores sociales hasta agosto de 1990 al igual que el señor [...], que quedó desde entonces como Administrador Único. Ninguno de los acuerdos sociales, elevados a escritura pública, relativos a los ceses y nombramientos de aquéllos, se inscribió en el Registro Mercantil.

2º [...] Las fundamentaciones de los tres motivos se apoyan en el principio de publicidad material de las inscripciones registrales. Si los demandados [...] figuraban en el Registro Mercantil como consejeros de la sociedad demandada, frente a terceros de buena fe han de responder como tales, a ellos no se les puede imputar que sus ceses no accedieran al Registro Mercantil.

[...]. De tales hechos resulta que los señores [...] fueron cesados en sus cargos de consejeros en la Junta General Extraordinaria de la sociedad codemandada de 18 de agosto de 1990, adaptándose como órgano de administración la figura del administrador único, que desempeñaría el vocal del anterior Consejo de Administración que permanecía don [...], también codemandado; que tales acuerdos fueron elevados a escritura pública el 2 de octubre de 1990, sin que se inscribieran en el Registro Mercantil; que los consejeros cesados no gestionaban desde 1987, asumiendo esa función el señor [...]; él fue quién contrató con la recurrente e intervino en nombre de la sociedad para liquidar la deuda que se reclama ahora; que en el momento de elevar a público los acuerdos sociales, la sociedad desarrollaba sus funciones con normalidad sin que conste probado cuál era su estado patrimonial ni que hubiera dejado de pagar sus obligaciones; que los resultados negativos se exteriorizan pasado un año y medio después.

Así las cosas, no se ve qué responsabilidad pueda imponerse a los señores [...] por acontecimientos ocurridos con posterioridad a agosto de 1990, que pueden resumirse en la desaparición "de facto" de la sociedad. Si hasta entonces su desenvolvimiento era normal, es más inexplicable aún la pretensión. Cierto es que seguían figurando como consejeros de la sociedad, pero en modo alguno ello le es imputable, pues como dice la Audiencia (fundamento jurídico cuarto): "En el contexto descrito, la ausencia de intervención y desconocimiento de los cesados de la situación de la sociedad demandada no se les puede imputar frente a terceros por el único elemento de que el acto relativo a sus ceses no tuvieron reflejo en el Registro Mercantil, ya que no estaban facultados para la elevación a instrumento público de los acuerdos sociales ni para certificar, facultades que los artículos 108 y 109 del Registro Mercantil reservan a las personas y órganos representativos que enumera, documentos en virtud de los cuales debe practicarse la inscripción de separación de los administradores a tenor del artículo 142 de la mencionada norma registral".

Ciertamente que el no desempeño del cargo de administrador no libera a los demandados de sus responsabilidades como tales, [...], se reveló después de que los señores [...] fuesen cesados legalmente de sus cargos, sin que en modo alguno puedan considerarse constitutivas las inscripciones registrales correspondientes por no imponerlo precepto legal alguno. Si tales inscripciones no se han practicado por causas que no le son imputables, no puede pretender ningún tercero que respondan como titulares de un cargo cuando no lo son».

STS de 18 de mayo de 1999 (Civil) [1]

FUNDAMENTOS DE DERECHO

«1º [...] El artículo 79 de la Ley de Sociedades Anónimas ha sido correctamente aplicado, careciendo de consistencia impugnatoria el alegato casacional, ya que no respeta los hechos que la sentencia en recurso declara probados, los que acreditan suficientemente el actuar malicioso y con abuso de facultades de los administradores de referencia, pues su deslealtad a la sociedad, por su conducta taimada, artera y decidida a privarle con daño del único activo social importante, resulta notoria, en relación a la venta precipitada de la finca, con las circunstancias extrañas que la rodearon, pues se llevó a cabo tres días antes de la Junta convocada para su destitución, en domingo y ante Notario de guardia, a espaldas de la mayoría social y sin una justificación, medianamente racional de tal venta urgente, y a familiar tan próximo, así como que el precio obtenido resultó cinco veces inferior a las ofertas de otros interesados en la adquisición del inmueble, y del que pericialmente resultó por tasación pericial, habiéndose también declarado probado la producción de efectivo daño patrimonial-social y la concurrencia de causalidad eficiente.

2º [...] la doctrina de esta Sala de Casación Civil que declara en estos supuestos que los administradores sociales responden en forma solidaria, al no poderse individualizar sus propias responsabilidades (SS. de 20-3-1975, 15-10-1976, 23-10-1978, 4-1-1989, 13-2-1990, 22-4-1994 y 22-6-1996).

La responsabilidad solidaria de los administradores la decreta expresamente el artículo 133 y concordantes de la vigente Ley de Sociedades Anónimas, habiéndose admitido, en casos similares al que nos ocupa, la solidaridad tácita pasiva (SS. de 19-12-1991, 26-1-1994 y 17-10-1996)».

STS de 7 de junio de 1999 (Civil) [2, 3, 5 y 7]

FUNDAMENTOS DE DERECHO

«1º [...] El Administrador cometió numerosas irregularidades durante todo el tiempo que ostentó dicho cargo: abandonó, en un momento determinado la administración de la sociedad, no dio ninguna justificación de sus gestiones, no convocó las juntas generales, dispuso de todos los fondos de la compañía, cerró los locales comerciales, no pagó los alquileres, ni a los proveedores, los otros socios hicieron aportaciones para reponer el capital social disminuido y [...] no dio cuenta de las mismas; en ningún momento rindió cuentas del ejercicio 1990, y dio origen a numerosas irregularidades fiscales desde 1989 [...]. El recurrente sostiene la incongruencia del fallo de la Audiencia, por cuanto en la demanda se solicitó que se declarase a [...] responsable de los daños y perjuicios irrogados a la sociedad y la Sala le exculpó basada en el hecho de que había actuado como cogestor el socio [...], apoderado nombrado por el Administrador, que representaba a la mayor parte del capital de la sociedad olvidando que, como tal apoderado, dependía del Administrador que, efectivamente le revocó los poderes al hacerse conflictivas las relaciones. [...]

2º [...] La justificación argüida por la Sala en el sentido de que el apoderado era el verdadero gestor de la sociedad es inconsistente frente al derecho positivo. Legalmente el auténtico gestor y el responsable de la marcha de la sociedad es el administrador y todavía más si es único.

El párrafo 3º del artículo 133 de la Ley de Sociedades Anónimas es revelador a este respecto: "En ningún caso exonerará de responsabilidad la circunstancia de qué acto o acuerdo lesivo haya sido adoptado, autorizado o ratificado por la Junta General". La consecuencia es clara: si no es motivo de exculpación ni el acuerdo del supremo órgano de la sociedad, mucho menos lo puede ser la voluntad de un apoderado, que depende en su continuidad de la decisión del Administrador.

3º [...] Responderán solidariamente todos los miembros del órgano de administración que realizó el acto o adoptó el acuerdo lesivo, menos los que no intervinieron o hicieron todo lo conveniente para evitar el daño o se opusieron a él.

Por ello, aunque a efectos argumentales, se aceptase la afirmación, obrante en autos, de que el [...], era un coadministrador "de facto", lo cierto es que ni aun así se obviaría la responsabilidad del señor [...]; aunque de verdad hubiese habido dos administradores con igualdad de facultades (y en el caso de la litis solo había un Administrador único) cada uno de ellos en cuanto responsable solidario, tendría que hacer frente a la responsabilidad total por los daños ocasionados.

4º [...] aunque hubiese presentado una contabilidad aceptable, que hubiese sido aprobada por la Junta General, tendría que responder el Administrador, cuanto más en supuestos como el que nos ocupa en que no se ha elaborado ninguna contabilidad y todo es irregular.

[...] esgrime la ley frente a los Administradores: "La acción de responsabilidad contra los Administradores se entablará por la sociedad, previo acuerdo de la Junta General, que puede ser adoptado aunque no conste en el orden del día". Es decir que ante los Administradores infieles no hay que guardar ninguna cortesía y puesto que responden por la mera negligencia pueden ser sorprendidos por una deliberación adversa no mencionada en la convocatoria.

Este artículo 134 prohibe establecer mayorías reforzadas para exigir la responsabilidad de los Administradores.[...]»

STS de 2 de julio de 1999 (Civil) [5, 6 y 13]

FUNDAMENTOS DE DERECHO

«1º [...] Los hechos probados firmes ponen de manifiesto que concurren causas suficientes y decisivas para que los administradores procedieran a convocar Junta General a fin de adoptar acuerdo sobre la disolución de la sociedad, lo que en ningún momento han cumplido y habiendo llevado a cabo una serie de actuaciones acreditativas que facilitan la aplicación del artículo 260.4º de la Ley de 1989, pues conforman hechos demostrados, firmes en casación, entre otros, que la compañía fue dada de baja de la Licencia Fiscal desde el 7 de julio de 1989, no satisfizo el Impuesto de Sociedades desde 1988, ni llevó contabilidad en su verdadero significado para reputarla como efectiva contabilidad mercantil-societaria, dejó de efectuar los pagos de las cuotas de la Seguridad Social desde diciembre de 1988, no atendió a las cambiales giradas por la recurrente para el pago de las mercaderías suministradas, dado el estado de iliquidez en el que se encontraba y que, por consecuencia de juicio de desahucio por falta de pago, hubo de abandonar el local donde tenía su sede, sin que acreditase hubiera accedido a otro, con reflejo en el Registro Mercantil, para definitivamente dejar de ser activa a partir del mes de julio de 1989, es decir que entró en situación de descapitalización y quiebra técnica. Tal situación era perfectamente conocida por los administradores demandados, y subsistía al uno de enero de 1990 en que entró a regir la Ley de Sociedades Anónimas de 1989, ya que la Sociedad no se extinguió.

Los hechos que se dejan reseñados son bien acreditativos de que nos encontramos ante un efectivo estado de inoperatividad total societaria, lo que suponía, por repercusión evidente, la imposibilidad de realizar el fin social en cuanto se instauró la desaparición de hecho de la empresa, carente de domicilio social y con paralización de los órganos sociales, todo lo cual resulta perjudicial para los acreedores, al imponérseles desconcierto e inoperancia a fin de poder reclamar y cobrar sus créditos, pues no resultaba localizable la sociedad en un domicilio real, viniendo a reforzarse la aplicación del artículo 262.5º de la Ley de Sociedades Anónimas, ya que los administradores siguieron manteniendo posición pasiva sin convocar Junta General de disolución a lo que estaban obligados, por ser ya de aplicación el artículo 260.4º, o en su caso el 5º, pues la sociedad teóricamente existía, por no constar en el Registro Mercantil que se hubiera procedido a su disolución y baja.

De este modo, queda bien determinada la responsabilidad consecuente de los administradores, que deben asumir, al ser inherente a la extinción "de facto" que conocieron en todo momento, y que incluso provocaron y sobre todo consintieron, sin realizar actividad alguna de las que le imponía el correcto desempeño de su cargo y en cuanto tenían obligación de convocar Junta o adoptar las otras medidas que previene el citado artículo 262, y con independencia de que las situaciones determinantes hubieran surgido con anterioridad al primero de enero de 1990, ya que se mantuvieron con posterioridad, sin alteración alguna de sus efectos negativos.

Procede, partiendo de lo que se deja expuesto, resolver la cuestión de la prescripción. Esta Sala de casación Civil no acepta la decisión del Tribunal de Instancia, ya que el plazo de un año que aplica no es el que corresponde. El excesivo rigor del instituto de la prescripción ha sido atenuado por esta Sala mediante una interpretación restrictiva, al no estar basada en principios de justicia estricta y sí solo en razones de seguridad social y también de oportunidad, tratándose de una institución más bien artificial que viene a limitar el ejercicio de los derechos.

El plazo de un año sí procede respecto a las acciones de naturaleza extracontractual y así sucede con la acción que se ejercita al amparo de los artículos 79 y 81 de la Ley de 17 de julio de 1951, pues al ser aplicable el artículo 1902 del Código Civil, el plazo prescriptivo es el del 1968.2º, por sumisión del artículo 943 del Código de Comercio; sin embargo el plazo de cuatro años a que se refiere el artículo 949 de dicho Código –artículo declarado vigente por Decreto 14 de diciembre 1951 y cuya validez se mantiene aún derogada la Ley de 17 de julio 1951–, es aplicable a otras responsabilidades derivadas de la gestión social o de la representación, pero no a las responsabilidades del artículo 1902 del Código Civil, complementario del 81 de la Ley especial (Sentencia de 21 de mayo 1992, que cita la de 11-10-1991). La Sentencia de 22 de junio de 1995 establece que el plazo de prescripción no es el de un año sino el que preceptúa el artículo 949 del Código de Comercio.

Resulta más precisa y contundente la reciente Sentencia de 29 de abril de 1999, en cuanto declara que con arreglo a la nueva normativa, al administrador se le estima, a todos los efectos, que su "responsabilidad es de tipo contractual directamente con el ente"».

STS de 9 de julio de 1999 (Civil) [5]

En el mismo sentido, vid., entre otras, SSTS de 2 de julio de 1998 y 30 de mayo de 2008.

STS de 21 de septiembre de 1999 (Civil) [5 y 6]

FUNDAMENTOS DE DERECHO

«2º Las Sentencias del Juzgado de 1ª Instancia y de la Audiencia son contestes en considerar que la acción ejercitada en los apartados 3 y 4 del "petitum" de la demanda es la denominada acción individual de responsabilidad que se configura en los artículos 133 y 135 de la Ley de Sociedades Anónimas vigente (aprobado por Real Decreto Legislativo 1564/1989, de 22 de diciembre) y que faculta a los acreedores para dirigirse contra los actos de los administradores que lesionen directamente los intereses de aquéllos. Aunque la demanda no menciona el artículo 135, y sí el 134.5 (que trata de la acción social), del relato fáctico y de la redacción del suplico, deduce la Sentencia recurrida, en sintonía con la de primera instancia, que se ejercita la acción individual, y no la social. Y también razona dicha resolución que no se plantea en la demanda, y no cabe por tanto examinarla sin riesgo de incurrir en incongruencia, la acción de responsabilidad solidaria de las obligaciones sociales, que se recoge en el artículo 262.5 de la LSA, en relación con los apartados dos y cuatro del propio precepto, el cual fue alegado "in voce" en el acto de la vista de la apelación. Esta apreciación es interesante porque del escrito del recurso parece deducirse que la parte recurrente pretende haber ejercitado las dos acciones. Al efecto, en los antecedentes se alude a que en la demanda se solicita la condena solidaria de los administradores de la sociedad con base en sus graves incumplimientos legales y contractuales; en el encabezamiento del motivo se citan los artículos 133, 135 y 262.5 LSA; y en el desarrollo del mismo (en el último párrafo) se indica que "la pretensión deducida en la demanda tiene perfecta cabida dentro del ámbito de responsabilidad impuesta a los administradores por los artículos 133 y 262.5 de la Ley de Sociedades Anónimas", [...] y más adelante se señala "cuya satisfacción –intereses de los acreedores– ha de permitir dirigir nuestra pretensión contra los Administradores de la mercantil deudora, al amparo de lo dispuesto en los artículos 133 y 135 de la Ley de Sociedades Anónimas, en relación con los artículos 260 y 262 del mismo Texto Legal". La cuestión debe ser resuelta en el mismo sentido que lo hizo la resolución recurrida. [...] el acierto de la conclusión de instancia resulta de la valoración de los dos aspectos que configuran el objeto procesal: el relato fáctico ("causa petendi") y el "petitum" (en el que si bien se pide la cantidad que importa la deuda, no se hace en concepto de responsabilidad obligacional, sino en concepto de indemnización de daños y perjuicios). Refuerza la apreciación la omisión en el texto de la demanda de referencia alguna en el artículo 262.5 de la Ley de Sociedades Anónimas. Existe, no obstante, un argumento en la Sentencia de instancia que es equivocado, y que si bien no altera lo razonado, resulta oportuno aclararlo. No responde a la realidad afirmar que la parte actora solicitó una declaración de responsabilidad civil subsidiaria, porque pidió la responsabilidad civil directa (lo que es sensiblemente similar, aunque no igual a la solidaridad). La referencia a la subsidiariedad, lamentablemente no valorada debidamente en la primera instancia, constituía, consciente o inconscientemente, un planteamiento de acumulación eventual ("en defecto de...") que vedaba entrar a analizar la pretensión subsidiaria al haberse estimado la principal (SS. de 26 de noviembre de 1990, 10 de enero de 1991, 18 de julio de 1995). No cabe confundir la subsidiariedad civil, con la subsidiariedad procesal, cuya infracción puede determinar incongruencia, si bien en el pleito no tiene más trascendencia que la que se dirá, habida cuenta la conducta procesal de las partes, la doctrina que veda la "reformatio in peius" (que al menos, en principio, podría suscitarse), y el no constituir el vicio un defecto procesal valorable de oficio, tanto más si se observa que no roza la indefensión. Es cierto que en alguna ocasión, como en el caso examinado en la Sentencia de 21 de noviembre de 1998, se entendió que la petición era para el supuesto de desaparición o de insolvencia de la entidad mercantil deudora contractual, pero la verdad es que la redacción del "petitum" era distinta.

3º Como consecuencia de lo razonado en el fundamento jurídico anterior el contenido del motivo queda reducido al examen de la acción individual de responsabilidad. La normativa aplicable al caso, habida cuenta la fecha del acontecimiento histórico integrante de la "causa petendi", es la contenida en los artículos 133.1 y 135 de la Ley de Sociedades Anónimas de 1989. Para la acción de que se trata están legitimados activamente los acreedores de la sociedad cuando resultan lesionados directamente sus intereses por actos de los administradores. Es una acción de resarcimiento o indemnización, como claramente se configura en la súplica de la demanda de autos, que no requiere como presupuesto necesario una deuda social, aunque puede ser ésta su sustrato lesivo, y que en armonía con su naturaleza exige la concurrencia de los tres requisitos típicos de las acciones resarcitorias o indemnizatorias, a saber: daño, culpa (configurada, por cierto, en la nueva Ley de 1989 en términos más latos, a como se entendía en su homónima y precedente del artículo 81 de la Ley de 1951) y nexo causal entre la conducta o actitud por acción, u omisión (inactividad) de los administradores como tales y la lesión sufrida por el acreedor social.

En la Sentencia recurrida se sienta como base fáctica que los administradores demandados procedieron al cierre de la sociedad, ante las dificultades económicas que ésta atravesaba, sin cumplimentar los trámites establecidos por el ordenamiento jurídico para estas eventualidades, con lo que infringieron los deberes que les imponen los apartados 2 y 4 del artículo 262 LSA, que integran el deber de diligencia que le es exigible en cuanto tales administradores (artículo 127.1 Ley/1989). De ello deduce la concurrencia de un comportamiento negligente, pero, en sintonía con la Sentencia de esta Sala de 4 de noviembre de 1991, considera que falta la relación de causalidad porque la actora, a quien incumbía la carga, no probó que la inactividad de no haber procedido a la ordenada liquidación de la sociedad fue lo que determinó el impago del crédito, o contribuyó a disminuir las expectativas de cobro, o a empeorar la situación del patrimonio social.[...]

El nexo causal puede ser objeto de enjuiciamiento casacional, respetando en todo caso la base fáctica que no haya sido impugnada por la vía procesal correspondiente. Los hechos que permiten sentar el juicio de valor acerca de si son los adecuados y eficientes, para entender que el daño o lesión producida es una consecuencia natural de los mismos no pueden ser introducidos en casación, ni pueden ser alterados en relación con los contemplados en la Sentencia de instancia. Sólo se acepta el complemento de ésta a través de la denominada doctrina de la relación incompleta o "integración del 'factum'", pero esta doctrina no puede extenderse a afirmaciones fácticas que no resulten inconclusas de la resolución recurrida. Como consecuencia de lo anterior no cabe valorar las alegaciones del recurso que vayan más allá de lo probado en la instancia: es decir, crisis económica, cierre y desaparición material de la empresa, y que no se liquidó ni disolvió la sociedad, ni se convocó la Junta General, ni se instó situación concursal –suspensión de pagos o quiebra–.

Por consiguiente, y habida cuenta lo razonado en la Sentencia de la Audiencia, no se aprecia en la misma un criterio desacertado o incorrecto, sino lógico y ponderado. Es evidente que los administradores incurrieron en una clara inactividad contraria al standard jurídico de la diligencia del ordenado comerciante –la que le es exigible a un comerciante normal– y asimismo resulta incuestionable la existencia de un daño, pero no hay fundamento para estimar que éste (el impago de la deuda) es consecuencia (directa, ni en el caso indirecta) de los datos fácticos que pueden ser valorados. Dicho de otra manera, falta la conciencia o convicción de que se hubiera podido evitar el daño con un comportamiento distinto de los administradores (siempre en relación con el ámbito fáctico prefijado). El mero incumplimiento de los apartados referidos del artículo 262 LSA y la situación de insolvencia de la sociedad no son suficientes para considerar fundada una pretensión del artículo 135 de la propia Ley, si no se prueba el nexo causal.[...]»

STS de 27 de septiembre de 1999 (Contencioso-administrativo, Sección 2ª) [11]

FUNDAMENTOS DE DERECHO

«[...] El tipo de infracción grave del apartado a) del art. 79, antes y después de la precitada reforma introducida por la Ley 25/1995, de 20 de julio, en un régimen de autoliquidación preceptiva, requería y requiere que se haya producido una falta de ingreso derivada de una declaración-liquidación manifiestamente errónea y hasta cabría decir que temerariamente producida. No se trata solo de "exculpar" a quien haya puesto la diligencia necesaria en el cumplimiento de sus obligaciones y deberes tributarios o a quien "haya presentado una declaración veraz y completa y haya practicado, en su caso, la correspondiente autoliquidación amparándose en una interpretación razonable de la norma" –art. 77.4 a) LGT, modificado por la Ley 25/1995–, sino de no considerar, en una inadmisible interpretación extensiva de una norma sancionadora, que cualquier falta de ingreso de una deuda tributaria, sin más especificaciones, haya de valorarse como infracción y, además, como infracción grave. El tipo del tan repetido apartado a) del art. 79 LGT se refiere, antes y después de la reforma operada por la Ley 25/1995, a una efectiva e injustificada falta de ingreso de la totalidad o parte de las deudas tributarias y no a faltas de ingreso amparadas por la presentación, dentro de plazo, de una declaración-liquidación que, aunque pueda resultar incorrecta desde el punto de vista fiscal, sea completa, en el sentido de que refleje todos los datos requeridos fiscalmente tal y como aparezcan en una contabilidad transparente y regularmente llevada. La infracción grave no puede estar, pues, solamente constituida por la falta de ingreso, sino por la falta de ingreso que resulte de la no presentación, de la presentación fuera de plazo y de las previsiones de regularización que estén permitidas legalmente o de la presentación de declaraciones intencional o culposamente incompletas. [...]»

STS de 2 de octubre de 1999 (Civil) [5]

En el mismo sentido, vid. SSTS de 21 de mayo de 1992, 2 de julio de 1999, y 31 enero 2001.

STS de 30 de octubre de 1999 (Civil) [5]

FUNDAMENTOS DE DERECHO

«9º [...] Se cita como precepto infringido el artículo 143 de la Ley de Sociedades Anónimas de 22 de diciembre de 1989". En el alegato integrante de su desarrollo se dice literal e íntegramente lo siguiente: "La infracción de dicho precepto se produce porque la Sentencia recurrida dice en su fundamento de derecho tercero que no procede estimar la demanda interpuesta por mi principal por no haberse interpuesto dentro de los plazos establecidos en el artículo 143 de la Ley de Sociedades Anónimas. Pero lo cierto es que dicho artículo se refiere a los acuerdos de los órganos colegiados de administración, y, como reconoce la Sentencia recurrida, el presente litigio versa sobre los actos de un administrador único. En consecuencia, es evidente que la Sentencia recurrida infringe el artículo 143 de la Ley de Sociedades Anónimas".

[...] Si bien la Sentencia aquí recurrida [...] dedica su fundamento jurídico segundo, complementado por el tercero, a razonar sobre la posibilidad de impugnar los actos (acuerdos) del administrador único de una sociedad anónima, en cuyo caso afirmativo considera que, si esa fuera la acción ejercitada por la actora, se habría producido la prescripción o caducidad de la misma, conforme al artículo 143 de la vigente Ley de Sociedades Anónimas, lo cierto es que toda la referida argumentación (que puede considerarse expuesta a modo de "obiter dictum") no tiene la más mínima influencia en el pronunciamiento desestimatorio de la demanda pues el mismo lo basa exclusivamente la Sentencia recurrida en que considera que la acción verdaderamente ejercitada por la actora es la de responsabilidad del administrador demandado, para cuyo ejercicio carece de legitimación activa ("ad causam"), desde el momento en que postula (con la declaración de nulidad radical del acto por el que, según ella el administrador demandado se autoincrementó sus retribuciones de los años 1986 y 1987) postula, repetimos, que se condene a dicho administrador a reintegrar a la sociedad las cantidades que, según la actora, cobró de más, por lo que la Sentencia recurrida, después de afirmar expresamente que "la acción aparece bien calificada por la señora Juez de la primera instancia", agrega textualmente en su fundamento jurídico cuarto [...] "que, de hallarse obligado aquél (el administrador demandado, aclaramos nosotros) a reintegrar suma alguna, es claro que su acreedora es la sociedad, no la demandante, por lo que el ejercicio de la acción de reclamación de lo indebidamente pagado no corresponde a ésta, sino a aquélla. En este caso la demandante no interesa para sí, sino para la sociedad cuya representación no ostenta y cuya voluntad no puede suplir sin más, por lo que procede desestimar el recurso y mantener la Sentencia apelada, ya que nuestro ordenamiento no atribuye derecho a la jurisdicción para defender derechos ajenos respecto de los cuales el demandante no tenga poder de disposición (en este sentido, Sentencia de 8 de abril de 1994)" [...].

En contra de lo que la Sentencia recurrida dice en su fundamento jurídico segundo, esta Sala entiende que a dicha cuestión ha de corresponderle una respuesta negativa por las siguientes razones: 1ª La vigente Ley de Sociedades Anónimas de 22 de diciembre de 1989 dedica la Sección Tercera de su Capítulo V, bajo el epígrafe (dicha Sección) "De los Administradores" (artículos 123 a 135) a regular todo lo concerniente a los administradores (individualmente considerados) y en dicha regulación no se contiene precepto alguno que haga la más mínima referencia a la posibilidad de impugnar los actos (decisiones) de un administrador único. 2ª La Sección Cuarta de ese mismo Capítulo V, bajo el epígrafe (dicha Sección) "Del Consejo de Administración" (artículos 136 a 143) está dedicada exclusivamente a regular todo lo concerniente a la actuación de dicho órgano colegiado (más de dos administradores). 3ª Únicamente en dicha Sección Cuarta es donde aparece el artículo 143, con el epígrafe "Impugnación de acuerdos", cuyo precepto establece expresamente que los administradores y los accionistas que representen un cinco por ciento del capital social "podrán impugnar los acuerdos nulos y anulables del Consejo de Administración o de cualquier otro órgano colegiado de administración". De la redacción de dicho precepto (único que dedica la Ley al tema que nos ocupa) se desprende claramente que el legislador solamente ha previsto y autorizado la posibilidad de impugnación de los acuerdos en sí del Consejo de Administración, como órgano colegiado, pero no ha considerado oportuno hacer extensiva también dicha posibilidad de impugnación a las decisiones del administrador único ("inclusio unius, exclusio alterius"), la cual, por otro lado, entrañaría insalvables dificultades, dada la imposibilidad práctica de distinguir formal y cronológicamente entre la decisión del administrador único y su ejecución o acto, cuando lo que el artículo 143 lo que permite y regula es exclusivamente la impugnación del acuerdo en sí del órgano colegiado de administración, no la de su ejecución o acto ejecutivo. Por todo ello, hemos de concluir que las decisiones (confundidas con su acto ejecutivo) del administrador único no son susceptibles de impugnación autónoma e independiente, pues dicha posibilidad está exclusivamente reservada, por imperativo legal a los acuerdos del Consejo de Administración, en cuanto órgano colegiado. Cuando de un administrador único se trate, que es el caso que aquí nos ocupa, la única posibilidad que arbitra el legislador para reparar el daño o perjuicio causado por un acto (decisión) del mismo, aunque se le pueda considerar nulo o anulable, es la de ejercitar contra él la acción (social o individual) de responsabilidad, que establecen respectivamente, los artículos 134 y 135, que vienen incluidos, precisamente, en la Sección Tercera del Capítulo V, bajo el ya dicho epígrafe "De los administradores".

10º [...] El examen conjunto de los cinco expresados motivos viene determinado por la circunstancia de que es el mismo el objeto impugnatorio de todos ellos, consistente en pretender que se estime la procedencia de declarar la nulidad radical del acto por el que el administrador demandado se autoincrementó, según dice la actora, aquí recurrente, sus retribuciones de los años 1986 y 1987.

Todos los expresados motivos han de ser desestimados por las razones que seguidamente se exponen. Mediante ellos lo que la recurrente pretende (aunque ella lo niegue) es impugnar el acto (decisión) del administrador demandado por el que, según ella, se autoincrementó sus retribuciones de los años 1986 y 1987 (pedir que se declare la nulidad de un acto no es otra cosa que impugnar dicho acto), y ya hemos dicho en el fundamento jurídico anterior de esta resolución, y aquí lo reiteramos, que los actos (decisiones) del administrador único de una sociedad anónima no son susceptibles de impugnación autónoma e independiente. Pero es que aun cuando, sólo a efectos meramente dialécticos, admitiéramos que lo son, en el presente supuesto litigioso habría caducado la acción ejercitada, pues la actora, según ella dice expresamente en su demanda, tuvo conocimiento en el año 1988 de esa supuesta autoelevación de retribuciones del administrador demandado y el presente proceso (impugnado dicho acto) lo promovió en el año 1993, cuando el plazo para el ejercicio de la acción de impugnación, según el artículo 143 de la vigente Ley de Sociedades Anónimas es el de un mes desde que se tuvo conocimiento del acuerdo que se dice impugnar.

La acción que verdaderamente viene a ejercitar la actora en este proceso, como con todo acierto la califican las coincidentes Sentencias de la instancia, es la de responsabilidad del administrador demandado, y dicha acción no puede prosperar, no sólo porque, como dice la Sentencia recurrida, pide que se condene a dicho administrador demandado a restituir una cantidad de dinero (la que la actora dice indebidamente cobrada) a la sociedad, cuando ella no ostenta la representación de dicha sociedad (única legitimada para pedir esa restitución), sino porque, además, no ha cumplido la actora, aquí recurrente, los requisitos que exige el artículo 134.4 de la citada Ley de Sociedades Anónimas para poder ejercitar ella dicha acción social de responsabilidad».

STS de 9 de noviembre de 1999 (Social) [10]

FUNDAMENTOS DE DERECHO

«2º La actual doctrina unificada de esta Sala sobre esta materia declara: a) La incompetencia del orden jurisdiccional social cuando se trata de la cuestión relativa a la responsabilidad de los administradores societarios fundada en la omisión de los deberes impuestos en el art. 262.5 del Texto Refundido de la Ley de Sociedades Anónimas remitiendo la solución al orden jurisdiccional civil (entre otras, SSTS/IV 28-2-1997 –recurso 2928/1996– , 13-4-1998 –recurso 2925/1997– con voto particular, 21-7-1998 –recurso 102/1998–); y b) En cambio, proclama la competencia del orden social en los supuestos de responsabilidad de los administradores sociales por incumplimiento de la disposición transitoria tercera de dicha Ley mercantil (entre otras, SSTS/IV 28-10-1997 –recurso 3485/1996–, 31-12-1997 –recurso 1858/1997–, 31-3-1999 –recurso 3073/1998–, 20-9-1999 –recurso 1339/1998–), argumentándose que las conclusiones distintas a las que se llega no son contradictorias al ser distintos los supuestos a los que se aplican.

2. Por tanto, no habiendo variado la doctrina expuesta es dable afirmar que la cuestión ahora planteada ya ha sido resuelta por esta Sala en unificación de doctrina en favor de la incompetencia del orden jurisdiccional social para conocer de este concreto supuesto de posible responsabilidad solidaria de los administradores societarios por omisión de la promoción del acuerdo de disolución de la sociedad pese a concurrir alguna causa legal que les obligara a hacerlo. En efecto, en las referidas Sentencias se razonaba, con argumentos que por razones de seguridad jurídica acordes con la finalidad de este recurso de casación unificadora ahora se reiteran, que "La censura jurídica se hace consistir en infracción del art. 4.1 y 2 de la LPL porque no se ha entrado a declarar la responsabilidad del Administrador único de la sociedad anónima respecto de las deudas salariales en que ha incurrido la sociedad en cuanto titular de una empresa y respecto a los trabajadores que, como tal, tenía a su servicio. Evidentemente las deudas de la empresa son laborales; pero no así la del Administrador único, que serán 'societarias'. En realidad para decidir sobre la responsabilidad salarial de la empresa es innecesario decidir la responsabilidad del Administrador que será una cuestión no 'prejudicial', sino posterior a la estricta y realmente laboral. Debe distinguirse entre aquellas cuestiones que son prejudiciales porque van a identificar como empresarios a quienes no lo son aparentemente (titulares individuales de la empresa que se hacen sustituir por una persona jurídica, intentando excluir su responsabilidad), cedentes o cesionarios, antecesores o sucesores en términos de los arts. 42, 43 y 44 del ET, cuya responsabilidad como empresarios precisa de una decisión prejudicial que les identifique en tal condición, de aquellas responsabilidades subsiguientes al establecimiento de la estrictamente laboral, y que no condicionan tal establecimiento, como puede ser la misma del FOGASA, cuya declaración no es, evidentemente, prejudicial a la del empresario. Cuando se trata de 'levantar el velo', el Juez de lo Social debe actuar la competencia derivada del precepto que se entiende infringido por el recurrente. Cuando no se trata de identificar sujetos de la relación laboral, sino de extender a otros sujetos responsabilidades de cualquier naturaleza, que les alcanzan por títulos jurídicos no laborales, no se puede calificar la cuestión como prejudicial, porque su decisión no impide y ni siquiera condiciona, la de la pretensión principal. Siendo evidente que para extender la deuda salarial de la compañía a su administrador único, primero ha de establecerse la obligación de la empresa, y, después analizar si la conducta social del Administrador le hace responsable de aquella deuda, ha de concluirse que falta el componente de 'necesidad previa', propio de las cuestiones así calificadas. Al no tratarse de una cuestión previa o prejudicial, está bien negada la competencia del Orden Social de la Jurisdicción."

[...]»

STS de 12 de noviembre de 1999 (Civil) [6]

FUNDAMENTOS DE DERECHO

«5º El motivo cuarto denuncia infracción de los arts. 133, 134 y 135, en relación con los arts. 260 y 262, todos del Texto Refundido de la Ley de Sociedades Anónimas, aprobado por Real Decreto Legislativo 1564/1989. En su defensa se aduce la imposibilidad real de cumplir con la obligación de disolver la sociedad a la espera de una resolución penal, que de alguna manera somete el procedimiento a lo previsto en el art. 362 LECiv, relatándose la querella interpuesta por el recurrente contra el otro administrador (también condenado en este litigio) por el estado a que condujo a la sociedad.

El motivo se desestima. No se ve qué razón jurídica pueda explicar que la actora en este procedimiento tenga que esperar el resultado de contiendas entre los administradores en la vía penal para poder ejercitar sus acciones civiles contra ellos por incumplimientos claros y terminantes de los invocados arts. 260 y 262. La Sentencia recurrida dice que la sociedad estaba en quiebra técnica al cierre del ejercicio 1991. No hay duda que debían los administradores haber convocado la preceptiva Junta para acordar la disolución de la sociedad, a fin de que su liquidación fuese ordenada y los acreedores pudiesen conocer en todo momento las operaciones que se efectuaban. Todo ello no es incompatible con las querellas entre los administradores. Por último, es de resaltar que no se solicitó la suspensión de este procedimiento por prejudicialidad penal, que no se explica además en qué consiste en relación con la litis actual, ni está de ello seguro el recurrente al decir mediante un vago y no comprometido "de alguna manera" que hay influencia.

6º El motivo quinto vuelve a citar como infringidos los arts. 133, 134 y 135 de la Ley de Sociedades Anónimas, Texto Refundido de 1989, ahora en relación con el art. 1107 CC. Para fundamentarlo se exponen las vicisitudes de su patrimonio personal por deudas de la sociedad; su actividad para buscar nuevos socios, su ausencia real de la administración social, llevada por el otro administrador contra el que se ha querellado; y que no se ha probado la relación de causalidad entre su conducta y el impago de las cantidades a la actora, no existiendo en consecuencia ningún nexo de causalidad por el que le puede ser imputable la responsabilidad».

STS de 21 de noviembre de 1999 (Civil) [5]

En el mismo sentido, vid., entre otras, SSTS de 18 enero 2000, 16 febrero y 22 de julio de 2004.

STS de 15 de diciembre de 1999 (Civil) [5]

En el mismo sentido, vid., entre otras, SSTS de 18 enero 2000, 16 febrero y 22 de julio de 2004.

STS 22 de diciembre de 1999 (Civil) [5 y 6]

FUNDAMENTOS DE DERECHO

«2º El único motivo del recurso interpuesto por la demandante, amparado en el art. 1692.4º de la Ley de Enjuiciamiento Civil, alega infracción del art. 262, apartado 5º, de la Ley de Sociedades Anónimas, Real Decreto Legislativo 1564/1989, de 22 de diciembre. Declarado por la Sentencia recurrida que los demandados incumplieron el deber que les imponían los números 1 y 2 del art. 262, en relación con el número 4 del art. 260, ambos de la Ley de Sociedades Anónimas, la cuestión a resolver es estrictamente jurídica, a saber, si tal incumplimiento cumple los requisitos exigidos por el art. 262.5 de dicha Ley para que surja la obligación de los administradores codemandados de responder de las acreditadas obligaciones sociales cuyo cumplimiento reclama la actora.

Desestimando el recurso de casación contra Sentencia que declaró la responsabilidad de los administradores de una sociedad anónima al amparo del art. 262.5 aquí invocado, dice la Sentencia de 3 de abril de 1998 que "para que exista una responsabilidad solidaria de los administradores de una sociedad anónima según los antedichos preceptos (se está refiriendo al art. 262.5 en relación con el art. 260.4 de la Ley de Sociedades Anónimas, aclaramos ahora) es preciso que se den dos requisitos: a) que por consecuencia de pérdidas dejen reducido el patrimonio a una cantidad inferior a la mitad del capital social, a no ser que éste se aumente o se rechace en la medida suficiente, y b) que dichos administradores no cumplen con la obligación de convocar en el plazo de dos meses la junta general, para que adopte, en su caso, el acuerdo de disolución, cuando se dé la circunstancia del apartado anterior"; [...] la Sentencia de esta Sala de 29 de abril de 1999 [...] declara que "ante esta situación el deber del administrador está perfectamente incurso en la aplicación de lo dispuesto en el art. 260.4º en relación con el 262.5 LSA, puesto que en el primer supuesto del art. 260.4º se dice que procederá la disolución de la Sociedad, a consecuencia de pérdidas que dejen reducido el patrimonio a la cantidad inferior a la mitad del capital social a no ser que éste se aumente o se reduzca a la medida suficiente; que esa situación de insolvencia, por ende, supone la existencia de tal pérdida y, en consecuencia, la procedencia de la disolución es inconcusa, y así este deber legal viene recogido en el art. 262.5, al sancionarse que responden solidariamente de las obligaciones sociales los administradores que incumplan la obligación de convocar en el plazo de 2 meses la junta general, para que adopten, en su caso, el acuerdo de disolución o que no soliciten la disolución judicial de la sociedad; se añade que, ahí está perfectamente reflejada una responsabilidad por parte del administrador, cuando se incumpla dicha obligación legal de invocar en el plazo de 2 meses la junta general, para que adopte, en su caso, el acuerdo de disolución en los supuestos en que se determina, en los términos, entre otros, previstos en el repetido núm. 4º, del art. 260", añadiendo que "en el caso de autos, el incumplimiento de la obligación legal por el administrador demandado supuso una conducta contraventora de la Ley, lo que implica que la responsabilidad derivada y recogida en el art. 262 del núm. 5 sea una consecuencia determinante de la misma, y sin que, por lo tanto, tampoco sea posible compartir el criterio de la Sala 'a quo', de que con independencia de dicha obligación, es preciso inquirir sobre si efectivamente el daño producido, y que constituye el fundamento de la pretensión instada, fue debido a mencionado incumplimiento o no, en su ubicación etiológica o relación de causalidad, por cuanto que, sin que exista prueba para admitir lo contrario, es obvio que el incumplimiento de esa obligación legal determinará, según las sanciones previstas, la responsabilidad correspondiente, por lo que el seguimiento literal de la tesis de la Sala supondría que cuando por los Tribunales se aprecie la inexistencia de culpa, quedaría vacío de contenido un incumplimiento legal por parte de los administradores, cuando, sin más, en el repetido art. 262.5 se establece una responsabilidad solidaria de los administradores, cuando se incumpla la obligación legal de promover la junta a los fines de que se adopte en su caso el acuerdo de disolución; se reitera, pues, que no es posible entender que cuando esa actitud contraventora se pueda enturbiar o eludirse porque precisamente el efecto damnificante o perjudicial para la sociedad, y en definitiva, para los acreedores en su caso, por el impago de sus deudas, provenga de una insolvencia y en cuya insolvencia no ha tenido participación culposa el administrador demandado, se aprecie una especie de justificación exonerativa de responsabilidad para éste, ya que, como se dice, emerge como cuestión prioritaria que el incumplimiento de dicha obligación, sin más, deberá desencadenar la responsabilidad solidaria legalmente establecida, y ello al margen de que el daño que se haya producido en sí, pudiera provenir o no de una conducta de aquél culposa o negligente o falta de diligencia"; criterio jurisprudencial que ha de ser mantenido en el caso ahora contemplado, dado que la responsabilidad de los administradores que establece el art. 260.5 de la Ley de Sociedades Anónimas contiene un régimen especial para este supuesto frente al contenido en los arts. 133 y 135 del mismo texto legal, régimen especial fundado en la finalidad perseguida por el legislador de evitar que, por el incumplimiento por los administradores de su obligación de promover el acuerdo de disolución de la sociedad, continúen actuando en el tráfico mercantil sociedades incursas en causa de disolución. [...]»

STS de 17 de enero de 2000 (Social) [10]

FUNDAMENTOS DE DERECHO

«3º [...], esta Sala viene declarando la incompetencia del orden jurisdiccional social cuando se trata de la responsabilidad de los administradores fundada en la omisión de los deberes societarios impuestos en los artículos 133.1 y 262.5 del Texto Refundido de la Ley de Sociedades Anónimas aprobada por Real Decreto Legislativo 1564/1989, de 22 de diciembre, que es el supuesto contemplado en el presente litigio (sentencias de 28 de febrero, 28 de octubre y 31 de diciembre de 1997 y, 13 de abril y 21 de julio de 1998 y] y 9 de noviembre de 1999 entre otras). Doctrina también aplicable, a la responsabilidad de los administradores de las sociedades de responsabilidad limitada por imperativo del artículo 69.1 de la Ley 2/1995, de 23 de marzo.

El único supuesto en que se ha declarado la competencia de la Jurisdicción Social es el de la Disposición Transitoria Tercera del Texto Refundido Ley de Sociedades Anónimas de 1989. En todos los demás casos se ha denegado la competencia y en el supuesto de autos en ningún momento se dice ni se alega que se encuentre en aquel supuesto, por lo que en base a las razones expuestas procede la declaración de incompetencia».

STS de 18 de enero de 2000 (Civil) [5]

FUNDAMENTOS DE DERECHO

«2º [...] la Sentencia impugnada extendió la condena de la sociedad a todos los administradores, de forma solidaria, valorando indebidamente la prueba de autos e invirtiendo el principio de la carga probatoria para forzar su argumentación en aras de llegar a la conclusión de estimar acreditado el nexo causal entre culpa y daño. Mas la verdad es que, con el pretexto enunciado, lo que hace el recurrente es una nueva valoración probatoria que contradice los hechos probados, sin que se razone sobre las pautas que permiten la invocación de este artículo en casación, esto es, sobre la inexistencia o insuficiencias de pruebas, cuyas consecuencias perjudiciales se atribuyan a quien no tenía la carga de probarlo, lo que, desde luego, no es el caso. Por ello, sucumbe, también, el motivo.

4º El cuarto motivo (artículo 1692.4º de la Ley de Enjuiciamiento Civil) supone infringidos los artículos 133 y 135 del Texto Refundido de la Ley de Sociedades Anónimas, en relación con los artículos 1902, 1101 y 1107 del Código Civil y artículo 262 de la Ley de Sociedades Anónimas. [...] la Ley de Sociedades Anónimas establece en el artículo 133.2 que responden solidariamente todos los miembros del órgano de administración que realizó el acto o adoptó el acuerdo lesivo, de suerte, que sólo aparecen exculpados los que prueben que no habiendo intervenido en su adopción y ejecución, desconocían su existencia o conociéndola hicieron todo lo conveniente para evitar el daño o, al menos, se opusieron claramente a aquél. Esto es, el precepto invierte la carga de la prueba haciéndola recaer sobre los administradores, y éstos ni alegan, ni prueban las causas de exculpación. Tampoco se vulnera la aplicación del artículo 135, pues, como razona la Sentencia de instancia la acción que se ejercita es la individual de responsabilidad. La invocación al artículo 262 no es acertada, [...].

5º Finalmente, el motivo quinto (artículo 1692.4º de la Ley de Enjuiciamiento Civil) reitera pretendidas infracciones desestimadas con cita de nuevo de los artículos 133 y 135 de la Ley de Sociedades Anónimas, mas los artículos 1902, 1101 y 1107 del Código Civil, haciendo hincapié en la inexistencia de nexo causal entre el proceder de los administradores condenados y los daños infligidos. [...]»

STS de 18 de febrero 2000 (Civil) [5]

FUNDAMENTOS DE DERECHO

"Único. (...)Es obvio que los daños al patrimonio social no pueden ser reclamados por los actores, pues no se ha probado, ni intentado siquiera, que concurran los presupuestos que señala para ello el art. 134 LSA. Los daños ocasionados directamente a los accionistas pueden ser, sin embargo, reclamados a los administradores siempre y cuando su conducta como tales infrinja el art. 127 y 133.1, ambos de la LSA, pero siempre ha de demostrarse por los accionistas la realidad y efectividad del daño causado directamente a ellos, no daños hipotéticos y no producidos sin prueba de la posibilidad de su realización. Tampoco se puede dejar para ejecución de sentencia la prueba de la existencia de los daños, sólo su cuantificación; el primer extremo requiere la amplitud y garantías que implica el proceso declarativo, dado que es la sustancia de la acción ejercitada.

(...) La conducta de los administradores demandados no hay duda de que es contraria a los arts. 127 y 133.1 LSA, pero las Sentencias de instancia resaltan la peculiaridad que la sociedad demandada junto con ellos había vivido jurídicamente de espaldas a aquellas normas con consentimiento, anuencia y beneplácito de todos los socios por ser una sociedad anónima familiar. Una vez que se producen disenciones personales entre los socios y familiares es cuando se originan también los litigios, unos por la vía penal y otros por la vía civil, que en el fondo tienen como causa en pretender encauzar retroactivamente, desde la fundación de la sociedad, la vida misma, como si no hubiese ocurrido nada hasta la promoción de los pleitos".

STS de 29 de marzo de 2000 (Civil) [3]

FUNDAMENTOS DE DERECHO

«2º El primer motivo de dicho recurso, formulado al amparo del núm. 4º del artículo 1692 de la Ley de Enjuiciamiento Civil por infracción del artículo 13 en relación con el 17 de la Ley de Sociedades de Responsabilidad Limitada de 17 de julio de 1953 (en su redacción según el artículo 11 de la Ley 19/1989, de 25 de julio) defiende la solución mantenida por el Juzgado de 1ª Instancia, que aplica aquellos artículos sin aceptar la remisión que hace el artículo 11 de dicha Ley de Sociedades de Responsabilidad Limitada (según la nueva redacción que le da el artículo 11 de la Ley 19/1989, de 25 de julio) a la Ley de Sociedades Anónimas en el tema de administradores, que incluye la acción de responsabilidad.

Dicho artículo 11 de aquella ley de 1953 queda con el siguiente texto tras la modificación por el artículo 11 de esta ley de 1989: será de aplicación a los administradores de la sociedad de responsabilidad limitada lo dispuesto para los administradores de la sociedad anónima, salvo lo establecido en esta ley. La posición del recurrente, coincidente con la del Juzgado de 1ª Instancia, es dar la máxima trascendencia a este último inciso y entender que para ejercitar la acción social contra un administrador debe aplicarse lo establecido en esta Ley de Sociedades de Responsabilidad Limitada, artículo 17, que exige para modificar en cualquier forma la escritura social (no se refiere explícitamente a la acción de responsabilidad contra un administrador nombrado en la escritura social) la mayoría cualificada de dos tercios del capital social.

Esta Sala no acepta esta solución. La Ley 19/1989, de 25 de julio, en su artículo 11 dio nueva redacción a los artículos 11 y 13, entre otros, de la Ley de Sociedades de Responsabilidad Limitada; el 11 ha sido transcrito y el 13 dice en su párrafo segundo: los administradores podrán ser separados de su cargo en cualquier momento, por acuerdo de los socios que representen la mayoría del capital social excepto cuando hayan sido nombrados en la escritura fundacional, en cuyo caso se observará lo dispuesto en el artículo 17, que exige la mayoría cualificada de que se ha hecho mención. Y no debe seguirse el criterio de identificar la acción de responsabilidad contra un administrador, con la separación de su cargo de éste.

La acción social de responsabilidad contra un administrador, en el tiempo en que en el caso de autos se adoptó su ejercicio en una Junta General, 22 de julio de 1994, se rige por el artículo 11 de la Ley de Sociedades de Responsabilidad Limitada (según redacción por Ley 19/1989, de 25 de julio) que se remite a la normativa de la Ley de Sociedades Anónimas, cuyo artículo 134 prevé el ejercicio de tal acción por acuerdo de la Junta General adoptado por mayoría no cualificada, que determina la destitución del administrador. Por el contrario, el acuerdo de separar del cargo a un administrador nombrado en la escritura fundacional, lo prevé el segundo párrafo del artículo 13 (según redacción por la Ley 19/1989, de 25 de julio) que se remite al artículo 17 de la propia Ley de Sociedades de Responsabilidad Limitada, que sí exige mayoría cualificada. [...]».

STS de 7 de abril de 2000 (Civil) [5]

FUNDAMENTOS DE DERECHO

"2º (...) No es causa de exoneración de la responsabilidad que se atribuye al señor F. P. el hecho del transcurso del plazo de cinco años que para la duración de su cargo social establece el art. 126 de la Ley de Sociedades Anónimas; el mínimo deber de diligencia exigible en el ejercicio de ese cargo le imponía el adoptar las medidas necesarias para el nombramiento de nuevo presidente del Consejo de Administración, mediante la convocatoria de la necesaria Junta de Accionistas, evitando así una situación de falta de representación legal de la sociedad, no siendo suficiente que, en 30 de julio de 1992 solicitase, como socio, la celebración de junta de accionistas mediante convocatoria judicial. (...)".

STS de 11 de abril de 2000 (Civil) [5]

FUNDAMENTOS DE DERECHO

En el mismo sentido, vid., entre otras, SSTS de 18 febrero de 2000, 31 de enero y 19 de abril de 2001, 28 de octubre y 9 de noviembre de 2002 y 15 de diciembre de 2005

STS de 12 de abril de 2000 (Social) [10]

FUNDAMENTOS DE DERECHO

«3º La cuestión planteada en el recurso ya ha sido unificada en la sentencia de contraste del 28 de octubre de 1997, seguida por las dictadas el 31 de diciembre de 1997 recurso 1858/1997; y 20 de septiembre de 1999, recurso 1339/1998. En consecuencia a esta doctrina ha de estarse, conforme a un principio de seguridad jurídica, acorde al propio tiempo con la naturaleza y significado del recurso que nos ocupa, ya que no han sobrevenido circunstancias legales o de otro tipo que aconsejen un cambio jurisprudencial.

Como señala la sentencia últimamente citada, siguiendo la doctrina unificada, "las pretensiones ejercitadas en reclamación de salarios devengados y no satisfechos pertenecen a la rama social del derecho, y, por ende, su conocimiento corresponde al orden social de la jurisdicción (artículo 9.5 de la Ley Orgánica del Poder Judicial y 1 de la Ley de Procedimiento Laboral). Es cierto que la responsabilidad de los administradores tiene su asiento en el incumplimiento de un precepto mercantil (concretamente la Disposición Transitoria Tercera, de la Ley de Sociedades Anónimas de 1989, que establece la responsabilidad de los administradores que no cumplan con el deber de aumentar el capital a un mínimo de diez millones de pesetas), pero ello no cambia la naturaleza del crédito cuyo origen laboral, y posible inclusión en el 'solidum' de los administradores sociales, dado que, la conducta omisiva de éstos trasciende a la garantía de los trabajadores respecto al cobro de su crédito laboral, y es tal crédito, como aspecto más relevante, el que debe configurar la naturaleza de la acción ejercitada".

El Orden Social no declina su competencia por el hecho de tener que aplicar en sus resoluciones normas distintas de las reguladoras del Derecho del Trabajo o de la Seguridad Social. Como dice la sentencia de 28 de octubre de 1997, es evidente que aunque la responsabilidad de los administradores sociales "encuentre su fundamento en preceptos mercantiles, ajenos a la rama social del Derecho, la causa de pedir, sigue siendo laboral, por más que la extensión de responsabilidad a los administradores sociales se base en la infracción de mandatos de la Ley Reguladora de las Sociedades Anónimas. La Disposición Transitoria de esta Ley estableció una responsabilidad de los administradores sociales que, no cumplieran el mandato de aumentar el capital al mínimo de diez millones de pesetas, colocando a la sociedad en situación de no poder satisfacer los créditos a sus acreedores. Y deberá ser la naturaleza de los créditos sociales que se hayan de satisfacer la determinante de la competencia de los Tribunales que hayan de decidir sobre el conjunto, pues la responsabilidad de los administradores respecto a las deudas sociales, en este supuesto, es un refuerzo de los derechos de quienes se relacionan con el ente social, cuya exigencia debe realizarse ante el Tribunal, que deba decidir la cuestión principal que es la determinante de la calificación de la naturaleza de la acción ejercitada"».

STS 13 de abril de 2000 (Civil) [2 y 6]

FUNDAMENTOS DE DERECHO

«[...] Constituida la sociedad demandada el 30 de junio de 1982 fue inscrita en el Registro Mercantil el 5 de agosto del mismo año, siendo socios fundadores, entre otros más, los administradores aquí demandados que entonces ya se integraron en el Consejo de Administración y con posterioridad no se produce para ellos ningún cambio en ese órgano que se consigne en acta o tenga reflejo en aquel Registro mientras que si aparece que otro de los Consejeros iniciales,[...], como tal y sin duda por la facultad que se estableció en el art. 31 de los Estatutos de la Sociedad, confiere el día 21 de junio de 1983 poder a favor de don [...] que se inscribe el 5 de noviembre de 1986, poderdante y apoderado que compraron las quinientas acciones de que era titular el demandado personado, [...], siendo la fecha documentada de la compra la del 30 de diciembre de 1985. El mismo poderdante anteriormente reseñado confiere poder a favor de don [...], poder que inscribe en el Registro Mercantil el 9 de marzo de 1988 y renuncia, también reflejada registralmente, al poder el 31 de mayo de 1993. Ninguna otra anotación consta en la hoja registral más que la del margen consignando, conforme al asiento en el Libro Diario el 30 de noviembre de 1992, que la sociedad está dada de baja provisional.

Desligadas por el art. 123.2 de la Ley de Sociedades Anónimas las cualidades de accionista y de administrador de la sociedad, la pérdida de la primera no conlleva la de la segunda y la pérdida de esta última sólo puede producirse por expiración del plazo por el que se hizo el nombramiento o del máximo legalmente permitido, por separación según los arts. 126 y 131 de la ley, o por renuncia al cargo y en cualquiera de estos supuestos la circunstancia, tanto la de nombramiento y aceptación como la de cese, ha de consignarse en el Registro Mercantil, [...] en garantía de terceros que hayan de confiar en su contenido hasta los extremos que señala el art. 4.2 de dicho Reglamento, tanto para lo que aparezca inscrito como para la omisión de hacerlo o para rectificar el asiento cuando su contenido haya variado.

No habiéndose fijado tiempo al nombramiento que como administradores se hizo a los demandados, ni apareciendo que se les haya hecho nombramientos posteriores al tiempo máximo legalmente establecido, [...] entendió que los administradores nombrados en el momento constitutivo de la sociedad no quedaban sometidos al plazo legal de cinco años, que hoy establece el art. 126, con la posibilidad entonces y ahora, de ser reelegidos indefinidamente.

En todo caso y pese a las irregularidades que en el supuesto aquí contemplado pueden haberse cometido respecto a los órganos de la sociedad demandada, el nombramiento de los inicialmente designados como administradores de la misma, entre los que se cuentan los de los demandados, nada desdice que se mantenga ese nombramiento a diferencia de lo ocurrido con aquellos otros que quedan reseñados por lo que frente a terceros, cualidad que asiste a la entidad demandante, lo único válido ha de ser aquel contenido registral [...] el demandado

[...] cesó en el cargo de administrador, equiparando por analogía la eficacia del nombramiento desde su aceptación sin inscripción y la renuncia que no consta aceptada ni registrada en la inscripción del nombramiento, por exceder de lo prevenido en el art. 4 del Código Civil al no prevenir la norma la igualdad de efectos en ambos supuestos, [...]

Aparece de las actuaciones, [...] que la entidad demandada –inmersa en procedimiento de suspensión de pagos–, calificada de insolvencia definitiva [...]. Ante tal situación, que sería causa de disolución de la sociedad según lo prevenido en el art. 260.3º y 4º de la Ley el capital social era de cinco millones de pesetas en la regla cuarta de los Estatutos, los administradores sociales no aparece que convocaran Junta General que les ordena convocar el art. 262.2 de la Ley.

Por otra parte, la Disposición Transitoria Tercera de la ley establecía la obligación de adaptación de Estatutos a la nueva legislación antes del 30 de junio de 1992, o su conversión, para las sociedades anónimas ya existentes, sin que los administradores tampoco hayan adoptado aquí las medidas necesarias para esa consecución.

Esa pasividad trae como consecuencia objetiva, art. 262.5 de la Ley y Disposición Transitoria 3ª.3 de la misma, la responsabilidad solidaria, de los administradores entre sí y con la sociedad, por las deudas sociales [...]»

STS de 28 de junio de 2000 (Civil) [5 y 6]

FUNDAMENTOS DE DERECHO

«2º El motivo primero, al amparo del art. 1692.4º LECiv, aduce infracción de los arts. 133, 135, 260 y 262 de la Ley de Sociedades Anónimas, en relación con los arts. 1214 y 1218 del Código Civil y el art. 24.2º de la Constitución. En su fundamentación se dice en esencia; que es indispensable la existencia de un nexo de causalidad entre el acto del administrador y los daños y perjuicios causados al tercero; que es erróneo confundir el daño con que al mismo no se le satisfagan por la sociedad deudas que con él haya contraído, evento que nada dice sobre la incapacidad patrimonial de la misma; que la sentencia recurrida incurre en el error de creer que no se amplió el capital social porque su importe se ingresó en una cuenta de crédito, atribuyendo al recurrente responsabilidad por no haberlo puesto en conocimiento de la actora al contestar a su petición de información sobre el capital social de la sociedad.[...]

La sentencia de primera instancia examinó detenidamente el material probatorio obrante en autos, llegando a la conclusión de que [...] carecía de suficiencia patrimonial que incardinaba en el art. 876 del Código de Comercio, o sea, se encontraba en lo que habitualmente se denomina quiebra técnica. Pero no determinaba que a la antedicha situación se hubiese llegado por una conducta del administrador (recurrente) contraria a lo ordenado en el art. 127 de la Ley de Sociedades Anónimas, la describía para incardinarla en los arts. 260.4 y 262.2 de la citada Ley, atribuyendo al administrador responsabilidad por no haber cumplido lo en ellos prescrito respecto de los administradores de la sociedad.

La sentencia de primera instancia no se apercibió de que cometía una incongruencia porque en la demanda únicamente se basaba la acción contra el administrador demandado en el art. 135 LSA/1989. La sentencia de la Audiencia, en grado de apelación, corrigió aquel defecto, señalando: "como cuestión inicial y con carácter previo, procede determinar la naturaleza de la acción ejercitada por la parte actora en su demanda. Examinando el 'petitum' y la 'causa petendi' contenidas en el escrito iniciador del presente procedimiento puede afirmarse que se ejercita una acción individual que trata de defender el patrimonio de la actora, quien ha visto lesionados directamente sus intereses por la actuación del [...] administrador de [...], es por ello que nos encontramos ante una acción de responsabilidad individual contemplada en el art. 135 de la Ley de Sociedades Anónimas (en adelante LSA), ya que la actora [...] pretende obtener una indemnización por la lesión sufrida en su patrimonio a causa de la incorrecta actuación del codemandado [...] como administrador de [...]".

La sentencia de la Audiencia que se recurre sustenta la responsabilidad del administrador en la situación deficitaria de la sociedad, en su precariedad económica que le ha impedido el pago de las cantidades adeudadas. Pero tampoco (como la sentencia de primera instancia) establece la más mínima conexión entre la actuación del administrador y esa situación deficitaria, no se dice que por incumplimiento de sus deberes legales se ha visto abocada la sociedad a no poder pagar las deudas. Por ello esta Sala ha de aceptar la queja del recurrente de que se ha interpretado erróneamente el art. 135 LSA/1989, ante la falta de causalidad entre la actuación del administrador y la indemnización del daño que se reclama. No basta que el tercero lo haya sufrido, sino que es necesario la prueba de hechos, actos u omisiones dolosas o culposas de los administradores de los que se deriven adecuadamente los daños a tercero, indemnizables de acuerdo con el art. 135 LSA/1989, si han sido realizados como tales administradores.

Sustenta también la sentencia recurrida la responsabilidad del recurrente en una conducta negligente [...] La negligencia la residencia en que, si bien justificó el ingreso de una ampliación de capital [...] en una cuenta de [...], no dijo que tal cuenta era de crédito, no corriente, y después afirma que "no consta acreditado en autos que la citada ampliación de capital se llevase a cabo". [...]

[...] la ampliación de capital se llevó a cabo. El hecho de que su ingreso tuviese lugar en una cuenta de crédito nada tiene que ver para afirmar lo contrario. Ningún precepto de la LSA exige una determinada forma de hacerlo ni una inmovilización del capital social a modo de fetiche. El importe de la ampliación puede ir destinado al pago de deudas sociales, y por tanto aparecer dentro de una cuenta de crédito como haber de la sociedad, que enjugó o enjugará partidas negativas de la misma durante la vigencia de la cuenta de crédito. Otra cosa es que el capital social se redujese o el patrimonio social quedase por debajo de su importe, lo que es objeto de los arts. 260.4º y 5º y 262 LSA que otorgan a los acreedores acciones oportunas en defensa de sus derechos, distinta de la que aquí se ha ejercitado, que es únicamente la del art. 135 LSA (sentencia de esta Sala de 21 de septiembre de 1999). Por tanto, el administrador [...] informó correctamente a la sociedad actora de lo que se le preguntaba (capital social de aquélla), pues consta la realidad de la ampliación, reflejada en la escritura pública al efecto e inscripción registral, además de su ingreso en efectivo en una cuenta de crédito como partida del haber».

STS de 9 de junio de 2000 (Social) [10]

FUNDAMENTOS DE DERECHO

«2º Verificada la existencia del presupuesto de contradicción es preceptivo entrar a conocer del fondo de los actuales recursos. Recursos que deben ser estimados siguiendo la constante doctrina de esta Sala, mantenida entre otras en sentencia de 28 de febrero de 1997, 28 de octubre de 1997 (con la salvedad de que ésta únicamente admite la competencia del orden social en el supuesto de incumplimiento por el administrador de la Disposición Transitoria Tercera del Texto Refundido de la Ley de Sociedades Anónimas de 1989 [LSA]); 31 de diciembre de 1997); 13 de abril y 21 de julio de 1998 y; 9 de noviembre de 1999 y 17 de enero de 2000. Esta doctrina puede ser resumida de la siguiente manera:

1. El orden jurisdiccional social es incompetente para conocer de pretensiones relativas a la responsabilidad de los administradores societarios, cuya causa de pedir consiste en la omisión o incumplimiento de los deberes impuestos en el artículo 265 LSA. Constituye excepción, en que se atribuye el conocimiento al orden social, el incumplimiento por el administrador de la Disposición Transitoria Tercera LSA, sobre incremento del capital social a la cifra de diez millones de pesetas.

2. Ello es así, porque de una parte, el conocimiento de las pretensiones relativas a la responsabilidad de los administradores por incumplimiento de las obligaciones de su cargo —en general observar la diligencia de un ordenado comerciante y cumplir las normas legales y estatutarias— no constituyen, en el proceso laboral, una cuestión prejudicial de la que puede conocer conforme al artículo 10 de la Ley Orgánica del Poder Judicial, el orden social, aunque no le esté atribuido orgánicamente. Como afirmó nuestra sentencia citada de 28 de febrero de 1997: Cuando no se trata de identificar sujetos de la relación laboral, sino de extender a otros sujetos responsabilidades de cualquier naturaleza, que les alcanzan por títulos jurídicos no laborales, no se puede calificar la cuestión como prejudicial, porque su

decisión no impide y ni siquiera condiciona, la de la pretensión principal. Siendo evidente que para extender la deuda salarial de la compañía a su administrador único, primero ha de establecerse la obligación de la empresa, y, después analizar si la conducta social del Administrador le hace responsable de aquella deuda, ha de concluirse que falta el componente de "necesidad previa", propio de las cuestiones así calificadas. Al no tratarse de una cuestión previa o prejudicial, está bien negada la competencia del Orden Social de la Jurisdicción.

3. En el supuesto, también, de obligación de disolver la Sociedad, la sentencia de 28 de octubre de 1997, ha expresado que "En el caso regulado en el art. 262 de la Ley de Sociedades Anónimas (caso contemplado en la sentencia de 28 de febrero de 1997) se establece una responsabilidad de los administradores que incumplen la obligación de disolver la sociedad (mediante la consiguiente convocatoria de junta de accionistas o declaración judicial) en los supuestos establecidos. Para fijar estas responsabilidades es necesario un previo pronunciamiento sobre si concurren o no los supuestos de hecho que la Ley señala como determinantes del deber de disolver la sociedad. Pronunciamiento que ha de ser realizado por los Tribunales competentes en materia mercantil, pues tal determinación no es accesoria respecto a las obligaciones sociales"; e igualmente en la de 31 de diciembre de 1997, se ha afirmado que "La responsabilidad derivada del incumplimiento de este deber de disolución del ente exige un previo conocimiento y pronunciamiento sobre la existencia de los condicionamientos legales determinantes o no de dicha obligación de disolución. Y, parece lógico que, al respecto, deba atribuirse a los Tribunales competentes en materia mercantil, el conocimiento de aquella cuestión principal de responsabilidad, en cuanto "tal determinación no es accesoria respecto a las obligaciones sociales" y de 13 de abril de 1998, la incompetencia en el caso de "incumplimiento de la obligación de convocar, en plazo, Junta General para que adopte, en su caso, el acuerdo de disolución de la sociedad por concurrir la causa legal de existencia de pérdidas que dejen reducido su patrimonio contable a menos de la mitad del capital social, a no ser que éste se aumente o se reduzca en la medida suficiente"».

3º Lo expuesto anteriormente permite concluir que la sentencia recurrida ha infringido los artículos 1 y 2 LPL, en relación con el artículo 262.5 LSA, así como la jurisprudencia aplicable, de la que se ha hecho mención; produciendo quebrantamiento en la unidad de doctrina. [...], y la confirmación de la sentencia del Juzgado de lo Social, que declaró la incompetencia del orden jurisdiccional social para conocer de la pretensión y designó como competente al orden jurisdiccional civil».

STS de 29 de septiembre de 2000 (Penal) [8]

FUNDAMENTOS DE DERECHO

"2º (...)hemos de decir que, de una parte, la Administración tributaria no parece que iniciase, como era obligado, actuación ninguna de comprobación tendentes a la determinación de las deudas objeto de regularización, limitándose a denunciar el descubierto ante los Tribunales, y de otra, aunque el plazo para que pueda apreciarse esta excusa absolutoria puede empezar a contarse desde la notificación de una querella o denuncia formulada por el Fiscal o el Abogado del Estado en averiguación de la existencia de un posible fraude fiscal, en el caso que nos ocupa, al haberse producido la regularización el mismo día de tal notificación, no puede negarse al presunto reo el beneficio absolutorio que se establece en los indicados preceptos, ya que difícil es determinar, aunque fuera por horas, que la autoliquidación o regulación no fuera anterior a la tan repetida notificación iniciadora de las diligencias penales."

STS de 6 de octubre 2000 (Civil) [5]

FUNDAMENTOS DE DERECHO

«2º El motivo segundo, articulado por el mismo cauce procesal que el anterior, alega infracción de los arts. 127.1 y 133 de la vigente Ley de Sociedades Anónimas en relación con el art. 1101 del Código Civil; su fundamentación consiste en una transcripción del fundamento de derecho V de la demanda al que se ha añadido un último párrafo en el que se vuelve a insistir sobre la fuerza probatoria del informe de auditoría como revelador de las irregularidades cometidas por los demandados en el ejercicio de sus funciones, determinantes, de su responsabilidad para con la sociedad [...].

Si bien la Sala "a quo" termina afirmando en su fundamento de derecho segundo que "no se ha acreditado por la demandante la relación de causalidad entre las pérdidas sufridas por la Sociedad y su difícil situación económica y la conducta atribuida a los Administradores", es de tener en cuenta que la Sala sentenciadora de instancia no da como probadas, después del detallado examen de las pruebas aportadas a los autos que se refleja en el fundamento jurídico segundo de su sentencia; las conductas que se imputan a los demandados y que, por su carácter negligente o culposo, pudieran servir de apoyo a la acción de responsabilidad que se ejercita; así dice la sentencia recurrida que "las conductas que se apuntan como más graves para la causación de la difícil situación económica de la empresa, ventas por precio inferior al de coste de los productos y ejecución de operaciones mercantiles arriesgadas que motivaron impagos en perjuicio de la sociedad (que) los demandados invocan que los pedidos se cursaron siempre a la empresa matriz [...], que autoriza los suministros, fijaba los precios y el lugar de recogida de los productos (subraya la Sala 'a quo'), acompañando a la contestación las directrices de actuación de aquélla frente a las filiales, así como diversos y numerosos documentos enviados vía Fax para gestionar las ventas, los cuales se ven corroborados por la declaración de un testigo, empleado de la empresa, que adveró tal circunstancia que dijo conocer por ser sabedor por su puesto en la sociedad de la mecánica de contratación, persona que igualmente afirmó haber acompañado a uno de los demandados para efectuar gestiones de cobro frente a los clientes morosos (...); así como que igualmente comprobó con el señor S. que no faltaba ningún tanque de combustible"; "el responsable de la entidad que llevaba la contabilidad de varias empresas del grupo (incluida la de autos) manifestó que el asiento contable denunciado por la actora (relativo a operaciones de [...]) se hizo para regularizar la contabilidad por haber pagado [...] directamente a los transportistas del combustible en vez de hacerse dos abonos, [...] a [...] a quienes efectuaron el transporte"; "siendo de citar, por último, que se acompañaron a la contestación documentos en los que consta la facturación de algunos de los tanques controvertidos y un detallado informe del que resulta que una empresa de ingeniería técnica realizó un proyecto de legalización para el cliente de [...], respecto del cual se alegó la mala gestión de los administradores, por haber incumplido el compromiso de gestionar tal permiso, lo que se dice dio lugar al impago por el adquirente; estudio que obviamente apunta a que no se produjo la omisión que se les imputa." Inalterada esta base fáctica de la sentencia, reveladora de la inexistencia de una conducta imputable a los codemandados que pueda ser calificada de culposa o negligente, no cabe entrar a examinar la pretendida relación de causalidad entre el actuar de los demandados y las pérdidas sufridas por [...]».

STS de 30 de octubre de 2000 (Civil) [6, 10 y 13]

FUNDAMENTOS DE DERECHO

«2º [...] se alega infracción del art. 260.1.4 de la Ley de Sociedades Anónimas, en relación con el art. 262.5 de la misma Ley y la disposición derogatoria y transitorias de la Ley 19/1989 y del Texto Refundido de la Ley de Sociedades Anónimas. En el desarrollo del motivo se argumenta en torno a tres razonamientos, que se pueden tratar casacionalmente como submotivos.

En el primer submotivo se alude a que el "patrimonio" relevante a los efectos del art. 260.1.4º LSA debe ser el resultante de las cuentas anuales del ejercicio de 1990, que sólo debía aprobarse dentro de los seis [debe entenderse tres] primeros meses del año 1991, porque el régimen jurídico aplicable entró en vigor el 1 de enero de 1990. Y se añade que la sentencia recurrida, al apreciar la concurrencia de la causa legal de disolución por pérdidas constatadas no sobre la base de las cuentas anuales de 1990, sino las derivadas de los ejercicios anteriores a 1990, incurre en una doble retroactividad: en primer lugar, porque en aquellos ejercicios no estaba vigente la causa prevista en el art. 260.1.4º de la LSA de 1989, y en segundo lugar porque el "patrimonio" de [...] no se determinaba conforme a lo dispuesto en el Capítulo VII de la LSA de 1989.

La Sentencia de la Audiencia –que es la aquí recurrida– no desconoce el carácter irretroactivo de la normativa que aplica, y sobre ello razona en el fundamento segundo. En el mismo se dice, por un lado, que es indiferente que la causa de disolución hubiera sobrevenido con anterioridad o posterioridad a la entrada en vigor del TRLSA, pues basta que la causa de disolución subsista en la fecha de entrada en vigor de la Ley y se mantenga después del 1 de enero de 1990, sin que los administradores hayan procedido conforme exige la misma. Y por otro lado, a propósito del "dies a quo" para el cómputo del plazo de dos meses que confiere la Ley al administrador para convocar la Junta General para que ésta adopte en su caso el acuerdo de disolución, entiende que "no es necesario que el desequilibrio patrimonial se desprenda de las cuentas anuales que han sido elaboradas para presentación en Junta General, sino que la obligación surge en el momento en que los administradores a través de cualquier balance, incluido el trimestral de comprobación al que se refiere el art. 37 del Código de Comercio, tienen conocimiento de la existencia del desequilibrio patrimonial, sin perjuicio de la mayor dificultad que presenta, a efectos probatorios, la demostración de la concurrencia de la causa de disolución cuando la misma se fija en cualquier período del ejercicio no coincidente con la elaboración de cuentas." A continuación razona la Sentencia que tal criterio es el sostenido por los mercantilistas, en la consideración de que de entenderlo de otra manera no se cumpliría en muchas ocasiones la finalidad de la norma, y que el concepto de pérdidas utilizado por la ley no lo ha sido en el sentido de determinación de resultado, sino con un significado puramente económico.

Esta Sala comparte totalmente la fundamentación de la resolución recurrida. En primer lugar debe señalarse que es acertado razonar que resulta indiferente que la situación económica de la sociedad que constituye el supuesto normativo generador de la obligación legal del Administrador (arts. 260.1.4º y 262.5 LSA) se haya producido en ejercicios económicos anteriores, o que iniciada entonces se haya consumado o consolidado después del 1 de enero de 1990 (fecha de entrada en vigor de la Ley). Lo que importa es que tal situación exista (o subsista) una vez está en vigor el nuevo régimen legal. Obviamente, en el caso, el hecho que se toma en cuenta –diferencia negativa entre el patrimonio y el capital social de [...] en más de la mitad– no es el existente con anterioridad al año 1990, sino durante éste.

Por eso no hay aplicación retroactiva de la Ley. Habría retroactividad si se hubiera valorado únicamente la situación económica anterior con abstracción de la existente o constatable en el año 1990, pero no ha sucedido así. Por otra parte esta Sala también considera plenamente asumible la doctrina de la resolución recurrida en orden a que el dato decisivo para efectuar el cómputo del plazo de dos meses (del art. 262.5) no se puede reconducir de modo absoluto al momento en que se conoce el resultado de las cuentas anuales, sino que se ha de contemplar en relación con el conocimiento adquirido, o podido adquirir (con la normal diligencia exigible a un administrador social, art. 127.1 LSA), acerca de que se da una situación en la que el patrimonio social es inferior a la mitad del capital social. La determinación del momento o tiempo en que se da o puede adquirir el conocimiento es un tema fundamentalmente probatorio, cuyo acceso a la casación es el general seguido para las "quaestiones facti", aunque sin perjuicio de que quepa también someter a la verificación casacional la razonabilidad del juicio de valor aplicado a la base fáctica prefijada, en armonía con la necesidad de evitar una apreciación que pudiere incurrir en error patente, arbitrariedad o contradicción con los más elementales criterios del buen sentido, que sería contrario a la doctrina constitucional sobre la tutela judicial efectiva.

3º En el segundo submotivo (del primer motivo) se aduce que la causa de disolución por pérdidas puede eludirse, según el art. 260.1.4, mediante el acuerdo de aumento o de reducción del capital social. En el desarrollo se razona que la causa de disolución no opera de forma automática e ineludible, sino que puede eludirse por medio de dos medidas –aumento o reducción del capital–, y a continuación se discurre acerca de que la adopción de las medidas, singularmente la de aumento del capital (sí que también, en el caso, la adaptación de los estatutos al nuevo régimen jurídico legal), pueden justificar un diferimento del acuerdo de la Junta.

[...]

La referencia a la posibilidad de "diferir" la convocatoria de la Junta para constatar la existencia de la pérdida no afecta al supuesto controvertido. Es un tema que pertenece al campo probatorio, pues obviamente pueden darse situaciones en que sea preciso un balance de situación provisional o una auditoría para "conocer" la realidad de la situación económica. Pero tal apreciación nada tiene que ver con el caso de autos porque el conocimiento de la realidad económica no se cuestiona, y menos casacionalmente.

El planteamiento relativo a que el diferimiento de la convocatoria puede estar justificado por la búsqueda de elementos patrimoniales necesarios para hacer la oportuna aportación a la sociedad y superar, de esta manera, el desfase patrimonial de la misma, además de carecer de una sólida base probatoria, no afecta a la aplicación del precepto, porque el contenido de la obligación legal es la de convocar la Junta en el plazo establecido cuando se da la situación prevista.

Tampoco inciden en la aplicación del precepto las consideraciones que se hacen en relación con la adaptación del capital estatutario a la nueva normativa de la LSA/1989, pues se trata de dos cuestiones distintas, con independencia de que el incumplimiento del mandato previsto en la disposición transitoria tercera LSA pueda dar lugar a una responsabilidad de los administradores por las deudas sociales (apartado 3 de dicha disposición; Sentencia 6 noviembre 1999, que habla de responsabilidad objetiva, "ex lege").

Por último, la Sentencia recurrida declara la responsabilidad del Administrador demandado porque, acreditada la existencia de la deuda social, concurren los otros dos requisitos exigibles al respecto, a saber: el patrimonio social inferior al capital social en más de la mitad de éste y la no convocatoria (en el plazo de dos meses desde el conocimiento) de la Junta general por el mencionado (Sentencias 3 abril 1998 y 13 abril 2000), sin que tenga ninguna transcendencia discurrir acerca de que se hubiera podido eludir la causa de disolución mediante el acuerdo de aumento o reducción del capital social.

[...]

5º En el motivo segundo se denuncia infracción del art. 262.5 de la Ley de Sociedades Anónimas en relación con los arts. 1, 127, 133 y 262, núms. 2 y 4, de la misma Ley.

[...] cabe resumir la pluralidad argumentativa en dos apreciaciones: que la Sentencia de instancia considera que la responsabilidad "ex" art. 262.5 tiene carácter objetivo, lo que supone contradecir el principio general de nuestro derecho y el sistema de responsabilidad de los administradores de la LSA que exigen la concurrencia de culpa, por lo que la existencia de ésta es un presupuesto general de dicha responsabilidad, y, por consiguiente, habrá de tenerse en cuenta el grado de diligencia desplegada en cada caso; y que es necesaria una interpretación restrictiva de un supuesto excepcional.

[...] el Administrador dilató la convocatoria de la Junta para "la búsqueda de una solución distinta de la disolución de la sociedad, y que una búsqueda a tal efecto puede llevar a emplear un tiempo superior a los dos meses". Este planteamiento disuena claramente de la normativa legal que se examina. Haciendo abstracción de la opinión que pueda merecer la finalidad pretendida por [...], su obligación legal, una vez conocida la situación económica que constituye el supuesto normativo (núm. 4º, apartado 1 del art. 260 LSA), era la de convocar la Junta general en el plazo de dos meses. Así lo exige el precepto para que quepa eludir la responsabilidad (formal) por las deudas sociales, y esta sencilla interpretación es la más coherente con la génesis y "ratio" teleológica del mismo, con su contenido literal y sistemático (como diferente de la responsabilidad por daño), y con la profesionalidad y seriedad que, respectivamente, son exigibles de los administradores y de la sociedad anónima. No se requiere, por lo tanto, ni nexo causal entre el crédito accionado y la inactividad de los administradores, ni otra negligencia de éstos que la que valora o toma en cuenta la propia norma legal.

[...] En el motivo tercero se acusa infracción del art. 6.4 del Código Civil y de la Jurisprudencia.

En el desarrollo del motivo se fundamenta la existencia del fraude legal invocado en que, habiéndose interpuesto por la entidad demandante [...] la acción de responsabilidad del Administrador de [...] una vez que su crédito formaba ya parte de la masa pasiva de la quiebra de esta sociedad, se viola el principio de la "par conditio creditorum" (que constituye la verdadera espina dorsal de nuestro Derecho Concursal), citándose las Sentencias de 27 de febrero de 1965, 17 de marzo de 1988 y 23 de febrero de 1990 y los arts. 911 y ss. del Código de Comercio. Por consiguiente, a juicio de la parte recurrente, [...] se ampara en el art. 262.5 LSA como "norma de cobertura" para alcanzar un resultado contrario al ordenamiento jurídico, cual es la elusión de la "par conditio creditorum".

[...] Por otra parte la responsabilidad del Administrador se puede hacer efectiva con independencia de la situación de la sociedad dado que tiene carácter solidario».

STS de 31 de octubre de 2000 (Civil) [5]

En el mismo sentido, vid., entre otras, SSTS de 29 abril 1999, 19 mayo 2003, 22 diciembre 2005, 19 mayo 2006, 29 julio 2008 y la más reciente de 12 de marzo de 2010.

STS de 30 de noviembre de 2000 (Civil) [3 y 4]

FUNDAMENTOS DE DERECHO

«1º [...] El artículo 134 de la Ley vigente de Sociedades Anónimas se refiere a la acción social de responsabilidad contra los administradores y establece una acción principal o primera, que corresponde a la Junta General previo acuerdo y, al tiempo, el precepto resulta previsor para evitar el desamparo de los socios, y atemperar posiciones de la Junta que pudieran resultar abusivas y contrarias a los intereses generales por deliberada omisión, ya que otorga legitimación a los socios para promover directamente la acción social de responsabilidad en los supuestos que el precepto contempla: a) Cuando la Junta General no acepta y rechaza la exigencia de responsabilidad que los socios demandan; b) Los administradores no convocan Junta a tal fin y c) Si la propuesta de responsabilidad prospera en Junta y los administradores no ejercitan la acción, al no presentar la demanda dentro del plazo de un mes desde la toma del acuerdo positivo.

La acción de responsabilidad que corresponde a los socios viene a tener carácter subsidiario, por lo que no resulta posible tramitar proceso por éstos cuando acciona la Junta General de la Sociedad, que sí puede transigir y renunciar, pero no cabe hacerlo cuando el proceso lo instaron los socios en cuanto a los derechos que correspondan a éstos y ejercitan de este modo acción concurrente, que es el caso de autos.

Aunque el artículo 134 no lo contemple, ha de admitirse el ejercicio en el mismo pleito de la acción que corresponde a la Junta y la que se atribuye a los socios mayoritarios, pues se trataría de acumulación de acciones que autoriza el artículo 156 de la Ley de Enjuiciamiento Civil, [...]

En el pleito se produjo desistimiento de la Junta General, lo que supone postura procesal de la parte demandante, conforme a la doctrina jurisprudencial y científica, de no querer continuar con la tramitación del pleito, equivaliendo a verdadera renuncia al procedimiento, manteniéndose el derecho, viniendo a actuar como forma anticipada de terminación del juicio, al provocar su archivo. Pero cuando sucede, como en este caso, que el desistimiento sólo fue practicado por uno de los litigantes plurales, el trámite debe continuar, lo que decidió con pleno acierto el Tribunal de Instancia y no por ello los socios codemandados quedaban despojados de la necesaria legitimación, pues aunque el artículo 134 no refiere el desistimiento y sí a la renuncia y transacción, la interpretación del mismo, adecuada a la realidad societaria y por razones de tutela judicial efectiva (art. 24 de la Constitución), y para evitar clara situación de indefensión de los socios, lleva a la conclusión decisoria de que la actitud de la Junta supone una decidida decisión de no exigir responsabilidades al administrador demandado y de esta manera la acción concurrente que la norma concede a los socios mayoritarios surge con plena efectividad y les legitima plenamente para conservar en el pleito la postura inicial de demandantes, que no fue discutida por el recurrente al contestar a la demanda.

Se trata de una clara situación de inhibición deliberada de la Junta General, suficiente para conferir a los accionistas coadyuvantes que entablaron el pleito la legitimación correspondiente para poder obtener una sentencia de fondo, pues el sentido del artículo 134 no es otro que en los casos en los que la sociedad no actúe, se confiere a los accionistas la titularidad legitimadora necesaria en defensa tanto de sus propios derechos como de los societarios generales, sin que de esta manera los supuestos que el precepto establece deban tenerse totalmente cerrados y agotados, cuando se dan situaciones, como la presente, que justifican una interpretación abierta y conveniente al tráfico societario, lo que autoriza el artículo 3 del Código Civil [...]»

STS de 20 de diciembre de 2000 (Civil) [5 y 10]

FUNDAMENTOS DE DERECHO

«4º [...]El motivo cuarto, al amparo del art. 1692.4 LECiv alega la infracción de la doctrina jurisprudencial recogida en las sentencias que cita, dado que no han quedado acreditados los presupuestos que exige para apreciar la acción de responsabilidad, y así es la de los administradores: una acción de responsabilidad extracontractual. En su de nuevo más que extensa fundamentación se exponen aquellos presupuestos y justificaciones de su no concurrencia en el litigio, volviéndose a repetir argumentaciones de los dos motivos anteriores. Se dice que el art. 262 LSA está supeditado en su aplicación a que se pruebe la relación causal entre el incumplimiento (de las obligaciones sociales) y el daño producido.

El motivo se desestima porque de nuevo hay que insistir en que el art. 262 LSA no posee los condicionamientos en su aplicación que arbitrariamente le atribuye, y que no se trata de la acción del art. 133 LSA, sino de una responsabilidad "ex lege" concreta por incumplimiento de puntuales obligaciones que impone a los administradores sociales el art. 262 de la misma».

STS de 29 de diciembre de 2000 (Civil) [4, 5 y 6]

FUNDAMENTOS DE DERECHO

«2º [...] los demandados, en cuanto administrador y secretario de la misma, tenían encomendada su gestión y administración, en momento alguno procedieron a efectuar la preceptiva convocatoria de la Junta General para acordar la disolución legal de la sociedad, ni inicialmente, cuando a consecuencia del embargo trabado en el juicio de faltas vieron la imposibilidad de desarrollar el objeto social, ni tampoco posteriormente, cuando las pérdidas no sólo dejaron reducido el patrimonio a una cantidad inferior a la mitad del capital social, sino que incluso fueron superiores a éste.

3º [...] "Resulta, pues, evidente la responsabilidad solidaria de los demandados en cuanto administradores de la sociedad respecto de la cantidad reclamada por la demandante, al tratarse de una deuda social y haber incumplido aquéllos la obligación de proceder a convocar la oportuna Junta General; que pudiera acordar la disolución de la sociedad, según establece el artículo 262-5º del Texto Refundido de la Ley de Sociedades Anónimas"; [...] también se razona, hasta, la existencia de la relación de causalidad del incumplimiento por parte de los administradores: "...Pero es que, además, a mayor abundamiento, aun partiendo de la exigencia de una adecuada relación de causalidad entre el incumplimiento por parte de los administradores de proceder a la disolución legal de la sociedad y el daño sufrido por la entidad demandante, que se ha visto imposibilitada de proceder al cobro de su crédito, tampoco puede afirmarse de manera rotunda que no exista ninguna relación de causalidad entre aquella omisión y este daño. Bien es verdad que en el presente caso, ante la insuficiencia patrimonial de la sociedad, aun en el supuesto de haberse procedido a la disolución y consiguiente liquidación de la misma, la demandante no hubiera podido cobrar la totalidad de su crédito. Sin embargo, al no haberse promovido por los administradores tal disolución y liquidación en la forma ordenada legalmente, se la ha privado de su derecho a concurrir con los demás acreedores, y en consecuencia de poder ver saldada una parte de la deuda. Y ello porque el artículo 281 del Texto Refundido de la Ley de Sociedades Anónimas dispone que, en caso de insolvencia de la sociedad, los liquidadores deberán solicitar en el término de diez días a partir de aquél en que se haga patente esta situación la declaración de suspensión de pagos o de quiebra, según proceda. Por tanto, la omisión de los demandados ha determinado una alteración de la 'pars conditio creditorum', de la que, indudablemente, se ha derivado un perjuicio para la entidad demandante". En la regulación de la LSA, de la Responsabilidad de los Administradores, es preciso distinguir dos clases de la misma:

A) Responsabilidad por daño: [...] requiere a su vez: 1) conducta ilícita, el acto, la voluntad de la conducta, la ilicitud, la transgresión por cada una de las tres causas (o la subsunción del "facere"), en la Ley, en los Estatutos o en la falta de diligencia; 2) la producción del daño y naturalmente 3) el nexo causal que claro es, habrá de acreditarse; [...] en la actualidad, prácticamente, dentro de la "praxis" judicial, se está casi en el umbral de la llamada responsabilidad objetiva o por riesgo, porque, en cuanto se produzca el daño y se acredite el nexo causal, la responsabilidad del Administrador o el Consejero, será inevitable; este art. 133 en su párrafo 2º, impone la responsabilidad solidaria de todos los administradores/consejeros que realizaron el acto o adoptaron el acuerdo, salvo los casos de que no conozcan el acuerdo que se adopte (acuerdo que sea atentatorio, cause daño en los términos del art. 133), o bien, en el caso de que lo conozcan, se hubiesen opuesto expresamente al mismo; se habla asimismo en el art. 134.2º, de que la Junta podrá transigir o desistir del acuerdo adoptado, etc., con el singular efecto de rechazo sobre la destitución de los administradores afectados.

[...] la Ley distingue entre la acción social de responsabilidad y la acción individual de responsabilidad.

a) La acción social: lo que caracteriza a la acción social, es que el daño se produce a la sociedad, [...], sirve para distinguirla de la acción individual, en la cual, ese daño se produce al individuo, al interés personal, daños primarios o directos, según el art. 135; es, pues, una dualidad perfectamente diferenciada, ya que la acción social, procederá cuando una conducta transgresora del Consejero o del Administrador, por alguna de esas causas, daña a los intereses sociales; luego la ley, desarrolla la legitimación activa, esto es, ante este daño de interés social, puede ejercitar la acción correspondiente:

1) Quién se considere dañado o perjudicado, el ente social, porque, es justamente el receptor del daño, ente social que precisa un acuerdo en Junta con una mayoría ordinaria o simple, en donde se decida, ejercitar la acción de responsabilidad, contra el Consejero o contra el Administrador.

2) Accionistas: luego la Ley, habla en su núm. 4 "ex" art. 134, en una escalada de posibles legitimados "ad causam" dentro de la activa, que pueden ser los accionistas o los acreedores núm. 5; y así se expresa que, los accionistas –siempre que sean más del 5%– podrán promover la convocatoria de la Junta para que se adopte el acuerdo de exigir la responsabilidad social contra el Administrador o contra el Consejero, y, luego, con evidente impropiedad o ligereza evidente, prescribe que asimismo se podrá establecer conjuntamente, la acción contra el Administrador en los siguientes casos:

Cuando los Administradores no convoquen la Junta. Pero, se subraya, sino se convoca la Junta, es que no actúa la Sociedad... luego, es una acción individualizada y no concurrente.

Cuando convocada la Junta, se adopte el acuerdo y sin embargo, no se entable en un mes la acción de exigir la responsabilidad. Luego también, es una actuación individualizada. No es concurrente.

Cuando el acuerdo adoptado hubiera sido contrario a la exigencia de responsabilidad; que tampoco aboca a la concurrencia.

3) Acreedores: Y por último, se contempla en el núm. 5 de citado art. 134, la posibilidad del tercer supuesto de legitimación activa "ad causam" que es, en el caso de los acreedores, quienes también podrán ejercitar la acción de responsabilidad social, contra el Administrador o Consejero infractor, cuando no haya sido ejercitado por la sociedad o sus accionistas, siempre y cuando no exista patrimonio suficiente, para satisfacer sus créditos.

b) Acción individual: Y por último, está, la acción individual,[...], prevista en el art. 135, de claro contenido sustantivo, [...]; esta acción individual, tiene las siguientes connotaciones, a) se habla de una acción indemnizatoria, [...], quiere decirse es supletoria o, con independencia de que no se dé la anterior, [...] el foco de la distinción con la acción social de esta acción individual de responsabilidad, radica en que el acto atacado transgreda intereses individuales del perjudicado, los socios o terceros; responsabilidad, pues, claramente extracontractual con la exigencia de los presupuestos del art. 1902 CC y entre ellos, el indispensable nexo causal [...]

B) Responsabilidad por deudas: O cuando responde el Administrador si por la infracción de sus deberes legales no se satisfacen los créditos del acreedor y, por ello, éste reclama frente al mismo: "Esta situación y el correspondiente deber del Administrador, están contemplados en lo dispuesto en los arts. 260.4º en relación con el 262.5, LSA, [...]"; que esa situación de insolvencia, por ende, supone la existencia de tal pérdida, y en consecuencia, la procedencia de la disolución es inconcusa, y así este deber legal viene recogido en el art. 262.5, al sancionarse que, responden solidariamente de las obligaciones sociales los Administradores que incumplan la obligación de convocar en el plazo de 2 meses la Junta General, para que adopten en su caso, el acuerdo de disolución o que no soliciten la disolución judicial de la sociedad; [...]; y si ello, además, se pone en consonancia con lo recogido en el art. 127, en cuanto que en el ejercicio del cargo de los Administradores, éstos actuarán con la diligencia de un ordenado empresario y de un representante leal.[...].

[...] esta responsabilidad legal por deudas, se plantea, [...] si efectivamente, el daño por el impago producido, [...]fue debido a mencionado incumplimiento o no, en su ubicación etiológica o relación de causalidad, si bien, es obvio que en principio el incumplimiento de esa obligación legal, determinará, según las sanciones previstas, la responsabilidad correspondiente, por lo que, el seguimiento literal de la tesis del motivo conduce a que cuando, por los Tribunales se aprecie la inexistencia de culpa, quedaría vacío de contenido un incumplimiento legal por parte de los Administradores, cuando, sin más, en el repetido art. 262.5, se establece una responsabilidad solidaria de los Administradores, cuando se incumpla la obligación legal de promover la Junta a los fines de que se adopte en su caso el acuerdo de disolución; por ello, pues, se discute o cuestiona si cuando esa actitud contraventora se pueda enturbiar o eludirse porque precisamente el efecto damnificante o perjudicial para la sociedad, y en definitiva, para los acreedores en su caso, por el impago de sus deudas, provenga de una insolvencia y en cuya insolvencia no ha tenido participación culposa el Administrador demandado, se aprecie una especie de justificación exonerativa de responsabilidad para éste, ya que, como se dice, emerge como cuestión prioritaria que el incumplimiento de dicha obligación, sin más, deberá desencadenar la responsabilidad solidaria legalmente establecida, y ello al margen de que, el daño que se haya producido en sí, pudiera prevenir o no de una conducta de aquél culposa o negligente o falta de diligencia;[...]»

STS de 30 de enero de 2001 (Civil) [1, 4, 5 y 6]

FUNDAMENTOS DE DERECHO

«5º [...] las vicisitudes sobre la Junta de 25 de noviembre de 1992, al parecer, convocada a instancia de las hoy actoras al objeto de poder viabilizar su acción social de responsabilidad frente al demandado al amparo del art. 134-1º, se reseñan en el F. 3º del Juzgado al decirse: "..del examen de los autos el demandado [...]. en su condición de Administrador único de las tres sociedades citadas, incumplió los requisitos de convocatoria de las Juntas que exige el art. 97 LSA, al no mediar entre la fecha de publicación de los anuncios preceptivos y las fechas previstas para la celebración de las Juntas, el plazo mínimo legal de 15 días que establece el citado precepto [...]. Habiendo sido omitido también el requisito que recoge el apartado segundo del art. 97 según el cual, [...] 'El anuncio expresará todos los asuntos que han de tratarse', que por su índole netamente imperativa resulta de obligado cumplimiento y cuya omisión supone un defecto determinante por sí solo de la nulidad de la convocatoria y, en su caso de los acuerdos que se adopten...".

2) Por ello, con argumentación razonable que ratifica la recurrida se dice por el Juzgador "..Constando en el presente caso la omisión en los anuncios de convocatoria de toda mención al orden del día. Este defecto, al igual que el anterior, ya reseñado, no pueden entenderse subsanados, acudiendo a lo dispuesto en el art. 99 LSA, precepto referido a la Junta Universal, ya que, para ello no basta con la presencia de todo el capital social, sino que además se exige que los asistentes acepten por unanimidad la celebración de la Junta, lo que no se ha dado en el supuesto de autos. En consecuencia, una vez apreciadas tales irregularidades, ante la falta de convocatoria válida y eficaz, de conformidad con lo dispuesto en el art. 134 LSA, las demandantes se hallan plenamente legitimadas para entablar, subsidiariamente, la acción social de responsabilidad. Hallándose legitimado el demandado [...] en su condición de Administrador único de las tres sociedades..."; Asimismo, la Sala expone en su F. 3º: "En el caso que se enjuicia, la acción ejercitada por las actores, accionistas de las sociedades administradas por el demandado [...], es la social de responsabilidad cumpliendo para ello los requisitos formales establecidos en el art. 100 de la Ley, al ser titulares de, al menos, un 5% del capital social y haber requerido notarialmente a los Administradores para que procedieran a la convocatoria de la Junta General, expresando en la solicitud los acuerdos a tratar, tal como señaló la Juez de instancia. Y ello es así con independencia de que los acuerdos de las Juntas celebradas hayan sido impugnadas o estén en trámite de impugnación, pues, al cabo, no sólo se incumplieron los requisitos formales de la convocatoria, sino que ni tan siquiera consta que se debatiera en cada una de ellas la cuestión planteada y que se llegara a adoptar algún acuerdo que pudiera condicionar la legitimación cuestionada, no siendo a este respecto de aplicación los criterios legales que, con cita del art. 99 de la Ley para la Junta Universal, pretende hacer valer el demandado, pues, si bien es cierto que se entiende válidamente convocada y constituida la Junta no obstante el incumplimiento de los requisitos de publicidad establecidos para la ordinaria, también lo es que para que ello se produzca es preciso que está presente todo el capital desembolsado, y que los asistentes acepten por unanimidad su celebración, lo que no sucedió en este caso."

3) Y es que no es posible tutelar la pretensión del Motivo de que por haberse impugnado judicialmente la Convocatoria de la citada Junta y estar pendiente de resolución judicial cuando se plantea la presente acción social aún no se ha cumplido con el presupuesto previsto en citado art. 134-4º (literalmente "Cuando los administradores no convoquen la

Junta General solicitada a tal fin" o, incluso, como se denuncia, anticipar la acción antes del mes previsto en su núm. 2), porque, entonces esa literalidad, en casos como el de autos, podía paralizar la acción social si, en la hipótesis de actuación de los administradores preconstituida en su designio de obstrucción, se verifica una convocatoria con infracciones evidentes de la normativa aplicable –en el caso de autos las padecidas antes transcritas fueron causa de la nulidad declarada– y, pese a ello, ampararse el Administrador que convoca en que ha cumplido este requisito y que al estar impugnada esa convocatoria –en el litigio, precisamente, por las demandadas ante la evidente transgresión del anuncio social–, tener que aguardar a la solución definitiva de esa impugnación, para que, en su día muy posterior, sin duda, a la conducta reprobable atacada, poder habilitar o no la acción. Afirmar que, aparte de que con esa conducta tan reprobable se está, sin duda, demorando sin razón la postulación de una acción social de responsabilidad por esa incidencia, es bien indiscutible, y, sobre todo, sin que pueda eludirse la sospecha de que aquella transgresión, acaso, perseguiría ese bloqueo de la acción durante un tiempo bien apreciable [...]

6º [...] impugnadas las Juntas de [...] de 25 de noviembre de 1992, por las aquí actoras, ante los Juzgados [...] legitimaron a las actoras para ejercitar la acción social de responsabilidad, [...]»

STS de 31 de enero de 2001 (Civil) [5 y 13]

FUNDAMENTOS DE DERECHO

«2º Los motivos segundo –aplicación indebida del artículo 81 de la Ley de Sociedades Anónimas de 17 de julio de 1951–, y el tercero –aplicación indebida de dicho precepto en relación al 79 de la misma Ley y 1902 del Código Civil–, procede su estudio conjunto, al estar relacionadas las impugnaciones casacionales que se desarrollan en los mismos.

Combaten los recurrentes las condenas solidarias impuestas con el codemandado don [...], en su condición de administradores de las sociedades transmitidas, alegando su improcedencia, pues el citado artículo 81 (al que corresponde el 135 de la Ley vigente de Sociedades Anónimas), contempla acciones de indemnización que puedan corresponder a los terceros (equiparados a los acreedores) por los actos de los administradores que lesionen directamente los intereses de aquéllos, siendo su finalidad restaurar el perjuicio causado a su patrimonio y es distinta de la acción social prevista en el artículo 79.

La responsabilidad de los administradores frente a los terceros reviste naturaleza extracontractual por no existir vínculo contractual relacionante y sí el genérico contenido en el principio "naeminem laedere" (Sentencias de 11-10-1991 y 21-5-1992), tratándose de responsabilidad personal de los administradores y no de la sociedad. Su procedencia exige la concurrencia necesaria de los presupuestos siguientes: a) Daño ocasionado en los intereses de los legitimados que ha de ser estimable, y b) Que provenga de abuso de facultades, malicia o negligencia grave de los administradores (SS. de 12-4-1989, 26-11-1990, 12-6-1995 y 31-7-1996).

En el presente caso ha quedado demostrado tanto la efectividad del daño en la forma que se deja cuantificado, por el desfase económico negativo que presentan los balances, lo que conforma hecho probado, como la actuación negligente de los administradores, pues a los mismos les correspondía su confección, conforme al artículo 102 y siguientes de la Ley de 17 de julio de 1951, para mayor garantía tanto de los socios, como de acreedores y terceros en general, concurriendo la necesaria relación de causalidad y estando sujeta su apreciación a los principios generales del Derecho Civil, no procediendo hacer cuestión de la misma y ha de conectarse con la reserva de acciones frente a terceros incorporada al contrato de 20 de junio de 1988 que de este modo incluye al demandante, en la referencia a pasivos ocultos y alteración fraudulenta de las cifras del balance que sirvió de base a la transmisión. Los motivos se desestiman.

Esta responsabilidad extracontractual, concurre con la contractual del señor [...], conformando responsabilidad solidaria tácita, conforme se estableció en el estudio casacional del motivo cuarto de dicho recurrente, lo que ocasiona la claudicación del motivo séptimo, que aporta indebida aplicación de los artículos 1137 y 1138 del Código Civil».

STS de 1 de marzo de 2001 (Civil) [6 y 13]

FUNDAMENTOS DE DERECHO

«5º El criterio fundamental que determina la desestimación de la pretensión actora, tanto en la sentencia del Juzgado, como en la de la Audiencia, es la de reputar la conducta de la entidad actora contraria a la buena fe (art. 7.1º CC). [...] pero lo que verdaderamente importa o tiene relevancia es la calificación del comportamiento de la entidad actora como de mala fe, para cuya apreciación se alude por la Sentencia recurrida a una serie de consideraciones fácticas y de pautas o razones que, en su conjunto, integran o aglutinan un sólido soporte para sentar la calificación jurídica efectuada, totalmente acertada y compartida por esta Sala en ejercicio de la función casacional de revisión del aspecto de "questio iuris" de la buena fe (delimitación del concepto o juicio de significación jurídica de los hechos). Al respecto hay datos claramente evidenciadores en autos, unos puestos de relieve en las dos Sentencias, e incluso otros que podrían traerse a colación sin demérito para la función casacional al cobijo de la doctrina denominada de la "integración del "factum", de los que resulta incuestionable la conducta contraria a la buena fe mínima exigible en los comportamientos jurídicos, pues no cabe desconocer que la actora fue fundadora y sigue siendo socia de la compañía demandada, perteneció al Consejo de Administración durante una época en que era proveedora de la sociedad, generando entonces un importe de deuda que cuando menos no era inferior al reconocido en autos, y que renunció al cargo de administrador con posterioridad a la entrada en vigor de la LSA de 1989. Por otro lado no demanda al Presidente del Consejo de Administración que es uno de los dos Consejeros Delegados (al que le une una buena amistad) y sin embargo dirige la acción contra un vocal del Consejo, el que, según parece, entró a formar parte del mismo animado por la representación de la actora para ver de hacer efectivo un crédito que tenía contra la entidad y que no llegó a cobrar. Por ello es acertada la conclusión del juzgador de primera instancia cuando dice que "no es dable ejercitar la acción de responsabilidad, en la forma que se pretende, contrariando la resultancia de sus propios actos de aceptación del actual status de la sociedad, para beneficiarse en perjuicio de quien puso la confianza en él; dado que lo contrario llevaría a un resultado, que aparentemente amparado por una norma legal, no resulta adecuado ni a la equidad ni a la buena fe", argumentación plenamente asumida por la Sentencia recurrida en casación.

[...] la exigencia de ajustar el ejercicio de los derechos a las pautas de buena fe constituye un principio informador de todo el ordenamiento jurídico que exige rechazar aquellas actitudes que no se ajustan al comportamiento honrado y justo (S. 11 de diciembre de 1989). El ejercicio de los derechos conforme a las reglas o exigencias de la buena fe (art.

7.1 del Código Civil; y para procesal arts. 11.2 LOPJ y 247 de la Ley de Enjuiciamiento Civil 1/2000) equivale a sujetarse en su ejercicio a los imperativos éticos exigidos por la conciencia social y jurídica de un momento histórico determinado, imperativo inmanente en el ordenamiento positivo (Sentencias 4 marzo 1985, 5 julio 1989, 6 junio 1991). Implica la necesidad de tomar en cuenta los valores éticos de la honradez y la lealtad (Sentencias 21 septiembre de 1987, 8 marzo 1991, 11 mayo 1992, 29 febrero 2000), es decir los imperativos éticos que la conciencia social exige (Sentencia 11 mayo 1988).

Por último a los exclusivos efectos de concretar la respuesta casacional a los motivos que se analizan en este fundamento jurídico, es de decir brevemente que la conducta contraria a la buena fe observada por la entidad actora le deslegitima, y hace inadmisible el ejercicio de la acción de responsabilidad de los administradores, por lo que no se da la infracción de la Disposición Transitoria Tercera de la LSA, Texto Refundido de 1989. Por otra parte no se vulnera en absoluto, en ningún concepto positivo o negativo, pues no tienen relación con la pretensión ejercitada, ni excluyen la aplicación correcta del art. 7-1º del Código Civil, los arts. 140.1 y 144.1 y Disposición Transitoria Quinta de la citada Ley de Sociedades Anónimas. Y finalmente, la alusión al art. 1961 carece de razón de ser porque no se da ningún planteamiento de prescripción extintiva en el caso, a lo que sólo cabe añadir (a los meros efectos dialécticos) que es numerosa la jurisprudencia de esta Sala sobre el retraso desleal o ejercicio tardío desleal como conducta contraria a la buena fe (entre otras, sentencias de 21 mayo 1982, 6 junio 1992 y 4 julio 1997)».

STS de 30 de marzo de 2001 (Civil) [5]

FUNDAMENTOS DE DERECHO

"3º (...) Se trata de una acción resarcitoria, para la que están legitimados los acreedores sociales («ad ex» (SS. 21 septiembre 1999 y 30 enero 2001), que exige una conducta o aptitud –hechos, actos u omisiones– de los administradores carente de la diligencia del ordenado comerciante (basta la diligencia simple, sin que sea necesaria, como en cambio ocurría en la legislación anterior, la malicia o negligencia grave) que dé lugar a un daño, de tal modo que el accionante perjudicado ha de probar también que el acto se ha realizado en concepto de administrador y existe un nexo causal entre el mismo y el resultado dañoso. La acción individual de responsabilidad de los administradores sociales ha sido objeto de una importante atención por la reciente jurisprudencia de esta Sala (...)".

STS de 12 de abril de 2001 (Penal) [8]

FUNDAMENTOS DE DERECHO

«4º [...]En el caso sometido a nuestra consideración casacional, es evidente que el delito se comete en el ámbito de un establecimiento, en este caso mercantil, una entidad bancaria, en donde se llevan a cobrar los cheques falsos (con firma falsificada por la acusada, imitando la de su titular), y que el pago se produce haciéndose pasar por la persona que habitualmente utiliza ese mecanismo en nombre de la libradora, como consta en la Sentencia recurrida, al punto de no comprobar adecuadamente la firma, según resulta igualmente de la misma. En estos casos, en realidad nos encontramos con un responsable civil directo (la entidad bancaria) que ha sido la verdadera perjudicada y defraudada por el delito, conforme resulta de la jurisprudencia de esta Sala. En efecto, desde la Sentencia de 15 de febrero de 1986, ya dijimos que por el contrato de depósito en cuenta corriente se constituye un depósito irregular con la consecuencia prevista en el art. 307.3 del Código de Comercio, por el cual, al quedar el dinero confundido con el patrimonio del depositario, éste ha de soportar los riesgos derivados de su deber de conservar la cosa depositada, de modo que si un tercero comete una defraudación y se apodera del dinero depositado o parte del mismo, de esa pérdida ha de responder el depositario, esto es, la entidad bancaria, en el caso. A la misma conclusión llegamos si examinamos el hecho desde otra perspectiva, la del pago como modo de extinción de las obligaciones (arts. 1156 y siguientes del Código Civil), pues la obligación del depositario de devolver la cosa depositada (arts. 1766 CC y 306 CCom) se extingue por el pago, pero éste sólo es eficaz cuando se hace a la persona en cuyo favor estuviese constituida la obligación o a otra autorizada a recibirla en su nombre, como dice el art. 1162 del Código Civil. Por tanto, la entrega de la cosa depositada a una persona distinta de las expresadas en esa última norma jurídica no produce el efecto extintivo de la obligación del depositario relativa a la devolución del objeto del depósito. De modo que, como ya adelantábamos, el perjudicado por tal delito (extracción de dinero mediante cheque falsificado mediante imitación de la firma de su titular) es el propio banco o caja de ahorros, y no el titular de la cuenta. Al no haberse hecho así en estos autos, sino que la entidad Banca Catalana permanece situada en el lado pasivo del proceso penal, la solución pasa por la declaración de la misma como responsable civil directo, o como responsable civil subsidiario, que es cómo se ha planteado el asunto, de modo que su situación ha variado, arrastrando el inicial concepto de perjudicado y responsable en consecuencia ante el titular de la cuenta, al de responsable civil frente al mismo, teniendo que ejercitar dicho titular tales acciones civiles en el seno del proceso penal, sin que sea tolerable diferir esta cuestión al ámbito de la jurisdicción civil, pues puede ser resuelta dentro de los parámetros (jurídico-privados) que el proceso penal español permite, con tal que exista la oportuna rogación (acción civil entablada conjunta o separadamente de la penal) y posibilidad de defensa como tal responsable civil (personación en este concepto y oportunidad probatoria). Por eso, las Sentencias de 6 de diciembre de 1954, 14 de mayo de 1963, 14 de noviembre de 1967 y 24 de septiembre de 1968 declararon, con motivo de delitos de estafa cometidos por medio de cheques falsos o falsificados, que es la entidad bancaria y no el cuentarrentista, la perjudicada por la defraudación, llegándose a afirmar que si se recuperase parte o toda la cantidad defraudada, se entregará a la misma y no a su cliente, ya que es obvio que tiene que devolver a la cuenta corriente del cliente las cantidades que indebidamente salieron de la misma, por la negligencia o impericia de los empleados al comprobar la legitimidad de los cheques.

A esta misma solución se llega por la vía del art. 156 de la Ley 19/1985, de 16 de julio, Cambiaria y del Cheque, ya que en el mismo se establece la responsabilidad de la entidad financiera librada, en el sentido de que «el daño que resulte del pago de un cheque falso o falsificado será imputado al librado, a no ser que el librador haya sido negligente en la custodia del talonario de cheques, o hubiere procedido con culpa».

STS de 19 de abril de 2001 (Civil) [3, 5 y 7]

FUNDAMENTOS DE DERECHO

«2º [...] En este proceso se ha demostrado la existencia de culpa, daño y el nexo causal, pero nada empece a que la cuantificación del daño se determine en el período de ejecución de sentencia. Ya el fundamento tercero de la sentencia recurrida recogió que no era posible en el momento de la demanda la cuantificación de los daños y perjuicios que tan sólo concluido el expediente concursal era posible alcanzar y por ello incardinó tales operaciones en el período de ejecución de sentencia. Por tanto, en el supuesto de que durante el proceso sea imposible demostrar la cuantía de los daños y para evitar un nuevo pleito debe trasladarse al período de ejecución de sentencia –sentencias de 22 de junio de 1992 y 16 de diciembre de 1996)–. [...]

5º El motivo quinto por infracción de los artículos 135, en relación con los números 1 y 2 del art. 133 de la Ley de Sociedades Anónimas sostiene que la sentencia recurrida considera que no se solicitó suspensión de pagos o quiebra voluntaria y de ahí que estime tales hechos suficientes para condenar a los Administradores últimos, sin imputación a los anteriores que motivaron la insolvencia.

Añade que al no distinguir entre los hechos de unos Administradores y otros y al no calificar la trascendencia de cada uno de los Consejos de Administración, la fundamentación está viciada de inconcreción y es insuficiente para la condena.

La irregularidad del motivo se proclama en que, con lamentable olvido de lo que la Sala "a quo" proclama como probado en los autos, la parte recurrente omite, que constan una serie de irregularidades llevadas a cabo por los demandados a partir de asumir la administración de [...] en una Junta, después anulada judicialmente, con una gestión calificada por la sentencia recurrida, como contraria a las más elementales directrices de la vida societaria, sino a las propias exigencias legales. No se examinaron anualmente las cuentas, ni se realizó auditoría a la empresa, ni tampoco se llevó a cabo la reforma exigida, ni tampoco se encauzó la crisis mediante la presentación de la suspensión de pagos o quiebra voluntaria. Ello ha de imputarse a los demandados y con tales actuaciones han generado culpablemente una insolvencia que ha llegado a ser calificada de fraudulenta en el juicio universal de quiebra de la Sociedad por lo abultada e irreparable. Tal conducta ha lesionado los intereses de los actores, en cuanto sus respectivos patrimonios se ven afectados y resentidos por el desarrollo de la quiebra, siendo dicha lesión consecuencia de la actuación de los administradores.

6º El último motivo del recurso estima la aplicación e interpretación indebida del art. 135 de la Ley de Sociedades Anónimas, al confundir la acción prevista en dicho artículo con la regulada en el art. 134 del mismo texto legal. Entiende el motivo que para la aplicación del art. 135 habría de alegarse un daño directo, sin lo cual los actores, administradores o terceros carecen de legitimación activa.

En el proceso se ha ejercitado la acción individual de responsabilidad del art. 135 del Real Decreto Legislativo 156/1989, de 22 de diciembre, por el que se aprueba el Texto Refundido de la Ley de Sociedades Anónimas, que ha conservado en su integridad el art. 81 de la Ley de 17 de julio de 1951 y mantenida por la Ley 19/1989, de 25 de julio. El precepto en cuestión aparece tomado casi a la letra del art. 2393 del Código Civil italiano de 1942 y de su texto se desprende con toda claridad que hace referencia a la acción individual que tiende, no a la indemnización de los daños indirectamente causados al socio o al acreedor a través del patrimonio de la sociedad (daños secundarios), sino a repararle e indemnizarle de los daños directamente sufridos por el demandante en su patrimonio (daños primarios). Ello quiere decir que tanto socios como terceros pueden ejercitar, reclamando individualmente la indemnización del daño sufrido directamente en su patrimonio. Se trata de reclamar a los Administradores no el daño al patrimonio social, sino a indemnizar a socios o terceros del daño sufrido en su patrimonio (sentencia de 21 de mayo de 1985). Se trata de una acción directa, por los actos de los Administradores realizados con lesión a terceros.

Tal es la acción ejercitada en la demanda y fue estimada por la sentencia porque los hechos probados han acreditado la grave culpa de los ahora recurrentes, la lesión directa a los intereses de los actores y la relación causal entre la grave culpa y la lesión [...]».

STS de 8 de mayo de 2001 (Civil) [5]

FUNDAMENTOS DE DERECHO

«5º [...] Resulta imposible, a la vista de cuanto queda expuesto, llegar a la conclusión de que el recurrente hubiese podido causar un daño a la entidad actora a través de una actuación como administrador de la sociedad codemandada carente de la diligencia a que se refieren los artículos 133 y 135 de la Ley de Sociedades Anónimas, pues es evidente que nunca llegó a desarrollar tal función en forma efectiva, precisamente por haberlo impedido la falta de diligencia de su antecesor en dicha administración, según por éste aparece reconocido en las actas notariales incorporadas al proceso. En cualquier caso, está fuera de duda que los suministros cuyo importe se reclama se llevaron a cabo con más de un año de anterioridad a los momentos en que entre los señores [...] y [...] se discutía la posibilidad de que el primero pudiese asumir la gestión social y no se ha probado, por último que el recurrente hubiese llegado en fecha anterior a la interposición de la demanda a desempeñarla de modo efectivo y a disponer por ello de oportunidad para procurar el cumplimiento de los compromisos sociales contraídos con la demandante.»

STS de 31 de mayo de 2001 (Civil) [6]

FUNDAMENTOS DE DERECHO

«2º Acerca de la responsabilidad "ex" arts. 260.4 y 262.5 LSA, sobre que recae el litigio, se reitera que, responde el Administrador o solidariamente con los otros Administradores, en su caso, cuando por la infracción de sus deberes legales no se satisfacen los créditos del acreedor y por ello, éste reclama frente al mismo/s.

[...] está perfectamente reflejada una responsabilidad por parte del Administrador, cuando se incumpla dicha obligación legal de convocar en el plazo de 2 meses la Junta General, para que adopte en su caso, el acuerdo de disolución en los supuestos en que se determina, en los términos, entre otros, previstos en el repetido núm. 4º, del art. 260; y si ello, además, se pone en consonancia con lo recogido en el art. 127, en cuanto que en el ejercicio del cargo de los Administradores, éstos actuarán con la diligencia de un ordenado empresario y de un representante leal. Asimismo, sobre la acción individual del art. 135, se prescribe que, estarán a salvo siempre las acciones de indemnización que puedan corresponder a los socios y terceros por actos que lesionen directamente los intereses de aquéllos, y lo dispuesto en el art. 133, que en cuanto a la responsabilidad en general, establecía que los Administradores, responderán frente a la sociedad, frente a los accionistas y frente a los acreedores sociales, del daño que causen por actos contrarios a la ley.

[...] el incumplimiento de la obligación legal por el Administrador, supuso una conducta contraventora de la ley, lo que implica, que la responsabilidad derivada y recogida en el art. 262 del núm. 5, sea una consecuencia determinante de la misma, y sin que, por lo tanto, tampoco sea posible compartir que con independencia de dicha obligación, se precise inquirir, si, efectivamente, el daño por el impago producido, fue debido a mencionado incumplimiento o no, en su ubicación etiológica o relación de causalidad, por cuanto que, es obvio que el incumplimiento de esa obligación legal, determinará, según las sanciones previstas, la responsabilidad correspondiente, pues, en otro caso, cuando, por los Tribunales se aprecie la inexistencia de culpa, quedaría vacío de contenido un incumplimiento legal por parte de los Administradores, ya que, sin más, en el repetido art. 262.5, se establece una responsabilidad solidaria de los Administradores, cuando se incumpla la obligación legal de promover la Junta a los fines de que se adopte en su caso el acuerdo de disolución; por ello, no ha de discutirse o cuestionarse si esa actitud contraventora se puede enturbiar o eludirse porque, precisamente, el efecto damnificante o perjudicial para la sociedad, y en definitiva, para los acreedores en su caso, por el impago de sus deudas, provenga de una insolvencia y en cuya insolvencia no ha tenido participación culposa el Administrador demandado y, entonces, se aprecie una especie de justificación exonerativa de responsabilidad para éste, ya que, como se dice, emerge como cuestión prioritaria que el incumplimiento de dicha obligación, sin más, deberá desencadenar la responsabilidad solidaria legalmente establecida, y ello al margen de que, el daño que se haya producido en sí, pudiera provenir o no de una conducta de aquél culposa o negligente o falta de diligencia; Y en esa línea se ha afirmado escuetamente que, cuando la conducta del Administrador es claramente infractora de dicha obligación legal, supone "ipso facto" que no se desempeñó el cargo con la diligencia de un ordenado empresario o de un representante leal, que, como mínimo, habrá naturalmente de cumplir con las obligaciones legales de su gestión, por lo que esa conducta, contraventora de la ley, determinará la responsabilidad prevista en el repetido art. 262-5º. (S. 29-4-1999 y, la reciente de 29-12-2000). Y asimismo "..Para que exista una responsabilidad solidaria de los administradores de una sociedad anónima según arts. 262-5 y 260-4, es preciso que se den dos requisitos: a) que por consecuencias de pérdidas dejen reducido el patrimonio a una cantidad inferior a la mitad del capital social, a no ser que éste se aumente o se reduzca en la medida suficiente, y b) que dichos administradores no cumplan con la obligación de convocar en el plazo de dos meses la junta general, para que adopte, en su caso, el acuerdo de disolución, cuando se dé la circunstancia del apartado anterior." (S. 3-4-1998). Y, "La infracción del art. 260-4 –sic– trae como consecuencia objetiva, art. 262.5 de la Ley y Disposición Transitoria 3ª.3 de la misma, la responsabilidad solidaria, de los administradores entre sí y con la sociedad, por las deudas sociales, con lo demás de perjuicios también reclamados..." (SS. 28-6-2000 y 30-1-2001).

3º [...] por su composición colectiva, el Consejo de Administración, exclusivamente responde en los casos de que por éste se infrinjan obligaciones del tenor a que se contrae la "ratio petendi" de la acción ejercitada, esto es, al amparo de lo dispuesto en el art. 260.4 en relación con el 262.5º LSA, al haberse incumplido la obligación de convocar en el plazo de 2 meses la Junta General para adopción, en su caso, del acuerdo y disolución a contar desde la fecha prevista, debe decaer, ya que, con independencia de la realidad de que –como en la mayoría de los supuestos– en el caso de Autos, se trata de un Consejo de Administración con la existencia de varios administradores, ello no obsta para que, cuando se produzcan las infracciones constatadas, la responsabilidad pueda exigirse por parte del acreedor perjudicado por tales infracciones, frente a cualquiera de los miembros del Consejo de Administración, sin necesidad de tener que demandar a todos ellos y menos al Órgano colegiado en su composición colectiva, siendo razones suficientes para ello,

a) Que la responsabilidad que se decrete sobre dichos administradores, tiene carácter solidario, solidaridad que, como es bien entendido, por una constante creación jurisprudencial, implica que el actor que reclama esa responsabilidad, pueda ejercitar su acción frente a cualquiera de los componentes de dicho Consejo de Administración.

b) Que como previsión legal, no está previsto en esta responsabilidad por deuda la exención análoga a la del art. 133-2º LSA, en caso de desacuerdo, en la responsabilidad por daño.

c) Que en el litigio, está bien patentizado que, la acción, se dirigió contra todos los miembros del Consejo de Administración, a los que se condenó solidariamente a tenor del art. 262.5 de la ley [...]»

STS de 11 de junio de 2001 (Civil) [5]

FUNDAMENTOS DE DERECHO

«2º [...] Según ha sentado esta Sala, en la sentencia de 30 de enero de 2001, para que sea efectiva la responsabilidad de los Administradores según el artículo 133 de la Ley de Sociedades Anónimas se requiere: a) la conducta ilícita, esto es una acción u omisión que sea contraria a la Ley, a los Estatutos o se desarrolle con falta de diligencia, b) la producción del daño, y c) el nexo causal entre la conducta y el daño, que habrá de acreditarse.

En el supuesto de debate, concurren los presupuestos indicados, toda vez que d. J. A. no ha desempeñado su cargo con "la diligencia de un ordenado empresario y de un representante leal" como dispone el artículo 127 de la Ley de Sociedades Anónimas, y ha coadyuvado a la adopción y ejecución del acto lesivo, al encargar la realización de diversos servicios de transporte y ocasionar un perjuicio a la sociedad actora por su falta de abono, con la consiguiente conexión entre su conducta y el daño, de manera que cabe reprocharle su despreocupación al no realizar el pago por parte de la sociedad por él regida, en tanto que es el único Administrador de la misma y actuó en este caso en su carácter de tal, es decir como órgano social y no como mero socio o como particular, por lo que ha generado la consiguiente responsabilidad».

STS de 26 de junio de 2001 (Penal) [8]

FUNDAMENTOS DE DERECHO

«5º [...]la dimensión fáctica que lleva a la jurisdicción penal al conocimiento y sanción de los hechos no coincide con los antecedentes de hecho de los expedientes administrativos sino que, abarcándolos, se refiere también a una situación fáctica nueva posterior a los mismos que exaspera la indisciplina urbanística del acusado hasta el extremo de hacerla penalmente relevante. Los nuevos tipos penales que integran el Título XVI, Libro II, CP 1995, y concretamente los descritos en el Capítulo I bajo el epígrafe «de los delitos sobre la ordenación del territorio», denominados también delitos urbanísticos, no dejan de constituir la traducción penal de infracciones administrativas preexistentes, lo que plantea problemas de diversa índole, que incluso afectan al principio de legalidad, si tenemos en cuenta la suma de conceptos normativos extrapenales que conllevan y en muchos casos su naturaleza de normas en blanco, habiéndose cuestionado incluso la vigencia del principio de intervención mínima que debe tener en cuenta el Legislador en relación con la Legislación penal. No obstante, la indisciplina urbanística generalizada y la falta de efectividad de la actuación administrativa sin duda ha llevado a aquél a la introducción de la respuesta penal en los supuestos definidos en el Código de 1995. Sin embargo, ello sí debe ser un punto de partida para el intérprete en el entendimiento de que las infracciones administrativas descritas en la norma penal deben alcanzar "per se" un contenido de gravedad suficiente, lo que no será fácil decidir siempre. Desde esta perspectiva la reiteración o exasperación de las conductas atentatorias contra el bien jurídico protegido por la norma penal debe alcanzar entidad suficiente para justificar su aplicación, como sucede en el presente caso, siendo ello compatible con la sanción administrativa concreta y referida a aspectos parciales de dicha conducta que no tienen por qué participar necesariamente del mismo fundamento sancionador que los delitos».

STS de 20 de julio de 2001 (Civil) [5, 6, 7 y 13]

FUNDAMENTOS DE DERECHO

«1º El presente recurso de casación dimana de un juicio de menor cuantía en reclamación de la deuda contraída por la compañía mercantil demandada, disuelta ya al tiempo de interponerse la demanda, con la compañía mercantil actora, que también dirigió su demanda contra el liquidador y contra el último administrador único de aquélla para que respondieran solidariamente con la misma.

[...] la sentencia de primera instancia condenó a ésta y a su liquidador, solidariamente, a pagar la suma reclamada; en cambio absolvió al último administrador único apreciando prescripción de la acción ejercitada contra él por haber transcurrido más de un año desde la inscripción en el Registro Mercantil de la disolución de la sociedad, con cese del administrador único y nombramiento de un liquidador, hasta la presentación de la demanda.

Interpuesto recurso de apelación por la actora, el tribunal de segunda instancia lo estimó para, rechazando la excepción de prescripción por entender que el plazo legalmente aplicable era el de cuatro años del art. 949 CCom, condenar también al demandado como último administrador único de la sociedad deudora al apreciar dicho tribunal en su actuación un fraude de ley consistente en disolver la sociedad, cesar en su cargo y nombrar un liquidador para eludir la responsabilidad solidaria por deudas sociales establecida en el art. 262.5 LSA.

Contra esta sentencia ha recurrido en casación únicamente dicho demandado mediante los motivos que se examinarán a continuación, de suerte que ha quedado firme la sentencia recurrida en cuanto condena solidariamente a la sociedad anónima disuelta y a su liquidador.

2º [...] dependiendo de la acción ejercitada pueden variar las consideraciones y razonamientos acerca de la prescripción, a la que también se dedica un motivo del recurso y que fue cuestión expresamente abordada, para resolverla de muy distinta forma, por las sentencias de ambas instancias. [...].

La más reciente jurisprudencia de esta Sala tiende a configurar la causa de pedir como el conjunto de hechos jurídicamente relevantes para fundar la pretensión (SSTS 19-6-2000 en recurso 3651/1996 y 16-11-2000 en recurso 3375/1995). En la concreta aplicación de tal concepto a las pretensiones formuladas contra administradores de las sociedades anónimas hay sentencias que optan por una cierta flexibilidad, como la de 1 de diciembre de 1999 (recurso 1034/1995) que no consideró incongruente un fallo fundado en la Disp.

Transit. 3ª LSA en vez de en el art. 133 de la misma Ley invocado en la demanda. Sin embargo la doctrina de la Sala se decanta decididamente por considerar como acciones nítidamente diferenciadas la acción individual de responsabilidad contemplada en el art. 135 LSA y la acción de responsabilidad solidaria por las obligaciones sociales regulada en el art. 262.5 de la misma Ley, entendiendo en consecuencia que no es congruente el fallo que condene al administrador demandado con base en el art. 262.5 cuando en la demanda se hubiera ejercitado únicamente la acción individual del art. 135 (SSTS 21-9-1999] en recurso 438/1995 y 28-6-2000] en recurso 2620/1995).

[...] en el caso examinado resulta patente porque la propia demanda daba por sentado que el demandado hoy recurrente sí había convocado dentro del plazo legal la junta general para adoptar el acuerdo de disolución y que éste se había efectivamente adoptado.»

STS de 20 de julio de 2001 (Civil) [5, 6, 7, 10 y 13]

FUNDAMENTOS DE DERECHO

«2º [...] desde el año 1986, el administrador único, según certificación expedida por el Registro Mercantil de Barcelona, es [...], reelegido por acuerdo de la Junta General Extraordinaria del día 4 de enero de 1991, no es menos cierto que, desde el de 3 de octubre de 1986 fueron otorgados poderes tan amplios a los demandados hermanos [...] que les convertía en administradores de hecho de la sociedad, unido a que el cambio de domicilio no se inscribe en el Registro Mercantil, sino después de presentada la demanda, y la situación crítica de la sociedad abocada a la disolución o a un procedimiento concursal, que hace sea exigible la responsabilidad de los apoderados como administradores de hecho de la sociedad, entendiendo por esta razón, no interpreta bien la doctrina de esta Sala, cuando sostiene que no es aplicable la responsabilidad de los arts. 70 a 81 de la hoy derogada Ley de Sociedades Anónimas de 17 de julio de 1951, alegaciones éstas de la parte recurrente que en forma alguna desvirtúa lo sostenido en la sentencia recurrida, ya que los legitimados pasivamente en el ejercicio de esta acción de responsabilidad civil, lo son como la propia norma establece los administradores, y lo son frente a los perjudicados, en el ejercicio de una acción personal y directa, por los perjuicios que hayan ocasionado a la sociedad, a los accionistas o a terceros en el ejercicio de su actividad como administrador, esto es, como órgano de administración de la entidad social, para cuyo ejercicio ha sido llamado legalmente, y ha aceptado el cargo para que fue designado. Supuesto distinto de los apoderados, que no constituye órgano de la sociedad, y sus relaciones con la misma y frente a terceros, se rigen por las normas del mandato, esta circunstancia contractual, impide que se les puedan considerar a los hermanos [...] como administradores de hecho, esto es, como personas que gestionan la sociedad sin tener mandato para ello, ya que se le tiene conferido por al administrador en el ejercicio de facultades atribuidas legalmente, y además, el administrador como órgano social, es el padre de los demandados [...], y por lo tanto el que asume esa responsabilidad por los actos sociales, aunque hayan sido realizados por los apoderados por él nombrados, no pudiendo exigir la sociedad, los accionistas o los terceros, la responsabilidad del art. 133-1 y 135 de la LSA, en ningún caso, sin haberla hecho efectiva primero contra el administrador de la sociedad, y ello aun invocando la doctrina del levantamiento del velo, porque a ella ha de acudirse en su caso, cuando para el resarcimiento del daño producido por la actuación del administrador, resulten ineficaces las acciones ordinarias, por lo que en este caso al no haberse demandado al administrador designado en la junta general extraordinaria no se puede determinar si su nombramiento lo ha sido sólo como hombre interpuesto para cubrir la responsabilidad de los verdaderos administradores. Por otra parte hay que tener presente que los poderes concedidos a los hoy demandados por el administrador único, se refieren a los actos externos de la sociedad, es decir a los que realiza la entidad con terceros, pero en forma alguna a los actos internos, pues del examen de los mismos, no les han conferido la facultad para convocar la junta general de accionistas, atribución que es propia del administrador único, ni para cambio del domicilio social, ni para solicitar la disolución de la sociedad o aumento de capital, supuestos éstos en los que parece basar la responsabilidad de los mismos, a pesar de haberse citado como infringidos los arts. 133 y 135 de la LSA, en vez del art. 262 de la misma ley [...]».

STS de 30 de julio de 2001 (Civil) [2 y 5]

FUNDAMENTOS DE DERECHO

«2º [...] Supuesto distinto de los apoderados, que no constituye órgano de la sociedad, y sus relaciones con la misma y frente a terceros, se rigen por las normas del mandato, esta circunstancia contractual, impide que se les puedan considerar a los hermanos F. como administradores de hecho, esto es, como personas que gestionan la sociedad sin tener mandato para ello, ya que se le tiene conferido por al [sic] administrador en el ejercicio de facultades atribuidas legalmente, y además, el administrador como órgano social, es el padre de los demandados [...], y por lo tanto el que asume esa responsabilidad por los actos sociales, aunque hayan sido realizados por los apoderados por él nombrados, no pudiendo exigir la sociedad, los accionistas o los terceros, la responsabilidad del art. 133-1 y 135 de la LSA, en ningún caso, sin haberla hecho efectiva primero contra el administrador de la sociedad, y ello aun invocando la doctrina del levantamiento del velo, porque a ella ha de acudirse en su caso, cuando para el resarcimiento del daño producido por la actuación del administrador, resulten ineficaces las acciones ordinarias, por lo que en este caso al no haberse demandado al administrador designado en la junta general extraordinaria no se puede determinar si su nombramiento lo ha sido sólo como hombre interpuesto para cubrir la responsabilidad de los verdaderos administradores. Por otra parte hay que tener presente que los poderes concedidos a los hoy demandados por el administrador único, se refieren a los actos externos de las sociedad, es decir a los que realiza la entidad con terceros, pero en forma alguna a los actos internos, pues del examen de los mismos, no les han conferido la facultad para convocar la junta general de accionistas, atribución que es propia del administrador único, ni para cambio del domicilio social, ni para solicitar la disolución de la sociedad o aumento de capital, supuestos éstos en los que parece basar la responsabilidad de los mismos, a pesar de haberse citado como infringidos los arts. 133 y 135 de la LSA, en vez del art. 262 de la misma ley».

STS de 24 de septiembre de 2001 (Civil) [2 y 5]

FUNDAMENTOS DE DERECHO

«1º [...] Resulta acreditado y no controvertido en autos que por contrato de fecha 31 de julio de 1991, Inmobiliaria [...] compró a los miembros de la familia [...] las acciones de que éstos eran titulares en diferentes sociedades anónimas, entre ellas, la totalidad de las que representaban el capital social de [...] pasando, en consecuencia, a ser Inmobiliaria [...] socio único de [...]

La Ley de Sociedades Anónimas en el texto refundido de 1989, vigente al tiempo de los hechos de la citada adquisición, no contemplaba la figura de la sociedad anónima de socio único, figura reconocida legalmente a partir de la Ley 2/1995, de 23 de marzo, de Sociedades de Responsabilidad Limitada, que introdujo en la de Sociedades Anónimas el art. 311; no obstante venían reconociéndose en el tráfico jurídico y así alude a ellas la sentencia de esta Sala de 3 de junio de 1991 y la resolución de la Dirección General de los Registros y del Notariado de 21 de junio de 1990 que en un amplio examen de la posibilidad de existencia de las sociedades anónimas unipersonales (antes, lógicamente de la reforma introducida por la Ley 2/1995) viene a reconocerlas con razones plenamente asumibles, señalando en su fundamento de derecho séptimo que "ha de precisarse que la reunión de todas las acciones en una sola mano no dispensa de la observancia de las reglas de funcionamiento de la sociedad, no sólo de las que primordialmente atañen a intereses de terceros (publicidad, contabilidad, aportaciones, autocartera, distribución de dividendos, etc.), sino también de las que disciplinan la organización interna, razón por la cual la sociedad unipersonal ha de contar con órganos legales y observar los preceptos procedimentales y formales relativos a la toma de decisiones (a salvo, naturalmente; de los que revisten carácter dispositivo, como son, por ejemplo, los relativos a la convocatoria en la junta universal). Es claro, en consecuencia, que el socio único puede –y, en su caso debe (art. 50 LSA)– reunirse en junta y adoptar acuerdo, cumpliendo naturalmente con las formalidades (lista de asistentes; actas; escrituración de acuerdos; publicidad registral, etc.) establecidas por la ley".

Por la adquisición de la totalidad de las acciones de [...] por Inmobiliaria [...] convirtiéndose en socio único y suponiendo los pactos concertados la remoción de los anteriores administradores al asumir la compradora la "gestión" de [...], y no haber designado persona física que asumiese el cargo de administrador, ha de considerarse a Inmobiliaria [...] como administradora de facto de [...] ya que no resulta posible la existencia de una sociedad anónima sin la de los órganos sociales previstos con carácter imperativo en la Ley reguladora de las mismas».

STS de 26 de octubre de 2001 (Civil) [5]

En el mismo sentido vid. SSTS de 21 de mayo de 1992, 2 de julio de 1999 y 31 de enero de 2001.

STS de 30 de octubre de 2001 (Civil) [5]

FUNDAMENTOS DE DERECHO

«3º El motivo segundo sostiene que la demanda pretendía la declaración de responsabilidad solidaria de los demandados con la entidad social, en base al Real Decreto Legislativo 1564/1989, de 22 de diciembre, por el que se aprobó el Texto Refundido de la Ley de Sociedades Anónimas y que establece en su Disposición Transitoria Tercera y, subsidiariamente, la declaración de responsabilidad solidaria de tales administradores, en aplicación del art. 262,5 de la citada normativa. Sostiene, en suma, el confuso motivo que habiendo renunciado a sus cargos los administradores el 19 de noviembre de 1988, era imposible aplicar la Disposición Transitoria 3ª del citado Real Decreto Legislativo sin incurrir en aplicación indebida, porque la renuncia se efectuó dieciséis meses y diez días antes de la entrada en vigor de tal normativa.

El motivo perece porque, como con acierto ha señalado la sentencia de primer grado, al no haberse inscrito la citada renuncia no puede operar respecto a terceros y, por tanto, su responsabilidad no cesa desde tal acto. Así, se deduce del artículo 72 de la Ley de Sociedades Anónimas de 1951 y de otros preceptos, como los artículos 2,3 y 86,5 del Reglamento de Registro Mercantil de 14 de diciembre de 1956. El artículo 72 resulta decisivo al respecto porque el nombramiento del Administrador surte efecto, no desde su designación o nombramiento, sino desde la inscripción en el Registro Mercantil. Luego, "a contrario sensu", el cese o renuncia para terceros no se producirá sino desde su proclamación registral.

Por otra parte, tal resolución, ajustada a la normativa citada responde a una fundada razón de justicia, pues si se permitiera a los administradores eludir sus responsabilidades legales con sólo su renuncia, sin la precisa y obligada publicidad resultaría, como en el caso presente, un medio harto fácil de fraudes y de exonerarse de sus obligaciones y de responder de las consecuencias de su incumplimiento.

4º El tercero y último motivo viene a sostener que por aplicación de los artículos 79 a 81, ambos inclusive, de la Ley de 17 de julio de 1951, en relación con los artículos 1902 y 1968,2º del Código Civil, la acción ejercitada por la demandante estaría prescrita.

El motivo decae, porque [...], los recurrentes fueron nombrados administradores mediante la escritura de constitución de 19 de diciembre de 1985, inscribiéndose el 13 de enero de 1986. El 19 de enero renuncian todos los demandados por escritura pública, pero no se inscribe en el Registro Mercantil, ni el nombramiento del Administrador Único y ello determina que su nombramiento sigue vigente para los terceros y entre ellos, la entidad recurrida, Tesorería de la Seguridad Social, para quien permanecía vivo el plazo de vigencia de cinco años y que concluiría el 13 de enero de 1991. Si a ello se añade igualmente que se trata de una sociedad constituida con un capital social de quinientas mil pesetas y no adaptada en sus Estatutos Sociales a la nueva normativa, ni transformada su forma jurídica, mutándose en Sociedad Colectiva, Comanditaria o de Responsabilidad Limitada, resulta patente que con tal gravísimo incumplimiento de sus obligaciones "ex lege" y en perjuicio de tercero, en este caso la Tesorería de la Seguridad Social, han originado los recurrentes un grave perjuicio a tal entidad.

Ha existido negligencia grave. La culpa es grave y no leve, como exige la añeja sentencia de esta Sala de 13 de octubre de 1986, en examen del art. 79 de la Ley de Sociedades Anónimas de 1951 y repiten las de 13 de febrero de 1990, 3 de abril de 1990, 26 de julio de 1994, 28 de febrero de 1996 y 10 de diciembre de 1996 [...]».

STS de 19 de noviembre de 2001 (Civil) [5]

FUNDAMENTOS DE DERECHO

"3º (...) Refiriéndose a la acción de responsabilidad individual a favor de los terceros por actos de los administradores que directamente lesionen los intereses de aquéllos, regulada en el art. 135 de la Ley de Sociedades Anónimas, dice la sentencia de 30 de marzo de 2001 que «se trata de una acción resarcitoria, para la que están legitimados los acreedores sociales ("ad exemplum" sentencias de 21 de septiembre de 1999 y 30 de enero de 2001, que exige una conducta o aptitud –hechos, actos u omisiones– de los administradores carente de la diligencia de un ordenado comerciante (basta la negligencia simple sin que sea necesaria, como en cambio ocurría en la legislación anterior, la malicia o negligencia grave) que dé lugar a un daño, de tal modo que el accionante perjudicado ha de probar que el acto se ha realizado en concepto de administrador y existe un nexo causal entre el mismo y el resultado dañoso». De acuerdo con la doctrina jurisprudencial, tanto la calificación de la acción u omisión como culpable o negligente, como la existencia de relación de causalidad entre ese acto u omisión y el daño producido, son cuestiones de derecho y, como tales, revisables en casación. En primer lugar ha de señalarse que el hecho de que los administradores demandados pagasen, con su peculio particular, deudas sociales por importe de cuarenta y tres millones de pesetas, deudas respecto de las cuales se habían constituido personalmente en avalista, no supone una infracción del principio «par conditio creditorum», como parece entender la sentencia recurrida, ya que no resulta acreditado que esos fondos hubieran sido sacados del patrimonio social. En segundo lugar, el hecho del cierre de la empresa sin que los administradores acudiesen al procedimiento concursal pertinente, no es bastante para establecer un nexo de causalidad entre esa conducta y el impago de las cantidades reclamadas en la demanda; no existe en los autos prueba alguna de que, en el caso de que se hubiese iniciado aquel procedimiento, las actoras hubiesen visto satisfechos sus créditos, en todo o en parte, evitándose así el daño mediante un comportamiento distinto de los administradores. Al faltar el nexo causal entre el comportamiento atribuido a los administradores demandados y el impago de las deudas sociales a favor de las sociedades actoras, no puede estimarse la acción ejercitada al amparo del art. 135 de la Ley de Sociedades Anónimas, por lo que al no entenderlo así la sentencia recurrida ha infringido el citado precepto legal y la jurisprudencia de esta Sala que lo interpreta y que se invoca en el motivo que ha de ser acogido. (...)".

STS de 30 de noviembre de 2001 (Civil) [7 y 13]

FUNDAMENTOS DE DERECHO

«2º. [...]el plazo de prescripción es de cuatro años en los términos fijados, concretamente, tras el análisis de dicha jurisprudencia por la última Sentencia de 20-7-2001, que confirma el criterio doctrinal acertado sobre prescripción de acciones, «Al respecto se plantea la dificultad de si el tiempo para su cómputo es el que marca el Código de Comercio, art. 949, que dice que la acción para exigir la responsabilidad correspondiente de los administradores o consejeros prescribe a los 4 años desde que se produjo la conducta, o el acto lesivo [...]

[...] El art. 943 CCom, punto de partida para llegar al art. 1968-2º CC, se refiere textualmente a "las acciones que en virtud de este Código no tengan un plazo determinado para deducirse en juicio". Sin embargo resulta que el propio CCom, en su art. 949, sí asigna un plazo determinado, el de cuatro años, a "la acción contra los socios gerentes y administradores de las compañías o sociedades", sin distinción alguna, por más que su emplazamiento sistemático, a la vista del contenido de los dos artículos que le preceden, permita opinar que podría estar refiriéndose sólo a la acción que contra el administrador ejerciten los socios [...]»

STS de 29 de diciembre de 2001 (Civil) [5]

FUNDAMENTOS DE DERECHO

«3º La "ratio decidendi" de la Sentencia apelada, se resume en citado F. 6º "in fine": "Resulta, pues, evidente la responsabilidad solidaria de los demandados en cuanto administradores de la sociedad respecto de la cantidad reclamada por la demandante, al tratarse de una deuda social y haber incumplido aquéllos la obligación de proceder a convocar la oportuna Junta General; que pudiera acordar la disolución de la sociedad, según establece el artículo 262-5º del Texto Refundido de la Ley de Sociedades Anónimas"; igualmente en el F. 7º, también se razona, hasta, la existencia de la relación de causalidad del incumplimiento por parte de los administradores: "..Pero es que, además, a mayor abundamiento, aun partiendo de la exigencia de una adecuada relación de causalidad entre el incumplimiento por parte de los administradores de proceder a la disolución legal de la sociedad y el daño sufrido por la entidad demandante, que se ha visto imposibilitada de proceder al cobro de su crédito, tampoco puede afirmarse de manera rotunda que no exista ninguna relación de causalidad entre aquella omisión y este daño. Bien es verdad que en el presente caso, ante la insuficiencia patrimonial de la sociedad, aun en el supuesto de haberse procedido a la disolución y consiguiente liquidación de la misma, la demandante no hubiera podido cobrar la totalidad de su crédito. Sin embargo, al no haberse promovido por los administradores tal disolución y liquidación en la forma ordenada legalmente, se la ha privado de su derecho a concurrir con los demás acreedores, y en consecuencia de poder ver saldada una parte de la deuda. Y ello porque el artículo 281 del Texto Refundido de la Ley de Sociedades Anónimas dispone que, en caso de insolvencia de la sociedad, los liquidadores deberán solicitar en el término de diez días a partir de aquél en que se haga patente esta situación la declaración de suspensión de pagos o de quiebra, según proceda. Por tanto, la omisión de los demandados ha determinado una alteración de la 'pars conditio creditorum', de la que, indudablemente, se ha derivado un perjuicio para la entidad demandante".

4º En la regulación de la LSA, de la Responsabilidad de los Administradores, es preciso distinguir dos clases de la misma:

A) Responsabilidad por daño: "El art. 133 de la SA vigente de 22-12-1989, determina que 'responderán los Administradores, frente a la sociedad, frente a los accionistas y frente a los acreedores sociales del daño que causen por actos contrarios a la Ley, o a los Estatutos, o por los realizados sin la diligencia debida con la que deben desempeñar el cargo'; este tríptico de causas determinantes, requiere a su vez: 1) conducta ilícita, el acto, la voluntad de la conducta, la ilicitud, la transgresión por cada una de las tres causas (o la subsunción del 'facere'), en la Ley, en los Estatutos o en la falta de diligencia; 2) la producción del daño y naturalmente 3) el nexo causal que claro es, habrá de acreditarse; se subraya que con ello se ha rectificado, y se ha corregido la anterior Ley de Sociedades Anónimas, porque, entonces se respondía por los Administradores cuando sus conductas hubiesen incurrido en malicia, abuso de funciones o negligencia grave, con lo que la diferencia es notable; al punto, se agrega que hoy la tutela del perjudicado frente a las actuaciones de los Administradores o Consejeros, es mucho más fornida que la Ley precedente, ya que en la actualidad, prácticamente, dentro de la 'praxis' judicial, se está casi en el umbral de la llamada responsabilidad objetiva o por riesgo, porque, en cuanto se produzca el daño y se acredite el nexo causal, la responsabilidad del Administrador o el Consejero, será inevitable; este art. 133 en su párrafo 2º, impone la responsabilidad solidaria de todos los administradores/consejeros que realizaron el acto o adoptaron el acuerdo, salvo los casos de que no conozcan el acuerdo que se adopte (acuerdo que sea atentatorio, cause daño en los términos del art. 133), o bien, en el caso de que lo conozcan, se hubiesen opuesto expresamente al mismo; se habla asimismo en el art. 134.2º, de que la Junta podrá transigir o desistir del acuerdo adoptado, etc., con el singular efecto de rechazo sobre la destitución de los administradores afectados".

Por otro lado, como es sabido la Ley distingue entre la acción social de responsabilidad y la acción individual de responsabilidad.

a) La acción social: lo que caracteriza a la acción social, es que el daño se produce a la sociedad, eso en un aspecto propedéutico, sirve para distinguirla de la acción individual, en la cual, ese daño se produce al individuo, al interés personal, daños primarios o directos, según el art. 135; es, pues, una dualidad perfectamente diferenciada, ya que la acción social, procederá cuando una conducta transgresora del Consejero o del Administrador, por alguna de esas causas, daña a los intereses sociales; luego la ley, desarrolla la legitimación activa, esto es, ante este daño de interés social, puede ejercitar la acción correspondiente:

1) Quién se considere dañado o perjudicado, el ente social, porque, es justamente el receptor del daño, ente social que precisa un acuerdo en Junta con una mayoría ordinaria o simple, en donde se decida, ejercitar la acción de responsabilidad, contra el Consejero o contra el Administrador.

2) Accionistas: luego la Ley, habla en su núm. 4 "ex" art. 134, en una escalada de posibles legitimados "ad causam" dentro de la activa, que pueden ser los accionistas o los acreedores núm. 5; y así se expresa que, los accionistas –siempre que sean más del 5%– podrán promover la convocatoria de la Junta para que se adopte el acuerdo de exigir la responsabilidad social contra el Administrador o contra el Consejero, y, luego, con evidente impropiedad o ligereza evidente, prescribe que asimismo se podrá establecer conjuntamente, la acción contra el Administrador en los siguientes casos:

Cuando los Administradores no convoquen la Junta. Pero, se subraya, sino se convoca la Junta, es que no actúa la Sociedad... luego, es una acción individualizada y no concurrente.

Cuando convocada la Junta, se adopte el acuerdo y sin embargo, no se entable en un mes la acción de exigir la responsabilidad. Luego también, es una actuación individualizada. No es concurrente.

Cuando el acuerdo adoptado hubiera sido contrario a la exigencia de responsabilidad; que tampoco aboca a la concurrencia.

3) Acreedores: Y por último, se contempla en el núm. 5 de citado art. 134, la posibilidad del tercer supuesto de legitimación activa "ad causam" que es, en el caso de los acreedores, quienes también podrán ejercitar la acción de responsabilidad social, contra el Administrador o Consejero infractor, cuando no haya sido ejercitado por la sociedad o sus accionistas, siempre y cuando no exista patrimonio suficiente, para satisfacer sus créditos.

b) Acción individual: Y por último, está, la acción individual, –cabalmente ejercitada en el presente litigio–, prevista en el art. 135, de claro contenido sustantivo, porque, ahí parece ser, que el legislador mercantilista, sin decirlo, viene ya a referirse al "iuris comune" cuando expresa que "no obstante lo dispuesto en los arts. precedentes, quedan a salvo las acciones de indemnización que puedan corresponder a los socios y a los terceros por actos de administradores que lesionen directamente los intereses de aquellos"; esta acción individual, tiene las siguientes connotaciones, a) se habla de una acción indemnizatoria, y al utilizar la adversativa de "no obstante...", quiere decirse es supletoria o, con independencia de que no se dé la anterior, por lo que, procede ésta cuando proceda; se repite, que el foco de la distinción con la acción social de esta acción individual de responsabilidad, radica en que el acto atacado transgreda intereses individuales del perjudicado, los socios o terceros; responsabilidad, pues, claramente extracontractual con la exigencia de los presupuestos del art. 1902 CC y entre ellos, el indispensable nexo causal –S. 28-6-2000–; b) otro matiz que sobresale es que, por primera vez, en todos los temas de responsabilidad, aquí la Ley, no habla de "accionistas" ni de "acreedores", sino de socios y de terceros, y emerge que pese a repetir la ley de manera reiterativa, el término "accionistas" aquí se habla de socios por primera vez; acaso hubiera sido preferible que se continuase con la palabra accionista, porque, normalmente, en la Sociedad Anónima, el accionista, es socio, aunque en otro tipo de sociedades, no cabe esa identidad; c) se habla también de terceros, cuando antes se ha estado refiriendo a los acreedores, y entonces se plantea la cuestión de delimitación, el acreedor es tercero o no es tercero y cabe sostener, es tercero cuando no está incardinado en el ente social; no es tercero cuando está ligado con la sociedad a través del contrato del cual emana su crédito; y también se cuestiona si el acreedor tiene o no acción individual, pues, si bien no lo refleja el art. 135, que habla de socios y terceros, el acreedor, sí debe estar legitimado para ejercitar esta acción individual no en cuanto actúe como tal acreedor, sino en cuanto, sin perjuicio de ser acreedor, sea tercero; en definitiva, cuando el perjuicio que se le irrogue por parte del acto del Administrador o Consejero, no sea en su crédito en concreto, sino en el resto de su patrimonio.

B) Responsabilidad por deudas: O cuando responde el Administrador si por la infracción de sus deberes legales no se satisfacen los créditos del acreedor y, por ello, éste reclama frente al mismo: "Esta situación y el correspondiente deber del Administrador, están contemplados en lo dispuesto en los arts. 260.4º en relación con el 262.5, LSA, puesto que en el primer supuesto del art. 260.4º, se dice, que procederá la disolución de la Sociedad, a consecuencia de pérdidas que deje reducido el patrimonio a la cantidad inferior a la mitad del capital social a no ser que éste se aumente o se reduzca a la medida suficiente; que esa situación de insolvencia, por ende, supone la existencia de tal pérdida, y en consecuencia, la procedencia de la disolución es inconcusa, y así este deber legal viene recogido en el art. 262.5, al sancionarse que, responden solidariamente de las obligaciones sociales los Administradores que incumplan la obligación de convocar en el plazo de 2 meses la Junta General, para que adopten en su caso, el acuerdo de disolución o que no soliciten la disolución judicial de la sociedad; se añade que, ahí está perfectamente reflejada una responsabilidad por parte del Administrador, cuando se incumpla dicha obligación legal de convocar en el plazo de 2 meses la Junta General, para que adopte en su caso, el acuerdo de disolución en los supuestos en que se determina, en los términos, entre otros, previstos en el repetido núm. 4º, del art. 260; y si ello, además, se pone en consonancia con lo recogido en el art. 127, en cuanto que en el ejercicio del cargo de los Administradores, éstos actuarán con la diligencia de un ordenado empresario y de un representante leal. Asimismo, sobre la acción individual del art. 135, se prescribe que, estarán a salvo siempre las acciones de indemnización que puedan corresponder a los socios y terceros por actos que lesionen directamente los intereses de aquéllos, y lo dispuesto en el art. 133, que en cuanto a la responsabilidad en general, establecía que los Administradores, responderán frente a la sociedad, frente a los accionistas y frente a los acreedores sociales, del daño que causen por actos contrarios a la ley –S. 29-4-1999–.

Es llano que de esa conjunción normativa, en el caso de autos, el incumplimiento de la obligación legal por el Administrador demandado, supuso una conducta contraventora de la ley, lo que implica, que la responsabilidad derivada y recogida en el art. 262 del núm. 5, sea una consecuencia determinante de la misma

5º Empero, en esta responsabilidad legal por deudas, se plantea, como introduce el Motivo Único del recurso, si efectivamente, el daño por el impago producido, y que constituye el fundamento de la pretensión instada por el acreedor, fue debido a mencionado incumplimiento o no, en su ubicación etiológica o relación de causalidad, si bien, es obvio que en principio el incumplimiento de esa obligación legal, determinará, según las sanciones previstas, la responsabilidad correspondiente, por lo que, el seguimiento literal de la tesis del motivo conduce a que cuando, por los Tribunales se aprecie la inexistencia de culpa, quedaría vacío de contenido un incumplimiento legal por parte de los Administradores, cuando, sin más, en el repetido art. 262.5, se establece una responsabilidad solidaria de los Administradores, cuando se incumpla la obligación legal de promover la Junta a los fines de que se adopte en su caso el acuerdo de disolución; por ello, pues, se discute o cuestiona si cuando esa actitud contraventora se pueda enturbiar o eludirse porque precisamente el efecto damnificante o perjudicial para la sociedad, y en definitiva, para los acreedores en su caso, por el impago de sus deudas, provenga de una insolvencia y en cuya insolvencia no ha tenido participación culposa el Administrador demandado, se aprecie una especie de justificación exonerativa de responsabilidad para éste, ya que, como se dice, emerge como cuestión prioritaria que el incumplimiento de dicha obligación, sin más, deberá desencadenar la responsabilidad solidaria legalmente establecida, y ello al margen de que, el daño que se haya producido en sí, pudiera prevenir o no de una conducta de aquél culposa o negligente o falta de diligencia; y es que, además ya en el caso de autos, la conducta del Administrador, claramente infractora de dicha obligación legal, supone 'ipso facto' que no se desempeñó el cargo con la diligencia de un ordenado empresario o de un representante leal, que, como mínimo, habrá naturalmente de cumplir con las obligaciones legales de su gestión, por lo que esa conducta, contraventora de la ley, determinará la responsabilidad prevista en el art. 262-5º" (S. 29-4-1999 y, en ese mismo sentido las SS. 3-4-1998, 13-4-2000 y 28-6-2000).

6º La Sala, por todo lo expuesto, emite una respuesta desestimatoria del recurso, ya que, con independencia de que por los razonamientos de la propia Sentencia recurrida, se derive la responsabilidad solidaria de los administradores por el incumplimiento, sin más, la obligación impuesta en el art. 260-4 según sanciona el art. 262.5, y sin olvidar la gravedad de su conducta (en el "factum" 3º del F. 6 de la Sala, consta –según se ha transcrito– que pese el embargo total de la Sociedad administradora, a resultas de la S. 5-5-1992, concertaron con la actora los Administradores, Director, Gerente y Secretario de la misma, las 2 pólizas de crédito por cinco millones y cinco millones y medio de pesetas, en 13, y 17-2-1994, impagados por causa de esa insolvencia), se subraya que, la propia Sala sentenciadora, según se ha hecho constar en su F. 7º, hasta deriva esa responsabilidad, no sólo por esa infracción sino, incluso, también partiendo de una especie de responsabilidad subjetiva de los administradores, en el sentido de que, asimismo acaece explícitamente el requisito del nexo causal afín al de la responsabilidad extracontractual del art. 1902 CC (que, en su lugar, se integró en la otra especie de "responsabilidad por daño" (S. 28-6-2000) puesto que, el perjuicio o daño para la sociedad actora, emana de que por la omisión de ese deber, no pudo ésta ejercitar sus derechos crediticios en el correspondiente procedimiento concursal con los demás acreedores.

Es obvio, pues, que en virtud de estos dos argumentos y, cualquiera que sea la tesis que se sostenga al respecto, esto es, la de una especie de responsabilidad legal o formal –S. 30-10-2000– derivada por la infracción de los arts. 260.4 en relación con el 262.5 de la Ley, o de la correlativa responsabilidad subjetiva el elemento de culpabilidad en ambos casos, no tiene por qué referirse a la intencionalidad en la comisión del daño al acreedor que acciona por el impago de su crédito, sino que se integra en la manifiesta infracción de una obligación legal que por ello debe sancionarse, porque, ese deber responde a la tutela de todos los intereses convergentes en el patrimonio social con la garantía de su entera responsabilidad; [...]».

STS de 29 de enero de 2002 (Penal) [8]

FUNDAMENTOS DE DERECHO

«14º [...] como razona el Tribunal sentenciador vigente la conducta enjuiciada no puede ser subsumida en el delito de estafa, ya que la aplicación del principio de especialidad del art. 8 del Código Penal obliga a la subsunción de los hechos en el tipo del delito de fraude de subvenciones, en el que la cantidad defraudada no alcanza el umbral mínimo delictivo

Como señala la sentencia de 29-5-2002, núm. 514/2002, la jurisprudencia de esta Sala, SSTS 4-7-1997, 29-9-1997, 25-11-1998, 19-3-2001 y 19-4-2001, ha declarado que "el pago de subsidios de desempleo es una actividad de finalidad social y promueve la consecución del fin público de paliar los efectos negativos del paro laboral" (STS 25-11-1998) y "las ayudas previstas en el RD 2298/1984, de 26 de diciembre, constituyen una disposición gratuita de fondos públicos para promover la consecución de un fin público en los términos del art. 81.2 a) de la Ley General Presupuestaria" (STS 19-4-1997). "De esta manera se evita la injusta situación en la que se encontraban los trabajadores en paro, sometidos a un régimen más riguroso que los empresarios con dificultades económicas que recurrieran a la obtención fraudulenta de una subvención".

La conducta declarada probada, la obtención fraudulenta de subsidios de desempleo, en principio, es típica del delito previsto en el art. 308 del Código Penal vigente, art. 350 del Código Penal de 1973, debiendo ser incluido el subsidio de desempleo en el concepto típico de subvención y de ayuda. Los fondos dispuestos son fondos públicos destinados a intereses generales, de carácter social.

Este tipo penal es de aplicación preferente, por el principio de especialidad, al tipo penal de la estafa, con independencia de la concurrencia, o no, de la condición objetiva de punibilidad referida a la cuantía mínima de 10 millones de pesetas para su punición.

El Pleno no jurisdiccional de la Sala Segunda de fecha 15 de febrero de 2002 acordó incluir en la tipicidad del art. 308 los supuestos de fraude en la percepción de prestaciones por desempleo. Al no rellenarse la condición objetiva de la penalidad que el artículo contempla, procede desestimar en este aspecto el recurso de la acusación pública.

Procede, en consecuencia, la estimación parcial del recurso del Ministerio Fiscal, acogiéndolo en lo que se refiere a la comisión del delito de falsedad, pero no en lo referente al delito de estafa».

STS de 15 de febrero de 2002 (Penal) [8]

En el mismo sentido vid., entre otras, SSTS de 23 de mayo de 2003 y 27 de abril de 2005 y [8]

STS de 25 de febrero de 2002 (Civil) [5 y 7]

FUNDAMENTOS DE DERECHO

«3º Por las mismas razones de método el análisis del recurso debe continuar con el de su motivo tercero, que fundado en infracción del art. 1214 en relación con el art. 1902, ambos del Código Civil, prácticamente se limita a dar por sentado que, ejercitada en la demanda una acción fundada en el artículo 135 de la Ley de Sociedades Anónimas en relación con el artículo 1902 del Código civil, los demandados "son quienes deberían haber acreditado su diligencia".

También ha de ser desestimado este motivo planteado en tan escuetos como rotundos términos. El que la jurisprudencia de esta Sala haya declarado aplicable la técnica de la inversión de la carga de la prueba en determinados ámbitos del muy amplio campo de la responsabilidad civil, normalmente caracterizados por el riesgo que genera la actividad del sujeto demandado como responsable del daño y sirviendo como ejemplo más característico el de la circulación de vehículos de motor, no significa que esa técnica sea trasladable sin más a todos los litigios sobre responsabilidad civil y, menos todavía, a aquellos en que se enjuicia la culpa o negligencia del profesional. Más en concreto, acerca de la responsabilidad de los administradores de sociedades anónimas fundada en el artículo 135 de su Ley reguladora, netamente diferenciada de la que establecen su artículo 262.5 y su disposición transitoria 3ª, la STS 28-6-2000 (recurso 2620/1995) declara que el demandante tiene que probar la acción u omisión dolosa o culposa del actor, la STS 30-3-2001 (recurso 267/1996) exige la prueba por el demandante no sólo del daño sino también del nexo causal y, en fin, la STS 20-7-2001 (recurso 1663/1996), con cita de las dos anteriores y de la de 21-9-1999 (recurso 438/1995), da por consolidada la doctrina de que la carga de la prueba incumbe al demandante, con lo que cae por su base el planteamiento del motivo, pues el reconocimiento de una inversión de la carga de la prueba por la Sala en este ámbito se ha ceñido a aspectos muy concretos en que es la propia Ley la que establece una presunción en contra de los administradores, cual sucede en el art. 133.2 LSA con la solidaridad de todos los miembros del órgano de administración que hubiera realizado el acto o adoptado el acuerdo lesivo (STS 18-1-2000 en recurso 1476/1995).

4º Entrando ahora en el examen del motivo primero, fundado en infracción del art. 135 en relación con los artículos 133, 127.1, 173, 175, 178, 180, 188, 189, 192 y 202, todos de la Ley de Sociedades Anónimas, y del artículo 1902 del Código Civil, ya tan larga lista de preceptos anuncia la desestimación del motivo, pues amén de su propia heterogeneidad, suficiente por sí sola para privarle de viabilidad según reiteradísima doctrina de esta Sala, resulta que el desarrollo argumental del motivo prescinde prácticamente por completo de justificar la infracción de cada uno.

Si a lo dicho se añade que también aquí la recurrente invoca una inversión de la carga de la prueba en contra de los administradores, que ofrece su propia versión de los hechos sin la previa articulación de ningún motivo idóneo para remediar las posibles omisiones o defectos de la sentencia impugnada y, en fin, que no se ajusta a la verdad cuando disculpa sus propias omisiones en el juicio de faltas alegando que "no podía ser parte mi mandante al no ser ofendido por la falta", siendo así que según las sentencias de ambas instancias de dicho procedimiento penal sí fue parte, y además apelante, y por tanto no tenía impedimento alguno para haber alegado y probado el pago a fin de que se la tuviera como acreedora de la indemnización, la inviabilidad del motivo no viene sino a corroborarse.

5º Finalmente, la misma suerte y por parecidas razones ha de correr el motivo segundo, único pendiente de examinar, porque también se acude indebidamente a una larga lista de preceptos como presuntamente infringidos, al citarse el artículo 134.5 en relación con los artículos 127.1, 133, 173, 175, 178, 180, 188, 189, 192 y 202, todos de la Ley de Sociedades Anónimas, y los artículos 1088, 1089 y 1101 del Código Civil, se dan asimismo por sentados unos hechos, relativos ahora a la imposibilidad de lograr una ejecución fructífera de la sentencia civil que condenó a [...], sin haberse intentado previamente la integración de esos hechos por la vía casacional adecuada, y, en fin, parece darse asimismo por sentado que el apartado 5 del artículo 134 de la Ley de Sociedades Anónimas autorizaría a la recurrente para el ejercicio de la acción social de responsabilidad que en su demanda formuló como subsidiaria de la individual, cuando si algo está claro es, de un lado, que la recepción de dinero por [...] difícilmente podía constituir por sí misma un perjuicio para la propia sociedad y, de otro, que el vaciado patrimonial de esa misma empresa por sus administradores, hecho en el que la recurrente parece cifrar el ejercicio subsidiario de la acción social de responsabilidad, habría exigido la correspondiente declaración probatoria o el remedio casacional de su omisión por la vía adecuada».

STS de 15 de marzo de 2002 (Civil) [6]

FUNDAMENTOS DE DERECHO

«1º [...] En concreto los recurrentes discrepan del criterio seguido por la sentencia recurrida (fundamento jurídico cuarto), al establecer que no procede que prospere la prescripción de la acción ejercitada contra los administradores "pues la acción contractual de responsabilidad examinada prescribe a los cuatro años, y no al año, así lo ha venido sosteniendo la jurisprudencia al aplicar e interpretar los actuales artículos 127 y 135 de la Ley de Sociedades Anónimas (sentencias del Tribunal Supremo de 4 de octubre de 1956, 3 de febrero de 1962 y 16 de junio de 1994), y así lo establece expresamente el artículo 949 del Código de Comercio". Frente a este criterio entienden, los recurrentes, que la acción que la entidad demandante ejercita se apoya en una presunta negligencia, en el ejercicio de sus funciones, de los administradores, por lo que no se trata de una acción que nazca de contrato u obligación sino de culpa extracontractual. Sin embargo, la sentencia impugnada razona tomando en consideración que calificada la relación jurídica que vinculaba a la sociedad demandada con la actora, como compraventa, el ejercicio, en su condición de acreedor social, de la acción individual de responsabilidad, sancionada por el artículo 135 de la Ley de Sociedades Anónimas, contra los administradores, por la lesión experimentada en su patrimonio, a consecuencia de no haber desempeñado éstos sus cargos con la diligencia debida, determina que la responsabilidad solidaria de los mismos, sea consecuencia de la extensión legal a los administradores de los efectos del incumplimiento contractual, y que se considere que el plazo prescriptivo aplicable sea el de cuatro años, establecido, con carácter de norma especial por el artículo 949, según interpretación de algunas sentencias de esta Sala, entre otras, por la sentencia de 22 de junio de 1995. Empero, específicamente, debe subrayarse que la responsabilidad solidaria respecto del cumplimiento de las obligaciones sociales, deriva de no haberse procedido, conforme al artículo 260-4º a la disolución de la sociedad, según la causa prevenida en dicho apartado, e incurrir, por ello, en el supuesto que describe el artículo 262-5. Es claro –afirma la sentencia recurrida– que concurría desde 1989 la causa legal de disolución prevista en el artículo 260-4º de la Ley de Sociedades Anónimas, que configura, como tal, las pérdidas que dejen reducido el patrimonio a una cantidad inferior a la mitad del capital social, infracción legal que ya, de por sí, entraña que los administradores respondan solidariamente de las obligaciones sociales por no convocar la "junta" en el plazo de dos meses para que adoptara el acuerdo de disolución, y ello, en aplicación de lo establecido en el artículo 262-5 de la Ley de Sociedades Anónimas (vide sentencia del Tribunal Supremo de 12 de noviembre de 1999), razón que corrobora la aplicación del plazo de cuatro años. [...]»

STS de 2 de abril de 2002 (Civil) [5 y 13]

FUNDAMENTOS DE DERECHO

«2º El recurso de casación interpuesto por los codemandados se integra por tres motivos, acogidos al ordinal 4º del art. 1692 de la Ley de Enjuiciamiento Civil, en los que se denuncia infracción del art. 1158, párrafo segundo, del Código Civil (motivo primero), del art. 1137 del mismo Cuerpo legal (motivo segundo) y de los arts. 133 y 134, en relación con los arts. 260 y 262, todos de la Ley de Sociedades Anónimas (motivo tercero). Por su fundamentación y finalidad impugnatoria los tres motivos han de ser examinados conjuntamente.

La sociedad anónima, por el hecho de su inscripción en el Registro Mercantil, adquiere personalidad jurídica (art. 7 de la Ley de Sociedades Anónimas), personalidad jurídica distinta de la que ostentan las personas, físicas o jurídicas, socios de la misma, razón por la cual dispone el art. 1 de dicha Ley que los socios "no responderán personalmente de las deudas sociales", falta de responsabilidad que se extiende a los administradores de la sociedad (véanse sentencias de esta Sala de 13 de mayo de 1995, 31 de mayo de 1997 y 15 de abril de 2000); la responsabilidad de los administradores que establecen los arts. 133 y 262.5 de la Ley de Sociedades Anónimas no se impone simplemente por su condición de administrador, sea socio o no, sino del incumplimiento por aquéllos de las obligaciones que en el ejercicio de su cargo les impone la ley; tal responsabilidad no puede ser exigida a los administradores sino mediante el ejercicio de las acciones reguladas en los arts. 134 y 135 de la repetida Ley.

Sentadas estas premisas, es claro que la sentencia recurrida, al afirmar que don [...] pagó a [...] en su condición de administrador de [...], confunde la personalidad jurídica de la sociedad anónima [...] con la de la persona física, don [...], no obstante su condición de administrador de la sociedad; don [...] satisfizo la deuda con bienes de su propio patrimonio, parte del precio de la venta por él realizada a [...] del inmueble a que se refiere la escritura pública de trece de abril de 1992 (documento número 2 de la contestación a la demanda), no son bienes de la sociedad de la que el señor [...] era administrador, y así resulta de la propia escritura pública referenciada en la que consta que don [...] interviene en nombre o interés propio. Es decir que don [...] efectuó un pago por cuenta de la sociedad, de cuyo pago surgen a su favor, frente al deudor, la sociedad [...], las acciones que establece el art. 1158 del Código Civil, acciones que no podrán dirigirse contra la socios ni los demás administradores de la sociedad al no responder personalmente de las deudas sociales.

Razona equivocadamente la Sala "a quo" cuando afirma que "resulta plenamente justificado que atendiera [...] el pago de la deuda que mantenía [...] con [...] sin esperar a la interposición de la demanda que podía haber sido dirigida sólo contra él, por el carácter solidario de la responsabilidad de los administradores (art. 1144 del CC) que resulta, entre otras, de los arts. 133, 260 y 262 de la LSA, sin perjuicio del derecho de regreso que le correspondía contra los restantes administradores". Aparte de que, como se ha dicho, don [...] no realizó el pago origen de su reclamación en condición de administrador de la sociedad, ha de señalarse que la responsabilidad de los administradores que sanciona los arts. 133 y 262.5 de la Ley de Sociedades Anónimas requiere, para su efectividad, de una resolución judicial que así lo declare previo el ejercicio de las acciones previstas en los arts. 134 y 135 de la propia Ley, sin que la voluntaria asunción por uno de los administradores frente a la sociedad o los acreedores sociales pueda vincular a los demás administradores, privándoles del derecho de defensa.

Dice la sentencia recurrida que "acogida esta pretensión por el Juez 'a quo' entendemos que también debe prosperar la repercusión en los administradores demandados en la reconvención del pago de 11.349.191 ptas. realizado por [...] en fecha 13 de abril de 1992, a la compañía [...] pues esta última era también acreedora de [...]". Se está refiriendo aquí la Sala de instancia al pronunciamiento condenatorio que establece la sentencia de primera instancia, estimando parcialmente la demanda principal, de la cantidad que los actores aquí recurrentes, [...], habían satisfecho a proveedores de la sociedad [...] sin que hubiera existido previa reclamación judicial ni, por tanto, resolución que les impusiese responder de esas deudas sociales. [...]».

STS de 25 de abril de 2002 (Civil) [5]

FUNDAMENTOS DE DERECHO

"2º (...) la responsabilidad exigida, y a la que se ha dado lugar en la misma, es la nacida e impuesta a los administradores, en el núm. 5 del art. 262 de la LSA, que establece que responderán solidariamente los administradores, de las deudas sociales, cuando incumplan la obligación de convocar en el plazo de dos meses, la junta general, para que se adopte, en su caso, el acuerdo de disolución, por concurrir la causa 4ª del art. 260 de la citada ley. Causa, que puede considerarse suficiente por sí sola, para hacer efectiva la responsabilidad reclamada en el juicio del que dimana el presente recurso (sentencias de esta Sala de 3 y 26 de octubre de 2001), conducta del administrador que en términos de la sentencia de 20 de julio de 2001 genera una responsabilidad cuasi-objetiva, o que produce «ipso facto», como se sostiene en las sentencias de 30 de diciembre de 2000 y 31 de mayo de 2001, la obligación del administrador de satisfacer la deudas sociales conjunta y solidariamente con la sociedad anónima, en cuanto no necesita acreditarse la existencia de culpa del administrador, como sería preciso en el supuesto contemplado en el art. 133 de la LSA, que no es el que ha servido de base en la sentencia para la condena del hoy recurrente, pues basta que se acredite la condición de administrador, que la sociedad esté incursa en la causa de disolución núm. 4ª del art. 260 de la LSA, y que el administrador haya incumplido la obligación de convocar la junta general en el plazo de dos meses, para que responda solidariamente con la sociedad que administra de las deudas sociales, supuesto de hecho que según la sentencia de instancia se han cumplido en el caso de autos (...)".

STS de 8 de mayo de 2002 (Social) [10]

FUNDAMENTOS DE DERECHO

«4º [...] 3. Por tanto, fundamentada la pretensión deducida contra la parte recurrente, como administrador social, en su "nefasta" gestión y su "mal proceder", es decir, aludiendo a la responsabilidad derivada de una gestión negligente, tal conducta es plenamente subsumible en aquellas a que se refiere el art. 133.1 de la citada Ley de Sociedades Anónimas (con arreglo al cual "los administradores responderán... de los daños que causen por actos contrarios a la Ley o a los estatutos o por los realizados sin la diligencia con la que deben desempeñar el cargo"), que la sentencia de suplicación relaciona con el art. 135 de la misma norma legal. Y, en consecuencia, al no tratarse de una reclamación incluible en el supuesto de excepción de la disposición transitoria tercera de dicha Ley de Sociedades Anónimas, ha de estimarse correcto, de acuerdo con dicha doctrina jurisprudencial referenciada, el pronunciamiento de la sentencia de instancia al declarar la incompetencia de la Jurisdicción del orden Social para conocer las pretensiones deducidas contra la parte recurrente de este recurso de casación».

STS de 4 de junio de 2002 (Penal) [8]

FUNDAMENTOS DE DERECHO

"3º (...) 2. El CP de 1995 ha mantenido, en lo esencial, la regulación del art. 348 bis a) del CP de 197, procedente de la reforma de 1983. Responde a la idea de adelantar la línea de intervención punitiva y tiene la estructura característica de un delito de omisión y de peligro concreto grave, que lo configura autónomamente de los delitos de resultado y permite la compatibilidad entre ambos si el resultado lesivo se produce, aplicándose como regla general el principio de consunción del art. 8.3º del CP. Así lo estableció esta Sala en la sentencia 1188/1999, de 14 de julio, al afirmar que si a consecuencia de la infracción de normas laborales se produce el resultado que se pretendía evitar (muerte o lesiones del trabajador) el delito de resultado absorberá al de peligro (art. 8.3º CP), como una manifestación lógica de la progresión delictiva (aunque se podría aplicar el concurso ideal de delitos cuando el resultado producido constituye solamente uno de los posibles resultados de la conducta omisiva del responsable de las medidas de seguridad).

El Tribunal sentenciador niega el peligro grave: «Teniendo en cuenta las normas aplicables, especialmente los artículos 290 y 291 de la Ordenanza de la Construcción que exige una especial diligencia a la utilización de excavadoras dado el intrínseco peligro de esta maquinaria, no se considera que la forma de trabajo diseñada pusiera en grave peligro la vida de los trabajadores, ya que, como se ha apuntado, nunca se encontraba en el radio de acción de la pala cuando ésta excavaba» (...)".

STS de 13 de junio de 2002 (Penal) [8]

FUNDAMENTOS DE DERECHO

«1º En el delito de alzamiento de bienes, sin embargo, la responsabilidad civil presenta características peculiares porque el desplazamiento patrimonial no permite, sin más, como reparación del daño, conceder la cuantía exacta de los créditos burlados.

En este delito el propósito de los autores consiste fundamentalmente en eludir el pago debido a los acreedores, defraudando con ello el principio de responsabilidad universal derivado del art. 1911 del Código Civil. En consecuencia –como se dijo en la sentencia de esta Sala 980/1999, de 18 de junio– el objetivo del proceso penal en la vertiente que afecta a la responsabilidad civil debe orientarse a la recuperación de la situación jurídica que tenían los acreedores en el momento de realizar contratos o contraer obligaciones que supongan un pago en dinero por parte de los acreedores. La indemnización de los perjuicios comprende los que se hubiesen causado por razón del delito y las cantidades adeudadas en el caso enjuiciado, como en el contemplado por la sentencia citada, "habían nacido en virtud de una relación contractual válidamente contraída y concertada con anterioridad al hecho delictivo por lo que no puede establecerse su pago, como consecuencia del delito de alzamiento de bienes".

En el mismo sentido la sentencia 1716/2001, de 25 de septiembre, recordó que era constante doctrina de esta Sala "que la responsabilidad civil derivada del delito de alzamiento de bienes no debe comprender el montante de la obligación que el deudor quería eludir, debido a que esta obligación no nace del delito y porque la consumación de esta figura delictiva no va unida a la existencia de lesión o perjuicio patrimonial, sino a la colocación en un estado de insolvencia en perjuicio de los acreedores", concluyendo que la restauración del orden jurídico alterado por las acciones simuladas se consigue declarando la nulidad de las operaciones fraudulentas».

STS de 7 de julio de 2002 (Civil) [7]

En el mismo sentido, vid., STS de 6 de marzo de 2003 [7]

STS de 16 de julio de 2002 (Civil) [6]

FUNDAMENTOS DE DERECHO

«2º El segundo motivo (artículo 1692-4º de la Ley de Enjuiciamiento Civil citada) acusa la infracción del artículo 262-5 de la Ley de Sociedades Anónimas de 22 de diciembre de 1989, en relación con la disposición derogatoria de dicha Ley, el artículo 9-3 de la Constitución, y con los artículos 2-3, 4-3 y disposiciones transitorias 1ª y 3ª del Código Civil y la doctrina que los desarrolla, cuando la materia estaba regulada por la Ley de Sociedades Anónimas de 1951. Empero, como razona, la sentencia recurrida, la legislación que se tacha, debe aplicarse porque, no importa que la causa determinante de la disolución de la sociedad hubiera surgido antes del uno de enero de 1990, si la misma subsiste, permanece y se prolonga después de esta fecha sin que los administradores actúan en la forma que establece el artículo 262, procediendo estimar la responsabilidad "ex lege". Efectivamente, el día uno de enero de 1990, la sociedad anónima, se encontraba aún incursa en causa de disolución, rigiéndose a partir de dicha fecha, por la nueva Ley de Sociedades Anónimas 19/1989, que expresamente deroga la Ley de 17 de julio de 1951, estando obligados los administradores, a convocar la junta para disolver la sociedad, por la causa señalada en el artículo 260-4, siendo totalmente contraria a la Ley su conducta, consistente, en permitir que la situación se prolongara, e incluso se acrecentara, sin promover la disolución en la forma prevenida en el artículo 262, dentro de los dos meses siguientes a la entrada en vigor de la nueva Ley, no afectando a la referida obligación lo dispuesto en las disposiciones transitorias, estableciendo determinados plazos a las entidades creadas bajo la vigencia de la antigua Ley, para adecuarse a la posterior, porque ninguna de ellas se refiere a la disolución de las compañías, materia en la que entró en vigor la Ley nueva, como se ha consignado, el uno de enero de 1990. Carece de sustento alguno, mantener que los administradores de la sociedad, por no haber activado el mecanismo necesario para su sustitución, hayan adquirido un derecho a no ser obligados por la nueva norma, a disolver la sociedad, por causa que persiste, y a no responder por su conducta continuada, no siendo admisible que, los autores de una conducta antijurídica, obtengan a su favor un derecho que tiene su causa en la misma (artículo 6-3 del Código Civil). Por tanto, la causa de disolución jurídica de la sociedad permanecía (al igual que la ilegal actuación omisiva de los administradores), el repetido uno de enero de 1990, esto es, bajo la vigencia de la nueva Ley, no aplicándose, por ello, la misma con carácter retroactivo, pues de conformidad con lo preceptuado en el artículo 262-5 de la Ley, no habiendo cumplido los administradores la obligación de convocar Junta General para la disolución legal de la compañía, en el plazo de dos meses, a contar desde el uno de enero de 1990, los mismos deben responder de las deudas sociales [...]».

STS de 18 de julio de 2002 (Civil) [5]

FUNDAMENTOS DE DERECHO

«1º Estimada la acción de responsabilidad por las deudas sociales dirigida contra los administradores de [...], se ha interpuesto recurso de casación por los codemandados; inadmitido a trámite en su momento procesal el motivo primero, en el segundo se alega infracción del art. 135 de la vigente Ley de Sociedades Anónimas.

Refiriéndose a la acción de responsabilidad individual a favor de los terceros por los actos de los administradores que directamente lesionen los intereses de aquéllos, regulada en el art. 135 de la Ley de Sociedades Anónimas dice la sentencia de 30 de marzo de 2001 que "se trata de una acción resarcitoria, para la que están legitimados los acreedores sociales ('ad exemplum', sentencias de 21 de septiembre de 1999 y 30 de enero de 2001), que exige una conducta o actitud –hechos, actos u omisiones– de los administradores carentes de la diligencia de un ordenado comerciante (basta la negligencia simple sin que sea necesaria como ocurría en la legislación anterior, la malicia o negligencia grave) que dé lugar a un daño, de modo que el accionante perjudicado ha de probar que el acto se ha realizado en concepto de administrador y el resultado dañoso". Es decir, la estimación de esta acción de responsabilidad individual requiere la concurrencia de una acción u omisión calificada de culposa o negligente, un daño y la existencia de una relación de causalidad entre la acción u omisión y el daño producido. Por el contrario, la responsabilidad solidaria que impone el art. 262.5 de la Ley de Sociedades Anónimas a los administradores sociales no requiere más que la prueba de los hechos que son presupuesto de la efectividad de la sanción legal, es una responsabilidad "ex lege" (sentencias de 3 de abril de 1998] y 26 de octubre de 2001, entre otras); configurada ésta como una responsabilidad "cuasi objetiva y entendida desde luego como una responsabilidad 'ex lege' (sentencias de 12 de noviembre de 1999, 20 de octubre de 2000 y 20 de diciembre de 2000) no se identifica con la acción fundada en la negligencia de los arts. 133 a 135 de la Ley de Sociedades Anónimas, por no ser necesaria una relación de causalidad entre la omisión de los administradores y la deuda social ni una negligencia distinta de la prevista en el propio precepto, que comenzaría en el momento mismo en que les administradores conocen la situación patrimonial y sin embargo no proceden como dispone el art. 262 (sentencias de 29 de abril de 1999, 22 diciembre de 1999 y 30 de octubre de 2000), de modo que la mera pasividad de los administradores traería aparejada su responsabilidad solidaria por obligaciones sociales a modo de 'consecuencia objetiva' (sentencias de 14 de abril de 2000), como resume la sentencia de 20 de julio de 2001".

Consecuencia de lo anterior es la de que esta Sala no puede aceptar esa relación que establece el Tribunal de apelación entre el art. 135 y el 262.5 de la Ley Societaria, dada la distinta naturaleza y requisitos de una y otra acción.

En su fundamento jurídico segundo, la sentencia recurrida afirma que la responsabilidad de los administradores frente a los actores por las obligaciones sociales "deviene patente, conforme al art. 135 en relación con el 262.5º, ambos de la Ley de Sociedades Anónimas, sin que sea precisa la acreditación de causalidad, como pretenden los recurrentes, por establecer dicho precepto una responsabilidad de carácter totalmente objetivo que dimana, simple y automáticamente, de la inobservancia del contenido imperativo del art. 260.4º de la LSA," añadiendo que "la responsabilidad de los administradores que se aprecia en la alzada, de cualquier contenido resultante de la culpa, desaparece la facultad moderadora que en aquel caso efectivamente ostenta el Juzgador."

De esta fundamentación, determinante del fallo recaído, se evidencia que la cita del art. 135 carece de toda transcendencia a los efectos estimatorios de la acción apreciada en la instancia, por lo que, en realidad, no puede afirmarse, no obstante, se repite, esa inadecuada puesta en relación de los citados preceptos, que la acción en virtud de la cual se condena a los ahora recurrentes sea la acción de responsabilidad individual del art. 135, por lo que no puede estimarse que el mismo resulte infringido por la Sala "a quo".

2º El motivo tercero alega infracción del art. 262.5 de la Ley de Sociedades Anónimas, en relación con los números 1, 2 y 4 del mismo artículo y con el art. 260 de la misma Ley.

Una de las cuestiones que se plantean en el motivo es la de que [...] no eran administradores sociales en las fechas en que acontecieron los hechos de la demanda. Tal cuestión no fue planteada por los demandados en su escrito de contestación a la demanda, sino introducida en el recurso de apelación; se trata, por tanto, de una cuestión nueva, no planteada en los escritos rectores del proceso que no debió de ser examinada por el Tribunal de segunda instancia ni puede serlo en este recurso de casación.

Habida cuenta de la doctrina jurisprudencial recogida en el anterior fundamento de esta resolución sobre los requisitos de la acción regulada en el art. 262.5 de la Ley de Sociedades Anónimas y el resultado probatorio alcanzado en la instancia, no resulta infringido, sino correctamente aplicado el citado precepto legal. Es claro que ya en el año 1991 los administradores sociales no podían ignorar la grave situación de descapitalización que sufría [...], sin necesidad de esperar al final del ejercicio económico, sin que hubiesen adoptado las medidas que establece para tales casos la Ley de Sociedades Anónimas en su art. 262.5, pasividad de los codemandados que hace nacer la responsabilidad que sanciona el citado precepto legal».

STS de 29 de julio de 2002 (Penal) [8 y 12]

FUNDAMENTOS DE DERECHO

«12º [...]1.– Señala que el art. 76 de la Ley 50/1980 del contrato de seguros, en los contratos de seguro de responsabilidad civil, concede al perjudicado acción directa contra el asegurador, para exigirle el cumplimiento de la obligación de indemnizar el daño o perjuicio causado por el asegurado, acción que cubre las indemnizaciones por la conducta dolosa de dicho asegurado, sin perjuicio del derecho del asegurador de repetir contra aquél. Esa acción directa es, por imperativo del propio art. 76 citado, inmune a las excepciones que puedan corresponder al asegurador contra el asegurado. Tampoco pueden afectar a un tercero, ajeno al contrato de seguro, las condiciones limitativas pactadas entre las partes y que vengan a privarle de un derecho que le ha sido concedido por la ley o a limitar el contenido o ejercicio, pues los contratos, por imperativo del art. 1275 del Civil sólo producen efectos entre las partes y no pueden establecer cláusulas que perjudiquen los derechos de terceros, en especial las que contengan la exclusión voluntaria de la ley aplicable (art. 6.2 del Código Civil). Por ello la naturaleza dada a un contrato de responsabilidad civil de "pólizas de grandes riesgos" por el acuerdo de las partes y que las autoriza a separase en sus relaciones de lo establecido imperativamente en la ley, no permite considerar suprimidos los derechos de los terceros perjudicados, ajenos al contrato, derechos que tengan su fuente en una ley, que de forma expresa los reconozca, como ocurre con el citado artículo 76.

Estima por ello que los fundamentos de la exclusión de la responsabilidad civil directa de la compañía aseguradora AGF-La Unión y el Fénix, vulnera los preceptos citados y debe casarse la sentencia declarando, su responsabilidad directa en virtud de la acción ejercitada contra ella por esta parte, dentro de los límites del importe del capital asegurado, conforme a la petición de nuestro escrito de acusación.

2.– Exige la responsabilidad directa de la Unión y el Fénix por las consecuencias derivadas de los artificios contables. La sentencia recurrida pone de relieve al contestar a esta pretensión, que las acusaciones han establecido, de forma imprecisa, en cuanto a su alcance, la responsabilidad civil de la compañía AGF Unión y el Fénix SA En unos casos se pide la cobertura de la responsabilidad civil solamente para alguno de los hechos imputados y en otros, como en la acusación del Fondo de Garantía de Depósitos, se hace extensiva esa responsabilidad a todos los delitos que han sido objeto de enjuiciamiento.

La póliza suscrita por la Unión y el Fénix, obra como se dice en la sentencia a los folios 16428 y ss. del Tomo 52 de la Pieza principal y en ella se incorpora un contrato de seguro de los denominados de "grandes riesgos», cubriendo la responsabilidad de los Consejeros o altos cargos asimilados y concretamente la de Mario C., Arturo R., Rafael P. E., Enrique L., Fernando G., Ramiro N. y Juan B.

Conviene, antes de entrar en otras valoraciones, recordar el contenido de dicha Póliza ya que, aparte de su consideración como de "Gran riesgo" (folio 16431) y la delimitación temporal de la cobertura, en base a la cláusula "Claims made basis", en el apartado 2º relativo a las definiciones, se excluye de manera expresa a la Corporación Industrial y Financiera Banesto y la Unión y el Fénix Español, SA, y a sus respectivas sociedades filiales, señalando que la presente póliza cubre solamente a aquellas personas jurídicas que formen parte de la definición de "la compañía", es decir, Banco Español de Crédito, SA, Fundación Cultural Banesto y la Asociación Deportiva Banesto. Se considera como siniestro, todo acto erróneo del que pueda resultar legalmente responsable el asegurado y que se derive necesariamente del riesgo concreto objeto del seguro, excluyéndose expresamente del seguro las reclamaciones surgidas como consecuencia de actos delictivos que sean fraudulentos o dolosos por parte del asegurado.

Por otro lado, la cobertura de la póliza, según se desprende del apartado 8, se encuentra delimitada temporalmente, comprendiendo "hechos o actuaciones realizados antes o durante la vigencia de la póliza, siempre que el asegurado no tuviera conocimiento, con anterioridad al 11 de febrero de 1991, de cualquier incidencia o circunstancia que pudiera dar lugar a una reclamación". En virtud de esta cláusula, la sentencia declara excluidos los hechos relativos a la Operación Cementeras, la de Carburos Metálicos y la Operación Locales Comerciales por haber sido realizadas en un momento anterior al período de cobertura. Se basa para ello en el principio de libertad de pacto, previsto en el artículo 1255 del Código Civil.

La sentencia señala que, sólo los hechos relativos al Centro Comercial Concha Espina y Oil Dor, tuvieron lugar dentro del período de cobertura de la póliza, pero en estos casos sostiene que, según las cláusulas, el asegurador excluye de su cobertura las reclamaciones causadas por el hecho de que el asegurado haya obtenido un beneficio o remuneración al cual no tenía derecho, aprovechándose de su cargo, aunque no haya incurrido en ninguna acción delictiva o surgida de actos delictivos que sean fraudulentos o dolosos por parte del asegurado.

Por último proclama que, tratándose de un contrato de grandes riesgos, el artículo 44 de la Ley 50/1988, tras la modificación operada por Ley 21/1990 de 19 de diciembre, posteriormente modificada por la disposición adicional 6ª de la Ley 30/1995 de 8 de noviembre de Ordenación y Supervisión de los Seguros Privados, declara no imperativas las disposiciones de la ley del contrato de seguro, remitiéndose a la voluntad contractual de las partes, dada la circunstancia de que el perjudicado es Banesto que fue el tomador del seguro, por lo que las excepciones oponibles fueron expresamente pactadas con su intervención. Por otro lado señala que no consta que se notificase al asegurador, la reclamación dentro del período de vigencia de la póliza, por lo que éste puede oponer las cláusulas de delimitación temporal de la cobertura aceptadas especialmente por Banesto.

3.– Como hemos visto las referencias que la sentencia hace a la responsabilidad de la compañía aseguradora AGF La Unión y el Fénix, se contienen en el contexto de la póliza suscrita entre la entidad Banesto y la Compañía Aseguradora.

Consideramos que no es aplicable al caso, la reciente jurisprudencia de esta Sala, que pudiéramos concentrar en la Sentencia de 8 de abril de 2002, sobre la responsabilidad del Consorcio de Compensación de Seguros, por los daños causados dolosamente con un vehículo robado, sean extensibles a otros casos de responsabilidad criminal dolosa. En apoyo de esta tesis podemos aportar el Acuerdo de la Junta General celebrada el 14 de diciembre de 1994 y otro posterior de 6 de marzo de 1997, en el que se pone de relieve que si bien el dolo del asegurado no debe exonerar de responsabilidad directa al asegurador, esto se limita a los supuestos de hechos referentes a hechos relacionados con el ramo del automóvil y ocasionados con motivo de la circulación.

Cualquiera que sean las consideraciones que podamos hacer en torno a la naturaleza específica de esta póliza denominada de alto riesgo y al contenido del art. 76 de la Ley de Contrato de Seguros, lo cierto es que no puede incluirse válidamente en la cobertura de la responsabilidad civil la ocasionada por hechos delictivos fraudulentos o dolosos, aunque hayan sido aceptadas por el asegurador, ya que es un principio general no discutido el de la no asegurabilidad del dolo criminal, pues sería contrario a la moralidad y la ética, que la gente asegure su patrimonio contra las consecuencias negativas que se le puedan derivar de sus propios comportamientos delictivos.

En todo caso, como señala el Ministerio Fiscal, el seguro cuya vigencia regía en los llamados artificios contables, entre Banesto como tomador del seguro y la entidad AGF La Unión y el Fénix, es un seguro de responsabilidad civil no creado por obligación legal, como sucede en el seguro obligatorio del automóvil, sino por voluntad de los contratantes y para asumir grandes riesgos. Siguiendo con los argumentos del Ministerio Fiscal, el hecho concreto de los artificios contables no está cubierto por el seguro establecido, excluyendo a la compañía aseguradora de la obligación de pago en base a la carencia objetiva de cobertura, lo que equivale a lo que algunos llaman "inexistencia del seguro». No solo estamos ante una delimitación de derechos, como indica la sentencia de esta Sala 14 de noviembre de 1998, sino que al mismo tiempo estamos ante una limitación de derechos y que, consecuentemente, debe regir respecto de las mismas el art. 3 de la Ley de Contrato de Seguro.

Por último y volviendo al principio, no podemos olvidar que en el motivo que estamos examinando nos encontramos ante una petición, de una entidad o institución pública, que tiene como misión acudir en auxilio de las entidades bancarias que se encuentran en una difícil situación económica, con independencia de cual haya sido el origen de la misma, por lo que no puede ser equiparada a una víctima o perjudicado por un hecho delictivo doloso, sin perjuicio de su posible acción de repetición por los desembolsos efectuados".

[...]

28º [...]creemos que debe hacerse algunas matizaciones respecto a la identidad parcial o a la diferencia radical, entre los delitos de apropiación indebida, cometidos por los administradores de hecho o de derecho en una sociedad y las administraciones desleales, en que las mismas personas puedan incurrir.

Adhiriéndonos, por su grafismo y expresividad a la metáfora de los círculos, estimamos que la figura geométrica más adecuada para representar las diferencias entre la administración desleal y la apropiación indebida, resultaría de tensar sus extremos y convertirlos en círculos tangentes.

El administrador se sitúa en el punto de contacto o confluencia entre ambos círculos y desde esta posición puede desarrollar diversas y variadas conductas. En el caso de que proceda ajustándose a los parámetros y normas marcados por los usos y necesidades de la sociedad que administra, comportándose fiel y lealmente, su postura resulta como es lógico atípica. Tampoco nos encontraríamos ante ninguna figura delictiva en los casos en que el administrador realiza operaciones erróneas o de riesgo que entran dentro de las previsiones normales de desenvolvimiento del mundo mercantil.

Si, por el contrario el administrador no sólo incumple los deberes de fidelidad sino que actúa, prevaliéndose de las funciones propias de su cargo, con las miras puestas en obtener un beneficio propio o de procurárselo a un tercero, el comportamiento tiene los perfiles netos de una administración desleal. Este beneficio propio o de tercero del que habla el artículo 295 del Código Penal no supone ingresar en el patrimonio propio bienes pertenecientes a la sociedad, bastando simplemente con procurarse alguna utilidad o ventaja derivada de su comportamiento desleal. Esta conducta puede venir determinada por el hecho de que terceros o normalmente competidores le proporcionen dinero o cualquier otro tipo de utilidad por faltar a los deberes propios de su cargo. En este caso nos encontraríamos ante una especie de cohecho pero cometido por particulares. La utilidad o ventaja puede tener cualquier otra forma o revestir diferentes modalidades, como puede ser el proporcionarle una colocación o empleo sustancialmente retribuido en otras empresas o actividades que directa o indirectamente hayan resultado beneficiados. También se puede hablar de beneficio propio cuando se busca una posición más ventajosa dentro del entramado societario que se administra, pero insistimos sin que se produzca apropiación del patrimonio social, incluso pudiera comprenderse dentro de este concepto de beneficio que configura la administración desleal, los usos temporales ilícitos de bienes, posteriormente restituidos y que por tanto aún proporcionando beneficios no constituyen una definitiva apropiación indebida.

El elemento objetivo del tipo contempla la realización material de estas conductas de administración desleal a través de la disposición fraudulenta de bienes o contrayendo obligaciones con cargo a la sociedad que originan un perjuicio económicamente evaluable a los socios depositantes, cuentapartícipes o titulares de bienes, valores o capital que administren. El legislador en lugar de fijar la multa en relación con el perjuicio económico causado, toma en consideración el beneficio obtenido estableciendo una multa del tanto al triplo de dicha suma. Ello pone de relieve que el elemento esencial del tipo que es el beneficio, no consiste en el apoderamiento de la totalidad o parte del patrimonio de la sociedad administrada.

5.– Por último cuando el administrador, prevaliéndose como es lógico de su cargo y de su posición en la entidad societaria realiza actos materiales encaminados a la adjudicación en beneficio y lucro propio de bienes pertenecientes a la sociedad, nos encontramos con un típico delito de apropiación indebida absolutamente diferenciado de la administración desleal. A estos efectos resulta indiferente que la apropiación recaiga sobre bienes muebles o valores, o sobre dinero.

Es por tanto más grave la conducta del administrador que se apropia de los bienes administrados que la del que los administra deslealmente y causa así un perjuicio económico a la sociedad.

6.– Resumiendo todo lo anteriormente expuesto afirmamos que en la apropiación indebida se tutela el patrimonio de las personas físicas o jurídicas frente a maniobras de apropiación o distracción en beneficio propio, mientras que en la administración desleal se reprueba una conducta societaria que rompe los vínculos de fidelidad y lealtad que unen a los administradores con la sociedad.

La apropiación indebida y la administración desleal, reúnen, como único factor común la condición de que el sujeto activo es el administrador de un patrimonio que, en el caso de la administración desleal tiene que ser necesariamente de carácter social, es decir, pertenecer a una sociedad constituida o en formación.

El reproche penal que se realiza a los autores de un delito de administración desleal, radica esencialmente del abuso de las funciones de su cargo, actuando con deslealtad, es decir, siendo infiel a las obligaciones que como administrador de hecho o de derecho le exigen por un lado, con carácter genérico el art. 719 del Código Civil, y por otro y con carácter específico el artículo 127 del texto refundido de la Ley de Sociedades Anónimas y otros preceptos análogos, que imponen un deber de diligencia y lealtad. Se trata de un delito que se consuma por la realización de las actividades desleales y la consiguiente originación del perjuicio económicamente evaluado».

STS de 22 de octubre de 2002 (Penal) [8]

En el mismo sentido, vid., entre otras, SSTS de 23 de mayo de 2003 y 27 de abril de 2005 [8]

STS de 24 de octubre de 2002 (Civil) [6]

FUNDAMENTOS DE DERECHO

«2º [...] no es aceptable la interpretación literal, rígida e inflexible del art. 262.5 LSA de modo que baste simplemente la no convocatoria de la junta de accionistas, o que no se solicite la disolución judicial, todo ello dentro de los plazos señalados en la citada norma para hacerlo, para que se declare la responsabilidad solidaria de los Administradores por las deudas sociales. Ha de tenerse en cuenta que el art. 262.3 LSA permite a cualquier interesado solicitar la disolución judicial de la sociedad cuanto la junta no fuese convocada o no pudiese lograrse el acuerdo o éste fuese contrario a la disolución. Por tanto, puede darse el hecho de que en el plazo de dos meses del art. 262.5 LSA los administradores no cumplan su obligación, pero haya solicitado la disolución cualquier interesado. No es razonable que, pese a cumplirse la finalidad de la ley, los administradores sean responsables solidarios. En suma, pues, el art. 262.5 ha de conjugarse con el apartado 3 anterior y analizar si en el plazo de dos meses se ha pedido, aunque sea por un interesado, la disolución judicial de la sociedad, que es lo que quiere el legislador.

En el caso litigioso, [...] la sociedad confeccionó un borrador de auditoría sobre los estados financieros [...]. En dicho borrador de informe, encargado por el consejo de administración [...], se consignaba la grave situación patrimonial de la sociedad, que determinó que el susodicho consejo, [...], acordase la celebración de Junta de Accionistas [...] para adoptar los oportunos acuerdos que remediasen la insuficiencia patrimonial. Así las cosas, no hay duda de que el consejo de administración cumplió la obligación impuesta por el art. 262.2 LSA, [...]

La prevista Junta no se celebró [...], y a partir de esa fecha es cuando empieza a correr el plazo de dos meses que tienen los administradores para solicitar la disolución judicial. A ello no obsta que el consejo de administración acordase nueva fecha para la Junta, [...].

Dentro de ese plazo de dos meses a contar desde el día antedicho, [...], interpusieron el que fue administrador [...], y la accionista de la misma [...], demanda de disolución de [...] por la concurrencia de la causa 4ª del art. 260.1 LSA. [...]

De acuerdo con el criterio expuesto con anterioridad, no se dan las circunstancias que obliguen a responder solidariamente a los administradores por deudas sociales».

STS de 28 de octubre de 2002 (Civil) [5]

FUNDAMENTOS DE DERECHO

«2º [...] hay que tener en cuenta que el artículo 133 de la Ley de Sociedades Anónimas contempla la responsabilidad de los administradores frente a la sociedad, los accionistas y los acreedores, tanto por las actuaciones contrarias a la Ley como a los Estatutos, y las debidas a su falta de diligencia en el desempeño del cargo y para exigir la referida responsabilidad el artículo 134 otorga la llamada acción social y el 135 establece la acción individual, que es la aquí ejercida, tratándose de acción de resarcimiento o indemnización (Sentencia de 21-9-1999).

La procedencia de dicha acción exige la concurrencia de los presupuestos de un actuar negligente del administrador, que ha quedado suficientemente determinado y operó decididamente causando los daños que padecen los demandantes, siendo daños efectivos, constatados y probados y concurriendo nexo causal eficiente (Sentencia de 28-6-2000).

Aquí se trata de una responsabilidad solidaria, conforme al artículo 133.2 de la Ley de Sociedades Anónimas, al no haber demostrado el recurrente –por lo que no integra la base fáctica de la sentencia–, actuaciones a su cuenta para eximirse de dicha responsabilidad compartida, habiéndose admitido solidaridad tácita pasiva (Sentencias de 18-5-1999 y 2-7-1999), y siendo carga probatoria que le impone el artículo 1.214 del Código Civil [...]».

STS de 9 de noviembre de 2002 (Civil) [5]

FUNDAMENTOS DE DERECHO

«3º [...] los jueces y tribunales apreciarán la prueba pericial según las reglas de sana crítica, sin estar obligados a sujetarse al dictamen de los peritos, y a este respecto, ha establecido reiteradamente esta Sala según doctrina constante, que en casación no puede revisarse la apreciación de la prueba hecha en instancia, salvo que resulte ilógica, absurda o contraria a la ley, y en este caso el hecho de que el perito haya dictaminado que la pérdida de la sociedad en los últimos años representaban más del 50% del Capital social y el Tribunal haya deducido que el patrimonio de la sociedad haya quedado reducido al menos del 50% del Capital social, cuando exactamente no sea esto lo dicho por el perito, extremo éste que es indiferente, ya que la acción que se ejercita es la del art. 135 de la Ley de Sociedades Anónimas, y no la responsabilidad objetiva del art. 262 núm. 5 de la referida ley, [...], se invoca el incumplimiento por los administradores el mandato del art. 260.4 de la Ley de Sociedades Anónimas, cuando a ello estaban abocados según se deduce de la pericial, junto con los demás medios de prueba, pero esta falta de actuación de los demandados, pone de manifiesto su actuación negligente, [...], al proseguir en su endeudamiento, conociendo la situación económica de la sociedad, y a sabiendas por ello (según el dictamen del perito aceptado por la Audiencia), de que las deudas que contraían no podían ser satisfechas, a la fechas de sus respectivos vencimientos, circunstancia ésta, que avala una condena al pago de la indemnización por los perjuicios causados a los acreedores, por esta actuación culposa en el ejercicio de su actividad como administrador, que es, precisamente, la pedida en forma subsidiaria en la demanda, y no la objetiva en basada en el núm. 5 del art. 262 de la Ley de Sociedades Anónimas, que impone una obligación solidaria en el pago de las deudas de la sociedad a los administradores de la misma en solidaridad con la propia entidad deudora, en el supuesto de que encontrándose la sociedad en la circunstancia de pedir su disolución por encontrarse en alguno de los supuestos de los núms. 4 y 5 del art. 260 de la Ley de Sociedades Anónimas, los administradores, no haya cumplido con la obligación de convocar a junta general a los fines indicados en el núm. 5º del art. 262 de la referida Ley».

STS de 15 de noviembre de 2002 (Penal) [8]

FUNDAMENTOS DE DERECHO

«5º [...]Tiene declarado esta Sala (cfr. Sentencia 22 de julio de 1994) que lo correcto es reintegrar la situación anterior al alzamiento de bienes, anulando los actos jurídicos patrimoniales que lo provocaron y reintegrando así al patrimonio del deudor los bienes ilícitamente extraídos del mismo mediante tales actos viciados.

La declaración de nulidad de los negocios jurídicos celebrados por el deudor que se alza con sus bienes en perjuicio de sus acreedores es una consecuencia del vicio de la voluntad de que adolecen al estar impulsados por la decisión de dar cobertura lícita a un propósito delictivo que no es otro que defraudar las legítimas aspiraciones de los acreedores de hacerse pago con la totalidad de los bienes en virtud del principio de responsabilidad universal proclamado en el Código Civil. Existe una voluntad simulada cuyo único propósito es deshacerse del patrimonio con objeto de impedir u obstaculizar la aprehensión de los bienes como cobertura del pago en metálico de las obligaciones contraídas. La consecuencia lógica de todo ello, como ya se ha dicho, es la nulidad de los negocios jurídicos transmisivos y así se viene declarando de manera constante por la jurisprudencia de esta Sala (Cfr. Sentencia de esta sala de 8 de julio de 1992).

Es asimismo constante doctrina de esta Sala, como son exponentes, entre otras, las Sentencias de 4 noviembre 1981, 3 diciembre 1983, 11 junio 1984, 14 diciembre 1985, 19 enero 1988 y 27 enero 1990, 16 marzo y 12 junio 1992 y 26 de marzo de 1993, que la responsabilidad civil derivada del delito de alzamiento de bienes no debe comprender el montante de la obligación que el deudor quería eludir, debido a que esta obligación no nace del delito y porque la consumación de esta figura delictiva no va unida a la existencia de lesión o perjuicio patrimonial, sino a la colocación en un estado de insolvencia en perjuicio de los acreedores; por ello, lo que procede es la restauración del orden jurídico alterado por las acciones simuladas de venta de fincas declarando la nulidad de las escrituras públicas de compraventa de las fincas vendidas por los procesados, así como la cancelación de las respectivas inscripciones en el Registro de la Propiedad, reponiendo las fincas vendidas a la situación jurídica en que se encontraban en la fecha de los respectivos contratos, reintegrando al patrimonio del deudor los bienes indebidamente sacados del mismo, sin perjuicio de que los acreedores puedan ejercitar las acciones correspondientes para la efectividad de su crédito».

STS de 25 de noviembre de 2002 (Civil) [5]

FUNDAMENTOS DE DERECHO

«1º [...] La cuestión litigiosa se centraba principalmente en la virtualidad de la acción individual de responsabilidad respecto a los demandados –uno, socio, y otro, administrador de la sociedad".., S.L.", de la que también era participante el actor–, cuyos litigantes pasivos procedieron al cese y cierre de la entidad sin seguimiento de procedimiento liquidatorio o concursal alguno, y prosiguieron la actividad de la misma bajo otra forma societaria.

2º [...] la acción ejercitada por la actora fue la acción individual de responsabilidad, con sede en el artículo 135 de la Ley de Sociedades Anónimas, por remisión del artículo 11 de la Ley de Sociedades de Responsabilidad Limitada, sin embargo la sentencia impugnada extendió su pronunciamiento condenatorio a este recurrente, que no era administrador sino simple socio de la sociedad –con referencia a la cual se ejercitaba la acción– [...] esta Sala tiene declarado que, si bien el principio de congruencia no impone sino una racional adecuación del fallo a las pretensiones de las partes y a los hechos que las fundamentaban, pero no una literal concordancia, y por ello, guardando el debido acatamiento al componente jurídico de la acción y a la base fáctica aportada por los contendientes, el órgano jurisdiccional está facultado para establecer su juicio crítico de la manera que entienda más ajustada, y, de aquí, que el Juzgador pueda, en atención al principio "iura novit curia", en relación con el de "da mihi factum, dabo tibi ius", aplicar normas distintas e, incluso, no invocadas por los litigantes, a los hechos por los mismos establecidos, como también ha sido reconocido en reiterada jurisprudencia de esta Sala, pero, en ningún caso, la observancia de estos principios ha de entenderse de manera absolutamente libre e ilimitada, ya que siempre ha de estar condicionada al "componente fáctico esencial de la acción ejercitada", estimándose por tal a los hechos alegados por las partes y que resulten probados, así como a la inalterabilidad de la "causa petendi", pues lo contrario entrañaría una vulneración del principio de contradicción y, por ende, del derecho de defensa; en este caso, la decisión de instancia ha condenado a [...], coautor del mismo comportamiento que [...] y responsable, como administrador de hecho, de lo proyectado, ejecutado y omitido de mutuo acuerdo con aquél, pero, en la demanda, únicamente se hacía referencia a la condición de socio ostentada por dicho litigante en la sociedad [...] S.L." y no se menciona en absoluto su actuación como administrador de hecho, ni, obviamente, su responsabilidad en tal concepto, de modo que la sentencia recurrida, ha alterado la "causa petendi".

5º [...] dada la actuación exclusiva de [...] como administrador de la sociedad, ésta quedó inactiva sin establecer el oportuno proceso de liquidación, con lo cual, en todo caso, fue perjudicado el patrimonio de la misma, pero no el valor de unas acciones en concreto, por lo que no procedía el ejercicio de la acción individual, sino de la acción social de responsabilidad [...] los accionistas, socios y acreedores disponen de dos instrumentos procesales distintos, uno, la acción social de responsabilidad, de factible interposición si el daño producido perjudica los intereses de la sociedad, entendida como conjunto de socios o de una parte importante de los mismos, y otro, la acción individual de responsabilidad, de posible formulación cuando se lesionen directamente los intereses de los socios o acreedores; y estas acciones se distinguen por su diferente finalidad, pues mientras la acción social se dirige a reconstituir el patrimonio social que ha sido dañado por la actuación u omisión de los administradores, la acción individual corresponde a los socios y a los terceros por actos u omisiones de los administradores que lesionen directamente los intereses de aquéllos.

La acción individual de responsabilidad, recogida en el citado artículo 134, constituye una acción directa y principal, no subsidiaria, que se otorga a accionistas, socios y terceros para recomponer su patrimonio particular ante actos de administración que lesionen sus intereses, y la legitimación activa alcanza a accionistas y socios, sin que sea necesaria, para su formulación, ninguna convocatoria de junta general, ni acuerdo social, ni mínimos de capital social.

Para la prosperabilidad de esta acción, se exige una relación directa entre la acción u omisión del administrador y el daño al socio o al acreedor, y a la concurrencia de culpa o negligencia en el sentido general del Código Civil [...]».

STS de 3 de diciembre de 2002 (Civil) [6]

FUNDAMENTOS DE DERECHO

«1º El motivo primero de casación (artículo 1692-4º de la Ley de Enjuiciamiento Civil precedente) acusa la infracción, por la sentencia recurrida, de los artículos 260-1-4º y 262-5 ambos del RDLeg 1564/1989 de 28 de diciembre, por el que se aprueba el texto refundido de la Ley de Sociedades Anónimas. Fundamentalmente, la discrepancia del recurrente, respecto de la aplicación del artículo 262-1, se refiere a que, según su opinión, el "supuesto de hecho", que motiva aquélla, no se halla probado, dado que la sentencia sostiene que "toda la prueba practicada acredita que a finales de 1994, el patrimonio social era insuficiente, para hacer frente a las deudas contraídas" y tal aseveración no coincide con el presupuesto previo de que existiera obligación de convocar Junta General para adoptar el acuerdo de disolución, que exige pérdidas que dejen reducido el patrimonio social a una cantidad inferior a la mitad del capital social. Mas la dicha opinión se apoya en un examen mutilado de los "hechos probados", que, claramente, toman en consideración, para llegar al resultado de despatrimonialización que sufrió la sociedad anónima, que originó la quiebra, instada por la agencia estatal tributaria, precisamente, el examen de los presupuestos del artículo 260-4º en función de las pérdidas, conducentes a la disolución, al valorar no sólo el capital social inicial (de dos millones en el momento de la constitución) sino el de veinte millones, a tomar en cuenta tras la ampliación de dieciocho millones que hubo. Tampoco cabe argüir respecto de la fecha de renuncia al cargo de administrador del recurrente, ya que, como declara y establece la sentencia recurrida, "la responsabilidad de los tres 'consejeros delegados' no se extinguió porque algunos de ellos renunciasen al nombramiento en mayo de 1994. Había nacido ya en marzo y no existió causa alguna de extinción de esa responsabilidad". [...]

2º El segundo motivo [...] invoca infracciones del artículo 262-1 y 5 y artículo 127 de la vigente Ley de Sociedades Anónimas. Empero razona, con argumentos incomprensibles, según la naturaleza del motivo, que no se articula por incongruencia, ni por falta de motivación, ni por criterios formales, sino por aplicación de normas reguladoras del "fondo". Las referencias a que la Audiencia en su fundamentación "no vuelve a entrar en los pronunciamientos del Juez de instancia relativos a la aplicación del artículo 135 de la Ley de Sociedades Anónimas" o que "los fundamentos de derecho antecedentes" (los relativos a los preceptos denunciados por su aplicación) predeterminan en fallo, carecen de sentido jurídico en esta sede casacional. Por fin la cuestión relativa al artículo 127, en principio, ofrece concomitancias con el problema tratado, puesto que se imputa a la sentencia una infracción directa del citado precepto que se refiere a la observancia en su cargo, de la diligencia de un ordenado comerciante. Mas, lo que no puede el recurrente es tergiversar el dato de los "hechos probados" y la apreciación judicial, que, en lo que concierne, toma en consideración una "máxima de experiencia", implícita en el razonamiento. En efecto, el plazo de un mes no viene establecido por lo que dispone tal precepto, pero lo que la sentencia dice es que en el plazo de un mes transcurrido, desde su nombramiento, tuvieron tiempo de ponerse al corriente de la grave situación social. [...]

3º El motivo tercero (artículo 1692-4º de la Ley de Enjuiciamiento Civil), denuncia la infracción de los artículos 100 y 141 del RDLeg ya citado en los anteriores motivos. Tampoco se entienden las violaciones que se indican, puesto que, conforme al artículo 100, los administradores y, entre ellos, especialmente, por su significación, el Consejero Delegado, pueden convocar la "junta general de accionistas" siempre que lo estime conveniente –cual era el caso–, para los intereses sociales, sin que, entre las facultades indelegables, se incluyan las que son objeto de examen. [...]»

STS 12 de diciembre de 2002 (Civil) [5]

FUNDAMENTOS DE DERECHO

En el mismo sentido, vid., entre otras, SSTS de 30 marzo 2001, 25 de abril de 2002 y 24 de diciembre de 2002.

STS de 23 de diciembre de 2002 (Civil) [13]

«4º [...]Por razones del método y teniendo en cuenta cuanto acaba de exponerse en los dos Fundamentos de Derecho anteriores, resulta aconsejable proceder al examen del cuarto de los motivos del recurso, en el que se alega la infracción del artículo 949 del Código de Comercio, según el cual la acción para exigir la responsabilidad de los administradores de las sociedades prescribirá a los cuatro años a contar desde que por cualquier motivo cesaren en el ejercicio de su cargo.

Se señala que dicho plazo sólo ha de contarse desde el momento en que se inscriba el referido cese en el Registro Mercantil lo que no había sucedido en la fecha de interposición de la demanda.

La desestimación del motivo viene impuesta por la circunstancia de que el Tribunal de instancia ha asumido la valoración probatoria que con toda corrección había realizado el Juzgado, entendiendo que el cese del señor V. como administrador se había producido el 26 de abril de 1985 en que en la Junta General Universal y Extraordinaria de la sociedad había sido aceptada su dimisión como administrador, aprobándose su gestión y quedando en consecuencia para lo sucesivo como Administrador único don Regino L. O. a quien expresamente se facultaba para elevar a públicos dichos acuerdos, hasta lograr su inscripción en el Registro Mercantil. De ahí que resulte indiscutible que cuando el 3 de febrero de 1995 formula B la demanda de que el presente recurso trae causa se hubiese rebasado con exceso el plazo de 4 años que establece el precepto invocado por la recurrente».

STS de 24 de diciembre de 2002 (Civil) [13]

FUNDAMENTOS DE DERECHO

«2º [...] Ha de recordarse, al respecto, que según ha declarado esta Sala (sentencias de 10 de mayo de 1999 y de 23 de diciembre del año en curso) las inscripciones registrales de los acuerdos de cese de los administradores de las Sociedades mercantiles no tienen carácter constitutivo en orden a la efectividad de los mismos, por no imponerlo así precepto alguno [...]

De ello se sigue que lo que realmente se imputa a la ahora recurrente no es una responsabilidad legal y cuasi objetiva –caracteres únicamente predicables de la definida por el artículo 262-5º LSA según ha tenido ocasión de declarar esta Sala en sentencias de 25 de abril de 2002 y 26 de octubre de 2001– sino una responsabilidad subjetiva, por falta de diligencia en el desempeño del cargo, la cual exige según dichas resoluciones la demostración del acto concreto realizado u omitido negligentemente por el administrador que haya sido causa directa y eficiente de la lesión que «Textil Moisa» ha sufrido en sus intereses".

STS de 30 de diciembre de 2002 (Civil) [5]

FUNDAMENTOS DE DERECHO

«3º [...] En virtud de la acción individual de responsabilidad (arts. 133.1º y 135) los administradores sociales responderán frente a los acreedores sociales del daño que causen por actos contrarios a la Ley, o a los Estatutos o por los realizados sin la diligencia con la que deben desempeñar el cargo, la cual se mensura de modo objetivo con arreglo al estándar, o patrón de comportamiento, de la que debe observar un ordenado empresario (art. 127 LSA). Se trata de una acción indemnizatoria que asiste a los terceros por los actos de los administradores que lesionen directamente sus intereses. La doctrina jurisprudencial (SS. 21 septiembre 1999, 30 marzo 2001, 19 noviembre 2001, entre otras) la configura como una acción resarcitoria para la que están legitimados los terceros (y entre ellos los acreedores sociales) que exige una conducta o actitud –hechos, actos u omisiones– de los administradores contraria a la Ley o a los Estatutos, o carente de la diligencia de un ordenado comerciante –bastando la negligencia simple–, que dé lugar a un daño, de tal modo que el accionante perjudicado ha de probar (SS. 21 septiembre 1999, 30 marzo y 27 julio 2001; 25 febrero 2002) que el acto se ha realizado en concepto de administrador y existe un nexo causal entre los actos u omisiones de éste y el daño producido al actor (SS. 17 julio, 26 octubre y 19 noviembre 2001 y 14 de noviembre 2002). En sede de casación se pueden revisar los juicios de valor sobre la culpa y sobre el nexo causal, pero no las declaraciones puramente de hecho sobre la naturaleza y circunstancias de la acción u omisión, ni la realidad y cuantía del daño causado (SS. 31 de enero 1997; 26 de febrero 1998; 4 junio 2001; 21 febrero 2002).

En el supuesto objeto de enjuiciamiento no hay base para sostener la existencia de una actuación negligente determinante del daño, por lo que faltan los requisitos de la acción u omisión culposa y el nexo causal [...]».

STS de 30 de diciembre de 2002 (Penal) [8]

FUNDAMENTOS DE DERECHO

«3º El sexto motivo del recurso se refiere a la infracción del art. 31 CP. Sostiene el recurrente que no era el representante legal de la firma deudora y señala como respaldo de sus afirmaciones los documentos unidos a los folios 10, 21 y 84 en los que aparece otra persona como administrador. La Defensa afirma que "el hecho de que el mismo [el acusado] esté investido de poderes de gestión y haya actuado en nombre de la sociedad no implica sin más su responsabilidad".

El motivo debe ser desestimado.

Se trata de una cuestión carente totalmente de fundamento. Es evidente que si se reconoce que el recurrente tenía poderes de gestión y además actuó enajenando el inmueble ha realizado tal acción en representación de la firma y no es cierto lo que se dice surge de los folios que se citan, toda vez que también el recurrente estaba investido de poder de representación y actuaba como tal».

STS de 12 de febrero de 2003 (Civil) [5]

FUNDAMENTOS DE DERECHO

«3º El motivo segundo, al amparo del art. 1692.4º LECiv/1881, acusa infracción por no aplicación de los arts. 105.5 LSRL, en relación con los apartados 1 y 4 de dicho precepto y el art. 104.1 apartado e) del mismo Cuerpo legal. La sentencia recurrida, al declarar que no hay elemento objetivo legalmente previsto que pueda ser causa de imputación como para responder de las deudas sociales los administradores en cualquier situación de dificultad económica de la sociedad, infringe los preceptos citados que, por el contrario, la imponen en las circunstancias que prevén. Las mismas se han dado en el caso litigioso, y no haber cumplido los administradores lo ordenado por la Ley; por el contrario, según manifiestan en la contestación a la demanda, conocen la situación de insolvencia de la sociedad, y pese a ello no han procedido a la disolución de la misma ni han aumentado su capital en forma suficiente.

El motivo se estima, pues si bien es cierto que de cualquier dificultad económica no pueden ser responsables los administradores, no lo es menos que el art. 105.5 LSRL la impone cuando no cumplan lo en él prescrito. También aquí la Audiencia omite cualquier alusión al tema, refiriéndose sólo a la personalidad jurídica de la sociedad que implica responsabilidad por las deudas que contraiga, que no se extiende a sus socios [...].

Ha quedado probado incontestablemente que la sociedad demandada se halla incursa de plano en una causa de disolución desde el año 1991, según el art. 260.4º del Texto Refundido de la Ley de Sociedades Anónimas, aplicable a la de Responsabilidad Limitada desde la vigencia de la Ley 19/1989, de 25 de julio, de Reforma Parcial y Adaptación de la Legislación Mercantil a las Directivas de la Comunidad Económica Europea (arts. 11 y 30 LSRL de 17 de julio de 1953, de acuerdo a la redacción dada por la Ley 19/1989). Desde la vigencia de la LSRL de 23 de marzo de 1995, la sociedad demandada también se encontraba incursa en la causa de disolución consignada en el art. 104.1 e).

No hay constancia en autos de que las personas físicas demandadas hayan adoptado las medidas impuestas legalmente para resolver la completa insuficiencia patrimonial de la sociedad, por lo que deberán responder solidariamente de las deudas sociales (art. 105.5 LSRL).

Ahora bien, si el precepto citado dispone de esa forma su responsabilidad, también hay que tener en cuenta el art. 7.1 del Título Preliminar del Código Civil, que obliga al ejercicio de los derechos conforme a las exigencias de la buena fe. Por tanto, aunque el art. 105.5 otorgue a los acreedores el poder de exigir solidariamente a los administradores con la sociedad las deudas sociales, ha de verse si en el ejercicio del mismo obran de buena fe.

En el presente caso, es cierto que cuando la sociedad actora comienza a cumplir con la demandada el contrato de distribución de sus productos, ya está última publicaba en el Registro Mercantil, a través del depósito de sus cuentas, memorias y balances, la poca capacidad patrimonial que tenía para hacer frente a los pagos de los suministros, pero no es negligencia alguna que se pueda imputar a la actora que se los sirviera. Sería una rémora importantísima para la rapidez de las transacciones mercantiles que hubiera que acudir al Registro Mercantil para enterarse de la solvencia de la persona con quien se quiere concertar una operación, salvo que se trate de profesionales a los que el uso de los negocios impone investigar dicha solvencia.

No obstante, existen situaciones muy cualificadas en que ello es una carga inevitable en lógica comercial, y es cuando hay motivos suficientes o indicios racionales de la insolvencia. No puede amparar la norma al que se despreocupa de ello y opera sin ninguna cortapisa, por ejemplo, suministrando géneros al cliente de solvencia sospechosa. No puede pretender que jueguen entonces a su favor la imposición de la solidaridad de los administradores con la sociedad para el pago de las deudas sociales, no se actuaría entonces de la manera razonable, honesta y adecuada a las circunstancias de acuerdo con el art. 7.1 CC.

Tal es la situación fáctica que se ha producido en este litigio, ya que [...] advirtió a la actora por carta de 5 de abril de 1994 que no podía pagar el pagaré que vencía el 15 siguiente, que justificaba por la pérdida de clientes por incumplimientos de las garantías por [...]. Es razonable que la situación sugiriese a esta última dudas sobre la solvencia de [...] para hacer frente a eventualidades del negocio. No es razonable que se la siga suministrando sin más, sin preocuparse de ninguna garantía para el cobro, tomando el art. 105.5 LSRL como red protectora de cualquier negligencia o asunción injustificada de riesgos [...]».

STS de 4 de marzo de 2003 (Civil) [5]

En el mismo sentido vid., entre otras, las SSTS de 30 de marzo de 2001, 19 de noviembre de 2001 y 24 de diciembre de 2002.

STS de 10 de marzo de 2003 (Civil) [5]

FUNDAMENTOS DE DERECHO

«2º Los motivos primero y segundo del recurso promovido por don Sergio, ambos con cobertura en el artículo 1692.4 de la Ley de Enjuiciamiento Civil –uno, por infracción de la doctrina jurisprudencial contenida en las SSTS de 21 de mayo de 1992, 29 de julio de 1994, 13 de mayo de 1995 y 5 de febrero de 1996, que, en síntesis, sientan que, además de probarse la acción u omisión de los administradores, ha de demostrarse el daño y su relación de causalidad con aquélla, por cuanto que, según acusa, la sentencia impugnada, aunque determina en su declaración fáctica que los administradores no desempeñaron su cargo con la diligencia debida y tampoco ampararon los derechos de terceros acreedores, no efectúa declaración alguna que permita afirmar la existencia de relación de causa a efecto entre su actuación y el resultado dañoso; y otro, por aplicación indebida de los artículos 133 y 135 de

la Ley de Sociedades Anónimas, en relación con el artículo 11 de la Ley antigua de Sociedades de Responsabilidad Limitada, ya que, según denuncia, la sentencia de instancia, sin
hacer mención alguna de los citados artículos 133 y 135, los aplica indebidamente, pues no
han concurrido las circunstancias de hecho que faciliten su utilización, con lo que se da por
reproducido lo consignado en el motivo precedente, debido a que en verdad, el fundamento
de la referida transgresión se deriva de la falta de los requisitos esenciales para el éxito de
la acción individual de responsabilidad– se examinan conjuntamente por su unidad de planteamiento y se desestiman por las razones que dicen seguidamente. La acción individual
de responsabilidad, determinada en el artículo 135 de la Ley de Sociedades Anónimas,
constituye una acción directa y principal, no subsidiaria, que se otorga a accionistas, socios
y terceros para recomponer su patrimonio particular, que resultó afectado directamente por
actos de administración. Los actos y omisiones constitutivos de esta acción son los mismos
que para la acción social de responsabilidad, es decir, los contrarios a la Ley y los estatutos
o realizados sin la diligencia con la que los administradores deben desempeñar el cargo
(artículo 133 de la LSA) y su actuación ha de producir una disminución patrimonial que impida a la sociedad hacer frente a sus deudas, o puesto en peligro la satisfacción del crédito
del socio, accionista o tercero acreedor, o dañado un derecho si se trata de un tercero no
acreedor. Para la prosperabilidad de esta acción se exigirá una relación directa entre la acción u omisión del administrador y el daño al socio o el acreedor, y la concurrencia de culpa
(actos contrarios a la Ley o a los estatutos) o negligencia (falta de la diligencia debida, con
el entendimiento de que la diligencia ha de ser, conforme al artículo 127 de la LSA, la de un
ordenado empresario y de un representante leal). Debe indicarse que la Ley de Sociedades
de Responsabilidad Limitada, mediante su artículo 69, remite al régimen de responsabilidad de la Ley de Sociedades Anónimas. En el supuesto del debate, aunque la sentencia
recurrida no menciona expresamente los presupuestos antes determinados para el éxito
de la acción individual de responsabilidad, de su argumentación se infiere la presencia de
los mismos; así, se determina la conducta negligente de los administradores –[...]; la falta
de presentación de cuentas anuales de la entidad en el Registro Mercantil respecto a las
correspondientes al año 1993, en el cual se produce toda la actuación en el tráfico mercantil
que origina el presente juicio–; el daño –derivado del impago de la suma antes detallada por
el incumplimiento del contrato, [...]–; y la relación directa entre aquélla y éste.

3º El único motivo del recurso deducido por don [...] al amparo del artículo 1692.4 de la
Ley de Enjuiciamiento Civil por aplicación indebida de los artículos 133 y 135 de la Ley de
Sociedades Anónimas, ya que, según denuncia, la sentencia de instancia no ha valorado
que no consta acreditada la falta de diligencia de los administradores de [...] en el desarrollo
de su cargo, ni existe prueba de que éstos hayan incurrido en omisión generadora de la responsabilidad que se les achaca por la actora y, en el hipotético supuesto de que existiera falta de diligencia, tampoco obra demostrado en autos la presencia de una relación de causalidad entre la falta de gestión o incumplimiento de las obligaciones y el daño que se reclama
se desestima por los mismos razonamientos que se exponen en el fundamento de derecho
precedente, los cuales, en evitación de repeticiones, se tienen aquí por reproducidos».

STS de 27 de marzo de 2003 (Civil) [3]

FUNDAMENTOS DE DERECHO

«6º [...] Es cierto que la fundamentación jurídica (F. cuarto) de la Sentencia recurrida es
desacertado sobre todo por dos razones: porque en la demanda no se ejercitó la acción indi-

vidual de responsabilidad de los administradores del art. 135 LSA, sino la acción social del art. 134 en relación con el 133 de la propia Ley, y además esta acción social la podrán ejercitar los accionistas (art. 134.4) individualmente cuando la sociedad acuerde no ejercitarla (como sucede en el caso, Junta General de 27 de marzo de 1995). Sin embargo, el motivo carece de consistencia, por lo que en todo caso sería aplicable la doctrina de equivalencia de resultados (mismo fallo por razones distintas), porque no existe base fáctica para fundamentar que el daño alegado (por la actividad desplegada por los administradores en relación con las obligaciones tributarias) se haya generado por negligencia de los demandados. Así lo declara la Sentencia del Juzgado (fundamento segundo "in fine"); nada se dice en contra en la resolución recurrida, la cual no aprecia errores en la apreciación de la prueba; y nada se puede decir al respecto en casación, donde el problema no se ha atacado adecuadamente, porque, al tratarse de una cuestión de hecho, en tanto que soporte fáctico de la culpa y del nexo causal, era preciso denunciar el error en la valoración de la prueba con específica mención del precepto legal probatorio infringido, lo que no se hizo, pues no tiene tal carácter el artículo expresado en el enunciado del motivo. También es de significar, porque hace especial hincapié en el tema el cuerpo del motivo, que si bien es cierto que el art. 133 LSA en su redacción de 1989 –a propósito de las responsabilidades de los administradores– se refiere a los actos realizados "sin la diligencia" con la que deben desempeñar el cargo, en tanto que el correspondiente de la Ley de 1951 (art. 79) exigía que el daño fuere causado "por malicia, abuso de facultades y negligencia grave", sucede que al menos una gran parte de las actuaciones a que se refiere la demanda ocurrieron antes de entrar en vigor el TRLSA de 1989 (folio 28) por lo que tampoco en tal aspecto estaría asistida, eventualmente, de razón la parte recurrente».

STS de 31 de marzo de 2003 (Contencioso-Administrativo) [10]

FUNDAMENTOS DE DERECHO

«2º [...]Entiende esta Sala, como se ha dicho, que ello no desvirtúa la declaración de la Sentencia recurrida sobre el fundamental extremo de que la aplicación e interpretación de una norma mercantil corresponde a los Tribunales de la jurisdicción civil. Ello es así tanto mas cuanto que un asunto sustancialmente análogo si no idéntico fue resuelto por nuestra Sentencia relativamente reciente de 18 de junio de 2002, que reiteraba lo declarado en Sentencias anteriores y cuya doctrina se ha confirmado por otra Sentencia de 18 de marzo de 2003, dictadas ambas en recursos de casación en interés de ley. Las Sentencias citadas declaran que no basta la existencia de una deuda de la empresa con la Seguridad Social para derivar la responsabilidad a los socios administradores, sino que deben aplicarse las normas mercantiles para determinar si concurren las circunstancias y causas que dan lugar a la responsabilidad de esas personas, como son el incumplimiento de sus obligaciones o el no haber interesado la disolución de la sociedad o la convocatoria de Junta General de accionistas. Esta aplicación, con la valoración que supone, no es competencia de la Tesorería General de la Seguridad Social, o al menos no lo era en las fechas de autos, pues la legislación se ha modificado habiéndose aprobado un nuevo Reglamento de Recaudación General de Recursos del Sistema de la Seguridad Social por Real Decreto 1637/1995, de 6 de octubre, sin perjuicio de la posible aplicación de otras normas posteriores. Así lo reconocen expresamente los recurridos, pero de todas formas es claro que a tenor del Reglamento de Recaudación entonces aplicable no era competente la Seguridad Social.

En definitiva debemos reiterar las declaraciones de nuestras Sentencias anteriores, confirmando la Sentencia ahora recurrida que se pronuncia en el sentido de que la decisión sobre la responsabilidad solidaria de los socios administradores es competencia de los Tribunales de la jurisdicción civil. Por todo ello procede desechar o no acoger el único motivo de casación invocado y en consecuencia desestimar el recurso».

STS de 4 de abril de 2003 (Civil) [5]

FUNDAMENTOS DE DERECHO

«3º [...] la absoluta falta de rigor con que se planteó la demanda acumulada, pues claro está que la sola mención del ap. 2 del art. 133 LSA resultaba insuficiente para identificar mínimamente la acción ejercitada, ya que dicho artículo tiene un sentido general, según demuestra su apartado 1, que debe concretarse por el demandante precisando, al menos, si la acción que ejercita es la social o la individual, respectivamente reguladas en los arts. 134 y 135 y sometidas por tanto a un régimen diferente. Fue sin embargo de nuevo el juzgador del primer grado quien suplió tan notables deficiencias interpretando de oficio que la acción de responsabilidad ejercitada era la social y aplicando entonces los arts. 133.1 y 134.5 LSA, sin caer en la cuenta de que en los pedimentos de su escrito de resumen de pruebas los actores imputaban también al administrador demandado el "cierre de hecho" de la sociedad cooperativa de responsabilidad limitada cuando resulta que en su primera demanda reclamaban honorarios profesionales precisamente por su asesoramiento en la transmisión de activos de dicha cooperativa, demandada por ellos, a una de las dos sociedades anónimas también demandadas.

En suma, la demanda acumulada contra la persona física también codemandada en la demanda inicial no llegaba a precisar si la acción de responsabilidad ejercitada era la social o la individual, tampoco sus hechos definían con una mínima claridad los presupuestos de uno u otro tipo de responsabilidad, pues la transmisión de activos de una sociedad anónima a otra acogiéndose a un plan del Gobierno de la Comunidad Autónoma, que era lo verdaderamente alegado en la demanda, no revela por sí misma un acto negligente o ilegal del administrador ni un daño a la sociedad o a los accionistas, y menos todavía a los demandantes hoy recurrentes por cuanto desde un principio consideraron que la sociedad anónima adquirente estaba solidariamente obligada al pago de sus honorarios profesionales y así se declaró en la instancia mediante pronunciamiento que ha quedado firme. Esa segunda demanda fue, pues, un mero recurso arbitrado después de la primera ante la eventualidad de que no quedara suficientemente probada la vinculación solidaria de la persona física al pago de los honorarios profesionales por no haber sido prestados los servicios a ella sino a las tres sociedades codemandadas, pero su inviabilidad es patente porque desde su propia formulación carecía de los elementos de hecho y de derecho mínimamente indispensables para declarar la responsabilidad pretendida, máxime cuando la jurisprudencia de esta Sala es reiterada al exigir, tanto para la prosperabilidad de la acción social como para la de la individual, la prueba no sólo del daño directo a la sociedad, los accionistas o los acreedores sino también la de la falta de diligencia del administrador demandado y, por supuesto, la de la relación de causalidad entre ésta y aquél (SSTS 26-10-2001 en recurso núm. 2032/1996, 19-11-2001 en recurso núm. 2250/1996, 25-2-2002 en recurso núm. 2766/1996], 14-11-2002 en recurso núm. 1199/1997, 20-12-2002 en recurso núm. 1727/1997 y 24-12-2002 en recurso núm. 1753/1997)».

STS de 14 de mayo de 2003 (Penal) [8]

FUNDAMENTOS DE DERECHO

«2º [...] El art. 319,2º Código penal sanciona, entre otros, a los "promotores (...) que lleven a cabo una edificación no autorizable en suelo no urbanizable". Se trata, pues de determinar si el acusado, por haber desarrollado la actividad que consta, merece ser calificado de "promotor"; y comprobar si las características de la edificación y del terreno responden a las demás previsiones típicas.

Por lo que se refiere al primer extremo, el recurrente objeta que es la Ley de Ordenación de la Edificación, de 5 de noviembre de 1999, la que aborda de modo expreso la identificación y concreción de las responsabilidades de todos los que intervienen en las actividades de construcción. Y es allí donde se dice que "promotor lo puede ser cualquiera (...) incluso ocasionalmente".

Pero ocurre que al pronunciarse así la ley no constituye esa figura, sino que se limita a tomarla de una realidad preexistente en la que ya cualquiera podía promover, es decir, tomar la decisión de llevar adelante, financiándola, una obra. Porque el vocablo "promotor" no es técnico, sino que pertenece al lenguaje corriente y sirve, en el uso habitual, para denotar toda iniciativa de ese género, y no sólo en el ámbito inmobiliario.

Por eso, resulta patente que las circunstancias personales del acusado satisfacen las exigencias del tipo, como ya lo entendió esta sala, en sentencia 1250/2001, de 26 de junio, que cita en la recurrida y donde se lee que "será considerado promotor cualquier persona, física o jurídica, pública o privada, que, individual o colectivamente, impulsa, programa o financia, con recursos propios o ajenos, obras de edificación para sí o para su posterior enajenación".

Por lo demás, y por lo que se refiere a la calificación del terreno, después de un articulado razonamiento, a partir de los elementos de prueba de que dispuso, el tribunal de instancia llegó a la conclusión de que la parcela se encuentra en suelo no urbanizable. Afirmación ésta recogida en los hechos probados y que no cabe discutir en un motivo de casación por infracción de ley, como el que se examina.

Sugiere el recurrente que, con todo, en la materia no existiría certeza legislativa, por falta de claridad en la remisión a la legislación administrativa que hace el art. 319 Código penal y que, siendo así, por imperativo del principio de intervención mínima, debería darse lugar al motivo. Pero lo cierto es que éste es un principio de política criminal llamado idealmente a inspirar la actividad legislativa. Y, siendo así, los tribunales deben partir de la opción que haya hecho el legislador, que en este caso es clara, como resulta de lo razonado».

STS de 19 de mayo de 2003 (Civil) [1 y 5]

FUNDAMENTOS DE DERECHO

«2º Por una parte, se plantea la responsabilidad del administrador de la sociedad de responsabilidad limitada, a la que se aplican la remisión, los artículos 127 en relación con el 133.1 y 135 de la Ley de Sociedades Anónimas, [...]. La cual deriva de la conducta, que califica la sentencia recurrida, de "maliciosa al quebrantar el deber de lealtad que les viene impuesto por el artículo 127..." por constituir una sociedad nueva con el mismo objeto que la anterior, despatrimonializando ésta. Respecto a la actuación del administrador, haciendo abstracción de la artificiosa distinción de la responsabilidad si la reclama un socio o un tercero –ambos pueden ser perjudicados por la actuación maliciosa de un administrador– procede reiterar lo que ha expresado la sentencia de esta Sala, de 30 de diciembre de 2002, en estos términos: "En virtud de la acción individual de responsabilidad (arts. 133.1º y 135) los administradores sociales responderán frente a los acreedores sociales del daño que causen por actos contrarios a la Ley, o a los Estatutos o por los realizados sin la diligencia con la que deben desempeñar el cargo, la cual se mensura de modo objetivo con arreglo al estándar, o patrón de comportamiento, de la que debe observar un ordenado empresario (art. 127 LSA). Se trata de una acción indemnizatoria que asiste a los terceros por los actos de los administradores que lesionen directamente sus intereses. La doctrina jurisprudencial (SS 21 septiembre 1999, 30 marzo 2001, 19 noviembre 2001, entre otras) la configura como una acción resarcitoria para la que están legitimados los terceros (y entre ellos los acreedores sociales) que exige una conducta o actitud –hechos, actos u omisiones– de los administradores contraria a la Ley o a los Estatutos, o carente de la diligencia de un ordenado comerciante –bastando la negligencia simple–, que dé lugar a un daño, de tal modo que el accionante perjudicado ha de probar (SS 21 septiembre 1999, 30 marzo y 27 julio 2001 [sic]; 25 febrero 2002) que el acto se ha realizado en concepto de administrador y existe un nexo causal entre los actos u omisiones de éste y el daño producido al actor (SS 17 julio, 26 octubre y 19 noviembre 2001 y 14 noviembre 2002). En sede de casación se pueden revisar los juicios de valor sobre la culpa y sobre el nexo causal, pero no las declaraciones puramente de hecho sobre la naturaleza y circunstancias de la acción u omisión, ni la realidad y cuantía del daño causado (SS 31 enero 1997; 26 febrero 1998; 4 junio 2001; 21 febrero 2002 [sic])."»

STS de 23 de mayo de 2003 (Penal) [8]

FUNDAMENTOS DE DERECHO

«1º [...] la acusada trabajó como comisionista de la empresa Vitosa (la recurrente) e Inmobiliaria Ciudad de Toledo, así como con Comae SA, describiendo a continuación las actividades desplegadas por aquélla en relación con la gestión de la venta de viviendas y garajes y recepción de dinero por parte de los compradores. En el fundamento de derecho cuarto, con indudable contenido fáctico, afirma el Tribunal de instancia que «la acusada prestaba sus servicios a las empresas inmobiliarias Viviendas Toledo SA, Inmobiliaria Ciudad de Toledo y Comae SA», calificando dicha relación laboral como comisión mercantil o mandato. Pues bien, siendo ello así es innegable la existencia de la relación de dependencia a que se refiere el artículo 120.4 (artículo 22 CP/1973) y, por otra parte, el desempeño de dichas actividades en la esfera de las obligaciones o servicios de los principales. La cuestión que se suscita es si basta considerar a la recurrente propietaria de las viviendas para entender que procede declarar su responsabilidad civil cuando en los contratos otorgados la acusada decía representar a otra de las sociedades declarada también responsable civil subsidiaria, Inmobiliaria Ciudad de Toledo. Ahora bien, también está acreditado que la recurrente adquirió dichas viviendas a esta Sociedad sin subrogarse en la hipoteca correspondiente. Dicha situación no deja de presentar cierta dosis de confusión en las relaciones existentes entre las responsables civiles subsidiarias, pero precisamente por ello, como sostiene el Ministerio Fiscal, lo que no puede deducirse de lo anterior es que la hoy recurrente fuese ajena a las ventas cuando era propietaria de las viviendas objeto de las mismas que, a su vez, había adquirido a la Sociedad que figuraba en el contrato de compraventa. Ello es así porque siendo titular de dichos inmuebles su interés en el contrato es innegable y por ello la venta de los mismos sólo cabe entender que beneficia a sus intereses. Por ello no puede pretender sobre la base de argüir una titularidad aparente ser ajena a la realidad que subyace en dichas operaciones. Por último, en el desarrollo del motivo, hace una referencia a la improcedencia de la indemnización por daño moral establecida por la Audiencia, sin mayor desarrollo que no sea entender tal decisión como injustificada «toda vez que los propietarios de las fincas tomaron efectiva posesión de sus viviendas, viviendo en ellas con total normalidad», pero ello no deja de ser una mera apreciación que tampoco puede poner en cuestión las razones de la Audiencia para declarar una indemnización por tal concepto».

STS de 26 de mayo de 2003 (Civil) [5]

En el mismo sentido, vid. SSTS de 22 de enero de 2004 y 14 de marzo de 2007.

STS de 9 de junio de 2003 (Penal) [8]

FUNDAMENTOS DE DERECHO

«3º [...]el recurrente ha sido también condenado por un delito de estafa en grado de tentativa descrito en el apartado C). En este caso indudablemente no se trata de un supuesto de fraude de subvenciones sino de disminuir por los medios descritos en el "factum" las deudas por cotizaciones a la Seguridad Social del empresario también condenado, lo cual nada tiene que ver con el tipo descrito en el artículo 308. En el hecho probado se relata la ficción a la que acudieron los acusados para conseguir su propósito que no era otro que disminuir el importe de la deuda existente con la Seguridad Social "mediante la presentación de partes de bajas en la Seguridad Social de los trabajadores, manipulados, anteriores a las deudas, y ello a cambio de un 15% del beneficio reportado por la reducción que los empresarios acusados debían entregar a los acusados Juan Miguel y Narciso en pago por la gestión", describiendo a continuación el pago de la cantidad estipulada y la mecánica desplegada por los mismos, aunque "finalmente (los escritos presentados) no fueron atendidos al comprobarse determinadas irregularidades, con lo que se evitó el correspondiente perjuicio a los trabajadores mencionados y la reducción pretendida de la deuda". No existe error en la subsunción. El hecho de no haberse llegado a producir el desplazamiento patrimonial típico de la estafa precisamente lo que justifica es el grado de tentativa en la ejecución del delito pues siguiendo el argumento del recurrente sólo la estafa consumada sería punible. Por lo que hace al engaño y su idoneidad, discutida por el recurrente, debemos señalar que los acusados contaban que uno de ellos era funcionario de la propia Administración defraudada, lo que indudablemente es relevante desde la perspectiva de la mejor facilitación de los hechos».

STS de 18 de septiembre de 2003 (Civil) [6]

FUNDAMENTOS DE DERECHO

«2º [...] La conjunción de normas como infringidas, sin la debida separación, aparece vedada por proyectar confusión, como señalan las sentencias de 14 de marzo, 25 de abril, 24 de mayo y 9 de diciembre de 1985 y 22 de septiembre de 1988) y se repite asimismo en las de 10 de octubre de 1988 y 22 de enero de 1993) sino porque la recurrente consintió en la instancia lo que ahora pretende combatir en casación, porque la demanda apoyaba la responsabilidad de... en los apartados 3º y 4º del art. 260 de la normativa de Sociedades Anónimas y en la actuación, sin la debida diligencia, en un representante legal y ordenado empresario (arts. 127 y 133 de dicho texto). [...]

Pero ya desde la perspectiva del fondo del motivo, la responsabilidad ex arts. 262,5º y 260 de la Ley de Sociedades Anónimas, según la doctrina de esta Sala –sentencias, de 30 de abril de 1997, 3 de abril de 1998 y 29 de abril de 1999, entre otras– señala que el art. 262,5 impone una responsabilidad sanción y ello no encuentra aplicación al caso de autos, como se recogió en el fundamento jurídico primero de esta resolución y no alcanza virtualidad el motivo pues la infracción del deber de convocar la Junta para su disolución se produjo cuando el Consejo de Administración lo dominaba la recurrente con el 41% del capital social y la actora conocía sobradamente que... carecía de bien o propiedad que liquidar y era conocedora sobradamente que la demandada era entidad en quiebra y que... carecía de bienes.

Igual desestimación debe merecer el motivo desde el art. 133 de la Ley de Sociedades Anónimas, pues no es bastante la infracción de la norma, sino que requiere una responsabilidad derivada del daño que exige una relación de causalidad, la que no existe entre la conducta del Administrador de y el daño producido a la actora –sentencias de 3 de abril de 1990, 25 de mayo de 1993 y 26 de julio de 1994, entre otras– [...]

3º [...] si bien el art. 262,5º del Real Decreto Legislativo 1564/1989, de 22 de diciembre, que aprueba el Texto Refundido de la Ley de Sociedades Anónimas establece que "responderán solidariamente de las obligaciones sociales los administradores que incumplan la obligación de convocar en el plazo de dos meses la Junta General para que adopte, en su caso, el acuerdo de disolución o que no soliciten la disolución judicial de la sociedad en el plazo de dos meses a contar desde la fecha prevista para la celebración de la Junta, cuando ésta no se haya constituido o desde el día de la Junta, cuando el acuerdo hubiera sido contrario a la disolución", debe tenerse en cuenta que ello no fue tema de instancia y fue consentido por la parte ahora recurrente en casación, que aceptó el fallo de primer grado jurisdiccional sin impugnarlo, que se apoyaba en el art. 135 de la citada normativa de las Sociedades Anónimas.

Cierto que la responsabilidad de los Administradores de la sociedad anónima ex art. 262,5º y ex art. 260 de la Ley genera una responsabilidad cuasi objetiva –sentencias de 29 de diciembre de 2000 y 31 de mayo de 2001– [...]»

STS de 18 de septiembre de 2003 (Civil) [6]

FUNDAMENTOS DE DERECHO

«2º El inicial motivo estima infringidos los artículos 262,5º y 260 del Real Decreto Legislativo 1564/1989, del Texto Refundido de la Ley de Sociedades Anónimas [...] apoyándose en el incumplimiento para convocar la Junta para la disolución de la sociedad, como incursa en la causa del art. 260,1 y en la actuación sin la debida diligencia según disponen los artículos 127 y 133.

El motivo no puede ser acogido y, no sólo por el cúmulo de defectos casacionales que abocan inexcusablemente a su perecimiento –así, incurre en el defecto o vicio procesal de la cita de diversos preceptos, sin la debida separación, pues no sólo aduce como infringidos los artículos 262,5º y 260, sino que también añade los artículos 127 y 133. La conjunción de normas como infringidas, sin la debida separación, aparece vedada por proyectar confusión, como señalan las sentencias de 14 de marzo, 25 de abril, 24 de mayo y 9 de diciembre de 1985 y 22 de septiembre de 1988 y se repite asimismo en las de 10 de octubre de 1988 y 22 de enero de 1993)– sino porque la recurrente consintió en la instancia lo que ahora pretende combatir en casación, porque la demanda apoyaba la responsabilidad de... en los apartados 3º y 4º del art. 260 de la normativa de Sociedades Anónimas y en la actuación, sin la debida diligencia, en un representante legal y ordenado empresario (arts. 127 y 133 de dicho texto). Sin embargo, la sentencia tomó en cuenta tan sólo del art. 135 –así en los fundamentos jurídicos cuarto y quinto– y como tal fallo fue consentido por la actora, no puede ahora combatir en este recurso extraordinario lo que no combatió en la instancia. Como ha recogido la sentencia de esta Sala de 25 de abril de 2002, debe desestimarse un motivo, cuando el artículo que se dice vulnerado no fue ni siquiera aducido en la instancia por las partes o el propio Tribunal, ni directa, ni indirectamente.

Pero ya desde la perspectiva del fondo del motivo, la responsabilidad ex arts. 262,5º y 260 de la Ley de Sociedades Anónimas, según la doctrina de esta Sala –sentencias, de 30 de abril de 1997, 3 de abril de 1998 y 29 de abril de 1999, entre otras– señala que el art. 262,5 impone una responsabilidad sanción y ello no encuentra aplicación al caso de autos, como se recogió en el fundamento jurídico primero de esta resolución y no alcanza virtualidad el motivo pues la infracción del deber de convocar la Junta para su disolución se produjo cuando el Consejo de Administración lo dominaba la recurrente con el 41% del capital social y la actora conocía sobradamente que... carecía de bien o propiedad que liquidar y era conocedora sobradamente que la demandada era entidad en quiebra y que... carecía de bienes.

Igual desestimación debe merecer el motivo desde el art. 133 de la Ley de Sociedades Anónimas, pues no es bastante la infracción de la norma, sino que requiere una responsabilidad derivada del daño que exige una relación de causalidad, la que no existe entre la conducta del Administrador de... y el daño producido a la actora –sentencias de 3 de abril de 1990, 25 de mayo de 1993 y 26 de julio de 1994, entre otras–. Pues bien, basta examinar la sentencia de la Sección Sexta de la Audiencia Provincial de Alicante para concluir que los artículos 262,5º y 260 de la normativa de Sociedades Anónimas no fueron ni siquiera mencionados, para lo que basta examinar el motivo segundo, pues sólo se aducen los artículos 135 y 136, 133, 127, 128, 218 y 221 del citado texto legal. [...]».

STS de 23 de septiembre de 2003 (Penal) [8]

FUNDAMENTOS DE DERECHO

«2º 4.– El nuevo Código Penal, en relación con los depósitos o vertidos, contiene una figura básica de mayor entidad y reproche delictivo en el artículo 325. Para establecer la pena tiene en cuenta la valoración del riesgo, precisando que debe perjudicar gravemente el equilibrio de los sistemas naturales, estableciendo una mayor entidad lesiva, cuando exista un grave perjuicio para la salud de las personas.

Paralelamente y de forma alternativa, como una modalidad más levemente penada, se tipifica en el artículo 328 del Código Penal, modalidad específica de depósitos o vertederos de desecho o residuos sólidos o líquidos, que sean tóxicos o peligrosos para el equilibrio de los sistemas naturales o la salud de las personas. De manera sorprendente, y en esta apreciación es prácticamente unánime la doctrina, se devalúa, de forma notable, la respuesta punitiva ante conductas que, incuestionablemente, son tan agresivas para el medio ambiente como las que se describen en las figuras básicas. Sin apenas distinción de conductas, se llega incluso a eliminar la agravante específica, que permite imponer la pena en su mitad superior, cuando pueda perjudicar gravemente la salud de las personas.

Ajustándonos al principio de especialidad y al contenido del hecho probado, no hay duda que, entre las dos alternativas típicas, debemos inclinarnos por la más favorable.

El vertedero y depósito eran irregulares, es decir no autorizados, y contenían incuestionablemente, material peligroso como afirma la sentencia al calificar la zona como de alto riesgo de incendio, por lo que no tiene efecto exculpatorio el informe de los Servicios Técnicos de los Mossos y de la Diputación de Barcelona sobre la inexistencia de residuos tóxicos o peligrosos. Nos fijaremos en el propio relato fáctico, para inducir que la peligrosidad de incendio era notable, lo que integra los requisitos del tipo, más favorable, del artículo 328 del Código Penal».

STS de 16 de octubre de 2003 (Civil) [5 y 6]

FUNDAMENTOS DE DERECHO

«1º [...] es preciso proclamar que puede existir la responsabilidad de dichos administradores cuando se incumple la obligación de convocar junta general para tomar las decisiones legales oportunas en torno a una posible disolución de la sociedad cuando concurra alguna de las circunstancias del artículo 260 de dicha Ley y siempre que afecte a terceros.

Pues bien, en su caso, esta responsabilidad solidaria "sui generis" antedicha, tiene su fundamento o "ratio", en que con su conducta omisiva los administradores han inducido a error a un determinado tercero contratante con el ente social, que creyendo en una situación normal desde un punto de vista económico y financiero de la sociedad, ha realizado operaciones mercantiles con él, llevándose con el transcurso del tiempo una desagradable sorpresa que afecta gravemente a su posición patrimonial por mor de dicha contratación.

Ahora bien, también es lógico, que cuando este tercero contratante, conocía tal situación de previsible bancarrota social, no debiera haber realizado una negociación mercantil de suministros, como ha acaecido en el presente caso, y como más tarde se verá.

Centrando, ahora todo lo antedicho, [...] hay que partir de la base de que la parte actora y ahora recurrente en casación, a través de su representante –en prueba de confesión– ya conocía la situación patrimonial de la sociedad demandada, por lo que no se puede hablar de ocultación negligente alguna, incluida la no disolución de la sociedad, puesto que se conocían las cuentas del ejercicio –en el que realizó la operación– los depósitos y demás circunstancias financieras de al sociedad en cuestión, que la abonaban en una situación financiera insostenible, como así ocurrió.

Y es ésta la tesis mantenida en las sentencias de esta Sala de 20 de julio de 2001, y la de 12 de febrero de 2003, ya que en cuanto a esta última se dice: "Ha quedado probado incontestablemente que la sociedad demandada se halla incursa de plano en una causa de disolución desde el año 1991, según el art. 260.4º del Texto Refundido de la Ley de Sociedades Anónimas, aplicable a la de Responsabilidad Limitada desde la vigencia de la Ley 19/1989, de 25 de julio, de Reforma Parcial y Adaptación de la Legislación Mercantil a las Directivas de la Comunidad Económica Europea (arts. 11 y 30 LSRL de 17 de julio de 1953, de acuerdo a la redacción dada por la Ley 19/1989). Desde la vigencia de la LSRL de 23 de marzo de 1995, la sociedad demandada también se encontraba incursa en la causa de disolución consignada en el art. 104.1 e).

No hay constancia en autos de que las personas físicas demandadas hayan adoptado las medidas impuestas legalmente para resolver la completa insuficiencia patrimonial de la sociedad, por lo que deberán responder solidariamente de las deudas sociales (art. 105.5 LSRL).

Ahora bien, si el precepto citado dispone de esa forma su responsabilidad, también hay que tener en cuenta el art. 7.1 del Título Preliminar del Código civil, que obliga al ejercicio de los derechos conforme a las exigencias de la buena fe. Por tanto, aunque el art. 105. 5 LSRL otorgue a los acreedores el poder de exigir solidariamente a los administradores con la sociedad las deudas sociales, ha de verse si en el ejercicio del mismo obran de buena fe.

En el presente caso, es cierto que cuando la sociedad actora comienza a cumplir con la demandada el contrato de distribución de sus productos, ya esta última publicaba en el Registro Mercantil, a través del depósito de sus cuentas, memorias y balances, la poca capacidad patrimonial que tenía para hacer frente a los pagos de los suministros, pero no es negligencia alguna que se pueda imputar a la actora que se los sirviera. Sería una rémora importantísima para la rapidez de las transacciones mercantiles que hubiera que acudir al Registro Mercantil para enterarse de la solvencia de la persona con quien se quiere concertar una operación, salvo que se trate de profesionales a los que el uso de los negocios impone investigar dicha solvencia.

No obstante, existen situaciones muy cualificadas en que ello es una carga inevitable en lógica comercial, y es cuando hay motivos suficientes o indicios racionales de la insolvencia. No puede amparar la norma al que se despreocupa de ello y opera sin ninguna cortapisa, por ejemplo, suministrando géneros al cliente de solvencia sospechosa. No puede pretender que jueguen entonces a su favor la imposición de la solidaridad de los administradores con la sociedad para el pago de las deudas sociales, no se actuaría entonces de la manera razonable, honesta y adecuada a las circunstancias de acuerdo con el art. 7.1 Código civil"».

STS de 20 de octubre de 2003 (Civil) [6]

FUNDAMENTOS DE DERECHO

«2º [...] Contemplando el factum, no resulta que lo expuesto en el desarrollo de este motivo tenga trascendencia jurídica en la responsabilidad solidaria de los administradores. En las cuentas anuales del ejercicio de 1993 aparece reducido el patrimonio de la sociedad a una cantidad inferior a la mitad del capital social. La demanda que ejercita la acción de responsabilidad solidaria de los administradores –además de reclamar la deuda a la sociedad– se presenta el 28 de noviembre de 1995; la contestación a la demanda, por la sociedad y los administradores, se presenta el 3 de enero de 1996; la solicitud a fin de que se declare en situación legal de quiebra voluntaria a [...] es de 29 de febrero de 1996 y el auto declarándola en quiebra, es de 25 de marzo de 1996.

Por tanto, la situación fáctica que contempla el nº 4º del artículo 260 de la Ley de Sociedades Anónimas se produjo mucho antes de la declaración de quiebra; la consecuencia jurídica, que prevé el artículo 262.5, se produjo también antes, por el ejercicio de la acción.[...]

3º El motivo segundo de casación denuncia la aplicación indebida del artículo 262.5 en relación con el 260, nº 4º de la Ley de Sociedades Anónimas. [...] Conviene recordar que tales normas afrontan la cuestión, como ha destacado la doctrina mercantilista, del fenómeno de descapitalización sobre la estabilidad de la sociedad anónima, entendiendo como tal una situación de gran empobrecimiento de la sociedad y, en otras palabras, situación de desequilibrio entre el capital social y el patrimonio neto de la sociedad. Ante tal situación, la omisión de los administradores de convocar la junta general para disolverla, genera una responsabilidad durísima para los mismos, que llega a la privación del privilegio de la limitación de la responsabilidad propia de las sociedades de capital.

Cuya responsabilidad ha destacado la Sentencia de esta Sala de 16 de julio de 2002 que los considera autores de una conducta antijurídica; a los que se impone una responsabilidad sanción, como añade la de 18 de septiembre de 2003; y, como decía la de 14 de noviembre de 2002, la acción cuyo soporte estriba en el nº 5 del art. 262 del Texto Refundido de la Ley de Sociedades Anónimas de 22 de diciembre de 1989... para su éxito no es necesario que concurran los supuestos de la culpa, como se tiene reiteradamente manifestado en la jurisprudencia de esta Sala, entre otras, en las Sentencias de 20 de diciembre de 2000, 20 de abril de 2001, 26 de octubre de 2001 y 25 de abril de 2002.

Es, pues, una responsabilidad objetiva, que no se evita con una alegación de diligencia, ni, mucho menos, con el argumento de que posteriormente se presentó solicitud de declaración de quiebra. [...]

4º [...] En segundo lugar, la "quaestio iuris" es atinente a la calificación de la cuestión de hecho respecto al derecho aplicable. El mencionado artículo 262.5 en relación con el 260.4º corresponde a una situación de desequilibrio entre el capital social y el patrimonio neto; éste es el activo real o suma de derechos, excluidas las deudas. En el caso presente, el balance indicó una situación económica negativa. No cabe otra interpretación que la de aplicar la citada normativa, como ha hecho la Sentencia de instancia».

STS de 5 de noviembre de 2003 (Civil) [5]

FUNDAMENTOS DE DERECHO

"1º (...) La procedencia de la referida acción individual exige los presupuestos de la concurrencia de daño efectivo, que aquí ha quedado demostrado (impago de las deudas contraídas), actuación negligente del administrador, también constada, pues se produjo el cese de la actividad que constituía el objeto social de la empresa y cierre de «facto» de su establecimiento, sin haber cancelado el crédito pendiente, a lo que se anuda que, ante la situación constatada de insolvencia, no haberse producido suspensión o quiebra, ni a la disolución y liquidación de la sociedad, conforme imponen los artículos 260, 262 de la Ley y concordantes, pues los administradores no pueden limitarse a eliminar la sociedad sin mas, ya que deben liquidarla en cualquiera de las formas previstas legalmente y que están precisamente orientadas a salvaguardar los intereses de terceros en el patrimonio social (Sentencia de 19 de abril de 2001 que cita las de 21-5-1992 y 22-4-1994).

A su vez también concurre relación causal y nexo entre la conducta del recurrente y el daño patrimonial ocasionado, pues a la notoria negligencia referida, se incorpora la ocultación de los libros sociales que no han permitido la práctica de la pericial contable solicitada por el Banco demandante en el trámite de apelación, y, como ya queda dicho, se ha instaurado así una situación de inactividad social plena, al haber hecho desaparecer a la sociedad del tráfico mercantil de forma totalmente incorrecta, determinante causal de que el acreedor no pudiera percibir el importe de los créditos contraídos por la sociedad y que resultan reales y efectivos (...)".

STS de 7 de noviembre de 2003 (Civil) [5]

En el mismo sentido, vid. STS de 12 de junio de 1995

STS de 17 de noviembre de 2003 (Civil) [6]

FUNDAMENTOS DE DERECHO

«2º [...] La interpretación del artículo 262-5 no puede ser literal, ni rigurosa ni extremadamente objetiva, ya que como declara la Sentencia de 24 de octubre de 2002, bastaría simplemente la no convocatoria de la Junta o que no se solicitase la disolución judicial dentro de los plazos señalados, para que se declarase la responsabilidad solidaria de los administradores por las deudas sociales, por lo que se impone conjugar el apartado 5º del artículo 262 con su apartado 3º, que permite a cualquier interesado solicitar la disolución de la sociedad, lo que aquí no ha ocurrido y en todo caso para que los Administradores procedieran de oficio a la convocatoria de la Junta resultaba preciso, conforme al artículo 262-1º que se dieran los presupuestos legales exigidos para proceder a la disolución y liquidación de la mercantil que gestionaban, lo que y, conforme a lo que se deja estudiado en el motivo anterior, estos presupuestos no se declararon concurrentes en el caso de autos, ya que lo que resulta determinante en esta cuestión es que se acredite la condición de administradores de la sociedad en los demandados, lo que no se ha discutido, pero esto no es suficiente pues resulta primero, como presupuesto de hecho básico, que la sociedad esté incursa en la causa de la disolución del número cuarto del artículo 260 de la Ley de Sociedades Anónimas».

STS de 20 de noviembre de 2003 Civil) [5 y 7]

FUNDAMENTOS DE DERECHO

«2º [...] Sostiene la recurrente, que en la sentencia recurrida se dice que los fundamentos fácticos en que la alzada se sustenta la responsabilidad de los administradores, son cuestiones completamente nuevas, nacidas extemporáneamente en este recurso, dado que en ninguna referencia se hizo a ellas, no pudiendo ser objeto de examen por el Tribunal, sin quebrantar los principios de preclusión y defensa.

Esta alegación no puede ser tenida en cuenta, pues la literalidad de la cita de la sentencia recurrida, que se contiene en el motivo del recurso, desconoce que la sentencia recurrida estimaba como cuestión nueva razonamientos sobre la conducta de los demandados administradores, cuya condena solidaria la actora pretende, no contenidos en la demanda ni en la primera instancia, pues no pueden asimilarse estos razonamientos a la mera transcripción del historial de la sociedad demandada y condenada, que es lo que aparece en la demanda; sin que las alegaciones primeras de la entidad actora y recurrente permitieran al Tribunal de instancia ni siquiera iniciar el estudio de la posible aplicación de la doctrina del levantamiento del velo para obtener la condena de los codemandados solidariamente con la obtenida condena de la sociedad demandada.

3º Al amparo del artículo 1692, 4º de la Ley de Enjuiciamiento Civil, se formulan los siguientes motivos que se enfrentan con el núcleo de la cuestión litigiosa:

El segundo denuncia infracción del artículo 69.1 de Ley 2/1995 y de los artículos 127, 133, 134 y 135 del Texto Refundido de la Ley de Sociedades Anónimas aprobado por Real Decreto Ley 1564/1989.

El tercero y el cuarto denuncian las infracciones ya citadas en el anterior motivo.

La invocación del artículo 69.1 de la Ley 2/1995, de 23 de marzo, de Sociedades de Responsabilidad Limitada, sobre Responsabilidad de Administradores, se hace para subrayar que la responsabilidad de los administradores de la sociedad de responsabilidad limitada se regula por lo establecido para los administradores de la sociedad anónima.

Esta invocación aclara que en la demanda se ejercita una acción para el pago de deuda derivada de responsabilidad contractual, por suministro de materiales, dirigida contra la sociedad de responsabilidad limitada demandada; y una acción para indemnización por daño derivado del impago de la deuda, que es de naturaleza propia de responsabilidad extracontractual, dirigida contra quienes en algún momento han sido administradores de la sociedad, y que hoy son demandados. La pretensión en la que se insiste en este recurso de casación queda referida únicamente a la acción contra los administradores, devenida firme la condena por el impago de deuda derivado de suministro de materiales hecha a la sociedad demandada, en situación procesal de rebeldía.

De lo expuesto se deduce que la acción ejercitada por daño es la prevista en el artículo 135 de la Ley de Sociedades Anónimas, que deja a salvo las acciones de indemnización que puedan corresponder a los socios y a terceros por actos de los administradores que lesionen directamente los intereses de aquéllos. Acción distinta de la acción social de responsabilidad que incumbe a la sociedad contra los administradores (artículo 134). Acción fundada en las circunstancias previstas en el párrafo 1º del artículo 133. Y acción relacionada con el deber de diligente administración del artículo 127, cuando dispone que los administradores desempeñarán su cargo con la diligencia de un ordenado empresario y de un representante leal.

Al efecto de fundamentar sus motivos la recurrente imputa a los demandados la acción u omisión culposa de haber mantenido secretos por virtud de los cuales cedían sus participaciones sociales, por una parte; también por la circunstancia de que los pedidos, a cuyo pago se ha condenado a la sociedad, lo realizaba el factor mercantil y no los administradores; y por último de que no existe la sociedad [...] hoy [...]

Para que prospere la acción individual de responsabilidad debe probarse la lesión que produzcan los actos de los administradores y ha de existir relación de causa efecto entre la actuación de los administradores y el resultado dañoso.

En la sentencia recurrida se recogen y aceptan los fundamentos de la dictada en primera instancia, en el sentido de que los administradores habían cesado en su cargo con anterioridad a las operaciones de compra del género cuyo precio es objeto de reclamación, no se había acreditado que dichos demandados fueran los que contrataran la adquisición de esa mercancía y tampoco se había probado que la falta de pago viniera motivada porque los mismos hubieran infringido la Ley o los Estatutos.

La Sentencia del Tribunal Supremo de 21 de mayo de 1985, manifiesta que el artículo 81 (hoy 135) de la Ley de Sociedades Anónimas, 945) reconoce una acción individual a favor de los socios y de los terceros, distinta de la acción social que regula en su artículo 80 (hoy 134) y tendente no a la indemnización por los administradores del daño causado al patrimonio social y ordenada a obtener la reconstitución del mismo, como garantía indirecta para el cobro por los demandantes de su crédito sino a indemnizarles de los daños directamente sufridos en su patrimonio, requiriéndose, en su consecuencia, para la viabilidad de esta acción directa dos requisitos, un acto del administrador y una lesión directa de los intereses de los accionistas o del tercero demandante, a lo que ha de añadirse que al establecer el precepto una responsabilidad civil de los administradores la misma ha de establecerse con fundamento en la concurrencia de la culpa, el daño y la relación de causa efecto entre aquélla y éste.

Es negligencia grave de los administradores no instar la liquidación legal de la sociedad, si fracasan los arreglos extrajudiciales intentados con los acreedores, pero esta conducta no produce necesariamente la emergencia de un daño y sólo puede condenarse a una indemnización si se prueba que ha ocasionado una lesión a los intereses de los socios o terceros por disminución del patrimonio repartible en el supuesto del liquidarse legalmente. Esta es la tesis de la Sentencia del Tribunal Supremo de 4 de noviembre de 1991; y sin perjuicio de que en autos no existe elemento fáctico alguno que permita afrontar el problema de la necesaria liquidación, si así lo fuera, ni el de las conversaciones extrajudiciales.

Es aconsejable evitar que una laxa interpretación de los preceptos convierta en todo caso a los administradores en responsables absolutos, con responsabilidad patrimonial universal, por encima y además del patrimonio social. Así lo entendió la Sentencia del Tribunal Supremo de 21 de mayo de 1992.

Por último, la acción de responsabilidad individual participa de la naturaleza de la culpa extracontractual al inspirarse en el principio general de no causar daño a nadie, y se consideran aplicables a ella los requisitos del artículo 1902 y siguientes del Código Civil, por lo que será exigible una colisión directa entre la acción u omisión del administrador y el daño al acreedor, entendidos éstos en el sentido general del Código Civil, puesto que no se trata de la relación del administrador con la sociedad, sino con otras personas ajenas a la relación societaria (Sentencia de 17 de julio de 2001) e incumbe al actor la prueba de la acción u omisión culposa del administrador (Sentencias de 25 de febrero, y 20 y 30 de diciembre de 2002)».

STS de 25 noviembre de 2003 (Civil) [5, 7]

En el mismo sentido vid. entre otras, SSTS de 14 marzo 2007 y 20 de noviembre de 2003.

STS de 28 de noviembre de 2003 (Penal) [8]

FUNDAMENTOS DE DERECHO

«71º [...]El sexto motivo, por infracción de Ley, alega vulneración del art. 305 del Código Penal de 1995.

Señala la parte recurrente que las ventas de los derechos de suscripción tributaban en la fecha de los hechos, conforme al art. 20 de la Ley 44/78 de 8 de septiembre, en el momento en que se procede a transmitir las acciones, por lo que el pago del impuesto no ha sido eludido. Reproduce las alegaciones efectuadas por anteriores recurrentes en el sentido de que lo realizado debe ser calificado como fraude de Ley y el fraude de Ley excluye el delito fiscal.

El motivo no puede ser estimado. Como ya se ha señalado, los negocios jurídicos realizados por los acusados para encubrir el incremento patrimonial derivado de una operación que consistía en la venta de unos terrenos, son simulados, por falsedad de la causa.

Se trata de un artificio formal, una realidad meramente aparente, construida con la finalidad de encubrir los contratos subyacentes de compraventa de terrenos y donación parcial de su importe, para poder así eludir los tributos correspondientes a estos negocios jurídicos reales de compraventa y donación bajo el manto de la simulación».

STS de 15 de diciembre de 2003 (Civil) [5]

FUNDAMENTOS DE DERECHO

«2º El motivo segundo, al amparo del art. 1692.4º LECiv/1881, acusa infracción del art. 1214 CC y arts. 549, 565 y 690 de la citada Ley procesal, por haber entrado a decidir la sentencia recurrida sobre la suficiencia o no de la prueba sobre extremos reconocidos por los demandados en sus escritos de alegaciones, como eran la insolvencia y carencia de patrimonio de las sociedades codemandadas.

3º El motivo quinto, al amparo del art. 1692.4º LECiv, acusa infracción del art. 135 de la Ley de Sociedades Anónimas, resaltándose que no se ha llevado por los administradores demandados una contabilidad ordenada de acuerdo con el Código de Comercio y la legislación especial; que no instaron la disolución de las sociedades demandadas, y que "infringieron la buena fe que debe presidir las transacciones comerciales cuando, a sabiendas de la situación de insolvencia, en sus propias palabras ya puesta de manifiesto en 1991, y la imposibilidad de pago de sus servicios, contrataron a [...] para la realización de un número importante de operaciones de importación de mercancías".

[...]

En su demanda, la hoy recurrente sólo alegó como base de su acción contra los administradores sociales que las sociedades había desaparecido de hecho del tráfico jurídico, sin haber precedido una liquidación de su patrimonio.

El que hayan sucedido estos últimos hechos como se ha probado no significa más que incumplimiento por los administradores sociales de sus deberes como gestores, pero sin que lleve como consciencia lógica un daño directo a los acreedores. Para ello hubiera que haberse demostrado por parte de la recurrente que las sociedades tenían un patrimonio que, liquidado ordenadamente, hubiese satisfechos sus créditos, o dicho en otros términos, una relación de causalidad entre la conducta omisiva en este caso y el daño producido. Nada de esto se ha demostrado en el proceso, sino más bien todo lo contrario; las sociedades carecían de patrimonio. Así las cosas, insistir en el incumplimiento de deberes de gestión no borra la necesidad de aquella prueba (sentencia de 4 de noviembre de 1991)».

STS de 17 de diciembre de 2003 (Civil) [5, 7 y 13]

FUNDAMENTOS DE DERECHO

«2º [...] La actora ha ejercitado la acción individual de responsabilidad, configurada en el artículo 135 de la Ley de Sociedades Anónimas.

Determinada en el artículo 135 de dicha Ley, la acción individual de responsabilidad es directa y principal, no subsidiaria, y se otorga a accionistas y terceros para reconstituir su patrimonio particular; los actos u omisiones constitutivos de esta acción, son idénticos que los de la acción social de responsabilidad, esto es, los contrarios a la Ley y los estatutos o realizados sin la diligencia con la que los administradores deben desempeñar el cargo; la actuación del administrador ha de provocar una disminución patrimonial que impida a la sociedad hacer frente a sus deudas, o puesto en peligro la satisfacción del crédito del accionista o tercero acreedor, o dañado un derecho si se trata de un tercero no acreedor; para la prosperabilidad de esta acción no es necesaria ninguna convocatoria de junta general, ni acuerdo social, ni mínimos de capital social en cuanto a los accionistas que, en su caso, la exijan.

Las doctrinas científica y la jurisprudencial consideran que esta acción supone una aplicación concreta de la responsabilidad extracontractual de los artículos 1902 y siguientes del Código Civil, en la que se exigirá una relación directa entre la acción u omisión del administrador y el daño al accionista o al acreedor, y la concurrencia de culpa o negligencia en el sentido general del Código Civil, y, en este sentido, se pronuncian, entre otras, las SSTS de 26 de noviembre de 1990, 11 de octubre de 1991 y 28 de febrero de 1996.

Tienen legitimación activa para ejercitar la acción individual de responsabilidad, como antes se indicó, tanto los accionistas y los terceros, acreedores o no; y también los demás administradores que se consideren perjudicados por el acto de uno de ellos, cuando se lesionen directamente los intereses de aquéllos (SSTS de 21 de mayo de 1985, 4 de noviembre de 1991 y 21 de mayo de 1992).

Para que los terceros acreedores puedan accionar han de acreditar que su crédito ha sido perjudicado, y ello sólo se producirá cuando el título es válido y eficaz, y la deuda ha vencido y resulta líquida y exigible.

Cuando no hay posibilidad de acción ejecutiva contra la sociedad, ni contra el administrador, en la práctica forense se suelen acumular las acciones contra ambos, lo que es aceptado por los tribunales.

En el supuesto del litigio, la sentencia recurrida argumenta que "en cuanto a la responsabilidad del administrador único [...], la prueba pericial practicada ante la Sala pone de manifiesto que en el ejercicio de 1993, con un capital suscrito de 15.616.000 pesetas, el patrimonio era negativo por 7.706.683 pesetas, deudas que ascienden durante 1994, 1995 y 1996, año en que llegan a 10.875.315 pesetas, permaneciendo la misma cifra de capital mencionada", y añade que "la aportación hecha por el Sr. [...] a la empresa llegó a ésta como una deuda a satisfacer en su momento, por lo que no aumentó realmente el patrimonio social de la sociedad, ni el contable ni el real o efectivo".

De los razonamientos de la sentencia de apelación se desprende que la conducta negligente del administrador único de la compañía demandada resultó gravemente perjudicial para la situación económica de ésta, al aumentar el endeudamiento de la misma, y provocó un daño a la actora, con evidente relación causal entre aquella y éste.

Por último, en el encabezamiento de la demanda, la actora precisa que la dirige contra [...] y, para el caso de que el patrimonio social resulte insuficiente, solidariamente contra el administrador único de la sociedad, don [...], en reclamación de la cantidad de 46.347,90 marcos alemanes o su equivalente en pesetas al día del pago, más los intereses legales, gastos y costas del procedimiento, lo que contradice el planteamiento del recurrente de que no se habían solicitado estos intereses. En definitiva, procede sentar que la sentencia de instancia no ha incurrido en incongruencia.

3º El motivo segundo del recurso –al amparo del artículo 1692.4 de la Ley de Enjuiciamiento Civil por trasgresión de los artículos 133, 134, 135 de la Ley de Sociedades Anónimas, por aplicación indebida del artículo 262.5, en relación con el artículo 260.4, ambos también del último texto legal citado, y por infracción del artículo 1902 del Código Civil, ya que, según denuncia, la sentencia de instancia debió haber examinado si la sociedad demandada había desaparecido del tráfico mercantil, si se encontraba incursa en la causa de disolución consistente en la paralización indefinida de sus órganos sociales que imposibilitara cumplir el fin de la entidad, y si aquellos hechos le eran reprochables al administrador, como también si la actora ha sufrido un perjuicio que se podría haber evitado con una supuesta liquidación ordenada de la sociedad, por cuanto que aquel procedimiento liquidatorio no garantiza el cobro íntegro del crédito del actor, sino que tan sólo le genera una expectativa de cobro parcial de su débito con cargo al patrimonio social, por lo que condenar al administrador por tales motivos constituye trasladar los riesgos de la sociedad al patrimonio privativo de su administrador, confundiendo patrimonios e ignorando la personalidad jurídica de la sociedad– se desestima porque la acción ejercitada por la demandante ha sido la individual de responsabilidad, que se ubica, como ya se dijo, en el artículo 135 de la Ley de Sociedades Anónimas.

Por demás, la sentencia del Juzgado expresa que "la prueba documental realizada, acredita que, al menos desde 1993, la sociedad anónima [...] cesó en su actividad, dando de baja a sus trabajadores y terminando en el pago de impuestos, sin que se adoptara acuerdo alguno tendente a conseguir la disolución ordenada de la sociedad, sino que se ha mantenido la apariencia jurídica de su existencia a pesar de no disponer de patrimonio con que hacer frente a sus deudas sociales y de tener prácticamente paralizados sus órganos sociales", cuya argumentación, en concordancia con lo expuesto en el hecho cuarto de la demanda, aun sin mencionar el artículo 262 de la Ley de Sociedades Anónimas, ha sido ratificada implícitamente por la de apelación, con lo que desvirtúa las alegaciones referidas en el del motivo».

STS de 22 de enero de 2004 (Civil) [5 y 7]

FUNDAMENTOS DE DERECHO

«2º [...] alega infracción del art. 24 de la Constitución, 1252 del Código Civil y 156 de la LECiv y de algunas sentencias con referencia al litisconsorcio y estima una defectuosa constitución de la relación jurídico procesal, en relación con los padres del menor y de los restantes miembros del Consejo de Administración de la sociedad demandada.

Nuevamente va a tener que repetirse a la parte recurrente lo que ya se le dijo en la instancia por la sentencia del Juzgado en su fundamento jurídico segundo, aceptado expresamente por la resolución de apelación y es que estamos en presencia de una responsabilidad solidaria y así lo ha repetido este Tribunal hasta la saciedad y por ello, tratándose de un ilícito culposo, el perjudicado puede dirigirse contra todos o cualquiera de los responsables como deudos por entero de la obligación de reparar en su integridad el daño causado y así lo dispone el art. 1144 del Código Civil y ha sido recogido en numerosas sentencias de esta Sala –sentencias de 3 de enero de 1979, 30 de diciembre de 1981, 28 de mayo de 1982, 21 de octubre de 1988, 22 de diciembre de 1989, 21 de abril y 30 de septiembre de 1992, 26 de noviembre de 1993 y 3 de julio de 1995, etc.– señalándose asimismo que en estos casos no existe litisconsorcio pasivo necesario –sentencias de 10 de marzo) y 22 de diciembre de 1989, 21 de abril y 26 de noviembre de 1993, 3 de julio de 1995, 14 de diciembre de 1996, 31 de enero y 20 de octubre) de 1997, etc., etc.–

3º El correlativo, por la vía del art. 1692,3º LECiv aduce violación de los artículos 73, 79, 80 y 81 de la Ley de Sociedades Anónimas de 17 de julio de 1951, violados por aplicación indebida en cuanto atribuye responsabilidad solidaria a los administradores de la sociedad frente a terceros por conducta culpable por omisión en relación con los hechos descritos en la demanda. Entiende el motivo que el estatuto del administrador en materia de responsabilidad no recogía la responsabilidad de los administradores y el art. 81 se refiere a la responsabilidad individual, pero no resulta incardinable y entiende que se precisa un acto directo de los administradores.

Ignora, o pretende desconocer el motivo, que los socios o los terceros podían ejercitar contra los Administradores, de acuerdo con los principios generales, las acciones que pudieran corresponderles por los actos de éstos que lesionen directamente los intereses de aquellos (art. 81). Esto es por la denominada acción individual, que tiende, no a la indemnización de daños indirectamente causados al socio o al acreedor a través del patrimonio de la sociedad, que se designan como daños secundarios, sino a indemnizar al tercero directamente sufridor por tal demandante en su patrimonio y que se designan como daños primarios.

El motivo perece por ello, pues ésta es, no sólo la acción ejercitada, sino la única de posible ejercicio, atendida la legitimación activa.

No precisa tal acto directo del administrador en el sentido pretendido por el motivo y, por otra parte, por tal debe reputarse la omisión y el incumplimiento de los deberes generales de seguridad y de protección de terceros indeterminados y, en general, los relativos al cumplimiento de las exigencias y cuidados de la vida en comunidad y a la evitación de posibles daños a terceros».

STS de 11 de febrero de 2004 (Contencioso-administrativo, Sección 3ª) [3]

FUNDAMENTOS DE DERECHO

«3º [...] Se alega la infracción del artículo 133 de la Ley 30/1992, que proclama el principio "non bis in idem", en relación con el artículo 32.5 de la Ley de Instituciones de Inversión Colectiva [...].

La alegación se proyecta tanto en relación con la sanción impuesta a la entidad depositaria del fondo [...], como por el hecho de que se sancione también a personas físicas que ostentaban cargos directivos. En cualquier caso, es evidente que en ningún caso habrá vulneración del principio alegado, que implica que se sancione dos veces por los mismos hechos a una misma persona (física o jurídica) –esto es, que concurra la denominada identidad subjetiva requerida por el alegado artículo 133 de la Ley 30/1992–, por el hecho de que e haya sancionado asimismo por los mismos hechos a otra persona física o entidad jurídica [...]».

STS de 16 de febrero de 2004 (Civil) [5, y 10]

FUNDAMENTOS DE DERECHO

«1º [...] En los supuestos de responsabilidad por deudas sociales los administradores efectivamente pueden incurrir en responsabilidades, pero para ello es preciso, en el marco de la responsabilidad por daño a los acreedores del art. 135, que la contratación se hubiera llevado no precisamente en situación de dificultades económicas de la sociedad, lo que entra en el ámbito de la normalidad comercial, sino más bien de crisis irreversible con acreditada falta de capital, lo que aquí no se probó y la concurrencia de conocimiento suficiente por los administradores de que la sociedad atravesaba fase de grave endeudamiento y descapitalización y no obstante llevan a cabo actividades de comercio mediante un comportamiento ilícito, al no informar a los clientes del estado económico de la sociedad, y mover su voluntad al contratar, la que de este modo pueda resultar interferida en cuanto a la posibilidad de que se hubieran realizado las operaciones o lo fueran en otras condiciones, exigiéndose en todo caso, pormenorizar en el ámbito del riesgo de los negocios comerciales que la recurrente hubiera probado debidamente concurrencia de nexo causal entre la conducta de los administradores y el daño producido directamente [...]

2º La responsabilidad [...] por no haber convocado los administradores Junta General a efectos de adopción de acuerdo social para la disolución de la sociedad deudora, en este caso no procede, [...] toda vez que los administradores ya habían cesado en sus cargos, lo que queda explicado, por lo que no contaban con las facultades legales para realizar dicha convocatoria [...]».

STS de 20 de febrero de 2004 (Civil) [5]

FUNDAMENTOS DE DERECHO

«2º Con independencia de si en la demanda se ejercitó la acción individual de responsabilidad de los administradores sociales de los arts. 133 y 135 LSA, o la de responsabilidad solidaria de los mismos por obligaciones sociales de los arts. 260 y 262 LSA, que son diferentes por su naturaleza, requisitos y efectos, sin que nada obste a que un acreedor social pueda optar por una u otra, o incluso acumularlas, y sin perjuicio de que las hipótesis de infracción de los deberes legales del art. 262 LSA puedan operar como soporte jurídico de la acción individual, [...].

4º En el motivo tercero se alega infracción por indebida aplicación del art. 260, causa 4ª, y el 262, apartados 1, 2 y 5 de la Ley de Sociedades Anónimas.

El argumento en que sustenta el motivo es que la resolución recurrida no tiene en cuenta que en el pasivo se incluye el capital social de la Compañía, por lo que si hay una diferencia de 146.886 ptas. a favor del activo, ello quiere decir que permanece íntegro el valor del capital social.

La afirmación fáctica, de que en el pasivo se incluye el capital social, no tiene soporte alguno en la Sentencia recurrida, y como no se hizo el planteamiento adecuado en casación por tratarse de un tema probatorio, la conclusión judicial de la instancia deviene vinculante para este Tribunal. Pero sucede, además, que la parte recurrente no tiene razón. La resolución objeto de recurso dice que: "los datos procedentes del expediente de suspensión de pagos de [...] indican que el activo ascendía a 109.993.638 pesetas y la diferencia final a favor de dicho activo, tras la renuncia de un acreedor, era de 146.886 ptas. (auto de 6 de julio de 1993)"; y más adelante añade que "no consta que el activo ni el pasivo de la sociedad se modificaran más tarde" y que "los datos, no cuestionados, resultantes de la verificación efectuada en el expediente judicial de suspensión de pagos no son desvirtuados por la documentación de la deudora consistente en declaración unilateral a la Hacienda Pública, que ya fue objeto de examen y ajuste por los interventores de la suspensión."

Y examinada en los autos la documentación correspondiente al testimonio de la suspensión de pagos se puede comprobar que en el apartado del Pasivo del Balance definitivo no figura el nominal del Capital, sino únicamente los créditos correspondiente a los acreedores ordinarios y preferentes. Por ello resulta acertada la apreciación de la instancia que tomando en cuenta el patrimonio neto –activo menos pasivo– que asciende a 146.886 ptas. contrasta que es inferior a la mitad del capital social –capital nominal o estatutario–, sin que tenga ningún fundamento la alegación del párrafo final del motivo de que debía haberse sumado el capital social –10.000.000 de ptas.– a la diferencia positiva a favor del activo para así determinar el patrimonio de la sociedad. Por ello se rechaza la existencia del "grave error" denunciado, y el motivo decae. Por lo que concurre la causa de responsabilidad acogida de conformidad con reiterada jurisprudencia, de la que son ejemplo, entre otras, las Sentencias de 20 de julio, 3 y 26 de octubre de 2001 y 25 de abril de 2002.

5º [...] no cabe apreciar un automatismo en el régimen de responsabilidad a que se refiere el art. 262 LSA y que para que pueda ser exigida la misma a los administradores debe probarse la existencia de una relación de causalidad entre el incumplimiento y el daño causado; y cita las Sentencias de esta Sala de 4 de noviembre de 1991 y de 26 de julio de 1994.

La argumentación expuesta carece de consistencia porque la acción de responsabilidad por obligaciones sociales del núm. 5 del art. 262 LSA no requiere el requisito de la relación de causalidad aludido porque no es una acción por daño, como se dice en el motivo, y tanto la Sentencia del Juzgado como las de esta Sala antes mencionadas se refieren a la acción individual de responsabilidad, que sí lo es por daño y exige una relación de causalidad entre la conducta atribuida a los administradores y el perjuicio económico causado, Y en tal sentido es reiterada la doctrina de este Tribunal (SS. 30 octubre y 20 diciembre 2000; 20 julio 2001, entre otras)».

STS de 23 de febrero de 2004 (Civil) [1, 5, 6, 10 y 13]

FUNDAMENTOS DE DERECHO

«1º [...]Todo este laberinto procesal ha sido provocado por la misma, que en su extensa y repetitiva demanda incluyó entre las obligaciones incumplidas por el administrador social demandado la que impone el art. 262 LSA, arropando todos los incumplimientos bajo el art. 135 LSA, siendo así que la acción que nace de este último precepto es distinta de la que origina el art. 265 LSA; aquélla es de naturaleza extracontractual, y requiere que se den los requisitos propios de la responsabilidad de esta naturaleza (acción u omisión culposa, daño, y relación de causalidad entre éste y aquélla), mientras que la acción «ex» art. 265 no requiere ninguna culpa en el administrador, ni relación de causalidad alguna con el daño, basta el hecho objetivo del incumplimiento de las obligaciones que la LSA impone específicamente al administrador social para que se desencadene el efecto sancionador (sentencias 29 abril y 21 septiembre 1999, 20 julio 2001 y 14 noviembre 2002, entre otras) [...]».

STS de 1 de marzo de 2004 (Civil) [6 y 13]

FUNDAMENTOS DE DERECHO

«5º [...] la responsabilidad regulada en el referido artículo 262, por la no convocatoria en dos meses de junta general para la adopción del acuerdo de disolución de la sociedad o la no solicitud de su disolución judicial, constituye una responsabilidad objetiva y solidaria, cuya acción se fundamenta en el incumplimiento por los administradores de las obligaciones que les impone la Ley, y no requiere producción de daño, ni exige la existencia de perjuicios, y tampoco la relación de causalidad, pues se trata de un sistema preconcursal de la Ley de Sociedades Anónimas.

La citada responsabilidad constituye una modalidad de responsabilidad "'ex lege'", y requiere tan sólo la concurrencia de los presupuestos objetivos siguientes:

a) Existencia de un crédito contra la sociedad en las causas 4ª y 5ª del artículo 260 de la Ley de Sociedad Anónimas.

b) Concurrencia de alguna de las causas de disolución de la sociedad.

c) Omisión por los administradores de su obligación de convocar junta general, en el plazo de dos meses, para que adopte el acuerdo de disolución de la sociedad, o solicitud, en su caso, de disolución judicial.

La STS de 20 de octubre de 2003 recuerda que "tales normas afrontan la cuestión, como ha destacado la doctrina mercantilista, del fenómeno de descapitalización sobre la estabilidad de la sociedad anónima, entendiendo como tal una situación de gran empobrecimiento de la sociedad y, en otras palabras, situación de desequilibrio entre el capital social y el patrimonio neto de la sociedad. Ante tal situación, la omisión de los administradores de convocar la junta general para disolverla, genera una responsabilidad durísima para los mismos, que llega a la privación del privilegio de la limitación de la responsabilidad propia de las sociedades de capital", e indica, también, que dicha responsabilidad ha sido destacada por la STS de 16 de julio de 2002, la cual los considera "autores de una conducta antijurídica"; a los que se "impone una responsabilidad sanción", como añade la de 18 de septiembre de 2003; y, como decía la de 14 de noviembre de 2002, "la acción cuyo soporte estriba en el número 5 del artículo 262 del Texto Refundido de la Ley de Sociedades Anónimas de 22 de diciembre de 1989 (...) para su éxito no es necesario que concurran los supuestos de la culpa, como se tiene reiteradamente manifestado en la jurisprudencia de esta Sala, entre otras, en las sentencias de 20 de diciembre de 2000, 20 de abril de 2001, 26 de octubre de 2001 y 25 de abril de 2002".

Nos encontramos, pues, ante una responsabilidad objetiva, que no se evita con las alegaciones de la falta de culpa y del nexo causal.

6º El motivo octavo del recurso –al amparo del artículo 1692.4 de la Ley de Enjuiciamiento Civil por infracción del artículo 1968.2 del Código Civil, en relación con el artículo 943 del Código de Comercio, y artículos 1902 y 1969 del referido Código Civil, referente a la prescripción de la acción de responsabilidad por culpa extracontractual, ya que, según denuncia, la sentencia de instancia ha argumentado que, aun aceptando el plazo anual de prescripción del artículo 1969 del Código Civil y a la luz de la doctrina de la "insatisfacción", que rige en los derechos personales, evidentemente el cómputo no se iniciaría sino en el año 1994, sin embargo la acción ya habría prescrito al haber transcurrido con creces el de plazo un año desde que tuvo lugar la situación de insolvencia– se desestima porque esta Sala tiene declarado, entre otras en sentencia de 20 de julio de 2001, que el plazo de prescripción para exigir la responsabilidad a los administradores y gerentes de compañías es el de cuatro años según dispone el artículo 949 del Código de Comercio, y singularmente si la acción que se ejercita es la amparada en el artículo 262.5 de la Ley de Sociedades Anónimas, en cuanto que la obligación se impone a los administradores "'ex lege", según se deduce de la propia redacción del precepto y en la doctrina jurisprudencial (entre otras, las SSTS de 12 de noviembre y 11 de diciembre de 1999, 20 de diciembre de 2000, 20 de julio y 26 de octubre de 2001), por lo que en forma alguna sería de aplicación la establecida para los supuestos de culpa extracontractual, en cuyo indicado caso no hay duda de que el plazo de prescripción es el señalado en el artículo 949 del Código de Comercio (STS de 7 de junio de 2002)».

STS de 19 de marzo de 2004 (Penal) [8]

FUNDAMENTOS DE DERECHO

"6º (...) Ahora bien, aun en el supuesto de que realmente hubieran concurrido los requisitos exigidos en el art. 282, nunca habría habido aquí este delito de publicidad falsa, simplemente porque habría quedado absorbido por el delito de estafa por el que hay que condenar como veremos en el fundamento de derecho siguiente. Nos referimos a este caso concreto en que, como luego veremos la falsa publicidad fue el único elemento constitutivo del engaño mediante el cual la estafa fue cometida. Se lesionaría el principio «non bis in idem» si tal publicidad engañosa fuera tenida en cuenta para condenar por estafa y también por este otro delito del art. 282. Otra cosa podría ocurrir cuando para configurar ese engaño, esencial en la estafa, hubieran concurrido otros elementos diferentes a esa publicidad falsa y aptos para provocar el error en la persona que realiza el acto de disposición perjudicial para él o para otra persona (art. 248.1).

Así pues, la concurrencia del delito de estafa, conforme exponemos a continuación, obliga a aplicar el núm. 3º del art. 8 CP, en cualquier caso, es decir, aunque considerásemos que efectivamente habrían concurrido todos los elementos del delito del art. 282. Conforme a tal art. 8.3º han de sancionarse estos hechos sólo con la aplicación de esas normas correspondientes al delito de estafa.

El delito de publicidad falsa (art. 282), cuando ya la estafa se ha iniciado en su ejecución (tentativa o consumación) y el engaño radica sólo en tal publicidad falsa, queda absorbido en ésta (la estafa), porque pasa a integrarse en el engaño, elemento central de esta última infracción".

STS de 22 de marzo de 2004 [2, 5, 6 y 7]

FUNDAMENTOS DE DERECHO

«1º [...] La figura del administrador de hecho de las sociedades anónimas se presenta a veces como actuación de apoderados-gestores, aunque carezcan de poderes, entendiendo por tales además los que refiere el artículo 141 de la Ley de Sociedades Anónimas, y los factores generales o singulares (artículo 286 del Código de Comercio) y similares, haciendo necesario se lleve a cabo prueba suficiente, directa o indiciaria, acreditativa de ostentar y actuar con la condición de administrador de hecho, que aparece más clara cuando la sociedad carece de efecto administrador legalmente nombrado, ya que no resulta posible la existencia de una Sociedad Anónima que opere sin los órganos sociales previstos con carácter imperativo en la Ley reguladora de las mismas (Sentencia de 24-9-2001).

En el caso presente existía un administrador único, la demanda doña [...], que resultó condenada en la instancia a pagar con la sociedad de la deuda reclamada y acató el fallo al haberlo consentido, la que suscribió en nombre de [...] S.A. el contrato de arrendamiento de la nave, fechado el 1 de julio de 1982, sentando como probado el Tribunal de Instancia que don [...] actuó en todo momento como apoderado, pues su misión sólo consistía en llevar a cabo gestiones para cobrar con poder suficientemente la liquidación del finiquito del Seguro y, consecuentemente, la responsabilidad de los administradores por las deudas sociales y convocatoria de Junta para disolver la empresa, no procede extenderla a los meros apoderados, equiparándose los cargos de administrador y apoderado para una actuación concreta, máxime al no concurrir pruebas decididas y convincentes de que en todo momento actuase con efectivas funciones de administrador de hecho, pues, al existir un administrador nombrado legalmente es el auténtico responsable de la marcha de la sociedad (Sentencia de 7-6-1999)».

STS de 24 de marzo de 2004 (Civil) [5 y 7]

FUNDAMENTOS DE DERECHO

«1º Después de una doctrina fluctuante, que iba desde estimar aplicable el plazo de un año establecido en el artículo 1968-2 del Código Civil, que entraría en juego por remisión del artículo 943 del Código de Comercio –S. de 21 de mayo de 1992–, a aquella que determinaba que el plazo específico de prescripción de tal acción en él establecido en el artículo 949 del Código de Comercio –S. de 7 de junio de 1995–.

En la actualidad tal cuestión está definitivamente zanjada por la sentencia de esta Sala de 5 de julio de 2001, que establece que el plazo de prescripción aplicable a la acción individual de responsabilidad contemplada en el artículo 153 de la Ley de Sociedades Anónimas es el de cuatro años, y en base a unas razones que ahora se reproducen, y que son:

A) El art. 943 CCom, punto de partida para llegar al art. 1968-2 CC, se refiere textualmente a "las acciones que en virtud de este Código no tengan un plazo determinado para deducirse en juicio". Sin embargo resulta que el propio CCom, en su art. 949, sí asigna un plazo determinado, el de cuatro años, a "la acción contra los socios [...] de las compañías o sociedades", sin distinción alguna, por más que su emplazamiento sistemático, a la vista del contenido de los dos artículos que le preceden, permita opinar que podría estar refiriéndose sólo a la acción que contra el Dirección 000 ejerciten los socios.

B) La acción individual de responsabilidad, ya corresponda a los socios, ya a terceros, se regula específicamente en un precepto de la LSA-TR 1989, el art. 135, que es una norma mercantil cuyo complemento debe buscarse en el Código de Comercio, a tenor del art. 121 de este último y dado su carácter de Cuerpo legal básico en el ámbito mercantil, antes que en el Código Civil.

C) Existiendo por tanto en el Código de Comercio una norma especial sobre el plazo de ejercicio de "la acción contra los socios [...] de las compañías o sociedades", no hay por qué acudir al Código Civil en busca de otro plazo diferente que en realidad se establece para unas acciones menos específicas, las ejercitadas para exigir responsabilidad "por las obligaciones derivadas de la culpa o negligencia de que se trata en el artículo 1902", debiendo aplicarse la norma especial con preferencia sobre la general.

D) La polémica en torno a la naturaleza contractual o extracontractual de la acción individual contemplada en el art. 135 LSA cuando la ejerciten los terceros frente a los [...] es en cierta medida estéril: primero, porque cuenta con una regulación propia en dicho precepto que la especializa o específica respecto a la obligación genérica, contemplada en el art. 1902 CC, de reparar el daño causado por culpa o negligencia; segundo, porque la parcial coincidencia de los requisitos o presupuestos de la obligación reparadora o indemnizatoria contemplada en cada uno de dichos preceptos no significa necesariamente identidad total, dada la conexión del art. 135 LSA con sus arts. 133 y 127.1, con la consiguiente referencia a un determinado modelo de diligencia cuya inobservancia determina la culpa del [...], y la exigencia legal de que la lesión causada a los intereses de los terceros por los actos de los [...] sea directa; tercero, porque la acción individual contemplada en el art. 135 LSA lo es de indemnización "por actos de los [...]", es decir en cuanto tales [...] o por razón de su cargo, lo que refuerza la aplicabilidad del art. 949 CCom; cuarto, porque nada impide que junto con la acción del art. 135 LSA, por la conducta ilícita [...] en su actividad orgánica, coexista la acción genérica del art. 1902 CC por los daños que el [...] hubiera podido causar a socios o terceros al margen de esa actividad, es decir no ya como tal [...]; quinto, porque si el art. 135 LSA se entendiera referido a la responsabilidad del [...] en su esfera personal, resultaría un precepto superfluo que perdería su justificación más segura como excepción a las reglas de imputación normalmente derivadas del carácter orgánico de la actuación del [...]; y sexto, porque la presunta nitidez de la naturaleza extracontractual de la responsabilidad de los [...] frente a quienes no sean socios se desdibuja en gran medida cuando, como suele suceder en la práctica y ocurre también en el caso examinado, la acción se ejercita contra [...] pro un acreedor social que lo es precisamente en virtud de uno o varios contratos celebrados con la sociedad a través del propio [...].

E) La unificación del plazo de prescripción en el de cuatro años del art. 949 CCom aporta a esta materia un grado de seguridad jurídica que permite superar la poca precisión que en ocasiones presentan las fronteras entre la responsabilidad contractual y la extracontractual, acudiendo de un modo lógico y dotado de un indiscutible apoyo normativo a un solo plazo para las acciones de responsabilidad de los [...] por su actividad orgánica, con la ventaja añadida de la certeza que en tal caso se logra en orden al cómputo inicial del mismo plazo.

F) Finalmente, siendo la prescripción una figura la interpretación restrictiva, según reiterada jurisprudencia de esta Sala, en caso de duda sobre dos plazos de prescripción posiblemente aplicables, siempre habría que optar por el de mayor duración por ser el más favorable a la viabilidad de la acción ejercitada».

STS de 4 de abril de 2004 (Civil) [5]

En el mismo sentid, vid. STS de 20 de julio de 2004

STS de 7 de mayo de 2004 (Civil) [5 y 7]

FUNDAMENTOS DE DERECHO

«2º [...] la acción individual de responsabilidad se enmarca en el ámbito de las relaciones jurídico –societarias externas, de manera que su ejercicio por un tercero no accionista provoca la aplicación del régimen común de la culpa aquiliana del artículo 1902 y concordantes del Código Civil, y, por consiguiente, el plazo de prescripción extintiva de la acción es el de un año, prevenido en el artículo 1968.2 del Código Civil, y no el de cuatro años regulado en el artículo 949 del Código de Comercio– se desestima por las razones que se dicen a continuación.

Conviene traer a colación la STS de 24 de marzo de 2004, cuya doctrina es de aplicación para dar respuesta a este motivo.

La referida sentencia contiene la siguiente argumentación:

Después de una doctrina fluctuante, que iba desde estimar aplicable el plazo de un año establecido en el artículo 1968.2 del Código Civil, que entraría en juego por remisión del artículo 943 del Código de Comercio –STS de 21 de mayo de 1992–, a aquella que determinaba que el plazo específico de prescripción de tal acción en él establecido en el artículo 949 del Código de Comercio –STS de 7 de junio de 1995–.

En la actualidad tal cuestión está definitivamente zanjada por la sentencia de esta Sala de 5 de julio de 2001, que establece que el plazo de prescripción aplicable a la acción individual de responsabilidad contemplada en el artículo 135 de la Ley de Sociedades Anónimas es el de cuatro años, [...]

D) La polémica en torno a la naturaleza contractual o extracontractual de la acción individual contemplada en el artículo 135 LSA cuando la ejerciten los terceros frente a los administradores es en cierta medida estéril: primero, porque cuenta con una regulación propia en dicho precepto que la especializa o especifica respecto a la obligación genérica, contemplada en el artículo 1902 del Código Civil, de reparar el daño causado por culpa o negligencia; segundo, porque la parcial coincidencia de los requisitos o presupuestos de la obligación reparadora o indemnizatoria contemplada en cada uno de dichos preceptos no significa necesariamente identidad total, dada la conexión del artículo 135 LSA con sus artículos 133 y 127.1, con la consiguiente referencia a un determinado modelo de diligencia cuya inobservancia determina la culpa del administrador, y la exigencia legal de que la lesión causada a los intereses de los terceros por los actos de los administradores sea directa; tercero, porque la acción individual contemplada en el artículo 135 LSA lo es de indemnización "por actos de los administradores", es decir en cuanto tales administradores o por razón de su cargo, lo que refuerza la aplicabilidad del artículo 949 del Código de Comercio; cuarto, porque nada impide que junto con la acción del artículo 135 LSA, por la conducta ilícita del administrador en su actividad orgánica, coexista la acción genérica del artículo 1902 del Código Civil por los daños que el administrador hubiera podido causar a socios o terceros al margen de esa actividad, es decir no ya como tal administrador; quinto, porque si el art. 135 LSA se entendiera referido a la responsabilidad del administrador en su esfera personal, resultaría un precepto superfluo que perdería su justificación más segura como excepción a las reglas de imputación normalmente derivadas del carácter orgánico de la actuación del administrador; y sexto, porque la presunta nitidez de la naturaleza extracontractual de la responsabilidad de los administradores frente a quienes no sean socios se desdibuja en gran medida cuando, como suele suceder en la práctica y ocurre también en el caso examinado, la acción se ejercita contra el administrador o administradores por un acreedor social que lo es precisamente en virtud de uno o varios contratos celebrados con la sociedad a través del propio administrador.

E) La unificación del plazo de prescripción en el de cuatro años del artículo 949 del Código de Comercio aporta a esta materia un grado de seguridad jurídica que permite superar la poca precisión que en ocasiones presentan las fronteras entre la responsabilidad contractual y la extracontractual, acudiendo de un modo lógico y dotado de un indiscutible apoyo normativo a un solo plazo para las acciones de responsabilidad de los administradores por su actividad orgánica, con la ventaja añadida de la certeza que en tal caso se logra en orden al cómputo inicial del mismo plazo.

F) Finalmente, siendo la prescripción una figura de interpretación restrictiva, según reiterada jurisprudencia de esta Sala, en caso de duda sobre dos plazos de prescripción posiblemente aplicables, siempre habría que optar por el de mayor duración por ser el más favorable a la viabilidad de la acción ejercitada».

STS de 25 de mayo de 2004 (Civil) [5]

FUNDAMENTOS DE DERECHO

«4º [...] Ciertamente que la acción de responsabilidad individual contra los [...] *ex* art. 135 Ley Sociedades Anónimas requiere una lesión directa en el patrimonio del perjudicado, y a veces es difícil el deslinde entre perjuicio directo al patrimonio social (para cuya corrección el art. 134 establece una acción específica, la acción social de responsabilidad) y el que indirectamente se origina a los terceros. Pero no se produce ninguna dificultad en el caso litigioso, porque el patrimonio afectado es sin duda el de aquéllos de un modo directo, cuando la acción culposa (por lo menos) de los [...] consiste en el vaciado patrimonial de la sociedad deudora con la excusa de pago de deudas, pues no se ha probado que existiesen, y la conservación de hecho de ese patrimonio en poder del as sociedades adquirentes que son controladas por los mismos [...]. Una vez más se juega con el aislamiento de la persona jurídica de sus componentes para funcionar en el tráfico como realidad jurídica e independiente, y se daña a terceros que con ella se relacionan. En este litigio, [...], reconociendo que debe sumas de dinero a [...], S.L. y a [...], S.A., les transmite en dación en pago los inmuebles que constituían su patrimonio, quedándose en situación de insolvencia. Con toda razón dice la sentencia de primera instancia [...]. "Entendemos que estas operaciones no beneficiaban en nada a [...] que se quedaba sin patrimonio y que a su vez transmitía con exceso unos pabellones perdiendo dinero. Es ilógico que se transmitiesen todos los pabellones superando con ésta transmisión la supuesta deuda para luego compensar el exceso con el alquiler de las mismas naves. Aún en el supuesto de que la deuda entre [...] y las dos compañías fuese cierta, hecho que no se ha demostrado por la parte demandada, no era necesario transmitir la totalidad de los pabellones como dación en pago, primero debido a que la transmisión en su conjunto superaba la deuda, y segundo porque [...] necesitaba los pabellones o al menos algunos de ellos para ejercer sus trabajos, alquilando con posterioridad los mismos pabellones para continuar su trabajo y compensar el beneficio que quedaba a favor de [...], S.A. y maderas y [...], S.L. tras la transmisión de los pabellones. En resumen, estas operaciones no fueron nada rentables para [...] que quedó sin bienes muebles por la transmisión de los pabellones y perdió dinero sin una justa causa para ello ya que la deuda con las otras compañías no queda probada, y todo ello indica que existió una complicidad entre los [...] de [...] y los accionistas y [...] de [...], S.L. y [...], S.A. con finalidad de defraudar a los acreedores de [...]».

STS de 27 de mayo de 2004 (Civil) [5]

FUNDAMENTOS DE DERECHO

«3º [...] Se dice, en síntesis, en la resolución recurrida que no toda administración o gestión incorrecta de la sociedad puede ser calificada como negligente a los efectos que recoge el art. 133 en relación con el 135, ambos de la LSA, sino que de algún modo esa conducta indebida debe ser al menos generadora de una situación perjudicial en este caso para el tercero que contrata con la sociedad. Y [...], se añade, que cuando [...], S.L. contrata con [...], S.L. la realización de las obras origen del litigio debía conocer la dimensión de esta empresa en relación al número de trabajadores que empleaba, y valorar incluso la experiencia o no del empresario, siendo este último, en todo caso, un factor de riesgo asumible en las relaciones mercantiles; además de que cuando se llega al pacto de 1993 de algún modo la entidad apelante conocía las dificultades económicas que atravesaba la adversa.

4º [...] se aduce infracción de los arts. 11 LSRL y 133 de la LSA. La argumentación de la sentencia recurrida no es desacertada porque, por una parte, sostiene correctamente que la acción individual de responsabilidad civil de los administradores sociales (arts. 133 y 135 LSA) requiere un nexo causal entre la acción u omisión ilícita (que se alega y prueba) y el resultado dañoso (impago de la deuda social, en su caso); y por otra parte mantiene el criterio, igualmente ajustado a derecho, de que el perjudicado [acreedor] no puede fundamentar la responsabilidad del administrador en aquellas circunstancias que conocía o debía conocer al tiempo de contratar, y entre ellas las dificultades económicas existentes en el momento del pacto para saldar la deuda.

Y tales razonamientos se ajustan en lo sustancial a la jurisprudencia de esta Sala que viene reiterando (Sentencias de 19 de abril de 2001, 31 de diciembre de 2002, 19 de mayo de 2003, y 16 y 23 de febrero de 2004, entre las más recientes) la necesidad de probar, para que prospere la acción de que se trata, la existencia de la conducta negligente, el daño y la relación causal entre el acto ilícito que se imputa y el resultado dañoso, de tal modo que si por el accionante no se aprueba la concurrencia de los mismos (SS. 21 de septiembre de 1998, 30 de marzo y 20 de julio de 200 y 25 de febrero de 2002), y concretamente el de la relación de causalidad (SS. 19 de noviembre de 2001, 10 de marzo y 5 de junio de 2003, debe desestimarse la pretensión ejercitada, debiendo correr con el propio riesgo negocial quién conoce la situación económica de aquél con el que contrató)».

STS de 17 de junio de 2004 [5 y 10]

FUNDAMENTOS DE DERECHO

«3º [...] Declara la sentencia de esta Sala de 30 de diciembre de 2002, citada en la de 19 de mayo de 2003 que "en virtud de la acción de responsabilidad individual (artículos 133.1º y 135) los administradores sociales responderán frente al os acreedores sociales del daño que causen por actos contrarios a la Ley, o a los Estatutos o por los realizados sin la diligencia con la que deben desempeñar el cargo, la cual se mensura de modo objetivo con arreglo al estándar, o patrón de comportamiento, de la que debe observar un ordenado empresario (artículo 127 de la Ley de Sociedades anónimas). Se trata de una acción indemnizatoria que asiste a los terceros por los actos de los administradores que lesionen directamente sus intereses. La doctrina jurisprudencial (sentencias de 21 de septiembre de 1999, 30 de marzo de 2001, 10 de noviembre de 2001, entre otras) la configura como una acción resarcitoria para que están legitimados los terceros (y entre ellos los acreedores sociales) que exige una conducta o actitud –hechos, actos u omisiones– de los administradores contrario a la Ley o a los Estatutos, o carente de la diligencia de un ordenado comerciante –bastando la negligencia simple–, que da lugar a un daño, de tal modo que el accionante perjudicado ha de probar (sentencias de 21 de septiembre de 1999 30 de marzo de 2001 y 27 de julio de 2001; 25 de febrero de 2002) que el acto se ha realizado en concepto de administrador y existe un nexo causal entre los actos u omisiones de éste y el daño producido al actor (sentencias de 17 de julio, 26 de octubre y 19 de noviembre de 2001 y 14 de noviembre de 2002). En sede de casación se pueden revisar los juicios de valor sobre la culpa y sobre el nexo causal, pero no las declaraciones puramente de hecho sobre la naturaleza y circunstancias de la acción u omisión, ni la realidad y cuantía del daño causado (sentencias de 31 de enero de 199, 26 de febrero de 1998, 4 de junio de 2001, 21 de febrero de 2002)".

En cuanto a la responsabilidad regulada en el artículo 262 de la Ley de Sociedades Anónimas, por la no convocatoria en dos meses de junta general para la adopción del acuerdo de disolución de la sociedad o la no solicitud de su disolución judicial, constituye una responsabilidad objetiva y solidaria, cuya acción se fundamenta en el incumplimiento por los administradores de las obligaciones que les impone la Ley y no requiera producción de daño, ni exige la existencia de perjuicios y tampoco la relación de causalidad, pues se trata de un sistema preconcursal de la Ley de Sociedades Anónimas, Constituye una modalidad de responsabilidad "ex lege" y requiere tan sólo la concurrencia de los presupuestos objetivos siguientes: a) la existencia de un crédito contra la sociedad; b) concurrencia de alguna de las causas incluidas en los números 4º y 5º del artículo 262 de la Ley de Sociedades Anónimas y la de disolución de la sociedad; y c) omisión por los administradores de su obligación de convocar junta general, en el plazo de dos meses, para que adopte el acuerdo de disolución de la sociedad, o solicitud, en su caso, de disolución judicial.

Dice la sentencia de 20 de octubre de 2003 que "tales normas afrontan la cuestión, como ha destacado la doctrina mercantilista, del fenómeno de descapitalización sobre la estabilidad de la sociedad anónima, entendido como tal una situación de gran empobrecimiento de la sociedad y, en otras palabras, situación de desequilibrio entre el capital social y el patrimonio neto de la sociedad. Ante tal situación la omisión de los administradores de convocar la junta general para disolverla, genera una responsabilidad durísima para los mismos, que llega a limitación de la responsabilidad propia de las sociedades de capital"; como señala la sentencia de 14 de noviembre de 2002, "la acción cuyo soporte estriba en el núm. 5 del art. 262 del Texto Refundido de la Ley de Sociedades Anónimas de 22 de diciembre de 1989... para su éxito no es necesario que concurran los supuestos de la culpa, como se tiene reiteradamente manifestado en la jurisprudencia de esta Sala, entre otras, en las sentencias de 20 de diciembre de 2000, 20 de abril de 2001, 26 de octubre de 2001 y 25 de abril de 2005".

Tales precisiones sobre una u otra acción se han hecho necesarias por el confusionismo e identificación entre ambas que se desprende de los fundamentos de la resolución recurrida.

Dice la sentencia de 16 de febrero de 2004 que "es preciso, en el marco de la responsabilidad por daño a los acreedores del artículo 135, que la contratación se hubiera llevado no precisamente en situación de dificultades económicas de la sociedad, lo que entra en el ámbito de la normalidad comercial, sino más bien de crisis irreversible con acreditada falta de capital, lo que aquí no se probó y la concurrencia de conocimiento suficientemente por los administradores de que la sociedad atravesaba fase de grave endeudamiento y descapitalización y no obstante llevan a cabo actividades de comercio mediante un comportamiento ilícito, al no informar a los clientes del estado económico de la sociedad, y mover su voluntad al contratar". En el supuesto ahora enjuiciado no consta elementos probatorio alguno que permita afirmar que en el momento de celebrar el contrato de compraventa o suministro origen de la deuda que se reclama, la sociedad [...], S.A. sufriere endeudamiento alguno y se encontrase descapitalizada; si bien la falta de presentación de las cuentas anuales en el Registro Mercantil constituye un incumplimiento de las obligaciones que a los administradores impone la Ley, tal incumplimiento no es bastante, en este caso, para ser considerado como causa de daño o perjuicio alguno para el acreedor demandan; por lo que falta el nexo causal que exige el artículo 135 de la Ley de Sociedades Anónimas, para el éxito de la acción individual de responsabilidad frente al [...] demandado.

Como pone de manifiesto el informe pericial contable emitido en autos, no se ha probado en autos cual era la situación patrimonial de la sociedad [...], S.A. al tiempo del cese en su cargo del [...] demandado; el hecho de que a finales de 1993 se hubiere vendido parte de la maquinaria de la sociedad y hubiese cesado algún trabajador de la misma, ni implica, por sí solo, la grave descapitalización que requiere la acción regulada en el artículo 262.5 de la Ley de Sociedades Anónimas; descapitalización que no resulta de la comparación que hace la Sala "a quo" entre capital social y la deuda reclamada, ya que lo que hay que tener en cuenta es el patrimonio social que, como es sabido, salvo en el momento de la constitución de la sociedad, no suelen coincidir; es a la cuantía del patrimonio social, en relación con el capital, al que hay que atender para apreciar si existe o no la causa de disolución de la sociedad, de acuerdo con el artículo 260-4º de la Ley.

No cabe atribuir el cierre de la empresa al demandado [...], ya que el mismo se produjo bajo el período en que la administración se ejerció por el nuevo [...] nombrado el 1 de marzo de 1994.

No concurren, por tanto, los requisitos exigidos para la procedencia de las acciones de responsabilidad individual y de responsabilidad solidaria, de los artículos 135 y 262.5 de la Ley de Sociedades Anónimas, [...]».

STS de 8 de julio de 2004 (Contencios-adminisitrativo) [11]

Véase en el mismo sentido SSTS de 16 de mayo de 1991 y 10 de febrero de 2014

STS de 14 de julio de 2004 (Civil) [5]

FUNDAMENTOS DE DERECHO

«1º [...] En realidad, el Juzgado de Primera Instancia confunde lo que es una administración social perjudicial para los acreedores sociales, con una identificación de la sociedad con la persona de sus socios, de tal manera que se niega su personalidad jurídica propia. En modo alguno es admisible tal confusión, pues una cosa es que la sociedad se revele como una forma de actuar en el tráfico de su socio único, que quiere limitar así su responsabilidad a los bienes aportados a la sociedad (salvo que cumpla las prescripciones legales para ello), o como un instrumento creado para defraudar a terceros por parte de los socios, o incumplir sus obligaciones para con aquéllos, casos en los cuales es posible el "levantamiento del velo" (S. de 3 de junio de 2004 y las que cita), y otra muy distinta que la sociedad se administre mal, consciente o negligentemente, para lo cual la legislación mercantil da los remedios apropiados mediante la acción social o individual de responsabilidad contra los administradores. La solución del perjuicio causado por la mala administración no debe venir por la vía de la negación de personalidad jurídica a la sociedad, sino por el ejercicio de aquellas acciones. Es de destacar que en la demanda origen de este pleito las actoras no han exigido esta responsabilidad, sólo han pedido la aplicación de la doctrina del "levantamiento del velo", sin la precaución de ejercitar alternativa o subsidiariamente cualquiera de aquellas acciones; han limitado sin necesidad el objeto de este litigio, y por ello la Sala, no tratándose de una cuestión de orden o interés público, no puede decir sobre la responsabilidad del administrador, sino sobre la de los socios en cuanto tales por deudas de la sociedad.

[...] se deduce inmediatamente que se está ante una sociedad limitada que cuenta con el mínimo de socios requeridos por la Ley, no es una sociedad unipersonal. Los socios son marido y mujer, entre los cuales, mucho antes de producirse los hechos que han dado origen a este litigio, media un régimen de separación de bienes. Nada se ha solicitado respecto de las capitulaciones matrimoniales en que se pactó constante matrimonio, previa disolución de la sociedad de gananciales, por lo que no se puede prescindir de su otorgamiento. En el régimen de separación de bienes existen dos patrimonios con titularidades distintas (art. 1437 Código Civil). No hay razón alguna para fundamentar sobre ello una unipersonalidad de sociedad limitada».

STS de 16 de julio 2004 (Civil) [5 y 13]

FUNDAMENTOS DE DERECHO

«[...] La acción [...] pretende fundamentarse en una responsabilidad de los administradores sociales que necesariamente ha de basarse en la falta de diligencia de los mismos, pues la concurrencia de culpa expresamente se exige en los artículos 127 y 133 de la Ley de Sociedades Anónimas, e implícitamente en el artículo 135 de dicha norma.

Sin embargo, de lo expuesto se desprende que el daño que la actora asegura haber sufrido no deriva de acto alguno de la recurrente, lo que obliga a rechazar toda posible actuación culposa de la misma en los contratos celebrados[...], ni dicho daño puede entenderse generado por la simple persistencia de la constancia en el Registro Mercantil de la condición de administradora de la misma, ya que su apartamiento de la sociedad le impedía instar la modificación registral correspondiente».

STS de 22 de julio de 2004 (Civil) [5]

FUNDAMENTOS DE DERECHO

«5º [...] Parece [...] que eran los administradores demandados quienes tenían que haber probado su diligencia, y con semejante planteamiento olvida de nuevo la recurrente que en su imprecisa demanda ejercitó una acción individual de responsabilidad de los administradores, esto es, una acción resarcitoria de daños y no una acción de responsabilidad solidaria de aquéllos por obligaciones sociales, de suerte que la prueba exigible a aquélla no podía quedar reducida únicamente al hecho de la deuda, de su impago y de la inactividad de los demandados, como la misma parte parece pretender, sino que, con arreglo a la jurisprudencia de esta Sala, sobre aquélla pesaba la carga de probar no sólo el daño sufrido sino también la conducta de los administradores, ilegal o carente de la diligencia de un ordenado empresario y de un representante leal, así como el nexo causal entre ambos elementos (SSTS 30-3-01, 20-7-01, 19-11-01, 25-4-02, 12-12-02, 24-12-02 y

6-3-03), sin inversión de la carga de la prueba en contra de los demandados (SSTS 20-7-01 y 25-2-02) y sin que el solo hecho del incumplimiento de una obligación social fuera por sí mismo demostrativo de la culpa del administrador ni determinante de su responsabilidad (SSTS 2-7-98, 20-7-01 y 6-3-03) [...]».

STS de 5 de octubre de 2004 [5]

FUNDAMENTOS DE DERECHO

«2º [...] El motivo tercero, [...], acusa infracción de los arts. 262.5 y 260 Ley de Sociedades Anónimas y de la jurisprudencia que los interpreta. En su fundamentación se argumenta en favor de que durante el breve lapso temporal en que el recurrente fue administrador social (noviembre de 1992 a junio de 1993), no está probado que concurriese causa de disolución de la sociedad.

Para juzgar sobre este motivo hay que tener en cuenta que la Audiencia condena al recurrente, junto con otros [...] sociales de [...], porque durante el período de tiempo en que ostentó el cargo de [...] se hallaba sumida la sociedad en "grave crisis económica", que la llevó a la total inactividad y a su cierre efectivo. También tiene en cuenta la Audiencia que el recurrente era contable de la sociedad, por lo que no podía ignorar su situación económica. En fin, hay que considerar la sentencia recurrida como una continuación de la primera instancia apelada, pues no modifica absolutamente nada su planteamiento fáctico, que era: insolvencia de la sociedad, inactividad y cierre de facto. La Audiencia se limita a juzgar estas mismas circunstancias en relación con la persona del recurrente como administrador social. Así las cosas, es claro que cuando se refiere a grave crisis económica no introduce arbitrariamente una causa de disolución social, sino que abarca en sus términos el planteamiento fáctico de la sentencia de primera instancia. Por otra parte, es igualmente lógico que si el contable de la sociedad asume brevemente por las razones que sean la administración social, debe conocer necesariamente las obligaciones que le impone la Ley de Sociedades Anónimas, tanto más cuanto que conocía por su trabajo la situación económica de la sociedad, de auténtica insolvencia.

3º [...] la sociedad actora no ha podido probar la disminución patrimonial concreta en relación con la causa 4ª del art. 260 Ley de Sociedades Anónimas, ya que [...] incumplió su obligación desde 1992 de depositar sus cuentas anuales en el Registro Mercantil (arts. 218-221 LSA). Es de mala fe y al mismo tiempo irracional pretender que el incumplimiento de una obligación deriva en beneficio para el incumplidor, en cuanto deja sin prueba a la contraparte de datos objetivos muy importantes. Tampoco ha podido servirse de libros de contabilidad por la desaparición de la sociedad de su domicilio social, sin constancia de ningún otro en que efectúe actividad mercantil alguna. La parte actora ha probado lo que en estas circunstancias podía; el cierre de facto del establecimiento social y la desaparición del tráfico sin liquidación alguna. La prueba de que la sociedad no ha sufrido disminución de su patrimonio en términos que obligasen a los [...] a proceder conforme al art. 262.5 Ley de Sociedades Anónimas le hubiera correspondido a la parte demandada, por serle más fácil y accesible (hipotéticamente en este caso) que a la actora, supuesto este último (facilidad y accesibilidad de la prueba) que invierte el *onus probandi* hacia la parte que está en esas condiciones, a fin de evitar la indefensión de la contraria.

4º [...] la doctrina de esta Sala ha señalado que el plazo de prescripción es el de cuatro años, en aplicación del art. 949 Ccom (sentencias 20 julio 2001 y 7 junio 2002)».

STS de 26 de octubre de 2004 (Civil) [5 y 13]

FUNDAMENTOS DE DERECHO

«2º [...] La Sentencia de 20 de julio de 2001 permitió a esta Sala fijar su doctrina sobre el precepto aplicable a la prescripción extintiva de la acción individual de responsabilidad que regula el artículo 135 del Texto refundido de la Ley de Sociedades Anónimas, a fin de dar certeza a una cuestión realmente debatida, en beneficio de la seguridad jurídica a la que sirve el instituto de la prescripción. En dicha Sentencia se declaró aplicable el artículo 949 del Código de Comercio, que es el que aplicó el Tribunal de apelación en el asunto litigioso.

Según dicho artículo día inicial del cómputo del plazo de prescripción extintiva de la acción ejercitada en la demanda es aquel en que los administradores sociales "por cualquier motivo" hubieran cesado en "el ejercicio de la administración".

El inicio del cómputo reclama, por lo tanto, el cese del administrador, si bien la causa de éste puede ser cualquiera de las muchas aptas. para producirlo. Entre ellas, la apertura de la liquidación de la sociedad, consecuencia automática, salvo en supuestos excepcionales, de su disolución (artículo 266 del Texto refundido de la Ley de Sociedades Anónimas), en cuanto determinante de la sustitución del administrador por los liquidadores en las actividades de gestión y representación (artículos 267 y 272 del mismo texto); o, también, la renuncia del administrador (artículo 147.1º del Reglamento del Registro Mercantil, RD 1784/1996, de 19 de julio; o su separación por decisión de la junta general (artículo 131 del Texto refundido de la Ley de Sociedades Anónimas y del 148 del Reglamento del Registro Mercantil, RD 1784/1996, de 19 de julio).

Como se indicó antes, se declaró probado en la instancia que los administradores demandados cesaron de modo efectivo en sus cargos al ejecutarse los acuerdos de disolución y liquidación de la sociedad y de su sustitución por los liquidadores, adoptados en junta general [...], pese a que fueron impugnados. Así como que, finalmente, resultaron anulados por la Sentencia estimatoria de la impugnación.

Los efectos destructivos de la declaración de nulidad contenida en dicha Sentencia operaron ex tunc y, además, para todos los socios y, en general, para quienes no ostentasen la cualidad de terceros adquirentes de buena fe a consecuencia de los acuerdos impugnados (artículo 122.1 del Texto refundido).

Sin embargo, no es incompatible la invalidez de los acuerdos anulados (por la deficiente constitución de la junta en que se adoptaron) con la relevancia jurídica y efectividad del cese de los administradores, a consecuencia de haberse producido, no una sanación por transcurso del tiempo (ya que *quod ab initio vitiosum est non potest tractu tempore convalescere*: Digesto 50.17.29), sino una conversión del acuerdo, adoptado con el apoyo de la totalidad de capital social, incluido el voto de las actoras, en un acto de dimisión o renuncia ejecutado por los propios administradores, que propusieron a la junta general la disolución de la sociedad, como socios contribuyeron al logro de los acuerdos con sus votos y, en ejecución de ellos, cesaron en sus funciones de gestión y representación, para dar paso a los trámites precisos para la completa liquidación de la sociedad, casi cuatro años antes de que la nulidad de los acuerdos fuera definitivamente declarada.

Con tales comportamientos concluyentes, exteriorizaron una voluntad de desvinculación con el cargo, que no era precisa para la adopción del acuerdo de disolución, pero que no puede, anulado el mismo, dejar de tomarse en cuenta, al menos a los efectos de la prescripción extintiva de la acción mediante la que se les exige responsabilidad como administradores.

Otra cosa significaría prolongar desmesuradamente el plazo señalado en el artículo 949 del Código de Comercio, como consecuencia de la eficacia ex tunc de la sentencia judicial, más allá de lo exige la seguridad jurídica y la propia finalidad del precepto (que, como se indicaba en la exposición de motivos del Proyecto de 18 de marzo de 1882, respondió a la necesidad de poner "término a la incertidumbre que lleva consigo la prescripción" también respecto de "la responsabilidad de los socios gerentes y administradores de las compañías por las operaciones que en este concepto hubieren realizado", razón por la que se expresó la conveniencia de limitar la duración de dicha responsabilidad y de identificar el día inicial del plazo, "ya sean los mismos socios, ya sean los extraños los que se consideren perjudicados", de modo que "tanto unos como otros deberán entablar sus reclamaciones dentro de los cuatro años siguientes a la fecha en que por cualquier motivo cesaron aquellos en el ejercicio de su administración")».

STS de 27 de octubre de 2004 (Civil) [5]

FUNDAMENTOS DE DERECHO

«5º La llamada acción individual de responsabilidad, que pueden ejercitar los socios o los terceros contra los administradores por actos de estos que lesionen directamente sus intereses, presupone la concurrencia de un comportamiento, activo u omisivo, imputable al administrador y antijurídico (o, como establece el artículo 133, contrario a la Ley, a los estatutos o realizado sin la diligencia con la que deben desempeñar el cargo, que no es otra que la exigible a un ordenado empresario y un representante legal, según el artículo 127 del mismo Texto); un daño a los intereses del socio o del tercero; y una relación causal que, como literalmente exige el artículo 135, debe ser directa entre el comportamiento y el resultado. Es constante la jurisprudencia al respecto (Sentencias de 11 de octubre de 1991, 10 de diciembre de 1996, de 21 de noviembre de 1997, 28 de junio de 2000, 30 de marzo de 2001 y de 18 de julio de 2002).

Uno de los comportamientos aptos para producir ese daño directo en el patrimonio de un tercero consiste en la celebración de un contrato con ocultación de que el endeudamiento es excesivo para las posibilidades patrimoniales de la sociedad por la que actúa el administrador, cuando finalmente la misma no cumple de modo voluntario sus obligaciones ni puede hacerlo por carecer de bienes suficientes.

Esa lesiva intromisión en la relación contractual entre las dos sociedades, como causante de un daño patrimonial directo para la demandante, se afirma probada en la Sentencia recurrida. En el fundamento de derecho tercero de la misma se indica que "..pese a la crisis, la entidad demandada concertó un contrato de importantes consecuencias y dimensiones económicas con la actora, siendo así que la posibilidad de venta y cobro a terceros era mas bien limitada, por lo que era absolutamente previsible el que no se pudiera hacer frente a corto plazo a una deuda como la contraída..."; y, también, que "..haber comprado tal cantidad de productos en un momento en que la perspectiva de introducción en el mercado era pesimista" (lo que había admitido en la memoria correspondiente al ejercicio cerrado el treinta y uno de diciembre de mil novecientos noventa) "y la adquisición misma de unos productos que, por sus características, sólo era compatible con ordenadores cien por cien IBM, lo que, como reconoce la demandada, limitaba la venta, ya que la mayoría de los ordenadores no lo son, implica una actuación negligente que es achacable a los administradores..."».

STS de 30 de noviembre de 2004 (Civil) [5]

FUNDAMENTOS DE DERECHO

«3º [...] Finamente, por lo que respecta al séptimo y último motivo del recurso, fundado en infracción de los arts. 133 y 135 LSA-TR 1989, su desestimación es consecuencia necesaria de la de los motivos precedentes, porque según el propio recurrente este motivo "está en relación directa y es la consecuencia lógica de los motivos anteriores". En suma, si el daño cuya reparación se pedía en la demanda lo ponía el propio demandante en relación directa con el incumplimiento por los demandados del tantas veces aludido compromiso, de suerte que las infracciones atribuidas a éstos como administradores no habrían sido sino instrumentales de aquel incumplimiento, mal puede ahora reelaborarse a través de este motivo una especie de nueva demanda que no sólo prescinde de elementos necesarios de la responsabilidad regulada en los preceptos citados, como la relación de causalidad, sino que incluso omite el más mínimo razonamiento sobre cuáles serían, de los perjuicios detallados y cantidades consignadas en uno de los hechos de la demanda, los concretamente atribuibles a la infracciones que tan abstractamente se imputan a los demandados. Tanto es así que, al final del alegato del motivo, el recurrente invoca su condición de acreedor de la sociedad a partir de la improcedencia de la resolución unilateral del contrato como gerente de la misma, de suerte que todo el motivo viene a ser una pura petición de principio que no logra ocultar la esencia de lo verdaderamente sucedido, es decir, la reacción del actor contra los demandados por no haber podido entrar en igualdad con éstos en las otras tres sociedades».

STS de 7 de diciembre de 2004 (Civil) [5]

FUNDAMENTOS DE DERECHO

«1º [...] El administrador está autorizado a dimitir del cargo en cualquier momento (artículos 22 del Código de comercio y 147 del Reglamento del Registro Civil) y sin necesidad impuesta legalmente de justificar la renuncia y sobre todo cuando concurren circunstancias determinantes de que su gestión no iba a resultar eficaz para poder superar situaciones sociales críticas y sin perjuicio de las responsabilidades que si puedan afectarse cuando se trata de cese fraudulento o de mala fe, que aquí no se estableció como probado, correspondiendo a la Junta de la sociedad adoptar las medidas para su sustitución, lo que tampoco se produjo quedando así acéfala la compañía, lo que no cabe imputar a don...»

STS de 13 de diciembre 2004 (Civil) [5]

FUNDAMENTOS DE DERECHO

«1º [...] las pretensiones de la demanda y a cuyo efecto argumentan que en los autos no se ha ejercitado la acción social (artículo 134 de la Ley de Sociedades Anónimas) ni la individual del artículo 135 de dicha Ley, conforme a la remisión general que contiene el artículo 69 de la Ley de Sociedades de Responsabilidad Limitada, pues la que se aportó es la genérica y conjunta contra la sociedad y administrador que autoriza el artículo 1124 del Código Civil y por tanto lo que se discute es la concurrencia o no de una infracción contractual.

Ha de puntualizarse que no se ejercita propia acción social contra la sociedad, conforme al artículo 134, que contempla esta acción de responsabilidad de los administradores a cargo de la propia sociedad, los accionistas y acreedores y que exige cumplir los requisitos que el precepto establece.

Aquí se trata más bien de la acción de responsabilidad individual del artículo 135, que si se planteó en la demanda (Fundamento Jurídico segundo), aunque no se citase el precepto. Dicha acción tiene apoyo en el incumplimiento del contrato en cuanto obligaba a la sociedad, en cuya gestión y desarrollo y decisivamente en su incumplimiento intervinieron los recurrentes, conforme a los hechos probados. Los administradores no son totalmente ajenos al incumplimiento denunciado y demostrado, dada su función relevante de gestión de la compañía y por ello de procurar que las obligaciones asumidas tuviesen efectiva realización, lo que aquí eludieron de forma pasiva y durante un largo período, tratándose de actuaciones graves omisivas, a las que hay que añadir las activas al haber dispuesto a favor de terceros de las viviendas que debían entregar.

El artículo 127-1 de la Ley de Sociedades Anónimas exige a los administradores, sin excusa alguna, la aportación en su actividad gestora-social de la diligencia de un ordenado empresario y de un representante legal. La responsabilidad en que pueden incurrir está prevista en el artículo 133 y de esta responsabilidad genérica ha de partirse en cuanto se refiere a su actuación orgánica instauradora de actos contrarios a la Ley, a los estatutos o realizadas sin la diligencia necesaria con la que deben desempeñar el cargo, derivando la responsabilidad exigida de un actuar antijurídico cuando el deber de administrar correctamente no se cumple (Sentencia de 16-2-2004). En los supuestos de incumplimientos contractuales a cargo de la sociedad si cabe que los administradores resulten responsables conforme al artículo 135, y aquí, por lo probado, llevaron a cabo actividades negociales que representan un comportamiento calificado certeramente por el Tribunal de Apelación de negligencia grave, concurriendo la necesaria relación de causalidad entre las actuaciones de los recurrentes, suficientemente explicada, y los daños y perjuicios causados a los demandantes, determinante de responsabilidad solidaria (Sentencia de 10-12-1996, así como las de 25-5-1992, 22-6-1995, 31-7 y 25-9-1996, 28-6-2000 y 30 y 31-12-2002)».

STS de 16 de diciembre de 2004 (Civil) [6]

FUNDAMENTOS DE DERECHO

«4º [...] El motivo cuarto se formula subsidiariamente para el supuesto de no ser admitidos los tres primeros motivos, al amparo del artículo 1692,4º de la Ley de Enjuiciamiento Civil, por infracción por interpretación errónea del artículo 262.5 del Texto Refundido de la Ley de Sociedades Anónimas y ello en relación al artículo 133, por cuanto de aquél precepto no puede colegirse una responsabilidad objetiva para los administradores, sino en cualquier caso una responsabilidad que requiere la causación de un daño o perjuicio al acreedor que el exige y la prueba del nexo causal entre el incumplimiento que la genera y el daño y perjuicio cuya reparación la hace exigible.

Y como se ha expuesto en el tratamiento premio y general de los tres motivos, la responsabilidad que se ha estimado en la causa es una responsabilidad sanción, que solamente precisa la concurrencia de las dos citadas circunstancias: por una parte, que por consecuencia de pérdidas dejen reducido el patrimonio a una cantidad inferior a la mitad del capital social, a no ser que éste se aumente o se reduzca en la medida suficiente; y por otra, que los administradores no cumplan con la obligación de convocar en el plazo de dos meses la Junta General, para que adopte, en su caos, el acuerdo de disolución. Se trata de una responsabilidad carente de las notas conceptuales de la responsabilidad aquiliana.

5º [...] La Ley de Sociedades Anónimas faculta a los acreedores, de forma subsidiaria, a que insten la disolución de las sociedades incursas en causa legal de disolución; pero tal potestad no puede estimarse como una obligación o carga, según pretende el recurrente.

La dicción literal del apartado 5º del artículo 262 de la Ley de Sociedades Anónimas establece que los administradores responderán de las obligaciones sociales, al emplear el término de las obligaciones se significa que se abarca el ámbito posible, incluyendo no sólo las deudas de carácter negocial que pueda ostentar el acreedor, sino aquellas que nazcan de la Ley, de un ilícito o de un cuasi contrato. Y en referencia a las obligaciones sociales de las que responden los demandados, si bien en teoría puede discutirse si responden solamente de las contraídas después de la concurrencia de la causa de disolución o bien de las contraídas antes de la concurrencia de la causa y vencidas después o también de las contraídas y vencidas antes de la concurrencia de la causa, ante la falta de explicitación del artículo 262.5 de la nueva Ley, hay que llegar a la conclusión de que los demandados responden de todas las obligaciones de la sociedad, solución indudablemente dura para los administradores a solicitar la disolución de aquellas sociedades anónimas cuya apariencia jurídica no corresponda a su situación real.

6º [...] El texto legal no ofrece duda: se impone un plazo inexorable de dos meses a los administradores de las sociedades anónimas para convocar la Junta de Accionistas para que en su caso acordar la disolución o las medidas sustitutivas adecuadas. Si fuese la voluntad del legislador el establecer una excepción o cesación de responsabilidad por cumplimiento tardío, tal cosa sería lógicamente incompatible con el establecimiento de un término fatal, cual es el de dos meses, para convocar la junta. En efecto, si la responsabilidad se alzase en el momento del cumplimiento tardío ello supondría que los administradores en cualquier momento (transcurridos meses o años), cumplido que fuera su deber se liberarían de la responsabilidad que la norma les atribuye y carecería de sentido alguno el plazo bimensual que tan claramente ha establecido la Ley.

8º [...] No existe abuso de derecho cuando sin traspasar los límites de la equidad y la buena fe se pone en marcha el mecanismo judicial con sus consecuencias ejecutivas para hacer valer una atribución que el actor estima corresponderle».

STS 17 de febrero de 2005 (Civil) [5 y 6]

FUNDAMENTOS DE DERECHO

«1º [...] La jurisprudencia no se presenta unánime en cuanto a la aplicación de los plazos del instituto de la prescripción extintiva a las responsabilidades que puedan ser exigidas a los administradores, tanto por los socios como los terceros que resulten perjudicados por los actos de aquéllos que lesionen directamente sus intereses. Así la sentencia de 2 de julio de 1999 declara que procede el plazo de un año respecto a las acciones de responsabilidad individual (artículos 79 y 81 de la Ley de 17 de julio de 1951 y 133 y 135 de la vigente de Sociedades Anónimas) por tratarse de responsabilidad extracontractual y dada la sumisión del artículo 943 del Código de Comercio al Código Civil y en igual sentido las sentencias de 2-10-1999, 31-1-2001 y 26-10-2001.

También es doctrina jurisprudencial que sin embargo el plazo de 4 años que contempla el artículo 949 del Código de Comercio es aplicable a otras responsabilidades derivadas de la gestión social o de la representación que no se encuadran en las responsabilidades del artículo 1902 del Código Civil (sentencia de 2 de julio de 1999 que cita las de 11-10-1991, 21-5-1992 y 22-6-1995), y así puntualizan las sentencias de 26 de octubre de 2001 y 7 de junio de 2002 que cuando se aplica la sanción a los administradores establecida en el artículo 262-5 de la Ley de Sociedades Anónimas (obligación de convocar junta general para la disolución de la sociedad), rige el plazo de cuatro años y lo mismo sucede cuando la responsabilidad de los administradores nace del incumplimiento del deber de adaptar los estatutos conforme a lo previsto en la Disposición Transitoria 3ª.

La más reciente doctrina jurisprudencial se evidencia por la aplicación del plazo de cuatro años a la acción individual de los administradores, aunque se trate de responsabilidad extracontractual (sentencia de 30-11-2001). En igual sentido se pronuncian las sentencia de 20 de julio de 2001, 15 de marzo de 2002 y 7 de mayo de 2004, que cita la de 5 de julio de 2001, y sentencia de 26 de octubre de 2004, entre otras.

Si se atiende a este plazo de cuatro años la acción también estaría prescrita, computando el plazo desde el día fijado como inicial al de la presentación de la demanda, pues en todo caso el auto de la Audiencia Provincial de Cádiz (Sección cuarta) que dispuso la convocatoria de junta general y junta general extraordinaria a la entidad mercantil [...] es de fecha 13 de junio de 1994. La confirmación de la sentencia recurrida procede, conforme a lo expuesto, aunque por otros fundamentos como autoriza la doctrina jurisprudencial (sentencias de 9-9-199, 9-5-2001, 20-6-2002 y 14-5-2004)».

STS de 11 de marzo de 2005 (Civil) [5]

FUNDAMENTOS DE DERECHO

«2º [...] La parte apelante alega en el recurso que la sentencia apelada imputa a la administradora un incumplimiento meramente formal, sin que la parte actora haya acreditado en forma alguna que el perjuicio patrimonial a dicha parte actora se haya producido como consecuencia de tal incumplimiento formal por parte de la administradora.

En primer lugar debe indicarse que el hoy actor no es un tercero respecto de la sociedad codemandada sino que es partícipe de la misma al ser titular de quince participaciones sociales que representan el cincuenta por ciento del capital social, con todos los derechos que ello implica de poder solicitar la convocatoria de juntas, derecho de información, y derecho a solicitar la rendición de cuentas, etc.

Sin que de lo actuado en autos haya quedado acreditado que el actor haya dirigido requerimiento o solicitud alguna a la administradora para el ejercicio de tales derechos y que esta no haya atendido tal requerimiento o solicitud.

Por otra parte, para la declaración de responsabilidad de los administradores es preciso que la parte que pretenda tal declaración de responsabilidad acredite la relación de causalidad entre el daño y el incumplimiento de los deberes u obligaciones del cargo de administrador.

Así, en el supuesto de autos para declarar la responsabilidad de la administradora es preciso que la parte actora acredite que el comportamiento de la administradora ha generado la deuda cuyo pago solicita y que la actuación de la administradora ha motivado que la sociedad codemandada sea insolvente.

Y esta Sala considera que con las pruebas practicadas en autos a instancia de la parte actora no ha quedado acreditada en forma alguna que exista tal relación de causalidad entre los incumplimientos formales que la sentencia apelada imputa a la administradora y la deuda de la sociedad cuyo pago reclama al actor.

3º [...] de los incumplimientos probados se pone de relieve la falta de diligencia con que la administradora de la sociedad ha desempeñado su cargo (artículo 127 del Texto Refundido de la Ley de Sociedades Anónimas, con lo que se deriva la responsabilidad de la misma, según el principio de la causalidad adecuada imperante en nuestro ordenamiento se estima por las razones que se dicen seguidamente.

[...]

4º El motivo segundo del recurso –al amparo del artículo 1692.4 de la Ley de Enjuiciamiento Civil por infracción de los artículos 127, 133 y 135 del Texto Refundido de la Ley de Sociedades Anónimas, ya que, según denuncia, la sentencia de la Audiencia exculpa a los demandados en atención a que el actor pudo solicitar la celebración de Juntas, rendición de cuentas, etc., sin embargo, aunque fue acreditada la producción de un daño a los intereses del demandante, en la instancia no se ha considerado la responsabilidad de la Administradora, ni del otro codemandado, en quién concurre la triple condición de persona que realizaba los alquileres de los vehículos, esposo de la administradora y titular del 50% de las participaciones de la mercantil, con fundamento de la Audiencia para absolverlos en que no se ha producido la relación de causalidad entre el comportamiento de éstos y el resultado dañoso producido, pese a que los hechos acreditados confirman que los ingresos de la sociedad se destinaron a satisfacer los intereses particulares de estos litigantes pasivos, sin que se hubiera pagado la deuda contraída con el recurrente– se estima por la argumentación que se expone acto continuo.

Las indicaciones de la sentencia recurrida –concernientes a que el actor no es un tercero respecto a la sociedad codemandada, sino partícipe de la misma al ser titular de quince participaciones sociales, representativas del 50% del capital social, con los correspondientes derechos para solicitar la convocatoria de Juntas, información y rendición de cuentas, sin que se haya demostrado que dirigiera petición o requerimiento alguno a la Administradora para el ejercicio de tales facultades y que ésta no lo haya atendido– no empecen el ejercicio de la acción individual de responsabilidad por parte de don Ángel Jesús, pues, recogida en el artículo 135 de la Ley de Sociedades Anónimas, la misma se deduce por actos de administración que lesionen directamente los intereses de los socios o acreedores.

Se trata de una acción directa y principal, no subsidiaria, que se otorga a accionistas, socios y terceros para recomponer su patrimonio particular.

La actuación del Administrador debe producir una disminución patrimonial que impida a la sociedad hacer frente a sus deudas, o puesto en peligro la satisfacción del crédito del socio, accionista o tercero acreedor, o dañado un derecho si se trata de tercero no acreedor.

El artículo 133 de la Ley de Sociedades Anónimas establece la responsabilidad de los Administradores frente a la sociedad, los accionistas y los acreedores sociales del daño que causen por actos contrarios a la Ley, a los Estatutos o por los realizados sin la diligencia con la que deben desempeñar el cargo; esta responsabilidad será exigible por acción u omisión culposa (actos contrarios a la Ley o a los estatutos) o negligente (falta de diligencia debida, que, según el artículo 127 de la Ley de Sociedades Anónimas, es la de un ordenado empresario y de un representante leal), siempre que resulte daño a la sociedad y nexo entre la acción u omisión y el daño (entre otras, SSTS de 26 de noviembre de 1990, 11 de octubre de 1991, 21 de mayo de 1992, 26 de julio de 1994 y 31 de julio de 1996, pero dicho deber de responder sólo tiene lugar cuando el Administrador actúa en su carácter de tal, esto es, como órgano social, y no si lo hace como mero socio o particular (STS de 5 de diciembre de 1991).

En el caso de autos, mediante los hechos declarados probados en la sentencia del Juzgado, que no han sido desvirtuados por la de apelación, procede sentar que la Administradora ha omitido el deber de diligencia adecuado para el ejercicio de su cargo, pues, según ella misma admite al absolver las posiciones de la prueba de confesión (folios 234 y siguientes), desde la fecha en que el actor adquirió sus participaciones sociales no ha presentado ningún pase de cuentas, ni ha convocado la Junta para tal fin (respuesta a la posición sexta obrante a los folios 234 y 237); y estas afirmaciones unidas al hecho de que el resultado de la prueba pericial ha sido demostrativo de las irregularidades existentes en la administración de la sociedad, y de que no consta en autos la efectiva realización de las cuentas anuales correspondientes a 1993; incumpliendo así la Administradora los deberes impuestos por el artículo 171 y 172 de la Ley de Sociedades Anónimas, aplicable por remisión del artículo 26 de la Ley de Sociedades de Responsabilidad Limitada, y sin que aparezca demostrado en autos la solvencia de la Sociedad para hacer frente a la deuda social con el actor, nos lleva a la conclusión de que la Administradora debe responder con la entidad codemandada de la deuda social, de conformidad con lo dispuesto en los artículos 135, 133.2 y 127 de la Ley de Sociedades Anónimas, aplicables por remisión de la Ley de Responsabilidad Limitada, habida cuenta de que entre la acciones y omisiones de aquella y el daño existe una nexo de causalidad».

STS de 22 de marzo de 2005 (Civil) [5, 10 y 13]

FUNDAMENTOS DE DERECHO

«2º [...] Como explica la sentencia recurrida, al centrar el objeto del recurso, debe de quedar establecido que la sentencia impugnada, estimando parcialmente, la demanda condenó a los demandados con fundamento en el éxito de la acción de responsabilidad individual de los administradores (artículo 131 de la Ley de Sociedades Anónimas), negando en su fundamento cuarto que existiera el supuesto de responsabilidad frente a los administradores, prevenido en el artículo 262-5º de la Ley de Sociedades Anónimas en relación al artículo 260-4º, y desestimando, de ese modo, la acción que la actora ejercitara acumuladamente, pronunciamiento que deviene en cosa juzgada y, por ello, determinante de que no pueda volverse a reexaminar en la segunda instancia, la dicha acción "ex" artículo 262.

3º La Sala de instancia, en efecto, razona impecablemente en este sentido: "con carácter previo al examen del recurso, y, para centrar el mismo en sus términos debe de quedar establecido que la sentencia impugnada estimando parcialmente la demanda condenó a los demandados con fundamento en el éxito de la acción de responsabilidad individual de los administradores (artículo 131 de la Ley de Sociedades Anónimas, negando en su fundamento cuarto que existiera el supuesto de responsabilidad frente a los administradores, prevenido en el artículo 262-5º de la Ley de Sociedades Anónimas en relación al artículo 260-4, desestimando de ese modo la acción que la actora ejercitara con carácter principal, pronunciamiento que deviene en cosa juzgada y acción que no puede volver a examinarse en esta segunda instancia, por cuanto para ello, hubiere sido necesaria la adhesión al recurso de apelación en ese concreto extremo (habiéndose adherido en cuanto a otro concreto extremo precisado en el fundamento de derecho anterior in fine) que le era perjudicial, y que no debió en su caso estar dispuesta a soportar ante la expectativa de que dicho gravamen se pudiera incrementar, por efecto del recurso de apelación interpuesto por la contraria y que obviamente se centra en la única acción, estimada por la sentencia y su prescripción".

[...]

5º [...] la sentencia impugnada establece que el día inicial para el cómputo de la prescripción, es aquél en que los administradores fueron notarialmente requeridos; requerimientos que se efectúan en el mes de marzo de 1993) deduciéndose del contenido del referido documento reseñado que desde aquélla fecha, la actora conocía los hechos y circunstancias que según los términos del requerimiento hacía concluir en las graves responsabilidades en que hubieren podido incurrir los administradores. [...].

6º [...]el plazo de prescripción aplicable al supuesto de responsabilidad previsto por el artículo 135 de la Ley de Sociedades Anónimas es el de cuatro años; [...] es debido reconocer que la jurisprudencia de esta Sala ha oscilado respecto al plazo de prescripción en función de la naturaleza extracontractual o contractual de la relación jurídica causante de la reclamación. No obstante, la sentencia de 20 de julio de 2001, recoge ya un propósito unificador, fundado en diversos argumentos en favor del plazo de cuatro años, criterio que, finalmente, ha prevalecido, de modo que la jurisprudencia actual de esta Sala es la de que el plazo de prescripción de la acción es de cuatro años del artículo 949 del Código de Comercio (sentencias de 20 de julio de 2001, 7 de junio de 2002, 19 de mayo de 2003 y 26 de mayo de 2004). [...]».

STS de 25 de abril de 2005 (Civil) [5]

FUNDAMENTOS DE DERECHO

«2º [...] Y acerca de la prescripción, respecto de la reclamación contra el administrador, conforme con la sentencia de primera instancia que hace suya la recurrida, y con la doctrina mayoritaria, hemos de decir, que nada dispone la Ley de Sociedades Anónimas sobre el tema de la prescripción de las acciones que pudieran ejercitarse contra los administradores, en tanto que el Código de Comercio, que no ha sido derogado o modificado, dispone que la acción contra los socios, gerentes y administradores de las compañías o sociedades terminarán a los cuatro años, a contar desde que por cualquier motivo, cesaren en el ejercicio de la administración. De ahí, que ante el vacío normativo se aplique el plazo de cuatro años recogido en el Código de comercio; sin olvidar, en el caso, no sólo las reclamaciones extrajudiciales del acreedor, sino también, los actos de reconocimiento del deudor, con la eficacia de interrumpir la prescripción, conforme al artículo 1973 del Código Civil[...].

[...]

5º Finalmente, los motivos segundo y cuarto (artículo 1692-4º de la Ley de Enjuiciamiento Civil expresada) se examinan conjuntamente, dada la estrecha relación que entre
ellos existen, pues ambos se refieren a la responsabilidad individual del administrador
social, uno, mediante la invocación, como infringidos, de los artículos 133 y 135 de la Ley
de Sociedades Anónimas; y, otro, al aducir que, en todo caso, por aplicación del artículo
1968-2º, la hipotética responsabilidad habría prescrito. En lo que concierne a la cuestión
de la responsabilidad individual o personal del administrador, ha de estimarse que este
tipo de responsabilidad "ex lege", procede por la conducta del administrador en el ejercicio
de su cargo, cuando la misma se manifiesta en actos u omisiones negligentes o culposos
productores de daños, según un razonable nexo causal. Esto es, los datos fácticos tienen
que producir la verificación de una lesión concreta, la determinación precisa de unos
actos u omisiones que conduzcan a considerar que la actuación del administrador no fue
adecuada con la diligencia ordenada de un comerciante, y, por ello culposa, todo ello en
correlación causal con el daño habido. Los elementos fácticos que se establecen, como
probados, en ambas sentencias de instancia, no permiten construir, por insuficiencia, el
supuesto de hecho normativo imputable al administrador para exigir la responsabilidad.
En efecto, la sentencia recurrida se limita a consignar que "si el propio administrador reconoce en confesión que a lo largo de estos años no se ha pagado cantidad alguna de
la deuda contraída, el calificativo mas benévolo es el de negligente, lo que desencadena
su responsabilidad como nos recuerda, entre otras análogas, la sentencia del Tribunal
Supremo de 13 de febrero de 1990". Tal sentencia, sin embargo, no se refiere a un caso
similar o idéntico al presente. Tampoco, la sentencia de primera instancia, en la que la de
segunda se apoya es muy explícita sobre el particular al consignar que "el administrador
deberá ser igualmente condenado, por cuanto al encontrarse al frente de la sociedad y
corresponderle supervisar el giro o tráfico de la misma, evitando eventuales daños a terceros que pudieran derivarse de la actividad de la mercantil, asume la responsabilidad de
dicha gestión. [...]"».

STS de 26 de abril de 2005 (Civil) [5 y 6]

FUNDAMENTOS DE DERECHO

«2º La responsabilidad que establece el artículo 262 por la no convocatoria de la junta
general para la adopción del acuerdo de disolver la sociedad o instar la vía judicial, se presenta como cuasi-objetiva y no requiere de la producción de daños, ni exige la existencia
de perjuicios y tampoco relación de causalidad.

La responsabilidad que establece el número 5º del referido artículo 262 contiene un
régimen especial a efectos de evitar que una sociedad incursa en causa de disolución
pueda continuar operando en el tráfico mercantil y se presenta diferenciada a lo que refieren los artículos 127, 133 y 135 de la Ley de Sociedades Anónimas, que el motivo segundo
denuncia como infringidos, para argumentar que los administradores demandados han
de ser condenados, responsables por su actuar negligente, al haber asumido una deuda
superior a los veinticinco millones de pesetas frente a la recurrente con conocimiento de
que la sociedad no podría hacer frente a la misma.

El argumento una vez más contradice los hechos probados que acceden firmes a
casación, ya que no se trata precisamente de actuaciones maliciosas o determinante de

culpa imputable a los demandados y debidamente probadas y generadoras de la responsabilidad individual prevista en el artículo 135, que resulta inaplicable desde el momento en que los administradores realizaron los pedidos a la compañía vendedora que conocía suficientemente las dificultades que se presentarían para el cobro de su precio, sin dejar de lado que tampoco quedó suficientemente acreditado la total insolvencia de [...].

La sentencia recurrida en ningún momento integró como hecho probado que los administradores hubieran llevado a cabo algún comportamiento ilícito o maniobra contraria a la buena fe mercantil para inducir a la recurrente a la venta de las mercaderías adeudadas. La doctrina jurisprudencial exige para la procedencia de la acción de responsabilidad individual contra los administradores que se hubiera llevado a cabo actividades causantes no solo del daño o perjuicio, que no basta por sí solo, al ser preciso el presupuesto de la falta de diligencia de dichos gestores sociales y adecuada relación de causalidad (Sentencias de 26-10 y 19-11-2001, 25-2-2002, 14-11-2002, 20 y 24-12-2002, 4-4-2003 y 16-1-2004), [...].

El motivo refiere la cuestión de no haber presentado [...] en el Registro Mercantil las cuentas anuales de los ejercicios 1992 y 1993, lo que se integró en la demanda pero no ha sido resuelto por la sentencia de apelación, sin que se hubiera formalizado denuncia alguna por incongruencia. De todos modos, conforme declara la sentencia de 17 de junio de 2004, este incumplimiento que por Ley se impone a los administradores no es bastante para ser considerado como causa de daño o perjuicio alguno para los acreedores que demandan».

STS de 27 de abril de 2005 (Penal) [8]

FUNDAMENTOS DE DERECHO

«2º A juicio de la recurrente, pues, el dato de que hubiera sido el extravío de la tarjeta por el conductor de la transportista lo que dio ocasión a la posterior utilización delictiva de la misma, debería haberse tenido en cuenta para poner a cargo de esa entidad la responsabilidad civil subsidiaria.

Pero este modo de razonar es cuestionable ya en la forma de entender la conexión de las conductas en presencia desde el punto de vista de la causalidad; y, además, pasa por alto la muy distinta relevancia de una y otra en el plano axiológico y en el jurídico.

En efecto, es claro que la sola pérdida de la tarjeta en modo alguno llevaba encadenados los efectos finalmente producidos. Y esto ni siquiera asociando a la misma el incumplimiento de la cláusula contractual invocada. Pues el resultado que consta se debió a la emergencia de distintas acciones en sí mismas penalmente relevantes, producidas de manera independiente de ese acontecer, y únicamente atribuibles a la decisión autónoma de los acusados de actuar en contra de normas morales y jurídicas por demás obvias.

Siendo así, y puesto que la forma de obrar del conductor usuario de la tarjeta –se insiste– ni siquiera en conexión con el comportamiento observado por la sociedad de transportes, tiene el relieve causal pretendido por la que recurre, no es posible pasar por encima de los actos incriminables objeto de esta causa y desconocer su calidad de auténtico factor inmediatamente desencadenante de la lesión del bien jurídico concernido y de los efectos económicos de que en el motivo se trata.

Así las cosas, se impone la misma conclusión a la que la sala de instancia llega en la sentencia que se impugna, pues la responsabilidad civil subsidiaria se ha puesto a cargo de una entidad comercial, por la razón de que los delitos de que la misma trae causa se cometieron por sus empleados en el desarrollo de la relación laboral, lo que constituye el supuesto de hecho del art. 120,4º CP, que, sin razón, se dice incumplido. Precepto éste del que el tribunal ha hecho, precisamente, la lectura que esta sala mantiene en sentencias como las citadas en la sentencia y las oportunamente evocadas por el Fiscal (SSTS de 1789/2002, de 31 de octubre y 1212/2003, de 9 de octubre) en las que se resuelve conforme al criterio de creación del riesgo. Es por lo que el motivo no puede estimarse».

STS de 5 de mayo de 2005 (Civil) [5]

FUNDAMENTOS DE DERECHO

«1º [...] En efecto, el artículo 133-2 de la Ley de Sociedades Anónimas establece una responsabilidad solidaria de todos los miembros de los órganos de administración societaria por actos lesivos, haciéndolo desde un punto de vista "iuris tantum", o sea que establece una presunción de responsabilidad, invirtiendo, además, la carga de la prueba. Pues bien en el presente caso y siguiendo lo afirmado en la sentencia recurrida los miembros del consejo de administración de la sociedad [...] SA» no han desvirtuado la presunción antedicha, sino más bien todo lo contrario, ya que la parte recurrente conocía la situación de endeudamiento de la sociedad, y aún así no hicieron actividad alguna conducente al pago ni a la disolución de la misma, así como de las reclamaciones del acreedor y a remediar la desaparición del consejero delegado».

STS de 10 de mayo de 2005 (Penal [8]

FUNDAMENTOS DE DERECHO

«3º [...]4. La Audiencia Provincial ha analizado el comportamiento de las entidades bancarias y del librador, no hallando incumplimientos legales, contractuales o comportamientos negligentes en los Bancos depositarios.

Sí lo halla en el librador, detectando una grave culpa en él, tanto personalmente como en su hija, también autorizada a librar talones, y que llevaba el control y contabilidad de la empresa. El art. 25 del Código de Comercio fue infringido abiertamente por el recurrente. El Tribunal de origen describió en la fundamentación jurídica los incumplimientos y negligente actuación de aquél, aludiendo a las pruebas que sustentaban tal conclusión, que basculaban esencialmente sobre el testimonio de la encargada de dirigir y controlar el negocio (Andrea) cotitular con el padre recurrente de las cuentas bancarias.

De acuerdo con dicho criterio resolutivo, el Tribunal de origen, en aplicación del art. 156 de la Ley cambiaria, estimó que, aun no incurriendo los Bancos en conducta negligente, tampoco pudieron acreditar la culpa del librador perjudicado en los primeros momentos, que cifró en 3 meses. Más halla de tal período, la despreocupación y descontrol de los gestores de la empresa, fue la única causa originadora de que el delito se consolidara en el tiempo.

En dichos tres meses, y en ausencia de prueba, respondería por imperativo legal el librado o entidad bancaria (art. 156 Ley cambiaria), a cuyo efecto el Tribunal sentenciador precisó los talones que fueron cobrados en dichos Bancos en ese lapso temporal.

5. El problema surge a partir de este momento, en el que el órgano jurisdiccional ha hecho un pronunciamiento al que llama prejudicial, lógicamente, no en los términos técnicos de prejudicialidad penal del art. 3 y ss. de la LECrim (LEG 1882, 16), sino como anticipo o predeterminación de lo que deba ser la decisión civil posterior, a cuya jurisdicción se remite, por entender que no hallándose comprendido el supuesto en ningún precepto de los que establecen la responsabilidad civil subsidiaria, no procede decidir en el orden jurisdiccional penal acerca de la persona que debía sufrir los perjuicios del delito cometido.

El Tribunal inferior, desde el punto de vista de la estricta interpretación de la Ley, se detiene en este punto y lo hace con suficiente respaldo formal. Téngase presente que las sentencias que se invocan en el recurso como referentes consideraron que, aun mínima, existió una determinada negligencia bancaria al no realizar los empleados una real comprobación de firmas, que hubiera podido detectar la falsedad, o bien, por el gran número de talones librados por persona individual (no empresario), que debió ser llamativa en relación a los que se venían librando en fechas precedentes.

6. Este Sala estima que es posible ensayar una interpretación del art. 120-3 CP, más flexible, con amparo en la tutela judicial efectiva (alegada como motivo 3º) y que en este momento es cuando podría jugar eficazmente.

Es indudable que a los Tribunales penales les está encomendado los pronunciamientos civiles sobre aspectos o cuestiones derivados del delito si las partes no las han reservado de forma expresa, lo que les atribuye, a diferencia de la jurisdicción civil, una competencia acumulada (art. 10 LOPJ y 3 y ss. LECrim). Tanto en el orden sustantivo (art. 109-2 CP) como en el procesal (art. 111 y 112 LECrim) es obligatorio para jueces y tribunales penales pronunciarse sobre la acción civil dimanante de los delitos y las faltas, si el perjudicado no ha hecho expresa reserva de la misma.

Se ha dicho que la responsabilidad civil dimanante de la penal sólo puede apoyarse en la culpa o negligencia, cuando realmente existen supuestos de responsabilidad no culposos en el Código Penal, incluidos dentro de las más diversas modalidades legales de responsabilidad civil (directa o subsidiaria) por delito, en algunos casos de carácter cuasi-objetiva (v.g. las aseguradoras, participación lucrativa de los efectos del delito, los que actúan por error invencible del art. 14 CP, los titulares de vehículos prestados, etc.).

En nuestro caso la responsabilidad por tres meses que declara argumentalmente la sentencia combatida a cargo de las dos entidades bancarias pero que no traslada el fallo, tiene un apoyo estricto en el art. 156 de la Ley cambiaria.

7. Ante tal planteamiento parece que ningún obstáculo procesal concurre, con repercusión constitucional. Conforme al principio de rogación la pretensión fue ejercitada oportunamente y las partes pudieron contradecirla, sin que haya ocasionado a ninguna de ellas indefensión.

A la hora de incardinar el supuesto en el art. 120-3 CP, se tropieza con el hecho de la inexistencia de ninguna infracción por parte de los empleados o directivos de las entidades bancarias. Pero no obstante ello, la Ley civil, sobre la que los tribunales penales pueden pronunciarse en acciones de esta naturaleza dimanantes de delito, impone una obligación o responsabilidad civil «ope legis» (art. 156 Ley cambiaria). Aunque no podamos por analogía subsumir sustantivamente el supuesto en el precepto que se entiende infringido, art. 120-3º CP, sí puede servir de referente analógico para justificar un pronunciamiento civil, incluyendo también los casos de responsabilidad civil ope legis, derivada del delito.

Se dan de los cuatro requisitos, tres de ellos. El cuarto que resulta decisivo para declarar tal responsabilidad se sustituye por una imposición legal, que viene a situar a las entidades bancarias, sin serlo, en una posición de responsables civiles subsidiarias, para caso de que no pueda responder el obligado principal. Tal pago al que debe condenarse a dichas entidades bancarias no excluiría el derecho de repetición frente al autor del delito o responsable directo».

STS de 26 de mayo de 2005 (Civil) [5]

FUNDAMENTOS DE DERECHO

«3º [...] llama la atención es que no se expresa en qué sentido dichas medios de prueba pueden afectar a las acciones ejercitadas por esta parte litigante. Parece –aunque no esté claramente especificado– que se refiere a la responsabilidad del administrador codemandado, derivada del artículo 105.5 en relación con el artículo 104.1.e) de la Ley 2/1995, de 23 de marzo, de sociedades de responsabilidad limitada (análoga a la del artículo 262.5º de la Ley de Sociedades Anónimas). [...] la sentencia de la Audiencia Provincial, además de reiterar argumentos de la primera instancia, declara: "Con relación a la acción del artículo 105.5 de la Ley de Sociedades de Responsabilidad limitada en relación con el 104 e) de la misma norma, es muy claro que, como dice la resolución recurrida, la circunstancia de que el metálico obtenido por el traspaso posterior sea casi diez veces la mitad del capital social indica que no existían, en principio, las pérdidas a las que se refiere la norma legal y las alegaciones efectuadas en el acto de la vista sobre la interpretación de las cuentas presentadas en el Registro no son mas que meras alegaciones, sin soporte probatorio de ninguna clase. Y todo ello, naturalmente, con relación a la fecha de 14 de marzo de 1997 (dos meses antes de la presentación de la demanda), a cuya referencia temporal tampoco se ha probado que existiera una imposibilidad manifiesta de realizar el fin social, pues el día antes constituyó escritura pública de hipoteca mobiliaria para garantizar las cantidades adeudadas y requiere a la entidad demandada para que haga entrega de las mercancías que se habían solicitado. De la misma forma tampoco se ha probado que concluyera la empresa que constituía su objeto primero de los supuestos del artículo 104.1.c)".

[...] la responsabilidad del mismo administrador basada en los artículos 133.1 y 135 de la Ley de Sociedades Anónimas a los que se remite el artículo 69.1 de la Ley de Sociedades de Responsabilidad Limitada. Tal responsabilidad exige la prueba "no sólo de la acción u omisión dolosa o culposa del administrador y el daño causado, sino también del nexo causal entre ambos", como reitera la sentencia de 25 de febrero de 2002, que se corresponde con la llamada responsabilidad extracontractual, como dice la sentencia de 14 de noviembre de 2002: "es necesario que se cumplan los supuestos exigidos en el artículo 1902 del Código Civil para poder exigir esta clase de responsabilidad extracontractuales"; y añade la de 6 de marzo de 2003 que esta "acción no es de responsabilidad por deuda, sino resarcitoria de daño, por lo que no nacería con el mero incumplimiento contractual...".

En el presente caso, no se han acreditado los presupuestos para que prospere esta acción, como dice la sentencia de instancia, con toda claridad en estos términos: "aunque se ha producido una lesión del patrimonio del demandante, lo cierto es que no existe una directa y efectiva determinación de cuál ha sido la conducta del administrador demandado que haya originado el daño (como no sea el impago de las anteriores remesas de géneros). Sin esta base mal puede hablarse de culpa. Pero lo que realmente define el tema litigioso es que de ninguna forma se ha probado –como corresponde al demandante por aplicación del artículo 1214 del Código Civil– es que el perjuicio patrimonial sufrido por el mismo haya sido debido precisamente a la actuación del demandado"».

STS de 28 de mayo de 2005 (Civil) [5 y 13]

FUNDAMENTOS DE DERECHO

«3º Los motivos segundo y cuarto del recurso de casación mantienen la responsabilidad de los demandados que deriva de los artículos 127, 133.1 y 135 de la Ley de Sociedades Anónimas; [...]

Tal responsabilidad es de carácter subjetivo, deriva de la falta de diligencia en el desempeño del cargo de administrador (así, sentencias de 24 de diciembre de 2002 y 18 de septiembre de 2003) y requiere la prueba "no sólo de la acción u omisión dolosa o culposa del administrador y el daño causado, sino también del nexo causal entre ambos", como reitera la sentencia de 25 de febrero de 2002, que se corresponde con la llamada responsabilidad extracontractual, como dice la sentencia de 14 de noviembre de 2002: "es necesario que se cumplan los supuestos exigidos en el artículo 1902 del Código civil para poder exigir esta clase de responsabilidad extracontractuales"; y añade la de 6 de marzo de 2003 que esta "acción no es de responsabilidad por deuda, sino resarcitoria de daño, por lo que no nacería con el mero incumplimiento contractual...".

Las sentencias de instancia han negado explícitamente la falta de diligencia de los administradores, han resaltado la crisis económica que fue causa del impago, del que deduce la sociedad demandante la negligencia y han negado también la falta de relación de causalidad entre la actuación de los mismos y del daño sufrido por tal impago a dicha sociedad. Por tanto, se debe desestimar el motivo segundo.

La sentencia objeto de este recurso de casación emplea una expresión que, a primera vista, confunde; dice "no ha quedado acreditado que la industria [...], SA desconociera la situación patrimonial de [...]" por lo que parece invertir la carga de la prueba y llegar a una presunción de que conocía tal situación patrimonial. Pero en las líneas siguientes deja claro que estima probado el hecho, inamovible en casación, de que la sociedad demandante conocía o al menos tenía dudas de la situación patrimonial de la sociedad que, al no cumplir su obligación de pago, ha provocado el ejercicio de la acción de responsabilidad de los administradores. Pero no sólo esto, sino que este conocimiento no es el único, ni mucho menos, que acredita que no concurre el presupuesto esencial de falta de diligencia para que prospere la acción "ex" artículo 133 y 135 de la Ley de Sociedades Anónimas.

4º El primero de los motivos del recurso de casación, [...], se refiere a la acción de responsabilidad de los administradores de la Sociedad Anónima que establece la Ley en el artículo 262.5 en relación con los artículos 262.1, 260.4 y 260.5, que los responsabiliza, de manera objetiva (así, sentencia de 23 de diciembre de 2003, que dice: Hay que partir de que, como reitera la sentencia de 20 de octubre de 2003, es una responsabilidad objetiva, que no se evita con una alegación de diligencia, ni, mucho menos, con el argumento de que no hubo culpa; cuya responsabilidad ha destacado la sentencia de esta Sala de 16 de julio de 2002 que los considera autores de una conducta antijurídica; a los que se impone una responsabilidad sanción, como añade la de 18 de septiembre de 2003; y, como decía la de 14 de noviembre de 2002, la acción cuyo soporte estriba en el núm. 5 del art. 262 del Texto Refundido de la Ley de Sociedades Anónimas de 22 de diciembre de 1989...

para su éxito no es necesario que concurran los supuestos de la culpa, como se tiene reiteradamente manifestado en la jurisprudencia de esta Sala, entre otras, en las sentencias
de 20 de diciembre de 2000, 20 de abril de 2001, 26 de octubre de 2001 y 25 de abril de
2002 cuando no han promovido la disolución de la sociedad, en caso de descapitalización
de la misma, en el plazo de dos meses.

[...] la función de la casación es ajena a la cuestión fáctica y en este recurso debe
partirse necesariamente de los hechos que la Sala de instancia expone como acreditados.
La sociedad [...] era deudora de la demandante [...], SA respecto a la que no cumplió su
obligación de pago y ha provocado la acción de responsabilidad de los administradores.
Los hechos que declara aquella Sala son los siguientes; "tenemos que remontarnos a la
situación de [...] tenía por el año 1993. Pues bien, en vista de las dificultades en la que se
encontraba Prefexsa, en el año 1994 se celebra junta general de accionistas, en donde se
adoptan entre otros, los acuerdos de reducir el capital social, así como la disolución de la
sociedad al amparo de lo establecido en el artículo 260 del Texto Refundido de Sociedades Anónimas, reducción o aumento de capital necesario para el restablecimiento de su
equilibrio entre el patrimonio de la sociedad y el capital disminuido, como consecuencia de
las pérdidas habidas, siendo la voluntad mayoritaria de los socios proseguir la continuidad
de la Empresa, acuerdo de éste lleva a cabo por los Administradores, que desde esta
fecha conformaron el Consejo de Administración para el logro del reequilibrio patrimonial
de la Empresa. A tales efectos se adoptaron unas medidas: expediente de regulación de
empleo: negociación de deudas pendientes; y finalmente la reducción del capital. Así las
cosas, con fecha 28 de diciembre de 1994 se celebra Junta General Extraordinaria donde
se adopta la ampliación del capital social a 258.645.000 pesetas. Única solución una vez
decidido por unanimidad el rechazo de la disolución de la Empresa. En ejecución de dicho
acuerdo se desembolsa 64.500.000 pesetas. De este modo reequilibrado el capital social
y enervada la causa de disolución, un grupo de socios impugnó judicialmente el acuerdo
tomado, promoviendo demanda de Juicio de menor cuantía núm. 57/95 que fue seguido
en el Juzgado de Primera Instancia núm. 5 de Cáceres y posteriormente confirmado en
recurso de Apelación rollo núm. 207/95. En tal tesitura el 14 de marzo de 1996 se insta
por los Administradores la disolución de la Sociedad tramitándose al efecto los autos de
menor cuantía 119/96 ante el Juzgado de Primera Instancia núm. 1 de Cáceres que da
lugar a la sentencia firme de 1 de octubre de 1996 en la que precisamente se declara la
disolución de [...]."

No aparecen pues, los presupuestos objetivos de esta acción de responsabilidad, no
se han infringido los preceptos que se alegan [...]».

STS de 10 de junio de 2005 (Civil) [5]

FUNDAMENTOS DE DERECHO

«2º [...] infracción de la Disposición Adicional tercera de la Ley de Sociedades Anónimas de 28 de diciembre de 1989, por cuanto que, según acusa, la sentencia impugnada
ha declarado que don José Ángel no incurrió en la responsabilidad solidaria y objetiva
establecida en la norma indicada como vulnerada, aún cuando la inscripción de las modificaciones para la adaptación de los Estatutos sociales fue realizada fuera de plazo, al
interpretar que la misma distingue entre la adopción de los acuerdos y la inscripción de los
mismos, y, a los efectos de la imputación de responsabilidad, ha considerado relevante el
momento del primero y no del segundo, sin embargo se acreditó en autos que, en la Junta

General y Universal de accionistas, celebrada el 25 de junio de 1992, elevadas sus decisiones a escritura pública al día siguiente, se estableció la acomodación de los Estatutos a la nueva legislación, y, posteriormente, tuvo lugar la Junta de 15 de octubre del mismo año, incorporada a escritura pública el siguiente 4 de diciembre, y ambos documentos públicos se presentaron ante el Registro Mercantil el 8 de enero de 1993, por lo que se efectuaron acuerdos fuera del plazo legal, de manera que el acceso al Registro del ajuste estatutario no se realizó dentro del tiempo marcado por la Ley, y, desde la expiración del plazo legal, el demandado es responsable solidario con [...], S.A. de las obligaciones contraídas por ésta y la falta de actividad de aquél lleva aparejada la sanción prevista legalmente para los administradores incumplidores, consistente en la solidaridad en las responsabilidades de la compañía se estima por las razones que se dicen seguidamente.

Se ha ejercitado la acción de responsabilidad, establecida en la Disposición Transitoria tercera, apartado 3, de naturaleza análoga a la que se recoge en el artículo 262.5, ambas normas de la Ley de Sociedades Anónimas, sobre la cual la STS de 6 de noviembre de 1999 señala que la exigencia de la responsabilidad solidaria a los Administradores, que tiene la naturaleza de una responsabilidad objetiva, es procedente "ex lege", según establece el apartado 3 de la Disposición Transitoria tercera de la Ley de Sociedades Anónimas de 22 de diciembre de 1989, cuando hayan transcurrido los plazos a que se refieren los apartados anteriores de la misma sin haberse adoptado e inscrito las medidas en ellos previstas; por otra parte, de "responsabilidad prácticamente objetiva" es calificada por la STS de 1 de diciembre de 1999 la de los Administradores impuesta por la referida Disposición Transitoria tercera.

Por tanto, como precisa la STS 24 de septiembre de 2001, resulta evidente que de dicha expresa exigencia legal, que, como tal, es de obligado cumplimiento, se desprende que para que pueda quedar excluida la responsabilidad solidaria de los Administradores, no basta con que hayan sido adoptados los acuerdos sociales correspondientes dentro del plazo legal señalado (antes del 30 de junio de 1992), sino que es ineludible por expreso mandato de la Ley que los mismos también hayan quedado inscritos en el Registro Mercantil dentro del indicado plazo, si bien basta, para considerarla cumplida, con que la presentación en el Registro Mercantil de la correspondiente escritura (mediante asiento de presentación vigente, no cancelado por caducidad del mismo), se haya efectuado dentro de dicho plazo, lo que no ha ocurrido en el caso del debate.

3º [...] Se ha instado por la entidad recurrente la acción individual de responsabilidad determinada en el artículo 135 de la Ley de Sociedades Anónimas.

Se trata de una acción directa y principal, no subsidiaria, que se otorga a accionistas, socios y terceros para recomponer su patrimonio particular.

La actuación del Administrador debe producir una disminución patrimonial que impida a la sociedad hacer frente a sus deudas, o puesto en peligro la satisfacción del crédito del socio, accionista o tercero acreedor, o dañado un derecho si se trata de tercero no acreedor.

Tienen legitimación activa para ejercitar la acción individual de responsabilidad, como antes se ha indicado, tanto los accionistas y los terceros, acreedores o no; y también los demás Administradores que se consideren perjudicados por el acto de uno de ellos, cuando se lesionen directamente los intereses de aquellos (SSTS de 21 de mayo de 1985, 4 de noviembre de 1991, 21 de mayo de 1992 y 11 de marzo de 2005).

El artículo 133 de la Ley de Sociedades Anónimas establece la responsabilidad de los Administradores frente a la sociedad, los accionistas y los acreedores sociales del daño que causen por actos contrarios a la Ley, a los Estatutos o los realizados sin la diligencia con la que deben desempeñar el cargo; esta responsabilidad será exigible por acción u omisión culposa (actos contrarios a la Ley o a los estatutos) o negligente (falta de diligencia debida, que, según el artículo 127 de la Ley de Sociedades Anónimas, es la de un ordenado empresario y de un representante leal), siempre que resulte daño a la sociedad, los accionistas o los terceros acreedores, y nexo entre la acción u omisión y el daño (entre otras, SSTS de 26 de noviembre de 1990, 11 de octubre de 1991, 21 de mayo de 1992, 26 de julio de 1994 y 31 de julio de 1996), pero dicho deber de responder sólo tiene lugar cuando el Administrador actúa en su carácter de tal, esto es, como órgano social, y no si lo hace como mero socio o particular (STS de 5 de diciembre de 1991.

[...]

El Administrador demandado ha omitido el deber de diligencia adecuado para el ejercicio de su cargo, y ello nos lleva a la conclusión de que debe responder con la entidad codemandada de la deuda social, de conformidad con lo dispuesto en los artículos 135, 133.2 y 127 de la Ley de Sociedades Anónimas, habida cuenta de que entre las acciones y omisiones de aquél y el daño existe el correspondiente nexo de causalidad».

STS de 20 de junio de 2005 (Civil) [5, 6 y 12]

FUNDAMENTOS DE DERECHO

«5º [...] Hubo, pues, impago de deudas sociales, pero este impago no puede equivaler necesariamente a un daño directamente causado a los acreedores sociales por los administradores de la sociedad deudora, a menos que el riesgo comercial quiera eliminarse por completo del tráfico entre empresas o se pretenda desvirtuar el principio básico de que los socios no responden personalmente de las deudas sociales. De ahí que esta Sala venga exigiendo al demandante, además de la prueba del daño, tanto la de la conducta del administrador, ilegal o carente de la diligencia de un ordenado empresario, como la del nexo causal entre conducta y daño (SSTS 30-3-01, 20-7-01, 19-11-01, 25-4-02, 12-12-02, 24-12-02 y 4-3-03), sin que en este ámbito resulte aplicable la inversión de la carga de la prueba en contra del administrador demandado (SSTS 20-7-01 y 25-2-02) y sin que tampoco el incumplimiento de una obligación social sea demostrativo por sí mismo de la culpa del administrador ni determinante sin más de su responsabilidad (SSTS 2-7-98, 20-7-01 y 6-3-03). Más concretamente, y toda vez que la falta de presentación de las cuentas anuales en el Registro Mercantil se aduce también en el motivo como dato que demostraría la responsabilidad de los demandados con arreglo al art. 135 LSA, debe subrayarse que la muy reciente sentencia de esta Sala de 26 de abril último rechaza un argumento similar razonando que esa falta de presentación, para determinar la responsabilidad, debe estar causalmente conectada con el daño [...]».

STS de 27 de junio de 2005 (Civil) [5]

FUNDAMENTOS DE DERECHO

«2º [...] Se ha ejercitado [...] la acción individual de responsabilidad determinada en el artículo 135 de la Ley de Sociedades Anónimas, que es una acción directa y principal, no subsidiaria, que se otorga a accionistas, socios y terceros para recomponer su patrimonio particular, cuando la actuación del Administrador produzca una disminución patrimonial que impida a la sociedad hacer frente a sus deudas, o puesto en peligro la satisfacción del crédito del socio, accionista o tercero acreedor, o dañado un derecho si se trata de tercero no acreedor».

STS de 7 de julio de 2005 (Civil) [5 y 6]

FUNDAMENTOS DE DERECHO

«2º [...] no haberse admitido una prueba pericial propuesta, que la parte consideraba imprescindible para poder demostrar la insolvencia de la Sociedad deudora, y la no realización por sus Administradores de los actos sociales necesarios para su liquidación en la forma legalmente establecida (motivo 1º); y por otro lado, la "incongruencia omisiva" del art. 359 LECiv. por no decidir los mismos Órganos judiciales sobre una de las causas de responsabilidad de los representantes dichos traídos, con otras dos (éstas, sí conocidas y denegadas: arts. 134 y 135 LSA), es decir, la del art. 262-1º y 5º de la misma Ley, completamente "olvidada" en dichas resoluciones, entendiendo que, de examinarse la misma, se hubiera acordado, sin duda alguna, la responsabilidad dicha de tales socios (motivo 2º). Los otros dos motivos, son de fondo, pidiéndose en ellos también la declaración de esa responsabilidad de los Administradores, aún rechazada en las Sentencias, bien la social del art. 134, bien la individual del 135 (que es de la que propiamente conocieron los Órganos de la instancia) [...].

3º [...] los Órganos de la instancia no han conocido, ni para admitirla, ni para rechazarla, la "causa petendi" planteada en la demanda, que la acumula a las otras, es decir, la del art. 262-1º y 5º LSA, en relación con el 260-3º, 4º y 5º de la misma. No puede, como pretenden dichos Órganos, hacerse fusión de las tres causas de pedir de demanda, eligiendo la que los mismos entienden como principal, interpretando así incorrectamente la voluntad del demandante, que en su acumulación dicha, no da preferencia a ninguna, ni entiende englobadas dos en la otra, pues lo cierto es que la demanda dirige las 3 contra los Administradores, y la causa del art. 262, según su núm. 4, establece una clara responsabilidad de los Administradores por actos propios a ellos exigibles, y no realizados, causa que procede de una inicial reforma legal de la anterior LSA, y que se introduce en la nueva, aquí aplicable [...]».

STS de 11 de julio de 2005 (Penal) [8]

FUNDAMENTOS DE DERECHO

«1º [...]El delito de apropiación indebida, configurado en el Código Penal vigente como un delito contra el patrimonio, requiere, como repetidamente ha expresado la doctrina jurisprudencial de esta Sala, «la existencia concatenada de cuatro elementos: a) recepción por un sujeto activo de dinero, efectos, valores u otra cosa mueble o activo patrimonial, recepción que se produce de forma legítima, b) que ese objeto haya sido recibido, no en propiedad, sino en virtud de un título jurídico que obliga a quien lo recibe a devolverlo o a entregarlo a otra persona, c) que el sujeto posteriormente realice una conducta de apropiación con ánimo de lucro o distracción dando a la cosa un destino distinto y d) esta conducta produce un perjuicio patrimonial a una persona» (STS núm. 153/2003, de 8 febrero). Acción referida a dinero, efectos o cualquier otra cosa mueble, en la redacción del artículo 535 del Código Penal derogado.

Pueden diferenciarse, por lo tanto, dos etapas. En la primera, el autor, de forma lícita, generalmente contractual, recibe en calidad de depósito, comisión o administración o por cualquier otro título que produzca obligación de entregarlos o devolverlos, dinero, efectos o cualquier otra cosa mueble, o en la dicción del actual artículo 252, además, valores o cualquier activo patrimonial. Esta recepción se caracteriza por venir acompañada de una finalidad especifica de devolución de lo entregado, o bien de proceder a darle un destino determinado, consistente en la entrega a un tercero. Finalidad que queda concretada en los términos del título que justifica la recepción.

En la segunda fase, el autor transforma esta situación legítima en disposición ilegítima, bien apropiándose de los bienes recibidos o bien disponiendo de ellos más allá de lo autorizado, incumpliendo así la finalidad derivada del título por el que los recibió. En ocasiones se ha dicho que "en el ámbito jurídico-penal apropiarse indebidamente de un bien no equivale necesariamente a convertirse ilícitamente en su dueño, sino a actuar ilícitamente sobre el bien, disponiendo del nuevo como si fuese su dueño, prescindiendo con ello de las limitaciones insitas en el título de recepción, establecidas con garantía de los legítimos intereses de quienes lo entregaron (SSTS 8.7.98, 11.9.2000, 7.12.2001, 4.9.2001)" (STS núm. 1240/2004, de 5 de noviembre).

Aunque ambas modalidades, apropiarse y distraer, vienen referidas en la redacción legal de forma indistinta a dinero, efectos o cualquier otra cosa mueble, se ha señalado que la segunda se refiere específicamente al dinero, que, por ser un bien fungible, salvo los casos de entrega de una cantidad como cuerpo cierto, supone la adquisición de la propiedad por parte de quien lo recibe, lo que determina la imposibilidad de que ilegítimamente se pueda producir una apropiación que ya ha tenido lugar anteriormente de forma legítima como consecuencia legal de la misma entrega. En estos casos no puede decirse que la conducta del autor consista en un acto de apropiación, pues la recepción del dinero, o la puesta a su disposición, supone ya la adquisición de la propiedad, sino en un acto de disposición de significado equivalente en cuanto separa definitivamente el dinero recibido del destino fijado al realizar la entrega, en tanto que ésta incorpora una obligación de devolver o entregar a un tercero otro tanto de la misma especie y calidad.

En cualquier caso, en la configuración de la conducta típica resulta trascendente que quien recibe dinero u otra cosa fungible en depósito, comisión, administración o por cualquier otro título que produzca la obligación de entregarlo o devolverlo, aunque adquiera la propiedad, no lo hace de una forma incondicionada, sino limitada (lo cual no ocurre en otros contratos, como el préstamo), precisamente por el contenido del título de transmisión, que en todo caso incorpora una obligación de entregar o devolver. O, dicho de otra forma, contiene la precisión de un destino concreto para el dinero recibido. En el caso de que incumpla esa obligación, distrae o separa la cantidad recibida de su destino legítimo.

Por lo tanto, como hemos dicho, el delito del artículo 535 contiene dos modalidades delictivas: la apropiación en sentido estricto, que se aplica a las cosas no fungibles y supone la incorporación de la cosa al patrimonio del autor; y la distracción, que se produce cuando el autor que ha recibido una cosa fungible dispone de ella más allá de lo que le autoriza el título de recepción, dándole un destino distinto al previsto en aquél, con vocación definitiva.

No se trata solo de que el autor actúe de forma contraria al deber impuesto por el referido título, lo que efectivamente se produce, sino además que, al hacerlo así, desarrolla su conducta fuera del ámbito de las facultades que le corresponden como administrador, comisionista o depositario, o atribuidas en definitiva por el título en virtud del cual recibió el dinero. Quien recibe una cantidad de dinero para una finalidad concreta, consistente en devolver o entregar otro tanto de la misma especie y calidad, y la incumple dándole otra diferente, disponiendo del dinero para otras atenciones propias o ajenas, actúa excediendo los límites de las facultades que le corresponden según el título que acompañó a la recepción del dinero, pues en ningún caso podría haber actuado legítimamente como lo hizo. Es decir, aprovechó sus facultades, pero actuó fuera de ellas.

Es preciso, sin embargo, algo más, pues el artículo 535 del Código Penal de 1973, 252 del vigente, no contiene una sanción para cualquier clase de incumplimiento por exceso extensivo de las facultades del administrador, comisionista o depositario o similares según el artículo 535 o 252 actual. Es necesario que con la conducta del autor se extraiga definitivamente la cosa del ámbito de disposición de su propietario o, cuando se trata de dinero o bienes fungibles, se incumplan definitivamente las obligaciones de devolver o entregar a un tercero impuestas como complemento inseparable del acto de entrega. No basta, pues, con la distracción orientada a un uso temporal o el ejercicio erróneo de las facultades conferidas, sino que es necesaria la atribución al dinero de un destino distinto del obligado, con vocación de permanencia.

Por lo tanto, cuando se trata de dinero u otras cosas fungibles, el delito de apropiación indebida requiere como elementos del tipo objetivo: a) que el autor lo reciba en virtud de depósito, comisión, administración o cualquier otro título que contenga una precisión de la finalidad con que se entrega y que produzca consiguientemente la obligación de entregar o devolver otro tanto de la misma especie y calidad; b) que el autor ejecute un acto de disposición sobre el objeto o el dinero recibidos que resulta ilegítimo en cuanto que excede de las facultades conferidas por el título de recepción, dándole en su virtud un destino definitivo distinto del acordado, impuesto o autorizado; c) que como consecuencia de ese acto se cause un perjuicio en el sujeto pasivo, lo cual ordinariamente supondrá una imposibilidad, al menos transitoria, de recuperación.

Y como elementos del tipo subjetivo, que el sujeto conozca que excede de sus facultades al actuar como lo hace y que con ello suprime las legítimas facultades del titular sobre el dinero o la cosa entregada.

En ocasiones se ha dicho que esta conducta supone una especie de gestión desleal. Es cierto que quien actúa de esta forma defrauda la confianza de quien ha entregado algo en virtud de títulos como la administración, el depósito o la comisión u otros similares, en tanto que todos ellos suponen una cierta seguridad en que la actuación posterior de aquél a quien se hace la entrega se mantendrá dentro de los límites acordados, y que en esa medida se trata de una actuación que puede ser calificada como desleal. En realidad cualquier apropiación indebida lo es en cuanto que supone una defraudación de la confianza.

Pero, cuando se trata de administradores de sociedades, no puede confundirse la apropiación indebida con el delito de administración desleal contenido en el artículo 295 del Código Penal vigente, dentro de los delitos societarios. Este delito se refiere a los administradores de hecho o de derecho o a los socios de cualquier sociedad constituida o en formación que realicen una serie de conductas causantes de perjuicios, con abuso de las funciones propias de su cargo. Esta última exigencia supone que el administrador desleal del artículo 295 actúa en todo momento como tal administrador, y que lo hace dentro de los límites que procedimentalmente se señalan a sus funciones, aunque al hacerlo de modo desleal en beneficio propio o de tercero, disponiendo fraudulentamente de los bienes sociales o contrayendo obligaciones a cargo de la sociedad, venga a causar un perjuicio típico. El exceso que comete es intensivo, en el sentido de que su actuación se mantiene dentro de sus facultades, aunque indebidamente ejercidas. Por el contrario, la apropiación indebida, conducta posible también en los sujetos activos del delito de administración desleal del artículo 295, supone una disposición de los bienes cuya administración ha sido encomendada que supera las facultades del administrador, causando también un perjuicio a un tercero. Se trata, por lo tanto, de conductas diferentes, y aunque ambas sean desleales desde el punto de vista de la defraudación de la confianza, en la apropiación indebida la deslealtad supone una actuación fuera de lo que el título de recepción permite, mientras que en la otra, la deslealtad se integra por un ejercicio de las facultades del administrador que, con las condiciones del artículo 295, resulta perjudicial para la sociedad, pero que no ha superado los límites propios del cargo de administrador».

STS de 15 de septiembre de 2005 (Penal) [8]

FUNDAMENTOS DE DERECHO

«9º [...]esta Sala Casacional ya ha declarado que tales incrementos patrimoniales cuando son consecuencia directa de un delito no pueden servir, a su vez, para conformar una omisión tributaria que configure el delito fiscal, al menos si no ha existido una posterior transformación en otros activos patrimoniales. Así, la STS 20/2001, de 28 de marzo, completando la línea ya declarada en la STS 1493/1999, dijo: "ha de señalarse que para la aplicación del concurso de normas (art. 8 Código Penal 1995) en el que la sanción penal por el delito fuente directa de los ingresos absorbe el delito fiscal que se considera consumido en aquél, es necesario que concurran tres requisitos: a) que los ingresos que generen el delito fiscal procedan de modo directo e inmediato del delito anterior. Cuando no suceda así y nos encontremos ante ingresos de una pluralidad de fuentes o que sólo de manera indirecta tengan un origen delictivo porque los beneficios del delito han sido reinvertidos y han dado lugar a nuevas ganancias, no cabe apreciar el concurso normativo (sentencia 1493/1999 de 21 de diciembre, caso R). 2º) Que el delito inicial sea efectivamente objeto de condena. Cuando no suceda así, por prescripción, insuficiencia probatoria u otras causas, debe mantenerse la sanción por delito fiscal, dado que el desvalor de la conducta no ha sido sancionado en el supuesto delito fuente (sentencia de 7 de diciembre de 1996 núm. 649/1996, caso 'Nécora', fundamento jurídico octogésimo cuarto, en la que se mantiene la condena por delito fiscal respecto de ingresos supuestamente derivados de receptación, precisamente porque «por estimación de otros motivos de estos mismos recursos, hemos acordado absolver del delito de reaceptación"). En consecuencia los delitos fiscales deducidos de incrementos patrimoniales que podrían tener origen delictivo deben ser en todo caso objeto de investigación y acusación, como delito contra la hacienda pública pues solamente si el delito del que proceden los ingresos es finalmente objeto de condena podrá absorber las infracciones fiscales, pero si no lo es por cualquier causa, los delitos fiscales deberán ser autónomamente sancionados. La procedencia ilícita de los bienes no puede constituirse en un beneficio o privilegio para el defraudador. 3º) Que la condena penal del delito fuente incluya el comiso de las ganancias obtenidas en el mismo o la condena a su devolución como responsabilidad civil».

STS de 20 de septiembre de 2005 (Penal) [8]

FUNDAMENTOS DE DERECHO

«3º [...]hemos declarado que no constituye delito la conducta de selección prioritaria para el pago de las deudas contraídas, haciendo que unos acreedores cobren con preferencia a otros. Por ello, en principio esta conducta resultaría atípica, ya que el alzamiento de bienes supone una acción del acreedor común que tiene como finalidad, frustrar el pago de todas sus deudas de las que debe responder, universalmente, con su patrimonio. Sólo de esta forma aparece nítidamente reflejado el elemento subjetivo del tipo, que no es otro que el propósito de defraudar a la totalidad de sus acreedores. Si ante la acumulación de reclamaciones de créditos, el deudor realiza maniobras encaminadas a pagar parte de sus deudas otorgando preferencias a unos sobre otros, no se puede decir que exista un ánimo defraudatorio general, que es el que da vida al tipo penal del alzamiento de bienes.

Aplicada esta doctrina al caso, observamos que el Tribunal a quo declara atípica la conducta del acusado de cancelar con el producto de las ventas de las fincas la cuenta corriente de crédito de que era titular el acusado, vencida pocos días antes, "lo que justificaría su satisfacción con lo obtenido", dice expresamente la sentencia, pues –continúa–, "la jurisprudencia ha entendido que no existe ánimo defraudatorio cuando se emplee el resultado de la venta en el pago de otras deudas (STS de 29 de junio de 2001), pues no concurre ese ánimo cuando la insuficiencia patrimonial del deudor sobreviene como consecuencia de haber satisfecho los créditos reales de otros acreedores legítimos, pues de lo contrario podría incurrirse en la desterrada prisión por deudas, sancionado el art. 257 CP a quien disipa su patrimonio y nunca a quien desea pagar y lo hace en la medida de las posibilidades económicas a su alcance, careciendo de relevancia penal cuando el tenor se desplaza a determinar la prelación de los créditos, pues lo que se persigue con este delito es la exclusión de algún elemento patrimonial de las posibilidades de ejecución de los acreedores en su globalidad y no individualmente determinados".

En cambio, el Tribunal considera típica por demostrativa del ánimo defraudatorio del agente la venta de la primera finca cuyo producto se aplica al pago del préstamo hipotecario concedido por la CAM, justificando este pronunciamiento en el hecho de que dicho préstamo no era al momento de su cancelación una deuda vencida y exigible porque estaba al corriente de pago. Argumento éste que consideramos jurídicamente incorrecto, toda vez que según el criterio jurisprudencial anteriormente consignado, la circunstancia que excluye la tipicidad del hecho es la existencia a cargo del autor de otras deudas reales y verdaderas que se satisfacen con el producto de la venta del activo patrimonial del deudor, sin que sea necesario que esas otras deudas sean vencidas y exigibles, debiendo subrayar que estas características de la deuda vencida y exigible se predicaban inicialmente en relación con la deuda que constituía el componente de la conducta típica, es decir, la deuda cuya ejecución se frustra y que, en su caso, daría lugar al delito, ya que en la actualidad, no son exigibles esas circunstancias, bastando con que se haya producido el negocio jurídico o el hecho del que se derive una obligación, siendo suficiente el adelantamiento del deudor al momento del vencimiento y exigibilidad del crédito, realizando lo que se denomina un "alzamiento en prevención". Por lo mismo, mucho menos será exigible para la atipicidad de la conducta que las otras deudas a cuya satisfacción se destina el producto de la venta del patrimonio del deudor sean vencidas y exigibles, bastando que se trata de deudas realmente existentes y no fingidas».

STS de 23 de septiembre de 2005 (Civil) [6]

FUNDAMENTOS DE DERECHO

«3º [...] ha de afirmarse, ante todo, que la posición que un administrador social ocupa en la entidad cuya gestión y representación le ha sido encomendada y que debe desempeñar con la diligencia que establece el artículo 127,1 de la LSA, determina que el mismo haya de conocer puntualmente cuando la evolución económica de aquella impone llevar a cabo la reducción de su capital, por haber descendido por debajo del nivel que fija el artículo 163.1 del citado texto legal, o, incluso, promover la liquidación de la sociedad, conducta esta última que según la Audiencia era la procedente en el caso que nos ocupa, y cuya omisión es lo que ha motivado el parcial acogimiento de la pretensión deducida contra el recurrente.

En tal contexto, ha de observarse que para llegar a su decisión, la Audiencia Provincial ha ponderado que en 1992 las cuentas anuales presentadas al Registro Mercantil por la entidad demandada ya reflejaban una cifra negativa de 85.171.473 ptas. cantidad que en el ejercicio siguiente se elevó a 107.603.104 ptas., dando lugar a una situación que la propia entidad demandada en un dossier elaborado a finales de 1993 calificaba de caótica, teniendo en cuenta que el capital social era únicamente de 17.000.000 de pesetas, sin que en dicho documento se hiciese referencia alguna que en dicha realidad contable hubiese influido la actuación de "El Águila".

A ello añade el Tribunal de instancia que no puede hablarse de abuso de derecho imputable a la actora, por cuanto, a pesar de todo, se continuó por la misma el suministro de mercancías, hasta finales del año 1994.

De cuanto acaba de exponerse se desprende que necesariamente ha de calificarse de correcta la conclusión a que se llega en la sentencia recurrida respecto a que en el supuesto de litis indudablemente concurría la causa legal de disolución del artículo 260.4 LSA, que obligaba al administrador a convocar Junta General en plazo de dos meses para la adopción del correspondiente acuerdo, lo que comporta la declaración de responsabilidad solidaria de los administradores por las obligaciones sociales, según consolidada doctrina de esta Sala (sentencias de 20 de febrero, 1 de marzo, 7 y 14 de mayo y 5 y 6 de octubre de 2004, por citar únicamente las más recientes.

Respecto a la infracción de la doctrina de los actos propios, que asimismo se invoca, ha de tenerse en cuenta que en la sentencia recurrida se declara probado que aún cuando la relación comercial había continuado después del 5 de mayo de 1991 (fecha de expiración del plazo convenido) el cese del suministro fue consecuencia de que en el segundo semestre de 1993 la deuda contraída por [...] ascendía a 98.000.000 de ptas. y que tan grave incumplimiento justificaba la decisión adoptada por la actora, que, como antes se ha dicho, no puede ser calificada de abusiva ni de contraria a la buena fe contractual».

STS de 17 de octubre de 2005 (Civil) [5 y 6]

FUNDAMENTOS DE DERECHO

«2º [...]Cabe, por tanto, establecer que no puede hablarse de incongruencia respecto de una sentencia como la recurrida que se fija, como causante de la responsabilidad no en el invocado artículo 135 de la Ley de Sociedades Anónimas, sino en el también indicado y reseñado artículo 262. [...] La responsabilidad regulada en el artículo 262-5 de la Ley de Sociedades Anónimas constituye una modalidad de responsabilidad "ex lege", requerida tan sólo de la concurrencia de los presupuestos objetivos que derivan del propio texto de la Ley: 1) existencia de un crédito contra la sociedad; 2) concurrencia de alguna de las causas de disolución de la sociedad previstas en el artículo 260, números 3º, 4º, 5º o 7º de la propia Ley, y, 3) omisión por los administradores de su obligación de convocar junta general, en el plazo de dos meses, para que adopte el acuerdo de disolución, o, solicitud, en su caso, de disolución judicial. La norma se fundamenta en el incumplimiento por los administradores de la sociedad de obligaciones que les impone la Ley, y no exige la existencia de perjuicios, la relación de causalidad ni ningún otro requisito añadido».

STS de 21 de octubre de 2005 (Penal) [8]

FUNDAMENTO DE DERECHO

«Único [...]A un banco que no recibe una orden expresa de sus titulares de negar la tramitación de operaciones determinadas que tenía obligación de conocer no se le puede exigir que se convierta en una especie de auditor interno con la obligación de conocer, hasta el último detalle, cuales son las atribuciones de las personas que actúan como representantes de hecho de las entidades o empresas que le encomiendan la gestión de sus cuentas. El banco no tenía ninguna obligación de censurar las operaciones y era responsabilidad exclusiva de las empresas vigilar a sus contables auditando de manera interna o externa las operaciones que estaba realizando. Su negligencia o desidia no se le puede endosar al banco o entidad financiera que sólo tenía como misión contabilizar las operaciones que pasaban a través de las cuentas abiertas.

5. Cuestión distinta es la que se refiere exclusivamente al pago de cheques en los que se falsificó la firma de la apoderada de las entidades. Firma que conocía y que debía comprobar si era auténtica o se trataba de una imitación difícilmente detectable. El hecho probado guarda silencio sobre este punto y no dice la rúbrica estaba burdamente creada o tan fielmente imitada que podía superar los controles técnicos establecidos en las entidades bancarias.

6. Este punto sustancial ha quedado inédito de forma harto sorprendente ya que no se comprende como se puede afirmar de forma rotunda que la firma se había imitado por parte del acusado, cuando durante la mayor parte de la tramitación de las actuaciones, se estuvo negando. Cuando se solicita, como es lógico e inexcusable, una prueba pericial caligráfica, se deniega tajantemente y sin mayores explicaciones por el Juzgado de Instrucción en Providencia de 3 de julio de 2003. Esta prueba, a la vista de las actuaciones, era imprescindible para acreditar si efectivamente se había producido la falsificación masiva y permanente de cheques bancarios sin que los titulares de las empresas detectasen, en las cuentas anuales, esa irregularidad.

Se descarga sobre la entidad responsable civil subsidiaria toda la responsabilidad civil de forma que se da por bueno un reconocimiento de los hechos por parte del acusado, cuando dadas los antecedentes puede haber serias sospechas de que la drástica reducción de la pena derivada de la confesión de los hechos se deba a un acuerdo que admite fácilmente y sin mayores investigaciones el Ministerio Fiscal derivando la responsabilidad subsidiaria hacia una entidad bancaria solvente que satisface la cantidad mientras, el acusado se beneficia de una sustancial rebaja de la pena que le facilita o proporciona la posibilidad de no entrar en prisión.

7. En estos momentos, no sabemos, de manera científica como es exigible, si la firma era de los titulares de la empresa o del acusado. Si a ello añadimos que varios de estos cheques fueron cobrados por Cámara de Compensación, estimamos que desborda las

normales responsabilidades de las entidades financieras respecto de sus clientes sin que se pueda afirmar que el hecho probado se haya confirmado por la única prueba posible en hechos de esta naturaleza. La entidad responsable ha quedado bloqueada en sus posibilidades de defensa ante el acuerdo, generosamente premiado por las acusaciones, lo que no permite declarar su responsabilidad civil subsidiaria».

STS de 25 de octubre de 2005 (Civil) [6]

FUNDAMENTOS DE DERECHO

«2º [...] Los argumentos del recurrente se refieren a que la deuda de la sociedad [...], S.A. fue contraída en el año 1989, fecha en la que, al no estar vigente la Ley de Sociedades Anónimas, no podía aplicarse la regla establecida posteriormente, relativa a la responsabilidad solidaria de los administradores de las mencionadas sociedades y que al hacerlo así, la sentencia incurre en el vicio de aplicar retroactivamente a la relación creada en aquel momento, una regla introducida posteriormente. Según el propio recurrente, un acontecimiento posterior produce una modificación de la relación jurídica, introduciendo la regla de la solidaridad de los administradores.

La vulneración del principio constitucional de seguridad jurídica e irretroactividad ha sido interpretada de forma restrictiva por la doctrina del Tribunal Constitucional, que ha considerado, en la sentencia 27/1981, de 20 de julio, que el artículo. 9.3 CE "alude a los derechos fundamentales del título I", interpretación confirmada por otras sentencias posteriores (STC 6/1983, de 4 febrero, 159/1990, de 4 de octubre y 173/1996, de 31 de octubre), doctrina que resume la STC 104/2000, de 13 de abril en el sentido que en el artículo. 9.3 CE "la restricción de los derechos individuales ha de equipararse a la idea de sanción, por lo cual el límite de dicho artículo hay que considerarlo como referido a las limitaciones introducidas en el ámbito de derechos fundamentales y de las libertades públicas".

Pero es que, además, la DT 3ª LSA establece que antes del 30 de junio de 1992, las sociedades anónimas debían haber adaptado sus estatutos a las disposiciones de la Ley, diciendo expresamente el párrafo 3 de la mencionada DT que, "transcurridos los plazos a que se refieren los apartados anteriores sin haberse adoptado e inscrito las medidas en ellos previstas, los administradores, [...], responderán personal y solidariamente entre sí y con la sociedad de las deudas sociales". Por ello, el recurrente no puede alegar que se le haya aplicado retroactivamente una ley, a capricho del Tribunal de apelación, porque en este punto, se ha limitado a aplicar las disposiciones que regulaban el supuesto de hecho alegado en el mismo momento en que se produjo».

STS de 26 de octubre de 2005 (Civil) [5]

En el mismo sentido, vid., entre otras, SSTS de 29 abril 1999, 19 mayo 2003, 22 diciembre 2005, 19 mayo 2006, 29 julio 2008 y la más reciente de 12 de marzo de 2010.

STS de 24 de noviembre de 2005 (Civil) [5]

FUNDAMENTOS DE DERECHO

«2º [...] no es retroactiva la aplicación del artículo 262.5 del Real Decreto Legislativo 1.564/1989 a un supuesto de hecho (el negativamente descrito como hipótesis en la norma) que se inició y cumplió íntegramente durante la vigencia de la misma. La regla *tempus regit actum* explica que los hechos jurídicos, simples o complejos, quedan regulados por la Ley que esté vigente en el momento en que acontecen. En este mismo sentido la sentencia de 30 de octubre de 2000, al pronunciarse sobre la cuestión, destacó que resulta indiferente que la situación económica de la sociedad que constituye el supuesto normativo generador de la obligación legal del administrador (artículos 260.1.4º y 262.5 de la Ley de Sociedades Anónimas) se haya producido en ejercicios económicos anteriores o que iniciada entonces se haya consumado o consolidado después del 1 de enero de 1990 (fecha de entrada en vigor de la Ley), dado que lo que importa es que tal situación exista (o subsista) una vez está en vigor el nuevo régimen legal.

Por otro lado, el fracaso de la llamada acción individual de responsabilidad regulada por el artículo 135 del Texto refundido (como consecuencia de que el daño directo causado por el comportamiento de los administradores no lo hubiera recibido el patrimonio de la acreedora, sino el de la propia sociedad deudora) no significa que no se haya cumplido el supuesto de hecho al que el artículo 262.5 del mismo Texto vincula, como sanción, el efecto de responsabilizar a aquellos de todas las obligaciones sociales (no estaba vigente la redacción dada al precepto por la Ley 19/2005, de 14 de noviembre, sobre lo que en las instancias se ha guardado un silencio que cumple suplir.

En efecto, al haberse declarado probado [...] que, ya en vigor el Real Decreto Legislativo 1564/1989, [...], SA carecía de patrimonio (lo que implica entender concurrente la causa de disolución prevista en el artículo 260.1.4º del mismo Texto, invocada en la demanda) y que, pese a ello, los administradores demandados omitieron cumplir el deber de promover la disolución de la sociedad en los términos que establece el repetido artículo 262, no cabe mas que afirmar la responsabilidad solidaria de éstos, como reclama la recurrente y señalan las sentencias de 30 de octubre de 2000 y 31 de mayo de 2001».

STS de 30 de noviembre de 2005 (Civil) [5 y 13]

FUNDAMENTOS DE DERECHO

«2º [...] la acción planteada contra los administradores de la propia sociedad, por su propia condición, tiene el carácter de acumulada respecto del principal deudor la mercantil demandada [...] SA. Y se añade que, aunque ambas acciones tienen un carácter distinto, es aplicable cuando menos la conexidad que, según Sentencias de la Sala Primera del Tribunal Supremo, permite ampliar el ámbito de la excepción, incluso aunque no se den las tres identidades subjetiva, objetiva y causal contempladas en el artículo 1252 del Código Civil, o se ejerciten acciones distintas, siempre que el pleito anterior interfiera o prejuzgue el segundo de los procedimientos.

[...] la prosperabilidad de la acción de responsabilidad individual de los administradores no exige, cuando la lesión del interés del accionante derive de una deuda impagada de la sociedad, de modo indefectible, el presupuesto de la condena al pago de la entidad, por lo que carece de fundamento la prejudicialidad alegada en el motivo. Y si bien es cierto que la resolución recurrida en el caso acoge la excepción de litispendencia respecto de la sociedad, la apreciación responde únicamente a la necesidad de evitar su doble condena –"non bis in idem"–. Lo expuesto no obsta a que en el proceso de responsabilidad de los administradores "ex" artículo 135 de la Ley de Sociedades Anónimas deba probarse, como realidad de la lesión o daño, la existencia de la deuda y la imposibilidad de realización respecto de la sociedad.

3º [...] Es innegable que concurren los requisitos para que prospere la acción individual de responsabilidad del artículo 135 de la Ley de Sociedades Anónimas, consistente,[...], en un comportamiento, cuando menos omisivo, contrario a la ley y sin la diligencia de un ordenado comerciante, causante de una lesión concreta a los intereses de un tercero (acreedor de la sociedad), existiendo una relación causal directa entre tal comportamiento y el daño (Sentencias, entre otras, 27 de octubre y 7 de diciembre de 2004 y 25 de abril, 26 de mayo y 20 de junio de 2005); [...] la resolución recurrida condena también a los codemandados personas físicas con base en los artículos 260.1, 4ª y 262. 5 de Ley de Sociedades Anónimas, sobre responsabilidad solidaria por obligaciones sociales cuya acción se ejercitó acumuladamente en la demanda, razonando de modo acertado en el último párrafo del fundamento cuarto acerca de la concurrencia de los presupuestos que condicionan el pronunciamiento, los cuales se ajustan al supuesto normativo y a la doctrina de este Tribunal (Sentencias de 16 diciembre de 2004 y 23 de septiembre y 17 de octubre de 2005, entre las más recientes), pues resulta incuestionable que la sociedad [...] S.A. cesó en su actividad en el tráfico mercantil abandonando el inmueble en que tenía radicada la sede social, carece de patrimonio conocido para hacer frente al crédito del actor, y procedió a desprenderse de sus bienes inmuebles sin observar ningún procedimiento para la correcta liquidación de los mismos y atender a las obligaciones contraídas, lo que supone un cierre de la empresa, o desaparición de hecho, irregular e ilegal, que acarrea la consecuencia económica negativa para los administradores sociales prevista en el artículo 262.1 y 5 en relación con el 260 1, 4º de la Ley de Sociedades Anónimas.»

Pero, además, la jurisprudencia de esta Sala se ha orientado definitivamente en el sentido de considerar que el plazo de prescripción aplicable para el ejercicio de la acción individual de responsabilidad de administradores sociales es el de cuatro años previsto en el artículo 949 del Código de Comercio (LEG 1885, 21). La reciente sentencia de 22 de marzo de 2005, tras reconocer cierta oscilación jurisprudencial respecto al referido plazo de prescripción en función de la naturaleza extracontractual o contractual de la relación jurídica causante de la reclamación, afirma que «no obstante, la sentencia de 20 de julio de 2001, recoge ya un propósito unificador, fundado en diversos argumentos en favor del plazo de cuatro años, criterio que, finalmente, ha prevalecido, de modo que la jurisprudencia actual de esta Sala es la de que el plazo de prescripción de la acción es de cuatro años del artículo 949 del Código de Comercio (sentencias de 20 de julio de 2001, 7 de junio de 2002, 19 de mayo de 2003 y 26 de mayo de 2004)»; plazo que ha de computarse no como afirma la parte recurrente desde que la obligación, cuyo cumplimiento se exige del administrador, resultó insatisfecha, sino lógicamente desde el momento en que tal acción pudo ejercitarse (artículo 1969 del Código Civil) que no es otro que aquél en el que nació la especial responsabilidad «ex lege» que se exige del demandado, ahora recurrente en casación, la cual nace por disposición legal de lo dispuesto en el artículo 262.5 del Texto Refundido de la Ley de Sociedades Anónimas, aprobado por Real Decreto Legislativo 1564/1989, de 22 de diciembre, una vez transcurridos dos meses desde que, existiendo causa de disolución prevista en el artículo 260.1 de dicha Ley, el administrador estaba obligado a convocar junta general al efecto de acordar la disolución y, sin embargo, omitió dicha convocatoria».

STS de 13 de diciembre de 2005 (Civil) [11 y 13]

FUNDAMENTOS DE DERECHO

«2º [...]Pero, además, la jurisprudencia de esta Sala se ha orientado definitivamente en el sentido de considerar que el plazo de prescripción aplicable para el ejercicio de la acción individual de responsabilidad de administradores sociales es el de cuatro años previsto en el artículo 949 del Código de Comercio. La reciente sentencia de 22 de marzo de 2005, tras reconocer cierta oscilación jurisprudencial respecto al referido plazo de prescripción en función de la naturaleza extracontractual o contractual de la relación jurídica causante de la reclamación, afirma que "no obstante, la sentencia de 20 de julio de 2001, recoge ya un propósito unificador, fundado en diversos argumentos en favor del plazo de cuatro años, criterio que, finalmente, ha prevalecido, de modo que la jurisprudencia actual de esta Sala es la de que el plazo de prescripción de la acción es de cuatro años del artículo 949 del Código de Comercio (sentencias de 20 de julio de 2001, 7 de junio de 2002, 19 de mayo de 2003 y 26 de mayo de 2004)"; plazo que ha de computarse no como afirma la parte recurrente desde que la obligación, cuyo cumplimiento se exige del administrador, resultó insatisfecha, sino lógicamente desde el momento en que tal acción pudo ejercitarse (artículo 1969 del Código Civil que no es otro que aquél en el que nació la especial responsabilidad "ex lege" que se exige del demandado, ahora recurrente en casación, la cual nace por disposición legal de lo dispuesto en el artículo 262.5 del Texto Refundido de la Ley de Sociedades Anónimas, aprobado por Real Decreto Legislativo 1564/1989, de 22 de diciembre, una vez transcurridos dos meses desde que, existiendo causa de disolución prevista en el artículo 260.1 de dicha Ley, el administrador estaba obligado a convocar junta general al efecto de acordar la disolución y, sin embargo, omitió dicha convocatoria».

STS de 16 de diciembre de 2005 (Civil) [5]

FUNDAMENTOS DE DERECHO

«3º [...] no puede aceptarse que la responsabilidad por "culpa profesional", respecto a vicios ruinógenos de un edificio, y derivados de su construcción (art. 1591 CC), sobre la que aquí se acciona, sea una responsabilidad extracontractual, propia del art. 1902 CC, o asimilable a ella, y a la que se aplique la prescripción de 1 año (art. 1968-2º CC), tal como se ha discutido en el proceso, y sobre la que se han realizado los cómputos correspondientes, [...], dicha responsabilidad deriva de una "culpa contractual", con otro plazo de prescripción, ya que la actora está unida a la Promotora por un contrato de compraventa (arts. 1445 y ss. CC), y a la Constructora (sus Administradores, en su caso), Arquitectos y demás Técnicos, derivadamente (a través de lo anterior) por el contrato de arrendamiento de obra (arts. 1544 y 1588 y ss. del mismo Cuerpo legal); [...] la conocida jurisprudencia, por conocida, de esta Sala, al ser muy repetida, la prescripción de la acción de responsabilidad individual por deudas sociales de los Administradores de las Compañías Mercantiles, es la de cuatro años, del art. 949 Código de Comercio, siendo el momento inicial de su cómputo aquél en que consta que los socios cesaron como tales, en 1989,

4º la determinación de la responsabilidad de los Administradores frente a terceros, a partir de la que corresponda a las Sociedades que gestionen, y que las Sentencias del Juzgado y de la Audiencia la derivan, respecto a los demandados con la Constructora y la Promotora de la obra, de dos puntos, uno, el de la reducción drástica del capital de una de las Compañías, y otro, el de la presentación por la otra Sociedad de un expediente de Suspensión de Pagos, del que no consta la realización de la deuda, y sí, por otro lado, la desaparición e iliquidez de la misma. El motivo referido plantea una posición general sobre la no demostración de esa iliquidez, y unos submotivos en relación a esos dos puntos, planteamiento aquél que no puede aceptarse, dado que sería ir en contra de los intangibles "hechos probados" declarados al respecto por la Sentencia, postura que no puede atenderse si no es por el cauce adecuado, no utilizado para ello, por lo que deben ser tales hechos mantenidos, y con ello se debe partir de la realidad de la desaparición de hecho de la Promotora (no localizada para su emplazamiento, y no ejerciente en la práctica como tal), y la falta de capital de la misma para responder frente a deudas a terceros. Además, la Sentencia declara también probado que es la Promotora (no dice al respecto nada sobre la Constructora, si bien añade que los Administradores, que son demandados, son los mismos en una y otra) la que redujo el capital, y por eso, principalmente, condena a la misma, lo que, en principio, no es transmisible a la otra. No se acepta, sin más, en la Sentencia, que la presentación de la Suspensión de Pagos, que en cambio no afecta a la Promotora, sino a la Constructora, sea suficiente para legitimar la no responsabilidad de los Administradores, sobre el cese de la actividad y, en su caso, su liquidación, y tal declaración contraria a esta tesis, hay que darla también como probada, porque la simple presentación de tal procedimiento no significa nada, si no consta cómo se ha realizado el mismo, y ello no aparece probado.[...]: no se trata propiamente de una acción, la ejercitada, aunque impropiamente se hable de ello, de "reconstrucción del patrimonio social", del art. 80-4º, que exigirá la existencia de una "amenaza grave" de los créditos de los acreedores, aquí no planteada, sino de la acción del 81, llamada de "indemnización que pueda corresponder... a los terceros por actos de los administradores que lesionen directamente los intereses de aquélla"; la Sentencia recurrida para responsabilizar a los socios, parte de entender que la reducción drástica del capital social de la Promotora, responsable frente a aquéllos por las compraventas que les unen (de las que derivan las demás acciones de ejercicio directo, pero como derivadas de la procedente de tales contratos), y la desaparición de hecho de tal Promotora (sin que a ésta, y por tal responsabilidad, deban añadírsele connotaciones sólo atinentes, en los vicios constructivos declarados, a la Constructora, como se repite), suponen esa "lesión directa" de los intereses de los acreedores, pues, por un lado, se trata de unos hechos, no tratados en forma legal, y atribuibles directamente a los administradores (la Promotora se disuelve, sin causa legal que conste, al finalizar, o próxima a su terminación, la obra), que lesionan indudablemente los referidos créditos (que perviven durante los 10 años de garantía, del art. 1591 por el que se acciona principalmente); no debiéndose tener en cuenta, por otro lado, el posible, y concreto, cumplimiento, de la responsabilidad pedida, por los otros co-demandados también condenados (Constructora y Arquitecto-Proyectista), ya que ésta responsabilidad, aunque luego se declare solidaria entre todos ellos por otros motivos, es en principio personal e individualizada entre ellas, antes de la determinación de la cuantificación de la misma».

STS de 22 de diciembre de 2005 (Civil) [5, 10 y 13]

FUNDAMENTOS DE DERECHO

«2º [...] la primera de las cuestiones suscitadas en el presente recurso y argüida en el motivo primero, es decir, la relativa al plazo de prescripción de la acción para pedir la responsabilidad de los administradores, hay que señalar que si bien la jurisprudencia de este Tribunal no tuvo una línea uniforme en la determinación del plazo de prescripción de esta acción, la sentencia de 20 de julio de 2001, confirmada por otras posteriores entre las que se pueden citar las de 26 de mayo de 2004 y 22 de marzo de 2005, con una finalidad unificadora y aportando diversos argumentos, ha señalado que el plazo de prescripción de este tipo de acciones es el de 4 años establecido en el artículo 949 del Código de Comercio [...]

3º Respecto a la determinación del dies a quo, el artículo 949 del Código de Comercio establece que el plazo de cuatro años comienza a contar desde que por cualquier motivo cesaren [los administradores] en el ejercicio de su administración. Por ello, en la sentencia de 26 de octubre de 2004 este Tribunal advierte que esta causa puede ser de varios tipos, incluyendo la renuncia del administrador, según establece el artículo 147.1 del Reglamento del Registro Mercantil.

Esta Sala ha reiterado que las inscripciones de los ceses de los administradores sociales en el Registro mercantil no son constitutivas, por no imponerlo precepto legal alguno (sentencias de 10 de mayo de 1999, 23 de diciembre de 2002, 26 de octubre de 2004 y 28 de mayo de 2005). Por ello la argumentación de la sentencia apelada que considera como dies a quo para el inicio de la prescripción el de la fecha de la inscripción de la renuncia en el Registro no es adecuada, porque la presunción de exactitud de los asientos registrales es iuris tantum y puede destruirse por prueba en contrario que es lo que ha ocurrido en esta escritura pública en la que consta la renuncia de uno de los administradores, el recurrente. Por tanto, este momento es el que produce el inicio de la prescripción».

STS de 9 de enero de 2006 (Civil) [5, 6 y 10]

FUNDAMENTOS DE DERECHO

«5º [...]La cuestión estriba en determinar si, al haber establecido la Ley 19/1989 (artículos 150 y 152) la responsabilidad que después quedará expresada en el artículo 262.5 del Texto Refundido de la Ley de Sociedades Anónimas, [...], para entender que desde la entrada en vigor de la Ley 19/1989, las sociedades limitadas, antes de que entrara en vigor la Ley 2/11995 (lo hizo el 1º de junio de 1995), se regían ya por el sistema que desarrollaba el artículo 105.5 de la Ley de Sociedades de Responsabilidad Limitada, en vigor desde dicha fecha. La respuesta ha de ser positiva.

Esta Sala ha ido aplicando la responsabilidad que decreta ahora el artículo 262.5 TRLSA con un tono cada vez más objetivo, pues, si se había resistido a una aplicación que tuviera por base la mera inactividad de los administradores al no solicitar el acuerdo de disolución que se había producido antes de la vigencia de la nueva Ley, en vista del principio de irretroactividad recogido en el artículo 2.3 del Código civil, entendiendo que la responsabilidad de los administradores es una suerte de "pena civil" cuya retroactividad ha de ser excluida por mor del artículo 9.3 de la Constitución, que se ha de aplicar a las normas sancionadoras con penalidad civil o privación de derechos (Sentencia de 15 de julio de 1997), más tarde decidió aplicar esta responsabilidad a una situación que, generada con anterioridad, continuaba produciéndose a la entrada en vigor del TRLSA (Sentencia de 2 de julio de 1999 y, en adelante, ha ido configurando la responsabilidad de los administradores en este supuesto como "cuasi objetiva" (Sentencias de 20 de diciembre de 2000, de 20 de julio de 2001 y de 25 de abril de 2002) o como "basada en el hecho objetivo en el cual asienta el legislador la responsabilidad de los administradores sin otras consideraciones" (Sentencia de 12 de junio de 2002), cuando no ha señalado que se trata de una "responsabilidad objetiva" (Sentencia de 14 de noviembre de 2002).

Este tono objetivado o cuasiobjetivo del precepto no debe, sin embargo, ser exagerado. Los administradores responden porque no han convocado la Junta, no por razón de que no se haya adoptado el acuerdo de disolución, pero la omisión por la que se responde no es, por sí misma, generadora de daños a los acreedores de la sociedad, ni siquiera los agrava considerada en sí misma, y puesto que el daño no deriva de la acción (rec-tius, omisión), hasta el punto de que carece de sentido la relación de causalidad que es presupuesto ordinario de cualquier responsabilidad (Sentencias de 30 de octubre y 21 de diciembre de 2000, de 12 de febrero de 2002), la omisión que implica el incumplimiento del deber de convocar, con la consecuencia de poner a cargo de los administradores, de forma solidaria, el pasivo social, los créditos que se reclamen dentro del plazo de cuatro años (Sentencias de 20 de julio de 2001, de 30 de noviembre de 2001, de 7 de mayo de 2004, de 30 de septiembre de 2004), ha de tener, a fortiori, veste de sanción. Lo que se ha denominado, en la doctrina y en buena parte de la jurisprudencia, "una sanción o pena civil, en forma de responsabilidad objetiva por todas las deudas sociales".

La naturaleza jurídica de la responsabilidad de los administradores en este específico supuesto plantea una cuestión en torno a la aplicación con carácter retroactivo de las su-cesivas modificaciones que afectan a los preceptos cuya aplicación se postula en sentido más favorable para quienes habrían de ser sancionados con esta especial forma de res-ponsabilidad. Se trata de las modificaciones introducidas por la Ley 22/2003, de 9 de julio, Concursal (LC), y por la reciente Ley sobre la sociedad anónima europea domiciliada en España, Ley 19/2005, de 14 de noviembre (LSE publicada en el BOE de 15 de noviembre, que ha entrado en vigor el siguiente día (DF 5ª).

Se trataría de aplicar retroactivamente la "Ley penal más favorable" como se establece en el artículo 15 del Pacto Internacional de Derechos Civiles y Políticos y el artículo 47 de la Carta de Derechos Fundamentales de la Unión Europea, que el artículo 10.2 de la Constitución trae a causa para la interpretación de las normas, en un supuesto en que no hay una doctrina consolidada del Tribunal Constitucional en punto a la existencia de un imperativo constitucional para dotar de eficacia retroactiva a la Ley penal más favorable, en tanto que ha dicho que del principio de legalidad penal del artículo 25 CE no deriva un derecho fundamental a la retroactividad de la Ley penal favorable (SSTC 99/2000 y 75/2002), pero se reconoce, como en la doctrina se ha señalado, un cierto reconocimiento indirecto sobre la base del artículo 9.3 CE SSTC 8/1981 y 131/1986).

Observemos, ante todo, que la responsabilidad que se impone en la sentencia recu-rrida a los administradores, aun cuando estrictamente no pudiera basarse en el artículo 105.5 LSRL, que entró en vigor después de que pasara el plazo para convocar la Junta, dando cumplimiento al deber legalmente impuesto, que en el caso de autos venía impues-to por la escueta remisión que los artículos 11 y 30 de la Ley de Sociedades Limitadas, después de la modificación operada por la Ley 19/1989, realizaban a los administradores de las sociedades anónimas y las causas y efectos de la disolución establecidos en la LSA, a los que se referían los de las limitadas, ha de referirse a una regla en todo seme-jante, ya que entre la regulación del supuesto en materia de sociedades anónimas y en materia de limitadas no hay más variantes que cuestiones de matiz. Además de que la situación proseguía cuando entró en vigor la Ley 2/1995, y hasta el siguiente año no se solicitó la suspensión de pagos.

Los preceptos contenidos en los artículos 262.5 TRLSA y 105.5 LSRL han sido su-cesivamente modificados por las DDFF 20ª.6 y 21ª. 4 LC en el sentido de admitir que los administradores pueden convocar la Junta para acordar la disolución de la sociedad o "si procediere, el concurso". En el caso, se solicitó la suspensión de pagos, que bajo la legislación derogada admitía los supuesto de insolvencia definitiva, como el de autos, y así se tramitó, abriéndose la pieza de responsabilidad, que se cerró ante la inexistencia de demanda por parte del Ministerio Fiscal o de los acreedores, por Auto de 30 de abril de

1997, cuando ya se había presentado la demanda origen de estas actuaciones (5 de febrero de 1997), sobreseyéndose el Expediente, por falta de quórum en la Junta de Acreedores, por Auto de 3 de junio de 1997. Esta condición impide que pueda entenderse como equivalente la solicitud de concurso que más tarde previno. Las Sentencias de esta Sala de 13 de abril de 2000 y de 16 de diciembre de 2004 no han admitido, si bien por razones diversas, que la presentación de un expediente de suspensión de pagos puede equivaler al cumplimiento del deber de convocar la Junta. En el caso de autos, la presentación del expediente resultó intempestiva, por tardía, y quedó frustrada.

Por último, la Ley 19/2005, de 14 de noviembre, que entró en vigor el día 16 siguiente, limita la responsabilidad de los administradores, tanto en el caso de las sociedades anónimas (DF 1ª) cuanto en las limitadas (DF 2ª) a las "obligaciones sociales posteriores al acaecimiento de la causa legal de disolución." Pero en el presente caso, hay que recordar que el crédito que se reclama procede de seis letras de cambio, que se libran y aceptan los día 5 y 23 de junio de 1995, esto es, cuando ya los administradores han de tener conocimiento de la situación, y ha transcurrido el plazo de dos meses del que disponen para convocar la Junta. (Sentencias de 20 de julio de 2001, de 12 y 18 de septiembre de 2003).

5º La acción de responsabilidad llamada "individual" es, en efecto, distinta, [...], y exige un daño, relación de causalidad entre la conducta de los administradores y el daño e imputación subjetiva, por falta de diligencia (Sentencias de 20 de noviembre de 2003 y de 16 de febrero de 2004, y se presenta como un supuesto especial de responsabilidad extracontractual, ya que el tercero no ha contratado con el Administrador contra quien se ejercita, sino con la sociedad. Tiene, por ello, como telón de fondo y norma de integración, el artículo 1902 del Código civil y la copiosa teorización que doctrina y jurisprudencia han desarrollado al respecto en la técnica de interpretación y aplicación del citado precepto, que se encuentra en el *thesaurum* de la tradición jurídica civil (Sentencias de 20 de febrero y 26 de mayo de 2004, entre las últimas), aunque es bien cierto que la posición del tercero que reclama resulta favorecida por el régimen de prueba, por la solidaridad declarada *expressis verbis* y por el plazo de prescripción (cuatro años, "ex" artículo 949 CCom). En esta acción, el presupuesto básico viene constituido por la existencia de un daño directo, que no puede consistir meramente en la insolvencia de la sociedad (Sentencias de 10 de diciembre de 1996 y 21 de noviembre de 1997)».

STS de 25 de enero de 2006 (Penal) [8]

FUNDAMENTOS DE DERECHO

«2º [...]hemos de partir de la calificación jurídica de la anterior sentencia de esta Sala, 71/2004 de 2.2, dio a los hechos objeto de enjuiciamiento, esto es, un delito de apropiación indebida en su tipo de administración desleal o fraudulenta, castigado en el art. 535, en relación con el 528 y 529.7, como muy cualificada, del CP/1973, y hoy en el art. 252, en relación con el art. 249 y 250.6, tipo que se comete cuando el administrador perjudica patrimonialmente a su principal distrayendo el dinero cuya disposición tiene a su alcance, no siendo necesario que se pruebe que el mismo ha quedado incorporado a su patrimonio sino únicamente el perjuicio patrimonial del administrado como consecuencia de la gestión desleal infractora de los deberes de fidelidad inherentes a su función, sentencia de esta Sala 224/98 de 26.2, que precisó, que de acuerdo con esta interpretación el uso de los verbos "apropiarse" y "distraer" en el art. 535 CP 1973 sugiere con claridad lo que separa la apropiación indebida en sentido estricto en que es precisa la incorporación de la cosa unida al patrimonio del que ahora con animo de lucro, de la gestión fraudulenta en que la acción típica es la disposición del dinero que se administra en perjuicio de la persona física o jurídica titular del patrimonio administrativo, sin que sea imprescindible en este tipo –aunque tampoco quepa descartarla– la concurrencia del "animus rem sibi hahendi" sino solo la del dolo genérico que consiste en el convencimiento y consentimiento del perjuicio que se ocasiona (SSTS 3.4 y 17.10.98).

Doctrina esta –que tal como recordó la sentencia antes citada 71/2004– es aplicable al actual art. 252 CP., debiendo ser rechazada la pretensión según la cual la administración desleal o fraudulenta, antes comprendida en el delito de apropiación indebida del art. 535 CP. derogado, hoy lo está únicamente en el art. 295 del vigente, que seria de aplicación por resultarle mas favorable. Debe tenerse en cuenta –decíamos en nuestra sentencia 1217/2004 de 2.11– que el antiguo art. 535 no ha sido sustituido por el nuevo art. 295, sino por el art. 252 que reproduce substancialmente, con algunas adiciones clarificadoras el contenido del primero de los citados, por lo que en la nueva normativa subsiste el delito de apropiación indebida con la misma amplitud e incluso con una amplitud ligeramente ensanchada, a la que tenia en el CP/1973.

En efecto el art. 295 del CP. ha venido a complementar las previsiones sancionadoras del 252, pero no a establecer su régimen sancionador más benévolo para hechos que se consideraban y se consideran delitos de apropiación indebida, en el supuesto de que los mismos se perpetran en un contexto societario. Será inevitable en adelante que ciertos actos de administración desleal o fraudulenta sean subsumibles al mismo tiempo en el art. 252, y en el 295 CP. vigente, porque los tipos en ellos descritos están en una relación semejante a la de ciertos secantes, de suerte que ambos artículos parcialmente se solapan. Pero este concurso de normas, se ha de resolver, de acuerdo con lo dispuesto en el art. 8.4 CP., es decir, optando por el precepto que imponga la pena más grave (SSTS 2213/2001 de 27.11; 867/2002 de 29.7; 1835/2002 de 7.11)».

STS de 10 de febrero de 2006 (Penal) [8]

FUNDAMENTOS DE DERECHO

"1º (...) 2. La doctrina y la jurisprudencia han venido señalando que la insolvencia es la situación en que se encuentra el deudor cuyo patrimonio resulta insuficiente para afrontar los créditos acumulados en su contra. Pero el desequilibrio económico, la misma bancarrota, no resultan punibles sino cuando a esa situación se llega como consecuencia de actuaciones penalmente reprochables realizadas por el deudor, que frustra de este modo los derechos de crédito de los acreedores. El CC proclama en su art. 1911 que «del cumplimiento de las obligaciones responde el deudor con todos sus bienes presentes o futuros». Así, quienes contratan o se relacionan en el tráfico jurídico, pueden confiar en que la responsabilidad con que la contraparte se presenta no se verá alterada con actuaciones dirigidas a menoscabar y reducir el crédito determinante de aquella relación negocial. Lo que el Código castiga no es el empobrecimiento del deudor, como modalidad de la proscrita «prisión por deudas», sino la conducta dolosa de quien reduce u oculta su patrimonio para defraudar los derechos de sus acreedores que ven así frustradas las legítimas condiciones en que efectuaron la contratación.

La práctica demuestra que las actuaciones del deudor suelen ir destinadas a frustrar el juicio ejecutivo, alejando del previo embargo y ulterior ejecución todo aquello que pueda servir para la satisfacción del crédito, sean muebles (por ejemplo, fondos o depósitos bancarios) o bienes inmuebles.

3. Es cierto que el tipo básico de este delito es exactamente el mismo que en el anterior Código, por lo tanto subsiste la interpretación que de él se hacía, y en cuya virtud «alzarse» consiste en una primera acepción en la desaparición física del deudor con sus bienes, pero en una interpretación más acorde con la función del precepto, basta con que se de un acto de disposición sobre los propios bienes, para alejarlos del alcance de los acreedores o con desprecio de los derechos de estos, en virtud del cual el deudor queda total o parcialmente en estado de insolvencia, no siendo necesario en cada caso hacerle la cuenta al deudor para ver si tiene o no más activo que pasivo, lo cual no sería posible, precisamente por la actitud que adopta el deudor en estos supuestos (Cfr. SSTS de 10-2-76, 28-5-79, 27-10-88, etc.).

Se ha indicado, también, que no es exigible que el acreedor agote todos los medios de cobro, basta con obstaculizar la ejecución, pudiendo ser la insolvencia total o parcial, real o ficticia (SSTS de 22-12-89, 26-2-90, 17-1-92 y 26-12-2000).

No se exige que el acreedor, que se considera burlado por la actitud de alzamiento del deudor, tenga que ultimar el procedimiento de ejecución de su crédito hasta realizar los bienes embargados (sentencias de 4 de mayo de 1989, 27 de abril y 26 de diciembre de 2000), ni tampoco que tenga que agotar el patrimonio del deudor embargándole uno tras otro todos sus bienes para, de este modo, llegar a conocer su verdadera y real situación económica (STS 2212/01, de 27 de noviembre).

Lo que se exige como resultado en este delito es una efectiva sustracción de alguno o algunos bienes, que obstaculice razonablemente una posible vía de apremio con resultado positivo y suficiente para cubrir la deuda, de modo que el acreedor no tiene la carga de agotar el procedimiento de ejecución, precisamente porque el deudor con su actitud de alzamiento ha colocado su patrimonio en una situación tal que no es previsible la obtención de un resultado positivo en orden a la satisfacción del crédito. (...)".

STS de 16 de febrero de 2006 (Civil) [5]

FUNDAMENTOS DE DERECHO

«3º[...] esta Sala tiene declarado que los administradores sociales incurren en responsabilidad solidaria por negligencia por las deudas sociales cuando se limitan a eliminar la sociedad del tráfico mercantil sin proceder a su disolución en la forma prevista por el ordenamiento jurídico y con ello causan daño a los acreedores de la misma.

Entre las más recientes, la STS de 19 de abril de 2001 declara, en relación con un precepto de la Ley de sociedades anónimas de similar alcance al aquí enjuiciado, que "'[...] los demandados llevaron a cabo el cierre de facto del establecimiento social, sin haber abonado el crédito pendiente con la entidad actora, y sin haber llevado a cabo, conforme a Ley, la suspensión, quiebra, liquidación o disolución de la sociedad'. Todo ello lleva a determinar una actuación negligente, puesto que sin llegar a una declaración de responsabilidad civil cuasi-objetiva, la doctrina jurisprudencial de esta Sala ha llegado a declarar que los administradores no pueden limitarse a eliminar la sociedad sin más, ya que deben liquidarla en cualquiera de las formas prevenidas legalmente, y que están precisamente orientadas para salvaguardar los intereses de terceros en el patrimonio social. Por lo que, la no liquidación en forma legal del patrimonio social cuando la sociedad se encuentra en situación de insolvencia es susceptible de producir daño a terceros (sentencias de 21 de mayo de 1992 y 22 de abril de 1994 entre otras)."

Este sistema de responsabilidad, que deriva de los arts. 262.5 TR LSA y 105 LSRL considerado extremado por algún sector de la doctrina, no exige relación causal con el resultado producido ni concurrencia de culpa en el administrador responsable, en el sentido de falta de previsión del daño, ya que éste no se precisa. Sin embargo, la doctrina defiende la posibilidad de aplicar a esta responsabilidad la cláusula de exoneración del art. 133 TR LSA, adaptado a las características del supuesto, aproximándolo de este modo a la aplicación de las reglas generales de imputabilidad y, en idéntico sentido, esta Sala también tiene declarado que el fundamento de la responsabilidad del administrador o administradores –que respecto de las sociedades de responsabilidad limitada se consagra en el apartado 5 del artículo 105 de la LSRL– no concurre en el caso de que el acreedor, en el momento de concertar la deuda, conoce la situación económicamente precaria o en bancarrota de la sociedad.

La STS de 16 de octubre de 2003 declara que "puede existir la responsabilidad de dichos administradores cuando se incumple la obligación de convocar junta general para tomar las decisiones legales oportunas en torno a una posible disolución de la sociedad cuando concurra alguna de las circunstancias del artículo 260 de dicha Ley y siempre que afecte a terceros. Pues bien, en su caso, esta responsabilidad solidaria sui generis antedicha, tiene su fundamento o ratio, en que con su conducta omisiva los administradores han inducido a error a un determinado tercero contratante con el ente social, que creyendo en una situación normal desde un punto de vista económico y financiero de la sociedad, ha realizado operaciones mercantiles con él, llevándose con el transcurso del tiempo una desagradable sorpresa que afecta gravemente a su posición patrimonial por mor de dicha contratación."

Por su parte, la STS de 12 de febrero de 2003 aplica esta doctrina a las sociedades de responsabilidad limitada:

"Ha quedado probado incontestablemente que la sociedad demandada se halla incursa de plano en una causa de disolución desde el año 1991, según el art. 260.4º del Texto Refundido de la Ley de Sociedades Anónimas, aplicable a la de Responsabilidad Limitada desde la vigencia de la Ley 19/1989, de 25 de julio, de Reforma Parcial y Adaptación de la Legislación Mercantil a las Directivas de la Comunidad Económica Europea (arts. 11 y 30 LSRL de 17 de julio de 1953, de acuerdo a la redacción dada por la Ley 19/1989). Desde la vigencia de la LSRL de 23 de marzo de 1995, la sociedad demandada también se encontraba incursa en la causa de disolución consignada en el art. 104.1 e).

No hay constancia en autos de que las personas físicas demandadas hayan adoptado las medidas impuestas legalmente para resolver la completa insuficiencia patrimonial de la sociedad, por lo que deberán responder solidariamente de las deudas sociales (art. 105.5 LSRL).

Ahora bien, si el precepto citado dispone de esa forma su responsabilidad, también hay que tener en cuenta el art. 7.1 del Título Preliminar del Código civil, que obliga al ejercicio de los derechos conforme a las exigencias de la buena fe. Por tanto, aunque el art. 105. 5 LSRL otorgue a los acreedores el poder de exigir solidariamente a los administradores con la sociedad las deudas sociales, ha de verse si en el ejercicio del mismo obran de buena fe.

En el presente caso, es cierto que cuando la sociedad actora comienza a cumplir con la demandada el contrato de distribución de sus productos, ya esta última publicaba en el Registro Mercantil, a través del depósito de sus cuentas, memorias y balances, la poca capacidad patrimonial que tenía para hacer frente a los pagos de los suministros, pero no es negligencia alguna que se pueda imputar a la actora que se los sirviera. Sería una rémora importantísima para la rapidez de las transacciones mercantiles que hubiera que acudir al Registro Mercantil para enterarse de la solvencia de la persona con quien se quiere concertar una operación, salvo que se trate de profesionales a los que el uso de los negocios impone investigar dicha solvencia.

No obstante, existen situaciones muy cualificadas en que ello es una carga inevitable en lógica comercial, y es cuando hay motivos suficientes o indicios racionales de la insolvencia. No puede amparar la norma al que se despreocupa de ello y opera sin ninguna cortapisa, por ejemplo, suministrando géneros al cliente de solvencia sospechosa. No puede pretender que jueguen entonces a su favor la imposición de la solidaridad de los administradores con la sociedad para el pago de las deudas sociales, no se actuaría entonces de la manera razonable, honesta y adecuada a las circunstancias de acuerdo con el art. 7.1 Código Civil".

4º En primer lugar, a tenor del contenido del motivo formulado, procede examinar en el caso enjuiciado la posible concurrencia de la causa de disolución prevista en apartado c) del artículo 104 LSRL y, de existir, la responsabilidad del administrador único por no haber instado dicha disolución.

El obligado respeto que en fase casacional debe prestarse a los hechos declarados probados por la Sala de apelación obliga a aceptar que, como declara la sentencia impugnada, no está probado que la sociedad no pudiera ejercer su fin social por haberse reducido su patrimonio a menos la mitad del capital social en el año 1993 –fecha en que se concertó el préstamo y estima la parte recurrente concurría dicha causa de disolución–, lo que conduce a la indefectible conclusión de la falta de concurrencia de la causa de disolución prevista en apartado c) el artículo 104 LSRL en el momento en que la demandante considera que concurre y, por consiguiente, de la falta de responsabilidad del administrador por no instar la expresada disolución.

Incluso admitiendo dialécticamente que en el momento de concertar el préstamo o en un momento posterior se hubiera extinguido toda posibilidad de la sociedad de conseguir su fin social, es de saber que, igualmente de acuerdo con la declaración de hechos probados de la sentencia apelada, en el momento de concertar el préstamo incumplido la entidad bancaria otorgante conocía sobradamente la situación precaria en que la sociedad de responsabilidad limitada se hallaba, puesto que había sido cedida a varios trabajadores y había cerrado un local donde desempeñaba su actividad, y la situación económica de la sociedad no varió sustancialmente desde el momento del otorgamiento del préstamo hasta el momento de su vencimiento.

Por consiguiente, no se advierte que la omisión del deber de instar la disolución de la sociedad por parte del administrador, en la hipótesis de su existencia, haya inducido a error a la entidad otorgante del préstamo para concederlo sobre la verdadera situación de la empresa, que le era perfectamente conocida, ni haya influido respecto de dicho incumplimiento por parte de la sociedad, pues la sentencia declara probado, atendiendo a la constancia de diversos apuntes contables destacados en el dictamen pericial, que la actuación del administrador demandado no se puede considerar en absoluto de dejadez en la gestión para hacer frente a los pagos derivados del préstamo, de tal suerte que la exigencia de responsabilidad al administrador, de acuerdo con la doctrina sentada en la ya citada STS de 12 de febrero de 2003, debe estimarse contraria a las exigencias del principio de buena fe.

5º La parte recurrente hace valer en el motivo primero y único de casación otra de las causas de disolución de la sociedad que alegó en la demanda, no atendida por el administrador a quien se imputa la responsabilidad: a saber, el haber permanecido la sociedad inactiva durante el plazo de tres años, lo que a su juicio implica la procedencia de la disolución por la falta de ejercicio de la actividad o actividades que constituyan el objeto social durante dicho período de tiempo [artículo 104.d) LSRL].

[...] Por lo demás, esta causa de disolución fue introducida por la LSRL/1995 (y no era aplicable en virtud de la remisión efectuada a la Ley de Sociedades Anónimas, que no la prevé), de donde se infiere que, en virtud del principio de irretroactividad de las Leyes, el cómputo del plazo de inactividad debe contarse a partir de la entrada en vigor de dicha Ley, y notoriamente no se había completado en el momento de presentación de la demanda, en el cual queda fijado el objeto del proceso, sin que sea posible, en virtud del principio de prohibición de la *mutatio libelli* [modificación de la demanda] (entre las más recientes, SSTS 11 de noviembre de 2005 y 15 de noviembre de 2005) tener en cuenta para integración del objeto del proceso hechos posteriores a este momento procesal. No es aceptable el argumento de la parte recurrente de que una demora en la presentación de la demanda hubiera llevado consigo la prescripción de la acción, pues, siendo discutible esta afirmación, el hecho objetivo de la falta de concurrencia de la causa de disolución en el momento de su presentación impide la estimación de la acción, por más que la misma pudiera ser favorable en una época futura en que resulte imposible su ejercicio».

STS de 20 de febrero de 2006 (Civil) [5 y 13]

FUNDAMENTOS DE DERECHO

«2º La cuestión del plazo de prescripción aplicable a la acción ejercitada por OPC, SA no se discutió a lo largo del litigio, estando conformes las partes que debía aplicarse el plazo de un año, como así lo estableció la propia demandante en su escrito de demanda y mantuvo en la apelación. Por ello y como decimos en nuestra sentencia de 3 de febrero de 2006, "sea cual sea la posición que se sustente sobre el alcance de la prohibición de la *mutatio libelli*, ha de ser, como mínimo, irrelevante la introducción de variantes sobre las pretensiones originales que quedaron fijadas en la fase de alegaciones"; tanto la jurisprudencia como la doctrina deducen la prohibición del cambio de lo pedido en la demanda de los artículos 548.2 693, 2ª de la Ley de Enjuiciamiento Civil "en términos que bien pueden resumirse diciendo que la Ley prohíbe el cambio de la demanda, en cuanto afecte a los elementos identificadores de la acción (sujeto, petitum y causa de pedir) y se admitan "variaciones no sustanciales, que carezcan de entidad suficiente para significar una variación trascendental". [...]

Hay que recordar que la jurisprudencia no estaba de acuerdo sobre la aplicación o la aplicación supletoria del artículo 949 Código de Comercio, o el artículo 1968, 2 del Código civil en la determinación del plazo de prescripción de la acción (así, por ejemplo, la sentencia de 21 de mayo de 1992), y que no se había consolidado en el momento en que se presentó la demanda la doctrina que aplica supletoriamente el artículo 949 del Código de comercio (sentencia de 20 de julio de 2001, por lo que el demandante fijó el objeto de su demanda y las acciones que ejercía de acuerdo con uno de los criterios admitidos en el momento de la presentación.

Excluir la aplicación de nuestra doctrina en el presente caso no supone una decisión arbitraria que vulnere el principio de igualdad en la aplicación de la Ley, porque acceder a las pretensiones de la demandante sería incurrir en incongruencia. Efectivamente, lo que se planteó de nuevo en el recurso de casación, tal como se lee en el fundamento de derecho primero de la sentencia apelada, fue no sólo que la acción ejercitada fue la del artículo 135 LSA, con el plazo de prescripción de un año, sino también la del artículo 262, 5º LSA, con un plazo de prescripción de cuatro años, cosa que rechaza la sentencia apelada, por no haber sido ésta la acción ejercitada por la demandante, como se deduce de los términos en que formuló el petitum de su demanda, que se limitó a la acción por responsabilidad personal de los administradores, prevista en el artículo 135 LSA».

STS de 6 de marzo de 2006 (Civil) [5, 6 y 10]

FUNDAMENTOS DE DERECHO

«3º [...] El tema planteado vuelve a la cuestión del plazo de prescripción de las acciones de responsabilidad de los administradores contenidas en los artículos 133 y 135 LSA. Es cierto que a partir de la entrada en vigor de la Ley de Sociedades Anónimas la jurisprudencia no mantuvo una solución uniforme acerca de la aplicación a estas acciones de los plazos de prescripción del artículo 949 del Código de comercio, o bien el plazo del artículo 1968, 2º del Código civil, por tratarse de una acción de responsabilidad extracontractual. La sentencia de 20 de julio de 2001 acabó con esta polémica, unificando la doctrina y aplicando el artículo 949 del Código de comercio y, en consecuencia, la prescripción de cuatro años. Esta cuestión, sin embargo, no se plantea en el presente recurso, porque durante el litigio, ambas partes han entendido que la norma aplicable era el artículo 1968, 2º del Código civil y en lo único que discrepan es en relación al dies a quo para el inicio del plazo de prescripción.

Lleva razón la sentencia recurrida en el cómputo que realiza, que consiste en entender que durante el período de 11 meses durante el cual se podía proceder a hacer las aportaciones establecidas para la ampliación del capital acordado por la Junta general no había empezado la prescripción. Y también está en lo cierto al añadir el plazo de un mes establecido en el artículo 161.2 LSA como término de devolución de los capitales aportados cuando la suscripción del aumento de capital hubiese resultado incompleta. A ello debe añadirse que la fijación del dies a quo es una cuestión de hecho que debe ser apreciada por los tribunales de instancia, que sólo puede ser revisada en casación cuando sea incongruente, absurda o arbitraria, lo que no concurre en el presente caso. De este modo y aplicando el plazo de un año en los términos de la sentencia recurrida, no se había producido la prescripción cuando se interpuso la demanda.

5º La cuestión se centra, sin embargo, en si se dan los requisitos que se exigen para el éxito de la acción, puesto que el recurrente los examina todos y cada uno, para llegar a la conclusión que no concurre ni una acción u omisión infractora productora del daño, ni la antijuridicidad de la acción, ni la culpa del agente, ni la producción del daño, ni la relación de causalidad. Pero todas las argumentaciones del recurso son inaplicables al caso concreto que ahora es objeto de casación, puesto que la acción reconocida a los socios en el artículo 133.1 LSA, que fue la ejercitada de modo concreto por el demandante, atribuye la responsabilidad a los administradores por los actos "contrarios a la Ley, o a los estatutos o por los realizados sin la diligencia con la que deben desempeñar el cargo" (redacción de 1989). De acuerdo con esto, debe estudiarse el supuesto de hecho producido para ver si se integra o no en la sanción prevista en el artículo 133.1 LSA.

El artículo 161.2 LSA establece que "si el acuerdo del capital social quedara sin efecto por suscripción incompleta de las acciones emitidas, los administradores de la sociedad lo publicarán en el 'Boletín Oficial del registro Mercantil' y, dentro del mes siguiente a aquel en que se hubiera finalizado el plazo de suscripción, restituirán a los suscriptores o consignarán a su nombre en el Banco de España o en la Caja General de Depósitos las aportaciones realizadas".

Los administradores tienen la obligación legal de restituir las cantidades aportados a un aumento de capital incompleto, cuyo incumplimiento genera responsabilidad, y no puede alegarse buena administración, según el artículo 127 LSA, cuando estas cantidades se han invertido en el normal desarrollo de las actividades societarias, como se alega en este caso, puesto que correspondía su devolución al no haberse suscrito de forma completa el aumento de capital acordado. Al no hacerlo así, los administradores incumplieron las obligaciones que la Ley les impone, realizando actos contrarios a la Ley que de acuerdo con el artículo 133.1 LSA, generan obligación de responder frente al socio, sin que en este caso sea necesaria otra prueba que la de la contravención. Siendo así que los propios administradores reconocen que no se devolvieron estas cantidades y que se invirtieron en sanear la sociedad, estos actos generaron la mencionada responsabilidad. Además, la Ley establece que la devolución debe realizarse dentro del mes siguiente al plazo en que se haya acabado el período de suscripción sin que se haya completado y por ello, el acuerdo de la Junta, de devolver estas cantidades realizado dos meses después de la presentación de la demanda no exime del incumplimiento producido.

A la misma conclusión se llegaría de aplicar el artículo 135 LSA, puesto que aquí el supuesto de hecho de la acción individual de responsabilidad es la lesión directa de los intereses de los socios. Y esta lesión es patente cuando se ha incumplido la obligación de devolución en el plazo marcado por la Ley».

STS de 7 de marzo de 2006 (Civil) [5]

FUNDAMENTOS DE DERECHO

«4º [...] La Ley de Sociedades Anónimas vigente establece, en los artículos 171-222, las normas relativas a las cuentas de la sociedad, de acuerdo con lo establecido en la 4ª Directiva (78/660/CEE). De acuerdo con estas disposiciones, los administradores no son los autores exclusivos de las cuentas que deben presentarse en la reunión de la Junta general, sino que sólo formulan un proyecto, que será definitivo cuando, examinado por los auditores, sea aprobado por la Junta. Por ello puede decirse que el administrador presenta las pruebas, los auditores las comprueban y estos dos documentos son los que se examinan en la Junta general que los aprobará en su caso.

Los hechos probados en la sentencia recurrida y no impugnados por la vía adecuada en casación, por lo que han devenido firmes, son:

1º Que en las convocatorias de la junta general se puso a disposición de los accionistas la documentación relativa a las cuentas anuales, memoria e informe de gestión.

2º Que si bien las cuentas del ejercicio 1994 no eran definitivas cuando se presentaron a la aprobación de la Junta, por faltar el informe de la auditoría, se acordó por mayoría de los socios asistentes, su aprobación por una Junta posterior una vez se hubiese cumplido el trámite del control por el auditor.

Por ello debe confirmarse la sentencia recurrida cuando considera que el retraso del administrador único Sr. Blas no fue ni culpable ni negligente, porque aunque insuficientes, las cuentas se presentaron en la citada Junta, acordándose por la misma una nueva reunión para aprobarlas cuando se hubieran completado y por ello mismo, no resultó lesionado el derecho a la información del Sr. Rodrigo. No puede, por tanto, el recurrente pretender imponer su opinión frente a la sentencia recurrida, sobre la base única de una interpretación distinta de las obligaciones legales impuestas al administrador y su posible incumplimiento y más sin impugnar los hechos declarados probados por la vía establecida legalmente, teniendo en cuenta, además, que el recurrente no impugnó debidamente la referida Junta.

5º La jurisprudencia ha exigido que para que nazca la responsabilidad de los administradores que se establece en los artículos 133.1 y 135 LSA, se debe probar que concurren los siguientes requisitos: a) que se haya producido un daño al socio; b) que se haya producido una conducta u omisión de los administradores, y c), que exista relación de causalidad entre la conducta y el daño (entre las sentencias más recientes pueden consultarse las de 6 de octubre de 2000; 20 de diciembre de 2002 y 4 de abril de 2003). El recurrente no ha conseguido probar la concurrencia de daño, tal como se afirma en la sentencia recurrida y se reconoce en el propio recurso de casación, cuando afirma que él mismo "no puede cuantificar su perjuicio, ni explicitar su daño". Al faltar uno de los requisitos para que pueda reclamarse la responsabilidad al administrador, cual es la demostración del daño producido».

STS de 9 de marzo de 2006 (Civil) [5 y 6]

FUNDAMENTOS DE DERECHO

«4º [...] En cuanto a la prescripción de la acción, la reiterada doctrina jurisprudencial, después de algunas vacilaciones, ha establecido que el plazo de prescripción para exigir responsabilidad a los administradores y gerentes de compañías mercantiles es el de cuatro años del art. 949 del Código de Comercio (sentencias de 7 de junio y 21 de julio de 2001, 1 de marzo de 2003, 1 de marzo y 5 de octubre de 2004 y 15 de junio de 2005).

En cuanto a la infracción del art. 135 de la Ley de Enjuiciamiento Civil, es de notar que la responsabilidad de los administradores demandados que declara la sentencia recurrida, su basa en el art. 262.5 de la Ley de Sociedades Anónimas, como con claridad meridiana se razona en el fundamento jurídico tercero de la misma, en el que se comienza diciendo que "la acción ejercitada contra los administradores no es la de responsabilidad individual de los administradores prevista en el art. 135 de la Ley de sociedades anónimas sino la que deriva de la responsabilidad impuesta a los mismos por el art. 262.5 de la mencionada Ley", inaplicado para dictar la resolución impugnada del art. 135 invocado, no cabe alegar su violación.

[...]

Es doctrina jurisprudencial reiteradísima que lo relativo a la computación de los plazos de prescripción es cuestión de hecho y, por tanto, determinable por la apreciación y valoración de las pruebas practicadas, lo que lleva consigo que su ataque en vía de casación haya de llevarse a cabo por el cauce procesal pertinente que, vigente la Ley 10/1992, de 30 de abril, es el del número 4º del art. 1692 de la Ley de Enjuiciamiento Civil con alegación de error de derecho en la valoración de la prueba, con cita de las normas reguladoras de la misma que se consideren infringidas (sentencias, entre otras muchas, de 30 de noviembre de 1996, 4 de julio de 1998 y 25 de abril de 2000), cauce procesal que aquí no se ha seguido. Asimismo es doctrina jurisprudencial reiterada la de que corresponde a quien alega la prescripción la prueba del "dies a quo", de manera que la falta de concreción y la indeterminación del día inicial, o las dudas que sobre el particular puedan surgir no deben resolverse en principio en contra de la parte a cuyo favor juega el derecho reclamado (sentencias de 10 de marzo de 1989 y 3 de diciembre de 1993).

7º Es reiterada y uniforme doctrina de esta Sala (sentencias de 12 de junio de 1985, 4 de junio de 1990, 14 de octubre de 1993, 8 de noviembre de 1995, 7 de febrero de 1997 y 9 de julio de 1999) la del criterio flexible que ha de presidir el tratamiento y aplicación de la acumulación subjetiva de acciones que regula el art. 156 de la Ley de Enjuiciamiento Civil, entendiendo que procede la misma, a pesar de que el supuesto no se halle comprendido en la literalidad de la norma, si tampoco le alcanzan las prohibiciones de los arts. 154 y 157 del mismo Cuerpo legal, y existe entre las acciones cierta conexidad jurídica que justifique el tratamiento unitario y la resolución conjunta. La conexidad entre la acción dirigida a exigir a la sociedad anónima el pago de las deudas sociales y la que tiene por objeto la responsabilidad de los administradores al amparo del art. 262.5 de la Ley de Sociedades Anónimas surge del tenor de este precepto legal al establecer que los administradores "responderán solidariamente de las obligaciones sociales"; el tratamiento separado de una y otra acción entrañaría el riesgo de resoluciones contradictorias en cuanto a la existencia o cuantía de las deudas sociales de las que han de responder la sociedad deudora y los administradores que incumplen las obligaciones de que nace su responsabilidad. En consecuencia, se desestima el motivo».

STS de 9 de marzo de 2006 (Civil) [6 y 10]

FUNDAMENTOS DE DERECHO

«5º [...] el incumplimiento tardío por su parte de algunos de sus derechos como administrador nada habría tenido que ver con la deuda de la sociedad frente a la actora.

Semejante planteamiento no puede ser acogido por las siguientes razones: primera, porque en el motivo se mezclan preceptos que poco tienen que ver entre sí, ya que mientras el art. 133 LSA regula una responsabilidad por daños causados por actos u omisiones de los administradores, siendo en tal caso un requisito de la condena la relación de causalidad exigida también por los arts. 1902, 1101 y 1107 CC que asimismo se citan en el motivo, el art. 262.5 LSA, en cambio, establece una responsabilidad solidaria de los administradores que es consecuencia del incumplimiento por éstos de los deberes determinados en la propia norma dentro del plazo que ésta establece, no exigiéndose por tanto ni culpa ni relación de causalidad entre el incumplimiento de tales deberes, que puede consistir también en el relativo al plazo de dos meses, y la insolvencia de la sociedad o el impago de la deuda social (SSTS 29-4-99, 31-5-01, 20-7-01, 25-4-02, 7-6-02, 24-11-03, 23-12-03 y 25-10-05 entre otras); segunda, porque en consecuencia resulta inaplicable a tal responsabilidad la doctrina de las sentencias de 4 de noviembre de 1991 y 21 de mayo de 1992 citadas en el motivo; y tercera, porque si bien es cierto que este recurrente fue nombrado administrador de la sociedad deudora con posterioridad al nacimiento de la deuda, no lo es menos que la sentencia recurrida declara probado que a partir de junio de 1993 la sociedad ya estaba inactiva y su situación era de descontrol financiero, contable y administrativo, por lo que, como razona esa misma sentencia, este recurrente tenía que haber promovido la ordenada liquidación de la sociedad a partir del 28 de enero de 1994, fecha de la Junta que adoptó el acuerdo de nombrarle y en la que ya se reflejó ese abso-luto descontrol de la sociedad, habiendo declarado esta Sala que el cumplimiento tardío por los administradores de los deberes previstos en el art. 262.5 LSA no les exime de una responsabilidad ya contraída en cuanto ésta parte del conocimiento adquirido o debido adquirir por él (SSTS 30-10-00 en recurso nº 3341/95, 16-12-04 en recurso nº 3375/98 y 27-10-98 en recurso nº 1638/94), y menos aún cuando, siempre según la sentencia recurri-da, las cuentas del ejercicio 1993 no se presentaron hasta después de dirigida la reclama-ción contra los administradores mediante demanda presentada el 13 de junio de 1995, es decir, un año y medio después del nombramiento de este recurrente como administrador».

STS de 22 de marzo de 2006 (Civil) [5, 6 y 7]

FUNDAMENTOS DE DERECHO

«5º [...] Como ha declarado reiteradamente la jurisprudencia, no es improcedente la acumulación de las diversas acciones contempladas en el TR LSA para exigir la respon-sabilidad de los administradores de la sociedad anónima.

Declara la STS de 9 de marzo de 2006 que "es reiterada y uniforme doctrina de esta Sala (sentencias de 12 de junio de 1985, 4 de junio de 1990, 14 de octubre de 1993, 8 de noviembre de 1995, 7 de octubre (sic) de 1997 y 9 de julio de 1999) la del criterio flexible que ha de presidir el tratamiento y aplicación de la acumulación subjetiva de acciones que regula el art. 156 de la Ley de Enjuiciamiento Civil, entendiendo que procede la mis-ma, a pesar de que el supuesto no se halle comprendido en la literalidad de la norma, si tampoco le alcanzan las prohibiciones de los arts. 154 y 157 del mismo Cuerpo legal, y existe entre las acciones cierta conexidad jurídica que justifique el tratamiento unitario y la resolución conjunta. La conexidad entre la acción dirigida a exigir a la sociedad anónima el pago de las deudas sociales y la que tiene por objeto la responsabilidad de los administra-dores al amparo del art. 262.5 de la Ley de Sociedades Anónimas surge del tenor de este precepto legal al establecer que los administradores 'responderán solidariamente de las obligaciones sociales'; el tratamiento separado de una y otra acción entrañaría el riesgo de resoluciones contradictorias en cuanto a la existencia o cuantía de las deudas sociales de las que han de responder la sociedad deudora y los administradores que incumplen las obligaciones de que nace su responsabilidad".

La parte demandante dice que ejercita en la demanda la acción social y la acción indi-vidual de responsabilidad, pero las refiere también estrechamente al incumplimiento de la obligación por parte de los administradores del deber que les impone el artículo 262.5 TR LSA, por lo que debe entenderse, tal como acepta la sentencia recurrida, que las acciones ejercitadas son tanto la acción solidaria por incumplimiento de la obligación de liquidación de la sociedad, como la acción social y la acción individual de responsabilidad. Parece procedente, en consecuencia, examinar la procedencia de cada una, sin perder de vista la relación que puede existir entre ellas».

STS de 23 de marzo de 2006 (Civil) [5 y 6]

FUNDAMENTOS DE DERECHO

«1º [...] El deber de disolver la sociedad sólo puede afectar al que aparezca como verdadero, real y efectivo administrador social y no al que sólo se presenta como administrador de derecho formal por su falta de participación efectiva en la gestión y control de la empresa, lo que ha de ser objeto de la correspondiente prueba, que aquí ha tenido lugar y así se integró como hechos admitidos, que doña Guadalupe no llevó a cabo ninguna actuación ni firmó documento alguno para poder ser relacionada con los perjuicios que reclama la demandante. A su vez también alcanzó situación de hecho probado que la referida administradora ninguna participación efectiva tuvo en la gestión social, que había asumido por completo el otro administrador, el referido señor José Francisco; y cuando aquella accedió al cargo no tenía vinculación directa con la sociedad ni con su dirección, y mal podía conocer su situación económica, pues se limitó a heredar las acciones de su padre y adquirir las que correspondían a sus hermanos, sin ser administrador profesional.

La permanencia en el cargo, sobre unos tres meses efectivos, y teniendo en cuenta lo que se deja sentado como probado, ponen bien de manifiesto que no se da la concurrencia de datos y circunstancias suficientes para imputarle la responsabilidad que se le exige en cuanto a no haber procurado la disolución de la sociedad, pues tampoco permaneció totalmente inactiva y con ello consentidora de la situación de crisis social concurrente, ya que la sentencia recurrida declara que llevó a cabo aquellas actuaciones que estaban a su alcance y, a tal efecto, fue adoptar, al tiempo de asumir el cargo, acuerdos tendentes a conseguir la rendición de cuentas del ejercicio 1993, solicitar la contabilidad empresarial hasta 1994, con petición de balance, libros y justificantes al 30 de junio de 1994, designar un auditor de cuentas para la revisión contable de los tres últimos ejercicios –no constando se hubiera emitido el correspondiente dictamen–, así como la designación de personas para exigir responsabilidades a los anteriores gestores sociales; con el evidente fin de alcanzar conocimiento preciso de la real situación económica de la sociedad, para que, a la vista de los resultados, adoptar las medidas precisas, en ejercicio correcto y responsable del cargo de administrador, conforme al artículo 127 de la Ley de Sociedades Anónimas, y no ostentaba la misma posición práctica-gestora que el señor José Francisco, ya que éste era el que conocía perfectamente la situación de la compañía, pues incluso la había provocado con su actuación.

[...] la interpretación del artículo 265-5º de la Ley de Sociedades Anónimas no puede ser rigurosamente literal, ni extremadamente objetiva, ya que bastaría simplemente la no convocatoria de la junta o la no solicitud de la disolución judicial de la Sociedad, para declarar en forma automática la responsabilidad de los administradores, por lo que ha de entenderse, conforme al artículo 262.1º, que concurrían los presupuestos para proceder a la disolución de la compañía (sentencias de 24-10-2002, 17-11-2003, 16-2-2004 y 26-4-2005).

[...]

El dato decisivo para efectuar el cómputo del plazo de dos meses del artículo 262-5º, no puede reconducir de modo absoluto al momento en que se conoce el resultado de las cuentas anuales, sino que ha de contemplarse en relación con el conocimiento adquirido por el administrador, o podido adquirir, respecto de darse una situación en la que el patrimonio social resulta inferior a la mitad del capital social (sentencia 30 de octubre de 2000), lo que constituye tema probatorio, prueba que en el caso presente no ha tenido lugar, pues no se estableció el momento de tal conocimiento o de su aproximación, no obstante las actividades desplegadas por la administradora absuelta para alcanzar saber la verdadera situación económica de la sociedad».

STS de 3 de abril de 2006 (Civil) [6]

FUNDAMENTOS DE DERECHO

«2º [...] En cuanto que la responsabilidad que establece el artículo 262.5 LSA es un supuesto de "responsabilidad civil de los Administradores" y se explica, por ello, dentro del marco general de responsabilidad, que conduce, en primer lugar, a los artículos 133 a 135 de la LSA y, en cuanto esta regulación especial sea insuficiente, a los principios y reglas generales sobre responsabilidad civil, ha de afirmarse que el Administrador en principio imputado por el mero hecho de serlo, de acuerdo con lo dispuesto en el artículo 133.3 LSA sólo puede exonerarse si asume y cumple la carga de probar que no intervino ni conocía el acto lesivo (en este caso, la omisión) o que hizo todo lo conveniente para evitarlo, que en el específico supuesto del artículo 262.5 en relación con el artículo 260.4 LSA vendría a significar que, dada su condición de administrador colectivo, carente de la facultad de convocar por sí mismo la Junta, y no siendo tampoco socio de la compañía (a los efectos de los artículos 100.2, 101.1 y 262.2.III LSA), solicitar la disolución judicial de la sociedad (artículos 262.3 y 262.4 LSA) ya directamente ya mediante la promoción de la actividad del órgano colegiado de administración. (Después de la vigencia de la Ley 22/2003, de 9 de julio, Concursal, cabe también promover la declaración de concurso, en base a lo dispuesto en los artículos 3.1.II y 3.3). En el caso enjuiciado, el ahora recurrente nada prueba sobre su actividad o sus gestiones para la disolución de la sociedad, no obstante darse el supuesto de disolución al que nos hemos referido y seguir en el cargo de consejero.

4º [...] como acertadamente ponía de relieve la sentencia recurrida, concurren aquí dos fuentes de responsabilidad: la del artículo 262.5 y la de la Disposición Tercera, ap. 3, de la Ley de Sociedades Anónimas. Los administradores llevaron a cabo gestiones y actuaciones, pero las más de las veces extemporáneas, además de infructíferas, y en todo caso no realizaron cuanto dispone la Ley para adaptar los Estatutos dentro del plazo que señala, ni para promover la disolución de la sociedad cuando no habían podido conseguir su saneamiento financiero».

STS de 6 de abril de 2006 (Civil) [5 y 6]

FUNDAMENTOS DE DERECHO

«2º [...] La responsabilidad de los administradores, que la Ley (especialmente en el supuesto del artículo 262.5 LSA) conecta al incumplimiento de los deberes legalmente impuestos sobre la promoción de la liquidación, en un esquema que, desde luego, guarda relación con la acción, distinta por sus presupuestos y por su regulación, de responsabilidad llamada individual, que se recoge en los artículos 127, 133 y 135 LSA. Esta última constituye una especialidad de la acción de responsabilidad extracontractual cuyo régimen general se encuentra en el artículo 1902 del Código civil, en tanto que la naturaleza de la acción para exigir la responsabilidad por defecto de promoción de la liquidación (artículos 260 y 262 LSA) es más discutida en punto a si cabe su consideración como una acción de reparación o de responsabilidad por daños. Pero, en todo caso, la acción no se dirige aquí contra la sociedad, que es el presupuesto que toman en consideración el artículo 161.3º LSA (procedimiento de concurso o quiebra que afecte al caudal contra el que se haya formulado o formule una acción) y el artículo 1379 (pleitos pendientes o que se promuevan contra la masa). Por cuya razón no se dan los presupuestos de la acumulación que se pide, y el motivo ha de decaer.

3º [...] Es cierto que ha venido dándose una lectura del precepto del artículo 262.5 LSA en clave de "responsabilidad cuasi objetiva" (Sentencias de 20 de diciembre de 2000, de 20 de julio de 2001, de 25 de abril de 2002, entre otras) o incluso objetiva (Sentencia de 14 de noviembre de 2002), o se ha dicho que no se trata exactamente de la reparación de un daño, ni hay que establecer la relación de causalidad entre comportamiento y daño (Sentencias de 20 y 23 de febrero de 2004), pero no es menos cierto que gran número de sentencias han tratado de modular o de templar la responsabilidad de los administradores acudiendo a diversos expedientes, tales como la valoración de la buena fe en el ejercicio de la acción o el conocimiento de la situación (sociedad incursa en causa de disolución) por parte del reclamante en el momento de la operación que da lugar al crédito (Sentencias de 1 de marzo y 20 de julio de 2001, de 12 de febrero y 16 de octubre de 2003, de 16 de febrero de 2006), pues, aunque la responsabilidad "ex" artículo 262.5 LSA no requiere una negligencia distinta de la que contemplan los propios preceptos que la establecen (Sentencia de 26 de marzo de 2004), se ha de dar un interés digno de protección que justifique la acción y su consecuencia respecto de la responsabilidad, lo que equivale a exigir un daño en sentido amplio, que en este caso sería el impago del crédito, consecuencia de la insolvencia de la sociedad, y una conexión con la actuación (o la omisión) de los administradores.

[...]

En cuanto a la acción de responsabilidad por defecto de promoción de liquidación, no hay que olvidar que la sociedad está en quiebra cuando se presenta la demanda, y ésta trata de fundamentarse no en la responsabilidad establecida para los supuestos de falta de promoción de la liquidación, sino en la acción individual por negligencia de los administradores. No se presenta en este caso un problema relativo a que la sociedad esté en causa de disolución por pérdidas (260.1.4º) o por otra de las causas previstas en el artículo 260 LSA, sino que se presenta como el resarcimiento de un daño (el impago del crédito por causa de la insolvencia de la deudora) que se imputa a los administradores por haber ejercitado el derecho de retención que ha paralizado el vehículo durante el tiempo de duración del litigio sobre el importe de la reparación efectuada. No consta que la sociedad esté en insolvencia con anterioridad a la fijación del importe del lucro cesante (29 de junio de 1994), y la quiebra, en definitiva, aun cuando por sí misma no implica la disolución de la sociedad, puede conducir a la liquidación, que será una liquidación ordenada. Esta Sala ha dicho que no cabe sustituir la disolución por el expediente de suspensión de pagos (Sentencias de 13 de abril de 2000 y de 16 de diciembre de 2004), pero este mismo criterio no puede ser aplicado a la quiebra, que, por otra parte, después de la vigencia de la Ley 22/2003, de 9 de julio, Concursal, cabe que los administradores promuevan la declaración de concurso, para dar cumplimiento al deber legal de promover la disolución de la sociedad por pérdidas (artículo 260.1.4º LSA, texto posterior a la Ley Concursal) y en todo caso no responden si solicitan el concurso "en el plazo de dos meses a contar desde la fecha prevista para la celebración de la junta, cuando ésta no se haya constituido, o desde el día de la junta cuando el acuerdo hubiera sido contrario a la disolución o al concurso" (Artículo 262.5 LSA, texto vigente). Es más, en los supuestos de insolvencia los administradores deben solicitar el concurso (arts. 3.1.II, 3.3 y 5.1 LC). En el concreto conflicto planteado, antes de la vigencia de la Ley Concursal, no cabe determinar en qué momento se produjo la insolvencia de la sociedad, ni en qué momento se incurre en otra causa de disolución, ya que no se invoca ninguna de las causas de disolución del artículo 260 LSA, y por tanto no cabe precisar cuándo se inicia el plazo dentro del cual los administradores debían haber promovido la disolución, ni podían ya solicitar la quiebra cuando, a instancia de un acreedor, había sido declarada».

STS de 28 de abril de 2006 (Civil) [5, 6, 10 y 13]

FUNDAMENTOS DE DERECHO

«2º [...] Se ha de destacar que alguna de sus aseveraciones hacen supuesto de la cuestión, pues se enfrentan con la constatación de hechos probados que realiza la Sala de instancia. Y al efecto hay que destacar que la Sentencia recurrida examina primero la acción individual de responsabilidad (F. 3º) y después la del artículo 262.5 LSA (F. 4º). Al analizar la acción individual valora que la ahora recurrida hizo lo posible para conocer la situación real de la sociedad (acuerdos de rendición de cuentas, solicitud de estados contables, petición de balance y libros, solicitud de auditoría de cuentas), lo que en nada es alterado por el hecho de titular el 25% del capital desde enero de 1994. En tanto que la Sentencia de Primera Instancia, cuya fundamentación acepta "y hace suya" la Sala de Apelación, había enfatizado que no consta que la demandada tuviera conocimiento real de la situación económica y social.

[...]

Ya en el examen de la acción del artículo 262.5 LSA, señala la Sala de instancia que no hay norma sobre la necesidad de inscribir el cese de los administradores en el Registro Mercantil, ni cabe hacer una aplicación rigorista, en paralelo con lo que ocurre con el nombramiento, entendiendo que su renuncia o separación sólo surte efecto frente a tercero desde la inscripción, y mientras tanto subsiste su responsabilidad. La Sala de instancia, pues, destaca que la renuncia se produjo en 11 de enero de 1995, "sin que se aprecie un incumplimiento injustificado de su obligación de activar los mecanismos de disolución de la sociedad" y concluye que no es posible, en este caso, "proceder a la automática y rigurosa exigencia de responsabilidad dimanante de la no disolución de la sociedad", ya que no le es imputable la "caótica situación" de la compañía, conocida con mucha anterioridad, ni como mera administradora formal cabe atribuirle la dilación en activar los mecanismos de disolución.

Pero el tema fundamental del motivo, y del recurso, se encuentra en la relación que cabe establecer entre las dos acciones de responsabilidad que se ejercitan, en el sentido de determinar si la acción "ex" artículo 262.5 LSA es, en el fondo, una especie de la acción de responsabilidad que deriva de los artículo 133 y 135 LSA, los cuales, a su vez, traducen un régimen especial de la genérica responsabilidad extracontractual del artículo 1902 del Código civil. De modo que la responsabilidad de los administradores en el supuesto del artículo 262.5 LSA (como en el del 105.5 LSRL), que la jurisprudencia de esta Sala ha ido configurando como objetiva o como cuasiobjetiva (Sentencias de 20 de diciembre de 2000, de 20 de julio de 2001, de 25 de abril de 2002, de 14 de noviembre de 2002) tuviera que ser templada en razón de una valoración de la conducta de los responsables, a la que también es necesario llegar si se parte de una concepción de la responsabilidad de que se trata como una suerte de sanción (Sentencias de 15 de julio de 1997, de 2 de julio de 1999, 20 de julio de 2001, 7 de mayo de 2004, 15 de diciembre de 2005). Esto es, si se parte de que la responsabilidad de que se trata (artículos 262.5 LSA y 195.5 LSRL) es un supuesto de responsabilidad extracontractual (no obstante decisiones orientadas en otro sentido, como las Sentencias de 12 de febrero de 2002 y de 16 de diciembre de 2004) en que se ha de tomar como punto de partida la existencia de un daño, que en general consistirá en el impago del crédito que se reclama (un crédito contra la sociedad, cuya frustración, desde la perspectiva del artículo 135 LSA, sería un daño indirecto, ya que la insolvencia de la sociedad deudora no puede tomarse como un supuesto de lesión directa causada por los administradores) que se relaciona causalmente de modo muy laxo con el comportamiento omisivo de los administradores (carencia de convocatoria en plazo, omisión del deber de solicitar la disolución judicial o el concurso), pero que, a partir de ese dato (daño y relación de causalidad preestablecida) requeriría la aplicación de las reglas y de las técnicas de la responsabilidad civil, evaluando los problemas de imputación objetiva (conocimiento por los reclamantes de la situación de la sociedad en el momento de generación del crédito, solvencia de la sociedad, existencia de créditos compensables de la sociedad frente a los acreedores que reclaman) y de imputación subjetiva, esto es, la posibilidad de exoneración de los administradores que, aún cuando hayan de pechar con la carga de la prueba (artículo 133.3 LSA) demuestren una acción significativa para evitar el daño (lo que se ha de valorar en cada caso) o que se encuentren ante la imposibilidad de evitarlo (han cesado antes de que se produzca el hecho causante de la disolución, se han encontrado ante una situación ya irreversible). Valoración de la conducta de los administradores que se ha de producir forzosamente si se estableciera que estamos ante una sanción o pena civil (lo que requiere una matización, como se verá) pues lo exigen los principios del sistema., y que aparece ya en decisiones anteriores, bajo diversos expedientes (Sentencias de 1 de marzo y 20 de junio de 2001, de 12 de febrero y 16 de octubre de 2003, de 26 de marzo de 2004, de 16 de febrero de 2006, entre otras).

[...]

A parte de que la reiterada calificación como "sanción", en gran parte de las Sentencias de esta Sala en las que se ha empleado esta expresión (tales como las de 3 de abril de 1998, 20 de julio de 2001, 20 de octubre y 23 de diciembre de 2003, 26 de marzo de 2004, 16 de febrero de 2006) evoca no tanto la idea de "pena" (a veces, se la denomina "pena civil", precisamente para diferenciarla de la expresión paralela en el Derecho penal) cuanto el concepto de una reacción del ordenamiento ante el defecto de promoción de la liquidación de una sociedad incursa en causa de disolución que no requiere una estricta relación de causalidad entre el daño y el comportamiento concreto del administrador, ni lo que se ha denominado un "reproche culpabilístico" que hubiera que añadir a la constatación de que no ha habido promoción de la liquidación mediante convocatoria de Junta o solicitud judicial, en su caso (o, después de la reforma operada por la Ley 22/2003, de 9 de julio, Concursal, solicitud de declaración de Concurso), ni una negligencia distinta de la prevista en el propio precepto del artículo 262.5 LSA (Sentencias de 1 de marzo de 2004, de 26 de marzo de 2004, 20 de octubre y 23 de diciembre de 2003, 20 y 23 de febrero de 2004, entre otras).

Pero esta idea de "sanción" no excluye que, si bien con rasgos muy específicos, no haya de alejarse el operador jurídico, al interpretar y aplicar las normas en examen, del territorio de la responsabilidad civil, pues de otro modo no se explica que se imponga a los administradores una "responsabilidad solidaria" por las obligaciones sociales, sobre todo cuando la sociedad puede hallarse incursa en causas de disolución que no impliquen riesgo de especie alguna para el buen fin de los créditos que ostenten frente a ella los acreedores.

Finalmente, se trata de una responsabilidad que sólo ha de ser exigida, por su naturaleza, a los administradores de derecho, no a los de hecho. Lo que suscita la cuestión relativa a la posición de los administradores que presentan la dimisión dentro del período en que deberían realizar la promoción de la liquidación en los términos que la Ley exige, en lo que habría que señalar que si es cierto que la renuncia no exonera por sí misma de la responsabilidad que impone el artículo 262.5 LSA cuando se produce después de haber incurrido la sociedad en causa de disolución, que ha debido ya conocer o que de hecho ha conocido el administrador dimisionario, y sin que se haya realizado por el administrador la actuación que legalmente se le impone, Y en este sentido, la renuncia efectuada por la recurrida, en acta notarial de 11 de enero de 1995, ha de tenerse por eficaz para poner fin al período que cabría computar para exigir su responsabilidad, no obstante haberse inscrito en el Registro Mercantil en 24 de marzo siguiente, pues, aún cuando no quepa oponer el cese a terceros de buena fe, por razón de tratarse de un acto sujeto a inscripción (artículos 21.1 y 22.2 Ccom, 4, 9, 94.4 y 147.1 RRM), ni cabe aceptar una exoneración por el mero hecho de la renuncia cuando ya la sociedad se halla incursa en causa de disolución, es claro que la renuncia impide una actuación eficaz desde la fecha en que se produce, que en este caso ha de tenerse por cierta, y que, dadas las específicas circunstancias del caso, ya destacadas, hace irrelevante que el momento de la inscripción se haya dilatado poco más de dos meses. La oponibilidad a terceros de los actos sujetos a inscripción y no inscritos, por otra parte, se presenta, en punto al cese de los administradores (artículos 21.1 CCom y 9 RRM), como un problema de eficacia respecto de la sociedad de actuaciones o gestiones realizadas por los administradores no inscritos o que permanecen inscritos después de su cese, cuestión distinta de la que aquí se está contemplando sobre todo cuando, como ocurre en el caso, la permanencia de la inscripción registral del administrador que ya ha cesado no ha sido determinante ni influyente en la relación entre la sociedad y el acreedor que reclama.

3º [...] no cabe aceptar que la responsabilidad que para los administradores de las sociedades anónimas y de las limitadas (por la remisión del artículo 69 LSRL) establecen los artículo 133 a 135 LSA pueda ser considerada objetiva, a menos que se dé a la expresión un sentido muy peculiar. La responsabilidad de que se trata se regula de modo especial, innovando en parte la regulación general de la responsabilidad extracontractual contenida en los artículos 1902 y siguientes del Código Civil y desarrollada tan ampliamente por jurisprudencia y doctrina, pero no admite la calificación de "objetiva", por más que se impute bajo presunción de culpa (133.3 LSA), que se establezca expresamente como solidaria, o que se alargue el plazo de prescripción de la acción. Pero en todo caso requiere una lesión directa del interés del reclamante, en el supuesto de la acción individual del artículo 135, ya que la social trata siempre de defender el interés de la sociedad, o de restaurar su patrimonio (social) y, ejercitada por la sociedad o por los socios, no deja de ser un supuesto de responsabilidad contractual, en tanto que si la ejercitan los acreedores constituye un caso de ejercicio por subrogación. Y ese daño directo no puede consistir en la insolvencia de la sociedad (Sentencias de 11 de octubre de 1991, de 10 de diciembre de 1996, de 21 de noviembre de 1997), pues, como ha señalado la doctrina, estos preceptos no convierten a los administradores en garantes de la sociedad, a diferencia de lo que se obtendría de una de las lecturas posibles de la acción "ex" artículo 262.5 LSA.

La viabilidad de la acción individual de responsabilidad requiere, pues, una lesión directa en los intereses del acreedor reclamante derivado de un acto o acuerdo (o una mera omisión, aunque más difícilmente), y exige la relación de causalidad entre daño y actuación, suponiendo una culpa, aunque bajo la presunción, que puede destruir el afectado (133.3 LSA). No hay, pues, una responsabilidad que pueda calificarse como "objetiva." Y en el caso que nos ocupa, no hay un daño directo derivado de una actuación (positiva o negativa) de la administradora demandada y de la valoración de la conducta no se deduce un comportamiento lesivo».

STS de 28 de abril de 2006 (Civil) [5 y 6]

FUNDAMENTOS DE DERECHO

«3º [...] La actora solicita la condena del administrador de una sociedad que, estando incursa en causa de liquidación, no ha convocado la Junta para acordar la disolución, ni ha formulado solicitud judicial, lo que ha de realizarse, según el artículo 262.5 LSA, dentro de unos plazos. Y se estima la pretensión en ambas instancias a pesar de que el demandado (a quien, en este caso, incumbe la carga de la prueba según las reglas generales y también según las específicas) objeta que se celebraron unas juntas, de las cuales acredita la realización de una, al tiempo que presenta como celebrada lo que sería un remedo de Junta, en la que ostensiblemente se incumplen las normas sobre convocatoria, no están todos los socios, y en la que se acuerda, intempestivamente, casi dos años después de haberse constatado la causa (o causas) de disolución, y aún no con claridad, solicitar la quiebra. Con razón señala la Sentencia recurrida que no se trata aquí de validez o nulidad de las Juntas, sino de que no pueden tenerse por celebradas cuando manifiestamente incumplen los presupuestos legales para su existencia y eficacia, y bastaría con señalar que no pueden enervar la acción entablada, por no probadas y por extemporáneas.

Amén de que cabría plantearse si en aquel momento, antes de la vigencia de la Ley 22/2003, de 9 de julio, Concursal, cuya Disposición Final vigésima reformó el artículo 262.2, 4 y 5 LSA, la solicitud de quiebra podía entenderse como cumplimiento del deber de los administradores de promover la disolución, lo que, por otra parte, es irrelevante a los efectos de resolver este conflicto.

4º [...] La razón de que algunas decisiones de esta Sala, no pudiendo establecer la conexión entre el comportamiento y el daño, hayan señalado que se trata de una sanción o pena civil (Sentencias de 30 de octubre y 21 de diciembre de 2000, de 12 de febrero de 2002 sobre la carencia de relación de causalidad; 29 de diciembre de 2000, 30 de enero de 2001, 20 de octubre de 2003, 16 de diciembre de 2004, 16 de febrero de 2006). La responsabilidad de que se trata no se basa en la relación de causalidad entre un determinado acto lesivo (como ocurre en la de los artículos 133 y 135 LSA) y el daño, que generalmente consiste en el impago de un crédito, puesto que, al menos en la causa de disolución del artículo 260.1.4º LSA es la insolvencia de la sociedad, la insuficiencia de su patrimonio, el factor determinante de la frustración del crédito que ahora se reclama. No hay aquí la lesión directa que exige el artículo 135 LSA, pero puede haber un riesgo o peligro de que, en defecto de una liquidación ordenada, los acreedores de la sociedad sufran el agravamiento de su posición o los efectos de un comportamiento desordenado o arbitrario de su deudor, la sociedad, cuyo patrimonio es en principio la única garantía, que por efecto de este precepto se ve reforzada con la de los de los administradores que no hayan promovido la liquidación o el concurso a su debido tiempo.

De modo que el motivo no atiende a la estructura y a la función de la norma que se ha de aplicar, y confunde, además, la acción llamada "individual" de responsabilidad, ex arts. 133 y 135 LSA, que requiere, aunque ajustados a su especialidad, acción u omisión, daño (entendido como lesión directa al patrimonio del acreedor), relación de causalidad y culpa (por más que se presuma). No es así en la responsabilidad "ex" artículo 262.5 LSA, sin perjuicio de que los principios del sistema, y en especial la necesaria conexión entre ambas responsabilidades de la LSA y las reglas generales de los artículos 1902 y ss. CC (y jurisprudencia que desarrolla) hayan de impedir que se establezca la responsabilidad respecto de los administradores que no hayan podido, a pesar de un esfuerzo diligente, conseguir que se convoque la Junta, o que se pida la disolución o (ahora) el concurso. Lo que no ocurre, desde luego, en este caso».

STS de 19 de mayo de 2006 (Civil) [5 y 13]

FUNDAMENTOS DE DERECHO

«3º [...] Respecto a tal alegación de prescripción de la acción, es debido reconocer que la jurisprudencia de esta Sala ha oscilado respecto al plazo de prescripción en función de la naturaleza extracontractual o contractual de la relación jurídica causante de la reclamación. No obstante, la sentencia de 20 de julio de 2001, recoge ya un propósito unificador, fundado en diversos argumentos en favor del plazo de cuatro años, criterio que, finalmente, ha prevalecido, de modo que la jurisprudencia actual de esta Sala es la de que el plazo de prescripción de la acción es de cuatro años del artículo 949 del Código de Comercio (sentencias de 20 de julio de 2001, 7 de junio de 2002, 19 de mayo de 2003, 1 y 24 de marzo y 5 de octubre de 2004, 22 de marzo y 15 de junio de 2005, y 6 de marzo de 2006)».

STS de 23 de mayo de 2006 (Civil) [5 y 6]

FUNDAMENTOS DE DERECHO

«2º [...] que la Sala de instancia da respuesta a todas las pretensiones deducidas y a los hechos presentados. Y así, por una parte, desestima implícitamente, al pronunciarse sobre la causa de disolución del *artículo 260.1 4º LSA,* que concurriera la prevista en el *artículo 260.1.3ª LSA* y, al absolver, desestima las demás pretensiones que hayan podido deducirse contra el demandado D. José Ángel. Ni incide en la contradicción que señala la recurrente en punto a la indeterminación del momento en que se tuvo que tener a la sociedad codemandada por incursa en la causa de disolución, teniendo en cuenta que el cese del repetido Sr. José Ángel se produce en 14-17 de marzo de 1994 y que la situación de la sociedad se fue agravando, pero sin llegar a la crisis en que se encontraba cuando se inició el litigio. y buena prueba de ello es que, como después se dirá, la sociedad actora y recurrente renegoció la deuda con la sociedad demandada (Hecho 6º de la demanda) en noviembre de 1994, cuando ya hacía ocho meses que había cesada el demandado Sr. José Ángel como administrador.

3º [...] Esta Sala ha dicho reiteradas veces que el *artículo 1227 CC* se refiere al caso en que sólo por el documento privado se pretenda acreditar determinado hecho, y tiene como finalidad evitar el perjuicio a quien en él no hubiere intervenido, pero cabe que la veracidad de la fecha se pueda admitir desde que se compruebe en relación con otros actos que alejen toda sospecha de falsedad o simulación (Sentencias de 9 de junio y 9 de septiembre de 1999, de 28 de junio de 2004) y si la Sala de apelación ha considerado probada la autenticidad y certeza del documento, la fecha ha de tenerse por cierta para las partes y "erga omnes" (Sentencias de 20 de octubre de 1989, de 6 de marzo de 1990, de 18 de abril de 2000, de 7 de noviembre de 2002). [...] La Sala ha estimado "probado en su plenitud" el cese de D. José Ángel (Fundamento Jurídico Segundo, in fine), que ya tenía por acreditado el Juzgador de Primera Instancia en base al examen de las pruebas practicadas, y no sólo por razón de la prueba documental (Fundamento Jurídico Cuarto). El cese se produjo en la sesión del Consejo de Administración de la compañía celebrado entre el 14 y el 17 de marzo de 1994. Otro es el problema de si la dimisión le exonera o no de la responsabilidad que se le reclama, cuestión que cabe suscitar aún cuando el cese (por dimisión o renuncia) se haya producido, siempre que también se haya producido el hecho que determine que la sociedad se halle incursa en causa de disolución, y el Administrador, obligado ya a promover la disolución, haya omitido el cumplimiento del deber que legalmente se le impone.

4º [...]El argumento de fondo se encuentra en que, a juicio de la recurrente, de admitir como eficaz la renuncia del demandado administrador D. José Ángel cuando ya el Consejo de la sociedad demandada había quedado reducido a tres miembros, en tanto que los Estatutos preveían que el Consejo estaría compuesto por tres miembros como mínimo y quince como máximo (artículo 17, Documento 32 de los acompañados a la demanda), se estaría infringiendo lo dispuesto en el artículo 127.1 de la Ley de Sociedades Anónimas, que permanece intacto tras la reforma operada por la Ley 26/2003, de 17 de julio, interpretado, en conexión con el artículo 1737 del Código civil, entre otras por las Resoluciones que cita de la Dirección General de Registros y del Notariado (9 de junio de 1993, 23 de mayo de 1997, 26 y 27 de mayo de 1992).

5º [...] Hay datos en los autos que permiten apreciar que la situación de la sociedad demandada, en el momento en que se produce la renuncia del administrador codemandado, no puede ser calificada aún como un supuesto de disolución forzosa, tales como el hecho de que la sociedad actora percibiera con posterioridad a tal momento una parte del precio cuyo resto ahora se reclama, o también que la deuda se renegociara entre las partes en conflicto, con o sin valor novatorio en sentido estricto, librándose efectos con vencimientos sucesivos durante los meses siguientes, en el mes de noviembre de 1994, esto es, ocho meses después del cese del administrador demandado [...]».

STS de 26 de mayo de 2006 (Civil) [5 y 6]

FUNDAMENTOS DE DERECHO

«2º [...] La deuda fue contraída antes de que (...) fuera administrador de la sociedad, lo que es cierto, pero irrelevante (...), ya que la responsabilidad que se imputa (...) no deriva de haber intervenido en la constitución de la deuda, sino que se basa en no haber promovido la disolución.

En cuanto al cese como administrador, entiende la Sala de instancia que no ha sido acreditada. Se aportan unas cartas cuyo envío no consta ni se inscribe en el Registro Mercantil, y por ello no pueden producir efectos frente a la actora. La caducidad, además, se produce cuando ya estaba vigente la actual LSA y había pasado el plazo para la promoción de la disolución. No puede aceptarse que se tratara de un administrador aparente, cuando consta como administrador en el Registro y no se ha demostrado que la entidad actora conociese una realidad diferente.

Los presupuestos de la responsabilidad por daños (actuación culposa, daño y relación de causalidad entre una y otro) no son exigibles en el supuesto del artículo 262.5 LSA, que parte de presupuestos diferentes.

En segundo lugar, el defecto de promoción de la disolución de la sociedad, cuando se encuentre incursa la sociedad en una de las causas legalmente previstas, puede ser también un supuesto de ejercicio negligente y desleal del cargo (artículo 127.1 LSA) que dé lugar a responsabilidad cuando se produzca una lesión directa del interés del acreedor. Pero, sobre todo, porque, como ha dicho esta Sala en sus Sentencias de 3, 6 y 28 de abril de 2006, la acción que se basa en el artículo 262.5 LSA no exige una prueba de tal lesión directa ni de la relación de causalidad, y por ello ha sido calificada como objetiva o cuasiobjetiva (Sentencias de 20 de diciembre de 2000, de 20 de julio de 2001, 25 de abril y 14 de noviembre de 2002, etc.), por más que pueda ser templada en razón de una valoración de la conducta de los responsables, sin dejar por ello de ser, en el fondo, un caso de responsabilidad civil.

Por otra parte, la causa de disolución por paralización de los órganos sociales (...) basta para fundamentar la aplicación del artículo 262.5 LSA.

La responsabilidad de que trata el artículo 262.5 LSA, ha dicho, por último, la Sentencia de esta Sala de 28 de abril de 2006 (con precedentes en las de 3 y 6 de abril de 2006, entre otras muchas) no se basa en la relación de causalidad entre un determinado acto lesivo (como ocurre en los artículos 133 y 135 LSA) y el daño, que generalmente consiste en el impago de un crédito... no hay aquí (en el supuesto del artículo 262,5 LSA) la lesión directa que exige el artículo 135 LSA, pero puede haber un riesgo o peligro de que, en defecto de una liquidación ordenada, los acreedores de la sociedad sufran el agravamiento de su posición o los efectos de un comportamiento desordenado o arbitrario de su deudor, la sociedad, cuyo patrimonio es en principio la única garantía, que por efecto de este precepto se ve reforzada con la de los administradores que no hayan promovido la liquidación o el concurso a su debido tiempo».

STS 20 de junio de 2006 (Penal) [8]

FUNDAMENTOS DE DERECHO

«11º [...]El Ministerio Fiscal apoya parcialmente el motivo y con arreglo a su entender deberá reducirse la cuota defraudada y la consiguiente disminución tanto de las multas como de la responsabilidad civil, aunque no afecta a la subsunción típica realizada por el Tribunal sentenciador, sin perjuicio de que se dejará subsistente la facultad de la Administración Tributaria de fijar y, en su caso, proceder a ejecutar la deuda tributaria que pueda ser procedente en virtud de esas deducciones de gastos que, no siendo delictivos, puedan ser improcedentes y no ajustados a la legislación tributaria.

Como señala el Ministerio Fiscal al apoyar el motivo, para que se produzca la conducta tipificada en el artículo 305 del Código Penal, no basta el mero impago de las cuotas, en cuanto el delito de defraudación tributaria (STS 28/6/1991, 20/11/1999, 31 de mayo 1993) requiere, además, un elemento de mendacidad, ya que el simple impago no acompañado de una maniobra mendaz podrá constituir una infracción tributaria, pero no un delito. La responsabilidad penal surge no tanto del impago como de la ocultación de bases tributarias o la ficción de beneficios fiscales o gastos deducibles inexistentes. La introducción abierta de gastos reales como deducibles que luego no son tales, no implica engaño ni supone, por tanto, conducta "defraudatoria".

Así las cosas, lleva razón el recurrente en lo atinente a esos gastos correspondientes a la prestación de servicios de limpieza y mantenimiento facturados por Five Holding que se han tenido en cuenta, por el Tribunal de instancia, a los efectos de cuantificar la «cuota defraudada», y aunque sea correcto el criterio del Informe de la Unidad Inspectora en cuanto a la procedencia de aplicar el art. 16 del Impuesto de Sociedades y reducir en esa medida el importe del gasto deducible, ello no significa que la inclusión de esos gastos reales, sin disimular o tratar de esconder las relaciones entre ambas sociedades, suponga una actividad mendaz, que integre la conducta que se tipifica en el artículo 305 del Código Penal. Como señala el Ministerio Fiscal, se puede hablar de cuotas impagadas pero no de cuotas defraudadas y deben ajustarse las cuantías defraudadas en esas cifras, lo que en ninguno de los ejercicios (como viene a admitir el recurrente al hilo del motivo décimo cuarto) supone que la cuota defraudada descienda por debajo de los 120.000 euros (20 millones de pesetas). Subsisten, pues, los tres delitos contra la Hacienda Pública, pero han de reducirse las multas que se fijan proporcionalmente en atención a la cuantía defraudada y no a la cuantía impagada y la responsabilidad civil nacida del delito, pues sólo es delictiva la elusión del pago de tributos alcanzada a través de medios engañosos».

STS de 23 de junio de 2006 (Civil) [5, 6 y 10]

FUNDAMENTOS DE DERECHO

«2º [...] Que no constara la existencia de causa de disolución invocada en la demanda, que era la del *art. 260.1-4º LSA,* está en abierta contradicción con los hechos que la sentencia recurrida declara probados, consistentes en unas pérdidas de 51 millones de pesetas frente a un capital social que, si bien sería de 50 millones de pesetas según acuerdo de la Junta General de 30 de noviembre de 1992, no tuvo traducción real porque el acuerdo no se inscribió hasta 1995, habiéndose contraído las deudas en el segundo semestre de 1994, y el capital no fue íntegramente desembolsado. Debe tenerse en cuenta que lo decisivo, a efectos de la causa de disolución de que se trata, es la reducción del patrimonio por consecuencia de pérdidas a una cantidad inferior a la mitad del capital social, y en este punto no puede aceptarse el cómputo como patrimonio de un bien inmueble tasado en 314.687.630 ptas., como se propone en el motivo, pues la sociedad lo tenía en arrendamiento financiero y por tanto no había ingresado en su patrimonio, sin que las normas sobre contabilidad puedan desvirtuar esta conclusión, que resulta evidente sólo con considerar que las pérdidas de 51 millones de pesetas, frente a un capital social de 50 pero desembolsado únicamente hasta 28.115.000 ptas., habían dejado a la sociedad sin patrimonio o, si se quiere, por debajo de 0, siendo también inaceptable el argumento de que lo no desembolsado era "parte integrante del activo como deuda de los socios con la compañía", máxime cuando resulta que tales socios eran los propios administradores.

B) Los recurrentes eran administradores y por tanto la existencia de un Consejero-Delegado no les podía eximir de la responsabilidad que la ley establece precisamente para aquéllos. A estos efectos debe recordarse cómo el *art. 133.2 LSA,* incluso para la responsabilidad por culpa que este precepto contempla, establece la responsabilidad solidaria de todos los miembros del órgano de administración salvo que prueben determinadas circunstancias; y en consonancia con ello la jurisprudencia de esta Sala rechaza que el desconocimiento de la vida social interna por quienes se dicen administradores meramente "nominales" pueda eximirles de responsabilidad (SSTS 15-3-02 y 28-10-02).

C) Finalmente, los argumentos sobre la ausencia de "actitud irresponsable" en los administradores hoy recurrentes y sobre su falta de culpa tampoco son aceptables porque, como señala la sentencia del Pleno de esta Sala de 28 de abril del corriente año (recurso nº 4187/2000) recopilando la jurisprudencia anterior, la responsabilidad contemplada en el art. 262.5 LSA no se basa en la relación de causalidad entre un determinado acto lesivo (como ocurre en la de los arts. 133 y 135 de la misma ley) y el daño, que generalmente consiste en el impago de un crédito, puesto que, al menos en la causa de disolución del art. 260.1-4ª, es la insolvencia de la sociedad, la insuficiencia de su patrimonio, el factor determinante de la frustración del crédito, de suerte que para declarar la responsabilidad prevista en aquel art. 262.5 no son exigibles la relación de causalidad ni la culpa».

STS 26 de junio de 2006 (Civil) [5, 10 y 13]

FUNDAMENTOS DE DERECHO

«3º La responsabilidad de los administradores de las sociedades anónimas, a cuya regulación se remite la LSRL [...], comprende el supuesto en que los administradores no promueven, dentro de determinados plazos, la disolución de la sociedad que se halla en la situación de imposibilidad legal de alcanzar su objeto social o de disminución patrimonial relevante en la proporción que marca la Ley.

La jurisprudencia ha venido declarando que esta responsabilidad no depende de la existencia de un nexo causal con el daño originado a los acreedores reclamantes y ni siquiera exige la concurrencia de este daño. La responsabilidad, en consecuencia, cuando se articula al amparo del artículo 262.5 LSA, puede calificarse de abstracta o formal, característica que, quizá con menor propiedad semántica, ha sido también descrita como objetiva o cuasi objetiva (SSTS de 3 de abril de 1998, 20 de abril de 1999, 22 de diciembre de 1999, de 20 de diciembre de 2000, 20 de julio de 2001, 25 de abril de 2002 y 14 de noviembre de 2002, entre otras).

Esto no significa que la apreciación de hechos o circunstancias que excluyen la imputabilidad de la conducta por falta de intencionalidad o de negligencia, a las que se refiere específicamente en relación con la responsabilidad de los administradores el artículo 133 LSA, no sean aplicables a este tipo de responsabilidad, como propone la dogmática (STS de 16 de febrero de 2006). La jurisprudencia de esta Sala, especialmente la más reciente, registra diversos supuestos en los que el desconocimiento absoluto por el administrador de la marcha de la sociedad o la imposibilidad, entendida en términos de razonabilidad, por parte de éste de promover su disolución se estiman como causas de exclusión de su responsabilidad (SSTS de 1 de marzo de 2001, 20 de junio de 2001, 12 de febrero de 2003, 16 de octubre de 2003, 26 de marzo de 2004, 16 de febrero de 2006, y 28 de abril de 2006, recurso número 4187/2000). Sin embargo, estas causas de exclusión deben considerarse únicamente "dado el carácter ya expresado que tiene esta responsabilidad como formal o abstracta y, en consecuencia, como independiente del daño producido," en contemplación de la conducta en que consiste el incumplimiento de la obligación de promover la disolución de la sociedad, independientemente de la relevancia causal que la falta de dicha disolución pueda tener con el daño originado a los acreedores.

Por lo demás, la STS de 28 de abril de 2006, recurso número 3287/1999, no excluye, en el terreno hipotético, que la total ausencia de daño originado a los acreedores reclamantes que pueda relacionarse con la falta de disolución de la sociedad pueda determinar la inexistencia de dicha responsabilidad, cuando la constancia de la expresada situación resulte incompatible con el concepto de responsabilidad entendido con arreglo a los requisitos de la responsabilidad extracontractual en general [...]».

STS de 27 de junio de 2006 (Civil) [13]

FUNDAMENTOS DE DERECHO

«3º [...]a) Sobre la aplicabilidad del art. 1974-1º CC a las obligaciones solidarias por naturaleza ("la interrupción de acciones en las obligaciones solidarias aprovecha o perjudica por igual a todos los acreedores y deudores"), al que se refiere el 1º de los motivos indicados, denunciando a la Sentencia recurrida de su infracción, por su falta de aplicación, y si bien ha sido objeto tal tema de discrepancias doctrinales y jurisprudenciales, debe ser rechazada, según las últimas tendencias de esta doctrina, que puede resumirse así, de acuerdo con las SS. de esta Sala, de 23-VI-99, 21-X-02 y 14-III-03:

1. La discrepancia en definitiva habida fue resuelta por mayoría en la Sala general de este Tribunal, celebrada el 27-III-03, en la que se planteó y decidió el tema sobre si su aplicación era exigible en el caso de las obligaciones solidarias en sentido propio, cuando tal carácter derive de norma legal o de pacto convencional; pero no en los casos, de creación jurisprudencial, de la llamada solidaridad "impropia", esto es, ajena a esos postulados.

2. Las obligaciones "in solidum", conocidas también como de solidaridad "impropia", dimanan de la naturaleza del ilícito civil por el que se reclama y de la pluralidad de sujetos que hayan concurrido a su producción, y surge tal carácter cuando no resulta posible individualizar las respectivas responsabilidades, y dado que respecto a las mismas, y por aplicación de la regla del art. 1137 CC, sobre la no presunción de la solidaridad, no le correspondería tal resultado, por inexistencia del vínculo exigible (convencional o legal); y si existe contradicción entre estos casos y los otros, lo es por razón de la fuente, que para el aquí estudiado lo es la Sentencia, por no estar establecida la solidaridad con anterioridad.

3. En los casos de responsabilidad extracontractual, sólo juega la prescripción individualmente aplicable respecto de cada uno de los demandados, aunque luego el abono de la indemnización se acuerde con carácter solidario en la resolución judicial, ya que ello deriva de la doctrina jurisprudencial, no de la preexistencia de una obligación con tal carácter (existencia de vínculo antecedente "ex voluntate" o "ex lege").

4. Por lo tanto, no existe conexión para la declaración inicial de solidaridad en reclamaciones que, como en el presente caso, se den, por un lado, cuando frente a una parte se reclama por «culpa contractual» y, por otra, cuando se exija a otra por «responsabilidad extracontractual», surgiendo la condena solidaria sólo tras la decisión judicial.

y 5. En definitiva, la interrupción que viene del núm. 1º del art. 1974 CC, no opera en casos como el presente, por lo que la posible existencia de interrupción para la Sociedad condenada (en cuanto se considera probado, o se parte para ello, de la interrupción para la misma de la prescripción, en base a las reclamaciones extraprocesales que se entienden derivadas de los docs. núms. 68, 69 y 70 de la demanda), no se aplica respecto de la conducta exigida a los Administradores.

b) El inicio del cómputo del plazo prescriptivo, está probado en autos (en contra de lo que se afirma en el motivo 3º, por lo que no es aplicable el art. 1214 CC, sobre la carga de la prueba), ya que así lo señala la Sentencia recurrida como hecho (no combatido en forma adecuada), y lo deriva del propio señalamiento hecho en la demanda, de la desaparición de facto de la Sociedad principal (2 años antes de tal escrito), y por ello el asunto queda zanjado, y no procede en consecuencia aplicar el término desde la fecha convenida, tal como se pide, para el último pago (si éste es aplazado en cuotas temporales), y ello, además, no sólo por esa admisión respecto al ejercicio desde el momento a partir del que se pudo ejercitar la acción (art. 1969), y no desde el último pago convenido (art. 1970-1º).

y c) Respecto a la aplicación restrictiva del instituto de la "prescripción extintiva" de las acciones, al que se refiere el motivo 4º, y que lo funda el recurrente en la jurisprudencia de esta Sala que regula su aceptación con ciertas reservas, no es aplicable a este caso, en el que se parte de aceptar, como dice la Sentencia recurrida, que el transcurso del tiempo de la prescripción se ha dado (2 años), y que lo único que se discutió en el Recurso de Apelación fue la existencia o incidencia en ese período de reclamaciones extraprocesales que la interrumpieran, y al efecto, existe una cierta jurisprudencia, también aplicable a esta esfera de aplicación judicial, la que se recoge en uno de los escritos de impugnación del recurso, por la que se entienden asimismo de aplicación restrictiva estas causas de interrupción (SS. de esta Sala, de 11-II-66, 8-XII-58 y 3-V-72) [...]».

STS de 17 de julio de 2006 (Penal) [8]

FUNDAMENTOS JURÍDICOS

«11º el delito del artículo 252 contiene dos modalidades delictivas: la apropiación en sentido estricto, que supone la incorporación de la cosa al patrimonio del autor; y la distracción, que se produce cuando el autor que ha recibido una cosa fungible dispone de ella más allá de lo que le autoriza el título de recepción, dándole un destino distinto al previsto en aquél, con vocación definitiva.

Por lo tanto, cuando se trata de dinero u otras cosas fungibles, el delito de apropiación indebida requiere como elementos del tipo objetivo: a) que el autor lo reciba en virtud de depósito, comisión, administración o cualquier otro título que contenga una precisión de la finalidad con que se entrega y que produzca consiguientemente la obligación de entregar o devolver otro tanto de la misma especie y calidad; b) que el autor ejecute un acto de disposición sobre el objeto o el dinero recibidos que resulta ilegítimo en cuanto que excede de las facultades conferidas por el título de recepción, dándole en su virtud un destino definitivo distinto del acordado, impuesto o autorizado; c) que como consecuencia de ese acto se cause un perjuicio en el sujeto pasivo.

Y como elementos del tipo subjetivo, que el sujeto conozca que excede de sus facultades al actuar como lo hace y que con ello suprime las legítimas facultades del titular sobre el dinero o la cosa entregada.

En ocasiones, esta conducta supone una especie de gestión desleal. Pero, como dice la STS 915/2005, de 11 de julio, cuando se trata de administradores de sociedades, no

puede confundirse la apropiación indebida con el delito de administración desleal contenido en el artículo 295 del Código Penal vigente, dentro de los delitos societarios. Este delito
se refiere a los administradores de hecho o de derecho o a los socios de cualquier sociedad constituida o en formación que realicen una serie de conductas causantes de perjuicios, con abuso de las funciones propias de su cargo. Esta última exigencia supone que
el administrador desleal del artículo 295 actúa en todo momento como tal administrador,
y que lo hace dentro de los límites que procedimentalmente se señalan a sus funciones,
aunque al hacerlo de modo desleal en beneficio propio o de tercero, disponiendo fraudulentamente de los bienes sociales o contrayendo obligaciones a cargo de la sociedad,
venga a causar un perjuicio típico. El exceso que comete es intensivo, en el sentido de
que su actuación se mantiene dentro de sus facultades, aunque indebidamente ejercidas.
Por el contrario, la apropiación indebida, conducta posible también en los sujetos activos
del delito de administración desleal del artículo 295, supone una disposición de los bienes
cuya administración ha sido encomendada que supera las facultades del administrador,
causando también un perjuicio a un tercero. Se trata, por lo tanto, de conductas diferentes,
y aunque ambas sean desleales desde el punto de vista de la defraudación de la confianza, en la apropiación indebida la deslealtad supone una actuación fuera de lo que el título
de recepción permite, mientras que en la otra, la deslealtad se integra por un ejercicio
abusivo de las facultades del administrador.

La jurisprudencia ha venido a señalar ante las dificultades surgidas a partir de la Ley
orgánica 10/1995, por la ampliación del tipo de la apropiación indebida –actual art. 252– y
la instauración del tipo de delito societario que describe el art. 295, que los tipos suponen
dos círculos secantes; de tal manera que una zona común encierra una cuestión de concurso aparente de normas, que habrá de ser resuelta conforme a las reglas contenidas
en el art. 8 CP (véanse sentencias del 26.11.2002, 07.11.2002, 26.02.1998 y 25.10.2004)».

STS de 24 de julio de 2006 (Penal) [8]

FUNDAMENTOS DE DERECHO

"5º (...)a Audiencia aplica correctamente la doctrina jurisprudencial de esta Sala que,
en Sentencias como la de 4 de junio de 2004, viene afirmando que, en supuestos como el
presente, no puede hablarse de multiplicidad de perjudicados ya que la perjudicada es la
persona jurídica, única, y no todos los socios que la integran.

En semejante sentido, la STS de 14 de marzo de 2003, afirmaba:

"Si entendemos que el ocasionamiento del perjuicio, se produce no sólo a los directamente afectados, sino a cualquier persona, que de un modo u otro resulte repercutida
negativamente en su patrimonio por la estafa, nos estaremos inclinando por una interpretación laxa de una amplitud difícilmente precisable, con posibilidades de crear incertidumbre o inseguridad en los límites aplicativos de la agravatoria.

Si se perjudica a una Sociedad, puede entenderse, que indirectamente también resultan afectados (perjudicados), sus socios, los trabajadores de la misma o sus acreedores.
Pero también los terceros, que de una manera u otra dependen en su subsistencia de
los patrimonios de los directamente afectados (Sociedades) o de los afectados de primer
grado y así sucesivamente. Una interpretación estricta y ajustada a la naturaleza de la
materia a interpretar (perjudicial para el reo), nos debe impulsar a una exégesis restrictiva.

No faltan pronunciamientos de la Sala Segunda, que apoyan dicha postura (STS 20 abril 1991). Esta sentencia consideraba que el sujeto pasivo del delito, la Cooperativa «era un solo perjudicado, y por ende, un único centro de imputación, tanto en lo activo como en lo pasivo, mientras que el subtipo indicado, por el contrario, contempla la existencia de múltiples (ni siquiera basta con la mera pluralidad) perjudicados, ya sean personas físicas o jurídicas, y el que la cooperativa esté, como toda persona jurídica institucional, compuesta por un número indeterminado de socios no convierte a éstos en perjudicados singulares en el sentido de referido precepto»."

STS de 28 de septiembre de 2006 (Civil) [5, 6]

FUNDAMENTOS DE DERECHO

«4º [...] Semejante planteamiento es, en verdad, sobremanera desconcertante, pues la parte recurrente, pese a haber especificado en el alegato del motivo tercero que en ningún caso imputaba a D. L. A. y D. A. la falta de disolución o liquidación de la sociedad, ahora centra la responsabilidad de éstos precisamente en haber desconocido dos de las causas de disolución previstas en el citado art. 104.1 LSRL que para nada citó en su reconvención ni en su demanda acumulada. Por eso la respuesta de esta Sala no puede ser más que desestimatoria, ya que la casación no permite plantear un litigio diferente ni resolver en favor del recurrente sus propias dudas y contradicciones».

STS de 5 de octubre de 2006 (Civil) [6]

FUNDAMENTOS DE DERECHO

«5º Los recurrentes ejercitaron la acción de responsabilidad de los administradores sociales con base en el incumplimiento del deber de diligencia ante la situación de insolvencia y de desaparición de hecho de la mercantil, y a tal efecto fundaron su pretensión en los artículos 133 y 135 del Texto refundido de la Ley de Sociedades Anónimas en relación con el artículo 69.1 de la Ley 2/1995, de 23 de marzo, de Sociedades de Responsabilidad Limitada, preceptos a los que se añadió, en lo que ahora interesa, el del artículo 260-4º del Texto Refundido de la Ley de Sociedades Anónimas, de manera que a la responsabilidad por culpa se unió la cuasi objetiva derivada del incumplimiento de los deberes legales en orden a promover la liquidación de la sociedad, la cual resulta exigible conforme a lo dispuesto en el artículo 262.5 del Texto Refundido de la Ley de Sociedades Anónimas por la remisión general que efectuaba el artículo 11 de la Ley de Sociedades de Responsabilidad Limitada de 17 de julio de 1953, en la redacción dada por la Ley 19/1989, de 25 de julio, y por lo dispuesto en el artículo 105.5 de la vigente Ley 2/1995, de 23 de marzo, de Sociedades de Responsabilidad Limitada, cuyo régimen de responsabilidad resulta aplicable a las situaciones que configuren las causas de disolución y que, aun teniendo su origen con anterioridad a su entrada en vigor, persistan al tiempo de la vigencia de la norma (Sentencias de 30 de abril de 2000 (sic), 16 de julio de 2002 y de 16 de diciembre de 2004).

[...]

En cuanto a la infracción de los artículos 260 y 262 del Texto Refundido de la Ley de Sociedades Anónimas, ha de traerse a colación la doctrina jurisprudencial recogida en las recientes Sentencias de Pleno de 28 de abril de 2006. En ellas se analiza la naturaleza de la acción de responsabilidad de los artículos 262.5 del Texto Refundido de la Ley de Sociedades Anónimas y 105.5 de la Ley de Sociedades de Responsabilidad Limitada, y se recuerda que la jurisprudencia de esta Sala había declarado que se trata de una responsabilidad cuasiobjetiva o, incluso, objetiva, con lo que se quiere decir que está basada en un hecho objetivo, la omisión de la convocatoria de la Junta o de la solicitud, en general, de la promoción de la liquidación (y ahora, tras la reforma operada por la Ley 22/2003, de 9 de julio, Concursal, y por la Ley 19/2005, de 14 de noviembre, sobre Sociedad Anónima Europea, también del concurso), sin atender a la calificación de la conducta culposa o diligente del administrador en el ejercicio del cargo. Tal ha sido la razón de que algunas decisiones de esta Sala, no pudiendo establecer la conexión entre el comportamiento y el daño, hayan señalado que se trata de una sanción o pena civil (Sentencias de 30 de octubre y 21 de diciembre de 2000, 29 de diciembre de 2000, 30 de enero de 2001, 12 de febrero de 2002, 20 de octubre de 2003, 16 de diciembre de 2004 y 16 de febrero de 2006), expresión que, como se indica en dichas Sentencias, evoca no tanto la idea de "pena" cuanto el concepto de una reacción del ordenamiento ante el defecto de promoción de la liquidación de una sociedad incursa en causa de disolución que no requiere una estricta relación de causalidad entre el daño y el comportamiento concreto del administrador, ni una negligencia distinta de la prevista en los artículos 265.5 de la Ley de Sociedades anónimas y 105.5 de la Ley de Sociedades de Responsabilidad Limitada. "La responsabilidad de que se trata (continúa diciendo la Sentencia de 28 de abril de 2006) no se basa en la relación de causalidad entre un determinado acto lesivo (como ocurre en la de los artículos 133 y 135 LSA) y el daño, que generalmente consiste en el impago de un crédito, puesto que, al menos en la causa de disolución del artículo 260.1.4º LSA, es la insolvencia de la sociedad, la insuficiencia de su patrimonio, el factor determinante de la frustración del crédito que ahora se reclama. No hay aquí la lesión directa que exige el artículo 135 LSA, pero puede haber un riesgo o peligro de que, en defecto de una liquidación ordenada, los acreedores de la sociedad sufran el agravamiento de su posición o los efectos de un comportamiento desordenado o arbitrario de su deudor, la sociedad, cuyo patrimonio es en principio la única garantía, que por efecto de este precepto se ve reforzada con la de los administradores que no hayan promovido la liquidación o el concurso a su debido tiempo."

Ahora bien, esta caracterización de la responsabilidad no empece a que los principios del sistema de responsabilidad general, y en especial la necesaria conexión entre las responsabilidades de la Ley de Sociedades Anónimas y las reglas generales de los artículos 1902 y siguientes del Código Civil (y la jurisprudencia que los desarrolla), determinen la necesidad de templar su apreciación y consecuencias, en razón de la valoración de la conducta de los responsables atendiendo a las circunstancias de carácter objetivo y subjetivo concurrentes; valoración a la que también es necesario llegar (como indica la Sentencia de 28 de abril de 2006) si se parte de una concepción de la responsabilidad de que se trata como una suerte de sanción [...].

A partir de esos datos, daño y relación de causalidad preestablecida, se aplicarían las reglas y la técnica de la responsabilidad civil –continúa diciendo la Sentencia–, "evaluando los problemas de imputación objetiva (conocimiento por los reclamantes de la situación de la sociedad en el momento de la generación del crédito, solvencia de la sociedad, existencia de créditos compensables de la sociedad frente a los acreedores que reclaman) y de imputación subjetiva, esto es, la posibilidad de exoneración de los administradores que, aun cuando hayan de pechar con la carga de la prueba –artículo 133.3 LSA– demuestren una acción significativa para evitar el daño –lo que se ha de valorar en cada caso– o que se encuentren ante la imposibilidad de evitarlo –han cesado antes de que produzca el hecho causante de la disolución, se han encontrado ante una situación ya irreversible– Valoración de la conducta de los administradores que se ha de producir forzosamente si se estableciera que estamos ante una sanción o pena civil, pues lo exigen los principios del sistema, y que aparece ya en decisiones anteriores, bajo diversos expedientes –Sentencias de 1 de marzo y 20 de junio de 2001, de 12 de febrero y 16 de octubre de 2003, de 26 de marzo de 2004, y de 16 de febrero de 2006, entre otras–"».

STS de 6 de octubre de 2006 (Penal) [8]

FUNDAMENTOS DE DERECHO

"5º (...) 4. El Mº Fiscal, contrariando el criterio sostenido en la instancia, apoya el motivo y considera que nos hallamos ante un concurso real de delitos sin posibilidades de estimar la continuidad delictiva, basándose en la jurisprudencia de esta Sala, que siempre sancionó individualmente los distintos delitos fiscales. Refiere como sentencias determinantes la núm. 1629 de 10 de octubre de 2001 y especialmente la núm. 2.476 de 26 de diciembre del mismo año, que es la que realmente aborda la cuestión material.

El hecho de que en diversas ocasiones (verbigracia STS núm. 20 de 28 de marzo de 2001) no se aprecie la continuidad es por razón de que en la instancia se condenó por un concurso real de delitos y sobre tal extremo se aquietaron las partes, no formulando recurso de casación para plantear específicamente el problema.

Las sentencias más emblemáticas a las que nos referimos, excluyen con carácter general la posibilidad de aplicar el delito continuado. En la 1629/2001 se afirma que «se cometerán por regla varios hechos independientes», y la 2476/2001, nos dice que la naturaleza del tipo «da al delito fiscal una estructura específica difícilmente compatible, con la continuidad delictiva» y ello por razón de «la diversidad de los deberes fiscales que son vulnerados condicionados cada uno de ellos por hechos imponibles diferentes, ejercicios temporalmente distintos e incluso plazos de declaración y calendarios diversos»

5. De acuerdo con tales declaraciones es patente que la jurisprudencia de esta Sala nunca ha apreciado la continuidad delictiva en el delito fiscal.

Es obvio y habrá que reiterarlo ahora, por constar así en el precepto, teleológicamente interpretado, que no procederá la continuidad:

1) con relación a retenciones, ingresos a cuenta o devoluciones, de carácter periódico que deberá estarse a lo defraudado en cada período impositivo a efectos de integrar el delito.

2) cuando se trate de otros tributos o conceptos impositivos que no posean el carácter de periodicidad la determinación de la cuantía defraudada a efectos de tipificación atenderá a los distintos conceptos tributarios por los que un hecho imponible sea susceptible de liquidación.

3) de lo dicho se desprende:

a) que no podrán adicionarse impuestos de la misma naturaleza, en los que la defraudación no alcance la cifra de 120.000 euros.

b) tampoco podrán hacerlo, cuando las cuantías defraudadas, unas sean constitutivas de delito y otras de infracción administrativa.

c) no podrán adicionarse tampoco impuestos de diversa naturaleza, cuando todos ellos o alguno o algunos, no alcancen la cuantía precisa para integrar el delito.

De la previsión legal del art. 349 (ahora 305-2 CP), se deduce la imposibilidad de considerar conjuntamente a efectos de cuantificar la defraudación, las infracciones administrativas (cuantía inferior a 120.000 euros) y las de carácter delictivo superiores a tal cifra. Pero no queda despejada la duda si sería factible adicionar defraudaciones delictivas consecutivamente realizadas del mismo impuesto."

STS 9 de octubre de 2006 (Civil) [5 y 6]

FUNDAMENTOS DE DERECHO

«3º [...] en la demanda la acción ejercitada no se sostuvo con base en el incumplimiento de las obligaciones de promover la disolución de la sociedad o el concurso, y no es hasta el escrito de resumen de pruebas cuando se suscita esta cuestión, que por tanto se plantea extemporáneamente, siendo rechazable como cuestión nueva que es, y así se ha apreciado por la Audiencia, debiendo destacarse que la aplicación de la norma que se dice infringida descansa en la alegación de un supuesto de hecho, que no se invoca en la demanda, siendo constante doctrina de esta Sala, que recoge la Sentencia de 29 de marzo de 2006, en el sentido de que el vicio casacional de alegación de una cuestión nueva está interdictado de una manera absoluta ya que va contra los principios procesales de igualdad de armas y desde luego provoca una situación de indefensión inaceptable, todo ello amparado por el principio de la tutela judicial efectiva, [...]. Por otra parte, en reciente sentencia de esta Sala de 26 de mayo de 2006, se declaró la improcedencia de examinar la posible infracción del artículo 262.5 LSA (en relación con el artículo 69 de la Ley de sociedades de responsabilidad limitada, cuando la acción ejercitada fue la acción individual de responsabilidad y no la acción de responsabilidad solidaria por incumplimiento de las obligaciones de los administradores de promover la disolución de la sociedad, pues ello determinó que en el proceso no se discutieron los presupuestos del ejercicio de tal acción, muy particularmente el transcurso del plazo exigido por la Ley desde el momento de la disminución del patrimonio social o la situación de crisis para que pueda exigirse responsabilidad a los administradores por este concepto. En consecuencia, continúa diciendo la citada sentencia, "la estimación de esta acción comportaría una desviación respecto de la *causa petendi* [causa de pedir] que fundamentó la pretensión inicial con infracción de los principios de rogación y contradicción. En efecto, la pretensión debe identificarse en función de los hechos sustanciales que constituyen su *causa petendi* aunque no se cite el precepto en que se apoyan las consecuencias jurídicas que componen el *petitum* [lo que se pide], salvo cuando aquellos hechos son ambiguos o no son expresivos por sí mismos de la acción ejercitada, caso en el que será exigible que se identifique jurídicamente la pretensión con la cita, si es preciso, de los preceptos legales en que se apoya"».

STS de 27 de octubre de 2006 (Civil) [10]

FUNDAMENTOS DE DERECHO

"2º (...) La entidad actora ejercita la llamada acción individual de responsabilidad, que se prevé en el artículo 135 LSA, y subsidiariamente la acción que se previene en el artículo 262.5 LSA, texto vigente antes de las sucesivas reformas operadas por las Leyes Concursal (Ley 22/2003 de 9 de julio) y Ley 19/2005, de 14 de noviembre, para exigir que los administradores respondan solidariamente de las obligaciones sociales si incumplen las obligaciones de promover la disolución, convocando al efecto la Junta General o solicitando la disolución judicial. Los Juzgadores de instancia consideraron acreditada la existencia de la deuda cuya reclamación había resultado fallida, ante la absoluta despatrimonialización de la sociedad deudora, constataron el perjuicio irrogado e identificaron el procedimiento por el cual se había llegado a la situación que había provocado el daño, señalando que consistía en la transmisión, en pago de unos créditos no vencidos ni exigibles, que se califican, además, de «supuestos», de los activos de la sociedad deudora a dos sociedades, dedicadas al mismo giro o tráfico, que administran los codemandados, también administradores hasta ese momento de la deudora, subrayando el ánimo fraudatorio con que se realizó la operación.

Uno de los medios de defensa que utilizan los codemandados, al que específicamente nos estamos refiriendo, consiste en señalar que nos encontramos ante un supuesto de responsabilidad extracontractual, y que la acción ejercitada estaría prescrita por aplicación del artículo 1968.2 CC. Pero esta Sala, no obstante considerar que en el caso de las dos acciones ejercitadas nos encontramos ante un supuesto de responsabilidad extracontractual (Sentencias de 4 [PROV 2006, 179424] y de 24 de abril de 2006 [PROV 2006, 183053]) ha venido aplicando, desde la Sentencia de 22 de junio de 1995, la regla especial de prescripción que se contiene en el artículo 949 CCom. respecto de «la acción contra los socios gerentes y administradores de las compañías o sociedades». Prima el carácter especial de la regla, ya que, como es sabido, en buena técnica de aplicación del Derecho la regla especial tiene preferencia sobre la general siempre que, como ocurre en el caso, el supuesto de hecho se contenga dentro de las previsiones de la norma especial".

STS de 22 de noviembre de 2006 (Civil) [6]

FUNDAMENTOS DE DERECHO

«2º [...] ha de traerse a colación la doctrina jurisprudencial acerca de la responsabilidad de los administradores sociales por incumplimiento de los deberes legales en orden a promover la disolución de la sociedad (o la declaración de concurso, tras la reforma operada por la Ley 22/2003, de 9 de julio Concursal) que establecen los artículos 262-5º de la Ley de Sociedades Anónimas y el artículo 105.5 de la Ley de Sociedades de Responsabilidad Limitada. Respecto de ella, esta Sala ha destacado su carácter abstracto o formal (Sentencia de 26 de junio de 2006), y, con mayor propiedad, su naturaleza objetiva o cuasi objetiva (Sentencias de 25 de abril de 2002, 14 de noviembre de 2002, 6 y 28 de abril de 2006 (esta última de Pleno), y 26 de mayo de 2006, entre otras), que se resume en que su declaración no exige la concurrencia de un reproche culpabilístico que hubiera que añadir a la constatación de que no ha habido promoción de la liquidación mediante convocatoria de la Junta o solicitud judicial, en su caso (y ahora también la solicitud de la declaración de concurso, cuando concurra su presupuesto objetivo), esto es, una negligencia distinta de la prevista en el propio precepto (Sentencias de 20 y 23 de febrero de 2004 y de 28 de abril de 2006), del mismo modo que no requiere una estricta relación de causalidad entre el daño y el comportamiento concreto de administrador, o, en otros términos, no exige más que el enlace causal preestablecido en la propia norma (Sentencia de 28 de abril de 2006).

Ahora bien, esta caracterización de la responsabilidad no empece a que los principios del sistema que rigen en nuestro ordenamiento jurídico, y en especial la necesaria conexión entre las responsabilidades de la Ley de Sociedades Anónimas y las reglas generales de los artículos 1902 y siguientes del Código Civil (y la jurisprudencia que los desarrolla), determinen la necesidad de templar su apreciación y consecuencias, en razón de la valoración de la conducta de los responsables atendiendo a las circunstancias de carácter objetivo y subjetivo concurrentes; y así, esta Sala ha considerado relevante para mitigar el rigor del régimen de los artículos 262-5º de la Ley de Sociedades Anónimas y 105-5º de la Ley de Sociedades de Responsabilidad Limitada y para exonerar de responsabilidad al administrador el conocimiento del acreedor reclamante de la situación económica de la sociedad en el momento de la generación del crédito (Sentencias de 16 de febrero y de 28 de abril de 2006, del Pleno), y, en términos más amplios, su actuación contraviniendo las exigencias de la buena fe (Sentencia de 12 de febrero de 2003), la solvencia de la sociedad o la existencia de créditos compensables de la sociedad frente a los acreedores que reclaman (Sentencia de 28 de abril de 2006, del Pleno–); y se ha atendido también al hecho de que los administradores, aun cuando deban soportar la carga de la prueba, demuestren una acción significativa para evitar el daño, lo que se ha de valorar en cada caso (en este sentido, vid. Sentencia de 28 de abril de 2006, de Pleno–), o que se encuentren ante la imposibilidad de evitarlo, por haber cesado antes de que se produzca el hecho causante de la disolución (Sentencias de 28 de abril de 2006, de Pleno, y de 26 de mayo de 2006, entre las más recientes), o, en términos generales, por haberse encontrado ante una situación ya irreversible (Sentencia de 28 de abril de 2006). Todos estos casos, expuestos a título meramente enunciativo, contemplan (en palabras de la Sentencia de 26 de junio de 2006) situaciones que resultan incompatibles con el concepto de responsabilidad, entendido con arreglo a los requisitos de la responsabilidad extracontractual en general.

La proyección de estas notas caracterizadoras al supuesto de autos obliga a tener en consideración, frente a la constatada existencia de la causa de disolución prevista en el artículo 260-4º de la Ley de Sociedades Anónimas, por un lado, la falta de acreditación de ninguna conducta por parte del administrador, [...] tendente a la disminución de la deuda sociales».

STS de 28 de noviembre de 2006 (Civil) [5, 6, 10 y 13]

FUNDAMENTOS DE DERECHO

«4º. [...]2º. Esta Sala, en la sentencia de 6 abril 2006, afirma que "[...] aunque la responsabilidad "ex" artículo 262.5 LSA no requiere una negligencia distinta de la que contemplan los propios preceptos que la establecen (sentencia de 26 marzo 2004), se ha de dar un interés digno de protección que justifique la acción y su consecuencia respecto de la responsabilidad, lo que equivale a exigir un daño en sentido amplio que en este caso sería el impago del crédito, consecuencia de la insolvencia de la sociedad, y una conexión con la actuación (o la omisión) de los administradores". Asimismo, la sentencia de 26 mayo 2006 y con referencia a las de 3, 6 y 28 abril 2006, afirma que "la acción que se basa en el artículo 262.5 LSA no exige una prueba de tal lesión directa, ni de la relación de causalidad y por ello ha sido calificada como objetiva o cuasiobjetiva (sentencias de 20 diciembre 2000, 20 julio 2001, 25 abril y 14 noviembre 2002, etc.), [...] sin dejar por ello de ser, en el fondo, un caso de responsabilidad civil".

[...]

5º [...] el tema planteado vuelve a la cuestión del plazo de prescripción de las acciones de responsabilidad de los administradores, resuelto ya por esta Sala a partir de la sentencia de 20 de julio de 2001. Es cierto que desde la entrada en vigor de la Ley de Sociedades Anónimas, la jurisprudencia no mantuvo una solución uniforme acerca de si debían aplicarse a estas acciones el plazo de prescripción del artículo 949 del Código de comercio, o bien el del artículo 1968, 2º del Código civil, por tratarse de una acción de responsabilidad extracontractual. La citada sentencia de 20 de julio de 2001 acabó con esta polémica, unificando la doctrina y aplicando el artículo 949 del Código de comercio y, en consecuencia, la prescripción de cuatro años (sentencias de 1 marzo y 5 octubre 2004, 15 junio 2005 y 6 marzo y 23 junio 2006, entre otras) [...]».

STS de 28 de noviembre de 2006 (Penal) [8]

FUNDAMENTOS DE DERECHO

«1º [...]Los problemas jurídico-civiles derivados del pago de cheques falsos ha sido abordado repetidamente por la jurisprudencia de la Sala Segunda del Tribunal Supremo, la cual ha tenido que pronunciarse, en primer término, sobre la naturaleza jurídica de la relación constituida entre las entidades de crédito y las personas que depositan en ellas sus fondos, en la modalidad de "depósito en cuenta corriente", complementada con un "contrato de cheque", que se entiende concluido desde el momento que el Banco entrega al cliente el talonario de cheques. Se trata de un contrato típicamente bancario, por virtud del cual el Banco depositario se obliga a tener a disposición del depositante una suma de dinero igual a la recibida. La disponibilidad de los fondos a la vista constituye una nota esencial del depósito (v. arts. 1766 del CC) y 306 del C. de C); pues, aunque el depósito en cuenta corriente es un negocio jurídico complejo, predomina en él la finalidad de custodia y, en consecuencia, la relación contractual de depósito. Se trata, en definitiva, de un depósito irregular (art. 307, párrafo tercero, C. de C), de modo que el dinero depositado en el Banco pasa a ser propiedad de éste, que –como hemos dicho– únicamente se obliga a tener a disposición del depositante una suma igual a la recibida. El Banco se constituye en deudor del depositante (v. STS, Sala Penal, de 15 de febrero de 1986, y las sentencias en ella citadas).

De la naturaleza de la relación jurídica constituida entre el cliente y el Banco se desprende que éste resulta obligado –existiendo fondos suficientes para ello– a pagar los cheques que se le presenten debidamente cumplimentados; mas "el pago deberá hacerse a la persona en cuyo favor estuviese constituida la obligación, o a otra autorizada para recibirla en su nombre" (v. art. 1162 CC), o, como dice art. 1766 del mismo Código Civil, "al depositante, o a sus causahabientes, o a la persona que hubiese sido designada en el contrato", para lo cual es esencial la comprobación, por los empleados del Banco o de la entidad contra la que hayan sido librados los cheques, de la regularidad formal de los mismos y, de modo especial y en todo caso, de la autenticidad de la firma del librador, con la correlativa aplicación de la responsabilidad inherente al "riesgo profesional», que implica una responsabilidad cuasi-objetiva, legalmente impuesta al librado en el art. 156 de la LCyCH ("el daño que resulte del pago de un cheque falso o falsificado será imputado al librado, a no ser que el librador haya sido negligente en la custodia del talonario de cheques, o hubiere procedido con culpa" [v. STS, Sala Penal, de 12 de abril de 2002). Consiguientemente, como se dice en la sentencia del TS de 15 de febrero de 1986, antes citada, en los delitos de estafa cometidos por medio de cheques falsos o falsificados, "es el Banco y no el cuentacorrentista el perjudicado por la defraudación". Ello, en buena técnica, debe implicar el correspondiente ofrecimiento de acciones en el proceso penal a la entidad bancaria y su condición de perjudicada dentro del proceso (v. arts. 109 y 110 LECrim).

Como quiera, pues, que, en el presente caso, en el desarrollo de este proceso, no se han respetado los criterios doctrinales anteriormente expuestos, al haberse considerado perjudicada por el pago indebido de los cheques falsificados a Sintagmo, SL, titular de la cuenta corriente contra la que fueron librados, al tiempo que la entidad bancaria contra la que se libraron ha sido traída al proceso como presunta responsable civil subsidiaria del acusado (v. art. 120 CP), en aras de los principios de economía procesal, a que ha hecho especial mención el Ministerio Fiscal en el trámite de instrucción del recurso, y por "razones constitucionales de tutela judicial efectiva" (v. STS, Sala Penal, de 10 de mayo de 2005), entendemos que es procedente dar satisfacción a la pretensión indemnizatoria deducida en este proceso por la sociedad titular de la cuenta corriente, habida cuenta del ejercicio por la misma de la correspondiente acción civil (v. arts. 109.2 CP y 111 y 112 de la LECrim), así como de la personación en la causa, como responsable civil subsidiario del Banco Bilbao Vizcaya Argentaria, que ha intervenido en ella con plenitud de derechos, por lo que no puede alegar ningún tipo de indefensión (v. art. 24.1 CE).

Si, como hemos dicho, la sociedad titular de la cuenta corriente ha ejercitado la correspondiente acción civil indemnizatoria y el Banco en el que estaba abierta ha intervenido en el proceso como demandado, y, como ha declarado reiteradamente este Tribunal, las acciones civiles no pierden su naturaleza propia por el hecho de ejercitarse ante la jurisdicción penal, es evidente que en la interpretación y aplicación de las correspondientes normas jurídicas está permitida la aplicación del principio de analogía (v. art. 4.1 CC), que, lógicamente, está vedado cuando de normas penales se trata (v. art. 4.2 C. C).

Llegados a este punto, hemos de reconocer que, si bien la responsabilidad civil subsidiaria del Banco Bilbao Vizcaya Argentaria no puede ser reconocida sobre la base de lo establecido en el art. 120.4º del Código Penal (ya que, obviamente, no nos encontramos ante ningún delito o falta cometidos por empleados, dependientes, representantes o gestores de dicho Banco, en el desempeño de sus obligaciones o servicios), ello no obstante sí sería posible sobre la base de una interpretación analógica del art. 120.3º del mismo Código, habida cuenta de que la presentación al cobro de los cheques falsificados imponía a los empleados del Banco un diligente examen de sus requisitos formales y, particularmente, de la firma del librador (falsificada aquí por el acusado), lo que, al no constar ninguna actuación negligente por parte de la entidad titular de la cuenta corriente en la custodia de los talonarios de cheques ni que los representantes de la misma hubieren procedido con culpa, hace recaer, "ope legis", sobre el Banco contra el que se libraron los cheques, "el daño que resulte del pago" (v. art. 156 LCyCH), que, de modo evidente, se hizo a favor de persona no legitimada para recibirlo y que, por ende, no puede ser liberatorio para el Banco. De ahí, que debamos considerar ajustada a Derecho la condena impuesta al Banco recurrente al pago de la indemnización reclamada por la entidad titular de la cuenta corriente y depositante de los correspondientes fondos, indebidamente percibidos por el acusado».

STS de 30 de noviembre de 2006 (Civil) [13]

FUNDAMENTOS DE DERECHO

«1º. [...]Y aun cabe añadir a lo anterior que en ningún caso cabría estimar producida la infracción normativa denunciada, pues es doctrina consolidada de esta Sala, que ha sido pacíficamente aplicada desde la Sentencia de 20 de julio de 2001, que la acción individual de responsabilidad de los administradores sociales se halla sometida al plazo de prescripción de cuatro años, establecido en el artículo 949 del Código de Comercio, y en modo alguno al plazo anual del artículo 1968.2 del Código Civil –Sentencias 26 de mayo de 2004, 22 de marzo de 2005 y 19 de mayo de 2006, entre las más recientes».

STS de 31 de enero de 2007 (Civil) [5, y 6]

FUNDAMENTOS DE DERECHO

«2º [...] la doctrina jurisprudencial acerca de la responsabilidad de los administradores sociales, por incumplimiento de los deberes legales en orden a promover la disolución de la sociedad, que establece el artículo 262-5º de la Ley de Sociedades Anónimas en la redacción dada por el Real Decreto Legislativo 1564/1989, de 22 de diciembre, anterior, por tanto, a la reforma introducida por la Ley 22/2003, de 9 de julio, concursal, y por la Ley 19/2005, de 14 de noviembre, carentes de efectos retroactivos al respecto, pudiendo citarse la reciente sentencia de 22 de noviembre de 2006, que ya recoge tal criterio. Respecto de la responsabilidad de los administradores, esta Sala ha destacado su carácter abstracto o formal (Sentencia de 26 de junio de 2006), y, con mayor propiedad, su naturaleza objetiva o cuasi objetiva (Sentencias de 25 de abril de 2002, 14 de noviembre de 2002, 6 y 28 de abril de 2006) (esta última de Pleno), y 26 de mayo de 2006, entre otras, que se resume en que su declaración no exige la concurrencia de un reproche culpabilístico que hubiera que añadir a la constatación de que no ha habido promoción de la liquidación mediante convocatoria de la Junta o solicitud judicial, en su caso (y ahora también la solicitud de la declaración de concurso, cuando concurra su presupuesto objetivo), esto es, una negligencia distinta de la prevista en el propio precepto (Sentencias de 20 y 23 de febrero de 2004 y de 28 de abril de 2006), del mismo modo que no requiere una estricta relación de causalidad entre el daño y el comportamiento concreto de administrador, o, en otros términos, no exige más que el enlace causal preestablecido en la propia norma (Sentencia de 28 de abril de 2006).

Ahora bien, esta caracterización de la responsabilidad no impide, como se indica en la señalada Sentencia de 22 de noviembre de 2006, que los principios del sistema que rige en nuestro ordenamiento jurídico, y en especial la necesaria conexión entre las responsabilidades de la Ley de Sociedades Anónimas y las reglas generales de los artículos 1902 y siguientes del Código Civil (y la jurisprudencia que los desarrolla), determinen la necesidad de templar su apreciación y consecuencias, en razón de la valoración de la conducta de los responsables atendiendo a las circunstancias de carácter objetivo y subjetivo concurrentes; y así, entre las primeras esta Sala ha considerado relevante para mitigar el rigor del régimen de los artículos 262-5º de la Ley de Sociedades Anónimas y 105-5º de la Ley de Sociedades de Responsabilidad Limitada y para exonerar de responsabilidad al administrador el conocimiento del acreedor reclamante de la situación económica de la sociedad en el momento de la generación del crédito (Sentencias de 16 de febrero y de 28 de abril de 2006, del Pleno), y, en términos más amplios, su actuación contraviniendo las exigencias de la buena fe (Sentencia de 12 de febrero de 2003), la solvencia de la sociedad o la existencia de créditos compensables de la sociedad frente a los acreedores que reclaman (Sentencia de 28 de abril de 2006, del Pleno); y entre las segundas, se ha atendido al hecho de que los administradores, aun cuando deban soportar la carga de la prueba, demuestren una acción significativa para evitar el daño, lo que se ha de valorar en cada caso (en este sentido, vid. Sentencia de 28 de abril de 2006, de Pleno), o que se encuentren ante la imposibilidad de evitarlo, por haber cesado antes de que se produzca el hecho causante de la disolución (Sentencias de 28 de abril de 2006, de Pleno, y de 26 de mayo de 2006, entre las más recientes), o, en términos generales, por haberse encontrado ante una situación ya irreversible (Sentencia de 28 de abril de 2006). Todos estos casos, expuestos a título meramente enunciativo, contemplan (en palabras de la Sentencia de 26 de junio de 2006) situaciones que resultan incompatibles con el concepto de responsabilidad entendido con arreglo a los requisitos de la responsabilidad extracontractual en general».

STS de 7 de febrero de 2007 (Civil) [6 y 13]

FUNDAMENTOS DE DERECHO

«2º [...] la relevante circunstancia de que los administradores cesaron en su cargo en la Junta General Extraordinaria y Universal celebrada el día 19 de julio de 1995, poco más de un mes después de ser decretado el archivo del expediente de suspensión de pagos, por no haberse alcanzado el quórum preciso para la aprobación del convenio, hecho y momento que determina el surgimiento de la obligación de los administradores de promover la disolución de la sociedad, caso de concurrir los presupuestos para ello, y desde el que debe computarse el plazo de dos meses dentro del cual debe cumplirse dicha obligación so pena de responder por todas las deudas sociales. Las consecuencias de ese dato, que, junto con la falta de acreditación de las circunstancias determinantes de las causas de disolución de la sociedad, resulta trascendente de cara a resolver el litigio, y en torno al que, junto a la referida ausencia probatoria, gravita la argumentación de la sentencia recurrida, se quieren eludir a fuerza de negar la eficacia de dicho cese frente a los terceros, con lo que el argumento se apoya en el alegato y en la tesis que se esgrime en el siguiente motivo del recurso, el segundo, el cual, en cambio, no ha de aprovechar a ese fin, como seguidamente se verá.

3º [...] Pues bien, las circunstancias del caso, de las que destacan, por ser relevantes, el hecho de que la sociedad se hallaba sujeta a un expediente concursal (un procedimiento de suspensión de pagos, con respeto del principio "par conditio creditorum" (y a salvo, claro está, los créditos con derecho de abstención); que éste concluyó por Auto de archivo dictado con fecha 16 de junio de 1995, al no haberse obtenido las mayorías necesarias para la aprobación del convenio, habiendo sido calificada su insolvencia como definitiva; y que el 19 de julio siguiente, es decir, un mes y tres días después, y en Junta general Extraordinaria y Universal, los demandados cesaron en su cargo de administrador, modificándose en esa misma Junta el órgano de administración de la sociedad, que paso de un consejo de administración a estar constituido por un administrador único. Si a ello se le une que no quedó acreditada la desaparición ni la inactividad de la sociedad, sino únicamente un cambio de domicilio legalmente acordado, y que tampoco quedó probada la imposibilidad material de realizar los embargos acordados en garantía del crédito del actor, se ha de concluir, con el tribunal de instancia, que no es exigible responsabilidad alguna a los demandados, resultando irrelevante a estos efectos (y sin perjuicio de admitir, en cambio, su trascendencia para otros, como el cómputo del plazo de prescripción para el ejercicio de la acción) que el acuerdo de cese, modificación del órgano de administración y de nombramiento de nuevo administración no hubiera tenido acceso al Registro Mercantil hasta el día 5 de septiembre de 1995, pues, como se precisa en la Sentencia de 28 de abril de 2006 (recurso de casación 3287/99), "la renuncia impide una actuación eficaz desde la fecha en que se produce, que en este caso ha de tenerse por cierta, y que, dadas las específicas circunstancias del caso, ya destacadas, hace irrelevante que el momento de la inscripción se haya dilatado poco más de dos meses. La oponibilidad a terceros de los actos sujetos a inscripción y no inscritos, por otra parte, se presenta, en punto al cese de los administradores (artículos 21.1 CCom y 9 RRM), como un problema de eficacia respecto de la sociedad de actuaciones o gestiones realizadas por los administradores no inscritos o que permanecen inscritos después de su cese, cuestión distinta de la que aquí se está contemplando sobre todo cuando, como ocurre en el caso, la permanencia de la inscripción registral del administrador que ya ha cesado no ha sido determinante ni influyente en la relación entre la sociedad y el acreedor que reclama". Teniendo reiterado esta Sala el referido criterio en numerosas Sentencias (de 10 de mayo de 1999, 23 de diciembre de 2002, 24 de diciembre de 2002, 16 de julio de 2004, y de 28 de mayo de 2005), en las que se declara que las inscripciones registrales de los acuerdos de cese de los administradores de las sociedades mercantiles no tienen carácter constitutivo, al no imponerlo así precepto alguno, correspondiendo, en su caso, el deber de inscribir a los nuevos administradores, sin que ninguna responsabilidad por falta de inscripción pudiera exigirse a las cesados.»

STS de 13 de febrero de 2007 (Civil) [10 y 13]

FUNDAMENTOS DE DERECHO

«2º [...] debe haber una relación directa entre daño y la disfunción del Registro Mercantil y que la demandante no acudió antes al Registro a ver cómo estaba la sociedad, por lo que es negligente y esta misma negligencia no debe originar la responsabilidad de los administradores.

La responsabilidad de la Disposición Transitoria 3 LSA no plantea un problema de causalidad del daño; se establece que la responsabilidad no se origina por haber causado un daño, sino por el incumplimiento de una obligación legal, impuesta en la citada disposición transitoria, que en el presente litigio, llegó a originar el cierre registral de la empresa deudora. Es el incumplimiento de la obligación lo que genera la responsabilidad, sin necesidad de ningún otro elemento

La sentencia de 22 mayo 2006 señala con relación al punto controvertido, que "Según la jurisprudencia aplicable, la responsabilidad que contempla la DT tercera LSA no depende de la producción de un daño a los acreedores ni de la existencia de un nexo de causalidad entre la conducta omisiva de los administradores de la sociedad y los perjuicios originados a dichos acreedores, sino que nace por el hecho de no haberse producido la adaptación y la inscripción en el plazo legal, lo que despeja cualquier duda acerca de la posible exoneración de los administradores por la naturaleza de los obstáculos opuestos por el Registro a la inscripción, por la inexistencia de perjuicio o por la falta de condición en la demandante de tercero de buena fe, máxime cuando la sentencia recurrida examina las circunstancias que llevaron consigo el retraso en la inscripción para considerarlas injustificadas".

3º [...] a prescripción de las acciones que había acumulado contra los administradores de la sociedad deudora implicó admitir como día inicial del cómputo el que hipotéticamente dicho precepto establece, aunque no estuviera de acuerdo con la otra parte, y así lo expresó, en cual era en concreto esa fecha. Debe recordarse que el artículo 1.968.2 del Código Civil, como señaló la sentencia de 21 de marzo de 2005, sustituyó, conforme a un criterio subjetivo, la referencia a la posibilidad abstracta de ejercicio contenida en el artículo 1.969, por una posibilidad en concreto, al señalar como día inicial de la prescripción de las acciones para exigir responsabilidad por las obligaciones derivadas de la culpa o negligencia, de que se trata en el artículo 1.902, aquel en "que lo supo el agraviado".

Por el contrario, el artículo 949 del Código de Comercio identifica el día inicial del cómputo del plazo de prescripción extintiva de las acciones a que se aplica con aquel en que los administradores sociales "por cualquier motivo" hubieran cesado en "el ejercicio de la administración". El inicio del cómputo reclama, por lo tanto y como señaló la sentencia de 26 de octubre de 2004, el cese del administrador, si bien la causa del mismo puede ser cualquiera de las muchas aptas para producirlo.

Se sigue de ello que aplicar ahora el artículo 949 del Código de Comercio exigiría identificar un día inicial del cómputo del plazo según unos criterios distintos del señalado por conformidad de las partes y resolver la cuestión de acuerdo con ese dato, [...]».

STS de 20 de febrero de 2007 (Civil) [6]

FUNDAMENTOS DE DERECHO

«2º [...] aun cuando en la demanda se pidiera contra la sociedad demandada la simple declaración de la existencia de un crédito del Banco actor frente a la misma por un determinado importe, el fundamento de tal pretensión, según los hechos de la demanda y el fundamento de derecho de ésta relativo a la legitimación pasiva de la sociedad demandada, no era otro que la inclusión del Banco actor en la lista definitiva de acreedores de la suspensión de pagos de la sociedad demandada, reconociéndosele un crédito por ese mismo importe, y el total incumplimiento por la misma sociedad del convenio judicialmente aprobado en dicha suspensión de pagos, copia del cual se aportaba con la demanda. Resulta, pues, que lo materialmente planteado en la demanda, como cuestión a resolver necesariamente para poder estimar la pretensión contra la sociedad demandada, era el incumplimiento del convenio; y resulta, también, que el párrafo último del art. 17 de la Ley de Suspensión de pagos de 1922 (LEG 1922/70), vigente por entonces, atribuía la competencia funcional para conocer de la rescisión del convenio por incumplimiento del deudor al "Juez que hubiera conocido de la suspensión". Y si bien es cierto que en la demanda no se pedía expresamente la rescisión del convenio, no lo es menos que, como con razón se aduce en el alegato del motivo, la mera declaración de la existencia del crédito, o bien sería superflua y no estaría necesitada de tutela judicial, al haber sido ya reconocido el mismo crédito en la suspensión de pagos, o bien entrañaría un subterfugio o fraude procesal consistente en el reconocimiento judicial de un crédito por el mismo importe ya reconocido en la suspensión de pagos pero al margen por completo de un convenio que había de considerarse vigente mientras no fuera rescindido.

[...] En definitiva la solución adoptada, estimatoria del motivo, se corresponde plenamente con la jurisprudencia de esta Sala, que en sentencia de 30 de abril de 1968 declaró que "el incumplimiento del convenio por el deudor no determina automáticamente la resolución del mismo, sino que solamente confiere a cualquiera de los acreedores acción para pedir que así se declare judicialmente, y a su vez, se haga la declaración de quiebra"; que en sentencia de 18 de noviembre de 1997 reafirmó la naturaleza transaccional del convenio de la suspensión de pagos en "un línea de arraigada tradición en la jurisprudencia del Tribunal Supremo", calificándolo de verdadero "contrato procesal"; que en sentencia de 8 de enero del mismo año subrayó los factores procesales de interés público que, junto con los contractuales, integran el convenio en la suspensión de pagos; y que en sentencia de 16 de octubre de 2000, sobre un caso en el que sí se pedía expresamente la rescisión del convenio, se pronunció así: Dice la sentencia de 15 de febrero de 1962, citada en la de 25 de marzo de 1995, que "aparece evidente que estando ambas partes conformes en el contenido del Convenio en la forma expuesta, para que surja la libertad de actuación en cada acreedor que señala el art. 17 es preciso que se incumpla el convenio en su totalidad, no en una sola de sus estipulaciones, o sea que al dejar de aplicar alguno de los porcentajes estipulados, entraba en juego la cláusula cuarta de cesión de bienes y negocio para su venta; por todo lo cual y no probado en el juicio ni intentado probar siquiera, que se hayan incumplido las cláusulas 4ª y 5ª del convenio, la sentencia recurrida ha interpretado fielmente el tan citado art. 17, que era de ortodoxa aplicación"; citando, como se ha dicho, esta sentencia de 15 de febrero de 1962, la de 25 de marzo de 1995 afirma que "estipulado el procedimiento a seguir cuando el suspenso incumpla, los acreedores deben someterse a ese procedimiento, salvo que expresamente se le haya reconocido la opción de actuar directamente contra aquél. Sólo cuando, en el primer caso, no adecue su conducta a aquel procedimiento puede decirse que existe un incumplimiento que faculte para el ejercicio de la facultad que otorga el art. 17 de la Ley de Suspensión de Pagos".

3º [...] los tres motivos impugnan la condena de los dos administradores recurrentes por haber desconocido el tribunal sentenciador los términos del convenio, haber impuesto a los recurrentes la carga de probar el pago de la deuda social siendo así que se había nombrado una comisión liquidadora encargada de que el convenio se cumpliera, no ser concebible que uno de los acreedores se desmarque del convenio para dirigirse por su cuenta contra los administradores de la suspensa y, en fin, haberse desplazado sobre los recurrentes una obligación que no les incumbe, ya que la cesión de todos los bienes de la sociedad fue *pro soluto* y no *pro solvendo*.

La respuesta casacional a los motivos así planteados pasa por reseñar los términos del convenio aprobado judicialmente en el expediente de suspensión de pagos y cuya vinculación para el Banco demandante no ha discutido éste en momento alguno, ya que sus pretensiones se fundaban en el incumplimiento del convenio y en la culpa que en ello habrían tenido los administradores demandados.

[...] a la vista de esos términos del convenio resulta de todo punto improcedente declarar la responsabilidad de los demandados-recurrentes y en consecuencia estos tres motivos también han de ser estimados. En primer lugar, porque si en virtud de lo razonado en el fundamento jurídico anterior no se puede declarar la existencia de la obligación social que servía de soporte a la pretensión formulada contra los administradores, tampoco podrá condenarse a éstos como responsables solidarios de esa misma obligación; en segundo lugar, porque todo lo razonado en el fundamento jurídico anterior no viene sino a reafirmarse al comprobar que el convenio preveía una total extinción de los créditos reconocidos en la suspensión de pagos aunque el producto de la enajenación de los activos de la compañía suspensa no cubriera la totalidad de sus importes; en tercer lugar, porque en consecuencia no cabía declarar subsistente ninguna deuda de la sociedad suspensa, ni por tanto ningún hipotético perjuicio al Banco demandante por razón de la misma, sin la previa rescisión del convenio, dada su estricta sujeción al mismo (STS 31-10-02 además de todas las citadas en el fundamento jurídico anterior) y dados los efectos novatorios del convenio sobre las obligaciones de la sociedad suspensa; en cuarto lugar, porque frente a lo afirmado por el Banco demandante en su escrito de impugnación del recurso, la responsabilidad de los administradores de la sociedad no es equiparable a la de unos fiadores solidarios que garantizan la obligación social desde que ésta nace, lo que según los casos y los términos del convenio permitiría a los acreedores favorecidos por la garantía proceder independientemente contra tales fiadores (SSTS 8-1-97, 22-7-02, 17-9-02, 14-6-04 y 22-7-04), sino que aquella responsabilidad se establece por la Ley en virtud de una negligencia causante de daño directo al acreedor, daño que puede ser o no coincidente con el importe de su crédito (art. 135 LSA), o bien en virtud de determinadas omisiones que convierten al administrador en deudor acumulado de la obligación social, pero evidentemente por el mismo importe que ésta tenga (art. 262.5 y disp. transit. 3ª de la misma Ley); y por último, porque dados los términos del convenio, en virtud de los cuales se facultaba totalmente a los integrantes de la comisión de acreedores para liquidar por completo los bienes de la sociedad suspensa, tampoco se alcanza a comprender qué finalidad podía tener una adaptación de los estatutos sociales a la LSA de 1989 que necesariamente implicaba un aumento del capital social, falta de adaptación en la que la sentencia impugnada cifra la condena de los hoy recurrentes pese a que en la demanda se decía ejercitar, muy explícitamente, la acción individual de responsabilidad del art. 135 LSA».

STS de 20 de febrero de 2007 (Civil) [6]

FUNDAMENTOS DE DERECHO

«3º [...] la Ley prevé, [...], un mecanismo preconcursal que consiste en que se obliga a la sociedad (antes de que sus pérdidas lo hagan imposible) a evitar el concurso, bien sea liquidándose, bien adoptando otro acuerdo alternativo tendente a reconstruir el patrimonio social y la efectividad de dicho mecanismo se garantiza imponiendo una responsabilidad solidaria a los administradores por las deudas sociales en caso de incumplimiento de la obligación de promoverlo.

B) La acción para reclamar la responsabilidad solidaria de los administradores por incumplimiento de la obligación de instar la disolución de la sociedad es, según la calificación jurisprudencial más reciente, una acción de responsabilidad extracontractual (SSTS de 4 de abril de 2006 y 24 de abril de 2006) dotada de singularidad en cuanto al requisito general de la relación de causalidad (STS 27 de octubre de 2006), pues la jurisprudencia ha venido declarando que esta responsabilidad no depende de la existencia de un nexo causal con el daño originado a los acreedores reclamantes, ni siquiera de la existencia del daño mismo, pues constituye una responsabilidad formal de carácter solidario respecto de las deudas sociales, que ha sido frecuentemente descrita como objetiva o cuasi objetiva, pues nace de la omisión del deber de promover la disolución en los supuestos legalmente previstos (SSTS de 3 de abril de 1998, 20 de abril de 1999, 22 de diciembre de 1999, de 20 de diciembre de 2000, 20 de julio de 2001, 25 de abril de 2002 y 14 de noviembre de 2002, entre otras).

A ello no obsta que en supuestos excepcionales la jurisprudencia haya considerado inexistente la responsabilidad de los administradores por no existir un interés digno de protección que justifique la responsabilidad (en expresión *obiter dicta* [ocasionalmente emitida] de las SSTS de 28 de abril de 2006 y 28 de noviembre de 2006, y haya reconocido, en consecuencia, límites al ejercicio de la acción fundados en principios generales, como ocurre en las SSTS de 20 de julio de 2001, 12 de febrero de 2003 y 16 de febrero de 2006.

C) La responsabilidad que deriva del artículo 262.5 LSA exige no solamente que se produzca objetivamente una causa de disolución de la sociedad prevista en la Ley, sino también que concurra la negligencia que contemplan los propios preceptos que establecen esta responsabilidad (SSTS de 20 de diciembre de 2000,1 de marzo de 2001, 25 de abril de 2001, 20 de julio de 2001, 14 de noviembre de 2002, 12 de febrero de 2003, 16 de octubre de 2003, 26 de marzo de 2004, 16 de febrero de 2006, 6 de abril de 2006 y 28 de abril de 2006, recurso número 4187/2000, 26 de junio de 2006), de tal suerte que se registran supuestos en los que incluso el desconocimiento absoluto por el administrador de la marcha de la sociedad o la imposibilidad, entendida en términos de razonabilidad, de promover la disolución de la sociedad por parte del administrador se estiman como causas de exclusión de su responsabilidad.

[...]

5º [...] Habida cuenta de estos presupuestos fácticos debe hacerse abstracción de la cuestión acerca de si la causa de disolución de la sociedad por pérdidas concurre objetivamente en el momento en que se producen como hecho económico o, por el contrario, cuando tiene o debe tener lugar su reflejo contable. A su vez, esta última opción admite otras alternativas: considerar el cierre del ejercicio, el momento de formulación de las cuentas o el de agotamiento del plazo para ello, o el momento del examen por la Junta Ordinaria del balance que refleja dichas pérdidas dentro del plazo legal, cuando los accionistas puedan juzgar por sí mismos acerca de la situación económica de la sociedad –aunque esta última tesis parece desechada por la generalidad de la doctrina–.

La STS de 30 de octubre de 2000 declara que el dato decisivo para efectuar el cómputo del plazo de dos meses no se puede reconducir de modo absoluto al momento en que se conoce el resultado de las cuentas anuales, sino que se ha de contemplar en relación con el conocimiento adquirido, o podido adquirir, con la normal diligencia exigible a un administrador social, de que concurre una situación en la que el patrimonio social es inferior a la mitad del capital social. Esta perspectiva del deber de conocimiento por parte de los administradores constituye el criterio por el que debe medirse su responsabilidad en aplicación de los principios recogidos en el apartado C) del fundamento jurídico tercero. Y, como declara, a su vez, la STS de 20 de julio de 2001, el rigor de la responsabilidad de los administradores establecida en el art. 262.5 LSA no puede ser tan extremado que, una vez producida la causa de disolución contemplada en el art. 260.1.4 LSA ésta quede absolutamente petrificada con absoluta abstracción de cuál haya sido la evolución de la sociedad durante ese tiempo y la conducta de los administradores para con los acreedores.

6º [...] De los hechos probados en la sentencia se infiere también que es en la Junta Ordinaria cuando se pone de manifiesto el balance negativo determinante de la situación de insolvencia de la sociedad. Contando a partir de este momento el plazo de dos meses para la convocatoria de Junta Extraordinaria, que en este caso acordó solicitar la declaración de quiebra, no se aprecia que los administradores hayan excedido el plazo de dos meses fijado en artículo 261.5 LSA, pues, aun cuando el acaecimiento objetivo de la causa legal de disolución se produjera con anterioridad, el hecho determinante del inicio del plazo es el conocimiento de dicha circunstancia por parte de los administradores en términos de normalidad económica y contable, según el principio de exigencia de intencionalidad o negligencia que, ceñido a la conducta de omisión de la convocatoria para la disolución de la sociedad, rige en este tipo de responsabilidad y conduce a la necesidad de tener en cuenta el conocimiento (o deber de conocimiento) por los administradores de la situación de pérdidas [...]».

STS de 21 de febrero de 2007 (Civil) [6]

FUNDAMENTOS DE DERECHO

«4º [...] Es cierto que a partir de la entrada en vigor de la Ley de Sociedades Anónimas, la jurisprudencia no mantuvo una solución uniforme acerca de la aplicación a estas acciones de los plazos de prescripción del artículo 949 del Código de comercio, o bien el del artículo 1968, 2º del Código civil, por tratarse de una acción de responsabilidad extracontractual. La sentencia de 20 de julio de 2001 acabó con esta polémica, unificando la doctrina y aplicando el artículo 949 del Código de comercio y, en consecuencia, la prescripción de cuatro años, plazo que ha venido siendo aplicado desde entonces por esta Sala (sentencias de 9 marzo, 19 mayo y 23 junio 2006, por no citar más que las más recientes). [...].

Por otra parte la determinación del *dies a quo* para el cálculo del inicio de la prescripción es una cuestión de hecho, para lo que es competente la Sala sentenciadora, que sólo puede ser revisada en casación cuando sea incongruente, absurda o arbitraria, lo que no concurre en el presente caso (sentencia de 6 marzo 2006, entre muchas otras).

5º [...] Pero el recurrente olvida la interpretación que esta Sala ha efectuado de las reglas de responsabilidad de la Ley de Sociedades anónimas y muy especialmente, de la del artículo 262.5 LSA. Los argumentos en contra de los aportados por el recurrente en estos motivos son:

1º. Debe recordarse de nuevo, que el Banco demandante ejerció la acción del artículo 262. 5 LSA y que el administrador recurrente fue condenado por haber infringido las normas que le obligaban a convocar la Junta General de la sociedad, lo que no hizo. Nunca ha demostrado el ahora recurrente que había cumplido la obligación del artículo 260, 4 y 5 LSA, puesto que si bien instó el procedimiento de suspensión de pagos, ello no implica que cumpliera la obligación de convocar la Junta general, que es a lo que le obligan las disposiciones citadas, por lo que resulta responsable en los términos establecidos en el artículo 262.5 LSA.

2º. Ciertamente, se han discutido las causas que originan la obligación solidaria de responder por parte del administrador que ha dejado que se incurriera en alguno de los supuestos de disolución de la sociedad, si no convoca la Junta en el plazo de dos meses contados desde que la causa de hubiese producido. Esta Sala ha venido sosteniendo que la responsabilidad "contemplada en el artículo 265.2 LSA no se basa en la relación de causalidad entre un determinado acto lesivo (como ocurre en la de los artículos 133 y 135 de la misma Ley) y el daño, que generalmente consiste en el impago de un crédito, puesto que, al menos en la causa de disolución del artículo 260.1, 4º, es la insolvencia de la sociedad, la insuficiencia de su patrimonio el factor determinante de la frustración del crédito, de suerte que para declarar la responsabilidad prevista en aquel artículo 262.5, no son exigibles la relación de causalidad ni la culpa" (Sentencia de 23 junio 2006, con cita de la de 28 abril del mismo año). Esta es una responsabilidad que se origina como consecuencia de la obligación de convocar la junta general cuando se produzca un supuesto de insolvencia de la sociedad y en este caso, la Ley impone la asunción solidaria de la deuda con la sociedad, pero no se requiere que se cumplan los requisitos del artículo 1902 CC para que nazca dicha obligación de responder, puesto que se trata de un supuesto distinto de responsabilidad. Por ello mismo, no se exige la concurrencia de culpa, porque como afirma la sentencia de 26 junio 2006, la responsabilidad impuesta en el artículo 262.5 LSA "puede calificarse de abstracta o formal, característica que, quizá con mayor propiedad semántica, ha sido también descrita como objetiva o cuasi objetiva (sentencias de 3 abril 1998, 20 y 20 diciembre abril 1999, 20 diciembre 2000, 20 julio 2001, 25 abril y 14 noviembre 2002, entre otras)".

3º. [...] la Ley impone al administrador la obligación de responder por no haber convocado la Junta general cuando debió hacerlo, ya que es ésta la que debe tomar los acuerdos de disolución por alguna de las causas del artículo 260 LSA, atribuyendo incluso el artículo 262.5 LSA la misma obligación al administrador cuando la Junta hubiere tomado un acuerdo contrario a la disolución. Se cumple, por tanto, en este caso la norma del artículo 262.5 LSA que establece que el administrador responderá "cuando ésta [la Junta] no se haya constituido", supuesto que es el que realmente sucedió [...]».

STS de 21 de febrero de 2007 (Civil) [5 y 6]

FUNDAMENTOS DE DERECHO

«5º [...]ciertamente el párrafo tercero del art. 80 LSA/1951, como ahora el Ap. 4 del art. 134 LSA/1989, no autorizaba un ejercicio conjunto de la acción social de responsabilidad por la sociedad y por sus accionistas, sino que facultaba a éstos para ejercitarla únicamente cuando la sociedad no lo hiciese dentro del plazo de tres meses a contar desde el acuerdo o cuando el acuerdo hubiera sido contrario a la exigencia de responsabilidad. [...]

8º se vale el recurrente para eludir el juicio del tribunal sentenciador sobre su "grave indiligencia", su "culpa grave" o su "comportamiento irregular", juicio que se asienta en unos hechos, como el haber puesto término a la actividad de la sociedad actora "por la vía de hecho, es decir, haciéndola desaparecer del mundo mercantil sin disolverse formalmente", la constitución de una nueva sociedad con el mismo objeto vaciando patrimonialmente a la sociedad actora "para transmitir sus bienes a la nueva sociedad" o la actuación en perjuicio de aquélla, tan contundentes que, en realidad, ese mismo juicio del tribunal sentenciador sobre la conducta del recurrente bien podría haber acabado encuadrándola en el concepto de "malicia" más que en el de "negligencia grave".

9º se alega que la responsabilidad de los administradores en el régimen de dicha Ley no era objetiva y que ninguna de las sentencias de ambas instancias determina el daño causado a la sociedad actora, ni lo cuantifica ni cualifica, cuando basta con leer ambas sentencias, pero sobre todo la recurrida en casación, para comprobar, de un lado, que al hoy recurrente no se le aplica ninguna responsabilidad objetiva, sino por culpa grave, y, de otro, que el daño se identifica no sólo por la detracción de sumas determinadas de las cuentas de la sociedad sino también por el vaciado patrimonial de ésta, declarándose también la relación de causalidad entre esa culpa grave y este daño, de suerte que clara está la concurrencia de todos los elementos que exigía el precepto que se dice infringido».

STS de 8 de marzo de 2007 (Civil) [5 y 6]

FUNDAMENTOS DE DERECHO

«2º [...] Lo cierto que en su demanda fundó todos los incumplimientos en el artículo 135 de la Ley de Sociedades Anónimas, siendo que la acción que prevé el artículo 262.5 distinta en sus presupuestos, y en su regulación legal: la primera tiene naturaleza extracontractual y requiere que concurran los requisitos propios (acción u omisión culposa, daño y prueba de la relación de causalidad); lo que no sucede con la acción del 262, respecto de la cual, esta Sala ha destacado su carácter abstracto o formal (Sentencia de 26 de junio de 2006), y, con mayor propiedad, su naturaleza objetiva o cuasi objetiva (Sentencias de 25 de abril de 2002, 14 de noviembre de 2002, 6 y 28 de abril de 2006) –esta última de Pleno–, y 26 de mayo de 2006, entre otras), que se resume en que su declaración no exige la concurrencia de un reproche culpabilístico que hubiera que añadir a la constatación de que no ha habido promoción de la liquidación mediante convocatoria de la Junta o solicitud judicial, en su caso (y ahora también la solicitud de la declaración de concurso, cuando concurra su presupuesto objetivo), esto es, una negligencia distinta de la prevista en el propio precepto (Sentencias de 20 y 23 de febrero de 2004 y de 28 de abril de 2006), del mismo modo que no requiere una estricta relación de causalidad entre el daño y el comportamiento concreto de administrador, o, en otros términos, no exige más que el enlace causal preestablecido en la propia norma (Sentencia de 28 de abril de 2006).

[...] desde el punto de vista de la acción individual de responsabilidad (lo relativo a la acción de responsabilidad del artículo 262.5 de la Ley de Sociedades Anónimas [...], en cuanto a la falta de liquidación de la sociedad, falta la relación causal entre tal omisión y el daño alegado, [...].

3º [...] la parte recurrente mezcla cuestiones de hecho y de derecho, llamando la atención que el recurrente pretenda alegar como acción independiente la del artículo 262.5 de la Ley de Sociedades Anónimas, cuando en su demanda no fue citada y simplemente se adujo la falta de convocatoria de la Junta, como presupuesto para fundamentar la negligencia de los administradores, al hilo de la acción del artículo 135 de la Ley de Sociedades Anónimas, por lo que su alegación posterior en el escrito de conclusiones, y por tanto fuera de los escritos rectores, es extemporáneo y va contra los principios procesales de igualdad de armas, y desde luego, provoca una situación procesal anómala. Es más, la reciente Sentencia de 9 de octubre de 2006 con cita de la de la de 26 de mayo de 2006 señala como "No es procedente examinar la posible infracción del artículo 262.5 LSA (en relación con el artículo 69 de la Ley de sociedades de responsabilidad limitada, cuando la acción ejercitada fue la acción individual de responsabilidad y no la acción de responsabilidad solidaria por incumplimiento de las obligaciones de los administradores de promover la disolución de la sociedad, pues ello determinó que en el proceso no se discutieron los presupuestos del ejercicio de tal acción, muy particularmente el transcurso del plazo exigido por la Ley desde el momento de la disminución del patrimonio social o la situación de crisis para que pueda exigirse responsabilidad a los administradores por este concepto. En consecuencia, continúa diciendo la citada sentencia, 'la estimación de esta acción comportaría una desviación respecto de la *causa petendi* [causa de pedir] que fundamentó la pretensión inicial con infracción de los principios de rogación y contradicción. En efecto, la pretensión debe identificarse en función de los hechos sustanciales que constituyen su *causa petendi* aunque no se cite el precepto en que se apoyan las consecuencias jurídicas que componen el *petitum* [lo que se pide], salvo cuando aquellos hechos son ambiguos o no son expresivos por sí mismos de la acción ejercitada, caso en el que será exigible que se identifique jurídicamente la pretensión con la cita, si es preciso, de los preceptos legales en que se apoya '[...]"».

STS de 8 de marzo de 2007 (Civil) [6]

FUNDAMENTOS DE DERECHO

«2º [...] La sociedad estaba paralizada, y en todo caso, los administradores dejaron pasar el plazo legal sin atender el pago de la deuda reclamada, ni realizar actividad dirigida ni a promover la disolución, ni llevar a efecto la adaptación de sus Estatutos, la ampliación de capital o la transformación. Los administradores, pues, incumplen los deberes que impone la DT 3ª, así como los que determina el artículo 262, 2 y 4 LSA, con las consecuencias que se determinan en la DT 3ª.3 y en el artículo 262.5 LSA. Que fuere o no aplicable este último precepto, cuando claramente lo es el anteriormente citado [...]

3º [...] Los administradores quedan obligados, dada la situación de paralización, a promover la disolución, en los términos señalados por los preceptos de los artículos 262.2 y 4 LSA y, en virtud de lo dispuesto en la DT 3ª LSA, a adaptar estatutos y a ampliar el capital o transformar la sociedad (los administradores son aquí también los únicos socios). La aplicación de la DT 3ª es indiscutible, por dudosa que fuere la de los artículos 260, 261 y 262 LSA lo que, en este caso, sólo podría fundarse en la falta de ejercicio de la acción correspondiente, pero constituiría un ejercicio estéril, como antes se ha razonado.

No se trata, pues, como atinadamente dice la sentencia, de que la fecha de vencimiento de la deuda determine el régimen de responsabilidad que deriva de su impago. La deuda, vencida y exigible, fue objeto de reclamación frente a la sociedad, que siguió su curso hasta llegar a una sentencia firme en la que, integrando principal con intereses, quedó definitivamente fijada. Pero la existencia de este pasivo social es tenido en cuenta por el legislador para atribuir responsabilidad a los administradores por razón de un determinado comportamiento que consiste en actuaciones u omisiones establecidas. Para tales supuestos, el legislador impone a los administradores la responsabilidad solidaria por las deudas sociales, así fijadas. [...]

5º La responsabilidad de los administradores en los supuestos del artículo 262.5 y DT 3ª.3 LSA ha sido vista, como señalan las Sentencias de 28 de abril de 2006, como un supuesto de responsabilidad quasiobjetiva, o incluso como una sanción civil, en los términos que se examinan en las decisiones citadas, y en otras muchas (Sentencias de 20 de octubre y 23 de diciembre de 2003, 28 de mayo de 2005), e incluso como un supuesto de responsabilidad peculiar en cuanto a la aplicación de la técnica de responsabilidad por daños (Sentencias de 20 y 23 de febrero y 26 de marzo de 2004), pero ha predominado (Sentencias de 6 y 28 de abril, 23 y 26 de mayo y 5 de junio de 2006, etc.) la consideración de que, por especial que sea su régimen, estamos ante un supuesto de responsabilidad por daños una de cuyas especialidades es, precisamente, la que la acción queda sometida al plazo de prescripción del artículo 949 del Código de Comercio (Sentencias de 22 de junio de 1995, 9 de enero de 2006, etc.) y, llegados a este punto, es forzoso tomar como punto de partida del cómputo o *dies a quo* el que indica el mismo precepto, bien aplicado por la Sala de instancia».

STS de 12 de marzo de 2007 (Civil) [5 y 6]

FUNDAMENTOS DE DERECHO

«2º [...] la distinta naturaleza de la responsabilidad por daño causado directamente al socio o al tercero que regula el artículo 135 del texto refundido de la Ley de Sociedades Anónimas y de la asunción cumulativa de las deudas sociales con la que el artículo 262.5 del mismo texto sanciona al administrador que incumple el deber de promover la disolución de la sociedad cuando concurre alguna de las causas que señala dicho artículo en su apartado primero, la jurisprudencia, tomando en consideración razones de seguridad jurídica, ha evolucionado en el sentido de aplicar a la prescripción de una y otra (no sólo a la de la segunda, como habían declarado, *inter alia,* las sentencias de 21 de mayo de 1992 –citada en el motivo–, 2 de julio de 1999, 26 de octubre de 2001 y 7 de junio de 2002) el artículo 949 del Código de Comercio, que establece un plazo de cuatro años y manda contarlo "desde que por cualquier motivo cesaren (los administradores) en el ejercicio de la administración" (sentencias de 20 de julio de 2001, 19 de mayo de 2003, 1 de marzo y 26 de octubre de 2004, 17 de febrero, 22 de marzo, 15 de junio y 22 de diciembre de 2005, 6 y 9 de marzo, 19 de mayo de 2006 y 13 de febrero de 2007) [...].

3º [...] el Tribunal de apelación [...] declaró admisible el ejercicio contra ellos, como administradores sociales, de la acción del artículo 135 del texto refundido de la Ley de Sociedades Anónimas pese a haber sido liquidada la sociedad y cancelados los asientos relativos a ella».

STS de 14 de marzo de 2007 (Civil) [5, 6, 7, 10, 11 y 13]

FUNDAMENTOS DE DERECHO

«3º A) Después de ciertas vacilaciones, esta Sala tiene declarado que el plazo de prescripción de las acciones de responsabilidad contra los administradores societarios, independientemente de su respectiva naturaleza, es el de cuatro años a partir del cese del cargo de administrador (SSTS, entre las más recientes, de 26 de mayo de 2004, 22 de marzo de 2005, 13 de diciembre de 2005, 22 de diciembre de 2005, 16 de diciembre de 2005, 2 de febrero de 2006, 6 de marzo de 2006, 9 de marzo de 2006, 23 de junio de 2006, 26 de junio de 2006, 9 de octubre de 2006, 27 de octubre de 2006, 28 de noviembre de 2006 y 13 de febrero de 2007).

En efecto, la jurisprudencia de este Tribunal no ha seguido una línea uniforme en la determinación del plazo de prescripción de esta acción hasta que la STS de 20 de julio de 2001, seguida por las que se acaban de reseñar, ha establecido, con designio unificador, que el plazo de prescripción de este tipo de acciones es el de cuatro años fijado en el artículo 949 CCom.

[...] C) La prescripción, según ha reiterado la jurisprudencia, debe ser interpretada restrictivamente (STS de 15 de julio de 2005). El *dies a quo* o día inicial para el ejercicio de la acción por responsabilidad extracontractual es aquél en que puede ejercitarse la acción, según el principio *actio nondum nata non praescribitur* [la acción que todavía no ha nacido no puede prescribir], al que se acoge el CC (STS 27 de febrero de 2004). Este principio exige, para que la prescripción comience a correr en su contra, que la parte que propone el ejercicio de la acción disponga de los elementos fácticos y jurídicos idóneos para fundar una situación de aptitud plena para litigar.

La jurisprudencia ha matizado la regla del artículo 1968.2 CC en el caso de que los daños hayan sido causados por comportamientos continuados permanentes (SSTS de 12 de diciembre de 1980, 12 de febrero de 1981, 6 de mayo de 1985, 17 de marzo de 1986 y 24 de junio de 1993, entre otras) y ha exigido para el inicio del plazo una verificación total de los daños producidos, al entender que sólo con ella el perjudicado está en condiciones de valorar en su conjunto las consecuencias dañosas y de cifrar el importe de las indemnizaciones que puede reclamar por concurrir una "situación jurídica de aptitud plena para el ejercicio de las acciones", según la expresión utilizada por la STS de 21 de abril de 1986.

D) En el caso enjuiciado, el inicio del plazo de prescripción no sólo viene determinado por la concurrencia de las circunstancias que determinan la procedencia de la disolución de la sociedad, que los administradores no instaron a su debido tiempo, sino también por la certeza de las deudas imputables a ésta y de la imposibilidad de obtener su percepción con cargo al patrimonio social.

La STS de 25 de octubre de 2005 ha reconocido la eficacia prejudicial (en el proceso en que se ventila la responsabilidad de los administradores) de la sentencia que condena a la sociedad. Pero esto no significa que la condena de la sociedad sea presupuesto indefectible para la exigencia de la responsabilidad, como declara la STS de 30 de noviembre de 2005. En suma, no resulta imposible el ejercicio simultáneo de la acción contra la sociedad y contra los administradores en aquellos casos en los cuales puede determinarse con certeza la existencia del perjuicio desde el mismo momento de la reclamación contra aquélla (STS de 28 de noviembre de 2006). Hay que analizar, por consiguiente, las circunstancias del caso para determinar el momento en que el daño se hallaba suficientemente establecido para permitir el ejercicio de la acción.

E) Las circunstancias del caso examinado llevan a la conclusión de que el principio *actio nata* [acción nacida] impide considerar que la acción pudo ejercitarse antes, como mínimo, del momento en que las deudas de la sociedad fueron declaradas mediante sentencia firme y, en su ejecución, se procedió infructuosamente al embargo de bienes de la sociedad administrada por los demandados, pues sólo entonces quedó acreditado el daño (la imposibilidad de realizar los créditos con cargo al patrimonio social) y nada permite afirmar que antes de este momento pudiera asegurarse la imposibilidad por parte de la sociedad de hacer frente a dichas deudas con su propio patrimonio, especialmente teniendo en cuenta que existe una valoración de existencias anterior en dos años por un importe superior a la deuda reclamada [...].

5º A) En términos generales, la jurisprudencia ha exigido que para que nazca la responsabilidad de los administradores que se establece en los artículos 133.1 y 135 LSA concurran los siguientes requisitos: a) que se haya producido un daño al socio o acreedor, que ha de consistir en una lesión directa a su patrimonio, por lo que no basta acreditar la mera insolvencia de la sociedad (STS de 28 de abril de 2006); b) que se hayan producido actos u omisiones negligentes por parte de los administradores, por incumplimiento de la obligación de proceder como un ordenado empresario, pues no es necesario que se haya producido un acto contrario a la Ley o los estatutos sociales, sino que basta con que se haya omitido la diligencia exigible conforme al art. 127 LSA (la que corresponde a un ordenado empresario y representante leal), y c) que exista relación de causalidad entre la conducta y el daño (STS de 7 de marzo de 2006).

Mientras el objeto de la acción social es restablecer el patrimonio de la sociedad, mediante la acción individual se trata de reparar el perjuicio en el patrimonio de los socios o terceros (STS 4 de noviembre de 1991). En consecuencia, la acción individual de responsabilidad es ajena a cualquier intervención de la sociedad en su planteamiento, desarrollo o resultado. La legitimación para su ejercicio la tiene, consecuentemente, cualquier persona, aunque no tenga el carácter de socio. De esta responsabilidad, que reviste carácter solidario entre todos los miembros del Consejo de Administración que realizó el acto o adoptó el acuerdo lesivo (o incurrió en la omisión dañosa), únicamente pueden exonerarse, según el art. 133.2 LSA, los que prueben que, no habiendo intervenido en su adopción y ejecución, desconocían su existencia o conociéndola, hicieron todo lo conveniente para evitar el daño o, al menos, se opusieran expresamente a aquél.

B) El solo hecho del incumplimiento de una obligación social no es por sí mismo demostrativo de la culpa del administrador ni determinante de su responsabilidad (SSTS 2 de julio de 1998, 20 de julio de 2001 y 6 de marzo de 2003). La insolvencia de la sociedad provocada por los administradores al incumplir su obligación de promover la disolución puede ser determinante de la responsabilidad a que se refiere el artículo 262.5 LSA (en la redacción aplicable a este proceso por razones temporales), por incumplimiento objetivo de la obligación de disolución y liquidación ordenadas de la sociedad que establece el artículo 260, 3º y 4º LSA.

Pero la jurisprudencia de esta Sala admite que, en régimen de concurso ideal, dicha situación puede también dar paso a la responsabilidad individual (artículo 135 LSA) cuando la insolvencia de la sociedad provocada por la negligencia de los administradores causa una lesión directa a los acreedores (SSTS de 11 de octubre de 1991, 10 de diciembre de 1996, 11 de noviembre de 1997, 17 de diciembre de 2003, 20 de febrero de 2004), ya que la responsabilidad por los actos de los administradores comprende la acción y la omisión. En efecto, la desaparición de empresas sin haberse practicado la oportuna liquidación comporta una vulneración de la Ley y puede llevar consigo un perjuicio para los titulares de créditos pendientes que no han podido controlar la liquidación de la mercantil ni el destino final de su patrimonio. La vulneración de un deber legal tan esencial comporta la existencia de culpa, salvo prueba por parte de los administradores de que su actuar individual no fue negligente.

El ejercicio de la acción individual de responsabilidad responde por ello con frecuencia a supuestos en que los derechos de crédito de acreedores de la sociedad se han visto perjudicados por la actuación de los administradores que, ante situaciones de grave crisis económica, no adoptan medidas para la regularización de su patrimonio o no proceden a su disolución a través de los cauces legales, impidiendo controlar a los terceros interesados el destino del patrimonio social. Es cierto que la acción encaminada a exigir la responsabilidad *ope legis* [por ministerio de la Ley] fundada en el art. 262.5 LSA elude la dificultad de probar la concurrencia de los requisitos necesarios para que prospere la acción individual (negligencia, daño y relación de causalidad); pero esto no supone que el ejercicio de la acción individual sea improcedente, en estos supuestos, si se demuestra la existencia de negligencia y de un daño concreto en el patrimonio de los acreedores.

Como admiten las SSTS de 17 de octubre de 2005, 30 de noviembre de 2005, 9 de marzo de 2006, 22 de marzo de 2006, 23 de junio de 2006, ambas acciones, en consecuencia, pueden ser acumuladas, y no incurre en incongruencia la sentencia que fija, como determinante de la responsabilidad, no el invocado artículo 135 LSA, sino el 262 LSA, siempre que concurran los requisitos de la acción individual de responsabilidad y los hechos en que se funda hayan sido alegados por la parte (STS de 28 de septiembre de 2006), teniendo en cuenta que la ausencia de la diligencia ordenada exigible a los administradores, cuando se constata la omisión del deber de proponer la disolución de la sociedad en presencia de los presupuestos que legalmente la exigen, se agrava hasta alcanzar la grave negligencia cuando dicho incumplimiento afecta a otros elementos típicos del comportamiento de un administrador, tales como la previsión, la prevención de riesgos, la planificación adecuada de la actividad económica, y otros demostrativos del descuido en que incurre *ille qui non praevidet quod praevidere debuit* [quien no prevé lo que debió].

C) Las declaraciones fácticas formuladas por la sentencia recurrida, en unión de un examen de la prueba realizada, demuestran que los administradores demandados incurrieron en negligencia, cifrada, en esencia, en la desaparición de los activos de la sociedad sin instar, como era obligado (art. 260.3 y 4 LSA) la disolución y liquidación de la misma (según acredita la ausencia de baja de la sociedad en el Registro Mercantil y la falta de aportación a éste de documentación alguna relativa a los actos de los acuerdos sociales a partir del año 1993, a excepción de la revocación del poder al Sr. Jon) por reducción del patrimonio e imposibilidad de realizar el fin social (evidenciada por la carencia de instalaciones, de maquinaria y de mano de obra y por el cierre de las oficinas, como así lo atestiguan las diligencias negativas de embargo).

[...] Se observa asimismo, la existencia de una relación de causa a efecto entre la culpa y el daño, pues, ante las dificultades económicas de la empresa, los administradores no se ha probado que realizaran actuación alguna eficaz para respaldar las obligaciones de la sociedad, y, una vez constatada la imposibilidad de cumplir el fin de la sociedad y desaparecidos prácticamente sus activos, no procedieron a la disolución, sino que se limitaron a negociar con los acreedores de manera desordenada acuerdos para saldar sus respectivos créditos o buscar fórmulas de reflotamiento de la empresa que no tuvieron viabilidad alguna, colocando a los acreedores sociales en una situación de imposibilidad para el cobro total o parcial de sus créditos mediante una liquidación ordenada de la sociedad que respetase el principio *par conditio creditorum* [igual condición de todos los acreedores] [...].

6º [...] a) El apoderado no tiene el carácter de administrador, al cual aparece vinculada la responsabilidad exigida por la LSA, pues el art. 133 LSA se refiere como titulares de la responsabilidad que en él se establece a los "administradores" (o "miembros del órgano de administración": art. 133.3 LSA), cualidad que sólo ostentan los nombrados como tales por la Junta General (art. 123 LSA), y, según la jurisprudencia, a los administradores de hecho (expresamente a partir de la Ley 26/2003), es decir, a quienes, sin ostentar formalmente el nombramiento de administrador y demás requisitos exigibles, ejercen la función como si estuviesen legitimados prescindiendo de tales formalidades, pero no a quienes actúan regularmente por mandato de los administradores o como gestores de éstos, pues la característica del administrador de hecho no es la realización material de determinadas funciones, sino la actuación en la condición de administrador con inobservancia de las formalidades mínimas que la Ley o los estatutos exigen para adquirir tal condición. El administrador de hecho es el producto de la ausencia o del vicio de alguna de ellas.

Cabe plantearse, como hace la STS de 26 de mayo de 1998, la equiparación del apoderado o factor mercantil al administrador de hecho. Sin embargo, dicha doctrina debe quedar reservada para los supuestos en que la prueba acredite tal condición en el apoderado, como puede ocurrir cuando se advierte un uso fraudulento de la facultad de apoderamiento en favor de quien realmente asume el control y gestión de la sociedad con ánimo de derivar el ejercicio de acciones de responsabilidad hacia personas insolventes, designadas formalmente como administradores que delegan sus poderes. Si no concurre una situación de idéntica o análoga naturaleza, los sujetos responsables (como declaran las SSTS de y 7 de junio de 1999 y 30 de julio de 2001) son los administradores, no los apoderados, por amplias que sean las facultades conferidas a éstos, pues si actúan como auténticos mandatarios, siguiendo las instrucciones de los administradores legalmente designados, no pueden ser calificados como administradores de hecho.

b) Aunque así no fuera, los poderes que se otorgaron a este demandado por el Consejo de Administración no comprenden la facultad de instar la disolución de la sociedad, cuya omisión es uno de los elementos indispensables para la determinación de la responsabilidad que se aprecia [...]».

STS de 22 de marzo de 2007 (Civil) [6 y 10]

FUNDAMENTOS DE DERECHO

«2º [...] la cuestión planteada en el motivo ha sido abordada por la Sentencia de Pleno de 28 de abril de 2006, que fijó en la fecha de la renuncia por acta notarial el momento eficaz para poner fin al período que cabría computar para exigir responsabilidad, ya que "la renuncia impide una actuación eficaz desde la fecha en que se produce, que en este caso ha de tenerse por cierta, y que, dadas las específicas circunstancias del caso, ya destacadas, hace irrelevante que el momento de la inscripción se haya dilatado poco más de dos meses. La oponibilidad a terceros de los actos sujetos a inscripción y no inscritos, por otra parte, se presenta, en punto al cese de los administradores (art. 21.1 Ccom y 9 RRM), como un problema de eficacia respecto de la sociedad de actuaciones o gestiones realizadas por los administradores no inscritos o que permanecen inscritos después de su cese, cuestión distinta de la que aquí se está contemplando sobre todo cuando, como ocurre en el caso, la permanencia de la inscripción registral del administrador que ya ha cesado no ha sido determinante ni influyente en la relación entre la sociedad y el acreedor que reclama". Este criterio lo tiene reiterado esta Sala en numerosas Sentencias (de 10 de mayo de 1999, de 23 de diciembre de 2002, 24 de diciembre de 2002, de 16 de julio de 2004, de 28 de mayo de 2005, en recurso 4720/1998, y más recientemente en la sentencia de 7 de febrero de 2007) en las que se declara que las inscripciones registrales de los acuerdos de cese no tienen carácter constitutivo, al no imponerlo así precepto alguno, correspondiendo, el deber de inscribir a los nuevos administradores, sin que ninguna responsabilidad por falta de inscripción pudiera exigirse a los cesados.

Sentado lo anterior, se apreció la responsabilidad del administrador, atendiendo al momento de su renuncia y no de la inscripción, [...] declarando existente en ese momento de la renuncia la causa de disolución, [...]».

STS de 22 de marzo de 2007 (Penal) [8]

FUNDAMENTOS DE DERECHO

«6º [...] El supuesto ha sido ya resuelto por la jurisprudencia de esta Sala Casacional (STS 91/2005, de 11 de abril), y a sus argumentos nos remitimos. Un caso similar también, no idéntico como el anterior, es el resuelto por la STS 615/2001, de 12 de abril de 2002, cuya doctrina es la siguiente: La responsabilidad civil subsidiaria solicitada lo es al amparo del número tercero del art. 120 del Código Penal, precepto éste mucho más amplio que los artículos 21 y 22 del Código Penal de 1973, y que, para lo que aquí se resuelve, distingue entre el número cuarto que es la clásica concepción de dicha responsabilidad civil subsidiaria por los delitos cometidos por los empleados o dependientes, representantes o gestores en el desempeño de sus funciones o servicios, a cargo de sus –principales– (personas naturales o jurídicas dedicadas a cualquier género de industria o comercio), y que se fundamenta en la "culpa in vigilando", "culpa in eligendo", o la "culpa in operando", que había sido interpretada por esta Sala Casacional con gran amplitud y generalidad, al punto de llegar a una cuasi-objetivación basada en la teoría del riesgo, o bien del aprovechamiento de su actividad ("cuius commoda eius incommoda"), y la responsabilidad civil subsidiaria que surge ahora del citado apartado tercero del art. 120 del Código Penal, que dispone: "las personas naturales o jurídicas, en los casos de delitos o faltas cometidos en los establecimientos de los que sean titulares, cuando por parte de los que los dirijan o administren, o de sus dependientes o empleados, se hayan infringido los reglamentos de policía o las disposiciones de la autoridad que estén relacionados con el hecho punible cometido, de modo que éste no se hubiera producido sin dicha infracción".

Los requisitos legales que son necesarios para el nacimiento de dicha responsabilidad civil, son los siguientes: a) que se haya cometido un delito o falta; b) que tal delito o falta se haya cometido en un establecimiento dirigido por el sujeto pasivo de dicha pretensión; c) que se haya infringido un reglamento de policía o alguna disposición de la autoridad, entendidos estos reglamentos como normas de actuación profesional en el ramo de que se trate (abarcando cualquier violación de un deber impuesto por Ley o por cualquier norma positiva de rango inferior, incluso el deber objetivo de cuidado que afecta a toda actividad para no causar daños a terceros); d) que dicha infracción sea imputable no solamente a quienes dirijan o administren el establecimiento, sino a sus dependientes o empleados; e) que tal infracción esté relacionada con el delito o falta cometido de modo que éstos no se hubieran producido sin dicha infracción (nexo de causalidad, operativo, eficaz y eficiente).

Desde la Sentencia de esta Sala, de 15 de febrero de 1986, ya dijimos que por el contrato de depósito en cuenta corriente se constituye un depósito irregular con la consecuencia prevista en el art. 307.3 del Código de Comercio, por el cual, al quedar el dinero confundido con el patrimonio del depositario, éste ha de soportar los riesgos derivados de su deber de conservar la cosa depositada, de modo que si un tercero comete una defraudación y se apodera del dinero depositado o parte del mismo, de esa pérdida ha de responder el depositario, esto es, la entidad bancaria, en el caso. A la misma conclusión llegamos si examinamos el hecho desde otra perspectiva, la del pago como modo de extinción de las obligaciones (arts. 1156 y siguientes del Código Civil), pues la obligación del depositario de devolver la cosa depositada (arts. 1766 CC y 306 CCom) se extingue por el pago, pero éste sólo es eficaz cuando se hace a la persona en cuyo favor estuviese constituida la obligación o a otra autorizada a recibirla en su nombre, como dice el art. 1162 del Código Civil. Por tanto, la entrega de la cosa depositada a una persona distinta de las expresadas en esa última norma jurídica no produce el efecto extintivo de la obligación del depositario relativa a la devolución del objeto del depósito. De modo que, como ya adelantábamos, el perjudicado por tal delito (en el caso, extracción de dinero mediante cheque falsificado mediante imitación de la firma de su titular) es el propio banco o caja de ahorros, y no el titular de la cuenta.

Al no haberse hecho así en estos autos, sino que la entidad Banco Santander Central Hispano permanece situada en el lado pasivo del proceso penal, la solución pasa por la declaración de la misma como responsable civil directo, o como responsable civil subsidiario, que es cómo se ha planteado el asunto, de modo que su situación ha variado, arrastrando el inicial concepto de perjudicado y responsable ante el titular de la cuenta, al de responsable civil frente al mismo, pudiendo ejercitar dicho titular tales acciones civiles en el seno del proceso penal, sin que sea tolerable diferir esta cuestión al ámbito de la jurisdicción civil, pues puede ser resuelta dentro de los parámetros (jurídico-privados) que el proceso penal español permite, con tal que exista la oportuna rogación (acción civil entablada conjunta o separadamente de la penal) y posibilidad de defensa como tal responsable civil (personación en este concepto y oportunidad probatoria). Por eso, las Sentencias de esta Sala Casacional de 6 de diciembre de 1954, 14 de mayo de 1963, 14 de noviembre de 1967 y 24 de septiembre de 1968 declararon, con motivo de delitos de estafa cometidos por medio de cheques falsos o falsificados, que es la entidad bancaria y no el cuentarrentista, la perjudicada por la defraudación, llegándose a afirmar que si se recuperase parte o toda la cantidad defraudada, se entregará a la misma y no a su cliente, ya que es obvio que tiene que devolver a la cuenta corriente del cliente las cantidades que indebidamente salieron de la misma, por la negligencia o impericia de los empleados al comprobar la legitimidad de los cheques.

A esta misma solución se llega por la vía del art. 156 de la Ley 19/1985, de 16 de julio, Cambiaria y del Cheque, si bien de forma analógica, en el caso ahora enjuiciado. Estamos en presencia, en definitiva, de una responsabilidad cuasi-objetiva para el librado, con presunción de culpa civil, basada en el criterio del riesgo profesional, y por tanto de un especial deber de garantía que la Ley impone a las personas directoras del establecimiento por su omisión de impedir la comisión de delitos o faltas, de efectos no penales, sino exclusivamente patrimoniales, sin que sea necesario precisar la persona física infractora del deber legal o reglamentario, con tal que se encuentre dentro del círculo de la actividad que resultó insuficiente para impedir la consumación delictiva y en el ámbito espacial de su dirección o control».

STS de 7 de mayo de 2007 (Civil) [2, 5 y 6]

FUNDAMENTOS DE DERECHO

«5º [...] el Sr. Serafín no sólo era la persona que, mediante diversas sociedades en las cuales participa mayoritariamente y de las cuales era administrador, controlaba O., SA, sino que era él quien la administraba, y tal conclusión se ajusta a la deducción razonable y coherente que cabe extraer de los datos tomados en cuenta por el juzgador "a quo".

6º [...]La responsabilidad solidaria (...) se fundamenta en el hecho de ser condenado como administrador (...) en relación con el artículo 262.5 de la Ley de Sociedades Anónimas que establece la solidaridad, por ende, legal o propia».

STS de 14 de mayo de 2007 (Civil) [11]

FUNDAMENTOS DE DERECHO

«3º [...] A raíz de la entrada en vigor de la LSA la jurisprudencia no mantuvo una solución uniforme acerca de la aplicación a estas acciones de los plazos de prescripción del artículo 949 CCom o del artículo 1968.2º CC, por tratarse de una acción de responsabilidad extracontractual. La STS de 20 de julio de 2001 acabó con estas vacilaciones, y, con designio de unificación de doctrina, declaró aplicable a las distintas acciones de responsabilidad de los administradores societarios el artículo 949 CCom y, en consecuencia, un plazo de prescripción de cuatro años. Esta doctrina ha venido siendo aplicada desde entonces por esta Sala (SSTS de 26 de mayo de 2004, 22 de marzo de 2005, 13 de diciembre de 2005, 22 de diciembre de 2005, 16 de diciembre de 2005, 2 de febrero de 2006, 6 de marzo de 2006, 9 de marzo de 2006, 16 de mayo de 2006, 19 de mayo de 2006, 23 de junio de 2006, 26 de junio de 2006, 9 de octubre de 2006, 27 de octubre de 2006, 28 de noviembre de 2006, 30 de noviembre de 2006, 21 de febrero de 2007, 8 de marzo de 2007, 12 de marzo de 2007, y 14 de marzo de 2007, por no citar más que las más recientes).

La sentencia impugnada aplica el plazo de prescripción previsto en el artículo 949 CCom de acuerdo con lo resuelto por la doctrina de esta Sala, por lo que no se advierte que se haya cometido la infracción denunciada.

C) La determinación del dies a quo [día inicial] para el cómputo del plazo de la prescripción es una cuestión de hecho, para cuya determinación es competente la Sala sentenciadora en el ejercicio de su función de valoración de la prueba. El resultado de esta valoración sólo puede ser revisada en casación cuando sea incongruente, absurda o arbitraria, lo que no concurre en el presente caso (STS de 6 de marzo de 2006, entre muchas otras).

D) El momento establecido en el artículo 949 CCom como dies a quo para el ejercicio de la acción de responsabilidad dirigida contra los administradores de la sociedad es el de su cese (STS de 26 de mayo de 2006 y 22 de marzo de 2007, entre las más recientes).

Como declara la STS de 19 de febrero de 2007, la expiración del término de nombramiento no determina el inicio de dicho plazo si no consta que hayan cesado en sus funciones como administradores de la sociedad».

STS de 25 de mayo de 2007 (Civil) [6]

FUNDAMENTOS DE DERECHO

«3º [...] "La Jurisprudencia se ha referido reiteradamente a la responsabilidad del administrador social por no promover la disolución de la sociedad o remover su causa, en relación con las anónimas y las de responsabilidad limitada. En concreto, la sentencia de 30 de octubre de 2000 recuerda que el administrador

tiene el deber, una vez conocida la causa de disolución, "de convocar la junta general en el plazo de dos meses", ya que "así lo exige el precepto... y esta sencilla interpretación es la más coherente con la génesis y 'ratio' teleológica del mismo, con su contenido literal y sistemático... y con la profesionalidad y seriedad que, respectivamente, son exigibles de los administradores y de la sociedad anónima", de modo que "no se requiere, por lo tanto, ni nexo causal entre el crédito accionado y la inactividad de los administradores, ni otra negligencia de éstos que la que valora o toma en cuenta la propia norma legal". En el mismo sentido se han pronunciado, entre otras, las sentencias de 16 de febrero y 26 de junio de 2006 y 8 de marzo de 2007».

STS de 4 de junio de 2007 (Penal) [8]

En el mismo sentido, vid., STS de 17 de julio de 2006 [8]

STS de 14 de junio de 2007 (Contencioso-administrativo) [11]

FUNDAMENTOS DE DERECHO

"3º debemos poner de manifiesto, la sentencia no declara que la inscripción de la renuncia al cargo de administrador tenga carácter constitutivo, sino que "de conformidad con lo preceptuado en los arts. 108 y 109 del Reglamento del Registro Mercantil de 1956 (ahora, arts.138 a 148 del Reglamento de 1996) la inscripción del acuerdo de nombramiento de los administradores de las sociedades tiene eficacia frente a terceros de(sde) por parte del designado, de forma que desde la perspectiva de las normas mercantiles dicha persona ostenta el cargo con los derechos y obligaciones inherentes al mismo a todos los efectos, mientras no exista inscripción de cese o renuncia o de nombramiento de nuevo Consejo de Administración; e Igual sucede con la dimisión o renuncia del cargo, para cuya eficacia4 se requiere ineludiblemente su inscripción en el Registro Mercantil.

De lo que no cabe sino concluir que el hoy actor ostentó el cargo de Administrador social, a todos los efectos, durante el periodo al que se refieren las deudas liquidadas, ejercicio 1.996 y consiguientemente debe responder de la totalidad de la deuda tributaria que se le imputa, sin necesidad de ninguna otra prueba sobre su actuación, comprensiva a tenor de los dispuesto en el artículo 58 dela LGT de las cuotas, intereses de demora y sanciones que procedan." Con ello no hace sino recogerse la doctrina comúnmente admitida de la obligatoriedad de la inscripción para surtir efectos frente a terceros y que recoge la Sentencia de la Sala Primera de este Tribunal Supremo, de 30 de octubre de 2001, invocada adecuadamente por el Abogado del Estado, cuando señala que "..al no haberse inscrito la citada renuncia no puede operar respecto a terceros y por tanto, su responsabilidad no cesa desde tal acto. Así se deduce del art.72 de la LSA/1951 y de otros preceptos, como los arts. 2.3 y 86.5 del Reglamento del Registro Mercantil de 14 de diciembre de 1956. El art. 72 resulta decisivo al respecto porque el nombramiento de Administrador surte efecto, no desde su designación o nombramiento, sino desde la inscripción en el Registro Mercantil. Luego, a contrario sensu, el cese o renuncia para terceros no se producirá sino desde su proclamación registral."

STS de 4 de julio de 2007 (Civil) [6 y 13]

FUNDAMENTOS DE DERECHO

«A) La jurisprudencia de esta Sala se ha pronunciado sobre la fecha inicial del cómputo del plazo bimensual del artículo 262 de la Ley de Sociedades Anónimas en sentido opuesto al que se propone en este motivo. Así, la sentencia de 30 de octubre de 2000 (recurso núm. 3341/95) declara que la obligación legal de convocar la Junta en el plazo de dos meses nace "una vez conocida la situación económica que constituye el supuesto normativo" (núm. 4, apartado 1 del art. 260 LSA); la sentencia de 18 de julio de 2002 (recurso núm. 328/97) toma como referencia la época en que los administradores "no podían ignorar la grave situación de descapitalización" de la sociedad, "sin necesidad de esperar al final del ejercicio económico"; la sentencia de 16 de diciembre de 2004 (recurso núm. 3375/98) establece que el plazo "debe contarse desde que los administradores tuvieron o debieron tener conocimiento de tal situación, siendo válido para determinar el desequilibrio patrimonial de la sociedad tanto un balance de comprobación como un estado de situación"; y la sentencia de 9 de marzo de 2006 (recurso núm. 2325/99) ratifica que el plazo bimensual comienza a correr desde que los administradores pueden conocer la situación de desequilibrio patrimonial.

B) Ciertamente la jurisprudencia también viene declarando, con alguna excepción como la representada por la sentencia de 2 de abril de 2002 (recurso núm. 3154/96), que la inscripción registral del cese de los administradores no tiene carácter constitutivo, de suerte que su omisión no puede extender en el tiempo la responsabilidad de los administradores cesantes porque el deber de inscribir su cese no les incumbe a ellos sino a los que les suceden (sentencias de 7 de febrero de 2007 en recurso núm. 362/00, 28 de mayo de 2005 en recurso núm. 4720/98, 16 de julio de 2004 en recurso núm. 2566/98, 24 de diciembre de 2002 en recurso núm. 1753/97 y 23 de diciembre de 2002 en recurso núm. 1698/97)».

STS de 15 de julio de 2007 (Civil) [10]

Véanse entre otras la STS de 13 febrero 2007.

STS de 16 de julio de 2007 (Civil) [6]

FUNDAMENTOS DE DERECHO

«[...] Ciertamente la jurisprudencia de esta Sala ya se ha pronunciado sobre la fecha inicial del cómputo del plazo bimensual para convocar la junta general en el sentido de que no es necesario esperar a la formulación de las cuentas anuales ni al cierre del ejercicio, naciendo el deber del administrador cuando advierte o cuando debió advertir el desequilibrio patrimonial».

STS de 27 de julio de 2007 (Civil) [5]

FUNDAMENTOS DE DERECHO

«5º [...] Con acierto, la Sala de instancia señala que no cabe ver en los preceptos aquí invocados (133.1 y 135 LSA) un supuesto de responsabilidad conjunta de los administradores con la sociedad, y echa de menos, por otra parte, la concreción de hechos de hechos precisos que, realizados con negligencia por los administradores, dieran pie a trascender la responsabilidad de la sociedad como persona jurídica para alcanzar a los administradores.

En este punto, conviene recordar que opera en el tráfico la sociedad como persona jurídica, en la que los administradores son los representantes orgánicos (SSTS 12 de septiembre de 1994 SIC, 30 de diciembre de 1996, 24 de noviembre de 1998, etc.). En la representación orgánica, es el propio ente el que actúa y no puede siquiera afirmarse que haya una actuación alieno nomine, sino que es la propia sociedad la que ejecuta sus actos a través del sistema legal y estatutariamente establecido. De modo que los incumplimientos contractuales se han de atribuir, en principio, a la sociedad como persona jurídica, sin responsabilidad, desde luego, de los socios (artículo 1 LSA) y con posible responsabilidad de los administradores frente a los acreedores sociales (artículo 133.1 LSA) o terceros (artículo 135 LSA), que exige un acto u omisión contrario a la Ley o a los estatutos o que haya sido realizado con incumplimiento de los deberes inherentes al desempeño del cargo. Este acto u omisión debe quedar precisamente determinado. Y además, ha de producir, en los términos del artículo 135 LSA, una "lesión directa" del interés del tercero. Sólo entonces cabe, en principio, buscar la responsabilidad de los administradores, más allá de la que cabe exigir a la propia sociedad. Lo que no será frecuente en materia de responsabilidad contractual, salvo que el incumplimiento contractual haya sido causado o agravado por una concreta acción u omisión de los administradores y quepa establecer una relación de causalidad entre tal comportamiento y el daño sufrido por el tercero, toda vez que la acción del tercero o del acreedor social contra los administradores de una determinada sociedad se ha de incardinar en los casos de responsabilidad extracontractual, como una especialidad del régimen establecido en los artículos 1902 y ss. del Código civil, por lo que en todo caso exige un daño que pueda ser causalmente conectado con la acción u omisión de los administradores, y que sea objetiva y subjetivamente imputable (SSTS 6 y 28 de abril, 26 de mayo, 5 y 30 de junio, 9 y 27 de octubre de 2006 [...])».

STS de 19 de septiembre de 2007 (Civil) [6]

FUNDAMENTOS DE DERECHO

«...Declarada la responsabilidad de todos los administradores demandados con base en el artículo 262.5 de la Ley de sociedades anónimas ya no era exigible que el tribunal sentenciador se pronunciara sobre si, además, era aplicable a todos o alguno de ellos el artículo 135 de la misma ley, dado el mayor rigor de aquél al no exigir la prueba de la culpa ni de la relación de causalidad entre las omisiones del administrador y el incumplimiento de la obligación social».

STS de 26 de septiembre de 2007 (Civil) [5, 6 y 11]

FUNDAMENTOS DE DERECHO

«...La Jurisprudencia se ha referido reiteradamente a la responsabilidad del administrador social por no promover la disolución de la sociedad o remover su causa, en relación con las anónimas y las de responsabilidad limitada. En concreto, la sentencia de 30 de octubre de 2000 recuerda que el administrador tiene el deber, una vez conocida la causa de disolución, "de convocar la junta general en el plazo de dos meses", ya que "así lo exige el precepto... y esta sencilla interpretación es la más coherente con la génesis y «ratio» teleológica del mismo, con su contenido literal y sistemático... y con la profesionalidad y seriedad que, respectivamente, son exigibles de los administradores y de la sociedad anónima", de modo que "no se requiere, por lo tanto, ni nexo causal entre el crédito accionado y la inactividad de los administradores, ni otra negligencia de éstos que la que valora o toma en cuenta la propia norma legal". En el mismo sentido se han pronunciado, entre otras, las sentencias de 16 de febrero y 26 de junio de 2006 y 8 de marzo de 2007.

...Es cierto –como precisa el Tribunal Constitucional en la sentencia 127/2001, de 4 de junio, y en las que en ella se citan– que "la garantía material del principio de legalidad comporta el mandato de taxatividad o certeza, que se traduce en la exigencia de predeterminación normativa de las conductas punibles", con implicaciones "no sólo para el legislador, sino también para los órganos judiciales".

Pero no cabe olvidar que el carácter sancionador que los recurrentes atribuyen al artículo 105.5 de la Ley 2/1995 –y al artículo 262.5 del Texto refundido de la Ley de Sociedades Anónimas– solo puede admitirse en un sentido impropio –se suele afirmar con el fin de facilitar la distinción entre el supuesto previsto en dichos preceptos y el consistente en la responsabilidad por daños–.

Y es que, en sentido propio, la norma a que se refiere el motivo no forma parte del derecho sancionador.

En efecto, que al administrador que omita el comportamiento exigido en el artículo 105 se le imponga responder por las deudas sociales constituye una reacción del ordenamiento, ante una conducta omisiva considerada antijurídica, que se traduce en una medida aflictiva para su autor.

Pero dicha medida no persigue –mas que remotamente– la protección del interés general, sino, propiamente, la de los intereses de los acreedores sociales, que ven correlativamente ampliada la esfera de sus facultades de cobro mediante un incremento del número de sus deudores –solidarios–, ante el peligro que representa para sus créditos el que una sociedad que está sometida a la regla de limitación de responsabilidad subsista sin disolverse –y liquidarse–, cuando ello era lo procedente.

En definitiva, esa correlación entre los efectos negativo y positivo de la medida para los administradores y los acreedores sociales, respectivamente, y, al fin, esa función protectora de los intereses de estos últimos que cumple el artículo 105.5 de la Ley 2/1995 –así como el 262.5 del Texto refundido de la Ley de Sociedades Anónimas– impide calificar a la referida norma como sancionadora, lo que, consecuentemente, se traduce en que no corresponda considerar llamado el conjunto de reglas jurídicas que la Constitución Española vincula a las de aquella naturaleza.

...Es reiterada la jurisprudencia que aplica el artículo 949 del Código de Comercio a las acciones dirigidas a exigir responsabilidad a los administradores de sociedades de capital y, en particular, a las que se basan en el artículo 105.5 de la Ley 2/1995 o en la norma equivalente del Texto refundido de la Ley de Sociedades Anónimas –sentencias de 2 de julio de 1999, 26 de octubre de 2001, 7 de junio de 2002 y 13 de diciembre de 2005, entre otras muchas–».

STS 26 de octubre 2007 (Civil) [5, 11 y 13]

FUNDAMENTOS DE DERECHO

«3º La jurisprudencia de esta Sala viene aplicando, ya sin fisuras, la prescripción cuatrienal del artículo 949 CCom, tanto en los casos de responsabilidad de los administradores exigida en base a los artículos 133 y siguientes de la Ley de Sociedades Anónimas, cuanto en los supuestos de responsabilidad ex lege del artículo 262.5 de la propia Ley. Pues, como ha dicho la Sentencia de 14 de marzo de 2007, desde la Sentencia de 20 de julio de 2001 se ha venido estableciendo, con designio unificador, que el plazo de prescripción de este tipo de acciones es el de cuatro años fijado en el artículo 949 CCom., a partir del cese del cargo de administrador. [...]»

STS de 5 de diciembre de 2007 (Civil) [5]

FUNDAMENTOS DE DERECHO

"2º (...)Hecha la anterior precisión, resulta oportuno indicar que la responsabilidad de los administradores sociales que establece el artículo 262 de la Ley de Sociedades Anónimas, en relación con su artículo 260, y también la que se deriva de la Disposición transitoria tercera de la misma Ley, ha sido considerada por la doctrina jurisprudencial como una responsabilidad cuasiobjetiva o, incluso, objetiva, con lo que se quiere decir en realidad que está basada en un hecho objetivo, la omisión de la convocatoria de la Junta o de la solicitud, en general, de la promoción de la liquidación –y ahora, tras la reforma operada por la Ley 22/2003, de 9 de julio, Concursal, y por la Ley 19/2005, de 14 de noviembre, sobre Sociedad Anónima Europea, también del concurso–, así, como, en su caso, la falta de adaptación de los estatutos sociales en el plazo legalmente establecido, sin atender a la calificación de la conducta culposa o diligente del administrador en el ejercicio del cargo (...)".

STS de 21 de diciembre de 2007 (Contencioso-Administrativo)[7]

FUNDAMENTOS DE DERECHO

"3º (...)3. En la nueva LGT aprobada por Ley 58/2003, de 17 de diciembre, el art. 41.4 excluye, con carácter general, la posibilidad de que se reclame al responsable el pago de las sanciones impuestas al deudor principal. La cuestión resulta clara en aquellos supuestos en que la responsabilidad no deriva de la comisión de una infracción tributaria: en ningún caso podrán exigirse al responsable las sanciones, no sólo por ser ello contrario a lo dispuesto en el art. 41.4 de la Ley, sino por suponer una vulneración del principio de personalidad de la pena.

Sin embargo, puede pensarse –y así lo hace, sobre todo, la Administración recurrente– que el establecimiento de una responsabilidad subsidiaria respecto de las sanciones no lesiona aquel principio en los casos en que el presupuesto de hecho de la responsabilidad está constituido por la participación en un acto ilícito. Si ello es así, cabe que un precepto de rango legal contradiga lo dispuesto en el art. 41.4 de la LGT/2003, estableciendo la exigencia de sanciones al responsable

Pues bien, la LGT/2003 ha optado por acoger esta posición de manera muy explícita. Así su art. 182 señala que se exigirán las sanciones, entre otros supuestos, cuando la responsabilidad derive de la colaboración activa en un ilícito –art. 42.1.a)– y en el caso de los administradores de personas jurídicas que participen en la infracción cometida por la entidad –art. 43.1.a)–.

El único supuesto, pues, donde no se produce la extensión de la responsabilidad a las sanciones es el de los administraciones de las personas jurídicas que cesan en sus actividades dejando deudas tributarias pendientes –art. 43.1.b)–. La exclusión de las sanciones en este último supuesto es ineludible, toda vez que la conducta del administrador, aunque negligente, no alcanza la gravedad necesaria para ser constitutiva de integrar una infracción tributaria.

En los casos de colaboración en alguna infracción, la LGT/2003 entiende que en estos casos pueden exigirse las sanciones porque no se produce ningún tipo de vulneración del principio de personalidad de la pena, toda vez que el responsable ha colaborado en el ilícito.

Esta posición parece haber sido refrendada por el Tribunal Constitucional, que en su sentencia 76/1990, de 26 de abril, afirma –refiriéndose a la constitucionalidad de la redacción dada al art. 38.1 de la LGT/1963 por la Ley 10/85– que "no es trasladable al ámbito de las infracciones administrativas la interdicción constitucional de responsabilidad solidaria en el ámbito del Derecho Penal, puesto que no es lo mismo responder solidariamente cuando lo que está en juego es la libertad personal –en la medida en que la pena consista en la privación de dicha libertad– que hacerlo a través del pago de una cierta suma de dinero en la que se concreta la sanción tributaria, siempre prorrateable "a posteriori" entre los distintos responsables individuales" (...)".

STS de 8 de febrero de 2008 (Civil) [2, 5, 7 Y 10]

FUNDAMENTOS DE DERECHO

«5º [...] El art. 133 LSA se refiere como titulares de la responsabilidad que en él se establece a los "administradores" (o "miembros del órgano de administración": art. 133.3 LSA). Esta cualidad sólo la ostentan los nombrados como tales por la Junta General (art. 123 LSA), y, según la jurisprudencia, los administradores de hecho (expresamente a partir de la Ley 26/2003), es decir, quienes, sin ostentar formalmente el nombramiento de administrador y demás requisitos exigibles, ejercen la función como si estuviesen legitimados prescindiendo de tales formalidades.

La condición de administrador de hecho no abarca, en principio, a los apoderados (SSTS de 7 de junio de 1999 y 30 de julio de 2001), siempre que actúen regularmente por mandato de los administradores o como gestores de éstos, pues la característica del administrador de hecho no es la realización material de determinadas funciones, sino la actuación en la condición de administrador sin observar las formalidades esenciales que la Ley o los estatutos exigen para adquirir tal condición.

Cabe, sin embargo, la equiparación del apoderado o factor mercantil al administrador de hecho (STS de 26 de mayo de 1998, 7 de mayo de 2007 rec. 2225/2000) en los supuestos en que la prueba acredite tal condición en su actuación. Esto ocurre paradigmáticamente cuando se advierte un uso fraudulento de la facultad de apoderamiento en favor de quien realmente asume el control y gestión de la sociedad con ánimo de derivar el ejercicio de acciones de responsabilidad hacia personas insolventes, designadas formalmente como administradores que delegan sus poderes, pero puede ocurrir también en otros supuestos de análoga naturaleza, como cuando frente al que se presenta como administrador formal sin funciones efectivas aparece un apoderado como verdadero, real y efectivo administrador social (STS de 23 de marzo de 2006, recurso 2643/1999)».

STS de 29 de febrero de 2008 (Civil) [13]

FUNDAMENTOS DE DERECHO

«3º [...]c) En el supuesto, no planteado por el recurrente, de que una parte de la cantidad reclamada, y concretamente la correspondiente a la ocupación indebida de la finca por el arrendatario desahuciado durante el período comprendido entre la Sentencia de resolución contractual (dictada el 14 de abril de 1994) y el lanzamiento efectivo de la finca (23 de febrero de 1995), no merezca la consideración de renta (la sentencia recurrida mantiene un criterio ambiguo y habla de renta o frutos civiles, que deben ser abonados dada la mala fe del poseedor), de ningún modo se habría producido la prescripción extintiva de la acción ejercitada para reclamar su indemnización, pues, en cualquier caso, el plazo del año del art. 1968.2 CC, precepto indicado en el motivo, no iniciaría su cómputo hasta que se terminó de producir el daño –doctrina de la realización–, que obviamente sucedió el día del lanzamiento de la finca, en que se puso fin a la ocupación ilegal, y que es operativo como "dies a quo" (art. 1969 CC)».

STS de 14 de marzo de 2008 (núm. 206) (Civil) [5 y 6]

FUNDAMENTOS DE DERECHO

«6º [...] El motivo se desestima porque la doctrina jurisprudencial viene reiterando que el plazo de prescripción extintiva de la acción del *art. 135 LSA* es el de cuatro años del *art. 949 C*. Comercio (SS. 20 de julio de 2001; y 13 de febrero, 5 y 12 de marzo, 14 de mayo y 26 de octubre de 2007, y las que en ella se citan); sin que quepa discutir acerca de una posible incidencia en las costas del recurso respecto a la existencia de una jurisprudencia contradictoria al tiempo de interponerse el recurso de casación, porque éste, en cualquier circunstancia, habría sido desestimado al haber sido condenados los recurrentes, también, por la acción del *art. 262.5 LSA* cuyo plazo de prescripción no se discute en de cuatro años».

STS de 24 de marzo de 2008 (Civil, Sec. 1) [6]

FUNDAMENTOS DE DERECHO

«1º [...] Esta Sala no comparte el criterio de la de instancia ni respecto de que el *apartado 3º del artículo 260.1 LSA* contenga la previsión de lo que la sentencia recurrida denomina infracapitalización material para referirse al supuesto que regula el ap. 4º del mismo precepto, ni en punto a que tal infracapitalización genere la imposibilidad de cumplir el fin social. La demostración de la primera afirmación requiere poco esfuerzo: baste señalar que la *ley distingue nítidamente ambos supuestos. En cuanto a la segunda* de las aseveraciones, es claro que una sociedad puede acudir a circulante que no se incluya en el capital, ya proceda de terceros o de los propios accionistas, y seguir el desarrollo de la empresa. La razón de que lo que la sentencia denomina infracapitalización exija, salvo aumento o reducción, la disolución de la sociedad no se encuentra en la paralización o en la imposibilidad de cumplir el fin social, sino en el riesgo de insolvencia y, sobre todo, en la necesidad de que en el tráfico se conozca la situación para determinar el nivel de confianza o de seguridad en las transacciones de las que pueda ser parte la sociedad. En realidad, el *artículo 260.1.4º LSA* se refiere a un caso de disminución del patrimonio, y exige un cierto equilibrio entre capital y patrimonio de modo que el desequilibrio, llegado a un cierto extremo (que es el de disminución del patrimonio por debajo de la mitad del capital social; no hay previsión, claro está, para el desequilibrio por incremento del patrimonio por encima del capital social) obliga a los socios a restablecer ese equilibrio, a cuyo efecto cabe una reducción o un aumento del capital. El precepto no contiene un tratamiento de la infracapitalización ni material ni formal, sino de un supuesto de desequilibrio entre el capital y el patrimonio en el que la expresión de la cifra de capital se encuentra muy alejada del valor patrimonial de la sociedad.

La sentencia recurrida, al derivar hacia el supuesto del *apartado 4º del artículo 260.1 LSA un pedimento basado en haberse producido el caso del apartado 3º* del mismo artículo, considerando que está comprendido en ésta última regla, ha incurrido en incongruencia, lo que determina la viabilidad de los motivos de casación planteados. La congruencia forma parte de la tutela judicial efectiva a que se refiere el *artículo 24* de la Constitución (SSTC 54/1985, de 18 de abril; 242/1988, de 19 de diciembre, etc.) [...]»

STS de 24 de marzo de 2008 (Civil, Sec. 1) [6]

FUNDAMENTOS DE DERECHO

«2º [...]La sentencia recurrida, además, no ha aplicado los *artículos 133 y 135 LSA,* que son preceptos efectivamente citados por la actora, puesto que las acciones individual de responsabilidad *(artículo 135 LSA)* y la dirigida a exigir la responsabilidad por incumplimiento de los deberes señalados en el *artículo 262 LSA (y 105 LSRL,* que aquí se aplica en su redacción originaria, antes de las reformas producidas por la Ley Concursal y por la *Disposición Final 1ª.8 de la Ley 19/2005, de 14 de noviembre)* pueden ser acumuladas (SSTS 9 de marzo y 23 de junio de 2006, 14 de marzo de 2007, entre las más recientes), pero en el caso se ha alegado desde el principio la infracción por los administradores del *artículo 105 LSRL en relación con el 104,* apartados c) y e), con las consecuencias señaladas en el *artículo 105.5 LSRL* [...]».

STS de 25 de marzo de 2008 (Civil, Sec. 1) [2, 6 y 13]

FUNDAMENTOS DE DERECHO

«3º La doctrina jurisprudencial de esta Sala ha venido manteniendo de modo pacífico que las dos acciones que constituyen el objeto del proceso (antes expuestas) están sujetas al plazo de prescripción extintiva del *art. 949 del Código de Comercio,* en el que se dispone que "la acción contra los... administradores terminará a los cuatro años, a contar desde que por cualquier motivo cesaren en el ejercicio de la administración".

Por ello, carecen de consistencia las alegaciones de los motivos del recurso en los que se pretende la aplicabilidad de una normativa legal diferente; sin perjuicio de examinar más adelante el tema del "dies a quo" del cómputo, en relación a en qué momento se produjo el cese en el ejercicio de la administración.

4º La tercera cuestión en la que se suscita una discrepancia del recurrente con la postura de la contraparte y con la resolución recurrida es la relativa a cuando debe estimarse que se produjo la cesación en la administración por parte del Sr. J. P., lo que, a su juicio, tiene relevancia para el cómputo de la prescripción, y en el ámbito de operatividad de los deberes legales que se le atribuyen incumplidos.

Sostiene el demandado-recurrente, en síntesis, que, como fue designado administrador el 24 de marzo de 1987 y el cese se produjo a los cinco años, conforme al *art. 126 LSA, es decir, el 24 de marzo de 1992,* al tiempo de interponerse la demanda del presente pleito, que tuvo lugar el 29 de junio de 1996, ya se había producido la prescripción extintiva de los cuatro años del *art. 949 C. Com.*

La argumentación expuesta carece de consistencia porque, además de que desconoce la responsabilidad derivada de la administración "de hecho" –o de la denominada "oculta"–, no toma en cuenta que no consta que el Sr. J. P. haya puesto en marcha, ni siquiera intentado, los mecanismos tendentes a suplir las consecuencias de la caducidad que alega, pues no cabe desconocer la exigencia, reiterada tanto por la doctrina de la DGR y N, como por la jurisprudencial, de realizar los actos necesarios para regularizar los órganos de la sociedad y acomodarlos a la legalidad estricta, pues otra conducta supone un abandono irresponsable, que no puede excusar de las consecuencias perjudiciales para terceros, tanto más cuando no se trató de procurar las inscripción en el Registro Mercantil del cese en el cargo.

Las dos apreciaciones expuestos sobre la responsabilidad del administrador de "hecho" y de imputación al demandado de una conducta negligente en el cumplimiento de los deberes sociales constituyen una parte fundamental de la "ratio decidendi" de la sentencia recurrida, y no han sido desvirtuadas en el recurso. Aún más, de las alegaciones vertidas en éste, incluso se deduce una mayor gravedad de la conducta del demandado, pues, habida cuenta las circunstancias concurrentes (sociedad inactiva, absoluta despatrimonialización, y existencia de un conflicto con el comprador –aquí demandante de una de las parcelas, cuya promoción y venta fue la actividad de la entidad), "abandonar" la administración sin procurar la debida cumplimentación del órgano social carece de la más mínima justificación, ni explicación. A ello debe añadirse que, en cualquier caso ("ad omnen eventum"), la responsabilidad derivada de la *Disposición Transitoria de la LSA de 1989* siempre resultaría incólume, pues, incluso con independencia de la disposición del *art. 145.1º del Reglamento de Registro Mercantil* (sobre la que razona con singular acierto el escrito de impugnación del recurso a propósito del motivo primero), desde que la LSA entró en vigor hasta que se produjo la terminación legal del cargo (año 1992) pasaron varios meses, e incluso años, sin que el administrador llevara a cabo la adaptación legal de los estatutos, sin que la responsabilidad de la Transitoria tercera se produzca únicamente para quien ocupa legalmente el cargo el 29 de junio de 1992, tanto más, y es preciso insistir para advertir la sinrazón del recurso de casación, la actuación claramente negligente de no evitar que el cargo quedase vacante y desatendido».

STS de 14 de mayo de 2008 (Civil) [5, 6 y 13]

FUNDAMENTOS DE DERECHO

«2º [...] Si bien es cierto que a raíz de la entrada en vigor de la Ley de Sociedades Anónimas la jurisprudencia inicialmente no dio una respuesta uniforme a la cuestión de cuál era el plazo de prescripción de las acciones de responsabilidad de los administradores sociales, si el de cuatro años previsto en el artículo 949 del Código de Comercio, o el anual previsto en el *artículo 1968.2 del Código Civil,* no menos cierto es que desde la Sentencia de 20 de julio de 2001 han desaparecido esas iniciales vacilaciones jurisprudenciales, pues en ella se declaró, con designio de unificación de doctrina, que las distintas acciones de responsabilidad de los administradores sociales estaban sometidas al plazo de prescripción establecido en el *artículo 949 del Código de Comercio.* Esta doctrina ha venido siendo aplicada desde entonces por esta Sala –véanse las Sentencias de 21 de febrero de 2007, 8 de marzo de 2007, 12 de marzo de 2007, 14 de marzo de 2007, 14 de mayo de 2007 y 26 de septiembre de 2007, entre las más recientes–, y, conforme a la misma, ha de ser rechazado este primer motivo del recurso, siendo inconcluso, como es, que la reclamación de la entidad actora se ha producido dentro del plazo establecido en el indicado precepto del Código de Comercio, para cuyo cómputo se fija como "dies a quo" el momento del cese del administrador –Sentencias de 26 de mayo de 2006, 22 de marzo y 14 de mayo de 2007, entre otras muchas [...].

3º. el incumplimiento por los administradores de la obligación de promover la disolución de la mercantil genera su responsabilidad conforme a lo dispuesto en el *artículo 262.5 de la vigente Ley de Sociedades Anónimas,* en relación con el *artículo 260.1-3º* del mismo cuerpo legal, sin que el hecho de haber instado en su día, después de haber contraído las obligaciones exigidas por la actora, el expediente de suspensión de pagos que finalizó con la declaración de insolvencia definitiva, o el hecho de haber promovido la declaración de quiebra después de haberse interpuesto la demanda que da origen al proceso del que se trae causa, sirva para exonerar a aquéllos de responsabilidad, pues, tal y como precisa la sentencia de 19 de septiembre de 2007, con cita de las de 16 de julio de 2007 y de 16 de febrero de 2004, la solicitud del estado de suspensión de pagos no suplía, en el régimen de la Ley de Sociedades Anónimas anterior a su modificación por la Ley Concursal, la omisión de promover la disolución de la sociedad, lo que convierte en irrelevante la actuación en tal sentido de los administradores de cara a apreciar su responsabilidad, tanto más cuanto aquí la solicitud de la declaración de quiebra es posterior a la demanda origen del procedimiento; del mismo modo que, vistas las anteriores circunstancias, no es dable apreciar en este caso la falta del interés digno de protección que permita excepcionar este régimen de responsabilidad, en línea con la más reciente jurisprudencia, que ha considerado inexistente la responsabilidad de los administradores en supuestos excepcionales, básicamente consistentes en el conocimiento por el acreedor de la situación económica y patrimonial de la sociedad en el momento en que se concertó la obligación, o en la falta de la diligencia de aquél para comprobar esa situación económica cuando hay motivos suficientes o indicios racionales de insolvencia –Sentencia de 14 de mayo de 2005– [...]».

STS de 26 de mayo de 2008 (Civil) [5]

FUNDAMENTOS DE DERECHO

«1º [...]La responsabilidad del administrador que continúa como administrador de hecho una vez caducado su nombramiento.

El art. 133 LSA se refiere como titulares de la responsabilidad que en él se establece a los «administradores» (o «miembros del órgano de administración»: art. 133.3 LSA). Esta cualidad la ostentan no sólo los nombrados por la Junta General (art. 123.1 LSA), sino también, según la jurisprudencia, los administradores de hecho (así se prevé expresamente a partir de la Ley 26/2003, que modificó, entre otros, el artículo 133.2 LSA), es decir, quienes, sin ostentar formalmente el nombramiento de administrador y demás requisitos exigibles, ejercen la función como si estuviesen legitimados prescindiendo de tales formalidades o continúan ejerciéndola una vez producido formalmente su cese o sobrevenida la caducidad del nombramiento.

La condición de administrador de hecho no abarca, en principio, a los apoderados (SSTS de 7 de junio de 1999 y 30 de julio de 2001), siempre que actúen regularmente por mandato de los administradores o como gestores de éstos, pues la característica del administrador de hecho no es la realización material de determinadas funciones, sino la actuación en la condición de administrador sin observar las formalidades esenciales que la ley o los estatutos exigen para adquirir tal condición.

Cabe, sin embargo, la equiparación del apoderado o factor mercantil al administrador de hecho (STS de 26 de mayo de 1998, 7 de mayo de 2007, RC nº 2225/2000) en los supuestos en que la prueba acredite que actúan o han actuado en tal condición».

STS de 29 de mayo de 2008 (Penal) [8]

FUNDAMENTOS DE DERECHO

«4º [...]La desestimación es procedente. El art. 31 del Código Penal supone un precepto que complementa el art. 28 del Código para aquellos supuestos en los que el tipo delictivo exija ciertos y especiales elementos en la autoría que concurren en la persona representada (persona física o jurídica), pero no en la representante (persona física que actúa como representante de hecho o de derecho). En este sentido se ha manifestado que el art. 31 supone la extensión del círculo de autores de los delitos especiales propios cuando el *extraneus* obra en representación del *intraneus*.

Por lo tanto, la queja del recurrente, referida a la falta de aplicación del art. 31 del Código Penal, no es un problema de prueba, sino de subsunción del hecho en el precepto penal de aplicación. Desde la perspectiva que denuncia, comprobamos que el tribunal de instancia ha dispuesto de la precisa actividad probatoria que parte de las declaraciones del perjudicado, de la documentación del negocio concertado y de las propias declaraciones del acusado admitiendo la apropiación. Estos elementos de prueba han sido valorados por el tribunal de instancia en el primero de los fundamentos de la sentencia que se consideran hábiles para enervar el derecho a la presunción de inocencia que alega en el motivo, pues en el juicio oral se practicó una actividad probatoria sobre el hecho de la recepción y apropiación del depósito concertado, así como la representación y actuación en nombre de la entidad que recibió el depósito y la que dispuso del maíz depositado en sus almacenes».

STS de 30 de mayo de 2008 (Civil) [5 y 6]

FUNDAMENTOS DE DERECHO

«3º [...]Como ha dicho la STS de 14 de marzo de 2007, después de ciertas vacilaciones, esta Sala tiene declarado, a partir de la STS de 20 de julio de 2001, que el plazo de prescripción de las acciones de responsabilidad contra los administradores societarios, independientemente de su respectiva naturaleza, es el de cuatro años a partir del cese en el cargo (SSTS, entre las más recientes, 26 de mayo de 2004, 22 de marzo, 13,16 y 22 de diciembre de 2005, 2 de febrero, 6 y 9 de marzo, 23 y 26 de junio, 9 y 27 de octubre y 28 de noviembre de 2006, 13 de febrero de 2007, etc.).

4º [...]La Jurisprudencia de esta Sala ha admitido que, en régimen de concurso ideal, la situación de insolvencia de una sociedad en la que los administradores han incumplido su obligación de promover la disolución, además de ser determinante de la responsabilidad a que se refiere el *artículo 262.5 LSA,* pueda dar paso a la responsabilidad individual, por la vía de la acción llamada "individual" del *artículo 135 LSA,* cuando la insolvencia de la sociedad provocada por la negligencia de los administradores causa una lesión directa a los acreedores (SSTS 11 de diciembre de 1991, 10 de diciembre de 1996, 11 de noviembre de 1997, 17 de diciembre de 2003, 20 de febrero de 2004, 27 de octubre de 2006, etc.) pues, como decía la STS 14 de marzo de 2007, la responsabilidad por los actos de los administradores comprende la acción y la omisión. Además, como admiten las SSTS 17 de octubre y 30 de noviembre de 2005, 9 y 22 de marzo y 23 de junio de 2006, etc., las acciones dirigidas e exigir la responsabilidad *ex artículo 135* y *ex artículo 262.5 LSA* puede ser acumuladas y no incurre en incongruencia la sentencia que fija, como determinante de la responsabilidad, no el invocado *artículo 135 LSSA sino el 262 LSA,* "siempre que concurran los requisitos de la acción individual de responsabilidad y los hechos en que se funda hayan sido alegados por la parte (SSTS 28 de septiembre de 2006)».

STS de 24 de junio de 2008 (Civil) [6]

FUNDAMENTOS DE DERECHO

«2º [...]no es en absoluto cierto que la responsabilidad solidaria de los administradores sociales establecida en el *art. 262.5 LSA* (redacción anterior a su reforma por la *Ley Concursal de 2003)* exija una negligencia distinta de la contemplada en el propio precepto y consistente en el incumplimiento de la obligación de convocar en el plazo de dos meses la Junta General para la adopción, en su caso, del acuerdo de disolución, según viene declarando la jurisprudencia de esta Sala (SSTS 21-2-07, 23-6-06, 16-12-04, 1-3-04, 23-12-03, 20-10-03, 2-6-02, 20-7-01 y 31-5-01 entre otras muchas). Ello significa que si los administradores, además, incumplen otros deberes, como podrían ser los relativos a las cuentas anuales, cabrán otras acciones añadidas contra ellos, pero no que tal incumplimiento sea requisito necesario de la responsabilidad declarada por la sentencia recurrida. Finalmente, tampoco quedaban los administradores exonerados de esta responsabilidad por el mero hecho de promover la declaración de la sociedad en estado de suspensión de pagos al amparo de la *Ley especial de 1922,* ya que el expediente correspondiente no estaría en principio orientado a disolver la compañía sino a la continuación de su actividad (SSTS 19-9-07, 21-2-07, 6-4-06 y 16-12-04)».

STS de 27 de junio de 2008 (Civil) [6]

FUNDAMENTOS DE DERECHO

«En efecto, la sentencia de la Audiencia, confirmatoria de la del Juzgado, resulta plenamente conforme con la doctrina de esta Sala sobre la responsabilidad de los administradores sociales por incumplimiento de los deberes legales que, en orden a promover la disolución de la sociedad –o la declaración de concurso, tras la reforma operada por la Ley 22/2003, de 9 de julio, Concursal–, establece el artículo 262-5º de la Ley de Sociedades Anónimas (y el artículo 105.5 de la Ley de Sociedades de Responsabilidad Limitada, en la medida que, reflejando dicha doctrina, hace pivotar la responsabilidad del administrador demandado y hoy recurrente en el incumplimiento del deber legal de convocar Junta y disolver la sociedad una vez constatado, como hecho probado, incólume en casación, que la misma se encontraba en causa de disolución (en concreto, artículo 260 LSA, tanto por soportar pérdidas que redujeron su patrimonio a una cantidad inferior a la mitad del capital social, como por haber desaparecido de hecho del tráfico mercantil, cesando toda actividad). En fin, el criterio plasmado en la sentencia recurrida, –que, no sólo prescinde de exigir un plus de culpa al administrador, conformándose con la inherente al incumplimiento del deber legal, sino que se decanta por la inexigibilidad de vínculo causal entre la conducta del administrador y el daño sufrido por el acreedor–, ha sido reiterado por esta Sala en innumerables sentencias, recordando la Sentencia de 22 de noviembre de 2006 respecto de la naturaleza de la responsabilidad que dimana del artículo 262.5, que "esta Sala ha destacado su carácter abstracto o formal –Sentencia de 26 de junio de 2006–, y, con mayor propiedad, su naturaleza objetiva o cuasi objetiva –Sentencias de 25 de abril de 2002, 14 de noviembre de 2002, 6 y 28 de abril de 2006 esta última de Pleno, y 26 de mayo de 2006, entre otras–, que se resume en que su declaración no exige la concurrencia de un reproche culpabilístico que hubiera que añadir a la constatación de que no ha habido promoción de la liquidación mediante convocatoria de la Junta o solicitud judicial, en su caso –y ahora también la solicitud de la declaración de concurso, cuando concurra su presupuesto objetivo–, esto es, una negligencia distinta de la prevista en el propio precepto –Sentencias de 20 y 23 de febrero de 2004 y de 28 de abril de 2006–, del mismo modo que no requiere una estricta relación de causalidad entre el daño y el comportamiento concreto de administrador, o, en otros términos, no exige más que el enlace causal preestablecido en la propia norma –Sentencia de 28 de abril de 2006 –". Precisamente, por no exigirse la conexión entre el comportamiento y el daño, es por lo que numerosas sentencias, como la de 5 de octubre de 2006 (con cita de las de 30 de octubre y 21 de diciembre de 2000, 29 de diciembre de 2000, 30 de enero de 2001, 12 de febrero de 2002, 20 de octubre de 2003, 16 de diciembre de 2004 y 16 de febrero de 2006), han señalado que "se trata de una sanción o pena civil," expresión que, como se indica en dichas Sentencias, evoca no tanto la idea de "pena" cuanto "el concepto de una reacción del ordenamiento ante el defecto de promoción de la liquidación de una sociedad incursa en causa de disolución que no requiere una estricta relación de causalidad entre el daño y el comportamiento concreto del administrador, ni una negligencia distinta de la prevista en los artículos 265.5 de la Ley de Sociedades anónimas y 105.5 de la Ley de Sociedades de Responsabilidad Limitada"».

STS de 3 de julio de 2008 (Civil) [5]

FUNDAMENTOS DE DERECHO

«3º [...] distinto es el efecto que debe atribuirse a la falta de inscripción en el Registro Mercantil del cese del administrador a efectos del cómputo del plazo de prescripción de la acción tendente a exigir su responsabilidad. Debe entenderse que, si no consta el conocimiento por parte del afectado del momento en que se produjo el cese efectivo por parte del administrador, o no se acredita de otro modo su mala fe, el cómputo del plazo de cuatro años que comporta la extinción por prescripción de la acción no puede iniciarse sino desde el momento de la inscripción, dado que sólo a partir de entonces puede oponerse al tercero de buena fe el hecho del cese y, en consecuencia, a partir de ese momento el legitimado para ejercitar la acción no puede negar su desconocimiento».

STS de 10 de julio de 2008 (Civil) [5, 6 y 10]

FUNDAMENTOS DE DERECHO

«3º [...] Es doctrina pacífica y constante, de la que son claro ejemplo las Sentencias de 31 de enero y 8 de marzo de 2007 entre muchísimas más, que la acción y por ende, la responsabilidad que prevé el artículo 262.5 LSA (equivalente al artículo 105.5 LSRL), es distinta en sus presupuestos y en su regulación legal a la contemplada en los artículos 135 y 133 del citado texto legal. Comparando ambas acciones, afirma la Sentencia de 8 de marzo de 2007, que la acción individual "tiene naturaleza extracontractual y requiere que concurran los requisitos propios –acción u omisión culposa, daño y prueba de la relación de causalidad–"; lo que no sucede con la acción del 262, respecto de la cual, continúa diciendo dicha sentencia "esta Sala ha destacado su carácter abstracto o formal –Sentencia de 26 de junio de 2006–, y, con mayor propiedad, su naturaleza objetiva o cuasi objetiva –Sentencias de 25 de abril de 2002, 14 de noviembre de 2002, 6 y 28 de abril de 2006 –esta última de Pleno–, y 26 de mayo de 2006, entre otras–, que se resume en que su declaración no exige la concurrencia de un reproche culpabilístico que hubiera que añadir a la constatación de que no ha habido promoción de la liquidación mediante convocatoria de la Junta o solicitud judicial, en su caso –y ahora también la solicitud de la declaración de concurso, cuando concurra su presupuesto objetivo–, esto es, una negligencia distinta de la prevista en el propio precepto –Sentencias de 20 y 23 de febrero de 2004 y de 28 de abril de 2006–, del mismo modo que no requiere una estricta relación de causalidad entre el daño y el comportamiento concreto de administrador, o, en otros términos, no exige más que el enlace causal preestablecido en la propia norma –Sentencia de 28 de abril de 2006–"».

STS de 11 de julio de 2008 (Civil) [5, 6 y 10]

FUNDAMENTOS DE DERECHO

«1º [...] Es doctrina pacífica y constante, de la que son claro ejemplo las Sentencias de 31 de enero y 8 de marzo de 2007 entre muchísimas más, que la acción y por ende, la responsabilidad que prevé el *artículo 262.5 LSA,* es distinta en sus presupuestos y en su regulación legal a la contemplada en los *artículos 135 y 133* del citado texto legal. Comparando ambas acciones, afirma la Sentencia de 8 de marzo de 2007, que la acción individual "tiene naturaleza extracontractual y requiere que concurran los requisitos propios –acción u omisión culposa, daño y prueba de la relación de causalidad–"; lo que no sucede con la acción del 262, respecto de la cual, continúa diciendo dicha sentencia "esta Sala ha destacado su carácter abstracto o formal –Sentencia de 26 de junio de 2006–, y, con mayor propiedad, su naturaleza objetiva o cuasi objetiva –Sentencias de 25 de abril de 2002, 14 de noviembre de 2002, 6 y 28 de abril de 2006 –esta última de Pleno–, y 26 de mayo de 2006, entre otras–, que se resume en que su declaración no exige la concurrencia de un reproche culpabilístico que hubiera que añadir a la constatación de que no ha habido promoción de la liquidación mediante convocatoria de la Junta o solicitud judicial, en su caso –y ahora también la solicitud de la declaración de concurso, cuando concurra su presupuesto objetivo–, esto es, una negligencia distinta de la prevista en el propio precepto –Sentencias de 20 y 23 de febrero de 2004 y de 28 de abril de 2006–, del mismo modo que no requiere una estricta relación de causalidad entre el daño y el comportamiento concreto de administrador, o, en otros términos, no exige más que el enlace causal preestablecido en la propia norma –Sentencia de 28 de abril de 2006–"».

STS de 23 de julio de 2008 (Civil) [6]

FUNDAMENTOS DE DERECHO

«2º [...] En primer lugar, y con carácter prioritario en sede de principios, debe señalarse que las acciones de los *arts. 133 y 135 LSA (denominada individual de responsabilidad) y 262.5* (de responsabilidad solidaria por deuda social) son dos acciones diferentes (SS., entre otras, de 26 de mayo y 9 de octubre de 2006 y 4 de junio de 2008), con requisitos distintos, y, que por ello deben ser examinadas en sus respectivas perspectivas fáctica y jurídica en atención a sus específicos regímenes legales. Esto no obsta, por un lado, a que puedan ejercitarse acumuladas en una misma demanda (S. 30 de mayo de 2008, y las que cita), con unidad de "petitum", y tampoco es óbice a que un mismo hecho constitutivo de una infracción de la *Ley societaria pueda servir de presupuesto a las dos* acciones, y que entonces, incluso, el mayor rigor del *art. 262.5 LSA,* al no exigir prueba de la culpa ni de la relación de causalidad entre las omisiones del administrador y el incumplimiento de la obligación social, haga innecesario examinar si es aplicable el *art. 135 LSA (SS.* 1 Empero, en cualquier caso, existe una importante diferencia entre los requisitos de prosperabilidad de las dos acciones, dado que la del *art. 135 LSA* exige culpa, daño y relación de causalidad, rigiendo un criterio de imputación de responsabilidad de índole subjetivo, en tanto la acción del *art. 262.5 LSA* no requiere relación de causalidad ni reproche de culpabilidad (SS. 19 de septiembre de 2007; 30 de abril, 14 de marzo y 14 de mayo de 2008), constituyendo una responsabilidad "ex lege", impregnada de una importante objetivación (se habla de naturaleza objetiva o cuasi-objetiva: SS. 30 de abril y 14 de mayo de 2008, y cita), si bien la más moderna doctrina jurisprudencial viene matizando tal aspecto, atemperando la declaración de responsabilidad a la ponderación de las circunstancias concurrentes (SS. 31 de enero de 2007 y 30 de abril de 2008, y las que se citan en las mismas)».

STS de 29 de julio de 2008 (Civil) [5]

FUNDAMENTOS DE DERECHO

«2º [...]para agotar la respuesta judicial debe señalarse: a) La existencia del daño es una cuestión de hecho ajena al recurso de casación, sin que al amparo de los preceptos del enunciado quepa debatir acerca del tema relativo al alcance del convenio de la quiebra; b) Resulta incuestionable la existencia en el año 1997 de una situación de insolvencia definitiva de la sociedad, a la que contribuyeron los administradores con actos de descapitalización, y sin adoptar las decisiones legales exigibles, y en concreto la convocatoria de la junta general conforme a lo establecido en los arts. 260.1, 4º y 262.2 de la Ley de Sociedades Anónimas. Por otra parte, en la resolución recurrida se recogen varias ilegalidades e irregularidades relativas a la contabilidad y a la llevanza de los libros de la entidad que demuestran la omisión de la diligencia exigible a todo administrador social; y, c) Finalmente, deviene indiscutible la existencia del nexo causal, por cuanto el daño cuya indemnización se reclama en la demanda, consistente en el crédito que la entidad actora tenía con la entidad, SA, es una consecuencia de la situación de insolvencia de esta sociedad, a la que contribuyeron los administradores demandados y, además, no trataron de dar la salida de disolución del ente social conforme prevé la normativa legal.

3º [...]La responsabilidad del administrador que continúa como administrador de hecho una vez caducado su nombramiento.

El art. 133 LSA se refiere como titulares de la responsabilidad que en él se establece a los "administradores" (o "miembros del órgano de administración": art. 133.3 LSA). Esta cualidad la ostentan no sólo los nombrados por la Junta General (art. 123.1 LSA), sino también, según la jurisprudencia, los administradores de hecho (así se prevé expresamente a partir de la Ley 26/2003, que modificó, entre otros, el artículo 133.2 LSA), es decir, quienes, sin ostentar formalmente el nombramiento de administrador y demás requisitos exigibles, ejercen la función como si estuviesen legitimados prescindiendo de tales formalidades o continúan ejerciéndola una vez producido formalmente su cese o sobrevenida la caducidad del nombramiento.

La condición de administrador de hecho no abarca, en principio, a los apoderados (SSTS de 7 de junio de 1999 y 30 de julio de 2001), siempre que actúen regularmente por mandato de los administradores o como gestores de éstos, pues la característica del administrador de hecho no es la realización material de determinadas funciones, sino la actuación en la condición de administrador sin observar las formalidades esenciales que la ley o los estatutos exigen para adquirir tal condición.

Cabe, sin embargo, la equiparación del apoderado o factor mercantil al administrador de hecho (STS de 26 de mayo de 1998, 7 de mayo de 2007, RC nº 2225/2000) en los supuestos en que la prueba acredite que actúan o han actuado en tal condición».

STS de 15 de septiembre de 2008 (Penal) [8]

En el mismo sentido, vid., entre otras, SSTS de 23 de mayo de 2003 y 27 de abril de 2005 [8]

STS de 22 de septiembre de 2008 (Contencioso-administrativo) [11]

FUNDAMENTOS DE DERECHO

«5º. Esta Sala no ha tenido ocasión de pronunciarse de forma directa sobre si los términos en que se expresaba el párrafo segundo del art. 40.1 de la Ley General Tributaria implicaba la admisibilidad de una responsabilidad objetiva de los administradores en los supuestos de cese en la actividad con independencia de cuál hubiera sido su comportamiento, si existían obligaciones tributarias pendientes a cargo de la sociedad, o si, por el contrario, la responsabilidad en estos casos sólo podía exigirse cuando el administrador de la sociedad que cesaba en sus actividades había incurrido en una falta de diligencia.

En la actualidad, no hay duda que la nueva Ley General Tributaria remarca la idea de que para exigir la responsabilidad del administrador en estos casos se precisa de una concreta conducta obstativa para el pago de las deudas tributarias. Esta misma interpretación debe mantenerse también a juicio de la Sala, durante la vigencia de la Ley de 1963, no obstante la expresión "en todo caso" que utilizaba el precepto discutido y ello por las siguiente razones: En primer lugar porque de mantenerse que el art. 40.1, párrafo 2 consagraba una responsabilidad objetiva o sin culpa ello supondría la quiebra de un principio básico en las sociedades mercantiles, que es el de la separación de responsabilidad patrimonial entre las sociedades mercantiles y sus socios o administradores, pudiendo ser muchos los supuestos en que la sociedad cesa en el ejercicio de sus actividades y el administrador no puede hacer nada por mantener el cumplimiento de las obligaciones fiscales de aquélla. En segundo lugar, porque si el legislador hubiera querido introducir un tipo de responsable subsidiario sin ningún elemento que recogiese la violación de un deber así lo hubiera establecido de forma expresa, máxime teniendo en cuenta los diferentes supuestos anterior y posterior de responsabilidad contemplados en el art. 40.1 párrafo primero y 40.2, que exigían un determinado comportamiento culposo de los administradores.

En tercer lugar, porque habría una contradicción entre la expresión "en todo caso" y el término "asimismo" con el que comienza el párrafo segundo, pudiendo ser aquélla interpretada no en el sentido de que establece una responsabilidad sin atender al elemento subjetivo, sino por contraposición al párrafo primero, que exige la existencia de una infracción cometida por la entidad.

En cuarto lugar, porque otra interpretación supondría separarse de la regulación mercantil, que fue la que ha seguido siempre la Ley General Tributaria, si bien en este caso la reforma de 1985, se anticipó a la normativa general.

Por todo ello, ha de concluirse que la responsabilidad del administrador no puede entenderse en los supuestos de cese en la actividad de la entidad de forma objetiva, ya que dicha responsabilidad no puede derivar sólo de la existencia de unas deudas tributarias, sino que la misma tiene su fundamento en la conducta al menos negligente del administrador que omite la diligencia precisa para poner a la sociedad en condición de cumplir las obligaciones tributarias pendientes y, en su caso, llevar a efecto la disolución y liquidación de la sociedad, haciéndose partícipe con la sociedad del incumplimiento de la obligación tributaria, debiendo predicarse la negligencia no respecto del cumplimiento de las obligaciones en el momento en que éstas surgen sino respecto de la conducta posterior».

STS de 9 de octubre de 2008 (Civil) [5]

FUNDAMENTOS DE DERECHO

«4º [...] En particular, la sentencia de 17 de mayo de 2007 distingue "la causalidad material o física, primera secuencia causal para cuya estimación es suficiente la aplicación de la doctrina de la equivalencia de condiciones, para la que causa es el conjunto de condiciones empíricas antecedentes que proporcionan la explicación, conforme con las leyes de la experiencia científica, de que el resultado haya sucedido", de "la causalidad jurídica, en cuya virtud cabe atribuir jurídicamente –imputar– a una persona un resultado dañoso como consecuencia de la conducta observada por la misma, sin perjuicio, en su caso, de la valoración de la culpabilidad –juicio de reproche subjetivo– para poder apreciar la responsabilidad civil, que en el caso pertenece al campo extracontractual." Concluye este Tribunal que, para "sentar la existencia de la causalidad jurídica, que visualizamos como segunda secuencia configuradora de la relación de causalidad, tiene carácter decisivo la ponderación del conjunto de circunstancias que integran el supuesto fáctico y que son de interés en dicha perspectiva del nexo causal [...]».

STS de 14 de octubre de 2008 (Civil) [5]

FUNDAMENTOS DE DERECHO

«3º [...]I. El presupuesto de responsabilidad negado por el Tribunal de apelación se reconstruye, en una primera fase, con la aplicación de la regla de la "conditio sine qua non", conforme a la que toda condición, por ser necesaria o indispensable para el efecto, es causa del resultado. Y, también, la de la "equivalencia de condiciones", según la cual, en caso de concurrencia de varias, todas han de ser consideradas como iguales en su influencia causal si, suprimida imaginariamente cualquiera, la consecuencia desaparece también.

Afirmada la relación causal según dichas reglas, elaboradas por la lógica, en una segunda fase se trata de identificar si hay causalidad conforme a una valoración jurídica, para lo que entran en juego criterios normativos que justifiquen la imputación objetiva de un resultado a su autor y permitan otorgar, previa discriminación de todos los antecedentes causales del daño, en función de su verdadera dimensión jurídica, la calificación de causa a aquellos que sean relevantes o adecuados para producir el efecto.

Como se ha apuntado, se trata en esta segunda etapa de construir la causalidad según una visión jurídica, asentada sobre juicios de probabilidad formados con la valoración de los demás antecedentes causales y de otros criterios, entre ellos el que ofrece la consideración del bien protegido por la propia norma cuya infracción tiñe de antijuridicidad el comportamiento considerado fuente de responsabilidad.

El referido planteamiento es el seguido por la jurisprudencia en la aplicación del artículo 1902 del Código Civil –sentencias de 29 de marzo y 6 de septiembre de 2005 y 10 de junio de 2008, entre otras muchas–.

En particular, la sentencia de 17 de mayo de 2007 distingue "la causalidad material o física, primera secuencia causal para cuya estimación es suficiente la aplicación de la doctrina de la equivalencia de condiciones, para la que causa es el conjunto de condiciones empíricas antecedentes que proporcionan la explicación, conforme con las leyes de la experiencia científica, de que el resultado haya sucedido" de "la causalidad jurídica, en cuya virtud cabe atribuir jurídicamente –imputar– a una persona un resultado dañoso como consecuencia de la conducta observada por la misma, sin perjuicio, en su caso, de la valoración de la culpabilidad –juicio de reproche subjetivo– para poder apreciar la responsabilidad civil, que en el caso pertenece al campo extracontractual." Concluye este Tribunal que, para "sentar la existencia de la causalidad jurídica, que visualizamos como segunda secuencia configuradora de la relación de causalidad, tiene carácter decisivo la ponderación del conjunto de circunstancias que integran el supuesto fáctico y que son de interés en dicha perspectiva del nexo causal».

STS de 21 de octubre de 2008 (Civil) [13]

FUNDAMENTOS DE DERECHO

«1º [...]Estando ante un supuesto de acción de responsabilidad contra los administradores basada en el incumplimiento de la obligación de disolución prevista en el art. 104. 1e), y amparada en el art. 105.5 de Ley 2/95, de Sociedades de Responsabilidad Limitada, es aplicable la doctrina de la Sala, contenida, entre otras, en la Sentencia de 14 de mayo de 2008, en la que se señala que "si bien es cierto que a raíz de la entrada en vigor de la Ley de Sociedades Anónimas la jurisprudencia inicialmente no dio una respuesta uniforme a la cuestión de cuál era el plazo de prescripción de las acciones de responsabilidad de los administradores sociales, si el de cuatro años previsto en el artículo 949 del Código de Comercio, o el anual previsto en el artículo 1968.2 del Código Civil, no menos cierto es que desde la Sentencia de 20 de julio de 2001 han desaparecido esas iniciales vacilaciones jurisprudenciales, pues en ella se declaró, con designio de unificación de doctrina, que las distintas acciones de responsabilidad de los administradores sociales estaban sometidas al plazo de prescripción establecido en el artículo 949 del Código de Comercio. Esta doctrina ha venido siendo aplicada desde entonces por esta Sala –véanse las Sentencias de 21 de febrero de 2007, 8 de marzo de 2007, 12 de marzo de 2007, 14 de marzo de 2007, 14 de mayo de 2007 y 26 de septiembre de 2007, entre las más recientes–, y, conforme a la misma, ha de ser rechazado este motivo del recurso, siendo inconcuso, como es, que la reclamación de la entidad actora se ha producido dentro del plazo establecido en el indicado precepto del Código de Comercio, para cuyo cómputo se fija como "dies a quo" el momento del cese del administrador –Sentencias de 26 de mayo de 2006, 22 de marzo y 14 de mayo de 2007, entre otras muchas– [...]».

STS de 23 de octubre de 2008 (Civil) [5 y 6]

FUNDAMENTOS DE DERECHO

«1º [...]En primer lugar, ha de señalarse que, efectivamente, el cómputo del plazo de los dos meses previstos en el *art. 262.5º del TRLSA* ha de contarse desde que el administrador conoció o pudo conocer, de haber obrado con la diligencia normal de su cargo, la situación patrimonial de la sociedad. La determinación del momento en el que se pudo conocer tal situación constituye una "quaestio facti", que resulta del examen y valoración de la prueba, función que corresponde al Tribunal de instancia. En tal sentido se pronuncia esta Sala en Sentencias de 30 de octubre de 2000 (Rº. nº 3341/1995), al razonar que "el dato decisivo para efectuar el cómputo del plazo de dos meses (del art. 262.5) no se puede reconducir de modo absoluto al momento en que se conoce el resultado de las cuentas anuales, sino que se ha de contemplar en relación con el conocimiento adquirido, o podido adquirir (con la normal diligencia exigible a un administrador social, *art. 127.1 LSA)*, acerca de que se da una situación en la que el patrimonio social es inferior a la mitad del capital social. La determinación del momento o tiempo en que se da o puede adquirir el conocimiento es un tema fundamentalmente probatorio, cuyo acceso a la casación es el general seguido para las "questiones facti"; Sentencia de 16 de diciembre de 2004 (Rº. nº 3375/1998), en la que se declara que "hay que coincidir con la doctrina mayoritaria cuando acepta que el plazo para la convocatoria de la Junta General para la disolución de la sociedad debe contarse desde que los administradores tuvieron o debieron tener conocimiento de tal situación, siendo válido para determinar el desequilibrio patrimonial de la sociedad tanto un balance de comprobación como un estado de situación", y en la que también se considera, y ello es de particular interés respecto de la responsabilidad del administrador Sr. Salvador, que "el texto legal no ofrece duda: se impone un plazo inexorable de dos meses a los administradores de las sociedades anónimas para convocar la Junta de Accionistas para que en su caso acordar la disolución o las medidas sustitutivas adecuadas. Si fuese la voluntad del legislador el establecer una excepción o cesación de responsabilidad por un cumplimiento tardío, tal cosa sería lógicamente incompatible con el establecimiento de un término fatal, cual es el de dos meses, para convocar la junta. En efecto, si la responsabilidad se alzase en el momento del cumplimiento tardío ello supondría que los administradores en cualquier momento (transcurridos meses o años), cumplido que fuera su deber se liberarían de la responsabilidad que la norma les atribuye y carecería de sentido alguno el plazo bimensual que tan claramente ha establecido la Ley"; y, finalmente, en la Sentencia de 4 de julio de 2007 (Rº, nº 4503/2000), que resume la jurisprudencia de esta Sala sobre la fecha inicial del cómputo del plazo bimensual del *art. 262 LSA,* y así, se cita la sentencia de 30 de octubre de 2000 (recurso nº 3341/95) que declara que la obligación legal de convocar la Junta en el plazo de dos meses nace "una vez conocida la situación económica que constituye el supuesto normativo" *(nº 4, apartado 1 del art. 260 LSA);* la Sentencia de 18 de julio de 2002 (recurso nº 328/97), que toma como referencia la época en que los administradores "no podían ignorar la grave situación de descapitalización" de la sociedad, "sin necesidad de esperar al final del ejercicio económico"; y en la que se cita también la reseñada Sentencia de 16 de diciembre de 2004 y la de 9 de marzo de 2006 (recurso nº 2325/99), que ratifica que el plazo bimensual comienza a correr desde que los administradores pueden conocer la situación de desequilibrio patrimonial [...]».

STS 11 de noviembre de 2008 (Civil) [5 y 13]

FUNDAMENTOS DE DERECHO

«3º [...]El dies a quo o día inicial para el ejercicio de la acción por responsabilidad extracontractual es aquél en que puede ejercitarse la acción, según el principio actio nondum nata non praescribitur [la acción que todavía no ha nacido no puede prescribir], al que se acoge el CC (STS 27 de febrero de 2004). Este principio exige, para que la prescripción comience a correr en su contra, que la parte que propone el ejercicio de la acción disponga de los elementos fácticos y jurídicos idóneos para fundar una situación de aptitud plena para litigar. La jurisprudencia ha matizado la regla del artículo 1968.2 CC en el caso de que los daños hayan sido causados por comportamientos continuados permanentes (SSTS de 12 de diciembre de 1980, 12 de febrero de 1981, 6 de mayo de 1985, 17 de marzo de 1986 y 24 de junio de 1996 SIC, entre otras) y ha exigido para el inicio del plazo una verificación total de los daños producidos, al entender que sólo con ella el perjudicado está en condiciones de valorar en su conjunto las consecuencias dañosas y de cifrar el importe de las indemnizaciones que puede reclamar por concurrir una *situación jurídica de aptitud plena para el ejercicio de las acciones*, según la expresión utilizada por la STS de 21 de abril de 1986. El inicio del plazo de prescripción no sólo viene determinado por la concurrencia de las circunstancias que determinan la procedencia de la disolución de la sociedad, sino también por la certeza de las deudas imputables a ésta y de la imposibilidad de obtener su percepción con cargo al patrimonio social. c) En el supuesto, no planteado por el recurrente, de que una parte de la cantidad reclamada, y concretamente la correspondiente a la ocupación indebida de la finca por el arrendatario desahuciado durante el período comprendido entre la Sentencia de resolución contractual (dictada el 14 de abril de 1994) y el lanzamiento efectivo de la finca (23 de febrero de 1995), no merezca la consideración de renta (la sentencia recurrida mantiene un criterio ambiguo y habla de renta o frutos civiles, que deben ser abonados dada la mala fe del poseedor), de ningún modo se habría producido la prescripción extintiva de la acción ejercitada para reclamar su indemnización, pues, en cualquier caso, el plazo del año del art. 1968.2 CC, precepto indicado en el motivo, no iniciaría su cómputo hasta que se terminó de producir el daño –doctrina de la realización, que obviamente sucedió el día del lanzamiento de la finca, en que se puso fin a la ocupación ilegal, y que es operativo como "dies a quo" (art. 1969 CC). [...]

4º [...] La mercantil A. C., SA, cesó de hecho en el tráfico mercantil sin liquidar su patrimonio. Posteriormente ha quedado disuelta de pleno derecho y cancelados los asientos de la misma, de conformidad y con los efectos previstos en la Disposición Transitoria 6ª.2 del texto refundido de la Ley de Sociedades Anónimas, Real Decreto 1564/1989, sin que tampoco se haya iniciado procedimiento liquidatorio alguno tras dicha disolución de pleno derecho encaminado a la conclusión ordenada de las relaciones jurídicas pendientes; convocatoria de Junta de la que son los únicos miembros para acordar la disolución de la sociedad por pérdidas cualificadas que adopta acuerdos ocultos para acreedores y terceros, sin cesar en sus cargos y sin que el liquidador tácitamente nombrado acepte el cargo, vendiendo días antes de tales acuerdos ocultos la finca a la hoy actora, y tras una resolución extrajudicial sin causa del contrato perfeccionado, no aceptada por la compradora, vendiendo uno de ellos, en representación de la sociedad, sin oposición de los restantes, la misma finca a un tercero ya adoptados aquéllos acuerdos ocultos de disolución y liquidación sin que lo hiciera el liquidador pues en momento alguno cesaron los administradores, ni aceptó el cargo el liquidador, ni se elevaron a públicos los acuerdos, ni accedieron al Registro Mercantil, sin seguir proceso liquidatorio alguno y sin constancia del destino del precio obtenido del tercer comprador, y abandonando, tras esas actuaciones, cualquier actividad, desapareciendo de hecho la sociedad del tráfico mercantil sin garantizar, a través del proceso liquidatorio correspondiente, los derechos del tercero, hoy parte actora y sin que conste bien alguno de la sociedad que perseguir; los administradores han llevado a su sociedad a una situación de no operativa, haciéndola desaparecer del tráfico mercantil de una manera incorrecta, logrando así una posición de insolvencia, y a causa de ello, determinado acreedor no ha podido percibir el importe de su crédito contra dicha sociedad, siendo ello una consecuencia ineludible y derivada de todo lo anterior), los argumentos ofrecidos en el motivo por el recurrente no se sustentan, pues los administradores no pueden limitarse a eliminar la sociedad sin más, ya que deben liquidarla en cualquiera de las formas prevenidas legalmente (STS 19 de abril de 1991), siendo así que en el caso de autos la actitud de los administradores trasciende incluso al incumplimiento de tal obligación para adentrarse en el terreno de la actuación maliciosa, tal y como aprecia la Sala "a quo", encaminada a eludir las responsabilidades frente a la actora».

STS de 20 de noviembre de 2008 (Civil) [5, 6 y 10]

FUNDAMENTOS DE DERECHO

«2º [...]Constituye ciertamente doctrina pacífica y constante, de la que son claro ejemplo las Sentencias de 31 de enero y 8 de marzo de 2007, mencionadas por la más reciente de 11 de julio de 2008, «que la acción y por ende, la responsabilidad que prevé el artículo 262.5 LSA, es distinta en sus presupuestos y en su regulación legal a la contemplada en los artículos 135 y 133 del citado texto legal», presentando aquella un carácter abstracto o formal, o, más propiamente, «una naturaleza objetiva o cuasi objetiva» (Sentencias de 25 de abril de 2002, 14 de noviembre de 2002, 6 y 28 de abril de 2006 –esta última de

Pleno–, y 26 de mayo de 2006, entre otras), que determina, por regla general, que no sea preciso para apreciar la responsabilidad del administrador demandado ni la concurrencia de un reproche culpabilístico que hubiera que añadir a la constatación de que no ha habido promoción de la liquidación mediante convocatoria de la Junta o solicitud judicial de disolución, en su caso –y ahora también la solicitud de la declaración de concurso, cuando concurra su presupuesto objetivo–, ni una estricta relación de causalidad entre el daño y el comportamiento concreto de administrador, por bastar el enlace causal preestablecido en la propia norma –Sentencia de 28 de abril de 2006–.

Ahora bien, sin perjuicio de lo anterior, ha sentado esta Sala a partir de la Sentencia de Pleno de 28 de abril de 2006, que las especiales o extraordinarias circunstancias que puedan concurrir en un determinado caso en torno a la concreta conducta desplegada por los administradores, y que consten acreditadas, pueden llegar a justificar, aún cuando se acciona con base en dicho precepto legal, que se exonere de responsabilidad a los gestores, siendo ello debido a que la responsabilidad ex lege del artículo 262.5 LSA ha de ser entendida en clave de responsabilidad civil. En palabras de la citada Sentencia de 28 de abril de 2006, aún sin perder de vista su carácter de sanción, «se ha de tomar como punto de partida la existencia de un daño (un crédito contra la sociedad, cuya frustración, desde la perspectiva del artículo 135 LSA, sería un daño indirecto, ya que la insolvencia de la sociedad deudora no puede tomarse como un supuesto de lesión directa causada por los administradores), que se relaciona causalmente de modo muy laxo con el comportamiento omisivo de los administradores (carencia de convocatoria en plazo, omisión del deber de solicitar la disolución judicial o el concurso), pero que, a partir de ese dato (daño y relación de causalidad preestablecida) requeriría la aplicación de las reglas y de las técnicas de responsabilidad civil, evaluando los problemas de imputación objetiva (conocimiento por los reclamantes de la situación de la sociedad en el momento de generación del crédito, solvencia de la sociedad, existencia de créditos compensables de la sociedad frente a los acreedores que reclaman) y de imputación subjetiva, esto es, la posibilidad de exoneración de los administradores que, aún cuando hayan de pechar con la carga de la prueba (artículo 133.3 LSA) demuestren una acción significativa para evitar el daño (lo que se ha de valorar en cada caso) o que se encuentren ante la imposibilidad de evitarlo (han cesado antes de que se produzca el hecho causante de la disolución, se han encontrado ante una situación ya irreversible). Valoración de la conducta de los administradores que se ha de producir forzosamente si se estableciera que estamos ante una sanción o pena civil (lo que requiere una matización, como se verá) pues lo exigen los principios del sistema., y que aparece ya en decisiones anteriores, bajo diversos expedientes (Sentencias de 1 de marzo y 20 de junio de 2001, de 12 de febrero y 16 de octubre de 2003, de 26 de marzo de 2004, de 16 de febrero de 2006, entre otras)».

En línea con este criterio jurisprudencial se muestra la Sentencia de 22 de noviembre de 2006, en la cual se afirma que esta caracterización de la responsabilidad (como objetiva o cuasi objetiva) «no empece a que los principios del sistema que rigen en nuestro ordenamiento jurídico, y en especial la necesaria conexión entre las responsabilidades de la Ley de Sociedades Anónimas y las reglas generales de los artículos 1902 y siguientes del Código Civil –y la jurisprudencia que los desarrolla–, determinen la necesidad de templar su apreciación y consecuencias, en razón de la valoración de la conducta de los responsables atendiendo a las circunstancias de carácter objetivo y subjetivo concurrentes, esta Sala ha considerado relevante para mitigar el rigor del régimen de los artículos 262-5º de la Ley de Sociedades Anónimas y 105-5º de la Ley de Sociedades de Responsabilidad Limitada y para exonerar de responsabilidad al administrador el conocimiento del acreedor reclamante de la situación económica de la sociedad en el momento de la generación del crédito –Sentencias de 16 de febrero y de 28 de abril de 2006, del Pleno–, y, en términos más amplios, su actuación contraviniendo las exigencias de la buena fe –Sentencia de 12 de febrero de 2003–, la solvencia de la sociedad o la existencia de créditos compensables de la sociedad frente a los acreedores que reclaman –Sentencia de 28 de abril de 2006, del Pleno–; y se ha atendido también al hecho de que los administradores, aun cuando deban soportar la carga de la prueba, demuestren una acción significativa para evitar el daño, lo que se ha de valorar en cada caso –en este sentido, vid. Sentencia de 28 de abril de 2006, de Pleno–, o que se encuentren ante la imposibilidad de evitarlo, por haber cesado antes de que se produzca el hecho causante de la disolución –Sentencias de 28 de abril de 2006, de Pleno, y de 26 de mayo de 2006, entre las más recientes–, o, en términos generales, por haberse encontrado ante una situación ya irreversible –Sentencia de 28 de abril de 2006–. Todos estos casos, expuestos a título meramente enunciativo, contemplan –en palabras de la Sentencia de 26 de junio de 2006– situaciones que resultan incompatibles con el concepto de responsabilidad, entendido con arreglo a los requisitos de la responsabilidad extracontractual en general». Y, en fin, en parecidos términos se expresa la más reciente Sentencia de 5 de diciembre de 2007».

STS de 27 de noviembre de 2008 (Civil) [5, 6, 7 y 11]

FUNDAMENTOS DE DERECHO

«2º [...] la acción contra los socios gerentes y administradores de las compañías o sociedades terminará a los cuatro años, a contar desde que por cualquier motivo cesaren en el ejercicio de la administración. El término inicial del cómputo del plazo se sitúa, por lo tanto, en el momento del cese del administrador por cualquier causa, que requiere un acto de cese propiamente dicho del administrador demandado, por más que su causa pueda ser cualquiera de las que se consideran aptas. para producirlo [...].

[...] atendida la única causa de disolución de la sociedad que se ha tenido por probada –la falta de ejercicio de la actividad que constituya el objeto social durante tres años consecutivos, en los términos establecidos en el artículo 104.1 d) de la Ley de Sociedades de Responsabilidad Limitada–, así como la fecha en que se sitúa el origen de dicho suceso –el fin del año 1995–, y vista la fecha en que se produce el cese de los administradores –29 de marzo de 1995–, se ha de convenir que, habiendo cesado con anterioridad a que se produjese el hecho causante de la disolución de la sociedad, del que deriva la obligación de promover dicha disolución o instarla judicialmente, no cabe atribuirles el incumplimiento de deber legal alguno, ni, en consecuencia, imputarles objetivamente la responsabilidad por las deudas de la sociedad surgidas como consecuencia del incumplimiento contractual [...]».

STS de 1 de diciembre de 2008 (Civil) [5 y 6]

FUNDAMENTOS DE DERECHO

«9º [...] Insuficiencia de la solicitud de suspensión de pagos para eximir a los administradores de la sociedad de su responsabilidad por omisión del deber de promover la disolución por desequilibrio patrimonial.

A) La responsabilidad de los administradores de las sociedades anónimas comprende el supuesto en que los administradores no promueven, dentro de determinados plazos, la disolución de la sociedad que se halla en la situación de imposibilidad legal de alcanzar su objeto social o de disminución patrimonial relevante en la proporción que marca la ley.

La jurisprudencia ha venido declarando que esta responsabilidad no depende de la existencia de un nexo causal con el daño originado a los acreedores reclamantes y ni siquiera exige la concurrencia de este daño. La responsabilidad, en consecuencia, cuando se articula al amparo del *artículo 262.5 LSA,* puede calificarse de abstracta o formal, característica que, quizá con menor propiedad semántica, ha sido también descrita como objetiva o cuasi objetiva (SSTS de 3 de abril de 1998, 20 de abril de 1999, 22 de diciembre de 1999, de 20 de diciembre de 2000, 20 de julio de 2001, 25 de abril de 2002, 14 de noviembre de 2002, 26 de junio de 2006, rec. 4434/1999).

Esto no significa que la apreciación de hechos o circunstancias que excluyen la imputabilidad de la conducta por falta de intencionalidad o de negligencia, a las que se refiere específicamente en relación con la responsabilidad de los administradores el *artículo 133 LSA,* no sean aplicables a este tipo de responsabilidad, como propone la dogmática (STS de 16 de febrero de 2006). La jurisprudencia de esta Sala, especialmente la más reciente, registra diversos supuestos en los que el desconocimiento absoluto por el administrador de la marcha de la sociedad o la imposibilidad, entendida en términos de razonabilidad, por parte de éste de promover su disolución se estiman como causas de exclusión de su responsabilidad (SSTS de 1 de marzo de 2001, 20 de junio de 2001, 12 de febrero de 2003, 16 de octubre de 2003, 26 de marzo de 2004, 16 de febrero de 2006, y 28 de abril de 2006, recurso número 4187/2000).

Sin embargo, estas causas de exclusión deben considerarse únicamente –dado el carácter ya expresado que tiene esta responsabilidad como formal o abstracta y, en consecuencia, como independiente del daño producido–, en contemplación de la conducta en que consiste el incumplimiento de la obligación de promover la disolución de la sociedad, independientemente de la relevancia causal que la falta de dicha disolución pueda tener con el daño originado a los acreedores.

B) Según la jurisprudencia de esta Sala la suspensión de pagos no sustituye, a efectos del cumplimiento de la obligación de promover la disolución por parte de los administradores en caso de disminución del patrimonio social, a la disolución ni al concurso, y tampoco suplía esta omisión, en el régimen de la LSA anterior a su modificación por la Ley Concursal (SSTS de 13 de abril de 2000 y de 16 de diciembre se de 2004), con mayor razón cuando se propone un convenio de liquidación (ahora impedido por el *artículo 100.3 de la Ley Concursal,* STS de 28 de abril de 2006, 4187/2000), el cual, en el caso examinado, comprendía una importante quita del 40% y una sustancial espera y además fue incumplido en su práctica totalidad.

La sentencia recurrida, en relación con la acción ejercitada al amparo del *artículo 262.5 LSA,* declara que «si bien la parte recurrente estima que lo procedente no hubiese sido acudir a la suspensión de pagos sino a procedimiento de quiebra [...] lo que en ningún caso denota es una inactividad del Consejo de Administración ante la situación financiera de la entidad, procediendo de hecho a la solicitud de suspensión de pagos.

Con arreglo a la LSA, la actividad exigible a los miembros del Consejo de Administración ante una situación de disminución patrimonial prevista en el *artículo 260.4 LSA,* no es cualquier actuación tendente a resolver la situación económica de la empresa, como aquellas que se describen en el caso examinado, sino precisamente las encaminadas a promover la disolución de la sociedad, entre las cuales se excluye la solicitud de suspensión de pagos, por cuanto de lo que se trata es de evitar la liquidación desordenada o anárquica de la misma en perjuicio de unos u otros acreedores o de todos ellos y esta situación no se evita mediante la solicitud de suspensión de pagos, especialmente en los casos en los cuales, como ocurre en el supuesto enjuiciado, se pone fin al procedimiento mediante un convenio de liquidación, hoy prohibido por la Ley Concursal.

Asimismo, la valoración del patrimonio social a efectos de determinar la procedencia de la disolución debe realizarse, según se infiere de los principios generales de valoración establecidos en los *artículos 193 y siguientes LSA,* conforme a lo establecido en el CCom, en el cual se ordena que la valoración de los elementos integrantes de las distintas partidas que figure en las cuentas anuales deberá realizarse conforme a los principios de contabilidad generalmente aceptados. Particularmente, tratándose del inmovilizado, la valoración debe hacerse al precio de adquisición o al costo de producción *(artículo 195 LSA),* sin otras correcciones de valor que las expresamente autorizadas por la ley.

C) En el supuesto enjuiciado se advierte cómo del balance de situación preparado por Braulio se infiere que la empresa se encontraba en una situación de acumulación de pérdidas que situaban su neto patrimonial muy por debajo de la mitad del capital social, pues tenía carácter negativo, y, en consecuencia, a partir de ese momento los miembros del Consejo de Administración debían tener conocimiento de la procedencia de instar la disolución de la sociedad, obligación que no cumplieron en los plazos establecidos, sino que se limitaron a solicitar la suspensión de pagos.

Es cierto que en el informe emitido por los interventores judiciales en el procedimiento de suspensión de pagos se contiene un balance del cual se inferiría que la disminución patrimonial sufrida no alcanzaba a la mitad del capital de la sociedad; pero debe observarse que la valoración que debe tenerse en cuenta para advertir si concurre esta circunstancia determinante de la procedencia de la disolución es la que resulta de los datos contables del balance, a los que se atiene la auditoría de Braulio, según se hace constar expresamente [...]. Por el contrario, el informe de los interventores de la suspensión acepta unos datos que suponen una notable revalorización de activos materiales e inmateriales que no se justifica que se arrastren de los balances sociales anteriores ni que se hallen autorizados por disposiciones contables, por lo que carece de eficacia para desvirtuar la situación contable puesta de manifiesto en el balance de Braulio [...]».

STS de 2 de diciembre de 2008 (Civil) [5 y 6]

FUNDAMENTOS DE DERECHO

«1º [...]La falta de participación de un administrador en la marcha de la sociedad no lo exime de la responsabilidad solidaria establecida en el artículo 262.5 LSA, que fundamenta también la demanda; g) el art. 262.5 LSA establece un régimen especial de responsabilidad de los administradores sociales en el que basta probar la concurrencia de la causa de disolución, la infracción de los deberes específicos impuestos a aquéllos y la existencia de una obligación incumplida por la sociedad, sin que sea preciso acreditar el daño ni la relación de causalidad, como en las acciones dimanantes de los arts. 133 y ss. LSA [...]»

STS de 4 de diciembre de 2008 (Civil) [5 y 13]

FUNDAMENTOS DE DERECHO

«3º [...]el momento establecido en el artículo 949 CCom como dies a quo para el ejercicio de la acción de responsabilidad dirigida contra los administradores de la sociedad es el de su cese (Sentencia de 14 de mayo de 2007, con cita de las de 26 de mayo de 2006 y 22 de marzo de 2007, entre las más recientes), lo que ha de entenderse como aquél en que, como señala el precepto, "por cualquier motivo" hubieran cesado en "el ejercicio de la administración", siendo por ello que, como destacó la sentencia de 26 de octubre de 2004, el inicio del cómputo de ese plazo reclama un cese propiamente dicho del administrador demandado, por más que la causa de aquel pueda ser cualquiera de las que se consideran aptas para producirlo, "entre ellas, la apertura de la liquidación de la sociedad, consecuencia automática, salvo en supuestos excepcionales, de su disolución (artículo 266 del Texto refundido de la Ley de Sociedades Anónimas), en cuanto determinante de la sustitución del administrador por los liquidadores en las actividades de gestión y representación (artículos 267 y 272 del mismo texto); o, también, la renuncia del administrador (artículo 147.1º del Reglamento del Registro Mercantil, RD 1.784/1996, de 19 de julio; o su separación por decisión de la junta general (artículo 131 del Texto refundido de la Ley de Sociedades Anónimas y del 148 del Reglamento del Registro Mercantil, RD 1.784/1996, de 19 de julio). Distingue la sentencia citada, con cita de la de 26 de junio de 2006, entre los efectos que, en el orden sustantivo puede derivar de la ausencia de inscripción del cese en cuanto a la pervivencia y extensión temporal de la responsabilidad del administrador cesado, y los efectos en el plano procesal, que esa falta de inscripción origina en cuanto al cómputo del plazo de prescripción, aclarando que: a) En el plano sustantivo, "relativo al tiempo en que se mantiene la responsabilidad del administrador", señala la Sentencia que la falta de inscripción en el Registro Mercantil del cese del administrador "no comporta por sí misma la ampliación del lapso temporal en el que deben estar comprendidas las acciones u omisiones determinantes de responsabilidad, pues la imposibilidad de oponer a terceros de buena fe los actos no inscritos en el Registro Mercantil (artículo 21.1 CCom en relación con el artículo 22.2 CCom no excusan de la concurrencia de los requisitos exigibles en cada caso para apreciar la responsabilidad establecida por la ley. Únicamente cabe admitir que la falta de diligencia que comporta la falta de inscripción puede en algunos casos, especialmente en supuestos de ejercicio de la acción individual del artículo 135 LSA, constituir uno de los elementos que se tengan en cuenta para apreciar la posible existencia de responsabilidad, dado que la ausencia de inscripción pueda haber condicionado la conducta de los acreedores o terceros fundada en la confianza en quienes creían ser los administradores y ya habían cesado". En otras palabras, lo que viene a decir esta doctrina respecto del carácter no constitutivo de la inscripción, y en cuanto a que ha de estarse por ello al cese efectivo en orden a fijar la responsabilidad del administrador, es que sólo cabe extender la responsabilidad del mismo a los actos que tengan lugar hasta ese momento en que cesó válidamente, no pudiendo los terceros de buena fe ampararse en la falta de inscripción para demandar responsabilidades derivadas de actos ocurridos después del cese y antes de su plasmación registral. Sin embargo, como veremos a continuación, las consecuencias de la falta de inscripción frente a terceros son otras cuando de fijar el día inicial para el cómputo del plazo de prescripción se trata. b) En el plano procesal, sigue diciendo la referida Sentencia de 26 de junio de 2006, "distinto es el efecto que debe atribuirse a la falta de inscripción en el Registro Mercantil del cese del administrador a efectos del cómputo del plazo de prescripción de la acción tendente a exigir su responsabilidad. Debe entenderse que, si no consta el conocimiento por parte del afectado del momento en que se produjo el cese efectivo por parte del administrador, o no se acredita de otro modo su mala fe, el cómputo del plazo de cuatro años que comporta la extinción por prescripción de la acción no puede iniciarse sino desde el momento de la inscripción, dado que sólo a partir de entonces puede oponerse al tercero de buena fe el hecho del cese y, en consecuencia, a partir de ese momento el legitimado para ejercitar la acción no puede negar su desconocimiento».

STS de 10 de diciembre de 2008 (Civil) [5]

FUNDAMENTOS DE DERECHO

«2º [...]El art. 115.1 de la Ley de Sociedades Anónimas, de aplicación por remisión del art. 70.2 de la Ley de Sociedades de Responsabilidad Limitada establece que los acuerdos (del Consejo de Administración en el caso) podrán se impugnados por ser contrarios a la Ley, se opongan a los estatutos o lesionen en beneficio de uno o varios accionistas o de terceros, los intereses de la sociedad, y sucede que la parte recurrente no cita ninguna norma legal como infringida, reconoce que no hay vulneración de los estatutos, y no alega (y en cualquier caso no prueba) que haya habido una lesión de la sociedad con beneficio de algunos socios o terceros [...]».

STS de 10 de diciembre de 2008 (Contencioso-administrativo) [11]

FUNDAMENTOS DE DERECHO

«3º."El art. 38.1 de la citada Ley de 1963 disponía después de la modificación realizada por la Ley 10/1985, de 26 de abril, que "Responderán solidariamente de las obligaciones tributarias todas las personas que sean causantes o colaboren en la realización de una infracción tributaria. "En su redacción original, en cambio, disponía que "responderán solidariamente de las obligaciones tributarias todas las personas que dolosamente sean causantes, o de igual modo colaboren de manera directa y principal con el sujeto pasivo en las infracciones tributarias de defraudación aún cuando no les afecten directamente las respectivas obligaciones".

La modificación legislativa producida en 1985 dio lugar que el asunto llegara al Tribunal Constitucional, que dictó la sentencia 76/1990, de 26 de abril, que alega la parte recurrente, y en la que ciertamente el Tribunal Constitucional consideró que la Ley 10/1985 no había alterado el sistema de responsabilidad en materia de infracciones tributarias, en el que seguía rigiendo el principio de responsabilidad por dolo o culpa. Por ello, en el fundamento de derecho cuarto de la sentencia se destaca, en relación con el art. 38.1, que "la responsabilidad solidaria que en el mismo se recoge queda regulada ciertamente en unos términos más amplios que en la redacción anterior, pero de ello no puede deducirse sin otros esfuerzos argumentales que, como los recurrentes pretenden, la norma legal adolezca de vicio de inconstitucionalidad", si bien agrega a continuación que ha de señalarse, en primer lugar, que el precepto no consagra, como se ha dicho, una responsabilidad objetiva, sino que la responsabilidad solidaria allí prevista se mueve en el marco establecido con carácter general para los ilícitos tributarios por el art. 77.1 que gira en torno al principio de culpabilidad. Una interpretación sistemática de ambos preceptos permite concluir que también en los casos de responsabilidad solidaria se requiera la concurrencia de dolo o culpa aunque sea leve..."

Pues bien, dado que el Tribunal Constitucional establece un paralelismo claro entre los artículos 38 y 77.1 de la LGT, hay que reconocer que vino a admitir que la responsabilidad tenía una finalidad sancionadora.

Esta doctrina ha sido respaldada con respecto a la responsabilidad tributaria de los administradores por las sanciones impuestas a la sociedad en la sentencia 85/2006, de 27 de marzo, al reconocer que la responsabilidad del antiguo art. 40 de la LGT de 1963, deriva no de actos de otros, sino de un comportamiento propio, al no haber realizado como administradores de la sociedad los actos necesarios que fueren de su incumbencia para el cumplimiento de las obligaciones tributarias infringidas por la entidad, haber consentido el incumplimiento por quienes de ellos dependían o haber adoptado los acuerdos que hicieron posibles tales infracciones, por lo que necesariamente hay que partir de la naturaleza sancionadora del supuesto que ahora examinamos, y que defendió el Informe 2001 sobre la Ley General Tributaria, al sugerir la eliminación de la regulación del art. 38 para llevarla al ámbito de la responsabilidad por infracción tributaria, aunque la opción final del legislador de 2003 haya sido dejar la regulación sustantiva al párrafo a) del art. 42.1, pero recogiendo, en el capítulo dedicado a infracciones y sanciones, en concreto, en su art. 182.1, la responsabilidad solidaria de las sanciones.

Podría argumentarse que esta última sentencia no resulta decisiva, porque el supuesto de hecho estaba referido exclusivamente a la derivación a los administradores de las sanciones correspondientes a las personas jurídicas, y porque como en el supuesto del art. 38.1 la responsabilidad se extiende también a la cuota que correspondía al obligado principal.

Sin embargo debemos reconocer que la derivación de la cuota al responsable, con independencia del régimen aplicable a la derivación de la sanción, cumple una mera función indemnizatoria del daño producido por el comportamiento imputable al responsable, por lo que en estos casos hay que reconocer que lo que prima es la naturaleza sancionadora de la responsabilidad exigida. En efecto, en el marco del antiguo art. 38 se producían dos consecuencias, por un lado, se trasladaba al responsable la obligación de responder por la sanción, que era lo fundamental y, por otro, se imponía al responsable la obligación de hacer frente a los daños causados por su acción antijurídica, que era la consecuencia de la infracción.

Si todo ello es así, no cabe diferenciar a efectos de suspensión, como hizo el Tribunal Central y confirma la Sala entre sanción y cuota, ya que ambos conceptos deben seguir la misma suerte, pues si se declara que el responsable no puede ser merecedor de la sanción en estos casos la consecuencia inmediata debe ser la imposibilidad de exigirla cuota al mismo».

STS de 31 de diciembre de 2008 (Penal) [8]

FUNDAMENTOS DE DERECHO

«8º [...]En definitiva, el delito surge (STS 16-6-1993) "desde el momento en que la obligación de devolver el dinero percibido del Juzgado se quebranta, y bajo el pretexto de la pendencia de extensión de una minuta, que ninguna razón existía para su inactivación, no se lleva a cabo aquélla, a pesar de la insistencia constante de los fiadores y del celo del órgano judicial en la práctica de los varios y sucesivos requerimientos a que se ha hecho mención. Cuando tardíamente, y sólo ante la sobrevenencia de un procesamiento, el acusado decidió reponer la cantidad adeudada, bien puede colegirse que el mismo había consumado el delito de apropiación indebida, y lo verificado no tiene otra significación que la reposición del monto de la suma distraída, con efectos meramente afectantes a la responsabilidad civil. El procesado quebrantó la lealtad debida ante la confianza en él depositada por sus mandantes. Cual razonada y fundamentalmente se afirma en la sentencia recurrida, desde la reiterada y pertinaz negativa del acusado, sin causa ni justificación posible, a la devolución de la cantidad por él percibida, en concepto de depósito, y sobre la que no ostentaba ningún derecho de retención motivadora de su conducta, a sus clientes, se consumó el delito, porque la incorporación al patrimonio propio de tal cantidad, lo convirtió en propiedad ilegítima, quedando de manifiesto el lucro ilícito y el abuso de la situación de confianza que caracteriza la apropiación indebida." Sentencia que citamos únicamente a título de precedente jurisprudencial, en justificación de la línea que se mantiene por esta Sala Casacional.

Y reiterada en la STS. 147/2006 de 6.2 que, remitiéndose a la STS. 153/2003 de 8.2, indica "empero el acusado (abogado) no tenía derecho a quedarse con dinero recibido con la finalidad de entrega a otra persona, aunque, ciertamente, tuviera un derecho de crédito, si bien no protegido por un derecho de retención similar a los que están recogidos en los artículos 1600 y 1780 del Código Civil a favor respectivamente de quien haya hecho una obra en un bien mueble mientras no se le pague, y del depositario para que se le abone lo que le sea debido en razón del depósito. Por lo tanto, la conducta enjuiciada ha consistido en una apropiación. Y también existió el elemento subjetivo de querer el agente quedarse con lo que sabía no era suyo", y en la STS de 21-10-2002, nº 1749/2002, que recuerda que "para que se considere lícita la negativa a entregar lo recibido alegando la titularidad de créditos contra aquél a quien se le debe entregar, es preciso que exista un derecho de retención que lo ampare." Y esta Sala ya ha negado en alguna ocasión que tal derecho corresponda a los letrados en relación a sus honorarios, de manera que las cantidades que estos profesionales perciban de terceros para entregar a sus clientes en relación con sus servicios profesionales no pueden ser aplicadas por un acto unilateral de propia autoridad a satisfacer las minutas que consideren que les deben ser abonadas, sino que deben ser entregadas en su integridad a aquellas personas a favor de quienes han sido recibidas, sin perjuicio de la reclamación que corresponda para hacer efectivo el pago de sus honorarios como Letrado.

Doctrina ésta que puede aplicarse al caso presente pues ni el mandatario, ni el gestor de negocios ajenos ni el arrendatario de servicios poseen derecho alguno de retención sobre las cantidades percibidas que corresponden a su principal o cliente, resultando además tal cuestión irrelevante –dice la SSTS. 307/99 de 2.3, cuando la apropiación, lejos de referirse a una parte de lo recibido, se ha llevado, en principio sobre el total de la cantidad».

STS de 23 de enero de 2009 (Civil) [5]

FUNDAMENTOS DE DERECHO

«2º [...]Además, no cabe olvidar que se está ante una reclamación de cantidad ejercitada por la sociedad de la que el demandado era administrador, y que en su calidad de tal supuestamente realizó los actos u omisiones que se le imputan, por lo que es adecuada la incardinación de la acción en el art. 134 del TRLSA, en el que se regula la acción social de responsabilidad que, como se ha venido declarando por esta Sala, se formula en beneficio de la sociedad y tiene por objeto restablecer el patrimonio de la sociedad, fundándose en la ejecución por el administrador o administradores de una conducta, positiva u omisiva, en el ejercicio de su cargo que comporte una lesión para el patrimonio social y tenga carácter antijurídico, por ser contraria a la ley o a los estatutos o consistir en el incumplimiento de los deberes impuestos legalmente a los administradores (Sentencia de 22 de marzo de 2006) [...]».

STS de 26 de enero de 2009 (Penal) [8]

FUNDAMENTOS DE DERECHO

"3º (...) 2.– En este caso se trata precisamente de un delito del art. 282 del C. Penal, que castiga a los fabricantes o comerciantes que, en sus ofertas o publicidad de productos o servicios, hagan alegaciones falsas o manifiesten características inciertas sobre los mismos, de modo que puedan causar un perjuicio grave y manifiesto a los consumidores, sin perjuicio de la pena que corresponda aplicar por la comisión de otros delitos. La estructura del tipo lo es de peligro y no excluye una comisión de estafa cuando exista disposición patrimonial determinada por error relevante derivado de una acción engañosa, que pueda estar en su caso en la falsa oferta o en la mendacidad de la publicidad. Fuera de ese supuesto la misma disconformidad con la realidad de lo afirmado en la oferta o en la publicidad del producto o del servicio integra este delito, pero teniendo en cuenta que no abarca las exageraciones toleradas socialmente en la actividad publicitaria en cuanto dirigidas mas a la motivación del consumidor que a la transmisión de información concreta y creíble, ni las omisiones o insuficientes de lo ofrecido en el anuncio que no tiene normalmente el carácter de información exhaustiva de todo cuanto pudiera interesar al destinatario del producto o servicio; ni tampoco aquellas características en lo anunciado u ofrecido que devienen imposibles o distintas por razones sobrevenidas no dependientes de la voluntad o del control del anunciante.

3.– Con lo dicho es claro que la operación de subsunción de una oferta comercial en este tipo penal pasa necesariamente por el conocimiento preciso, exacto y completo, de la oferta o de la publicidad de que se trate, en sus términos concretos y tal y como éstos integraron el anuncio o el ofrecimiento. En efecto, una frase o una afirmación aislada que por sí sola pudiera valorarse como disconforme con lo verdadero, puede ser en el seno del texto total algo irrelevante o suficientemente aclarado en términos de veracidad".

STS de 12 de febrero de 2009 (Civil) [5, 6 y 13]

FUNDAMENTOS DE DERECHO

«2º [...] se pretende que el "dies a quo" del plazo prescriptivo se anticipó al cese legal o formal por el cese efectivo en el ejercicio de la administración social, y tal alegación carece de consistencia alguna. Dejando a un lado que la sociedad anónima no se extingue por la mera inactividad o inoperatividad, y menos todavía por la constitución de una hipoteca sobre el único bien inmueble de su propiedad en garantía de un préstamo obtenido por otra sociedad de una entidad bancaria, ni siquiera por una total despatrimonialización, ni, por otra lado, cabe confundir un "cese de hecho" con un abandono de hecho de la administración social, en el caso sucede que no hay base fáctica en la sentencia recurrida que permita sostener que se ha producido el cese alegado, siendo por lo demás incuestionable que incumbía a la parte demandada, aquí recurrente, acreditar los presupuestos de su planteamiento consistentes en fecha del efectivo cese de la actividad administradora, y no mera inactividad, y conocimiento del dato por el tercero, pues entre tanto debe prevalecer la publicidad que patentiza el Registro Mercantil, y en este sentido se manifiesta la doctrina de esta Sala (SS. 26 de junio de 2006 y 4 de diciembre de 2008, entre otras).

3º [...] La parte recurrente efectúa una serie de alegaciones que, no solo no son razonables, sino que, además no tienen nada que ver con el fundamento de su responsabilidad. Esta surge porque, dado el supuesto fáctico correspondiente –en el caso había dos *(números 3º y 4º del art. 260.1 TRLSA)–*, el Sr. Pedro Miguel, en su condición de administrador social, no cumple con la exigencia de convocar la junta general para que adopte el acuerdo de disolución, tal y como establecen los *apartados 1, 2 y 5 del art. 262 LSA.* El que el Sr. Pedro Miguel sea o no causante del daño, el que el patrimonio social se haya volatizado por causa o no de la hipoteca, y cualquiera que sea la razón de la despatrimonialización de V. S., S.A., resulta irrelevante, porque, con independencia de que fue durante la administración del mencionado cuando se produjo al constitución de la hipoteca, que lo hizo para garantizar un préstamo obtenido por otra sociedad de la que también era administrador y que la denominada "mal venta" se produjo en un proceso de realización judicial, lo cierto es que el Sr. Pedro Miguel debió haber cumplido la obligación legal expresada, y no lo hizo, ni adujo causa o circunstancia alguno en su descargo».

STS de 18 de febrero de 2009 (Contencioso-Administrativo) [11]

FUNDAMENTOS DE DERECHO

"4º No obstante, en los supuestos previstos en el apartado 2 del artículo 42 de esta Ley, no podrán impugnarse las liquidaciones a las que alcanza dicho presupuesto, sino el alcance global de la responsabilidad".

De esta forma, y en lo que aquí interesa, es claro que los declarados responsables por razón de las conductas tipificadas en el artículo 42.2 de la Ley General Tributaria, solo pueden impugnar el denominado "presupuesto habilitante" y "el alcance global de la responsabilidad".

En el caso que ahora nos ocupa esta posibilidad también fue ofrecida a la parte recurrente, con ocasión de serle notificada la declaración de responsabilidad, aún cuando fuera en aplicación de las normas entonces vigentes".

STS de 2 de marzo de 2009 (Civil) [5]

FUNDAMENTOS DE DERECHO

«2º [...]Por más que la sociedad hubiera estado hipotéticamente en causa de disolución por pérdidas, la acción del Administrador Único que antes se ha descrito (FJ Primero, 1) ha de dar lugar a responsabilidad en base a los artículos 127.1 (después de la Ley 26/2003, de 17 de julio, artículo 127. Ter.2 LSA) y 133 LSA. No se reprocha al Administrador el estado de insolvencia en que pueda haber incurrido la sociedad, sino la despatrimonialización de la sociedad en beneficio de otra compañía, que pertenece ciento por ciento a las hijas del Administrador. Lo que la Sala de instancia ha calificado como un traspaso del patrimonio social de "E. A. R. S.A." mediante una "maquinación fraudulenta"».

STS de 14 de marzo de 2009 (Civil) [5]

FUNDAMENTOS DE DERECHO

«3º [...] La responsabilidad del administrador que continúa como administrador de hecho una vez caducado su nombramiento.

El art. 133 LSA se refiere como titulares de la responsabilidad que en él se establece a los "administradores" (o "miembros del órgano de administración": art. 133.3 LSA).

Esta cualidad la ostentan no sólo los nombrados por la Junta General (art. 123.1 LSA), sino también, según la jurisprudencia, los administradores de hecho (así se prevé expresamente a partir de la Ley 26/2003, que modificó, entre otros, el artículo 133.2 LSA), es decir, quienes, sin ostentar formalmente el nombramiento de administrador y demás requisitos exigibles, ejercen la función como si estuviesen legitimados prescindiendo de tales formalidades o continúan ejerciéndola una vez producido formalmente su cese o sobrevenida la caducidad del nombramiento.

La condición de administrador de hecho no abarca, en principio, a los apoderados (SSTS de 7 de junio de 1999 y 30 de julio de 2001), siempre que actúen regularmente por mandato de los administradores o como gestores de éstos, pues la característica del administrador de hecho no es la realización material de determinadas funciones, sino la actuación en la condición de administrador sin observar las formalidades esenciales que la ley o los estatutos exigen para adquirir tal condición.

Cabe, sin embargo, la equiparación del apoderado o factor mercantil al administrador de hecho (STS de 26 de mayo de 1998, 7 de mayo de 2007, en los supuestos en que la prueba acredite que actúan o han actuado en tal condición [...]"»

STS de 1 de abril de 2009 (Civil) [5]

FUNDAMENTOS DE DERECHO

«2º [...]distinto es el efecto que debe atribuirse a la falta de inscripción en el Registro Mercantil del cese del administrador a efectos del cómputo del plazo de prescripción de la acción tendente a exigir su responsabilidad. Debe entenderse que, si no consta el conocimiento por parte del afectado del momento en que se produjo el cese efectivo por parte del administrador, o no se acredita de otro modo su mala fe, el cómputo del plazo de cuatro años que comporta la extinción por prescripción de la acción no puede iniciarse sino desde el momento de la inscripción, dado que sólo a partir de entonces puede oponerse al tercero de buena fe el hecho del cese y, en consecuencia, a partir de ese momento el legitimado para ejercitar la acción no puede negar su desconocimiento».

STS de 14 de abril de 2009 (Civil) [2, 5, 6 y 11]

FUNDAMENTOS DE DERECHO

«3º [...] el efecto que debe atribuirse a la falta de inscripción en el Registro Mercantil del cese del administrador en el plano formal, cuando se trata de efectuar el cómputo del plazo de prescripción de la acción tendente a exigir su responsabilidad. Según se infiere de las citadas SSTS de 26 de junio de 2006 y 3 de julio de 2008, cuya doctrina ha sido recogida en otras posteriores, si no consta el conocimiento por parte del afectado del momento en que se produjo el cese efectivo por parte del administrador, o no se acredita de otro modo su mala fe, el cómputo del plazo de cuatro años que comporta la extinción por prescripción de la acción no puede iniciarse sino desde el momento de la inscripción, dado que sólo a partir de entonces puede oponerse al tercero de buena fe el hecho del cese y, en consecuencia, a partir de ese momento el legitimado para ejercitar la acción no puede negar su desconocimiento [...]».

STS de 14 de mayo de 2009 (Civil) [5]

FUNDAMENTOS DE DERECHO

«4º [...]Esta Sala ha distinguido entre las acciones de responsabilidad individual (artículos 133 y 135 LSA) y la de responsabilidad especial que impone a los administradores el artículo 262.5 de la propia LSA por no promover la disolución (o en los términos de la actual redacción del precepto, el concurso) de la sociedad, y ha admitido que, en régimen de concurso ideal, la situación de insolvencia puede dar paso a la responsabilidad individual, cuando la insolvencia de la sociedad provocada por la negligencia de los administradores causa una lesión directa a los acreedores (SSTS 11 de octubre de 1991, 10 de diciembre de 1996, 11 de noviembre de 1997, 17 de diciembre de 2003, 20 de febrero de 2004, etc.), pero también ha dicho (STS 16 de octubre de 2003, entre otras) que la responsabilidad ex artículo 262.5 LSA tiene su "ratio" en que la conducta omisiva de los administradores ha inducido a error a un determinado tercero contratante, haciéndole creer que la sociedad se encuentra en una situación normal desde los puntos de vista económico y financiero (...)

6º (...)La actora, perfectamente consciente de la situación de infracapitalización en que se encontraba la sociedad deudora, concedió nuevos suministros, de los que derivó el crédito que ahora reclama, realizando una operación que hay que poner a su riesgo y ventura. Por otra parte, el incumplimiento del pacto establecido (Fundamento Jurídico Primero, sub 1.3), única base para establecer la responsabilidad individual por aplicación de los artículos 133 y 135 LSA, requiere que se demuestre la relación de causalidad entre la omisión del Administrador demandado y el daño, que en el caso consiste en la imposibilidad de cobro de la deuda, pero es claro que tal imposibilidad no deriva del incumplimiento del pacto de poner a la sociedad en liquidación, sino de la insolvencia de la sociedad, que no hubiera sido remediada por el cumplimiento del pacto (...)".

STS de 20 de mayo de 2009 (Civil) [5]

FUNDAMENTOS DE DERECHO

«5º [...]Se estima que la negligencia de los Administradores, cuya gravedad también se destaca, fue determinante de la insolvencia y la causa del daño, proposición que no es adecuadamente combatida y que, además, expresa una posición que ha sido aceptada por esta Sala al admitir la insolvencia de la sociedad puede dar paso a un supuesto de responsabilidad individual, ahora exigible por la vía de los artículos 133 y 135 LSA, pero que también lo sería, en supuestos de culpa grave, bajo la Ley de 1951, cuando la insolvencia de la sociedad provocada por la negligencia de los administradores causa una lesión directa a los acreedores (SSTS 11 de octubre de 1991, 10 de diciembre de 1996, 11 de noviembre de 1997, 17 de diciembre de 2003, 20 de febrero de 2004, 14 de marzo de 2007, etc.)»

STS de 29 de mayo de 2009 (Civil) [6]

FUNDAMENTOS DE DERECHO

«11º [...]En el segundo motivo, se denuncia la infracción del *artículo 262.5 LSA*, y de la jurisprudencia que cita. La recurrente analiza la concurrencia de los presupuestos exigidos por el precepto invocado: (a) Los administradores tenían sus cargos vigentes, y dimitieron, renunciaron o cesaron posteriormente, como se ha expuesto en el Fundamento Jurídico Primero de esta sentencia; (b) El Consejo no convocó la Junta a que se refiere el *artículo 262.2 LSA;* (c) Daño a los acreedores, generación de una insolvencia definitiva. La recurrente entiende que lo determinante es la situación patrimonial real, y no la falseada que se reflejó en las cuentas, como se deduce de la STS 30 de octubre de 2000, y que la responsabilidad derivada del *artículo 262.5 LSA* se genera por el mero incumplimiento de la obligación de convocar Junta General, sin necesidad de que concurra cualquier otro género de culpa o negligencia, y se extiende a todos los miembros del Consejo de Administración. El motivo habría de ser estimado o, en todo caso, el razonamiento verificado por la recurrente ha de ser tenido en cuenta para dictar sentencia en el caso, conforme a lo que impone la DF 16ª, regla 7ª de la vigente Ley de Enjuiciamiento Civil, ya que, en efecto, se constata que en el supuesto de hecho se dan las circunstancias que exige el *artículo 262.5 LSA* para establecer la responsabilidad solidaria de los administradores, conforme a la jurisprudencia de esta Sala (SSTS 25 de marzo de 2008, 1 y 16 de abril de 2009, 16 de diciembre de 2004, 16 de febrero de 2006, 20 de octubre y 23 de diciembre de 2003, 28 de abril de 2006, 14 de marzo de 2007, etc.)».

STS de 12 junio de 2009 (Civil) [6]

FUNDAMENTOS DE DERECHO

«2º [...]La Sala de instancia aplica correctamente el artículo 949 del Código de Comercio, precepto que rige el tema de la prescripción de las acciones de responsabilidad de los Administradores, tanto en el caso de las acciones a que se refieren los artículos 133 a 135 LSA cuanto los supuestos de la responsabilidad de los artículos 262.5 en relación con el 260.1 de la LSA, según ha establecido, ya con claridad y de modo consolidado, la jurisprudencia de esta Sala (SSTS 26 de octubre de 2007, que recoge otras anteriores, como las de 26 de mayo de 2004, 22 de marzo, 13 y 22 de diciembre de 2005, 2 de febrero, 6 y 9 de marzo, 23 y 26 de junio, 9 y 27 de octubre y 28 de noviembre de 2006, 13 de febrero, 8 y 14 de marzo de 2007, 5 de marzo de 2009, etc.) Esta responsabilidad nace desde que, producido el conocimiento de la situación de insolvencia o de la concurrencia de alguna de las causas de disolución a que se refieren los apartados 3º, 4º, 5º o 7º del artículo 2601.1 LSA, han transcurrido los plazos que señalan los artículos 262.2, 262.4 y 262.5 LSA sin que se haya verificado la promoción de la Junta, de la disolución judicial o del concurso (según el texto actualmente en vigor) en los términos que allí se señalan, y prescribe a los cuatro años del cese, por cualquier causa, como Administradores, como dispone el artículo 949 del Código de Comercio, computándose desde la inscripción de su cese en el Registro Mercantil (SSTS 13 de abril de 2000, 2 de abril de 2002, 26 de mayo de 2006, etc.), doctrina que ha de entenderse (SSTS 26 de mayo y 26 de junio de 2006, 5 de marzo de 2009, etc.) en el sentido de que la imposibilidad de oponer a terceros de buena fe el cese de los Administradores por falta de inscripción en el registro Mercantil no exime de la concurrencia de los demás presupuestos exigidos por la jurisprudencia para la existencia de dicha responsabilidad».

STS de 18 de junio de 2009 (Civil) [6]

FUNDAMENTOS DE DERECHO

«2º [...]que no se hubiere inscrito el cese en el Registro Mercantil, ya que como tiene señalado esta Sala (SSTS 13 de abril de 2000, 2 de abril de 2002, 26 de mayo de 2006, 5 de marzo de 2009, etc.) el momento para determinar la extensión de la responsabilidad de los Administradores por las deudas sociales prevista en el artículo 262.5 LSA es el la inscripción de su cese por cualquiera de las causas legalmente establecidas en el registro Mercantil, pero esta doctrina ha de entenderse (SSTS 26 de mayo y 26 de junio de 2006, 5 de marzo de 2009, etc.) en el sentido de que la imposibilidad de oponer a terceros de buena fe el cese de los Administradores por falta de inscripción en el Registro Mercantil (artículos 21.1 y 22.2 Código de Comercio) no exime de la concurrencia de los demás presupuestos exigidos para que surja la responsabilidad, entre los cuales una acción u omisión del administrador que le sea exigible, si bien el efecto que a la falta de inscripción del cese, a efectos de cómputo del plazo de prescripción de la acción tendente a exigir su responsabilidad, es el de no poder iniciar el cómputo del plazo de prescripción, y ello salvo carencia de buena fe en el tercero.

No cabe exigir responsabilidad de un administrador cesado cuando los hechos determinantes de tal responsabilidad se produjeron después de su cese, como ya en otras ocasiones ha dicho esta Sala (Sentencia de 10 de mayo de 1999). [...]

3º [...] La Sala de instancia aplica correctamente el artículo 949 del Código de Comercio, precepto que rige el tema de la prescripción de las acciones de responsabilidad de los Administradores, tanto en el caso de las acciones a que se refieren los artículos 133 a 135 LSA cuanto los supuestos de la responsabilidad de los artículos 262.5 en relación con el 260.1 de la LSA, así como en el artículo 105.5 LSRL, según ha establecido, ya con claridad y de modo consolidado, la jurisprudencia de esta Sala (SSTS 26 de octubre de 2007, que recoge otras anteriores, como las de 26 de mayo de 2004, 22 de marzo, 13 y 22 de diciembre de 2005, 2 de febrero, 6 y 9 de marzo, 23 y 26 de junio, 9 y 27 de octubre y 28 de noviembre de 2006, 13 de febrero, 8 y 14 de marzo de 2007, 5 de marzo de 2009, etc.) Esta responsabilidad nace desde que, producido el conocimiento de la situación de insolvencia o de la concurrencia de alguna de las causas de disolución a que se refieren los apartados 3º, 4º, 5º o 7º del artículo 2601.1 LSA, [o artículo 104, letras e) a g) LSRL] han transcurrido los plazos que señalan los artículos 262.2, 262.4 y 262.5 LSA (o 105.1,4 y 5 LSRL) sin que se haya verificado la promoción de la Junta, de la disolución judicial o del concurso (según el texto actualmente en vigor) en los términos que allí se señalan, y prescribe a los cuatro años del cese, por cualquier causa, como Administradores, como dispone el artículo 949 del Código de Comercio, computándose desde la inscripción de su cese en el Registro Mercantil (SSTS 13 de abril de 2000, 2 de abril de 2002, 26 de mayo de 2006, etc.), doctrina que ha de entenderse (SSTS 26 de mayo y 26 de junio de 2006, 5 de marzo de 2009, etc.) en el sentido de que la imposibilidad de oponer a terceros de buena fe el cese de los Administradores por falta de inscripción en el registro Mercantil no exime de la concurrencia de los demás presupuestos exigidos por la jurisprudencia para la existencia de dicha responsabilidad».

STS de 6 de octubre de 2009 (Civil) [5 y 6]

FUNDAMENTOS DE DERECHO

«2º La cuestión de calificación de la acción ejercitada por la comunidad demandante, que, como previa, el motivo plantea –y cuyo examen impondría valorar la significación que tiene el que, en los fundamentos de derecho de la demanda, se mencione como aplicable, entre otros, el artículo 105 de la Ley 2/1995– carece de interés en orden a la congruencia, por ser ésta un requisito de la sentencia –artículo 218 de la Ley de Enjuiciamiento Civil– y resultar su ausencia susceptible de control únicamente mediante el recurso extraordinario por infracción procesal –artículo 469, apartado 1, ordinal 2º, de la Ley de Enjuiciamiento Civil–, que no ha sido el interpuesto.

Ello sentado, tampoco tiene utilidad alguna dicha cuestión a los efectos del recurso de casación, ya que, no obstante la distinta naturaleza de la responsabilidad por daño causado directamente al socio o al tercero que regula el artículo 135 del texto refundido de la Ley de Sociedades Anónimas –al que se remite el 69 de la Ley 2/1995– y de la asunción cumulativa de las deudas sociales con la que el apartado 5 del artículo 262 del mismo texto –y del artículo 105 de la Ley 2/1995– sanciona al administrador que incumple el deber de promover la disolución de la sociedad cuando concurre alguna de las causas previstas – en los apartados 1 de los mismos artículos–, la jurisprudencia, tomando en consideración razones de seguridad jurídica, ha evolucionado en el sentido de aplicar a la prescripción de una y otra el artículo 949 del Código de Comercio, que establece un plazo de cuatro años y manda contarlo "desde que por cualquier motivo cesaren (los administradores) en el ejercicio de la administración" –sentencias de 20 de julio de 2001 (recurso nº 1.495/96), 19 de mayo de 2003 (recurso nº 2.949/97), 26 de octubre de 2004 (recurso nº 601/00), 17 de febrero de 2005 (recurso nº 3.965/98), 22 de diciembre de 2005 (recurso nº 1.761/99), entre otras muchas–.

A lo expuesto ha de añadirse que el plazo que establece el referido artículo 949 del Código de Comercio no había vencido, como precisa la sentencia recurrida, cuando el demandante interpuso su demanda».

STS de 23 de octubre de 2009 (Civil) [5]

FUNDAMENTOS DE DERECHO

«2º [...]1ª. Aunque el "dies a quo" del cómputo del plazo de cuatro años de prescripción extintiva del art. 949 del Código de Comercio no sea el del acto lesivo en que se fundamenta la acción, como estima la resolución recurrida, sino el del cese de los administradores, a los efectos de dicha prescripción de la acción el cese se produjo con la renuncia de los administradores solidarios en el año 1995 (7 y 8 de agosto), la cual fue comunicada fehacientemente a la sociedad, en tanto que declaración de voluntad recepticia, pero que no precisa de la aceptación de la Junta. La apreciación se deduce del art. 949 C. Com. que establece que la acción contra los Administradores de las Compañías o Sociedades terminará a los cuatro años, a contar desde que por cualquier motivo cesaren en el ejercicio de la Administración.

2ª. Frente a lo anterior no cabe aceptar las alegaciones en sentido contrario de la parte recurrente porque (a) conoció las renuncias (según explícitamente consta en la sentencia de apelación), y, en cualquier caso, un eventual desconocimiento sería imputable a su conducta de incuria y total desentendimiento de la sociedad (b) no obsta a que se inicie y transcurra el tiempo de la prescripción la responsabilidad que proceda exigir de los administradores que renuncian a la administración sin proveer a la vacante dejando abandonada la gestión y representación social, porque no existe relación entre esta infracción del deber de diligencia y su responsabilidad por hechos anteriores al cese, que son los que determinan la acción individual; y (c), finalmente, no cabe estimar que hubo interrupción alguna de la prescripción porque al tiempo del requerimiento notarial de 21 de noviembre de 2000 ya había transcurrido el plazo de cuatro años, y además tampoco podía producir efecto interruptivo dicho requerimiento al no ser ninguno de sus objetivos la acción individual que se examina.

3ª. En cualquier caso ("ad omnem eventum"), y aunque por las razones expuestas ya no cabe discurrir sobre una eventual casación con subsiguiente asunción de la instancia, sin embargo, a modo de refuerzo de la desestimación de la pretensión actora, debe decirse que nunca podría prosperar porque el art. 135 LSA (al que se remite el 69.1 LSRL) exige daño "directo", y el acto lesivo aquí denunciado (venta de patrimonio social) no constituye un daño directo, sino "indirecto". Efectivamente, la incidencia negativa (objeto de denuncia) en el patrimonio del actor (socio) se produce por un daño al patrimonio social que repercute en su participación como socio, y no por una relación directa del acto ilícito (hipotético) con su patrimonio personal. Ello puede explicar la interposición de una acción social, pero es ajeno a una acción individual ex art. 135 LSA».

STS de 12 de febrero de 2010 (Civil) [10]

FUNDAMENTOS DE DERECHO

"2º (...) Se sostiene, en primer lugar, que por los administradores se acordaron diversas medidas orientadas a reflotar la situación económica de la sociedad, acometiéndose distintas actuaciones a tal fin, que no dieron resultado.

Es cierto que la doctrina de esta Sala viene admitiendo la posibilidad de excluir la responsabilidad de los administradores en supuesto de desequilibrio patrimonial cuando por los mismos se adoptaron medidas para restablecer el equilibrio entre el patrimonio contable y el capital social o reflotar la empresa, sin que el simple hecho de resultar las mismas infructuosas sea razón suficiente para declarar la responsabilidad de los arts. 105.5 LSRL y 262.5 LSA (entre otras, SS. 20 de julio de 2001 y 4 de febrero de 2009. Pero en el caso de resultado negativo la jurisprudencia ha venido exigiendo para poder exonerar la demostración de una acción significativa para evitar el daño (SS. 28 de abril de 2006, 20 de noviembre de 2008, 1 de junio de 2009, entre otras).

En el caso sucede que se habla de "haberse adoptado medidas y acometido actuaciones para reflotar la situación económica de la empresa", pero no se especifican cuales, ni se razona su idoneidad; ni existe un informe pericial que las repute lógicas o razonables. La alusión de la parte recurrida a un intento de regularizar la situación financiera mediante alianzas con otras entidades destacadas del sector no pasa de ser una mera excusa que no se compadece con la grave crisis financiera de la entidad (...), ni justifica que no se adopte ninguna medida efectiva hasta más de un año y medio después en que se acuerda solicitar la declaración de quiebra.

Se arguye, en segundo lugar, que no hubo negligencia de los administradores en el cumplimiento de sus obligaciones que justificaría su condena al pago de las deudas sociales.

El argumento de la resolución recurrida desconoce la doctrina jurisprudencial reiterada de que no se requiere la concurrencia del reproche culpabilístico (SS., entre otras, 28 de abril y 26 de mayo de 2006, 20 de noviembre de 2008, 1 de junio de 2009, lo que debe entenderse sin perjuicio de que determinadas conductas en determinadas circunstancias, como se expuso, pueden dar lugar a una exoneración de responsabilidad, paliando los efectos de lo que se ha llegado a calificar como modalidad de responsabilidad objetiva o "quasi objetiva" (...)".

STS de 11 de marzo de 2010 (Civil) [2 y 5]

FUNDAMENTOS DE DERECHO

«3º [...]Como declara la STS 18 de diciembre de 2007, el inicio del cómputo del plazo de prescripción, con arreglo al artículo 949 CCom, reclama un cese propiamente dicho de los administradores demandados, cualquiera que sea la causa entre las que son aptas para producirlo. Entre dichas causas figura el transcurso del tiempo para el que fueron nombrados, conforme al artículo 126 LSA, en su redacción vigente en la fecha de aplicación a este litigio, el cual debía completarse con el que establece el artículo 145.1 RRM, conforme al que «[e]l nombramiento de los administradores caducará cuando, vencido el plazo, se haya celebrado la Junta General siguiente o hubiese transcurrido el término legal para la celebración de la Junta que deba resolver sobre la aprobación de cuentas del ejercicio anterior» (previsión que hoy incorpora el artículo 126 LSA, en su redacción dada por la Ley 19/2005, de 14 de noviembre, sobre la Sociedad anónima europea domiciliada en España).

[...] Tampoco puede aceptarse que el cese de los administradores se hubiera producido cuando la sociedad quedó disuelta por imperativo legal el 12 de diciembre de 1995, puesto que en ese momento ya habían cesado los administradores por caducidad de su nombramiento.

La caducidad del nombramiento de los administradores, sin embargo, no es suficiente para la iniciación del plazo de prescripción de su responsabilidad, por las siguientes razones:

A) Efectos de la falta de inscripción en el Registro Mercantil del cese del administrador.

La jurisprudencia de esta Sala, diferenciando los efectos materiales o sustantivos que se siguen de la falta de inscripción del cese del administrador en el Registro Mercantil de los efectos formales que afectan al cómputo del plazo de prescripción (STS de 27 de noviembre de 2008, ha declarado respecto a estos últimos que si no consta el conocimiento por parte del afectado del momento en que se produjo el cese efectivo por parte del administrador, o no se acredita de otro modo su mala fe, el cómputo del plazo de cuatro años que comporta la extinción por prescripción de la acción no puede iniciarse sino desde el momento de la inscripción, dado que sólo a partir de entonces puede oponerse al tercero de buena fe el hecho del cese y, en consecuencia, a partir de ese momento el legitimado para ejercitar la acción no puede negar su desconocimiento (SSTS de 26 de junio de 2006, 3 de julio de 2008 y 14 de abril de 2009).

B) [...] Esta Sala se ha pronunciado en el sentido de que el cese del nombramiento por caducidad del administrador no constituye requisito suficiente para entender producido el cese del mismo si se prueba que existió una continuidad en el ejercicio de sus funciones como administrador de hecho, permaneciendo en sus funciones de administración y representación orgánica de la sociedad (STS 23-09-2008), y ha considerado que se da esa continuidad si existe un proceso abierto en el que es parte la sociedad (STS 14 de abril de 2009)».

STS de 11 de marzo de 2010 (Penal) [8]

FUNDAMENTOS DE DERECHO

"2º (...) 2. En la reciente STS nº 257/2009, se examinaba la comisión por omisión en relación con la responsabilidad por la conducta de terceros subordinados al omitente o, al menos, terceros sobre los que el omitente tuviera la posibilidad de ejercer una vigilancia y ejerciera una cierta autoridad que le permitiera evitar el resultado, cuando la actividad de aquellos fuera considerada como una fuente de peligros para intereses ajenos. La cuestión de la responsabilidad penal de los dirigentes por las acciones delictivas cometidas por sus subordinados se examina doctrinalmente, según esta sentencia, en el marco de la comisión por omisión del artículo 11 del Código Penal, "analizando en particular la posible existencia de un deber de garante que incumbiría a quienes tienen una determinada autoridad y la posibilidad de vigilancia sobre otras personas, de cuya conducta pueden derivarse peligros para intereses jurídicos ajenos. En este sentido se ha considerado que "también las personas, cuyas conductas están bajo control de quien ejerce una vigilancia sobre ellas, pueden ser una fuente de peligros" y el cuidado y control de la misma puede ser objeto de un deber de garante que imponga al sujeto evitar que tales peligros se concreten en el resultado del tipo de un delito. En tales casos, se ha sostenido incluso, que el fundamento del deber de garante derivado de la autoridad tiene una significación independiente, tanto respecto de un hecho anterior peligroso como de una libre aceptación de la posición de garante, pues se entiende que se trata del dominio sobre una determinada fuente de peligros, análogo al que rige para los peligros provenientes de cosas, pero que, en este caso, está referido a peligros emergentes de personas".

3. La posición de garante, pues, concurre cuando existe un deber jurídico de actuar, derivado de la ley, del contrato o de una previa injerencia creadora de riesgo, lo que incluiría los casos en los que el deber consiste en el control sobre una fuente de peligro. La responsabilidad por la omisión de la conducta que el deber demanda exige además la posibilidad de actuar y la eficacia hipotética de la acción que se omite.

La cuestión relativa a los supuestos de control sobre una fuente de peligros, dejando a un lado ahora las dificultades para establecer que el cumplimiento de esas obligaciones de vigilancia habrían conducido sin dudas al conocimiento de la conducta peligrosa y por lo tanto a la posibilidad de evitarla, no puede resolverse sin una referencia al alcance de la obligación de vigilar o controlar, en relación, de un lado, con las potestades del superior y de otro con las características de la actividad.

Respecto de lo primero, no puede imputarse incumplimiento de una obligación de vigilancia cuando la conducta delictiva no se encuentra entre aquellas que están bajo la potestad del superior, pues resulta excesivo extender la responsabilidad penal del vigilante a todas las posibles acciones delictivas que pudiera cometer el vigilado, cuando presenten alguna clase de relación con la conducta que debe ser controlada. En cuanto a lo segundo, la vigilancia de actividades ordinarias que en sí mismas son peligrosas puede requerir mayores exigencias que cuando tal cosa no ocurre. En otras palabras, las actividades peligrosas pueden exigir de los superiores una mayor vigilancia respecto al cumplimiento de las normas y de las órdenes emitidas para evitar el daño manteniendo el riesgo dentro de los límites permitidos, que aquellas otras que ordinariamente, es decir, en su ejecución ordinaria, no son creadoras de riesgo para intereses ajenos. Aun en estos casos puede establecerse una excepción cuando existan datos que indiquen al superior un incremento del peligro que lo sitúe en el marco de lo no permitido. (...)".

STS de 12 de marzo de 2010 (Civil) [5]

FUNDAMENTOS DE DERECHO

"3º (...) La STS de 20 de julio de 2001 dio paso a una nueva jurisprudencia, que se encontraba ya consolidada cuando se dictó la sentencia de primera instancia, la cual, prescindiendo de la polémica –que se considera estéril– en torno a la naturaleza contractual o extracontractual de la acción de responsabilidad, se decanta por unificar dicho plazo para todos los supuestos de reclamaciones de responsabilidad de los administradores por su actividad orgánica, solución que ofrece las ventajas de aportar a esta materia un grado de seguridad jurídica que permite superar la poca precisión que en ocasiones presentan las fronteras entre la responsabilidad contractual y la extracontractual. Esta doctrina ha sido aplicada por esta Sala en SSTS de fechas 1 de marzo de 2004, 26 de mayo de 2004, 5 de octubre de 2004, 25 de marzo de 2005, 15 de julio de 2005, 22 de diciembre de 2005, 6 de marzo de 2006, 30 de enero de 2007, 21 de febrero de 2007, 30 de abril de 2008 (RC nº 3355/2000), 3 de julio de 2008 (RC nº 4186/2001), 10 de julio de 2008 (RC nº 4059/2001), entre otras.

La sentencia recurrida no incurrió en la vulneración normativa y jurisprudencial que se denuncia, pues la decisión de aplicar el plazo de prescripción de cuatro años, sin hacer distinción por razón del tipo de acción ejercitada, es consecuencia de aplicar la doctrina a la que anteriormente se hizo referencia, la cual se invoca de forma expresa en el FJ Cuarto. En cualquier caso, junto a la acción individual de responsabilidad se dedujo también acción de responsabilidad con base en el artículo 262.5 LSA, siendo ésta la responsabilidad declarada en ambas instancias sobre la cual no han existido dudas en cuanto a la aplicación del plazo de prescripción de cuatro años. (...)".

STS de 15 de marzo de 2010 (Penal) [8]

FUNDAMENTOS DE DERECHO

«4º [...]Es cierto que el acusado no realizó ninguna falsedad material en los documentos mercantiles que presentó al descuento, pero ello no quiere decir que no incurriera en una falsedad ideológica. La falsedad material es aquella que afecta a la estructura física de un documento, al soporte material donde se contiene la declaración de voluntad; la falsedad ideológica se refiere a la veracidad de lo declarado, a la exactitud del contenido de la voluntad reflejado en el documento.

Concurren dos líneas jurisprudenciales sobre las falsedades ideológicas en documentos mercantiles, en concreto sobre las facturas falsas que simulan un negocio o prestaciones de servicios inexistentes.

La primera postura afirma que estamos ante una falsedad ideológica impune, y ha sido defendida fundamentalmente por las siguientes resoluciones: SSTS 1-4-1997, 26-2-1998 (caso Argentia Trust) y 30-I-1998 (caso relativo a contratos falsos de trabajo).

Los principales argumentos de esta postura se centran en aducir que la subsunción de la conducta en el art. 390.1.2º del CP (simular total o parcialmente un documento, de forma que induzca a error sobre su autenticidad) contradice el tenor literal de la ley penal, pues la doctrina que así lo propone maneja un concepto de autenticidad sin soporte dogmático y por ello inseguro. Lo esencial para la tipicidad de la falsedad en este caso es que afecte a la autenticidad del documento, y la autenticidad de los documentos no alcanza a su contenido, luego el precepto no puede comprender los casos de documentos auténticos aunque se documente un negocio jurídico simulado. Se ataca la autenticidad, no porque se mienta sobre la causa de un contrato, sino porque se altere de alguna manera el soporte material (se cambia el nombre del emisor, se altera su firma, etc.). El caso del art. 390.1.2º, a tenor de esta concepción, habría de ser catalogado como falsedad material, no ideológica.

De otra parte, otro sector de la jurisprudencia afirma que la falsedad ideológica puede punirse. En este sentido tenemos las SSTS 15-4-1997, 13-6-1997, 30-9-1997, 28-10-1997 ("Caso Filesa") y 28-I-1999.

Los argumentos principales de esta segunda tesis se centran en cuestionar el concepto de autenticidad acogido por la posición contraria. Pues, en efecto, si se parte del criterio de que todo documento cuyo autor aparente coincide con su autor real es auténtico, con independencia de que no responda a realidad alguna, es claro que el art. 390.1.2º no podría aplicarse a los supuestos de las facturas o contratos mercantiles falsos aun cuando el documento en su totalidad constituya una falacia. Ello puede generar consecuencias negativas para la seguridad del tráfico mercantil e incluso para el normal desarrollo de una convivencia organizada en un ámbito de confianza.

Cabe sostener razonablemente que no puede considerarse como auténtico aquel documento que es incierto en su integridad, salvo en la firma, es decir, que ha sido deliberadamente inventado para acreditar una realidad jurídica totalmente inexistente.

Conviene incidir, además, en que el concepto legal de documento incluye no sólo los que tengan eficacia probatoria, sino también aquellos que tengan cualquier otra "relevancia jurídica".

En igual sentido, ha de ponderarse la relevancia del principio de lesividad con respecto a falsedades documentales idóneas para ocasionar perjuicios a terceros. Y también que el hecho de que se despenalice una determinada modalidad de falsedad ideológica no quiere decir que se despenalicen las restantes.

Por todo lo cual, se acaba concluyendo en el referido segundo grupo de resoluciones que sí parece razonable incardinar en el art. 390.1.2º del CP aquellos supuestos en que la falsedad no se refiera exclusivamente a alteraciones de la verdad de algunos de los extremos consignados en el documento, sino al documento en sí mismo, en el sentido de que se confeccione deliberadamente con la finalidad de acreditar en el tráfico una relación o situación jurídica inexistente. A tenor de lo cual, debe considerarse delictiva la confección de un documento que recoja un acto inexistente, con relevancia jurídica para terceros e induciendo a error sobre su autenticidad (en sentido amplio).

El Pleno no jurisdiccional de la Sala 2ª del TS de 26 de febrero de 1999 se pronunció a favor de esta segunda tesis, es decir, a favor de incriminar como falsedad ideológica la creación de documentos falsos en su contenido, al reflejar una operación inveraz por inexistente, aunque no concurrieran falsedades materiales en el documento emitido.

A partir de ese Pleno no jurisdiccional han abundado las sentencias en la línea de que en el art. 390.1.2º se contemplan falsedades ideológicas: SSTS 817/1999, de 14-12; 1282/2000, de 25-9; 1649/2000, de 28-10; 1937/2001, de 26-10; 704/2002, de 22-4; 514/2002, de 29-5; 1302/2002, de 11-7; 1536/2002, de 26-9; 325/2004, de 11-3.

En toda esta jurisprudencia se sienta como línea interpretativa mayoritaria, tal como se sintetiza en la STS de 29 de enero de 2003, el criterio de que, "en términos generales, un documento es verdadero cuando su contenido concuerda con la realidad que materializa. Y es genuino cuando procede íntegramente de la persona que figura como su autor. Pero no debe confundirse el documento "genuino" con el documento "auténtico", pues el término autenticidad tiene en nuestro lenguaje un significado más amplio y profundo que el mero dato de la procedencia o autoría material. Un documento simulado no es considerado en el lenguaje ordinario ni en el ámbito jurídico como "auténtico" por el mero hecho de que la persona que aparece suscribiéndolo coincida con su autor material».

STS de 31 de marzo de 2010 (Contencioso-Administrativo) [10]

FUNDAMENTOS DE DERECHO

«1º [...] recuerda la Sentencia de 18 de junio de 2002, dictada en recurso en interés de la *ley 3424/2001*. Añade que "Dicha sentencia fue reiterada en numerosos pronunciamientos judiciales. El legislador para salir al paso de dicha doctrina, promulgó la Ley 52/2003, cuyo artículo 5 da nueva redacción el art. 30 del Real Decreto Legislativo 1/94. Mas ha de convenirse que dicha norma, de carácter sustantivo, no procedimental, en tanto que atribuye facultades nuevas a un órgano Administrativo, al no establecerse nada al respecto, conforme al carácter general de irretroactividad de las normas, no posee carácter retroactivo, por lo que no es posible aplicar a situaciones nacidas bajo la vigencia del texto anterior, lo cierto es que se trata de hechos acaecido parcialmente vigente la antigua regulación, que la regla general, art. 2.3 del CC es la irretroactividad de las leyes, y a falta de regulación expresa en cuanto a la retroactividad de la norma, es de aplicación al caso lo establecido en las Disposiciones Transitorias Primera y Cuarta del CC, por lo que tanto los derechos del actor, nacidos por hechos acaecidos durante la vigencia de la regulación antigua, como la acción de la Administración, en igual sentido, se rigen por la normativa antigua, que ya hemos visto recibió el tratamiento jurisprudencial comentado. Por tanto, sólo podía la Administración declarar dicha responsabilidad a partir de enero de 2004, no respecto de períodos anteriores, tal y como acontece en el caso que nos ocupa, que declara dicha responsabilidad por débitos para con la Seguridad Social desde enero de 2002 en los períodos vistos. Por tanto, procede estimar la pretensión de la actora, sin necesidad de entrar en otras consideraciones, aunque brevemente para significar que la caducidad requiere un pronunciamiento legal para su institución, lo que no ocurre en este caso, no siendo de aplicación la Ley 30/92, y sin que nada obste a la declaración de responsabilidad de los administradores un supuesto de posible sucesión de empresas y sin que estemos ante un caso de prejudicialidad penal pues la responsabilidad solidaria, en su caso, resulta independiente de otras responsabilidades de terceros, por tanto si bien procede anular los actos impugnados, ello es sin perjuicio de que el órgano competente puede proceder a declarar la responsabilidad del administrador por las deudas pendientes desde enero de 2004».

STS de 15 de abril de 2010 (Civil) [6]

FUNDAMENTOS DE DERECHO

«3º [...]que ateniéndose al texto del citado art. 949 hace coincidir el comienzo del plazo de prescripción con el cese de los administradores, su correcto planteamiento inicial no va seguido de un desarrollo que permita estimar el motivo y considerar prescrita la acción, ya que, como esta Sala viene declarando desde su sentencia de 14 de abril de 2009, que se apoya en las de 26 de junio de 2006 y 3 de julio de 2008, la falta de inscripción del cese de los administradores en el Registro Mercantil, que se dio en este caso, efectivamente no comporta por sí misma, en lo sustantivo, que el administrador cesado siga siendo responsable frente a terceros, salvo excepciones derivadas del principio de confianza, ni que asuma obligaciones sociales por incumplir deberes que ya no le incumben, dado que la inscripción no tiene carácter constitutivo, pero sí impide oponer al acreedor social o al perjudicado la prescripción de la acción, salvo mala fe de éstos o conocimiento efectivo por ellos del cese, porque sólo a partir de la inscripción "puede oponerse al tercero de buena fe el hecho del cese y, en consecuencia, a partir de ese momento el legitimado para ejercitar la acción no puede negar su conocimiento", doctrina reiterada en sentencias de 12 de junio de 2009 y 18 de junio de 2009».

STS de 4 de mayo de 2010 (Penal) [8]

FUNDAMENTOS DE DERECHO

«14 [...] cuando se trata de administradores de sociedades, no puede confundirse la apropiación indebida con el delito de administración desleal contenido en el artículo 295 del Código Penal vigente, dentro de los delitos societarios. Este delito se refiere a los administradores de hecho o de derecho o a los socios de cualquier sociedad constituida o en formación que realicen una serie de conductas causantes de perjuicios, con abuso de las funciones propias de su cargo. Esta última exigencia supone que el administrador desleal del artículo 295 actúa en todo momento como tal administrador, y que lo hace dentro de los límites que procedimentalmente se señalan a sus funciones, aunque al hacerlo de modo desleal en beneficio propio o de tercero, disponiendo fraudulentamente de los bienes sociales o contrayendo obligaciones a cargo de la sociedad, venga a causar un perjuicio típico. El exceso que comete es intensivo, en el sentido de que su actuación se mantiene dentro de sus facultades, aunque indebidamente ejercidas. Por el contrario, la apropiación indebida, conducta posible también en los sujetos activos del delito de administración desleal del artículo 295, supone una disposición de los bienes cuya administración ha sido encomendada que supera las facultades del administrador, causando también un perjuicio a un tercero. Se trata, por lo tanto, de conductas diferentes, y aunque ambas sean desleales desde el punto de vista de la defraudación de la confianza, en la apropiación indebida la deslealtad supone una actuación fuera de lo que el título de recepción permite, mientras que en la otra, la deslealtad se integra por un ejercicio de las facultades del administrador que, con las condiciones del artículo 295, resulta perjudicial para la sociedad, pero que no ha superado los límites propios del cargo de administrador (cfr., en el mismo sentido SSTS 841/2006, 17 de julio y 565/2007, 4 de junio».

STS de 31 de mayo de 2010 (Penal) [8]

FUNDAMENTOS DE DERECHO

"4. (...) Como apunta el Fiscal en su informe, el delito de apropiación indebida se consuma cuando se deja de ingresar en la sociedad el importe de la venta de los inmuebles. No es preciso esperar a ninguna liquidación de la sociedad o a una ulterior liquidación de cuentas. La obligación del administrador de ingresar el dinero que recibe por la venta de un activo de la sociedad no está relacionada o subordinada a aclarar qué bienes corresponderán a cada socio cuando se liquide la sociedad. Es algo anterior.

La jurisprudencia de esta Sala ha declarado en numerosas ocasiones que la existencia de relaciones contractuales entre las partes, como origen de la entrega de la cosa, puede exigir en ciertos casos una previa liquidación de cuentas pendientes, y la posibilidad de supuestos de retención o compensación, con una incidencia en la responsabilidad que habría de determinarse en cada caso concreto (cfr. STS 307/1999, 2 de marzo). También es cierto –decíamos en nuestra STS 162/2008, 6 de mayo– que, en otros casos, la imposibilidad de fijación de una cuantía líquida y exigible, puede alzar un obstáculo insalvable a la tipicidad del hecho, en la medida en que podría llegar a desdibujar la concurrencia del dolo y la existencia misma de ánimo de lucro. Pero también hemos afirmado que la jurisprudencia en general es refractaria a la admisión de los derechos de retención y compensación como factores que pueden determinar la atipicidad de la conducta o la concurrencia de una causa de justificación desde la perspectiva del párrafo 7 del art. 20 –ejercicio legítimo de un derecho–. La compensación de cuentas o liquidación pendiente sólo opera como situación que excluye la tipicidad cuando dos personas sean por derecho propio recíprocamente deudoras y acreedoras, en los términos de los arts. 1195 y 1196 del Código Civil (STS 356/2005, 21 de marzo). (...)".

STS de 30 de junio de 2010 (Civil) [5 y 6]

FUNDAMENTOS DE DERECHO

«3º [...] 29. El reconocimiento por el Ordenamiento Jurídico de personalidad jurídica a las sociedades capitalistas, de las que en tiempos se dijo que eran capitales dotados de personalidad, con la consiguiente limitación de responsabilidad por deudas a los bienes y derechos de la sociedad, impone a los administradores de las sociedades una serie de deberes que tiene por destinatarios no solo a los socios que les designan, sino también al orden público económico y a los terceros que con ellas contratan, de tal forma que cuando la sociedad incurre en pérdidas cualificadas determinantes de la concurrencia de causa legal de disolución, les obliga a:

1) Promover la liquidación de la sociedad por el procedimiento societario, reorientando el objeto social al reparto entre los socios del haber existente después de pagar las deudas sociales; o

2) Alternativamente, promover la adopción de acuerdos dirigidos a remover la causa de disolución concurrente y reconstruir el patrimonio social o, en su caso, reducir el capital social restableciendo el equilibrio entre la cifra de capital y el patrimonio, con la necesaria publicidad que ello conlleva.

30. Claro está que cuando las pérdidas o la previsible falta de liquidez impiden a la sociedad cumplir regularmente sus obligaciones en los términos previstos en el *artículo 2 de la Ley Concursal*, huelga acudir a la liquidación societaria, dada la primacía en tales casos de la liquidación concursal, razón por la que:

1) El *artículo 260* dispone que procede promover la liquidación societaria" siempre que no sea procedente solicitar la declaración de concurso conforme a lo dispuesto en la *Ley 22/2003, de 9 de julio, Concursal*".

2) El *artículo 262.2* les atribuye la facultad de solicitar la declaración de concurso.

31. Para garantizar la efectividad de dicho mecanismo, la Ley impone a los administradores la responsabilidad solidaria por las deudas sociales dentro de ciertos límites en caso de incumplimiento de la obligación de promover la disolución o de cumplimiento tardío y, de forma correlativa, atribuye a los acreedores la posibilidad de dirigirse contra la sociedad y contra los administradores que han incumplido la obligación.

32. Tal responsabilidad tiene ciertas peculiaridades ya que, como afirma la reciente *sentencia número 124/2010, de 12 marzo*: "no exige la concurrencia de más negligencia que la consistente en omitir el deber de promover la liquidación de la sociedad mediante convocatoria de la Junta o solicitando que se convoque judicialmente cuando sea el caso –y ahora también mediante solicitud de la declaración de concurso, cuando concurra su presupuesto objetivo–. No se exige, pues, una negligencia distinta de la prevista en la LSA (STSS de 20 y 23 de febrero de 2004 y de 28 de abril de 2006). Tampoco es menester que se demuestre la existencia de una relación de causalidad entre el daño y el comportamiento del administrador, sino que la imputación objetiva a éste de la responsabilidad por las deudas de la sociedad se realiza ope legis [por ministerio de la ley] *(SSTS de 28 de abril de 2006, 31 de enero de 2007, 10 de julio de 2008, y 11 de julio de 2008)*".

33. Ahora bien, las peculiaridades de la responsabilidad regulada en el *artículo 262 de la Ley de Sociedades Anónimas*, determinantes de que con frecuencia se halla calificado de "responsabilidad abstracta" o de" responsabilidad formal", no alteran su naturaleza para transformarla en "sanción", como lo prueban:

1) El hecho de que no sólo determina un efecto negativo para el administrador, sino un correlativo derecho para los acreedores.

2) Que la norma no impide al administrador subrogarse en la posición del acreedor y repetir contra la sociedad con éxito en el caso de que la sociedad, pese a estar incursa en causa de disolución, tenga bienes suficientes para atender su crédito,

34. Esta naturaleza es la que proclama la *sentencia número 205/2008 de 1 diciembre* al afirmar que: "La responsabilidad, en consecuencia, cuando se articula al amparo del *artículo 262.5 LSA*, puede calificarse de abstracta o formal, característica que, quizá con menor propiedad semántica, ha sido también descrita como objetiva o cuasi objetiva *(SSTS de 3 de abril de 1998, 20 de abril de 1999, 22 de diciembre de 1999, de 20 de diciembre de 2000, 20 de julio de 2001, 25 de abril de 2002, 14 de noviembre de 2002, 26 de junio de 2006)*.

35. También la *sentencia número 500/2007, de 14 mayo* afirma que:"es una acción de responsabilidad *(SSTS de 4 de abril de 2006 y 24 de abril de 2006)* dotada de singularidad en cuanto al requisito general de la relación de causalidad *(STS 27 de octubre de 2006)*, pues la jurisprudencia ha venido declarando que esta responsabilidad no depende de la existencia de un nexo causal con el daño originado a los acreedores reclamantes, ni siquiera de la existencia del daño mismo, pues constituye una responsabilidad formal de carácter solidario respecto de las deudas sociales, que ha sido frecuentemente descrita como objetiva o cuasi objetiva, pues nace de la omisión del deber de promover la disolución en los supuestos legalmente previstos *(SSTS de 3 de abril de 1998, 20 de abril de 1999, 22 de diciembre de 1999, de 20 de diciembre de 2000, 20 de julio de 2001, 25 de abril de 2002 y 14 de noviembre de 2002*, entre otras) y responde a que el orden público societario exige eliminar del tráfico aquellas sociedades en las que concurre alguna de causa de disolución con el fin de garantizar la seguridad del mercado y los intereses de los accionistas y terceros acreedores".

36. Ciertamente esta Sala en reiteradas ocasiones se ha referido a la responsabilidad regulada en el *artículo 262 de la Ley de Sociedades Anónimas* como "sanción", llegándose a plantear en la *sentencia de 9 de enero de 2006* la posibilidad de aplicar retroactivamente la «Ley penal más favorable» como se establece en el *artículo 15 del Pacto* Internacional de Derechos Civiles y Políticos y el *artículo 47 de la Carta* de Derechos Fundamentales de la Unión Europea, pero lo cierto es que, como afirma la *sentencia número 417/2006, de 28 de abril,* en gran parte de las sentencias se ha empleado esta expresión no tanto para referirse a la idea de "pena" cuanto a "reacción del ordenamiento ante el defecto de promoción de la liquidación de una sociedad incursa en causa de disolución que no requiere una estricta relación de causalidad entre el daño y el comportamiento concreto del administrador, ni lo que se ha denominado un «reproche culpabilístico» que hubiera que añadir a la constatación de que no ha habido promoción de la liquidación mediante convocatoria de Junta o solicitud judicial, en su caso (o, después de la reforma operada por la *Ley 22/2003, de 9 de julio, Concursal,* solicitud de declaración de Concurso), ni una negligencia distinta de la prevista en el propio precepto del *artículo 262.5 LSA (Sentencias de 1 de marzo de 2004, de 26 de marzo de 2004, 20 de octubre y 23 de diciembre de 2003, 20 y 23 de febrero de 2004,* entre otras).

37. En idéntico sentido la *sentencia 953/2007, de 26 de septiembre,* afirma que "no cabe olvidar que el carácter sancionador que los recurrentes atribuyen al *artículo 105.5 de la Ley 2/1995* –y al *artículo 262.5 del Texto refundido de la Ley de Sociedades Anónimas*– solo puede admitirse en un sentido impropio –se suele afirmar con el fin de facilitar la distinción entre el supuesto previsto en dichos preceptos y el consistente en la responsabilidad por daños–. Y es que, en sentido propio, la norma a que se refiere el motivo no forma parte del derecho sancionador. En efecto, que al administrador que omita el comportamiento exigido en el *artículo 105* se le imponga responder por las deudas sociales constituye una reacción del ordenamiento, ante una conducta omisiva considerada antijurídica, que se traduce en una medida aflictiva para su autor. Pero dicha medida no persigue –mas que remotamente– la protección del interés general, sino, propiamente, la de los intereses de los acreedores sociales, que ven correlativamente ampliada la esfera de sus facultades de cobro mediante un incremento del número de sus deudores –solidarios–, ante el peligro que representa para sus créditos el que una sociedad que está sometida a la regla de limitación de responsabilidad subsista sin disolverse –y liquidarse–, cuando ello era lo procedente.

38. En definitiva, como afirma la *sentencia de esta Sala número 228/2008, de 25 marzo:*"La responsabilidad de los administradores por obligaciones sociales, con carácter solidario con la sociedad, prevista en los *arts. 260.1, núms. 3° y 4° y 260.5* de la LSA, constituye una responsabilidad por deuda ajena "ex lege", en cuanto su fuente –hecho determinante– es el mero reconocimiento legal, sin que sea reconducible a perspectivas de índole contractual o extracontractual. Se fundamenta en una conducta omisiva del sujeto al que por su específica condición de administrador se le exige un determinado hacer, y cuya inactividad se presume imputable –reprochable–, salvo que acredite una causa razonable que justifique o explique adecuadamente el no hacer. Responde a la "ratio" de proporcionar confianza al tráfico mercantil y robustecer la seguridad de las transacciones comerciales, cuando intervienen personas jurídicas mercantiles sin responsabilidad personal de los socios *(arts. 1 LSA y 1 LSRL),* evitando la perdurabilidad en el tiempo de situaciones de crisis o graves disfunciones sociales con perturbación para otros agentes ajenos, y la economía en general. No tiene naturaleza de sanción o pena civil por lo que no se plantea en el asunto ninguna eventual consideración de derecho intertemporal.

39. Rechazado que la responsabilidad regulada en el *artículo 262 de la Ley de Sociedades Anónimas* tenga naturaleza punitiva y constatado que atribuye a los acreedores de la sociedad la facultad de exigir a los acreedores que respondan solidariamente de las obligaciones sociales, la retroactividad de las normas que limitan la extensión de la responsabilidad no puede analizarse exclusivamente desde la perspectiva de las normas sancionatorias, ya que, como afirma la referida *sentencia 953/2007, de 16 de septiembre*: "esa correlación entre los efectos negativo y positivo de la medida para los administradores y los acreedores sociales, respectivamente, y, al fin, esa función protectora de los intereses de estos últimos que cumple el *artículo 105.5 de la Ley 2/1995 –así como el 262.5* del Texto refundido de la Ley de Sociedades Anónimas– impide calificar a la referida norma como sancionadora, lo que, consecuentemente, se traduce en que no corresponda considerar llamado el conjunto de reglas jurídicas que la Constitución Española vincula a las de aquella naturaleza.

40. Ello, sin embargo, no supone que las sucesivas modificaciones de la responsabilidad de los administradores no puedan tener efectos retroactivos, ya que en nuestro Ordenamiento el principio de interdicción de la retroactividad rige nada más en relación con las disposiciones sancionadoras no favorables y restrictivas de derechos individuales *(art. 9.3 CE)* y se proyecta únicamente sobre las normas por medio de las cuales el Estado ejercita su *ius puniendi*, ya en la esfera penal, ya en la administrativa sancionadora, de tal forma que no existe obstáculo constitucional a la retroactividad de la norma, ya que, como señala el *auto número 389/2008, de 17 diciembre, del Tribunal Constitucional*, reproduciendo la doctrina contenida en la *sentencia 112/2006, de 5 de abril*, del propio Tribunal: "la irretroactividad sólo es aplicable a los derechos consolidados, asumidos e integrados en el patrimonio del sujeto y no a los pendientes, futuros, condicionados y expectativas [por todas, *SSTC 99/1987, de 11 de junio, F. 6 b), o 178/1989, de 2 de noviembre, F. 9*], de lo que se deduce que sólo puede afirmarse que una norma es retroactiva, a los efectos del *art. 9.3 CE*, cuando incide sobre "relaciones consagradas" y afecta a "situaciones agotadas" [por todas, *STC 99/1987, de 11 de junio, F. 6 b)*]» *(F. 17)".*

41. Ahora bien, en el ámbito civil, el *artículo 2.3 del Código Civil* establece el principio de irretroactividad de las leyes si no dispusieren lo contrario, por lo que, como afirma la *sentencia número 961/2008, de 15 octubre, reproduciendo la de 24 de noviembre de 2006:*"nuestro ordenamiento positivo se inspira en el principio "tempus regit actum" o de irretroactividad, en cuya virtud cada relación jurídica se disciplina por las normas rectoras al tiempo de su creación, sin que venga permitido alterarla por preceptos ulteriores a menos que ofrezcan inequívoco carácter retroactivo *(sentencia de 3 de junio de 1995)".*

42. No es este el caso de la *Ley 22/2003, de 9 de julio*, concursal –no la *Ley Orgánica 8/2003 de 9 de julio* para la Reforma Concursal, por la que se modifica la *Ley Orgánica 6/1985 de 1 de julio del Poder Judicial* que es la que indudablemente por un *lapsus calami* cita erróneamente la recurrente–, dado que en las disposiciones transitorias no alude a la modificación operada por la *disposición final vigésima*, por lo que hay base para sostener, de acuerdo con el principio "inclussio unius exclussio alterius", que no se quiso dar efectos retroactivos a la modificación en tal extremo y, desde luego no puede admitirse su carácter "inequívocamente retroactivo".

43. Tampoco es el caso de la reforma operada por la *disposición final primera de la Ley 19/2005, de 14 de noviembre, sobre Sociedades Anónimas Europeas* domiciliadas en España, ya que la modificación del *artículo 262 de la Ley de Sociedades Anónimas*, o, se justificó en la coordinación que en materia de responsabilidad de los administradores

debe existir entre la Ley de Sociedades Anónimas y la *Ley 22/2003, de 9 de julio, Concursal,* en caso de insolvencia de la sociedad causada o agravada por los administradores, sin alusión alguna a una eventual retroactividad de la norma incluso más allá de vigencia de la Ley Concursal.

44. Como ha quedado expuesto, la Ley de Sociedades Anónimas imponía e impone a los administradores el deber de pronta reacción ante pérdidas patrimoniales de cierta importancia y, además, precisa las conductas que deben seguirse a fin de evitar la presencia en el mercado de una sociedad incursa en causa de disolución, afirmándose en la *sentencia número 205/2008, de 1 de diciembre* "no es cualquier actuación tendente a resolver la situación económica de la empresa, como aquellas que se describen en el caso examinado, sino precisamente las encaminadas a promover la disolución de la sociedad, entre las cuales se excluye la solicitud de suspensión de pagos, por cuanto de lo que se trata es de evitar la liquidación desordenada o anárquica de la misma en perjuicio de unos u otros acreedores o de todos ellos y esta situación no se evita mediante la solicitud de suspensión de pagos, especialmente en los casos en los cuales, como ocurre en el supuesto enjuiciado, se pone fin al procedimiento mediante un convenio de liquidación, hoy prohibido por la Ley Concursal (...)".

45. Lógica consecuencia de lo expuesto, es que la suspensión de pagos de la sociedad no exonere a los administradores de la responsabilidad fundada en el artículo 262.5 LSA (entre las más recientes, *sentencia número 1005/2008, de 6 de noviembre*), por lo que una vez que concurre la conducta negligente prevista por la norma y los administradores han incurrido en la responsabilidad prevista, la solicitud de concurso voluntaria no opera como causa de exención de la responsabilidad a modo de excusa absolutoria ya que, sin perjuicio de la necesaria coordinación con la responsabilidad concursal pretendida por la reforma operada por la referida Ley 19/2005, de 14 de noviembre, reiteramos, el *artículo 262 de la Ley de Sociedades Anónimas* regula un supuesto de responsabilidad por deuda ajena cuya extinción supone la satisfacción de esta.

[...]

49. A ello, hay que añadir que, en contra de lo que con temeridad afirma en el recurso, el último *inciso del artículo 262.5° de la Ley de Sociedades Anónimas,* introducido en trámite parlamentario en el Senado, dispone que "En estos casos las obligaciones sociales reclamadas se presumirán de fecha posterior al acaecimiento de la causa legal de disolución de la sociedad, salvo que los administradores acrediten que son de fecha anterior," por lo que, sin perjuicio de prueba en contrario, se presume que en el momento de nacer la obligación cuyo cumplimiento se reclama la sociedad ya estaba incursa en causa de disolución.

[...]

5º. 54. El tercero de los motivos del recurso de casación se enuncia en los siguientes términos: Infracción de lo dispuesto en el arto 1847 del Código Civil en relación con los *arts. 1822 y siguientes de dicho texto legal y arto 1156 del Código Civil* en relación con las obligaciones del fiador y la extinción de la fianza.

55. En primer término conviene precisar que en el presente supuesto no se reclama la efectividad de un contrato de fianza, sino la responsabilidad solidaria que en determinados supuestos impone el *artículo 262 de la Ley de Sociedades Anónimas.*

56. En segundo término, no estará de más resaltar que las garantías prestadas por terceros o impuestas a los mismos por el Ordenamiento, alcanzan su máximo significado en los casos de incumplimiento por el obligado y, singularmente, en los supuestos de insolvencia, como es el caso de la sociedad declarada en estado de insolvencia definitiva en el expediente de suspensión de pagos.

57. Finalmente, esta Sala tiene declarado en reiteradas ocasiones que el convenio aprobado judicialmente en un procedimiento de suspensión de pagos no afecta al fiador, y así la *sentencia de 22 de julio de 2002*, en tesis expresamente aceptada por la *sentencia número 327/2009 de 7 de mayo de 2009* afirma que "la suspensión de pagos no afecta a los fiadores solidarios y el convenio no impide que el acreedor pueda reclamar a los fiadores toda la deuda y en el momento oportuno"».

STS de 14 de julio de 2010 (Civil) [6]

FUNDAMENTOS DE DERECHO

"7º En el segundo motivo de su recurso de casación, denuncia don Horacio la infracción de los artículos 260, ordinal cuarto, y 262, apartado cinco, del Texto refundido de la Ley de sociedades anónimas –Real Decreto Legislativo 1.564/1989, de 22 de diciembre–.

Basa tal afirmación en que si el consejo de administración de Real Oviedo, S. A. D. formuló las cuentas anuales dentro de los tres meses del cierre del ejercicio social –esto es, el veinte de septiembre de dos mil uno– no cabe entender aplicable el régimen de responsabilidad que establece el artículo 262, apartado cinco, ya que, dentro del plazo de dos meses a contar de aquella fecha –esto es, el catorce de noviembre de dos mil uno–, el referido órgano convocó junta general para la ampliación del capital, la cual se celebró y adoptó tal acuerdo de modificación estatutaria y, trece días antes de que venciera el plazo fijado para la suscripción –ante el fracaso de la ampliación proyectada– facultó a alguno de sus miembros para que solicitara la declaración de la sociedad en suspensión de pagos. (...)".

STS de 20 de julio de 2010 (Civil) [5]

FUNDAMENTOS DE DERECHO

"7º (...)Pese a que los acuerdos de la junta general vinculan a todos los socios –artículo 93, apartado 2 del Texto refundido de la Ley de sociedades anónimas–, el legislador ha reconocido a los administradores, al actuar en el ámbito de su competencia, una independencia o autonomía respecto de ellos, cuando sean antijurídicos y dañosos para la sociedad. En tal sentido, el artículo 133, apartado 3, niega que queden exonerados de responsabilidad los administradores por la existencia de un acuerdo de junta, tanto si se adoptó previamente, como "*ex post*".

Responde dicha norma a la idea de que los administradores no pueden realizar actos ilícitos –contrarios a la ley, a los estatutos o al deber general de diligencia: apartado 1 del mismo artículo– que dañen a la sociedad, incluso aunque un acuerdo de la junta general lo autorice o ratifique.

La mencionada norma debió ser aplicada en las instancias, pese a que –como se ha destacado en ellas– los acuerdos de autorización y ratificación hubieran sido adoptados en junta general por todos quienes en la fecha eran titulares de acciones de (...), SA.

De otro lado, el precepto no distingue entre acuerdos adoptados por unanimidad y sólo por mayoría, al efecto de legitimar para el ejercicio de la acción social al accionista o al acreedor. Otra cosa es que las circunstancias puedan justificar entender contradictorio exigir responsabilidad al administrador con el hecho de haber participado afirmativamente quien lo pretenda en la adopción del acuerdo luego ejecutado por aquel o en la del de ratificación de lo que hubiera realizado antes. Esta situación no se da, sin embargo, en el caso, por razón de que las demandantes –cuya legitimación activa, afirmada por la Audiencia Provincial, no ha sido discutida en casación– ingresaron en la sociedad con posterioridad a la adopción de los acuerdos sociales unánimes de que se trata (...)".

STS de 14 de octubre de 2010 (Civil) [5]

FUNDAMENTOS DE DERECHO

"4º (...) 4. Ningún precepto atribuye a la masa pasiva de la quiebra la titularidad de las acciones previstas en los artículos 105.5 LSRL y 135 LSA, que pertenecen individualmente a quien afirme ser acreedor de la sociedad o socio o tercero perjudicado por la actuación de los acreedores, con independencia de que su crédito haya sido o no reconocido en la quiebra.

5. Ante la falta de norma que legitime a los síndicos no pueden invocarse los principios rectores del juicio de quiebra. La afirmación de que es conveniente para los acreedores del quebrado que los síndicos promuevan estas acciones no es título jurídico suficiente, como tampoco la autorización del comisario de la quiebra ya que no tiene la virtualidad de conferir a los síndicos una habilitación para litigar si la ley no les confiere la necesaria legitimación.

6. El criterio expuesto resulta coincidente con el manifestado por el legislador en la vigente legislación concursal, que en el artículo 48.2 LC atribuye a los administradores del concurso la legitimación para el ejercicio de las acciones de responsabilidad que, conforme a lo establecido en las leyes, asistan al concursado persona jurídica contra sus administradores, auditores o liquidadores, sin necesidad de previo acuerdo de la junta o asamblea de socios, pero no les habilita para el ejercicio de las acciones de responsabilidad que personalmente corresponden a los acreedores del concurso".

STS de 28 de octubre de 2010 (Contencioso-administrativo) [11]

FUNDAMENTOS DE DERECHO

"En el supuesto que nos ocupa, resuelto por la sentencia de instancia, ya se ha dicho, se parte de unos presupuestos básicos, uno que la recurrente era la administradora de la sociedad y ejercía efectivamente el cargo y dos que la actividad de la sociedad no había cesado, sino que se trataba del supuesto en el que se había incumplido por la sociedad las obligaciones tributarias, lo que era imputable al recurrente, al menos, a título de culpa. Sucede sin embargo que la recurrente disiente de estas conclusiones y considera que existen pruebas más que suficientes para que se hubiera declarado que la recurrente no ejercía efectivamente la administración, destruyendo la presunción iuris tantum de la inscripción registral y,4 además, no hace distinción entre los supuestos que delimita la sentencia de instancia, sino que parte de un único supuesto que exige el cese en la actividad de la sociedad".

STS de 4 de noviembre de 2010 (Civil) [5]

FUNDAMENTOS DE DERECHO

"6º (...) 76. La actuación de los administradores puede lesionar de forma más o menos directa e inmediata los intereses patrimoniales de la sociedad que administran, y de forma refleja o indirecta, por un lado los de los socios y, por otro, los de los acreedores que cuentan con el patrimonio de la sociedad como garantía de la efectividad de sus créditos.

77. Frente a ello el sistema reacciona imponiéndoles en el artículo 133 del texto refundido de la Ley de Sociedades Anónimas aprobado por Real Decreto Legislativo 1564/1989, de 22 diciembre –hoy artículo 236 del Real Decreto Legislativo 1/2010, de 2 de julio, por el que se aprueba el texto refundido de la Ley de Sociedades de Capital– el deber de responder del daño que causen a la sociedad por actos u omisiones contrarios a la ley o a los estatutos, o por los realizados incumpliendo los deberes inherentes al desempeño del cargo, siendo exigible la concurrencia de los siguientes requisitos:

1) Acción u omisión contraria a la ley o a los estatutos o con incumplimiento de los deberes inherentes al desempeño del cargo.

2) Que la acción u omisión se desarrolle por el administrador o administradores precisamente en concepto de tales.

3) Daño a la sociedad.

4) Relación de causalidad entre el actuar de los administradores y el daño.

78. En el presente supuesto no es dudoso que los hechos que la sentencia admite como probados tienen adecuado encuadre en la previsión contenida en el artículo 133 de la Ley de Sociedades Anónimas, ya que el vaciamiento del patrimonio de la sociedad administrada y la derivación de sus activos tangibles e intangibles, tanto si se ejecuta de forma activa como por simple tolerancia consciente de que se está llevando a cabo por terceros:

1) Constituye un supuesto paradigmático de actuación lesiva *ex re ipsa* para la sociedad.

2) Supone la infracción del deber de diligente administración impuesto por el artículo 127.1 del propio texto –hoy artículo 225.1 de la Ley de Sociedades de Capital–.

3) Existe relación causa a efecto imputable a los administradores en concepto de tales.

79. No obstante, al no haberse seguido el trámite previsto en el artículo 134 de la propia Ley de Sociedades Anónimas para su ejercicio por la minoría –hoy 239 de la Ley de Sociedades de Capital–, deviene improcedente la pretendida ampliación de la demanda en la comparecencia celebrada el 5 de febrero de 2002.

80. Claro está que la actuación de los administradores también puede dañar directamente intereses de los socios y de terceros aunque no sean acreedores de la sociedad, a cuyos efectos el artículo 135 de la Ley de Sociedades Anónimas –hoy 241 de la Ley

de Sociedades de Capital– dispone que *"no obstante lo dispuesto en los artículos precedentes, quedan a salvo las acciones de indemnización que puedan corresponder a los
socios y a terceros por actos de los administradores que lesionen directamente los intereses de aquellos"*, por lo que, como tenemos declarado en la sentencia 312/2010 de 1 de
junio, los administradores deberán responder al amparo del precepto transcrito siempre
que concurran los siguientes requisitos:

1) Acción u omisión antijurídica.

2) Que la acción u omisión se desarrolle por el administrador o administradores precisamente en concepto de administradores.

3) Daño directo a quien demanda.

4) Relación de causalidad entre el actuar de los administradores y el daño.

81. Aunque como regla el daño a la sociedad susceptible de ser reclamado por vía
del artículo 133 de la Ley de Sociedades Anónimas conceptualmente excluye el ejercicio
por los socios de la acción prevista en el artículo 135 de la Ley de Sociedades Anónimas,
dado que el daño en estos casos, de existir, como regla, puede calificarse de indirecto o
reflejo, en supuestos extraordinarios como el que nos ocupa, en el que en el que no se ha
impugnado la conclusión de la sentencia recurrida de existencia de daño y en el que la
sociedad ha desaparecido de hecho y la actuación de los administradores desde la perspectiva civil merece el más severo reproche, hay base para entender que entre la lesión
de los intereses del socio en la liquidación de la sociedad por vía de hecho sin atribución
de la cuota correspondiente en el remanente, de conformidad con lo previsto en el artículo
276 de la Ley de Sociedades Anónimas –hoy 394 de la Ley de Sociedades de Capital–, y
la actuación de los administradores existe relación directa que no quiebra por el hecho de
que también dañe a los intereses de la sociedad desaparecida.

82. En el caso sometido a nuestra decisión se da la peculiaridad de que la demanda se
ha dirigido no solo contra los administradores sociales que observan un comportamiento
perjudicial para los socios, sino también contra las sociedades que, mediante una actuación perfectamente orquestada, colaboran de forma efectiva y, con pleno conocimiento de
su, ilicitud se benefician de ella.

83. La confirmación de la sentencia recurrida es procedente desde la perspectiva de la
coautoría del daño ya que la responsabilidad derivada del acto ilícito con plurales intervinientes tiene carácter solidario (entre otras, sentencia 187/2008, de 28 de febrero), ya que,
como afirma la sentencia 72/1994, de 8 de febrero *"la solidaridad de obligaciones derivada de acto ilícito es la consecuencia establecida por la jurisprudencia civil en beneficio
de los perjudicados, según solución actualmente seguida frente a la anterior jurisprudencia que se aferraba a la norma del artículo 1137 del Código Civil. Se trata generalmente
de obligaciones solidarias llamadas por la doctrina científica impropias; sin que obste
a esa solidaridad que haya o no igualdad de posición entre los deudores respecto del
acto ilícito al que han contribuido varios cooperando física o moralmente aunque exige la
causación común del daño, entendiendo por causación no sólo la cooperación material,
sino también la situación fáctica o jurídica que conduce a la unidad de responsabilidad".*

84. No obstante, la responsabilidad deberá atemperarse por un lado a los hechos en
los que se sustenta la demanda –los activos adquiridos por la sociedad–, y a su grado de
participación en el comportamiento lesivo ya que, como sostiene la sentencia 49/2010,
de 23 de febrero *"la solidaridad solo se va a predicar cuando no existe posibilidad de*

determinarlo (el grado de participación de cada uno en el daño) en el caso de que hayan concurrido diversos agentes".

STS de 10 de noviembre de 2010 (Civil) [6]

FUNDAMENTOS DE DERECHO

"5º (...)la sentencia 460/2010, de 14 de julio sintetiza los diferentes pronunciamientos de esta Sala sobre la fecha inicial del cómputo del plazo bimensual previsto en el artículo 262 de la Ley de Sociedades Anónimas, que van desde la fecha en que los administradores *"conocieron o pudieron conocer"* la situación de desequilibrio patrimonial, mantenido en la sentencia 986/2008, de 23 de octubre, hasta aquella en que *"fue conocida"* la situación económica, sostenido en la 977/2000, de 30 de octubre, pasando por la fecha desde la que el administrador *"no podía ignorar"* la grave situación de descapitalización de la sociedad seguida en la sentencia 766/2002, de 18 de julio.

42. Ahora bien, las divergencias indicadas no pasan de ser una simple apariencia fruto del necesario casuismo de la respuesta al caso concreto, ya que, como sostienen, entre otras muchas, las sentencias 1219/2004, 16 de diciembre, 986/2008, de 23 de octubre; y 14/2010, de 12 de febrero, el cómputo de los dos meses para la convocatoria de la Junta de la sociedad tiene lugar desde que los administradores efectivamente conocieron la concurrencia de causa de disolución, o la habrían conocido se ajustar su comportamiento al de un ordenado empresario entre cuyos deberes figura el de informarse diligentemente sobre la marcha de la sociedad, a tenor de lo dispuesto hoy en el artículo 225.2 de la Ley de Sociedades de Capital, y en la fecha en la que se desarrollaron los hechos en el artículo 127.2 de la Ley de Sociedades Anónimas, por lo que no cabe escudar la inimputabilidad en la propia ignorancia, ya que la falta de información no deja de ser el paradigma del incumplimiento de la referida obligación cuando llega al límite de dejar de presentar las cuentas anuales".

STS de 2 de diciembre de 2010 (Contencioso-administrativo) [11]

FUNDAMENTOS DE DERECHO

"3º (...)debemos poner de manifiesto, la sentencia no declara que la inscripción de la renuncia al cargo de administrador tenga carácter constitutivo, sino que "de conformidad con lo preceptuado en los arts. 108 y 109 del Reglamento del Registro Mercantil de 1956 (ahora, arts.138 a 148 del Reglamento de 1996) la inscripción del acuerdo de nombramiento de los administradores de las sociedades tiene eficacia frente a terceros de(sde) por parte del designado, de forma que desde la perspectiva de las normas mercantiles dicha persona ostenta el cargo con los derechos y obligaciones inherentes al mismo a todos los efectos, mientras no exista inscripción de cese o renuncia o de nombramiento de nuevo Consejo de Administración; e Igual sucede con la dimisión o renuncia del cargo, para cuya eficacia4 se requiere ineludiblemente su inscripción en el Registro Mercantil. De lo que no cabe sino concluir que el hoy actor ostentó el cargo de Administrador social, a todos los efectos, durante el periodo al que se refieren las deudas liquidadas, ejercicio 1.996 y consiguientemente debe responder de la totalidad de la deuda tributaria que se le imputa, sin necesidad de ninguna otra prueba sobre su actuación, comprensiva a tenor de los dispuesto en el artículo 58 dela LGT de las cuotas, intereses de demora y sanciones que procedan". Con ello no hace sino recogerse la doctrina comúnmente admitida de la obligatoriedad de la inscripción para surtir efectos frente a terceros y que recoge la Sentencia de la Sala Primera de este Tribunal Supremo, de 30 de octubre de 2001, invocada adecuadamente por el Abogado del Estado, cuando señala que "..al no haberse inscrito la citada renuncia no puede operar respecto a terceros y por tanto, su responsabilidad no cesa desde tal acto. Así se deduce del art.72 de la LSA/1951 y de otros preceptos, como los arts. 2.3 y 86.5 del Reglamento del Registro Mercantil de 14 de diciembre de 1956. El art. 72 resulta decisivo al respecto porque el nombramiento de Administrador surte efecto, no desde su designación o nombramiento, sino desde la inscripción en el Registro Mercantil. Luego, a contrario sensu, el cese o renuncia para terceros no se producirá sino desde su proclamación registral (…).

STS de 21 de diciembre de 2010 (Penal) [8]

FUNDAMENTOS DE DERECHO

"3º (…)Esta cuestión es analizada por la sentencia recurrida (páginas 33 a 36), poniéndolo en relación con la obtención (en este caso) del beneficio mínimo determinado por el legislador, a partir del cual se proyecta la intervención del derecho penal, que en la época de los hechos enjuiciados estaba cifrado en 75 millones de pesetas, y en la actualidad, tras la reforma operada por la LO 15/2003, en 600.000 euros (unos cien millones de pesetas), y que dejando aparte su conceptuación como condición objetiva de punibilidad, o como elemento integrante valorativo de la infracción penal, nos servirá como punto de referencia para interpretar el referido momento comisivo del delito, pues claro es que tal barrera impide su comisión hasta que el sujeto no consiga tal beneficio o bien se cause un perjuicio de tal naturaleza (si bien esto último, de difícil concurrencia en la práctica), ya que generalmente este tipo de informaciones son aprovechadas para obtener una ventaja patrimonial considerable.

Pues, bien, dentro de este marco interpretativo, los diversos estadios comisivos que se han barajado por la doctrina científica, han sido varios: el momento de la compra de las acciones, el de la venta de las mismas, aquel en que pueda vincularse que la información privilegiada ha operado en el mercado un impacto alcista por el que se ha obtenido el beneficio típico (revalorización latente), y finalmente la teoría que sitúa su consumación delictiva en el instante mismo que la noticia relevante y reservada llega al mercado, por cesar entonces la afectación al bien jurídico protegido.

Aún cuando convenimos que la cuestión no es de fácil respuesta, y en ello están de acuerdo todos los autores de la doctrina que han estudiado este problema, nos vamos a decantar por la denominada teoría de la revalorización latente, ya que satisface mejor la protección del bien jurídico protegido y se muestra más acorde con los criterios de la tipicidad, obviando resultados absurdos.

Así, la primera posición, es decir, que el delito se comete cuando se compran las acciones, no puede ser aceptada, porque en tal instante nunca se habría producido el beneficio típico indicado. Solamente bajo parámetros de imperfecta ejecución criminal – tentativa– de construcción enormemente dificultosa podría valorarse en un plano teórico, pero seguramente de imposible conculcación en la práctica, ya que el cálculo del beneficio ulterior sería absolutamente evanescente.

La teoría de la venta de las acciones es la más simple, porque basta restar al valor obtenido con la realización, el precio de compra, para determinar tal resultado típico. Esta es la posición de la Audiencia "a quo", pero ha de convenirse que la comisión delictiva no puede venir referida a tal operación, pues si una vez conculcado el tipo penal, el sujeto activo no vende los valores bursátiles no se habría cometido el delito, o si los vende parcial y sucesivamente sin llegar a la cifra indicada en el Código penal habría neutralizado su acción típica. En otras palabras: salvo los casos previstos para el desistimiento activo y eficaz, el derecho penal no es disponible para el autor de la infracción penal. De otro lado, no es cierto que mientras no se realicen los títulos, la ganancia no se ha producido, porque razonar así es desconocer que el mercado atribuye un precio a los valores en bolsa, que se traducen en cifras de diaria constatación, cuya entidad cuantitativa puede traducirse en operaciones económicas, como la pignoración de títulos a los efectos de la obtención de una línea de crédito, cosa que por cierto se produjo en este caso, como es de ver en la resultancia fáctica de la recurrida. De manera que la venta de las acciones puede ser considerada como aquella fecha en que se produce el agotamiento del delito, pero no propiamente la de su consumación delictiva.

La teoría de que la consumación se produce en el momento en que la noticia relevante llega al mercado, tiene el inconveniente de que tal instante será el inicio de la revalorización, y claro es que en este delito las acciones han de haberse adquirido con anterioridad para conculcar el bien jurídico protegido, que es el de la igualdad de oportunidades relacionado con el buen funcionamiento del mercado, porque a partir de que la información relevante es pública, no es posible ya su perpetración.

De lo expuesto, nos inclinamos, pues, por la teoría de la revalorización de las acciones como consecuencia de la influencia que la información privilegiada tuvo en su impacto alcista, es decir, vinculando la noticia relevante a la máxima revalorización, eso sí, dentro de un periodo temporal en donde tal información ha conseguido ese resultado. Quiere con ello decirse que el beneficio obtenido tiene una vocación de inmediatez, más allá del cual no se puede contemplar como causalmente producido el resultado delictivo. De manera que ha de tomarse en consideración la influencia que en el mercado opera la información privilegiada, generando un rápido impacto alcista, de forma tal que, no habiendo otros elementos de donde poder deducir que la subida de las acciones tienen otra causa o componente económico relevante –y aquí esto desde luego no consta–, habrá de considerarse como periodo relevante para la consumación delictiva aquel en que la acción se encuentre en su máxima revalorización. Dicho con otras palabras: una vez que la noticia relevante es pública, y por su impacto en el mercado, el valor experimenta una rápida ascensión (de la que se aprovecha el autor del delito), en las denominadas curvas bursátiles diarias, habrá que tomar en consideración aquella fecha en que la cotización se encuentra en su máximo nivel de ganancias, para determinación tal momento consumativo, de manera que el descenso posterior, incluso los incrementos posteriores ya serán ajenos al delito. Y todo ello con una inmediata vocación de rapidez de la respuesta del mercado, propia de este tipo de comportamientos que los agentes económicos impulsan, a resultas de una información que hoy día se produce a tiempo real. (...)".

STS de 27 de noviembre de 2010 (Civil) [5]

FUNDAMENTOS DE DERECHO

"2º (...) 30. Es cierto que esta Sala ha entendido y entiende que la buena fe es exigible en el ejercicio de la acción prevista antes en el artículo 262.5 de la Ley de Sociedades Anónimas y hoy en el 367 del TRSC, y que, haciendo aplicación de dicha exigencia entendió que rebasaba los límites de la buena fe la demanda de responsabilidad de los administradores en un caso concreto en el que los terceros aceptaron contratar con la sociedad siendo plenamente conscientes del riesgo que corrían sus créditos por haber sido oportuna y lealmente advertidas desde la propia sociedad deudora, en la sentencia número 776/2001, siguiendo la misma línea entre las más recientes las sentencias número 118/2006, de 16 febrero y número 298/2009 de 14 mayo, pero la doctrina contenida en tales sentencias resulta totalmente inaplicable al caso, ya que no cabe identificar el momento de nacer el crédito contra la sociedad con el de la transmisión por la acreedora del crédito ya nacido (...)".

STS de 15 de febrero de 2011 (Civil) [6]

FUNDAMENTOS DE DERECHO

"2º (...) 3) Dado que, como tenemos declarado de forma reiterada, la inscripción del cese no es constitutiva (entre las más recientes sentencias 770/2010 de 23 de noviembre, 291/2010 de 18 de mayo, 206/2010 de 15 de abril y 123/2010 de 11 de marzo), la conclusión a la que se llega es que aunque no se haya inscrito el cese, salvo excepciones derivadas del principio de confianza, el administrador cesado no responde frente a terceros de actuaciones u omisiones posteriores al cese aunque sean anteriores a la inscripción del mismo en el Registro Mercantil.

33. En segundo término es preciso partir de que, como regla, el plazo de prescripción de la acción para exigir la responsabilidad en la que incurrieron mientras desempeñaban el cargo se inicia con la inscripción del cese, como resulta:

1) De la obligatoriedad de su inscripción a tenor de los artículos 22.2 del Código de Comercio "En *la hoja abierta a las sociedades mercantiles y demás entidades a que se refiere el* artículo 16 se inscribirán (...) el nombramiento y cese de administradores..."; y 94.1 del Reglamento del Registro Mercantil: *"En la hoja abierta a cada sociedad se inscribirán obligatoriamente: (...) 4º El nombramiento y cese de administradores, liquidadores y auditores..."*

2) De los efectos de la publicidad material negativa del Reglamento del Registro Mercantil de conformidad con los artículos 21.1 del Código de Comercio "Los *actos sujetos a inscripción sólo serán oponibles a terceros de buena fe desde su publicación en el Boletín Oficial del Registro Mercantil. Quedan a salvo los efectos propios de la inscripción"*, y 9.1 del Reglamento del Registro Mercantil "Los actos sujetos a inscripción sólo serán oponibles a terceros *de buena fe desde su publicación en el Boletín Oficial del Registro Mercantil. Quedan a salvo los efectos propios de la inscripción".*

3) En este sentido la sentencia 123/2010 de 11 de marzo afirma que "*si no consta el conocimiento por parte del afectado del momento en que se produjo el cese efectivo por parte del administrador, o no se acredita de otro modo su mala fe, el cómputo del plazo de cuatro años que comporta la extinción por prescripción de la acción no puede iniciarse sino desde el momento de la inscripción, dado que sólo a partir de entonces puede oponerse al tercero de buena fe el hecho del cese y, en consecuencia, a partir de ese momento el legitimado para ejercitar la acción no puede negar su desconocimiento* (SSTS de 26 de junio de 2006, 3 de julio de 2008 y 14 de abril de 2009).

34. En tercer lugar, como afirmamos en la sentencia 770/2010 de 23 de noviembre, no puede equipararse la "caducidad del cargo" con el "cese efectivo", ya que nada impide que el administrador continúe de hecho una vez transcurrido el plazo previsto en el artículo 126 del texto refundido de la Ley de Sociedades Anónimas en las fechas en las que se desarrollaron los hechos y hoy en el artículo 221.2 del Texto Refundido de la Ley de Sociedades de Capital.

35. La cuarta de las premisas de las que debemos partir es que, aunque el cargo haya caducado, como sostiene la sentencia 123/2010 de 11 de marzo *"se da esa continuidad si existe un proceso abierto en el que es parte la sociedad* (STS 14 de abril de 2009,*)".*

36. Finalmente, en contra de lo que pretenden las recurrentes, no puede identificarse la publicidad del tiempo por el que los administradores han sido designados con la publicidad de la caducidad del cargo, ya que ésta es un efecto que no tiene por qué ser conocida por legos que tan solo conocerán el tiempo para el que fue designado el administrador, pero no las consecuencias que derivan de su transcurso.

37. Lo dicho supone que la caducidad –que no el cese– del cargo de los administradores en pleno proceso contra la sociedad por ellos administrada, no puede operar como día inicial para el cómputo del plazo de prescripción de la acción para exigirles responsabilidad, ya que:

1) No cabe equiparar la "caducidad" del nombramiento con el cese efectivo incompatible con la existencia de un proceso contra la sociedad; y

2) La caducidad no accedió al Registro Mercantil hasta su anotación marginal".

STS de 23 de febrero de 2011 (Civil) [7 y 9]

FUNDAMENTOS DE DERECHO

"7º (...) el artículo 172, apartado 3, cuya indebida aplicación se denuncia en el motivo, carece de la naturaleza sancionadora que le atribuye el recurrente, dado que en él la responsabilidad de los administradores o liquidadores sociales –sean de hecho o de derecho– deriva de serles imputable –por haber contribuido, con dolo o culpa grave– la generación o agravamiento del estado de insolvencia de la sociedad concursada, lo que significa decir el daño que indirectamente sufrieron los acreedores (...)"

STS de 24 de febrero de 2011 (Penal) [8]

FUNDAMENTOS DE DERECHO

"3º (...) En la STS nº 234/2010, de 11 de marzo, en la que se citaba la STS nº 257/2009 sobre la responsabilidad por omisión en estructuras organizadas, se advertía que "...las actividades peligrosas pueden exigir de los superiores una mayor vigilancia respecto al cumplimiento de las normas y de las órdenes emitidas para evitar el daño manteniendo el riesgo dentro de los límites permitidos, que aquellas otras que ordinariamente no son creadoras de riesgo para intereses ajenos. Aun en estos casos puede establecerse una excepción cuando existan datos que indiquen al superior un incremento del peligro que lo sitúe en el marco de lo no permitido". Es decir, que aun cuando se tratara de actividades o actuaciones que ordinariamente no generan peligro para terceros, si en el caso concreto el directivo conoce la existencia del riesgo generado y la alta probabilidad de que supere el límite del jurídicamente permitido, no puede escudarse en la pasividad para salvar su responsabilidad.

Por lo tanto, el directivo que dispone de datos suficientes para saber que la conducta de sus subordinados, ejecutada en el ámbito de sus funciones y en el marco de su poder de dirección, crea un riesgo jurídicamente desaprobado, es responsable por omisión si no ejerce las facultades de control que le corresponden sobre el subordinado y su actividad, o no actúa para impedirla.

Tal y como se alega en el motivo, debe aceptarse que el Presidente de una entidad bancaria no controla ordinariamente todas las querellas que se presentan en nombre de aquella. Pero si llegara a su conocimiento, especialmente, como ocurre en el caso, a través de quien ocupa en la organización de la empresa una posición subordinada a la suya, que se va a presentar o que se ha presentado en nombre de la sociedad una querella en las circunstancias y con las características antes expuestas o similares, no puede refugiarse en la inacción y salvar al mismo tiempo su responsabilidad por los hechos cometidos. Menos aún, cuando, como se argumenta en la sentencia, ordenó que se llegara hasta el final en la decisión adoptada.

Por otra parte, el ejercicio de aquellas facultades de control sobre la conducta del subordinado no son renunciables unilateralmente. Esta Sala ya advirtió en la STS de 23 de abril de 1992, que "los alcances del deber de garantía dependen de la Ley que los impone y no de la voluntad de aceptarlos limitadamente de aquel al que tales deberes incumben". (...)".

STS de 14 de marzo de 2011, Res. 131/2011 (Civil) [5]

FUNDAMENTOS DE DERECHO

"5º (...)ejercitada la acción de responsabilidad de los administradores sociales ex art. 262.5 de la Ley de Sociedades Anónimas, el plazo de prescripción extintiva es el de cuatro años a contar desde que por cualquier motivo cesaren en el ejercicio de la administración, de conformidad con el art. 949 del Código de Comercio (expresamente declarado en vigor para las Sociedades Anónimas) y reiterada doctrina jurisprudencial sin fisuras; y sin que en el caso haya que acudir para el cómputo a muchas consideraciones porque, producido el nombramiento por cinco años el 14 de febrero de 1996 y presentada la demanda el 14 de febrero de 2005, es claro que no ha transcurrido el plazo prescriptivo de la acción deducida en la demanda.

Entrando en el tema nuclear del proceso nos encontramos en el recurso de apelación con una pluralidad de alegaciones, algunas de las cuales han sido tomadas en consideración como argumentos de refuerzo por la sentencia recurrida. Para seguir una exposición ordenada y sistemática se debe partir de estos últimos, para a continuación analizar las restantes objeciones de la parte apelante a la sentencia recurrida.

Con carácter prioritario debe señalarse que no se comparte el presupuesto de la sentencia recurrida por la que trata de identificar a todos los efectos las posiciones jurídicos de la sociedad quebrada (IBERTRACCIÓN, S.A.) y de la Sindicatura de la Quiebra de dicha entidad. La Sindicatura de la Quiebra no solo tiene la representación del quebrado, sea persona física o jurídica, dada la inhabilitación del mismo (y sin perjuicio en su caso de que hubiere de atenderse a un hipotético conflicto de intereses), sino también de los acreedores (arts. 1211 y 1319, 107 CC de 1829, SS., entre otras, 5 de febrero de 1908; 29 de diciembre de 1927; 17 de diciembre de 1931; 27 de junio de 1952), los cuales, en virtud del proceso universal, ya no pueden ejercitar acciones individuales relativas a la masa (SS. 5 de junio de 2001, 13 de marzo de 2003, 15 de marzo de 2007), sino que ha de actuar la representación del grupo atribuida a la Sindicatura. La acción que aquí se ejercita lo es de protección de dichos acreedores –masa pasiva de la quiebra–, operando como un mecanismo de reintegración a la masa activa de un suma de dinero que había sido prestado a otra sociedad. En tal sentido (a) no es apreciable mala fe por el hecho de que la entidad quebrada tuviera la mayor parte de las acciones de la deudora, ni que haya coincidencia de los miembros del consejo de administración, cuya apreciación se hace a mayor abundamiento pues la exclusión del tema ya ha quedado zanjada en el recurso por infracción procesal (b) ni tampoco cabe decir que la accionante no es un tercero, ni que no existe daño.

Con independencia de lo que se dirá sobre las excusas de los demandados, no ofrece duda que MOTORMOCIÓN, S.A. es deudora de IBERTRACCIÓN, S.A., sociedad en situación de insolvencia, y que sus acreedores tiene legítimo derecho a que se reintegre a la masa activa de la entidad en quiebra todos los bienes y derechos que le corresponden. El hecho de que MOTORMOCIÓN, S.A. haya hecho una liquidación extrajudicial de su patrimonio y pagado a todos sus acreedores [debe entenderse los restantes], según afirman los demandados, no es excusa para que no se haya pagado a Ibertracción, y al no hacerlo se ha producido un daño o perjuicio que repercute, dada la insolvencia, en los acreedores de la quebrada. Y, por otro lado, el que la Sindicatura de la Quiebra pudiera tener otras acciones no le impide ejercitar la que planteó en autos, pues tiene la facultad de elegir el mecanismo jurídico, entre los varios posibles de ejercicio directo, que estime preferible para proteger sus intereses.

Alega la parte apelante que se reconoció el crédito, pero que era incobrable, y también aduce que era un mero apunte contable, y que no reunía las condiciones de liquidez y exigibilidad. La argumentación de la objeción a la reclamación actora resulta inconsistente. No hay base alguna que permita sostener que los préstamos hechos por Ibertracción a Motormoción, para atender a necesidades económicas de ésta, no eran reintegrables en dinero, sino que se habían de capitalizar en la empresa matriz (aumentando el capital de la filial, y la participación de la principal). Es más, cuando se trata de fundamentar el alegato se habla de "esperanza" de que fuera así, y de que es práctica habitual entre empresas de grupo o vinculadas, y no deja de resultar significativo que los administradores, o liquidadores, de MOTORMOCIÓN, S.A. no comparecieron en representación de ésta en el proceso para formular tal defensa. Por otro lado, el hecho de que un miembro de la Sindicatura haya sido Letrado y Secretario no Consejero del Consejo de Administración de MOTORMOCIÓN nada dice, aunque debe observarse que la impugnación como miembro de la Sindicatura fue rechazada en incidente suscitado en el proceso universal, y una hipotética responsabilidad en cualquier aspecto del mismo es tema ajeno a este proceso, pues una cosa en su actuación individual y título personal, y otra cosa es como uno de los integrantes de la Sindicatura. Se alega también por la parte demandada-apelada que no hubo reclamación formal del préstamo, y que su ejercicio en el presente proceso va contra los actos propios, supone un retraso desleal e incide en fraude de ley y abuso del derecho. Ninguno de los planteamientos es razonable. Con independencia de quien acciona aquí es la Sindicatura de la Quiebra, y de las razones que IBERTRACCIÓN haya podido tener para no actuar antes contra MOTORMOCIÓN –a lo que no cabe considerar ajeno la situación de inactividad de la segunda desde 1997, y no deja de resultar lógico que unos administradores de una sociedad no exigieran la responsabilidad social de los de otra sociedad, que eran ellos mismos–, no hay ningún retraso desleal, ni es de ver como puede calificarse abusiva y fraudulenta una acción de reintegración que lo único que pretende es que se recupere por la masa activa de una quiebra un valor económico sólido de ella, y que le pertenece. Finalmente debe señalarse que resultaría "paradójico" que la falta de diligencia de los demandados-apelantes como administradores de MOTORMOCIÓN, S.A. pudiera excusarse en la falta de diligencia tenida como administradores de IBERTRAC-CIÓN, S.A., en cuanto titular de la mayor parte de las acciones de la filial, todo ello con perjuicio injustificado para los acreedores de la segunda".

STS de 14 de marzo de 2011, Res. 135/2011 (Civil) [5]

FUNDAMENTOS DE DERECHO

"9º (...) La actuación realizada por el Sr. (...) de vender una parte importante de la actividad de la sociedad y seguidamente remitir gran parte de su importe a otra sociedad, independientemente de que ésta sea la matriz, con lo que disminuyó notoriamente el patrimonio social de la entidad que administraba y fue una de las causas de la situación posterior de concurso, no puede ser calificada de comportamiento aceptable de un ordenado comerciante y representante legal. Y ello tanto más cuando resulta razonable estimar que no desconocía la situación económica de la matriz, la cual fue declarada pocos meses después en liquidación judicial. Frente a ello, en nada atenúan la responsabilidad por la actuación expresada, único aspecto en que se le condena, las instrucciones que haya podido recibir de la sociedad francesa, ni la hipotética situación económica real de la empresa al tiempo de la operación o las especulaciones sobre el derecho al dividendo, carentes de soporte discursivo en la sentencia recurrida, y que no son coherentes con la versión contradictoria del Sr. Eulogio de que el producto remitido (salvo la suma de 700.000 euros) lo fue porque el objeto vendido pertenecía a la matriz, lo que al no ser acreditado revela la connivencia del mismo con aquélla para hacer un desplazamiento patrimonial sin ninguna causa justificada, ni procedimiento legal".

STS de 17 de marzo de 2011 (Civil) [6]

FUNDAMENTOS DE DERECHO

"23. Tenemos declarado en la sentencia 458/2010, de 30 de junio, que el reconocimiento por el Ordenamiento Jurídico de personalidad jurídica a las sociedades capitalistas, con la consiguiente limitación de responsabilidad por deudas a los bienes y derechos de la sociedad, correlativamente impone a sus administradores una serie de deberes que tienen por destinatarios no solo a los socios que les designan, sino también al orden público económico y a los terceros que con ellas contratan, de tal forma que cuando la sociedad incurre en pérdidas cualificadas determinantes de la concurrencia de causa legal de disolución, les obliga a reaccionar diligentemente (...):

24. Para garantizar el efectivo y diligente cumplimiento del mismo la norma impone a los incumplidores el deber de responder solidariamente de las deudas sociales, dentro de ciertos límites.

25. Una vez que los administradores ya han incurrido en responsabilidad por tolerar el funcionamiento de la sociedad incursa en causa de disolución sin adoptar las medidas

alternativamente previstas dentro del plazo señalado, la reacción tardía no opera a modo de excusa absolutoria como causa de exención de la responsabilidad."

STS de 21 de marzo de 2011 (Civil) [5 y 6]

FUNDAMENTOS DE DERECHO

"2º (...) 21. Tenemos declarado de forma reiterada que la inscripción del cese de los administradores no es constitutiva (entre las más recientes sentencias 123/2010 de 11 de marzo, 206/2010 de 15 de abril, 291/2010 de 18 de mayo, y 96/2011 de 15 de febrero), por lo que aunque no se haya inscrito, salvo excepciones derivadas del principio de confianza, el administrador no responde frente a terceros de actuaciones u omisiones posteriores al cese aunque sean anteriores a su inscripción en el Registro Mercantil, ya que en tales supuestos no concurre el ineludible requisito de que la acción u omisión determinante de que surja en deber de responder pueda imputarse precisamente en condición de administrador a quien ha cesado.

2.2. Día inicial del cómputo del plazo de prescripción de la responsabilidad de los administradores societarios.

22. Cuestión radicalmente distinta es la referida a la prescripción de la responsabilidad nacida durante el ejercicio del cargo, en cuyo caso es preciso partir de las siguientes premisas:

1) De conformidad con el artículo 949 del Código de Comercio, la acción contra los socios Gerentes y administradores de las compañías o sociedades terminará a los cuatro años, a contar desde que por cualquier motivo cesaren en el ejercicio de la administración.

2) La inscripción del cese de los administradores de las compañías mercantiles, exigido por el artículo 2.1.d) de la Directiva 68/151/CEE, de 9 de marzo de 1968, es obligatoria a tenor de los artículos 22.2 del Código de Comercio –"En *la hoja abierta a las sociedades mercantiles y demás entidades a que se refiere el* artículo 16 se inscribirán (...) el nombramiento y cese de administradores..."–, y 94.1 del Reglamento del Registro Mercantil –"En *la hoja abierta a cada sociedad se inscribirán obligatoriamente: (...) 4º El nombramiento y cese de administradores, liquidadores y auditores..."*–

3) Nuestro ordenamiento no ha incorporado la Directiva 2003/58/CE, de 15 de julio de 2003, que modifica la Directiva 68/1517, de 9 de marzo de 1968, y sigue el sistema de doble publicidad, por lo que, de conformidad con el artículo 21.1 del Código de Comercio "Los actos sujetos a inscripción sólo serán oponibles a terceros *de buena fe desde su publicación en el Boletín Oficial del Registro Mercantil. Quedan a salvo los efectos propios de la inscripción",* lo que concuerda con el artículo 9.1 del Reglamento del Registro Mercantil "Los *actos sujetos a inscripción sólo serán oponibles a terceros de buena fe desde su publicación en el Boletín Oficial del Registro Mercantil. Quedan a salvo los efectos propios de la inscripción".*

23. De acuerdo con lo expuesto, los efectos de la publicidad material negativa son determinantes de que, como afirma la sentencia 123/2010 de 11 de marzo, reproducida por la 96/2011 de 15 de febrero "*si no consta el conocimiento por parte del afectado del momento en que se produjo el cese efectivo por parte del administrador, o no se acredita de otro modo su mala fe, el cómputo del plazo de cuatro años que comporta la extinción por prescripción de la acción no puede iniciarse sino desde el momento de la inscripción,*

*dado que sólo a partir de entonces puede oponerse al tercero de buena fe el hecho del cese y, en consecuencia, a partir de ese momento el legitimado para ejercitar la acción no puede negar su desconocimiento (*SSTS de 26 de junio de 2006, 3 de julio de 2008 *y* 14 de abril de 2009*).*

2.3. "caducidad del nombramiento" vs. "cese en el cargo".

24. Finalmente, como afirmamos en la sentencia 770/2010 de 23 de noviembre, reiterada en la repetida 96/2011 de 15 de febrero:

1) No puede identificarse la publicidad del tiempo por el que los administradores han sido designados con la publicidad de la caducidad del cargo, ya que ésta es un efecto que no tiene por qué ser conocida por legos que tan solo conocerán el tiempo para el que fue designado el administrador, pero no las consecuencias que derivan de su transcurso.

2) No puede equipararse la "caducidad del cargo" con el "cese efectivo", ya que son dos cosas diferentes y nada impide que el administrador continúe de hecho una vez transcurrido el plazo previsto en el artículo 126 del texto refundido de la Ley de Sociedades Anónimas en las fechas en las que se desarrollaron los hechos, y hoy en el artículo 221.2 del Texto Refundido de la Ley de Sociedades de Capital (...)".

STS de 4 de abril de 2011(Civil) [6]

FUNDAMENTOS DE DERECHO

"3º (...) *A)* Desde la STS de 20 de julio de 2001, la jurisprudencia viene afirmando que el plazo de prescripción para todos los supuestos de reclamaciones de responsabilidad de los administradores por su actividad orgánica es el de cuatro años que señala el artículo 949 CCom. Esta doctrina ha sido aplicada por esta Sala (...).

Como declaran, entre las más recientes, las SSTS de 18 de diciembre de 2007, 3 de julio de 2008, 14 de abril de 2009, 11 de marzo de 2010 y 11 de noviembre de 2010, dicho artículo 949 CCom comporta una especialidad respecto al *dies a quo* [día inicial] del cómputo del referido plazo de cuatro años, que queda fijado en el momento del cese en el ejercicio de la administración por cualquier motivo válido para producirlo (SSTS de 23 de noviembre de 2010 y 30 de noviembre de 2010).

La doctrina de esta Sala retrasa únicamente la determinación del *dies a quo* [día inicial] a la constancia del cese en el Registro Mercantil cuando se trata de terceros de buena fe (artículos 21.1 y 22 del CCom y 9 del RRM), con fundamento en que solo a partir de la inscripción registral puede oponerse al tercero de buena fe el hecho del cese, dado que el legitimado para ejercitar la acción no puede a partir de ese momento negar su desconocimiento. En consecuencia, este criterio extensivo no resulta aplicable cuando se acredita la mala fe del tercero, ni en cualquier caso en que el afectado tuvo conocimiento anterior del cese efectivo (...)..

Esta doctrina se completa con la que viene declarando que la simple inactividad de la sociedad no supone el cese de sus administradores, sin que tampoco provoquen tal efecto el "abandono de hecho" de la administración social ni la infracapitalización, ni la pérdida total del patrimonio de la sociedad, pues tales hechos por sí solos no son causa del cese de los administradores, ni les libera del desempeño del cargo ni, en consecuencia, les libra de la obligación de promover la disolución ordenada de la sociedad cuando concurre causa legal para ello (SSTS de 12 de febrero de 2009 y 23 de noviembre de 2010 SIC) (...)".

STS de 19 de mayo de 2011 (Civil) [5, 6 y 10]

FUNDAMENTOS DE DERECHO

"3º *De la responsabilidad del administrador* ex art. 262.5 LSA. *Presupuestos legales y doctrinales.*

A) Siempre que se ha cuestionado en casación la naturaleza del sistema de responsabilidad que dimana del artículo 262.5 TRLSA (actualmente, artículo 367 del TR de la Ley de Sociedades de Capital aprobado por Real Decreto Legislativo 1/2010, de 2 de julio), y los presupuestos que han de concurrir para que se dé el supuesto de hecho previsto por la norma al que se liga el efecto de hacer al administrador solidariamente responsable de las deudas contraídas por la sociedad, esta Sala se ha pronunciado en el sentido de que el artículo 262.5 TRLSA regula una acción y una responsabilidad de carácter formal, calificada en ocasiones como objetiva o cuasi objetiva (SSTS de 25 de abril de 2002, 14 de noviembre de 2002, 6 de abril de 2006, 28 de abril de 2006 –de Pleno–, 26 de mayo de 2006, y 30 de junio de 2010), que se resume en que su declaración no exige la concurrencia de más negligencia que la consistente en el incumplimiento de la obligación de promover la liquidación mediante convocatoria de la Junta o solicitud judicial, en su caso –y ahora también la solicitud de la declaración de concurso, cuando concurra su presupuesto objetivo–. La norma, por tanto, no exige una negligencia distinta de la prevista en el propio precepto (STSS de 20 de febrero de 2004, 23 de febrero de 2004 y de 28 de abril de 2006), ni otro enlace causal que el preestablecido en la propia norma (STS de 28 de abril de 2006), de lo que se sigue que es bastante para su apreciación la concurrencia de una causa de disolución de la sociedad de las previstas en los números 3, 4, 5 y 7 del apartado uno del artículo 260 TRLSA, y el incumplimiento por parte del administrador de sus deberes legales, que le imponen convocar Junta para la adopción de acuerdos de disolución o de remoción de sus causas, o solicitar judicialmente la disolución en el término de dos meses, a lo que la más reciente jurisprudencia añade los requisitos de imputabilidad al administrador de la conducta pasiva e inexistencia de causa justificadora de la omisión (STS de 10 de noviembre de 2010).

(...) Constituye también doctrina constante de esta Sala, recogida, entre otras, en SSTS de 23 de octubre de 2008; 12 de febrero de 2010, 14 de julio de 2010, y 10 de noviembre de 2010, que a la hora de determinar la fecha inicial del cómputo del plazo bimensual previsto en el artículo 262 TRLSA para la convocatoria de la Junta de la sociedad, ha de estarse al momento en que los administradores efectivamente conocieron la concurrencia de causa de disolución, o la habrían conocido se ajustar su comportamiento al de un ordenado empresario –entre cuyos deberes figura el de informarse diligentemente sobre la marcha de la sociedad, según artículo 127.2 TRLSA, aplicable en la fecha en que se produjeron los hechos, y artículo 225.2 de la Ley de Sociedades de Capital–. Solo la casuística ha llevado a la jurisprudencia a fijar ese día inicial en la fecha en que los administradores «conocieron o pudieron conocer» la situación de desequilibrio patrimonial (STS de 23 de octubre de 2008), aquella en que «fue conocida» la situación económica, STS de 30 de octubre de 2000, pasando por la fecha desde la que el administrador «no podía ignorar» la grave situación de descapitalización de la sociedad, STS de 18 de julio de 2002.

En todo caso, como declara la STS de 14 de julio de 2010, la determinación del momento en el que se pudo conocer tal situación constituye una cuestión de hecho, que resulta del examen y valoración de la prueba, función que corresponde al Tribunal de instancia y que es ajena al recurso de casación.

No obstante, la doctrina de esta Sala, recogida en la reciente STS de 12 de febrero de 2010, viene admitiendo la posibilidad de excluir la responsabilidad de los administradores en supuesto de desequilibrio patrimonial cuando por los mismos se adoptaron medidas para restablecer el equilibrio entre el patrimonio contable y el capital social o reflotar la empresa, sin que el simple hecho de resultar las mismas infructuosas sea razón suficiente para declarar la responsabilidad de los arts. 105.5 LSRL y 262.5 TRLSA (entre otras, SSTS de 20 de julio de 2001 y 4 de febrero de 2009). Doctrina que ha sido completada en supuestos de resultado negativo de las medidas tomadas, exigiéndose la demostración de una acción significativa para evitar el daño para que pueda exonerarse de responsabilidad (SSTS de 28 de abril de 2006, 20 de noviembre de 2008 y 1 de junio de 2009, entre otras).

Finalmente, conviene también recordar que la responsabilidad del administrador social concluye con su cese, por cualquier motivo válido para producirlo (SSTS de 23 de noviembre de 2010, y 30 de noviembre de 2010, siendo ese el momento a tomar en cuenta para el cómputo del plazo de prescripción del artículo 949 Ccom (SSTS de 18 de diciembre de 2007, 3 de julio de 2008, 14 de abril de 2009, 11 de marzo de 2010 y 11 de noviembre de 2010). La jurisprudencia declara que la determinación del *dies a quo* [día inicial] debe retrasarse al de la constancia del cese en el Registro Mercantil cuando se trata de terceros de buena fe (artículos 21.1 y 22 del CCom y 9 del RRM), con fundamento en que solo a partir de la inscripción registral puede oponerse al tercero de buena fe el hecho del cese, dado que el legitimado para ejercitar la acción no puede a partir de ese momento negar su desconocimiento. En consecuencia, este criterio extensivo no resulta aplicable cuando se acredita la mala fe del tercero, ni en cualquier caso en que el afectado tuvo conocimiento anterior del cese efectivo (...)"

STS de 20 de mayo de 2011 (Penal) [8]

FUNDAMENTOS DE DERECHO

"3. (...) retirar en beneficio propio de la primera cuenta un importe de 4.000 euros y un total de 16.000 euros de la segunda, derivando los fondos, en este último caso, a otra cuenta corriente de la que era cotitular junto con su esposa, colma las exigencias del tipo previsto en el art. 252 del CP. La doctrina de esta misma Sala, en interpretación del precepto aplicado por la Audiencia distingue entre: a) la apropiación indebida que recae sobre bienes muebles cuya posesión se cede en virtud de alguno de los títulos jurídicos que generan la obligación de devolver o restituir; b) la gestión desleal o administración fraudulenta que comete el administrador cuando perjudica patrimonialmente a su principal distrayendo el dinero cuya disposición tiene a su alcance; y c) la apropiación indebida en que incurre aquel a quien, habiéndose entregado alguno de aquellos objetos, negare haberlos recibido en el momento en que le fueren reclamados. (cfr. SSTS 162/2008, 6 de mayo, 912/2007, 6 de noviembre y 847/2002, 10 de mayo).

En el caso que nos ocupa el acusado ha incurrido de forma manifiesta en una gestión desleal del importe del que dispuso en su propio beneficio. Y lo ha hecho desbordando de manera evidente los límites de su capacidad decisoria como administrador. No se trata ya de un exceso funcional, sino de una actuación en vía de hecho, que transgrede grosera-mente los límites jurídicos que como administrador único de la sociedad *(...)* le afectaban. De ahí el acierto de la Audiencia de calificar los hechos como constitutivos de un delito del art. 252 del CP, descartando otras opciones típicas que, dicho sea de paso, no fueron sugeridas por el recurrente.

B) Tampoco es aceptable el criterio de la defensa cuando sostiene que en los casos de cotitularidad de una cuenta corriente, el apoderamiento por parte de alguno de los titu-lares de una cantidad por encima de la parte proporcional que le corresponde, sólo podría ser ventilada en la jurisdicción civil. No es esto lo que hemos declarado en supuestos similares.

En la STS 949/1997, 27 de junio, afirmábamos que aunque los cotitulares de una cuen-ta bancaria ostentan facultades de disposición frente al banco, esto no significa que entre esos cotitulares exista un condominio sobre los fondos, sino que habrá que estar a las relaciones internas entre ellos. En la misma línea hemos señalado que en los supuestos de comunidad sobre un depósito de dinero, comete delito de apropiación indebida quien se queda con la parte que corresponde a otra u otras personas (cfr. SSTS 899/2003, 20 de junio y 97/2006, 8 de febrero) (...)".

STS de 16 de junio de 2001 (Contencionso-Administrativo) [11]

FUNDAMENTOS DE DERECHO

"2º La Sentencia de instancia reconoce expresamente en su Fundamento de Derecho Segundo la plena aplicabilidad al procedimiento que nos ocupa de la Ley General Tributa-ria de 2003; y asimismo, la posibilidad de que con arreglo a lo establecido en el art° 41.5 de la misma, la Administración Tributaria pueda adoptar medidas cautelares, del art° 81 de la Ley, frente al "2º presunto responsable del pago de deudas tributarias, con anterioridad a la derivación de responsabilidad frente al mismo. No obstante lo cual, la Sentencia de instancia concluye, en su Fundamento de Derecho Tercero, que debe anularse el acuerdo de adopción de medidas cautelares impugnado en el recurso contencioso administrativo que nos ocupa, frente al presunto responsable del pago de deudas tributarias, por haberse anulado por parte de resolución del TEAC posterior a la interposición del recurso con-tencioso-administrativo de autos, el acuerdo de derivación de responsabilidad solidaria adoptado en el expediente que nos ocupa; razonando para ello, aunque sin mayor funda-mentación, que la anulación procede porque, supuestamente, el acuerdo de adopción de medidas cautelares impugnado en el proceso de autos, "deriva" del acuerdo de respon-sabilidad solidaria adoptado con posterioridad, y también con posterioridad anulado por resolución del TEAC. Como se explica en el propio Fundamento de Derecho Tercero de la Sentencia de instancia, al referirse a la resolución del TEAC de fecha 20 de diciembre de 2006, que fue aportada a las actuaciones por el demandante al amparo del art° 271.2 de la Ley de Enjuiciamiento Civil, y en cuya virtud se anula el acuerdo de derivación de respon-sabilidad solidaria que comentamos, dicha anulación se produjo por motivos procedimen-tales. y no de fondo; concretamente, porque el acuerdo de derivación de responsabilidad solidaria fue adoptado antes de haberse completado el procedimiento de liquidación de la deuda tributaria frente al deudor principal, con vulneración de lo establecido en el art° 174.1 de la Ley General Tributaria de 2003. Es5 más, si se observa el detalle de la referida resolución del TEAC, obrante en las actuaciones, y que la Sala a la que tenemos el honor de dirigirnos puede incorporar a los hechos probados de la Sentencia de instancia por la vía del art° 88.3 de la vigente Ley de la Jurisdicción Contencioso-Administrativa, la resolución del TEAC que anula el acuerdo de derivación de responsabilidad por motivos procedimentales, no prejuzga el fondo relativo a la responsabilidad misma, e incluso respeta y conserva expresamente los trámites del procedimiento de derivación de responsabilidad tributaria anteriores a la resolución misma sobre derivación, que es la que pone término a dicho procedimiento. Por lo tanto, lo único que se ha producido es una anulación del acuerdo de derivación de responsabilidad solidaria comentado, con retroacción del procedimiento de derivación de responsabilidad solidaria al momento inmediatamente anterior a aquel en que dicho acuerdo ha sido dictado, pero conservándose expresamente todas las actuaciones anteriores de dicho procedimiento, como entre otras, el trámite de audiencia concedido en el mismo al presunto responsable, o las medidas cautelares adoptadas durante su tramitación. De modo que la Administración Tributaria pueda dictar un nuevo acuerdo de derivación de responsabilidad solidaria dentro de este procedimiento, tan pronto como se ultime el procedimiento de liquidación tributaria frente al deudor principal".

STS de 15 de julio de 2011 (Contencioso Administrativo) [11]

FUNDAMENTOS DE DERECHO

"3º (...)Tal inadmisión, sin embargo, no puede ser aceptada, pues si bien la cuantía a que ascendía el importe de la derivación de la responsabilidad ascendía a 282.471,08 euros, que alcanzaba la cifra exigida para el recurso de casación ordinario, según reiterada doctrina de esta Sala, en estos casos debe tomarse por separado la cuantía de cada una de las liquidaciones objeto de derivación (Autos de 21 de septiembre y 17 de noviembre de 1998, 26 de abril, 20 de octubre de 2000, 20 de marzo de 2002, y 14 de abril de 2005), desprendiéndose de las actuaciones que ninguna de los cuotas exigidas por los conceptos de Impuesto sobre Sociedades e Impuesto sobre IVA, ni sus intereses, ni las sanciones, superaban los 150.000 euros necesarios para el acceso a la casación ordinaria.

4º. Despejado el óbice procesal, procede analizar cada una de las sentencias de contraste alegadas por el recurrente, para determinar si concurren las circunstancias que la ley exige para que pueda estimarse el recurso de casación para unificación de doctrina, lo que niega también el Abogado del Estado.

Siguiendo el esquema planteado por el propio recurrente y que acepta también el Abogado del Estado, los motivos de impugnación afectan a la eficacia y efectos de la conformidad prestada por el compareciente a la propuesta de liquidación emitida por la Inspección; a la falta de motivación de las actas de conformidad; y a la nulidad de la liquidación propuesta en las actas de conformidad al faltar el informe ampliatorio.

En relación a la primera cuestión, se citan como sentencias contradictorias las dictadas por esta Sala con fecha 14 de marzo de 1995, 27 de noviembre de 1999, y 10 de mayo de 2000, que reflejan, según el recurrente, una doctrina clara en cuanto a que las actas firmadas en conformidad únicamente vinculan al interesado respecto de los hechos y no sobre las cuestiones de derecho, que pueden ser discutidas mediante la interposición del correspondiente recurso, dentro de las cuales figuraría la exigencia de que en las actas se consignen los elementos esenciales del hecho imponible, entendiendo el recurrente que la sentencia recurrida, después de reproducir diversas normas del ordenamiento jurídico tributario "parece cuestionar la posibilidad de que en el presente caso, se impugnen las liquidaciones por su falta de motivación, que considera cumplida con la prestación de conformidad por parte del compareciente en el procedimiento inspector, y a la que otorga un valor de confesión, con lo que claramente no tiene en cuenta que puede impugnarse todo lo relativo a la interpretación y aplicación del derecho", y que" en todo caso, la conformidad del compareciente en el procedimiento inspector no vincula al que ahora se ha declarado responsable subsidiario, aún cuando fuera en aquel tiempo Administrador de la sociedad inspeccionada, entre otras cosas, porque a la Inspección compareció un representante autorizado".

En contra de lo que mantiene el recurrente, no cabe apreciar la contradicción que denuncia entre la sentencia recurrida y las de contraste, pues aquélla no se aparta de la doctrina jurisprudencial sentada por la Sala, en cuanto admite que las liquidaciones derivadas de las actas son susceptibles de impugnación en el caso de error de hecho o sobre interpretación y aplicación de las normas jurídicas, no habiendo llegado la Sala de instancia a la desestimación del recurso por la improcedencia de plantear el recurso, sino por el rechazo de los distintos motivos, entre los que figuraba la falta de motivación de las actas, a que nos referiremos a continuación".

STS de 12 de septiembre de 2011 (Civil) [7 y 9]

FUNDAMENTOS DE DERECHO

"3º No es cierto que la Ley 22/2003 haya sido aplicada a actos realizados bajo el imperio de la legislación derogada por ella.

Antes bien, las conductas determinantes de una calificación del concurso como culpable –"en todo caso", según la norma del apartado 2 del artículo 164 de aquella Ley–, que el Tribunal de apelación declaró probadas en el proceso –las descritas en los ordinales segundo y quinto del mencionado artículo– se realizaron o consumaron, respectivamente, al solicitar la deudora la declaración del concurso y, en todo caso, estando vigente la nueva legislación, como se explica en el fundamento de derecho quinto de la sentencia de primer grado –aceptado en el sexto de la de apelación–.

Por otro lado, lo que, a estos efectos, identifica las deudas sociales objeto de la posible condena, total o parcial, que contempla el apartado 3 del artículo 172 de la repetida Ley, no es la fecha de su nacimiento, sino el hecho de que sigan siendo exigibles, por no haber sido satisfechas, al liquidarse la masa activa del concurso.

En todo caso, la afirmación de que la norma del apartado 3 del artículo 172 es sancionadora, en lo que se basa el recurso, no es adecuada. Como puso de relieve la sentencia 56/2011, de 23 de febrero, el precepto carece, en sentido propio, de la naturaleza que le atribuye la recurrente, dado que la responsabilidad de los administradores o liquidadores sociales –sean de hecho o de derecho– que establece "deriva de serles imputable [...] el daño que indirectamente fue causado a los acreedores [...], en una medida equivalente al importe de los créditos que no perciban en la liquidación de la masa activa".

STS de 6 de octubre de 2011 (Civil) [7 y 9]

FUNDAMENTOS DE DERECHO

3º "La Ley 22/2003 sigue dos criterios para describir la causa de que el concurso deba ser calificado como culpable.

Conforme a uno de ellos, previsto en el apartado 1 del artículo 164, la calificación depende de que la conducta, dolosa o gravemente culposa, del deudor o de sus representantes legales o, en caso de tratarse de una persona jurídica, de sus administradores o liquidadores, de hecho o de derecho, haya producido un específico resultado externo: la generación o la agravación del estado de insolvencia del concursado.

Según el otro, previsto en el apartado 2 del mismo artículo, la calificación es ajena a la producción del referido resultado y está condicionada a la ejecución por el sujeto agente de alguna de las conductas descritas en la propia norma.

Este mandato de que el concurso se califique como culpable "en todo caso [...], cuando concurra cualquiera de los siguientes supuestos", evidencia que la ejecución de las conductas, positivas o negativas, que se describen en los seis ordinales de la norma, es determinante de aquella calificación por sí sola −esto es, aunque no haya generado o agravado el estado de insolvencia del concursado o concursada−.

Por ello, recurriendo a los conceptos tradicionales, puede decirse que el legislador describió en la primera norma un tipo de daño y, en la segunda, uno −varios− de mera actividad, respecto de aquella consecuencia.

4º La condena de los administradores de una sociedad concursada (...) a pagar a los acreedores de la misma, en todo o en parte, el importe de los créditos que no perciban en la liquidación de la masa activa, a la que se refiere el apartado 3 del artículo 172 de la Ley 22/2003, no es, según la letra de la norma, una consecuencia necesaria de la calificación del concurso como culpable, sino que requiere una justificación añadida.

Ello sentado, para que pueda pronunciar esa condena y, en su caso, identificar a los administradores y la parte de la deuda a que alcanza, además de la concurrencia de los condicionantes impuestos por el propio apartado del artículo 172 −la formación o reapertura de la sección de calificación ha de ser consecuencia del inicio de la fase de liquidación−, es necesario que el Juez valore, conforme a criterios normativos y al fin de fundamentar el reproche necesario, los distintos elementos subjetivos y objetivos del comportamiento de cada uno de los administradores en relación con la actuación que, imputada al órgano social con el que se identifican o del que forman parte, había determinado la calificación del concurso como culpable, ya sea el tipificado por el resultado en el apartado 1 del artículo 164 −haber causado o agravado, con dolo o culpa grave, la insolvencia−, ya el de mera actividad que describe el apartado 2 del mismo artículo −haber omitido sustancialmente el deber de llevar contabilidad, presentar con la solicitud documentos falsos, haber quedado incumplido el convenio por causa imputable al concursado...−.

Por ello, no se corresponde con la lógica de los preceptos examinados condicionar la condena del administrador a la concurrencia de un requisito que es ajeno al tipo que hubiera sido imputado al órgano social −y, al fin, a la sociedad− y que dio lugar a la calificación del concurso como culpable. (...).

(...) para que pueda pronunciar esa condena y, en su caso, identificar a los administradores y la parte de la deuda a que alcanza, además de la concurrencia de los condicionantes impuestos por el propio apartado del artículo 172 −la formación o reapertura de la sección de calificación ha de ser consecuencia del inicio de la fase de liquidación−, es necesario que el Juez valore, conforme a criterios normativos y al fin de fundamentar el reproche necesario, los distintos elementos subjetivos y objetivos del comportamiento de cada uno de los administradores en relación con la actuación que, imputada al órgano social con el que se identifican o del que forman parte, había determinado la calificación del concurso como culpable, ya sea el tipificado por el resultado en el apartado 1 del artículo 164 –haber causado o agravado, con dolo o culpa grave, la insolvencia–, ya el de mera actividad que describe el apartado 2 del mismo artículo –haber omitido sustancialmente el deber de llevar contabilidad, presentar con la solicitud documentos falsos, haber quedado incumplido el convenio por causa imputable al concursado... –.

Por ello, no se corresponde con la lógica de los preceptos examinados condicionar la condena del administrador a la concurrencia de un requisito que es ajeno al tipo que hubiera sido imputado al órgano social –y, al fin, a la sociedad– y que dio lugar a la calificación del concurso como culpable.

Eso es lo que pretenden los recurrentes, a los que se atribuyó la comisión en la contabilidad de irregularidades relevantes para la comprensión de la situación patrimonial o financiera de la concursada –artículo 164, apartado 2, ordinal–, dado que impugnan la condena por no haberse demostrado que esas irregularidades, no obstante su trascendencia a los efectos tenidos en cuenta por el legislador al describir el tipo, hubieran causado o agravado el estado de insolvencia de la sociedad. Eficacia que, como se ha dicho, es ajena a aquél."

STS de 4 de noviembre de 2011 (Civil) [3, 4]

FUNDAMENTOS DE DERECHO

"2º (...) *2.2. Requisitos de la acción social de responsabilidad de los administradores.*

24. Como tenemos declarado en la sentencia 477/2010, de 22 de julio, previsto en el artículo 133.1 del texto refundido de la Ley de Sociedades Anónimas aprobado por Real Decreto Legislativo 1564/1989, de 22 diciembre, en la redacción vigente en la fecha en la que se desarrollaron los hechos –hoy artículo 236 del Real Decreto Legislativo 1/2010, de 2 de julio, por el que se aprueba el texto refundido de la Ley de Sociedades de Capital– que *"Los administradores responderán frente a la sociedad, frente a los accionistas y frente a los acreedores sociales del daño que causen por actos u omisiones contrarios a la Ley o a los estatutos o por los realizados incumpliendo los deberes inherentes al desempeño del cargo",* el precepto ha sido interpretado en el sentido de que para dar lugar a la responsabilidad prevista en el mismo es precisa la concurrencia de los siguientes requisitos:

1) Un comportamiento activo o pasivo desplegado por los administradores, sin que a ello fuese obstáculo que en la redacción anterior a la Ley 26/2003, de 17 de julio, de transparencia, el texto de la norma se refiriese exclusivamente a "acción".

2) Que tal comportamiento sea imputable al órgano de administración en cuanto tal.

3) Que la conducta del administrador sea antijurídica por infringir la Ley, los estatutos o no ajustarse al estándar o patrón de diligencia exigible a un ordenado empresario y a un representante leal.

4) Que la sociedad sufra un daño.

5) Que exista relación de causalidad entre el actuar del administrador y el daño.

25. Es decir, en contra de lo pretendido por la recurrente, el daño se erige en requisito necesario e imprescindible para que prospere la acción social de responsabilidad.

(...) 2.3. Efectos del ejercicio de la acción social por la minoría.

26. A lo expuesto, debe añadirse que previsto en el segundo párrafo del artículo 134.2 de la Ley de Sociedades Anónimas, aplicable a la decisión del conflicto por razones temporales que *"El acuerdo de promover la acción o de transigir determinará la destitución de los administradores afectados"* –hoy 238.1.3 de la Ley de Sociedades de Capital–:

1) La sentencia de 30 diciembre 1997, de la que se hace eco la 183/2009 de 27 marzo, afirma que *"La destitución del administrador contra el que se acuerda el ejercicio de la acción social de responsabilidad tiene carácter automático y ha de matizarse, en relación, con lo argumentado por la sentencia de instancia que tal medida es simplemente la traducción en términos jurídicos de la ruptura de la relación de confianza depositada por los socios en el administrador, sin que más allá de tal consecuencia haya de verse en ello una sanción, no obstante, lo cual el ejercicio torticero de la acción, acreditado por la sentencia, que ponga fin al asunto puede ser causa de indemnización de los daños y perjuicios originados al administrador, en particular, cuando tal acción se revele como un medio de defraudar las prescripciones estatutarias"*, y

2) La sentencia de 16 de abril de 1970, en referencia a idéntica previsión contenida en el último inciso del segundo párrafo del artículo 80 de la Ley de Sociedades Anónimas de 17 de julio de 1951, declara que *"la recta interpretación del precepto legal últimamente citado* (artículo 80 de la Ley de Sociedades Anónimas de 17 de julio de 1951*) en su párrafo segundo lleva a la evidente conclusión de que está dado para el supuesto de hecho descrito en el mismo, con exclusión de los demás, lo que obsta a su aplicación por analogía al supuesto que alegan los recurrentes, en orden a que el ejercicio de la acción de responsabilidad por un grupo de accionistas que representan más de la décima parte del capital social debe producir la incapacidad para el puesto de Consejero de las tres personas que han sido designadas"* (...)".

STS de 17 de noviembre de 2011 (Civil) [5, 7 y 9]

FUNDAMENTOS DE DERECHO

4º "..La respuesta al motivo exige dos consideraciones previas:

En primer lugar debe señalarse que si bien la existencia de jurisprudencia contradictoria de las Audiencias Provinciales es uno de los supuestos de interés casacional del art. 477.2.3º y 3 LEC, y en la materia de concurso culpable la hay, y no solo con dos criterios, sino en diversos aspectos, sin embargo el planteamiento del presupuesto de recurribilidad en casación debe cumplir los requisitos de necesidad y planteamiento con la formalidad que exige la doctrina de esta Sala. Y, al respecto, si en la perspectiva de la necesidad se requiere que haya que resolver puntos o cuestiones sobre las que exista contradicción, en el aspecto formal es imprescindible aportar las Sentencias de contraste. Y aquí sucede que no se cumple lo primero porque no se concretan los particulares en que hay contradicción en lo que puedan afectar al pleito, ni lo segundo porque no consta la aportación de que se trata.

Y en segundo lugar procede señalar que, no obstante lo dicho, varias Sentencias de esta Sala ya se han pronunciado sobre algunos de los temas problemáticos en relación con la aplicación del art. 172.3 LC. Así las Sentencias de 23 de febrero de 2011, núm. 56, 12 de septiembre de 2011, núm. 615, y 6 de octubre de 2011, núm. 644, señalan que «la norma no es sancionadora porque la responsabilidad de los administradores o liquidadores sociales, sean de hecho o de derecho, que establece el art. 172.3 [desde la Ley 38/2011, de 10 de octubre, de reforma de la LC 22/2003, el art. 172 bis] deriva de serle imputable el daño que indirectamente fue causado a los acreedores en una medida equivalente al importe de los créditos que no perciban en la liquidación de la masa activa». Y la Sentencia de 6 de octubre de 2011, 644, dictada para un supuesto de concurso culpable del art. 164.2 LC, desestima la pretensión del motivo (que sostenía que el precepto del art. 172.3 LC describe una responsabilidad de naturaleza resarcitoria, cuya exigibilidad presupone la demostración, además del dolo o culpa grave de los administradores sociales, de una relación causal entre el comportamiento de los mismos y la insolvencia de la concursada o su aumento, de cuyos presupuestos había prescindido el Tribunal de apelación al condenar a los recurrentes administradores de la sociedad concursada al pago de las deudas sociales) con la siguiente doctrina (fto. cuarto) «La condena de los administradores de una sociedad concursada a pagar a los acreedores de la misma, en todo o en parte, el importe de los créditos que no perciban en la liquidación de la masa activa, a la que se refiere el apartado 3 del artículo 172 de la Ley 22/2003, no es, según la letra de la norma, una consecuencia necesaria de la calificación del concurso como culpable, sino que requiere una justificación añadida. Ello sentado, para que pueda pronunciar esa condena y, en su caso, identificar a los administradores y la parte de la deuda a que alcanza, además de la concurrencia de los condicionantes impuestos por el propio apartado del artículo 172 –la formación o reapertura de la sección de calificación ha de ser consecuencia del inicio de la fase de liquidación–, es necesario que el Juez valore, conforme a criterios normativos y al fin de fundamentar el reproche necesario, los distintos elementos subjetivos y objetivo del comportamiento de cada uno de los administradores en relación con la actuación que, imputada al órgano social con el que se identifican o del que forman parte, había determinado la calificación del concurso como culpable, ya sea el tipificado por el resultado en el apartado 1 del artículo 164 –haber causado o agravado, con dolo o culpa grave, la insolvencia–, ya el de mera actividad que describe el apartado 2 del mismo artículo –haber omitido sustancialmente el deber de llevar la contabilidad, presentar con la solicitud documentos falsos, haber quedado incumplido el convenio por causa imputable al concursado...–. Por ello, no se corresponde con la lógica de los preceptos examinados condicionar la condena del administrador a la concurrencia de un requisito que es ajeno al tipo que hubiera sido imputado al órgano social –y, al fin, a la sociedad– y que dio lugar a la calificación del concurso como culpable. Eso es lo que pretenden los recurrentes, a los que se atribuyó la comisión en la contabilidad de irregularidades relevantes para la comprensión de la situación patrimonial o financiera de la concursada —artículo 164, apartado 2, ordinal primero–, dado que impugnan la condena por no haberse demostrado que esas irregularidades, no obstante su trascendencia a los efectos tenidos en cuenta por el legislador al describir el tipo, hubieran causado o agravado el estado de insolvencia de la sociedad. Eficacia que, como se ha dicho, es ajena a aquél».

STS de 23 de noviembre de 2011 (Civil) [5]

FUNDAMENTOS DE DERECHO

"7º (...) 54. Ciertamente, como hemos declarado en las sentencias 173/2011, de 17 de marzo, y 557/2010, de 27 de septiembre, la buena fe es exigible en el ejercicio de la acción prevista en la fecha en la que se desarrollaron los hechos en el artículo 262.5 de la Ley de Sociedades Anónimas y hoy en el 367 de la Ley de Sociedades de Capital, por lo que no cabe exigir responsabilidad a los administradores cuando la pretensión rebasa los límites de la buena fe, por tratarse de supuestos en los que las circunstancias concurrentes permiten concluir que el acreedor asume libre y voluntariamente el riesgo de conceder crédito a la sociedad después de haber sido oportuna y lealmente advertidos desde la propia sociedad deudora, pero tal doctrina es inaplicable al caso, ya que se sustenta en dos afirmaciones –conocimiento de la insolvencia y concurrencia de circunstancias determinantes de que la reclamación contra los administradores pueda calificarse de contraria a la buena fe–, que no concurren en este caso –como hemos indicado supra, la sentencia recurrida precisa que *"la relación contractual de los demandantes, en su mayor parte, había nacido varios años antes y fueron cobrados sus emolumentos, al menos en parte, y que la responsabilidad que parece que se les pide por los resultados deportivos está carente de todo fundamento ya que su contrato de trabajo no asegura un resultado ni se ha demostrado que hayan incurrido en sanciones disciplinarias por comportamientos inadecuados"– (...)".*

STS de 26 de noviembre de 2011 (Civil) [5]

FUNDAMENTOS DE DERECHO

"2º (...) 1) Nuestro sistema impone a los administradores de las sociedades capitalistas una serie de deberes, entre ellos, cuando la sociedad incurre en pérdidas cualificadas determinantes de la concurrencia de causa legal de disolución, el de promover la liquidación de la sociedad por el procedimiento societario, reorientando el objeto social al reparto entre los socios del haber existente después de pagar las deudas sociales o, alternativamente, promover la adopción de acuerdos dirigidos a remover la causa de disolución concurrente y reconstruir el patrimonio social o, en su caso, reducir el capital social restableciendo el equilibrio entre la cifra de capital y el patrimonio, con la necesaria publicidad que ello conlleva (artículos 262.2 de la Ley de Sociedades Anónimas y 105.1 de la Ley de Sociedades de Responsabilidad Limitada en la fecha en la que se desarrollaron los hechos y hoy 365 del Texto Refundido de la Ley de Sociedades de Capital).

2) Para garantizar la efectividad de dicho mecanismo, la Ley impone a los administradores la responsabilidad solidaria por las deudas sociales dentro de ciertos límites en caso de incumplimiento o cumplimiento tardío de la obligación de promover la disolución (artículos 262.5 de la Ley de Sociedades Anónimas y 105.4. de la Ley de Sociedades de Responsabilidad Limitada en la fecha en la que se desarrollaron los hechos y hoy artículo 367 del referido Texto Refundido).

3) Tal responsabilidad tan solo exige la infracción imputable del deber de promover la liquidación de la sociedad mediante convocatoria de la oportuna Junta o la solicitud de que se convoque judicialmente cuando sea el caso (262.4 de la Ley de Sociedades Anónimas y 105.4 de la Ley de Sociedades de Responsabilidad Limitada y hoy 366 de la Ley de Sociedades de Capital).

4) La responsabilidad regulada en los expresados preceptos no tiene naturaleza de "sanción" en sentido estricto, como lo prueba el hecho de que no sólo determina un efecto negativo para el administrador, sino un correlativo derecho para los acreedores y que la norma no impide al administrador subrogarse en la posición del acreedor y repetir contra

la sociedad con éxito en el caso de que la sociedad, pese a estar incursa en causa de disolución, tenga bienes suficientes para atender su crédito,

22. En definitiva, como afirma la sentencia 228/2008, de 25 marzo reiterada en las ya indicadas

458/2010, de 30 de junio, y 680/2010, de 10 de noviembre, *"La responsabilidad de los administradores por obligaciones sociales, con carácter solidario con la sociedad, prevista en los arts. 260.1, núms. 3° y 4° y 260.5 de la LSA, constituye una responsabilidad por deuda ajena "ex lege", que no tiene naturaleza de sanción o pena civil".*

STS de 19 de diciembre de 2011 (Civil) [5]

FUNDAMENTOS DE DERECHO

"4º (...) 2) Que la sentencia recurrida ha diferenciado con precisión entre la eventual incidencia que la contabilidad inexacta puede tener en la decisión del comprador de acciones –singularmente en el error sobre la decisión de compra o sobre el precio a pagar– y la repercusión que tiene en el patrimonio de la sociedad que permanece inmutable esté bien o mal reflejado y, sin ápice de incongruencia, nada más ha acogido la partida en la que la 'minoración por gastos de personal' ha entendido demostrado el daño efectivo causado al patrimonio de la sociedad en relación causa a efecto con la conducta de los administradores mediante pagos injustificados, lo que nada tiene que ver con la 'minoración contable'".

STS de 23 de diciembre de 2011 (Civil) [5]

"6º ...* 61. Ante todo, conviene poner de relieve que la demandante accionó con base en lo dispuesto en los artículos 135 –responsabilidad por daño "directo" a socios y terceros (sean o no acreedores)–, y 262.5 –responsabilidad por deuda– ambos del texto refundido de la Ley de Sociedades Anónimas.

62. Ante ello no estará de más recordar que, como apunta, entre otras muchas, la sentencia 680/2010, de 10 de noviembre, para que surja el deber de responder por deudas sociales regulada en el artículo 262.5 del texto refundido de la Ley de Sociedades Anónimas en las fechas en las que se desarrollaron los hechos –*"[r]esponderán solidariamente de las obligaciones sociales los administradores que incumplan la obligación de convocar en el plazo de dos meses la junta general, para que adopte, en su caso, el acuerdo de disolución o que no soliciten la disolución judicial de la sociedad en el plazo de dos meses a contar desde la fecha prevista para la celebración de la junta, cuando ésta no se haya constituido, o desde el día de la junta, cuando el acuerdo hubiera sido contrario a la disolución"*–, [...]

63. Por el contrario, para que prospere la acción individual de responsabilidad prevista en la fecha en la que se desarrollaron los hechos en el 135 del Texto Refundido de la Ley de Sociedades Anónimas y hoy en el 241 de la Ley de Sociedades de Capital –*"[n]o obstante lo dispuesto en los artículos precedentes, quedan a salvo las acciones de indemnización que puedan corresponder a los socios y a terceros por actos de los administradores que lesionen directamente los intereses de aquellos"*– [...]

64. El análisis comparativo de las diferentes finalidades contempladas por la norma –resarcimiento de daño directo y cobro de deuda no satisfecha–, y de los distintos re-

quisitos exigibles en uno y otro caso, permite constatar que, si bien como señala la sentencia 634/2010, de 14 de octubre, comparten la característica de que no van dirigidas a incorporar activos al patrimonio social sino al de quienes son titulares de las mismas, existen importantes diferencias de entre las que destacaremos, como señalan las sentencias 408/2008, de 14 de mayo, 669/2008, de 3 de julio, y 710/2008, de 10 julio, el carácter cuasiobjetivo de la que regula el artículo 262 que no exige otro reproche culpabilístico que la imputabilidad de la conducta omisiva y no requiere "daño" derivado de tal pasividad ni, lógicamente, relación de causalidad entre el daño y la conducta del administrador.

65. Nada impide el ejercicio acumulado de ambas acciones siempre que concurran los requisitos y presupuestos exigidos por las distintas normas, ya que la realidad demuestra que la pasividad de los administradores en la promoción de la disolución y liquidación, en concurrencia con otras circunstancias, puede generar "daño directo" –así las sentencias 794/2008, de 29 de julio, y 1049/2008, de 11 de noviembre, contemplan supuestos en los que daño y falta de disolución y liquidación se enlazan– y aunque el impago del "crédito" al "acreedor" no puede identificarse sin más con "daño" y, menos aún, con "daño directo" experimentado por el "tercero" –en la sentencia 647/2006, de 23 de junio se alude al daño que generalmente consiste en el impago de un crédito–, en determinados supuestos pueden coincidir, como acontece en los casos en los que el crédito deriva de relaciones concertadas con la sociedad mediando un comportamiento de los administradores que, con independencia de los deberes que a nivel interno les impone hoy la Ley de Sociedades de Capital y antes el texto refundido de la Ley de Sociedades Anónimas, rebasa holgadamente los límites de la buena fe exigible no solo en el ejercicio de los derechos (artículo 7.1 del Código Civil) sino también en el desarrollo de las relaciones jurídicas en general –en este sentido, la sentencia 988/2005, de 22 de diciembre, afirma que *"[...] la BUENA FE, como principio general del derecho, ha de informar todo contrato y obliga a un comportamiento humano objetivamente justo, legal, honrado y lógico en el sentido de estar a las consecuencias de todo pacto libremente asumido, sin frustrar la vocación o llamada que el mismo contiene a su cumplimiento"*– y, a tenor del artículo 57 del Código de Comercio en la contratación mercantil en especial.

2.3. La responsabilidad por no disolver

66. La sentencia de la primera instancia, declara en el fundamento decimonoveno que *"se acredita el impago y la situación de desbalance societario, sin que se haya evidenciado que el administrador único demandado haya tomado medida alguna tendente a paliar la situación de la sociedad. Así las cosas, pese a la situación de la sociedad, no se ha procedido a su disolución ni a la declaración concursal".*

67. Aunque escueta, tal declaración es clara y suficiente en el contexto en que se hace –previa declaración de la existencia de la deuda de las sociedades– para condenar al administrador único al amparo de lo dispuesto en el artículo 262.5 de la Ley de Sociedades Anónimas, ya que concurren la totalidad de los requisitos enumerados en el apartado 60 de esta sentencia.

2.4. La responsabilidad por daño

68. Aunque lo expuesto hace innecesario examinar la concurrencia de la obligación del administrador de responder por daño, ya que, como sostuvimos en la sentencia 952/2007, de 19 de septiembre, *"declarada la responsabilidad de todos los administradores demandados con base en el art. 262.5 LSA ya no era exigible que el tribunal sentenciador se pronunciaba sobre si, además, era aplicable a todos o alguno de ellos el art. 135 de la*

misma ley, *dado el mayor rigor de aquél al no exigir la prueba de la culpa ni de la relación de causalidad entre las omisiones del administrador y el incumplimiento de la obligación social"*, no estará de más recordar que la sentencia de la primera instancia:

1) Primero, describe en el fundamento undécimo la conducta de los administradores de la sociedad en el momento de la emisión de las obligaciones –en dichas fechas, don Pedro era vocal del Consejo de Administración y Consejero Delegado de IBEROAMERI-CANA FILMS INTERNACIONAL, S.A., ahora XYZ DESARROLLOS, S.A., y Secretario y Consejero Delegado del de CHOZA DEL GASCO, S.A. y compareció al otorgamiento de las garantías– en los siguientes términos: *"(los) Administradores de las anteriores sociedades cometieron graves irregularidades en la preparación. ejecución y desarrollo de esos negocios jurídicos, tales como: la emisión de las obligaciones hipotecarias en infracción y fraude de la* Ley de Sociedades Anónimas de 1951; *el incumplimiento de la obligación legal y contractual de inscribir las escrituras de emisión de obligaciones hipotecarias; la puesta en circulación de las obligaciones emitidas, no obstante la prohibición legal de realizarlas en tanto no se produzcan las correspondientes inscripciones registrales; la sobrevaloración en varias veces el valor de adquisición de las fincas hipotecadas en garantía de las obligaciones emitidas; Inexactitud de lo manifestado en las escrituras de emisión de obligaciones respecto de la situación de cargas y gravámenes de algunas de las fincas hipotecadas; constitución por parte de CHOZA DEL GASCO, S.A. y de D. Pedro de sendas hipotecas de máximo sobre las fincas hipotecadas precedentemente en garantía de las obligaciones por ellos emitidas, en beneficio de una entidad de crédito para garantizar nuevos créditos a favor de la emitente de obligaciones hipotecarias, IBEROAMERICANA FILMS INTERNACIONAL, S.A., ahora XYZ DESARROLLOS, S.A., e inscripción de estas hipotecas de máximo, de lo que hubiera resultado que, si se hubiera procedido en su día a la inscripción de las hipotecas otorgadas en garantía de las obligaciones emitidas, éstas hubieran sido pospuestas a las de máximo; nombramiento como Comisario de los Sindicatos de Obligacionistas de IBEROAMERICANA FILMS INTERNACIONAL, S.A. y de CHOZA DEL GASCO, S.A. de la misma persona que desempeña las funciones de Presidente del Consejo de Administración de ambas mercantiles. Dicha persona, contraviniendo los deberes de su cargo de Comisario, facilitó mediante sus manifestaciones de voluntad y el otorgamiento de los documentos mercantiles y públicos la constitución de las hipotecas de máximo y la realización de otros actos gravemente lesivos para los obligacionistas.*

2) Sostiene después en el fundamento decimonoveno que la situación de insolvencia *"tiene por causa el incumplimiento por parte del demandado de sus obligaciones legales. Es evidente que los administradores no deben continuar llevando a cabo operaciones mercantiles cuando la sociedad no va a poder asumir sus compromisos de pago ante una situación de desbalance...."*

3) Finalmente, añade, en el fundamento vigésimo que *"La falta de liquidación en forma legal del patrimonio social cuando la sociedad se encuentra en situación de insolvencia es, desde luego, una actuación susceptible de causar un daño directo a los acreedores (...) La actuación anteriormente descrita del codemandado implica una negligencia en el desempeño de su cargo de administrador, contraria a la diligencia exigible a un ordenado empresario y que ha causado un daño a la actora que debe establecerse en las cantidades que le son adeudadas por las operaciones llevadas a cabo. Es decir, la suma reclamada en este pleito por la demandante".*

69. En definitiva, a la vista de las conductas descritas, hay base para sostener que el impago de la deuda contraída por XYZ DESARROLLOS, S.A. (antes IBEROAMERICANA FILMS INTERNACIONAL, S.A.) y CHOZAS DEL GASCO, S.A. no es imputable de forma directa a la sociedad y tan solo de forma indirecta o refleja a sus administradores, ya que su comportamiento rebasa sobradamente los límites de la buena fe en el trato con los terceros y permite imputar directamente el daño a su muy irregular proceder […]".

Sentencia de 29 de diciembre de 2011 (Civil) [5]

FUNDAMENTOS DE DERECHO

"3º […] aunque es absolutamente imprescindible demostrar que concurren los requisitos exigidos por el artículo 105.5 de la Ley de Sociedades de Responsabilidad Limitada y, en concreto, que pese a concurrir causa de disolución transcurrieron cuando menos dos meses sin que el órgano de administración promoviera la disolución o la remoción de la causa legal concurrente, es irrelevante la determinación exacta del *dies a quo* a partir del que debe iniciarse el cómputo del plazo bimensual y, de hecho, la realidad demuestra que con frecuencia las sociedades afectadas –y, claro está, sus administradores– no facilitan los datos reales de la contabilidad de la sociedad y de la evolución de su patrimonio –en este caso consta que el crédito de la demandante ni siquiera aparece provisionado–, por lo que no puede exigirse al acreedor que demuestre la fecha en la que las pérdidas determinaron la disminución del patrimonio a menos de la mitad del capital social, aunque, reiteramos, debe acreditar la concurrencia de causa de disolución y la pasividad de los administradores durante el repetido plazo de dos meses. […].

4º […] a diferencia de la responsabilidad por daño prevista en los artículos 133 y 135 de la Ley de Sociedades Anónimas, aplicables en aquellas fechas por remisión del artículo 69 de la Ley de Sociedades de Responsabilidad Limitada –hoy 236 y 241 de la Ley de Sociedades de Capital–, no se requiere que de la conducta del administrador derive engaño alguno al acreedor y daño en relación causa a efecto –lo que, en su caso daría lugar a la responsabilidad prevista entonces en el artículo 135 de la Ley de Sociedades Anónimas–.

47. En este sentido la sentencia 953/2007, de 26 de septiembre, ratificada por la 56/2011, de 23 febrero, que *"La Jurisprudencia se ha referido reiteradamente a la responsabilidad del administrador social por no promover la disolución de la sociedad o remover su causa, en relación con las anónimas y las de responsabilidad limitada. En concreto, la sentencia de 30 de octubre de 2000 recuerda que el administrador tiene el deber, una vez conocida la causa de disolución, de convocar la junta general en el plazo de dos meses, ya que así lo exige el precepto... y esta sencilla interpretación es la más coherente con la génesis y ratio teleológica del mismo, con su contenido literal y sistemático... y con la profesionalidad y seriedad que, respectivamente, son exigibles de los administradores y de la sociedad anónima, de modo que no se requiere, por lo tanto, ni nexo causal entre el crédito accionado y la inactividad de los administradores, ni otra negligencia de éstos que la que valora o toma en cuenta la propia norma legal.*

2.3. La buena fe en el ejercicio de la acción de responsabilidad

48. Ciertamente la buena fe es exigible en el ejercicio de la acción prevista, antes, en el artículo 105.5 de la Ley de Sociedades de Responsabilidad Limitada y, hoy, en el 367 de la Ley de Sociedades de Capital, por lo que no cabe exigir responsabilidad a los admi-

nistradores cuando la pretensión rebasa los límites de aquella (en este sentido, sentencia 173/2011, de 17 de marzo y las en ella citadas), pero carece de razonabilidad la pretensión de vincular la cifra de negocios o del crédito a la de capital, con confusión entre el variable valor del patrimonio de la sociedad y la cifra fija de su capital. [...]".

STS de 16 de enero de 2012 (Civil) [7]

En el mismo sentido, vid. STS de 6 de octubre de 2011

STS de 31 de enero de 2012 (Civil) [6]

FUNDAMENTOS DE DERECHO

"2º (...) 2.2. La responsabilidad por no adaptar.

30. Aunque lo expuesto es suficiente para desestimar el primer motivo de ambos recursos, añadiremos que la disposición transitoria tercera del texto refundido de la Ley de Sociedades Anónimas, dispone en el número 1 que las mismas deberán adaptar sus estatutos a lo dispuesto en la Ley, si estuvieran en contradicción con sus preceptos, antes del 30 de junio de 1992 y, en el número 3, que "[t]ranscurridos los plazos a que se refieren los apartados anteriores sin haberse adoptado e inscrito las medidas en ellos previstas, los administradores y, en su caso, los liquidadores responderán personal y solidariamente entre sí y con la sociedad de las deudas sociales".

31. Esta previsión no queda desvirtuada por lo que se dispone en el número 4 "[a] partir del 31 de diciembre de 1995, no se inscribirá en el Registro Mercantil documento alguno de sociedad anónima hasta tanto no se haya inscrito la adaptación de sus estatutos a lo dispuesto en esta Ley, si estuvieran en contradicción con sus preceptos. Se exceptúan los títulos relativos a la adaptación a la presente Ley, al cese o dimisión de administradores, gerentes, directores generales y liquidadores, y a la revocación o renuncia de poderes, así como a la transformación de la sociedad o a su disolución y nombramiento de liquidadores y los asientos ordenados por la autoridad judicial o administrativa", ya que en ella no se regula una causa de exclusión o de exoneración de la responsabilidad de la contraída según el número 3, sino el cierre del Registro Mercantil, a partir del 31 de diciembre de 1995, a documentos y títulos de sociedad anónima hasta tanto no se haya inscrito la adaptación, excepción hecha de los que enumera, entre ellos los relativos a su disolución, de tal forma que carece de razonabilidad la tesis de las recurrentes, que no se deduce del precepto gramatical, teleológica ni sistemáticamente y que está huérfana de todo apoyo doctrinal y jurisprudencial.

32. También añadiremos que, por un lado, en el motivo no se razona por qué los administradores no deben responder de las deudas posteriores al acuerdo de disolución, pese a que la norma no distinga entre las contraídas antes o después del mismo y, por otro, que se confunde la génesis de la deuda con el requerimiento de su pago y se hace tabla rasa de los hechos que sirven de punto de partida a la sentencia recurrida –los cuales permanecen incólumes en casación–, la cual declara que el 1 de abril de 2003, antes de que adoptase el acuerdo de disolución, la avalista pagó al acreedor de la avalada la deuda que esta tenía.

33. Finalmente, la pretensión de que el cumplimiento tardío del deber de adaptación tiene efectos exoneratorios por razones de equidad, carece del más mínimo sustento, se-

gún la sentencia 946/2011, de 30 de diciembre, que cita, entre otras, la 490/2006, de 22 de mayo, y la 425/2005, de 10 de junio de 2005, cuya tesis es reiterada posteriormente en las sentencias 160/2008, de 29 de febrero, y 329/2008, de 13 de mayo, según las que es doctrina reiterada de esta Sala que *"del tenor literal de la* DT tercera LSA *se desprende con claridad que el incumplimiento de la obligación que determina la responsabilidad solidaria entre sí y con la sociedad de los administradores por todas las deudas sociales se produce no solamente cuando el acuerdo de adaptación de los estatutos no se produce en el plazo establecido (que finalizó el 30 de junio de 1992), sino también cuando dentro del mismo no tiene lugar válidamente la inscripción de la escritura de adaptación o al menos la correspondiente presentación en el Registro Mercantil, que dé lugar a extender el asiento de presentación, siempre que éste se mantenga vigente hasta que se produzca la inscripción definitiva".*

STS de 10 de febrero de 2012 (Contencioso-administrativo) [11]

FUNDAMENTOS DE DERECHO

"3º (…) situación fáctica, no jurídica, consistente en una situación de hecho caracterizada por una paralización material de la actividad mercantil societaria en el tráfico sin que se produzca conforme a Derecho la extinción o desaparición de la entidad, la cual conserva intacta su personalidad jurídica. Esta desaparición ha de ser, además, completa, irreversible y definitiva, no bastando una cesación meramente parcial ni la suspensión temporal de las actividades, aunque dicha exigencia ha de matizarse en cada caso al objeto de evitar posibles conductas fraudulentas, por lo que el cese no puede identificarse siempre con la desaparición integra de todo tipo de actuación, pudiendo apreciarse el mismo en aquellos supuestos en que, a fin de eludir las responsabilidades que pudieran resultar exigibles en el pago de las deudas tributarias, se simule la existencia de cierta actividad o se mantenga un nivel mínimo de actuaciones derivado de la simple inercia del tráfico comercial » [Sentencia de 30 de enero de 2007]"

STS de 21 de marzo de 2012 (Civil) [7]

FUNDAMENTOS DE DERECHO

"2º […] En relación con el apartado 3 del artículo 172 –cuya aplicación al caso litigioso ha sido impugnada por la concursada y su administrador–, expusimos en la citada sentencia 644/2011, de 6 de octubre, que la condena de los administradores de una sociedad concursada a pagar a los acreedores de la misma, en todo o en parte, el importe de los créditos que no perciban en la liquidación de la masa activa, no es, según la letra 4 y el espíritu de la norma, una consecuencia necesaria de la calificación del concurso como culpable, sino que requiere una justificación añadida.

Razón por la que para pronunciar la condena a la cobertura del déficit concursal y, en su caso, para identificar a los administradores obligados y la parte de la deuda a que aquella alcanza, además de la concurrencia de los condicionantes impuestos por el propio apartado del artículo 172 –la formación o reapertura de la sección de calificación ha de ser consecuencia del inicio de la fase de liquidación–, es necesario que el Juez llegue a aquella conclusión tras valorar, conforme a criterios normativos y al fin de fundamentar el reproche necesario, los distintos elementos subjetivos y objetivos del comportamiento del administrador o de cada uno de los administradores en relación con la actuación que, imputada al órgano social con el que se identifican o del que forman parte, determinó la calificación del concurso como culpable. Es decir, el tipificado por el resultado en el apartado 1 del artículo 164 –haber causado o agravado, con dolo o culpa grave, la insolvencia–, o, como sucede en el caso enjuiciado, el de mera actividad que describe el apartado 2 del mismo artículo. [...]"

STS de 20 de abril de 2012 (Civil) [7]

FUNDAMENTOS DE DERECHO

"3º [...] Expusimos en la sentencia 644/2011, de 6 de octubre, que la condena de los administradores de una sociedad concursada a pagar a los acreedores de la misma, en todo o en parte, el importe de los créditos que no perciban en la liquidación de la masa activa, no es, según la letra y el espíritu de la mencionada norma, una consecuencia necesaria de la calificación del concurso como culpable, sino que requiere una justificación añadida.

Por esa razón, para pronunciar la condena a tal cobertura del déficit concursal y, en su caso, para identificar a los administradores obligados y la parte de la deuda a que aquella alcanza, además de la concurrencia de los condicionantes impuestos por el propio apartado del artículo 172 –la formación o reapertura de la sección de calificación ha de ser consecuencia del inicio de la fase de liquidación–, es necesario que el Juez Llegue a dicha conclusión tras valorar, conforme a criterios normativos y al fin de fundamentar el reproche necesario, los distintos elementos subjetivos y objetivos del comportamiento de cada uno de los administradores en relación con la actuación que, imputada al órgano social con el que se identifican o del que forman parte, había influido en la calificación del concurso como culpable.

En la citada sentencia 644/2011, precisamos que la Ley 22/2.003 sigue dos criterios para describir la causa por la que un concurso debe ser calificado como culpable. Conforme a uno –el previsto en el apartado 1 de su artículo 164– la calificación depende de que la conducta, dolosa o gravemente culposa, del deudor o de sus representantes legales o, en caso de tratarse de una persona jurídica, de sus administradores o 5 liquidadores, de hecho o de derecho, hubiera producido como resultado la generación o la agravación del estado de insolvencia del concursado [...]".

STS de 26 de abril de 2012 (Civil) [7]

En el mismo sentido, vid. STS de 6 de octubre de 2011

STS de 21 de mayo de 2012 (Civil) [7]

En el mismo sentido vid., entre otras, STS de 6 de octubre de 2011 y 20 de junio de 2012.

STS de 13 de junio de 2012 (Civil) [6]

FUNDAMENTOS DE DERECHO

"2º [...] 2.3. Falta de identidad entre la acción por daño y la responsabilidad por deudas sociales

34. Como hemos declarado en la sentencia 669/2011, de 4 de octubre y las en ella citadas, las acciones de los artículos 133 y 135 de la "" Ley de Sociedades Anónimas (denominada individual de responsabilidad) y 262.5 (de responsabilidad solidaria por deuda social) son dos acciones diferentes, con requisitos distintos, que, por ello, deben ser examinadas en sus respectivas perspectivas fáctica y jurídica en atención a sus específicos regímenes legales, por lo que, sin perjuicio de que la pluralidad de comportamientos desplegados por los administradores sociales pueden dar lugar a diferentes responsabilidades, susceptibles de ser acumuladas en una misma demanda, existen importantes diferencias entre los requisitos de prosperabilidad de las dos acciones. La del art. 135 LSA exige culpa, daño y relación de causalidad, rigiendo un criterio de imputación de responsabilidad de índole subjetivo, en tanto la acción del art. 262.5 LSA no requiere relación de causalidad ni reproche de culpabilidad –aunque sí de imputabilidad de la conducta–.

(...)

esta Sala ha declarado de forma reiterada (entre otras muchas sentencias 458/2010, de 30 de junio 680/2010, de 10 de noviembre 942/2011, de 29 de diciembre, que el reconocimiento de personalidad jurídica a las sociedades capitalistas, con la consiguiente limitación de responsabilidad por deudas a los bienes y derechos de la sociedad, impone a sus administradores una serie de deberes que tienen por destinatarios no solo a los socios que les designan, sino también al orden público económico y a los terceros que con ellas contratan, de tal forma que cuando la sociedad incurre en pérdidas cualificadas determinantes de la concurrencia de causa legal de disolución, les obliga alternativamente a promover la liquidación por el procedimiento societario, reorientando el objeto social al reparto entre los socios del remanente existente después de pagadas las deudas sociales; o la adopción de acuerdos dirigidos a remover la causa de disolución concurrente y reconstruir el patrimonio social; o la reducción del capital social restableciendo el equilibrio entre la cifra de capital y el patrimonio, con la necesaria publicidad que ello conlleva.

(...)

tratándose de disolución por pérdidas, era preciso que concurriesen los siguientes requisitos:

1) La causa de disolución prevista en el número 4 del artículo 260.1 del propio texto refundido -[l]a sociedad anónima se disolverá: (...) 4º Por consecuencia de pérdidas que dejen reducido el patrimonio a una cantidad inferior a la mitad del capital social, a no ser que éste se aumente o se reduzca en la medida suficiente".

2) La omisión por los administradores de la convocatoria de junta General para la adopción de acuerdos de disolución o de remoción de sus causas.

3) El transcurso de dos meses desde que la concurrencia de la causa de disolución fue conocida o pudo serlo.

4) La imputabilidad al administrador de la conducta pasiva.

5) Inexistencia de causa justificadora de la omisión.

42. No requiere, por el contrario, la existencia de daño o perjuicio a terceros –concepto que no coincide con el de asumir la "obligación" de la sociedad frente a acreedores–, ni, claro está, relación de causalidad directa o indirecta entre el comportamiento omisivo y el daño.

43. Como ha reiterado la doctrina, se trata de una institución preconcursal por la que los administradores están obligados a promover la disolución y liquidación de la compañía por vía societaria cuando la sociedad aún puede cumplir íntegramente sus obligaciones, sin esperar a que el deterioro del patrimonio la coloque en situación de insolvencia concursal [...]".

STS de 18 de junio de 2012 [6]

FUNDAMENTOS DE DERECHO

"2º 32. Tratándose de la acción prevista en el artículo 262.5 de la Ley de Sociedades Anónimas no es precisa la existencia de daño. Más aún: su objeto no es la indemnización por daño -por más que en ocasiones se identifiquen el daño con el importe de la deuda impagada- y ni siquiera es preciso que la sociedad esté en situación de insolvencia -de hecho se trata de una institución preconcursal dirigida a la liquidación "societaria"-.

STS de 20 de junio de 2012 [7]

FUNDAMENTOS DE DERECHO

"3º [...] En la sentencia 614/2011, de 17 de noviembre, señalamos que el artículo 165 de la Ley 22/2.003constituye "una norma complementaria de la del artículo 164, apartado 1".Y en la sentencia 298/2012, de 21 de mayo, que aquella norma contiene la presunción "iuris tantum" de la concurrencia de culpa grave o dolo, no en abstracto, sino como componente subjetivo integrado en el comportamiento a que se refiere el apartado 1 del artículo 164, esto es, del que produjo o agravó la insolvencia.

De modo que tanto si se entiende que la presunción legal "iuristantum", por la necesidad de evitar esfuerzos probatorios desmedidos, cumple funciones de identificación del tema necesitado de prueba, como si se considera que lo que hace es provocar un desplazamiento del "onus probandi", o ambas cosas a la vez, la conclusión ha de ser que el Tribunal de apelación aplicó correctamente el artículo 164, apartado 1, sirviéndose para ello de la presunción legal que sanciona el 165, regla primera, a partir del sospechoso comportamiento de la deudora de retrasar injustificadamente la solicitud de ser declarada en concurso [...]".

STS de 21 de junio de 2012 (Civil) [7]

FUNDAMENTOS DE DERECHO

16. En principio, la solicitud y admisión a trámite de la suspensión de pagos no permite a los administradores de la sociedad suspensa eludir la posible responsabilidad en que hubieran podido incurrir antes por no haber promovido a tiempo la disolución de la sociedad, conforme a lo prescrito en el art. 262.5 TRLSA. Al margen del efecto que la quita y espera convenida pueda provocar respecto de la responsabilidad de los administradores al pago de una determinada deuda de la sociedad suspensa afectada por el convenio, que en nuestro caso habría desaparecido con la resolución de dicho convenio. Pero esta responsabilidad debía ser solicitada y declarada respecto de determinadas deudas sociales y a instancia de sus respectivos acreedores. Ni el originario art. 262.5 TRLSA, aplicable al caso en atención a la fecha en que los administradores pudieron haber incurrido en

dicha responsabilidad (antes del 21 de marzo de 2002), ni el actual art. 367 LSC legitiman una acción encaminada a obtener un pronunciamiento declarativo genérico de esta responsabilidad, desconectado de deudas concretas y determinadas. La demanda pidió una declaración general de responsabilidad solidaria de los administradores por las deudas sociales y una condena concreta al pago del crédito que SAECA tiene frente a la sociedad de 649.291,97 euros. La primera declaración no cabe, por no existir acción para ello al amparo del art. 262.5 TRLSA, mientras que la segunda acción de condena sí que puede ejercitarse, pues se solicita la responsabilidad de los administradores respecto de una determinada deuda social.

17. La estimación del motivo de casación, con la anterior puntualización, nos convierte en tribunales de instancia a los efectos juzgar, de acuerdo con la prueba practicada, si concurren los requisitos legales para que pueda prosperar la acción de responsabilidad. Pero conviene recordar que ha constituido un presupuesto necesario para podamos conocer de esta acción de responsabilidad la resolución del convenio y la consiguiente apertura de oficio del concurso de acreedores. Esto es: el enjuiciamiento sobre la responsabilidad de los administradores es consiguiente a la resolución del convenio, y esta lleva consigo la declaración del concurso de acreedores. Y la declaración de concurso de acreedores produce como efecto legal y necesario, tras la reforma operada por la Ley 38/2011, de 10 de octubre, la suspensión de "los procedimientos iniciados antes de la declaración de concurso en los que se hubieran ejercitado acciones de reclamación de obligaciones sociales contra los administradores de las sociedades de capital concursadas que hubieran incumplido los deberes impuestos en caso de concurrencia de causa de disolución" (art. 51 bis LC).

De ahí que la resolución del convenio y la consiguiente apertura del concurso en su fase de liquidación impide que podamos, por ahora, juzgar como tribunal de instancia sobre la procedencia de la responsabilidad de los administradores, hasta que concluya el concurso."

STS de 25 de junio de 2012 (Civil) [3]

FUNDAMENTOS DE DERECHO

"(...) 24. El artículo 133.1 del texto refundido de la Ley de Sociedades Anónimas aprobado por Real Decreto Legislativo 1564/1989, de 22 diciembre, aplicable para la decisión del conflicto dada la fecha en la que se desarrollaron los hechos –hoy artículo 236 del Real Decreto Legislativo 1/2010, de 2 de julio por el que se aprueba el texto refundido de la Ley de Sociedades de Capital–, disponía que *"[l]os administradores responderán frente a la sociedad, frente a los accionistas y frente a los acreedores sociales del daño que causen por actos u omisiones contrarios a la Ley o a los estatutos o por los realizados incumpliendo los deberes inherentes al desempeño del cargo".* De la exégesis de la norma se deduce –como declaramos en la sentencia 760/2011, de 4 de noviembre, reproduciendo la 477/2010, de 22 de julio– que para dar lugar a la responsabilidad prevista en el mismo es precisa la concurrencia de los siguientes requisitos: -un comportamiento activo o pasivo desplegado por los administradores; que tal comportamiento sea imputable al órgano de administración en cuanto tal; que la conducta del administrador sea antijurídica por infringir la Ley, los estatutos o no ajustarse al estándar o patrón de diligencia exigible a un ordenado empresario y a un representante leal; que la sociedad sufra un daño; y que exista relación de causalidad entre el actuar del administrador y el daño.'

STS de 16 de julio de 2012 (Civil) [5, 7]

FUNDAMENTOS DE DERECHO

"3º [...] 33. Cuando tales comportamientos sean imputables a sociedades capitalistas, a fin de evitar los abusos de quienes las administran y actuan amparados en la ruptura de la relación causa a efecto derivada de la heteropersonalidad, el sistema reacciona y proporciona mecanismos "societarios" -hoy modificados en algunos extremos- dirigidos: 1) Unos a la reconstrucción del patrimonio de la sociedad –con la importante tutela indirecta de los acreedores que verán así incrementar el patrimonio de su deudora–, a cuyo efecto impone la responsabilidad derivada de daños y perjuicios –el artículo 133.1 del texto refundido de la Ley de Sociedades Anónimas, aplicable en la fecha de declaración del concurso, dispone que "[l] s administradores responderán frente a la sociedad, frente a los accionistas y frente a los acreedores sociales del daño que causen por actos u omisiones contrarios a la Ley o a los estatutos o por los realizados incumpliendo los deberes inherentes al desempeño del cargo"–. Su exigibilidad queda sometida a la concurrencia de los clásicos requisitos de la responsabilidad por daño –acción u omisión antijurídica, resultado dañoso, y relación de causalidad entre ambos–. 2) Otros a la protección de socios y terceros frente a la actuación de los administradores directamente lesiva de sus intereses. - A tenor del artículo 135 del texto refundido de la Ley de Sociedades Anónimas "[n]o obstante lo dispuesto en los artículos precedentes, quedan a salvo las acciones de indemnización que puedan corresponder a los socios y a terceros por actos de los administradores que lesionen directamente los intereses de aquéllos." Al igual que la anterior, se trata de una responsabilidad por daño que exige la concurrencia de los clásicos requisitos indicados. Las únicas especialidades dignas de mención a efectos de 7 esta sentencia, es que la relación causal entre acción u omisión y daño debe ser "directa," y que la norma no se refiere a los acreedores –de hecho las sentencias de 12 de octubre de 2011 ... y de 17 de noviembre de 2011 precisan que el daño que sufren los acreedores por impago de las deudas debe calificarse de indirecto–. 3) Finalmente, hay mecanismos dirigidos a tutelar directamente los intereses de los acreedores, imponiendo en determinados supuestos la responsabilidad solidaria por deuda ajena. A tal efecto el artículo 262.5 del repetido texto refundido en la indicada fecha, dispone que "Responderán solidariamente de las obligaciones sociales los administradores que incumplan la obligación de convocar en el plazo de dos meses la Junta General para que adopte, en su caso, el acuerdo de disolución, así como los administradores que no soliciten la disolución judicial o, si procediere, el concurso de la sociedad, en el plazo de dos meses a contar desde la fecha prevista para la celebración de la junta, cuando ésta no se haya constituido, o desde el día de la junta, cuando el acuerdo hubiera sido contrario a la disolución o al concurso." Se trata de una responsabilidad desvinculada del "daño" y está anudada a la imputabilidad de la conducta omisiva.

34. En el caso de las sociedades capitalistas declaradas en concurso, si se declarase culpable, cualquiera que fuese la causa –ya porque en la generación o agravación del estado de insolvencia hubiera mediado dolo o culpa grave de los administradores o liquidadores, de derecho o de hecho del deudor persona jurídica, a tenor del artículo 164.1 de la Ley Concursal (al que, como sostiene la sentencia de 614/2011, de 17 de noviembre, de 2011, reiterada en la 994/2011, de 16 enero de 2012, complementa el 165), ya porque concurría cualquiera de las irregularidades objetivas previstas en el artículo 164.2 (supuesto en el que, como precisa la sentencia 644/2011, de 6 de octubre, reiterada en la 994/2011, de 16 enero de 2012, "la ejecución de las conductas, positivas o negativas, que se describen en los seis ordinales de la norma, determina aquella calificación por sí sola, esto es, aunque no haya generado o agravado el estado de insolvencia"–, el sistema reacciona y:

1) Mantiene los mecanismos societarios de tutela de la sociedad, socios, terceros y acreedores frente a los administradores, –de hecho la Ley 38/2011, de 10 de octubre, de reforma de la Ley 22/2003, de 9 de julio, Concursal, que en el apartado VIII del Preámbulo, afirma la necesidad de armonizar los diferentes sistemas de responsabilidad de administradores que pueden convivir durante su tramitación–;

2) Impone a las "personas afectadas" por la calificación o declaradas cómplices la condena "a indemnizar los daños y perjuicios causados" –a tal efecto, el artículo 172.2 de la Ley Concursal (antes de la reforma por la Ley disponía que "la sentencia que califique el concurso como culpable contendrá, además, los siguientes pronunciamientos: [...] 3.º [...] la condena a devolver los bienes o derechos que hubieran obtenido indebidamente del patrimonio del deudor o hubiesen recibido de la masa activa, así como a indemnizar los daños y perjuicios causados. La norma no distingue entre daños directos e indirectos por un lado, ni entre los intereses de la sociedad, los socios, los acreedores y los terceros por otro. Se trata de una responsabilidad por daños clásica que requiere los requisitos típicos indicados, en la que la única especialidad a consignar en esta sentencia es que, normalmente, se identifican los daños y perjuicios causados con la "generación oagravación" de la insolvencia.

3) Además, para los casos en los que el concurso se hubiese declarado culpable, si la sección de calificación hubiera sido formada o reabierta como consecuencia de la apertura de la fase de liquidación, regula la posibilidad de condenar a pagar a los acreedores concursales, total o parcialmente, el importe que de sus créditos no perciban en la liquidación de la masa activa –sin distinguir en función de la fecha en la que se hubieren generado–. No se trata, en consecuencia de una indemnización por el daño derivado de la generación o agravamiento de la insolvencia por dolo o culpa grave –imperativamente exigible al amparo del artículo 172.2º.3 de la Ley Concursal–, sino un supuesto de responsabilidad por deuda ajena cuya exigibilidadrequiere: ostentar la condición de administrador o liquidador –antes de la reforma operada por la Ley 38/2011, de 10 de octubre, no se requería que, además tuviesen la de "persona afectada"–; que el concurso fuese calificado como culpable; la apertura de la fase de liquidación; y la existencia de créditos fallidos o déficit concursal.

35. No queda oscurecida la naturaleza de la responsabilidad por deuda ajena por la amplia discrecionalidad que la norma atribuye al Juez tanto respecto del pronunciamiento de condena como de la fijación de su alcance cuantitativo –algo impensable tratándose de daños y perjuicios en los que necesariamente debe responder de todos los causados–, lo que, sin embargo, plantea cuestión sobre cuáles deben ser los factores que deben ser tenidos en cuenta por el Juzgador, extremo este que seguidamente abordaremos [...]".

STS de 18 de julio de 2012 (Civil) [5]

En el mismo sentido, vid. STS de 16 de julio de 2012

STS de 19 de julio de 2012 (Civil) [7]

FUNDAMENTOS DE DERECHO

"6º (...) Expusimos en la sentencia 644/2011, de 6 de octubre, que la condena de los administradores de una sociedad concursada a pagar a los acreedores de la misma, en todo o en parte, el importe de los créditos que no perciban en la liquidación de la masa activa, no es, según la letra y el espíritu de la mencionada norma, una consecuencia necesaria de la calificación del concurso como culpable. Se condiciona a la sentencia de calificación del concurso y depende de una razonable discrecionalidad del Juez. Por esa razón, para pronunciar la condena a la cobertura del déficit concursal y, en su caso, para identificar a los administradores obligados y la parte de la deuda a que aquella alcanza, además de la concurrencia de los condicionantes expresamente impuestos por el propio apartado del artículo hoy, 172, es necesario que el órgano judicial llegue a dicha conclusión tras valorar, conforme a criterios normativos y al fin de fundamentar el reproche necesario, los distintos elementos subjetivos y objetivos del comportamiento de cada uno de los administradores en relación con la actuación que hubiera sido imputada al órgano social y determinado la calificación del concurso como culpable –artículo 172 bis, apartado 1, párrafo segundo–.

Ello sentado, resulta preciso advertir que la Ley 22/2.003 sigue dos criterios para describir la causa por la que un concurso debe ser calificado como culpable. Conforme a uno –el previsto en el apartado 1 de su artículo 164–, la calificación depende de que la conducta, dolosa o gravemente culposa, del deudor o de sus representantes legales o, en caso de tratarse de una persona jurídica, de sus administradores o liquidadores, de hecho o de derecho, hubiera producido como resultado la generación o la agravación del estado de insolvencia. Según el otro –previsto en el apartado 2 del mismo artículo– la calificación es independiente de la prueba de la producción de ese resultado y sólo está condicionada a la ejecución por el sujeto agente de alguna de las conductas descritas en la norma. Este segundo precepto contiene expreso mandato de que el concurso se califique como culpable "en todo caso (...)" siempre que "concurra cualquiera de los siguientes supuestos"; lo que constituye evidencia de que la ejecución de las conductas, positivas o negativas que se describen en los seis ordinales del apartado 2 del artículo 164 basta para determinar aquella calificación por sí sola –esto es, aunque no hayan generado o agravado el estado de insolvencia de la concursada, a diferencia de lo que exige el apartado 1 del mismo artículo–.

En la sentencia 614/2011, de 17 de noviembre –siguiendo las números 259/2012, de 20 de abril, 255/2012, de 26 de abril y 298/2012, de 21 de mayo–, señalamos que el artículo 165 no contiene un tercer criterio respecto de los dos mencionados del artículo 164, sino que se trata de "una norma complementaria de la del apartado 1", pues manda presumir "iuris tantum" la culposa o dolosa causación o agravación de la insolvencia, desplazando así el tema necesitado de prueba y las consecuencias de que ésta no baste para convencer al Tribunal. Hemos declarado en las mencionadas ocasiones que, dada la relación existente entre la norma del artículo 172, apartado 3, y las que le sirven de precedente, no se corresponde con el necesario respeto a la discrecionalidad judicial que reconoce ni al canon sistemático o de la integridad hermenéutica, que impone la recíproca iluminación de los preceptos concernidos, condicionar la condena del administrador a la concurrencia de un requisito que no es exigido para integrar el tipo que dio lugar a la calificación del concurso como culpable (...)".

STS de 10 de septiembre de 2012 (Civil) [5]

FUNDAMENTOS DE DERECHO

"3º (...) Esta Sala considera que la acción de reclamación de cantidad frente a una entidad mercantil y la acción de responsabilidad de los administradores por las deudas de la entidad mercantil pueden ser acumuladas para su tramitación y decisión en un mismo proceso ante los juzgados de lo mercantil. (...)".

STS de 14 de noviembre de 2012 (Civil) [7]

"4º 51. La cuestión planteada ha sido abordada en reiteradas ocasiones por esta Sala que se ha inclinado por entender que se trata de un supuesto de responsabilidad por deuda ajena, dado que, en el caso de las sociedades capitalistas declaradas en concurso el sistema, aunque con ciertas modificaciones, mantiene los mecanismos societarios de tutela de la sociedad frente a los daños y perjuicios causados a la misma por sus administradores (artículo 48.2 LC en la redacción vigente en la fecha de los hechos y hoy 48 quater) también mantiene con ciertas peculiaridades la protección de los acreedores frente a los administradores societarios por no activar los mecanismos de liquidación societaria (hoy artículos 50 y 51 LC) no elimina la responsabilidad por daño directo a socios y terceros en el caso de concurso declarado culpable impone a las "personas afectadas" por la calificación o declaradas cómplices la condena "a indemnizar los daños y perjuicios causados" (artículo 172.2.3 º y 172..3 LC) y además, si la sección de calificación hubiera sido formada o reabierta como consecuencia de la apertura de la fase de liquidación, regula la posibilidad de condenar a todos o a algunos de los administradores, liquidadores, de derecho o de hecho, o apoderados generales, de la persona jurídica concursada que hubieran sido declarados personas afectadas por la calificación a la cobertura, total o parcial, del déficit (artículo 172 en la fecha en que se desarrollaron los hechos). Entre las más recientes en, sentencia 501/2012, de 16 de julio)."

STS de 4 de diciembre de 2012 (Civil) [5, 10]

FUNDAMENTOS DE DERECHO

"3º (…)32. Lo expuesto es determinante de la desestimación de los submotivos que se limitan a sustituir la afirmación de la sentencia de apelación sobre la suficiencia de la prueba de que el demandado reúne los requisitos para ser tenido por administrador de hecho. Máxime, cuando la Audiencia Provincial no rechaza los hechos que la recurrente afirma demostrados. Lo que la sentencia sostiene al valorar los hechos -lo que constituye un juicio jurídico cuyo control escapa al recurso extraordinario por infracción procesal- es que no basta la ejecución de actos de gestión para que el demandado deba ser reputado administrador de hecho -concretamente en el tercer párrafo del fundamento de derecho tercero afirma que *"se encargaba de las cuestiones relativas a la intendencia o gestión ordinaria del negocio de discoteca, todas ellas perfectamente compatibles con el cargo de un factor notorio, apoderado o mandatario [...] pero sin que conste la adopción de decisiones o la ejecución de acto alguno trascendente en el ámbito interno para el funcionamiento de la propia sociedad, incardinable en el ámbito de la organización interna, ni dirección de la mercantil"*-, y que el resultado de la prueba es contradictorio, ya que el demandado *"carecía de poderes para vincular con sus actos a la sociedad, que se mantenían, sin embargo, en el **administrador** de derecho [...] que actuó en representación y defensa de la sociedad en diversos procedimientos judiciales, documentados en los autos"*(séptimo párrafodel fundamento de derecho quinto)"

STS de 5 de diciembre de 2012 (Penal) [8]

FUNDAMENTOS DE DERECHO

"25 (…) La Ley 6/95 de 29.6, introdujo en el CP. 1973 las agravantes especificas referidas al delito fiscal en dos apartados incluidos en el art. 349, que se mantienen literalmente en el art. 305 del Código vigente, con la siguiente redacción: "Las penas señaladas en el párrafo anterior se aplicaran en su mitad superior cuando la defraudación se cometiere concurriendo alguna de las circunstancias siguientes: a) La utilización de persona o personas interpuestas de manera que quede oculta la identidad del verdadero obligado tributario. b) La especial trascendencia y gravedad de la defraudación atendiendo al importe de lo defraudado o la existencia de una estructura organizativa que afecte o pueda afectar a una pluralidad de obligados tributarios." En cuanto a su naturaleza jurídica existe una discusión doctrinal en torno a su naturaleza jurídica como agravante especifica o subtipo cualificado de defraudación, configuración ésta última que es la prevalente, compartiendo la misma naturaleza que los supuestos previstos en el art. 250 respecto a la estafa y apropiación indebida, de tal consideración como tipo cualificado -conductas que configuran o tipifican por sí mismas el hecho delictivo -se deriva que su mera existencia presume una actitud dolosa y por tanto la comisión del delito, que la pena se determine a partir del limite establecidos para estos -pena base (de uno a cuatro años) en su mitad superior- entre dos años y seis meses y cuatro años-, y que en la graduación de la pena a imponer se tengan en cuenta las reglas previstas para la concurrencia de circunstancias genéricas -lo que no sucedería, en el caso de calificarse como una circunstancia agravante. En relación a su fundamento responde a la idea de castigar con mayor pena las conductas descritas, que denotan la existencia de una mayor gravedad o peligrosidad, así como una mayor facilidad comisiva, facilitando la impunidad de la conducta, tratando de conseguir a través de las mismas aumentar la eficacia preventiva y a la vez represiva del precepto. Por ello el subtipo exige que el sujeto infractor emplee en la comisión del delito una persona física o jurídica de modo que cree una estructura tendente a favorecer la impunidad de la conducta para dificultar su identificación. La conducta dolosa va implícita en este comportamiento, siendo suficiente que el sujeto se aprovecha conscientemente de esta situación.135 Esta agravación exige como requisito que con dicha interposición se consiga ocultar la identidad del verdadero obligado tributario. Debe entenderse que se dificulte su descubrimiento no que finalmente se consiga el propósito de desconocer su identidad.

Como precedentes de esta agravación la Ley 25/95, de 20 julio, de modificación parcial de la Ley General Tributaria establece que las sanciones se graduaran atendiendo, entre otros supuestos, a la utilización de medios fraudulentos en la comisión de la infracción o la comisión de ésta por medio de persona interpuesta (art. 82.1-c), es decir que el legislador ha querido trasladar un criterio que servia para graduar las sanciones administrativas al ámbito penal, convirtiéndose en una agravación de la pena. La agravación en consecuencia responde a la idea de aumentar el castigo de quien persigue una mayor facilidad de comisión y busca la impunidad de su acción, dificultando el esclarecimiento de los hechos, mediante el enmascaramiento de la verdadera titularidad del patrimonio o entidad investigada. Respecto del dolo del sujeto no es necesario que se persiga utilizar la persona interpuesta en la operación defraudatoria, siendo suficiente con que el sujeto se aproveche conscientemente de la situación (...)"

STS de 20 de diciembre de 2012 (Civil) [7]

En el mismo sentido, vid. SSTS de 6 de octubre de 2011 y 14 de noviembre de 2012

STS de 11 de enero de 2013 (Civil) [5, 6]

FUNDAMENTOS DE DERECHO

"3º. *1. 3. Requisitos de la responsabilidad de los administradores por deudas societarias.*

30. Para que los administradores societarios deban responder personalmente de las deudas de la sociedad, pese a tratarse de deuda ajena, es preciso el incumplimiento de ciertos deberes que tienen por destinatarios no solo a los socios que les designan, sino también al orden público económico y a los terceros con los que contratan. Entre ellos, cuando la sociedad incurre en pérdidas cualificadas determinantes de la concurrencia de causa legal de disolución, alternativamente, el de promover la liquidación por el procedimiento societario, reorientando el objeto social al reparto entre los socios del remanente existente después de pagadas las deudas sociales; o la adopción

31. Tratándose de los supuestos en los que la sociedad incurre en pérdidas cualificadas determinantes de la concurrencia de causa legal de disolución, la norma impone a los administradores el deber de promover la liquidación por el procedimiento societario, reorientando el objeto social al reparto entre los socios del remanente existente después de pagadas las deudas sociales; o, alternativamente, la adopción de acuerdos dirigidos a remover la causa de disolución concurrente y reconstruir el patrimonio social; o la reducción del capital social restableciendo el equilibrio entre la cifra de capital y el patrimonio, con la necesaria publicidad que ello conlleva; o, si procediere, el solicitar concurso de la sociedad.

32. Para el caso de incumplimiento de tal obligación, dentro del plazo fijado por la norma, tratándose de disolución por pérdidas, era preciso que concurriesen los siguientes requisitos: a) existencia de la causa de disolución prevista en el art. 105.1.e) de la LSRL, a cuyo tenor -*[l]a **sociedad** de responsabilidad limitada se disolverá: [...] e) Por consecuencia de pérdidas que dejen reducido el patrimonio neto a una cantidad inferior a la mitad del **capital** social, a no ser que éste se aumente o se reduzca en la medida suficiente, y siempre que no sea procedente solicitar la declaración de concurso conforme a lo dispuesto en la **Ley** 22/2003, de 9 de julio, Concursal"*; b) la omisión por los administradores de la convocatoria de junta General para la adopción de acuerdos de disolución, la remoción de sus causas; c) el transcurso de dos meses desde que la concurrencia de la causa de disolución fue conocida o pudo serlo; d) la imputabilidad al administrador de la conducta pasiva; e) inexistencia de causa justificadora de la omisión.

33. No requiere, por el contrario, la existencia de daño o perjuicio a terceros -concepto que no coincide con el de asumir las obligaciones de la sociedad frente a acreedores-, ni, claro está, relación de causalidad directa o indirecta entre el comportamiento omisivo y el supuesto daño.

34. Como ha reiterado la doctrina, se trata de una institución preconcursal por la que los administradores están obligados a promover la disolución y liquidación de la compañía por vía societaria cuando la sociedad aún puede cumplir íntegramente sus obligaciones, sin esperar a que el deterioro del

En el mismo sentido, vid. SSTS de 16 y 18 de julio de 2012.

STS de 24 de enero de 2013 (Contencioso-administrativo) [11]

En el mismo sentido, vid. STS de 25 de octubre de 2013.

STS de 28 de febrero de 2013 (Civil) [7]

FUNDAMENTOS DE DERECHO

" 5º 52. No indicaba la Ley con la claridad deseable cuales son los parámetros que debe tener en cuenta el juez para optar entre la exoneración y la condena a responder, para identificar a los concretos afectados por la calificación del concurso como culpable que deban responder y, finalmente, para cuantificar la responsabilidad por déficit concursal, por lo que, como declaramos en la indicada sentencia 501/2012, de 16 de julio, RC 373/2010 y 669/2012, de 14 de noviembre, RC 597/2010, si bien no cabe descartar de forma apriorística otros parámetros resulta adecuado el que, prescindiendo totalmente de su incidencia en la generación o agravación de la insolvencia, tiene en cuenta la gravedad objetiva de la conducta y el grado de participación del condenado en los hechos que hubieran determinado la calificación del concurso, habida cuenta de la posible pluralidad de varios intervinientes (especialmente en el caso de consejo de administración y posibles delegaciones internas), la duración del cargo, etc. 53. En este sentido, la 644/2011, de 6 de octubre, RC 1013/2008, reiterada en la 614/2011 de 17 noviembre, RC 1155/2008, afirma que "es necesario que el Juez valore, conforme a criterios normativos y al fin de fundamentar el reproche necesario, los distintos elementos subjetivos y objetivo del comportamiento de cada uno de los administradores en relación con la actuación que, imputada al órgano social con el que se identifican o del que forman parte, había determinado la calificación del concurso como culpable."

STS de 21 de marzo de 2013 (Contencioso-administrativo) [11]

FUNDAMENTOS DE DERECHO

"4º (...)"El administrador, para eludir su responsabilidad, habrá de, al menos, alegar, aportando hechos concretos, que efectivamente actuó tratando de esclarecer y resolver la actuación prohibida, o bien que no lo hizo por concurrencia de fuerza mayor o caso fortuito. Y ello no supone que nos encontremos ante una inversión de la carga de la prueba en orden a la determinación de la responsabilidad del administrador; bien al contrario, lo que ocurre es que cuando el ordenamiento jurídico coloca a un sujeto en posición de garante, y le encomienda la realización de la actividad necesaria y racionalmente posible para la evitación de un concreto resultado --en éste caso el incumplimiento de obligaciones tributarias--, cuando éste se produce, es obvio que cabe deducir, con arreglo a los criterios de la sana crítica, que la actividad impuesta por el ordenamiento jurídico no se ha producido, y teniendo en cuenta que el mismo arbitra medios para alcanzar el fin determinado; es también lógico concluir que quien estaba obligado a utilizar esos medios no los utilizó de forma voluntaria. Cuestión distinta es la concurrencia de especiales circunstancias que hicieran imposible la actuación de quien es garante; pero tales circunstancias han de ser alegadas de forma racional y fundada por quien omitió la conducta expresamente impuesta por la norma jurídica; y ello porque tales circunstancias suponen una justificación de la omisión del comportamiento debido, cuya prueba corresponde a quien la alegue." En principio, pues, es suficiente que el administrador haya incumplido por mera negligencia las obligaciones propias de su cargo. El responsable incumple una obligación de vigilancia que, de haber sido ejercida, hubiera evitado la infracción, y por eso se le obliga a compensar el daño derivado de su negligencia. En definitiva, uno de los principales requisitos exigidos en estos supuestos es la declaración administrativa de la infracción tributaria imputada a la persona jurídica a través del correspondiente expediente sancionador dado que, como sujeto pasivo, es el responsable principal del incumplimiento tributario de forma que, declarada tal responsabilidad, queda expedita la vía de derivación de responsabilidad de los administradores que hubiesen actuado con pasividad, con dejación, con negligencia, en definitiva, en el cumplimiento de sus obligaciones, una vez declarado fallido el deudor principal, por lo que al responsable subsidiario corresponde acreditar que actuó con la debida diligencia, como le exige el artículo 127 LSA en los siguientes términos: "los administradores desempeñarán su cargo con la diligencia de un ordenado empresario y de un representante leal" En conclusión, la condición de administrador comporta un especial deber de cumplir o velar por el cumplimiento de las obligaciones tributarias de la sociedad, y si bien no estamos ante un supuesto de responsabilidad objetiva, sino que la responsabilidad del administrador requiere como título de imputación al menos la apreciación de una conducta negligente en8 relación con el cumplimiento de las obligaciones tributarias de la sociedad, conducta que, al menos por omisión, no cabe duda que es imputable a la parte actora, al menos por mera negligencia, en el incumplimiento de las obligaciones fiscales de la sociedad que dieron lugar al acuerdo sancionador".

STS de 9 de abril de 2013 (Contencioso-administrativo) [11]

FUNDAMENTOS DE DERECHO

"3º (...)En estas sentencias se recoge en síntesis la siguiente doctrina: a) que la carga de la prueba y de la motivación corresponde a la Administración, b) que el acuerdo sancionador debe justificar específicamente los motivos de los cuales se infiere la culpabilidad en la conducta del obligado tributario, c) que la simple afirmación de que no se aprecian dudas interpretativas razonables basada en una especial complejidad de las normas aplicables no constituye suficiente motivación de la sanción, d) que el principio de presunción de inocencia garantizado en el art. 24 CE no permite que la Administración tributaria razone la existencia de culpabilidad por exclusión, e) que no es posible sancionar por la mera referencia al resultado, sin motivar específicamente de donde se colige la existencia de culpabilidad, f) que en aquellos casos en que la Administración no motiva mínimamente los hechos o circunstancias de los que deduce que el obligado tributario ha actuado culpablemente, confirmar la sanción porque éste no ha explicado en que interpretación alternativa y razonable ha fundado su comportamiento, equivale, simple y llanamente, a invertir la carga de la prueba, soslayando se ese modo las exigencias del principio de presunción de inocencia, g) que sólo cuando la Administración ha razonado, en términos precisos y suficientes, en qué extremos basa la existencia de culpabilidad, procede exigir al acusado que pruebe la existencia de una causa excluyente de responsabilidad, h) que los déficits de motivación de las resoluciones sancionadoras no pueden ser suplidas por los Tribunales Económicos Administrativos, porque la competencia para imponer las sanciones tributarias corresponde exclusivamente a la Administración tributaria."

STS de 9 de mayo de 2013 (Contencioso-administrativo) [11]

FUNDAMENTOS DE DERECHO

"4º (...)Ante la ausencia de definición normativa del concepto "cese de actividades", se han generalizado las posiciones doctrinales y jurisprudenciales según las cuales el cese de actividad que integra el presupuesto de responsabilidad del artículo 40.1, párrafo segundo, de la LGT/1963 constituye un concepto fáctico, no jurídico ni formalista, consistente en una situación de hecho caracterizada por la paralización material de la actividad mercantil societaria en el tráfico o mercado, sin que se produzca, conforme a Derecho, la extinción y desaparición de la entidad, la cual conserva intacta su personalidad jurídica. El cese de actividades ha de ser completo, definitivo e irreversible, no bastando una cesación meramente parcial o la suspensión temporal de las actividades. La exigencia de paralización de la actividad mercantil ha de matizarse en cada caso al objeto de evitar posibles conductas fraudulentas, por lo que el cese no puede identificarse siempre con la desaparición integra de todo tipo de actuación, pudiendo apreciarse el mismo en aquellos supuestos en que, a fin de eludir las responsabilidades que pudieran resultar exigibles en el pago de las deudas tributarias, se simule la existencia de cierta actividad o se mantenga un nivel mínimo de actuaciones derivado de la simple inercia del tráfico comercial." En cualquier caso, para exigir la responsabilidad del administrador en estos casos se precisa de una concreta conducta obstativa para el pago de las deudas tributarias. De mantenerse que el artículo 40.1, párrafo 2, consagraba una responsabilidad objetiva o sin culpa ello supondría la quiebra de un principio básico en las sociedades mercantiles, que es el de la separación de responsabilidad patrimonial entre las sociedades mercantiles y sus socios o administradores, pudiendo ser muchos los supuestos en que la sociedad cesa en el ejercicio de sus actividades y el administrador no puede hacer nada por mantener el cumplimiento de las obligaciones fiscales de aquélla. El artículo 40.1, párrafo segundo, de la LGT 230/1963 no puede ser interpretado en el sentido de que establece una responsabilidad sin atender al elemento subjetivo. La conclusión final, y general, que de todo lo anterior se extrae es la de que no cabe en modo alguno considerar responsables subsidiarios a los administradores de las personas jurídicas en las que no se haya producido un cese real y efectivo de su actividad económica, sin que sea a ello equiparable la simple paralización parcial de tal actividad como consecuencia de un período de crisis transitoria, siempre que se pruebe que tras dicho período de parálisis se continúa ejerciendo el objeto social de la entidad."

STS de 23 de mayo de 2013 (Civil) [2012]

En el mismo sentido, vid. STS de 10 de septiembre de 2012

STS de 20 de junio de 2013 (Civil) [3, 5, 7]

FUNDAMENTOS DE DERECHO

"9º (…)cuando la actuación ilícita del administrador social ha perjudicado directamente a la sociedad, produciendo un quebranto en su patrimonio social o incluso su desaparición de hecho, la acción que puede ejercitarse es la acción social del art. 134 del Texto Refundido de la Ley de Sociedades Anónimas, dirigida a la reconstitución del patrimonio social, en los términos previstos en tal precepto legal en cuanto a legitimación activa, esto es, legitimación directa de la sociedad y subsidiaria, cumpliéndose ciertos requisitos, de la minoría social o de los acreedores. Que de los daños producidos directamente a la sociedad se deriven, lógicamente, perjuicios indirectos para los socios, que ven frustradas sus expectativas legítimas a obtener una participación en los beneficios sociales, a obtener la cuota liquidativa que les correspondería en la liquidación social, y que pueden llegar a perder lo aportado como participación en el capital social, no otorga a tales socios legitimación para ejercitar la acción individual del art. 135 del Texto Refundido de la Ley de Sociedades Anónimas y lograr de este modo una indemnización directa. La pretensión del demandante al exigir directamente a los administradores la parte proporcional que le correspondería en la reintegración del patrimonio social lesionado por la actuación de los administradores es contraria al sistema legal de responsabilidad de los administradores sociales. No se trata de una cuestión meramente doctrinal o de un rigor formalista carente de justificación racional que sirva para dejar sin respuesta conductas ilícitas de los administradores sociales y sin tutela adecuada a los socios. La pretensión del demandante supone una aplicación indiscriminada de la vía de la acción individual del art. 135 del Texto Refundido de la Ley de Sociedades Anónimas que ignora completamente principios básicos del funcionamiento de las sociedades de capital, como son los de personalidad jurídica propia, autonomía patrimonial y responsabilidad por las deudas sociales. El demandante identifica, sin matiz ni condicionamiento alguno, los beneficios de la sociedad con los beneficios del socio, al exigir a los administradores el 50% de las cantidades que afirma debieron ser computadas como beneficios si se hubieran elaborado correctamente las cuentas anuales, o que considera fueron distraídas por los administradores y por tanto correspondían a beneficios sociales que no fueron ingresados en la caja social. Y confunde el patrimonio social con el patrimonio de los socios, al exigir el 50% del perjuicio patrimonial causado a la sociedad por la indebida enajenación de activos en beneficio de un tercero que habría dejado sin actividad a la sociedad. Obvia por completo que para que los beneficios de la sociedad puedan llegar al socio es precisa la adopción en junta de socios de determinados acuerdos, en concreto el de aplicación de resultados, en la que el reparto de dividendos está sujeto a determinados requisitos, destinados de modo principal a garantizar la solvencia y continuidad de la sociedad (art. 213 del Texto Refundido de la Ley de Sociedades Anónimas, actual art. 273 del Texto Refundido de la Ley de Sociedades de Capital). Tales requisitos hacen altamente improbable que la totalidad de los beneficios de la sociedad puedan traducirse en dividendos para los socios. Y obvia también el recurrente que para que el patrimonio social pueda ser repartido entre los socios cuando la sociedad deje de realizar la actividad social, es preciso un procedimiento de liquidación que finalice con el reparto de las cuotas liquidativas, en el que se garanticen los derechos de terceros, señaladamente los acreedores sociales. En la junta impugnada se acordó la disolución y liquidación de la sociedad. Es en ese proceso liquidativo en el que hay que determinar el haber social a repartir entre los socios, integrado en su caso con las indemnizaciones por los daños causados por los administradores a la sociedad obtenidas mediante el ejercicio de la acción social ejercitada por la propia sociedad o, subsidiariamente, por la minoría social."

STS de 7 de octubre de 2013 (Civil) [6]

FUNDAMENTOS DE DERECHO

"(…) no exige "una negligencia distinta de la prevista en la Ley de sociedades anónimas [...]" ni "la existencia de una relación de causalidad entre el daño y el comportamiento del administrador, sino que la imputación objetiva a éste de la responsabilidad por las deudas de la sociedad se realiza "ope legis" (por ministerio de la ley)".

Se trata, como señaló la sentencia 228/2008, de 25 marzo, de "una responsabilidad por deuda ajena "ex lege", en cuanto su fuente –hecho determinante– es el mero reconocimiento legal, sin que sea reconducible a perspectivas de índole contractual o extracontractual. Se fundamenta en una conducta omisiva del sujeto al que por su específica condición de administrador se le exige un determinado hacer y cuya inactividad se presume imputable –reprochable–, salvo que acredite una causa razonable que justifique o explique adecuadamente el no hacer. Responde a la "ratio" de proporcionar confianza al tráfico mercantil y robustecer la seguridad de las transacciones comerciales, cuando intervienen personas jurídicas mercantiles sin responsabilidad personal de los socios [...], evitando la perdurabilidad en el tiempo de situaciones de crisis o graves disfunciones sociales con perturbación para otros agentes ajenos, y la economía en general."

STS de 14 de diciembre de 2013 (Civil) [6]

FUNDAMENTOS DE DERECHO

"9 (…) La remoción de la causa de disolución de la compañía no extinguió la posible responsabilidad en que hubiera podido incurrir el administrador durante el tiempo en que incumplió el deber de promover la disolución, respecto de los créditos existentes entonces, pero sí evita que a partir del momento en que cesa la causa de disolución puedan surgir nuevas responsabilidades derivadas de aquel incumplimiento. Esto es, los acreedores de las deudas sociales surgidas después de que la compañía hubiera superado la causa de disolución, como es el caso de Cajalón, carecen de legitimación para reclamar la condena solidaria del administrador basada en un incumplimiento anterior."

En el mismo sentido vid. STS de 19 de noviembre de 2013

STS de 15 de octubre de 2013 (Civil) [6]

FINDAMENTOS DE DERECHO

"7 (…) El estado de insolvencia no constituye, por sí, una causa legal que haga surgir el deber de los administradores de promover la disolución de la sociedad. No cabe confundir, como parece que hacen la demanda y la sentencia recurrida, entre estado de insolvencia y la situación de pérdidas que reducen el patrimonio neto de la sociedad por debajo de la mitad del capital social, que, como veremos a continuación, sí constituye causa de disolución.

Aunque es frecuente que ambas situaciones se solapen, puede ocurrir que exista causa de disolución por pérdidas patrimoniales que reduzcan el patrimonio de la sociedad a menos de la mitad de capital social, y no por ello la sociedad esté incursa en causa de concurso. En estos supuestos opera con normalidad el deber de promover la disolución conforme a lo prescrito, antes en los arts. 262 TRLSA y 105 LSRL, y ahora en el art. 365 LSC. Y a la inversa, es posible que el estado de insolvencia acaezca sin que exista causa legal de disolución, lo que impone la obligación de instar el concurso, cuya apertura no supone por sí sola la disolución de la sociedad, sin perjuicio de que pueda ser declarada durante su tramitación por la junta de socios y siempre por efecto legal derivado de la apertura de la fase de liquidación (art. 145.3 LC) (…).

8. Para que un administrador de una sociedad anónima pueda ser declarado responsable solidario del pago de determinadas deudas de la sociedad, en virtud de lo regulado en el art. 262.5 TRLSA, que se corresponde con el actual art. 367 LSC, es preciso que concurran una serie de requisitos. Entre ellos que, mientras era administrador, la sociedad hubiera incurrido en una de las causas legales de disolución previstas en los núms. 3º, 4º, 5º y 7º del art. 262.1 TRLSA (actual art. 363 LSC) y, consiguientemente, conforme al art. 262.2 TRLSA (actual art. 365 LSC) hubiera surgido el deber de convocar la junta general de accionistas para que adopte el acuerdo de disolución. No obstante, en supuestos en que concurra la causa 4ª del art. 260.1 TRLSA [actual núm. 363.1.d) LSC], pérdidas que hayan reducido el patrimonio neto por debajo de la mitad del capital social, cesa el deber de instar la disolución si, por concurrir además el estado de insolvencia de la compañía conforme al art. 2.2 LC (cuando *"no puede cumplir regularmente sus obligaciones exigibles "*), se solicita y es declarado el concurso de acreedores de la sociedad. Así se des-

prende de una interpretación del citado art. 260.1.4º TRLSA, en relación con los apartados 2 y 5 del art. 262 TRLSA.

Lo anterior no significa que la declaración de concurso de acreedores exima de la posible responsabilidad ex art. 262.5 TRLSA, en que los administradores hubieran podido incurrir antes del concurso, sin perjuicio de que, tras la reforma introducida por la Ley 38/2011, de 10 de octubre, la declaración de concurso suspenda el ejercicio de esta acción de responsabilidad (art. 50.2 LC) y, si se lo hubiera sido y estuviera en tramitación, se paralizará el procedimiento (art. 51.1.bis LC). Sin embargo, sí supone que, tras la declaración de concurso, cesa el deber legal de los administradores de instar la disolución, que se acordará finalmente, como un efecto legal de la apertura de la fase de liquidación (art. 145.3 LC), cuando se opte por esta solución concursal. Que cese este deber legal de promover la disolución de la sociedad, mediante la convocatoria de la junta de accionistas para que adopte el preceptivo acuerdo, no significa que la junta de accionistas no pueda acordarlo, pues está perfectamente legitimada para hacerlo sin que deba necesariamente concurrir una causa legal para ello (art. 260.1.1º TRLSA).

Tampoco durante la fase de cumplimiento del convenio puede surgir el deber de promover la disolución y la consiguiente responsabilidad por no hacerlo dentro del plazo legal. Lo impide, no la vigencia de los efectos de la declaración de concurso, que cesan conforme al art. 133.2 LC, sino la propia normativa societaria (en nuestro caso, los arts. 260.1.4 º y 262.2 y 5 TRLSA), que establece el concurso de acreedores como un límite al deber de los administradores de promover la disolución, bajo la lógica de que la situación de concurso de la compañía se rige por una normativa propia, que expresamente prevé la disolución de la compañía, como consecuencia necesaria a la apertura de la fase de liquidación (art. 145.3 LC), y que, en caso de aprobación de convenio, impone al deudor el deber de instar la liquidación cuando, durante la vigencia del convenio, conozca la imposibilidad de cumplir los pagos comprometidos y las obligaciones contraídas con posterioridad a su aprobación (art. 142.2 LC) (…)".

STS de 25 de octubre de 2013 (Contencioso-administrativo) [11]

FUNDAMENTOS DE DERECHO

"4º (…)En efecto, ante la inexistencia de documentación de la que pueda deducirse que en el domicilio de la sociedad no figuraba la empresa inspeccionada, habiéndose producido el intento de la única notificación en el domicilio social. de Barcelona en fecha 4 de Febrero de 2000, resulta patente que los intentos previos en el domicilio del Administrador en relación a un acuerdo de Mayo de 1998, distinto del publicado con posterioridad, no pueden considerarse suficientes para la validez de la notificación edictal de la apertura del procedimiento de inspección, y como en el año 1999 y hasta el 28 de Febrero de 2000 se continuaron practicando de forma defectuosa las distintas notificaciones hay que apreciar la prescripción alegada por el transcurso del plazo establecido desde que finalizó el previsto para la presentación en voluntaria de la declaración del Impuesto del ejercicio 1993, con la consiguiente estimación del primer motivo de impugnación, lo que exonera del examen de los restantes, y que comporta la estimación del recurso contencioso administrativo interpuesto contra la resolución del TEAC de 10 de Septiembre de 2008, con la consiguiente anulación del acuerdo de derivación de responsabilidad subsidiaria de 18 de Diciembre de 2002 de la deuda tributaria practicada a la Sociedad Auto Borbón N. 58 SA, por el Impuesto sobre Sociedades del ejercicio 1993 y sanción impuesta, sin costas."

STS de 19 de noviembre de 2013 (Civil) [5, 6]

FUNDAMENTOS DE DERECHO

"3º (…) art. 949 del Código de Comercio a todas las acciones de responsabilidad de los administradores basadas "en su actividad orgánica". Dicho artículo 949 del Código de Comercio comporta una especialidad respecto al "dies a quo" [día inicial] del cómputo del referido plazo de cuatro años, que queda fijado en el momento del cese en el ejercicio de la administración por cualquier motivo válido para producirlo, si bien se retrasa la determinación del "dies a quo" a la constancia del cese en el Registro Mercantil cuando se trata de terceros de buena fe (artículos 21.1 y 22 del Código de Comercio y 9 del Reglamento del Registro Mercantil), con fundamento en que solo a partir de la inscripción registral puede oponerse al tercero de buena fe el hecho del cese, dado que el legitimado para ejercitar la acción no puede a partir de ese momento negar su desconocimiento. Este criterio extensivo no resulta aplicable cuando se acredita la mala fe del tercero o que el afectado tuvo conocimiento anterior del cese efectivo. (…). De acuerdo con el art. 949 del Código de Comercio la acción prescribe a los cuatro años desde que el administrador hubiere cesado en la administración. El cese del administrador puede acaecer por cualquier motivo válido o causa apta para producirlo, entre los que se encuentra el cese por caducidad del nombramiento como consecuencia del agotamiento del plazo por el que fue designado.

La relevancia a estos efectos de la constancia registral del cese del administrador ha sido precisada por esta Sala en ocasiones anteriores. En concreto las sentencias núm. 700/2010, de 11 de noviembre, recurso núm.1927/2006, y núm. 810/2012, de 10 de enero, recurso núm. 2140/2010, distinguen entre los efectos materiales o sustantivos que se siguen de la falta de inscripción del cese del administrador en el Registro Mercantil y los efectos formales que afectan al cómputo del plazo de prescripción. En el plano material, la falta de inscripción del cese no comporta por sí misma que el administrador cesado siga siendo responsable frente a terceros, salvo excepciones derivadas del principio de confianza, ni que asuma obligaciones sociales por incumplir deberes que ya no le incumben, dado que la inscripción no tiene carácter constitutivo. A meros efectos formales, y en orden a dilucidar si la acción ejercitada está o no prescrita, el criterio seguido por esta Sala es que si no consta el conocimiento por parte del afectado del momento en que se produjo el cese efectivo por parte del administrador, o no se acredita de otro modo su mala fe, el cómputo del plazo de cuatro años que comporta la extinción por prescripción de la acción no puede iniciarse sino desde el momento de la inscripción, dado que sólo a partir de entonces puede oponerse al tercero de buena fe el hecho del cese y, en consecuencia, a partir de ese momento el legitimado para ejercitar la acción no puede negar su desconocimiento.

Esta distinción nos llevó a concluir en tales sentencias que «el dies a quo [día inicial] del plazo de prescripción queda fijado en el momento del cese en el ejercicio de la administración por cualquier motivo válido para producirlo, si bien no se ha de computar frente a terceros de buena fe hasta que no conste inscrito en el Registro Mercantil». De tal forma que, «si no consta el conocimiento por parte del afectado del momento en que se produjo el cese efectivo por parte del administrador, o no se acredita de otro modo su mala fe, el cómputo del plazo de cuatro años que comporta la extinción por prescripción de la acción no puede iniciarse sino desde el momento de la inscripción, dado que sólo a partir de entonces puede oponerse al tercero de buena fe el hecho del cese y, en consecuencia, a partir de ese momento el legitimado para ejercitar la acción no puede negar su desconocimiento» (sentencias núm. 184/2011, de 21 de marzo, recurso núm. 1456/2007, y núm. 810/2012, de 10 de enero, recurso núm. 2140/2010)".

STS de 3 de diciembre de 2013 (Civil) [6]

FUNDAMENTOS DE DERECHO

"12. Comenzaremos por el análisis de los presupuestos legales para el ejercicio de la acción de responsabilidad de los administradores basada en el incumplimiento de su deber legal de promover la disolución de la sociedad, prevista en el art. 105.5 LSLR, tal y como estaba configurada antes de la reforma introducida por la Ley 19/2005, de 14 de noviembre, en atención al momento en que se habría producido el hecho del que se deriva la responsabilidad reclamada, el reseñado incumplimiento del deber legal de promover la disolución.

Como hemos recordado en otras ocasiones, entre ellas en la Sentencia núm. 585/2013, de 14 de octubre, la acción ejercitada de responsabilidad de los administradores de una sociedad de responsabilidad limitada prevista en el art. 105.5 LSRL, que se corresponde en la actualidad con el art. 367 LSC, requiere que los administradores hayan incumplido el deber de promover la disolución, existiendo una de las causas legales que así lo exige. De este modo es preciso que, mientras los administradores demandados estaban en el ejercicio de su cargo, la sociedad hubiera incurrido en alguna de las causas de disolución contenidas en las letras c) a g) del apartado 1 del art. 104 LSRL (en la actualidad las causas de disolución se regulan en el art. 363 LSC).

En el presente caso las causas invocadas fueron: pérdidas que dejan reducido el patrimonio de la sociedad por debajo de la mitad de su capital social (art. 104.1.e LSRL), la falta de la actividad que constituye el objeto social durante tres años (art. 104.1.d LSRL) y la imposibilidad de cumplir el fin social (art. 104.1.cLSRL).

Basta advertir que atendiendo a las últimas cuentas anuales depositadas por la sociedad en el Registro Mercantil, que se corresponden con el ejercicio 2004, al cierre del mismo los fondos propios eran negativos (-230.449 euros), por lo que se cumplía con toda claridad la causa prevista en la letra e) del art. 104.1 LSRL, al ser el patrimonio de la sociedad muy inferior a la mitad del capital social, que era de 30.010 euros.

13. Concurriendo la reseñada causa legal de disolución, los concretos deberes que el art. 105 TRLSA, en sus apartados 1 y 4 (se corresponden con los actuales arts. 365 y 366 LSC), imponía a los administradores eran: i) en primer lugar, convocar la junta general en el plazo de dos meses para que adopte el acuerdo de disolución; ii) en el caso en que no se hubiera podido constituir la junta, solicitar la disolución judicial en el plazo de dos meses a contar desde la fecha prevista para la celebración de la junta; y iii) si se hubiese celebrado la junta, pero no se hubiera adoptado el acuerdo de disolución o el acuerdo hubiese sido contrario, solicitar la disolución judicial en el plazo de dos meses a contar desde el día de la junta."

STS de 4 de diciembre de 2013 (Civil) [5, 6]

VOTO PARTICULAR

"2º Mi discrepancia se proyecta a partir del Fundamento Jurídico Octavo de la Sentencia, sobre la «irrelevancia del conocimiento de la situación económica de la sociedad por parte de los acreedores demandantes", (...).

3º Las normas del art. 262.5 LSA exigen como requisito nuclear el incumplimiento del deber legal de convocar junta de accionistas para acordar la disolución, o las medidas para la remoción de la causa de disolución, deber destinado no sólo a los accionistas, sino también al orden público económico y a los terceros con lo que contratan (SSTS la citada, núm. 818/2012, de 11 de enero, la núm. 118/2003, de 16 de febrero, núm. 776/2001, de 20 de julio, núm. 407/2008, de 23 de junio, entre otras muchas). Incluso otras sentencias, como la núm. 118/2009, de 16 de febrero, entre otras, señalan que este sistema de responsabilidad no exige relación causal con el resultado producido, ni concurrencia de culpa en el administrador responsable, en el sentido de falta de previsión del daño, ya que éste no se precisó. Como destacó la STS núm. 776/2001, de 20 de julio: "aceptada por la STS 15-7-97 (recurso 2388/93) la naturaleza de pena civil de la responsabilidad solidaria que dicho precepto impone a los administradores se configura ésta como una responsabilidad cuasi objetiva por la STS 29 de abril de 1999 (RC 3200/94) y entendida desde luego como una responsabilidad "ex lege" por las SSTS 12 de noviembre de 1999 (RC 803/95), 22 de diciembre de 1999 (RC 2659/95), 30 de octubre de 2000 (RC 3341/95) y 20 de diciembre de 2000 (recurso 3654/95), se rechaza su identificación con la fundada en negligencia, de los arts. 133 a 135 LSA, por no ser necesaria ni una relación de causalidad entre la omisión de los administradores y la deuda social ni una negligencia distinta de la prevista en el propio precepto, que comenzaría en el momento mismo en que los administradores conocen la situación patrimonial y sin embargo no proceden, como dispone el art. 262 (SSTS 29 de abril de 1999, 22 de diciembre de 1999, 30 de octubre de 2000, ya citadas), de modo que la mera pasividad de los administradores traería aparejada su responsabilidad solidaria por las obligaciones sociales a modo de "consecuencia objetiva" (STS 14 de abril de 2000, RC 2143/95)".

4º Sentado lo precedente, que no difiere de los razonamientos de la sentencia discrepante, debo entrar en los motivos alegados por los recurrentes a los que se ha hecho referencia en el Fundamento Segundo. A) Justificación por la jurisprudencia para atenuar el rigor del art. 262.5 TRLSA (hoy art. 365 LSC). La doctrina defiende la posibilidad de aplicar a esta responsabilidad las reglas generales de imputabilidad, teniendo en cuenta, (i) la evolución de la sociedad durante el tiempo en que estuvo incursa en una causa de disolución, (ii) la conducta de los administradores para con el acreedor de la sociedad, y, (iii) el 15 art. 7.21 del Título Preliminar del Código Civil que obliga al ejercicio de los derechos conforme a las exigencias de buena fe (…)".

STS de 10 de febrero de 2014 (Contencioso-administrativo) [11]

FUNDAMENTOS DE DERECHO

3º "(…) la Sala de la Audiencia Nacional considera que, conforme a dicha previsión normativa "la derivación de responsabilidad se produce como consecuencia de la infracción cometida por la sociedad, y en definitiva por las personas físicas que ostentaban su representación jurídica. Por ello si no existe infracción no existe derivación de responsabilidad [...]". Y, como consecuencia de las sentencias que cita, dicha Sala entiende que "no pueden derivarse el importe de las liquidaciones de deudas tributarias que fueron objeto de expedientes sancionadores y posteriormente anuladas las sanciones impuestas" (sic). "Para que pueda derivarse la responsabilidad a los administradores de una sociedad, en base a lo dispuesto en el artículo 40.1, párrafo primero, de la Ley 230/1963, es necesario que se haya cometido una infracción por la persona jurídica de las [la] que eran administradores, al tiempo de presentar las autoliquidaciones de los distintos impuestos, o no se haya practicado la correspondiente retención o ingreso de las retenciones por IRPF; por tanto la anulación de las sanciones impuestas derivadas de las liquidaciones que se dirán implica que no pueda derivarse la responsabilidad por el importe de los principales de sus liquidaciones al faltar el requisito recogido en el artículo 40.1, párrafo primero de la Ley 230/1963".

STS de 1 de abril de 2014 (Civil) [6, 7]

FUNDAMENTOS DE DERECHO

"5º No se trata de causas de calificación del concurso como culpable de naturaleza muy diferente, pues esta sala ha declarado (sentencias núm. 614/2011, de 17 de noviembre, 994/2011, de 16 de enero de 2012, y 501/2012, de 16 de julio) que el artículo 165 de la Ley Concursal no contiene un tercer criterio respecto de los dos del artículo 164, apartados 1 y 2, sino que es una norma complementaria de la del artículo 164.1. Contiene efectivamente una concreción de lo que puede constituir una conducta gravemente culpable con incidencia causal en la generación o agravación de la insolvencia, y establece una presunción "iuris tantum" en caso de concurrencia de la conducta descrita, el incumplimiento del deber legal de solicitar el concurso, que se extiende tanto al dolo o culpa grave como a su incidencia causal en la insolvencia (sentencias de esta sala num. 259/2012, de 20 de abril, 255/2012, de 26 de abril, 298/2012, de 21 de mayo, 614/2011, de 17 de noviembre y 459/2012 de 19 julio).

En este caso, sería una única conducta la determinante del carácter culpable del concurso, el incumplimiento por los administradores de los deberes que les imponía la legislación societaria al incurrir la sociedad en pérdidas agravadas, que consideran equivale a la insolvencia, en 2003, conducta que las resoluciones de instancia incardinan en el art. 165.1 y asimismo en el 164.1, ambos de la Ley Concursal, siendo en realidad aquel una concreción legal de este.

(...)

13º 2.- No puede confundirse la situación de insolvencia que define el artículo 2.2 de la Ley Concursal cuando afirma que «se encuentra en estado de insolvencia el deudor que no puede cumplir regularmente sus obligaciones exigibles», con la situación de pérdidas agravadas, incluso de fondos propios negativos, que determinan el deber de los administradores de realizar las actuaciones que las leyes societarias les imponen encaminadas a la disolución de la sociedad y, que, en caso de incumplimiento de tales deberes, dan lugar por esa sola razón a su responsabilidad con arreglo a la legislación societaria.

En la Ley Concursal la insolvencia no se identifica con el desbalance o las pérdidas agravadas. Cabe que el patrimonio contable sea inferior a la mitad del capital social, incluso que el activo sea inferior al pasivo y, sin embargo, el deudor pueda cumplir regularmente con sus obligaciones, pues obtenga financiación. Y, al contrario, el activo puede ser superior al pasivo pero que la deudora carezca de liquidez (por ejemplo, por ser el activo ser liquidable a muy largo plazo y no obtener financiación) lo que determinaría la imposibilidad de cumplimiento regular de las obligaciones en un determinado momento y, consecuentemente, la insolvencia actual.

Por consiguiente, aunque con frecuencia se solapen, insolvencia y desbalance patrimonial no son equivalentes, y lo determinante para apreciar si ha concurrido el supuesto de hecho del art. 165.1 de la Ley Concursal es la insolvencia, no el desbalance o la concurrencia de la causa legal de disolución por pérdidas agravadas. ..."

STS de 23 de mayo de 2014 (Civil) [5]

FUNDAMENTOS DE DERECHO

"3º La acción individual de responsabilidad de los administradores por actos llevados a cabo en el ejercicio de su actividad orgánica –y no en el ámbito de su esfera personal, en cuyo supuesto entraría en juego la responsabilidad extracontractual, del art. 1902 Cc– plantea especiales dificultades para delimitar los comportamientos de los que deba responder directamente frente a terceros, delimitando el ámbito de la responsabilidad que incumbe a la sociedad, que es con quien contrata, de la responsabilidad de los administradores que actúan en su nombre y representación. En este último caso, pues, la acción individual de responsabilidad supone una especial aplicación de responsabilidad extracontractual integrada en un marco societario, que cuenta con una regulación propia (art. 135 LSA -241 LSC), que la especializa respecto de la genérica prevista en el art. 1902 Cc (SSTS de 6 de abril de 2006, 7 de mayo de 2004, 24 de marzo de 2004, entre otras). Se trata, de una responsabilidad por "ilícito orgánico", entendida como la contraída en el desempeño de sus funciones del cargo.

Vid., también, entre otras, SSTS de 20 de julio de 2001, 20 de noviembre de 2003 y 24 de marzo de 2004.

STS de 27 de junio de 2014 (Civil) [5, 6, 7]

FUNDAMENTOS DE DERECHO

"3º 6. El criterio expuesto resulta coincidente con el manifestado por el legislador en la vigente legislación concursal, que en el artículo 48.2 LC atribuye a los administradores del concurso la legitimación para el ejercicio de las acciones de responsabilidad que, conforme a lo establecido en las leyes, asistan al concursado persona jurídica contra sus administradores, auditores o liquidadores, sin necesidad de previo acuerdo de la junta o asamblea de socios, pero no les habilita para el ejercicio de las acciones de responsabilidad que personalmente corresponden a los acreedores del concurso.

4º (…) La atribución al administrador de la responsabilidad por las deudas de la sociedad se realiza "ope legis" (esto es, por ministerio de la ley), sin necesidad de una relación de causalidad directa entre la omisión del deber de promover la disolución y las deudas sociales."

En el mismo sentido vid. SSTS de 18 de junio y 11 de enero de 2013.

STS de 10 de julio de 2014 (Civil) [6]

FUNDAMENTOS DE DERECHO

"3 (…)Esta es la más reciente y uniforme Jurisprudencia de esta Sala. Es una responsabilidad por deuda ajena *"ex lege"* que no tiene naturaleza de *"sanción"* o *"pena civil"*, como señalan las STS 1063/2012, de 7 de marzo, de 14 de mayo de 2007, 13 de abril de 2012, 26 de noviembre de 2011, 30 de junio de 2010, 10 de noviembre de 2010, entre otras. Por ello, no cabe la retroactividad del precepto (art. 105.5 LSRL) tras la promulgación de la Ley 19/2005, de 14 de noviembre, siendo de aplicación la originaria.

4. Siendo así, es evidente que, al caso enjuiciado, debe aplicarse el art. 105.5 LRSL en su redacción originaria, *"tempus regit actum",* por lo que pesaba en el administrador único, aquí demandado, la obligación de convocar junta de socios cuando, como consecuencia de pérdidas, han dejado reducido el patrimonio social a menos de la mitad del capital social (...)".

STS de 3 de septiembre de 2014 (Civil) [5]

FUNDAMENTOS DE DERECHO

"3º (...)sus administradores, y que la causa de pedir de dicho petitum estuvo en el resarcimiento de un daño causado a la sociedad acreedora demandante por el incumplimiento de los administradores de un deber legal contenido en el art. 77 de la LSRL, entonces vigente y entender el Tribunal aplicable a la controversia, que, obligaba a restituir, mediante consignación, las aportaciones dinerarias no empleadas en la ampliación de capital comprometida. Por tanto, ya desde un principio pudieron los administradores defenderse combatiendo los hechos constitutivos de esa pretensión. Pese a su aparente falta de concreción inicial, tal cosa no impidió que el Juzgado incardinara la pretensión de la sociedad actora frente a los hoy recurrentes en el supuesto de hecho del art. 133 LSA (por remisión del art. 69 LSRL), y, además de que solo uno de ellos adujo en la instancia y en su oposición al recurso de apelación el defecto que ahora se reitera -haciéndolo en unos términos que permiten entender que bien pudo conocer la pretensión que se formulaba contra él, sin atisbo de indefensión material jurídicamente relevante-. Lo determinante es que también para el tribunal de apelación la responsabilidad exigida a los administradores traía causa del daño ocasionado por incumplir un deber legal (art. 77 LSRL, de nuevo invocado en el recurso de apelación), lo que suponía que la pretensión ejercitada era la comprendida en el art. 133.1 LSA, que legitimaba, entre otros, a los acreedores de la sociedad para resarcirse del daño ocasionado por actos u omisiones de sus administradores, que resultasen contrarios a la ley. La incardinación de la pretensión en el supuesto de hecho normativo del art. 133.1 LSA no solo se acomoda a la causa petendi, puesto que los hechos jurídicamente relevantes que sirven de fundamento a la pretensión de la demandante se resumen en el incumplimiento imputable a los administradores demandados de la obligación legal de utilizar el dinero recibido para el fin comprometido y no para otro distinto. Como en otras ocasiones ha declarado esta Sala (por ejemplo, STS 17 de octubre de 2005, RC nº 996/1999), «resulta, por tanto, palmaria la adecuación del fallo con lo discutido y pretendido, de acuerdo, con el principio "iura novit curia", que, desde luego, permite dentro de la fundamentación jurídica alegada, elegir la norma más conforme con la prueba practicada, para analizar la labor de subsunción en la aplicación normativa. Obviamente, no 6 se puede hablar de indefensión, puesto que los argumentos resultaban expuestos desde la demanda, con posibilidades abiertas de audiencia bilateral y contradicción»".

STS de 10 de septiembre de 2014 (Civil) [7]

FUNDAMENTOS DE DERECHO

"5º 9.- La jurisprudencia ha evolucionado en su interpretación del art. 1137 CC. Como recuerdan las sentencias de esta Sala núm. 892/2008, de 8 de octubre, y 43/2014, de 5 de febrero, concurren las notas de la solidaridad pasiva cuando hay una pluralidad de deudores, unidad de objeto, comunidad de objetivos y de unos mismos hechos se hayan generado para todos ellos obligaciones con el mismo contenido.

No es óbice para ello que las conductas debidas por unos y otros vengan impuestas por distintos títulos. Existe una pluralidad de obligaciones independientes entre sí en los sujetos respectivos y unificadas frente al acreedor en el ámbito objetivo de idéntica prestación, lo que es posible en la denominada obligación "in solidum" o solidaridad impropia."

STS de 11 de noviembre de 2014 (Civil) [1]

FUNDAMENTOS DE DERECHO

"5º (...)El patrón de conducta que exige el ordenamiento societario, se corresponde al modelo de "un ordenado empresario" (art. 225.1 LSC) que supone entre otros deberes, el de lealtad y el de fidelidad (art. 226 LSC) como estándar del "representante leal." Los administradores deben desempeñar su cargo como un representante leal en defensa del "interés social," por lo que están obligados a anteponer en todo momento los intereses de los accionistas a los suyos propios. Este deber de lealtad, pese a ser un estándar general, la ley ha cuidado de tipificar alguna de sus manifestaciones más importantes, entre ellas, y, en lo que aquí interesa, la "prohibición de aprovechar oportunidades de negocio" (art. 228 LSC - art. 127 ter 2 LSA) y las "situaciones de conflicto de intereses" (art. 229 LSC - 127 ter, 3 y 4, y 132.2 LSA). Este último precepto, como cuestión relevante para el caso enjuiciado, prevé el remedio de la abstención de intervenir en los acuerdos o decisiones relativos a la operación a que el conflicto se refiere, como forma de protección del interés social y, como señala la doctrina, como técnica menos invasiva y, por tanto, más proporcionada y adecuada a la naturaleza del problema, pero siempre que la situación de competencia fuera meramente ocasional.

3. La norma que contiene el art. 224.2 LSC (art. 132.2 LSA) es de carácter general, referida a cualquier Consejero, sea consejero delegado, o desarrolle tareas de mero control, cualquiera que sea su colaboración en las tareas de administración. También es distinto su alcance, según se trate de sociedades cerradas o cotizadas, como acontece en el presente supuesto, dejando, en todo caso, a la Junta General, "a posteriori" decidir, si a la vista de las circunstancias concretas, aprecia o no conflicto de intereses, y si la situación concurrencial es perjudicial para los intereses de la sociedad. Supone un procedimiento distinto del establecido en otros ordenamientos estatutarios en los que es necesaria la autorización previa por parte de la junta para soslayar la prohibición o incompatibilidad de un determinado futuro consejero en un eventual conflicto de intereses.

Ante todo hay que estar a lo que establezcan los estatutos sociales, que pueden establecer un régimen más estricto que el establecido en la norma, como ha sucedido en supuestos en los que, habiéndose tolerado la presencia de un administrador competidor, tras determinadas desavenencias, han modificado el tratamiento del conflicto de interés en los estatutos sociales. Pero esta potestad no es omnímoda, y está sujeta a los límites que establece el art. 7 CC, como señalaron las SSTS de 2 de julio de 2008 y 24 de noviembre de 2011, citadas por el recurrente, en supuestos de cese de administradores nombrados por la minoría, para impedir dejar sin contenido este derecho."

STS de 27 de noviembre de 2014 (Civil) [5]

FUNDAMENTOS DE DERECHO

"5º (...)En todo caso, a la vista del supuesto descrito por el Tribunal de apelación hay base suficiente para entender que el ahora recurrente incumplió el deber de diligencia que, como administrador, le imponía el tipo de actividad para la que se había constituido la sociedad; y que, además, como liquidador, contribuyó con otra conducta a la reafirmación del daño, pues, teniendo por aquellas fechas noticia de la reclamación de don Lázaro, incumplió la norma del artículo 120 de la Ley 2/1995, que le prohibía abonar la cuota de liquidación sin la previa satisfacción de su crédito contra la sociedad –o sin consignar su importe–.

En contra de lo que se afirma en el primer motivo, se trata de un daño resultante, en adecuada relación causal, de dos conductas distintas –una, de mayor eficiencia, ejecutada por el administrador y, otra, realizada por la misma persona, ahora como liquidador. (…)".

STS de 22 de diciembre de 2014 (Civil) [5, 7, 13]

FUNDAMENTOS DE DERECHO

"16. (…)También llevó a cabo una correcta aplicación de los criterios de imputación causal, empleados en estos casos por la jurisprudencia, como recuerda la citada Sentencia 338/2012, de 7 de junio, con cita de otras anteriores (Sentencias 798/2008, de 19 de septiembre; 869/2008, de 14 de octubre; 115/2009, de 5 de marzo; 355/2009, de 27 de mayo; 815/2010, de 15 de diciembre, entre otras), en cuanto «(t)uvo en cuenta, al fin, la regla de causalidad alternativa, según la que se entiende que cada actividad que baste por sí para causar un daño, lo ha causado en la medida correspondiente a tal probabilidad». El tribunal de instancia no se aparta de esta doctrina cuando razona que la conducta de los auditores incidió en la causación del perjuicio que supone el impago parcial de los créditos surgidos por los suministros realizados por los demandantes (…).

25. (…)se argumenta que, «desde el punto de vista del juicio causal fáctico, las diferencias, errores o desajustes en la contabilidad de una sociedad publicadas en el Registro Mercantil para información general, no parece que sean en sí mismas aptas, adecuadas causalmente, para una acción individual contra sus administradores, que exige una acción u omisión singular directamente orientada hacía el acreedor perjudicado (art. 241 LCS)».

También se combate el juicio causal jurídico-valorativo, que consideran inexistente, cuando la sentencia razona que dado que los acreedores demandantes incrementaron sus ventas para la campaña de Navidad de 2004 y sus créditos proceden de esa campaña, deben asumir el 40% de la responsabilidad derivada de su propio daño.

26 (…)En nuestro caso, la conducta de los administradores respecto de la que se exige responsabilidad constituye un incumplimiento grave de los deberes relativos a la llevanza de la contabilidad y a la formulación de las cuentas anuales, que, conforme a las exigencias generales previstas en el art. 34.2 Ccom, deben mostrar la imagen fiel del patrimonio, de la situación financiera y de los resultados de la empresa. En realidad, no se cuestiona la conducta ilícita en cuanto ha quedado acreditado en la instancia que la propia sociedad procedió, antes de solicitar su concurso de acreedores en julio de 2005, a realizar ajustes contables por un importe total de 13.556.354 euros, que correspondían a regularización de existencias, saneamiento de gastos, descuentos sobre compras, saneamiento de elementos del inmovilizado, litigios laborales y desactivación de un crédito fiscal. De estas regularizaciones, 8.962.095 euros correspondían a los ejercicios anteriores al cerrado a 31 de marzo de 2005.

El daño sufrido por los acreedores demandantes, que suministraron sus productos para la campaña de Navidad 2004/2005, y en concreto por el impago parcial de sus créditos, es un perjuicio directo en la medida en que, como se afirma en la doctrina, la conducta ilícita de los administradores les haya llevado a confiar en la situación patrimonial aparente y a seguir contratando sin recabar especiales garantías para prevenir del riesgo de incumplimiento de la sociedad.

Tiene razón el recurrente cuando afirma que las diferencias, errores o desajustes en la contabilidad de una sociedad publicadas en el Registro Mercantil para información general, en sí mismas no son necesariamente aptas, adecuadas causalmente, para una acción individual contra sus administradores. Pero eso no impide que en supuestos excepcionales como el presente, en que la relevancia de las inexactitudes que afectaban a la imagen de solvencia de la compañía, hubiera provocado una falsa confianza en los acreedores demandantes para llevar a cabo importantes suministros en la campaña de Navidad sin recabar las garantías que aseguraran el cobro de sus créditos. Y que esto pueda permitir al tribunal de instancia concluir que a este comportamiento de los administradores debe imputarse, en parte, el perjuicio derivado del impago parcial de los créditos de estos dos acreedores, que cifró de forma estimativa y prudencial en un 40%. La relación de causalidad en este caso, como en el de los auditores, viene determinada porque la conducta ilícita de los administradores privó a los acreedores demandantes de una información que les hubiera permitido adoptar medidas con las que evitar o aminorar el riesgo de impago de los créditos que surgirían por los suministros que le eran requeridos para la campaña de Navidad 2004/2005.

El juicio realizado por el tribunal de instancia responde a la doctrina sentada por esta Sala, entre otras en la Sentencia 815/2010, de 15 de diciembre, que, una vez advertida la causalidad física por aplicación de la teoría de la equivalencia de las condiciones, asienta la causalidad jurídica «sobre juicios de probabilidad formados con la valoración de los demás antecedentes causales y de otros criterios, entre ellos, el que ofrece la consideración del bien protegido por la propia norma cuya infracción atribuya antijuricidad al comportamiento fuente de responsabilidad». Como razona la Sentencia núm. 545/2007, de 17 de mayo, en virtud de «la causalidad jurídica, (...) cabe atribuir jurídicamente (imputar) a una persona un resultado dañoso como consecuencia de la conducta observada por la misma, sin perjuicio, en su caso, de la valoración de la culpabilidad (juicio de reproche subjetivo) para poder apreciar la responsabilidad civil, que en el caso pertenece al campo extracontractual». Y para "sentar la existencia de la causalidad jurídica, que visualizamos como segunda secuencia configuradora de la relación de causalidad, tiene carácter decisivo la ponderación del conjunto de circunstancias que integran el supuesto fáctico y que son de interés en dicha perspectiva del nexo causal».".

Véanse también, entre otras, SSTS de 20 de julio de 2001 y 24 de marzo de 2004.

STS de 5 de febrero de 2015 (Civil) [7]

FUNDAMENTOS DE DERECHO

"5º 1.- La sentencia núm. 772/2014, de 12 de enero de 2015, dictada por el Pleno de esta Sala, declaró que la naturaleza del régimen de responsabilidad concursal establecido en el art. 172.3 de la Ley Concursal, antes de la reforma operada por el Real Decreto-ley 4/2014, de 7 de marzo, había sido fijada por una serie de sentencias de esta Sala de un modo razonablemente uniforme, de modo que no podía considerarse como una responsabilidad de naturaleza resarcitoria sino como un régimen agravado de responsabilidad civil por el que, concurriendo determinados requisitos, el coste del daño derivado de la insolvencia podía hacerse recaer, en todo o en parte, en el administrador o liquidador social al que son imputables determinadas conductas antijurídicas, y no en los acreedores sociales. Por tanto, no se exigía la concurrencia de una relación de causalidad entre la conducta del administrador o liquidador determinante de la calificación del concurso como culpable y el déficit concursal del que se hacía responsable a dicho administrador o liquidador o, por decirlo en otras palabras, no era necesario otro enlace causal distinto del que resulta "ex lege" de la calificación del concurso como culpable según el régimen de los arts. 164 y 165 de la Ley Concursal y la imputación de las conductas determinantes de tal calificación a determinados administradores o liquidadores de la persona jurídica concursada. Tal responsabilidad había sido encuadrada en alguna de las sentencias de esta Sala entre los mecanismos que modulaban la heteropersonalidad de las sociedades respecto de sus administradores en la exigencia de responsabilidad por sus acreedores. Las sentencias núm. 501/2012, de 16 de julio, 669/2012, de 14 noviembre, y 74/2013, de 28 de febrero, afirmaron que la responsabilidad prevista en el art. 172.3 de la Ley Concursal es un supuesto de responsabilidad por deuda ajena, naturaleza que no queda oscurecida por la amplia discrecionalidad que la norma atribuye al Juez tanto respecto del pronunciamiento de condena como de la fijación de su alcance cuantitativo. 7 2.- La sentencia recurrida no ha vulnerado por tanto la jurisprudencia de esta Sala. Ha tomado en consideración la gravedad de la conducta determinante de la calificación del concurso como culpable, y la participación en ella del hoy recurrente, que era el administrador único de la sociedad concursada y única persona afectada por la declaración del concurso como culpable. La Audiencia rebajó incluso la cantidad a cuyo pago se había condenado al recurrente, pues consideró que una de las conductas que habían sido consideradas por el Juzgado determinantes de la naturaleza culpable del concurso no lo era. Por otra parte, a excepción de esa rebaja en el importe de la condena a cubrir el déficit concursal, la Audiencia Provincial confirma la sentencia del Juzgado Mercantil, que consideró estéril la discusión sobre la naturaleza de la responsabilidad prevista en el art. 172.3 de la Ley Concursal porque « los daños y perjuicios a que aquella [la condena del administrador] se va a contraer son los vinculados causalmente a las conductas culpables» (…)".

STS de 14 de mayo de 2015 (Civil) [6]

En el mismo sentido, vid. STS de 3 de diciembre de 2013.

STS de 2 de junio de 2015 (Civil) [6]

FUNDAMENTOS DE DERECHO

"8. (…)El motivo se funda en la infracción del art. 115.1 LSA, por no ser impugnables los acuerdos negativos o no-acuerdos.

En el desarrollo del motivo, se argumenta que en el acuerdo impugnado «lo que la junta rechaza por mayoría es el ejercicio de las acciones de responsabilidad contra los administradores (...). »La consecuencia de la anulación de dicho "acuerdo" sería que se aprobara el ejercicio de la acción social de responsabilidad contra los administradores, sustituyendo de esta forma el órgano social por el órgano jurisdiccional para conformar la voluntad de la sociedad, lo que supondría vulnerar el principio mayoritario que regula las sociedades mercantiles recogido en el art. 159 de la Ley de Sociedades de Capital (RDLeg 1/2010, de 2 de julio). De la misma forma, la anulación del acuerdo implicaría la pérdida de la legitimación del socio para ejercitar subsidiariamente la acción social de responsabilidad que acumuladamente ha ejercitado». Procede estimar el motivo por las razones que exponemos a continuación.

9. (…) Tiene razón la sociedad recurrente cuando afirma que con el acuerdo impugnado «lo que la junta rechaza por mayoría es el ejercicio de las acciones de responsabilidad contra los administradores». Pero no puede negarse que se trate de un acuerdo, pues se decide que la sociedad no ejercite la acción social de responsabilidad contra los administradores por haberse cobrado unas retribuciones que no les correspondían, al haber quedado sin efecto el acuerdo social que las acordó. Es un acuerdo contemplado por la Ley. El art. 134 LSA, después de reconocer a la sociedad la legitimación originaria para ejercitar la acción social de responsabilidad contra los administradores, previo acuerdo de la junta general (apartado 1), atribuía a los accionistas que tuvieran más del 5% del capital social legitimación para ejercitar esta acción social cuando el acuerdo "hubiere sido contrario a la exigencia de responsabilidad" (último inciso del apartado 4). La Ley prevé que sometido a la junta, esta adopte un acuerdo a favor o en contra de exigir responsabilidades a los administradores sociales. Por lo tanto acuerdo lo hay, aunque su contenido sea que la sociedad no ejercite la acción social de responsabilidad.

La improcedencia de la impugnación de este acuerdo radica en que la Ley ya prevé cómo se puede recabar el auxilio judicial para contradecir lo acordado y hacer efectivo lo pretendido con el acuerdo. Más que su impugnación, la Ley contempla que los accionistas minoritarios que tengan un 5% del capital social puedan, en ese caso en que la junta rechaza el ejercicio de las acciones de responsabilidad por parte de la sociedad, ejercitar directamente la acción social de responsabilidad, de forma subsidiaria y en interés de la sociedad.

Por esta razón, este concreto acuerdo que rechazaba el ejercicio de las acciones de responsabilidad contra los administradores, propuesto en el punto 7º del orden del día, no era susceptible de impugnación, y por consiguiente no podía anularse.

La consecuencia de la estimación de este segundo motivo de casación es dejar sin efecto la anulación del acuerdo impugnado (…).

3. Audiencia Nacional

Sentencia de 19 de abril de 1994 (Contencioso-administrativo) [11]

FUNDAMENTOS DE DERECHO

«[...] la Ley General Tributaria, que en los arts. 37 a 41, ambos inclusive, regula lo referente a los responsables del tributo, ya sea de forma solidaria, ya lo sea de forma subsidiaria, o por adquisición de bienes afectos por Ley a la deuda tributaria, y en los arts. 71 a 76, ambos inclusive, regula las garantías de que goza la Hacienda Pública para el cobro de las deudas tributarias vencidas y no satisfechas, y para hacer efectivas las responsabilidades tributarias, lo hace no sólo en beneficio de la propia Administración Tributaria, sino también como garantía de los administrados que, fuera de los casos en los que disposiciones de igual rango que la Ley General Tributaria preceptúen lo contrario, saben que si no se encuentran comprendidos en cualquiera de los preceptos que establecen la responsabilidad solidaria o subsidiaria en el pago de las deuda tributarias, o la Administración no tiene o ha perdido la oportunidad de ejercitar sus derechos preferentes para el cobro de las deudas liquidadas o ilíquidas, la propia Ley General Tributaria ampara sus derechos, para que gocen de la seguridad jurídica consagrada en el art. 9.3 de la Constitución Española. [...]»

Sentencia de 8 de octubre de 1998 (Contencioso-administrativo) [11]

FUNDAMENTOS DE DERECHO

«[...] la norma se limita a derivar dicha responsabilidad cuando se da la circunstancia del "cese de la actividad" de la persona jurídica, lo que supone su desaparición activa del tráfico mercantil y la imposibilidad del cobro de la deuda tributaria del sujeto pasivo, y se trate de "deudas pendientes". En este caso, los efectos de la responsabilidad tiene connotaciones de la responsabilidad civil, mientras que en el primer supuesto, se debe distinguir la responsabilidad atendiendo a si lo exigido es el importe de la sanción tributaria, o, también, el importe de la deuda tributaria pura. Si lo exigido se extiende a las sanciones por las infracciones cometidas por la persona jurídica, las garantías procedimentales han de ser observadas por la Administración, al estar obligada a acreditar la concurrencia de las circunstancias que, en relación con la conducta de los administradores, describe (pasividad ante el incumplimiento, o consentimiento en el mismo); acreditación que no se cumple por meras deducciones [...]

[...] la derivación de responsabilidad en el supuesto de "deudas pendientes", cuando la persona jurídica "cese en la actividad", comprende el importe de la deuda tributaria, excluido el importe de las sanciones. [...]».

Sentencia de 31 de marzo de 2000 (Penal) [12]

FUNDAMENTOS DE DERECHO

«10º La póliza suscrita por La Unión y El Fénix, que obra a los folios 16428 y ss. del Tomo 52, ppal., documenta un contrato de seguros de los denominados de "Grandes Riesgos", y subjetivamente cubre la responsabilidad de los acusados que ostentaron la cualidad de Consejeros o altos cargos asimilados, [...]. La cuestión principal que ha sido objeto de debate consiste en si la referida póliza daba cobertura a responsabilidades como las que se declaran en esta resolución y si las excepciones recogidas en las condiciones particulares son oponibles frente al perjudicado.

De la póliza resulta que la cobertura se encuentra delimitada temporalmente (folio 16442), estableciéndose una cobertura retroactiva hasta comprender "hechos o actuaciones realizados antes o durante la vigencia de la póliza, siempre que el asegurado no tuviera conocimiento con anterioridad al 11 de febrero de 1991 de cualquier incidente o circunstancia que pudiera dar lugar a una reclamación". Esta cláusula limitativa, que delimita temporalmente la cobertura de la póliza, puede ser opuesta por el asegurador, pues en el caso de asunción voluntaria de la obligación de aseguramiento, el asegurador puede acotar temporalmente el alcance de su obligación de aseguramiento. Debe tenerse en cuenta que los hechos que hemos declarado punibles de responsabilidad de los asegurados son hechos dolosos y que, en consecuencia, los asegurados conocían la circunstancia –el delito– por la que podían ser objeto de reclamación respecto de los hechos que se realizaron con anterioridad al 11 de febrero de 1991. Conforme resulta del relato fáctico, la operación Cementeras, la de Carburos Metálicos y la operación locales comerciales discurren en un momento anterior al del período de cobertura, por lo que respecto de estos hechos no puede declararse la responsabilidad civil de La Unión y El Fénix. No se trata en este caso de una excepción a las que se refiere el art. 76 de la Ley de Contrato de Seguro de 8 de octubre de 1980, que declara inmunes a la acción directa del perjudicado las excepciones que pueda oponer el asegurador al asegurado, sino simplemente de la delimitación temporal de la vigencia de la póliza establecida por las partes de acuerdo con el principio de libertad de pacto del art. 1255 del Código Civil.

Las cláusulas "claims made" han sido reconocidas por el art. 73 de la Ley del Contrato de Seguro, tras su reforma por la Ley 30/1995, de 8 de noviembre, de Ordenación y Supervisión de los Seguros Privados, con la limitación de que la cobertura retroactiva alcance al menos a un año de antelación al comienzo de los efectos del contrato, por lo que el establecimiento de la fecha del 11 de febrero de 1991 cumplía este requisito al haberse formalizado la póliza el 12 de agosto de 1993.

Sólo restan, por tanto, los hechos relativos a Centro Comercial Concha Espina y Oil Dor, que tuvieron lugar ya dentro del período de cobertura de la póliza. En ésta se contienen determinadas excepciones, entre las cuales aparece la cláusula por la cual el asegurador excluye de su cobertura las reclamaciones causadas por el hecho de que el asegurado haya obtenido un beneficio o remuneración al cual no tenía derecho, aprovechándose de su cargo, aunque no haya incurrido en ninguna acción delictiva (4.1), o surgidas de actos delictivos, que sean fraudulentos o dolosos, por parte del asegurado (4.6), que como se ha declarado realizaron los asegurados. La oponibilidad de esta limitación al tercer perjudicado depende, en primer término, de si se cumplieron las cautelas establecidas en el art. 3 de la ley del contrato de seguro, a cuyo tenor "se destacarán de modo especial las cláusulas limitativas de los derechos de los asegurados, que deberán ser específicamente aceptadas por escrito". Las cláusulas limitativas aparecen, en nuestro caso, especialmente destacadas y aceptadas por escrito por el asegurado. Pero incluso se ha discutido por la teoría si el art. 3 de la ley es aplicable al seguro de Grandes Riesgos que excluye toda norma imperativa. Al margen de ello, Banesto, en cuanto tomador del seguro, al mismo tiempo que perjudicado, conocía perfectamente estas cláusulas de exoneración y no puede razonablemente invocarse en este caso la especial tutela que al perjudicado brinda el art. 76 de la Ley del Contrato de Seguro.

Además, tratándose de un contrato de Grandes Riesgos, el art. 44 de la Ley 50/1988, tras la modificación operada por Ley 21/1990, de 19 de diciembre, declara no imperativas las disposiciones de la Ley del Contrato de Seguro, remitiéndose a la voluntad contractual de las partes. Y se da la circunstancia de que el perjudicado es Banesto, que fue tomador del seguro, por lo que las excepciones oponibles fueron expresamente pactadas con su intervención. Por otro lado hay una aceptación especial por Banesto de las cláusulas "Claims Made Basis", que aparte de los efectos declarados, obligaba a la reclamación dentro del período de vigencia de la póliza, lo que no tuvo lugar al ser rescindida la póliza con fecha 22 de marzo de 1994, que hubiere quedado rescindida naturalmente al término de su vigencia a las cero horas del día 14 de noviembre de 1994, día en que se interpuso la querella por el Ministerio Fiscal, que no fue comunicada al asegurado hasta el día siguiente. No consta que se notificase al asegurador la reclamación dentro del período de vigencia de la póliza, por lo que éste puede oponer las cláusulas de delimitación temporal de la cobertura aceptadas especialmente por Banesto [...]»

Sentencia de 25 de enero de 2001 (Contencioso-administrativo) [11]

FUNDAMENTOS DE DERECHO

«[...] el cómputo del inicio del plazo de prescripción viene determinado por la notificación del acto administrativo de derivación de responsabilidad, de forma que, si desde dicha fecha transcurre el plazo de prescripción fijado en la Ley General Tributaria sin que la Administración haya realizado actos tendentes a su cobro, prescribirá su "derecho al cobro", no el derecho a determinar la deuda tributaria. Esto se ha de entender dentro del marco, también, de la no prescripción del derecho al cobro en relación con el deudor principal y responsable solidario, es decir, que no se trate de una deuda prescrita. [...]

[...] la norma se limita a derivar dicha responsabilidad cuando se da la circunstancia del "cese de la actividad" de la persona jurídica, lo que supone su desaparición en la actividad del tráfico mercantil y la imposibilidad del cobro de la deuda tributaria del sujeto pasivo, y se trate de "deudas pendientes". En este caso, los efectos de la responsabilidad tiene connotaciones de la responsabilidad civil, mientras que en el primer supuesto, se debe distinguir la responsabilidad atendiendo a si lo exigido es el importe de la sanción tributaria, o, también, el importe de la deuda tributaria pura. Si lo exigido se extiende a las sanciones por las infracciones cometidas por la persona jurídica, las garantías procedimentales han de ser observadas por la Administración, al estar obligada a acreditar la concurrencia de las circunstancias que, en relación con la conducta de los administradores, describe (pasividad ante el incumplimiento, o consentimiento en el mismo); acreditación que no se cumple por meras deducciones. [...]»

Sentencia (Contencioso-administrativo) de 6 de febrero de 2001 (Contencioso-administrativo [11]

FUNDAMENTOS DE DERECHO

«[...] la derivación de responsabilidad se fundamenta en dos causas distintas: una, por el incumplimiento de las obligaciones tributarias por parte de la persona jurídica, originador de infracciones tributarias simples o graves. Dos, por la existencia de obligaciones tributarias "pendientes", en el supuesto de que la persona jurídica haya cesado en su actividad.

En el primer supuesto, se exige la declaración administrativa de la existencia de la infracción tributaria imputada a la persona jurídica a través del correspondiente expediente sancionador, dado que como sujeto pasivo es la responsable principal del incumplimiento tributario, persona jurídica que, al contrario de lo que sucede en el segundo supuesto, continúa en la escena mercantil en el desarrollo de su actividad; de forma que, declarada tal responsabilidad, queda expedita la vía de derivación de responsabilidad a los administradores, que hubieren obrado, en principio, con pasividad o consentido el incumplimiento, declarado como infracción simple o grave.

En el segundo supuesto, la norma se limita a derivar dicha responsabilidad cuando se da la circunstancia del "cese de la actividad" de la persona jurídica, lo que supone su desaparición en la actividad del tráfico mercantil y la imposibilidad del cobro de la deuda tributaria del sujeto pasivo, y se trate de "deudas pendientes". En este caso, los efectos de la responsabilidad tiene connotaciones de la responsabilidad civil, mientras que en el primer supuesto, se debe distinguir la responsabilidad atendiendo a si lo exigido es el importe de la sanción tributaria, o, también, el importe de la deuda tributaria pura. Si lo exigido se extiende a las sanciones por las infracciones cometidas por la persona jurídica, las garantías procedimentales han de ser observadas por la Administración, al estar obligada a acreditar la concurrencia de las circunstancias que, en relación con la conducta de los administradores, describe (pasividad ante el incumplimiento, o consentimiento en el mismo); acreditación que no se cumple por meras deducciones. [...]

[...] concurrían los requisitos legales para la derivación de responsabilidad subsidiaria por las deudas tributarias no satisfechas por la mercantil [...], excluidas, como se ha dicho, las sanciones [...]».

Sentencia de 6 de febrero de 2001 (Contencioso-Administrativo, Sección 2ª) [11]

FUNDAMENTOS DE DERECHO

«Sin embargo, la Disposición final primera 1 de la citada Ley 1/1998 modifica el plazo de prescripción para reducirlo a cuatro años y frente al régimen general de entrada en vigor de los preceptos de la Ley 1/1998, la Disposición final séptima 2 prevé una especial "vacatio legis" para los preceptos relativos a la prescripción al establecer: "Lo dispuesto en el art. 24 de la presente Ley, la nueva redacción dada al art. 64 de la Ley 230/1963, de 28 de diciembre, General Tributaria... entrarán en vigor el día 1 de enero de 1999".

"Prima facie" ya de la lectura de esta Disposición final séptima 2 hubiera podido inferirse que desde el día 1 de enero de 1999 el plazo de prescripción es de cuatro años, sea cual sea el momento en que se hubiera iniciado dicho plazo y a salvo siempre, claro está, los efectos de la interrupción.

Y tal interpretación que puede encontrar su base en las normas generales del Derecho común reguladoras del régimen transitorio (Disposiciones Transitorias del Código Civil) sobre la base de que la prescripción comenzada pero no concluida no constituye un derecho adquirido con arreglo a la legislación anterior sino una mera expectativa de derecho que debe regirse por la nueva regulación, ha de entenderse hoy ratificada por el Real Decreto 136/2000 de 4 de febrero (BOE de 16 de febrero de 2000), cuya disposición final cuarta, ordinal 3 dispone que... "...la nueva redacción dada por dicha Ley (Ley 1/1998) al artículo 64 de la Ley General Tributaria..., en lo relativo al plazo de prescripción de las deudas, acciones y derechos mencionados en dichos preceptos, se aplicará a partir de 1 de enero de 1999, con independencia de la fecha en que se hubieran realizado los correspondientes hechos imponibles, cometido las infracciones o efectuado los ingresos indebidos, sin perjuicio de que la interrupción de la prescripción producida, en su caso, con anterioridad a aquella fecha produzca los efectos previstos en la normativa vigente".[...]

Así pues, ha de concluirse que a partir del 1 de enero de 1999, y con independencia de la fecha en que se hubieran realizado los correspondientes hechos imponibles, el plazo de prescripción para exigir la deuda tributaria, cobrar lo liquidado, sancionar y para tener derecho a la devolución de ingresos indebidos, ha quedado reducido de cinco a cuatro años".

El artículo 64 a) de la Ley General Tributaria dispone que prescribirá a los cinco años (plazo que ha de entenderse, por lo expuesto anteriormente, de cuatro años a partir de lo dispuesto en el art. 24 de la Ley 1/1998 de 26 de febrero, de Derechos y Garantías de los Contribuyentes y la nueva redacción dada por dicha Ley al art. 64 de la LGT, que en lo relativo al plazo de prescripción de las deudas, acciones y derechos mencionados en dichos preceptos se aplicará a partir de 1 de enero de 1999 con independencia de la fecha en que se hubieran realizado los correspondientes hechos imponibles, cometido las infracciones o efectuado los ingresos indebidos, tal y como dispone la Disposición Final Cuarta-3 del RD 136/2000 de 4 de febrero –BOE de 16-2-2000– que entró en vigor el 8-3-2000 tras una "vacatio" de 20 días) "a) El derecho de la Administración para determinar la deuda tributaria mediante la oportuna liquidación... b) La acción para exigir el pago de las deudas tributarias liquidadas. c) La acción para imponer sanciones Tributarias...".[...]

Cuestión distinta es la prescripción de la acción para exigir el pago de las deudas tributarias liquidadas (art. 64 LGT).

Es de destacar que la demandante, en los escritos de recurso y en la demanda, no concreta qué fechas son las que computa para afirmar que se ha producido la prescripción de tal acción y sin que pueda aceptarse que la responsabilidad subsidiaria nazca por el simple hecho y desde la fecha del cese de la actividad del deudor principal, ni que por su condición de responsable subsidiario y respecto del mismo la interrupción de la prescripción no se produciría hasta la notificación del acuerdo de derivación porque los actos efectuados con la sociedad causante para la liquidación de la deuda y su cobro carecerían de efectos interruptivos.

Debe tenerse en cuenta que la posición deudora de los responsables no deriva de la realización del hecho imponible del tributo sino del específico presupuesto de hecho de la responsabilidad fijado por la Ley, que se constituye así en el hecho que origina la relación, y en la causa de ella, y les atribuye la condición de obligados secundarios respecto de quienes han realizado el hecho imponible, es decir, la obligación tributaria nace para los responsables cuando se ha producido el hecho imponible y, además, el presupuesto de hecho determinante de la responsabilidad».

Sentencia de 8 de febrero de 2001 (Contencioso-administrativo, Sección 7ª) [11]

FUNDAMENTOS DE DERECHO

«5º Respecto del alcance de la responsabilidad subsidiaria que contempla el art. 40.1 de la Ley General Tributaria, es cierto que el precepto se refiere a la totalidad de la deuda tributaria en los casos de infracciones graves cometidas por las personas jurídicas, que recae sobre los administradores de las mismas cuando concurren los requisitos antes examinados, y que por "deuda tributaria" debe entenderse no sólo la cuota, pagos a cuenta o fraccionados, cantidades retenidas a que hubieran debido retenerse e ingresos a cuenta, sino también los recargos exigibles, intereses de demora, el recargo de apremio y las sanciones pecuniarias; como prevé el art. 58 de la Ley General Tributaria.

Ahora bien, la nueva redacción dada por la Ley 25/1995, de 20 de julio, de modificación parcial de la Ley General Tributaria, a su art. 37.3 establece con claridad que "la responsabilidad alcanzará a la totalidad de la deuda tributaria, con excepción de las sanciones" al referirse a los responsables de las deudas tributarias, ya lo sean solidaria o subsidiariamente, con los sujetos pasivos o deudores principales.

La contradicción existente entre lo previsto en ambos preceptos debe resolverse tratando de armonizar las disposiciones examinadas. Una primera interpretación de los mismos podría conducir a la conclusión de que la regla general prevista en el apartado tercero del art. 37 impide que la responsabilidad subsidiaria atribuida a los Administradores cuando concurren los presupuestos contemplados en el art. 40, apartado primero, inciso primero alcance a las sanciones impuestas por la comisión de las infracciones en dicho precepto referidas.

Sin embargo, tal interpretación vaciaría de contenido real el primero de los supuestos de responsabilidad subsidiaria de los Administradores de personas jurídicas que establece el art. 40.1 de la Ley General Tributaria, pues extendiéndose tan sólo a la responsabilidad por las infracciones tributarias simples debe entenderse que éste sólo puede alcanzar las sanciones pecuniarias a imponer por la comisión de tales infracciones, no atribuibles al responsable subsidiario por el art. 37.3 bajo la interpretación antes expuesta.

Por otro lado, la interpretación expresada no tiene en cuenta la consideración de que procedente la actual redacción del art. 37.3 de la Ley General Tributaria de la reforma operada por la Ley 25/1995, de 20 de julio, y dimanante la redacción actual del art. 40.1 de la Ley General Tributaria de la modificación llevada a cabo en la citada Ley por la Ley 10/1985, de 25 de abril, que no resultó alterada por la Ley 25/1995, de 20 de julio, el primer precepto citado constituye una norma general de aplicación a los responsables subsidiarios frente al carácter específico que tiene la responsabilidad subsidiaria recogida en el segundo precepto señalado, justificada por la intervención activa u omisiva de los administradores responsables en la comisión por las personas jurídicas que administran, de las infracciones tributarias que determinan la responsabilidad subsidiaria de aquéllas o, lo que es lo mismo, por su participación en la comisión de tales infracciones tributarias.

Además, la interpretación señalada privaría también de relevancia la utilización de las expresiones "deuda tributaria" y "obligaciones tributarias" empleadas en el apartado 1º del art. 40 de la Ley General Tributaria para delimitar diferenciándolo el ámbito material de la responsabilidad subsidiaria atribuida a los Administradores, pues ambas excluirían a las sanciones, cuando de por sí la segunda expresión no comprende las sanciones.

Por último, tal tesis supondría imputar al legislador una utilización inadecuada y carente de vigor técnico de los conceptos tributarios, dado que con claridad se define en el art. 58.2 de la Ley General Tributaria lo que por "deuda tributaria" debe entenderse, no presumible.

En definitiva, la especialidad del art. 40.1 frente a la regla general del art. 37.3 de la Ley General Tributaria, justificada por la participación que a los Administradores se atribuye en aquél en la comisión de las infracciones tributarias cometidas por las personas jurídicas que administran los responsables subsidiarios, y la necesidad de dar sentido propio a todos los supuestos de responsabilidad subsidiaria contemplados en el art. 40.1 citado, evitando la desnaturalización de alguno de tales supuestos, justifica la inaplicabilidad de aquella regla general a este último precepto en lo que a la responsabilidad subsidiaria de los Administradores de personas jurídicas por las infracciones simples y graves por éstas cometidas se refiere.

Por último, tal consideración resulta acorde a lo dispuesto en el art. 14.3 párrafo segundo del Real Decreto 1684/1990, de 20 de diciembre, que aprobó el Reglamento General de Recaudación, donde se dispone que la responsabilidad subsidiaria, no alcanza a las sanciones pecuniarias impuestas al deudor principal, salvo cuando aquélla resulta de la participación del responsable en una infracción tributaria».

Sentencia de 12 de junio de 2001 (Contencioso-administrativo, Sección 7ª) [11]

En el mismo sentido vid. SAN de 25 de junio de 2011 [11]

Sentencia de 25 de junio de 2001 (Contencioso-administrativo, Sección 7ª) [11]

FUNDAMENTOS DE DERECHO

«[...] la derivación de responsabilidad se fundamenta en dos causas distintas: una, por el incumplimiento de las obligaciones tributarias por parte de la persona jurídica, originador de infracciones tributarias simples o graves. Dos, por la existencia de obligaciones tributarias "pendientes", en el supuesto de que la persona jurídica haya cesado en su actividad.

Tal como se expone en la Sentencia de esta Sala –Sección 2ª– de 8-10-1998, en el primer supuesto, se exige la declaración administrativa de la existencia de la infracción tributaria imputada a la persona jurídica a través del correspondiente expediente sancionador, dado que como sujeto pasivo es la responsable principal del incumplimiento tributario; de forma que, declarada tal responsabilidad, queda expedita la vía de derivación de responsabilidad a los administradores, que hubieren obrado, en principio, con pasividad o consentido el incumplimiento, declarado como infracción simple o grave.

En el segundo supuesto, la norma se limita a derivar dicha responsabilidad cuando se da la circunstancia del "cese de la actividad" de la persona jurídica, lo que supone su desaparición activa del tráfico mercantil y la imposibilidad del cobro de la deuda tributaria del sujeto pasivo, y se trate de "deudas pendientes". En este caso, los efectos de la responsabilidad tiene connotaciones de la responsabilidad civil, mientras que en el primer supuesto, se debe distinguir la responsabilidad atendiendo a si lo exigido es el importe de la sanción tributaria, o, también, el importe de la deuda tributaria pura. Si lo exigido se extiende a las sanciones por las infracciones cometidas por la persona jurídica, las garantías procedimentales han de ser observadas por la Administración, al estar obligada a acreditar la concurrencia de las circunstancias que, en relación con la conducta de los administradores, describe (pasividad ante el incumplimiento, o consentimiento en el mismo); acreditación que no se cumple por meras deducciones.

De lo expuesto, y entendiendo que consta suficientemente acreditado, y suficientemente razonado en las resoluciones del TEAR, de 18-12-1995, y del TEAC, de 24-3-1999, el hecho de que la sociedad cesó en su actividad el 28 de diciembre de 1989, con posterioridad a la entrada en vigor de la citada Ley 10/1985, mediando la preceptiva declaración de fallida de la sociedad, por acuerdo de 11-12-1992, hemos de llegar a la conclusión de la procedencia de la derivación de responsabilidad subsidiaria a los administradores de la sociedad por las deudas tributarias pendientes, derivada del cese de la actividad de la sociedad. Sin que sea procedente analizar si concurrió en ellos negligencia en el ejercicio de sus funciones.[...]».

Sentencia de 17 de septiembre de 2001 (Contencioso-administrativo, Sección 7ª) [11]

FUNDAMENTOS DE DERECHO

«[...] la Sala considera suficientemente acreditado tanto el cumplimiento de los requisitos exigidos por el artículo 40.1 de la LGT, que resulta de aplicación en sus dos redacciones dadas las fechas de las deudas sociales, como el presupuesto de hecho que determina el nacimiento de la responsabilidad subsidiaria, pues es obvio que el proceder descrito en las actas deja bien claro la concurrencia de una conducta omisiva, suficiente para aquellas infracciones cometidas con posterioridad al 26 de abril de 1985 y por otra la existencia de, al menos, negligencia grave en la conducta de los administradores, requerida para aquellas infracciones anteriores a la citada fecha, ya que éstos o no realizaron los actos necesarios que fueran de su incumbencia para el cumplimiento de las obligaciones tributarias infringidas o consintieron el incumplimiento de las obligaciones tributarias por quienes de ellos dependían, y ello independientemente de que fuesen absueltos del delito fiscal que se les imputaba, por lo que deben responder de la totalidad de la deuda tributaria comprensiva a tenor de lo dispuesto en el artículo 58 de la LGT de las cuotas, intereses de demora y sanciones que procedan. Ninguna prueba se ha presentado de la que pudiera deducirse la responsabilidad de unos consejeros y no de otros y ni siquiera se ha intentado descargar la responsabilidad en otras personas, apelando a la división de funciones en la empresa.

Así las cosas lo único que resta es determinar la extensión de la responsabilidad, lo que en relación a las sanciones no deja de ser un tanto problemático dado que el artículo 37.3 de la Ley General Tributaria tras la modificación realizada por la Ley 25/1995, de 20 de julio, excluye, con carácter general, a las sanciones, pero también lo es que el artículo 40.1 de la Ley General Tributaria ha permanecido sin variación alguna. La manera de conciliar ambos preceptos, desde nuestro punto de vista, pasa por entender que la responsabilidad no se extiende a las sanciones con carácter general, pero sí en supuestos concretos como el que ahora nos ocupa, que es un supuesto de responsabilidad por infracción y consecuentemente por la sanción, de forma que no cabe excluirla de una responsabilidad que además, como el precepto legal aplicado dispone con claridad, alcanza a la totalidad de la deuda tributaria.[...]».

Sentencia de 18 de septiembre de 2001 (Contencioso-administrativo, Sección 7ª) [11]

FUNDAMENTOS DE DERECHO

«[...] 2). [...] se debe partir en este caso de la base bien clara de que al citado interesado también le resulta plenamente aplicable lo prevenido en el párrafo primero del indicado apartado 1 de dicho artículo 40 de la Ley General Tributaria, en la redacción dada a tal artículo por la expresada Ley 10/1985, siendo ello así en relación con las dos sanciones por importe total de 3.564.984 pesetas, correspondientes al concepto y ejercicio ya expresados antes y al concepto de Impuesto General sobre el Tráfico de Empresas del ejercicio de 1984, sanciones que fueron objeto del Auto de Conformidad ya citado y del Acta de Conformidad A0105468, extendida ante esta última por dicha Inspección de Hacienda, en la misma fecha indicada en relación con la repetida entidad mercantil. Y es procedente la aplicación en este asunto del referido precepto legal, habida cuenta de que las expresadas sanciones fueron impuestas a aquella empresa como consecuencia de infracciones calificadas como de omisión, en virtud de lo dispuesto en el artículo 79 de la Ley General Tributaria, es decir, como infracciones graves (cometidas antes de la entrada en vigor de la modificación de la última Ley citada operada por la expresada Ley 10/1985); así como habida cuenta de que el recurrente, como miembro evidente del Consejo de Administración de la entidad mercantil fallida, en los momentos en que se cometieron tales infracciones, es obviamente responsable, al menos por negligencia grave, de no haber realizado los actos que fueron de su incumbencia para el cumplimiento de las obligaciones tributarias infringidas, o de haber cometido el incumplimiento por parte de quien dependieran del mismo, o de adoptar acuerdos que hicieron posible la comisión de tales infracciones, toda vez que, según las actuaciones de autos, no resulta acreditado en modo alguno que el citado interesado no hubiese asistido a las reuniones del Consejo de Administración en que se adoptaron tales acuerdos, ni tampoco que hubiere salvado expresamente su voto en los correspondientes acuerdos. Con lo cual, resulta bien patente en este caso que no le alcanza al recurrente la exención de responsabilidad subsidiaria a que alude el párrafo segundo de aquel apartado 1 del aludido artículo 40, y que por el contrario, el mismo se encuentra totalmente inmerso, sin duda alguna, en la responsabilidad subsidiaria derivada de infracciones que se viene analizando y comentando, responsabilidad que no queda desvirtuada en modo alguno por algún tipo de prueba que pudiese haber aportado dicho interesado, el cual ni siquiera solicitó el recibimiento a prueba de este pleito en ningún momento en el curso de las actuaciones del mismo.[...]».

Sentencia de 8 de octubre de 2001 (Contencioso-administrativo, Sección 7ª) [11]

En el mismo sentido vid. SAN de 6 de febrero de 2001 [11]

Sentencia de 9 de diciembre de 2002 (Contencioso-administrativo, Sección 7ª) [11]

FUNDAMENTOS DE DERECHO

«3º La parte demandante esgrime para recurrir la declaración de responsabilidad solidaria amparado en el art. 131 núm. 5 b) LGT que en sus relaciones comerciales con la entidad [...] siempre actuó en representación del Tour Operator de San Petersburgo

(Rusia) como se demuestra con la certificación emitida por la Agrupación Empresarial de las Agencias de Viajes [...] que obra en las actuaciones. Y como representante del Tour Operator firmó el acuerdo privado de fecha 12 de septiembre de 1994 para el alojamiento de clientes en dos hoteles en el período comprendido entre el 1 de abril de 1995 y el 5 de noviembre de 1995. Las facturas por el alojamiento de los clientes se remitirán a Mallorca Tours que se abonarían con un máximo de 180 días fecha factura, tiempo calculado para que la entidad extranjera efectuase los pagos a [...] Tours.

El art. 131 LGT en su núm. 5 dispone: "Responderán solidariamente del pago de la deuda tributaria pendiente, hasta el importe del valor de los bienes o derechos que se hubiesen podido embargar, las siguientes personas: a) Los que por culpa o negligencia incumplan las órdenes de embargo".

Con estas manifestaciones se pretende eludir una responsabilidad oponiéndose a la condición de deudora y esgrimiendo el carácter de representante de una entidad extranjera.

De la documentación obrante en las actuaciones y del expediente administrativo resulta evidente que la entidad [...] Tours, con o sin el carácter de representante de un tour operador, tenía encomendada la obligación de satisfacer a [...] los pagos convenidos por el hospedaje de clientes en unos determinados hoteles, por lo que la notificación de embargo de esas cantidades a abonar que se efectuó el 1 de septiembre de 1995, no afecta a esa condición de representante que se esgrime, sino a esa condición de ente pagador que asume tras la firma del contrato de 12 de septiembre de 1994. Y como ente pagador debe soportar las consecuencias del incumplimiento de embargo.

En definitiva, la parte recurrente asumió frente a [...] unos compromisos de pago, convirtiéndose en entidad pagadora. Y esos créditos fueron embargados por la Administración Tributaria por tratarse de créditos y derechos realizables garantizadores del abono de la deuda tributaria.

4º Esgrime la parte demandante que los créditos no estaban vencidos. A efectos de embargo de los créditos realizables es indiferente que los mismos estuviesen o no vencidos.

El art. 122 Reglamento General de Recaudación al referirse al embargo de créditos y derechos sin garantía acoge el supuesto de que los créditos no hayan vencido en el momento de procederse a su traba, y por ello textualmente expresa que: "Cuando el crédito o derecho embargado haya vencido...". "Si el crédito o derecho consiste en pagos sucesivos, se ordenará al pagador ingresar en el Tesoro su importe hasta el límite de la cantidad adeudada", lo que evidencia que la normativa prevé los supuestos de créditos susceptibles de embargo con vencimientos sucesivos. Por ello el crédito trabado, sigue su curso hasta el vencimiento y en dicho momento, ya vencido, ya líquido, se produce una sustitución en la persona del acreedor.

La Agencia Tributaria con el embargo de créditos trata de utilizar todas las garantías existentes que le permiten asegurar el cobro de la deuda. En este caso, con el crédito embargado lo que se origina es un cambio en la persona del acreedor, pero subsistiendo la obligación principal, la obligación de pago. De ahí que quien recurre, como obligado al pago, debió de cumplir con esas obligaciones de pagador que había asumido, pero atendiendo, como consecuencia del embargo del crédito debido, que tales obligaciones para tener el efecto extintivo o liberatorio del pago, debían de efectuarse a la persona del nuevo acreedor, a la Hacienda Pública.

5º Se manifiesta la existencia de una supuesta compensación de deudas y como consecuencia de ello se extinguiría el crédito embargado por la Administración Tributaria.

A modo de definición se dice que la compensación tendrá lugar cuando dos personas por derecho propio, sean recíprocamente acreedoras y deudoras la una de la otra. Y se necesita que esas dos deudas compensables sean líquidas y exigibles.

La anterior definición sirve para poner en evidencia a quien recurre que efectúa como alegación la existencia de un crédito que ostenta frente a [...] por los perjuicios que se le ocasionaron en la temporada vacacional siguiente a la que nos ocupa por el cierre de dos hoteles donde supuestamente se alojarían clientes.

A tales manifestaciones no se les puede conceder ninguna validez exculpatoria habida cuenta de que nos encontramos ante el embargo de un crédito que nació mucho antes del que él manifiesta ostentar y que cuando supuestamente surgió éste, aquél ya se encontraba embargado.

Como ya se ha expuesto en materia de deudas compensables se precisa la concurrencia de créditos y títulos recíprocos. Que se sea deudor y acreedor a la vez y por derecho propio.

Con lo expuesto la pretendida compensación ya es rechazable, pero a mayor abundamiento debe decirse que no consta demostrada de manera fehaciente la existencia de ese crédito que la demandante esgrime para la compensación. Puede basarse el perjuicio que se dice sufrido en múltiples documentos, pero en nada y para nada pueden servir para justificar una compensación inexistente».

Sentencia de 22 de octubre de 2003 (Contencioso-administrativo, Sección 7ª) [11]

FUNDAMENTOS DE DERECHO

«3º [...]Se plantea en el presente caso que al haber prescrito el derecho de la administración a determinar la deuda tributaria mediante la oportuna liquidación y respecto del obligado tributario principal, ello determina la imposibilidad de derivar deudas prescritas, ya que la obligación subsidiaria corre la suerte de la principal y por la indudable relación de las dos modalidades de prescripción reguladas en el art. 64 a) LGT (del derecho a liquidar) y art. 64 b) LGT (de la acción para exigir el pago de las deudas liquidadas), estimada la primera queda sin sentido la acción recaudatoria aunque ésta no hubiera prescrito, y estimada la segunda –prescripción de la acción para exigir el pago– se produciría también la primera –extinción del derecho a determinar la deuda tributaria– por carencia de objeto. (S. TS 3ª, Sec. 2ª, S. 14-2-97).

Cuestión distinta es la prescripción de la acción para exigir el pago de las deudas tributarias liquidadas (art. 64 LGT).

Debe tenerse en cuenta que la posición deudora de los responsables no deriva de la realización del hecho imponible del tributo sino del específico presupuesto de hecho de la responsabilidad fijado por la ley, que se constituye así en el hecho que origina la relación, y en la causa de ella, y les atribuye la condición de obligados secundarios respecto de quienes han realizado el hecho imponible y, además, el presupuesto de hecho determinante de la responsabilidad. En el caso presente, y tal como se expresa en la Sentencia del Tribunal Supremo de 30 de septiembre de 1993 "el vínculo legal que se origina al cumplirse el presupuesto de hecho de ser administrador de una persona jurídica y concurrir, además, alguna de las otras circunstancias que describe el artículo 40 de la Ley General Tributaria".

El art. 37 de la LGT comienza por establecer que "la Ley podrá declarar responsables de la deuda tributaria, junto a los sujetos pasivos y deudores principales, a otras personas, solidaria o subsidiariamente", de cuya afirmación se desprende que la existencia de los responsables tributarios exige siempre la de los sujetos pasivos, y que los responsables no tienen el carácter de obligados principales. Por lo que se refiere a los responsables subsidiarios, el artículo citado dispone que para que la Administración pueda dirigirse contra ellos –derivar la acción para exigirles el pago de la deuda tributaria– es necesaria la previa declaración de fallido del deudor principal y de los demás responsables solidarios, así como un acto administrativo –cuyo contenido necesario se establece en el artículo 14.2 del Reglamento General de Recaudación RD 1684/1990, de 20 de diciembre–, que declare la responsabilidad y determine su alcance. Por ello puede afirmarse que aunque la realización del presupuesto de hecho de la responsabilidad constituye al responsable en obligado al pago, esa obligación no puede hacerse efectiva, no es exigible, hasta que no se dicta el acto de derivación de responsabilidad. Consecuentemente, dicho acto de derivación tiene un doble efecto:

Meramente declarativo en cuanto a la existencia de la obligación, y constitutivo respecto de su exigibilidad.

La declaración de falencia del deudor principal y, en su caso, de los responsables solidarios, y la derivación de la acción administrativa se configuran como una "condictio iuris" para la exigibilidad de la deuda, pero la obligación "ex lege" del responsable surge con la realización del presupuesto de hecho establecido por la Ley así adquiere sentido la posibilidad de que se adopten por la Hacienda Pública las medidas cautelares a que se refiere el artículo 37.5 de la Ley General Tributaria antes de que se produzcan los presupuestos para la exigibilidad de la deuda.

En conclusión, es preciso una diferenciación entre existencia de obligación y exigibilidad de la misma, que no se produce hasta la declaración de falencia del deudor principal y los responsables solidarios y la derivación de la acción administrativa.

De lo expuesto se desprende que el plazo de prescripción respecto de la obligación del responsable ha de empezarse a contar desde que se pueda ejercitar la acción contra él, en aplicación del principio de la "actio nata".

La prescripción del derecho de la Administración a exigir el pago de la deuda tributaria comienza a correr desde el día en que finaliza el plazo reglamentario establecido para el pago voluntario, tal como establecen los artículos 64 b) y 65 de la LGT, pero ello ha de entenderse referido al obligado principal. Respecto de los obligados subsidiarios, y con relación al concreto caso objeto de estudio, no ha prescrito la acción de la Administración para exigir la deuda tributaria liquidada y ello porque, contrariamente a lo manifestado por la parte actora, las actuaciones llevadas a cabo por la Administración tributaria tendentes al cobro de la deuda desde que finalizó el plazo de ingreso en voluntario hasta que se notificó al actor la incoación derivando la responsabilidad el 27-6-97, interrumpieron el plazo de prescripción establecido por el art. 64 b) LGT para exigir el pago de la deuda liquidada con independencia de que dichas actuaciones se dirigieran contra la sociedad deudora

y no frente al demandante, ya que según el art. 66-1 a) de dicha Ley los plazos de prescripción se interrumpen, entre otras causas, por cualquier acción administrativa realizada
con conocimiento del sujeto pasivo conducente al reconocimiento, regulación, inspección,
aseguramiento, comprobación, liquidación y recaudación de la deuda tributaria, y ello porque hasta que se dictó el acuerdo de derivación de responsabilidad, previa declaración de
fallido, el único sujeto pasivo al que se podía exigir la deuda era la sociedad (en el caso
de autos nos encontramos con los siguientes actos: el 31-10-95 se levantaron las actas
de inspección, el 7-2-96, se dictaron las providencias de apremio iniciándose un largo
recorrido en esta fase de ejecución y el 12-6-97 se notificó al interesado la apertura del
procedimiento de derivación de responsabilidad subsidiaria, tras la declaración de fallida
de la deudora principal, en 30-5-97), siendo por tanto evidente que no existe prescripción
alguna al no haber transcurrido el plazo legal establecido al respecto.

4º La siguiente cuestión a examinar es la relativa al cese de actividad, por lo que es
improcedente la derivación de responsabilidad con arreglo al art. 40.1 párrafo 1º LGT,
sino que ante el cese de actividad procedería el art. 40. nº 1 párrafo 2º de la misma Ley,
que dispone: "2. Asimismo, serán responsables subsidiariamente, en todo caso, de las
obligaciones pendientes de las personas jurídicas que hayan cesado en sus actividades
los administradores de las mismas" El haber cesado la sociedad en la actividad, es un
supuesto en el que la Ley no exige la existencia de infracción tributaria, ni por tanto mala
fe o negligencia grave en los administradores para que la derivación sea posible. Para la
exigencia de esta segunda causa de imputación, por tanto deben concurrir los siguientes
requisitos: a) la cesación de hecho de la actividad de la persona jurídica teniendo las
mismas obligaciones tributarias pendientes; y b) la condición de administrador al tiempo
del cese, extendiéndose la responsabilidad a las obligaciones tributarias pendientes de
las personas jurídicas.

Esta Sala ha manifestado en reiteradas ocasiones, que el cese de la actividad exige
la desaparición activa de la empresa del tráfico mercantil y ha de ser completa y presu-
miblemente irreversible, pues el fundamento de este precepto excluye las "crisis económicas" transitorias por las que puedan atravesar las sociedades, que pueden originar una
suspensión de pagos o quiebra, o "crisis de empleo" que puedan originar expedientes de
regulación de empleo, con la consiguiente reducción de trabajadores.

El sentido de la norma fiscal, en el supuesto de responsabilidad subsidiaria de los
Administradores por cese de la actividad, es que "hayan cesado en sus actividades", atribuyendo o imputando las deudas pendientes de la sociedad a dichos directivos, lo que
no impide que, en el caso de que la sociedad reinicie sus actividades o la producción, la
falencia e incobrabilidad del crédito de la Administración quede enervada por la "rehabilitación" del mismo, conforme a lo establecido en el art. 167, del Reglamento General de
Recaudación, al venir a mejor fortuna la sociedad o la posible solvencia sobrevenidas de
cualquiera de los obligados y responsables declarados fallidos.

La Sala entiende, al respecto, que ese cese de la actividad constituye un hecho objetivo, cuya constatación no puede asentarse en presunciones o en hechos que denoten una
disminución en la actividad de la sociedad. Cuestión distinta es que, debido a la situación
sostenida de dichas circunstancias, lo que se intente sea defraudar a la Hacienda Pública, al mantenerla o evitar que, conforme a Derecho, pueda apreciarse la transmisión de
empresa o sucesión empresarial, debiendo, entonces, la Administración actuar en consecuencia, conforme a las normas penales.

En este caso y según se admite por el propio recurrente, la disolución de la sociedad se llevó a cabo el 26 de enero de 1996, esto es, cuando ya se habían determinado las obligaciones tributarias del deudor principal, por lo que la derivación del art. 40.1 párrafo 1º es correcta, sin perjuicio de que la Administración le pudiera, también, haber derivado la responsabilidad por cese de actividad ya que las actuaciones contra los responsables subsidiarios se produjeron después del 26-1-96.

No obstante, es procedente la derivación por el párrafo 1º del nº 1 del art. 40 que dice:

[...]

a) La comisión de una infracción tributaria por la sociedad administrada.

b) La condición de administrador al tiempo de cometerse la infracción.

c) La existencia de una conducta ilícita por parte del administrador como tal, en cualquiera de los términos señalados en el art. 40.1, extendiéndose la responsabilidad al importe de la sanción, en el caso de infracción simple y a la totalidad de la deuda tributaria, en el caso de infracción grave.

Como se aprecia, se exige en primer lugar la declaración administrativa de la existencia de infracción tributaria imputada a la persona jurídica, dado que como sujeto pasivo es el responsable principal del incumplimiento tributario.

En segundo término se precisa que aquellos a los que se deriva la responsabilidad con carácter secundario o subsidiario de las deudas tributarias ostentaran, al momento de cometerse la infracción el carácter de administradores de la persona jurídica.

Como se acredita con el expediente administrativo la parte recurrente, junto con su padre, madre y hermana, fundó la entidad que se constituyó el 31-12-82, y formaba parte de la sociedad, del Consejo de Administración como Secretario del mismo cuando se contrajeron las deudas tributarias.

Asimismo, como tercer requisito, se precisa de una conducta ilícita por parte del administrador. Y en este punto entra de lleno el motivo aducido por la parte demandante referido a que el acuerdo de derivación adolece de falta de motivación al no reflejar la conducta ilícita en la que se incurrieron los administradores sociales.

De la lectura de las actas de inspección, fechadas el 31 octubre 1995, se evidencia que el recurrente incumplió sus obligaciones como administrador social relativas a los balances, cuentas de resultados, omitiendo la diligencia necesaria para comprobar que su actividad empresarial era correcta para con los terceros.

En las mencionadas actas de inspección se refleja con suficiente claridad los hechos que dieron origen a la deuda tributaria derivada. Y en el acuerdo de derivación se especifica que el recurrente con su comportamiento cooperó necesariamente para generar esas deudas tributarias reclamadas al presentarse declaraciones inexactas, no presentarse declaraciones de determinados trimestres, declararse deducciones improcedentes de cuotas de IVA soportado... (art. 79.1 LGT).

El art. 14 del RGR dispone que: En los supuestos previstos por las leyes, los responsables subsidiarios están obligados al pago de las deudas tributarias cuando concurran las siguientes circunstancias: a) que los deudores principales y responsables solidarios hayan sido declarados fallidos, de acuerdo con el procedimiento previsto en los arts. 163 y ss. del RGR; b) que se haya dictado un acto administrativo de derivación de responsabilidad. 2. El acto administrativo de derivación de responsabilidad será dictado por el órgano de recaudación que tenga a su cargo la tramitación del expediente y notificado al interesado con expresión de: a) Los elementos esenciales de la liquidación y el texto íntegro del acuerdo declarando la responsabilidad subsidiaria y la cantidad a la que alcance la misma, b) los medios de impugnación que pueden ser ejercidos por el responsable subsidiario tanto contra la liquidación practicada como contra la extensión y fundamento de su responsabilidad, con indicación del plazo y órganos ante los que pueden ser interpuestos; c) lugar, plazo y forma en que se deba ser satisfecha la cantidad a que se extiende la responsabilidad subsidiaria, de acuerdo en particular, con lo dispuesto en las letras a) o b) del apartado 2 del artículo 20 de este Reglamento, 3. La responsabilidad subsidiaria, salvo que una norma especial disponga otra cosa, se extiende a la deuda tributaria inicialmente liquidada y notificada al deudor principal en período voluntario. La responsabilidad subsidiaria no alcanza las sanciones pecuniarias imputadas al deudor principal, salvo cuando aquella resulte de la participación del responsable en una infracción tributaria. 4.– Antes de la declaración de fallidos de los deudores principales, el órgano de recaudación podrá adoptar las medidas cautelares que procedan cuando existan indicios racionales para presumir actuaciones que puedan impedir la satisfacción de la deuda".

Tal y como se ha expuesto en otras resoluciones de esta Sección, uno de los principales requisitos exigidos en estos supuestos es la declaración administrativa de la infracción tributaria imputada a la persona jurídica a través del correspondiente expediente sancionador dado que como sujeto pasivo es el responsable principal del incumplimiento tributario de forma que, declarada tal responsabilidad, queda expedita la vía de derivación de responsabilidad de los administradores que hubiesen actuado con pasividad, con dejación, con negligencia en definitiva en el cumplimiento de sus obligaciones, una vez declarado fallido el deudor principal que en este caso ocurrió el 30-5-97, por lo que al responsable subsidiario corresponde acreditar que actuó con la debida diligencia, como le exige el art. 127 LSA "los administradores desempeñarán su cargo con la diligencia de un ordenado empresario y de un representante leal".

Esto significa, por la inversión del principio del onus probandi, que es al demandante a quien corresponde acreditar el hecho impeditivo o extintivo de dicha responsabilidad, puesto que probado por la Administración el hecho básico constitutivo de la responsabilidad derivada, corresponde al recurrente acreditar que actuó con total diligencia, y de conformidad a la Ley.

5º Respecto a la extensión de la responsabilidad y, en concreto, a la inclusión en ella de las sanciones, tal cuestión ha sido examinada en numerosas ocasiones por esta Sala, llegando a pronunciamientos coincidentes con los contenidos en las resoluciones del TEAC y TEAR impugnadas.

Efectivamente, el art. 37.3 de la LGT dispone: "La responsabilidad alcanzará a la totalidad de la deuda tributaria, con excepción de las sanciones".

Sin embargo, frente a este precepto general, el art. 40.1 establece con carácter específico para la derivación de responsabilidad subsidiaria a los administradores de las personas jurídicas, que "serán responsables subsidiariamente de las infracciones tributarias simples y de la totalidad de la deuda tributaria en los casos de infracciones graves cometidas por las personas jurídicas, los administradores de las mismas que no realizaren los actos necesarios que fuesen de su incumbencia para el cumplimiento de las obligaciones tributarias infringidas, consintieren el incumplimiento por quienes de ellos dependan o adoptaren acuerdos que hicieran posibles tales infracciones...".

Es evidente, pues, que se establece en este precepto una excepción a la norma general del art. 37.3, pues al hablar de responsabilidad por infracción tributaria simple y de la "totalidad de la deuda tributaria", en el caso de infracciones graves, como es el supuesto de autos, hay una implícita referencia a las sanciones, que forman parte de la deuda tributaria, conforme al art. 58 de la LGT; pues en otro caso carecería de contenido el apartado primero y de sentido el apartado segundo del citado precepto, y por otro lado, no sería posible la derivación por infracciones simples, contemplada en el art. 40.1, en las que nunca habría cuota ni intereses, contraviniéndose así las normas de interpretación que dan preferencia a la exégesis no invalidante de la norma jurídica (es claro que el legislador de 1995, Ley 25/95, quiso mantener el art. 40.1 como estaba).

6º Por lo que se refiere al carácter mancomunado de la responsabilidad subsidiaria de los administradores, debe señalarse que en el momento de producirse los hechos generadores de la responsabilidad, la Ley tributaria no regulaba de qué manera debían responder los responsables subsidiarios si son varios. Esta cuestión se abordó por el RGR en su artículo 12 núm. 7, que estableció la regla de la solidaridad, pero que podía reputarse ilegal por contravenir la regla general de la mancomunidad fijada por el Código Civil para la pluralidad de deudores (artículo 1137). Es a partir de 1992, con la introducción del apartado núm. 6 del artículo 37 de la LGT, cuando la ley permite exigir íntegramente la deuda a cualquiera de los responsables, sin perjuicio de las acciones de regreso que éstos puedan emprender. De ahí la inexistencia de vulneración del principio de reserva de Ley.

La cuestión que se plantea por la parte actora es si dicho precepto puede aplicarse a supuestos de hecho generadores de la responsabilidad acaecidos antes de su entrada en vigor, puesto que el régimen entonces aplicable era el de la mancomunidad.

El régimen jurídico por el que se rige la responsabilidad de los administradores es el vigente en el momento de producirse los hechos generadores de la misma, ya que si bien no se prohíbe la retroactividad de las leyes tributarias, sólo lo serán aquellas que lo establezcan expresamente, y siempre que no colisionen con los principios constitucionales de seguridad jurídica y capacidad económica (STC 126/1987, de 16 de julio, de 4 de octubre], 197/1992, de 19 de noviembre, de 26 de noviembre), pudiendo afirmarse que una retroactividad máxima (aplicación de ley que pretende regular efectos de situaciones de hecho nacidas y concluidas con anterioridad), salvo que exigencias excepcionales del bien común lo justifiquen, es contraria al principio de seguridad jurídica.

Por lo tanto, habiendo varios responsables, en tanto la responsabilidad es mancomunada respecto de las deudas correspondientes a los ejercicios cerrados antes de la entrada en vigor de la Ley 31/1991, es decir hasta el 1 de enero de 1992, cada uno debe responder de una parte de dichas deudas tributarias. [...]».

Sentencia de 28 de abril de 2008 (Contencioso-administrativo) [11]

FUNDAMENTOS DE DERECHO

"4º En caso de Consejo de Administración, los estatutos o, en su defecto, la Junta General, fijarán el número mínimo y máximo de sus componentes, sin que en ningún caso pueda ser inferior a tres ni superior a doce. (...)"4 La exigencia legal de que formen el Consejo de Administración un mínimo de tres miembros, el hecho de que la recurrente sea hija y sobrina de los dos socios. Presidente y Secretaria del Consejo de Administración, sin que ella tuviera la condición de socia, son circunstancias que vienen a avalar la certeza de las alegaciones de la actora, confirmadas, como hemos dicho, por los testigos, a cuya declaración se ha de dar validez, pues si bien existe relación de parentesco de la interesada con dos de ellos, lo cierto es que son las personas que pueden dar testimonio de las circunstancias y alcance de la participación de aquella en la sociedad. Por ello, si bien con carácter general viene declarando esta Sala que la condición de miembro del Consejo de Administración comporta un especial deber de cumplir o velar por el cumplimiento de las obligaciones tributarias de la sociedad, en consonancia con el art. 61 de la Ley de Sociedades de Responsabilidad Limitada, que dispone: "1. Los administradores desempeñarán su cargo con la diligencia de un ordenado empresario y de un representante leal", lo cierto es que no nos encontramos ante un supuesto de responsabilidad objetiva, sino que la responsabilidad del administrador requiere como título de imputación al menos la apreciación de una conducta negligente en relación con el cumplimiento de las obligaciones tributarias de la sociedad. Y dado que en el presente caso, por las razones expuestas, no parece que sea imputable a la actora, ni siquiera por mera negligencia el incumplimiento de las obligaciones fiscales de la sociedad que dieron lugar al acuerdo sancionador, procede la estimación del presente recurso. Lo que hace innecesario entrar en el examen del resto de los motivos de impugnación invocados."

Sentencia de 26 de abril de 2010 (Contencioso-administrativo) [11]

FUNDAMENTOS DE DERECHO

"4º (…) La transmisión de la finca dejó al responsable subsidiario en estado de insolvencia, configurándose así la colaboración en "la ocultación o transmisión de bienes o derechos del obligado al pago con la finalidad de impedir la actuación de la Administración tributaria", del artículo 42.2.a) citado como base de la responsabilidad solidaria. Recordemos que la escritura de dación en pago otorgada por D. Hipolito a favor de D. Juan María es de fecha 21 de diciembre de 2004. Así, como destaca el Abogado del Estado, la transmisión es posterior al acta de conformidad de 23 de septiembre de 2004 y solo un mes antes a la notificación de la providencia de apremio de fecha 25 de enero de 2005. Debe también señalarse, como resalta el Abogado del Estado para reforzar el carácter fraudulento de la transmisión, que no se habría acreditado la realidad de tales créditos que supuestamente tenía el adquirente respecto al transmitente, sino que resulta que el propio transmitente cifra en 39.000 euros el importe de tales créditos, dando en pago una finca valorada en más de 1,5 milllones de euros (folio 14 del expediente relativo a la medida cautelar).

Sentencia de 20 de enero de 2014 (Contencioso-administrativo) [11]

FUNDAMENTOS DE DERECHO

"4º (…) Este precepto, art. 41.4 LGT en su nueva redacción, pretende aclarar las implicaciones derivadas de la naturaleza jurídica del responsable tributario, que no debe ser identificado con un sujeto infractor, sino como obligado tributario en sentido estricto, aun cuando responda también de las sanciones tributarias impuestas a dicho sujeto infractor. Dentro del régimen jurídico sancionador se establece un sistema de reducción de las sanciones a imponer por conformidad y pronto pago. En relación con la reducción de conformidad, en caso de concurrencia de una situación de responsabilidad respecto de la sanción, se modifica la norma para ofrecer la posibilidad al responsable de que pueda dar su conformidad con la parte de deuda derivada procedente de una sanción en sede del deudor principal y beneficiarse de la reducción legal por conformidad. Asimismo, se reconoce al responsable la eventual reducción por pronto pago de su propia deuda (...).

6º (...) En resumen, que sin perjuicio de que la Administración tenga que aportar las pruebas de los presupuestos de hecho en que la Ley funda la derivación de responsabilidad, sin embargo la posición jurídica del administrador responsable subsidiario no es estrictamente la de un sancionado, por lo que la protección de sus derechos no puede enmarcarse dentro del sistema del art. 24.2 de la Constitución, sino en el régimen general de tutela judicial efectiva regulada en el párrafo primero del propio artículo. Además, la deudora principal no efectuó una regularización voluntaria en una autoliquidación (...)"

Sentencia de 27 de enero de 2014 (Contencioso-administrativo) [11]

FUNDAMENTOS DE DERECHO

"6º (...)De esta forma se manifiesta por estos actos externos, cual fue la voluntad real de los administradores de las sociedades intervinientes, extraer del patrimonio de la deudora principal los bienes que constituían su patrimonio, pasando a la titularidad de una aparente tercera entidad, ajena a la relación tributaria, para evitar que pudiesen responder de las deudas tributarias de las que era titular la vendedora, pero permaneciendo los bienes en la esfera de poder de la misma, dado el grado de parentesco y familiar existente entre los socios y administradores de ambas sociedades. De lo narrado anteriormente se deduce que esta conducta únicamente se ha podido ejecutar previa la oportuna ideación, deliberación aceptación del modus operandi para la consecución del fin ilícito, que se sanciona con la responsabilidad solidaria de quien así interviene."

Sentencia de 28 de octubre de 2014 (Contencioso-administrativo) [11]

Véase en el mismo sentido SAN de 20 de enero de 2014

4. Tribunal Económico Administrativo Central

Resolución de 1 de febrero de 1995 [11]

«[...] adoleciendo de falta de motivación el acto de derivación de responsabilidad impugnado debe ser anulado, porque además no aparece en el expediente de gestión documentación que acredite los presupuestos de hecho y circunstancias que determinaron a la Administración Tributaria a practicar la derivación de responsabilidad al reclamante que ni aun en vía de reclamación económico-administrativa, el ser puesto el expediente de manifiesto en primera instancia, pudo conocer los hechos que fundamentaron su declaración de obligado tributario lo que le impide tener cualquier posibilidad de rebatir aquéllos colocándole en una situación práctica de indefensión.

Que en atención a lo razonado este Tribunal Económico-Administrativo Central no puede sino anular el acuerdo de derivación de responsabilidad tributaria [...]»

Resolución de 22 de febrero de 1995 [11]

«Que, [...]el gerente no es administrador, ha de señalarse que tal y como indica el Tribunal Regional, la condición de administrador es un presupuesto fáctico exigido para la concurrencia de responsabilidad, y ésta no viene dada por la denominación, sino por el contenido y alcance de las funciones a desempeñar, de manera que la persona que "efectivamente ejerza la gestión" y "lleve la dirección económica de la sociedad", como dice entre otras la Sentencia del Tribunal Supremo de 29 junio 1985, será administrador, sea cual fuere la terminología utilizada tanto más si tal eventualidad está prevista en los estatutos de la sociedad, como ocurre en el caso presente; [...]

[...] la responsabilidad subsidiaria de los administradores de las personas jurídicas por las infracciones en que éstas hubiesen incurrido y siempre que por fe o negligencia grave no hubiesen realizado los actos necesarios que fueran de su incumbencia para el cumplimiento de las obligaciones tributarias infringidas, consintiesen el incumplimiento por quienes de ellos dependían, o adoptasen acuerdos que hicieran posibles tales infracciones; consecuentemente, en ningún caso se podía exigir esa responsabilidad a los administradores que no hubiesen asistido a la reunión en la que se adoptó el acuerdo o que hubiesen salvado expresamente su voto. Se requería por tanto un presupuesto subjetivo: la existencia de mala fe o de negligencia grave y un presupuesto objetivo: La declaración administrativa de haberse realizado por la persona jurídica una infracción simple, de omisión, o de defraudación [...]

[...] la mala fe existía en quien debiendo conocer por razón de sus obligaciones como administrador, las consecuencias de sus actos, no obstante, los ponía en ejecución; y la negligencia, cuando se omitía la conducta debida a la naturaleza e importancia de las obligaciones de la persona jurídica. Consecuentemente la necesaria relación que tiene presente la Ley Fiscal, siguiendo la pauta marcada por el art. 1104 del Código Civil, entre la conducta de los administradores y el contenido lógico de su función, hace que disminuya la importancia del elemento intencional y centra lo que debe entenderse por "dejación de funciones" [...].

[...] aplicación a situaciones de ilícito fiscal, que consistiría en la omisión por el administrador de la diligencia precisa para efectuar las oportunas provisiones, cumplir o poner a la sociedad en condición de cumplir las obligaciones tributarias pendientes, y en su caso, llevar a efecto la disolución y liquidación de la sociedad».

Resolución de 1 de marzo de 1995 [11]

«Que, la responsabilidad subsidiaria de los administradores de las personas jurídicas está regulada en el art. 40.1 de la Ley General Tributaria en la redacción dada por la Ley 10/1985, de 26 abril, que establece que "serán responsables subsidiariamente de las infracciones tributarias simples y de la totalidad de la deuda tributaria en los casos de infracciones graves cometidas por las personas jurídicas, los administradores de las mismas que no realizaren los actos necesarios que fuesen de su incumbencia para el cumplimiento de las obligaciones tributarias infringidas, consistieren el incumplimiento por quienes de ellos dependan o adoptaren acuerdos que hiciesen posibles tales infracciones. Asimismo serán responsables subsidiariamente, en todo caso, de las obligaciones tributarias pendientes de las personas jurídicas que hayan cesado en sus actividades los administradores de las mismas. Lo previsto en este precepto no afectará a lo establecido en otros supuestos de responsabilidad en la legislación tributaria en vigor." Establece pues, la Ley General Tributaria dos causas distintas de imputación de responsabilidad por este concepto: 1) las infracciones cometidas por la sociedad administrada y 2) el cese de la actividad por la sociedad; en cuanto a la primera se exige la concurrencia de los siguientes requisitos: a) comisión de una infracción tributaria por la sociedad administrada, b) condición de administrador al tiempo de cometerse la infracción y c) conducta ilícita del administrador como tal, en cualquiera de los términos señalados en dicho art. 40.1, extendiéndose la responsabilidad al importe de la sanción en el caso de infracción simple y a la totalidad de la deuda tributaria en el caso de infracción grave; exigiéndose respecto a la segunda causa, es decir, el cese de actividad de la sociedad administrada: a) la cesación de hecho de la actividad de la persona jurídica teniendo la misma obligaciones tributarias pendientes y b) la condición de administrador al tiempo del cese, extendiéndose la responsabilidad a las obligaciones tributarias pendientes de las personas jurídicas. Por otra parte, el art. 14.3 del Reglamento General de Recaudación aprobado por el Real Decreto 1684/1990, de 20 diciembre –en concordancia con lo dispuesto en el art. 40.1 de la LGT citado– dispone que "La responsabilidad subsidiaria, salvo que una norma especial disponga otra cosa, se extiende a la deuda tributaria inicialmente liquidada y notificada al deudor principal en período voluntario. La responsabilidad subsidiaria no alcanza a las sanciones pecuniarias impuestas al deudor principal, salvo cuando aquélla resulte de la participación del responsable en una infracción tributaria"».

Resolución de 26 de julio de 1995 [11]

«[...] que el acto administrativo de derivación de responsabilidad sea notificado al interesado con expresión entre otros, de los elementos esenciales de la liquidación y el texto íntegro del acuerdo declarando la responsabilidad subsidiaria y la cantidad a que alcance la misma, y de los medios de impugnación que puedan ser ejercidos por el responsable subsidiario, tanto contra la liquidación practicada como contra la extensión y fundamento de su responsabilidad, con indicación del plazo y órganos ante los que habrán de ser interpuestos; [...]».

Resolución de 21 de febrero de 1996 [11]

[...] la responsabilidad solidaria se le declaró fundamentándola únicamente en el hecho de ser Consejero Delegado de la entidad deudora, sin que en todo el expediente conste ninguna otra circunstancia concreta que sirva de base para tal imputación, no pudiendo por tanto este Tribunal Económico-Administrativo Central admitir por ese solo dato que el interesado haya sido causante o colaborado en la comisión de una infracción tributaria [...], debiendo señalar [...] no establece un sistema de responsabilidad objetiva y directa sino que la responsabilidad solidaria allí prevista se mueve en el marco establecido con carácter general para los ilícitos tributarios por el artículo 717 de la Ley General Tributaria que gira en torno al principio de culpabilidad tal como estableció la Sentencia del Tribunal Constitucional de 27 abril 1990, y como arguye el reclamante la Administración debería de haber probado el elemento intencional del reclamante en la comisión de las infracciones tributarias por la entidad, [...]

Que con independencia de la no consideración del interesado como responsable solidario de las deudas de la entidad... del examen del expediente en lo que se refiere a las infracciones cometidas por dicha sociedad, y en concreto del Informe del Servicio Jurídico del Estado de 14 de marzo de 1990, se deduce que pudiera existir fundamento para declarar la responsabilidad subsidiaria de los administradores, [...]»

Resolución de 5 de junio de 1996 [11]

«[...] Que en cuanto a la pretendida vulneración del artículo 91 de la Ley de Procedimiento Administrativo [...], que regula el preceptivo trámite de audiencia al interesado en los procedimientos administrativos, debe señalarse que el mencionado artículo se halla incluido en el Capítulo IV de la Ley de Procedimiento Administrativo y que de acuerdo con lo dispuesto en el artículo 1º, dos, de dicha Ley, las normas contenidas en el mismo, no son aplicables a los procedimientos especiales en vigor, entre los que se encuentran, según lo dispuesto en el número décimo del artículo 1º del Decreto 10 octubre 1958, "los procedimientos para hacer efectivos los créditos y derechos a favor de la Hacienda Pública y el cumplimiento de las obligaciones a su cargo", lo cual remite al Reglamento General de Recaudación de 20 diciembre 1990 vigente en la fecha en que se dictó el acto impugnado, que no contempla entre los trámites a seguir en el procedimiento recaudatorio, el de audiencia al interesado, disponiendo en su artículo 14.1 los requisitos que deben cumplirse a efectos de la exigencia de responsabilidad subsidiaria; que el deudor principal y en su caso los solidarios haya sido declarado fallido y se dicte acto administrativo de derivación de la responsabilidad, lo cual se ha cumplimentado en el presente caso, sin que por lo tanto sean de apreciar los defectos formales y procedimentales que respecto de tal derivación de responsabilidad [...]»

Resolución de 10 de octubre de 1996 [11]

«[...]Por último, la supuesta omisión del trámite de audiencia con arreglo a las Leyes reguladoras del procedimiento administrativo, ya fuese la de 1958 o la de 1992, olvida la especialidad de la vía económico-administrativa, consagrada y respetada por las dos leyes citadas, y en cuya regulación no aparecía, para los supuestos a que se contrae el presente recurso, el indicado trámite de audiencia, trámite que ha sido incluido expresamente en el artículo 37.4 de la Ley General Tributaria en la redacción dada al mismo por la Ley 25/1995, de 20 julio, lo que permite afirmar que, "a sensu contrario", el mismo no era exigible con anterioridad a dicha Ley [...]».

Resolución de 22 de noviembre de 1996 [11]

«[...]La alegada omisión del trámite de audiencia [...] previo a emitirse el acto de derivación de responsabilidad, conforme a lo dispuesto en la Ley de Procedimiento Administrativo, obliga a este Tribunal a reiterar su doctrina al respecto, confirmada por la jurisprudencial, de que en virtud de la sustantividad y autonomía propias de los actos de gestión tributaria, regidos por su Ley General y las disposiciones que la desarrollan, solamente en ausencia de precepto expreso sobre una materia puede pretenderse la aplicación de aquella Ley con carácter supletorio. [...] el artículo 37 de la Ley General Tributaria, en la redacción entonces vigente, establecía que "la derivación de la acción administrativa a los responsables subsidiarios requerirá previamente un acto administrativo que será notificado reglamentariamente, confiriéndoles desde dicho instante todos los derechos del sujeto pasivo." La ausencia del trámite de audiencia era así un imperativo legal y por esta causa tampoco está presente en los Reglamentos de Recaudación ni de la Inspección de Tributos. Solamente a partir de la modificación de ese artículo por la Ley 25/1995, que introduce dicho trámite, claro es que sin efectos retroactivos, será exigible el mismo, [...]»

Resolución de 13 de mayo de 1997 [11]

FUNDAMENTOS DE DERECHO

«Conforme al artículo 31.7 de la Ley General Tributaria, que encabeza la regulación legal de quienes son "responsables del tributo", la Ley podrá declarar responsables de la deuda tributaria, junto a los sujetos pasivos ("o deudores principales", como añade con loable precisión técnica la Ley 25/1995, a la redacción original del precepto), a otras personas, solidaria o subsidiariamente. Se configura así una situación legal de obligación y es sabido que la primera fuente de las obligaciones es, cabalmente, la Ley (artículo 1089 del Código Civil). La misma Ley General Tributaria, en su artículo 40.1, establece dos de esos supuestos de atribución legal de responsabilidad, en este caso subsidiaria (otro supuesto distinto que aquí no interesa aparece en el artículo 41 de la misma Ley): son los bien conocidos de los administradores de las personas jurídicas respecto de las infracciones tributarias que estas últimas cometan (supuesto que contiene, a su vez, diferentes situaciones de responsabilidad para aquéllos con distinto alcance, según se trate de infracciones simples o graves) y respecto de las obligaciones tributarias pendientes de las personas jurídicas que hayan cesado en sus actividades. Por lo tanto, el régimen legal de los administradores de personas jurídicas viene configurado, además de por lo que se regule en la legislación civil o mercantil que les sea aplicable, por esta situación abstracta de obligación tributaria subsidiaria creada para ellos por la Ley General en la materia, situación que es anterior a la comisión de la infracción o al cese de la actividad, que son condiciones para su exigibilidad pero que no hacen nacer esa responsabilidad potencial establecida por la Ley, que por el contrario existe desde el momento mismo en que adquieren la condición de administradores.

Esta responsabilidad implícita a la función de administrador queda, no obstante, en situación de pendencia en tanto no se den las condiciones para su exigibilidad, puesto que ésta depende (artículo 1113 del Código Civil) de un suceso a la vez futuro e incierto, lo que no obsta a que la Administración pueda adoptar, si esa exigibilidad parece que vaya a cobrar sustantividad, medidas que son expresivamente calificadas de "cautelares" (artículo 37.5 de la Ley General Tributaria, 37.3 hasta la Ley 25/1995) "cuando existan indicios racionales para presumir actuaciones que puedan impedir la satisfacción de la deuda" (artículo 14.4, Reglamento General de Recaudación). Las condiciones de esa exigibilidad, que es, según se verá, el momento en que el responsable potencial se convierte en obligado en pago, son las siguientes: como presupuesto previo, que se den las situaciones de hecho previstas en la Ley y que son las ya señaladas previamente en relación con el artículo 40.1 de la Ley General Tributaria, pues obviamente de no producirse las mismas no cabrá derivar acción alguna hacia el administrador. En segundo lugar, es preciso el agotamiento del procedimiento recaudatorio en vía de apremio, seguido infructuosamente contra el deudor principal y los responsables solidarios, si los hay (artículo 46.3 del Reglamento General de Recaudación). A continuación viene (con carácter "inexcusable" según el artículo 37.3 de la Ley General Tributaria en su redacción original, vigente hasta la Ley 25/1995 que omite el término pero mantiene el requerimiento en todo su vigor) la declaración de fallido del deudor principal y de los demás responsables solidarios, requisito previo tan esencial a la derivación de responsabilidad hacia los subsidiarios que se recoge al menos cuatro veces en el Reglamento General de Recaudación: artículos 10.2, c), 14.1, a), 46.3 y 164.1 y 2 en el Texto del Real Decreto 448/1995 (164.3 en la versión anterior). Solamente a partir de entonces "se indagará la existencia de responsables subsidiarios" (artículo 164.2) (labor indagatoria que suele ser superflua en los supuestos del artículo 40.1 de la Ley General Tributaria ya que normalmente las actuaciones con la persona jurídica se hacen a través de sus administradores, aun cuando en el caso de cese de actividades puede no haber existido esa relación) y se inicia el procedimiento de derivación de responsabilidad que comienza con el acto previo que confiere al hasta entonces responsable potencial "todos los derechos del deudor principal" (artículo 37.4 de la Ley General Tributaria, "del sujeto pasivo" hasta la Ley 25/1995). El alcance y sentido de este procedimiento ha sido alterado profundamente por la Ley últimamente citada, pero en cualquier caso es suficiente lo expuesto para concluir que el responsable subsidiario únicamente está obligado al pago a partir del momento en que se le notifica el acto de derivación de responsabilidad, que es el instrumento que transforma una situación abstracta de responsabilidad condicionada en una deuda tributaria exigible y líquida».

Resolución de 12 de junio de 1997 [11]

«[...] según doctrina mantenida por los órganos de esta vía, la derivación de responsabilidad se rige por las normas propias del procedimiento recaudatorio en las que no se contemplaba el trámite de audiencia, por lo que no es invocable la Ley de Procedimiento Administrativo que sería aplicable únicamente a título supletorio, como "a sensu contrario" se demuestra por la innovación introducida por la Ley 25/1995, de Reforma de la Ley General Tributaria que ha venido a introducir expresamente para estos supuestos el indicado trámite (artículo 37.4) lo que implica que el mismo no era preceptivo con anterioridad».

Resolución de 9 de noviembre de 1997 [11]

«[...], quien adquiere una actividad económica y asume su ejercicio se hace igualmente responsable, según se ha dicho y resulta de plena lógica, de las obligaciones y cargos de la explotación, entre las que figuran las obligaciones tributarias pendientes. Entre éstas, obvio es decirlo, han de incluirse las ya liquidadas con las sanciones correspondientes sin que exista motivo alguno para que al sucesor se le exonere del pago de las sanciones [...]. Dicho esto, por deuda tributaria hay que entender lo que al respecto establece el artículo 58 de la Ley General Tributaria, como recuerda para los demás responsables tributarios el artículo 12.2 del Reglamento General de Recaudación, y si entre las liquidadas figuran tanto sanciones como deudas en vía de apremio, es evidente que la sanción y recargo correspondiente, parte inherente de la deuda, es tan exigible al transmisor como al adquirente de la explotación que motivó la deuda en cuestión. [...]»

Resolución de 30 de enero de 1998 [11]

«[...] Es cierto que el cese en la actividad no se produjo de forma absoluta y total y que en anualidades posteriores aún se presentan facturaciones, recibos de alquileres de locales o incluso relaciones laborales subsistentes, pero nada de ello desmiente el hecho evidente de que la empresa se encontraba paralizada prácticamente en su totalidad; que el cese de actividad que requiere la Ley no puede identificarse con la desaparición íntegra de toda actuación y ello más aún tratándose de un complejo fabril como el de la empresa deudora, en donde la simple inercia del tráfico comercial mantiene necesariamente un nivel mínimo de actuaciones que no es incompatible con el cese de actividad a los efectos del artículo 40.1 de la Ley General Tributaria; y que de algunas de estas actuaciones cabe decir [...] que "la mera declaración formal de una mínima actividad, residual, no materializada en la realidad en ninguno de los locales en los que habitualmente operaba la empresa, no tiene valor probatorio alguno, pues ello es indicativo únicamente de que se requiere mantener una situación confusa y de incertidumbre por tiempo indefinido, propiciada por la existencia de un grupo de empresas interrelacionadas entre sí, con trabajadores comunes, actividades similares, etc., con la finalidad de poner salvo los bienes de valor que todavía le quedaban, al tiempo que se realizan los cambios necesarios en el órgano de dirección para eludir las responsabilidades [...], pudieran resultar exigibles". [...]»

Resolución de 12 de febrero de 1998 [11]

«[...] La derivación de responsabilidad a los administradores obliga a distinguir entre el sujeto infractor, al que la ley penaliza por razón de su conducta, y aquellas personas a quienes la norma legal declara responsables de la infracción cometida y que, como tales, han de satisfacer a la Hacienda Pública el importe de lo que correspondería pagar a aquél. En líneas generales la separación descansa en el tipo de conducta propio de cada figura. En el infractor, normalmente se exige una conducta activa; en el responsable basta, por regla general, con una conducta pasiva. El primero realiza un acto contrario a la ley, que por eso mismo se sanciona; el segundo incumple una obligación de vigilancia que, de haber sido ejercida, hubiera evitado la infracción, y por eso se le obliga a compensar el daño derivado de su negligencia. No se trata en este último caso, de un elemento originador de una responsabilidad sancionadora en estricto sentido técnico, ya que es una noción perfectamente integrada en el ámbito del ilícito civil, dando lugar a un gravamen de esta índole, como es el de tener que soportar con carácter subsidiario el pago de la deuda (STS 30 septiembre 1993). Lo que pasa es que en ambos casos se precisa que los hechos acaecidos sean imputables, atribuibles a alguien. La imputabilidad es el fundamento de la responsabilidad, y aparece como el último y necesario reducto de la personalidad o la voluntariedad. Eso explica que el Tribunal Constitucional haya prohibido toda forma de responsabilidad objetiva en materia tributaria (S. 26 abril 1990).

Esos principios se mantienen en el artículo 40.1, párrafo primero de la LGT cuando establece la responsabilidad subsidiaria de los administradores respecto de la totalidad de la deuda tributaria, en los casos de infracciones graves cometidos por las personas jurídicas, porque exige en ellos que no realizaren los actos necesarios que fuesen de su incumbencia para el cumplimiento de las obligaciones tributarias infringidas, o que consintieren el incumplimiento por quienes de ellos dependan, o adopten acuerdos que hagan posibles tales infracciones. Los tres supuestos obedecen a unos deberes normales en un gestor o, en los términos del artículo 133.1 del Texto Refundido de la Ley de Sociedades Anónimas, propios de la diligencia con la que un administrador debe desempeñar el cargo. El primero exige la omisión de actos relacionados directamente con la obligación infringida que el administrador sabe que tiene el deber de realizar por razón de su cargo; el segundo supone una clara permisividad respecto de la actividad ilícita de los subordinados; el tercero, una consciencia de las consecuencias normales del acuerdo que se adopta. [...] la supresión [...], de la exigencia de mala fe o negligencia grave en los administradores no supone la desaparición de los principios de voluntariedad o de personalidad en su conducta. La imputación de responsabilidad sigue siendo consecuencia de los deberes normales en un gestor, aun cuando sea suficiente la concurrencia de la mera negligencia.

[...] La necesaria relación que tiene presente la Ley Fiscal, siguiendo la pauta marcada por el artículo 1104 del Código Civil, entre la conducta de los administradores y el contenido lógico de su función, hace que disminuya la importancia del elemento intencional y se centre en lo que debe entenderse por "dejación de funciones". Es por tanto correcta la asignación de responsabilidad subsidiaria [...]; existe un nexo causal entre él y el incumplimiento de los deberes fiscales por parte del sujeto pasivo, que es la Sociedad. [...]

[...], conviene establecer que [...] el artículo 37, en su nueva redacción, [...] da al contenido de la responsabilidad [...] no alcanza al supuesto del artículo 40.1; en primer lugar, porque es un precepto general frente a otro específico y singular; en segundo lugar, porque entenderlo de otra manera desnaturalizaría el sentido del artículo 40, que presupone la culpa o al menos la negligencia en la conducta de los administradores, exigiéndoles una responsabilidad que alcanza la totalidad de la deuda imputable a la persona jurídica, en líneas con los artículos de la vigente Ley de Sociedades Anónimas sobre la responsabilidad de los administradores; en tercer lugar, porque [...] haría inoperante la primera frase del artículo 40.1 que establece que en las infracciones simples el administrador tan sólo responde de las sanciones. En cuanto a la interpretación que cabe darle a la expresión "totalidad de la deuda tributaria", en los casos de infracciones graves, se impone integrarla con la única que, como se acaba de ver, puede darse a la primera frase del precepto; con la naturaleza de los condicionantes que se establecen para que opere la responsabilidad, absolutamente en armonía con los que se contienen en los artículos 1902 y 1903 del Código Civil; y con la finalidad compensatoria que pretende el precepto. [...]»

Resolución de 25 de febrero de 1998 [11]

«[...] deben confirmarse las aseveraciones del Tribunal Regional en lo relativo a la vigencia del Reglamento General de Recaudación de 1990 en el momento de dictarse el acuerdo de derivación de responsabilidad, única fecha a tener en cuenta, así como en lo tocante a la invocada prescripción de las deudas tributarias, que no se produjo para el deudor principal y tampoco se produjo posteriormente en el proceso de derivación de responsabilidad. Tampoco puede admitirse la supuesta condición de "mero socio" del recurrente, pues como señala el acuerdo recurrido y se recoge con mayor detalle aún en el de la oficina gestora, el interesado era Presidente de la mercantil deudora en marzo de 1985, cuando se procedió al embargo de los locales de esta última; efectuó un pago a cuenta en el siguiente mes de mayo; fue designado socio liquidador de la sociedad en la Junta General de 23 de abril de 1988; formalizó en escritura pública la disolución de la sociedad el 20 de julio siguiente, sin hacer constar en el balance final los créditos de que era acreedora la Hacienda Pública, etc. De otra parte, el artículo 32 de la Ley 17 julio 1953, sobre régimen jurídico de las sociedades de responsabilidad limitada, vigente en el momento de la liquidación, establecía que para la liquidación de estas sociedades "se estará a lo dispuesto en la escritura de constitución y en el Código de Comercio": constando en el expediente que el recurrente incumplió el artículo 50 de los Estatutos Sociales, al no declarar la situación de quiebra técnica en que se hallaba la empresa, y el artículo 71 de la Ley General Tributaria reconocer pagos a diferentes proveedores y acreedores sin atender a los créditos de la Hacienda Pública, [...]».

Resolución de 25 de febrero de 1998 [11]

«[...] determinar si procede la derivación de responsabilidad de deudas tributarias al amparo del artículo 40.1 de la Ley General Tributaria en cualquiera de sus dos supuestos, a quien figura como administrador de la empresa sujeto pasivo principal en el Registro Mercantil, por el principio el artículo 9 del Reglamento del Registro Mercantil, invocado por el Tribunal de Instancia, relativo a la validez de las inscripciones para terceros de buena fe, siendo el acto discutido (cese de administrador) de inscripción obligatoria según el artículo 94.4 del mismo Reglamento. [...]

Si bien el artículo 3 del Reglamento de Registro Mercantil de 1956 y su equivalente del de 1989 sientan el principio de presunción de exactitud y validez del contenido de sus libros, ello no quiere significar que la tal presunción no admita prueba a contrario, como tiene señalado para supuestos similares [...] este Tribunal Económico-Administrativo Central en Resoluciones como las de 26 octubre 1996, estableciéndose en ellos al respecto que "el carácter restrictivo de esta clase de presunciones no solamente viene demostrado por el principio general de que toda presunción es 'iuris tantum' en tanto no se exprese concretamente lo contrario, sino que viene ratificado por la propia jurisprudencia para situaciones mucho más extremas que la presente. Con referencia al Registro Civil y al estado de las personas, el Tribunal Supremo tiene afirmado que 'el principio referido a la probanza por medio de las actas del Registro Civil no es de tan estricto rigor que no admita que esta prueba no pueda ser suplida por otras' (Sentencias de 19 diciembre 1957, 23 junio 1966, 29 mayo 1984, entre otras). Llevar el rigor de la ausencia de inscripción de la baja correspondiente en el Registro mencionado a seguir considerando en activo a quien cesó de hecho en virtud de actos válidos y eficaces, aunque no inscritos, y ello nada menos que a los efectos de derivar hacia los interesados la responsabilidad solidaria (exigible a cada uno de ellos en su totalidad: artículo 37.6 de la Ley General Tributaria) por infracciones tributarias cometidas después de ese cese puede tener una aparente fundamentación formal, pero carece de todo apoyo en una interpretación lógica de la finalidad de la norma discutida." Considera, además, este Tribunal que la Hacienda Pública no puede invocar una situación similar a la de un tercero de buena fe, cuando cuenta con instrumentos legales más que suficientes para determinar en cada momento quiénes fueron las personas que se encontraban realmente al frente de la Administración de la Cooperativa como miembros de su Consejo rector y, consecuentemente, eran susceptibles de ser declarados responsables subsidiarios de las deudas tributarias de aquéllas [...]».

Resolución de 15 de abril de 1998 [11]

«Establece la Ley General Tributaria dos causas distintas de imputación de responsabilidad: 1) las infracciones cometidas por la sociedad administrada y 2) el cese de la actividad por la sociedad[...]

El interesado [...] omitió la debida diligencia al no instar, ante la situación de crisis de la sociedad la suspensión de pagos, ni poner en marcha alguno de los mecanismos previstos en la legislación mercantil para la disolución y liquidación de la sociedad, que simplemente cesó en su actividad, según declaración de baja en el Impuesto sobre Actividades Económi-cas [...], medidas que le competía haber adoptado en su condición de Administrador Único de la sociedad y cuya falta devino en perjuicio de sus acreedores, entre ellos, de la Hacienda Pública, que se vio así privada de su derecho a hacer efectivos sus créditos [...]»

Resolución de 13 de mayo de 1998 [11]

«[...] Si es cierto que la aplicación estricta de las normas relativas a las notificaciones priva a éstas de su eficacia en orden a establecer los plazos para el pago de las deudas o para la interposición de los recursos pertinentes, no se llega a la misma conclusión en cuanto a considerarlas como meras actuaciones de la Administración conducentes al pago de las deudas, hechas con conocimiento formal del sujeto pasivo, y, por tanto, como interruptivas de la prescripción; los intentos de notificación recogidos en diligencias y es-pecialmente las publicaciones en el Boletín Oficial sirven, al menos, para ello. Al afirmarlo así, se aplica la doctrina sentada por el Tribunal Supremo, entre otras, en la Sentencia de 30 mayo 1967, a cuyo tenor "limitados estrictamente a la esfera administrativa, más aún ceñidos escuetamente a la de lo administrativo fiscal..." debemos tener por entendido que, para la interrupción prescriptiva, son bastante los "hechos" o los "actos" que, exterio-rizados por la Administración frente al interesado, manifiestan en ello todo lo contrario de una actitud de abandono u olvido de la acción administrativa; sin que a ello quepa oponer como obstáculo deficiencias formales cuya consecuencia sería su óbice para poder te-nerlo como un "acto administrativo" en su riguroso concepto, mas nunca para que pueda ser acotado como un "hecho" innegable en el sentido que le es propio, el de contrario al consentimiento de la consumación del efecto extintivo de la acción o de la pérdida del de-recho que la prescripción implica, siendo además la doctrina sentada por esta Sala, entre otras, en las Sentencias de 8 octubre 1959, 26 abril 1964 y 14 mayo 1965, en las que se dejaba ya advertido..."que no pueden confundirse a efectos de prescripción la anulación de un acto o actuaciones con su inexistencia".

No se está, por consiguiente, ante un supuesto de prescripción de la acción de la Ad-ministración para exigir el pago de las deudas.

El examen del expediente que, como se ha dicho en repetidas ocasiones, se refiere a las diligencias de embargo, no permite establecer con certeza absoluta si se han notificado o no las liquidaciones relativas a cada una de las deudas; no obstante, existen indicios suficientes para suponer que sí se han notificado por cuanto las deudas por el concepto impositivo del IRPF se refieren a segundos plazos de la autoliquidación formulada por el sujeto pasivo, y en cuanto a las relativas al reintegro de cantidades derivadas de la gestión del recurrente como recaudador, derivan de un expediente de reintegro por alcance y no se alega su falta de notificación sino la supuesta nulidad de las mismas, si bien tampoco se alega que hayan sido recurridas. Se deduce de todo ello la ejecutividad y la firmeza de las liquidaciones.

Finalmente, las diligencias de embargo, en sí mismas consideradas, se ajustan al procedimiento establecido, sin que, por otra parte, tal extremo se discuta en los escritos del recurrente [...]»

Resolución de 13 de mayo de 1998 [11]

«[...] para la derivación de responsabilidad efectuada al amparo del transcrito párrafo segundo del artículo 40.1 de la Ley General Tributaria es condición necesaria y suficiente la concurrencia de tres elementos: a) cese de actividades de una persona jurídica; b) existencia de obligaciones tributarias pendientes al producirse ese cese; y c) determinación de la condición de administrador en la persona o personas, físicas o jurídicas, a las que se hace responsables subsidiarias de aquellas obligaciones. Presentes estos tres elementos, es procedente la derivación de responsabilidad al amparo de dicha norma. [...].

Como consideración previa, [...] el concepto de "cese de actividad", debe recordarse que este Tribunal tiene declarado ("ad exemplum", Resoluciones de 30 enero 1998, RR GG 5748, 5749, 5750 y 5751/1995), que "el cese de actividad que requiere la Ley no puede identificarse con la desaparición íntegra de toda actuación" pues a poco complejo que sea el ámbito en que una empresa se mueve, "la simple inercia del tráfico comercial mantiene necesariamente un nivel mínimo de actuaciones que no es incompatible con el cese de actividad a los efectos del artículo 40.1 de la Ley General Tributaria". Esta interpretación de la Ley, [...], viene avalada por la consideración de que, en caso contrario, una ficticia simulación de existencia de actividades a través de documentos formalmente más o menos correctos permitiría eludir tanto la exigencia del pago de sus deudas tributarias al deudor original, aparentemente activo aunque estuviera declarado fallido –como sucede en este caso– como subsidiariamente a sus administradores al no darse en teoría el cese de la empresa. [...]»

Resolución de 25 de junio de 1998 [11]

«[...] se da en el interesado la condición de administrador de la sociedad deudora y al menos ha consentido, en esa condición, la comisión de esa infracción, extremos todos ellos que se documentan en el acuerdo, en el que se recogen las alegaciones hechas previamente, y que difícilmente requiere mayor motivación.

Directamente relacionada con la anterior está la alegación referida a la falta de legitimación pasiva de la sociedad recurrente por haber renunciado a su condición de consejero de la sociedad. [...] El Acta de la Junta General extraordinaria de 28 de agosto de 1987, según la certificación del Registro Mercantil, no se eleva a escritura pública hasta el 19 de abril de 1994, en sospechosa coincidencia con la recepción por la interesada de la notificación de apertura de expediente de derivación de responsabilidad (el 24 de marzo anterior); por lo tanto, su eficacia frente a terceros, incluida la Hacienda Pública, no puede ser anterior a esta fecha, a pesar de lo alegado en contra, y lógicamente su inscripción en el Registro tuvo que ser posterior, pues en la Nota Literal que obra en el expediente (de 3 de noviembre de 1993, según se dijo) no solamente no figura esa "inscripción cuarta" en la que se recogería, [...], la certificación del Registro Mercantil que acompaña da fe solamente de la aceptación de la dimisión del Presidente y la designación provisional para tal cargo del Vocal primero que se menciona, pero no se hace constar la voluntad del recurrente de dimitir también como consejero, para lo que había sido nombrado con carácter previo e independiente en la forma ya transcrita, como por otra parte parece lógico puesto que la sociedad recurrente seguía siendo titular del cincuenta por ciento de las acciones».

Resolución de 24 de julio de 1998 [11]

«[...] la anulación del acto sin ningún tipo de restricciones, afecta de forma evidente a la totalidad de los responsables implicados en el mismo, lo cual es por otra parte, consecuencia obligada del carácter solidario con que el mencionado acuerdo, estableció la responsabilidad subsidiaria de las diversas empresas. [...]»

Resolución de 3 de diciembre de 1998 (Recurso de Alzada núm. 10269/1996) [11]

«[...] De lo expuesto se desprende que el plazo de prescripción respecto de la obligación del responsable ha de empezarse a contar desde que se pueda ejercitar la acción contra él, en aplicación del principio de la "actio nata", y no desde la fecha en la que se devenga originariamente la liquidación en la que se fija la obligación del sujeto pasivo. La prescripción del derecho de la Administración a exigir el pago de la deuda tributaria comienza a correr desde el día en que finaliza el plazo reglamentario establecido para el pago voluntario, tal como establecen los artículos 64 b) y 65 de la LGT, pero ha de entenderse referida al obligado principal, y sólo secuencialmente a los responsables solidarios o subsidiarios, porque es el sujeto pasivo el primer obligado al pago; y si no estuviera prescrita la acción para él, debido a los actos interruptivos a los que se refiere el artículo 66 de la citada LGT, resultaría absurdo entender que el plazo de prescripción seguía corriendo, al margen de dichas circunstancias, para lo obligados secundarios.

En resumen, existen dos períodos diferentes; el que se refiere a la prescripción de las acciones frente al deudor principal, que abarca todo el tiempo que transcurra hasta la notificación de la derivación de responsabilidad, y el que se abre con tal acto, siempre que la prescripción no se hubiese producido con anterioridad, que afecta a las acciones a ejercitar contra el responsable, teniendo incidencia en el cómputo de los plazos prescriptorios, dentro de los indicados períodos, las actuaciones interruptivas a que se refiere el artículo 66 de la LGT. [...]».

Resolución de 3 de diciembre de 1998 (Recurso 2755/1996) [11]

«No cabe aceptar la tesis del recurrente de que cesó como Administrador de la Sociedad en el año 1985, pues la inscripción registral de dicho cese no se produjo hasta el 13 de octubre de 1987, tal y como señalamos en el Antecedente de Hecho Sexto de esta resolución, y ello de acuerdo con el artículo 110 del Reglamento del Registro Mercantil de 14 de diciembre de 1956, entonces vigente, según el cual, "El nombramiento de Comisión ejecutiva o del Consejo delegado y, en general, la delegación permanente de todas o partes de las facultades del Consejo de Administración, así como los poderes generales que, en su caso, acordara conceder la Junta General, y la modificación o revocación de todos estos actos, constará en Escritura Pública, que deberá inscribirse en el Registro Mercantil", y con el artículo 2 apartado dos de dicho Reglamento que establece la vertiente negativa del principio de exactitud registral, al disponer que, "los documentos sujetos a inscripción y no inscritos no producirán efectos respecto de terceros. No podrá invocarse la falta de inscripción por quien incurrió en su omisión"».

Resolución de 14 de enero de 1999 [11]

«[...] procede descontar del importe en que se cuantifica la responsabilidad solidaria el correspondiente al recargo de apremio, en aplicación de lo dispuesto en el artículo 37.3, párrafo segundo, de la Ley General Tributaria, en la redacción dada al mismo por la Ley 25/1995, a cuyo tenor "el recargo de apremio sólo será exigible al responsable en el supuesto regulado en el párrafo tercero del apartado siguiente", párrafo y apartado en el que se ordena que la responsabilidad se extenderá al recargo de apremio tan sólo si transcurrido el período voluntario que se concederá al responsable para el ingreso, éste no lo realizare. [...]»

Resolución de 15 de enero de 1999 [11]

«[...] la derivación de responsabilidad se fundamenta en la condición de administrador del recurrente; que las infracciones tributarias se cometen por la sociedad y son calificadas por la Inspección actuaria como graves; que el administrador no realizó los actos necesarios y de su incumbencia para el cumplimiento de las obligaciones tributarias infringidas; [...]. Es decir, no se hace constar en los acuerdos de derivación ni en la resolución del Tribunal Regional ningún dato que configure el ilícito fiscal a que se refiere el artículo 38 de la Ley General Tributaria, ni se justifica y demuestra una colaboración activa por parte del recurrente en las infracciones cometidas. Este último dato es el que separa los supuestos que se contemplan en los artículos 38.1 y 40.1 de la Ley General Tributaria; ser causante o colaborador requiere una conducta activa dirigida a la comisión de la infracción, mientras que los supuestos del artículo 40 descansan en conductas pasivas, tal como se desprende de las frases que las describen: "que no realizaren los actos necesarios", "que consintieren".

[...] la posible responsabilidad subsidiaria del administrador, en la Resolución que se le dirige el 20 de mayo de 1991, con cita del artículo 14 del Reglamento General de Recaudación (RCL 1991/6 y 284), que es el dedicado a los responsables subsidiarios. También se hace constar en otro de los documentos en los que se requiere al recurrente, que ello se hace por su condición de administrador único y liquidador de la sociedad, siendo así que según la certificación del Registro Mercantil, la Junta designó liquidador a don... es decir, a persona diferente del administrador. Este hecho tiene relevancia, porque es indudable que la concurrencia de ambos cometidos en la misma persona acentuaría sus responsabilidades frente a la Hacienda Pública. [...]»

Resolución de 15 de enero de 1999 [11]

«[...] el plazo de prescripción respecto de la obligación del responsable ha de emlpezarse a contar desde que se pueda ejercitar la acción contra él, en aplicación del principio de la "actio nata", y no desde la fecha en la que se devenga originariamente la liquidación en la que se fija la obligación del sujeto pasivo. La prescripción del derecho de la Administración a exigir el pago de la deuda tributaria comienza a correr desde el día en que finaliza el plazo reglamentario establecido para el pago voluntario, tal como establecen los artículos 64 b) y 65 de la LGT, pero ha de entenderse referida al obligado principal, y sólo secuencialmente a los responsables solidarios o subsidiarios, porque es el sujeto pasivo el primer obligado al pago; y si no estuviera prescrita la acción para él, debido a los actos interruptivos a los que se refiere el artículo 66 de la citada LGT, resultaría absurdo entender que el plazo de prescripción seguía corriendo, al margen de dichas circunstancias, para los obligados secundarios.

En resumen, existen dos períodos diferentes; el que se refiere a la prescripción de las acciones frente al deudor principal, que abarca todo el tiempo que transcurra hasta la notificación de la derivación de responsabilidad, y el que se abre con tal acto, siempre que la prescripción no se hubiese producido con anterioridad, que afecta a las acciones a ejercitar contra el responsable, teniendo incidencia en el cómputo de los plazos prescriptorios, dentro de los indicados períodos, las actuaciones interruptivas a que se refiere el artículo 66 de la LGT. [...]»

Resolución de 28 de enero de 1999 [11]

«[...] El acto de derivación de responsabilidad, del que derivan las restantes actuaciones, es un claro acto plúrimo, es decir, que si bien formalmente es único son varios y distintos sus destinatarios, por lo que la anulación de sus efectos respecto de uno o varios de éstos no implica, como establece con acierto el Tribunal de instancia, la automática anulación para los otros; y ello, en primer lugar, porque estableciendo el acto en cuestión la responsabilidad de cada uno de los interesados, variable en función de sus respectivas circunstancias, hay una determinación individual de las deudas tributarias que se les exigen, deudas autónomas según establece el artículo 62.1 de la Ley General Tributaria; por ello, y por aplicación de los artículos 64 ("la anulabilidad en parte del acto administrativo no implicará la de las partes del mismo independiente de aquélla") y 66 ("el órgano que declare la nulidad o anule las actuaciones dispondrá la conservación de aquellos actos y trámites cuyo contenido se hubiese mantenido igual de no haberse cometido la infracción") de la Ley 30/1992, de 26 de noviembre, de Régimen Jurídico y Procedimiento Administrativo Común, el acto de derivación de responsabilidad y los actos ejecutivos posteriores no pudieron verse afectados más que por la declaración de nulidad hecha respecto de algunos interesados concretos, por lo que procede la ratificación de su validez para los restantes. [...]».

Resolución de 10 de junio de 1999 [11]

«[...] La solicitud de cobro va dirigida conjuntamente a la Sociedad deudora y a los socios de la Sociedad que se relacionan, y entre los que figura el reclamante, en condición (sociedad y socios) de "co-devedor", esto es, de deudores solidarios (figuran tachadas las opciones impresas de deudor principal y de tercero). El título ejecutivo relativo al reclamante existe, por lo tanto, y lo único que corresponde a los órganos gestores españoles es su ejecución conforme al procedimiento de recaudación, una vez homologado éste por la autoridad española.[...]»

Resolución de 24 de septiembre de 1999 [11]

«Primero, que obviamente es imposible, por regla general, fijar un momento concreto del cese en la actividad, al ser una situación puramente fáctica no concretada necesariamente en un dato formal indubitado. [...]

Segundo, que lo que ha hecho la Administración es presumir razonablemente que la falta de presentación de declaraciones tributarias de todo tipo e impuesto (no sólo declaraciones-liquidaciones) acredita tal cese. A ello no obsta que se presente un escrito o se haga un recurso (puesto que la sociedad jurídicamente no desaparece), que además son muy anteriores a la fecha en que por la Administración se declara el fallido y se deriva la responsabilidad, sin que tampoco hasta ese momento 1994, se hubieran presentado más declaraciones desde 1989.

Tercero, que nada tiene que ver con la norma del artículo 40.1 de la LGT el artículo 29 de la Ley 61/1978, relativo a la baja en el índice de entidades que creaba el artículo 28 anterior, pues ésta es una cuestión formal registral y aquélla se refiere a una situación fáctica, tal como hemos dicho. Queda más claro aún este punto si se echa de ver que una de las circunstancias por las que ha de proceder a la baja en el índice de entidades es que se produzca la declaración de fallido –art. 29.1 a) de la Ley 61/1978–, mientras que aquí la declaración de fallido es más bien una consecuencia, del cese de la actividad y la pérdida del patrimonio social.

Cuarto, que en todo caso y frente a lo que afirman los recurrentes, no puede darse relevancia frente a terceros a la escritura en la que se recoge su dimisión, pues si bien es cierta la eficacia probatoria de los documentos públicos que establece el artículo 1218 del Código Civil, cuando intervienen intereses de terceros, como lo es la Hacienda Pública, si se trata de actos de inscripción obligatoria en el Registro Mercantil (como lo es el nombramiento y el cese de los administradores sociales: art. 94 del Reglamento del Registro Mercantil de 1996, análogo en este punto los de 1956 y 1989 que le procedieron), entonces entra en juego el principio de publicidad material del Registro, en su doble vertiente: positiva –principio de legitimación–, en cuanto que "el contenido del Registro se presume exacto y válido: artículo 7º del Reglamento"; y negativa –oponibilidad–: "los actos sujetos a inscripción sólo serán oponibles a terceros de buena fe desde su publicación en el 'Boletín Oficial del Registro Mercantil'".

Y como según el Registro los recurrentes eran los administradores sociales, de nuevo el incumplimiento de un deber legal –y muy relevante– no puede servir de fundamento para eludir la responsabilidad dimanante de otra norma legal, el artículo 40 de la LGT, que a su vez presupone aún otro incumplimiento, como es la obligación de promover la disolución y liquidación de la sociedad (artículo 262 de la Ley de Sociedades Anónimas, Texto Refundido de 22 de diciembre de 1989).

Por lo expuesto, tampoco puede prosperar la alegación de que se exige a los interesados responsabilidad por una deuda que cuando eran administradores no era líquida, pues al no admitir la eficacia frente a terceros de buena fe de los actos sujetos a inscripción y no inscritos, en este caso el alegado cese en aquella condición, la alegación no puede lógicamente prosperar.[...]

Como principio general en nuestro derecho positivo rige el de la responsabilidad por culpa, ya en la esfera contractual, ya en la extracontractual; a una y otra se refieren, respectivamente, los artículos 1101 y 1902 del Código Civil. [...]

En el mundo de las sociedades mercantiles la situación es análoga: así, el artículo 127 de la Ley de Sociedades Anónimas, de 22 de diciembre de 1989, expresa que "los administradores desempeñarán su cargo con la diligencia de un ordenado empresario y de un representante leal" (paradigma que es el correlato del "buen padre de familia" del artículo 1104, párrafo segundo, del Código Civil). Por su parte, el artículo 61 de la Ley de Sociedades de Responsabilidad Limitada, de 23 de marzo de 1995, contiene un texto idéntico al anterior. [...]

Pues bien, en desarrollo y en cumplimiento de sus amplísimas facultades y obligaciones de gestión y representación, los administradores sociales vienen obligados a promover la disolución de la sociedad cuando se dé alguna de las causas legales o estatutarias de disolución que así lo exijan (ej. artículos 260 y 262 de la Ley de Sociedades Anónimas, y artículos 104 y 105 de la Ley de Sociedades de Responsabilidad Limitada); hasta el extremo de que el artículo 262.5 de la Ley de Sociedades Anónimas dispone que: "Responderán solidariamente de las obligaciones sociales los administradores que incumplan la obligación de convocar en el plazo de dos meses la junta general, para que adopte, en su caso, el acuerdo de disolución o que no soliciten la disolución judicial de la sociedad en el plazo de dos meses a contar desde la fecha prevista para la celebración de la junta, cuando ésta no se haya constituido, o desde el día de la junta, cuando el acuerdo hubiera sido contrario a la disolución". En tanto que el artículo 105.5 de la Ley de Sociedades de Responsabilidad Limitada, más rápidamente, dice así: "El incumplimiento de la obligación de convocar junta general o de solicitar la disolución judicial determinará la responsabilidad solidaria de los administradores por todas las deudas sociales".

Situada en esta perspectiva la responsabilidad de los administradores sociales, cobra su sentido propio la norma del artículo 40.1, párrafo segundo, de la Ley General Tributaria: "Asimismo, serán responsables subsidiariamente, en todo caso, de las obligaciones tributarias pendientes de las personas jurídicas que hayan cesado en sus actividades los administradores de las mismas". En definitiva, no es sino la concreción en el ámbito tributario de la responsabilidad que las leyes mercantiles establecen con rigor para los administradores, sin duda porque de su actuación dependen los intereses de la propia sociedad, de los socios y de los terceros que se relacionen con aquélla.

No se piense, a la vista de lo que antecede, que estamos ante un supuesto de responsabilidad objetiva pura y simple, aunque la ley haya empleado la expresión "en todo caso". Es cierto, como dice la Sentencia de la Audiencia Nacional, de 4 de febrero de 1999, que en este supuesto de cese de la actividad social "la responsabilidad tiene connotaciones de la responsabilidad civil", pero como tiene declarado este Tribunal Central en numerosas Resoluciones (p. ej., en 22 de octubre de 1998): "En este supuesto la responsabilidad del administrador, a pesar de lo que pudiera deducirse de la expresión 'en todo caso' contenida en el artículo 40 de la LGT, no se establece de forma objetiva, pues ello vulneraría las garantías que a favor de los ciudadanos establece la Constitución, que son de aplicación al Derecho Tributario, sino que la imputación de responsabilidad tiene su fundamento en la conducta al menos negligente del administrador que, en perjuicio de sus acreedores, y entre éstos la Hacienda Pública, omite la diligencia que le es exigible en cumplimiento de las obligaciones que le impone la legislación mercantil, siendo un hecho no controvertido que la sociedad cesó en su actividad sin haberse disuelto ni liquidado".

Lo que ocurre es que con la expresión "en todo caso", la Ley General Tributaria, a nuestro juicio, quiere distinguir la hipótesis del párrafo segundo del artículo 40.1, de la del párrafo primero precedente: así como en ésta es preciso que se hayan cometido infracciones, simples o graves, por la persona jurídica y haya concurrido una conducta culpable, activa u omisiva, de los administradores, en la del párrafo segundo basta con que haya obligaciones tributarias pendientes, tengan relación o no con conductas infractoras de la persona jurídica, pues aquí la negligencia culpable se sitúa en el comportamiento del administrador y no es necesaria su apreciación en la conducta de la sociedad. Como expresa la Sentencia del Tribunal Supremo de 26 de diciembre de 1991, la omisión de la obligación de promover la celebración de la junta para acordar la disolución, "normal y lógicamente exigible en una sociedad con tan grave crisis económica, es lo que precisamente da origen, según ya queda consignado, a la negligencia grave generadora de responsabilidad en el mencionado administrador".

En el ámbito tributario es particularmente grave para los intereses de la Hacienda Pública la falta de apertura de un procedimiento de disolución y liquidación, porque impide que entren en juego otras responsabilidades que actúan a modo de garantía del crédito tributario, como la subsidiaria de los liquidadores, "ex" artículo 40.2 de la LGT, o la que establece el artículo 89.4 de la propia Ley: "En el caso de sociedades o entidades disueltas y liquidadas, sus obligaciones tributarias pendientes se transmitirán a los socios o partícipes en el capital, que responderán de ellas solidariamente y hasta el límite del valor de la cuota de liquidación que se les hubiere adjudicado".

Así, pues, y en resumen, la falta de promoción por los administradores de los acuerdos sociales necesarios para una ordenada disolución y liquidación de la sociedad que ha cesado de hecho en sus operaciones, los constituye en responsables tributarios, salvo prueba de que por fuerza mayor u otra causa bastante no pudieran promover tales acuerdos, o salvo el caso de que siendo colegiado el órgano de administración hubieren hecho todo lo posible legalmente para lograr un pronunciamiento del mismo dirigido a ello».

Resolución de 7 de octubre de 1999 [11]

«[...] el acto de derivación deberá hacer expresión "de los elementos esenciales de la liquidación", lo que no supone la transcripción íntegra de las Actas originales y de las liquidaciones fundamentadas en ellas, aunque solamente sea porque en el trámite previo de audiencia del nuevo responsable de las deudas tributarias tiene ya acceso al expediente anterior.[...]»

Resolución de 18 de noviembre de 1999 [11]

«[...] la consideración de la responsabilidad de la recurrente por su condición de apoderada de la sociedad, exige el análisis de la documentación obrante en el expediente y que llevó tanto al centro gestor como al Tribunal Regional a apreciar en la reclamante la condición de administrador, a los efectos de la aplicación del artículo 40.1 de la Ley General Tributaria; y, a pesar de que del propio expediente se desprende que la reclamante podía ejercer amplias facultades por apoderamiento expreso del administrador único, y de hecho las ejercitaba, no es menos cierto que en ningún momento se le reconoció el carácter de administradora de la sociedad ni tuvo un poder de sustitución de las facultades del administrador, por lo que aunque de facto actuara como tal, no puede equipararse su situación jurídica a la definida en las leyes como la propia de administrador, y ello impide lo que sería una extensión analógica de la condición de sujeto responsable subsidiario que establece el citado artículo 40.1 de la Ley General Tributaria por prohibirlo tanto el artículo 8 de esta misma Ley como el principio general del Derecho de "odiosa sunt restringenda" lo que conlleva la estimación del recurso, la anulación del acuerdo recurrido y la de los actos de gestión a que éste se refiere. [...]»

Resolución de 1 de diciembre de 1999 [11]

«[...] la Sociedad deudora, cuyos socios eran todos familiares descendientes de los fundadores con un intrincado reparto de cuotas, unas en propiedad, otras en usufructo y otras en nuda propiedad, [...] si el apoderamiento conferido en los términos en que se pronuncian los Acuerdos de la Junta General de 7 de junio de 1977 y 20 de septiembre de 1990 –apoderamiento en ambos casos de amplísima latitud– se restringiera, como quiere, a la gestión de un establecimiento mercantil, se da la circunstancia de que el fin social, según se establece en la escritura de adaptación dada el 29 de diciembre de 1955 de la primitiva sociedad a la Ley de Sociedades de Responsabilidad Limitadas el de "administrar, regir y gobernar el establecimiento comercial de ferretería, coloniales y otros géneros que la sociedad tiene establecido en la calle... así como sus sucursales y almacenes", por lo que "de facto" ese apoderamiento otorgaba a los afectados la condición de administradores de la sociedad, y no de simples empleados de la misma –condición por la que se les otorgaba el usufructo de las cuotas propiedad de sus hermanas en cuanto trabajasen en el establecimiento, lo que es evidentemente una situación jurídica diferente y ajena a la aquí considerada–. Por lo tanto, aun si formalmente no existiera un Consejo de Administración, sí existía la Junta de Socios, equivalente a la Junta General de una mercantil, que elegía en cada sesión un presidente y un secretario y apoderaba a algunos de ellos como gestores y administradores de la sociedad, recayendo tanto esta condición como la de secretario de la Junta en el recurrente en todos los años correspondientes a los ejercicios tributarios que se examinan.

[...] la renuncia a su condición de apoderado que el centro gestor entendió no fundada y que se documenta ya en primera instancia, con la escritura de renuncia de poder formulada notarialmente el 31 de enero de 1994 y entregada por el fedatario en el domicilio social al día siguiente. Si bien esta renuncia no figura inscrita –a diferencia de la posteriormente efectuada por otro de los administradores– en el Registro Mercantil, no cabe duda de su validez ni puede hacerse responsable al interesado de esta no inscripción, admitiendo las practicadas en dicho Registro prueba a contrario. Como las deudas tributarias derivadas de actas de inspección se refieren todas a los ejercicios de 1988, 1989, 1990 y 1991, es evidente que esta renuncia no afecta a la validez de la responsabilidad que se deriva de ellas al recurrente, siendo así que las actas son de 2 de noviembre de 1993, por lo que ha de confirmarse la derivación impugnada., [...] confirmándose las restantes, ya que el interesado no era administrador al cometerse las infracciones ni al cesar la empresa en su actividad. [...]».

Resolución de 13 de enero de 2000 [11]

«[...] el acto de derivación de responsabilidad, del que derivan las restantes actuaciones es un acto plúrimo, es decir, que si bien normalmente es único son varios y distintos sus destinatarios, por lo que la anulación de sus efectos respecto uno o varios de éstos, no implica como establece con acierto el Tribunal de Instancia la automática anulación para los otros; y ello, en primer lugar, porque estableciendo el acto en cuestión la responsabilidad de cada uno de los interesados, variable en función de sus respectivas circunstancias, hay una determinación individual de las deudas tributarias que se les exige, deudas autónomas según establece el artículo 62.1 de la Ley General Tributaria; por ello, y por aplicación de los artículos 64 ("la anulabilidad en parte del acto administrativo no implicará la de las partes del mismo independientes de aquélla") y 66 ("el órgano que declare la nulidad y anule las actuaciones dispondrá la conservación de aquellos actos y trámites cuyo contenido se hubiese mantenido igual de no haberse cometido la infracción") de la Ley 30/1992, de 26 de noviembre, de Régimen jurídico de las Administraciones Públicas y Procedimiento Administrativo Común, el acto de derivación de responsabilidad y los actos ejecutivos posteriores no pudieron verse afectados mas que por la declaración de nulidad hecha respecto de algunos interesados concretos, por lo que procede la ratificación de su validez para los restantes. [...]».

Resolución de 11 de febrero de 2000 [11]

«[...] Así, pues, no nos encontramos aquí ante una situación en la que, por no existir un administrador, ha de recurrirse al concepto del llamado administrador de hecho, sino en el caso de concurrencia de un administrador legalmente tal, y un gerente o apoderado con amplias facultades, al que la Administración declara responsable por entender que el primero era un simple testaferro del segundo, como resulta, entre otras cosas, de su domicilio en provincia diferente y de su insolvencia patrimonial según averiguaciones de la Administración. [...]

[...] la figura del apoderado designado por el órgano de administración ya estaba prevista en el artículo 77 de la Ley de Sociedades Anónimas de 1951; por lo mismo, su designación presupone necesariamente la existencia de un administrador (o un Consejo de Administración) que confiere el poder y, que, como mínimo, aparte de las facultades indelegables e intransferibles a que se refiere el último párrafo del propio artículo 77, conservará siempre la función y el deber de control del apoderado y la facultad de revocar su poder. [...]

[...] la figura del apoderado designado por el órgano de administración ya estaba prevista en el artículo 77 de la Ley de Sociedades Anónimas de 1951; por lo mismo, su designación presupone necesariamente la existencia de un administrador (o un Consejo de Administración) que confiere el poder y, que, como mínimo, aparte de las facultades indelegables e intransferibles a que se refiere el último párrafo del propio artículo 77, conservará siempre la función y el deber de control del apoderado y la facultad de revocar su poder [...]

Sobre esta base, existiendo como existía un administrador nombrado en forma legal y que aceptó el cargo, no resulta legalmente posible derivar la responsabilidad tributaria "ex" artículo 40.1, párrafo segundo, de la Ley General Tributaria a quien no tenía tal condición. [...]».

Resolución de 24 de febrero de 2000 [11]

«[...] tanto las actuaciones contra el obligado principal, como las que se realizan contra los responsables solidarios y subsidiarios, se integran en un mismo procedimiento, que sólo termina cuando se realiza el crédito tributario o se acredita la imposibilidad de obtener el ingreso de unos y otros, [:...].»

Resolución de 8 de marzo de 2000 [11]

«[...] Los responsables tienen frente a la Hacienda Pública una obligación distinta a la del deudor principal, aunque accesoria a la misma, que implica que si no están pendientes las deudas tributarias de este último no se les pueda exigir a aquéllos ningún tipo de responsabilidad. Respecto de los responsables subsidiarios, la declaración de falencia del deudor principal y, en su caso, de los responsables solidarios, y la derivación de la acción administrativa se configuran como una "condictio iuris" para la exigibilidad de la deuda, pero la obligación "ex lege" de aquél surge con la realización del presupuesto de hecho de la responsabilidad establecido por la Ley.

En consecuencia, el momento de inicio del cómputo del plazo de prescripción de cinco años de la acción para exigir el pago de las deudas tributarias liquidadas a los responsables subsidiarios, no puede ser otro que aquel en el que nace esa obligación accesoria, es decir, cuando se produce la declaración de fallido del deudor principal, puesto que es entonces cuando la Hacienda Pública tiene la posibilidad de dirigirse contra los administradores de la sociedad –principio de la "actio nata" (artículo 1969 del Código Civil)– [...]».

Resolución de 25 de mayo de 2000 [11]

«[...] (d)el artículo 40.1 de la Ley General Tributaria, que establece la responsabilidad subsidiaria de las infracciones tributarias de los administradores cometidas por "las personas jurídicas", sin la menor alusión al régimen jurídico civil, mercantil o de derecho público de esas personas jurídicas. [...]

[...] cuál sea la auténtica posición jurídica de los miembros de la Junta rectora de la SAT [...]. Esa posición se define con meridiana claridad en el artículo 11 de los Estatutos, [...] Dice así: "La Junta rectora es el órgano colegiado de gobierno, representación y administración ordinaria de la SAT correspondiéndole la dirección de la gestión económica y de las actividades a desarrollar, extendiéndose su competencia a cuanto no esté exclusivamente atribuido a la Asamblea General" (esto último, según se ha repetido, es pura cláusula de estilo: en... como la presente la Junta Rectora asume también las competencias de la Asamblea). Este artículo configura así un inequívoco órgano "de gobierno, representación y administración ordinaria" integrado por el Presidente, el Secretario y los vocales, que son por la misma razón "gobernantes, representantes y administradores ordinarios" de la persona jurídica... y ni el mayor esfuerzo dialéctico puede evitar que le alcance el artículo 40.1 de la Ley General Tributaria como administradores de esa persona jurídica: lo es el Presidente, lo es el secretario y lo son los vocales, y la responsabilidad que les alcanza es subsidiaria respecto de las deudas sociales y solidarias entre todos ellos, sin perjuicio de que en este caso deban respetarse, según se advirtió, los límites de la "reformatio in peius". [...]».

Resolución de 8 de febrero de 2000 [11]

«Si bien es cierto que el artículo 126 de la Ley de Sociedades Anónimas establece la temporalidad del cargo de administrador –máximo de cinco años, indefinidamente renovable–, no puede sostenerse que el transcurso de ese plazo determine, sin más, la caducidad absoluta de ese nombramiento y la desvinculación completa del administrador respecto de los actos y específicamente de las infracciones que hubiera cometido en el desempeño de su cargo y de las que responden en virtud de los artículos 133.1 y 127 de la Ley de Sociedades Anónimas. Por su parte, que la caducidad no es automática se desprende del artículo 145.1 del Reglamento del Registro Mercantil, en donde al vencimiento del plazo se añade, como requisito para aquélla, la celebración de Junta General o el transcurso del término para la celebración de la Junta para resolver sobre la aprobación de cuentas del ejercicio anterior, [...] en este caso, fue la interesada, como administradora única, la que incumplió el plazo de convocatoria de la Junta General cuando aún tenía esa condición, por lo ya indicado, lo que, de seguir el criterio del Tribunal de instancia, conduciría a la insólita consecuencia de que el incumplimiento de una obligación legal se premiaría con la irresponsabilidad de las infracciones cometidas por el mismo sujeto. [...] el procedimiento inspector se inicio cuando aún era legalmente administradora única de la sociedad la interesada y que por lo tanto, no convocada la Junta General por su única y exclusiva negligencia, resultan válidas tanto la designación por ella hecha de representante de la sociedad como el resto de las actuaciones inspectoras que culminaron en las actas de 30 de octubre siguiente, sin que en todo ese tiempo se hubiera convocado siquiera la Junta General ni dado cumplimiento al mandato de la disposición transitoria 6ª.2 de la misma Ley, lo que determinó la disolución de la sociedad de pleno derecho en febrero de 1996, cuando ya estaban las deudas sociales en período ejecutivo. La sociedad fue declarada fallida y los créditos incobrables en julio de este último año, fecha igualmente de la derivación de responsabilidad aquí contemplada, [...] además de no ser necesario, hubiera resultado inútil ya que hubiese concluido verosímilmente con la declaración judicial de disolución de una sociedad que ya estaba disuelta por el Registrador mercantil.»

Resolución de 7 de junio de 2000 [11]

«El recurrente fue nombrado administrador único de la sociedad por acuerdo de la Junta Universal de la misma, según escritura pública de 21 de enero de 1985, y no consta ni se ha alegado su cese. Como tal administrador, ostenta la condición de órgano social y le corresponde la representación de la sociedad, en juicio y fuera de él (artículo 76 de la Ley de Sociedades Anónimas de 1951 y artículo 128 de la de 1989), con las más amplias facultades, sin perjuicio de los apoderamientos que se puedan conferir a otras personas (que no serán, por tanto, órganos de la sociedad); quedando, en todo caso, un núcleo de facultades indelegables o intrasladables, como la rendición de cuentas y la presentación de balances a la Junta General (artículo 77 LSA de 1951 y 141 de la de 1989).

Y es justamente por la amplitud de sus facultades por lo que también se les exige la correspondiente responsabilidad frente a la sociedad, frente a los accionistas y frente a los acreedores (artículos 79 y 133 de una y otra de las Leyes citadas, respectivamente); régimen de la normativa mercantil que es el sustrato de la contenida en el artículo 40 de la LGT, cuando los hace responsables de la totalidad de la deuda tributaria en los casos de infracciones graves cometidas por las personas jurídicas, cuando "No realizaran los actos necesarios que fuesen de su incumbencia para el cumplimiento de las obligaciones tributarias infringidas, consintieran el incumplimiento por quienes de ellos dependan o adoptaran acuerdos que hicieran posible tales infracciones"».

Resolución de 23 de junio de 2000 [11]

«De lo expuesto se deduce que la declaración de responsabilidad solidaria hecha por la Administración en este caso, con independencia de que pueda exigirse la misma con arreglo a los artículos 37 y siguientes de la Ley General Tributaria una vez hecha aquélla por aplicación del artículo 262.5 de la de Sociedades Anónimas, fundamentación legal híbrida sobre la que este Tribunal ha tenido ocasión reiterada de negar su validez, exige previamente o bien un acuerdo de la Junta general declarando a la sociedad en disolución, o bien una resolución judicial al efecto solicitada ya por cualquier interesado (artículo 262.3) o ya obligatoriamente por los administradores (artículo 262.4). En el presente caso la Administración ha emitido su propio juicio de valor entendiendo que la sociedad "se hallaba inmersa en causa de disolución según lo establecido en el artículo 260.1.4 de la Ley de Sociedades Anónimas"; pero, por fundamentada que se encuentre esa opinión a la vista de la situación contable de la entidad, la Administración no puede actuar como si efectivamente la sociedad estuviera en liquidación, ni declararla en esa situación unilateralmente, ni por lo tanto pronunciarse sobre el incumplimiento de los administradores de convocar la junta general o de solicitar la disolución judicial de la sociedad para fundamentar en ello una exigencia de responsabilidad solidaria que viene condicionada por las actuaciones societarias o judiciales establecidas en la Ley de Sociedades Anónimas. Es indudable que la Administración ha invadido, al dictar el acto impugnado, esferas declarativas de situaciones jurídicas que están reservadas a la jurisdicción civil y por ello ha de acogerse el motivo de impugnación alegado con la correlativa estimación del recurso».

Resolución de 7 de septiembre de 2000 [11]

«[...] lo que ya no es nada evidente es que la situación del sucesor en la actividad sea la de un responsable y, por lo mismo, su obligación haya de ser subsidiaria. Aquí, en efecto, en el artículo 72, no se trata de que la Ley coloque a otras personas "junto al sujeto pasivo" (cfr. artículo 37 LGT), sino de que la Ley conceptúa al sucesor como un sujeto pasivo (tal como este Tribunal ha venido declarando reiteradamente), en cuanto asume las relaciones jurídicas y económicas del predecesor, bien "solemniter" (sucesión formal), bien mediante actuaciones, unas veces jurídicas, como ya hemos enumerado, y otras puramente económicas, como la conservación de la clientela (esencial al concepto económico de explotación o empresa), pero sin un mecanismo formal de sucesión universal (sucesión no formal).

Los responsables, en ningún supuesto son –ni pueden ser– personas que asumen y continúan las relaciones jurídicas del sujeto pasivo; ese papel les está reservado a los sucesores, "inter vivos" o "mortis causa"; a título oneroso o gratuito; con rigor formal y transparencia, o mediante actuaciones que hacen más opaca la continuidad, que sin embargo se mantiene.

Por eso la situación del sucesor en todos estos casos, ha de ser la misma en cuanto al núcleo básico de su obligación, es decir, en cuanto al carácter de obligado directo, con expresión de la Sentencia transcrita, porque en todos ellos continúa unas relaciones, una actividad, asume un activo patrimonial y por tanto también un pasivo. Si se quiere decir que "responde", dígase, pero en el mismo sentido que el artículo 1911 del Código Civil: "Del cumplimiento de las obligaciones responde el deudor con todos sus bienes, presentes y futuros"; es decir, responsabilidad del deudor como tal, no por un tercero.

Por eso no es responsable la sociedad absorbente –como destaca la Sentencia, que la califica de obligado directo–, ni lo son los herederos, ni lo es el que, estando como ellos concernido por el artículo 72 LGT, realiza una sucesión no transparente.

La única diferencia entre ellos (todos sucesores) es la extensión objetiva de su obligación: la sociedad absorbente asume todas las deudas, tributarias o no; los herederos "mortis causa" no asumen las sanciones (artículo 89.3 LGT); y el sucesor "implícito" asume también éstas, pero sólo aquellas vinculadas a "las deudas y responsabilidades tributarias derivadas del ejercicio de explotaciones y actividades económicas", por la razón arriba expuesta».

Resolución de 22 de marzo de 2001 [11]

«La declaración de fallido es un acto conclusivo del procedimiento ejecutivo dirigido contra el sujeto pasivo y como tal en ningún momento aparece establecida la obligación de su notificación por la Administración a quien todavía no forma parte del procedimiento recordatorio, que solamente se inicia con la comunicación de apertura del proceso de derivación de responsabilidad [...]»

Resolución de 26 de abril de 2001 [11]

«[...] el responsable subsidiario únicamente está obligado al pago a partir del momento en que se le notifica el acto de derivación de responsabilidad, que es el instrumento que transforma una situación abstracta de responsabilidad condicionada en una deuda tributaria exigible y líquida. Sentado lo anterior, la aplicación de la institución prescriptora al responsable subsidiario no debe ofrecer problemas, bastando la aplicación literal del artículo 59 del Reglamento General de Recaudación conforme al cual "la acción para exigir el pago de las deudas tributarias prescribe a los cinco días contados desde la fecha en que finalice el plazo de pago voluntario" (artículos 64.b y 65 de la Ley General Tributaria), plazo que se concedía al responsable subsidiario en el acto de derivación de responsabilidad (artículo 14.2.c del Reglamento General de Recaudación) y que después de la Ley 25/1995 se sienta con carácter inequívoco en el artículo 37.4 "in fine" de la Ley General Tributaria ("transcurrido el período voluntario que se conceder al responsable para el ingreso..."). Ciertamente que existió con anterioridad otro plazo para el pago en otro período voluntario el de..., la deuda original exigible al principal o a los deudores solidarios pero es evidente que ese plazo no puede ser tomado como inicio del cómputo para la prescripción de la exigibilidad de un pago a quien, según se ha visto, no tenía aún el carácter de obligado al mismo [...]».

Resolución de 26 de abril de 2001 [11]

«[...]el Tribunal entiende que, con independencia del carácter de administrador discutido, el expediente permite deducir que se está verosímilmente en presencia de infracciones tributarias graves, cometidas por la sociedad en cuestión y que son consecuencia de la actividad desempeñada por quien probadamente realizaba operaciones mercantiles cuya responsabilidad imputaba a la sociedad pero de las que era directamente causante [...]»

Resolución de 23 de enero de 2003 [11]

«El artículo 125 de la Ley de Sociedades Anónimas dispone que el nombramiento de los administradores surtirá efecto desde el momento de su aceptación y deberá ser presentado a inscripción en el Registro Mercantil. No existe sin embargo precepto alguno en la citada Ley que establezca disposición semejante en relación con el cese de los administradores, de donde se deduce la no obligatoriedad de la inscripción registral del cese o dimisión de los administradores y ello sin perjuicio de que se trate de actos inscribibles (artículo 147 del Reglamento del Registro Mercantil). De ello se deduce que la inexistencia de la inscripción registral del cese del administrador no constituye un dato concluyente a efectos de la determinación de la concurrencia o no de la condición de administrador en una determinada época de la persona a la que se pretende derivar la responsabilidad, sino que se trata de un dato más a valorar, junto con los demás que existan en el expediente cuando se trate de enjuiciar el citado tema [...]».

Resolución de 5 de mayo de 2005 [11]

[...] «Surge [...] la cuestión relativa a la posible repercusión que el hecho de que existan Consejeros Delegados pueda tener en la responsabilidad del resto de los Administradores, cuestión ésta que, como se ha dicho anteriormente el Tribunal Regional ha resuelto declarando que la existencia de dos Consejeros delegados releva de responsabilidad a los otros miembros del Consejo. Sin embargo, esta conclusión, carece de apoyo normativo alguno, ya que como se desprende del contenido de los artículos 128 y 133 del Texto Refundido de la Ley de Sociedades Anónimas, y 62 y 69 de la Ley de Sociedades de Responsabilidad Limitada, los administradores son los representantes de la sociedad y responden solidariamente frente a terceros de los daños que causen por actos contrarios a la Ley o a los estatutos o por los realizados sin la diligencia con la que deben desempeñar el cargo, mientras que según lo dispuesto en el artículo 141 del Texto Refundido de la Ley de Sociedades Anónimas y 57.1 de Ley de Sociedades de Responsabilidad Limitada, los Consejeros Delegados son simplemente administradores a los que se delega alguna facultad concreta, sin perjuicio de la existencia de facultades indelegables, sin que la Ley vincule dicha delegación a la exigencia de una responsabilidad especial frente a terceros.

Por tal razón el Tribunal Central comparte totalmente el criterio [...] de que la responsabilidad de los administradores es personal y de que los Consejeros Delegados no son una modalidad o género distinto del órgano de administración, sino que son apoderados subordinados a un Consejo de Administración con el que comparten las facultades delegadas y la responsabilidad inherente a las mismas, en los términos previstos en las Leyes».

Resolución de 2 de junio de 2005 [11]

«[...] Por otra parte se trata de un tema que también ha sido ya planteado ante este Tribunal Central que en su Resolución de 23 de enero de 2003, ha mantenido que la existencia de un Consejero-Delegado no exime de responsabilidad a los demás administradores que hubieran incumplido sus obligaciones tributarias [...]».

Resolución de 28 de junio de 2006 [11]

FUNDAMENTOS DE DERECHO

«3º [...]De lo expuesto se deduce que en el acuerdo dictado por el Tribunal Regional en el que se apoya la pretensión del ahora reclamante, no se anularon las liquidaciones giradas al sujeto pasivo del impuesto, caso en el que al dejar de existir la obligación principal desaparece el presupuesto esencial de la responsabilidad subsidiaria, sino que se trata de una anulación pronunciada con motivo de la resolución de una reclamación interpuesta por uno sólo de los Administradores declarados responsables en la que el Tribunal Regional emitió fallo después de haber examinado las circunstancias personales y particulares concurrentes en dicho Administrador, por lo que lo dispuesto en dicha resolución sólo puede afectar al Administrador reclamante, entre otras razones, porque las circunstancias personales de los imputados y las actuaciones determinantes de su responsabilidad, no tienen porque ser idénticas pudiendo producirse el caso, en el supuesto de que los tres hubieran interpuesto reclamación, de hubiera anulado la responsabilidad de unos y confirmado la de los otros. Por su parte, el ahora recurrente no impugnó en su momento el acuerdo de derivación de responsabilidad, dejando así que tanto el mencionado acuerdo, como las liquidaciones en él contenidas adquirieran firmeza en relación con su persona, sin que exista norma legal ni reglamentaria alguna que permita hacer extensivo lo determinado en el fallo de un determinado acuerdo a otra persona distinta del reclamante y ello aun en el supuesto de que el acuerdo englobara a tres Administradores y declarase la responsabilidad solidaria de los mismos».

Resolución de 13 de mayo de 2008 [11]

«3º [...]En relación al procedimiento para exigir la responsabilidad, establece el artículo 41.5 de la citada Ley General Tributaria que: Salvo que una norma con rango de ley disponga otra cosa, la derivación de la acción administrativa para exigir el pago de la deuda tributaria a los responsables requerirá un acto administrativo en el que, previa audiencia al interesado, se declare la responsabilidad y se determine su alcance y extensión, de conformidad con lo previsto en los artículos 174 a 176 de esta ley. Con anterioridad a esta declaración, la Administración competente podrá adoptar medidas cautelares del artículo 81 de esta ley y realizar actuaciones de investigación con las facultades previstas en los artículos 142 y 162 de esta Ley.

La derivación de la acción administrativa a los responsables subsidiarios requerirá la previa declaración de fallido del deudor principal y de los responsables solidarios».

Resolución de 22 de octubre de 2008 [11]

«2º A estos efectos, el tema de la responsabilidad subsidiaria de los administradores de las sociedades por las infracciones tributarias cometidas en nombre de éstas, declarada al amparo del párrafo primero del artículo 40.1, ha sido ya abordado y resuelto en numerosas ocasiones por este Tribunal Central que ha mantenido el criterio de que la derivación de responsabilidad a los administradores obliga a distinguir entre el sujeto infractor, al que la Ley penaliza por razón de su conducta, y aquellas personas a quienes la norma legal declara responsables de la infracción cometida y que, como tales, han de satisfacer a la Hacienda Pública el importe de lo que correspondería pagar a aquél. En líneas generales la separación descansa en el tipo de conducta propio de cada figura. En el infractor, normalmente se exige una conducta activa; en el responsable basta, por regla general, con una conducta pasiva. El primero realiza un acto contrario a la Ley, que por eso mismo se sanciona; el segundo incumple una obligación de vigilancia que, de haber sido ejercida, hubiera evitado la infracción, y por eso se le obliga a compensar el daño derivado de su negligencia. No se trata en este último caso, de un elemento originador de una responsabilidad sancionadora en estricto sentido técnico, ya que es una noción perfectamente integrada en el ámbito del ilícito civil, dando lugar a un gravamen de esta índole, como es el de tener que soportar con carácter subsidiario el pago de la deuda (STS de 30 de septiembre de 1993). Lo que pasa es que en ambos casos se precisa que los hechos acaecidos sean imputables, atribuibles a alguien. La imputabilidad es el fundamento de la responsabilidad, y aparece como el último y necesario reducto de la personalidad o la voluntariedad. Eso explica que el Tribunal Constitucional haya prohibido toda forma de responsabilidad objetiva en materia tributaria (S. de 26 de abril de 1990).

Estos principios se mantienen en el artículo 40.1, párrafo primero de la LGT cuando establece la responsabilidad subsidiaria de los administradores respecto a la totalidad de la deuda tributaria, en los casos de infracciones graves cometidas por las personas jurídicas, porque exige en ellos que no realicen los actos necesarios que fuesen de su incumbencia para el cumplimiento de las obligaciones tributarias infringidas, o que consientan el incumplimiento por quienes de ellos dependan, o que adopten acuerdos que hagan posibles tales infracciones. Los tres supuestos obedecen a unos deberes normales en un gestor, en los términos del artículo 133.1 del Texto Refundido de la Ley de Sociedades Anónimas Texto Refundido de la Ley de Sociedades Anónimas, propios de la diligencia con la que un administrador debe desempeñar el cargo. El primero exige la omisión de actos relacionados directamente con la obligación infringida que el administrador sabe que tiene el deber de realizar por razón de su cargo; el segundo supone una clara permisividad respecto de la actividad ilícita de los subordinados; el tercero, una conciencia de las consecuencias normales del acuerdo que se adopta. De esta breve referencia se desprende que la imputación de responsabilidad es consecuencia de los deberes normales en un gestor, aun cuando sea suficiente la concurrencia de la mera negligencia.

Por consiguiente, en aquellos casos en que de la naturaleza de las infracciones tributarias apreciadas, se deduzca que los administradores aun cuando pudieran haber actuado sin malicia o intención hicieron "dejación de sus funciones" y de su obligación de vigilancia del cumplimiento de las obligaciones fiscales de la sociedad, les es aplicable lo dispuesto en el párrafo primero del artículo 40.1 de la Ley General Tributaria resultando en consecuencia correcta la asignación de responsabilidad subsidiaria al existir un nexo causal entre dichos administradores y el incumplimiento de los deberes fiscales por parte del sujeto pasivo, que es la sociedad.

En consecuencia, el hecho de haber sido nombrado administrador de una sociedad y de haber aceptado el cargo, constando ello inscrito en el Registro Mercantil, obliga al cumplimiento de las obligaciones propias de tal cargo, sin que la dejación de funciones, pueda eximir, en principio, de responsabilidad. Así lo tiene declarado este Tribunal Central en acuerdo dictado en unificación de criterio».

5. Dirección General de los Registros y del Notariado

Resolución de 24 de junio de 1968 [2]

«[...] la validez de la convocatoria de la Junta General hecha por los Administradores de una Sociedad Anónima, que según los asientos del Registro Mercantil aparecían con su mandato caducado por haber transcurrido el plazo de su nombramiento y no constar haber sido reelegidos". [...] "de llevarse a su última consecuencia la teoría del cese automático de los Administradores se llegaría en la Sociedad mencionada a la situación, evidentemente no deseada", [...] y se produciría una paralización de la vida social sin solución posible, lo que constituye un resultado claramente contrario a los principios que han inspirado la Ley».

Resolución de 24 de mayo de 1974 [2]

CONSIDERANDO

«[...] Que junto al principio de temporalidad del cargo de Administrador también recoge la Ley de Sociedades Anónimas el superior principio de conservación de la Empresa, y en base a éste y para evitar la paralización de la Sociedad por imposibilidad de actuación de sus órganos sociales este Centro Directivo declaró ya en la Res. de 24 junio 1968 (R. 3662) la validez de convocatoria de una Junta General hecha por Administradores con mandato caducado según el Registro, al haber transcurrido el plazo por el que fueron designados una vez formalizada y constatada conforme al art. 72 de la Ley de Sociedades Anónimas, la reelección de hecho ya habida y acusada en los correspondientes antecedentes del caso dulcificando de esta manera el riguroso automatismo derivado de una caducidad ope legis, en aras de la reconstitución de unos órganos sociales, que de otra forma no podían constituirse ni actuar.

Que en el presente caso, como se dice en el primer considerando, se trata de unos Administradores, cuyo plazo de gestión había ya transcurrido para todos ellos, por lo que hasta tanto se proceda a su confirmación como tales Administradores como excepcionalmente señala la mencionada Res. de 24 junio 1968 para que pueda considerarse que han actuado válidamente en nombre de la Sociedad o bien la Junta General ratifique los actos realizados por estos Administradores de hecho y se haya dado así cumplimiento a lo preceptuado en el art. 86 del Regl. del Registro Mercantil sobre inscripción en el Registro de los Administradores de la Sociedad, no puede tener acceso al Registro la compraventa realizada».

Resolución de 30 de mayo de 1974 [2]

CONSIDERANDO

«[...] Pues, que el problema se sitúa por el Registrador en el terreno de la actuación de un Consejo de Administración con una mitad de cargos no renovados en Sociedad Anónima de reducido número de accionistas, lo que prácticamente se reduce a un mandato prorrogado de hecho de unos cargos de Administradores, cuyo cese o caducidad no podía ser automático, ya que la fijación de las personas afectadas dependía de votación en Junta General art. 34 de los Estatutos, y en este sentido se pronunció ya la Resolución de 24 junio 1968 (R. 3662), en un caso en que en causa igual comprometía acuerdos de mucha mayor trascendencia modificación de Estatutos, aumento de capital, etc., que no la simple revocación de delegación de facultades a favor de un socio que no acude a las dos convocatorias [...]»

Resolución de 18 de junio de 1979 [2]

CONSIDERANDO

«[...]Que tal como se indicó en la mencionada Resolución, el hecho de que por el vencimiento del plazo para el que fueron designados los Administradores y de que puedan seguir como administradores de hecho hasta la primera Junta general a fin de impedir la paralización de la Sociedad, no cabe inferir de ello que puedan ampliarse sus facultades a supuestos no imperativos, como es el comprendido en el art. 73, 2º, de la Ley, y puedan durante este anormal período completar interinamente las vacantes producidas en el seno del Consejo de Administración. [...]».

Resolución de 31 de octubre de 1989 [3]

FUNDAMENTOS DE DERECHO

«1º Respecto al primero de los acuerdos cuya inscripción se rechaza (que la Junta asuma la administración de la Sociedad hasta que sea nombrado un nuevo Consejo de Administración) ha de confirmarse el criterio del Registrador. Sobre destacar que tal cláusula sólo resultaría inscribible en cuanto modificativa (aun con carácter transitorio) de las previsiones estatutarias relativas a la gestión social –vid., artículo 25 del Código de Comercio y 86 del Reglamento del Registro Mercantil–, lo que no parece cohonestarse con la nueva redacción que en el título calificado se da al artículo 20 de los Estatutos sociales, referente a la administración de la Sociedad (en el que se insiste sobre la atribución de ésta al Consejo de Administración, sin excepción alguna), no puede desconocerse que la Ley sobre Sociedades Anónimas, exige la existencia de un órgano de gestión distinto de la Junta –vid., artículo 11.3, h), en relación con los artículos 71 y siguientes y 102, h), del Reglamento del Registro Mercantil– de carácter permanente, con determinación individual de sus miembros y exigencia a los mismos de ciertos requisitos de aptitud, que además de añadir estabilidad, profesionalidad y responsabilidad –frente a la Sociedad, frente a los socios y frente a los acreedores– a la dirección de los negocios sociales, asegura el normal desenvolvimiento de la actividad social, tanto en las relaciones externas como en el orden interno.

2º La función de gestión social atribuida a los administradores es incompatible por su propia naturaleza con las especiales características de un órgano colegiado como es la Junta general. Este actúa de manera intermitente; sus miembros varían con la misma facilidad con que las acciones (títulos de vocación circulatoria) se transmiten y, generalmente, se desinteresan de la actividad diaria; su régimen, convocatoria, etc., se caracteriza por una rigidez que mal se aviene con las exigencias puntuales de la administración de los asuntos sociales; desde una perspectiva interna, la atribución a la Junta de la administración social implicaría la necesidad de arbitrar un sistema de autoconvocatoria que difícilmente se cohonestaría con las exigencias legales al respecto, sin que la ocasional reunión en pocas manos de todas las acciones permita eludir esta exigencia, toda vez que en cualquier momento puede desaparecer dicha circunstancia con el consiguiente entorpecimiento de la vida social».

Resolución de 26 de febrero de 1991 [3]

FUNDAMENTOS DE DERECHO

«1º La primera de las cuestiones que el presente recurso plantea –si la Junta General de una Sociedad Anónima puede conceder directamente apoderamientos generales– ha sido ya resuelta en sentido negativo por este Centro directivo –"vid" Resoluciones de 31 de octubre de 1989, 8 de febrero de 1975 y otras– en armonía con el criterio de distribución de competencias entre los diversos órganos sociales. La Ley atribuye al Consejo de Administración, cuando existe, la gestión y representación de la Sociedad en juicio y fuera de él y, por tanto, ha de ser este órgano quien, en ejecución del acuerdo de la Junta –que por sí carece de facultades representativas–, comparezca ante el Notario y otorgue la correspondiente escritura de poder o de revocación. No puede estimarse en contra la alegación del recurrente en el sentido de que esos Apoderados generales nombrados por la Junta tienen la conceptuación de órgano social de gestión que pueden coexistir con el consejo de Administración, pues, sin prejuzgar ahora sobre la posible coexistencia estatutaria y simultáneamente operativa de dos órganos de gestión distintos, no cabe desconocer las patentes diferencias entre el apoderamiento (situado en la esfera de la representación voluntaria, de carácter externo a la Sociedad y de utilización potestativa) y el órgano de gestión (elemento integrante e imprescindible de la estructura conformadora y funcional de la entidad), de modo que resulta inoportuna la misma previsión estatutaria de la existencia de Apoderados generales, máxime cuando parece presuponerse –contra lo que su denominación implica– que estos Apoderados sólo tendrán aquellas facultades de representación que la Junta les confiera».

Resolución de 7 de diciembre de 1993 [2]

FUNDAMENTOS DE DERECHO

«2º Sin prejuzgar ahora sobre la facultad que corresponde a los Administradores para desvincularse unilateralmente del cargo que les ha sido conferido y aceptado por más que la Sociedad pretenda oponerse a ello [vid. arts. 1732 del Código Civil, 141 de la Ley de Sociedades Anónimas y 147 y 177 del Reglamento del Registro Mercantil], no cabe desconocer que el mínimo deber de diligencia exigible en el ejercicio de ese cargo cuando todos renunciaron simultáneamente (que impide proceder a los nuevos nombramientos por cooptación que prevé el art. 138 de la misma Ley), obliga a los Administradores renunciantes, pese a su decisión, a continuar al frente de la gestión hasta que la Sociedad haya podido adoptar las medidas necesarias para proveer a dicha situación (vid. arts. 127 de la Ley de Sociedades Anónimas y 1737 del Código Civil), lo que en el caso debatido impone subordinar la inscripción de las renuncias cuestionadas hasta que haya sido constituida la Junta general –que los renunciantes deben convocar– para que en ella pueda proveerse al nombramiento de nuevos Administradores, evitando así una paralización de la vida social inconveniente y perjudicial de la que aquéllos habrían de responder (vid. arts. 127.1º y 133.1º de la Ley de Sociedades Anónimas).

Ello armoniza además, con el contenido del art. 141 de la Ley de Sociedades Anónimas, cuando presupone la necesidad de aceptación de la renuncia por el órgano competente para proveer la vacante, por más que se trate de una aceptación obligada y meramente formularia».

Resolución de 13 de enero de 1994 [4]

FUNDAMENTOS DE DERECHO

«3º El tercero de los defectos de la nota versa el porcentaje de capital estatutariamente previsto para poder solicitar la convocatoria de Juntas generales extraordinarias y que se fija en un 10 por 100 del desembolso. Si bien los socios por sí, cualquiera que sea su participación en el capital social, no pueden convocar válidamente la Junta general de accionistas, sí que tienen legalmente conferida una facultad de iniciativa en tal sentido a través de la petición de su convocatoria a los Administradores, lo que se traduce en una obligación para éstos cuando tal solicitud sea formulada por los que ostenten un determinado porcentaje de dicho capital. Esta facultad se ha visto potenciada con la reducción que el art. 100.2 del nuevo Texto Refundido de la Ley de Sociedades Anónimas ha introducido en relación al que establecía la ley anterior, al fijarlo en un 5 por 100 del capital social, y que, al configurar uno más de los derechos básicos e inderogables de los accionistas, especialmente destinado a proteger a las minorías, ha de entenderse como un tope máximo que una previsión estatutaria no puede rebasar (cfr. art. 10 de la misma Ley), siendo admisible, por el contrario, su reducción en beneficio de los propios accionistas. Doctrina, por lo demás, ya sentada por esta Dirección General en Resoluciones de 28 diciembre 1951 y 27 junio 1977. Finalmente, tampoco puede estimarse ajustada a la previsión legal, cuando fija dicho porcentaje sobre el capital social, la estatutaria que lo haga al desembolsado. Salvo los supuestos en que legalmente queda en suspenso el ejercicio de los derechos políticos incorporados a las acciones (arts. 79.1 y 83.3 de la Ley de Sociedades Anónimas, o 60 de la Ley del Mercado de Valores), a todo accionista con independencia de que tenga o no totalmente desembolsado el capital suscrito, ha de reconocérsele el derecho de iniciativa para la convocatoria de la Junta general extraordinaria si por sí solo, o agrupado con otros, alcanza el porcentaje, exigido a tal fin, derecho que incluso alcanza al que se encuentre en mora en el pago de dividendos pasivos pues la sanción que para tal caso prevé el art. 44.1 de la Ley, por su propia naturaleza, ha de interpretarse restrictivamente y limitada al único derecho del que priva, el de voto».

Resolución de 24 de marzo de 1994 [2 y 11]

FUNDAMENTOS DE DERECHO

«2º Sin prejuzgar ahora sobre la facultad que corresponde a los Administradores para desvincularse unilateralmente del cargo que les ha sido conferido y aceptado por más que la Sociedad pretenda oponerse a ello [vid. arts. 1732 del Código Civil, 141 de la Ley de Sociedades Anónimas, 147 y 177 del Reglamento del Registro Mercantil], no cabe desconocer que el mínimo deber de diligencia exigible en el ejercicio de ese cargo cuando todos renunciaron simultáneamente (que impide proceder a los nuevos nombramientos por cooptación que prevé el art. 138 de la misma Ley), obliga a los Administradores renunciantes, pese a su decisión, a continuar al frente de la gestión hasta que la Sociedad haya podido adoptar las medidas necesarias para proveer a dicha situación (vid. arts. 127 de la Ley de Sociedades Anónimas y 1737 del Código Civil), lo que en el caso debatido impone subordinar la inscripción de las renuncias cuestionadas hasta que haya sido constituida la Junta general –que los renunciantes deben convocar– para que en ella pueda proveerse al nombramiento de nuevos Administradores, evitando así una paralización de la vida social inconveniente y perjudicial de la que aquéllos habrían de responder (vid. arts. 127.1º y 133.1º de la Ley de Sociedades Anónimas).

Ello armoniza además, con el contenido del art. 141 de la Ley de Sociedades Anónimas, cuando presupone la necesidad de aceptación de la renuncia por el órgano competente para proveer la vacante, por más que se trate de una aceptación obligada y meramente formularia».

Resolución de 16 de febrero de 1995 [3]

FUNDAMENTOS DE DERECHO

«2º La interpretación de las normas sobre separación de los Administradores de una sociedad anónima debe estar presidida por el principio de amovilidad de tal cargo, carácter que prevalece en este tipo social eminentemente capitalista. Dicho principio tiene una de sus manifestaciones en la norma según la cual "la separación de los Administradores podrá ser acordada en cualquier momento por la Junta general" (artículo 131 de la Ley de Sociedades Anónimas), precepto este que, conforme a la reiterada doctrina del Tribunal Supremo y de esta Dirección General [...], permite la destitución de los Administradores –y el consiguiente nombramiento de los que hayan de integrar el nuevo órgano de administración– sin necesidad de que exista una justa causa ni se incluya en el orden del día.[...]

La misma conclusión se desprende de una interpretación lógica y sistemática de las normas legales: Si el acuerdo para entablar la acción de responsabilidad de los Administradores –que lleva consigo la destitución de éstos– puede ser adoptado por la Junta aunque no conste en el orden del día (artículo 134, apartados 1 y 3, de la Ley de Sociedades Anónimas) resulta injustificada la exigencia de que el mero acuerdo de separación de aquéllos se exprese en el anuncio de convocatoria de la Junta. Esta deducción no puede quedar empañada por el hecho de que tal dispensa esté formulada expresamente en aquella norma y falte en la del artículo 131; así, el propio artículo 134.1 también proscribe expresamente para la adopción de aquel acuerdo la previsión estatutaria de mayorías superiores a la prevenida legalmente, mientras que el artículo 131 no prohíbe las cláusulas que, al fijar quórum o mayorías superiores a los establecidos en los artículos 102 y 93 de la Ley, dificulten directa o indirectamente el acuerdo de separación y, en cambio, debe entenderse igualmente proscrita esta posibilidad (cfr. Sentencias del Tribunal Supremo de 31 mayo 1957, y la Resolución de 19 junio 1992).

En el presente caso, además, se incluyó entre los puntos del orden del día la "aprobación, si procede, de la gestión del Consejo de Administración", cuestión esta que puede dar lugar al acuerdo sobre responsabilidad de los Administradores o sobre la mera destitución de los mismos (cfr. Resoluciones de 26 febrero 1953 y 13 marzo 1974). Por ello, resulta difícilmente imaginable que en tal supuesto la falta de expresión en el mencionado orden del día de la separación de los Administradores pueda perjudicar el derecho de información de los socios y dar lugar a situaciones de abuso de mayoría, situaciones para las cuales existe el remedio propio mediante el reconocimiento de la facultad impugnatoria legalmente reconocida a los socios y a los mismos Administradores destituidos».

Resolución de 13 de mayo de 1998 [2 y 13]

FUNDAMENTOS DE DERECHO

«2º Sentado lo anterior, se ha de examinar la doctrina invocada por el recurrente, conocida como del administrador de hecho, que partiendo de la base del riesgo que para la sociedad implica un riguroso automatismo en el cese de los administradores una vez transcurrido el plazo por el que fueron nombrados dando lugar a una situación de acefalia e inoperancia, unido al principio de conservación de la empresa, permitiría la válida actuación de los administradores con cargo caducado. Estos principios que han inspirado la solución dada por este centro directivo a otros problemas como el condicionar la renuncia voluntaria de los propios administradores a la previa adopción de determinadas medidas tendentes a evitar aquella situación, la admisión de la figura del Administrador suplente a los efectos de convocatoria de la Junta General para proceder a nombrar nuevos cargos (cfr. Resolución de 11 junio 1992) o la búsqueda de otras soluciones que trataran de evitar el mismo riesgo, en modo alguno puede llevar a la admisión incondicionada de una prórroga del plazo durante el cual los administradores con cargo caducado pueden seguir actuando válidamente. De entrada, la Resolución de 24 junio 1968, que suele señalarse como punto de partida de la meritada doctrina, en realidad consagra más la figura del administrador reelegido de hecho a la vista de sus actuaciones posteriores al cese, algunas inscritas, que la del administrador de hecho como tal; la posterior Resolución de 12 mayo 1978, que vuelve a insistir en las peculiaridades del caso, admitió la válida actuación del órgano de administración caducado a los exclusivos fines de convocar la Junta General para proceder a nuevos nombramientos evitar así la paralización de la sociedad, algo que aunque se "obiter dicta" parece seguir admitiendo la Resolución de 7 diciembre 1993, pues en cuanto su actuación excediera de ese concreto objetivo fue rechazada en Resolución de 24 mayo 1974. Por su parte, la doctrina del Tribunal Supremo, plasmada entre otras en Sentencias de 22 octubre 1974, 3 marzo 1977 y 1 abril 1986, admite igualmente la válida actuación de los administradores con cargo caducado a los mismos fines y con el mismo objetivo, rechazando un automatismo que impida convocar la Junta general ordinaria o una extraordinaria previa, pero siempre bajo la idea de una caducidad reciente, una interpretación, en definitiva, en línea con la solución que para el caso de transcurso del plazo ha inspirado el régimen acogido en el artículo 145.1 del Reglamento del Registro Mercantil, la subsistencia del nombramiento hasta que se celebre la primera Junta o hubiera debido celebrarse la siguiente Junta General que hubieran podido realizar nuevos nombramientos».

Resolución de 4 de junio de 1998 [2]

FUNDAMENTOS DE DERECHO

«2º Si se tiene en cuenta que el nombramiento de los Administradores surte sus efectos desde el momento de la aceptación y que la inscripción del mismo en el Registro Mercantil aparece configurada como obligatoria, pero no como constitutiva (cfr. artículo 125 de la Ley de Sociedades Anónimas), habrá de concluirse que sin perjuicio de los efectos de la publicidad material del Registro y la propia responsabilidad de los nombrados por no haber procurado la inscripción dentro del plazo que la ley señala, su actuación como tales Administradores desde que aceptaron el cargo y entre tanto el mismo esté vigente ha de tenerse por válida, y dentro de esa validez han de incluirse las convocatorias de Juntas Generales que a los mismos compete (artículo 94 de la misma Ley). Y si bien es cierto que la falta de inscripción del nombramiento y aceptación de los Administradores ha de suponer, como regla general, un defecto, que sería de carácter subsanable, en la medida que suscita la duda sobre si la convocatoria ha sido hecha por quien está legitimado para ello, el defecto desaparece cuando del conjunto de los documentos que se someten a calificación resulta que el nombramiento y aceptación existían y que la convocatoria tuvo lugar dentro del plazo por el que ejercía su cargo quien la hizo, en este caso prorrogado dentro de los límites que señala el artículo 145 del Reglamento del Registro Mercantil, plazo durante el cual, según la reciente Resolución de este centro de 13 mayo del corriente año, ha de entenderse hoy en día vigente la doctrina del Administrador de hecho».

Resolución de 15 de febrero de 1999 [2]

FUNDAMENTOS DE DERECHO

«6º El recurrente invoca la doctrina conocida como del Administrador de hecho, que atendiendo al riesgo que para la sociedad implica un riguroso automatismo en el cese de los Administradores una vez transcurrido el plazo por el que fueron nombrados, dando lugar a una situación de acefalia e inoperancia, unido al principio de conservación de la empresa, permitiría la válida actuación de los Administradores con cargo caducado. Estos principios, que han inspirado la solución dada por este centro directivo a otros problemas como el condicionar la renuncia voluntaria de los propios Administradores a la previa adopción de determinadas medidas tendentes a evitar aquella situación, la admisión de la figura del Administrador suplente a los efectos de convocatoria de la Junta general para proceder a nombrar nuevos cargos (cfr. la Resolución de 11 de junio de 1992) o la búsqueda de otras soluciones que trataran de evitar el mismo riesgo, en modo alguno puede llevar a la admisión incondicionada de una prórroga del plazo durante el cual los Administradores con cargo caducado pueden seguir actuando válidamente. De entrada, la Resolución de 24 de junio de 1968, que suele señalarse como punto de partida de la mencionada doctrina, en realidad consagra más la figura del Administrador reelegido de hecho a la vista de las actuaciones posteriores al cese, algunas inscritas, que la del Administrador de hecho como tal; la posterior Resolución de 12 de mayo de 1978, que vuelve a insistir en las peculiaridades del caso, admitió la válida actuación del órgano de administración caducado a los exclusivos fines de convocar la Junta general para proceder a nuevos nombramientos y evitar así la paralización de la sociedad, algo que, aunque sea "obiter dicta", parece seguir admitiendo la Resolución de 7 de diciembre de 1993, pues en cuanto su actuación excediera de ese concreto objetivo fue rechazada en Resolución de 24 de mayo de 1974. Por su parte, la doctrina del Tribunal Supremo, plasmada entre otras, en Sentencias de 22 de octubre de 1974, 3 de marzo de 1977 y 1 de abril de 1986, admite igualmente la válida actuación de los Administradores con cargo caducado a los mismos fines y con el mismo objetivo, rechazando un automatismo que impida convocar la Junta General Ordinaria o una Extraordinaria previa, pero siempre bajo la idea de una caducidad reciente, una interpretación, en definitiva, en línea con la solución que para el caso de transcurso del plazo ha inspirado el régimen acogido en el artículo 145.1 del Reglamento de Registro Mercantil, la subsistencia del nombramiento hasta que se celebre la primera Junta o hubiera debido celebrarse la siguiente Junta general en que hubieran podido realizarse nuevos nombramientos.

7º En el presente caso, los Administradores de la sociedad integrantes de su Consejo de Administración fueron nombrados en Junta general de 4 de abril de 1986 y no se cuestiona la caducidad de tales cargos, por lo que la convocatoria de la Junta general que adoptó los acuerdos ahora debatidos se hizo por quienes con bastante antelación habían cesado en el cargo que les legitimaba para ello y fuera de los plazos que permitirían calificar como válida su actuación».

Resolución de 14 de julio de 1999 [3]

FUNDAMENTOS DE DERECHO

«3º En el segundo de los defectos a que se extiende el recurso deniega el Registrador la inscripción del cese de un administrador por no haberse adoptado el acuerdo correspondiente con las mayorías estatutariamente necesarias.

Es de señalar que entre los acuerdos adoptados no figura ninguno en que expresamente se acuerde tal cese, sino el ejercicio de la acción social de responsabilidad frente
a un administrador, adoptado por una mayoría del 70 por 100 de los votos representativos
del capital social y la manifestación de uno de los asistentes de que quede constancia del
cese de dicho administrador.

Si la remisión que el artículo 69.1 de la Ley de Sociedades de Responsabilidad Limitada hace, en lo tocante a la responsabilidad de los administradores, a lo establecido para
los de la sociedad anónima, ha de entenderse que de conformidad con lo dispuesto en
el párrafo segundo del apartado 2 del artículo 134 de la Ley de Sociedades Anónimas, el
acuerdo de promover aquella acción determina la destitución del administrador afectado.

Ciertamente se dará la paradoja de que al fijarse en el apartado 2º de dicho artículo
69 como mayoría inderogable para la adopción de ese acuerdo la ordinaria prevista en el
artículo 53.1 de la misma Ley –mayoría de votos válidamente emitidos que representen
al menos un tercio de los votos correspondientes a las participaciones en que se divide el
capital social–, puede obviarse a través del mismo la necesidad de obtener una mayoría
superior que los estatutos pueden exigir para acordar el cese de los administradores al
amparo de lo que permite el artículo 68.2 de la misma Ley.

Cualquiera que sea la causa de esa discordancia, tal vez la reforma parcial de que fue
objeto la primera de las normas en la discusión parlamentaria del proyecto de ley, y que no
alcanzó a la segunda, lo cierto es que la validez del acuerdo de ejercitar la acción social
de responsabilidad produce unos efectos legales cuyo reflejo registral viene impuesto por
el artículo 148 a) del Reglamento del Registro Mercantil».

6. Instituto de contabilidad y de auditoría de cuentas

Resolución de 20 de diciembre de 1996

Resolución por la que se fijan criterios generales para determinar el concepto de patrimonio contable a efectos de los supuestos de reducción de capital y disolución de sociedades regulados en la legislación mercantil.

La legislación mercantil contiene diversas referencias al valor patrimonial de las empresas, entre las que destacan las contenidas en el texto refundido de la Ley de Sociedades Anónimas, aprobado por Real Decreto Legislativo 1564/1989, de 22 de diciembre, y en la Ley 2/1995, de 23 de marzo, de Sociedades de Responsabilidad Limitada, sin que ningún precepto indique claramente la forma de cuantificar dicho valor.

En concreto, el texto refundido de la Ley de Sociedades Anónimas, en su artículo 260 incluye como una de las causas de disolución de la sociedad anónima la reducción del «patrimonio» como consecuencia de las pérdidas «a una cantidad inferior a la mitad del capital social, a no ser que éste se aumente o se reduzca en la medida suficiente». A su vez, el artículo 163 prescribe la reducción obligatoria de capital para la sociedad cuan do las pérdidas hayan disminuido su «haber» por debajo de las dos terceras partes de la cifra de capital y hubiere transcurrido un ejercicio social sin haberse recuperado el «patrimonio».

De los artículos anteriores debe destacarse, en primer lugar, la diversidad terminológica, que no siempre refleja una diversidad de conceptos. En efecto, teniendo en cuenta la similar funcionalidad de los dos preceptos mencionados, y la propia redacción del artículo 163 que utiliza indistintamente los términos «haber» y «patrimonio», parece evidente que tales términos se refieren a un solo concepto, al que podría denominarse valor patrimonial de la empresa.

Posteriormente, la Ley de Sociedades de Responsabilidad Limitada se ha referido al término de «patrimonio contable» en los artículos 104 causas de disolución, y 79, reducción del capital social, precisando de esta forma que la magnitud que ha de ser comparada con el capital social debe ser cuantificada atendiendo a sus valores contables. Por otro lado, el hecho de que los artículos mencionados de la Ley de Sociedades de Responsabilidad Limitada regulen idénticos supuestos a los contemplados en los correspondientes artículos del texto refundido de la Ley de Sociedades Anónimas, permite considerar que los términos utilizados en unos y otros hacen referencia al mismo concepto.

Teniendo en cuenta lo anterior, la cuantificación del patrimonio contable deberá realizarse teniendo como base las magnitudes contenidas en las cuentas anuales de las empresas, y más concretamente en el balance.

En base a lo anterior, hay que determinar qué conceptos del balance de las empresas deben tenerse en cuenta para realizar dicha cuantificación. Así pues, el concepto contable de «fondos propios» contenido en el texto refundido de la Ley de Sociedades Anónimas, es uno de los que forman parte del patrimonio contable; su contenido ha sido precisado por el Plan General de Contabilidad, incluyendo con signo positivo: el capital suscrito, la prima de emisión, reservas por revalorización, otras reservas, los remanentes de ejercicios anteriores, las aportaciones de socios para compensación de pérdidas y el beneficio del ejercicio; y con signo negativo: los resultados negativos de ejercicios anteriores, las pérdidas del ejercicio, los dividendos a cuenta entregados y las acciones o participaciones propias adquiridas en ejecución de un acuerdo de reducción de capital.

Sin embargo, el concepto de «patrimonio contable» requiere algunas precisiones adicionales, puesto que además de los fondos propios existen otras partidas del balance que pueden afectar a la cuantificación del mismo. En este sentido, se pueden destacar las siguientes precisiones relativas a determinadas partidas del balance:

Los «gastos de establecimiento» son un activo necesario para el funcionamiento de la empresa y sólo lucirán en el balance en la medida en que tengan proyección económica futura, por lo que no deben ser considerados como una partida minoradora del «patrimonio contable».

Dentro de los «gastos a distribuir en varios ejercicios» cabe distinguir entre los «gastos financieros diferidos» que son partidas compensadoras de pasivo, en cuanto que representan los intereses no devengados incorporados al valor contable de las deudas, y los «gastos de formalización de deudas», que tienen un significado muy similar al de los gastos de establecimiento. Ninguno de estos conceptos minorará, por tanto, el valor del «patrimonio contable».

Por su parte, las «acciones o participaciones propias» que figuran en el activo del balance representan el valor contable de las acciones o participaciones adquiridas a antiguos socios, que a través de la venta de las mismas se han separado de la sociedad. Estas partidas reflejan la parte del «patrimonio contable» que ha sido entregado a los antiguos socios como precio en la venta de sus acciones o participaciones, por lo que minorarán el valor patrimonial de la sociedad.

«Accionistas o socios por desembolsos pendientes», corresponde a las cantidades, comprometidas por los socios como consecuencia de la suscripción del capital, figurando en el modelo de balance incluido en el artículo 175 del texto refundido de la Ley de Sociedades Anónimas como el primer activo de la empresa, por lo que no minorarán el patrimonio contable.

Dentro de la agrupación «ingresos a distribuir en varios ejercicios», del pasivo, se ubican las «subvenciones de capital»; tanto las de carácter monetario como las que consistan en otros elementos patrimoniales, que han cumplido las condiciones para su concesión o que no existen dudas razonables sobre su futuro cumplimiento y que están pendientes de imputar a resultados; estos importes deberán formar parte, con signo positivo, del patrimonio contable, una vez deducido el efecto impositivo.

De igual manera, las «diferencias positivas de cambio» pendientes de imputar a resultados que aparecen en el pasivo, formarán parte del patrimonio contable con signo positivo, debiéndose deducir también el efecto impositivo que su consideración como ingreso ha de producir.

Los ingresos a distribuir en varios ejercicios que se deriven de la periodificación de ciertas diferencias permanentes entre el resultado contable antes de impuestos y la base imponible del Impuesto sobre Sociedades, y de la periodificación de las deducciones y bonificaciones de la cuota de este tributo, deberán formar parte, con signo positivo, del patrimonio contable. Las referidas periodificaciones se podrán realizar de acuerdo con lo dispuesto en el penúltimo párrafo de la norma de valoración número 16 del Plan General de Contabilidad, que ha sido objeto de desarrollo a este respecto en las normas segunda y tercera de la Resolución de 30 de abril de 1992 del Instituto de Contabilidad y Auditoría de Cuentas.

Por último, en lo que se refiere a los «ingresos por intereses diferidos», no deberán computarse para el cálculo del patrimonio contable de la empresa, pues representan el valor de los intereses no devengados incorporados al valor de ciertos activos y ser considerados, por tanto, como minoración de dichos activos.

Adicionalmente, es necesario referirse al artículo 20 del Real Decreto-ley 7/1 996, de 7 de junio sobre medidas urgentes de carácter fiscal y de fomento y liberalización de la actividad económica, en redacción dada por la disposición adicional segunda de la Ley 10/1996 de 18 de diciembre, de Medidas Fiscales Urgentes sobre Corrección de la Doble Imposición Interna Intersocietaria y sobre Incentivos a la Internacionalización de las Empresas, que señala en su apartado d) lo siguiente:

«Los préstamos participativos se considerarán patrimonio contable a los efectos de reducción de capital y liquidación de sociedades previstas en la legislación mercantil».

De acuerdo con lo anterior, parece que la citada Ley otorga a los préstamos participativos la calificación de partida computable en el patrimonio contable a los efectos de los supuestos tratados en esta Resolución, en la medida que estos préstamos poseen unas características que podrían significarse:

Se vinculan a la actividad de la empresa.

En caso de amortización anticipada, se exige que vaya acompañada por un aumento de fondos propios de igual cuantía, no pudiendo provenir este aumento de la actualización de activos, de lo que se desprende que este aumento debe corresponderse con aportaciones de los socios o resultados generados por la empresa.

En orden a la prelación de créditos, se situarán después de los acreedores comunes.

Por todo lo indicado, estos préstamos, que figurarán en el balance de la empresa en la agrupación correspondiente a los acreedores, se tendrán en cuenta en la cuantificación del patrimonio contable a los efectos de reducción de capital y disolución de sociedades previstos en la legislación mercantil.

Para la cuantificación del patrimonio contable a que se ha hecho referencia habrá que tener en cuenta que, si la fecha en que se realiza no coincidiera con la del cierre de ejercicio de la empresa, deberá elaborarse un estado financiero intermedio, de acuerdo con lo previsto en la norma de elaboración de cuentas anuales número 12 contenida en la cuarta parte del Plan General de Contabilidad, que servirá de base para ello.

Hay que precisar que la presente Resolución parte de los modelos de balance contenidos en el Plan General de Contabilidad por lo que, si para un sector concreto de actividad existiera adaptación sectorial al mismo y los modelos de balance allí previstos incorporan conceptos de igual naturaleza a los señalados anteriormente, se tendrán en cuenta en la forma indicada.

Por último, es necesario referirse a la disposición final quinta del Real Decreto 1643/1990, de 20 de diciembre por el que se aprueba el Plan General de Contabilidad, norma en la que se establece que el Instituto de Contabilidad y Auditoría de Cuentas podrá dictar normas de obligado cumplimiento que desarrollen en Plan General de Contabilidad y sus adaptaciones sectoriales, en relación con las normas de valoración y de elaboración de las cuentas anuales. En la actualidad, el Tribunal Superior de Justicia de Madrid, mediante sentencia de fecha 19 de enero de 1994, ha declarado la nulidad de la Resolución de este Instituto; de fecha 21 de enero de 1992, por la que se dictan normas de valoración del inmovilizado inmaterial, lo que podría presuponer la invalidez del resto de Resoluciones dictadas al amparo de la disposición citada inicialmente. Dicha sentencia no es firme por haber sido recurrida ante el Tribunal Supremo.

Teniendo en cuenta lo anterior, dado que existen determinados aspectos contables sobre los que es necesario aclarar su contenido con objeto de evitar interpretaciones por parte de los usuarios de la información económica, y en la medida en que el artículo 2 de la Ley 19/1988, de 12 de julio, de Auditoría de Cuentas, establece que el Auditor de cuentas deberá expresar su opinión, entre otros extremos, sobre si las cuentas anuales se han preparado conforme a los «principios y normas contables que establezca el Instituto de Contabilidad y Auditoría de Cuentas», se plantea la problemática indicada anteriormente de tratar de aclarar dudas sobre el tratamiento contable de determinadas operaciones sobre las que es necesario establecer criterio.

Por ello, atendiendo a la problemática indicada y por razones de oportunidad, este Instituto, con objeto de establecer los criterios a aplicar para determinar el con tenido contable de las magnitudes a que se refiere la legislación mercantil en los supuestos de reducción de capital y disolución, sin perjuicio de lo que finalmente puedan fallar los Tribunales de Justicia, dicta la presente Resolución de acuerdo con la disposición final quinta del Real Decreto 1643/1990, de 20 de diciembre, por el que se aprueba el Plan General de Contabilidad, así como con el artículo 2 de la Ley 19/1988, de 12 de julio, de Auditoría de Cuentas.

Norma primera.

Los términos «patrimonio», «haber» y «patrimonio contable», a efectos de la regulación de los supuestos de reducción de capital y de disolución, recogidos en los artículos 163 y 260 del texto refundido de la Ley de Sociedades Anónimas y 79 y 104 de la Ley de Sociedades de Responsabilidad Limitada, se determinarán a partir de los modelos de balance contenidos en la cuarta parte del Plan General de Contabilidad, aprobado por Real Decreto 1643/1990, de 20 de diciembre.

Norma segunda.

La determinación de los parámetros anteriores se realizará de acuerdo con lo siguiente:

a) Con signo positivo se recogerán los siguientes conceptos definidos conforme a los modelos de balance del Plan General de Contabilidad:

Los «fondos propios» recogidos en la agrupación A) del pasivo del balance.

Las «subvenciones de capital» y las «diferencias positivas de cambio», recogidas en la agrupación B) «Ingresos a distribuir en varios ejercicios», del pasivo del balance, minoradas en el importe correspondiente del gasto por impuesto sobre sociedades pendiente de devengo.

Los «ingresos fiscales a distribuir en varios ejercicios» incluidos en la agrupación B) «Ingresos a distribuir en varios ejercicios», del pasivo del balance, definidos con forme a lo dispuesto en las normas segunda y tercera de la Resolución de 30 de abril de 1992, del Instituto de Contabilidad y Auditoría de Cuentas, sobre algunos aspectos de la norma de valoración número 16 del Plan General de Contabilidad.

Los préstamos participativos regulados en el artículo 20 del Real Decreto-ley 7/1996, de 7 de junio, sobre medidas urgentes de carácter fiscal y de fomento y liberalización de la actividad económica, recogidos en las agrupaciones D) «Acreedores a largo plazo», y E) «Acreedores a corto plazo», del pasivo del balance.

II. SELECCIÓN BIBLIOGRAFÍA ESPAÑOLA

AAVV (Dir. SÁNCHEZ CALERO): *Ley de Contrato de Seguro. Comentarios a la Ley 50/1980, de 8 de octubre, y a sus modificaciones*, Pamplona, 1999. [2]

AAVV (J. BOLÁS ALFONSO): *La responsabilidad de los administradores de sociedades de capital. Estudios de Derecho Judicial*, núm. 24, Madrid, 2000. [6]

AAVV: *Informe sobre el Borrador del Anteproyecto de la Nueva Ley General Tributaria. Comisión para el Estudio del Borrador de Anteproyecto de la Nueva Ley General Tributaria*, Ministerio de Hacienda, Secretaría de Estado de Hacienda, 23 de enero de 2003. [11]

AAVV: *Órganos de la Sociedad de capital*, Valencia, 2008 [13]

AAVV (Dir. GARCÍA-CRUCES): Insolvencia y Responsabilidad, Civitas, Madrid, 2012. [7]

AAVV (Dirs. ROJO Y CAMPUZANO): La calificación del concurso y la responsabilidad por la insolvencia, Civitas, Madrid, 2013. [7]

ALBIÑANA GARCÍA-QUINTANA: «Responsabilidades patrimoniales tributarias», en *RDP*, 1951, pp. 125 y ss. [11]

ALCALÁ DÍAZ: «Acción individual de responsabilidad frente a los administradores», en *RdS*, 1, 1993, pp. 168 y ss. [5]

– «Comentario a la Sentencia de 9 de julio de 1999. Sociedades anónimas. Elección del tipo societario. Impugnación de acuerdos del consejo de administración. Responsabilidad de los administradores por actos de representación», en *CCJC*, núm. 51, 1999, pp. 1321 y ss. [1, 5]

– «El deber de fidelidad de los administradores: el conflicto de interés administrador sociedad», en AAVV, *El gobierno de las sociedades cotizadas*. Madrid. 1999. [1]

ALCÁCER GUIRAO: "Fraude de ley y negocio simulado en el delito fiscal (SSTC 120/2005 y 129/2008): el derecho a la legalidad penal y los límites de intervención del Tribunal Constitucional", *Revista Española de Derecho Constitucional*, nº 91, 2011 [8]

ALCÁCER: "Fraude de ley y negocio simulado en el delito fiscal (SSTC 120/2005 y 129/2008): el derecho a la legalidad penal y los límites de intervención del Tribunal Constitucional", *Revista Española de Derecho Constitucional*, nº 91, 2011. [8]

ALCOVER: «La responsabilidad de los administradores de la sociedad anónima por las deudas sociales ex artículo 262.5 y los procedimientos concursales», en *RdS*, 8, 1997, pp. 265 y ss. [6, 7, 12]

– «La calificación del concurso», en AAVV, *Estudios sobre el Anteproyecto de Ley Concursal de 2001*, Madrid, 2002, pp. 239 y ss. [7]

– «Introducción al régimen jurídico de la calificación concursal», en AAVV, *Derecho Concursal. Estudio sistemático de la Ley 22/2003 y de la Ley 8/2003*, para la Reforma Concursal, Madrid, 2003, pp. 487 y ss. [7]

– «La doble reforma de la responsabilidad de los administradores de las sociedades de capital» *RDCP* 4/06, pp. 84 y ss. [6]

ALFARO: *Interés social y derecho de suscripción preferente*, Madrid, 1995. [4]

– «La llamada acción individual de responsabilidad contra los administradores sociales», en *RdS*, 18, 2002, pp. 45 y ss. [3 y 5]

– «Recesión a Ángel Rojo y Emilio Beltrán (directores), *La responsabilidad de los Administradores*, Valencia, 2005», en InDret 2/2005 (www.indret.com). [5]

– "La llamada acción individual de responsabilidad o responsabilidad "externa" de los administradores sociales", InDret, 413, enero 2007. [5]

ALONSO ESPINOSA: *La responsabilidad civil del administrador de sociedad de capital en sus elementos configuradores*, Madrid. 2006. [5]

– "El deber de documentación de la empresa y de llevanza de contabilidad tras la Ley 16/2007, de 4 de julio", *RMV*, 5, 2009, pp. 23 y ss. [9]

ALONSO SOTO: *El seguro de la culpa*, Madrid, 1977. [2]

– «Consideraciones sobre el ejercicio de la acción social de responsabilidad de los administradores de la sociedad anónima», en *LL*, 5 de julio de 2000, pp. 1 y ss. [3 y 4]

ALONSO UREBA: «Presupuestos de la responsabilidad social de los administradores de una sociedad anónima», en *RDM*, 1991, pp. 639 y ss. [2, 3, 4, 5, 6 y 12]

– «La responsabilidad de los administradores de una sociedad de capital en situación concursal (el art. 171.3 del Anteproyecto de Ley Concursal y sus relaciones con las acciones societarias de responsabilidad)», en AAVV, *Estudios sobre el Anteproyecto de Ley Concursal*», Madrid, 2002, pp. 263 y ss. [7]

– «La responsabilidad concursal de los administradores de una sociedad de capital en situación concursal (el art. 172, 3 de la Ley Concursal y sus relaciones con las acciones societarias de responsabilidad)», en AAVV, *Derecho Concursal. Estudio sistemático de la Ley 22/2003 y de la Ley 8/2003, para la Reforma Concursal*, Madrid, 2003, pp. 505 y ss. [4, 6, 7, 12].

– «El artículo 48.2 LC y el marco de las relaciones de responsabilidades concursal del art. 172.3 LC con la responsabilidad de los auditores y con las acciones societarias de responsabilidad de administradores y liquidadores», en *RDCP*, 2004, pp. 91-107. [7]

ALONSO UREBA/PULGAR (Dir.): *Derecho Concursal. Estudio sistemático de la Ley 22/2003 y de la Ley 8/2003, para la Reforma Concursal*, Madrid 2003, [5]

ÁLVAREZ MARTÍNEZ: *La responsabilidad de los administradores de personas jurídicas en la nueva Ley General Tributaria*, Cizur Menor, 2004. [11]

AÑOVEROS TRÍAS DE BÉS: «La convocatoria de las Juntas generales de accionistas por decisión de la autoridad judicial en las sociedades anónimas», en *RGD*, 1993, pp. 4877 y ss. [4]

APARICIO SALOM: «El derecho a la imagen y la protección de datos», *RdNT*,7, 2005, pp. 17-28. [9]

ARGÜELLES/FELTRER: *Régimen Jurídico de la Responsabilidad Tributaria y su aplicación práctica*, Pamplona, 2002. [11]

ARIAS ABELLÁN: «El Estatuto jurídico del responsable del tributo en el Derecho español», en *REDF*, nº 42, 1984. [11]

– «Modificaciones a la Ley General Tributaria en la regulación jurídica del responsable», *REDF* nº 47-48, 1985. [11]

ARRANZ/BARRILERO: «La Ley de sociedades anónimas y su repercusión en el seguro. La responsabilidad civil de consejeros y altos cargos», en *Bol. Estudios Económicos*, 142, abril 1991, pp. 5-25. [12]

ARRIBAS: "La responsabilidad de los administradores sociales y personas afectadas por la calificación", *RDCP*, 14, 2011, pp. 105 [7]

ARROYO: «Comentario al art. 134 LSA», en ARROYO/EMBID: *Comentarios a la Ley de Sociedades Anónimas*, II, Madrid, 2001, pp. 1421 y ss. [4]

ARROYO/BOET: «Comentario al artículo 135 LSA», en ARROYO/EMBID: *Comentarios a la Ley de Sociedades Anónimas*, II, Madrid, 2001, pp. 1436 y ss. [5, 6]

ARROYO/FRANCO: «La competencia de los Juzgados de lo mercantil en materia de responsabilidad de los Administradores», *RDM*, 259, 2006, pp. 171 y ss. [5]

ATIENZA: «Daños causados dolosamente y seguro de responsabilidad civil. Reflexiones a propósito de alguna jurisprudencia reciente», en *RES*, nº 93, 1998, pp. 165 y ss. [12]

ÁVILA: *La sociedad limitada*, I, Barcelona, 1996. [3]

ÁVILA DE LA TORRE: *La responsabilidad de los administradores por no disolución de la sociedad anónima*, Madrid, 1997. [6, 12]

– «La responsabilidad de los administradores por no promoción de la disolución de la sociedad anónima: notas sobre el debate jurisprudencial», en *RGD*, 1997, pp. 10397 y ss. [6]

AYALA GÓMEZ: "Los delitos contra la Hacienda Pública relativos a los ingresos tributarios: el llamado delito fiscal del art. 305 del Código penal", en: Octavio de Toledo y Ubieto (Coord.), *Delitos e infracciones contra la Hacienda Pública*, Valencia, 2009. [8]

BACIGALUPO ZAPATER: "El delito fiscal", en: Bacigaulo Zapater (Dir.), *Curso de Derecho penal económico*, 1998. [8]

- "Responsabilidad penal de las personas jurídicas y programas de "compliance" (A propósito del Proyecto de reformas del Código Penal de 2009)", en: *Diario La Ley*, nº 7442, 9 de julio de 2010. [8]

BADOSA: *La diligencia y la culpa del deudor en la obligación civil*, Bolonia 1987. [5]

BAÍLLO: «El aseguramiento de la responsabilidad civil de los administradores: especial referencia al problema del dolo como excepción oponible o inoponible», en AAVV, *Derecho de sociedades. Libro homenaje al profesor Fernando Sánchez Calero*, II, Madrid, 2002, pp. 1263 y ss. [12]

BAJO FERNÁNDEZ/BACIGALUPO SAGGESE: *Derecho Penal Económico*, 2ª ed., Madrid, 2010. [8]

BANACLOCHE: «La responsabilidad subsidiaria de los administradores de sociedades», en *Impuestos*, nº 22, 2001. [11]

BARCELÓ: *Responsabilidad extracontractual del empresario por actividades de sus dependientes*, Madrid, 1995. [12]

BARRACHINA JUAN: «Responsabilidad tributaria de los administradores de sociedades: el acto de derivación de responsabilidad (primera parte)», *GF*, núm. 167/1998, pp. 23-31. [11]

BATALLER/BOQUERA/OLAVARRÍA (Coords.): *El contrato de seguro en la jurisprudencia del Tribunal Supremo*, Valencia, 1999. [12]

BELLO: «Responsabilidad civil de administradores de sociedades de capital y Ley concursal», en AAVV, *Estudios sobre la Ley Concursal. Libro Homenaje a Manuel Olivencia*, II, Madrid, 2005, pp. 1679 y ss. [7]

BELTRÁN: «Nombramiento de liquidadores en la sociedad anónima», en AAVV, *Estudios en Homenaje al Profesor José Girón Tena*, Madrid, 1991. [6]

- «Pérdidas y responsabilidad de los administradores (Comentario a las Sentencias de la Audiencia Provincial de Zaragoza de 23 de noviembre de 1991 y de Oviedo de 1 de diciembre de 1992), en *RDM*, 1992, pp. 471 y ss. [6, 12]

- *La disolución de la sociedad anónima*, 2ª ed. Madrid, 1997. [6, 10]

- «Disolución y liquidación de la sociedad de responsabilidad limitada», en AAVV (Dir. PAZ-ARES) *Tratando de la sociedad de responsabilidad limitada*, Madrid, 1997, pp. 73 y ss. [6]

- «La responsabilidad por las deudas sociales de administradores de sociedades anónimas y limitadas incursas en causa de disolución», en *ArC*, nº 16, 1997, pp. 13 y ss. y en AAVV: *La responsabilidad de los administradores de sociedades de capital*, Madrid, 2000, pp. 131 y ss. [2, 5, 6, 12]

- «Efectos sobre el deudor persona jurídica (art. 48)» en ROJO/BELTRÁN (Dirs.), *Comentario de la Ley Concursal,* Madrid, 2004, pp. 971 y ss. [7]

- «La responsabilidad por las deudas sociales», en AAVV, *La responsabilidad de los administradores de las Sociedades Mercantiles*, dir. por A. ROJO y E. BELTRÁN, 1ª ed., Valencia, 2005, pp. 213 y ss. [7]

- «La responsabilidad de los administradores por obligaciones sociales», en AAVV, *La responsabilidad de los administradores*, 2ª ed. Valencia, 2007, pp. 227 y ss. [7]

- "La responsabilidad de los administradores por obligaciones sociales", en Rojo y Beltrán, *La responsabilidad de los administradores de las Sociedades Mercantiles*, 4ª edición, Tirant lo Blanch, Valencia, 2011, pp. 255 y ss. [7]

- La responsabilidad concursal, en García-Cruces (Dir.), Insolvencia y responsabilidad, Civitas, Madrid, 2012, págs. 227 y siguientes. [7]

- La responsabilidad de los administradores por obligaciones sociales, en Rojo y Beltrán, "La responsabilidad de los administradores de las Sociedades Mercantiles", 5ª edición, Tirant lo Blanch, Valencia, 2013, pp. 249 y ss. [7]

- En torno a la naturaleza de la responsabilidad concursal (Comentario de la Sentencia de la Secc. 28ª de la Audiencia Provincial de Madrid de 5 de febrero de 2008), ADCo., 14, 2008, pp. 329 y ss. [7]

BERBEL: «Acción social e individual de responsabilidad de los administradores: aspecto material y procesal», en *Cuadernos de Derecho Judicial. Derecho de Sociedades*, Madrid, 1992, pp. 99-135. [3, 5]

BERCOVITZ: *Apuntes de Derecho mercantil*, Cizur Menor, 11ª ed., 2010, pp. 198 y ss. [9]

BERCOVITZ: *Comentarios a la Ley Concursal,* Madrid, 2004. [7]

BISBAL: «La junta general de socios de la sociedad de responsabilidad limitada», en AAVV (Dir. PAZ-ARES), *Tratando de la sociedad de responsabilidad limitada*, Madrid, 1997. [4]

BLANCO CAMPAÑA, *Régimen jurídico de la contabilidad*, Madrid, 1980, pp. 71 y ss. [9]

BLANCO GIRALDO: *La Ley del contrato de seguro en la jurisprudencia y en la doctrina jurisprudencial*, Madrid, 1999. [12]

BLANQUER: «La disolución, la liquidación y la extinción de la sociedad», en *AAMN*, XXX, I, 1991, pp. 940 y ss. [6]

- *Disolución, liquidación y reactivación de las sociedades anónimas y limitadas*, Valencia, 2001. [6]

BLASCO: *Responsabilidad concursal y embargo de los bienes de los administradores*, Valencia, 2007. [7]

BLÁZQUEZ LIDOY: «La responsabilidad tributaria del administrador de hecho en la LGT/3 (y II): elementos del régimen de responsabilidad», *JT Ar.*, núm. 2/2005, pp. 11-14. [11]

BOLAS: «La financiación de la actividad social de las sociedades de capital y la situación de pérdidas desde la perspectiva del Derecho Mercantil», en *RDP*, 1994, pp. 328 y ss. [6]

BONILLA PELLA: «Delitos relativos al mercado y los consumidores», en: Ortiz de Urbina Gimeno (Coord.), *Memento Experto Reforma Penal 2010, Ley Orgánica 5/2010*, Ediciones Francis Lefebvre, Madrid, 2010. [8]

BUSTO LAGO: *La antijuridicidad del daño resarcible en la responsabilidad civil extracontractual*, Madrid 1998. [5]

CABANAS/CALAVIA/MACHADO: «El régimen jurídico de la disolución, liquidación y extinción en el Proyecto de Ley de Sociedades de Responsabilidad Limitada», en *RJN*, 1944, pp. 19 y ss. [6]

CAFFARENA: «Comentario al art. 38 del Código civil», en *Comentario del Código civil*, Ministerio de Justicia, I, Madrid 1991, pp. 242 y ss. [5]

CALBACHO: *El ejercicio de las acciones de responsabilidad contra los administradores de la sociedad anónima*, Valencia, 1999. [4, 5, 6, 12]

CALVO CARAVACA / CARRASCOSA GONZÁLEZ: *Derecho concursal internacional,* Madrid, 2004. [7]

CALVO ORTEGA: «La responsabilidad tributaria solidaria por actos ilícitos», en *HPE*, 1970. [11]

- «La responsabilidad tributaria subsidiaria», *HPE*, núm. 10, 1971. [11]

- «La información a la Administración como técnica de exoneración de responsabilidad por deuda fiscal ajena (responsabilidad tributaria)», *Anales RAJL*, núm. 38/2008, pp. 711-756. [11]

CALZADA: *El seguro voluntario de responsabilidad civil*, Madrid, 1983. [12]

- «La delimitación del riesgo en el seguro de responsabilidad civil: el nuevo párrafo segundo del art. 73 de la Ley de Contrato de Seguro», en *RES*, 89, 1997, pp. 45-68. [12]

CAMPINS: «Seguro de responsabilidad civil de administradores y altos cargos. Especial referencia al ámbito de cobertura del seguro», en *RDM*, 249, 2003, pp. 981-1014. [12]

CAMPO SENTIS: «Las minorías y la responsabilidad de los administradores en la Ley de Sociedades Anónimas», en *RDP*, 1992, pp. 208 y ss. [4]

CAMPUZANO: «Competencia del orden social y responsabilidad de los administradores» (Comentario a la STS de 31 de marzo de 1999), en *REDT*, núm. 99, 2000, pp. 137 y ss. [10]

- «La responsabilidad de los administradores de sociedades anónimas (comentario a la STS de 20 de julio de 2001), en *AC*, 14, 2002, pp. 503 y ss. [10]

- «La acción social de responsabilidad», en AA.VV.: *Gobierno Corporativo: la estructura del órgano de gobierno y la responsabilidad de los administradores*, Cizur Menor, 2015, pp. 767 y ss. [3]

CANDELARIO: «¿Es válido el sistema vigente de responsabilidad de los administradores respecto a las sociedades bursátiles?», en *RDBB*, 2003. [4]

CANDELARIO/RODRÍGUEZ GRILLO: «Responsabilidad de los administradores en los grupos de sociedades», en *DN*, nº 164, mayo 2004, pp. 17-29. [2]

CARBONELL MATEU/MORALES PRATS: Responsabilidad penal de las personas jurídicas, en: Álvarez García/González Cussac, *Comentarios a la Reforma Penal de 2010*, Valencia, 2010. [8]

CARMONA: «Las cláusulas definitorias y las cláusulas limitativas del contrato de seguro», en *RES*, 89, 1997, pp. 69-110. [12]

CARRASCO: *Los derechos de garantía en la Ley Concursal,* Barcelona, 2004. [7]

«Una nueva luz en la noche de la responsabilidad de los administradores sociales», en *AJA*, 2009, nº 770. Tribuna. [10]

CARVAJO: «La responsabilidad tributaria de los administradores de las sociedades mercantiles. Análisis del artículo 40.1 de la Ley General Tributaria», en *CT* nº 76, 1995. [11]

CASCAJERO: «El procedimiento de exigencia de responsabilidad a sucesores en la titularidad de explotaciones y actividades económicas (art. 72 LGT). Comentario de la sentencia de la Sala Tercera del Tribunal Supremo de 15 de julio de 2000 (Rec. De Casación nº 2971/1995)», en *AF*, nº 24, febrero 1991. [11]

CASTRO MORENO: *El delito societario de administración desleal (art. 295 CP)*, Madrid, 1998. [8]

– *Elusiones fiscales atípicas*, Madrid, 2008. [8]

CAVAS: «La responsabilidad patrimonial de los socios y administradores sociales en el ámbito laboral», en *Aranzadi Social*, nº 9/2002 (WESTLAW). [10]

CAVANILLAS/TAPIA FERNÁNDEZ: *La concurrencia de responsabilidad contractual y extracontractual*, Madrid, 1995. [5]

CAYÓN: «La responsabilidad tributaria de los administradores de sociedades», en *RTT*, nº 57, 2002. [11]

CERDÁ: *Administradores, insolvencia y responsabilidad por pérdidas*, Valencia, 2000. [6, 12]

– «Responsabilidad civil de los administradores sociales: ¿solos ante el peligro? Un análisis jurisprudencial (1999-2000), en *InDret,* 1/2001, pp. 9 y ss. [5]

CERRO: «Ejercicio por los accionistas de la acción de responsabilidad de los administradores de las sociedades anónimas», en *RDP*, 1970, pp. 625 y ss. [4]

CHECA: «La exigencia de la responsabilidad subsidiaria establecida por el artículo 40 de la LGT únicamente es exigible a quine ostente formalmente la condición legal de administrador (Comentario a la Resolución del TEAC de 11 de febrero de 2000 (JT 878)», en *JT Ar.* nº 10, 2000. [11]

CLAVERO: *La acción directa del perjudicado contra el asegurador de responsabilidad*, Madrid, 1995. [12]

CLAVIJO: «La responsabilidad tributaria de los administradores de las personas jurídicas», en Partida Doble (Revista de Contabilidad), nº 54, de 1 de marzo de 1995. [11]

COMBARROS: «La responsabilidad tributaria solidaria y subsidiaria, en el procedimiento de recaudación», en REDF, nº 23, 1979. [11]

CORDÓN MORENO: Comentarios a la Ley Concursal, Pamplona, 2004. [7]

CORTÉS DOMÍNGUEZ: «Responsabilidad de los administradores societarios y carga de la prueba», en RGLJ, 2, 1999, pp. 135 y ss. [4];

– Aspectos de la nueva Ley Concursal, 2004. [7]

CRISTÓBAL MONTES: Mancomunidad o solidaridad en la responsabilidad plural por acto ilícito civil, Barcelona 1985. [5]

CUESTA: El convenio concursal. Comentario a los artículos 98 a 141 de la Ley Concursal, Pamplona, 2004. [7]

CUGAT: «El impacto de la nueva Ley Concursal en el delito de quiebra», en LL, nº 5932, 2004, pp. 1 y ss. [7]

DE ÁNGEL: Tratado de responsabilidad civil, 3ª ed., Madrid, 1993. [5, 11]

– Algunas previsiones sobre el futuro de la responsabilidad civil (con especial atención a la reparación del daño), Madrid, 1995. [12]

Causalidad en la responsabilidad extracontractual: sobre el arbitrio judicial, la imputación objetiva y otros extremos, Cizur Menor (Navarra), 2014 [5]

DE FÉLIX PARRONDO/DÍEZ-HOCHLEITNER GONZÁLEZ, "¿Hacia la inadmisibilidad de la acumulación de acciones civiles y mercantiles?", La Ley, Nº 7935, Sección Doctrina, 2 Oct. 2012. [5]

DE EIZAGUIRRE: «Disolución y liquidación», en Comentarios a la Ley de Sociedades Anónimas (director F. SÁNCHEZ CALERO), VIII, Madrid, 1993. [6]

DE LA CÁMARA: «La administración de las sociedades anónimas», en RJN, 1992, pp. 51 y ss. [4, 5]

DE LA FUENTE HONRUBIA: "Las consecuencias accesorias del art. 129 del Código penal", en: Álvarez García/González Cussac, Comentarios a la Reforma Penal de 2010, Valencia, 2010. [8]

DE LA HUCHA: «Reflexiones para una redefinición dogmática de la responsabilidad en Derecho Tributario I y II», en REDF, nº 94 y 95, 1997. [11]

– «Algunas consideraciones sobre la responsabilidad tributaria en el Reglamento General de Recaudación de 1990: I. Responsabilidad solidaria», en CT, nº 61, 1992. [11]

– «Algunas consideraciones sobre la responsabilidad tributaria en el Reglamento General de Recaudación de 1990: II. Responsabilidad subsidiaria», en CT, nº 63, 1992. [11]

DE LA OLIVA/DÍEZ-PICAZO: *Derecho procesal civil. El proceso de declaración*, Madrid, 2000. [4]

DE LA TORRE: «La responsabilidad de los Consejeros y altos cargos. El seguro de responsabilidad civil», en *Previsión y Seguro*, 11, 1991, pp. 75-94. [12]

DE LA VEGA: «Responsabilidad civil de administradores y daños derivados de ilícitos concurrenciales», en *RDM*, núm. 246, 2002, pp. 1755-1792. [5]

DE PRADA: «La persona jurídica administradora de una sociedad anónima», en *Estudios jurídicos en homenaje a profesor Aurelio Menéndez*, t. II, Madrid, 1996, pp. 2295 y ss. [12]

DELGADO GARCÍA: *La derivación de responsabilidad tributaria subsidiaria*, Madrid, 1996. [11]

DESDENTADO: «La responsabilidad de los administradores sociales frente a socios y terceros: naturaleza, fundamento y problemas de delimitación», en *LL*, 12 de julio de 2000. [4]

 – *La personificación del empresario laboral. Problemas sustantivos y procesales*, Valladolid, 2006. [5 y 10]

DESDENTADO / DESDENTADO: *Administradores sociales, altos directivos y socios trabajadores: calificación y concurrencia de relaciones profesionales, responsabilidad laboral y encuadramiento en la seguridad social*, Valladolid, 2000. [5, 10]

DÍAZ ECHEGARAY: *La responsabilidad civil de los administradores de la sociedad anónima*, Madrid, 1995. [2, 4, 5, 6, 12]

 – *El administrador de hecho de las sociedades*, Pamplona, 2002. [2, 12]

 – *Deberes y responsabilidad de los administradores de las Sociedades de capital*, Pamplona, 2004. [3, 7]

DÍEZ-PICAZO: *La representación en el Derecho privado*, Madrid 1979. [5]

 – *Fundamentos del derecho civil patrimonial, II, Las relaciones obligatorias*, 4ª ed. Madrid 1993. [5]

 – *Derecho de daños*, Madrid 1999. [5]

DOMÍNGUEZ DOMÍNGUEZ: «El seguro de responsabilidad civil y los profesionales», *Cuadernos de Derecho jurisprudencial, CGPJ. Derecho de Seguros*, Madrid, junio 1995, pp. 489 y ss. [12]

 – «Las cláusulas de limitación temporal *(claim made)* en el seguro de responsabilidad civil», en *RGD*, 628/629, 1997, pp. 57-66. [12]

DOPICO GÓMEZ-ALLER: "Responsabilidad de personas jurídicas", en: Ortiz de Urbina Gimeno (Coord.), *Memento Experto Reforma Penal 2010, Ley Orgánica 5/2010*, Ediciones Francis Lefebvre, Madrid, 2010. [8]

EMBID: *Grupos de sociedades y accionistas minoritarios. La tutela de la minoría en situaciones de dependencia societaria y grupo*, Madrid, 1987. [2, 4]

– Protección de los acreedores, grupos de sociedades y levantamiento del velo de la personalidad jurídica. Comentario a la sentencia del Tribunal Supremo de 13 de diciembre de 1996 (RJ 1996/9016)», en *RdS* nº 11, 1999. [2]

ESCRIBANO: «Notas sobre la regulación de la responsabilidad tributaria», en: *Sujetos pasivos y responsables tributarios*, Madrid, 1997. [11]

ESTEBAN VELASCO: *El poder de decisión en las Sociedades Anónimas. Derecho europeo y reforma del Derecho español*, Madrid, 1982. [10]

– «Responsabilidad de los Administradores», en AAVV, *Comentarios a la Ley de Agrupaciones de Interés Económico*, Madrid, 1992. [2, 3, 4, 5, 6]

– «Responsabilidad civil de los administradores», en *EJB Civitas*, Madrid, 1995. [4]

– «Algunas reflexiones sobre las responsabilidad de los administradores frente a los socios y terceros: acción individual y acción por no promoción o remoción de la disolución», en *RdS*, 5(1995) pp. 47 y ss. y en *Estudios jurídicos en homenaje al profesor Aurelio Menéndez*, vol. II, Madrid 1996, pp. 1679 y ss. [2, 5, 6, 12]

– «La administración de la sociedad de responsabilidad limitada», en AAVV (Dir. PAZ-ARES), *Tratando de la Sociedad de responsabilidad Limitada*, Madrid, 1996, pp. 1-55. [12]

– «La acción social y la acción individual de responsabilidad contra los administradores de las sociedades de capital», en AAVV, *La responsabilidad de los administradores de sociedades de capital*, Estudios de Derecho Judicial, nº 24, Madrid, 2000, pp. 57 y ss. [4, 5]

– "La acción individual de responsabilidad", en Rojo y Beltrán, La responsabilidad de los administradores de las Sociedades Mercantiles, 4ª edición, Tirant lo Blanch, Valencia, 2011, p. 172. [7]

FAIRÉN: «La responsabilidad civil de los órganos de administración en las sociedades anónimas», en *RDP*, 1955, pp. 865 y ss. [4]

FALCÓN: «La prescripción de la obligación tributaria en relación con el responsable: un problema mal planteado», en *QF* nº 12, junio 2001, pp. 5 y ss. [11]

– «Consentimiento de la Junta general de socios y administración desleal de sociedades», en *RdS*, 18, 2002, pp. 203 y ss. [1]

FARIAS, «La calificación del concurso: presupuestos objetivos, sanciones y presunciones legales», *RDM*; 251, 2004, pp. 67 y ss. [7]

FARRANDO: *El deber de secreto de los administradores de sociedades anónimas y limitadas*, Madrid, 2001. [1]

FERNÁNDEZ-ALBOR: «La doctrina de las *Corporate Opportunities* en los Estados Unidos de América», en *RDBB*, núm. 66, 1997, pp. 477 y ss. [1]

FERNÁNDEZ ARÉVALO: *La lesión extracontractual del crédito,* Valencia, 1996. [5]

FERNÁNDEZ BALLESTEROS: (Coord.): *Derecho concursal práctico. Comentario a la nueva Ley Concursal,* Madrid, 2004. [7]

FERNÁNDEZ DE LA GÁNDARA: «Códigos de conducta y administración de sociedades», en AAVV, *Responsabilidad de consejeros y altos cargos de sociedades de capital,* Madrid, 1996. [12]

- «El régimen de responsabilidad de los administradores en la Ley de Sociedades Anónimas: supuestos, principios y problemas», en *Boletín del ICAC de Madrid,* 5, 1997, pp. 9 y ss. [5]

- «La responsabilidad concursal de los administradores de sociedades de capital», en AAVV, *Comentarios a la Ley Concursal* (coord. Por FERNÁNDEZ DE LA GÁN-DARA/SÁNCHEZ ÁLVAREZ, M. Mª, 2004. [7]

FERNÁNDEZ DE LA GÁNDARA/GARCÍA-PITA/FERNÁNDEZ RODRÍGUEZ: «Responsabilidad de los administradores de sociedades de capital en la esfera jurídico societaria», en AAVV, *Responsabilidad de consejeros y altos cargos de sociedades de capital,* Madrid, 1996. [12]

FERNÁNDEZ DEL MORAL: «En torno a la delimitación temporal de la cobertura de los seguros de responsabilidad civil profesional y su proyectada reforma. ¿Fin al stop español al *claims made?»,* en *RES,* 78, 1994, pp. 33-58. [12]

- *El seguro de responsabilidad civil de administradores y altos directivos de la sociedad anónima (Póliza D & O),* Granada, 1998. [12]

FERNÁNDEZ DEL POZO: «La sociedad de capital de base personalista en el marco de la reforma del Derecho de sociedades de responsabilidad limitada», en *RGD,* 1994, pp. 5431-5476. [3]

FERNÁNDEZ FERNÁNDEZ, R., "La Acción individual de responsabilidad contra los administradores sociales", *Revista jurídica de Catalunya,* nº 3, 2013 , pp. 133 y ss. [5]

FERNÁNDEZ PRIETO: *La transmisión de empresas en crisis. Incidencia de la Ley concursal,* Murcia, 2004. [7]

FERRER: «La calificación del concurso», *RJC,* 4, 2004, pp. 1215 y ss. [7]

FONSECA: «La responsabilidad tributaria de los administradores de sociedades mercantiles» en Boletín del *JCA* de Madrid, nº 5, 1997. [11]

FONT RIBAS: «La asegurabilidad de la responsabilidad de los administradores de sociedades», en AAVV (Coord. GALÁN CORONA/GARCÍA-CRUCES GONZÁLEZ), *La responsabilidad de los administradores de las sociedades de capital. Aspectos civiles, penales y fiscales,* Madrid, 1999, pp. 91-116. [12]

FRANQUET: «La ausencia de inscripción en el Registro del cese de los administradores y el problema de su responsabilidad», en *Boletín del Centro de Estudios Registrales de Cataluña,* núm. 87 (enero-febrero 2000), pp. 329 y ss. [2]

FUENTES NAHARRO: *Grupos de sociedades y protección de los acreedores,* Madrid 2007. [5]

GALÁN RUIZ / RODRÍGUEZ ONDARZA: «Ley de Medidas de Prevención contra el fraude fiscal: la responsabilidad de los administradores de sociedades mercantiles», *Partida Doble*, núm. 187/2007, pp. 72-81. [11]

GALBRAITH: *El nuevo Estado industrial*, Barcelona, 1974. [10]

GALIANO/IZQUIERDO: *La responsabilidad tributaria*, Valencia, 1997. [11]

GARCÍA CAVERO: *La responsabilidad penal del administrador de hecho de la empresa: criterios de imputación*, Barcelona, 1999. [2]

GARCÍA-CRUCES: «La responsabilidad de los administradores por no promoción o remoción de la disolución: consideraciones en torno al debate jurisprudencial», en AAVV *La responsabilidad de los administradores de las sociedades de capital*, Madrid, 1999. [6, 7]

- «Notas en torno al concepto y régimen jurídico de las acciones rescatables», en AAVV *Derecho de Sociedades. Libro homenaje a Fernando Sánchez Calero*, Madrid, 2002, vol. I. [4]

- «Problema de la represión de la conducta del deudor común», en AAVV, *La reforma de la Legislación Concursal* (dir. A. ROJO), Madrid, 2003, pp. 248 y ss. [4, 7, 12]

- *La Calificación del Concurso*, Pamplona, 2004. [7, 9]

- «Declaración de concurso y administradores de la persona jurídica concursada», en AAVV, *Estudios en Homenaje al Prof. Dr. Albaladejo*, I. Murcia, 2004, p. 1969, [7]

- «Concursado, cómplices y personas afectadas por la calificación (en torno al ámbito subjetivo del concurso culpable)», en AAVV, *Estudios sobre la Ley Concursal. Homenaje al Prof. Dr. Olivencia Ruiz*, V, Madrid, 2005, pp. 4913 y ss. [7]

- «De la retroacción de la quiebra a la rescisión de los actos perjudiciales para la masa activa», en *ADCo*, 2, 2005, pp. 43 y ss. [7]

- "Los mecanismos de anticipación del Concurso en el Derecho español", *Rivista di Diritto Societario*, 4, 2007, pp. 22 y ss. [7]

- "La reforma del régimen dispuesto para la responsabilidad concursal de los administradores sociales", en *Los problemas de la Ley Concursal*, dir. Beltrán y Prendes, Colección Estudios de Derecho Concursal, ed. Civitas, Madrid, 2009, pp. 363 y 364. [7]

- "Administradores sociales y administradores de hecho", en *Estudios de Derecho Mercantil en Memoria del Profesor Aníbal Sánchez Andrés*, ed. Civitas, Madrid, 2010, pp. 527 y ss. [5, 7]

- "Cuestiones de actualidad en torno a la responsabilidad societaria y concursal de los administradores. Problemas sustantivos en torno a la coordinación de las acciones de responsabilidad", en *II Foro de Encuentro de Jueces y Profesores de Derecho Mercantil*, ed. Marcial Pons, Madrid, 2010, pp. 121 y ss. [7]

- Ejercicio de las acciones societarias de responsabilidad frente a los administradores de la sociedad concursada, en García-Cruces (Dir.), Insolvencia y Responsabilidad, Civitas, Madrid, 2012, p. 247 y ss. [7]

– "Declaración de concurso y acciones societarias de responsabilidad frente a los administradores de la sociedad concursada", *Anuario de derecho concursal*, nº 28, 2013, pp. 31 y ss. [5]

– La calificación del concurso tras la reforma de la Ley Concursal, en "Estudios de Derecho Mercantil en Homenaje al Prof. Vicent Chuliá", 2013, pp. 1629-1653. [7]

– Los efectos de los acuerdos de refinanciación en el concurso consecutivo: la calificación, ADCo, 33, 2014, pp. 177 y siguientes. [7]

GARCÍA LUENGO: «Consideraciones sobre el seguro por cuenta ajena», en *RDM*, 1983, pp. 7-74. [12]

GARCÍA MURCIA: *Responsabilidades y sanciones en materia de seguridad y salud*, 3ª ed. Pamplona, 2003. [10]

GARCÍA NOVOA: «El procedimiento de derivación de Responsabilidad de administradores de sociedades. Aspectos sustantivos y procedimentales», en *RTT*, nº 57, 2002. [11]

GARCÍA-PITA: «La disolución de la sociedad anónima (Aspectos generales)», en *CDC*, 6, 1989, pp. 149 y ss. [6]

GARCÍA SINDE/MURILLO: «Cuestiones prácticas sobre la responsabilidad tributaria de los administradores de personas jurídicas», en *TL*, nº 5, 2001. [11]

GARCÍA VICENTE: La inhabilitación como efecto de la calificación culpable del concurso, en García-Cruces (Dir.), Insolvencia y responsabilidad, Civitas, Madrid, 2012, pp. 175 y siguientes. [7]

GARCÍA VILLAVERDE: «Exoneración de la responsabilidad civil de los administradores de la sociedad anónima y la sociedad de responsabilidad limitada por falta de culpa (art. 133.2 LSA)», en AAVV *Libro Homenaje al Profesor Fernando Sánchez Calero*, Madrid, 2002, pp. 1462 y ss. [2, 6]

GARCÍA VILLAVERDE / ALONSO UREBA / PULGAR. (Coord.): *Estudios sobre el Anteproyecto de Ley Concursal de 2001*, Madrid, 2002. [7];

– *Estudio sistemático de la Ley 22/2003 y de la Ley 8/2003 para la reforma concursal*, Madrid, 2003. [7]

GARRETA SUCH: *La responsabilidad civil, fiscal y penal de los administradores*, 4ª ed. Madrid, 1997. [3, 5]

GARRIGUES: «La protección de las minorías en el Derecho español», en *RDM*, 1959, pp. 249 y ss. [4]

– *Contrato de seguro terrestre*, 2ª ed., Madrid, 1983. [11]

GARRIGUES/URÍA: *Comentario a la Ley de Sociedades Anónimas*, vol. II, 3ª ed., con la colaboración de A. Menéndez y M. Olivencia, Madrid, 1976. [3, 5, 7]

GASCÓN: *La terminación anticipada del proceso por desaparición sobrevenida del interés*, Madrid, 2003. [4]

GASCÓN INCHAUSTI: "Proceso penal frente a la empresa", Sección 3 del Capítulo 2, en: Ortiz de Urbina Gimeno (Coord.), *Memento Práctico Penal Económico y de la Empresa, 2011-2012*, Ediciones Francis Lefebvre, Madrid, 2011. [8]

GIRGADO: *La responsabilidad de la sociedad matriz y de los administradores en una empresa de grupo*, Barcelona, 2002. [2]

GIRÓN: *Derecho de sociedades anónimas*, Valladolid, 1952. [3, 4, 5, 12]

–   «La responsabilidad de los administradores de la sociedad anónima en el Derecho español», en *ADC*, 1959, pp. 419 y ss. [4, 5, 6]

GÓMEZ BENÍTEZ: "El delito de administración desleal, criterios diferenciadores con la apropiación indebida y los ilícitos mercantiles", en: *Diario La Ley*, 1997, pp. 2053 y ss. [8]

GÓMEZ CALERO: *Responsabilidad de socios y administradores frente a acreedores sociales*, Madrid, 1998. [4]

GÓMEZ-LLORENTE: «Responsabilidad civil de administradores: pólizas de seguro y perspectiva internacional», en *RRCCS*, abril 1995, pp. 232-237. [12]

GÓMEZ-JARA DÍEZ: "Crisis financiera y retribución de directivos: ¿Terreno abonado para su cuestionamiento penal por vía de la administración desleal?, en: *Indret, Revista para el Análisis del Derecho*, 2009. [8]

GÓMEZ MENDOZA: «Pérdidas, disolución y responsabilidad de los administradores», en *RdS*, núm. 1, 1993, pp. 162 y ss. [6]

GONZÁLEZ GARCÍA: «Sujeción pasiva y responsables tributarios» en *Sujetos pasivos y responsables tributarios*, Madrid, 1997, pp. 17 y ss. [11]

GONZÁLEZ ORTIZ: «Responsabilidad tributaria y sanciones (la sentencia del Tribunal Supremo de 30-01-1999, una aportación relevante al debate)», en *JT Ar.*, 1999. [11]

GRIMALDOS: *Responsabilidad civil derivada del folleto de emisión de valores negociables*, Valencia, 2001. [5]

GUERRA: *Garantías personales del crédito tributario. Algunas Cuestiones*, Granada, 1997. [11]

GUERRERO/GÓMEZ PORRÚA: «La responsabilidad de los administradores de las sociedades de capital en situación concursal», en AAVV, *Estudios sobre la Ley Concursal. Libro Homenaje a Manuel Olivencia*, II, Madrid, 2005, pp. 1965 y ss. [7]

GARRIGUES: *Responsabilidad de consejeros y altos cargos de sociedades de capital*, Madrid, 1996. [5]

GUILLÉN: *El proceso civil para el ejercicio de la acción social de responsabilidad*, Madrid, 2000. [4]

HEBRERO: «La validez de las cláusulas *claims made* en el mercado español de responsabilidad civil», en *RES*, 56, 1988, pp. 89 y ss. [12]

- «El seguro de responsabilidad civil profesional de administradores y alta dirección de sociedades mercantiles: especial incidencia de su regulación legal», en *RES*, 71, 1992, pp. 51-90. [12]

HERNÁNDEZ MARTÍ (Coord.): *Concurso e insolvencia punible,* Valencia, 2004. [7]

HERNÁNDEZ MORENO: *Contrato de seguro: exclusión de cobertura y cláusulas limitativas. La jurisprudencia del Tribunal Supremo sobre la delimitación del objeto y la limitación de derechos en el contrato de seguro,* Barcelona, 1998. [12]

HERNÁNDEZ SAINZ, *La administración de sociedades de capital por personas jurídicas. Régimen jurídico y responsabilidad*, Cizur Menor (Navarra), 2014 [5]

HERNANDO MENDÍVIL: *Calificación del concurso y coexistencia de las responsabilidades concursales y societaria,* Barcelona 2013 [5]

- Responsabilidad concursal y seguridad jurídica, en Díez-Picazo (Coord.), Estudios Jurídicos en Homenaje al Profesor José María Miquel, I, Aranzadi, Cizur Menor, 2014, págs. 1627 y siguientes. [7]

HERRERA CUEVAS: *Manual de la reforma concursal,* Madrid, 2004 [3]

- «La responsabilidad de los administradores. II. La acción social de responsabilidad (artículo 134 TRLSA)», en *Órganos de la sociedad de capital*, I, Valencia 2008, pp. 1034 y 1035. [3]

HERRERA MOLINA: «Coautoría y participación en las infracciones tributarias y responsabilidad tributaria por actos ilícitos» en *Sujetos pasivos y responsables tributarios*, Madrid, 1997, pp. 695 y ss. [11]

- «La responsabilidad de los administradores por participación en ilícitos tributarios», en *RTT*, nº 57, 2002. [11]

HERRERO PEREZAGUA: Tiempo de ejercicio de las acciones de calificación, en García-Cruces (Dir.), Insolvencia y responsabilidad, Civitas, Madrid, 2012, págs. 3763 y siguientes. [7]

HILL: «Reflexiones en torno a la acción directa en el seguro voluntario de responsabilidad civil», en AAVV, *Estudios en homenaje al Prof. Manuel Broseta*, Valencia, 1995, tomo II, pp. 1279-1758. [12]

HUERTA: «Acción social de responsabilidad de los administradores por los socios y desistimiento», en *RDM*, 2002, pp. 295 y ss. [4]

HURTADO: *La responsabilidad de los administradores societarios en el ámbito civil y social*, Barcelona, 1998. [10]

ILLESCAS: «Las cuentas anuales de la sociedad anónima. Auditoría, aprobación, depósito y publicidad de las cuentas anuales (Artículos 203 a 222 de la Ley de Sociedades Anónimas», en URÍA/MENÉNDEZ/OLIVENCIA, *Comentario al régimen legal de las sociedades mercantiles*, VIII-2º, Madrid, 1993. [3]

IRIBARREN BLANCO, *Responsabilidad civil por la información divulgada por las sociedades cotizadas*. Madrid 2008. [5]

IRIBARREN BLANCO: «Los seguros de responsabilidad civil para administradores y altos directivos de sociedades de capital», en *RES*, 136, 2008, pp. 803 a 825. [12]

ITURMENDI: «La responsabilidad de los administradores en la sociedad anónima», en *RES*, núm. 64, 1990, pp. 37 y ss. [12]

- «El aseguramiento de la responsabilidad profesional de los administradores de las sociedades anónimas», en *RDSP*, 3, 1994, pp. 7-38. [12]

JORDANO FRAGA: *La responsabilidad del deudor por los auxiliares que utiliza en el cumplimiento*, Madrid, 1994. [5, 10]

JUSTE: *Los derechos de minoría en la sociedad anónima*, Pamplona, 1995. [3, 4]

- «En torno a la aplicación del régimen de responsabilidad de los administradores al apoderado general de la sociedad», en *RdS*, núm. 14, 2000, pp. 441 y ss. [2, 7, 12]

LACRUZ BERDEJO, en LACRUZ BERDEJO y otros, *Elementos de Derecho Civil, II, Derecho de Obligaciones,* Vol. 1º, 2ª ed. Barcelona 1985. [5]

LARA: "La acción social de responsabilidad: ejercicio por la sociedad", en Rojo y Beltrán, *La responsabilidad de los administradores de las Sociedades Mercantiles"*, 5ª edición, Tirant lo Blanch, Valencia, 2013, p. 96. [3,7]

LATORRE: *Los administradores de hecho en las sociedades de capital*, Granada, 2003. [2, 5]

- «El concepto de administrador de hecho en el nuevo artículo 133.2 LSA», en *RDM,* nº 253, 2004, pp. 83-900. [2]

LETE: La responsabilidad tributaria de los administradores de las sociedades mercantiles, 2000. [11]

- «Administrador de hecho y apoderado general (comentario a la STS de 8 de febrero de 2008)» en *Rds,* 32, 2009, pp. 389 y ss. [5]

LLANEZA: «La responsabilidad de los administradores en la presentación de las cuentas sociales», en *DN*, nº 48, 1994, pp. 19 y ss. [6]

LLAVERO: «¿Puede exonerarse de responsabilidad civil a los administradores de una sociedad?», *Otrosí. Publicación informativa del Colegio de Abogados de Madrid*, núm. 23, febrero 2001, pp. 12-21 y núm. 24, marzo 2001, pp. 22-31. [12]

LLEBOT: *Los deberes de los administradores de la sociedad anónima*, Madrid, 1996. [1]

- «El sistema de responsabilidad de los administradores», en *RdS*, nº 7, 1996, pp. 49 y ss. [1, 3, 4, 5, 6, 12]

- «La responsabilidad concursal de los administradores», en *RGD*, nº 657, 1999, pp. 7499 y ss. [7]

– "Deberes y responsabilidad de los administradores de los administradores", en ROJO/BELTRÁN: *La responsabilidad de los administradores*, Valencia, 2008, pp. 21 y ss. [10]

LLINÁS: «Cobertura del riesgo de responsabilidad civil de los altos directivos», en AAVV, *Responsabilidades y obligaciones de directivos y administradores*, Barcelona, 1996, pp. 171-189. [12]

LÓPEZ-COBO: *El seguro de responsabilidad civil: fundamentos y modalidades*, Madrid, 1988. [12]

LÓPEZ GETA: «Disolución y liquidación de sociedades: responsabilidad de socios liquidadores y administradores», en *Impuestos*, tomo I, 1990. [11]

LÓPEZ MARTÍNEZ: *La responsabilidad por el contenido del folleto informativo en las ofertas públicas de valores*, Madrid, 2003. [5]

LORENTE: *La responsabilidad legal de administradores y directivos de empresas. Régimen jurídico del personal de alta dirección*, Zaragoza, 1994. [12]

LOZANO: «Responsabilidad del Adquirente de Empresa por Deudas Tributarias anteriores a la Transmisión», en *CJT* nº 11, 1998. [11]

MACHADO: *Pérdida del capital social y responsabilidad de los administradores por las deudas sociales*, Madrid, 1997. [5, 6, 7, 12]

– *El concurso de acreedores culpable*, Cizur Menor, 2006, p. 110. [9]

MAGRO: *Aspectos penales de la nueva Ley concursal,* Madrid, 2004 [8]

MAIRATA: «Responsabilidad de los administradores y situaciones concursales», en AAVV, *Estudios en Homenaje al Profesor Fernando Sánchez Calero*, t. II, Madrid, 2002, pp. 1382 y ss. [7]

MANTERO: «Los administradores de sociedades y su responsabilidad tributaria», *Carta Tributaria* (Monografías), nº 275, 1997. [11]

MASSAGUER, "Comentario al art. 239", en JUSTE MENCÍA (Coord.), *Comentario a la reforma del régimen de las sociedades de capital (sociedades no cotizadas)*, Cizur Menor, 2015 (en prensa) [4]

MARÍN CORREA: «La responsabilidad en el ámbito laboral de los administradores de las sociedades», en AAVV (Dir. BOLAS ALFONSO). *La responsabilidad de los administradores de sociedades de capital*, Madrid, 2000. [10]

MARÍN DE HITA: «Ampliación de la ejecución de sentencia condenatoria de sociedad a las personas de sus socios y administradores. Comentario al Auto AP Badajoz, de 22 de octubre de 1001», en *Aranzadi Social*, nº 18/2001 (WESTLAW). [10]

MARÍN DE LA BÁRCENA: «La acción individual de responsabilidad de los administradores de sociedad anónima frente a socios y terceros», en *RdS*, 13, 1999, pp. 304 y ss. [5]

- «Responsabilidad civil de los administradores de sociedad anónima por incumplimiento de sus deberes en caso de pérdidas. Comentario a la SAP Madrid (Sección 11ª) de 28 enero 2002», en *RdS*, nº 19, 2002, pp. 179 y ss. [6]

- «Deberes y responsabilidad de los administradores ante la insolvencia de las sociedades de capital», *RdS*, 24, 2005, pp. 91 y ss. [7]

- La acción individual de responsabilidad de los administradores de las sociedades de capital (art. 135 LSA), Madrid, 2005. [5 y 13]

- «Responsabilidad por deudas y derecho de daños», *RdS*, nº 31, 2008, pp. 397 y ss.) [5]

- "Opresión de la minoría. STS 1ª de 5 de marzo de 2009 (RJ 2009, 1629)", *RdS* 34/2010, pp. 531 y ss. [5]

- "Naturaleza jurídica de la responsabilidad concursal (Comentario a la STS 1ª de 23 de febrero de 2011", *RDCP,* nº 15, 211, pp. 463 y ss. [5]

- Responsabilidad concursal, ADCo., 28, 2013, págs. 103 y siguientes. [5, 7]

- "Asunción del riesgo y responsabilidad de los administradores", (2015) de próxima publicación en *Cuadernos Civitas de Jurisprudencia Civil*. [5]

MARINA GARCÍA-TUÑÓN, *Régimen jurídico de la contabilidad empresarial*, Valladolid, 1992, pp. 61 y ss. [9]

MARSH, *IV Estudio Marsh sobre el Seguro de Responsabilidad Civil de Consejeros, Directivos y Altos Cargos*, 2011. [12]

MARTÍ LACALLE: *El ejercicio de los derechos de minoría en la sociedad anónima cotizada*, Pamplona, 2003 [4]

MARTÍN FERNÁNDEZ: «Los socios y administradores ante las deudas tributarias de una sociedad: estado de la cuestión», en *CT* nº 79, 1996. [11]

MARTÍN GIL: «Pólizas de altos cargos (D&O)», en *AA*, 13, 1996, pp. II-VIII. [12]

MARTÍN JIMÉNEZ: *El procedimiento de derivación de responsabilidad tributaria*, Valladolid, 2000. [11]

MARTÍN LORENZO/ORTIZ DE URBINA GIMENO: "Delitos contra la seguridad de los trabajadores", en: Pozuelo Pérez (Coord.), *Derecho Penal de la Construcción*, Granada, 2006. [8]

MARTÍNEZ-BUJÁN PÉREZ: *El delito societario de administración desleal*, Valencia, 2001. [8]

MARTÍNEZ FLÓREZ: *Las interdicciones legales del quebrado*, Madrid, 1993. [7]

MARTÍNEZ MACHUCA: «La oposición al acuerdo de transigir o renunciar al ejercicio de la acción social de responsabilidad», en *RDM*, 1997, pp. 1155 y ss. [3, 4]

- «Algunas cuestiones sobre la acción social de responsabilidad», en AAVV *Homenaje en Memoria de Joaquín Lanzas y Luis Selva*, I, Madrid, 1998, pp. 533 y ss. [3, 4]

MARTÍNEZ-PEREDA: «La calificación del concurso», *LL*, nº 6060, 13 de julio de 2004, pp. 1 y ss. [7]

MARTÍNEZ SANZ: *Provisión de vacantes en el Consejo de administración de la sociedad anónima (la cooptación)*, Pamplona, 1994. [2]

MATEOS/MARTÍN JIMÉNEZ: *La derivación de responsabilidad por deudas de Seguridad Social*, Valladolid, 2003. [10]

MÉNDEZ/VILALTA: *Acciones de responsabilidad de los administradores en Sociedades Anónimas y Sociedades Limitadas*, Barcelona, 2001. [3, 4, 5]

MENÉNDEZ MORENO: «La configuración de los obligados tributarios en el Derecho español», en *Temas Pendientes de Derecho Tributario*, Barcelona, 1997. [11]

MENÉNDEZ/BELTRÁN: «Las acciones sin voto», en URÍA/MENÉNDEZ/OLIVENCIA, *Comentario al régimen legal de las sociedades mercantiles*, IV, Madrid, 1994. [4]

MESTRE DELGADO: *La defraudación tributaria por omisión*, Madrid, 1991. [8]

MONER: «Los daños dolosos como causa de exclusión del seguro de responsabilidad civil», en *RGD*, 613/614, 1995, pp. 11311-11321. [12]

MONTEAGUDO: «Comentario a la Sentencia de 29 de abril de 1999. Reclamación de cantidad debida por una Sociedad Anónima. Responsabilidad solidaria del administrador por las obligaciones sociales ex artículo 262.5 LSA de 22 de diciembre de 1999», en *CCJC*, núm. 51, 1999, pp. 1067 y ss. [6]

MORA: «Responsabilidad civil del administrador de la sociedad anónima», en *RGD*, 1993, pp. 12833 y ss. [1]

MORALEJO MENÉNDEZ: El ámbito subjetivo del concurso culpable: concursado, cómplices y personas afectadas por la calificación, en García-Cruces (Dir.), Insolvencia y responsabilidad, Civitas, Madrid, 2012, págs. 65 y siguientes. [7]

MORALES BARCELÓ, *La responsabilidad de los administradores de sociedades mercantiles en situación de pérdidas y de insolvencia,* Valencia, 2013 [5]

MORILLO: «Responsabilidad de los administradores de sociedades en el ámbito de aplicación de los tributos», en *GF*, nº 192, 2000. [11]

MORRAL: «Algunas consideraciones sobre el seguro de responsabilidad civil de los administradores de sociedades mercantiles», en *RES*, 115, 2003, pp. 311-336. [12]

MOYA: *Responsabilidad de los administradores de empresas insolventes*, Madrid 1996. [6]

MUÑOZ CONDE: *Derecho Penal, Parte Especial*, 18ª ed., Valencia, 2010. [8]

MUÑOZ GARCÍA/SACRISTÁN: «La responsabilidad de los administradores y la competencia del orden jurisdiccional de lo social en la jurisprudencia del Tribunal Supremo», en *RdS*, nº 12, 1999, pp. 315 y ss. [10]

MUÑOZ MARTÍN: *Disolución y derecho a la cuota de liquidación en la sociedad anónima*, Valladolid, 1991. [6]

- «Pérdidas y disolución de la Sociedad de responsabilidad limitada», en AAVV, *Estudios de Derecho Mercantil en homenaje al Profesor Justino Duque*, I, Valladolid, 1998, pp. 511-520. [6]

MUÑOZ PAREDES, "La calificación del concurso", en *Tratado judicial de la insolvencia*, pp. 614-615. [9]

MUÑOZ PÉREZ: «Responsabilidad del liquidador de la sociedad anónima», en *RdS*, nº 17, 2001. [6]

- *El proceso de liquidación de la sociedad anónima: la posición jurídica del liquidador*, Pamplona, 2002. [6]

- Presupuestos de responsabilidad de los administradores", en GUERRA (Coord.), *La responsabilidad de los administradores de sociedades de capital*, Madrid 2011, pp. 103 y ss. [5]

MUÑOZ PLANAS/MUÑOZ PAREDES: «Repercusiones del concurso de la sociedad sobre la responsabilidad de los administradores», en *RDM*, 250, 2003, pp. 1341 y ss. [6, 7]

NAVARRO FAURE: «La responsabilidad tributaria de los administradores de las empresas», en *RTT*, nº 52, 2001. [11]

- «Los supuestos de responsabilidad tributaria solidaria en el ordenamiento tributario español (I)», *RDF y HP*, vol. 43, núm. 225-226, 1993, pp. 613-644. [11]

NICOLÁS BERNAD: «Las responsabilidades de los administradores sociales ante la Inspección de Trabajo», en *RdS*, nº 17, 2002. [10]

OCAÑA: *El delito de insolvencia punible del art. 260 CP a la luz del nuevo Derecho Concursal. Aspectos penales y civiles*, Valencia, 2004.[7]

OCHOA: «Análisis del artículo 40 de la Ley General Tributaria», en *Comentarios a la Ley General Tributaria y líneas para su reforma*, Madrid, 1991. [11]

- «La responsabilidad tributaria de los administradores de personas jurídicas», en *GF*, nº 75. [11]

OLMEDO PERALTA, *La responsabilidad contable en el gobierno corporativo de las sociedades de capital*, Madrid 2014. [5]

OLIVENCIA: «El seguro de responsabilidad civil y la protección de la víctima. En particular, en los daños causados por la gran empresa: la acción directa y las excepciones oponibles», en AAVV (Dir. SÁNCHEZ CALERO), *Estudios sobre el aseguramiento de la responsabilidad en la gran empresa*, Madrid, 1994. [12]

ORTELLS: *Las medidas cautelares*, Madrid, 2000. [7]

- *Concurso de acreedores y tutela judicial cautelar (a propósito de la nueva Ley Concursal)*, p. 153. [7]

ORTIZ DE URBINA: "Responsabilidad penal de las personas jurídicas", en: *Memento Práctico Penal Económico y de la Empresa, 2011-2012*, Ed. Francis Lefebvre, Madrid, 2011. [8]

PABLO-ROMERO: «La responsabilidad de los administradores de sociedades por no haber instado el concurso ¿un supuesto asegurable?», en *RdS*, 26, 2006, pp. 311 a 332. [12]

PALAO: «Notas a la Ley 25/1995, de 20 de julio, de modificación parcial de la Ley General Tributaria (III)», en *RCT*, nº 158, 1996. [11]

- «La responsabilidad tributaria de los administradores de las sociedades», en *Impuestos*, nº 23, 1990. [11]

PALOMAR (Coord.): *Comentarios a la legislación concursal,* Madrid, 2003. [7]

PANTALEÓN: «Comentario al art. 1902» en *Comentario al Código Civil*, Ministerio de Justicia, Madrid 1991, II. [5]

- «Causalidad e imputación objetiva: criterios de imputación», en AAVV *Centenario del Código civil*, II, Madrid 1990, pp. 1561 y ss. [5]

PAREDES: «Pérdidas, acuerdo social de disolución, disolución judicial y responsabilidad de los administradores», en *RdS*, nº 13, 1999. [6]

PAU PEDRÓN: *Las limitaciones patrimoniales del concursado,* Madrid, Cuadernos de Derecho Registral, 2004. [7]

PAVELEK: «La sentencia Banesto y el seguro de responsabilidad civil», en *GR*, 70, 2º trimestre 2000, pp. 39-45. [12]

PAZ-ARES: *La responsabilidad del socio colectivo*, Madrid 1993. [5]

- *Director's Duties and Director's Liabilities*, Ciudad de Méjico, 2002. [1]

- «La responsabilidad de los administradores como instrumento de gobierno corporativo», en *RdS*, 2003-1, pp. 67-109 y en *Working paper*, nº 162, octubre 2003, www.indret.com. [1, 4, 12]

- *Responsabilidad de administradores y gobierno corporativo*, Madrid, 2007, p. 63.

- "Anatomía del deber de lealtad (reflexiones a propósito del Anteproyecto de reforma de la LSC", en IBÁÑEZ JIMÉNEZ (Dir.), *Comentarios a la reforma del régimen de la junta general de accionistas en la reforma del buen gobierno de las sociedades*, Cizur Menor, 2014. [4]

PENA LÓPEZ: «Prólogo» a BUSTO LAGO, *La antijuridicidad del daño resarcible en la responsabilidad civil extracontractual*, Madrid 1998, pp. 4 y ss. [5]

PEÑA LÓPEZ: *La culpabilidad en la responsabilidad civil extracontractual*, Granada 2002. [5]

PEÑAS: «De nuevo sobre la responsabilidad de los administradores por no disolución de la sociedad (Sentencia del Tribunal Supremo de 12 de diciembre de 1999)», en *RdS*, 15, 2000. [6]

PERÁN: *La responsabilidad civil y su seguro*, Madrid, 1998. [12]

PERDICES: «Significado actual de los «administradores de hecho»: los que administran de hecho y los que de hecho administran. A propósito de la STS de 24 de septiembre 2001 (RJ 2001, 7489)», en RdS, núm. 18, 2002, pp. 277 y ss. [2,5]

– «La responsabilidad de los administradores por deudas sociales a la luz de la ley concursal», InDret, núm. 3/05. www.indret.com. [6].

PÉREZ CARRILLO: La administración de la sociedad anónima. Obligaciones, responsabilidad y aseguramiento, Madrid, 1999. [12]

– «El deber de diligencia de los administradores de las sociedades», en RdS, 2000, pp. 275 y ss. [1]

– «El seguro de responsabilidad de administradores de sociedades mercantiles», en GUERRA MARTÍN, G. (Coord.), La responsabilidad de los administradores de sociedades de capital, Madrid, 2011, pp. 273 a 330. [12]

PÉREZ CARRILLO/RAMOS: «El seguro de responsabilidad de administradores y altos ejecutivos, D&O, en España y Portugal a la luz de los regímenes de responsabilidad de los administradores», en RdS, 28, 2007, pp. 257 a 293. [12]

PÉREZ DE LA CRUZ: «Reflexiones sobre la calificación del concurso y sus consecuencias en la nueva Ley Concursal», en AAVV, Estudios sobre la Ley Concursal. Libro Homenaje a Manuel Olivencia, V, Madrid, 2005, pp. 4913 y ss. [7]

PÉREZ GARCÍA: La protección aquiliana del derecho de crédito, Madrid, 2005. [5]

PÉREZ ROYO: Los delitos e infracciones en materia tributaria, Madrid, 1986. [11]

PICÓ I JUNOY: «El problema de la acumulación de acciones ante los juzgados de los mercantil. La legalidad versus la lógica: un problema que debe resolverse», LL núm. 6499, miércoles 7 de junio de 2006, p. 1. [5]

POLO SÁNCHEZ: «Los administradores y el consejo de administración», en URÍA/MENÉNDEZ/OLIVENCIA, Comentario al régimen legal de las sociedades mercantiles, VI, Madrid, 1992. [3, 4, 5, 6, 7, 12]

– «Abuso o tiranía. Reflexiones sobre la dialéctica entre mayoría y minoría en la sociedad anónima», en AAVV, Estudios jurídicos en homenaje al profesor Aurelio Menéndez, II, Madrid, 1996, pp. 2270 y ss. [4]

– «Nuevas consideraciones sobre la transacción de la acción social de responsabilidad contra los administradores de las sociedades de capital», en AAVV, Derecho de sociedades. Libro homenaje a Fernando Sánchez Calero, T. II, Madrid, 2002, pp. 1411 y ss. [4]

PORTALE:"Procura generale conferita a sindaco di società per azioni e rilascio di cambiali ipotecarie di favore per altra società del gruppo (un caso clínico)", BBTC 1 (1987), 340 y ss.

PORTELLANO: Deber de fidelidad de los administradores de sociedades mercantiles y oportunidades de negocio, Madrid, 1996. [1]

PRADES CUTILLAS, *La responsabilidad del administrador en las sociedades de capital en la jurisprudencia del TS*, Valencia 2014 [5]

PUIG BRUTAU: «La responsabilidad de los administradores de la sociedad anónima», en *RDP*, 1961, pp. 361 y ss. [3, 4]

PULGAR: «El régimen especial de responsabilidad de los administradores de una SA por incumplimiento de la obligación legal de adaptación estatutaria», en *RdS*, 2, 1994, pp. 208-218. [12]

– «El presupuesto objetivo de apertura del concurso de acreedores», en GARCÍA VILLAVERDE/ALONSO UREBA/PULGAR (dir.): *Derecho concursal. Estudio sistemático de la Ley 22/2003 y de la Ley 8/2003 para la Reforma concursal*, Madrid, 2003, pp. 55 y ss. [5]

PULGAR/ALONSO UREBA/ALONSO LEDESMA/ALCOVER GARAU (dirs.): *Comentarios a la legislación concursal*, Madrid, 2004. [7]

PUYOL: *El régimen de exoneración de responsabilidad civil de los administradores de sociedades anónimas*, Madrid, 2003 (Tesis inédita, pendiente de publicación) [5]

– «La responsabilidad concursal de los administradores», en AAVV, *Gobierno corporativo y Crisis empresariales*, Madrid, 2006, pp. 277 y ss. [7]

QUIJANO: *La responsabilidad de los administradores de la sociedad anónima*, Valladolid, 1985. [2, 3, 4, 5, 6, 12]

– «La responsabilidad civil de los administradores de la sociedad anónima en el texto refundido de 22 de diciembre de 1989», en *Boletín del Ilustre Colegio de Abogados de Valladolid*, nº 4, 1990, pp. 15 y ss. [5]

– «Responsabilidad de los administradores por no disolución de la sociedad (comentario a la Sentencia de la Audiencia Provincial de Burgos de 24 de julio de 1995), en *Rds,* 5 (1995), pp. 265 y ss. [5, 6, 12]

– «Responsabilidad de los Consejeros», en AAVV (Coord. ESTEBAN VELASCO), *El Gobierno de las sociedades cotizadas*, Madrid, 1999, pp. 537-594. [12]

– «La responsabilidad de los administradores por la no disolución de la sociedad y las causas de exoneración», en *RdS*, núm. 19, 2002, pp. 73-87. [6]

– "Comentario artículo 238", en Rojo y Beltrán, *Comentario de la Ley de Sociedades de Capital*, Tomo II, Civitas, Madrid, 2011, p. 1709 [7]

– "La responsabilidad societaria en el seno del concurso: marco de relaciones con la responsabilidad concursal", en GUERRA MARTÍN, G. (Coord.), *La responsabilidad de los administradores de sociedades de capital*, Madrid, 2011, pp. 391 y ss. [4, 5]

– "La acción social de responsabilidad contra los administradores: el acuerdo y legitimación para ejercitarla", en *RDM, 2013, pág. 437 ss.* [4]

– "La responsabilidad concursal tras la Ley 38/2011 de reforma de la Ley concursal", *Revista de derecho concursal y paraconcursal*, nº. 18, 2013 , pp. 51 y ss. [5]

– «Coordinación de acciones societarias (social, individual y por deudas) y concursales de responsabilidad», *RDCP*, 22, 2015, pp. 43 y ss. [3]

RAMÍREZ: *Derecho concursal español. La quiebra,* Barcelona, 1959 (2ª ed., 1997). [7]

RECAMAN, "La responsabilidad de los administradores en relación con la determinación del tipo de canje en la fusión", *RdS* 39, 2012-2, pp.107 y ss. [5]

REGLERO: «Objeto, riesgo y siniestro en el seguro de responsabilidad civil (reflexiones en torno a las llamadas cláusulas claim made)», en *Inuria*, I, 1994, pp. 18 y ss. [12]

RODRÍGUEZ ARTIGAS: *Consejeros Delegados, Comisiones ejecutivas y Consejos de Administración*, Madrid, 1978. [5, 10]

– «Notas sobre el régimen jurídico del director general de la SA», en *Estudios jurídicos en homenaje a Joaquín Garrigues*, vol. III, Madrid, 1971, pp. 113 y ss. [2]

– «El deber de diligencia», en AAVV (ESTEBAN VELASCO, Dir.) *El gobierno de las sociedades cotizadas*, Madrid, 1999, pp. 419 y ss. [1]

RODRÍGUEZ ARTIGAS/MARTÍN DE LA BÁRCENA; «Algunas cuestiones sobre la responsabilidad de los administradores de Sociedad Anónima por no promoción de la disolución en caso de pérdidas (art. 262.5 LSA) STS Sala 1ª de 16 de diciembre de 2004» *RdS* 24/05, pp. 314 y ss. [6]

– «La acción social de responsabilidad», en *La responsabilidad de los administradores de sociedades de capital* (Coord. G. Guerra Martín), Madrid, 2011, pp. 151-194 [3, 4, 5]

RODRÍGUEZ ARTIGAS/QUIJANO: «Los órganos de la sociedad anónima: Junta general y administradores», en AAVV (QUINTANA, Dir.) *El nuevo Derecho de sociedades de capital*, Zaragoza, 1989, pp. 121 y ss. [3, 4]

RODRÍGUEZ BERMÚDEZ: «Responsabilidad fiscal de los administradores y liquidadores en las sociedades anónimas y de responsabilidad limitada», en *CT*, nº 21. [11]

RODRÍGUEZ FERNÁNDEZ: «Administradores de personas jurídicas: ilícitos tributarios y responsabilidad tributaria, en *RCT*, nº 219, 2001. [11]

RODRÍGUEZ RUIZ DE VILLA: «El artículo 262.5 de la Ley de Sociedades Anónimas: Sobre el plazo de dos meses y los efectos del convenio concursal (Comentario de la Sentencia del Tribunal Supremo 1ª de 23 de febrero de 2004)», en *ADCo,* 2, 2004, pp. 83-117. [6]

RODRÍGUEZ RUIZ DE VILLA/HUERTA: *La responsabilidad de los administradores de las sociedades de capital por no disolución y no adaptación*, 4ª ed. Pamplona, 1998. [2, 5, 6, 10, 11 y 13]

– «Más responsabilidad de los administradores en el Anteproyecto de Ley Concursal de 2001», en *DN*, 13 (139), abril, 2002, pp. 1-17. [7]

ROJO: «Disolución y liquidación de la sociedad de responsabilidad limitada», en *RCDI*, 1993, pp. 1487-1512. [6]

- «Los deberes legales de los administradores en orden a la disolución de la sociedad de capital como consecuencia de pérdidas», en AAVV: *Libro homenaje a Fernando Sánchez Calero*, vol. II, Madrid, 2002, pp. 1347 y ss. [2, 5, 6, 7]

- *Lecciones de Derecho mercantil*, I, 9ª. Ed., Cizur Menor, 2011, pp. 165-166. [9]

ROJO/BELTRÁN (Dirs.): *Comentario de la Ley Concursal,* Madrid, 2004

- *El Derecho concursal*, Cizur Menor, 2012, p. 65 [9]

RONCERO: *El seguro de responsabilidad civil de administradores de una sociedad anónima (Sujetos, interés y riesgo)*, Pamplona, 2002. [12]

- "La acción individual de responsabilidad", en GUERRA (Coord.), *La responsabilidad de los administradores de sociedades de capital*, Madrid 2011, pp. 195 y ss. [5]

RUBIO: *Curso de Derecho de sociedades anónimas*, Madrid, 1964. [3, 5]

RUIZ MUÑOZ: «Naturaleza jurídica de la responsabilidad de los administradores del art. 262.5 LSA (art. 105.5 LSRL): análisis contractual-representativo», en *RDM*, nº 244, 2002, pp. 469 y ss. [6]

- «Administradores y deudas sociales: Derecho de sociedad *versus* Derecho concursal», *DN*, 194, noviembre 2006. [6]

RUIZ SÁNCHEZ: «La responsabilidad de los administradores de las compañías de seguros. Ley 26/1988», en *RES*, nº 58, 1989, pp. 7 y ss. [12]

SACRISTÁN: «La naturaleza de la responsabilidad de los administradores por no promoción de la disolución (Sentencia de la Audiencia Provincial de Zaragoza de 8 de julio de 1995), en *RdS*, nº 6, 1996, pp. 268 y ss. [5, 6, 12]

SAGASTI: *El régimen jurídico de las acciones sin voto en el Derecho español y comparado de sociedades y de valores*, Madrid, 1967. [4]

SALA REIXACHS/MERCADAL/ALONSO-CUEVILLAS: *Nueva Ley Concursal,* Barcelona, 2004. [7]

SALDAÑA VILLOLDO, Benjamín, *La acción individual de responsabilidad,* Tirant lo Blanch, Valencia 2009 [5]

- "La acción individual de responsabilidad en el marco de la crisis disolutoria y concursal de la sociedad de capital. Especial referencia al cierre de hecho", *RDM,* 274, 2009 pp. 1329 y ss. [5]

SALELLES: *El funcionamiento del Consejo de Administración*, Madrid, 1995. [10]

SÁNCHEZ ÁLVAREZ: «Responsabilidad de los administradores y registro mercantil (sentencias de la Audiencia Provincial de Barcelona de 5 de octubre de 1995 y 12 de diciembre de 1995)», en *RdS*, nº 7, 1996, pp. 316 y ss. [2, 12]

- «Grupos de sociedades y responsabilidad de los administradores», en *RDM*, núm. 227, 1998, pp. 117 y ss. [2, 12]

– «El Código Olivencia y la responsabilidad de los miembros del Consejo de Administración», en *RdS*, nº 11, 1999, pp. 133 y ss. [1]

SÁNCHEZ CALERO: «Supuestos de responsabilidad de los administradores en la Sociedad Anónima», en AAVV, *Estudios Homenaje al Profesor José Girón Tena*, Madrid, 1991. [3, 5]

– «Administradores», en SÁNCHEZ CALERO (Dir.), *Comentarios a la ley de sociedades anónimas*, Madrid, 1994. [2, 3, 4, 5, 6, 12]

– «Sobre la imperatividad de la Ley de contrato de seguro», en AAVV, *Estudios en homenaje a Aurelio Menéndez*, III, Madrid, 1996. [10]

– «La delimitación temporal del riesgo en el seguro de responsabilidad civil tras la modificación del art. 73 de la Ley de Contrato de Seguro», en *RES*, nº 89, 1997, pp. 7-43. [12]

– «El seguro de responsabilidad civil para administradores, directores y gerentes de sociedades mercantiles», en *RES*, nº 107, 2001, pp. 393-419. [12]

– *Instituciones de Derecho Mercantil*, I, 28ª ed. Madrid, 2005. [3]

– *Los administradores en las sociedades de capital*, 2ª ed., Pamplona, 2007. [3, 5, 7]

SÁNCHEZ CALERO: «La competencia entre la sociedad y sus directivos», en *RdS*, 2002, pp. 21 y ss. [1]

– «La acción social de responsabilidad (Algunas cuestiones pendientes)», *RDM*, 281, 2011, pp. 95-123 [3]

SÁNCHEZ-CALERO / GUILARTE (dirs.): *Comentarios a la legislación concursal,* Madrid, 2004. [7]

SÁNCHEZ-CALERO GUILARTE, «La acción social de responsabilidad (Algunas cuestiones pendientes)», pp. 114 y ss. [3]

SÁNCHEZ GALIANA: «El responsable», en *Comentarios a la Ley General Tributaria y líneas para su reforma*, I, Madrid, 1991. [11]

SÁNCHEZ-PARODI: «Consideraciones en torno a la responsabilidad civil de los liquidadores de la Sociedad Anónima», en *Poder Judicial*, nº 30, junio 1993, pp. 99 y ss. [6, 7]

– «Comentario al artículo 135 de la LSA», en SÁNCHEZ CALERO (Dir.), *Comentarios a la Ley de Sociedades Anónimas*, t. IV, Madrid, 1994, pp. 325 y ss. [5]

SÁNCHEZ-VERA: "Delito fiscal: Prescripción y determinación del hecho", *Actualidad Penal*, vol. 10, La Ley, 2002. [8]

SANCHO: «La calificación del concurso», en AAVV, *Las claves de la Ley Concursal*, dir. por QUINTANA, BONET y GARCÍA-CRUCES, Pamplona, 2005, pp. 545 y ss. [7, 9]

SANTOS BRIZ: *La responsabilidad civil*, Madrid, 1993. [5, 12]

SANZ ENCINAR: «El concepto jurídico de responsabilidad en la Teoría General del Derecho», en *La responsabilidad en el Derecho. Anuario de la Facultad de Derecho de la Universidad Autónoma de Madrid*, nº 4, 2000. [11]

SEQUEIRA: «La eficacia de las causas de disolución en la sociedad anónima según la Ley de reforma parcial y adaptación de la legislación mercantil a las Directivas de la Comunidad Económica Europea en materia de sociedad y su regulación en el Texto Refundido de la Ley de Sociedades Anónimas», en AAVV, *Estudios en Homenajea al Profesor Girón Tena*, Madrid, 1991. [6]

SERRANO GARCÍA: «La responsabilidad de los administradores sociales en los grupos de empresas. Orden jurisdiccional competente. (Comentario a la STS 4ª de 9 de julio de 2001)», en *Relaciones Laborales*, nº 9/2002 (www.laleylaboral.com). [10]

SILVA SÁNCHEZ: «La reforma del Código penal: una aproximación desde el contexto», en: *Diario La Ley*, nº 7646, 9 de septiembre de 2010. [8]

SIMÓN: «Obligados tributarios», en AAVV, *Cuestiones tributarias prácticas*, 2ª ed., Madrid. [11]

– "Responsabilidad tributaria de administradores tras su cese en el cargo", Actualidad Jurídica Aranzadi núm. 288/2014, pág. 3. (http://dialnet.unirioja.es/servlet/articulo?-codigo=4863054) [11]

SORTAIS: *Les contours de l'action en comblement de l'inssufisance d'actif*, pp. 321 y ss. [7]

SOTO NIETO: «El seguro de responsabilidad civil y la jurisprudencia del Tribunal Supremo», en *LL*, 3188, 1992, pp. 1 y ss. [10]

– «Delimitación temporal de la cobertura del seguro de responsabilidad civil y la validez de las cláusulas limitativas. Alcance de la doctrina del Tribunal Supremo», en *Inuria*, 1, 1994, pp. 59 y ss. [12]

– «El seguro de responsabilidad civil general y el dolo. Solución a un tema conflictivo», en *RES*, 92, 1997, pp. 19-50. [12]

SUÁREZ LLANOS: «Responsabilidad de los administradores de la Sociedad Anónima (disciplina de la acción social)», en *ADC*, 1962, pp. 973 y ss. [3, 4, 5, 7]

– «Responsabilidad de los administradores en la sociedad anónima», en *ADC*, 1992, pp. 920 y ss. [4, 6, 12]

– «La responsabilidad por deudas de los administradores de sociedad anónima», en *Estudios jurídicos en homenaje al profesor Aurelio Menéndez*, Madrid, 1996, II, pp. 2481 y ss. [5, 6]

TAPIA HERMIDA: «Tendencia expansiva de la noción de personal de alta dirección en el ámbito de la economía financiera (el managerialismo financiero)», en *RDBB*, 80, 2000, pp. 299-302. [12]

– «Aspectos polémicos del seguro de responsabilidad civil. Reflexiones sobre la jurisprudencia reciente», en *RDM*, 233, 1999, pp. 977-1050. [12]

TIRADO: *Los administradores concursales*, Madrid, 2005. [5 y 6].

TORRALBA: «La responsabilidad por los auxiliares en el cumplimiento de las obligaciones», en *ADC*, 1971. [10]

TUSQUETS TRÍAS DE BES: *La remuneración de los administradores de las sociedades mercantiles de capital,* 1ª ed., Madrid, 1998 [12]

TRUJILLO: *Efectos del concurso sobre el contrato de cuenta corriente,* Barcelona, 2003. [7]

ÚBEDA: «La acción de responsabilidad individual contra administradores de sociedad instada por acreedores en los supuestos de disolución efectuada sin sometimiento a los requisitos legales», en AAVV *Cuadernos de Derecho judicial. Derecho de sociedades* (Consejo General del Poder Judicial), Madrid 1993, pp. 353 y ss. [5]

URÍA: *Derecho Mercantil,* 21ª ed., Madrid, 1994. [5]

URÍA/MENÉNDEZ (Dir.): *Curso de Derecho Mercantil,* vols. I y II, Madrid, 1999, 2001. [3]

URÍA/MENÉNDEZ/BELTRÁN: «Disolución y liquidación de la sociedad anónima» en *Comentario al régimen legal de las sociedades mercantiles* (dirigido por URÍA, MENÉNDEZ y OLIVENCIA), XI, Madrid, 1992. [6]

–   «Disolución y liquidación de la sociedad de responsabilidad limitada» en Comentario al régimen legal de las sociedades mercantiles (dirigido por URÍA, MENÉNDEZ y OLIVENCIA), XIV, Madrid, 1998. [6]

VEGA PÉREZ: «Protección de los acreedores en las sociedades de capital frente a los administradores», en AAVV *Libro Homenaje al Profesor Fernando Sánchez Calero,* Madrid, 2002. [1]

VÉLEZ: «El límite a la responsabilidad de los administradores de las empresas», en *LL,* 1999, pp. 2061-2064. [12]

VENTURA PÜSCHEL: «Corrupción entre particulares», en: Álvarez García/González Cussac, *Comentarios a la Reforma Penal de 2010,* Valencia, 2010. [8]

VERDÚ: *La responsabilidad civil del administrador de sociedad de capital en el concurso de acreedores,* Madrid, 2008 [5 y 7]

VEROUGSTRAETE: *L'action en comblement du passif,* pp. 425 y ss. [7]

VICENT CHULIÁ: *Compendio Crítico de Derecho mercantil.* Madrid, 1991. [3, 4, 5]

–   «Responsabilidad de los administradores en sociedades no operativas», en *DN,* 28 (1993), pp. 1 y ss. [6]

–   «Medidas de prevención y aseguramiento de la responsabilidad de los administradores sociales», en AAVV *Responsabilidad civil derivada de los procesos concursales,* en *CDJ,* V, Madrid, 1999, pp. 351 y ss. [12]

–   «Variaciones mercantiles sobre responsabilidad de administradores y auditores en vísperas de la unificación concursal», en *RdPat,* nº 9, 2002, pp. 23 a 48. [7]

–   «La responsabilidad de los administradores en el concurso», en *RDCP,* 4, 2006, pp. 15 y ss. [6 y 7]

VILALTA/MÉNDEZ: *Acciones de responsabilidad de los administradores en sociedades anónimas y sociedades limitadas*, Barcelona, 2002. [3, 4, 5, 6]

VIÑUELAS, «El problema de la naturaleza de la condena a la cobertura del déficit patrimonial», *ADCo*, 4, 2005, pp. 265 y ss. [7].

YZQUIERDO: *Responsabilidad civil. Contractual y extracontractual*, Madrid, 1993. [10]

– *Sistema de responsabilidad civil contractual y extracontractual*, Madrid 2001. [5]

– "Responsabilidad extracontractual" *Enciclopedia de Derecho Concursal*, T. II, 2012, pp. 2659 y ss. [5]

XIOL RÍOS: «La imputación objetiva en la jurisprudencia reciente del Tribunal Supremo», Práctica, derecho, daños: *Revista de Responsabilidad Civil y Seguros*, nº 84, 2010, pp. 6 y ss. [5]

ZORNOZA: El sistema de infracciones y sanciones tributarias (Los principios constitucionales del Derecho sancionador), Madrid, 1992. [11].

ZUBIRI DE SALINAS: Los efectos patrimoniales de la calificación culpable del concurso, en García-Cruces (Dir.), Insolvencia y responsabilidad, Civitas, Madrid, 2012, págs. 189 y sigs. [7].

III. ÍNDICE JURISPRUDENCIAL

Sentencias Tribunal Constitucional

17 febrero 1984 [10]
19 diciembre 1991 [8, 11]
10 febrero 1992 [10]
29 abril 1993 [10]
20 julio 1993 [8]
12 mayo 1994 [11]

16 enero 2003 [8]
30 junio 2003 [8]
10 mayo 2005 [8]
20 diciembre 2005 [8]
27 octubre 2008 [8]
21 diciembre 2010 [11]

Sentencias del Tribunal Supremo

18 febrero 1911 [9]
21 abril 1930 [9]
30 abril 1954 [1]
25 junio 1959 [1]
3 febrero 1962 [1]
26 mayo 1965 [1]
31 enero 1969 [3]
16 abril 1970 [3]
8 octubre 1974 [9]
22 octubre 1974 [2]
20 mayo 1975 [9]
15 octubre 1976 [5]
5 enero 1977 [5]
3 marzo 1977 [2]
25 mayo 1979 [1]
6 mayo 1983 [10]
12 julio 1984 [1, 5]
24 abril 1985 [3]
21 mayo 1985 [3, 5]
10 diciembre 1985 [9]
13 octubre 1986 [1]
25 mayo 1987 [5]
7 octubre 1987 [3]
30 septiembre 1988 [3]
12 diciembre 1988 [5]
5 julio 1989 [9]
3 abril 1990 [1, 5]
18 abril 1990 [9]
8 mayo 1990 [1]
19 julio 1990 [1]
4 diciembre 1990 [11]
30 abril 1991 [9]
11 mayo 1991 [1]
16 mayo 1991 [11]

11 octubre 1991 [3, 5, 7]
4 noviembre 1991 [3, 5]
11 noviembre 1991 [5]
5 diciembre 1991 [1, 5]
26 diciembre 1991 [1, 5, 11]
5 febrero 1992 [1]
20 mayo 1992 [8]
21 mayo 1992 [3, 5, 7, 13]
16 junio 1992 [1]
22 junio 1992 [5]
16 diciembre 1992 [11]
26 febrero 1993 [1, 3, 4. 5, 7]
14 junio 1993 [2, 11]
30 septiembre 1993 [11]
1 diciembre 1993 [1, 3, 5]
22 diciembre 1993 [11]
10 marzo 1994 [5]
22 abril 1994 [1, 11]
29 julio 1994 [1, 5]
12 junio 1995 [5]
22 junio 1995 [5, 13]
28 febrero 1996 [5]
11 marzo 1996 [5]
14 mayo 1996 [5, 10]
1 julio 1996 [11]
25 septiembre 1996 [5, 10]
1 octubre 1996 [1]
10 diciembre 1996 [5]
14 diciembre 1996 [11]
17 diciembre 1996 [11]
15 enero 1997 [10]
28 febrero 1997 [10]
15 julio 1997 [6]
27 octubre 1997 [2]

28 octubre 1997 [10]
28 octubre 1997 [8]
6 noviembre 1997 [5]
16 noviembre 1997 [5]
21 noviembre 1997 [8]
30 diciembre 1997 [1, 3]
31 diciembre 1997 [10]
12 febrero 1998 [11]
26 febrero 1998 [8]
20 marzo 1998 [5]
23 marzo 1998 [2, 7]
3 abril 1998 [6]
13 abril 1998 [10]
21 abril 1998 [10]
7 mayo 1998 [5]
18 mayo 1998 [5]
26 mayo 1998 [2, 5 y 7]
2 julio 1998 [5]
3 julio 1998 [5]
21 julio 1998 [10]
29 julio 1998 [5]
5 octubre 1998 [5]
30 enero 1999 [11]
4 febrero 1999 [5, 6]
31 marzo 1999 [10]
29 abril 1999 [4, 5, 6, 7, 13]
10 mayo 1999 [2, 5, 6]
18 mayo 1999 [1]
7 junio 1999 [2, 3, 5 y 7]
2 julio 1999 [5, 6, 13]
9 julio 1999 [5]
20 septiembre 1999 [10]
21 septiembre 1999 [5, 6]
27 septiembre 1999 [11]
2 octubre 1999 [5]
30 octubre 1999 [5]
9 noviembre 1999 [10]
12 noviembre 1999 [6]
21 noviembre 1999 [5]
15 diciembre 1999 [5]
22 diciembre 1999 [5, 6]
17 enero 2000 [10]
18 enero 2000 [5]
16 febrero 2000 [5]
18 febrero 2000 [5]
29 marzo 2000 [3]
7 abril 2000 [5]
11 abril 2000 [5]
12 abril 2000 [10]
13 abril 2000 [2, 6]

9 junio 2000 [10]
28 junio 2000 [5, 6]
28 julio 2000 [5]
29 septiembre 2000 [8]
6 octubre 2000 [5]
30 octubre 2000 [6, 11,13]
31 octubre 2000 (Civil) [5]
30 noviembre 2000 [3, 4]
20 diciembre 2000 [5, 10]
29 diciembre 2000 [4, 5, 6]
30 diciembre 2000 [5, 6]
30 enero 2001 [1, 4, 5, 6]
31 enero 2001 [5, 13]
1 marzo 2001 [6, 13]
30 marzo 2001 [5]
12 abril 2001 [8]
19 abril 2001 [3, 5, 7]
8 mayo 2001 [5]
31 mayo 2001 [6]
11 junio 2001 [5]
26 junio 2001 [8]
20 julio 2001 [5, 6, 7, 13]
20 julio 2001 [5, 6,]
30 julio 2001 [2 y 5]
24 septiembre 2001 [5, 2]
30 octubre 2001 [5]
19 noviembre 2001 [5]
30 noviembre 2001 [7, 13]
29 diciembre 2001 [5]
29 enero 2002 [8]
15 febrero 2002 [8]
25 febrero 2002 [5. 7]
15 marzo 2002 [6]
2 abril 2002 [5, 13]
25 abril 2002 [5]
8 mayo 2002 [10]
4 junio 2002 [8]
13 junio 2002 [8]
18 junio 2002 [10]
29 junio 2002 [12]
1 julio 2002 [7]
7 julio 2002 [7]
16 julio 2002 [6]
18 julio 2002 [5]
29 julio 2002 [8, 12]
22 octubre 2002 [8]
24 octubre 2002 [6]
25 octubre 2002 [5]
28 octubre 2002 [5]
9 noviembre 2002 [5]

9 marzo 2006 [5, 6]
9 marzo 2006 [6, 10]
22 marzo 2006 [5, 6, 7]
23 marzo 2006 [5, 6]
3 abril 2006 [6]
6 abril 2006 [5, 6]
28 abril 2006 [5, 6, 10, 13]
28 abril 2006 [5, 6]
19 mayo 2006 [5, 13]
23 mayo 2006 [5, 6]
26 mayo 2006 [5, 6]
20 junio 2006 [8]
23 junio 2006 [5, 6, 10]
26 junio 2006 [5, 10, 13]
27 junio 2006 [13]
17 julio 2006 [8]
24 julio 2006 [8]
28 septiembre 2006 [5, 6]
5 octubre 2006 [6]
6 octubre 2006 [8]
9 octubre 2006 [5, 6]
27 octubre 2006 [10]
22 noviembre 2006 [6]
28 noviembre 2006 [5, 6, 10, 13]
28 noviembre 2006 [8]
30 noviembre 2006 [13]
26 enero 2007 [2]
30 enero 2007 [11]
31 enero 2007 [5, 6]
7 febrero 2007 [6, 13]
13 febrero 2007 [5, 10, 13]
20 febrero 2007 [6]
21 febrero 2007 [6]
21 febrero 2007 [4, 5, 6]
8 marzo 2007 [5, 6]
8 marzo 2007 [6]
12 marzo 2007 [5, 6]
14 marzo 2007 [5, 6, 7, 10, 11, 13]
22 marzo 2007 [6, 10]
22 marzo 2007 [8]
7 mayo 2007 [2, 5, 6]
14 mayo 2007 [11]
4 junio 2007 [8]
14 junio 2007 [11]
4 julio 2007 [6, 13]
15 julio 2007 [10]
16 julio 2007 [6]
27 julio 2007 [5]
19 septiembre 2007 [6]
25 septiembre 2007 [6]

26 septiembre 2007 [5, 6, 7, 11]
28 septiembre 2007 [7]
29 septiembre 2007 [7]
23 octubre 2007 [13]
26 octubre 2007 [5, 11, 13]
5 diciembre 2007 [5]
21 diciembre 2007 [11]
8 febrero 2008 [2, 5, 7, 10]
29 febrero 2008 [13]
14 marzo 2008 [5, y 6]
24 marzo 2008 [6]
25 marzo 2008 [6, 13]
30 abril 2008 [6]
14 mayo 2008 [5, 6, 13]
26 mayo 2008 [5]
29 mayo 2008 [8]
30 mayo 2008 [5, 6]
24 junio 2008 [6]
27 junio 2008 [6]
3 julio 2008 [5]
10 julio 2008 [5, 6, 10]
11 julio 2008 [5, 6, 10]
23 julio 2008 [6]
29 julio 2008 [5]
4 septiembre 2008 [13]
15 septiembre 2008 [8]
22 septiembre 2008 [11]
3 octubre 2008 [5]
9 octubre 2008 [5]
14 octubre 2008 [5]
21 octubre 2008 [13]
23 octubre 2008 [5, 6]
11 noviembre 2008 [5, 13]
20 noviembre 2008 [5, 6, 10]
27 noviembre 2008 [5, 6, 7, 11]
1 diciembre 2008 [5, 6]
2 diciembre 2008 [5, 6]
4 diciembre 2008 [5, 13]
10 diciembre 2008 [5]
10 diciembre 2008 [11]
31 diciembre 2008 [8]
23 enero 2009 [5]
26 enero 2009 [8]
12 febrero 2009 [5, 6, 13]
18 febrero 2009 [11]
2 marzo 2009 [5]
14 marzo 2009 [5]
1 abril 2009 [5]
14 abril 2009 [2, 5, 6, 10,11]
14 mayo 2009 [5]

Autos del Tribunal Supremo

8 marzo 1996 [10] | 11 enero 1999 [10]

Sentencias Audiencia Nacional

19 abril 1994 [11]   8 octubre 2001 [11]
8 octubre 1998 [11]   9 diciembre 2002 [11]
21 febrero 2000 [11]   22 octubre 2003 [11]
31 marzo 2000 [12]   6 octubre 2003 [11]
25 enero 2001 [11]   13 junio 2005 [11]
6 febrero 2001 [11]   21 mayo 2007 [11]
8 febrero 2001 [11]   28 abril 2008 [11]
12 junio 2001 [11]   26 abril 2010 [11]
25 junio 2001 [11]   20 enero 2014 [11]
27 agosto 2001 [11]   27 enero 2014 [11]
17 septiembre 2001 [11]   20 febrero 2014 [11]
18 septiembre 2001 [11]   27 octubre 2014 [11]

Autos de la Audiencia Nacional

19 de mayo 2014 [11] |

Sentencias Audiencia Provincial

Madrid 8 noviembre 1993 [2]   Vizcaya 11 junio 1998 [4]
Oviedo 15 febrero 1994 [2]   Baleares 14 julio 1998 [2]
Ciudad Real 8 junio 1994 [13]   Valencia 27 septiembre 1998 [2]
Toledo 12 diciembre 1994 [3]   Málaga 10 octubre 1998 [3]
Navarra 15 febrero 1995 [4]   Zaragoza 20 octubre 1998 [6]
Barcelona 5 octubre 1995 [2]   Granada 19 diciembre 1998 [3]
Barcelona 12 diciembre 1995 [2]   Teruel 22 diciembre 1998 [2]
Zaragoza 16 febrero 1996 [6]   Toledo 26 enero 1999 [2]
Álava 23 septiembre 1996 [13]   Madrid 12 abril 1999 [3]
Baleares 10 diciembre 1996 [2]   Valladolid 15 mayo 1999 [13]
Córdoba 22 enero 1997 [1]   Madrid 6 julio 1999 [3]
Barcelona 7 enero 1997 [5]   Islas Baleares 27 julio 1999 [2]
Barcelona 7 febrero 1997 [3]   Valencia 27 septiembre 1999 [2]
Jaén 10 marzo 1997 [5]   Palencia 18 noviembre 1999 [2]
Barcelona 30 abril 1997 [2, 13]   La Coruña 17 enero 2000 [2]
Asturias 21 mayo 1997 [2]   Álava 14 febrero 2000 [3, 4]
Pontevedra 23 mayo 1997 [3]   Tarragona 25 febrero 2000 [13]
Toledo 14 julio 1997 [2]   Barcelona 14 marzo 2000 [3]
Baleares 27 noviembre 1997 [2]   Teruel 10 abril 2000 [3]
Madrid 22 abril 1998 [3]   Zaragoza 11 abril 2000 [6]
Toledo 27 abril 1998 [2]   Baleares 13 abril 2000 [2]
Vizcaya 21 mayo 1998 [13]   Baleares 24 mayo 2000 [2]

Madrid 21 julio 2009 [7]
Valladolid 22 julio 2009 [7]
Valladolid 27 julio 2009 [7]
Madrid 31 julio 2009 [2]
Barcelona 14 septiembre 2009 [7]
Alicante 23 septiembre 2009 [9]
Vizcaya 6 octubre 2009 [7]
León 13 octubre 2009 [7]
Barcelona 30 octubre 2009 [7]
Baleares 9 noviembre 2009 [7]
Burgos 11 noviembre 2009 [12]
Asturias 13 noviembre 2009 [7]
Madrid 27 noviembre 2009 [2]
Madrid 1 diciembre 2009 [2]
Madrid 4 diciembre 2009 [9]
Baleares 10 diciembre 2009 [7]
Valladolid 15 diciembre 2009 [7]
Pontevedra 17 diciembre 2009 [2]
Lleida 4 enero 2010 [7]
Pontevedra 8 enero 2010 [7]
Barcelona 11 enero 2010 [7]
Córdoba 15 enero 2010 [7]
Madrid 15 enero 2010 [9]
Sevilla 25 enero 2010 [12]
Barcelona 28 enero 2010 [7]
Murcia 28 enero 2010 [2]
Málaga 9 febrero 2010 [7]
Madrid 16 abril 2010 [2]
Baleares 21 abril 2010 [7, 9]
Cáceres 29 abril 2010 [7]
Alicante 18 junio 2010 [9]
Vizcaya 20 julio 2010 [7]
Vizcaya 16 septiembre 2010 [3]
Madrid 17 septiembre 2010 [7]
Granada 20 septiembre 2010 [7]
León 20 septiembre 2010 [7]
Zaragoza 18 octubre 2010 [7]
Alicante 27 octubre 2010 [7]
Barcelona 3 noviembre 2010 [7]
León 17 noviembre 2010 [7]
Madrid 18 noviembre 2010 [7]
Pontevedra 22 diciembre 2010 [9]
Pontevedra 25 enero 2011 [7]

Baleares 16 febrero 2011 [7]
Burgos 25 marzo 2011 [9]
Zaragoza 6 mayo 2011 [7]
La Rioja 7 mayo 2011 [2]
Pontevedra 25 mayo 2011 [9]
Madrid 20 mayo 2011 [9]
León 20 junio 2011 [9]
Pontevedra 23 junio 2011 [9]
Alicante 30 junio 2011 [9]
Zaragoza 13 julio 2011 [9]
Zaragoza 15 julio 2011 [9]
León 29 julio 2011 [9]
Madrid 16 septiembre 2011 [9]
Madrid 23 septiembre 2011 [9]
Pontevedra 26 septiembre 2011 [9]
La Coruña 26 octubre 2011 [9]
Alicante 3 noviembre 2011 [9]
Valladolid 21 noviembre 2011 [9]
Valladolid 10 enero 2012 [7]
Barcelona 20 enero 2012 [7]
Vizcaya 20 enero 2012 [1]
Barcelona 23 abril 2012 [7]
Zaragoza 17 mayo 2012 [7]
Albacete 21 julio 2012 [7]
Madrid 5 diciembre 2012 [4]
La Coruña 14 diciembre 2012 [7]
Cantabria 21 febrero 2013 [2]
Salamanca 3 junio 2013 [3]
Vizcaya 17 septiembre 2013 [2]
Alicante 23 octubre 2013 [7]
Madrid 10 diciembre 2013 [11]
Castellón 12 diciembre 2013 [5]
Barcelona 2 enero 2014 [5]
Barcelona 13 febrero 2014 [5]
Vizcaya 31 marzo 2014 [10]
Palma de Mallorca 5 mayo 2014 [3]
Barcelona 7 mayo 2014 [3]
Madrid 9 mayo 2014 [5]
La Coruña 27 junio 2014 [3]
Madrid 7 julio 2014 [3]
Asturias 30 septiembre 2014 [11]
Barcelona 9 enero 2015 [2]
Barcelona 12 febrero 2015 [13]

Autos Audiencia Provincial

Girona 31 julio 1999 [10]
Madrid, 24 junio 2005 [5]
Alicante 18 octubre 2005 [5]

Barcelona 6 febrero 2006 [7, 9]
Asturias 29 diciembre 2006 [13]
Baleares 10 abril 2007 [7]

Sentencias Tribunal Superior de Justicia

Comunidad Valenciana 8 noviembre 2001 [11]
Cataluña 4 octubre 2002 [10]
Cataluña 21 octubre 2002 [10]
Comunidad Valenciana 26 octubre 2002 [10]
Andalucía (Sevilla) 20 diciembre 2002 [10]
Castilla León (Burgos) 13 enero 2003 [11]
Madrid 28 enero 2003 [10]
Andalucía (Sevilla) 6 febrero 2003 [11]
Comunidad Valenciana 6 febrero 2003 [10]
Comunidad Valenciana 4 julio 2003 [10]
Andalucía (Granada) 2 diciembre 2003 [10]
Madrid 16 diciembre 2003 [10]

Valencia 20 mayo 2004 [10]
Murcia 30 diciembre 2005 [10]
Castilla y León 27 julio 2006 [10]
Andalucía (CA) 30 noviembre 2006 [10]
Madrid 29 enero 2007 [10]
Madrid 26 marzo 2007 [10]
Castilla-La Mancha de 28 mayo 2007 [10]
Madrid 24 noviembre 2008 [11]
Cantabria 25 mayo 2009 [11]
Madrid 11 febrero 2010 [11]
Cataluña 10 marzo 2010 [10]
Madrid 28 abril 2010 [11]
Cataluña 14 julio 2011 [10]

Sentencias Juzgado de Primera Instancia

Madrid 27 julio 1999 [3]

Sentencias Juzgado de lo Mercantil

La Coruña 20 junio 2006 [9]
Madrid 16 diciembre 2006 [7]
Barcelona 9 mayo 2006 [7]
Bilbao 29 diciembre 2006 [13]
Santander 18 octubre 2006 [2]
Madrid 16 enero 2007 [9]
Barcelona 19 enero 2007 [7]
Bilbao 26 abril 2007 [9]
Oviedo 2 junio 2007 [9]
Barcelona 5 octubre 2007 [7, 13]
Oviedo 29 octubre 2007 [9]

Palma de Mallorca 5 diciembre 2007 [2]
Santander 19 diciembre 2007 [9]
Barcelona 18 febrero 2008 [9]
Málaga 2 mayo 2008 [13]
Madrid 2 febrero 2010 [9]
Pontevedra 10 junio 2011 [9]
Madrid 17 junio 2011 [9]
Pontevedra 15 julio 2011 [9]
Oviedo 29 julio 2011 [9]
Santander 19 febrero 2014 [3]
Palma de Mallorca 15 diciembre 2014 [3]

Autos Juzgado de lo Mercantil

Málaga 25 enero 2005 [7]
Madrid 31 enero 2005 [7]
Madrid 9 febrero 2005 [7]
Barcelona 18 febrero 2005 [7]
Barcelona 28 febrero 2005 [7]
Bilbao 23 marzo 2005 [7]
Barcelona 11 abril 2005 [7]
Barcelona 5 mayo 2005 [7]
Barcelona 10 junio 2005 [7]

Madrid 10 octubre 2005 [7]
Gerona 11 noviembre 2005 [5]
Barcelona 16 noviembre 2005 [7]
Oviedo 13 diciembre 2005 13]
Madrid 13 enero 2006 [7]
Cantabria 13 febrero 2006 [13]
Cádiz 5 mayo 2006 [2]
Cantabria 25 mayo 2009 [11]

Resoluciones Juzgado de lo Mercantil

Pontevedra 15 julio 2011 [9]

Resoluciones del Tribunal Económico Administrativo Central

Resoluciones de la Dirección General de los Registros y del Notariado

Instrucciones de la Dirección General de los Registros y del Notariado

Resolución del Instituto de Contabilidad y de Auditoría de Cuentas

IV. ÍNDICE ANALÍTICO DE VOCES

ADMINISTRADOR DE HECHO

APODERADOS

Altos cargos. 12: II.3.1

Director general. 2: II.4, IV; 6: IV.2;

CONCURSO DE ACREEDORES

Acción individual. 5: V.3.4, V.4.3, VI.6, VI.7; 14: VIII.2

Acción social. 3: II.1; 5: V.4.3; 7: II.3, II.6, II.7; 13: VIII.2

Acreedores concursales. 7: I

Acreedores de la masa. 7: I

Administradores. 4: IV; 5: VI.7; 7: I, II.1, II.2, II.4, II.7; 9. II.1; II. 5.1.1; II.5.2; 13: VIII

Administración concursal. 3: II.1; 4: IV; 7: II.5, III.6; 9. II.5.2; 11: III.1

Apoderados generales. 7: II.2. A.

Calificación. 6: III.6; 7: I, II.1, II.2; 9: II.1.a); II.2; II.2.1;

Cómplices. 7: I

Convenio. 6: III.6; 7: II.1

Crédito tributario. 11: III.1, III.3

Efectos.

    Patrimoniales. 7: II.2; 9. II.5.3;

    Personales. 7: II.2

        Inhabilitación. 9. II.5.2;

Fin procedimiento. 13.VII.3

Insolvencia. 5: V.3.3; 6: I.1, I.2.2, II.1.1.3, III; 7: I, II.1, II.7; 8: III.5; III.6

Juez Mercantil. 3: II.4; 5: VI.7; 7: II.2, II.6; 12: IV.2.3

Liquidación. 7: II.1; 11: III.1

Liquidadores. 9. II.1; II.5.1.; II.5.2;

Masa activa. 7: II.4, II.5; 9. II.5.5.3;

Medidas cautelares. 7: II.5

Prescripción acciones. 13: VIII.1, VIII.4

DELITOS

Acuerdos sociales:

    Abusivos. 8: V.3.2

Administrador de Derecho. 8: IV.2; V; V.3.2

Administrador de hecho. 8: IV.2; V; V.3.2

Administración desleal. 8: V. 3.1 Al mercado. 8: V.5

A los consumidores. 8: V.5

Alzamiento de bienes. 8: V.2.1

    Responsabilidad civil. 8: V.2.A

    Ambientales. 8:V.9

Apropiación indebida. 8: V.2.1

    Copropiedad. 8: V.1

Contabilidad. 8:V.4

Contable tributario. 8: V.4.3

Corrupción en los negocios. 8: V,6

    Corrupción de funcionario en actividades económicas internacionales. 8. V.6.2

    Corrupción entre particulares. 8. V.6.1

Consumidores. 8.V.5.

Defraudación.

    Seguridad social. 8: V.4; V.4.2

    Subvenciones. 8: V.4.2

    Tributarias. 8. V.4

Derechos de los accionistas. 8: V.3

Derechos de socios. 8.V.3.2

Derechos de los trabajadores. 8: V.7

Discriminación laboral. 8: I.1;

Entidades sin personalidad jurídica. 8: III

    Responsabilidad indirecta. 8: III

Espionaje empresarial. 8: I.1

DISOLUCIÓN

ESTATUTOS

GRUPOS DE SOCIEDADES

HACIENDA

TRABAJADORES